ein Ullstein Buch

Ullstein Buch Nr. 3211
im Verlag Ullstein GmbH,
Frankfurt/M — Berlin — Wien

Umschlagentwurf: Manfred Siegler

Mit Genehmigung des
Carl Hanser Verlag, München

Printed in Germany 1976
Gesamtherstellung:
Augsburger Druck- und
Verlagshaus GmbH
ISBN 3 548 0[illegible]7

Oscar Wilde

Werke in zwei Bänden

Zweiter Band

Theaterstücke
Briefe
Gedichte
Nachwort

Herausgegeben von
Rainer Gruenter

ein Ullstein Buch

Theaterstücke

Übersetzt von Paul Baudisch und Hedwig Lachmann (Salome)

Bunbury

oder

Ernst muß man sein

Personen

John Worthing, *Friedensrichter*
Algernon Moncrieff
Kanonikus Chasuble, *Dr. theol.*
Grisby, *Rechtsanwalt*
Merriman, *Butler*
Lane, *Diener*
Moulton, *Gärtner*
Lady Bracknell
Komtesse Gwendolen Fairfax
Cecily Cardew
Miß Prism, *Gouvernante*

Uraufführung: 14. Februar 1895 im St. James-Theater

Erster Akt

Luxuriös und geschmackvoll eingerichtetes Zimmer in Algernons Wohnung (Half-Moon Street, London, W.). Zeit: Um das Jahr 1895. Aus dem benachbarten Raum sind Klavierklänge zu hören. Lane deckt den Tisch für den Fünfuhrtee. Die Musik hört auf. Algernon kommt aus dem Nebenzimmer.

ALGERNON. Haben Sie mich spielen hören, Lane?

LANE. Ich hielt es nicht für schicklich, Sie zu belauschen, Sir.

ALGERNON. Das finde ich bedauerlich – Ihretwegen. Ich spiele zwar nicht korrekt – korrekt spielen kann jeder –, aber wunderbar ausdrucksvoll. Wenn ich am Klavier sitze, ist das Gefühl meine Stärke. Die Weisheit hebe ich mir fürs tägliche Leben auf.

LANE. Ja, Sir.

ALGERNON. Und da wir gerade von Lebensweisheit sprechen – haben Sie die Gurkenbrötchen für Lady Bracknell zurechtmachen lassen?

LANE. Ja, Sir.

ALGERNON. Mhm! Wo sind sie?

LANE. Hier, Sir. *(Er deutet auf eine Platte)*

ALGERNON *(begutachtet die Brote, nimmt zwei und setzt sich aufs Sofa).* Ach, da fällt mir gerade etwas ein, Lane. Ich ersehe aus Ihrem Wirtschaftsbuch, daß Sie am Donnerstagabend, als Lord Shorham und Mr. Worthing bei mir aßen, acht verkonsumierte Flaschen Champagner eingetragen haben.

LANE. Achteinhalb Flaschen, Sir.

ALGERNON. Wie kommt es, daß in einem Junggesellenhaushalt die Dienerschaft so gerne Champagner trinkt? Ich frage nur aus Wißbegier.

LANE. Das führe ich auf die bessere Qualität des Weines zurück, Sir. Ich habe oft festgestellt, daß Ehepaare nur selten eine erstklassige Marke bevorzugen.

ALGERNON. Allmächtiger Himmel! So demoralisierend ist also der Ehestand?

LANE. Ich halte ihn für recht erfreulich, Sir. Freilich habe ich persönlich bisher nur geringe Erfahrungen gesammelt. Ich war ein einziges Mal verheiratet. Es war die Folge eines kleinen Mißverständnisses zwischen mir und einer jungen Person weiblichen Geschlechts.

ALGERNON *(gelangweilt)*. Ich wüßte nicht, daß mich Ihr Familienleben sonderlich interessiert, Lane.

LANE. Gewiß nicht, Sir. Es ist kein sehr interessantes Thema, ein Thema, mit dem ich mich selber fast nie beschäftige.

ALGERNON. Das kann ich verstehen. Schon gut, Lane, danke.

LANE. Danke, Sir. *(Wendet sich zum Gehen)*

ALGERNON. Ach! ... Geben Sie mir doch noch ein Gurkensandwich.

LANE. Jawohl, Sir. *(Kehrt um und reicht Algernon die Platte. Dann geht er ab)*

ALGERNON. Lane scheint einen recht laxen Begriff von der Ehe zu haben. Nein, ich muß schon sagen, wenn uns die unteren Stände nicht mit gutem Beispiel vorangehen, was in aller Welt haben sie dann überhaupt für einen Daseinszweck? Eine Klasse, die absolut kein moralisches Verantwortungsgefühl zu besitzen scheint.

(Lane tritt auf)

LANE. Mr. Ernst Worthing.

(Jack tritt auf. Lane ab)

ALGERNON. Wie geht's, lieber Ernst? Was führt dich nach London?

JACK. Das Vergnügen – das Vergnügen. Was denn sonst? Und wie ich sehe, wird wieder geschmaust, Algy.

ALGERNON *(steif)*. Ich glaube, in der guten Gesellschaft ist es üblich, gegen fünf Uhr eine kleine Erfrischung zu sich zu nehmen. Wo warst du denn seit dem vorigen Donnerstag?

JACK *(setzt sich aufs Sofa)*. Auf dem Lande.

ALGERNON. Was in aller Welt machst du auf dem Lande?

JACK *(zieht die Handschuhe aus)*. Wenn man in der Stadt ist, amüsiert man *sich* – wenn man auf dem Land ist, amüsiert man andere. Es ödet mich an.

ALGERNON. Und wer sind die andern, die du amüsierst?

JACK *(leichthin)*. Nachbarn – Nachbarn.

ALGERNON. Hast du nette Nachbarn in deiner Umgebung?

JACK. Sie sind gräßlich. Ich spreche mit keinem von ihnen.

ALGERNON. Das muß für sie enorm amüsant sein. *(Geht zum Tisch und holt sich ein Sandwich)* Übrigens – du wohnst in Shropshire, nein?

JACK. Wie bitte? In Shropshire? Ja freilich. Hoppla! Was bedeuten die vielen Tassen? Und die Gurkenbrote? Wie kann ein junger Mensch so verschwenderisch sein! Wer kommt zum Tee?

ALGERNON. Ach, nur Tante Augusta und Gwendolen.

JACK. Wie reizend!

ALGERNON. Sehr reizend. Aber ich fürchte, Tante Augusta wird es nicht ganz recht sein, dich hier vorzufinden.

JACK. Darf ich fragen, warum?

ALGERNON. Mein lieber Freund, deine Art, mit Gwendolen zu flirten, ist geradezu schändlich. Fast so schändlich wie Gwendolens Art, mit dir zu flirten.

JACK. Ich liebe Gwendolen. Ich bin eigens nach London gekommen, um ihr einen Heiratsantrag zu machen.

ALGERNON. Ich dachte, du wärst zum Vergnügen in London ... Nicht in Geschäften.

JACK. In Geschäften! Was bist du doch für ein unromantischer Mensch!

ALGERNON. Einen Heiratsantrag finde ich beim besten Willen nicht romantisch. Verliebt zu sein – das nenne ich romantisch. Aber ein definitiver Heiratsantrag? Mein Gott, er könnte angenommen werden. Ich glaube, er wird meistens angenommen. Dann ist es aus mit der Aufregung. Das wahre Wesen der Romantik ist die Ungewißheit. Wenn ich je heiraten sollte, werde ich mir Mühe geben, diesen fatalen Umstand sofort zu vergessen.

JACK. Das bezweifle ich keinen Augenblick, lieber Algy. Die Scheidungsgerichtshöfe sind eigens für Leute erfunden worden, die ein so kurioses Gedächtnis haben.

ALGERNON. Ach, es hat keinen Zweck, sich darüber den Kopf zu zerbrechen. Ehen werden im Himmel geschieden ... *(Jack streckt die Hand nach einem belegten Brot aus. Sofort interveniert Algernon)* Hände weg von den Gurkenbrötchen! Ich habe sie eigens für Tante Augusta bestellt. *(Nimmt eins und ißt es auf)*

JACK. Die ganze Zeit sitzt du da und ißt Gurkenbrötchen.

ALGERNON. Das steht auf einem anderen Blatt. Sie ist meine Tante. *(Er zieht eine Platte hervor)* Nimm dir ein Butterbrot. Die Butterbrote sind für Gwendolen bestimmt. Gwendolen schwärmt für Butterbrote.

JACK *(geht zum Tisch und bedient sich)*. Es sind aber auch ganz vorzügliche Butterbrote.

ALGERNON. Also, lieber Freund, du brauchst sie ja nicht unbedingt alle aufzuessen. Du benimmst dich, als ob du schon mit Gwendolen verheiratet wärst. Du bist noch *nicht* mit ihr verheiratet, und meiner Meinung nach wird es nie soweit kommen.

JACK. Wieso bitte?

ALGERNON. Erstens einmal heiraten junge Mädchen nicht die Männer, mit denen sie flirten. Sie finden es unanständig.

JACK. Dummes Zeug.

ALGERNON. O nein. Es ist eine tiefe Wahrheit. Deshalb wimmelt es überall von Junggesellen. Zweitens verweigere ich meine Einwilligung.

JACK. Deine Einwilligung? Was redest du für dummes Zeug daher!

ALGERNON. Lieber Freund, Gwendolen ist meine Kusine, und bevor ich ihr erlaube, dich zu heiraten, mußt du erst einmal die Affäre Cecily bereinigen.

JACK. Cecily! Was um Himmels willen soll das heißen? *(Algernon erhebt sich und läutet dem Diener. Dann kehrt er an den Teetisch zurück und ißt noch ein Brot)* Cecily? Was meinst du *damit*? Ich kenne keine Cecily – soweit ich mich erinnern kann.

(Lane tritt auf)

ALGERNON. Bringen Sie mir das Zigarettenetui, das Mr. Worthing im Rauchzimmer vergessen hat, als er neulich bei uns zu Abend aß.

LANE. Jawohl, Sir. *(Geht ab)*

JACK. Soll das bedeuten, daß du die ganze Zeit mein Zigarettenetui bei dir gehabt hast? Mein Gott, warum hast du mir das nicht gesagt? Ich habe Scotland Yard mit verzweifelten Briefen bombardiert. Um ein Haar hätte ich eine Belohnung ausgesetzt.

ALGERNON. Das solltest du nachholen. Zufälligerweise bin ich momentan noch knapper bei Kasse als sonst.

JACK. Was hat es für einen Zweck, eine Belohnung auszusetzen, jetzt wo das Etui wieder da ist?

(Lane tritt auf und bringt das Etui auf einem silbernen Tablett. Ab)

ALGERNON. Ich muß schon sagen, Ernst, das finde ich schäbig von dir. *(Öffnet das Etui und inspiziert es genau)* Aber es spielt keine Rolle. Jetzt, da ich sehe, was auf der Innenseite eingraviert ist, stelle ich fest, daß das Ding gar nicht dir gehört.

JACK. Natürlich gehört es mir. *(Nähert sich ihm)* Du hast es hundertmal bei mir gesehen – und nichts berechtigt dich, die Nase hineinzustecken. Es ist äußerst unmanierlich, in einem privaten Zigarettenetui zu lesen.

ALGERNON. Wie absurd, sich nach strengen und feststehenden Regeln zu richten! Das eine darf man lesen – das andere nicht. Man sollte *alles* lesen. Unsere heutige Kultur beruht mehr als zur Hälfte auf verbotener Lektüre.

JACK. Dessen bin ich mir durchaus bewußt – und ich habe nicht die Absicht, mich mit dir über unsere heutige Kultur zu unterhalten. Über so etwas spricht man nicht unter vier Augen. Ich will ganz einfach mein Etui zurück haben.

ALGERNON. Ja, aber das *ist* nicht dein Etui. Dieses Zigarettenetui ist das Geschenk einer Dame namens Cecily, und du hast erklärt, daß du keine Cecily kennst.

JACK. Also, wenn du es unbedingt wissen willst: Cecily ist nun mal zufällig meine Tante.

ALGERNON. Deine Tante!

JACK. Ja. Und noch dazu eine reizende alte Dame. Sie wohnt in Tunbridge Wells. Gib es mir schon zurück, Algy.

ALGERNON *(zieht sich hinters Sofa zurück)*. Wenn sie deine Tante ist und in Tunbridge Wells wohnt, warum nennt sie sich Klein Cecily? *(Liest)* ›Von Klein Cecily in innigster Liebe‹.

JACK *(geht zum Sofa und kniet nieder)*. Lieber Freund, was in aller Welt ist denn dabei? Es gibt große Tanten, es gibt kleine Tanten. Das zu entscheiden sollte man wohl den Tanten selbst überlassen. Du scheinst dir einzubilden, alle Tanten müßten genauso aussehen wie *deine* Tante. Das ist absurd! Um Gottes willen, gib mir mein Zigarettenetui zurück. *(Verfolgt Algernon durchs Zimmer)*

ALGERNON. Gut. Warum aber bezeichnet deine Tante dich als ihren Onkel? ›Von Klein Cecily in innigster Liebe ihrem lieben Onkel Jack.‹ Ich gebe zu, es ist nichts dagegen einzuwenden, daß eine Tante eine kleine Tante ist. Aber warum eine Tante, ob klein oder groß, ihren leiblichen Neffen ›Onkel‹ tituliert, will mir nicht recht einleuchten. Außerdem heißt du gar nicht Jack, du heißt Ernst.

JACK. Ich heiße nicht Ernst – ich heiße Jack.

ALGERNON. Du hast mir immer gesagt, daß du Ernst heißt. Ich habe dich allen Leuten als meinen Freund Ernst vorgestellt. Du hörst auf den Namen Ernst. Du siehst aus wie einer, der Ernst heißt. Nie im Leben ist mir ein Mensch begegnet, der so ernst ausgesehen hat wie du. Es ist einfach albern von dir zu behaupten, daß du *nicht* Ernst heißt. Der Name steht auf deinen Visitenkarten. Ha, hier haben wir eine. *(Entnimmt sie dem Etui)* ›Mr. Ernst Worthing, Albany Club, London West.‹ Ich behalte diese Karte als Beweis dafür, daß du Ernst heißt, falls du je versuchen solltest, es mir oder Gwendolen oder jemand anderem gegenüber zu bestreiten. *(Steckt die Visitenkarte in die Tasche)*

JACK. Also – in der Stadt heiße ich Ernst und auf dem Lande Jack.

ALGERNON. Ja, aber das ist noch immer keine Erklärung dafür, daß deine kleingewachsene Tante Cecily, die in Tunbridge Wells wohnt, dich als ihren lieben Onkel bezeichnet. Los, mein Alter, heraus damit!

JACK. Lieber Algy, du redest wie ein Zahnarzt. Ich finde es vulgär, wie ein Zahnarzt zu reden, wenn man kein Zahnarzt ist. Das erweckt einen falschen Eindruck.

ALGERNON. Wie das bei Zahnärzten stets der Fall ist. Also los! Beichte mir alles. Ich darf erwähnen, daß ich dich schon immer im Verdacht gehabt habe, ein überzeugter und heimlicher Bunburist zu sein. Jetzt bin ich meiner Sache sicher.

JACK. Ein Bunburist? Was in aller Welt verstehst du unter einem Bunburisten?

ALGERNON. Den Sinn dieses unvergleichlichen Ausdrucks werde

ich dir erklären, sobald du die Güte hast, mir mitzuteilen, warum du in London Ernst und auf dem Lande Jack heißt.

JACK. Erst gibst du mir mein Etui zurück.

ALGERNON. Hier, bitte. *(Reicht ihm das Etui)* Komm jetzt mit deiner Erklärung und tu mir einen Gefallen – sieh zu, daß sie möglichst unwahrscheinlich klingt. *(Setzt sich aufs Sofa)*

JACK. Mein lieber Freund, die Erklärung ist nicht im geringsten unwahrscheinlich. Eigentlich ist sie recht simpel. Der alte Thomas Cardew, der mich adoptiert hat, als ich ein kleiner Junge war – unter etwas merkwürdigen Umständen –, und mir das Vermögen hinterließ, das ich besitze, bestellte mich in seinem Testament zum Vormund seiner Enkelin, Cecily Cardew. Cecily, die mich Onkel nennt – respektvoll, aus Motiven, die du unmöglich begreifen kannst –, lebt unter der Obhut ihrer bewundernswerten Gouvernante Miß Prism auf meinem Landsitz.

ALGERNON. Wo liegt denn übrigens dein Landsitz?

JACK. Das geht dich nichts an, mein Junge. Du wirst nicht eingeladen ... Ich darf dir ehrlich gestehen, daß er *nicht* in der Grafschaft Shropshire liegt.

ALGERNON. Das habe ich geahnt, lieber Freund. Bei zwei verschiedenen Gelegenheiten habe ich als Bunburist ganz Shropshire unsicher gemacht. Weiter! Warum bist du Ernst in London und Jack auf dem Lande?

JACK. Mein lieber Algy, ich weiß nicht, ob du fähig sein wirst, meine wahren Beweggründe zu verstehen. Dazu bist du wohl nicht ernst genug. Als Vormund muß man sich in allen Lebensdingen eines hochmoralischen Verhaltens befleißigen. Dazu ist man verpflichtet. Und da ein hochmoralisches Verhalten – wenn man es übertreibt – wohl kaum die Gesundheit oder das Wohlbefinden fördert, habe ich, um nach London fahren zu können, einen jüngeren Bruder namens Ernst erfunden. Er wohnt im Albany und gerät in die schrecklichsten Bredouillen. Das, mein lieber Algy, ist die reine und einfache Wahrheit.

ALGERNON. Die Wahrheit ist selten rein und nie einfach. Sonst wäre unser heutiges Dasein äußerst langweilig und unsere heutige Literatur total unmöglich.

JACK. Das wäre kein Malheur.

ALGERNON. Literaturkritik ist nicht deine starke Seite, lieber

Freund. Gib dir keine Mühe. Überlaß das den Leuten, die *nicht* studiert haben. Sie schaffen es so gut in der Tagespresse. Eigentlich bist du ein Bunburist. Ich hatte ganz recht, als ich sagte, daß du ein Bunburist bist. Du bist einer der fortgeschrittensten Bunburisten, die ich kenne.

JACK. Was in aller Welt soll das heißen?

ALGERNON. Du hast einen sehr brauchbaren jüngeren Bruder namens Ernst erfunden, damit du, sooft du Lust hast, nach London fahren kannst. Ich habe einen unbezahlbaren, ständig kränkelnden Freund namens Bunbury erfunden, damit ich, sooft es mir paßt, aufs Land hinausfahren kann.

JACK. So etwas Albernes!

ALGERNON. Durchaus nicht albern. Bunbury ist wirklich unbezahlbar. Wäre nicht Bunburys Gesundheitszustand so überaus schlecht, dann könnte ich zum Beispiel nicht heute abend mit dir im Savoy essen, weil ich schon seit mehr als einer Woche mit Tante Augusta verabredet bin.

JACK. Ich habe dich nicht zum Essen geladen – weder ins Savoy noch sonst wohin.

ALGERNON. Das weiß ich. Du bist von einer unglaublichen Nachlässigkeit und vergißt immer wieder, die Einladungen rechtzeitig zu verschicken. Das ist dumm von dir. Nichts ärgert einen mehr, als keine Einladung zu bekommen.

JACK. Also, ich *kann* gar nicht im Savoy essen. Ich schulde dort ungefähr siebenhundert Pfund. Die Herrschaften beantragen immerzu einstweilige Verfügungen gegen mich oder wollen mich pfänden lassen. Sie quälen mich bis aufs Blut.

ALGERNON. Warum um Gottes willen zahlst du nicht? Du schwimmst in Geld.

JACK. Ich ja, aber nicht Ernst, und ich muß auf Ernsts Ruf bedacht sein. Ernst gehört zu den Leuten, die nie ihre Rechnungen bezahlen. Ungefähr einmal wöchentlich sucht ihn der Gerichtsvollzieher.

ALGERNON. Na, dann essen wir bei Willis.

JACK. Iß lieber bei Tante Augusta.

ALGERNON. Ich denke nicht im Traum daran. Erstens war ich am Montag bei ihr eingeladen, und einmal in der Woche bei Verwandten zu essen genügt. Zweitens werde ich dort immer als Familienmitglied behandelt und bekomme entweder gar keine Tischdame oder zwei. Drittens weiß ich genau, wer heute neben mir sitzen würde – Mary Farquhar, die die Angewohnheit hat, mit ihrem eigenen Mann über den Tisch weg zu kokettieren. Das ist nicht sehr erfreulich, ja eigentlich nicht einmal anständig ... Und so etwas kommt heutzutage immer häufiger vor. Es ist geradezu skandalös, wie viele Frauen in London mit ihren eigenen Männern kokettieren. Es macht einen schlechten Eindruck. Das heißt ganz einfach vor allen Leuten seine saubere Wäsche waschen. Außerdem – da ich jetzt weiß, daß du ein eingefleischter Bunburist bist, möchte ich mich natürlich mit dir über die Kunst des Bunburisierens unterhalten. Ich möchte dir die Grundregeln beibringen.

JACK. Ich bin gar kein Bunburist. Wenn Gwendolen mich haben will, werde ich meinen Bruder umbringen – ja, ich glaube sogar, daß ich ihn auf jeden Fall umbringe. Cecily interessiert sich zu sehr für den Schlingel. Immer wieder bittet sie mich, ihm zu verzeihen. Es ödet mich an. Deshalb werde ich Ernst aus dem Wege schaffen. Und ich rate dir dringend, meinem Beispiel zu folgen und deinem Mister – deinem kränkelnden Freund mit dem absurden Namen den Garaus zu machen.

ALGERNON. Nichts wird mich je dazu bewegen, mich von Bunbury zu trennen, und solltest du heiraten – was mir sehr problematisch erscheint –, dann wirst du froh sein, Bunbury zu kennen. Der Mann, der sich verheiratet, ohne Bunbury zu kennen, wird sich zu Tode langweilen.

JACK. Dummes Zeug. Wenn ich ein reizendes junges Mädchen wie Gwendolen heirate – und ich bin noch nie einer anderen Frau begegnet, die ich hätte heiraten wollen –, werde ich bestimmt keine Lust haben, Bunbury kennenzulernen.

ALGERNON. Dann wird deine Frau ihn kennenlernen wollen. Du scheinst nicht zu begreifen, daß es in der Ehe zu dritt gemütlich ist – zu zweit aber fade.

JACK *(geschwollen)*. Diese These, mein lieber junger Freund, hat das korrupte französische Theater seit fünfzig Jahren verfochten.

ALGERNON. Ja. Und das traute englische Heim hat nicht halb soviel Zeit gebraucht, um ihre Richtigkeit zu beweisen.

JACK. Um Gottes willen, versuch doch nicht, zynisch zu sein. Nichts ist leichter, als zynisch zu sein.

ALGERNON. Lieber Freund, heutzutage ist gar nichts mehr leicht. Die Konkurrenz ist viel zu groß und zu bösartig. *(Man hört die Türklingel)* Oh, das muß Tante Augusta sein! Nur Blutsverwandte oder Gläubiger läuten so wagnerianisch. Wenn ich sie dir jetzt für zehn Minuten aus dem Weg schaffe und dir Gelegenheit gebe, Gwendolen um ihre Hand zu bitten, darf ich dann heute abend mit dir bei Willis essen?

JACK. Wenn du unbedingt willst – meinetwegen.

ALGERNON. Ja, aber du mußt es ernst nehmen. Ich verabscheue Menschen, die das Essen nicht ernst nehmen. Das zeugt von oberflächlichem Charakter.

LANE *(tritt auf)*. Lady Bracknell und Miß Fairfax.

(Algernon geht den Gästen entgegen. Lady Bracknell und Gwendolen treten auf)

LADY BRACKNELL. Guten Tag, mein lieber Algernon, hoffentlich benimmst du dich gut.

ALGERNON. Ich befinde mich gut, Tante Augusta.

LADY BRACKNELL. Das ist nicht ganz dasselbe. Eigentlich sind beide Dinge selten miteinander vereinbar. *(Sie erblickt Jack und neigt mit eisiger Kälte den Kopf)*

ALGERNON *(zu Gwendolen)*. Mein Gott, siehst du reizend aus.

GWENDOLEN. Ich sehe immer reizend aus, oder, Mr. Worthing?

JACK. Sie sind die Vollkommenheit selbst, Miß Fairfax.

GWENDOLEN. Oh – hoffentlich nicht! Da könnte ich mich ja gar nicht mehr entwickeln, und ich habe die Absicht, mich zu entwickeln – in vielerlei Hinsicht. *(Sie und Jack setzen sich in eine Ecke)*

LADY BRACKNELL. Verzeih, daß wir uns ein wenig verspätet haben, Algernon, aber ich mußte die liebe Lady Harbury besuchen. Seit dem Tod ihres armen Mannes bin ich nicht mehr bei ihr gewesen. Nie im Leben habe ich einen Menschen so verändert gesehen: Sie sieht um volle zwanzig Jahre jünger aus. Und jetzt bitte ich um eine Tasse Tee und eines der leckeren Gurkenbrötchen, die du mir versprochen hast.

ALGERNON. Gewiß, Tante Augusta. *(Geht zum Teetisch)*

LADY BRACKNELL. Willst du dich nicht zu uns setzen, Gwendolen?

GWENDOLEN. Danke, Mama, ich sitze hier sehr bequem.

ALGERNON *(nimmt mit entsetzter Miene die leere Platte zur Hand).* Allmächtiger Himmel! Lane! Warum haben wir keine Gurkenbrote? Ich habe sie eigens bestellt.

LANE *(todernst).* Es gab heute früh auf dem Markt keine Gurken, Sir. Ich habe zweimal das Mädchen hingeschickt.

ALGERNON. Keine Gurken!

LANE. Nein, Sir. Nicht einmal für bares Geld.

ALGERNON. Schon gut, Lane, danke.

LANE. Danke, Sir. *(Ab)*

ALGERNON. Ich bin untröstlich, Tante Augusta, daß es keine Gurken gegeben hat, nicht einmal für bares Geld.

LADY BRACKNELL. Es spielt wirklich keine Rolle, Algernon. Ich habe bei Lady Harbury einige Plätzchen zu mir genommen. Sie scheint jetzt nur noch ihrem Vergnügen zu leben.

ALGERNON. Wie ich gehört habe, ist ihr Haar vor Kummer goldblond geworden.

LADY BRACKNELL. Es hat wirklich eine andere Farbe. Die Ursache kenne ich natürlich nicht. *(Algernon serviert Tee)* Danke. Heute abend werde ich dich mit etwas ganz Besonderem traktieren, Algernon. Du wirst neben Mary Farquhar sitzen. Sie ist eine so nette Person und so aufmerksam zu ihrem Mann. Es ist eine wahre Freude, sie zu beobachten.

ALGERNON. Leider, Tante Augusta, werde ich wohl auf das Vergnügen verzichten müssen, heute abend bei dir zu essen.

LADY BRACKNELL *(runzelt die Stirn).* Das will ich nicht hoffen, Algernon. Es würde meine Tischordnung über den Haufen werfen. Dein Onkel müßte allein oben essen. Zum Glück ist er daran gewöhnt.

ALGERNON. Es ist mir äußerst lästig und – das brauche ich kaum zu betonen – eine große Enttäuschung, aber die Sache ist die: Soeben habe ich ein Telegramm erhalten. Meinem armen Freund Bunbury geht es wieder sehr schlecht. *(Wechselt einen Blick mit Jack)* Man scheint es für ratsam zu halten, daß ich ihn aufsuche.

LADY BRACKNELL. Das finde ich sehr sonderbar. Dieser Mr. Bunbury scheint ein merkwürdig kränklicher Mensch zu sein.

ALGERNON. Ja. Er siecht dahin, der arme Bunbury.

LADY BRACKNELL. Nun, ich muß schon sagen, Algernon, es ist höchste Zeit, daß Mr. Bunbury sich entschließt, ob er weiterleben oder sterben will. Dieses Hin und Her ist lächerlich. Ich billige auch in keiner Weise die Teilnahme, die man heutzutage kranken Menschen entgegenbringt. Ich finde sie morbid. Krankheiten jeder Art sollte man bei anderen nicht auch noch fördern. Die erste Pflicht im Leben ist: gesund sein. Das sage ich immerfort deinem armen Onkel, aber er scheint nicht auf mich zu hören – soweit überhaupt sein Zustand sich bessert. Nun ja, Algernon, wenn du verpflichtet bist, am Krankenlager deines Mr. Bunbury zu sitzen, habe ich natürlich nichts mehr hinzuzufügen. Aber ich wäre dir sehr verbunden, wenn du Mr. Bunbury in meinem Namen bitten würdest, er möge so freundlich sein, am kommenden Samstag keinen Rückfall zu erleiden. Ich verlasse mich darauf, daß du mir die musikalische Unterhaltung arrangierst. Es ist mein letzter Empfang, und man braucht ein Stimulans, das die Konversation in Gang bringt – besonders gegen Ende der Saison, wo jeder schon alles gesagt hat, was er zu sagen hatte, und das war in den meisten Fällen ohnedies nicht der Rede wert.

ALGERNON. Ich werde mit Bunbury ein ernstes Wort reden, Tante Augusta – falls er bei Bewußtsein ist –, und ich glaube dir versprechen zu können, daß er am Samstag wieder auf den Beinen sein wird. Natürlich ist es sehr schwer, die richtige Musik zu wählen. Siehst du, spielt man gute Musik, hören die Leute nicht zu – spielt man schlechte Musik, hören sie zu reden auf. Aber wenn du so lieb sein willst, mich für einen Augenblick ins Nebenzimmer zu begleiten, zeige ich dir meinen Entwurf des Programms.

LADY BRACKNELL. Ich danke dir, Algernon, für deine Aufmerksamkeit. *(Erhebt sich und folgt ihm)* Es wird sicher ein hübsches Programm sein – nachdem ich es zusammengestrichen habe. Französische Lieder kann ich nicht zulassen. Die Leute scheinen sich immer einzubilden, der Text sei unanständig. Entweder machen sie eine empörte Miene – und das finde ich vulgär –, oder sie lachen, und das ist noch schlimmer. Die deutsche Sprache aber klingt durchaus respektabel – und ist es auch, wie ich glaube. Gwendolen, du kommst mit.

GWENDOLEN. Freilich, Mama.

Lady Bracknell und Algernon gehen ins Musikzimmer. Gwendolen bleibt)

JACK. War das ein schöner Tag, Miß Fairfax.

GWENDOLEN. Bitte, sprechen Sie nicht über das Wetter, Mr. Worthing. Wenn jemand mit mir über das Wetter spricht, habe ich immer das dunkle Gefühl, daß er etwas ganz anderes meint. Und das macht mich *so* nervös.

JACK. Ich meine ja auch etwas ganz anderes.

GWENDOLEN. Das habe ich mir gleich gedacht. Eigentlich irre ich mich nie.

JACK. Ich möchte so gerne mit Ihrer Erlaubnis die vorübergehende Abwesenheit Lady Bracknells benützen – um – äh ...

GWENDOLEN. Dazu würde ich Ihnen dringend raten. Mama hat die Gewohnheit, plötzlich wieder hereinzuplatzen – eine üble Gewohnheit, die ich ihr schon oft vorgeworfen habe.

JACK *(nervös)*. Miß Fairfax, seit ich Ihnen begegnet bin, habe ich Sie bewundert wie keine andere Frau – der ich begegnet bin – seit ich Ihnen begegnet bin ...

GWENDOLEN. Darüber bin ich mir völlig im klaren. Und ich habe oft bedauert, daß Sie es – auf jeden Fall vor anderen Leuten – nicht deutlicher gezeigt haben. Ihr unwiderstehlicher Charme hat mich schon immer fasziniert. Lange bevor ich Sie kennenlernte, waren Sie mir bei weitem nicht gleichgültig. *(Jack sieht sie erstaunt an)* Wie Sie hoffentlich wissen, Mr. Worthing, leben wir in einem Zeitalter der Ideale. Das wird in den anspruchsvolleren Wochenzeitschriften immer wieder betont und hat sich auch schon, wie ich höre, in der Provinz herumgesprochen. Dort wird es von den Kanzeln herab verkündet. *Mein* Ideal war es stets, einen Mann namens Ernst zu lieben. In diesem Namen liegt etwas absolut Vertrauenerweckendes. Von dem Augenblick an, da Algernon mir sagte, er habe einen Freund, der Ernst heißt, wußte ich, daß es mir bestimmt sei, Sie zu lieben. Zum Glück für meinen Seelenfrieden ist der Name – soweit meine eigene Erfahrung reicht – nicht gar zu häufig.

JACK. Lieben Sie mich wirklich, Gwendolen?

GWENDOLEN. Leidenschaftlich!

JACK. Darling! Du weißt nicht, wie glücklich du mich machst.

GWENDOLEN. Mein geliebter Ernst! *(Sie umarmen einander)*

JACK. Das soll aber nicht besagen, daß du mich nicht lieben könntest, wenn ich anders hieße als Ernst?

GWENDOLEN. Du heißt doch Ernst?

JACK. Ja, ja, das weiß ich. Aber angenommen, ich hieße anders. Willst du behaupten, daß du mich dann nicht lieben könntest?

GWENDOLEN *(leichtfertig)*. Ach, das ist eine metaphysische Spekulation und hat wie alle metaphysischen Spekulationen sehr wenig mit den Tatsachen des wirklichen Lebens zu tun, wie wir sie kennen.

JACK. Ich persönlich, Darling – um es aufrichtig zu sagen –, halte nicht viel von dem Namen Ernst. Ich finde überhaupt nicht, daß er zu mir paßt.

GWENDOLEN. Er paßt dir wie angemessen. Ein himmlischer Name. Er hat eine eigene Melodie. Er versetzt mein Herz in Schwingungen.

JACK. Also, wirklich, Gwendolen, ich muß schon sagen, daß ich viele andere Namen hübscher finde. Zum Beispiel halte ich Jack für einen reizenden Namen.

GWENDOLEN. Jack ...? Nein, Jack klingt nicht sehr melodisch – wenn überhaupt. Ein Name, der mich nicht erschauern läßt – der mein Herz nicht in Schwingungen versetzt ... Ich habe mehrere Jacks gekannt, und alle waren sie, ohne Ausnahme, äußerst unansehnlich. Außerdem ist Jack bekanntlich ein übliches Synonym für John. Und ich bedaure jede Frau, die mit einem Mann namens John verheiratet ist. Sie wird sich an seiner Seite fürchterlich langweilen. Wahrscheinlich wird ihr nie die hinreißende Freude an einem Augenblick der Einsamkeit vergönnt sein. Der einzige zuverlässige Name ist Ernst.

JACK. Gwendolen, ich muß mich sofort taufen lassen – ich meine, wir müssen sofort heiraten. Es ist keine Zeit zu verlieren.

GWENDOLEN. Heiraten, Mr. Worthing?

JACK *(erstaunt)*. Nun ja – freilich ... Du weißt, daß ich dich liebe – ich meine, Miß Fairfax, Sie haben mir zu verstehen gegeben, daß ich Ihnen nicht völlig gleichgültig sei.

GWENDOLEN. Ernst, ich bete dich an. Aber du hast mir ja noch keinen Heiratsantrag gemacht. Von einer Heirat ist überhaupt nicht die Rede gewesen. Das Thema ist nicht einmal gestreift worden.

JACK. Also – dann – darf ich dich jetzt um deine Hand bitten?

GWENDOLEN. Ich glaube, eine bessere Gelegenheit könnte man sich gar nicht wünschen. Und um Ihnen eine eventuelle Enttäuschung zu ersparen, Mr. Worthing, halte ich es für recht und billig, Sie im vorhinein offen darauf aufmerksam zu machen, daß ich fest entschlossen bin, Ihren Antrag anzunehmen.

JACK. Gwendolen!

GWENDOLEN. Ja, Mr. Worthing, was haben Sie mir zu sagen?

JACK. Du weißt, was ich dir zu sagen habe.

GWENDOLEN. Ja, aber du sagst es nicht.

JACK. Gwendolen, willst du meine Frau werden? *(Kniet nieder)*

GWENDOLEN. Selbstverständlich, Darling. Wie lange du gebraucht hast! Ich fürchte, du besitzt auf diesem Gebiet keine große Erfahrung.

JACK. Mein ein und alles – ich habe nie eine Frau auf Gottes Erdboden geliebt außer dir.

GWENDOLEN. Gut, aber die Männer machen oft der Übung halber dem einen oder anderen jungen Mädchen einen Heiratsantrag. Ich weiß das von meinem Bruder Gerald. Alle meine Freundinnen erzählen es mir. Was hast du doch für wunderschöne blaue Augen, Ernst! Sie sind so blau, so blau. Hoffentlich wirst du mich immer so anschauen, besonders wenn andere Leute dabei sind.

LADY BRACKNELL *(tritt ein)*. Mr. Worthing! Erheben Sie sich, Sir, aus dieser halb liegenden Stellung, die ich höchst unschicklich finde.

GWENDOLEN. Mama! *(Jack will aufstehen, sie hindert ihn daran)* Ich muß dich bitten, dich zurückzuziehen. Du hast hier nichts zu suchen. Außerdem ist Mr. Worthing noch nicht ganz fertig.

LADY BRACKNELL. Womit, wenn ich fragen darf?

GWENDOLEN. Ich bin mit Mr. Worthing verlobt, Mama. *(Gemeinsam erheben sie sich)*

LADY BRACKNELL. Entschuldige, aber du bist mit niemandem verlobt. Wenn es einmal soweit ist, dann werde *ich* es dir mitteilen – oder dein Vater wird es dir mitteilen, falls sein Gesundheitszustand es erlaubt. Eine Verlobung hat für ein junges Mädchen eine Überraschung zu sein – angenehm oder unangenehm, je nachdem. Auf keinen Fall darf man so etwas seiner Tochter überlassen ... Und nun habe ich einige Fragen an Sie zu richten, Mr. Worthing.

JACK. Es wird mir ein Vergnügen sein, Ihre Fragen zu beantworten, Lady Bracknell.

GWENDOLEN. Das heißt, wenn Sie sie beantworten können. Mamas Fragen sind zuweilen merkwürdig inquisitorisch.

LADY BRACKNELL. Ich werde dafür sorgen, daß sie mehr als inquisitorisch sind. Und während ich diese Fragen stelle, wirst du, Gwendolen, unten im Wagen auf mich warten.

GWENDOLEN *(vorwurfsvoll)*. Mama!

LADY BRACKNELL. In den Wagen mit dir, Gwendolen!

(Gwendolen geht zur Tür. Sie und Jack werfen einander hinter Lady Bracknells Rücken Kußhände zu. Lady Bracknell blickt umher, als könne sie nicht begreifen, was das für Geräusche sind. Schließlich dreht sie sich um)

LADY BRACKNELL. Gwendolen – in den Wagen!

GWENDOLEN. Ja, Mama. *(Geht zur Tür hinaus – mit einem letzten Blick auf Jack)*

LADY BRACKNELL *(nimmt Platz)*. Sie dürfen sich setzen, Mr. Worthing. *(Sucht in ihrer Tasche nach Bleistift und Notizbuch)*

JACK. Danke, Lady Bracknell, ich bleibe lieber stehen.

LADY BRACKNELL *(Bleistift und Notizbuch in Händen)*. Ich fühle mich verpflichtet, Ihnen zu sagen, daß Sie nicht auf meiner Liste akzeptabler junger Männer verzeichnet sind, obwohl ich die gleiche Liste habe wie die liebe Herzogin von Bolton. Eigentlich arbeiten wir Hand in Hand. Trotzdem bin ich durchaus bereit, Ihren Namen hinzuzufügen, wenn Ihre Antworten so ausfallen, wie eine liebevolle Mutter sie zu hören wünscht. Rauchen Sie?

JACK. Nun ja, ich muß gestehen, daß ich rauche.

LADY BRACKNELL. Das freut mich. Ein Mann sollte immer irgendeine Beschäftigung haben. Es laufen ohnedies viel zu viele Faulenzer in London herum. Wie alt sind Sie?

JACK. Neunundzwanzig.

LADY BRACKNELL. Ein sehr gutes Heiratsalter. Ich bin schon immer der Ansicht gewesen, daß ein Mann, der sich zu verheiraten wünscht, entweder alles oder nichts wissen sollte. Was wissen Sie – alles oder nichts?

JACK *(nach einigem Zögern)*. Ich weiß nichts, Lady Bracknell.

LADY BRACKNELL. Das höre ich gern. Ich mißbillige jede Schmälerung der angeborenen Unwissenheit. Die Unwissenheit ist wie eine köstliche exotische Frucht. Rührst du sie an, ist ihr Duft dahin. Das ganze moderne Erziehungswesen ist durch und durch ungesund. Zum Glück hat – wenigstens bei uns in England – die Schule nicht den geringsten Effekt. Andernfalls würde sie sich als äußerst gefährlich für die Oberschicht erweisen und wahrscheinlich zu Gewalttätigkeiten auf dem Grosvenor Square führen. Wie hoch ist Ihr Einkommen?

JACK. Zwischen sieben- und achttausend Pfund jährlich.

LADY BRACKNELL *(macht sich Notizen)*. Grundbesitz oder Kapital?

JACK. Hauptsächlich angelegtes Kapital, Lady Bracknell.

LADY BRACKNELL. Damit bin ich sehr zufrieden. Bei den heutigen Steuern – Grundsteuern zu Lebzeiten, Erbschaftssteuern nach dem Tod – ist Grundbesitz nicht länger profitabel und macht auch kein Vergnügen mehr. Er verleiht einem eine gesellschaftliche Position und hindert einen daran, sie aufrechtzuerhalten. Mehr ist zu diesem Thema nicht zu sagen.

JACK. Ich besitze ein Landhaus, zu dem natürlich ein wenig Grund und Boden gehört. Ich glaube, es sind etwa fünfzehnhundert Acres. Sie bringen mir nicht viel ein. Soweit ich es beurteilen kann, sind die Wilderer die einzigen, die auf ihre Rechnung kommen.

LADY BRACKNELL. Ein Landhaus! Wie viele Schlafzimmer? Na, darüber können wir später reden. Hoffentlich haben Sie auch ein Haus in der Stadt. Einem so schlichten, unverdorbenen Wesen wie Gwendolen kann man nicht zumuten, auf dem Lande zu leben.

JACK. Ich besitze ein Haus am Belgrave Square, habe es aber mit einem Jahresvertrag an Lady Bloxham vermietet. Natürlich kann ich jederzeit kündigen – mit einer Kündigungsfrist von sechs Monaten.

LADY BRACKNELL. Lady Bloxham? Ich kenne sie nicht.

JACK. Oh, sie geht selten aus. Sie befindet sich schon in recht vorgerücktem Alter.

LADY BRACKNELL. Das ist heutzutage keine Garantie für einen einwandfreien Lebenswandel. Welche Nummer am Belgrave Square?

JACK. Einhundertneunundvierzig.

LADY BRACKNELL *(schüttelt den Kopf)*. An der unmodernen Seite. Ich habe mir gleich gedacht, da stimmt was nicht. Aber das ließe sich leicht ändern.

JACK. Meinen Sie die Mode oder die Seite?

LADY BRACKNELL *(streng)*. Im Notfall beides. Ihre politische Einstellung?

JACK. Ich fürchte, daß ich eigentlich keine rechte politische Einstellung habe. Ich rechne mich zu den Rechtsliberalen.

LADY BRACKNELL. Oh, die gelten als Tories. Sie speisen bei uns. Oder kommen wenigstens im Laufe des Abends vorbei. Sie haben natürlich keinerlei Sympathien für die Radikale Partei.

JACK. Oh, ich bin allemal mehr für die Moneten als für die Proleten – wenn es das ist, was Sie meinen.

LADY BRACKNELL. Das ist genau das, was ich meine ... Hm ... Leben Ihre Eltern?

JACK. Ich habe meine Eltern verloren.

LADY BRACKNELL. Beide ...? Den Vater oder die Mutter zu verlieren kann als bedauerlicher Unglücksfall gelten. Beide zu verlieren, grenzt schon an Schlamperei. Wer war Ihr Vater? Offenbar ein recht vermögender Mann. Wurde er – wie die radikale Presse sich ausdrückt – mit dem Purpur des Kommerzes geboren, oder ist er aus den Reihen des Adels emporgestiegen?

JACK. Das weiß ich leider nicht. Die Sache ist folgende, Lady Bracknell. Ich sagte vorhin, ich hätte meine Eltern verloren. Es würde der Wahrheit näherkommen, wenn ich sagte, daß allem Anschein nach meine Eltern *mich* verloren haben. Ich weiß eigentlich nicht, wer ich von Geburt bin. Ich wurde – also ja – ich wurde gefunden.

LADY BRACKNELL. Ein Findelkind?!

JACK. Der verstorbene Mister Thomas Cardew, ein alter Herr

von äußerst mildtätiger und gütiger Veranlagung, hat mich gefunden und mir den Namen Worthing beigelegt, weil er damals zufällig eine Fahrkarte erster Klasse nach Worthing in der Tasche hatte. Worthing liegt in Sussex und ist ein Badeort.

LADY BRACKNELL. Wo, bitte, hat dieser mildtätige Herr mit der Fahrkarte nach Worthing in der Tasche das Findelkind gefunden?

JACK *(feierlich)*. In einem Handköfferchen.

LADY BRACKNELL. In einem Handköfferchen?

JACK *(sehr ernst)*. Ja, Lady Bracknell. Ich lag in einem Handköfferchen – einem ziemlich großen schwarzen Lederköfferchen mit Griffen – also in einem ganz gewöhnlichen Handköfferchen.

LADY BRACKNELL. Und in welcher Lokalität ist dieser Mr. James – oder Thomas Cardew an dieses ganz gewöhnliche Handköfferchen geraten?

JACK. In der Gepäckaufbewahrung des Victoria-Bahnhofs. Es wurde ihm aus Versehen statt seines Koffers ausgehändigt.

LADY BRACKNELL. In der Gepäckaufbewahrung des Victoria-Bahnhofs?

JACK. Ja. An der Strecke nach Brighton.

LADY BRACKNELL. Die Strecke ist unwesentlich. Mr. Worthing, ich muß gestehen, was Sie mir eben erzählt haben, finde ich einigermaßen verwirrend. In einem Handköfferchen zur Welt zu kommen – oder auf jeden Fall aufzuwachsen – egal, ob das Köfferchen Griffe hat oder nicht –, erscheint mir als eine Mißachtung der Anstandsregeln, die für ein geordnetes Familienleben gelten – ja, es gemahnt mich an die ärgsten Ausschreitungen der Französischen Revolution. Ich nehme an, daß Sie wissen, wohin diese unglückselige Bewegung geführt hat. Was die Lokalität betrifft, in der besagtes Köfferchen gefunden wurde, so könnte die Gepäckaufbewahrung eines Bahnhofs dazu dienen, einen gesellschaftlichen Fauxpas zu vertuschen. Sie läßt sich aber wohl kaum als die gesicherte Basis einer anerkannten Stellung in den Kreisen der guten Gesellschaft betrachten.

JACK. Darf ich Sie fragen, wozu Sie mir raten würden? Ich

brauche schwerlich zu betonen, daß ich zu allem bereit bin, um Gwendolen glücklich zu machen.

LADY BRACKNELL. Ich würde Ihnen, Mr. Worthing, dringend raten, sich so schnell wie möglich eine Verwandtschaft zuzulegen. Ferner sollten Sie sich bemühen, noch vor Ende der Saison auf jeden Fall mit *einem* Elternteil, gleichgültig welchen Geschlechts, aufzuwarten.

JACK. Ich wüßte nicht, wie ich das schaffen soll. Natürlich kann ich jederzeit mit dem Handköfferchen aufwarten. Es liegt bei mir zu Hause in meinem Ankleideraum. Ich glaube wirklich, es müßte Ihnen genügen, Lady Bracknell.

LADY BRACKNELL. Mir, Sir? Was hat es mit mir zu tun? Sie werden sich doch nicht einbilden, daß ich und Lord Bracknell auch nur im Traum daran denken würden, unserer einzigen Tochter – einem mit äußerster Sorgfalt erzogenen jungen Mädchen – zu erlauben, daß sie in eine Gepäckaufbewahrung einheiratet oder eine eheliche Verbindung mit einem Gepäckstück eingeht. *(Jack zuckt empört zusammen)* Wollen Sie mir gefälligst die Tür öffnen, Sir. Natürlich werden Sie begriffen haben, daß in Zukunft jede Beziehung zwischen Ihnen und Miß Fairfax abzubrechen ist. *(Mit majestätischer Entrüstung rauscht Lady Bracknell davon. Im Nebenzimmer stimmt Algernon den Hochzeitsmarsch an. Jack sieht fuchsteufelswild aus und läuft zur Verbindungstür)*

JACK. Um Himmels willen, Algy, nicht diese gräßlichen Töne! Wie kann man so idiotisch sein!

(Die Musik verstummt, Algernon kommt vergnügt herein)

ALGERNON. Hat es nicht geklappt, mein Alter? Du wirst doch nicht behaupten wollen, daß Gwendolen dich abgewiesen hat. Ich weiß, daß das ihre Gewohnheit ist. Alle Augenblicke weist sie einen Heiratsantrag zurück. Ich finde das gar nicht nett von ihr.

JACK. Ach, Gwendolen – auf sie kann ich Häuser bauen. Soweit *sie* etwas zu sagen hat, sind wir verlobt. Ihre Mutter aber ist unerträglich. Noch nie bin ich so einer – Gorgone begegnet. Ich weiß zwar nicht genau, was eine Gorgone ist, bin aber fest überzeugt – Lady Bracknell ist eine Gorgone. Auf jeden Fall ist sie ein Ungeheuer – aber kein mythisches, was ich sehr ungerecht finde ... Verzeih bitte, in deiner Anwesenheit sollte ich mich nicht so hart über deine Tante äußern.

ALGERNON. Mein lieber Junge, ich höre es zu gern, wenn man meine Verwandten beschimpft. Das ist das einzige, was mich veranlaßt, sie überhaupt zu ertragen. Verwandte sind ein langweiliges Pack. Sie haben nicht die leiseste Ahnung, wie man sein Leben lebt, und nicht den geringsten Instinkt, wie man das Zeitliche segnet.

JACK. Ach, ich habe ja keine Verwandten. Verstehe nichts von Verwandten.

ALGERNON. Du Glückspilz. Verwandte leihen dir kein Geld und anerkennen dich nie, selbst wenn du ein Genie bist. Eine verschlechterte Spielart der Öffentlichkeit.

JACK. Und was macht es denn schließlich aus, ob ein Mensch je einen Vater und eine Mutter gehabt hat oder nicht? Gegen Mütter ist natürlich nichts einzuwenden. Sie bezahlen deine Rechnungen und lassen dich in Frieden. Väter aber piesacken dich unaufhörlich, und nie begleichen sie deine Schulden. Ich kenne nicht einen einzigen im Klub, der mit seinem Vater redet.

ALGERNON. Ja, Väter sind momentan nicht sehr populär. *(Nimmt eine Abendzeitung zur Hand)*

JACK. Populär! Ich wette, um was du willst, daß es in unserem ganzen Bekanntenkreis nicht *einen* Menschen gibt, der gesehen werden möchte, wie er mit seinem leiblichen Vater durch die St. James Street spaziert. *(Pause)* Steht was in der Zeitung?

ALGERNON *(in die Lektüre vertieft)*. Nichts.

JACK. Ein wahrer Trost.

ALGERNON. Meines Wissens steht nie was in der Zeitung.

JACK. Meistens viel zuviel. Man belästigt uns immerzu mit Leuten, die wir nicht kennen, denen wir nie begegnet sind und die uns keinen Pfifferling angehen. Grobiane!

ALGERNON. Leute, denen man nie begegnet ist, finde ich charmant. Momentan interessiere ich mich für ein junges Mädchen, dem ich nie begegnet bin. Ja, ich interessiere mich sogar brennend für sie.

JACK. Ach, das ist doch unsinnig.

ALGERNON. Keineswegs!

JACK. Also, ich mag mich nicht mit dir zanken. Immer willst du dich über alles mögliche zanken.

ALGERNON. Genau dazu hat unser Schöpfer es geschaffen.

JACK. Mein Wort darauf: Wenn ich dieser Meinung wäre, würde ich mich erschießen ... *(Pause)* Du hältst es doch nicht für möglich, daß Gwendolen in etwa hundertfünfzig Jahren ihrer Mutter ähneln wird, oder wie, Algy?

ALGERNON. Alle Frauen ähneln mit der Zeit ihren Müttern. Das ist ihr tragisches Los. Aber nie ein Mann. Das ist *seine* Tragik.

JACK. Findest du das geistreich?

ALGERNON. Es ist perfekt formuliert. Und so zutreffend, wie man es unter kultivierten Menschen von einem Aperçu erwarten darf.

JACK. Ich habe die Geistreichtuereien gründlich satt. Heutzutage ist jeder Mensch geistreich. Man kann nirgendwo hingehen, ohne geistreiche Leute zu treffen. Sie sind zu einer wahren Landplage geworden. Wollte Gott, daß ein paar Dummköpfe übriggeblieben wären.

ALGERNON. Es *sind* ein paar übriggeblieben.

JACK. Ich möchte sie furchtbar gern kennenlernen. Worüber reden sie?

ALGERNON. Die Dummköpfe? Natürlich über die Gescheiten.

JACK. So was von Dummköpfen!

ALGERNON. Hast du übrigens Gwendolen reinen Wein eingeschenkt? Daß du in der Stadt Ernst und auf dem Lande Jack bist?

JACK *(äußerst gönnerhaft)*. Mein lieber Mann, einem hübschen, süßen, vornehmen jungen Mädchen sagt man nicht die Wahrheit. Was für wunderliche Vorstellungen du vom Umgang mit Frauen hast!

ALGERNON. Wie man mit einer Frau umzugehen hat? Wenn sie hübsch ist, macht man ihr den Hof, wenn sie häßlich ist, einer anderen.

JACK. Dummes Zeug.

ALGERNON. Und die junge Dame, deren Vormund du bist? Miß Cardew? Und dein Bruder, der verkommene Ernst?

JACK. Cecily ist in Ordnung. Und ehe die Woche zu Ende geht, werde ich meinen Bruder beseitigt haben ... Wahrscheinlich werde ich ihn in Paris umbringen.

ALGERNON. Warum in Paris?

JACK. Das macht weniger Umstände. Keine unnützen Scherereien mit der Beerdigung und dergleichen. Ja, ich werde ihm in Paris den Garaus machen ... Ein Schlaganfall wäre nicht schlecht. Viele Menschen trifft der Schlag ganz plötzlich, nicht wahr?

ALGERNON. Ja, aber die Anlage ist erblich, lieber Mann. So etwas liegt in der Familie.

JACK. Allmächtiger Himmel! Dann kommt es nicht in Frage. Was soll ich sagen?

ALGERNON. Sag: eine Lungenentzündung.

JACK. Aber nein! Das klingt unwahrscheinlich. Viel zuviel Menschen haben Lungenentzündung.

ALGERNON. Na schön. Sag, was du willst. Sag: eine schwere Erkältung. Da riskierst du nichts.

JACK. Sind Erkältungen bestimmt nicht erblich?

ALGERNON. Natürlich nicht.

JACK. Gut. Dann wäre dieser Fall erledigt.

ALGERNON. Aber ich glaube, du hast gesagt, daß – Miß Cardew sich ein wenig zu lebhaft für deinen armen Bruder Ernst interessiert. Wird sie sich nicht seinen Verlust sehr zu Herzen nehmen.

JACK. Ach, so etwas legt sich. Cecily ist kein romantisches Gänschen – das darf ich zu meiner Freude behaupten. Sie hat einen kolossalen Appetit, liebt ausgedehnte Spaziergänge und beschäftigt sich überhaupt nicht mit ihren Lehrbüchern.

ALGERNON. Ich würde Cecily recht gerne mal kennenlernen.

JACK. *Ich* werde dafür sorgen, daß das nie passiert. Und du hast sie nicht Cecily zu nennen.

ALGERNON. Aha! Ich glaube, sie ist häßlich. Ja, ich weiß genau, wie sie aussieht. Sie zählt zu den langweiligen Blaustrümpfen, die einem auf Schritt und Tritt über den Weg laufen. Mädchen mit großem Verstand und großen Füßen. Ich bin überzeugt, daß sie *ungewöhnlich* häßlich ist. Ich nehme an, daß sie ungefähr neununddreißig ist und danach aussieht.

JACK. Zufälligerweise ist sie außerordentlich hübsch und soeben achtzehn geworden.

ALGERNON. Hast du Gwendolen erzählt, daß du ein außerordentlich hübsches Mündel hast, das soeben erst achtzehn geworden ist?

JACK. Man fällt doch nicht gleich mit der Tür ins Haus. Das Leben ist eine Taktfrage. An so eine Sache geht man nach und nach heran. Cecily und Gwendolen werden sich bestimmt miteinander anfreunden. Ich wette mit dir, um was du willst: Eine halbe Stunde nachdem sie sich kennengelernt haben, werden sie du zueinander sagen. Du und liebe Schwester.

ALGERNON. Das sagen Frauen erst, nachdem sie sich vieles andere an den Kopf geworfen haben. Und nun, mein Junge, müssen wir uns umziehen, wenn wir einen guten Tisch bei Willis erwischen wollen. Weißt du, daß es fast schon sieben Uhr ist?

JACK *(gereizt)*. Ach, es ist immer fast schon sieben Uhr.

ALGERNON. Ich habe Hunger.

JACK. Wann hast du keinen Hunger ... Aber schön. Ich mache einen Sprung in den Klub, und wir treffen uns um acht bei Willis. Wenn du willst, kannst du mich abholen.

ALGERNON. Was machen wir nach dem Essen? Gehen wir ins Theater?

JACK. Um Gottes willen! Ich höre nicht gern zu, wenn andere reden.

ALGERNON. Na, dann gehen wir in den Klub.

JACK. Um Gottes willen! Ich rede nicht gern.

ALGERNON. Wir könnten um zehn mal schnell ins Empire traben.

JACK. Um Gottes willen! Ich schaue nicht gern zu. Ich finde es albern.

ALGERNON. Also, was machen wir?

JACK. Nichts.

ALGERNON. Nichts zu tun ist furchtbar anstrengend. Aber ich habe nichts dagegen, mich anzustrengen, solange es keinen Zweck hat ...

LANE *(tritt auf)*. Miß Fairfax.

(Gwendolen tritt auf. Lane ab)

ALGERNON. Gwendolen, bei Gott!

GWENDOLEN. Dreh dich gefälligst um, Algy. Ich habe etwas Besonderes mit Mr. Worthing zu besprechen. Da es sich um eine private Angelegenheit handelt, wirst du natürlich zuhören.

ALGERNON. Gwendolen, ich glaube, das kann ich nicht zulassen.

GWENDOLEN. Algy, du hast eine streng unmoralische Einstellung zum Leben. Dazu bist du noch nicht alt genug. *(Algernon zieht sich zum Kamin zurück)*

JACK. Mein ein und alles!

GWENDOLEN. Ernst, vielleicht wird nichts aus unserer Heirat werden. Mamas Miene läßt mich das Schlimmste befürchten. Heutzutage nehmen Eltern nur selten Rücksicht auf die Wünsche ihrer Kinder. Der altmodische Respekt vor der Jugend stirbt aus. Schon im Alter von drei Jahren habe ich jeden Einfluß auf Mama verloren. Sie kann uns daran hindern, Mann und Frau zu werden. Vielleicht werde ich gezwungen sein, einen anderen zu heiraten, vielleicht werde ich mich mehrmals verheiraten – aber was sie auch tut, wird nichts an meiner unauslöschlichen Zuneigung zu dir ändern.

JACK. Geliebte Gwendolen!

GWENDOLEN. Die Geschichte deiner romantischen Herkunft, wie Mama sie mir mit giftigen Randbemerkungen erzählt hat, ist mir natürlich tief zu Herzen gegangen. Dein Vorname ist unwiderstehlich faszinierend. Die Schlichtheit deines Charakters finde ich so wunderbar unverständlich. Deine Stadtadresse besitze ich. Wie lautet deine Adresse auf dem Lande?

JACK. Manor House, Woolton in Hertfordshire.

(Algernon, der aufmerksam zugehört hat, lächelt in sich hinein und notiert die Adresse auf seiner Manschette. Dann greift er nach einem Taschenfahrplan)

GWENDOLEN. Ich hoffe, die Postverbindung ist gut. Vielleicht werde ich mich genötigt sehen, einen verzweifelten Schritt zu wagen. Das will natürlich ernsthaft überlegt sein. Ich werde dir jeden Tag schreiben.

JACK. Mein ein und alles!

GWENDOLEN. Wie lange bleibst du in London?

JACK. Bis Montag.

GWENDOLEN. Gut ...! Algy, jetzt darfst du dich wieder umdrehen.

ALGERNON. Danke, ich habe mich bereits umgedreht.

GWENDOLEN. Außerdem darfst du klingeln.

JACK. Gestattest du mir, dich zum Wagen zu begleiten, geliebtes Wesen?

GWENDOLEN. Freilich.

(Lane tritt auf)

JACK *(zu Lane)*. Ich bringe Miß Fairfax zum Wagen.

LANE. Jawohl, Sir.

(Jack und Gwendolen ab. Lane überreicht Algernon auf einem Tablett mehrere Briefe. Es ist anzunehmen, daß es Rechnungen sind. Nachdem Algernon sich die Umschläge angesehen hat, zerreißt er sie)

ALGERNON. Ein Glas Sherry, Lane.

LANE. Jawohl, Sir.

ALGERNON. Morgen, Lane, gehe ich bunburisieren.

LANE. Jawohl, Sir.

ALGERNON. Ich werde wahrscheinlich nicht vor Montag zurückkehren. Packen Sie bitte meine Koffer – Frack, Smoking und sämtliche Bunbury-Anzüge.

LANE. Jawohl, Sir. *(Überreicht Algernon den Sherry)*

ALGERNON. Hoffentlich wird morgen das Wetter schön sein, Lane.

LANE. Es ist nie schön, Sir.

ALGERNON. Lane, Sie sind ein vollendeter Pessimist.

LANE. Ich gebe mir alle Mühe, Sie zufriedenzustellen, Sir.

(Jack tritt auf. Lane ab)

JACK. Was für ein vernünftiges, gescheites junges Mädchen! Die einzige Frau, aus der ich mir je im Leben etwas gemacht habe. *(Algernon lacht schallend)* Was gibt es da zu lachen?

ALGERNON. Ich bin um den armen Bunbury besorgt.

JACK. Wenn du nicht aufpaßt, wirst du durch deinen Freund Bunbury eines Tages in ernsthafte Schwierigkeiten geraten.

ALGERNON. Ich liebe Schwierigkeiten. Weil sie das einzige im Leben sind, das man nicht ernst zu nehmen braucht.

JACK. Dummes Zeug, Algy. Du redest immer nur dummes Zeug.

ALGERNON. Das tun alle.

(Jack mustert ihn empört und geht zur Tür hinaus. Algernon zündet sich eine Zigarette an, liest die Notiz auf seiner Manschette und lächelt)

Vorhang

Zweiter Akt

Garten hinter dem Manor House in Woolton. Eine graue Treppe führt zur Tür hinauf. Es ist ein altmodischer Garten, voller Rosen. Juli. Korbsessel und ein mit Büchern beladener Tisch unter einem hohen Eibenbaum. Miß Prism sitzt am Tisch. Cecily gießt im Hintergrund die Blumen.

MISS PRISM *(ruft)*. Cecily, Cecily! Eine so niedrige Beschäftigung wie das Blumengießen ist wohl eher die Sache des Gärtners! Besonders in einem Augenblick, da geistige Genüsse Ihrer harren. Ihre deutsche Grammatik liegt auf dem Tisch. Bitte, schlagen Sie sie bei Seite fünfzehn auf. Wir werden die gestrige Lektion wiederholen.

CECILY. Wenn Sie bloß Moulton Deutschunterricht erteilen wollten statt mir! Moulton!

MOULTON *(taucht mit einem breiten Grinsen hinter einer Hecke auf)*. Ja, Miß Cecily?

CECILY. Hätten Sie nicht Lust, Deutsch zu lernen, Moulton? Deutsch ist die Sprache der Bewohner Deutschlands.

MOULTON *(schüttelt den Kopf)*. Ich halte nichts von dem fremden Geschnack, Miß. *(Verbeugt sich vor Miß Prism)* Nichts für ungut, Madam. *(Verschwindet hinter der Hecke)*

MISS PRISM. Cecily, so geht es nicht weiter. Bitte, schlagen Sie sofort Ihren Schiller auf.

CECILY *(kommt langsam näher)*. Aber ich mag kein Deutsch. Es ist eine Sprache, die mir nicht bekommt. Ich weiß genau, daß ich nach jeder Deutschstunde häßlich bin wie die Nacht.

MISS PRISM. Mein Kind, Sie wissen, wie sehr Ihr Vormund darauf bedacht ist, daß Sie sich in den verschiedensten Fächern gründliche Kenntnisse aneignen. Bevor er gestern nach London fuhr, hat er besonderes Gewicht auf den Deutschunterricht gelegt. Jedesmal, wenn er nach London fährt, legt er besonderes Gewicht auf den Deutschunterricht.

CECILY. Der gute Onkel Jack ist ein so ernster Mensch! Manchmal ist er so ernst, daß ich mir sage: Da stimmt was nicht – der Mann kann nicht gesund sein.

MISS PRISM *(richtet sich auf)*. Ihr Vormund erfreut sich der besten Gesundheit, und sein gesetztes Benehmen ist besonders zu loben, da es sich um einen verhältnismäßig *jungen* Mann handelt. Ich kenne niemanden, der von einem größeren Pflicht- und Verantwortungsgefühl beseelt wäre.

CECILY. Deshalb schaut er wohl oft so angeödet drein, wenn wir zu dritt beisammen sind.

MISS PRISM. Cecily! Ich wundere mich über Sie. Mr. Worthing hat viel Kummer im Leben. Oberflächliche Scherze und Plattitüden würden in seiner Konversation weiß Gott deplaciert sein. Vergessen Sie nicht seine ständige Besorgnis um den unglücklichen jungen Mann, seinen Bruder.

CECILY. Schade, daß Onkel Jack nicht ab und zu den unglücklichen jungen Mann, seinen Bruder, zu uns einlädt. Vielleicht würden wir einen guten Einfluß auf ihn haben. Sie, Miß Prism, ganz bestimmt. Sie können Deutsch, Sie haben Geologie studiert – so etwas macht auf die Männer kolossalen Eindruck. *(Sie beginnt in ihrem Tagebuch zu schreiben)*

MISS PRISM *(schüttelt den Kopf)*. Ich glaube kaum, daß selbst *ich* einen Charakter beeinflussen könnte, der, wie sein leiblicher Bruder zugibt, unrettbar schwach und schwankend ist. Ich bin nicht einmal sicher, ob ich Lust hätte, ihn zu bessern. Ich bin entschieden gegen die heutige Manie, schlechte Menschen über Nacht in gute Menschen zu verwandeln. Was man sät, erntet man.

CECILY. Onkel Jacks Bruder ist kein Sämann, Miß Prism. Und wenn auch: Warum sollte er dafür bestraft werden? In der Welt wird viel zuviel gestraft. Deutsch zum Beispiel ist eine Strafe, und überall reden sie deutsch. Sie selber haben mir gestern erzählt, daß Deutschland übervölkert ist.

MISS PRISM. Das ist kein Grund, herumzukritzeln, statt ›Wilhelm Tell‹ zu übersetzen. Legen Sie das Tagebuch weg, Cecily. Ich verstehe überhaupt nicht, warum Sie ein Tagebuch führen.

CECILY. Ich führe ein Tagebuch, um die wunderbaren Geheimnisse meines Lebens zu Papier zu bringen. Sonst würde ich sie wahrscheinlich glatt vergessen.

MISS PRISM. Die Erinnerung, meine liebe Cecily, ist das Tagebuch, das wir alle mit uns herumtragen.

CECILY. Ja, aber meistens registriert sie die Dinge, die nie passiert sind und unmöglich hätten passieren können. Meiner Meinung nach ist die Erinnerung an den dreibändigen Romanschmökern schuld, die Mudie uns zuschickt.

MISS PRISM. Äußern Sie sich nicht so herabsetzend über dreibändige Romane, Cecily. Auch ich habe in meiner Jugend einen geschrieben.

CECILY. Wirklich, Miß Prism? Was sind Sie doch begabt! Hoffentlich hatte er kein Happy-End. Ich mag Romane nicht, die gut ausgehen. Ich finde sie deprimierend.

MISS PRISM. Die Guten nehmen ein gutes, die Schlechten ein schlechtes Ende. Das ist der Sinn der wahren Dichtung.

CECILY. Möglich. Aber ich finde es ungerecht. Wurde Ihr Roman verlegt?

MISS PRISM. Leider nicht. Oder vielmehr ja. *(Cecily macht eine erstaunte Miene)* Das Manuskript wurde verlegt – das heißt im üblichen Sinne des Wortes – es ging verloren und wurde nicht wiedergefunden. Für Ihre Arbeit aber, mein Kind, ist das alles uninteressant.

CECILY *(lächelnd)*. Ich sehe Pastor Chasuble durch den Garten kommen.

MISS PRISM *(erhebt sich und geht dem Besucher entgegen)*. Pastor Chasuble! Das freut mich aber sehr.

(Kanonikus Chasuble tritt auf)

CHASUBLE. Und wie geht es uns heute früh? Miß Prism, ich hoffe, Sie sind wohlauf.

CECILY. Miß Prism hat soeben über leichte Kopfschmerzen geklagt. Ich glaube, ein kurzer Spaziergang durch den Garten würde ihr *so* gut tun, Hochwürden.

MISS PRISM. Cecily, von Kopfschmerzen war nicht die Rede.

CECILY. Nein, liebe Miß Prism, das weiß ich, aber ich hatte instinktiv das Gefühl, daß Ihnen der Kopf weh tut. Grade bevor Pastor Chasuble kam, habe ich mehr an Ihre Kopfschmerzen gedacht als an meine Deutschstunde.

CHASUBLE. Hoffentlich sind Sie nicht unaufmerksam, Cecily.

CECILY. Leider bin ich *sehr* unaufmerksam.

CHASUBLE. Das finde ich merkwürdig. Wenn *ich* das Glück hätte, Miß Prisms Schüler zu sein, ich würde an ihren Lippen hängen.

(Miß Prism sieht ihn strafend an) Es war metaphorisch gemeint. Ich habe meine Metapher den Bienen entlehnt. Mhm ... Mr. Worthing ist wohl noch nicht aus London zurückgekehrt?

MISS PRISM. Wir erwarten ihn nicht vor Montagabend.

CHASUBLE. Ach ja, den Sonntag verbringt er meistens gerne in London. Er gehört nicht zu den Menschen, die nur darauf aus sind, sich zu amüsieren. Darin unterscheidet er sich, wenn ich nicht irre, von dem unglücklichen jungen Mann, seinem Bruder. Aber ich darf Egeria und ihre Jüngerin nicht länger stören.

MISS PRISM. Egeria? Ich heiße Lätitia, Herr Pastor.

CHASUBLE *(mit einer Verbeugung)*. Eine klassische Anspielung aus dem Vokabular der heidnischen Schriftsteller. Ich werde zweifellos die Damen beim Abendgottesdienst sehen.

MISS PRISM. Lieber Herr Pastor, ich glaube, ich würde doch ganz gern einen Spaziergang mit Ihnen machen. Mir scheint, die Kopfschmerzen melden sich. Ein Spaziergang wird mir guttun.

CHASUBLE. Mit Vergnügen, Miß Prism, mit Vergnügen. Ich schlage vor – bis zur Schule und zurück.

MISS PRISM. Wunderbar ... Cecily, während meiner Abwesenheit werden Sie sich mit Ihrer nationalökonomischen Lektüre beschäftigen. Das Kapitel über die Entwertung der indischen Rupie dürfen Sie überspringen. Es ist ein wenig zu aufregend für ein junges Mädchen. Auch diese Währungsprobleme haben ihre melodramatischen Seiten.

CHASUBLE. Sie beschäftigen sich mit Nationalökonomie, Cecily? Phantastisch, wie gebildet heutzutage die jungen Mädchen sind! Ich nehme an, daß Sie die Relation zwischen Arbeit und Kapital aus dem Effeff verstehen.

CECILY. Leider bin ich gar nicht gebildet. Ich kenne nur die Relation zwischen Kapital und Müßiggang – aber aus eigener Anschauung. Deshalb nehme ich an, daß es stimmt.

MISS PRISM. Cecily, das klingt nach Sozialismus. Und Sie dürften wissen, wohin der Sozialismus führt.

CECILY. Ach ja. Er führt zu einer vernünftigen Mode, Miß Prism. Und wenn eine Frau sich vernünftig kleidet, nehme ich an, daß man sie auch wie ein vernünftiges Wesen behandeln wird. Sie hat es verdient.

CHASUBLE. Ein eigenwilliges Lämmlein! Das gute Kind.

MISS PRISM *(lächelnd)*. Manchmal hat man seine liebe Not mit ihr.

CHASUBLE. Ich beneide Sie um diese Plage. *(Entfernt sich zusammen mit Miß Prism)*

CECILY *(nimmt die Bücher zur Hand und schleudert sie wieder auf den Tisch)*. Gräßliche Nationalökonomie! Gräßliche Geographie! Gräßliches, gräßliches Deutsch!

(Merriman tritt auf und bringt auf einem silbernen Tablett eine Visitenkarte)

MERRIMAN. Mr. Ernest Worthing ist soeben vom Bahnhof aus vorgefahren. Er hat sein Gepäck mitgebracht.

CECILY *(nimmt die Visitenkarte und liest)*. ›Mr. Ernest Worthing, Albany Club, London West.‹ Onkel Jacks Bruder! Haben Sie ihm gesagt, daß Mr. Worthing in London ist?

MERRIMAN. Ja, Miß. Er machte einen sehr enttäuschten Eindruck. Ich habe kurz erwähnt, daß Sie und Miß Prism sich im Garten aufhalten. Er sagte, er wünsche dringend, einen Augenblick mit Ihnen unter vier Augen zu sprechen.

CECILY *(beiseite)*. Ich glaube kaum, daß Miß Prism mir erlauben würde, mit ihm allein zu sein. Deshalb will ich ihn lieber gleich holen lassen, bevor sie zurückkehrt. *(Zu Merriman)* Bitten Sie Mr. Worthing, hierherzukommen. Und sprechen Sie mit der Haushälterin, sie soll ein Zimmer für ihn herrichten.

MERRIMAN. Ich habe sein Gepäck bereits ins blaue Zimmer beordert, Miß – neben Mr. Worthings Zimmer.

CECILY. Ach ja – schon gut. *(Merriman ab)* Noch nie bin ich einem wirklich verkommenen Menschen begegnet. Mir ist etwas ängstlich zumute. Ich fürchte, er wird genauso aussehen wie alle anderen. *(Algernon tritt auf, sehr vergnügt und elegant)* Stimmt ...

ALGERNON *(lüftet den Hut)*. Sie sind meine kleine Kusine Cecily.

CECILY. Sie irren sich. Ich bin nicht klein. Ich glaube sogar, daß ich für mein Alter ungewöhnlich groß bin. *(Algernon ist etwas verblüfft)* Aber ich bin Ihre Kusine Cecily. *Sie* sind, wie mir Ihre Karte verraten hat, Onkel Jacks Bruder, mein Vetter Ernst, mein verkommener Vetter Ernst.

ALGERNON. Ach, ich bin im Grunde gar kein verkommener Mensch, liebe Kusine. Sie dürfen mich nicht für einen verkommenen Menschen halten.

CECILY. Wenn das wahr ist, dann haben Sie uns alle auf unentschuldbare Weise hinters Licht geführt. Sie haben Onkel Jack eingeredet, daß Sie ein schlechter Mensch sind. Hoffentlich haben Sie nicht ein Doppelleben geführt – haben so getan, als ob Sie total verkommen wären, und waren die ganze Zeit brav. Das wäre Heuchelei.

ALGERNON *(sieht sie verwundert an)*. Ach freilich – ich bin schon ein bißchen leichtsinnig gewesen.

CECILY. Das höre ich gern.

ALGERNON. Ja, da Sie nun einmal das Thema zur Sprache gebracht haben – ich bin sogar auf meine bescheidene Art ein recht schlechter Mensch gewesen.

CECILY. Darauf sollten Sie aber nicht gar so stolz sein – obwohl es sehr vergnüglich gewesen sein muß.

ALGERNON. Ihre Gesellschaft finde ich bedeutend vergnüglicher.

CECILY. Ich verstehe nicht, was Sie hierhergeführt hat. Gestern hat Onkel Jack Ihnen telegrafisch mitgeteilt, daß er sich um sechs Uhr zum letztenmal mit Ihnen im Albany zu treffen gedenkt. Er gibt mir alle Telegramme zu lesen, die er Ihnen schickt. Einige kann ich auswendig.

ALGERNON. Die Sache ist die: Ich habe das Telegramm zu spät erhalten. Dann habe ich ihn im Klub verfehlt, und der Portier meinte, er sei schon wieder abgereist. Also bin ich ihm nachgereist, da ich ja wußte, daß er mit mir sprechen will.

CECILY. Er kommt erst am Montag gegen Abend wieder.

ALGERNON. Das ist für mich eine schwere Enttäuschung. Ich muß Montag früh mit dem ersten Zug nach London zurückkehren. Es handelt sich um eine geschäftliche Verabredung, die ich nur allzu gerne – versäumen möchte.

CECILY. Könnten Sie sie nicht anderswo als in London versäumen?

ALGERNON. Nein. Ich bin in London verabredet.

CECILY. Na ja, ich weiß, wie wichtig es ist, eine geschäftliche Verabredung nicht einzuhalten, wenn man sich einigermaßen den Sinn für die Schönheit des Lebens bewahren will. Trotzdem bin ich der Meinung, Sie sollten Onkel Jacks Ankunft abwarten. Ich weiß, er will mit Ihnen über Ihre Auswanderung sprechen.

ALGERNON. Worüber will er mit mir sprechen?

CECILY. Ihre Auswanderung. Er ist eigens nach London gefahren, um Sie auszustatten.

ALGERNON. Nie würde ich Jack erlauben, mich auszustatten. Er trägt die geschmacklosesten Krawatten.

CECILY. Ich glaube, Sie werden keine Krawatten brauchen. Onkel Jack hat die Absicht, Sie nach Australien zu schicken.

ALGERNON. Australien! Lieber sterben.

CECILY. Mittwoch abend bei Tisch hat er gesagt, Sie könnten wählen zwischen dieser Welt, dem Jenseits und Australien.

ALGERNON. Ach nein! Die Berichte, die ich aus dem Jenseits und aus Australien erhalten habe, sind nicht besonders verlockend. Mir ist diese Welt gut genug, liebe Kusine.

CECILY. Ja, aber sind Sie ihr gut genug?

ALGERNON. Leider nicht. Deshalb möchte ich Sie bitten, mich auf den rechten Weg zu führen. Wenn Sie gestatten, liebe Kusine – das könnten Sie zu Ihrer Lebensaufgabe machen.

CECILY. Wie können Sie es wagen, mir eine Lebensaufgabe zuzumuten?

ALGERNON. Ich bitte um Verzeihung. Ich habe mir eingebildet, daß heutzutage jede Frau irgendeine Lebensaufgabe hat.

CECILY. Jedes weibliche Wesen – aber nie eine Frau. Außerdem habe ich heute keine Zeit, Sie auf den rechten Weg zu führen.

ALGERNON. Hätten Sie etwas dagegen, wenn ich mich heute erst einmal sozusagen eigenhändig bessere?

CECILY. Ein phantastisches Vorhaben. Aber Sie sollten es versuchen.

ALGERNON. Und ob! Ich fühle mich schon besser.

CECILY. Sie sehen eher ein wenig schlechter aus.

ALGERNON. Weil ich Hunger habe.

CECILY. Wie gedankenlos von mir! Ich hätte daran denken müssen, daß man regelmäßige und nahrhafte Mahlzeiten braucht, wenn man ein völlig neues Leben beginnen will. Miß Prism und ich essen um zwei Uhr Hammelbraten.

ALGERNON. Ich fürchte, Hammelbraten würde mir zu schwer sein.

CECILY. Onkel Jacks Gesundheit ist durch Ihr nächtliches Bummelleben in London untergraben worden. Laut ärztlicher Vorschrift muß er täglich um zwölf einige Sandwichs mit Paté de foie gras und eine Flasche Champagner, Jahrgang achtzehnhundertneunundachtzig, zu sich nehmen. Ich weiß nicht, ob diese Krankenkost Ihnen zusagen würde.

ALGERNON. Oh, ich würde mich auch mit dem Neunundachtziger-Champagner begnügen.

CECILY. Ich freue mich über Ihren einfachen Geschmack. Darf ich Sie ins Speisezimmer bitten?

ALGERNON. Danke. Aber, bitte, zuerst eine Blume ins Knopfloch! Ohne Blume im Knopfloch habe ich keinen rechten Appetit.

CECILY. Eine Maréchal Niel? *(Nimmt eine Schere zur Hand)*

ALGERNON. Nein, lieber eine blaßrote Rose.

CECILY. Warum? *(Schneidet eine Rose ab)*

ALGERNON. Weil Sie mich an eine blaßrote Rose gemahnen, Kusine Cecily.

CECILY. Ich glaube, es schickt sich nicht, daß Sie so etwas zu mir sagen. Miß Prism hat so etwas noch nie zu mir gesagt.

ALGERNON. Dann ist Miß Prism eine kurzsichtige alte Dame. *(Cecily steckt ihm die Blume ins Knopfloch)* Sie sind das hübscheste junge Mädchen, das ich je in meinem Leben gesehen habe.

CECILY. Miß Prism behauptet, Schönheit sei eine Falle.

ALGERNON. Eine Falle, in der jeder kluge Mann sich gerne fangen läßt.

CECILY. Ach, ich glaube kaum, daß mir viel daran liegt, einen klugen Mann zu fangen. Ich wüßte nicht, worüber ich mich mit ihm unterhalten sollte. *(Sie gehen ins Haus)*

(Miß Prism und der Pastor kehren zurück)

MISS PRISM. Sie sind zuviel allein, lieber Herr Pastor. Sie sollten heiraten. Einen Menschenverächter kann ich verstehen – aber keinen Frauenverächter.

CHASUBLE *(mit einem leichten Schauder und dem Stolz des Gelehrten)*. Glauben Sie mir, eine so neologistische Wendung habe ich nicht verdient. Theorie und Praxis des Urchristentums waren entschieden gegen den Ehestand.

MISS PRISM *(gewichtig)*. Das ist offenbar der Grund, warum das

Urchristentum sich nicht bis zum heutigen Tage behauptet hat. Und Sie scheinen sich nicht darüber im klaren zu sein, lieber Herr Pastor, daß jeder eingefleischte Junggeselle zu einer permanenten öffentlichen Versuchung wird. Die Männer sollten sich vorsehen. Just durch das Zölibat geraten schwächere Seelen leicht auf Abwege.

CHASUBLE. Ist denn ein verheirateter Mann weniger attraktiv?

MISS PRISM. Nur in den Augen seiner Frau.

CHASUBLE. Und oft, wie ich gehört habe, nicht einmal in ihren Augen.

MISS PRISM. Das hängt von den geistigen Interessen der Frau ab. Auf reife Frauen darf man sich stets verlassen. Reife flößt Vertrauen ein. Junge Mädchen sind grün. *(Chasuble stutzt)* Eine gärtnerische Metapher – den Früchten entlehnt. Aber wo ist Cecily?

CHASUBLE. Vielleicht ist sie uns gefolgt.

(Jack kommt langsam aus dem Garten. Er trägt tiefe Trauer, Trauerflor am Hut und schwarze Handschuhe)

MISS PRISM. Mr. Worthing!

CHASUBLE. Mr. Worthing?

MISS PRISM. Das ist wirklich eine Überraschung. Wir haben Sie nicht vor Montag erwartet.

JACK *(reicht mit tragischer Gebärde Miß Prism die Hand)*. Ich bin früher zurückgekehrt, als ich beabsichtigt hatte. Herr Pastor, ich hoffe, es geht Ihnen gut.

CHASUBLE. Lieber Mr. Worthing, dieses Trauergewand bedeutet wohl nicht, daß ein schreckliches Unglück geschehen ist?

JACK. Mein Bruder ...

MISS PRISM. Wieder Schulden – wieder schändliche Ausschweifungen?

CHASUBLE. Führt er noch immer sein leichtsinniges Lotterleben?

JACK *(schüttelt den Kopf)*. Tot ...

CHASUBLE. Ihr Bruder Ernst ist tot?

JACK. Mausetot.

MISS PRISM. Das sollte ihm eine Lehre sein. Hoffentlich wird er sie beherzigen.

CHASUBLE. Der Tod ist unser aller Erbe, Miß Prism. Wir sollten ihn auch nicht als ein Gottesurteil, sondern eher als eine allgemeine Fügung des Himmels betrachten. Ohne ihn wäre das Leben unvollkommen ... Mr. Worthing, ich spreche Ihnen mein aufrichtiges Beileid aus. Sie dürfen sich immerhin mit dem Bewußtsein trösten, daß Sie stets der großmütigste und nachsichtigste aller Brüder waren.

JACK. Armer Ernst! Er hatte viele Fehler, aber es ist ein schwerer, schwerer Schlag. Traurig.

CHASUBLE. Ja, sehr traurig. Waren Sie in seiner Sterbestunde bei ihm?

JACK. Nein. Er ist in der Fremde gestorben. In Paris. Gestern nacht erhielt ich ein Telegramm vom Geschäftsführer des Grand Hotel.

CHASUBLE. Wurde in dem Telegramm die Todesursache erwähnt?

JACK. Es scheint sich um eine schwere Erkältung gehandelt zu haben.

MISS PRISM. Was man sät, erntet man.

CHASUBLE *(hebt die Hand)*. Barmherzigkeit, Miß Prism, Barmherzigkeit! Keiner von uns ist vollkommen. Ich selber vertrage keine Zugluft. Wird die Beerdigung hier in Woolton stattfinden?

JACK. Nein. Anscheinend hat er den Wunsch geäußert, in Paris beerdigt zu werden.

CHASUBLE. In Paris! *(Er schüttelt den Kopf)* Ich fürchte, das läßt kaum auf eine sonderlich reuige Stimmung in seiner letzten Stunde schließen. Zweifellos erwarten Sie von mir am nächsten Sonntag eine leichte Anspielung auf diesen häuslichen Trauerfall. *(Jack schüttelt ihm krampfhaft die Hand)* Meine Predigt über den Sinn des Manna in der Wüste läßt sich fast jedem Anlaß anpassen – ob er nun freudig oder, wie im vorliegenden Fall, betrüblich ist. *(Alle seufzen)* Ich habe sie bei Erntefesten, Kindstaufen, Konfirmationen, an Buß- und Festtagen gehalten – zum letztenmal in der Kathedrale als Almosenpredigt zugunsten des Vereins zur Verhütung des Mißvergnügens in den oberen Klassen. Der Bischof, der zugegen war, fand einige der von mir hervorgehobenen Analogien recht treffend.

JACK. Ach, da fällt mir etwas ein, Herr Pastor! Sie haben, glaube ich, soeben von Kindstaufen gesprochen. Ich nehme an, daß Sie gut taufen können. *(Chasuble schaut erstaunt drein)* Ich meine natürlich, daß Sie immerzu kleine Kinder zu taufen haben, oder wie?

MISS PRISM. Es ist das, wie ich zu meinem Bedauern sagen muß, eine der häufigsten Pflichten unseres Seelsorgers. Ich habe oft mit den ärmeren Schichten unserer Gemeinde über dieses Thema gesprochen. Aber sie scheinen nicht zu wissen, was Sparsamkeit ist.

CHASUBLE. Die Kirche stößt kein Kind zurück. Aus jedem Säugling kann ein Heiliger werden. Interessieren Sie sich für ein spezielles Kind, Mr. Worthing? Ihr Bruder war, wenn ich nicht irre, unverheiratet?

JACK. Ach ja.

MISS PRISM *(erbittert)*. Wie meistens die Männer, die nur ihrem Vergnügen leben ...

JACK. Es handelt sich nicht um ein Kind, lieber Herr Pastor. Obwohl ich Kinder sehr gern habe ... Die Sache ist nämlich die: Ich selber möchte mich taufen lassen – heute nachmittag, falls Sie nichts Besseres vorhaben.

CHASUBLE. Sie sind doch aber getauft worden, Mr. Worthing!

JACK. Ich kann mich nicht daran erinnern.

CHASUBLE. Bestehen ernsthafte Zweifel?

JACK. Sehr ernsthafte Zweifel. Mit meiner Geburt und meiner frühesten Kindheit sind gewisse Umstände verknüpft, die mich vermuten lassen, daß man mich sträflich vernachlässigt hat. Auf jeden Fall wurde ich nicht so sorgsam betreut, wie es sich gehört hätte. Natürlich möchte ich Ihnen in keiner Weise zur Last fallen. Vielleicht halten Sie mich auch für zu alt.

CHASUBLE. Oh, ich bin durchaus kein bigotter Pädobaptist. Im Urchristentum war es allgemein üblich, Erwachsene zu besprengen und unterzutauchen.

JACK. Untertauchen! Das soll doch wohl nicht heißen ...

CHASUBLE. Seien Sie ganz unbesorgt. Wir begnügen uns mit der Besprengung – mehr wäre nicht ratsam. Dazu ist bei uns das Wetter viel zu launisch. Wann wünschen Sie bedient zu werden?

JACK. Ach, wenn es Ihnen paßt, könnte ich mal so um fünf herum vorbeischauen.

CHASUBLE. Das paßt mir ausgezeichnet. Ich habe nämlich zu diesem Zeitpunkt zwei ähnliche Zeremonien zu vollziehen. Es handelt sich um Zwillinge, die neulich in einer der Katen auf Ihrem Grund und Boden das Licht der Welt erblickt haben. Armer Jenkins, der Fuhrmann, ein sehr fleißiger Mann.

JACK. Zusammen mit anderen Babys getauft zu werden – nein, das würde mir keinen Spaß machen. Es wäre kindisch. Geht es um halb sechs?

CHASUBLE. Ausgezeichnet! Ausgezeichnet! *(Zieht eine Uhr aus der Tasche)* Und jetzt, Mr. Worthing, will ich mich nicht länger aufdrängen. Ich möchte Sie nur bitten, sich nicht allzusehr durch Ihren Kummer niederdrücken zu lassen. Was uns als bittere Heimsuchung erscheint, ist oft ein verborgener Segen.

MISS PRISM. Hier scheint mir der Segen auf der Hand zu liegen.

(Cecily kommt aus dem Haus)

CECILY. Onkel Jack! Oh, wie freue ich mich, daß du wieder da bist. Aber was ist das für eine gräßliche Aufmachung? Geh und zieh dich um!

MISS PRISM. Cecily!

CHASUBLE. Mein Kind! Mein Kind!

(Cecily nähert sich Jack. Er küßt sie mit melancholischer Miene auf die Stirn)

CECILY. Was ist los, Onkel Jack? Schau doch vergnügter drein! Du siehst aus, als ob du Zahnschmerzen hättest – dabei habe ich eine so große Überraschung für dich in petto! Was glaubst du, wer im Speisezimmer sitzt? Dein Bruder!

JACK. Wer?

CECILY. Dein Bruder Ernst. Er ist vor etwa einer halben Stunde angekommen.

JACK. Dummes Zeug. Ich habe keinen Bruder.

CECILY. Sag das nicht. Wenn er sich auch bisher schlecht benommen hat, so ist er doch nach wie vor dein Bruder. Du kannst doch nicht so herzlos sein, ihn zu verleugnen. Ich hole ihn, und du wirst ihm die Hand reichen, nicht wahr, Onkel Jack? *(Läuft ins Haus zurück)*

CHASUBLE. Das ist eine frohe Nachricht. Das Telegramm aus Paris scheint ein herzloser Scherz gewesen zu sein. Jemand wollte mit Ihren Gefühlen Schindluder treiben.

MISS PRISM. Wie seltsam. Nachdem wir alle uns mit dem Verlust abgefunden hatten, empfinde ich diese jähe Wendung als betrüblich.

JACK. Mein Bruder im Speisezimmer? Ich weiß nicht, was das heißen soll. Ich finde es völlig absurd ...

(Cecily und Algernon Hand in Hand aus dem Hause. Langsam gehen sie auf Jack zu)

JACK. Allmächtiger Himmel! *(Macht eine abwehrende Geste)*

ALGERNON. Bruder John, ich bin aus London hierhergeeilt, um dir zu sagen, daß ich den Kummer bedaure, den ich dir bereitet habe, und daß ich vorhabe, in Zukunft ein besseres Leben zu führen. *(Jack schaut ihn bitterböse an und weigert sich, ihm die Hand zu geben)*

CHASUBLE *(zu Miß Prism)*. Es steckt ein guter Kern in diesem jungen Mann. Er scheint ehrlich in sich gegangen zu sein.

MISS PRISM. Diese plötzlichen Bekehrungen gefallen mir nicht. Sie sind ketzerisch. Sie schmecken nach der Laxheit der Nonkonformisten.

CECILY. Onkel Jack, du wirst dich doch nicht weigern, deinem leiblichen Bruder die Hand zu geben!

JACK. Nichts kann mich dazu bewegen, ihm die Hand zu geben. Ich finde es schändlich, daß er sich hierhergewagt hat. Er weiß ganz genau, warum.

CHASUBLE. Junger Mann, Sie sind knapp mit dem Leben davongekommen. Hoffentlich wird es Ihnen eine Warnung sein. Soeben haben wir Ihnen nachgetrauert.

ALGERNON. Ja, ich sehe, daß Jack sich einen neuen Anzug angeschafft hat. Er paßt ihm nicht recht. Die Krawatte ist falsch.

CECILY. Onkel Jack, sei nett. In jedem Menschen steckt etwas Gutes. Ernst hat mir von seinem armen kränkelnden Freund Mr. Bunbury erzählt, den er so oft besucht. Es muß etwas Gutes in einem Menschen stecken, der zu einem kranken Freund lieb ist und auf die Freuden der Großstadt verzichtet, um an einem Schmerzenslager zu sitzen.

JACK. Ach nein – hat er dir von Bunbury erzählt?

CECILY. Ja, von dem armen Mr. Bunbury und seinem beklagenswerten Gesundheitszustand. Ich weiß alles.

JACK. Bunbury! Also, ich dulde nicht, daß er sich mit dir über

Bunbury oder was auch immer unterhält. Das ist ja buchstäblich zum Verrücktwerden!

CHASUBLE. Mr. Worthing, Ihr Bruder ist Ihnen durch den unerforschlichen Ratschluß der Vorsehung unerwarteterweise zurückgegeben worden. Die Vorsehung scheint zu wünschen, daß Sie sich mit ihm aussöhnen. Und in der Tat, es gehört sich, daß Brüder in Eintracht miteinander leben.

ALGERNON. Natürlich gebe ich zu, daß ich an allem schuld bin. Aber ich muß gestehen, daß die Kälte meines Bruders mich schmerzlich berührt. Ich habe mir einen herzlicheren Empfang erhofft, besonders da es mein erster Besuch auf dem Lande ist.

CECILY. Onkel Jack, ich werde es dir nie verzeihen, wenn du Ernst nicht die Hand gibst.

JACK. Du wirst es mir nie verzeihen?

CECILY. Nie, nie, nie!

JACK. Ja, dann bleibt mir wohl nichts anderes übrig. *(Reicht Algernon mit finsterer Miene die Hand)* Du Halunke! Du wirst dieses Haus so schnell wie möglich verlassen. Ich erlaube hier keine Bunbury-Affären.

CHASUBLE. Was für ein erfreulicher Anblick, wenn zwei Brüder sich miteinander versöhnen! *(Zu Cecily)* Sie haben heute eine gute Tat getan, liebes Kind.

MISS PRISM. Wir dürfen nicht voreilig urteilen ...

(Merriman tritt auf)

MERRIMAN. Ich habe Mr. Ernst Worthings Sachen in das Zimmer neben dem Ihren geschafft, Mr. Worthing. Ist es Ihnen recht?

JACK. Wie bitte?

MERRIMAN. Mr. Ernst Worthings Gepäck, Sir. Ich habe die Sachen ausgepackt und in dem Zimmer neben dem Ihren untergebracht.

JACK. Sein Gepäck?

MERRIMAN. Ja, Sir. Drei Koffer, ein Reisenecessaire, zwei Hutschachteln und ein großer Frühstückskorb.

ALGERNON. Leider kann ich diesmal nicht länger als eine Woche bleiben.

MERRIMAN *(zu Algernon)*. Verzeihung, Sir, ein älterer Herr wünscht mit Ihnen zu sprechen. Er ist soeben mit einer

Droschke vom Bahnhof eingetroffen. *(Überreicht die Visitenkarte auf einem silbernen Tablett)*

ALGERNON. Mit *mir* will er sprechen?

MERRIMAN. Ja, Sir.

ALGERNON *(liest, was auf der Karte steht).* Parker und Grisby, Rechtsanwälte. Ich kenne die Herren nicht.

JACK *(nimmt ihm die Karte weg).* Parker und Grisby. Ja, was sind das für Vögel! Ich nehme an, daß es sich um deinen Freund Bunbury handelt. Vielleicht will Bunbury sein Testament machen und dich zum Testamentsvollstrecker ernennen. *(Zu Merriman)* Führen Sie die Herren sogleich hierher.

MERRIMAN. Sehr wohl, Sir. *(Ab)*

JACK. Hoffentlich, Ernst, darf ich mich auf die feierliche Erklärung verlassen, die du vorige Woche abgegeben hast, als ich endgültig alle deine Schulden beglich. Hoffentlich wimmeln keine unbezahlten Rechnungen mehr herum.

ALGERNON. Ich habe keine Schulden, lieber Jack. Dank deiner Freigebigkeit schulde ich keinen Penny – bis auf ein paar Krawatten, wie ich glaube.

JACK. Das freut mich wirklich.

(Merriman tritt auf)

MERRIMAN. Mr. Grisby.

(Merriman ab. Grisby tritt auf)

GRISBY *(zu Chasuble).* Mr. Ernst Worthing?

MISS PRISM. Das ist Mr. Ernst Worthing.

GRISBY. Mr. Ernst Worthing?

ALGERNON. Ja.

GRISBY. Albany Club, London West?

ALGERNON. Ja, das ist meine Adresse.

GRISBY. Verzeihung, Sir, aber wir haben auf Antrag der Savoy-Hotel-GmbH einen Haftbefehl gegen Sie erwirkt. Es handelt sich um eine unbezahlte Schuld von siebenhundertzweiundsechzig Pfund, vierzehn Schilling und zwei Pence.

ALGERNON. Einen Haftbefehl gegen mich?

GRISBY. Ja, Sir.

ALGERNON. Was für ein kompletter Unsinn! Ich esse nie auf eigene Kosten im Savoy. Ich esse immer bei Willis. Dort ist das Essen viel teurer. Ich schulde dem Savoy keinen Groschen.

GRISBY. Die Vorladung ist, wie aus diesem Vermerk hervorgeht, Ihnen persönlich am siebenundzwanzigsten Mai im Albany ausgehändigt worden. Am fünften Juni wurden Sie in absentia zu zwanzig Tagen Haft verurteilt. Seither haben wir Ihnen nicht weniger als fünfzehnmal geschrieben, ohne eine Antwort zu erhalten. Im Interesse unserer Klienten blieb uns keine Wahl, als einen Haftbefehl gegen Sie zu erwirken.

ALGERNON. Was in aller Welt soll das bedeuten? Wollen Sie mich einsperren lassen? Nein. Ich habe nicht die leiseste Absicht, diese schöne Gegend zu verlassen. Ich bleibe für eine Woche bei meinem Bruder. Wenn Sie sich einbilden, daß ich nach London fahre, kaum daß ich hier angekommen bin, dann irren Sie sich gewaltig.

GRISBY. Ich bin nur der Anwalt. Gewaltanwendung fällt nicht in mein Ressort. Der Gerichtsbeamte, der die Aufgabe hat, sich der Person des Schuldners zu bemächtigen, wartet draußen in der Droschke. Er ist in derartigen Dingen sehr erfahren. Deshalb nehmen wir stets seine Dienste in Anspruch. Zweifellos aber werden Sie es vorziehen zu bezahlen.

ALGERNON. Bezahlen? Wie in aller Welt soll ich das machen? Sie glauben doch nicht, daß ich Geld habe. Seien Sie doch nicht so albern! Haben Sie schon einmal einen Gentleman gesehen, der Geld hat?

GRISBY. Ich habe die Erfahrung gemacht, daß meistens die Verwandten zahlen.

ALGERNON. Jack, du mußt diese Rechnung begleichen.

JACK. Lassen Sie mich gefälligst die einzelnen Posten prüfen, Mr. Grisby ... *(Blättert in einem dicken Folianten)* ... Siebenhundertzweiundsechzig Pfund, vierzehn Schilling und zwei Pence seit dem Oktober vorigen Jahres. Ich muß sagen, daß ich eine so leichtsinnige Verschwendung noch nie erlebt habe. *(Reicht das Buch dem Pfarrer)*

MISS PRISM. Siebenhundertzweiundsechzig Pfund aufzuessen! Es kann nichts Gutes in einem jungen Mann stecken, der so viel und so oft ißt.

CHASUBLE. Wir haben uns weit von der schlichten Lebensweise und den hochfliegenden Gedanken unserer Klassiker entfernt.

JACK. Nun, Herr Pastor – bin ich Ihrer Meinung nach verpflichtet, die enorme Zeche zu zahlen, die mein Bruder gemacht hat?

CHASUBLE. Ich muß sagen, daß ich *nicht* dieser Meinung bin. Das hieße seine Liederlichkeit unterstützen.

MISS PRISM. Was man sät, erntet man. Die drohende Haft könnte sich als heilsam erweisen. Bedauerlich, daß es nur zwanzig Tage sind.

JACK. Ich gebe Ihnen durchaus recht.

ALGERNON. Mein lieber Mann, mach dich nicht lächerlich. Du weißt genau, daß das *deine* Rechnung ist.

JACK. Meine Rechnung?

CHASUBLE. Mr. Worthing, wenn das ein Scherz sein soll, finde ich ihn unangebracht.

MISS PRISM. Eine grobe Beleidigung! Nichts anderes habe ich von ihm erwartet.

CECILY. Und was für eine Undankbarkeit! Das habe ich *nicht* erwartet.

JACK. Laßt ihn reden. So redet er immer daher. Willst du vielleicht behaupten, daß du nicht Ernst Worthing bist, wohnhaft im Albany Club, London West? Da du nun schon in Fahrt bist, wundert es mich, daß du nicht leugnest, überhaupt mein Bruder zu sein. Warum bestreitest du es nicht ganz einfach?

ALGERNON. Ach nein, das mache ich nicht, mein Lieber. Es wäre absurd. Natürlich bin ich dein Bruder. Und deshalb bleibt dir nichts übrig, als zu zahlen.

JACK. Ich will dir offen und ehrlich sagen, daß ich nicht im Traum daran denke, die Rechnung zu bezahlen. Pastor Chasuble, Doktor der Theologie, und Miß Prism, auf deren bewundernswürdiges und gesundes Urteilsvermögen ich mich restlos verlasse, sind beide der Meinung, daß dir eine Gefängnisstrafe sehr gut tun wird. Dieser Meinung bin ich auch.

GRISBY *(schaut auf seine Taschenuhr)*. Ich bedaure, daß ich dieses Familienidyll stören muß, aber die Zeit drängt. Spätestens um vier Uhr haben wir uns in Holloway einzufinden, sonst haben wir Schwierigkeiten mit der Aufnahme.

ALGERNON. Holloway!

GRISBY. Häftlinge dieser Kategorie werden stets in die Strafanstalt Holloway eingeliefert.

ALGERNON. Ich werde mich doch nicht in einer Vorstadt einsperren lassen, weil ich im Westend diniert habe!

GRISBY. Die Rechnung betrifft keine Diners, sonders Soupers.

ALGERNON. Das ist mir völlig egal. Ich betone nur, daß ich mich nicht in einer Vorstadt einsperren lasse.

GRISBY. Ich gebe zu, daß es ein kleinbürgerliches Viertel ist, aber das Gefängnis selbst ist elegant und gut ventiliert und bietet zu festgesetzten Stunden reichliche Gelegenheit für Leibesübungen. Falls ein ärztliches Zeugnis vorliegt – das leicht zu beschaffen ist –, wird die Freizeit verlängert.

ALGERNON. Leibesübungen! Du lieber Gott! Ein Gentleman und Leibesübungen! Sie scheinen nicht zu verstehen, was ein Gentleman ist.

GRISBY. Ich habe ihrer so viele kennengelernt, Sir, daß ich es leider wirklich nicht verstehe. Es gibt die wunderlichsten Spielarten. Das ist zweifellos das Ergebnis sorgfältiger Züchtung. Wollen Sie jetzt so gütig sein, mir zu folgen, Sir, falls es Ihnen nicht zuviel Umstände macht?

ALGERNON *(bittend)*. Jack!

MISS PRISM. Bitte, bleiben Sie hart, Mr. Worthing.

CHASUBLE. Hier würde jede Schwäche unangebracht sein. Sie wäre eine Art von Selbstbetrug.

JACK. Ich wanke und weiche nicht. Schwäche und Selbstbetrug sind mir fremd.

CECILY. Onkel Jack, ich glaube, du verwaltest einiges Geld, das mir gehört. Laß mich die Rechnung bezahlen. Ich möchte nicht deinen Bruder ins Gefängnis wandern sehen.

JACK. Das kann ich unmöglich zulassen, Cecily. Ein absurder Gedanke!

CECILY. Dann bist du also einverstanden, ja? Es würde dir leid tun, deinen leiblichen Bruder hinter schwedischen Gardinen zu wissen, nicht wahr? Natürlich hat er mich tief enttäuscht.

JACK. Versprichst du mir, nie mehr ein Wort mit ihm zu reden, Cecily?

CECILY. Bestimmt rede ich kein Wort mehr mit ihm – wenn nicht er mich zuerst anredet.

JACK. Ich werde dafür sorgen, daß er sich nicht in deine Nähe traut. Ich werde dafür sorgen, daß alle Bewohner dieses Hauses ihm aus dem Wege gehen. Der Mann muß geschnitten werden. Mr. Grisby ...

GRISBY. Ja, Sir.

JACK. Ich bezahle die Rechnung. Und es ist die letzte Rechnung, die ich für ihn bezahle. Wie hoch beläuft sie sich?

GRISBY. Siebenhundertzweiundsechzig Pfund, vierzehn Schilling und zwei Pence. Ah! Hinzu kommen fünf Schilling neun Pence für die Droschke, die wir zur Bequemlichkeit unseres Klienten gemietet haben.

JACK. Gut.

MISS PRISM. Ich muß sagen, daß ich diese Großzügigkeit recht töricht finde.

CHASUBLE *(mit einer Handbewegung).* Das Herz ist manchmal weiser als der Kopf.

JACK. Zahlbar an Parker und Grisby, oder wie?

GRISBY. Ja, Sir. Bitte den Scheck nicht zu kreuzen. Danke. *(Zu Chasuble)* Guten Tag. *(Chasuble verbeugt sich kühl)* Guten Tag. *(Miß Prism verbeugt sich kühl) (Zu Algernon)* Hoffentlich werde ich das Vergnügen haben, Sie wiederzusehen.

ALGERNON. Hoffentlich nicht. Wie stellen Sie sich eigentlich die Kreise vor, in denen ein Gentleman zu verkehren wünscht? Kein Gentleman wird mit einem Anwalt verkehren, der ihn in einem Vorort einsperren will.

GRISBY. Durchaus, durchaus ...

ALGERNON. Nebenbei, Grisby – Sie werden *nicht* mit der Droschke zum Bahnhof fahren. Es ist meine Droschke. Sie wurde zu meiner Bequemlichkeit gemietet. Sie werden zu Fuß gehen. Und das wird Ihnen guttun. Anwälte machen viel zuwenig Bewegung. Ich kenne keinen Anwalt, der täglich seine Kniebeugen macht. In der Regel sitzen sie den ganzen lieben Tag lang in miefigen Kanzleien und vernachlässigen ihre Geschäfte.

JACK. Natürlich dürfen Sie die Droschke nehmen, Mr. Grisby.

GRISBY. Besten Dank, Sir. *(Ab)*

CECILY. Es beginnt schwül zu werden, nicht wahr, Hochwürden?

CHASUBLE. Es liegt ein Gewitter in der Luft.

MISS PRISM. Die Atmosphäre will gereinigt werden.

CHASUBLE. Haben Sie die heutige ›Times‹ gelesen, Mr. Worthing?

Sie enthält einen sehr interessanten Artikel über das Anwachsen religiöser Stimmungen unter der Laienschaft.

JACK. Ich hebe ihn mir bis nach dem Abendessen auf.

MERRIMAN *(tritt auf)*. Das Mittagessen ist serviert, Sir.

ALGERNON. Ah, was für eine gute Nachricht! Ich habe Hunger.

CECILY *(mischt sich ein)*. Sie haben doch schon zu Mittag gegessen.

JACK. Schon zu Mittag gegessen?

CECILY. Ja, Onkel Jack. Er hat einige Paté-de-foie-gras-Sandwichs und eine halbe Flasche Champagner bekommen, wie dein Arzt sie dir verschrieben hat.

JACK. Meinen Neunundachtziger-Champagner!

CECILY. Ja. Ich habe mir gedacht, daß es dir recht sein wird, wenn er dasselbe trinkt wie du.

JACK. Na schön. Wenn er schon einmal zu Mittag gegessen hat, darf er nicht mit einem zweiten Mittagessen rechnen. Das wäre absurd.

MISS PRISM. Zweimal an einem Tage zu Mittag zu essen wäre nicht ein Privileg, sondern ein Exzeß.

CHASUBLE. Sogar die heidnischen Philosophen haben die Völlerei verurteilt. Aristoteles äußert sich über sie genauso kategorisch wie über den Wucher.

JACK. Herr Pastor, würden Sie die Güte haben, die Damen zu Tisch zu führen?

CHASUBLE. Mit Vergnügen. *(Geht mit Cecily und Miß Prism ins Haus)*

JACK. Dein Bunbury-Abenteuer ist nun doch nicht sehr erfolgreich verlaufen. Ich selber muß sagen: Es ist heute kein Glückstag für die Bunburys.

ALGERNON. Ach, wie alle Dinge kennt auch das Bunburisieren sein Auf und Ab. Ich hätte mich nicht zu beklagen, wenn du mir bloß was zu essen geben würdest. Die Hauptsache ist, daß ich Cecily gesehen habe. Sie ist entzückend.

JACK. Du hast nicht in solchen Tönen über mein Mündel zu sprechen. Es gefällt mir nicht.

ALGERNON. Und mir gefällt dein Aufzug nicht. Du siehst einfach lächerlich aus. Warum in aller Welt gehst du nicht nach oben und ziehst dich um? Es ist kindisch, Trauer zu tragen für einen

Menschen, der eine ganze Woche dein Hausgast sein wird. Ich finde es grotesk.

JACK. Nicht eine Woche, nein, nicht eine Stunde länger wirst du in diesem Hause bleiben, weder als Gast noch als sonst was. Du hast abzureisen – mit dem Vieruhrfünfzug.

ALGERNON. Solange du Trauer trägst, weiche ich nicht von deiner Seite. Das wäre unfreundschaftlich. Würdest *du* mich im Stich lassen, wenn ich Trauer trüge? Das fände ich äußerst unfreundlich.

JACK. Wenn ich mich umziehe – wirst du dann verschwinden?

ALGERNON. Ja, falls du nicht zu lange brauchst. Ich habe nie einen Menschen getroffen, der beim Anziehen so lange trödelt wie du – und mit so kläglichem Resultat.

JACK. Das ist auf jeden Fall besser, als sich so übertrieben zu kleiden wie *du*.

ALGERNON. Wenn ich mich gelegentlich ein wenig übertrieben kleide, wird es dadurch wettgemacht, daß ich von einer ungeheuer übertriebenen Intelligenz bin.

JACK. Deine Eitelkeit ist lächerlich, dein Benehmen schändlich und deine Anwesenheit in meinem Garten ein schlechter Witz. Wie dem auch sei, du nimmst den Vieruhrfünfzug, und ich wünsche dir eine gute Reise. Mit deinem Bunburisieren, wie du es zu nennen beliebst, hast du wenig Erfolg gehabt. *(Ab ins Haus)*

ALGERNON. Einen Bombenerfolg, glaube ich. Ich habe mich in Cecily verliebt, und damit ist alles gesagt. Aber mit knurrendem Magen läßt sich nicht gut bunburisieren. Ich glaube, ich setze mich mit zu Tisch. *(Geht auf das Haus zu)*

CECILY *(aus dem Hause)*. Ich habe Onkel Jack versprochen, nie wieder ein Wort mit Ihnen zu reden, es sei denn, daß Sie eine Frage an mich richten. Ich kann nicht verstehen, warum Sie nicht irgendeine Frage an mich richten. Ich fürchte, Sie sind nicht ganz so gescheit, wie ich anfangs vermutet habe.

ALGERNON. Cecily, darf ich mich mit zu Tisch setzen?

CECILY. Mich wundert, daß Sie mir noch in die Augen schauen können.

ALGERNON. Ich schaue Ihnen so gerne in die Augen.

CECILY. Warum aber haben Sie versucht, diese gräßliche Rechnung dem armen Onkel Jack in die Schuhe zu schieben? Das finde ich unentschuldbar.

ALGERNON. Zugegeben, aber mein Gedächtnis ist wie ein Sieb. Ich hatte glatt vergessen, daß ich dem Savoy siebenhundertzweiundsechzig Pfund, vierzehn Schilling und zwei Pence schulde.

CECILY. Es freut mich, daß Sie ein schlechtes Gedächtnis haben. Ein gutes Gedächtnis zählt nicht zu den Eigenschaften, die eine Frau an einem Mann bewundert.

ALGERNON. Cecily, ich bin fürchterlich hungrig.

CECILY. Ich verstehe nicht, wieso Sie hungrig sein können, wenn man bedenkt, was Sie alles seit dem Oktober vorigen Jahres gegessen haben.

ALGERNON. Ach, die Soupers waren für den armen Bunbury bestimmt. Nächtliche Soupers sind das einzige, das sein Arzt ihm gestattet.

CECILY. Dann wundert es mich nicht, daß Mr. Bunbury kränkelt – wenn er jeden Abend ein Souper für sechs bis acht Personen verzehrt.

ALGERNON. Das ist es ja, was ich ihm immerzu vorhalte! Aber er scheint sich einzubilden, daß die Ärzte es besser wissen. Er ist ganz verrückt auf Ärzte.

CECILY. Natürlich möchte ich Sie nicht verhungern lassen – deshalb habe ich den Butler beauftragt, Ihnen einen kleinen Imbiß zu servieren.

ALGERNON. Cecily, Sie sind ein Engel! Werde ich Sie noch einmal sehen, bevor ich gehe?

CECILY. Miß Prism und ich werden nach dem Mittagessen hier im Garten sein. Meinen Nachmittagsunterricht erhalte ich immer unter dem Eibenbaum.

ALGERNON. Können Sie nicht etwas erfinden, um Miß Prism aus dem Wege zu schaffen?

CECILY. Sie meinen, ich soll mir eine Lüge ausdenken?

ALGERNON. O nein, natürlich nicht eine *Lüge*. Nur etwas, das nicht ganz der Wahrheit entspricht, aber wahr sein *sollte*.

CECILY. Das geht leider nicht. Ich wüßte nicht, wie. Nie denkt man daran, die Phantasie eines jungen Mädchens systematisch anzuregen. Das ist ein großes Manko der heutigen Erziehung.

Freilich, wenn man rein zufällig erwähnt, daß Pastor Chasuble irgendwo wartet, um mit ihr zu sprechen, wird sie bestimmt zu ihm hingehen. Sie läßt ihn nicht gerne warten. Und hat dazu so selten Gelegenheit.

ALGERNON. Ein phänomenaler Vorschlag!

CECILY. Ich habe nichts vorgeschlagen, Vetter Ernst. Nichts könnte mich je dazu bewegen, Miß Prism auch nur im geringsten zu hintergehen. Ich habe Sie nur darauf aufmerksam gemacht, daß ein soundso geartetes Verhalten ein gewisses Ergebnis hervorrufen würde.

ALGERNON. Selbstverständlich. Ich bitte um Verzeihung, liebe Kusine. Ich werde also um halb vier hier erscheinen. Ich habe Ihnen etwas sehr Ernstes mitzuteilen.

CECILY. Etwas Ernstes?

ALGERNON. Ja – etwas *sehr* Ernstes.

CECILY. Dann sollten wir uns lieber im Hause treffen. Ich spreche nicht gern im Freien über ernste Dinge. Es wirkt so gekünstelt.

ALGERNON. Wo also treffen wir uns?

JACK *(aus dem Hause)*. Der Dogcart steht vor der Haustür. Du mußt dich auf den Weg machen. Dein Platz ist an Bunburys Seite. *(Erblickt Cecily)* Cecily! Hältst du es nicht für ratsam, zu Miß Prism und Pastor Chasuble zurückzukehren?

CECILY. Ja, Onkel Jack. Leben Sie wohl, Vetter Ernst. Leider werden wir uns nicht mehr wiedersehen, weil um halb vier Miß Prism mir im Salon den Nachmittagsunterricht erteilt.

ALGERNON. Leben Sie wohl, liebe Kusine. Sie waren sehr nett zu mir. *(Cecily ab ins Haus)*

JACK. Jetzt paß mal auf, Algy. Du mußt verschwinden – je früher, desto besser. Bunbury ist sterbenskrank – dein Platz ist an seiner Seite.

ALGERNON. Momentan kann ich nicht weg. Ich warte auf mein zweites Mittagessen. Und du wirst dich freuen, wenn ich dir sage, daß es Bunbury bedeutend besser geht.

JACK. Auf jeden Fall machst du dich zehn Minuten vor vier auf den Weg. Ich habe deine Koffer packen lassen, und der Dogcart wird dann vorgefahren sein.

Vorhang

Dritter Akt

Salon im Manor House. Cecily und Miß Prism sitzen an getrennten Tischen und schreiben.

MISS PRISM. Cecily! *(Cecily antwortet nicht)* Cecily! Schon wieder machen Sie Eintragungen in Ihr Tagebuch. Ich habe mehr als einmal Gelegenheit gehabt, Ihnen diese krankhafte Sucht vorzuhalten.

CECILY. Ich nehme mir nur, wie immer, ein Beispiel an Ihnen, Miß Prism.

MISS PRISM. Erst wenn man das Prinzip der Doppelwährung von Grund auf bemeistert hat, ist man berechtigt, sich Selbstbetrachtungen hinzugeben. Schwerlich vorher. Ich muß Sie bitten, sich wieder mit Ihren nationalökonomischen Lektionen zu beschäftigen.

CECILY. Sofort, liebe Miß Prism. Ich habe nämlich die Ereignisse des heutigen Tages nur bis ein Viertel nach zwei aufgezeichnet, und es war halb drei, als sich die schreckliche Katastrophe ereignet hat.

MISS PRISM. Verzeihung, Cecily, es war genau ein Viertel vor drei, als Pastor Chasuble die betrübliche Einstellung des Urchristentums zur Ehe erwähnte.

CECILY. Ich habe ja gar nicht den Pastor gemeint, sondern die tragische Bloßstellung des armen Mr. Ernst Worthing.

MISS PRISM. Ich habe nichts für Mr. Ernst Worthing übrig. Er ist ein durch und durch schlechter Mensch.

CECILY. Ich fürchte, Sie haben recht. Anders könnte ich mir seinen Charme nicht erklären.

MISS PRISM *(erhebt sich)*. Cecily, ich bitte Sie, sich nicht durch äußerliche Vorzüge irreführen zu lassen, die dieser unglückliche junge Mann besitzen mag.

CECILY. Ach, glauben Sie mir, Miß Prism, nur die äußerlichen Vorzüge sind von Dauer. Die tiefere Natur des Menschen hat man schnell heraus.

MISS PRISM. Kind – ich weiß nicht, woher Sie diese Ideen beziehen. Sicherlich nicht aus den lehrreichen Büchern, die ich Ihnen beschafft habe.

CECILY. Findet man Ideen in lehrreichen Büchern? Ich fürchte, nein. Meine Ideen hole ich mir – aus dem Garten.

MISS PRISM. Dann sollten Sie sich nicht soviel unter freiem Himmel aufhalten. In der letzten Zeit, Cecily, haben Sie die schlechte Gewohnheit angenommen, selbständig zu denken. Das sollten Sie sein lassen. Es ist nicht recht weiblich. Die Männer mögen es nicht. *(Algernon tritt ein)* Mr. Worthing, ich habe angenommen – besser gesagt, ich habe gehofft, daß Sie bereits nach London unterwegs sind.

ALGERNON. Meine Abreise steht unmittelbar bevor. Ich bin gekommen, um mich von Ihnen zu verabschieden, Miß Cardew. Wie man mir mitgeteilt hat, steht ein Dogcart vor der Haustür. Mir bleibt nichts übrig, als in die kalte Welt zurückzukehren.

CECILY. Ich weiß nicht, Mr. Worthing, warum Sie diese sonderbare Bezeichnung wählen. Kalt? Selbst für den Monat Juli ist es heute ungewöhnlich warm.

MISS PRISM. Ein unsittlicher Lebenswandel stumpft die Sinne ab.

ALGERNON. Zweifellos. Es liegt mir fern, das Wetter zu verteidigen. Ich halte es aber für meine Pflicht, Miß Prism, Ihnen zu sagen, daß seine Hochwürden, der Herr Pastor, in der Sakristei auf Sie wartet.

MISS PRISM. In der Sakristei! Das klingt bedenklich. Es kann sich kaum um etwas Triviales handeln, wenn Pastor Chasuble in einer so feierlichen Umgebung mit mir zu sprechen wünscht. Ich glaube nicht, daß es richtig wäre, ihn warten zu lassen, Cecily?

CECILY. Es wäre sehr, sehr falsch. Soviel ich gehört habe, ist die Sakristei äußerst feucht.

MISS PRISM. Ja, freilich. Daran habe ich gar nicht gedacht. Und Pastor Chasuble ist schwer rheumatisch. Mr. Worthing, wir werden einander wahrscheinlich nicht wiedersehen. Gestatten Sie mir, die aufrichtige Hoffnung zu äußern, daß Sie von nun an ein neues Leben führen werden.

ALGERNON. Ein funkelnagelneues Leben, Miß Prism. Es hat schon angefangen.

MISS PRISM. Das höre ich gern. *(Setzt einen breitrandigen Hut auf, der ihr nicht steht)* Und vergessen Sie nicht, daß auch für den verworfensten Menschen Hoffnung besteht. Nicht faulenzen, Cecily!

CECILY. Ich denke nicht daran, zu faulenzen. Ich bin mir nur allzusehr bewußt, daß ich eine sehr schwere Aufgabe zu bewältigen habe.

MISS PRISM. So gehört es sich, mein liebes Kind. *(Ab)*

ALGERNON. Dieser Abschied, Miß Cardew, ist schmerzlich.

CECILY. Es ist immer schmerzlich, sich von Menschen zu trennen, die man erst seit ganz kurzer Zeit kennt. Die Abwesenheit alter Freunde erträgt man mit Gleichmut. Aber auch nur für einen Augenblick von jemandem getrennt zu sein, den man eben erst kennengelernt hat, ist fast unerträglich.

ALGERNON. Danke ...

MERRIMAN *(tritt ein)*. Der Dogcart ist vorgefahren, Sir.
(Algernon sieht Cecily flehend an)

CECILY. Er soll fünf Minuten warten.

MERRIMAN. Ja, Miß. *(Ab)*

ALGERNON. Cecily, hoffentlich sind Sie nicht beleidigt, wenn ich offen und ehrlich bekenne, daß Sie mir in jeder Beziehung als die sichtbare Verkörperung absoluter Vollkommenheit erscheinen.

CECILY. Ihre Offenheit macht Ihnen Ehre, Ernst. Wenn Sie gestatten, werde ich Ihre Bemerkung in mein Tagebuch eintragen. *(Geht zum Tisch und beginnt zu schreiben)*

ALGERNON. Führen Sie wirklich ein Tagebuch? Ich würde alles dafür geben, wenn ich einen Blick hineintun dürfte. Darf ich?

CECILY. O nein. *(Deckt es mit der Hand zu)* Sehen Sie, es sind nur Gedanken und Eindrücke eines sehr jungen Mädchens, die sie zu Papier bringt – und die infolgedessen zur Veröffentlichung bestimmt sind. Wenn das Buch eines Tages erscheint, werden Sie hoffentlich ein Exemplar bestellen. Aber, bitte, lieber Ernst, fahren Sie fort. Ich finde es himmlisch, nach Diktat zu schreiben. Wir sind bei ›absolute Vollkommenheit‹ stehengeblieben. Weiter. Ich bin ganz Ohr.

ALGERNON *(ein wenig verdutzt)*. Hm ... Hm ...

CECILY. Nicht hüsteln, Mr. Worthing. Wenn man diktiert, sollte man fließend sprechen, ohne zu hüsteln. Außerdem kann ich ein Hüsteln nicht buchstabieren. *(Schreibt mit, während Algernon spricht)*

ALGERNON *(in hastigem Tempo).* Miß Cardew, seit heute um halb eins – seit ich zum erstenmal Ihre wunderbare und unvergleichbare Schönheit zu sehen bekam – bin ich nicht nur Ihr unterwürfiger Sklave und Knecht, nein: auf den Zinnen einer vielleicht ungeheuerlichen Ambition schwebend, habe ich es gewagt, Sie leidenschaftlich, hingebungsvoll, wild und hoffnungslos zu lieben.

CECILY *(legt die Feder weg).* Ach, bitte, sagen Sie das alles noch einmal. Sie sprechen viel zu schnell und viel zu undeutlich. Bitte, fangen Sie von vorne an.

ALGERNON. Miß Cardew, seit Sie heute um halb eins – ich meine, seit es heute halb eins geworden war und ich zum erstenmal Ihre wunderbare und unvergeßliche Schönheit ...

CECILY. Ja, das habe ich mitbekommen.

ALGERNON *(stotternd).* Ich – ich ...

(Cecily legt die Feder weg und sieht ihn vorwurfsvoll an)

ALGERNON *(fährt verzweifelt fort).* Ich bin seither nicht nur Ihr unterwürfiger Sklave und Knecht – sondern – auf den Zinnen einer vielleicht ungeheuerlichen Ambition schwebend – habe ich es gewagt, Sie leidenschaftlich, hingebungsvoll, wild und hoffnungslos zu lieben. *(Zieht die Uhr aus der Tasche und schaut nach, wie spät es ist)*

CECILY *(blickt auf, nachdem sie eine Weile geschrieben hat).* ›Hoffnungslos‹ habe ich weggelassen. Es scheint mir nicht viel Sinn zu haben. Oder wie? *(Eine kurze Pause)*

ALGERNON *(zuckt zusammen).* Cecily!

CECILY. Fängt hier ein ganz neuer Absatz an? Oder soll ich einen Gedankenstrich setzen?

ALGERNON *(hastig und mit romantischem Überschwang).* Es ist für mich der Beginn eines völlig neuen Lebens, und was nun folgt, ist nicht ein Gedankenstrich, sondern eine Kette von Ausrufungszeichen – eine brausende Symphonie der Liebe, ein Lobgesang, eine Huldigung ...

CECILY. Das hat aber nun schon gar keinen Sinn und Verstand mehr! Männer sollten nicht versuchen, Frauen zu diktieren. Sie wissen nicht, wie man es macht, und *wenn* sie es versuchen, sagen sie immer etwas besonders Dummes.

ALGERNON. Egal, ob das, was ich sage, dumm ist oder nicht. Ich weiß nur, daß ich Sie liebe, Cecily. Ich liebe Sie, ich begehre Sie. Ich kann ohne Sie nicht leben, Cecily! Sie wissen, daß ich Sie liebe. Wollen Sie mich heiraten? Wollen Sie meine Frau werden? *(Stürzt zu ihr hin und legt seine Hand auf die ihre)*

CECILY *(steht auf)*. So – jetzt habe ich einen Klecks gemacht. Dabei ist das der erste richtige Heiratsantrag, den ich je erlebt habe. Ich hätte ihn gern säuberlich notiert.

MERRIMAN *(tritt ein)*. Der Dogcart wartet, Sir.

ALGERNON. Sagen Sie dem Kutscher, er soll nächste Woche um dieselbe Zeit wiederkommen.

MERRIMAN *(sieht Cecily an, die nicht reagiert)*. Jawohl, Sir. *(Ab)*

CECILY. Onkel Jack würde sehr ärgerlich sein, wenn er wüßte, daß Sie die Absicht haben, bis nächste Woche um dieselbe Zeit zu bleiben.

ALGERNON. Ich pfeife auf Jack. Die ganze Welt kann mir gestohlen bleiben. Nur du liegst mir im Herzen. Ich liebe dich, Cecily! Du wirst mich heiraten, ja?

CECILY. Dummer Junge! Selbstverständlich. Wir sind ja schon drei Monate lang miteinander verlobt.

ALGERNON. Drei Monate lang?

CECILY. Drei Monate minus ein paar Tage. *(Blättert im Tagebuch)* Ja, am Donnerstag werden es genau drei Monate sein.

ALGERNON. Das wußte ich gar nicht.

CECILY. Heutzutage sind sich die Menschen nur selten über ihre Situation im klaren. Wir leben, wie Miß Prism oft betont, in einem gedankenlosen Zeitalter.

ALGERNON. Wie ist denn aber diese Verlobung zustande gekommen?

CECILY. Also – von dem Augenblick an, als Onkel Jack uns gestand, daß er einen jüngeren Bruder hat, der ein verkommener und schlechter Mensch ist, von diesem Augenblick an warst natürlich du das Hauptthema der Gespräche zwischen Miß Prism und mir. Und natürlich ist ein Mann, über den viel geredet wird, eo ipso attraktiv. Man hat das Gefühl, es müsse etwas an ihm dransein. Zugegeben, es war dumm von mir – aber ich habe mich in dich verliebt, Ernst.

ALGERNON. Darling! Und wann hast du dich entschlossen, dich mit mir zu verloben?

CECILY. Am vierzehnten Februar. Ich fand es unerträglich, daß du von meiner Existenz nichts wußtest, ich hatte diesen Schwebezustand satt, deshalb nahm ich mir vor, ihm auf die eine oder andere Weise ein Ende zu machen. Nach langen inneren Kämpfen entschloß ich mich eines Abends im Garten, deine Frau zu werden. Am nächsten Tag kaufte ich in deinem Namen diesen kleinen Ring. Du siehst, Ernst, daß ich ihn immer trage, und obwohl er ein bedauernswerter Beweis für deine Verschwendungssucht ist, habe ich dir längst verziehen. Hier in dieser Schublade liegen alle die kleinen Geschenke, die ich dir von Zeit zu Zeit gemacht habe – säuberlich numeriert und etikettiert. Das ist das Perlhalsband, das *du* mir zu meinem Geburtstag geschenkt hast. Und das ist die Schatulle, in der ich alle deine Briefe aufbewahre. *(Öffnet die Schatulle und nimmt die mit einem blauen Band umwickelten Briefe heraus)*

ALGERNON. Meine Briefe! Aber meine liebe süße Cecily, ich habe dir nie geschrieben.

CECILY. Das brauchst du mir nicht unter die Nase zu reiben, Ernst. Ich werde es nie vergessen. Eines Tages hatte ich es satt, jeden Morgen den Briefträger zu fragen, ob er einen Brief aus London für mich habe. Meine Gesundheit begann unter der seelischen Belastung zu leiden. Deshalb schrieb ich selber deine Briefe und ließ sie durch mein Mädchen im Dorf einwerfen. Ich habe dreimal wöchentlich geschrieben – manchmal sogar öfter.

ALGERNON. Oh, laß mich die Briefe lesen, Cecily!

CECILY. Ausgeschlossen. Du würdest dir viel zuviel einbilden. Die drei, die du mir geschrieben hast, nachdem ich unsere Verlobung rückgängig gemacht hatte, sind so schön und so unorthographisch, daß ich sie noch heute kaum lesen kann, ohne ein bißchen zu weinen.

ALGERNON. Wurde denn unser Verlöbnis rückgängig gemacht?

CECILY. Ja, freilich. *(Zeigt ihm das Tagebuch)* Am zweiundzwanzigsten März. Wenn du willst, kannst du die Eintragung lesen. *(Liest vor)* ›Heute habe ich meine Verlobung mit Ernst gelöst.

Ich halte es für ratsam. Das Wetter ist nach wie vor wunderschön.‹

ALGERNON. Aber warum in aller Welt hast du die Verlobung rückgängig gemacht? Was hatte ich getan? Gar nichts! Cecily, es kränkt mich sehr, daß du mit mir gebrochen hast. Besonders bei so wunderschönem Wetter.

CECILY. Männer vergessen schnell. Ich hätte gedacht, daß du dich noch an den bösen Brief erinnern würdest, den du mir geschrieben hast, weil ich auf dem Grafschaftsball mit Lord Kelso getanzt hatte.

ALGERNON. Aber ich habe doch alles zurückgenommen, Cecily, nein?

CECILY. Selbstverständlich. Sonst hätte ich dir nicht verziehen und hätte auch nicht das kleine goldene Armband mit dem Türkis- und Brillantherzchen akzeptiert, das du mir am nächsten Tag geschickt hast. *(Zeigt ihm das Armband)*

ALGERNON. Habe *ich* dir dieses Armband geschenkt, Cecily? Es ist sehr hübsch, nicht wahr?

CECILY. Ja, du hast einen hervorragenden Geschmack, Ernst. Damit habe ich immer wieder das wüste Leben entschuldigt, das du geführt hast.

ALGERNON. Geliebte! Wir sind also schon seit drei Monaten miteinander verlobt!

CECILY. Ja. Wie die Zeit vergeht, nicht wahr?

ALGERNON. Das finde ich nicht. Mir sind die Tage ohne dich sehr lang und sehr trist vorgekommen.

CECILY. Du kleiner Romantiker ... *(Fährt ihm mit den Fingern durchs Haar)* Hoffentlich lockt sich dein Haar von selbst.

ALGERNON. Ja, mein Schatz – wenn andere ein bißchen nachhelfen.

CECILY. Ich bin so froh ...

ALGERNON. Und du wirst nie wieder unsere Verlobung rückgängig machen.

CECILY. Ich glaube kaum, daß ich dazu noch imstande wäre – jetzt, nachdem ich dich kennengelernt habe. Und dann, natürlich, dein Name!

ALGERNON *(nervös)*. Ja, natürlich.

CECILY. Du darfst mich nicht auslachen, Darling, aber ich habe schon immer davon geträumt, einen Mann zu lieben, der Ernst heißt. *(Beide erheben sich)* Es liegt etwas in diesem Namen, das restloses Vertrauen einflößt. Ich bedaure jede verheiratete Frau, deren Mann nicht Ernst heißt.

ALGERNON. Aber, mein liebes Kind, soll das heißen, daß du mich nicht lieben könntest, wenn ich einen anderen Namen hätte?

CECILY. Was denn für einen anderen Namen?

ALGERNON. Ach, einen beliebigen Namen. Zum Beispiel – Algernon.

CECILY. Der Name Algernon gefällt mir aber nicht.

ALGERNON. Also, mein süßes, zartes, geliebtes Wesen – ich kann wirklich nicht verstehen, was du gegen den Namen Algernon einzuwenden hast. Es ist durchaus kein unschöner Name. Eigentlich ein recht aristokratischer Name. Die meisten, die vors Konkursgericht kommen, heißen Algernon. Aber im Ernst, Cecily – *(nähert sich ihr)* –, wenn ich Algy hieße, könntest du mich dann nicht lieben?

CECILY. Vielleicht würde ich dich achten, Ernst, vielleicht deinen Charakter bewundern, aber ich fürchte, daß ich nicht fähig wäre, dir meine ungeteilte Zuneigung zu schenken.

ALGERNON. Hm! Cecily ... *(Greift nach seinem Hut)* Euer Pfarrer ist wohl in allen kirchlichen Riten und Zeremonien bewandert.

CECILY. O ja. Doktor Chasuble ist ein sehr gelehrter Mann. Er hat nie auch nur ein einziges Buch geschrieben – also kannst du dir vorstellen, wie viel er weiß.

ALGERNON. Ich muß sofort mit ihm sprechen. Es handelt sich um eine Kindstau ... – ich meine, um eine wichtige Angelegenheit.

CECILY. Ach!

ALGERNON. Ich bleibe nicht länger als eine halbe Stunde weg.

CECILY. Wenn man bedenkt, daß wir seit dem vierzehnten Februar verlobt sind und ich dir heute zum erstenmal begegnet bin, finde ich es bitter, daß du mich so lange allein läßt. Kannst du es nicht in zwanzig Minuten schaffen?

ALGERNON. Ich bin im Nu wieder da. *(Küßt sie und stürzt davon)*

CECILY. Wie ungestüm der liebe Junge ist! Mir gefällt sein Haar so sehr. Ich muß seinen Heiratsantrag in mein Tagebuch eintragen.

MERRIMAN *(tritt ein)*. Eine Miß Fairfax ist soeben vorgefahren und wünscht mit Mr. Worthing zu sprechen. Wie sie sagt, in einer sehr wichtigen Angelegenheit.

CECILY. Ist Mr. Worthing nicht in der Bibliothek?

MERRIMAN. Mr. Worthing hat vor einiger Zeit das Haus verlassen und die Richtung zum Pfarrhaus eingeschlagen.

CECILY. Führen Sie, bitte, die Dame zu mir. Mr. Worthing wird sicherlich bald zurück sein. Bringen Sie uns den Tee.

MERRIMAN. Jawohl, Miß. *(Ab)*

CECILY. Miß Fairfax? Vermutlich eine der braven älteren Damen, die Onkel Jack bei seinen philantropischen Bemühungen in London zur Hand gehen. Eigentlich mag ich keine Frauen, die sich für philantropische Bemühungen interessieren. Ich finde es vorlaut.

MERRIMAN *(tritt ein)*. Miß Fairfax.

(Gwendolen tritt ein, Merriman geht ab)

CECILY *(geht Gwendolen entgegen)*. Gestatten Sie, daß ich mich vorstelle. Ich heiße Cecily Cardew.

GWENDOLEN. Cecily Cardew? *(Geht auf sie zu und reicht ihr die Hand)* Was für ein reizender Name! Eine innere Stimme sagt mir, daß wir uns schnell anfreunden werden. Ich kann gar nicht sagen, wie gut Sie mir bereits gefallen. Mein erster Eindruck täuscht mich nie.

CECILY. Wie nett von Ihnen, mich zu mögen, nachdem wir uns erst seit so verhältnismäßig kurzer Zeit kennen. Bitte, nehmen Sie Platz.

GWENDOLEN *(bleibt stehen)*. Darf ich Cecily zu Ihnen sagen?

CECILY. Aber gern.

GWENDOLEN. Und Sie sagen immer Gwendolen zu mir, ja?

CECILY. Wenn Sie es wünschen.

GWENDOLEN. Dann wäre diese Frage bereinigt.

CECILY. Hoffentlich ... *(Eine Pause. Beide setzen sich)*

GWENDOLEN. Vielleicht wäre das eine günstige Gelegenheit, zu erwähnen, wer ich bin. Mein Vater ist Lord Bracknell. Sie haben wohl nie von ihm gehört.

CECILY. Nicht daß ich wüßte ...

GWENDOLEN. Es freut mich, sagen zu dürfen, daß Papa außerhalb des engsten Familienkreises völlig unbekannt ist. Ich finde, so gehört es sich. Die Häuslichkeit ist die passende Wirkungssphäre des Mannes. Wenn ein Mann beginnt, seine häuslichen Pflichten zu vernachlässigen, wirkt er mit einem Mal weibisch. Und das mag ich nicht. Es macht die Männer so attraktiv. Cecily – Mama, die in Fragen der Erziehung bemerkenswert strenge Auffassungen vertritt, hat mich zur Kurzsichtigkeit erzogen. Es gehört zu ihrem System. Haben Sie etwas dagegen, wenn ich Sie durch mein Lorgnon betrachte?

CECILY. Keineswegs, Gwendolen. Ich lasse mich sehr gern betrachten.

GWENDOLEN *(nachdem sie Cecily sorgfältig gemustert hat).* Sie sind wohl nur zu einem kurzen Besuch hier.

CECILY. Ach nein. Ich wohne hier.

GWENDOLEN. Tatsächlich?

CECILY. Mein lieber Vormund, unterstützt durch Miß Prism, hat die schwierige Aufgabe übernommen, mich zu betreuen.

GWENDOLEN. Ihr Vormund!

CECILY. Ja, ich bin Mr. Worthings Mündel.

GWENDOLEN. Ach, wie merkwürdig! Er hat mir gegenüber nie erwähnt, daß er ein Mündel hat. Warum diese Geheimnistuerei? Der Mann wird von Stunde zu Stunde interessanter. Ich bin aber nicht sicher, daß diese Neuigkeit mir ungemischte Freude bereitet. *(Steht auf und nähert sich Cecily)* Ich mag Sie sehr gern, Cecily – Sie haben mir vom ersten Augenblick an gut gefallen. Aber ich muß sagen, jetzt, da ich weiß, daß Sie Mr. Worthings Mündel sind – ich kann mir nicht helfen, ich wünschte mir, Sie wären – na ja, ein kleines bißchen älter – und nicht ganz so verführerisch. Wenn ich aufrichtig sein darf ...

CECILY. Ich bitte darum. Wenn man etwas Unangenehmes zu sagen hat, sollte man immer aufrichtig sein.

GWENDOLEN. Also, um es ganz offen zu sagen, Cecily, ich würde mir wünschen, Sie wären volle zweiundvierzig Jahre alt und für Ihr Alter ungewöhnlich häßlich. Ernst hat einen starken, aufrechten Charakter. Er ist die Wahrheit und Ehre in Person. Einer Treulosigkeit wäre er ebensowenig fähig wie einer Lüge.

Aber auch Männer von der denkbar edelsten Gesinnung sind äußerst empfänglich für körperliche Reize. Neuzeit und Altertum liefern uns viele betrübliche Beispiele. Andernfalls wäre die Weltgeschichte recht uninteressant.

CECILY. Verzeihung, Gwendolen – sagten Sie ›Ernst‹?

GWENDOLEN. Ja.

CECILY. Aber nicht Mr. Ernst Worthing ist mein Vormund, sondern sein Bruder – sein älterer Bruder.

GWENDOLEN *(setzt sich wieder)*. Ernst hat nie von einem Bruder gesprochen.

CECILY. Leider muß ich sagen, daß sie seit langem nicht auf dem besten Fuß miteinander stehen.

GWENDOLEN. Aha! Das ist die Erklärung! Und da fällt mir ein, daß ich überhaupt noch nie einen Mann von seinem Bruder habe sprechen hören. Das Thema scheint den meisten Männern unerquicklich zu sein. Cecily, mir fällt ein Stein vom Herzen. Mir wurde schon angst und bange! Wäre es nicht schrecklich gewesen, wenn auch nur das geringste Wölkchen eine Freundschaft wie die unsere getrübt hätte? Natürlich wissen Sie ganz, ganz genau, daß nicht Mr. Ernst Worthing Ihr Vormund ist.

CECILY. Ganz genau. *(Pause)* Eigentlich werde *ich* jetzt die Vormundschaft übernehmen.

GWENDOLEN. Wie, bitte?

CECILY *(ziemlich schüchtern und vertraulich)*. Liebe Gwendolen, ich sehe keinen Grund, warum ich es verheimlichen sollte. Nächste Woche wird es ja in unserem Lokalanzeiger stehen. Mr. Ernst Worthing und ich sind verlobt.

GWENDOLEN *(recht höflich, während sie aufsteht)*. Meine teuerste Cecily, ich glaube, hier muß ein kleines Mißverständnis vorliegen. Mr. Ernst Worthing ist mit mir verlobt. Die Anzeige wird spätestens am Sonnabend in der Morning Post erscheinen.

CECILY *(äußerst höflich, während sie aufsteht)*. Ich fürchte, daß Sie sich irren. Ernst hat mir vor genau zehn Minuten einen Heiratsantrag gemacht. *(Zeigt ihr das Tagebuch)*

GWENDOLEN *(betrachtet das Tagebuch aufmerksam durch ihr Lorgnon)*. Das ist wirklich sonderbar. Gestern nachmittag um halb sechs hat er mich um meine Hand gebeten. Wenn Sie Lust haben, die Richtigkeit meiner Behauptung zu überprüfen – bitte sehr ... *(Zieht gleichfalls ein Tagebuch aus der Tasche)* Ich reise nie ohne mein Tagebuch. Man sollte im Zug immer etwas Spannendes zu lesen haben. Ich bedaure sehr, liebe Cecily, wenn es für Sie eine Enttäuschung ist – aber ich habe leider den älteren Anspruch.

CECILY. Ich kann gar nicht sagen, wie schmerzlich es für mich wäre, Ihnen seelisch oder körperlich weh tun zu müssen – aber ich sehe mich genötigt, darauf hinzuweisen, daß Ernst, seit er um Ihre Hand anhielt, offensichtlich anderen Sinnes geworden ist.

GWENDOLEN *(nachdenklich)*. Sollte der arme Mann sich zu einer Dummheit haben verleiten lassen, ja, dann halte ich es für meine Pflicht, ihn vor den Folgen zu bewahren – und zwar mit fester Hand.

CECILY *(versonnen und melancholisch)*. Egal, in welche fatale Liebelei mein lieber Junge hineingestolpert sein mag – nie werde ich ihm daraus einen Vorwurf machen, wenn wir erst einmal verheiratet sind.

GWENDOLEN. Meinen Sie mich, Miß Cardew, wenn Sie von einer fatalen Liebelei sprechen? Das ist eine Anmaßung! Jetzt empfinde ich es nicht nur als eine moralische Verpflichtung, Ihnen die Meinung zu sagen – es ist mir sogar ein Vergnügen.

CECILY. Sie wollen mir doch nicht unterstellen, daß ich Ernst in eine Falle gelockt habe? Wie können Sie sich unterstehen! Höchste Zeit, die hohle Maske der Höflichkeit fallenzulassen. Ich ziehe es vor, das Kind beim richtigen Namen zu nennen. Wenn ich einen Spaten sehe, dann sage ich: Das ist ein Spaten.

GWENDOLEN *(höhnisch)*. Ich bin froh, daß ich nie einen Spaten gesehen habe. Offenbar bewegen wir uns in grundverschiedenen Gesellschaftssphären.

(Merriman tritt ein, begleitet von einem Lakaien, der ein Tablett, ein Tischtuch und Teller trägt. Cecily wollte soeben etwas erwidern. Die beiden Damen sind wütend, weil die Anwesenheit der Dienstboten sie zwingt, sich zu beherrschen)

MERRIMAN. Soll ich wie üblich hier den Tee servieren, Miß?

CECILY *(streng, mit ruhiger Stimme)*. Ja, wie üblich.

(Merriman beginnt den Tisch abzuräumen und das Tischtuch aufzulegen. Eine lange Pause. Cecily und Gwendolen werfen einander finstere Blicke zu)

GWENDOLEN. Gibt es in der Umgebung interessante Spazierwege, Miß Cardew?

CECILY. Ach ja – eine ganze Menge. Von einem benachbarten Hügel aus kann man fünf Grafschaften sehen.

GWENDOLEN. Fünf Grafschaften! Das würde mir gar nicht gefallen. Ich hasse jedes Gedränge.

CECILY *(holdselig)*. Deshalb wohnen Sie wohl in der Großstadt.

(Gwendolen beißt sich auf die Lippe und schlägt nervös mit dem Sonnenschirm gegen den Fuß)

GWENDOLEN *(sieht sich um)*. Das ist ein recht hübsches Zimmer, Miß Cardew.

CECILY. Ich freue mich, daß es Ihnen gefällt, Miß Fairfax.

GWENDOLEN. Ich hatte keine Ahnung, daß es in den entlegeneren Landbezirken etwas gibt, das an guten Geschmack grenzt. Ich bin überrascht.

CECILY. Ich fürchte, Sie beurteilen das Land nach großstädtischen Gesichtspunkten. Ich finde die meisten Häuser in London recht vulgär.

GWENDOLEN. Ländliche Gemüter dürften von ihrem Anblick geblendet sein. Ich persönlich kann nicht begreifen, wie jemand es fertigbringt, auf dem Lande zu leben – falls überhaupt jemand, der jemand ist, auf dem Lande lebt. Ich langweile mich auf dem Land zu Tode.

CECILY. Aha! Das nennen die Zeitungen ›Agrarkrise‹. Ich glaube, die Aristokratie hat neuerdings sehr unter diesem Übel zu leiden. Ich habe mir sagen lassen, daß es geradezu epidemisch geworden ist. Darf ich Ihnen eine Tasse Tee anbieten, Miß Fairfax?

GWENDOLEN *(mit übertriebener Höflichkeit)*. Danke. *(Beiseite)* Abscheuliche Person – aber ich habe Lust auf Tee.

CECILY *(holdselig)*. Zucker?

GWENDOLEN *(hochnäsig)*. Danke, nein. Zucker ist nicht mehr modern.

(Cecily wirft ihr einen ärgerlichen Blick zu, nimmt die Zuckerzange und legt vier Würfel Zucker in die Tasse)

CECILY *(streng)*. Kuchen oder Butterbrot?

GWENDOLEN *(mit gelangweilter Miene)*. Butterbrot, bitte. Kuchen sieht man in besseren Häusern nur noch selten.

CECILY *(schneidet ein großes Stück Kuchen ab und legt es auf einen Teller)*. Bedienen Sie sich, Miß Fairfax.

(Merriman reicht Gwendolen Tasse und Teller und geht mit dem Lakaien ab. Gwendolen trinkt einen Schluck Tee und verzieht das Gesicht. Sofort stellt sie die Tasse weg, streckt die Hand nach dem Butterbrot aus, entdeckt, daß es ein Stück Kuchen ist. Erhebt sich entrüstet)

GWENDOLEN. Sie haben meine Tasse bis an den Rand mit Zucker gefüllt, und obgleich ich Sie laut und deutlich um ein Butterbrot gebeten hatte, haben Sie mir Kuchen servieren lassen. Ich bin für meine Sanftmut und die ungewöhnliche Milde meines Charakters bekannt, aber ich warne Sie, Miß Cardew: Gehen Sie nicht zu weit.

CECILY *(steht auf)*. Ich bin bereit, sehr weit zu gehen – so weit wie nur immer –, um meinen armen unschuldigen, vertrauensseligen Jungen vor den Machenschaften einer anderen zu retten.

GWENDOLEN. Ich habe Ihnen vom ersten Augenblick an nicht über den Weg getraut. Ich habe gespürt, daß Sie verlogen und hinterlistig sind. Mein erster Eindruck täuscht mich nie.

CECILY. Mir scheint, Miß Fairfax, ich beraube Sie Ihrer kostbaren Zeit. Zweifellos haben Sie in der Nachbarschaft viele andere Besuche ähnlicher Art abzustatten.

(Jack tritt ein)

GWENDOLEN *(erblickt ihn)*. Ernst! Mein lieber Ernst!

JACK. Gwendolen! Darling! *(Will sie küssen)*

GWENDOLEN *(weicht zurück)*. Einen Augenblick! Darf ich fragen, ob du mit dieser jungen Dame verlobt bist? *(Zeigt auf Cecily)*

JACK *(lachend)*. Mit der lieben kleinen Cecily? Natürlich nicht! Wer hat dir diesen Gedanken in dein hübsches Köpfchen gesetzt?

GWENDOLEN. Danke. *(Reicht ihm die Wange zum Kuß)*

CECILY *(honigsüß)*. Ich wußte ja, daß ein Mißverständnis vorliegen muß, Miß Fairfax. Der Herr, der momentan den Arm um Ihre Taille gelegt hat, ist mein Vormund, Mr. Jack Worthing.

GWENDOLEN. Wie, bitte?

CECILY. Das ist Onkel Jack.

GWENDOLEN *(weicht zurück)*. Jack? Oh ...

(Algernon tritt auf)

CECILY. Und das ist Ernst.

ALGERNON *(geht auf Cecily zu, ohne die anderen zu beachten)*. Meine Eroberung! *(Will sie küssen)*

CECILY *(weicht zurück)*. Einen Augenblick, Ernst. Darf ich fragen – bist du mit dieser jungen Dame verlobt?

ALGERNON *(schaut sich um)*. Mit welcher jungen Dame? Allmächtiger Himmel – Gwendolen!

CECILY. Ja, mit dem allmächtigen Himmel – ich meine, mit Gwendolen.

ALGERNON *(lachend)*. Natürlich nicht! Wie kommt dieser Gedanke in dein hübsches Köpfchen?

CECILY. Danke. *(Reicht ihm die Wange zum Kuß)*

GWENDOLEN. Ich hatte doch gleich den Eindruck, daß hier ein Irrtum vorliegt, Miß Cardew. Der Herr, der Sie soeben umarmt, ist mein Vetter, Algernon Moncrieff.

CECILY *(reißt sich los)*. Algernon Moncrieff! Oh ...

(Die beiden jungen Mädchen nähern sich einander, jede legt den Arm um die Taille der anderen, als suchten sie Schutz)

GWENDOLEN. Heißen Sie wirklich Jack?

ALGERNON. Ich kann es nicht bestreiten.

CECILY. Oh ...

CECILY. Heißen Sie Algernon?

JACK *(in recht stolzer Haltung)*. Wenn ich wollte, könnte ich es bestreiten. Wenn ich wollte, könnte ich alles bestreiten. Aber ich heiße John. Seit Jahren heiße ich John.

CECILY *(zu Gwendolen)*. Man hat uns beide schändlich hintergangen.

GWENDOLEN. Meine arme, gekränkte Cecily!

CECILY. Meine süße, betrogene Gwendolen!

GWENDOLEN *(langsam und ernst)*. Du wirst mich Schwester nennen, ja?

(Sie umarmen einander. Jack und Algernon gehen stöhnend auf und ab)

CECILY *(recht vergnügt)*. Nur noch eine Frage möchte ich gerne an meinen Vormund richten dürfen.

GWENDOLEN. Eine großartige Idee! Mr. Worthing, es sei mir gestattet, nur noch eine Frage an Sie zu richten. Wo ist Ihr Bruder Ernst? Wir sind beide mit Ihrem Bruder Ernst verlobt, also ist es für uns einigermaßen wichtig zu erfahren, wo Ihr Bruder Ernst sich momentan befindet.

JACK *(zögernd und stammelnd)*. Gwendolen – Cecily – es ist mir äußerst peinlich, die Wahrheit sagen zu müssen. Zum erstenmal in meinem Leben sehe ich mich in diese peinliche Lage versetzt. Ich bin darin völlig unbewandert. Ich will euch aber offen und ehrlich gestehen, daß ich keinen Bruder Ernst habe. Ich habe überhaupt keinen Bruder. Ich habe nie in meinem Leben einen Bruder gehabt und beabsichtige nicht im geringsten, mir in Zukunft einen zuzulegen.

CECILY *(überrascht)*. Überhaupt keinen Bruder?

JACK *(fröhlich)*. Nein.

GWENDOLEN *(streng)*. Hatten Sie nie irgendeinen Bruder?

JACK *(freundlich)*. Nie! Nicht einmal irgendeinen.

GWENDOLEN. Dann liegt es leider auf der Hand, Cecily, daß keine von uns beiden verlobt ist.

CECILY. Nicht sehr erfreulich für ein junges Mädchen, sich plötzlich in diese Lage versetzt zu sehen!

GWENDOLEN. Gehen wir in den Garten! Sie werden es kaum wagen, uns zu folgen.

CECILY. Nein. Die Männer sind ja so feige, nicht wahr?

(Mit verachtungsvoller Miene ziehen sie sich in den Garten zurück)

JACK. Da hast du mir eine schöne Suppe eingebrockt. *(Algernon setzt sich an den Teetisch und schenkt sich Tee ein. Er wirkt völlig unbekümmert)* Was in aller Welt soll das heißen, daß du dich hierherschleichst und dich für meinen Bruder ausgibst? Das ist einfach ungeheuerlich!

ALGERNON *(ißt ein Küchlein)*. Was in aller Welt soll das heißen, daß du behauptest, einen Bruder zu haben? Skandalös! *(Nimmt noch ein Küchlein)*

JACK. Ich habe dir befohlen, mit dem Zug um drei Uhr fünfzig abzureisen. Ich habe den Dogcart vorfahren lassen. Warum bist du nicht abgereist?

ALGERNON. Ich hatte noch nicht Tee getrunken.

JACK. Und diesen grauenhaften Unsinn nennst du vermutlich ›bunburisieren‹.

ALGERNON. Ja, und es ist ein prächtiger Bunbury. Der prächtigste Bunbury, den ich je in meinem Leben gesehen habe.

JACK. Du hast kein Recht, hier zu bunburisieren.

ALGERNON. Das ist absurd. Man hat das Recht zu bunburisieren, wo man will. Das weiß jeder ernsthafte Bunburist.

JACK. Ernsthafter Bunburist! Du lieber Himmel!

ALGERNON. *Etwas* muß man ernst nehmen, wenn einem das Leben Spaß machen soll. *Ich* nehme das Bunburisieren ernst. Was *du* ernst nimmst, weiß ich nicht im entferntesten. Wahrscheinlich alles. Du bist so trivial veranlagt.

JACK. Nur eine kleine Befriedigung bereitet mir diese abscheuliche Geschichte. Dein Freund Bunbury ist geplatzt. Jetzt wirst du nicht mehr so oft wie bisher auf dem Lande herumgeistern, lieber Algy. Und das ist gut so.

ALGERNON. Dein Bruder ist ein wenig lädiert, meinst du nicht, lieber Jack? Du wirst nicht mehr so oft nach London verschwinden können, wie es deine schändliche Gewohnheit war. Und das ist auch nicht schlecht.

JACK. Was dein Benehmen gegenüber Miß Cardew betrifft, so muß ich sagen, daß es einfach unentschuldbar ist, ein süßes, schlichtes, unschuldiges junges Mädchen so zu hintergehen. Ganz zu schweigen davon, daß sie mein Mündel ist.

ALGERNON. Ich wüßte nicht, womit du *dein* Benehmen rechtfertigen willst: eine gescheite, witzige, sehr erfahrene junge Dame wie Miß Fairfax zu belügen! Ganz zu schweigen davon, daß sie meine Kusine ist.

JACK. Ich wollte mich mit Gwendolen verloben, weiter nichts. Ich liebe sie.

ALGERNON. Na, und *ich* wollte mich ganz einfach mit Cecily verloben. Ich bete sie an.

JACK. Du hast nicht die geringste Chance, Miß Cardew zu heiraten.

ALGERNON. Ich halte es nicht für wahrscheinlich, Jack, daß aus dir und Miß Fairfax ein Paar wird.

JACK. Das geht dich nichts an.

ALGERNON. Wenn es mich etwas anginge, würde ich nicht davon

reden. Es ist vulgär, von Dingen zu reden, die einen etwas angehen. Das machen nur Börsenmakler, und auch die bloß abends bei Tisch.

JACK. Wie kannst du hier herumsitzen und seelenruhig Muffins essen, während wir uns in dieser gräßlichen Bredouille befinden! Das geht über meinen Horizont. Du scheinst ein völlig herzloser Mensch zu sein.

ALGERNON. Ich kann nicht Muffins essen, wenn ich aufgeregt bin. Da würde ich mir wahrscheinlich die Manschetten mit Butter bekleckern. Muffins sollte man immer seelenruhig essen. Das ist die einzig richtige Art.

JACK. Ich behaupte, daß es herzlos von dir ist, in dieser kritischen Situation überhaupt Muffins zu essen.

ALGERNON. Wenn bei mir etwas schief läuft, kann nur eines mich trösten: Essen. Ja, wenn ich wirklich schwere Sorgen habe – das wird dir jeder sagen, der mich näher kennt –, lehne ich alles ab bis aufs Essen und Trinken. Momentan esse ich Muffins, weil ich unglücklich bin. Außerdem esse ich Muffins besonders gern. *(Steht auf)*

JACK *(erhebt sich gleichfalls)*. Das ist aber kein Grund dafür, daß du sie alle in dich hineinstopfst. *(Nimmt ihm die Muffins weg)*

ALGERNON *(bietet ihm Kuchen an)*. Iß lieber Kuchen. Ich mag keinen Kuchen.

JACK. Himmelherrgott! Es wird einem doch noch erlaubt sein, im eigenen Haus seine eigenen Muffins zu essen!

ALGERNON. Soeben hast du erklärt, daß es herzlos ist, Muffins zu essen.

JACK. Ich habe gesagt, von *dir* ist es herzlos – unter den gegebenen Umständen. Das ist etwas ganz anderes.

ALGERNON. Vielleicht. Aber die Muffins sind dieselben. *(Nimmt Jack die Muffins weg)*

JACK. Algy, Gott gebe, daß du endlich verschwindest!

ALGERNON. Du kannst mich doch nicht vor dem Abendessen wegschicken. Das wäre absurd. Ich verzichte nie auf mein Abendessen. So etwas ist nur Vegetarianern und ähnlichen Käuzen zuzutrauen. Außerdem habe ich soeben mit Pastor Chasuble vereinbart, daß er mich um ein Viertel vor sechs auf den Namen Ernst tauft.

JACK. Mein Lieber, je früher du diesen Unsinn sein läßt, desto besser. Ich selber habe mit Pastor Chasuble meine Taufe für halb sechs Uhr anberaumt, und natürlich nehme *ich* den Namen Ernst an. Gwendolen zuliebe. Wir können uns nicht beide auf den Namen Ernst taufen lassen. Das wäre absurd. Außerdem ist es mein gutes Recht, mich nach Belieben taufen zu lassen. Es liegen keine Beweise dafür vor, daß ich je getauft worden bin. Sehr wahrscheinlich bin ich nie getauft worden, und Pastor Chasuble ist ganz meiner Meinung. Bei dir liegt der Fall anders. Du bist schon getauft worden.

ALGERNON. Ja – aber seit Jahren nicht mehr.

JACK. Ein für allemal – damit basta. *Das* ist entscheidend.

ALGERNON. Richtig. Deshalb weiß ich, daß meine Konstitution es aushalten wird. Wenn du nicht genau weißt, ob du schon einmal getauft worden bist, dann muß ich schon sagen, daß ich es äußerst gewagt von dir finde, dich auf so ein Abenteuer einzulassen. Es könnte dir schlecht bekommen. Du dürftest schwerlich vergessen haben, daß einer deiner engsten Verwandten diese Woche in Paris um ein Haar von einer schweren Erkältung dahingerafft worden wäre.

JACK. Ja, aber du selber hast gesagt, daß so etwas nicht vererbbar ist.

ALGERNON. Früher einmal nicht, das weiß ich – aber heute? Die Wissenschaft macht auf allen Gebieten enorme Fortschritte.

JACK. Darf ich dich fragen, Algy, was in aller Welt du vorhast?

ALGERNON. Nichts. Das versuche ich dir seit zehn Minuten einzubleuen, aber du tust, was du nur kannst, um mich von meiner Arbeit abzulenken.

JACK. Also, ich gehe jetzt in den Garten. Ich bin sicher, daß Gwendolen mich erwartet.

ALGERNON. Cecilys äußerst kalte und abwehrende Haltung sagt mir, daß sie mich erwartet. Deshalb werde ich mich hüten, in den Garten zu gehen. Wenn ein Mann immer tut, was die Frau von ihm erwartet, hält sie nicht viel von ihm. Man sollte immer das tun, was sie *nicht* erwartet, ebenso wie man immer nur Dinge äußern sollte, die sie nicht versteht. Das Ergebnis dieser Taktik ist wechselseitige Sympathie – ein Herz und eine Seele.

JACK. Unsinn. Immer redest du Unsinn.

ALGERNON. Es ist viel geistreicher, Unsinn zu reden, als sich Unsinn anzuhören, und kommt auch viel seltener vor, da mögen die Leute sagen, was sie wollen.

JACK. Ich höre nicht zu. Ich kann es nicht mit anhören.

ALGERNON. Das ist falsche Bescheidenheit. Du weißt genau, wenn du dir Mühe gibst, kannst du mir zuhören. Immer unterschätzt du deine Fähigkeiten – das ist absurd heutzutage, wo es dermaßen von eitlen Fatzken wimmelt. Jack, du ißt schon wieder Muffins! Laß es sein. Es sind nur noch zwei da. *(Nimmt ihm die Platte weg)* Ich habe dir gesagt, daß ich eine besondere Vorliebe für Muffins habe.

JACK. Aber ich mag den Kuchen nicht.

ALGERNON. Warum läßt du dann deinen Gästen Kuchen servieren? Du hast einen schönen Begriff von Gastfreundlichkeit.

JACK *(gereizt)*. Das gehört doch nicht zur Sache. Wir diskutieren nicht über Kuchen und Muffins. *(Geht durchs Zimmer)* Du treibst mich zum Wahnsinn, Algy. Nie kannst du bei der Sache bleiben.

ALGERNON. Es würde mir weh tun.

JACK. Grundgütiger Himmel! Diese Affektiertheit! Ich hasse affektierte Menschen.

ALGERNON. Also, lieber Freund, wenn du affektierte Menschen nicht ausstehen kannst, ja, was sind denn das für Menschen, die du ausstehen kannst? Außerdem ist hier von Affektiertheit keine Rede. Bei der Sache zu bleiben tut mir weh, und ich verabscheue körperliche Schmerzen.

JACK *(schaut Algernon finster an, geht auf und ab, bleibt schließlich neben dem Tisch stehen)*. Algy! Ich habe dich bereits mehrmals aufgefordert, mein Haus zu verlassen. Deine Anwesenheit ist unerwünscht. Warum verschwindest du nicht?

ALGERNON. Ich habe meinen Tee noch nicht ausgetrunken. Und es ist auch noch ein Muffin übrig. *(Nimmt das letzte Muffin)*

(Jack sinkt stöhnend in einen Sessel und schlägt die Hände vors Gesicht)

Vorhang

Vierter Akt

Derselbe Schauplatz wie im dritten Akt. Jack und Algernon nehmen die gleiche Haltung ein wie zuvor. Aus dem Hintergrund treten Gwendolen und Cecily auf.

GWENDOLEN. Daß sie uns nicht sofort in den Garten gefolgt sind, wie andere es getan haben würden, verrät mir, daß ihnen ein Rest Schamgefühl geblieben ist.

CECILY. Sie haben Muffins gegessen. Das sieht nach Reue aus.

GWENDOLEN *(nach einer Pause)*. Sie scheinen uns überhaupt nicht zu beachten. Könntest du schnell mal husten?

CECILY. Aber ich habe keinen Husten.

GWENDOLEN. Sie schauen uns an. Was für eine Unverschämtheit!

CECILY. Sie nähern sich uns. Das finde ich frech.

GWENDOLEN. Wir wollen ein würdevolles Schweigen bewahren.

CECILY. Jawohl. Das ist im Augenblick das einzig Richtige.

(Jack und Algernon pfeifen eine entsetzlich populäre Melodie aus einer britischen Oper)

GWENDOLEN. Unser würdevolles Schweigen hat unangenehme Folgen.

CECILY. Abscheuliche Folgen.

GWENDOLEN. Aber nicht wir werden als erste den Mund auftun.

CECILY. Unter keinen Umständen!

GWENDOLEN. Mr. Worthing, ich habe eine ganz besondere Frage an Sie zu richten. Von Ihrer Antwort hängt sehr viel ab.

CECILY. Gwendolen, dein gesunder Menschenverstand ist unbezahlbar ... Mr. Moncrieff, beantworten Sie mir gütigst folgende Frage. Warum haben Sie sich für den Bruder meines Vormunds ausgegeben?

ALGERNON. Weil ich eine Gelegenheit finden wollte, Sie kennenzulernen.

CECILY *(zu Gwendolen)*. Diese Erklärung scheint mir durchaus befriedigend zu sein, meinst du nicht?

GWENDOLEN. Ja, meine Liebe – wenn du ihm glaubst, was er sagt.

CECILY. Ich glaube ihm kein Wort. Das ändert nichts daran, daß es eine wunderschöne Antwort ist.

GWENDOLEN. Sehr wahr. In wichtigen Fragen ist das Wesentliche nicht die Aufrichtigkeit, sondern der Stil ... Mr. Worthing, wie erklären Sie Ihre Behauptung, einen Bruder zu haben? Suchten Sie einen Anlaß, so oft wie nur möglich nach London zu fahren, um mich zu treffen?

JACK. Wie können Sie daran zweifeln, Miß Fairfax!

GWENDOLEN. Ich hege in diesem Punkt erhebliche Zweifel. Aber ich bin gewillt, sie in den Wind zu schlagen. Es ist nicht der rechte Zeitpunkt für deutschen Skeptizismus. *(Nähert sich Cecily)* Ich finde beide Erklärungen zufriedenstellend – besonders die Mr. Worthings. Sie scheint mir den Stempel der Wahrheit zu tragen.

CECILY. Ich bin mit Mr. Moncrieffs Äußerungen mehr als zufrieden. Wenn man nur seine Stimme hört, glaubt man ihm aufs Wort.

GWENDOLEN. Du meinst also, wir sollen ihnen verzeihen?

CECILY. Ja. Das heißt, nein.

GWENDOLEN. Richtig. Es war mir entfallen. Hier stehen Grundsätze auf dem Spiel, die man nicht preisgeben darf. Wer sagt es ihnen, du oder ich? Es ist keine erfreuliche Aufgabe.

CECILY. Könnten wir nicht beide gleichzeitig reden?

GWENDOLEN. Eine ausgezeichnete Idee! Ich spreche immer zur gleichen Zeit wie die anderen. Richtest du dich nach mir?

CECILY. Freilich.

(Gwendolen schlägt mit erhobenem Zeigefinger den Takt)

GWENDOLEN und CECILY *(gleichzeitig)*. Eure Taufnamen sind nach wie vor ein unübersteigliches Hindernis. Weiter nichts.

JACK und ALGERNON *(gleichzeitig)*. Unsere Taufnamen! Ist das alles? Wir lassen uns heute nachmittag taufen.

GWENDOLEN *(zu Jack)*. Mir zuliebe bist du entschlossen, etwas so Fürchterliches zu wagen?

JACK. Ja.

CECILY *(zu Algernon)*. Mir zu Gefallen bist du bereit, dich dieser schweren Prüfung zu unterwerfen?

ALGERNON. Ja.

GWENDOLEN. Wie albern, von der Ebenbürtigkeit der Geschlechter zu sprechen! Wenn es sich um Fragen der Selbstaufopferung handelt, sind uns die Männer weit überlegen.

JACK. Und ob. *(Er drückt Algernon die Hand)*

CECILY. Zuweilen beweisen sie einen physischen Mut, der uns Frauen völlig fremd ist.

GWENDOLEN *(zu Jack)*. Darling!

ALGERNON *(zu Cecily)*. Darling!

(Sie umarmen einander stürmisch. Merriman tritt ein. Als er die Situation sieht, hüstelt er nachdrücklich)

MERRIMAN. Hm ... Hm ... Lady Bracknell!

JACK. Allmächtiger Himmel!

(Lady Bracknell tritt ein. Erschrocken trennen sich die Paare. Merriman ab)

LADY BRACKNELL. Gwendolen – was soll das bedeuten?

GWENDOLEN. Nichts weiter, als daß ich mit Mr. Worthing verlobt bin, Mama.

LADY BRACKNELL. Komm hierher! Setz dich. Setz dich augenblicklich. Jede Art von Zögern ist bei jungen Menschen ein Zeichen geistigen Verfalls, bei alten ein Symptom körperlicher Schwäche. *(Zu Jack)* Mein Herr, nachdem ich von der jähen Flucht meiner Tochter durch ihre treue Zofe erfahren hatte – ihr Vertrauen erwarb ich mir mit Hilfe eines kleinen Geldstücks –, bin ich ihr sofort mit einem Güterzug gefolgt. Ihr unglücklicher Vater bildet sich Gott sei Dank ein, daß sie an einem ungewöhnlich langen Kursus der Volkshochschule über den Einfluß eines ständigen Einkommens auf die menschliche Denkweise teilnimmt. Ich habe nicht die Absicht, ihn seiner Illusion zu berauben. Eigentlich habe ich ihn immer bei seinen Illusionen gelassen. Das halte ich für richtig. Aber Sie werden natürlich begreifen, daß von diesem Augenblick an jede Beziehung zwischen Ihnen und meiner Tochter aufzuhören hat. In diesem Punkt – wie in allen Punkten – bin ich unerbittlich.

JACK. Ich bin mit Gwendolen verlobt, Lady Bracknell.

LADY BRACKNELL. Davon kann gar keine Rede sein, Sir. Und jetzt zu dir, Algernon ... Algernon!

ALGERNON. Ja, Tante Augusta?

LADY BRACKNELL. Darf ich fragen, ob das das Haus ist, in dem dein kranker Freund Bunbury wohnt?

ALGERNON *(stotternd).* Oh – nein – Bunbury wohnt nicht hier. Bunbury befindet sich zur Zeit woanders. De facto ist er tot.

LADY BRACKNELL. Tot! Wann ist Mr. Bunbury gestorben? Sein Tod muß sehr plötzlich eingetreten sein.

ALGERNON *(wie nebenbei).* Ach, ich habe ihn heute nachmittag umgebracht. Ich meine, der arme Bunbury ist heute nachmittag gestorben.

LADY BRACKNELL. Woran ist er gestorben?

ALGERNON. An einer Explosion.

LADY BRACKNELL. An einer Explosion? Wurde er das Opfer eines revolutionären Attentats? Ich wußte nicht, daß Mr. Bunbury sich für die soziale Frage interessiert hat. Wenn ja, dann war das die gerechte Strafe für seine morbide Mentalität.

ALGERNON. Liebe Tante Augusta, ich meine, man ist ihm hinter seine Schliche gekommen. Die Ärzte stellten fest, Bunbury sei nicht lebensfähig – also hat Bunbury das Zeitliche gesegnet.

LADY BRACKNELL. Anscheinend hatte er großes Vertrauen zu den Diagnosen seiner Ärzte. Aber ich bin froh, daß er sich endlich für einen klaren Kurs entschieden und die ärztlichen Vorschriften befolgt hat. Und da wir nun diesen Mr. Bunbury endgültig los sind, darf ich Sie, Mr. Worthing, fragen, wer diese junge Person ist, deren Hand mein Neffe Algernon auf eine meiner Meinung nach völlig überflüssige Art und Weise festhält?

JACK. Die junge Dame ist Miß Cecily Cardew, mein Mündel.

(Lady Bracknell neigt kühl den Kopf)

ALGERNON. Ich bin mit Cecily verlobt, Tante Augusta.

LADY BRACKNELL. Wie bitte?

CECILY. Mr. Moncrieff und ich sind miteinander verlobt, Lady Bracknell.

LADY BRACKNELL *(fröstelt, geht zum Sofa und setzt sich).* Ich weiß nicht, ob in diesem Erdenwinkel etwas Besonderes in der Luft liegt, aber ich habe den Eindruck, daß die Zahl der Verlobungen, die hier vonstatten gehen, beträchtlich den Durchschnitt übersteigt, den die Statistiker zu unserer Orientierung errechnet haben. Ich halte einige vorläufige Erkundigungen nicht für unangebracht. Mr. Worthing, ist Miß Cardew in irgendeiner Weise mit einem der großen Londoner Bahnhöfe verwandt? Ich möchte mich nur informieren. Bis gestern hatte ich keine Ahnung, daß es Familien oder Personen gibt, die ihre Abkunft von einem Hauptbahnhof herleiten.

JACK *(macht ein wütendes Gesicht, beherrscht sich aber und sagt mit klarer, kalter Stimme).* Miß Cardew ist die Enkelin des verstorbenen Mr. Thomas Cardew – Belgrave Square Nummer einhundertneunundvierzig, Gervase Park in Dorking, Surrey, und Haus Sporran in Fifeshire.

LADY BRACKNELL. Das klingt nicht übel. Drei Adressen wirken stets vertrauenerweckend, sogar auf Lieferanten. Aber was beweist mir, daß sie stimmen?

JACK. Ich habe die betreffenden Jahrgänge des Adelskalenders sorgfältig aufbewahrt. Schauen Sie nach, Lady Bracknell.

LADY BRACKNELL *(grimmig).* Ich bin in dieser Publikation schon auf die seltsamsten Fehler gestoßen.

JACK. Miß Cardew wird durch die Anwaltsfirma Markby, Markby, Markby und Markby vertreten – Lincoln's Inn Fields Nummer einhundertneunundvierzig A, London. Zweifellos werden die Herren Ihnen gerne mit weiteren Informationen zur Verfügung stehen. Bürozeit von zehn bis vier.

LADY BRACKNELL. Markby, Markby, Markby und Markby? Eine hochangesehene Firma. Ja, ich habe sogar gehört, daß ein Mr. Markby ab und zu eingeladen wird. Insoweit bin ich zufrieden.

JACK *(sehr gereizt).* Das ist äußerst lieb von Ihnen, Lady Bracknell. Es wird Sie freuen, daß ich auch alle die Dokumente besitze, die Miß Cardews Person betreffen – Geburt, Taufe, Keuchhusten, Meldezettel, Impfung, Konfirmation und Masern.

LADY BRACKNELL. Ein ereignisreiches Leben, wie ich sehe – wenn auch vielleicht ein bißchen zu aufregend für ein junges Mädchen. Ich persönlich bin gegen allzu frühe Erfahrungen. *(Schaut auf die Uhr, erhebt sich)* Gwendolen! Bald heißt es aufbrechen. Wir haben keine Zeit zu verlieren. Nur der Form halber möchte ich Sie fragen, Mr. Worthing, ob Miß Cardew ein bißchen Geld hat.

JACK. Ach, ungefähr hundertunddreißigtausend Pfund in Staatspapieren. Das ist alles. Leben Sie wohl, Lady Bracknell – es war mir ein Vergnügen.

LADY BRACKNELL *(nimmt schnell wieder Platz)*. Einen Augenblick, Mr. Worthing. Hundertunddreißigtausend Pfund! Noch dazu in Staatspapieren! Wenn ich Miß Cardew näher betrachte, scheint sie mir eine sehr anziehende junge Dame zu sein. Heutzutage haben junge Mädchen nur selten solide Eigenschaften – Eigenschaften, die von Dauer sind und mit der Zeit immer wertvoller werden. Wir leben, wie ich zu meinem Bedauern sagen muß, in einer oberflächlichen Zeit. *(Zu Cecily)* Kommen Sie zu mir, meine Liebe. *(Cecily nähert sich ihr)* Mein hübsches Kind, Ihr Kleid ist von einer betrüblichen Schlichtheit, und Ihr Haar scheint fast so unberührt zu sein, wie Mutter Natur es Ihnen beschert hat. Aber dem läßt sich abhelfen. Eine gründlich bewanderte französische Zofe kann in kürzester Zeit wahre Wunder vollbringen. Ich erinnere mich, daß ich einmal eine der jungen Lady Lancing empfohlen habe: Nach drei Monaten hat ihr eigener Mann sie nicht mehr wiedererkannt.

JACK. Und nach einem halben Jahr hat kein Mensch sie mehr wiedererkannt.

LADY BRACKNELL *(wirft Jack einen bösen Blick zu, beugt sich dann mit einem einstudierten Lächeln zu Cecily)*. Drehen Sie sich, bitte, um, liebes Kind. *(Cecily dreht sich ganz um)* Nein, ich möchte Sie von der Seite sehen. *(Cecily kehrt ihr das Profil zu)* Ja, wie ich's erwartet habe. Ihr Profil birgt große gesellschaftliche Möglichkeiten. Die zwei Hauptschwächen unserer Zeit sind ein Mangel an Grundsätzen und ein Mangel an Profil. Das Kinn ein bißchen höher, meine Liebe! Stil hängt in beträchtlichem Maß davon ab, wie hoch man sein Kinn trägt. Momentan trägt man es *sehr* hoch ... Algernon!

ALGERNON. Ja, Tante Augusta.

LADY BRACKNELL. Miß Cardews Profil birgt große gesellschaftliche Möglichkeiten.

ALGERNON. Cecily ist das süßeste, liebste, hübscheste Wesen auf Gottes Erdboden. Und ich pfeife auf alle gesellschaftlichen Möglichkeiten.

LADY BRACKNELL. Sprich nicht geringschätzig von der guten Gesellschaft, Algernon. Das tun nur Leute, denen sie verschlossen bleibt. *(Zu Cecily)* Mein liebes Kind, Sie wissen natürlich, daß Algernon ausschließlich auf seine Schulden angewiesen ist.

Geldheiraten billige ich nicht. Als ich Lord Bracknell heiratete, hatte ich keinen Groschen. Aber nicht im Traum wäre mir eingefallen, mich dadurch von meinem Schritt abhalten zu lassen. Also, ich glaube, ich muß meine Zustimmung erteilen.

ALGERNON. Ich danke dir, Tante Augusta.

LADY BRACKNELL. Cecily, du darfst mir einen Kuß geben.

CECILY *(küßt sie)*. Danke, Lady Bracknell.

LADY BRACKNELL. Und in Zukunft darfst du Tante Augusta zu mir sagen.

CECILY. Danke, Tante Augusta.

LADY BRACKNELL. Die Trauung sollte so bald wie möglich stattfinden.

ALGERNON. Danke, Tante Augusta.

CECILY. Danke, Tante Augusta.

LADY BRACKNELL. Offen gesagt, bin ich gegen lange Verlobungen. Sie bieten Gelegenheit, den Charakter des Partners schon vor der Hochzeit zu erkennen, und das ist meiner Meinung nach selten empfehlenswert.

JACK. Verzeihen Sie, wenn ich Sie unterbreche, Lady Bracknell, aber diese Verlobung kommt nicht in Frage. Ich bin Miß Cardews Vormund, und solange sie minderjährig ist, kann sie ohne meine Einwilligung nicht heiraten. Diese Einwilligung verweigere ich entschieden.

LADY BRACKNELL. Aus welchen Gründen, wenn ich fragen darf? Algernon ist eine sehr gute, ich möchte fast sagen, auffallend gute Partie. Er hat nichts, sieht aber aus, als hätte er alles. Was kann man sich mehr wünschen?

JACK. Es schmerzt mich zutiefst, Lady Bracknell, mit Ihnen ganz offen über Ihren Neffen sprechen zu müssen. Es ist nun einmal so, daß ich ihn für einen unmoralischen Menschen halte. Ich habe ihn im Verdacht, unaufrichtig zu sein.

(Algernon und Cecily sehen ihn erstaunt und entrüstet an)

LADY BRACKNELL. Unaufrichtig! Mein Neffe Algernon? Unmöglich. Er hat in Oxford studiert.

JACK. Leider ist jeder Zweifel ausgeschlossen. Während ich mich heute nachmittag in London befand, um einer wichtigen Herzensangelegenheit nachzugehen, verschaffte er sich unter dem Vorwand, mein Bruder zu sein, Zutritt in meinem Hause.

Unter einem angenommenen Namen trank er, wie ich soeben durch meinen Butler erfahren habe, eine ganze Flasche meines Perrier-Jouets, Jahrgang neunundachtzig, den ich eigens für mich reserviert hatte. Zufolge seines schändlichen Täuschungsmanövers glückte es ihm, im Laufe des Nachmittags meinem einzigen Mündel den Kopf zu verdrehen. Daraufhin blieb er zum Tee und verzehrte sämtliche Muffins. Sein Benehmen war um so herzloser, als er von Anfang an gewußt hat, daß ich keinen Bruder habe, daß ich nie einen Bruder gehabt habe und daß ich nicht beabsichtige, mir einen Bruder welcher Art auch immer zuzulegen. Das habe ich ihm gestern klar und deutlich zu verstehen gegeben.

CECILY. Aber lieber Onkel Jack, seit einem Jahr hast du uns von deinem Bruder erzählt. Immer wieder bist du auf dieses Thema zurückgekommen. Algy hat nur deine Behauptung bestätigt. Das war sehr edelmütig von ihm.

JACK. Verzeihung, Cecily, du bist zu jung, um diese Probleme zu verstehen. Sich überhaupt etwas auszudenken, zeugt von genialer Begabung und – in einem kommerzialisierten Zeitalter wie dem unseren – von erheblichem physischem Mut. Nur wenige unserer modernen Romanschriftsteller zum Beispiel wagen es, sich etwas auszudenken. Alle Welt weiß, daß sie dazu nicht fähig sind. Eine Lüge zu bekräftigen, ist dagegen eine entschieden feige Handlungsweise. Ich weiß, daß die Zeitungen es tagtäglich füreinander tun – aber so handelt kein Gentleman. Ein Gentleman wird sich hüten, etwas zu bekräftigen.

ALGERNON *(wütend)*. Auf mein Wort, Jack ...

LADY BRACKNELL. Hm! Mr. Worthing, nach reiflicher Überlegung habe ich mich entschlossen, über das Benehmen meines Neffen Ihnen gegenüber hinwegzusehen.

JACK. Das ist sehr großmütig von Ihnen, Lady Bracknell. Mein eigener Entschluß aber steht fest. Ich verweigere meine Einwilligung.

LADY BRACKNELL *(zu Cecily)*. Komm her, liebes Kind. *(Cecily geht zu ihr hin)* Wie alt bist du?

CECILY. Also – eigentlich bin ich erst achtzehn, aber wenn ich abends eingeladen werde, gebe ich zu, daß ich zwanzig bin.

LADY BRACKNELL. Es ist dein gutes Recht, dein Geburtsdatum ein wenig zu korrigieren. Keine Frau sollte es mit ihrem Alter allzu genaunehmen. Das sieht so berechnend aus ... *(Nachdenklich fährt sie fort)* Achtzehn, aber abends bei Tisch schon zwanzig. Da wird es nicht mehr lange dauern, bis du großjährig und von jeder weiteren Bevormundung befreit bist. Deshalb glaube ich, daß die Einwilligung deines Vormunds im Grunde gar keine Rolle spielt.

JACK. Entschuldigen Sie, bitte, Lady Bracknell, daß ich Sie schon wieder unterbrechen muß. Ich fühle mich verpflichtet, Ihnen mitzuteilen, daß Miß Cardew laut den testamentarischen Bestimmungen ihres Großvaters erst mit fünfunddreißig Jahren mündig wird.

LADY BRACKNELL. Das scheint mir kein gewichtiger Einwand zu sein. Fünfunddreißig ist ein sehr beliebtes Alter. In der Londoner guten Gesellschaft wimmelt es von Frauen bester Herkunft, die aus freiem Willen nie älter waren als fünfunddreißig. Ein treffendes Beispiel dafür ist Lady Dumbleton. Meines Wissens ist sie seit ihrem vierzigsten Lebensjahr fünfunddreißig, und das ist auch schon lange her. Ich sehe keinen Grund, warum unsere liebe Cecily in dem von Ihnen erwähnten Alter nicht noch anziehender sein sollte als heute. Ihr Vermögen wird erheblich zugenommen haben.

CECILY *(zu Jack)*. Bist du ganz sicher, daß ich bis zu meinem fünfunddreißigsten Lebensjahr nicht ohne deine Einwilligung heiraten darf?

JACK. So hat es dein Großvater in weiser Voraussicht testamentarisch bestimmt, Cecily. Zweifellos hat er mit Schwierigkeiten gerechnet, wie wir sie jetzt erleben.

CECILY. Dann muß mein Opa eine ungewöhnlich lebhafte Phantasie besessen haben. Algy – könntest du warten, bis ich fünfunddreißig Jahre alt bin?

ALGERNON. Selbstverständlich, Cecily! Wie kannst du fragen? Ich würde in alle Ewigkeit auf dich warten. Das weißt du doch.

CECILY. Ja, ich habe es instinktiv gespürt. Aber *ich* könnte nicht so lange warten. Auch nur fünf Minuten auf jemanden zu warten, ist mir verhaßt. Da werde ich böse. Ich selber bin unpünktlich, das weiß ich – aber bei anderen liebe ich die Pünktlichkeit. Warten – sei es auch auf die Hochzeit –, nein, das kommt nicht in Frage.

ALGERNON. Was also soll geschehen, Cecily?

CECILY. Ich weiß es nicht, Mr. Moncrieff.

LADY BRACKNELL. Mein lieber Mr. Worthing, da Miß Cecily entschieden erklärt, daß sie nicht bis zu ihrem fünfunddreißigsten Lebensjahr warten kann – eine Bemerkung, die, wie ich sagen muß, auf eine etwas ungeduldige Veranlagung hinzudeuten scheint –, möchte ich Sie bitten, sich Ihren Entschluß noch einmal zu überlegen.

JACK. Aber meine liebe Lady Bracknell, die Entscheidung liegt ausschließlich bei Ihnen. Sowie Sie meiner Heirat mit Gwendolen zustimmen, werde ich mit Freuden Ihrem Neffen gestatten, eine eheliche Verbindung mit Cecily einzugehen.

LADY BRACKNELL *(erhebt sich und richtet sich hoch auf)*. Sie dürften sich darüber im klaren sein, daß Ihr Vorschlag unakzeptabel ist.

JACK. Dann haben wir alle nichts anderes zu erwarten als ein leidenschaftliches Zölibat.

LADY BRACKNELL. Das ist nicht das Los, das ich meiner Tochter zugedacht habe. Algernon kann machen, was er will. *(Zieht ihre Uhr hervor)* Komm, mein Kind ... *(Gwendolen steht auf)* Wir haben bereits fünf, wenn nicht sechs Züge versäumt. Noch einen zu versäumen, könnte uns auf dem Bahnsteig unliebsame Kommentare zuziehen.

(Pastor Chasuble tritt ein)

CHASUBLE. Ich habe alles für die Taufe vorbereitet.

LADY BRACKNELL. Die Taufe, Sir? Ist das nicht etwas verfrüht?

CHASUBLE *(deutet mit etwas verdutzter Miene auf Jack und Algernon)*. Diese beiden Herren haben den Wunsch geäußert, unverzüglich getauft zu werden.

LADY BRACKNELL. In ihrem Alter? Ein grotesker und gotteslästerlicher Gedanke! Algernon, ich verbiete dir, dich taufen zu lassen. Von solchen Ausschweifungen will ich nichts hören. Lord Bracknell würde äußerst ungehalten sein, wenn er wüßte, daß du deine Zeit und dein Geld mit solchen Dingen vergeudest.

CHASUBLE. Habe ich das so zu verstehen, daß heute nachmittag überhaupt keine Taufe stattfindet?

JACK. Ich fürchte, Herr Pastor, unter den gegebenen Umständen würde es für keinen von uns auch nur den geringsten praktischen Wert haben.

CHASUBLE. Es betrübt mich sehr, Sie solche Ansichten äußern zu hören, Mr. Worthing. Sie riechen nach den ketzerischen Anschauungen der Wiedertäufer, Anschauungen, die ich in vier meiner unveröffentlichten Predigten restlos widerlegt habe. Man sollte das Charisma der Taufe nicht auf die leichte Schulter nehmen. Nach einhelliger Meinung der Kirchenväter ist die Taufe eine Art von Wiedergeburt. Wenn es sich aber um Erwachsene handelt, ist, wie ich leider betonen muß, eine *Zwangstaufe* – außer im Fall heidnischer Stämme – nicht mit dem kanonischen Recht vereinbar, deshalb werde ich augenblicklich in die Kirche zurückkehren. Mir hat nämlich soeben der Küster mitgeteilt, daß Miß Prism seit anderthalb Stunden in der Sakristei auf mich wartet.

LADY BRACKNELL *(zuckt zusammen)*. Miß Prism! Habe ich Sie eine gewisse Miß Prism erwähnen hören?

CHASUBLE. Ja, Lady Bracknell. Ich bin im Begriff, mich zu ihr zu begeben.

LADY BRACKNELL. Bitte, gestatten Sie, daß ich Sie einen Moment aufhalte. Diese Angelegenheit könnte für Lord Bracknell und mich von größter Bedeutung sein. Ist diese Miß Prism ein Frauenzimmer von abstoßendem Äußeren und pädagogischen Neigungen?

CHASUBLE *(leicht empört)*. Sie ist eine überaus gebildete Dame und die verkörperte Ehrbarkeit.

LADY BRACKNELL. Offensichtlich ein und dieselbe Person. Darf ich fragen, welche Stellung sie in Ihrem Haushalt bekleidet?

CHASUBLE. Ich bin Junggeselle, Madam.

JACK *(mischt sich ein)*. Miß Prism ist seit drei Jahren Miß Cardews hochgeschätzte Gouvernante und Gesellschaftsdame.

LADY BRACKNELL. Trotzdem muß ich sofort mit ihr sprechen. Man soll sie holen!

CHASUBLE *(blickt in die Kulisse)*. Sie kommt – sie naht.

(Miß Prism tritt hastig auf)

MISS PRISM. Man hatte mir mitgeteilt, daß Sie in der Sakristei auf mich warten, lieber Herr Kanonikus. Ich habe dort eine und dreiviertel Stunden auf Sie gewartet. *(Erblickt Lady Bracknell, die sie mit steinerner Miene anstarrt. Miß Prism wird blaß und zittert. Ängstlich sieht sie sich um, als würde sie am liebsten die Flucht ergreifen)*

LADY BRACKNELL *(in strengem, herrischem Ton).* Prism! *(Beschämt senkt Miß Prism den Kopf)* Kommen Sie hierher, Prism! *(Miß Prism nähert sich ihr in unterwürfiger Haltung)* Prism! Wo ist das Baby? *(Allgemeine Bestürzung. Der Kanonikus weicht entsetzt zurück. Algernon und Jack tun so, als müßten sie Cecily und Gwendolen davor bewahren, die Einzelheiten eines fürchterlichen öffentlichen Skandals zu vernehmen)* Vor achtundzwanzig Jahren, Prism, verließen Sie Lord Bracknells Haus, Upper Grosvenor Street, Nummer einhundertundvier, mit einem Kinderwagen, der ein Baby männlichen Geschlechts enthielt. Sie sind nie zurückgekehrt. Wenige Wochen später wurde dank umfangreicher Ermittlungen der Stadtpolizei der Kinderwagen um Mitternacht einsam in einem entlegenen Winkel von Bayswater aufgefunden. Er enthielt das Manuskript eines dreibändigen Romans von außergewöhnlich widerwärtiger Sentimentalität. *(Miß Prism fährt zusammen – unwillkürlich entrüstet)* Das Baby aber war verschwunden. *(Alle sehen Miß Prism an)* Prism! Wo ist das Baby? *(Pause)*

MISS PRISM. Lady Bracknell – zu meiner Schande muß ich gestehen, daß ich es nicht weiß. Wenn ich's nur wüßte! Der Sachverhalt ist der folgende: Am Morgen des Tages, den Sie erwähnt haben, eines Tages, der sich für immer meinem Gedächtnis eingeprägt hat, schickte ich mich wie gewöhnlich an, das Kind in seinem Wagen spazierenzufahren. Außerdem hatte ich ein altes geräumiges Handköfferchen bei mir. In dieses Köfferchen beabsichtigte ich die Niederschrift eines Romans zu tun, den ich in meinen wenigen freien Stunden verfaßt hatte. In einem Anfall von Geistesabwesenheit, den ich mir nie verzeihen werde, steckte ich das Manuskript in den Wagenkorb und das Baby in den Koffer.

JACK *(der aufmerksam zugehört hatte).* Wo aber hinterlegten Sie den Koffer?

MISS PRISM. Fragen Sie mich nicht, Mr. Worthing.

JACK. Miss Prism, diese Angelegenheit ist für mich von nicht geringer Bedeutung. Ich bestehe darauf zu erfahren, wo Sie den Handkoffer mit dem Kind hinterlegt haben.

MISS PRISM. In der Gepäckaufbewahrung eines großen Londoner Bahnhofs.

JACK. Welchen Bahnhofs?

MISS PRISM *(niedergeschmettert)*. Victoria. An der Strecke nach Brighton. *(Läßt sich in einen Sessel fallen)*

LADY BRACKNELL *(schaut Jack an)*. Ich hoffe aufrichtig, daß jetzt nichts Unwahrscheinliches passiert. Das Unwahrscheinliche ist immer geschmacklos – oder zumindest von zweifelhaftem Geschmack.

JACK. Ich muß mich für einen Augenblick zurückziehen.

CHASUBLE. Sie scheinen außer sich zu sein, Mr. Worthing. Hoffentlich handelt es sich um eine vorübergehende Unpäßlichkeit.

JACK. Ich bin gleich wieder da, lieber Herr Kanonikus. Gwendolen – warte hier auf mich!

GWENDOLEN. Wenn du nicht zu lange weg bleibst, warte ich hier auf dich mein Leben lang.

(Jack aufgeregt ab)

CHASUBLE. Was glauben Sie, was das bedeutet, Lady Bracknell?

LADY BRACKNELL. Ich wage es nicht einmal zu ahnen, Herr Pastor. Ich brauche Ihnen wohl kaum zu sagen, daß in hochgestellten Familien seltsame Zufälle ganz einfach nicht vorzukommen haben. Sie gelten als unpassend.

(Von oben her ist Lärm zu hören, als ob jemand mit Koffern um sich werfe. Alle blicken zur Decke hinauf)

CECILY. Onkel Jack scheint merkwürdig aufgeregt zu sein.

CHASUBLE. Ihr Vormund hat ein sehr empfindsames Gemüt.

LADY BRACKNELL. Diese Geräusche finde ich äußerst unangenehm. Es klingt, als würde er sich mit seinem Möblement zanken. Ich verabscheue Auseinandersetzungen jeder Art. Die Argumente sind stets vulgär und sehr oft überzeugend.

CHASUBLE *(mit einem Blick zur Zimmerdecke)*. Jetzt ist es still geworden. *(Der Lärm setzt mit doppelter Wucht wieder ein)*

LADY BRACKNELL. Wenn er doch endlich einen Entschluß fassen würde!

GWENDOLEN. Diese Spannung ist unerträglich. Hoffentlich hält sie an.

(Jack erscheint mit einem schwarzen Lederköfferchen)

JACK *(stürzt auf Miß Prism zu).* Ist das der Koffer, Miß Prism? Inspizieren Sie ihn gründlich, bevor Sie sich äußern. Mehr als ein Lebensglück hängt von Ihrer Antwort ab.

MISS PRISM *(ruhig).* Es scheint mein Koffer zu sein. Ja, hier ist der Schaden, den er in jüngeren und glücklicheren Jahren davongetragen hat, als in der Gower Street ein Bus gegen einen Laternenpfahl fuhr. Und hier – der Fleck im Futter, verursacht durch den Kohlensäuregehalt eines alkoholfreien Getränks, ein Vorfall, der sich in Leamington ereignet hat. Und hier am Verschluß – meine Initialen. Ich hatte vergessen, daß ich sie in einem Anfall von Verschwendungssucht dort habe anbringen lassen. Zweifellos gehört der Koffer mir. Es freut mich, daß ich ihn so unerwarteterweise zurückerhalte. Es war sehr unbequem für mich, daß ich ihn in all diesen Jahren entbehren mußte.

JACK *(pathetisch).* Miß Prism, nicht nur diesen Handkoffer haben Sie zurückerhalten. *Ich* war das Baby, das Sie damals hineingelegt hatten.

MISS PRISM *(erstaunt).* Sie?

JACK *(umarmt sie).* Ja – Mutter!

MISS PRISM *(weicht verwundert und empört zurück).* Mr. Worthing, ich bin unverheiratet.

JACK. Unverheiratet! Ich will nicht leugnen, daß das ein schwerer Schlag ist. Aber wer hat denn schließlich das Recht, den ersten Stein auf einen Menschen zu werfen, der viel gelitten hat? Kann nicht Reue einen törichten Schritt wiedergutmachen? Warum sollte es ein Gesetz für Männer und ein anderes für Frauen geben? Mutter, ich verzeihe dir. *(Will sie abermals umrarmen)*

MISS PRISM *(noch entrüsteter).* Aber, Mr. Worthing, Sie irren sich. Mutter zu werden, war mir bisher noch nicht beschieden. Diese Unterstellung wäre beinahe undelikat, wenn nicht so viele Personen sie gehört hätten! *(Zeigt auf Lady Bracknell)* Dort steht die Dame, die Ihnen sagen kann, wer Sie eigentlich sind. *(Zieht sich in den Hintergrund zurück)*

JACK *(nach einer Pause).* Lady Bracknell, ich möchte nicht aufdringlich erscheinen – aber würden Sie mir gütigst verraten, wer ich bin?

LADY BRACKNELL. Ich fürchte, die Neuigkeit, die ich Ihnen mitzuteilen habe, wird Ihnen nicht viel Freude machen. Sie sind der Sohn meiner armen Schwester, Mrs. Moncrieff, und infolgedessen Algernons älterer Bruder.

JACK. Algys älterer Bruder! Dann habe ich also doch einen Bruder. Ich wußte es! Ich habe schon immer gesagt, daß ich einen Bruder habe! Cecily – wie konntest du je bezweifeln, daß ich einen Bruder habe? *(Packt Algernon beim Arm)* Doktor Chasuble – mein unglücklicher Bruder. Miß Prism – mein unglücklicher Bruder. Gwendolen – mein unglücklicher Bruder. Algy, du Bürschchen, du Lump, du, in Zukunft wirst du mich respektvoller zu behandeln haben. Dein Leben lang hast du dich mir gegenüber nie wie ein Bruder verhalten.

ALGERNON. Bis heute nicht, mein Alter – das gebe ich zu. *(Reicht ihm die Hand)* Aber ich habe mein Bestes getan, obwohl ich ungeübt war.

GWENDOLEN *(zu Jack).* Darling!

JACK. Darling!

LADY BRACKNELL. Angesichts dieser seltsamen und unvorhergesehenen Umstände erlaube ich dir, deiner Tante Augusta einen Kuß zu geben.

JACK *(rührt sich nicht vom Fleck).* Ich bin vor Glück versteinert. *(Küßt Gwendolen)* Ich weiß kaum, wen ich küsse.

(Algernon benützt die Gelegenheit, um Cecily zu küssen)

GWENDOLEN. Hoffentlich ist es das letzte Mal, daß ich so eine Bemerkung zu hören bekomme.

JACK. Bestimmt, Darling.

MISS PRISM *(hüstelt leise und kommt nach vorne).* Mr. Worthing – Mr. Moncrieff, wie ich Sie jetzt nennen sollte –, nach allem, was sich hier abgespielt hat, fühle ich mich verpflichtet, meine Stellung in Ihrem Haushalt zu kündigen. Ich bitte aufrichtig um Verzeihung für die Ungelegenheiten, die ich Ihnen in Ihrer frühesten Kindheit dadurch zugefügt haben mag, daß ich Sie aus Versehen in dieses Handköfferchen legte. *(Schnappt nach Luft)*

JACK. Schwamm drüber, Miß Prism. Es ist nicht der Rede wert. Ich habe mich sicherlich in Ihrem Köfferchen sehr wohl gefühlt – trotz der leichten Beschädigung, die es in glücklicheren Tagen durch den Leichtsinn eines Buschauffeurs davongetragen hat. Uns verlassen zu wollen ist absurd.

MISS PRISM. Es ist meine Pflicht. Ich habe die liebe Cecily nichts mehr zu lehren. In der Kunst, sich zu verheiraten, hat leider meine liebe und gescheite Schülerin ihre Lehrerin weit übertrumpft.

CHASUBLE. Einen Augenblick, Lätitia!

MISS PRISM. Doktor Chasuble?

CHASUBLE. Lätitia, ich bin zu der Überzeugung gelangt, daß das Urchristentum sich in gewissen Punkten geirrt hat. Falsche Lesarten scheinen sich in die Texte eingeschlichen zu haben. Ich erbitte mir die Ehre, um Ihre Hand anhalten zu dürfen.

MISS PRISM. Frederik, im Augenblick finde ich keine Worte, um meine Gefühle auszudrücken. Heute abend aber werde ich dir die drei letzten Bände meines Tagebuchs zuschicken. Sie werden dir ausführlich die Empfindungen schildern, die ich dir seit anderthalb Jahren entgegenbringe.

(Merriman tritt auf)

MERRIMAN. Lady Bracknells Droschkenkutscher sagt, er könne nicht länger warten.

LADY BRACKNELL *(erhebt sich)*. Freilich! Ich muß sofort in die Stadt zurück. *(Zieht die Uhr hervor)* Wie ich sehe, habe ich bereits nicht weniger als neun Züge versäumt. Jetzt fährt nur noch einer. *(Merriman ab. Lady Bracknell wendet sich zum Gehen)* Prism, Ihrer letzten Bemerkung entnehme ich, daß Sie noch immer nicht Ihren fatalen Hang aufgegeben haben, dreibändige Romane zu schreiben. Und wenn Sie wirklich in den Stand der Ehe treten wollen – ich muß sagen, in Ihrem Alter heißt das einer allwissenden Vorsehung trotzen –, hoffe ich sehr, daß Sie auf Ihren Gatten besser aufpassen werden als auf den Ihrer Obhut anvertrauten Säugling. Daß Sie mir ja nicht den armen Doktor Chasuble in Handköfferchen oder sonstigen Behältern auf Bahnhöfen herumliegenlassen! Gepäckaufbewahrungen sind bekanntermaßen zugig. *(Miß Prism neigt demütig den Kopf)* Doktor Chasuble, lieber Herr Pastor, nehmen Sie meine herzlichen Wünsche entgegen, und wenn die Taufe, wie Sie sagen, eine Art von Wiedergeburt ist, rate ich Ihnen dringend, Miß Prism unverzüglich zu taufen. Wiedergeboren zu werden, würde für sie von großem Vorteil sein. Ob das mit der Praxis des Urchristentums übereinstimmen würde, weiß ich nicht. Aber ich halte es für höchst unwahrscheinlich, daß die Kirchenväter je mit so äußerst zugespitzten Problemen zu ringen hatten. *(Wendet sich huldreich zu Cecily und tätschelt ihre Wange)* Liebes Kind! Wir erwarten dich binnen weniger Tage in der Upper Grosvenor Street.

CECILY. Danke, Tante Augusta.

LADY BRACKNELL. Komm, Gwendolen!

GWENDOLEN *(zu Jack)*. Mein lieber – ja, aber was für ein Lieber bist du denn jetzt? Wie heißt du, seit du ein anderer geworden bist?

JACK. Du meine Güte! Ich hatte dieses Hindernis total vergessen. Der Vorname! Ich nehme an, daß dein Entschluß unwiderruflich ist.

GWENDOLEN. Unwiderruflich. Bei mir wandelt sich nichts außer meinen Gefühlen.

CECILY. Was hast du doch für eine edle Natur, Gwendolen!

JACK. Dann muß diese Frage sofort geklärt werden. Einen Augenblick, Tante Augusta! Als Miß Prism mich in ihrem Köfferchen liegenließ – war ich damals schon getauft? Bitte, beruhige dich, Tante Augusta! Die Krise hat ihren Höhepunkt erreicht, und von deiner Antwort hängt sehr viel ab.

LADY BRACKNELL *(durchaus gelassen)*. Jeder Luxus, der für Geld zu haben ist, einschließlich der Taufe, wurde von deinen Eltern an ihren vergötterten Erstgeborenen verschwendet.

JACK. Dann bin ich also getauft. Damit wäre diese Frage erledigt. Auf welchen Namen wurde ich getauft? Laß mich das Schlimmste wissen.

LADY BRACKNELL *(nach einer Pause)*. Als ältester Sohn wurdest du natürlich auf den Namen deines Vaters getauft.

JACK *(gereizt)*. Ja, aber wie hieß mein Vater mit dem Vornamen? Bitte, beruhige dich, Tante Augusta! Die Krise nimmt immer ärgere Dimensionen an. Alles hängt von deiner Antwort ab. Wie lautete der Taufname meines Vaters?

LADY BRACKNELL *(nachdenklich)*. Ich kann mich im Augenblick nicht auf den Vornamen des Generals besinnen. Deine arme liebe Mutter sagte immer nur ›General‹ zu ihm. Daran erinnere ich mich genau. Ja, ich glaube kaum, daß sie es gewagt hätte, ihn mit seinem Vornamen anzureden. Zweifellos aber hat er einen Vornamen besessen. Er war jähzornig, aber in keiner Weise exzentrisch. An seinem Temperament dürften eher das indische Klima, die Ehe, seine Verdauungsstörungen und ähnliche Dinge schuld gewesen sein. In alltäglichen Angelegenheiten war er ein Rauhbein. Das habe ich meiner Schwester öfters vorgehalten.

JACK. Algy, kannst *du* dich erinnern, wie unser Herr Papa mit dem Vornamen hieß?

ALGERNON. Mein lieber Junge, wir haben nie miteinander gesprochen. Ich war ein Jahr alt, als er starb.

JACK. Sein Name müßte eigentlich in den damaligen Ranglisten vorkommen, meinst du nicht, Tante Augusta?

LADY BRACKNELL. Der General war ein im Grunde friedliebender Mann – außer in seinen vier Wänden. Aber ich bezweifle nicht, daß sein Name in sämtlichen militärischen Nachschlagewerken zu finden sein wird.

JACK. Hier habe ich die Ranglisten der Armee aus den letzten vierzig Jahren. *(Stürzt zum Bücherregal, reißt die Bände heraus und verteilt sie hastig unter die Anwesenden)* Hier, Herr Pastor – Miß Prism, für Sie zwei – Cecily, Cecily, eine Rangliste! Fertige sofort einen Auszug an! Algernon, ich bitte dich, such den Taufnamen unseres Vaters in der englischen Geschichte – wenn dir auch nur der geringste Rest von Kindesliebe erhalten geblieben ist! Tante Augusta, ich bitte dich, deinen maskulinen Verstand diesem alles überschattenden Thema zu widmen. Gwendolen – nein, es würde dich zu sehr aufregen. Überlaß diese Studien weniger philosophischen Gemütern wie den unsern.

GWENDOLEN *(heroisch)*. Gib mir sechs beliebige Jahrgänge aus dem jetzigen oder dem vorigen Jahrhundert – egal, aus welchem.

JACK. Edles Wesen! Hier hast du ein Dutzend. Mehr wäre unbequem. *(Bringt ihr einen Stoß Ranglisten. Sowie sie eine aufschlagen will, nimmt er sie ihr weg und durchblättert sie hastig)* Nein, zeig her! Nein, laß *mich* nachschauen, Darling. Ich glaube, ich hab's schneller heraus. Überlaß es *mir*, Liebling.

CHASUBLE. Was sagten Sie, Mr. Moncrieff – welche Zugverbindung suchen Sie?

JACK *(hält inne, ruft verzweifelt aus).* Zugverbindung! Wer spricht von Zugverbindungen? Ich suche den Taufnamen meines Vaters.

CHASUBLE. Sie haben mir aber ein Kursbuch in die Hand gedrückt. Aus dem Jahre achtzehnhundertneunundsechzig, wie ich sehe. Ein Buch von erheblichem antiquarischem Interesse – aber ohne jeden Bezug auf die Frage der Vornamen, die man üblicherweise Generälen bei der Taufe verleiht.

CECILY. Verzeihung, Onkel Jack. Aber in der ›Geschichte der Neuzeit‹ ist mit keinem Wort von Generälen die Rede, obwohl das die beste Ausgabe ist – neu revidiert mit Hilfe der Schreibmaschine.

MISS PRISM. Mir, Mr. Moncrieff, haben Sie zwei Warenhauskataloge überreicht. Nirgendwo finde ich Generäle notiert. Entweder fehlt das Angebot oder die Nachfrage.

LADY BRACKNELL. Diese Abhandlung, betitelt ›Die grüne Nelke‹, scheint sich mit der Zucht exotischer Gewächse zu beschäftigen. Sie enthält nicht den geringsten Hinweis auf Generäle und scheint ein morbides, kleinbürgerliches Elaborat zu sein.

JACK *(immer gereizter).* Himmelherrgott – und was liest denn *du* für einen Quatsch, Algy! *(Nimmt ihm das Buch weg)* Die Rangliste? Na, du hast wohl nicht gemerkt, daß es die Rangliste ist. Außerdem hast du sie auf der falschen Seite aufgeschlagen. Da – da – es springt einem in die Augen! M... Generäle ... Malam – was für gräßliche Namen die Herrschaften haben! – Markby, Migsby, Mobbs, Moncrieff – Moncrieff! Leutnant achtzehnhundertvierzig, Hauptmann, Oberstleutnant, Oberst, General achtzehnhundert sechzig. Vornamen: Ernst, John ... *(Legt das Buch gelassen weg und fährt in ruhigem Ton fort)* Gwendolen, ich habe dir schon immer gesagt, daß ich Ernst heiße. Also – ich heiße nun doch – Ernst. Ich meine – *natürlich* heiße ich Ernst.

LADY BRACKNELL. Ja, jetzt fällt mir ein, daß der General Ernst geheißen hat. Ich wußte doch, daß ich einen besonderen Grund hatte, den Namen zu verabscheuen. Komm, Gwendolen. *(Ab)*

GWENDOLEN. Ernst – mein geliebter Ernst! Von allem Anfang an habe ich gespürt, daß du nicht anders heißen kannst.

JACK. Gwendolen, es ist etwas Fürchterliches für einen Menschen, wenn er plötzlich entdeckt, daß er sein ganzes Leben lang die Wahrheit gesagt hat. Kannst du mir verzeihen?

GWENDOLEN. Ja – weil ich fest überzeugt bin, daß du dich bessern wirst.

JACK. Mein ein und alles.

CHASUBLE *(zu Miß Prism)*. Lätitia! *(Er umarmt sie)*

MISS PRISM *(enthusiastisch)*. Frederik! Endlich!

ALGERNON. Cecily! *(Umarmt sie)* Endlich!

JACK. Gwendolen! *(Umarmt sie)* Endlich!

LADY BRACKNELL. Ich habe den letzten Zug versäumt ... Mein lieber Neffe, du scheinst mir recht triviale Späße zu treiben.

JACK. Im Gegenteil, Tante Augusta, zum erstenmal in meinem Leben ist es mir klargeworden: Ernst muß man sein.

Tableau
Vorhang

Lady Windermeres Fächer

Personen

Lord Windermere
Lord Darlington
Lord Augustus Lorton
Mr. Dumby
Mr. Cecil Graham
Mr. Hopper
Parker, Butler
Lady Windermere
Die Herzogin von Berwick
Lady Agatha Carlisle
Lady Plymdale
Lady Stutfield
Lady Jetburgh
Mrs. Cowper-Cowper
Mrs. Erlynne
Rosalie, Kammerzofe

Ort: London. Zeit: Um das Jahr 1891.

Die Handlung verläuft innerhalb von vierundzwanzig Stunden. Sie beginnt an einem Dienstagnachmittag um fünf Uhr und endet am darauffolgenden Tag um halb zwei.

Uraufführung: 22. Februar 1892 im St. James-Theater

Erster Akt

Wohnzimmer in Lord Windermeres Haus (Carlton House Terrace, London). Türen Mitte und rechts. Schreibtisch mit Büchern und Papieren rechts. Sofa mit kleinem Teetisch links. Tisch rechts. Terrassentür links.

LADY WINDERMERE *(steht am Tisch rechts und arrangiert Rosen in einer blauen Schale).*

PARKER *(tritt auf).* Sind Mylady heute nachmittag zu Hause?

LADY WINDERMERE. Ja – hat jemand nach mir gefragt?

PARKER. Lord Darlington, Mylady.

LADY WINDERMERE *(nach kurzem Zögern).* Bitten Sie ihn herein – und ich bin für alle Besucher zu Hause.

PARKER. Ja, Mylady. *(Ab durch die Mitte)*

LADY WINDERMERE. Es ist wohl am besten, ich spreche mit ihm noch vor dem heutigen Abend. Ich bin froh, daß er gekommen ist ...

PARKER *(durch die Mitte).* Lord Darlington.

(Lord Darlington tritt durch die Mitte auf. Parker ab)

LORD DARLINGTON. Guten Tag, Lady Windermere.

LADY WINDERMERE. Guten Tag, Lord Darlington. Nein, ich kann Ihnen nicht die Hand geben. Ich habe nasse Hände. Sind die Rosen nicht wunderhübsch? Heute früh hat man sie mir aus Selby gebracht.

LORD DARLINGTON. Eine wahre Pracht. *(Sieht einen Fächer auf dem Tisch liegen)* Und was für ein wunderschöner Fächer! Darf ich ihn anschauen?

LADY WINDERMERE. Aber, bitte sehr. Hübsch, nicht wahr? Mein Name ist eingraviert. Ich selber habe ihn gerade erst zu sehen bekommen. Ein Geburtstagsgeschenk meines Mannes. Wußten Sie, daß ich heute Geburtstag habe?

LORD DARLINGTON. Nein, wirklich?

LADY WINDERMERE. Ja – heute bin ich volljährig geworden. Ein recht bedeutsamer Tag in meinem Leben, nein? Deshalb habe ich heute abend Gäste. Nehmen Sie doch Platz ... *(Beschäftigt sich nach wie vor mit Blumen)*

LORD DARLINGTON *(setzt sich)*. Wenn ich nur gewußt hätte, daß Sie heute Ihren Geburtstag feiern! Ich hätte die Straße vor Ihrem Haus mit Blumen bestreut. Blumen sind dazu da, Ihnen als ein Teppich zu dienen. *(Kurze Pause)*

LADY WINDERMERE. Lord Darlington, ich habe mich gestern abend im Auswärtigen Amt über Sie geärgert. Ich fürchte, ich werde mich schon wieder über Sie ärgern müssen.

LORD DARLINGTON. Über mich, Lady Windermere?

(Parker und ein Lakai treten mit einem Teetablett durch die Mitte auf)

LADY WINDERMERE. Stellen Sie das Tablett auf den Sofatisch. Schon gut ... *(Trocknet die Hände mit dem Taschentuch ab, geht zum Teetisch links und setzt sich)* Wollen Sie sich nicht zu mir setzen, Lord Darlington? *(Parker und Lakai ab)*

LORD DARLINGTON *(nimmt seinen Stuhl und geht nach links Mitte)*. Ich bin untröstlich, Lady Windermere. Sie müssen mir sagen, was ich verbrochen habe. *(Setzt sich an den Tisch links)*

LADY WINDERMERE. Sie haben mich den ganzen Abend lang mit ausgeklügelten Komplimenten überhäuft.

LORD DARLINGTON *(lächelnd)*. Ach, heutzutage sind wir alle so knapp bei Kasse – da sind Komplimente die einzig hübschen Geschenke, mit denen wir eine Frau überhäufen können. Gerade noch erschwinglich.

LADY WINDERMERE *(schüttelt den Kopf)*. Nein, die Sache ist sehr ernst. Sie dürfen nicht lachen – *ich* nehme sie ernst. Ich mag Komplimente nicht und begreife nicht, warum Männer sich einbilden, einer Frau Freude zu machen, wenn sie eine Menge Dinge zu ihr sagen, die gar nicht so gemeint sind.

LORD DARLINGTON. Alles was ich zu Ihnen gesagt habe, war so gemeint, wie ich es gesagt habe, Lady Windermere. *(Nimmt die Tasse, die sie ihm reicht)*

LADY WINDERMERE *(todernst)*. Hoffentlich nicht. Es würde mir leid tun, mich mit Ihnen zu verzanken, Lord Darlington. Ich habe Sie recht gern – das wissen Sie. Aber Sie würden mir überhaupt nicht mehr gefallen, wenn ich annehmen müßte, daß Sie nicht anders sind als die meisten Männer. Glauben Sie mir, Sie sind besser als die meisten anderen Männer, und zuweilen befürchte ich, daß Sie nur so tun, als wären Sie schlimmer.

LORD DARLINGTON. Alle haben wir unsere kleinen Eitelkeiten, Lady Windermere.

LADY WINDERMERE. Warum haben Sie sich just diese Spezialität ausgesucht? *(Sitzt noch immer links am Tisch)*

LORD DARLINGTON *(sitzt noch immer links Mitte)*. Ach, heutzutage wimmelt es in unseren Kreisen von eitlen Laffen, die so tun, als wären sie kreuzbrave Menschen. Da halte ich es für ein Zeichen der Bescheidenheit, wenn jemand sich schlechter macht, als er ist. Hinzu kommt folgendes: Gibt man sich für einen braven Menschen aus, dann wird man von aller Welt ernst genommen. Macht man sich schlecht, nimmt einen niemand ernst. So erstaunlich stupide ist der Optimismus!

LADY WINDERMERE. Sie wollen also nicht ernst genommen werden, Lord Darlington?

LORD DARLINGTON. Nein. Nicht von aller Welt. Wer sind die Leute, die ernst genommen werden? Alle nur erdenklichen Dummköpfe vom Bischof bis hinunter zu den Nervtötern. Ich möchte, daß *Sie* mich ernst nehmen, Lady Windermere – vor allem *Sie*.

LADY WINDERMERE. Warum – warum ich?

LORD DARLINGTON *(nach kurzem Zögern)*. Weil ich der Meinung bin, wir könnten gute Freunde werden. Wir wollen gute Freunde sein. Vielleicht werden Sie eines Tages einen Freund brauchen.

LADY WINDERMERE. Wie kommen Sie darauf?

LORD DARLINGTON. Ach, jeder von uns braucht zuweilen einen Freund.

LADY WINDERMERE. Ich glaube, wir sind bereits gute Freunde, Lord Darlington. Und werden es bleiben, solange Sie nicht ...

LORD DARLINGTON. Was denn?

LADY WINDERMERE. ... mir mit übertriebenen Albernheiten kommen und dadurch alles verderben. Sie halten mich wohl für eine Puritanerin. Nun ja, ich habe etwas Puritanisches in mir. Ich wurde so erzogen. Und bin darüber froh. Meine Mutter starb, als ich noch ein kleines Kind war. Ich bin bei Lady Julia aufgewachsen, der älteren Schwester meines Vaters. Sie behandelte mich streng, lehrte mich aber den Unterschied zwischen Recht und Unrecht – den Unterschied, den die Welt allmählich vergißt. *Sie* duldete keinen Kompromiß. *Ich* dulde keinen.

LORD DARLINGTON. Meine liebe Lady Windermere!

LADY WINDERMERE *(lehnt sich zurück)*. Sie betrachten mich als zurückgeblieben. Gut – ich *bin* es. Ich würde es bedauern, wenn ich auf dem Stand dieser Zeit wäre.

LORD DARLINGTON. Sie halten nicht viel von unserer Zeit.

LADY WINDERMERE. Nein. Heutzutage scheinen die Menschen das Leben als eine Spekulation zu betrachten. Es ist aber keine Spekulation, sondern ein Sakrament. Sein Ideal ist die Liebe – seine Läuterung das Opfer.

LORD DARLINGTON *(lächelnd)*. Ich wüßte nicht, was schlimmer wäre, als geopfert zu werden.

LADY WINDERMERE *(beugt sich vor)*. Sagen Sie das nicht!

LORD DARLINGTON. Ich sage es mit voller Überzeugung. Ich habe es erlebt – ich weiß es.

(Parker tritt durch die Mitte auf)

PARKER. Die Männer wollen wissen, ob sie die Teppiche für heute abend auf die Terrasse legen sollen, Mylady.

LADY WINDERMERE. Sie glauben doch nicht, daß es regnen wird, Lord Darlington?

LORD DARLINGTON. Daß es an Ihrem Geburtstag regnet – nein, davon will ich nichts hören.

LADY WINDERMERE. Sagen Sie ihnen Bescheid, Parker. Die Teppiche auf die Terrasse – sofort.

(Parker ab durch die Mitte)

LORD DARLINGTON *(ohne sich zu erheben)*. Meinen Sie also – natürlich setze ich einen imaginären Fall! –, meinen Sie, wenn im Falle eines jungen Ehepaars – sagen wir, man ist seit zwei Jahren verheiratet – der Ehemann sich plötzlich mit einer Dame von – na ja, von mehr als zweifelhaftem Ruf – anfreundet, sie häufig besucht, mit ihr essen geht und wahrscheinlich ihre Rechnungen bezahlt – meinen Sie, daß seine Frau dann nicht berechtigt sei, sich zu trösten?

LADY WINDERMERE *(runzelt die Stirn)*. Sich zu trösten?

LORD DARLINGTON. Meiner Meinung nach sollte sie es tun – meiner Meinung nach ist sie dazu berechtigt.

LADY WINDERMERE. Weil ihr Mann sich schändlich benimmt, sollte auch sie sich schändlich benehmen?

LORD DARLINGTON. ›Schändlich‹ ist ein böses Wort, Lady Windermere.

LADY WINDERMERE. Für eine böse Sache, Lord Darlington.

LORD DARLINGTON. Wissen Sie, ich fürchte, die guten Menschen richten auf dieser Erde viel Unheil an. Vor allem dadurch – das ist das Allerärgste! –, daß sie der Schlechtigkeit eine so außerordentlich große Bedeutung beimessen. Es ist absurd, zwischen guten und schlechten Menschen zu unterscheiden. Die Menschen sind entweder charmant oder langweilig. Ich ergreife die Partei der charmanten Menschen, und Sie, Lady Windermere, können nichts daran ändern, daß Sie zu ihnen zählen.

LADY WINDERMERE. Aber Lord Darlington ... *(Steht auf und geht vorne an ihm vorbei nach rechts)* Bleiben Sie ruhig sitzen, ich will nur mit meinen Blumen fertig werden. *(Geht zum Tisch rechts)*

LORD DARLINGTON *(steht auf und rückt seinen Stuhl zurecht).* Ich muß schon sagen, Lady Windermere, Sie sind übertrieben streng gegen unser heutiges Leben. Ich gebe zu, daß sich viel einwenden läßt. Zum Beispiel sind heutzutage die meisten Frauen käuflich.

LADY WINDERMERE. Sprechen Sie nicht mit mir über solche Frauenzimmer.

LORD DARLINGTON. Also, abgesehen von den Käuflichen, die natürlich verabscheuungswürdig sind: Meinen Sie im Ernst, daß man einer Frau einen sogenannten Fehltritt nie verzeihen dürfe?

LADY WINDERMERE *(am Tisch stehend).* Ich bin der Meinung, daß man ihr nie verzeihen darf.

LORD DARLINGTON. Und den Männern? Sollten nicht für sie die gleichen Gesetze gelten wie für die Frauen?

LADY WINDERMERE. Freilich!

LORD DARLINGTON. Das Leben ist viel zu kompliziert, als daß man es diesen harten und starren Vorschriften unterwerfen könnte.

LADY WINDERMERE. Wenn wir diese ›harten und starren‹ Vorschriften hätten, würde das Leben bedeutend einfacher sein.

LORD DARLINGTON. Sie lassen keine Ausnahme zu?

LADY WINDERMERE. Keine einzige!

LORD DARLINGTON. Ach, was sind Sie doch für eine bezaubernde Puritanerin, Lady Windermere!

LADY WINDERMERE. Das Adjektiv war überflüssig, Lord Darlington.

LORD DARLINGTON. Es ist mir entschlüpft. Allem kann ich widerstehen, nur nicht der Versuchung.

LADY WINDERMERE. Sie vergöttern die Schwäche – das gilt als modern.

LORD DARLINGTON *(sieht sie an)*. Vergöttern ist das richtige Wort, Lady Windermere.

(Parker tritt durch die Mitte auf)

PARKER. Die Herzogin von Berwick und Lady Agatha Carlisle.

(Die Herzogin von Berwick und Lady Carlisle treten durch die Mitte auf. Parker ab durch die Mitte)

DIE HERZOGIN VON BERWICK *(kommt nach vorne und reicht Lady Windermere die Hand)*. Liebe Margaret, es ist mir eine Freude! Sie erinnern sich an Agatha, nicht wahr? *(Geht nach links)* Guten Tag, Lord Darlington. Mit meiner Tochter werde ich Sie nicht bekannt machen, Sie sind mir zu verdorben.

LORD DARLINGTON. Sagen Sie das nicht, Herzogin. Meine Karriere als Wüstling ist kläglich gescheitert. Ja, es gibt sogar Leute, die behaupten, ich hätte zeit meines Lebens eigentlich nie etwas Unrechtes getan. Natürlich sagen sie das nur hinter meinem Rücken.

DIE HERZOGIN VON BERWICK. Ist er nicht ein schrecklicher Mensch? Agatha, das ist Lord Darlington. Wohlgemerkt – du darfst ihm kein Wort glauben. *(Lord Darlington nach rechts)* Nein, danke, keinen Tee, liebe Margaret. *(Geht zum Sofa und setzt sich)* Wir haben soeben bei Lady Markby Tee getrunken. Noch dazu einen miserablen Tee. Er war fast ungenießbar. Aber das hat mich nicht überrascht. Sie bezieht ihn von ihrem Schwiegersohn. Agatha freut sich schon sehr auf Ihren heutigen Ballabend, liebe Margaret.

LADY WINDERMERE *(setzt sich links Mitte)*. Sie dürfen keinen großen Ball erwarten, Herzogin. Nur eine Geburtstagsfeier. Mir zu Ehren wird ein bißchen getanzt. In kleinem Kreis und nicht sehr lange.

LORD DARLINGTON *(stehend links Mitte)*. Sehr klein, gar nicht lang und sehr exklusiv.

DIE HERZOGIN VON BERWICK *(auf dem Sofa sitzend)*. Natürlich exklusiv! Aber das wissen wir, liebe Margaret, wenn wir bei Ihnen zu Gast sind. Ihr Haus ist eigentlich eines der wenigen Häuser in London, in das ich Agatha unbesorgt mitnehmen kann – und wo ich nicht um den armen Berwick zittern muß. Ich weiß nicht, was aus der guten Gesellschaft geworden ist. Überall trifft man die schrecklichsten Menschen. Mir laufen sie die Tür ein. Und wenn ich sie nicht einlade, sind die Männer böse. Es wäre höchste Zeit, daß sich jemand dagegen wehrt.

LADY WINDERMERE. *Ich* werde mich wehren, Herzogin! Mir kommt niemand ins Haus, der einen schlechten Ruf genießt.

LORD DARLINGTON *(rechts Mitte)*. Ach, sagen Sie das nicht, Lady Windermere! Sie würden mich ja nicht mehr empfangen. *(Setzt sich)*

DIE HERZOGIN VON BERWICK. Auf die Männer kommt es nicht an. Frauen sind ein anderes Kapitel. Wir sind brav – wenigstens einige von uns. Aber wir werden völlig an die Wand gedrückt. Unsere lieben Ehegatten würden glatt vergessen, daß wir vorhanden sind, wenn wir nicht von Zeit zu Zeit an ihnen herumnörgeln würden – nur um sie daran zu erinnern, daß das unser gesetzlich verbürgtes Recht ist.

LORD DARLINGTON. Das Spiel, das man Ehe nennt – übrigens beginnt es unmodern zu werden –, hat seine merkwürdigen Seiten, Herzogin. Die Frauen haben alle Trümpfe in der Hand und verlieren immer den dreizehnten Stich.

DIE HERZOGIN VON BERWICK. Den dreizehnten Stich? Meinen Sie damit den Ehemann, Lord Darlington?

LORD DARLINGTON. Es wäre keine schlechte Bezeichnung für den heutigen Ehemann.

DIE HERZOGIN VON BERWICK. Mein lieber Lord Darlington, Sie sind durch und durch verdorben.

LADY WINDERMERE. Er ist banal …

LORD DARLINGTON. Ach, sagen Sie das nicht, Lady Windermere!

LADY WINDERMERE. Warum äußern Sie sich dann so banal über das Leben?

LORD DARLINGTON. Weil meiner Ansicht nach das Leben viel zu wichtig ist, als daß man ernsthaft darüber reden dürfte. *(Nähert sich der Mitte)*

DIE HERZOGIN VON BERWICK. Was meint er? Bitte, nehmen Sie Rücksicht auf meinen schwachen Verstand, Lord Darlington, und erklären Sie mir, was Sie eigentlich meinen.

LORD DARLINGTON *(kommt hinter dem Tisch nach vorne)*. Lieber nicht, Herzogin! Wer sich heutzutage verständlich ausdrückt, läuft Gefahr, daß man ihn durchschaut. Auf Wiedersehen! *(Reicht der Herzogin die Hand)* Und nun – *(geht nach hinten)* –, Lady Windermere, auf Wiedersehen! Darf ich heute abend kommen? Sagen Sie nicht nein.

LADY WINDERMERE *(im Hintergrund neben Lord Darlington)*. Sie sind willkommen. Aber Sie müssen mir versprechen, nicht meine Gäste mit albernen und unaufrichtigen Phrasen zu belästigen.

LORD DARLINGTON *(lächelnd)*. Aha, Sie fangen an, mich zu bessern! Es ist gefährlich, einen Menschen bessern zu wollen, Lady Windermere. *(Verbeugt sich und geht durch die Mitte ab)*

DIE HERZOGIN VON BERWICK *(hat sich erhoben und nähert sich Lady Windermere)*. So ein charmanter Mensch und so verdorben! Er gefällt mir. Ich bin froh, daß er weg ist. Wie hübsch Sie aussehen! Bei welchem Schneider lassen Sie arbeiten? Und jetzt muß ich Ihnen sagen, wie tief ich Sie bedaure, liebe Margaret. *(Setzt sich zu Lady Windermere aufs Sofa)* Agatha, mein Liebling!

LADY AGATHA. Ja, Mama. *(Steht auf)*

DIE HERZOGIN VON BERWICK. Geh und schau dir das Fotoalbum an, das ich dort liegen sehe.

LADY AGATHA. Ja, Mama. *(Geht zum Tisch links)*

DIE HERZOGIN VON BERWICK. Das liebe Kind! Sie schwärmt für Fotos aus der Schweiz. Ich finde, das zeugt von einem unverfälschten Geschmack. Aber Sie tun mir wirklich leid, Margaret.

LADY WINDERMERE *(lächelnd)*. Warum, Herzogin?

DIE HERZOGIN VON BERWICK. Ach, wegen dieser abscheulichen Person. Außerdem ist sie so gut angezogen – das macht die Sache noch schlimmer und gibt ein böses Beispiel. Augustus

– Sie kennen meinen übelbeleumundeten Bruder und solch eine Plage für uns –, also, Augustus ist in sie vernarrt. Ein Skandal – man kann unmöglich mit ihr verkehren. So manche Frau hat eine Vergangenheit, aber *sie* hat, wie man mir berichtet, mindestens ein Dutzend, und alle passen zu ihr.

LADY WINDERMERE. Von wem ist die Rede, Herzogin?

DIE HERZOGIN VON BERWICK. Von Mrs. Erlynne.

LADY WINDERMERE. Mrs. Erlynne? Ich habe nie von ihr gehört, Herzogin. Und was hat sie mit mir zu tun?

DIE HERZOGIN VON BERWICK. Mein armes Kind ... Agatha, Liebling!

LADY AGATHA. Ja, Mama.

DIE HERZOGIN VON BERWICK. Geh auf die Terrasse hinaus und sieh dir den Sonnenuntergang an.

LADY AGATHA. Ja, Mama. *(Ab durch die Terrassentür links)*

DIE HERZOGIN VON BERWICK. Das liebe Kind! Sie schwärmt für Sonnenuntergänge. Ein Beweis für ihr Feingefühl, nicht wahr? Schließlich geht doch nichts über die Natur.

LADY WINDERMERE. Aber worum handelt es sich, Herzogin? Warum sind Sie auf diese Person zu sprechen gekommen?

DIE HERZOGIN VON BERWICK. Wissen Sie es wirklich nicht ...? Glauben Sie mir, wir sind alle sehr betrübt. Erst gestern abend bei der lieben Lady Jansen hat man wieder betont, wie merkwürdig es sei, daß unter allen Männern in London just Windermere sich so benimmt.

LADY WINDERMERE. Mein Mann? Was hat denn *er* mit einer Frau dieser Kategorie zu tun?

DIE HERZOGIN VON BERWICK. Ach ja, allerdings – das ist der springende Punkt. Er besucht sie immerzu, bleibt manchmal stundenlang bei ihr, und solange er bei ihr ist, ist sie für niemanden zu sprechen. Es gibt nicht viele Damen, die mit ihr verkehren, liebe Margaret, aber sie hat zahlreiche übelbeleumundete Freunde – unter anderen, wie gesagt, meinen Bruder –, und deshalb sind wir über Windermere entsetzt. *Ihn* haben wir für einen Mustergatten gehalten – aber es besteht leider nicht der geringste Zweifel ... Meine lieben Nichten – Sie kennen die Savilles, nicht wahr? – diese netten, häuslichen Wesen – häßlich, furchtbar häßlich, aber so brav, so brav –, also, sie sitzen den ganzen Tag am Fenster und sticken oder stricken gräßliche Strümpfe für die Armen – ich halte das in unserer vom Sozialismus verseuchten Zeit für äußerst nutzbringend! –, und diese schreckliche Person hat ein Haus in der Curzon Street gemietet, gleich vis-à-vis – noch dazu in einer so guten Gegend! Ich weiß nicht, was aus uns werden soll! Sie erzählen mir, daß Windermere vier- bis fünfmal wöchentlich dort auftaucht – sie *sehen* ihn, ob sie wollen oder nicht. Und obwohl ihnen nicht im Traum einfallen würde, Klatschgeschichten zu verbreiten, machen sie – na ja – allen Leuten gegenüber ihre Bemerkungen. Das Schlimmste aber ist, daß man mir erzählt hat, diese Frau habe von *irgend jemandem* eine Menge Geld bekommen. Allem Anschein nach ist sie vor einem halben Jahr arm wie eine Kirchenmaus in London erschienen. Jetzt hat sie das reizende Haus in Mayfair, kutschiert jeden Nachmittag mit ihren Ponys im Park umher, und das alles – nun, das alles, seit sie den lieben armen Windermere kennengerlernt hat.

LADY WINDERMERE. Nein, das kann ich nicht glauben.

DIE HERZOGIN VON BERWICK. Aber es ist wahr, liebe Margaret. Ganz London weiß es. Deshalb hielt ich es für angebracht, mit Ihnen ein offenes Wort zu reden. Ich rate Ihnen, fahren Sie mit ihm nach Bad Homburg oder Aix-les-Bains, dort kann *er* sich amüsieren, und *Sie* können den ganzen Tag auf ihn aufpassen. Glauben Sie mir, liebe Margaret, in der ersten Zeit meiner Ehe mußte ich mehrmals eine Krankheit vortäuschen und widerliches Mineralwasser trinken, nur um Berwick aus London wegzulocken. Er war immer so schnell entflammt. Obwohl ich sagen muß, daß er nie größere Geldsummen verschenkt hat. Dazu hat er viel zu feste Grundsätze.

LADY WINDERMERE *(unterbricht sie)*. Herzogin – Herzogin, es ist unmöglich! *(Steht auf und geht zur Bühnenmitte)* Wir sind erst seit zwei Jahren verheiratet. Unser Kind ist noch keine sechs Monate alt. *(Setzt sich auf einen Stuhl rechts vom Tisch links)*

DIE HERZOGIN VON BERWICK. Ah, das liebe süße Baby! Wie geht es dem kleinen Liebling? Ist es ein Junge oder ein Mädchen? Hoffentlich ein Mädchen – ach nein, jetzt erinnere ich mich –

ein Junge. Das tut mir leid. Jungens sind so verdorben. *Mein* Junge ist total unmoralisch. Sie würden es nicht glauben, wie spät er nachts nach Hause kommt. Dabei hat er Oxford erst vor wenigen Monaten verlassen. Ich weiß wirklich nicht, was sie dort lernen.

LADY WINDERMERE. Sind denn alle Männer schlecht?

DIE HERZOGIN VON BERWICK. Ach, alle, meine liebe Margaret, alle miteinander ohne Ausnahme. Und sie bessern sich nicht. Sie werden älter, aber nicht besser.

LADY WINDERMERE. Windermere und ich haben aus Liebe geheiratet.

DIE HERZOGIN VON BERWICK. Ja, so fängt es an. Nur die brutalen und unaufhörlichen Selbstmorddrohungen des guten Berwick haben mich bewogen, ihn zu erhören, und kaum war ein Jahr vergangen, da lief er hinter sämtlichen Schürzen her, egal, von welcher Farbe, von welchem Schnitt, aus welchem Stoff. Ja, die Flitterwochen waren noch nicht zu Ende, als ich ihn dabei ertappte, wie er meiner Zofe, einem sehr hübschen, anständigen jungen Mädchen, zuzwinkerte. Ich entließ sie sofort ohne Zeugnis ... Nein, jetzt erinnere ich mich, ich gab sie an meine Schwester weiter. Der arme liebe Sir George ist so kurzsichtig, daß ich mir dachte, bei ihm spielt es keine Rolle. Aber es *hat* eine Rolle gespielt – unglücklicherweise ... *(Steht auf)* Und jetzt, mein liebes Kind, muß ich gehen. Wir essen auswärts. Und wohlgemerkt – nehmen Sie sich die kleine Verirrung Windermeres nicht allzusehr zu Herzen. Reisen Sie ganz einfach mit ihm ins Ausland – dann kehrt er zu Ihnen zurück.

LADY WINDERMERE. Er kehrt zu mir zurück? *(Mitte)*

DIE HERZOGIN VON BERWICK *(links Mitte)*. Ja, liebe Margaret, diese lasterhaften Frauen nehmen uns unsere Männer weg – aber sie kehren immer wieder zurück, natürlich leicht beschädigt. Und machen Sie ihm keine Szenen – das können die Männer nicht leiden.

LADY WINDERMERE. Es war sehr lieb von Ihnen, Herzogin, mir das alles zu erzählen. Aber ich kann nicht glauben, daß mein Mann mir untreu ist.

DIE HERZOGIN VON BERWICK. Mein hübsches Kind! Auch ich war einmal so naiv. Heute weiß ich, daß alle Männer Ungeheuer sind. *(Lady Windermere klingelt)* Man kann nichts anderes tun, als die Lumpen gut zu füttern. Ein guter Koch wirkt Wunder, und Sie haben einen guten Koch, soviel ich weiß. Meine liebe Margaret, Sie werden doch nicht weinen.

LADY WINDERMERE. Seien Sie unbesorgt, ich weine nie.

DIE HERZOGIN VON BERWICK. Bravo. Tränen sind die Zuflucht häßlicher, aber der Ruin hübscher Frauen. Agatha! Liebling!

LADY AGATHA *(von links)*. Ja, Mama. *(Bleibt hinter dem Tisch links Mitte stehen)*

DIE HERZOGIN VON BERWICK. Komm und verabschiede dich von Lady Windermere und bedanke dich bei ihr für den reizenden Besuch. *(Kommt wieder nach vorne)* Übrigens muß *ich* mich bei Ihnen für die Karte bedanken, die Sie Mr. Hopper geschickt haben – dem reichen jungen Australier, der momentan soviel Furore macht. Sein Vater hat ein enormes Vermögen verdient mit der Herstellung irgendwelcher Nahrungsmittel in runden Blechdosen. Sie sollen sehr schmackhaft sein, und ich glaube, es sind das die Konserven, die unsere Dienstboten konsequent nicht essen wollen. Der Sohn aber ist ein recht interessanter junger Mann. Ich habe den Eindruck, daß er Agathas gescheite Konversation sehr reizvoll findet. Natürlich würde es uns ein großer Kummer sein, sie zu verlieren, aber ich finde, eine Mutter, die sich nicht jede Saison von ihrer Tochter trennt, weiß nicht, was Mutterliebe ist. Wir kommen heute abend wieder, liebe Margaret. *(Parker öffnet die Mitteltür)* Und vergessen Sie nicht meinen Rat: Weg mit dem Ärmsten aus London, sofort! Das ist das einzig Richtige. Nochmals auf Wiedersehen! Komm, Agatha.

(Die Herzogin und Lady Agatha ab durch die Mitte)

LADY WINDERMERE. Wie entsetzlich! Jetzt verstehe ich, was Lord Darlington mit dem imaginären Beispiel des jungverheirateten Ehepaars gemeint hat. Nein, es kann nicht wahr sein – sie hat von riesigen Summen gesprochen, die jemand dieser Frau geschenkt hat. Ich weiß, wo Arthur sein Bankbuch verwahrt – in einer dieser Schreibtischladen. Das wäre eine Möglichkeit, es herauszubekommen. Ja, ich *werde* es herausbekommen ... *(Öffnet eine Schublade)* Nein, es muß sich um ein abscheuliches Mißverständnis handeln. *(Steht auf und geht zur Mitte)*

Dummer Klatsch! Er liebt *mich*. Er liebt *mich*! Aber warum sollte ich nicht nachschauen? Ich bin seine Frau, ich habe das Recht nachzuschauen. *(Kehrt zum Schreibtisch zurück, nimmt das Bankbuch heraus, prüft Seite um Seite, lächelt und seufzt erleichtert auf)* Ich wußte es ja! Es ist kein wahres Wort an diesem blöden Geschwätz. *(Legt das Bankbuch in die Schublade zurück, stutzt, nimmt ein zweites heraus)* Ein zweites Bankbuch – geheim – verschlossen ... *(Will den Verschluß öffnen. Es gelingt ihr nicht. Sie sieht einen Brieföffner auf dem Schreibtisch liegen und benützt ihn, um den Deckel aufzuschneiden. Dann fängt sie mit der ersten Seite an)* Mrs. Erlynne – sechshundert Pfund ... Mrs. Erlynne – siebenhundert Pfund ... Mrs. Erlynne – vierhundert Pfund ... Oh, es ist wahr! Es ist wahr! Wie entsetzlich! *(Wirft das Bankbuch auf den Boden) – (Lord Windermere tritt durch die Mitte auf)*

LORD WINDERMERE. Nun, mein Liebes, hat man dir den Fächer schon zugeschickt? *(Geht nach rechts, erblickt das Bankbuch)* Margaret, du hast mein Bankbuch aufgeschnitten. Dazu bist du nicht berechtigt.

LADY WINDERMERE. Du findest es nicht richtig, daß ich dir auf deine Schliche gekommen bin, nicht wahr?

LORD WINDERMERE. Ich finde es nicht richtig, daß eine Frau ihrem Mann nachspioniert.

LADY WINDERMERE. Ich habe dir nicht nachspioniert. Bis vor einer halben Stunde wußte ich nicht, daß diese Frau existiert. Jemand, der mich bemitleidet, war so gütig, mir zu berichten, was ganz London schon weiß – deine täglichen Besuche in der Curzon Street, deine wahnwitzige Vernarrtheit, die ungeheuerlichen Summen, die du an diese infame Person verschwendest! *(Nach links)*

LORD WINDERMERE. Margaret – sprich nicht so von Mrs. Erlynne! Du weißt nicht, wie ungerecht das ist.

LADY WINDERMERE *(dreht sich zu ihm um)*. Du bist sehr auf Mrs. Erlynnes Ehre bedacht. Ich wünschte, du wärest auf meine Ehre ebenso bedacht gewesen.

LORD WINDERMERE. Deine Ehre ist unangetastet, Margaret. Du glaubst doch wohl nicht einen Augenblick, daß ... *(Legt das Bankbuch in die Schreibtischlade)*

LADY WINDERMERE. Ich finde, daß du dein Geld sonderbar ausgibst. Weiter nichts. Ach, bilde dir ja nicht ein, daß es mir um das Geld geht! Meinetwegen darfst du alles verschleudern, was wir besitzen. Mir geht es um etwas ganz anderes: daß du, der du mich geliebt hast – du, der du mich gelehrt hast, dich zu lieben –, daß du die Liebe, die man dir schenkt, gegen eine Liebe tauschst, die du dir kaufst! Oh, es ist entsetzlich! *(Setzt sich aufs Sofa)* Und *ich* fühle mich erniedrigt! *Du* bist ja gefühllos. Ich fühle mich beschmutzt, total beschmutzt. Du kannst ja nicht begreifen, wie abscheulich mir jetzt die letzten sechs Monate vorkommen. Jeder Kuß, den du mir gegeben hast – in meiner Erinnerung ist er vergiftet.

LORD WINDERMERE *(nähert sich ihr)*. Sag das nicht, Margaret. Ich habe nie eine andere Frau geliebt als dich.

LADY WINDERMERE *(erhebt sich)*. Wer also ist diese Person? Warum hast du ihr ein Haus gemietet?

LORD WINDERMERE. Ich habe ihr kein Haus gemietet.

LADY WINDERMERE. Du hast ihr Geld gegeben – das läuft auf dasselbe hinaus.

LORD WINDERMERE. Margaret, soweit ich Mrs. Erlynne kenne ...

LADY WINDERMERE. Gibt es einen Mr. Erlynne – oder ist er ein Mythos?

LORD WINDERMERE. Ihr Mann ist vor vielen Jahren gestorben. Sie steht allein in der Welt.

LADY WINDERMERE. Keine Verwandten? *(Pause)*

LORD WINDERMERE. Keine.

LADY WINDERMERE. Ist das nicht recht merkwürdig? *(Links)*

LORD WINDERMERE *(links Mitte)*. Margaret, ich wollte dir sagen – und ich bitte dich, mich anzuhören –, seit ich Mrs. Erlynne kenne, hat sie ein untadeliges Leben geführt. Wenn sie vor Jahren ...

LADY WINDERMERE. Ach! *(Nach rechts Mitte)* Ich will keine Einzelheiten aus ihrem Leben erfahren.

LORD WINDERMERE. Ich habe nicht die Absicht, dir Einzelheiten aus ihrem Leben zu erzählen. Ich sage nur folgendes: Mrs. Erlynne war einmal geehrt, geliebt, geachtet. Sie ist von guter Herkunft, hatte eine gesellschaftliche Stellung – und hat alles verloren – hat es weggeworfen, wenn du so willst. Das macht es um so bitterer. Unglücksfälle kann man ertragen – sie kommen von außen, sie sind unverschuldet. Aber für seine eigenen Fehltritte büßen, leiden zu müssen – ach, das ist ein Stachel, der tief im Herzen sitzt. Noch dazu liegt es zwanzig Jahre zurück. Damals war sie fast noch ein junges Mädchen – nicht einmal so lange verheiratet wie du.

LADY WINDERMERE. Sie interessiert mich nicht – und – du solltest nicht diese Frau und mich in einem Atem nennen. Das ist eine Geschmacksverirrung. *(Setzt sich rechts an den Schreibtisch)*

LORD WINDERMERE. Margaret, du könntest sie retten. Sie will in unsere Kreise zurückkehren und möchte, daß du ihr behilflich bist. *(Nähert sich ihr)*

LADY WINDERMERE. Ich?

LORD WINDERMERE. Ja, du.

LADY WINDERMERE. So eine Unverschämtheit! *(Pause)*

LORD WINDERMERE. Margaret, ich wollte dich um einen großen Gefallen bitten – und ich halte meine Bitte aufrecht, obwohl du inzwischen entdeckt hast, was du nie erfahren solltest – daß ich Mrs. Erlynne viel Geld geschenkt habe. Ich bitte dich, sie für heute abend zu unserer Gesellschaft einzuladen. *(Bleibt links von ihr stehen)*

LADY WINDERMERE. Du bist nicht bei Trost! *(Steht auf)*

LORD WINDERMERE. Ich lege es dir dringend ans Herz. Die Leute mögen über sie reden – natürlich reden sie über sie –, aber sie haben ihr nichts Konkretes vorzuwerfen. Sie wurde mehrmals eingeladen – nicht in Häuser, in denen du verkehren würdest, das gebe ich zu, aber in denen immerhin Frauen verkehren, die der heutigen sogenannten guten Gesellschaft angehören. Das befriedigt sie nicht. Sie möchte, daß *du* sie einmal empfängst.

LADY WINDERMERE. Wohl um ihren Triumph auszukosten!

LORD WINDERMERE. Nein – sondern weil sie weiß, daß du einen guten Ruf genießt – daß sie, wenn du sie auch nur ein einziges Mal empfängst, Aussicht auf ein glücklicheres, geborgeneres Leben hat. Sie wird keinen weiteren Versuch machen, sich dir zu nähern. Willst du nicht einer Frau helfen, die sich bemüht, in ihre frühere Welt zurückzukehren?

LADY WINDERMERE. Nein! Wenn ein Mensch aufrichtig bereut,

wird er nicht in die Kreise zurückkehren wollen, die seinen Ruin verursacht oder miterlebt haben.

LORD WINDERMERE. Ich bitte dich ...

LADY WINDERMERE *(geht zur Tür rechts).* Ich werde mich jetzt zum Essen umziehen – und heute abend kein Wort mehr über diese Angelegenheit! Arthur – *(nähert sich ihm)* – du bildest dir ein, weil ich weder Vater noch Mutter habe, stehe ich allein da, und du kannst mit mir umspringen, wie es dir behagt. Du irrst dich – ich habe Freunde, viele Freunde.

LORD WINDERMERE *(links Mitte).* Margaret, was du da sagst, ist töricht, unbesonnen. Ich will mich nicht mit dir zanken, aber ich bestehe darauf, daß du Mrs. Erlynne für heute abend einlädst.

LADY WINDERMERE *(rechts Mitte).* Ich denke nicht daran. *(Geht nach links)*

LORD WINDERMERE. Du weigerst dich? *(Mitte)*

LADY WINDERMERE. Absolut!

LORD WINDERMERE. Margaret, tu es mir zuliebe! Es ist ihre letzte Chance.

LADY WINDERMERE. Was hat das mit mir zu tun?

LORD WINDERMERE. Wie hartherzig brave Frauen sind!

LADY WINDERMERE. Wie waschlappig schlechte Männer sind!

LORD WINDERMERE. Margaret, vielleicht ist keiner von uns gut genug für die Frau, die er heiratet – das stimmt durchaus –, aber du bildest dir doch nicht ein, ich könnte jemals ... Nein, diese Zumutung ist ungeheuerlich!

LADY WINDERMERE. Warum solltest *du* dich von anderen Männern unterscheiden? Ich habe mir sagen lassen, daß es in ganz London kaum einen Ehemann gibt, der nicht sein Leben an *irgendeine* schändliche Leidenschaft vergeudet.

LORD WINDERMERE. Ich gehöre nicht zu ihnen.

LADY WINDERMERE. Davon bin ich nicht überzeugt!

LORD WINDERMERE. Im Grunde deines Herzens *bist* du davon überzeugt. Aber erweitere nicht die Kluft zwischen uns. Die letzten paar Minuten haben weiß Gott genug böses Blut gemacht. Setz dich hin und schreib die Karte.

LADY WINDERMERE. Dazu kann mich nichts auf Gottes Erdboden bewegen.

LORD WINDERMERE *(geht zum Schreibtisch)*. Dann werde ich sie schreiben. *(Drückt auf den Klingelknopf, setzt sich und schreibt)*

LADY WINDERMERE. Du beabsichtigst, diese Frau einzuladen? *(Nähert sich ihm)*

LORD WINDERMERE. Ja. *(Pause. Parker tritt auf)* Parker!

PARKER. Ja, Mylord. *(Kommt nach vorne links Mitte)*

LORD WINDERMERE. Schicken Sie dieses Schreiben an Mrs. Erlynne, Curzon Street, Nummer vierundachtzig A. *(Geht nach links Mitte und gibt Parker den Brief)* Eine Antwort erübrigt sich.

(Parker ab durch die Mitte)

LADY WINDERMERE. Arthur, wenn diese Frau hierherkommt, werde ich sie brüskieren.

LORD WINDERMERE. Sag das nicht, Margaret.

LADY WINDERMERE. Es ist mein voller Ernst.

LORD WINDERMERE. Kind, in ganz London gibt es keine Frau, die dich nicht bedauern würde.

LADY WINDERMERE. Es gibt keine *anständige* Frau in ganz London, die mir nicht applaudieren würde. Wir sind zu lax gewesen. Wir müssen ein Exempel statuieren. Ich nehme es mir für heute abend vor. *(Greift nach dem Fächer)* Ja, du hast mir diesen Fächer geschenkt. Er ist dein Geburtstagsgeschenk. Wenn diese Frau meine Schwelle überschreitet, werde ich ihr mit dem Fächer ins Gesicht schlagen.

LORD WINDERMERE. Margaret, dazu würdest du doch nicht imstande sein!

LADY WINDERMERE. Du kennst mich nicht! *(Geht nach rechts, Parker tritt auf)* Parker!

PARKER. Ja, Mylady.

LADY WINDERMERE. Ich werde auf meinem Zimmer essen. Eigentlich werde ich gar nichts essen. Sorgen Sie dafür, daß um halb elf alles fix und fertig ist. Und sehen Sie zu, Parker, daß Sie heute abend die Namen der Gäste recht deutlich aussprechen. Manchmal sprechen Sie so schnell, daß sie mir entgehen. Mir liegt besonders viel daran, daß ich die Namen recht deutlich höre, damit mir kein Irrtum unterläuft. Haben Sie mich verstanden, Parker?

PARKER. Ja, Mylady.

LADY WINDERMERE. Das wäre alles. *(Parker ab durch die Mitte. Sie sagt zu Lord Windermere)* Arthur, wenn diese Frau hierherkommt – ich warne dich ...

LORD WINDERMERE. Margaret, du richtest uns zugrunde.

LADY WINDERMERE. Uns! Von diesem Augenblick an sind wir geschiedene Leute. Aber wenn du einen öffentlichen Skandal vermeiden willst, schreib dieser Frau sofort, daß ich ihr verbiete hierherzukommen!

LORD WINDERMERE. Das werde ich nicht tun – das kann ich nicht tun – wir müssen sie empfangen!

LADY WINDERMERE. Dann werde *ich* tun, was ich versprochen habe. *(Nach rechts)* Du läßt mir keine Wahl. *(Rechts ab)*

LORD WINDERMERE *(ruft hinter ihr her)*. Margaret! Margaret! *(Pause)* Mein Gott, was fange ich an? Ich wage ihr nicht zu sagen, wer diese Frau in Wirklichkeit ist. Sie würde vor Scham vergehen. *(Läßt sich in einen Sessel sinken und schlägt die Hände vors Gesicht)*

Vorhang

Zweiter Akt

Salon in Lord Windermeres Haus. Rechts hinten eine Tür zum Ballsaal, in dem eine Kapelle spielt. Durch eine Tür links treten die Gäste ein. Eine Tür links hinten geht auf eine beleuchtete Terrasse. Topfpalmen, Blumen, strahlende Beleuchtung. Es wimmelt von Gästen. Lady Windermere begrüßt sie.

DIE HERZOGIN VON BERWICK *(hinten Mitte)*. Wie sonderbar, daß Lord Windermere sich nicht blicken läßt. Mr. Hopper verspätet sich gleichfalls. Du hast doch die fünf Tänze für ihn reserviert, Agatha? *(Kommt nach vorne)*

LADY AGATHA. Ja, Mama.

DIE HERZOGIN VON BERWICK *(setzt sich aufs Sofa)*. Zeig mir mal deine Tanzkarte. Ich bin froh, daß Lady Windermere die Tanzkarten wieder eingeführt hat. Sie schützen uns Mütter vor bösen Überraschungen ... Ach, du liebe kleine Einfalt! *(Streicht zwei Namen durch)* Ein anständiges Mädchen tanzt nicht mit so ausgeprägt jüngeren Söhnen. Sie würde in den Ruf geraten, eine leichtsinnige Person zu sein. Die beiden letzten Tänze schenkst du dir und gehst mit Mr. Hopper auf die Terrasse hinaus. *(Mr. Dumby und Lady Plymdale aus dem Ballsaal)*

LADY AGATHA. Ja, Mama.

DIE HERZOGIN VON BERWICK *(fächelt sich)*. Die Luft dort draußen ist so angenehm.

PARKER. Mrs. Cowper-Cowper – Lady Stutfield – Sir James Royston – Mr. Guy Berkeley.

(Die angekündigten Personen treten der Reihe nach auf)

DUMBY. Ganz wunderbar! Guten Abend, Herzogin. Das wird wohl der letzte Ball der Saison sein.

LADY STUTFIELD. Vermutlich, Mr. Dumby. Es war eine wunderbare Saison, nicht wahr?

DUMBY. Ganz wunderbar! Guten Abend, Herzogin. Das wird wohl der letzte Ball der Saison sein.

DIE HERZOGIN VON BERWICK. Vermutlich, Mr. Dumby. Es war eine recht langweilige Saison, nicht wahr?

DUMBY. Furchtbar langweilig! Furchtbar langweilig!

MRS. COWPER-COWPER. Guten Abend, Mr. Dumby. Das wird wohl der letzte Ball der Saison sein.

DUMBY. Ich glaube kaum. Wahrscheinlich kleckern noch zwei hinterher. *(Schlendert zu Lady Plymdale zurück)*

PARKER. Mr. Rufford – Lady Jedburgh und Miß Graham – Mr. Hopper.

(Die angekündigten Personen treten der Reihe nach auf)

HOPPER. Guten Abend, Lady Windermere! Guten Abend, Herzogin. *(Verbeugt sich vor Lady Agatha)*

DIE HERZOGIN VON BERWICK. Lieber Mr. Hopper, wie nett von Ihnen, daß Sie so früh gekommen sind. Wir alle wissen, wie man sich in London um Sie reißt.

HOPPER. Tolle Stadt! Man ist in London nicht annähernd so exklusiv wie in Sydney.

DIE HERZOGIN VON BERWICK. Oh, wir wissen Ihren Wert zu schätzen, Mr. Hopper. Wollte Gott, es gäbe mehr junge Männer Ihresgleichen. Das Leben wäre um vieles einfacher. Wissen Sie, Mr. Hopper, daß die liebe Agatha und ich uns brennend für Australien interessieren? Es muß reizend sein mit all den süßen kleinen Känguruhs, die durch die Gegend flattern. Agatha hat es auf der Landkarte gefunden. Was für eine sonderbare Form es hat! Genau wie eine große Packkiste. Aber es ist eben noch ein sehr junges Land, nicht wahr?

HOPPER. Wurde es nicht zur gleichen Zeit erschaffen wie die anderen Kontinente, Herzogin?

DIE HERZOGIN VON BERWICK. Wie klug Sie sind, Mr. Hopper! Sie sind von einer ganz eigenen Klugheit. Jetzt darf ich Sie nicht länger aufhalten.

HOPPER. Ich würde aber gerne mit Lady Agatha tanzen, Herzogin.

DIE HERZOGIN VON BERWICK. *Hoffentlich* hat sie noch einen Tanz frei. Hast du noch einen Tanz frei, Agatha?

LADY AGATHA. Ja, Mama.

DIE HERZOGIN VON BERWICK. Den nächsten?

LADY AGATHA. Ja, Mama.

HOPPER. Darf ich bitten? *(Lady Agatha nickt)*

DIE HERZOGIN VON BERWICK. Geben Sie recht gut acht auf mein kleines Plappermäulchen, Mr. Hopper.

(Lady Agatha und Mr. Hopper ab in den Ballsaal. Lord Windermere von links)

LORD WINDERMERE. Margaret, ich muß mit dir sprechen.

LADY WINDERMERE. Sofort. *(Die Musik hört auf)*

PARKER. Lord Augustus Lorton.

(Lord Augustus tritt auf)

LORD AUGUSTUS. Guten Abend, Lady Windermere.

DIE HERZOGIN VON BERWICK. Sir James, würden Sie so lieb sein, mich in den Ballsaal zu begleiten? Augustus hat heute mit uns zu Abend gegessen. Ich habe eigentlich momentan genug von dem lieben Augustus.

(Sir James Royton reicht der Herzogin den Arm und geleitet sie in den Ballsaal)

PARKER. Mr. und Mrs. Arthur Bowden – Lord und Lady Paisly – Lord Darlington.

(Die angekündigten Personen treten der Reihe nach auf)

LORD AUGUSTUS *(geht auf Lord Windermere zu)*. Muß unbedingt mit Ihnen sprechen, lieber Freund. Bin nur noch ein Schatten meiner selbst. Weiß, daß man es mir nicht ansieht. Uns Männern sieht man nie an, wie es mit uns steht. Gott sei Dank. Verdeibeltes Glück. Was ich wissen möchte: Wer ist sie? Wo kommt sie her? Warum hat sie denn keine verdeibelten Verwandten? Eine verdeibelte Plage, die Verwandtschaft – aber sie verschafft einem ein verdeibeltes Ansehen.

LORD WINDERMERE. Ich nehme an, daß von Mrs. Erlynne die Rede ist. Ich habe sie erst vor einem halben Jahr kennengelernt. Bis dahin wußte ich nichts von ihrer Existenz.

LORD AUGUSTUS. Seither haben Sie sich recht oft mit ihr getroffen.

LORD WINDERMERE *(kalt)*. Ja, ich habe sie seither recht oft getroffen. Ich war soeben mit ihr beisammen.

LORD AUGUSTUS. Mein Gott, wie die Weiber über sie herziehen! Ich habe heute mit Arabella zu Abend gegessen. Donnerwetter, Sie hätten hören müssen, was sie alles über Mrs. Erlynne erzählt hat. Sie ließ keinen guten Faden an ihr ... *(Leise)* Berwick und ich haben erwidert, daß das keine Rolle spielt, da die betreffende Dame eine ausgezeichnete Figur haben müsse. Sie hätten Arabellas Miene sehen sollen ... Aber passen Sie auf, guter Mann. Ich weiß nicht, wie ich mit Mrs. Erlynne fertig werden soll. Bei Gott, ich könnte mit ihr verheiratet sein – so verdeibelt gleichgültig behandelt sie mich! Außerdem ist sie verdeibelt klug. Sie hat für alles eine Erklärung. Auch für Sie, gottverdammich! Ein halbes Dutzend – und alle voneinander verschieden.

LORD WINDERMERE. Meine freundschaftlichen Beziehungen zu Mrs. Erlynne bedürfen keiner Erklärung.

LORD AUGUSTUS. Hm! Also, hören Sie zu, lieber Freund! Glauben Sie, daß sie es schaffen wird, in dieser verdeibelten sogenannten guten Gesellschaft akzeptiert zu werden? Würden Sie sie mit Ihrer Frau bekannt machen? Nur nicht wie die Katze um den heißen Brei herumgehen, gottverdammich! Wären Sie dazu bereit?

LORD WINDERMERE. Mrs. Erlynne ist heute abend bei uns zu Gast.

LORD AUGUSTUS. Hat Ihre Frau sie eingeladen?

LORD WINDERMERE. Mrs. Erlynne hat eine Einladung erhalten.

LORD AUGUSTUS. Dann ist ja alles in bester Ordnung. Warum haben Sie mir das nicht gleich gesagt? Sie hätten mir eine Menge Sorgen und verdeibelte Mißverständnisse erspart.

(Lady Agatha und Mr. Hopper gehen über die Bühne und begeben sich auf die Terrasse hinaus)

PARKER. Mr. Cecil Graham.

(Mr. Cecil Graham tritt auf)

CECIL GRAHAM *(verbeugt sich vor Lady Windermere, geht auf Lord Windermere zu und reicht ihm die Hand).* Guten Abend, Arthur. Warum fragst du mich nicht, wie es mir geht? Ich liebe es, wenn man mich fragt, wie es mir geht. Das zeugt von einem weitverbreiteten Interesse an meinem Gesundheitszustand. Nun fühle ich mich heute abend gar nicht wohl. Ich habe im engsten Familienkreise gegessen. Ich möchte wissen, warum die eigene Familie immer so langweilig ist. Mein Vater hat die Gewohnheit, nach dem Essen Moralpredigten zu halten. Ich sagte ihm, er sei alt genug, um zu wissen, was sich gehört. Aber ich habe die Erfahrung gemacht, wenn Leute erst einmal alt genug sind, um zu wissen, was sich gehört, wissen sie gar nichts mehr. Hallo, Tuppy! Ich habe mir sagen lassen, du willst dich wieder verheiraten. Dachte, du hättest das Spielchen satt.

LORD AUGUSTUS. Deine Äußerungen sind sehr trivial, mein lieber Junge, sehr trivial!

CECIL GRAHAM. Apropos, Tuppy, wie war es denn eigentlich? Hast du zweimal geheiratet und dich einmal scheiden lassen oder einmal geheiratet und dich zweimal scheiden lassen? Letzteres halte ich für weitaus wahrscheinlicher.

LORD AUGUSTUS. Ich habe ein sehr schlechtes Gedächtnis. Ich kann mich wirklich nicht mehr erinnern. *(Geht nach rechts)*

LORD PLYMDALE. Lord Windermere, ich habe eine ganz besondere Frage an Sie zu richten.

LORD WINDERMERE. Leider – wenn Sie mich entschuldigen wollten – ich muß mich meiner Frau widmen ...

LADY PLYMDALE. Ach, das sollten Sie sich nicht einmal träumen lassen! Heutzutage ist es äußerst gefährlich, wenn ein Ehemann seiner Frau in der Öffentlichkeit auch nur die geringste Aufmerksamkeit schenkt. Sofort bilden die Leute sich ein, daß er sie prügelt, wenn sie miteinander allein sind. Alles, was nach einer glücklichen Ehe aussieht, ist verdächtig. Aber ich werde Ihnen beim Souper sagen, worum es sich handelt. *(Nähert sich der Tür zum Ballsaal)*

LORD WINDERMERE *(Mitte)*. Margaret, ich muß mit dir sprechen.

LADY WINDERMERE. Würden Sie mir meinen Fächer halten, Lord Darlington? Danke. *(Geht ihrem Mann entgegen)*

LORD WINDERMERE *(geht auf sie zu)*. Margaret, was du vor dem Essen gesagt hast, war natürlich nicht ernst gemeint.

LADY WINDERMERE. Diese Person kommt mir nicht ins Haus.

LORD WINDERMERE *(rechts Mitte)*. Mrs. Erlynne kommt heute abend zu uns, und wenn du sie in irgendeiner Weise belästigst oder kränkst, wirst du Schande und Kummer über uns beide bringen. Vergiß das nicht! Margaret, hab doch Vertrauen zu mir! Eine Frau hat ihrem Mann zu vertrauen.

LADY WINDERMERE *(Mitte)*. London wimmelt von Frauen, die ihren Männern vertrauen. Man erkennt sie auf den ersten Blick. Sie sehen immer todunglücklich aus. Ich beabsichtige nicht, mich ihrer Schar anzuschließen. *(Verläßt ihren Mann)* Lord Darlington, wollen Sie mir bitte meinen Fächer zurückgeben? Danke ... Recht nützlich, so ein Fächer, nicht wahr ...? Ich brauche heute abend einen Freund, Lord Darlington. Ich wußte nicht, daß ich so bald schon einen Freund brauchen würde.

LORD DARLINGTON. Lady Windermere, ich wußte, eines Tages würde es soweit sein. Aber warum heute abend?

LORD WINDERMERE *(für sich)*. Ich werde es ihr sagen. Ich muß es ihr sagen. Es wäre furchtbar, wenn es zu einem Auftritt käme. Margaret ...

PARKER. Mrs. Erlynne.

(Lord Windermere zuckt zusammen. Mrs. Erlynne tritt auf, sehr schön angezogen und sehr würdevoll. Lady Windermere umkrampft ihren Fächer, läßt ihn dann fallen. Steif verbeugt sie sich vor Mrs. Erlynne, welche die Verbeugung liebenswürdig erwidert, und rauscht davon)

LORD DARLINGTON. Sie haben Ihren Fächer fallen lassen, Lady Windermere. *(Hebt ihn auf und reicht ihn ihr)*

MRS. ERLYNNE *(Mitte)*. Abermals guten Abend, Lord Windermere! Wie entzückend Ihre Frau aussieht! Bildschön!

LORD WINDERMERE *(mit gedämpfter Stimme)*. Es war furchtbar unbesonnen von Ihnen, hierherzukommen.

MRS. ERLYNNE *(lächelnd)*. Das Klügste, was ich je in meinem Leben getan habe. Übrigens müssen Sie mich heute abend mit besonderer Aufmerksamkeit behandeln. Ich zittere vor den Frauen. Sehen Sie zu, daß Sie mich der einen oder anderen vorstellen. Mit den Männern komme ich allemal zurecht. Guten Abend, Lord Augustus! In der letzten Zeit haben Sie mich sehr vernachlässigt. Seit gestern haben Sie sich nicht mehr bei mir blicken lassen. Ich fürchte, Sie sind ein treuloser Mensch. Alle behaupten das.

LORD AUGUSTUS *(rechts)*. Also, wirklich, Mrs. Erlynne, gestatten Sie, daß ich erkläre, warum ...

MRS. ERLYNNE *(rechts Mitte)*. Nein, lieber Lord Augustus, Sie können nie etwas erklären. Das ist Ihr größter Charme.

LORD AUGUSTUS. Ah, wenn Sie mich charmant finden, Mrs. Erlynne ...

Sie plaudern miteinander. Lord Windermere irrt unruhig umher und beobachtet Mrs. Erlynne)

LORD DARLINGTON *(zu Lady Windermere)*. Wie blaß Sie sind.

LADY WINDERMERE. Feiglinge sind immer blaß.

LORD DARLINGTON. Sie sehen aus, als würden Sie jeden Augenblick ohnmächtig werden. Kommen Sie auf die Terrasse!

LADY WINDERMERE. Ja *(Zu Parker)* Parker, schicken Sie mir meinen Mantel hinaus.

MRS. ERLYNNE *(geht auf sie zu)*. Lady Windermere, wie herrlich Ihre Terrasse beleuchtet ist! Sie erinnert mich an den Palazzo des Fürsten Doria in Rom. *(Lady Windermere verneigt sich kalt und geht mit Lord Darlington ab)* Oh, guten Abend, Mr. Graham! Ist das nicht Ihre Tante, Lady Jetburgh? Ich würde sie so gerne kennenlernen.

CECIL GRAHAM *(nach einem kurzen, verlegenen Zögern)*. Ach ja, gewiß, wenn Sie es wünschen. Tante Caroline, gestatte, daß ich dir Mrs. Erlynne vorstelle.

MRS. ERLYNNE. Es freut mich sehr, Sie kennenzulernen, Lady Jetburgh. *(Setzt sich zu ihr aufs Sofa)* Ihr Neffe und ich sind gute Freunde. Ich interessiere mich brennend für seine politische Karriere. Ich glaube, er wird sicher viel Erfolg haben. Er denkt wie ein Konservativer und spricht wie ein Radikaler, und das ist heutzutage so überaus wichtig. Außerdem ist er ein geistreicher Plauderer. Aber wir alle wissen, von wem er es geerbt hat. Erst gestern sagte Lord Allandale im Park zu mir, Mr. Graham plaudere fast so geistreich wie seine Tante.

LADY JETBURGH *(rechts)*. Sehr gütig von Ihnen, mir so charmante Komplimente zu machen. *(Mrs. Erlynne lächelt und setzt das Gespräch fort)*

DUMBY *(zu Cecil Graham)*. Haben Sie Mrs. Erlynne mit Lady Jetburgh bekannt gemacht?

CECIL GRAHAM. Ich war dazu gezwungen, mein Lieber. Ich konnte nicht anders! Diese Frau hat eine Art, alles durchzusetzen, was sie wünscht. Wie sie es macht, weiß ich nicht.

DUMBY. Gott behüte, daß sie mich anredet! *(Schlendert auf Lady Plymdale zu)*

MRS. ERLYNNE *(zu Lady Jetburgh)*. Am Donnerstag? Mit größtem Vergnügen. *(Steht auf und sagt lachend zu Lord Windermere)* Wie mich das anödet, zu diesen Matronen höflich sein zu müssen! Aber sie bestehen darauf!

LADY PLYMDALE *(zu Mr. Dumby)*. Wer ist die gut angezogene Frau, die mit Windermere spricht?

DUMBY. Keine Ahnung! Sieht aus wie die *édition de luxe* eines frivolen französischen Romans – eigens für den englischen Markt bestimmt.

MRS. ERLYNNE. Jetzt unterhält sich also der arme Dumby mit Lady Plymdale. Wie ich gehört habe, verfolgt sie ihn mit ihrer Eifersucht. Er ist anscheinend heute abend nicht sehr darauf erpicht, mit mir zu sprechen. Vermutlich hat er Angst vor ihr. Diese strohblonden Frauen sind fürchterlich jähzornig. Wissen Sie, ich glaube, den ersten Tanz werde ich mit Ihnen tanzen, Windermere. *(Lord Windermere beißt sich auf die Lippe und runzelt die Stirn)* Lord Augustus wird vor Eifersucht platzen. Lord Augustus! *(Lord Augustus nähert sich ihr)* Lord Windermere will unbedingt den ersten Tanz mit mir tanzen. In seinem eigenen Hause kann ich ihm das nicht gut abschlagen. Sie wissen, daß ich viel lieber mit Ihnen tanzen würde.

LORD AUGUSTUS *(mit einer tiefen Verbeugung)*. Wenn ich das glauben dürfte, Mrs. Erlynne!

MRS. ERLYNNE. Sie wissen es nur allzugut. Ich kann mir vorstellen, daß man mit Ihnen durchs ganze Leben tanzt und es bezaubernd findet.

LORD AUGUSTUS *(legt die Hand an seine weiße Weste)*. Oh, vielen Dank, vielen Dank! Sie sind die anbetungswürdigste aller Frauen!

MRS. ERLYNNE. Was für eine hübsche Formulierung! So schlicht und so aufrichtig! So etwas höre ich gern. Sie dürfen mein Bukett halten. *(Geht an Lord Windermeres Arm auf den Ballsaal zu)* Ah, Mr. Dumby, guten Abend! Es tut mir schrecklich leid. daß ich die letzten drei Male, als Sie zu Besuch kamen nicht zu Hause war. Kommen Sie am Freitag zum Mittagessen.

DUMBY *(mit vollendeter Nonchalance)*. Mit größtem Vergnügen. *(Lady Plymdale starrt ihn entrüstet an. Lord Augustus, das Bukett in der Hand, folgt Mrs. Erlynne und Lord Windermere in den Ballsaal)*

LADY PLYMDALE *(zu Mr. Dumby)*. Was bist du doch für ein Scheusal! Dir darf man kein Wort glauben. Warum hast du behauptet, daß du sie nicht kennst? Was soll das heißen, daß du sie dreimal hintereinander besuchst? Du wirst *nicht* bei ihr zu Mittag essen, das versteht sich wohl von selbst.

DUMBY. Meine liebe Laura, ich denke nicht im Traum daran, hinzugehen!

LADY PLYMDALE. Du hast mir noch nicht gesagt, wie sie heißt. Wer ist sie?

DUMBY *(hüstelt und streicht sich übers Haar)*. Eine gewisse Mrs. Erlynne.

LADY PLYMDALE. Diese Person!

DUMBY. Ja, so wird sie von allen genannt.

LADY PLYMDALE. Interessant! Überaus interessant! Ich muß sie mir wirklich genauer ansehen. *(Geht zur Tür des Ballsaals und blickt in den Saal)* Ich habe die empörendsten Dinge über sie gehört. Es heißt, sie ruiniert den armen Windermere. Und Lady Windermere, die so viel auf Anstand hält, lädt sie zu sich ein! Äußerst amüsant! So etwas durch und durch Dunmes kann nur eine durch und durch anständige Frau machen. Du wirst am Freitag bei Mrs. Erlynne zu Mittag essen.

DUMBY. Warum?

LADY PLYMDALE. Weil ich wünsche, daß du meinen Mann mitnimmst. Er ist seit einiger Zeit so aufmerksam zu mir, daß es mir auf die Nerven geht. Diese Frau ist das Richtige für ihn. Er wird um sie herumscharwenzeln, solange sie sich's gefallen läßt, und mich nicht mehr belästigen. Glaube mir, diese Art Frauen sind von großem Nutzen. Sie schaffen die Grundlage für anderer Leute Ehen.

DUMBY. Was bist du doch mysteriös!

LADY PLYMDALE *(mustert ihn)*. Du leider nicht.

DUMBY. Doch, doch – mir selbst. Ich bin der einzige Mensch auf Erden, den ich gerne gründlich kennenlernen möchte – aber momentan sehe ich keine Aussicht darauf.

(Sie gehen in den Ballsaal. Lady Windermere und Lord Darlington kehren von der Terrasse zurück)

LADY WINDERMERE. Ja – ja. Es ist ungeheuerlich – unerträglich. Jetzt weiß ich, was Sie heute nachmittag gemeint haben. Warum haben Sie mir nicht reinen Wein eingeschenkt? Dazu wären Sie verpflichtet gewesen.

LORD DARLINGTON. Ich habe es nicht fertiggebracht. Einem Mann fällt es schwer, über einen anderen Mann herzuziehen. Aber wenn ich gewußt hätte, daß er Sie zwingen würde, sie heute abend einzuladen – ja, dann hätte ich Ihnen wohl alles erzählt. *Diese* Kränkung wäre Ihnen auf jeden Fall erspart geblieben.

LADY WINDERMERE. Ich habe sie nicht eingeladen. *Er* hat auf ihrem Kommen bestanden – meine Bitten, meine Befehle waren vergebens. Die Luft in diesem Haus ist mir vergiftet! Ich habe das Gefühl, daß sämtliche Frauen mich höhnisch anschauen, wenn sie mit meinem Mann vorübertanzt. Womit habe ich so etwas verdient? Ich habe ihm mein Leben geschenkt. Er hat es genommen – mißbraucht – zerstört! Ich bin in meinen eigenen Augen herabgewürdigt, und mir fehlt der Mut – ich bin zu feige ... *(Setzt sich aufs Sofa)*

LORD DARLINGTON. Wenn ich Sie auch nur einigermaßen kenne, weiß ich, daß Sie nicht mit einem Mann leben können, der Sie so behandelt. Was sollte das für ein Leben sein? Jeden Augenblick würden Sie das Gefühl haben, daß er Sie belügt. Sie würden das Gefühl haben, sein Blick sei falsch, sein Ton falsch, seine Berührung falsch, seine Leidenschaft falsch. Wenn er die anderen satt hat, kommt er zu Ihnen. Sie müssen ihn trösten. Während er andere liebt, kommt er zu Ihnen. Sie müssen ihn umschmeicheln. Sie sollen ihm als die Maske dienen, hinter der er sein wahres Leben verbirgt, als der Mantel, in den er sein Geheimnis hüllt.

LADY WINDERMERE. Sie haben recht – Sie haben entsetzlich recht. Aber wohin soll ich mich wenden? Sie sagten, Sie würden mein Freund sein, Lord Darlington. Sagen Sie mir, was ich tun soll. Seien Sie jetzt mein Freund.

LORD DARLINGTON. Zwischen Mann und Frau ist keine Freundschaft möglich. Leidenschaft, Feindschaft, Anbetung, Liebe – aber keine Freundschaft. Ich liebe Sie ...

LADY WINDERMERE. Nein! Nein! *(Steht auf)*

LORD DARLINGTON. Ja, ich liebe Sie! Sie bedeuten mir mehr als alles andere auf der Welt. Was gibt Ihnen Ihr Mann? Nichts. Sein Herz schenkt er dieser elenden Person, die er Ihnen aufgedrängt hat – in Ihrem Kreise, in Ihrem Hause –, um Sie vor aller Welt bloßzustellen. Ich biete Ihnen mein Leben an ...

LADY WINDERMERE. Lord Darlington!

LORD DARLINGTON. Mein Leben – mein ganzes Leben. Nehmen Sie es und machen Sie mit ihm, was Sie wollen ... Ich liebe

Sie – liebe Sie, wie ich noch nie ein lebendes Wesen geliebt habe. Vom ersten Augenblick an habe ich Sie geliebt, blindlings, schwärmerisch, wahnwitzig! Damals wußten Sie es nicht – jetzt wissen Sie es! Verlassen Sie noch heute nacht dieses Haus. Ich werde nicht behaupten, daß die Welt oder die Stimme der Welt oder die Stimme der guten Gesellschaft nichts bedeute. Sie bedeuten sehr viel. Sie bedeuten viel zuviel. Aber es gibt Augenblicke, da man vor der Wahl steht, entweder sein eigenes Leben zu leben – in vollen Zügen, schrankenlos, bedingungslos –, oder sich mit einer verlogenen, seichten, entwürdigenden Existenz abzuschleppen, wie es die heuchlerische Welt verlangt. Für Sie ist dieser Augenblick gekommen. Wählen Sie! Ach, Geliebte, wählen Sie!

LADY WINDERMERE *(weicht langsam vor ihm zurück und sieht ihn erschrocken an)*. Ich habe nicht den Mut dazu.

LORD DARLINGTON *(folgt ihr)*. Doch – Sie haben den Mut dazu! Es mögen sechs schmerzliche, vielleicht sogar beschämende Monate sein – aber wenn Sie dann nicht länger seinen Namen tragen, wenn Sie meinen Namen tragen, wird alles gut sein. Margaret, Geliebte, die eines Tages meine Frau sein wird – ja, meine Frau! Sie wissen es! Was sind Sie heute? Diese Frau hat den Platz erobert, der von Rechts wegen Ihnen zusteht. Oh, gehen Sie – gehen Sie aus diesem Haus, mit erhobenem Haupt, mit einem Lächeln auf den Lippen, mutigen Blicks. Ganz London wird wissen, warum Sie es getan haben. Und wer wird Ihnen daraus einen Vorwurf machen? Niemand. Und wenn auch – was spielt das für eine Rolle? Unrecht? Wer handelt unrecht? Unrecht handelt der Mann, der seine Frau wegen einer schamlosen Person im Stich läßt. Unrecht handelt die Frau, die bei einem Mann bleibt, der sie so entehrt. Sie haben einmal gesagt, daß Sie keine Kompromisse dulden. Schließen Sie auch jetzt keinen Kompromiß. Seien Sie tapfer! Bekennen Sie Farbe!

LADY WINDERMERE. Ich habe Angst, Farbe zu bekennen. Ich muß es mir überlegen. Lassen Sie mir Zeit! Vielleicht kehrt mein Mann zu mir zurück. *(Setzt sich aufs Sofa)*

LORD DARLINGTON. Und Sie würden ihn in Gnaden aufnehmen! Sie sind nicht die Frau, für die ich Sie gehalten habe. Sie sind genauso wie alle anderen Frauen. Alles würden Sie lieber ertragen als den Tadel einer Welt, deren Lob Sie verachten. Noch eine Woche, und Sie fahren mit dieser Person im Park spazieren. Sie wird Ihr ständiger Gast sein – Ihre engste Freundin. Alles würden Sie eher ertragen, als diese ungeheuerliche Fessel mit einem Ruck zu zerreißen. Sie haben recht. Ihnen fehlt der Mut. Völlig!

LADY WINDERMERE. Lassen Sie mir Zeit – ich muß es mir überlegen. Ich kann Ihnen jetzt keine Antwort geben. *(Streicht sich nervös mit der Hand über die Stirn)*

LORD DARLINGTON. Jetzt oder gar nicht.

LADY WINDERMERE *(steht auf)*. Dann – gar nicht. *(Pause)*

LORD DARLINGTON. Sie brechen mir das Herz.

LADY WINDERMERE. Mein Herz ist schon gebrochen. *(Pause)*

LORD DARLINGTON. Morgen verlasse ich England. Es ist das letzte Mal, daß ich Sie sehe. Sie werden mich nicht wiedersehen. Einen Augenblick lang haben unsere Lebenswege einander gekreuzt – sind unsere Seelen einander begegnet. Das darf nie wieder geschehen. Leben Sie wohl, Margaret. *(Ab)*

LADY WINDERMERE *(für sich)*. Wie allein ich bin – wie schrecklich allein ...

(Die Musik verstummt. Die Herzogin von Berwick und Lord Paisley kommen lachend und plaudernd aus dem Ballsaal. Ihnen folgen weitere Gäste)

DIE HERZOGIN VON BERWICK. Liebe Margaret, ich hatte soeben ein reizendes Gespräch mit Mrs. Erlynne. Ich bedaure, was ich heute nachmittag über sie gesagt habe. Natürlich muß sie in Ordnung sein, wenn *Sie* sie einladen. Eine sehr attraktive Frau, und sie hat so vernünftige Lebensanschauungen. Sie ist absolut dagegen, daß man sich mehr als einmal verheiratet – jetzt brauche ich nicht mehr um den armen Augustus zu bangen. Ich kann nicht begreifen, warum die Leute so über sie herziehen. Meine abscheulichen Nichten – die Savilles – sind dran schuld, die ewigen Klatschbasen. Trotzdem würde ich nach Bad Homburg fahren, liebe Margaret, wirklich! Sie ist ein bißchen *zu* attraktiv. Aber wo steckt Agatha? Ach, da kommt sie ja. *(Lady Agatha und Mr. Hopper kommen von der Terrasse)* Mr. Hopper, ich bin Ihnen sehr, sehr böse. Sie haben Agatha in die Nachtluft hinausgeschleppt, und sie ist so empfindlich.

HOPPER *(links Mitte)*. Bitte tausendmal um Verzeihung, Herzogin. Wir gingen nur für einen Augenblick auf die Terrasse und gerieten dann ins Plaudern.

DIE HERZOGIN VON BERWICK *(Mitte)*. Aha – ihr habt euch wohl über Australien unterhalten!

HOPPER. Ja.

DIE HERZOGIN VON BERWICK. Agatha, Darling! *(Winkt sie zu sich heran)*

LADY AGATHA. Ja, Mama.

DIE HERZOGIN VON BERWICK *(beiseite)*. Hat Mr. Hopper endgültig ...

LADY AGATHA. Ja, Mama.

DIE HERZOGIN VON BERWICK. Und was hast du geantwortet, liebes Kind?

LADY AGATHA. Ja, Mama.

DIE HERZOGIN VON BERWICK *(liebevoll)*. Mein Liebes, du gibst immer die richtige Antwort! Mr. Hopper! James! Agatha hat mir alles erzählt. Wie geschickt ihr beide euer Geheimnis bewahrt habt!

HOPPER. Sie haben also nichts dagegen, Herzogin, daß ich Agatha nach Australien mitnehme?

DIE HERZOGIN VON BERWICK *(empört)*. Nach Australien? Erwähnen Sie doch nicht dieses schreckliche, vulgäre Land!

HOPPER. Aber sie hat gesagt, sie würde gern mitkommen.

DIE HERZOGIN VON BERWICK *(streng)*. Hast du das gesagt, Agatha?

LADY AGATHA. Ja, Mama.

DIE HERZOGIN VON BERWICK. Agatha, du sagst die denkbar dümmsten Sachen. Ich finde, daß Grosvenor Square im großen und ganzen eine weit gesündere Wohngegend ist. Freilich wohnen auch dort genug vulgäre Menschen, aber es krauchen wenigstens keine abscheulichen Känguruhs umher. Aber darüber unterhalten wir uns morgen, James. James, Sie dürfen Agatha nach unten begleiten. Natürlich essen Sie morgen bei uns, James. Um halb zwei statt um zwei. Bestimmt wird der Herzog Ihnen ein paar Worte zu sagen haben.

HOPPER. Ich würde mich gerne mit dem Herzog unterhalten, Herzogin. Bisher hat er mich noch nicht eines einzigen Wortes gewürdigt.

DIE HERZOGIN VON BERWICK. Ich glaube, morgen wird er Ihnen sehr viel zu sagen haben. *(Lady Agatha und Mr. Hopper ab)* Und nun gute Nacht, Margaret. Ich fürchte, es ist die uralte Geschichte. Liebe – also nicht Liebe auf den ersten Blick, sondern gegen Ende der Saison: Und das ist viel befriedigender.

LADY WINDERMERE. Gute Nacht, Herzogin.

(Die Herzogin von Berwick geht am Arm Lord Paisleys ab)

LADY PLYMDALE. Meine liebe Margaret, was für eine schöne Frau, mit der Ihr Gatte getanzt hat! An Ihrer Stelle würde ich eifersüchtig sein. Sind Sie eng mit ihr befreundet?

LADY WINDERMERE. Nein!

LADY PRYMDALE. Ach ...? Gute Nacht, meine Liebe. *(Wirft Mr. Dumby einen Blick zu und geht ab)*

DUMBY. Abscheuliche Manieren hat der junge Hopper.

CECIL GRAHAM. Hopper ist der geborene Gentleman – die schlimmste Sorte, die ich kenne.

DUMBY. Eine vernünftige Frau, unsere Lady Windermere! Viele Frauen würden sich gesträubt haben, Mrs. Erlynne einzuladen. Lady Windermere besitzt jene seltene Eigenschaft, die man gesunden Menschenverstand nennt.

CECIL GRAHAM. Und Windermere weiß, daß nichts harmloser aussieht als eine Indiskretion.

DUMBY. Ja, der liebe Windermere fängt an, ein moderner Mensch zu werden. Das hätte ich ihm nie zugetraut. *(Verbeugt sich vor Lady Windermere und geht ab)*

LADY JETBURGH. Gute Nacht, Lady Windermere. Eine faszinierende Frau, diese Mrs. Erlynne! Sie ißt am kommenden Donnerstag bei mir zu Mittag – wollen Sie sich nicht anschließen? Ich erwarte den Bischof und die liebe Lady Merton.

LADY WINDERMERE. Leider bin ich verabredet, Lady Jetburgh.

LADY JETBURGH. Schade ... Komm, meine Liebe!

(Lady Jetburgh und Miß Graham ab. Mrs. Erlynne und Lord Windermere treten auf)

MRS. ERLYNNE. Es war ein reizender Ball. Erinnert mich an die gute alte Zeit. *(Setzt sich aufs Sofa)* Und wie ich sehe, laufen in der guten Gesellschaft noch immer so viele Dummköpfe herum wie eh und je. Wie angenehm, daß nichts sich geändert hat! Mit Ausnahme Margarets. Sie ist recht hübsch geworden. Als ich sie das letzte Mal sah – vor zwanzig Jahren –, war sie ein kleiner Fratz in einem Flanellkleid. Ein richtiger Fratz. Die liebe Herzogin – und die süße Lady Agatha! Genau der Typ, den ich mag. Also, Windermere, sollte ich die Schwägerin der Herzogin werden ...

LORD WINDERMERE *(sitzt links von ihr)*. Aber sind Sie denn ...?

(Mr. Cecil Graham ab mit den restlichen Gästen. Mit verachtungsvoller und betrübter Miene beobachtet Lady Windermere ihren Mann und Mrs. Erlynne. Sie merken nicht, daß sie anwesend ist)

MRS. ERLYNNE. Freilich. Morgen um zwölf will er bei mir erscheinen. Er wollte mir schon heute abend einen Antrag machen. Das heißt, er hat ihn mir gemacht. Nicht einmal, sondern x-mal. Armer Augustus! Sie wissen, wie er sich ständig wiederholt. Eine so schlechte Angewohnheit! Aber ich habe ihn auf morgen vertröstet. Natürlich nehme ich ihn. Und ich wage zu behaupten, daß ich ihm eine bewundernswerte Frau sein werde – mit üblichen Maßstäben gemessen. Lord Augustus hat viele gute Eigenschaften. Zum Glück liegen sie alle an der Oberfläche – dort, wo gute Eigenschaften hingehören. Natürlich müssen Sie mir behilflich sein.

LORD WINDERMERE. Sie werden doch wohl nicht von mir verlangen, Lord Augustus zu ermuntern?

MRS. ERLYNNE. O nein, das erledige ich selbst. Aber Sie werden mich anständig versorgen, nicht wahr, Windermere?

LORD WINDERMERE *(runzelt die Stirn)*. Darüber wollten Sie heute abend mit mir sprechen?

MRS. ERLYNNE. Ja.

LORD WINDERMERE *(mit einer ungeduldigen Handbewegung)*. In diesen vier Wänden will ich nicht darüber sprechen.

MRS. ERLYNNE *(lachend)*. Dann gehen wir eben auf die Terrasse hinaus. Sogar Geschäfte sollte man vor einem malerischen Hintergrund abwickeln. Meinen Sie nicht auch, Windermere? Vor dem passenden Hintergrund können Frauen alles erreichen.

LORD WINDERMERE. Hat es nicht bis morgen Zeit?

MRS. ERLYNNE. Nein. Sehen Sie, morgen werde ich ihm mein Jawort geben. Und ich finde, es wäre gut, wenn ich ihm morgen sagen könnte, daß mir ein Vetter – oder ein zweiter Mann – oder irgendein entfernter Verwandter ein Jahreseinkommen von – also, was soll ich sagen – zweitausend Pfund hinterlassen hat. Das wäre ein zusätzlicher Anreiz, nein? Jetzt haben Sie eine glänzende Gelegenheit, mir ein Kompliment zu machen, Windermere. Aber das ist nicht Ihre starke Seite. Ich fürchte, Margaret ermuntert Sie nicht zu dieser vorzüglichen Gewohnheit. Da begeht sie einen schweren Fehler. Wenn Männer aufhören, Charmantes zu sagen, hören sie auf, Charmantes zu denken. Aber im Ernst, was halten Sie von zweitausend Pfund? Ich glaube, wir sagen lieber zweitausendfünfhundert. Heutzutage muß man sich rühren können. Windermere, finden Sie nicht das Leben ungemein amüsant? Ich, ja.

(Ab mit Lord Windermere durch die Terrassentür. Im Ballsaal setzt Musik ein)

LADY WINDERMERE. In diesem Haus kann ich nicht länger bleiben. Ein Mann, der mich liebt, hat mir sein ganzes Leben dargeboten. Ich habe es zurückgewiesen. Das war dumm von mir. Jetzt werde ich ihm mein Leben darbieten. Ich will es ihm schenken. Ich gehe zu ihm! *(Zieht den Mantel an, nähert sich der Tür, kehrt um, setzt sich an den Tisch, schreibt einen Brief, steckt ihn in ein Kuvert und läßt es auf dem Tisch liegen)* Arthur hat mich nie verstanden. Wenn er diese Zeilen liest, wird er mich verstehen. Mit seinem Leben mag er jetzt machen, was ihm beliebt. Ich tue, was ich für das Beste, was ich für richtig halte. *Er* hat das Band der Ehe zerrissen – nicht ich. Ich zerbreche nur die Fesseln. *(Ab)*

(Parker von links, geht zur Balltür. Mrs. Erlynne tritt ein)

MRS. ERLYNNE. Ist Lady Windermere im Ballsaal?

PARKER. Mylady ist soeben weggegangen.

MRS. ERLYNNE. Weggegangen? Sie ist nicht zu Hause?

PARKER. Nein, gnädige Frau. Mylady hat soeben das Haus verlassen.

MRS. ERLYNNE *(zuckt zusammen und sieht den Butler mit verdutzter Miene an)*. Das Haus verlassen?

PARKER. Ja, gnädige Frau – Mylady hat mir gesagt, sie habe auf dem Tisch einen Brief für seine Lordschaft hinterlassen.

MRS. ERLYNNE. Einen Brief für Lord Windermere?

PARKER. Ja, gnädige Frau.

MRS. ERLYNNE. Danke. *(Parker ab. Die Musik im Ballsaal verstummt)* Das Haus verlassen! Ein Brief, an ihren Mann adressiert! *(Geht zum Schreibtisch und betrachtet den Brief. Nimmt ihn zur Hand und legt ihn mit einem bangen Schauder wieder hin)* Nein, nein! Es ist nicht möglich! So wiederholen sich nicht die Tragödien im Leben! Oh, warum überfällt mich diese gräßliche Ahnung? Warum erinnere ich mich jetzt an den einzigen Augenblick meines Lebens, den ich am ehesten vergessen möchte? Wiederholen sich die Tragödien im Leben? *(Öffnet den Brief, liest ihn, läßt sich dann mit entsetzter Miene in einen Sessel sinken)* Wie furchtbar! Die gleichen Worte, die ich vor zwanzig Jahren an ihren Vater geschrieben habe. Und wie hart bin ich dafür bestraft worden! Nein – meine Strafe, die eigentliche Strafe, ereilt mich heute – in diesem Augenblick ... *(Bleibt rechts sitzen)*

LORD WINDERMERE *(von links hinten)*. Haben Sie meiner Frau gute Nacht gesagt?

MRS. ERLYNNE *(zerknüllt den Brief in ihrer Hand)*. Ja.

LORD WINDERMERE. Wo ist sie?

MRS. ERLYNNE. Sie ist sehr müde. Sie ist zu Bett gegangen. Sie sagte, sie habe Kopfschmerzen.

LORD WINDERMERE. Ich muß zu ihr. Sie entschuldigen mich.

MRS. ERLYNNE *(erhebt sich hastig)*. Nein, nein! Es ist nichts Ernstes. Sie ist nur sehr müde, weiter nichts. Außerdem sitzen noch Gäste zu Tisch. Sie sollen Mylady bei ihnen entschuldigen. Sie sagte, sie wünsche nicht gestört zu werden. *(Läßt den Brief fallen)* Sie bat mich, Ihnen Bescheid zu sagen.

LORD WINDERMERE *(hebt den Brief auf)*. Sie haben etwas verloren.

MRS. ERLYNNE. Ach ja, danke – es gehört mir. *(Streckt die Hand aus)*

LORD WINDERMERE *(betrachtet den Brief)*. Aber das ist doch die Handschrift meiner Frau, nein?

MRS. ERLYNNE *(nimmt ihm schnell den Brief weg)*. Ja, es ist –

eine Adresse. Wollen Sie bitte meinen Wagen vorfahren lassen?

LORD WINDERMERE. Gern. *(Ab)*

MRS. ERLYNNE. Danke ... Was kann ich tun? Was kann ich tun? In mir erwacht ein Gefühl, das ich bisher nicht gekannt habe. Was soll es bedeuten? Die Tochter darf nicht dem Beispiel der Mutter folgen – das wäre schrecklich. Wie kann ich sie retten? Wie kann ich mein Kind retten? Ein einziger Augenblick kann ein Leben zerstören. Wer wüßte es besser als ich? Windermere muß aus dem Haus! Das ist unbedingt nötig. *(Geht nach links)* Aber wie fange ich's an? Irgendwie muß es gelingen. Ah!

LORD AUGUSTUS *(mit dem Bukett von rechts hinten)*. Liebe gnädige Frau, Sie spannen mich auf die Folter! Wollen Sie nicht doch vielleicht meine Frage beantworten?

MRS. ERLYNNE. Lord Augustus, hören Sie gut zu! Sie müssen Lord Windermere sofort in Ihren Klub mitnehmen und ihn dort so lange wie nur möglich festhalten. Haben Sie mich verstanden?

LORD AUGUSTUS. Aber Sie wünschten doch, daß ich nicht so spät nach Haus komme!

MRS. ERLYNNE *(nervös)*. Tun Sie, was ich sage! Tun Sie, was ich sage!

LORD AUGUSTUS. Und meine Belohnung?

MRS. ERLYNNE. Ihre Belohnung? Ihre Belohnung? Ach, fragen Sie mich morgen. Aber lassen Sie Lord Windermere heute nacht nicht aus den Augen. Sonst verzeihe ich Ihnen nie – rede nie wieder ein Wort mit Ihnen – will nie wieder etwas mit Ihnen zu tun haben. Wohlgemerkt, Sie sollen Lord Windermere in Ihrem Klub festhalten. Lassen Sie ihn nicht vor morgen früh nach Hause gehen! *(Ab nach links)*

LORD AUGUSTUS. Also, wirklich – als ob ich schon mit ihr verheiratet wäre! Ein Pantoffelheld *(Folgt ihr mit verwirrter Miene)*

Vorhang

Dritter Akt

Lord Darlingtons Wohnung. Vor dem Kamin rechts ein breites Sofa. Im Hintergrund ein Fenster mit zugezogenen Gardinen. Türen links und rechts. Rechts ein Tisch mit Schreibutensilien. Karaffenständer. Links ein Tisch mit Zigarrenkisten und einer Zigarettenkassette. Die Lampen brennen.

LADY WINDERMERE *(steht am Kamin).* Warum kommt er nicht? Dieses Warten ist grauenhaft. Er müßte schon hier sein. Warum ist er nicht hier und weckt mit zärtlichen Worten ein Feuer in meiner Brust? Mich friert – ich bin kalt wie ein fühlloser Stein. Arthur muß inzwischen meinen Brief gelesen haben. Wenn ihm etwas an mir läge, wäre er mir nachgeeilt und hätte mich mit Gewalt zurückgeholt. Aber es liegt ihm nichts an mir. Er steht im Banne dieser Frau – er ist von ihr fasziniert – sie beherrscht ihn. Wenn eine Frau einen Mann an sich fesseln will, braucht sie nur an seine schlechten Eigenschaften zu appellieren. Wir machen Götter aus unseren Männern, und sie verlassen uns. Andere machen Tiere aus ihnen, und sie kriechen im Staube, sie sind treu! Wie abscheulich das Leben ist ...! Es war ein Wahnsinn von mir, mich hierherzuwagen. Reiner Wahnsinn ... Trotzdem frage ich mich – was ist schlimmer: einem Manne ausgeliefert zu sein, der einen liebt, oder die Frau eines Mannes zu sein, der einen in den eigenen vier Wänden erniedrigt? Wo ist die Frau, die das weiß? Wo auf der ganzen Welt? Aber wird er mich denn immer lieben, dieser Mann, dem ich mein Leben schenke? Was bringe ich ihm? Die Lippen, die nicht mehr lächeln können, Augen, blind vor Tränen, frostige Hände und ein eiskaltes Herz. Nichts habe ich ihm zu bieten. Ich muß zurück ... Nein, ich kann nicht mehr zurück. Mein Brief hat mich in ihre Hände geliefert. Arthur würde mich nicht mehr bei sich aufnehmen! Dieser verhängnisvolle Brief! Nein! Morgen verläßt Lord Darlington England. Ich begleite ihn – es bleibt mir keine Wahl. *(Setzt sich, springt sogleich wieder auf und zieht den Mantel an)* Nein, nein! Ich kehre zurück. Arthur soll mit mir machen, was er will. Ich kann hier nicht länger warten. Es war ein Wahnsinn, mich hierherzuwagen. Ich muß sofort nach Hause. Und Lord Darlington? – Oh, da ist er! Was soll ich tun? Was soll ich zu ihm sagen? Wird er mich fortlassen? Ich habe gehört, daß die Männer brutal sind – abscheulich ... Oh! *(Schlägt die Hände vors Gesicht)*

MRS. ERLYNNE *(von links).* Lady Windermere! *(Lady Windermere zuckt zusammen und blickt auf. Dann weicht sie voller Verachtung zurück)* Dem Himmel sei Dank, daß ich zurechtkomme. Sie müssen sofort in das Haus Ihres Mannes zurückkehren.

LADY WINDERMERE. Ich muß?

MRS. ERLYNNE *(gebieterisch).* Ja, unbedingt! Es ist keine Sekunde zu verlieren. Lord Darlington kann jeden Augenblick hier sein.

LADY WINDERMERE. Kommen Sie mir nicht in die Nähe!

MRS. ERLYNNE. Sie stehen am Rande des Ruins – am Rande eines entsetzlichen Abgrunds. Sie müssen dieses Haus sofort verlassen. Mein Wagen wartet an der Straßenecke. Sie müssen mir folgen und geradewegs nach Hause fahren. *(Lady Windermere zieht den Mantel aus und wirft ihn aufs Sofa)* Was soll das bedeuten?

LADY WINDERMERE. Mrs. Erlynne – wenn Sie nicht hier aufgetaucht wären, ich wäre nach Hause zurückgekehrt. Aber jetzt, da ich Sie vor mir sehe, jetzt fühle ich, daß nichts in der Welt mich dazu bewegen könnte, unter demselben Dach zu leben wie Lord Windermere. Mir graut vor Ihnen. Sie haben etwas an sich, das mich mit wildem – Zorn erfüllt. Und ich weiß, warum Sie gekommen sind. Mein Mann hat Sie beauftragt, mich zurückzulocken, damit ich als Deckmantel für die Beziehungen diene, die zwischen ihm und Ihnen bestehen.

MRS. ERLYNNE. Sie glauben doch nicht, daß ... Nein, das ist nicht denkbar.

LADY WINDERMERE. Kehren Sie zu meinem Mann zurück, Mrs. Erlynne. Er gehört Ihnen, nicht mir. Vermutlich fürchtet er einen Skandal. Die Männer sind ja so feige. Sie treten die Gesetze der Welt mit Füßen und zittern vor dem Urteil dieser Welt. Aber er soll sich auf etwas gefaßt machen. Er wird seinen Skandal bekommen – den ärgsten Skandal, den London seit Jahren erlebt hat. Er wird seinen Namen in jedem Schandblatt lesen und den meinen auf jedem schäbigen Aushang!

MRS. ERLYNNE. Nein – nein . . .

LADY WINDERMERE. Ja! Und ob! Ich gebe zu – wenn er selber erschienen wäre, dann wäre ich zu dem erniedrigenden Dasein zurückgekehrt, das ihr beide für mich ausgedacht habt – ja, ich war bereits entschlossen zurückzukehren . . . Aber selber zu Hause zu bleiben und *Sie* als einen Boten loszuschicken – oh, wie schändlich, wie schändlich!

MRS. ERLYNNE *(Mitte)*. Lady Windermere, Sie tun mir bitter unrecht – Sie tun Ihrem Mann bitter unrecht. Er weiß nicht, daß Sie hier sind – er glaubt, Sie seien wohlbehalten in seinem Haus – friedlich schlafend in Ihrem eigenen Zimmer. Den verrückten Brief, den Sie ihm geschrieben haben, hat er nicht gelesen.

LADY WINDERMERE *(rechts)*. Er hat ihn nicht gelesen?

MRS. ERLYNNNE. Nein, er weiß nichts von diesem Brief.

LADY WINDERMERE. Sie halten mich für eine dumme Gans. *(Geht auf sie zu)* Sie lügen mich an!

MRS. ERLYNNE *(beherrscht sich)*. Nein. Ich sage die volle Wahrheit.

LADY WINDERMERE. Wenn mein Mann den Brief nicht gelesen hat – wie kommt es, daß Sie hier sind? Wer hat Ihnen gesagt, daß ich das Haus verlassen hatte, das zu betreten Sie sich nicht geschämt haben? Wer hat Ihnen gesagt, wohin ich gegangen war? Mein Mann hat es Ihnen gesagt und Sie beauftragt, mich zurückzulocken.

MRS. ERLYNNE *(rechts Mitte)*. Ihr Mann hat den Brief nie zu sehen bekommen. Ich – habe ihn gesehen, ich habe ihn geöffnet. Ich – habe ihn gelesen.

LADY WINDERMERE *(dreht sich zu ihr um)*. Sie haben einen von mir an meinen Mann adressierten Brief geöffnet? Das würden Sie nicht wagen!

MRS. ERLYNNE. Nicht wagen! Es gibt nichts auf der Welt, nichts auf der ganzen Welt, das ich nicht wagen würde, um Sie vor dem Abgrund zu retten, in den Sie zu stürzen drohen. Hier ist der Brief. Ihr Mann hat ihn nicht gelesen. Er wird ihn nie zu lesen bekommen. *(Geht zum Kamin)* Er hätte nie geschrieben werden dürfen. *(Zerreißt ihn und wirft ihn ins Feuer)*

LADY WINDERMERE *(mit unendlicher Verachtung in Stimme und Blick).* Woher weiß ich denn überhaupt, daß das mein Brief war? Sie scheinen sich einzubilden, daß man mich mit den simpelsten Tricks übertölpeln kann!

MRS. ERLYNNE. Ach, warum bezweifeln Sie alles, was ich sage? Was für einen Grund sollte ich haben, hierherzueilen – wenn nicht den Wunsch, Sie vor den Folgen eines schrecklichen Irrtums zu bewahren? Der Brief, den ich verbrannt habe, war Ihr Brief. Ich schwöre.

LADY WINDERMERE *(langsam).* Sie waren darauf bedacht, ihn zu verbrennen, bevor ich ihn mir angesehen hatte. Ich traue Ihnen nicht. Sie, deren Leben eine einzige Lüge ist, wie könnten Sie in irgendeinem Punkt die Wahrheit sagen? *(Setzt sich)*

MRS. ERLYNNE *(hastig).* Denken Sie über mich, wie Sie wollen – sagen Sie gegen mich, was Ihnen beliebt – aber kehren Sie zurück, kehren Sie zu dem Mann zurück, den Sie lieben.

LADY WINDERMERE *(mürrisch).* Ich liebe ihn nicht.

MRS. ERLYNNE. Doch, und Sie wissen, daß er Sie liebt.

LADY WINDERMERE. Er begreift nicht, was Liebe ist. Er begreift es ebensowenig wie Sie – aber ich sehe schon, was Ihnen vorschwebt. Für Sie wäre es von großem Vorteil, mich wieder in meinem Hause zu wissen. Du lieber Himmel, was für ein Leben würde ich dort führen! Auf die Gnade einer Frau angewiesen zu sein, die weder Gnade noch Mitleid kennt, einer Frau, der zu begegnen eine Schande, die zu kennen entwürdigend ist, einer gemeinen Person, die sich zwischen einen Mann und seine Frau drängt!

MRS. ERLYNNE *(mit einer verzweifelten Gebärde).* Lady Windermere, Lady Windermere, nicht diese schrecklichen Worte! Sie wissen nicht, *wie* schrecklich sie sind, wie schrecklich und wie ungerecht! Hören Sie mich an – Sie müssen mich anhören! Kehren Sie zu Ihrem Mann zurück, und ich verspreche Ihnen, mich nie mehr – unter welchem Vorwand auch immer – mit ihm in Verbindung zu setzen – ihn nie mehr zu treffen – nie mehr in seinem oder Ihrem Leben etwas mit ihm zu tun zu haben. Das Geld, das ich von ihm bekommen habe, hat er mir nicht aus Liebe, sondern aus Haß geschenkt – nicht in Verehrung, sondern voll Verachtung. Mein Einfluß auf ihn ...

LADY WINDERMERE *(erhebt sich).* Aha – Sie geben zu, daß Sie Einfluß auf ihn haben.

MRS. ERLYNNE. Ja, und ich will Ihnen sagen, woran es liegt. An seiner Liebe zu Ihnen, Lady Windermere.

LADY WINDERMERE. Und das soll ich Ihnen glauben?

MRS. ERLYNNE. Sie müssen es glauben – es stimmt! Nur seine Liebe zu Ihnen hat ihn bewogen, sich dieser – ach, nennen Sie es, wie Sie wollen – Tyrannei, diesen Drohungen – egal, wie Sie es nennen – zu fügen. Nur seine Liebe zu Ihnen – der Wunsch, Ihnen Schande, ja, Beschämung und Schande zu ersparen.

LADY WINDERMERE. Was soll das heißen? Sie sind sehr unverfroren! Was habe ich mit Ihnen zu tun?

MRS. ERLYNNE *(bescheiden).* Nichts. Ich weiß es – aber ich sage Ihnen, daß Ihr Mann Sie liebt – daß Sie vielleicht nie wieder in Ihrem Leben so einer Liebe begegnen werden – nein, nicht nur vielleicht, sondern bestimmt nicht. Wenn Sie diese Liebe wegwerfen, wird vielleicht der Tag kommen, da Sie nach Liebe dürsten und mit leeren Händen dastehen – da Sie um Liebe betteln, und man verweigert sie Ihnen. – Oh! Arthur liebt Sie!

LADY WINDERMERE. Arthur? Und da behaupten Sie, es gäbe nichts zwischen euch?

MRS. ERLYNNE. Lady Windermere – vor Gott hat Ihr Mann sich Ihnen gegenüber nichts zuschulden kommen lassen. Und ich – ich sage Ihnen, wenn mir je eingefallen wäre, daß Ihnen ein so ungeheuerlicher Verdacht in den Sinn kommen könnte, dann wäre ich lieber gestorben, als Ihren oder seinen Lebensweg zu kreuzen – ja, lieber gestorben, mit Freuden gestorben! *(Geht zum Sofa rechts)*

LADY WINDERMERE. Sie reden, als ob Sie ein Herz hätten. Frauen wie Sie haben kein Herz. Es schlägt kein Herz in ihrer Brust. Sie verkaufen sich und lassen sich kaufen. *(Setzt sich links Mitte)*

MRS. ERLYNNE *(zuckt mit einer schmerzlichen Geste zusammen, beherrscht sich sodann und nähert sich Lady Windermere. Während sie auf sie einredet, streckt sie die Hände nach ihr aus, wagt aber nicht, sie anzurühren).* Denken Sie über mich, wie Sie wollen. Ich bin nicht die geringste Sorge wert. Aber zerstören Sie nicht meinetwegen Ihr schönes junges Leben! Sie wissen nicht, was Ihnen bevorstehen mag, wenn Sie nicht sofort dieses Haus verlassen. Sie wissen nicht, was es heißt, in den Abgrund zu stürzen, verachtet, verhöhnt, gemieden, bespuckt zu werden – ausgestoßen zu sein! vor verschlossenen Türen zu stehen, sich auf abscheulichen Umwegen einschleichen zu müssen – jeden Augenblick befürchten zu müssen, daß einem die Maske vom Gesicht gerissen wird – und immerzu das Gelächter zu hören, das grauenhafte Gelächter der Welt, das tragischer ist als die Tränen, die sie je vergossen hat. Sie wissen nicht, wie das ist! Man büßt für seine Sünden – büßt immer wieder – büßt sein Leben lang. *Sie* sollen das nie kennenlernen ... Was mich betrifft – wenn Leid eine Sühne ist, dann habe ich in diesem Augenblick alle meine Fehltritte gesühnt, mögen sie noch so schlimm gewesen sein. Heute nacht haben Sie ein Herz in einen Menschen eingepflanzt, der nie ein Herz besessen hat – Sie haben es ihm geschenkt und es gebrochen. – Doch lassen wir das beiseite. Mein eigenes Leben mag ich zerstört haben, aber ich werde nicht dulden, daß Sie das Ihre zerstören. Sie – ach, Sie sind ja eigentlich noch ein junges Mädchen, Sie wären rettungslos verloren. Ihnen fehlt die Gewitztheit, die einer Frau ermöglicht, sich ein Comeback zu erzwingen. Sie haben weder den Verstand dazu noch den Mut. Sie würden die Schande nicht ertragen. Nein – kehren Sie zurück, Lady Windermere, kehren Sie zu dem Mann zurück, der Sie liebt, den Sie lieben. Sie haben ein Kind, Lady Windermere. Kehren Sie zu diesem Kind zurück, das vielleicht in diesem Augenblick – freudig oder hilfeflehend – nach seiner Mutter ruft. *(Lady Windermere erhebt sich)* Gott hat Ihnen dieses Kind beschert. Er wird von Ihnen verlangen, daß Sie es glücklich machen, daß Sie es behüten. Wie wollen Sie es vor dem Herrgott verantworten, wenn sein Leben durch Ihre Schuld zerstört wird? Zurück in Ihr Haus, Lady Windermere – Ihr Mann liebt Sie! Nicht einen Augenblick hat er die Liebe verraten, die er für Sie empfindet. Aber auch wenn er tausend Mätressen hätte, müßten Sie bei Ihrem Kind bleiben. Wenn er

Sie barsch behandelt – Sie müssen bei Ihrem Kind bleiben. Wenn er Sie schlecht behandelt – Sie müssen bei Ihrem Kind bleiben. Wenn er Sie verläßt – Sie müssen bei Ihrem Kind bleiben. *(Lady Windermere bricht in Tränen aus und schlägt die Hände vors Gesicht. Mrs. Erlynne eilt zu ihr hin)* Lady Windermere!

LADY WINDERMERE *(streckt ihr die Hände entgegen, hilflos wie ein kleines Kind).* Bringen Sie mich nach Hause! Bringen Sie mich nach Hause!

MRS. ERLYNNE *(ist drauf und dran, sie zu umarmen. Dann beherrscht sie sich. Ein Ausdruck heller Freude tritt in ihre Züge).* Kommen Sie! Wo ist Ihr Mantel? *(Nimmt ihn vom Sofa)* Hier! Ziehen Sie ihn an. Kommen Sie – sofort ...

(Sie gehen auf die Tür zu)

LADY WINDERMERE. Halt! Hören Sie nicht Stimmen?

MRS. ERLYNNE. Nein, nein – kein Mensch ist hier!

LADY WINDERMERE. Doch! Es ist jemand da. Horchen Sie! Oh – es ist die Stimme meines Mannes. Er kommt! Retten Sie mich! Es ist ein Komplott! Sie haben ihn herbestellt.

(Von draußen sind Stimmen zu hören)

MRS. ERLYNNE. Still! Ich bin hier, um Sie zu retten, wenn es in meiner Macht steht. Aber ich fürchte, es ist zu spät. Dort! *(Deutet auf die zugezogene Fenstergardine)* Bei der ersten Gelegenheit schleichen Sie davon, *falls* sich eine Gelegenheit ergibt.

LADY WINDERMERE. Und Sie?

MRS. ERLYNNE. Ach, machen Sie sich keine Sorge um mich. Ich werde mit den Herren fertig.

(Lady Windermere versteckt sich hinter dem Vorhang)

LORD AUGUSTUS *(in den Kulissen).* Unsinn, lieber Windermere, Sie dürfen mir nicht weglaufen!

MRS. ERLYNNE. Lord Augustus! Dann bin *ich* verloren! *(Zögert eine Weile, schaut sich um, erblickt die Tür rechts und geht durch sie ab)*

(Lord Darlington, Mr. Dumby, Lord Windermere, Lord Augustus Lorton und Mr. Cecil Graham treten auf)

DUMBY. Wie ärgerlich, daß man uns so früh aus dem Klub hinauswirft! Es ist erst zwei. *(Sinkt in einen Sessel)* Gerade wenn es lustig zu werden beginnt! *(Gähnt und schließt die Augen)*

LORD WINDERMERE. Es ist sehr lieb von Ihnen, Lord Darlington, daß Sie Augustus erlauben, Ihnen unsere Gesellschaft aufzuzwingen, aber ich kann leider nicht lange bleiben.

LORD DARLINGTON. Wirklich nicht? Das tut mir leid. Darf ich Ihnen eine Zigarre anbieten?

LORD WINDERMERE. Danke. *(Setzt sich)*

LORD AUGUSTUS *(zu Lord Windermere)*. Mein lieber Junge, Sie dürfen nicht daran denken, jetzt schon zu gehen. Ich habe vieles mit Ihnen zu besprechen – noch dazu etwas verdeibelt Wichtiges. *(Setzt sich mit ihm an den Tisch links)*

CECIL GRAHAM. Ach, wir wissen schon, was es ist. Tuppy hat nur noch ein Thema: Mrs. Erlynne.

LORD WINDERMERE. Das geht doch dich nichts an, Cecil.

CECIL GRAHAM. Nicht das geringste! Deshalb interessiert es mich. Meine eigenen Angelegenheiten langweilen mich zu Tode. Ich bevorzuge die Angelegenheiten anderer Leute.

LORD DARLINGTON. Wollen die Herren nicht etwas trinken? Cecil, du nimmst einen Whisky-Soda.

CECIL GRAHAM. Danke. *(Begleitet Lord Darlington zum Tisch)* Mrs. Erlynne hat heute abend sehr gut ausgesehen, oder wie?

LORD DARLINGTON. Ich zähle nicht zu ihren Bewunderern.

CECIL GRAHAM. Ich habe sie früher nicht bewundert, aber jetzt bewundere ich sie. Sie hat mich tatsächlich dazu gekriegt, sie der armen lieben Tante Caroline vorzustellen. Ich glaube, sie wird sogar bei ihr zu Mittag essen.

LORD DARLINGTON *(überrascht)*. Nein!

CECIL GRAHAM. Ja, tatsächlich.

LORD DARLINGTON. Entschuldigt mich, meine Freunde. Ich verreise morgen und muß ein paar Briefe schreiben. *(Setzt sich an den Schreibtisch)*

DUMBY. Eine gerissene Person, diese Mrs. Erlynne.

CECIL GRAHAM. Hallo, Dumby! Ich dachte, Sie schlafen.

DUMBY. Sie haben sich nicht geirrt – ich schlafe meistens.

LORD AUGUSTUS. Eine sehr gerissene Person. Sie weiß ganz genau, was für ein verdeibelter Esel ich bin – weiß es genausogut wie ich. *(Cecil Graham geht lachend auf ihn zu)* Ah, du hast gut lachen, mein Junge, aber es ist eine tolle Sache, einer Frau zu begegnen, die einen restlos versteht.

DUMBY. Es ist furchtbar gefährlich und endet immer damit, daß man sie heiratet.

CECIL GRAHAM. Ich dachte, Tuppy, du wolltest sie nie mehr wiedersehen. Ja, das hast du gestern abend im Klub zu mir gesagt. Du hast gesagt, du hättest gehört ... *(Flüstert ihm etwas ins Ohr)*

LORD AUGUSTUS. Oh, das hat sie mir erklärt.

CECIL GRAHAM. Und die Affäre in Wiesbaden?

LORD AUGUSTUS. Hat sie mir auch erklärt.

DUMBY. Und ihr Einkommen? Hat sie dir erklärt, wo das Geld herstammt?

LORD AUGUSTUS *(in ernstem Ton)*. Das wird sie mir morgen erklären.

(Cecil Graham kehrt an den Tisch in der Mitte zurück)

DUMBY. Furchtbar geschäftstüchtig sind die Frauen heutzutage. Natürlich wollten auch unsere Großmütter unter die Haube kommen, aber, bei Gott, ihre Enkelinnen verlangen, daß die Haube aus purem Gold ist.

LORD AUGUSTUS. Sie machen sie schlecht. Sie ist nicht schlecht.

CECIL GRAHAM. Schlechte Frauen belästigen einen. Brave Frauen langweilen einen. Das ist der einzige Unterschied.

LORD AUGUSTUS *(an einer Zigarre paffend)*. Mrs. Erlynne hat eine Zukunft vor sich.

DUMBY. Mrs. Erlynne hat eine Vergangenheit vor sich.

LORD AUGUSTUS. Ich bevorzuge Frauen mit einer Vergangenheit. Mit ihnen zu plaudern ist immer so verdeibelt amüsant.

CECIL GRAHAM. Na, dann wird es euch beiden nicht an Gesprächsstoff mangeln, Tuppy. *(Steht auf und nähert sich ihm)*

LORD AUGUSTUS. Du fällst mir auf die Nerven, mein Junge – gottverdammich.

CECIL GRAHAM *(legt die Hände auf seine Schultern)*. Aber, Tuppy, du hast dein Gesicht verloren, du hast deinen guten Ruf verloren – verlier jetzt nicht auch noch die Nerven. Sie sind unersetzlich.

LORD AUGUSTUS. Lieber Mann, wenn ich nicht der gutmütigste Mensch in ganz London wäre ...

CECIL GRAHAM. Dann würden wir dich respektvoller behandeln, nicht wahr, Tuppy? *(Schlendert davon)*

DUMBY. Die heutige Jugend ist gräßlich. Sie hat nicht den geringsten Respekt vor gefärbten Haaren.

(Lord Augustus blickt ärgerlich in die Runde)

CECIL GRAHAM. Mrs. Erlynne hat großen Respekt vor unserem lieben Tuppy.

DUMBY. Dann geht Mrs. Erlynne dem Rest ihres Geschlechts mit gutem Beispiel voran. Es ist geradezu tierisch, wie heutzutage die meisten Frauen sich Männern gegenüber benehmen, mit denen sie nicht verheiratet sind.

LORD WINDERMERE. Dumby, Sie machen sich lächerlich – und du, Cecil, hast ein loses Mundwerk. Laß Mrs. Erlynne in Frieden. Du weißt nichts Genaues und verfolgst sie mit deiner üblen Nachrede.

CECIL GRAHAM *(geht auf ihn zu)*. Mein lieber Arthur, ich denke nicht daran, ihr etwas Übles nachzusagen. *Ich* erzähle nur Klatsch.

LORD WINDERMERE. Worin besteht der Unterschied zwischen übler Nachrede und Klatsch?

CECIL GRAHAM. Ach, es gibt nichts Charmanteres als Klatsch! Die Weltgeschichte besteht nur aus Klatsch. Üble Nachrede aber ist moralinsaurer Klatsch und ödet mich an. Ich hüte mich, Moral zu predigen. Männer, die Moral predigen, sind meistens Heuchler – Frauen, die Moral predigen, sind unweigerlich häßlich. Nichts in der Welt steht einer Frau so schlecht zu Gesicht wie ein puritanisches Gewissen. Das wissen die meisten Frauen – erfreulicherweise.

LORD AUGUSTUS. Ich bin ganz deiner Meinung, mein Junge – ganz deiner Meinung.

CECIL GRAHAM. Das höre ich ungern, Tuppy. Wenn man mir recht gibt, habe ich immer das dunkle Gefühl, ich müsse unrecht haben.

LORD AUGUSTUS. Mein lieber Junge, als ich so jung war wie du ...

CECIL GRAHAM. Aber das warst du nie, Tuppy, und wirst es nie sein. *(Geht zur Mitte)* Sagen Sie mal, Darlington, könnten wir Karten haben? Du spielst doch mit, Arthur?

LORD WINDERMERE. Danke, nein, Cecil.

DUMBY *(mit einem Seufzer)*. Du lieber Himmel, wie doch die

Ehe einen Mann ruiniert! Sie ist so demoralisierend wie das Zigarettenrauchen, nur viel kostspieliger.

CECIL GRAHAM. Du machst natürlich mit, Tuppy.

LORD AUGUSTUS *(schenkt sich einen Kognak mit Soda ein).* Bin verhindert, lieber Freund. Habe Mrs. Erlynne versprochen, nicht mehr zu trinken und nicht mehr Karten zu spielen.

CECIL GRAHAM. Aber, mein lieber Tuppy, laß dich nur nicht auf den Pfad der Tugend verführen. Wenn du dich besserst, bist du nicht mehr auszustehen. Das ist das Schlimmste an den Frauen. Immer wollen sie, daß man brav ist. Und *sind* wir brav, dann haben sie nicht das geringste für uns übrig. Wenn sie uns kennenlernen, sollen wir unverbesserliche Wüstlinge sein – wenn sie uns verlassen, fade Tugendbolde.

LORD DARLINGTON *(steht von dem Tisch rechts auf, an dem er gesessen und Briefe geschrieben hat).* Sie halten uns immer für schlecht.

DUMBY. Ich glaube nicht, daß wir schlechte Menschen sind. Ich finde, wir sind alle sehr brav – bis auf Tuppy.

LORD DARLINGTON. Nein, wir wälzen uns alle im Rinnstein, aber einige unter uns blicken zu den Sternen auf. *(Setzt sich an den Tisch in der Mitte)*

DUMBY. Wir wälzen uns im Rinnstein, aber einige unter uns blicken zu den Sternen auf? Bei Gott, Sie sind heute nacht sehr romantisch veranlagt, Darlington.

CECIL GRAHAM. Viel zu romantisch! Er muß verliebt sein. Wer ist die junge Dame?

LORD DARLINGTON. Die Frau, die ich liebe, ist nicht frei – oder glaubt es nicht zu sein. *(Dabei sieht er unwillkürlich Lord Windermere an)*

CECIL GRAHAM. Also eine verheiratete Frau! Nichts geht über die zärtliche Hingabe einer verheirateten Frau. Davon hat kein verheirateter Mann auch nur die blasseste Ahnung.

LORD DARLINGTON. Ach, sie liebt mich nicht. Sie ist eine anständige Frau. Sie ist die einzige anständige Frau, der ich in meinem ganzen Leben begegnet bin.

CECIL GRAHAM. Die einzige anständige Frau, der Sie je in Ihrem Leben begegnet sind?

LORD DARLINGTON. Ja.

CECIL GRAHAM *(zündet sich eine Zigarette an)*. Na, dann dürfen Sie von Glück sagen. Ich habe sie zu Hunderten kennengelernt. Ich scheine überhaupt nur anständige Frauen kennenzulernen. Die Welt ist gerammelt voll von anständigen Frauen. Wer mit ihnen umgeht, den erziehen sie zum Spießer.

LORD DARLINGTON. Diese Frau ist rein und unschuldig. Sie besitzt alles, was wir Männer verloren haben.

CECIL GRAHAM. Mein lieber Mann, was in aller Welt würde aus uns werden, wenn wir rein und unschuldig herumliefen! Eine sorgfältig ausgewählte Blume im Knopfloch ist bedeutend effektvoller.

DUMBY. Sie liebt Sie also nicht?

DARLINGTON. Sie liebt mich nicht.

DUMBY. Gratuliere, lieber Freund. Auf dieser Erde gibt es nur zwei Tragödien. Die eine: Man bekommt nicht, was man sich wünscht. Die andere: Man bekommt es. Und letzteres ist weit schlimmer – es ist die wahre Tragödie. Aber ich finde es interessant, daß sie Sie nicht liebt. Wie lange könntest du eine Frau lieben, die dich nicht liebt, Cecil?

CECIL GRAHAM. Eine Frau, die mich nicht liebt? Mein Leben lang.

DUMBY. Dito. Aber es ist so schwer, eine kennenzulernen.

LORD DARLINGTON. Wie können Sie nur so eingebildet sein, Dumby!

DUMBY. Ich sage es nicht aus Eitelkeit. Ich sage es mit Bedauern. Frauen haben mich angebetet – wahnsinnig, toll. Leider. Es war furchtbar lästig. Ich möchte gern ab und zu ein bißchen Zeit für mich selber haben.

LORD AUGUSTUS *(dreht sich zu ihm um)*. Vermutlich, um etwas hinzuzulernen.

DUMBY. Nein – um zu vergessen, was ich gelernt habe. Das ist viel wichtiger, lieber Tuppy.

(Lord Augustus rutscht unruhig in seinem Sessel hin und her)

LORD DARLINGTON. Was seid ihr doch für Zyniker!

CECIL GRAHAM. Was ist ein Zyniker? *(Setzt sich auf die Rücklehne des Sofas)*

LORD DARLINGTON. Ein Mann, der immer weiß, was eine Sache kostet, und nie, was sie wert ist.

CECIL GRAHAM. Ein Gefühlsmensch aber, lieber Lord Darlington, legt allen Sachen einen absurden Wert bei und kennt nie ihren Marktpreis.

LORD DARLINGTON. Sie machen mir Spaß, Cecil. Sie reden, als wären Sie ein vielerfahrener Mann.

CECIL GRAHAM. Ich bin es. *(Nähert sich dem Kamin)*

LORD DARLINGTON. Sie sind zu jung.

CECIL GRAHAM. Ein großer Irrtum. Erfahrung ist eine Frage des Instinkts. Ich besitze ihn. Tuppy besitzt ihn nicht. Was Tuppy Erfahrung nennt, ist weiter nichts als die Summe seiner Tölpeleien.

(Lord Augustus blickt entrüstet in die Runde)

DUMBY. Jeder Mensch hält die Summe seiner Tölpeleien für Erfahrung.

CECIL GRAHAM *(mit dem Rücken zum Kamin)*. Man sollte keine begehen. *(Sieht Lady Windermeres Fächer auf dem Sofa liegen)*

DUMBY. Ohne sie würde das Leben sehr langweilig sein.

CECIL GRAHAM. Natürlich sind Sie dieser Frau, die Sie lieben, treu, Darlington – dieser anständigen Frau?

LORD DARLINGTON. Cecil, wenn man eine Frau aufrichtig liebt, erscheinen einem alle anderen Frauen auf der Welt völlig bedeutungslos. Die Liebe verändert den Mann – ich bin ein anderer geworden.

CECIL GRAHAM. Du meine Güte! Wie interessant! Tuppy, ich muß mit dir reden.

(Lord Augustus nimmt keine Notiz)

DUMBY. Es ist zwecklos, mit Tuppy zu reden. Sie könnten sich ebensogut an eine Ziegelmauer wenden.

CECIL GRAHAM. Ich wende mich aber sehr gern an Ziegelmauern. Weil sie mir nie widersprechen ... Tuppy!

LORD AUGUSTUS. Ja, was ist denn los? Was ist los? *(Steht auf und nähert sich Cecil Graham)*

CECIL GRAHAM. Komm hierher. Ja, gerade du. *(Leise)* Darlington hat uns Moral gepredigt und von der reinen Liebe gesprochen – dabei war die ganze Zeit eine Frau in seiner Wohnung.

LORD AUGUSTUS. Nein, tatsächlich? Tatsächlich?

CECIL GRAHAM *(mit gedämpfter Stimme)*. Dort liegt ihr Fächer. *(Deutet aufs Sofa)*

LORD AUGUSTUS *(lacht in sich hinein).* Bei Gott! Bei Gott!

LORD WINDERMERE *(an der Tür).* Jetzt muß ich wirklich gehen, Lord Darlington. Ich bedaure, daß Sie England schon morgen verlassen. Bitte, suchen Sie uns auf, sobald Sie wieder da sind. Meine Frau und ich werden uns freuen, Sie wiederzusehen.

LORD DARLINGTON *(neben Lord Windermere).* Leider werde ich viele Jahre wegbleiben. Gute Nacht!

CECIL GRAHAM. Arthur!

LORD WINDERMERE. Ja?

CECIL GRAHAM. Ich möchte einen Augenblick mit dir sprechen. Nein – komm her ...

LORD WINDERMERE *(zieht den Mantel an).* Ausgeschlossen – ich gehe.

CECIL GRAHAM. Es handelt sich um etwas ganz Besonderes. Es wird dich enorm interessieren.

LORD WINDERMERE *(lächelnd).* Wieder eine deiner Albernheiten, Cecil.

CECIL GRAHAM. Nein – wirklich nicht!

LORD AUGUSTUS *(geht auf ihn zu).* Lieber Freund, du darfst noch nicht gehen. Ich habe vieles mit dir zu besprechen. Und Cecil will dir etwas zeigen.

LORD WINDERMERE *(nähert sich Cecil Graham).* Na schön – was denn?

CECIL GRAHAM. Darlington hat eine Frau in seiner Wohnung. Hier liegt ihr Fächer. Amüsant, nicht wahr? *(Pause)*

LORD WINDERMERE. Oh, mein Gott! *(Greift nach dem Fächer. Dumby steht auf)*

CECIL GRAHAM. Was hast du denn?

LORD WINDERMERE. Lord Darlington!

LORD DARLINGTON *(dreht sich um).* Ja?

LORD WINDERMERE. Wie kommt der Fächer meiner Frau in Ihre Wohnung? Hände weg, Cecil! Rühr mich nicht an!

LORD DARLINGTON. Der Fächer Ihrer Frau?

LORD WINDERMERE. Ja – hier ist er.

LORD DARLINGTON *(geht auf ihn zu).* Ich weiß es nicht.

LORD WINDERMERE. Sie müssen es wissen. Ich verlange eine Erklärung. *(Zu Cecil Graham)* Halt mich nicht fest, du Idiot.

LORD DARLINGTON *(beiseite).* Sie ist also doch gekommen.

LORD WINDERMERE. Heraus mit der Sprache, Sir! Warum finde ich hier den Fächer meiner Frau? Antworten Sie! Bei Gott, ich durchsuche Ihre Wohnung, und wenn meine Frau hier ist, werde ich ... *(Schickt sich an, seine Absicht zu verwirklichen)*

LORD DARLINGTON. Sie werden sich hüten, meine Wohnung zu durchsuchen! Sie haben kein Recht dazu. Ich verbiete es Ihnen!

LORD WINDERMERE. Sie Lump! Ich verlasse Ihre Wohnung nicht, bevor ich nicht jeden Winkel durchsucht habe! Was bewegt sich hinter diesem Vorhang? *(Eilt auf die Fenstergardine zu)*

MRS. ERLYNNE *(von hinten rechts)*. Lord Windermere!

LORD WINDERMERE. Mrs. Erlynne.

(Alle zucken zusammen und drehen sich um. Lady Windermere schleicht hinter der Gardine hervor und verläßt das Zimmer durch die Tür links)

MRS. ERLYNNE. Leider habe ich, als ich Ihr Haus verließ, versehentlich den Fächer Ihrer Frau mit dem meinen verwechselt. Ich bitte um Entschuldigung. *(Sie nimmt ihm den Fächer weg. Lord Windermere mustert sie voller Verachtung. In Lord Darlingtons Miene mischen sich Verwunderung und Ärger. Lord Augustus wendet sich ab. Die übrigen Herren sehen einander lächelnd an)*

Vorhang

Vierter Akt

Derselbe Schauplatz wie im ersten Akt.

LADY WINDERMERE *(liegt auf dem Sofa).* Wie soll ich es ihm sagen? Ich bringe es nicht fertig. Ich würde mich zu Tode schämen. Wenn ich nur wüßte, was sich nach meiner Flucht abgespielt hat! Vielleicht hat sie ihnen den wirklichen Grund ihrer Anwesenheit verraten – vielleicht hat sie ihnen erzählt, was dieser – verhängnisvolle Fächer bedeutete. Oh, wenn er es weiß – wie kann ich ihm dann je wieder in die Augen schauen? Er würde mir nie, nie verzeihen! *(Klingelt)* Wie sicher man sich fühlt – gegen jede Versuchung, Sünde, Torheit gefeit! Und dann urplötzlich ... Ach, das Leben ist fürchterlich. Es beherrscht uns – nicht wir beherrschen es.

ROSALIE *(tritt auf).* Haben Mylady nach mir geklingelt?

LADY WINDERMERE. Ja. Haben Sie festgestellt, wann Lord Windermere gestern nacht nach Hause gekommen ist?

ROSALIE. Seine Lordschaft ist erst um fünf Uhr nach Hause gekommen.

LADY WINDERMERE. Um fünf Uhr? Er hat heute früh an meine Tür geklopft, nicht wahr?

ROSALIE. Ja, Mylady – um halb zehn. Ich habe ihm gesagt, daß Mylady noch nicht wach sind.

LADY WINDERMERE. Hat er etwas gesagt?

ROSALIE. Er hat Myladys Fächer erwähnt. Ich habe nicht genau verstanden, was seine Lordschaft sagte. Ist der Fächer verlorengegangen, Mylady? Ich kann ihn nicht finden, und Parker sagt, daß er in keinem der Zimmer liegt. Er hat überall gesucht – auch auf der Terrasse.

LADY WINDERMERE. Es spielt keine Rolle. Parker soll sich nicht bemühen ... Schon gut ... *(Rosalie ab)*

LADY WINDERMERE *(erhebt sich).* Bestimmt wird sie es ihm erzählen. Ich kann mir vorstellen, daß ein Mensch einen wunderbaren Akt der Selbstaufopferung vollbringt – spontan, bedenkenlos, edelmütig – und nachher feststellt, daß der Preis zu hoch ist. Warum sollte sie zwischen ihrem und meinem

Ruin schwanken ...? Wie seltsam! Ich wäre bereit gewesen, sie in meinem Haus vor allen Leuten zu beschimpfen. Sie nimmt in einem fremden Haus Schimpf und Schande auf sich, um mich zu retten ... Welch bittere Ironie liegt in unserer Gewohnheit, zwischen guten und schlechten Frauen zu unterscheiden ... Und was für eine bittere Lehre hat mir das Leben erteilt! Ein Jammer nur, daß wir unsere Lektionen erst dann erhalten, wenn sie uns nichts mehr nützen. Schweigt *sie*, muß *ich*'s erzählen. Oh, wie beschämend, wie beschämend! Es zu beichten bedeutet es noch einmal durchmachen. Zwei Tragödien: zuerst die Tat und dann die Worte. Vielleicht sind die Worte noch schlimmer. Worte sind erbarmungslos ... Oh! *(Zuckt zusammen, da Lord Windermere zur Tür hereinkommt)*

LORD WINDERMERE *(küßt sie)*. Margaret – wie blaß du aussiehst!

LADY WINDERMERE. Ich habe sehr schlecht geschlafen.

LORD WINDERMERE *(setzt sich zu ihr aufs Sofa)*. Das tut mir leid. Es wurde furchtbar spät, und ich wollte dich nicht aufwecken. Du weinst, mein Kind.

LADY WINDERMERE. Ja, ich weine, weil ich dir etwas sagen muß.

LORD WINDERMERE. Mein liebes Kind, dir ist nicht wohl. Du hast dich überanstrengt. Fahren wir aufs Land. In Selby wirst du dich erholen. Die Saison ist fast schon vorüber. Es hat keinen Zweck, in London zu bleiben. Du armes Liebes! Wenn es dir recht ist, fahren wir heute. *(Steht auf)* Wir können ohne weiteres den Zug um drei Uhr vierzig erreichen. Ich schicke Fannen ein Telegramm. *(Setzt sich an den Tisch und schreibt)*

LADY WINDERMERE. Ja, fahren wir schon heute ... Nein, heute geht es nicht, Arthur. Bevor ich London verlasse, muß ich mit jemandem sprechen. Es ist jemand, der sehr gütig zu mir war.

LORD WINDERMERE *(steht auf und beugt sich über das Sofa)*. Jemand, der sehr gütig zu dir war?

LADY WINDERMERE. Mehr als gütig. *(Steht auf und nähert sich ihm)* Ich werde es dir erzählen, Arthur, aber du mußt mich liebhaben – so wie du mich früher geliebt hast.

LORD WINDERMERE. Früher? Du denkst doch wohl nicht an die elende Person, die gestern abend bei uns war! *(Kommt ums Sofa herum und setzt sich rechts neben sie)* Bildest du dir noch immer ein ... Nein, das ist nicht möglich.

LADY WINDERMERE. Ich bilde mir nichts mehr ein. Ich weiß jetzt, daß es falsch und dumm von mir war.

LORD WINDERMERE. Es war lieb von dir, sie zu empfangen – aber du wirst sie nie mehr wiedersehen.

LADY WINDERMERE. Wie kommst du darauf? *(Pause)*

LORD WINDERMERE *(nimmt ihre Hand)*. Margaret, ich war der Meinung, Mrs. Erlynne sei eine Frau, an der mehr gesündigt wurde, als sie gesündigt hat – wie die Redensart lautet. Ich war der Meinung, daß es ihr aufrichtiger Wunsch sei, ein guter Mensch zu werden, sich eine Stellung zurückzuerobern, die sie durch einen Augenblick der Torheit verloren hatte, wieder ein anständiges Leben zu führen. Ich glaubte ihr aufs Wort – ich habe mich in ihr getäuscht. Sie ist ein schlechter Mensch – schlechter kann eine Frau nicht sein.

LADY WINDERMERE. Arthur, Arthur, sprich nicht so erbittert über eine Frau. Ich glaube nicht mehr, daß man die Menschen in gute und schlechte einteilen darf, als wären es zwei verschiedene Rassen oder Lebewesen. Die sogenannten guten, braven, anständigen Frauen sind zu manchem fähig – Launen, Unbesonnenheit, Geltungsdrang, Eifersucht, Sünde. Und schlechte Frauen – wie man sie nennt – sind edler Regungen fähig – Kummer, Reue, Mitleid, Opferwille. Ich halte Mrs. Erlynne nicht für eine schlechte Frau – ich weiß, daß sie nicht schlecht ist.

LORD WINDERMERE. Mein liebes Kind, die Frau ist unmöglich. Auch wenn sie noch so sehr versuchen sollte, uns zu schaden – du darfst sie nicht mehr wiedersehen. Sie ist nirgendwo akzeptabel.

LADY WINDERMERE. Aber ich wünsche sie wiederzusehen! Es ist mein Wunsch, sie einzuladen.

LORD WINDERMERE. Nie wieder.

LADY WINDERMERE. Einmal war sie als *dein* Gast bei uns. Jetzt wird sie *mein* Gast sein. Das ist nur gerecht.

LORD WINDERMERE. Sie hätte sich nie hierher wagen dürfen.

LADY WINDERMERE *(steht auf)*. Das sagst du zu spät, Arthur. *(Entfernt sich von ihm)*

LORD WINDERMERE *(steht auf)*. Margaret, wenn du wüßtest, wohin Mrs. Erlynne sich gestern nacht begeben hat, nachdem sie dieses Haus verlassen hatte – du würdest nicht eine Sekunde lang mit ihr im selben Zimmer sitzen wollen. Es war einfach schamlos – die ganze Angelegenheit.

LADY WINDERMERE. Arthur, ich halte es nicht länger aus. Ich muß es dir sagen. Gestern nacht ...

(Parker mit einem Tablett, auf dem Lady Windermeres Fächer und eine Visitenkarte liegen)

PARKER. Mrs. Erlynne ist erschienen, um der gnädigen Frau den Fächer zurückzubringen, den sie gestern nacht versehentlich mitgenommen hatte. Mrs. Erlynne hat ein paar Worte auf die Karte geschrieben.

LADY WINDERMERE. Sagen Sie Mrs. Erlynne, sie möchte so freundlich sein, heraufzukommen. *(Liest, was auf der Visitenkarte steht)* Sagen Sie ihr, es würde mich sehr freuen. *(Parker ab)* Sie wünscht mit mir zu sprechen, Arthur.

LORD WINDERMERE *(nimmt die Karte und betrachtet sie)*. Margaret, ich *bitte* dich, laß es sein. Laß auf jeden Fall zuerst mich mit ihr sprechen. Sie ist eine gefährliche Frau. Die gefährlichste Frau, die ich kenne. Du weißt nicht, was du tust.

LADY WINDERMERE. Es gehört sich, daß ich sie empfange.

LORD WINDERMERE. Mein Kind, du läufst Gefahr, dir und anderen viel Kummer zu bereiten. Fordere nicht das Schicksal heraus. Es ist unbedingt notwendig, daß ich zuerst mit ihr spreche.

LADY WINDERMERE. Warum sollte es notwendig sein?

PARKER *(tritt ein)*. Mrs. Erlynne.

(Mrs. Erlynne tritt ein. Parker ab)

MRS. ERLYNNE. Guten Tag, Lady Windermere. Guten Tag, Lord Windermere. Wissen Sie, Lady Windermere, Ihr Fächer – ich bitte tausendmal um Verzeihung! Ich begreife nicht, wie mir ein so törichtes Versehen passieren konnte. Sehr dumm von mir. Und da ich gerade in der Nähe war, wollte ich die Gelegenheit benützen, Ihnen persönlich Ihr Eigentum zurückzuerstatten – um Entschuldigung für meine Unachtsamkeit zu bitten – und mich zu verabschieden.

LADY WINDERMERE. Verabschieden? *(Geleitet Mrs. Erlynne zum Sofa. Beide setzen sich)* Beabsichtigen Sie zu verreisen, Mrs. Erlynne?

MRS. ERLYNNE. Ja. Ich werde mich wieder im Ausland niederlassen. Das englische Klima bekommt mir nicht. Es schadet meinem – Herzen, und das mag ich nicht. Ich lebe lieber im Süden. London ist mir zu neblig, und die Menschen sind mir – zu seriös, Lord Windermere. Ob der Nebel die seriösen Menschen erzeugt oder ob die seriösen Menschen den Nebel erzeugen, weiß ich nicht, aber alles miteinander geht mir auf die Nerven, deshalb setze ich mich heute nachmittag in den Zug nach Southampton.

LADY WINDERMERE. Heute nachmittag? Aber ich habe mir so sehr gewünscht, Sie zu besuchen.

MRS. ERLYNNE. Das ist lieb von Ihnen. Aber ich kann leider nicht bleiben.

LADY WINDERMERE. Werde ich Sie nie mehr wiedersehen, Mrs. Erlynne?

MRS. ERLYNNE. Ich fürchte, nein. Unsere Lebenswege sind zu weit voneinander entfernt. Aber ich möchte Sie um einen kleinen Gefallen bitten. Ich hätte gerne eine Fotografie von Ihnen, Lady Windermere – könnte ich eine bekommen? Sie wissen nicht, wie dankbar ich sein würde.

LADY WINDERMERE. Aber gerne. Es steht eine auf dem Tisch. Ich zeige sie Ihnen. *(Nähert sich dem Tisch)*

LORD WINDERMERE *(tritt an Mrs. Erlynne heran und sagt mit gedämpfter Stimme)*. Es ist ungeheuerlich, daß Sie sich uns aufdrängen – nach allem, was gestern nacht geschehen ist!

MRS. ERLYNNE *(mit einem belustigten Lächeln)*. Mein lieber Windermere, erst die Manieren, dann die Moral.

LADY WINDERMERE *(kehrt zurück)*. Ich fürchte, sie schmeichelt mir – so hübsch bin ich gar nicht. *(Zeigt ihr die Fotografie)*

MRS. ERLYNNE. Sie sind viel hübscher. Aber haben Sie nicht ein Bild, das Sie mit Ihrem kleinen Jungen zeigt?

LADY WINDERMERE. Doch, doch. Wäre es Ihnen lieber?

MRS. ERLYNNE. Ja.

LADY WINDERMERE. Ich hole es, wenn Sie mich einen Augenblick entschuldigen wollen. Ich habe eins oben liegen.

MRS. ERLYNNE. Verzeihen Sie, Lady Windermere, daß ich Ihnen soviel Mühe mache.

LADY WINDERMERE *(zur Tür rechts)*. Nicht der Rede wert, Mrs. Erlynne.

MRS. ERLYNNE. Vielen Dank. *(Lady Windermere rechts ab)* Sie scheinen heute schlecht gelaunt zu sein, Windermere. Warum? Margaret und ich vertragen uns ausgezeichnet.

LORD WINDERMERE. Ich finde es unerträglich, Sie mit ihr beisammen zu sehen. Außerdem haben Sie mir nicht die Wahrheit gesagt, Mrs. Erlynne.

MRS. ERLYNNE. Sie meinen, ich habe *ihr* nicht die Wahrheit gesagt.

LORD WINDERMERE *(stehend, in der Mitte).* Das bedaure ich zuweilen. Mir wären das Elend, die Ängste, der Ärger der letzten sechs Monate erspart geblieben. Nur damit meine Frau nicht erfährt, daß die Mutter, die sie für tot hält – man hat es ihr eingeredet –, daß die Mutter, die sie betrauert, am Leben ist – eine geschiedene Frau, die unter einem angenommenen Namen umherläuft, eine durch und durch schlechte Frau, eine gierige Schmarotzerin – ja, ich weiß jetzt, daß Sie nichts anderes sind! –, nur deshalb war ich bereit, Ihnen Geld zu geben, eine Rechnung nach der anderen zu bezahlen, eine Extravaganz nach der anderen zu dulden, einen Abend wie den gestrigen zu riskieren, den ersten Zank, den ich je mit meiner Frau gehabt habe. Sie verstehen nicht, was das für mich bedeutet. Wie könnten Sie es denn verstehen? Aber ich sage Ihnen, die einzigen bitteren Worte, die je über diese süßen Lippen kamen, wurden durch Sie verschuldet, und ich ertrage es nicht, Sie in ihrer Nähe zu sehen. Sie beschmutzen ihre Reinheit. *(Geht nach links Mitte)* Dabei habe ich mir eingebildet, daß Sie trotz all Ihren Fehlern ein aufrichtiger und ehrlicher Mensch seien. Sie sind es nicht.

MRS. ERLYNNE. Wie kommen Sie darauf?

LORD WINDERMERE. Sie haben mich bewogen, Ihnen eine Einladung zu dem Ballabend meiner Frau zu verschaffen.

MRS. ERLYNNE. Ja – zu dem Ballabend meiner Tochter.

LORD WINDERMERE. Binnen einer Stunde, nachdem Sie unser Haus verlassen hatten, wurden Sie in der Wohnung eines Mannes angetroffen. Sie haben sich vor aller Augen mit Schande bedeckt. *(Geht nach links)*

MRS. ERLYNNE. Ja.

LORD WINDERMERE *(dreht sich zu ihr um).* Deshalb bin ich berechtigt, Sie für den Menschen zu halten, der Sie sind – einen wertlosen, lasterhaften Menschen. Ich bin berechtigt, Ihnen für immer den Zutritt zu meinem Hause zu verbieten und jeden Versuch, sich meiner Frau zu nähern.

MRS. ERLYNNE *(kalt)*. Sie meinen, meiner Tochter.

LORD WINDERMERE. Sie haben kein Recht, Sie als Ihre Tochter zu beanspruchen. Sie haben sie preisgegeben, Sie haben sie verlassen, als sie noch in der Wiege lag – einem Liebhaber zuliebe, der Sie seinerseits verließ.

MRS. ERLYNNE *(steht auf)*. Rechnen Sie das *ihm* als ein Verdienst an, Lord Windermere – oder mir?

LORD WINDERMERE. Ihm – jetzt, da ich Sie durchschaut habe.

MRS. ERLYNNE. Nehmen Sie sich in acht. Sie sollten sich in acht nehmen.

LORD WINDERMERE. Ich werde nicht Ihretwegen meine Worte auf die Goldwaage legen. Ich kenne Sie durch und durch.

MRS. ERLYNNE *(sieht ihn fest an)*. Das bezweifle ich.

LORD WINDERMERE. Ja, ich kenne Sie. Zwanzig Jahre lang haben Sie Ihre Tochter nicht vermißt – zwanzig Jahre lang haben Sie keinen Gedanken an sie verschwendet. Eines Tages lasen Sie in der Zeitung, daß sie einen reichen Mann geheiratet hatte. Sogleich stürzten Sie sich auf die Gelegenheit, Ihr schmutziges Handwerk zu treiben. Sie wußten, ich würde mir alles gefallen lassen, um zu verheimlichen, daß eine Frau wie Sie ihre Mutter ist – um ihr diese beschämende Entdeckung zu ersparen. Sie begannen mich zu erpressen.

MRS. ERLYNNE *(zuckt die Achseln)*. Vermeiden Sie häßliche Worte, Windermere. Sie klingen vulgär. Freilich habe ich die Gelegenheit erkannt – und sie ergriffen.

LORD WINDERMERE. Ja – und sie gestern nacht zerstört, indem Sie sich ertappen ließen.

MRS. ERLYNNE *(mit einem wunderlichen Lächeln)*. Sie haben ganz recht – ich habe mir meine letzte Chance zerstört.

LORD WINDERMERE. Und Ihren Fauxpas, den Fächer meiner Frau mitzunehmen und ihn in Darlingtons Wohnung herumliegen zu lassen, finde ich vollends unverzeihlich. Ich kann seinen Anblick nicht mehr ertragen. Meine Frau darf ihn nie wieder benützen. In meinen Augen ist er besudelt. Sie hätten ihn behalten sollen, statt ihn zurückzubringen.

MRS. ERLYNNE. Ich glaube, ich werde ihn behalten. *(Geht nach hinten)* Er ist außerordentlich hübsch. *(Nimmt den Fächer zur Hand)* Ich werde Margaret bitten, ihn mir zu schenken.

LORD WINDERMERE. Hoffentlich wird meine Frau Ihnen den Fächer schenken.

MRS. ERLYNNE. Ach, ich bin sicher, sie wird nichts dagegen haben.

LORD WINDERMERE. Wollte Gott, sie würde Ihnen gleichzeitig eine Miniatur schenken, die sie jeden Abend küßt, bevor sie betet: das Porträt eines unschuldig aussehenden jungen Mädchens mit wunderschönem *schwarzem* Haar.

MRS. ERLYNNE. Ach ja, ich erinnere mich an diese Miniatur. Wie lange ist es her! *(Geht zum Sofa und setzt sich)* Sie wurde vor meiner Heirat gemalt. Schwarzes Haar und eine unschuldsvolle Miene waren damals Mode, Windermere.

(Pause)

LORD WINDERMERE. Was bedeutet Ihr Kommen? Was bezwecken Sie? *(Geht nach links und setzt sich)*

MRS. ERLYNNE *(mit einem Anflug von Ironie)*. Mich von meiner Tochter zu verabschieden – was denn sonst?

(Lord Windermere beißt sich wütend auf die Lippe. Mrs. Erlynne sieht ihn an. Ihr Ton und ihre Miene werden ernst. In ihrer Stimme liegt das Echo einer tiefen Tragik. Einen Augenblick lang verrät sie sich)

MRS. ERLYNNE *(fährt fort)*. Ach, bilden Sie sich ja nicht ein, daß ich die Absicht habe, eine rührende Szene zu veranstalten, ihr schluchzend um den Hals zu fallen und ihr zu gestehen, wer ich bin. Es ist nicht mein Ehrgeiz, die Rolle einer Mutter zu spielen. Nur einmal in meinem ganzen Leben habe ich mütterliche Gefühle verspürt. Gestern nacht. Es war furchtbar. Ich habe gelitten – ich habe zu sehr gelitten. Zwanzig Jahre lang habe ich, wie Sie sagten, kinderlos gelebt – ich will auch weiterhin kinderlos bleiben. *(Bemäntelt ihre Gefühle mit einem trivialen Lachen)* Außerdem, mein lieber Windermere – wie in aller Welt könnte ich als die Mutter einer erwachsenen Tochter dastehen? Margaret ist einundzwanzig Jahre alt, und ich habe nie zugegeben, älter zu sein als neunundzwanzig, höchstens dreißig. Sie sehen also, was für Schwierigkeiten sich ergeben würde. Nein, meinetwegen mag Ihre Frau das Andenken dieser verstorbenen, makellosen Mutter hätscheln. Warum sollte ich ihr ihre Illusionen rauben? Es fällt mir schwer genug, mir meine eigenen zu bewahren. Gestern nacht habe ich eine verloren. Ich glaubte, kein Herz zu haben. Das erwies sich als ein Irrtum – und Herz steht mir nicht, Windermere. Irgendwie paßt es nicht zu der heutigen Mode. Es macht alt. *(Nimmt einen Handspiegel vom Tisch und schaut hinein)* Und verpfuscht einem in kritischen Augenblicken die Karriere.

LORD WINDERMERE. Ich finde Sie abscheulich – einfach abscheulich.

MRS. ERLYNNE *(steht auf)*. Sie würden es wohl gerne sehen, Windermere, wenn ich Ihnen den Gefallen täte, mich in ein Kloster zurückzuziehen oder Krankenschwester zu werden – oder dergleichen –, wie das in albernen Romanen Sitte ist. Wie dumm von Ihnen, Arthur! So benehmen wir uns nicht im wirklichen Leben – jedenfalls nicht, solange wir noch halbwegs gut aussehen. Nein. Heutzutage tröstet uns nicht die Reue, sondern das Amüsement. Reue ist aus der Mode gekommen. Außerdem muß eine Frau, wenn sie aufrichtig bereut, bei einem schlechten Schneider arbeiten lassen, sonst glaubt es ihr kein Mensch. Und dazu könnte mich nichts auf der Welt bewegen. Nein. Ich verschwinde endgültig aus Ihrem und aus Margarets Leben. Daß ich mich aufgedrängt habe, war ein Mißgriff – das habe ich gestern nacht entdeckt.

LORD WINDERMERE. Ein verhängnisvoller Mißgriff.

MRS. ERLYNNE *(lächelnd)*. Beinahe verhängnisvoll.

LORD WINDERMERE. Jetzt tut es mir leid, daß ich meiner Frau nicht sofort die Wahrheit gesagt habe.

MRS. ERLYNNE. Ich bereue meine schlechten Handlungen – Sie bereuen Ihre guten. Das ist der Unterschied zwischen uns.

LORD WINDERMERE. Ich traue Ihnen nicht. Ich werde meiner Frau alles erzählen. Es ist besser, wenn sie es erfährt – durch mich. Es wird für sie unendlich schmerzhaft sein – sie wird sich furchtbar gedemütigt fühlen – aber sie soll es erfahren, das halte ich für richtig.

MRS. ERLYNNE. Sie sind entschlossen, ihr die Wahrheit zu sagen?

LORD WINDERMERE. Ja, ich bin dazu entschlossen.

MRS. ERLYNNE *(geht auf ihn zu)*. Wenn Sie Ihren Entschluß durchführen, Windermere, werde ich meinen Namen dermaßen in Verruf bringen, daß die Beschämung ihr jede Stunde des Lebens vergällt – sie zugrunde richtet, sie unglücklich macht. Wenn Sie es wagen, ihr die Wahrheit zu sagen, dann wird keine Erniedrigung zu tief sein, als daß ich nicht in sie versinken, keine Schande zu abgründig, als daß ich sie nicht auf mich herabbeschwören würde! Sie dürfen es ihr nicht sagen – ich verbiete es Ihnen.

LORD WINDERMERE. Warum?

MRS. ERLYNNE *(nach einer Pause)*. Wenn ich behauptete, daß ich sie gern habe, sie vielleicht sogar liebe – dann würden Sie höhnisch lachen, nicht wahr?

LORD WINDERMERE. Ich würde das Gefühl haben, daß es nicht wahr sein könne. Mutterliebe bedeutet – Hingabe, Selbstlosigkeit, Opferwillen. Was wissen denn Sie davon?

MRS. ERLYNNE. Sie haben recht. Was weiß denn ich davon? Sprechen wir nicht mehr darüber. Meiner Tochter zu sagen, wer ich bin – das lasse ich nicht zu! Es ist mein Geheimnis, nicht das Ihre. Sollte *ich* mich entschließen, es ihr zu sagen – und ich glaube, daß ich mich dazu entschließen werde –, dann erfährt sie es, bevor ich das Haus verlasse – andernfalls nie.

LORD WINDERMERE *(wütend)*. Dann ersuche ich Sie, unser Haus sofort zu verlassen. Ich werde Sie bei Margaret entschuldigen.

(Lady Windermere von rechts. Mit der Fotografie in der Hand geht sie auf Mrs. Erlynne zu. Lord Windermere zieht sich hinters Sofa zurück und beobachtet ängstlich Mrs. Erlynne, während sie sich mit Lady Windermere unterhält)

LADY WINDERMERE. Verzeihen Sie, Mrs. Erlynne, daß ich Sie habe warten lassen. Ich konnte die Fotografie nicht gleich finden. Schließlich entdeckte ich sie im Ankleidezimmer meines Mannes – er hatte sie gestohlen.

MRS. ERLYNNE *(nimmt die Fotografie und betrachtet sie)*. Das wundert mich nicht – sie ist bezaubernd. *(Beide gehen zum Sofa und setzen sich. Wieder betrachtet Mrs. Erlynne die Fotografie)* Das also ist Ihr kleiner Junge! Wie heißt er?

LADY WINDERMERE. Gerard – nach meinem lieben Vater.

MRS. ERLYNNE *(legt die Fotografie weg)*. Tatsächlich?

LADY WINDERMERE. Ja. Wenn es ein Mädchen gewesen wäre,

hätte ich sie nach meiner Mutter genannt. Meine Mutter hieß so wie ich – Margaret.

MRS. ERLYNNE. Auch ich heiße Margaret.

LADY WINDERMERE. Nein, tatsächlich?

MRS. ERLYNNE. Ja. *(Pause)* Wie Ihr Mann mir erzählt hat, ehren Sie das Andenken Ihrer Mutter, Lady Windermere.

LADY WINDERMERE. Alle haben wir unsere Ideale. Wenigstens sollten wir sie haben. Mein Ideal ist meine Mutter.

MRS. ERLYNNE. Ideale sind gefährlich. Wirklichkeiten sind besser. Sie tun oft weh, aber sie sind besser.

LADY WINDERMERE *(schüttelt den Kopf)*. Sollte ich je meine Ideale verlieren – dann wäre alles verloren.

MRS. ERLYNNE. Alles?

LADY WINDERMERE. Ja. *(Pause)*

MRS. ERLYNNE. Hat Ihr Vater oft mit Ihnen über Ihre Mutter gesprochen?

LADY WINDERMERE. Nein. Es war ihm zu schmerzlich. Er erzählte mir, meine Mutter sei einige wenige Monate nach meiner Geburt gestorben. Er hatte Tränen in den Augen. Dann bat er mich, nie wieder ihren Namen zu erwähnen. Ihn nur zu hören, tue ihm weh. Mein Vater – mein Vater ist eigentlich an gebrochenem Herzen gestorben. Sein Leben war zerstört.

MRS. ERLYNNE *(steht auf)*. Jetzt muß ich leider gehen, Lady Windermere.

LADY WINDERMERE *(steht auf)*. Ach nein, bleiben Sie noch.

MRS. ERLYNNE. Ich will lieber gehen. Mein Wagen muß inzwischen zurückgekehrt sein. Ich habe den Kutscher mit ein paar Zeilen zu Lady Jetburgh geschickt.

LADY WINDERMERE. Arthur, würdest du so lieb sein und nachsehen, ob Mrs. Erlynnes Wagen zurückgekehrt ist?

MRS. ERLYNNE. Bitte, bemühen Sie sich nicht, Lord Windermere.

LADY WINDERMERE. Doch, Arthur, bitte, sieh nach.

(Lord Windermere zögert eine Weile und schaut Mrs. Erlynne an. Sie verzieht keine Miene. Er verläßt das Zimmer)

LADY WINDERMERE *(zu Mrs. Erlynne)*. Oh – was soll ich Ihnen sagen! Sie haben mich gerettet.

MRS. ERLYNNE. Still – kein Wort mehr darüber.

LADY WINDERMERE. Ich kann nicht schweigen. Ich kann Sie nicht bei dem Glauben lassen, daß ich Ihr Opfer akzeptiere. Nein. Es ist zu groß. Ich werde meinem Mann alles erzählen. Dazu bin ich verpflichtet.

MRS. ERLYNNE. Sie sind *nicht* dazu verpflichtet. Auf jeden Fall haben Sie auch noch anderen gegenüber Verpflichtungen. Sie behaupten, mir Dank schuldig zu sein.

LADY WINDERMERE. Ich verdanke Ihnen alles.

MRS. ERLYNNE. Dann bezahlen Sie Ihre Dankesschuld mit Ihrem Schweigen. Nur so kann sie beglichen werden. Vereiteln Sie nicht die einzige gute Tat meines Lebens dadurch, daß Sie erzählen, was ich getan habe. Versprechen Sie mir, das Geheimnis zu wahren. Niemand darf erfahren, was sich gestern nacht ereignet hat. Sie dürfen Ihrem Mann keinen Kummer bereiten. Warum seine Liebe gefährden? Nein! Es ist so leicht, eine Liebe auszulöschen – oh, wie leicht ist sie auszulöschen! Geben Sie mir Ihr Wort, Lady Windermere, daß Sie es ihm nie erzählen werden. Ich bestehe darauf.

LADY WINDERMERE *(mit gesenktem Kopf)*. Es ist Ihr Wille – nicht der meine.

MRS. ERLYNNE. Ja, es ist mein Wille. Und vergessen Sie nie Ihr Kind. In meinen Gedanken sollen Sie stets eine Mutter sein. Sie selber sollen sich als Mutter fühlen.

LADY WINDERMERE *(blickt auf)*. Von nun an – immer ... Nur einmal im Leben habe ich *meine* Mutter vergessen. Gestern nacht. Wenn ich an sie gedacht hätte, wäre ich nicht so dumm gewesen, so schlecht.

MRS. ERLYNNE *(mit einem leichten Schauder)*. Still – diese Nacht ist vorbei.

(Lord Windermere kehrt zurück)

LORD WINDERMERE. Ihr Wagen ist noch nicht vorgefahren, Mrs. Erlynne.

MRS. ERLYNNE. Das spielt keine Rolle. Ich nehme eine Droschke. Nichts in der Welt ist respektabler als ein Fiaker der soliden Firma Shrewsbury und Talbot. Und jetzt, liebe Lady Windermere, heißt es leider wirklich Abschied nehmen. *(Zur Mitte)* Ach, da fällt mir etwas ein. Sie werden es lächerlich finden, aber wissen Sie, ich habe mich in den Fächer verliebt, den ich gestern dummerweise aus Versehen mitgenommen hatte. Jetzt frage ich Sie: Würden Sie bereit sein, ihn mir zu schenken? Lord Windermere hat nichts dagegen. Ich weiß, daß der Fächer sein Präsent ist.

LADY WINDERMERE. Oh, selbstverständlich – wenn es Ihnen Freude macht. Aber es steht mein Name drauf. Margaret.

MRS. ERLYNNE. Wir haben doch den gleichen Vornamen.

LADY WINDERMERE. Ach, das hatte ich vergessen. Natürlich! Hier, nehmen Sie ihn! Was für ein glücklicher Zufall, daß wir den gleichen Vornamen haben.

MRS. ERLYNNE. Recht glücklich. Danke – er wird mich immer an Sie erinnern. *(Reicht ihr die Hand)*

(Parker tritt auf)

PARKER. Lord Augustus Lorton ... Mrs. Erlynnes Wagen ist vorgefahren.

(Lord Augustus tritt auf. Parker ab)

LORD AUGUSTUS. Guten Morgen, mein Junge. Guten Morgen, Lady Windermere. *(Erblickt Mrs. Erlynne)* Mrs. Erlynne!

MRS. ERLYNNE. Wie geht es Ihnen heute, Lord Augustus? Gut?

LORD AUGUSTUS *(kalt)*. Recht gut, danke, Mrs. Erlynne.

MRS. ERLYNNE. Sie sehen aber gar nicht wohl aus, Lord Augustus. Sie bleiben zu lange auf – das ist so schädlich für Sie. Sie sollten wirklich mehr auf Ihre Gesundheit achten ... Leben Sie wohl, Lord Windermere. *(Verneigt sich vor Lord Augustus und geht zur Tür, lächelt plötzlich, schaut sich nach ihm um)* Lord Augustus! Möchten Sie mich nicht zu meinem Wagen begleiten? Sie könnten mir den Fächer tragen.

LORD WINDERMERE. Gestatten Sie ...

MRS. ERLYNNE. Nein – ich lege Wert darauf, daß Lord Augustus mich begleitet. Ich habe der lieben Herzogin etwas ganz Besonderes mitzuteilen. Tragen Sie mir den Fächer, Lord Augustus?

LORD AUGUSTUS. Wenn Sie es wirklich wünschen, Mrs. Erlynne ...

MRS. ERLYNNE *(lachend)*. Natürlich wünsche ich es. Sie tragen ihn so überaus liebenswürdig. So wie Sie alles – ertragen, Lord Augustus: liebenswürdig. *(An der Tür bleibt sie stehen und dreht sich zu Lady Windermere um. Ihre Blicke begegnen einander. Dann macht sie kehrt und geht durch die Mitte ab. Lord Augustus folgt ihr)*

LADY WINDERMERE. Du wirst nie wieder etwas gegen Mrs. Erlynne sagen, Arthur – nicht wahr?

LORD WINDERMERE *(ernst)*. Sie ist besser als ihr Ruf.

LADY WINDERMERE. Sie ist ein besserer Mensch als ich.

LORD WINDERMERE *(streichelt lächelnd ihr Haar)*. Mein Kind, du und sie – ihr gehört verschiedenen Welten an. Zu deiner Welt hat das Böse keinen Zutritt.

LADY WINDERMERE. Sag das nicht, Arthur. Wir leben alle in ein und derselben Welt. Gut und Böse, Sünde und Unschuld gehen in ihr Hand in Hand. Vor dem halben Leben die Augen zu verschließen, nur damit man sich geborgen fühlt – das ist nicht anders, als würde man sich die Augen ausreißen, nur um beruhigter durch eine Landschaft der Abgründe und Schründe zu wandern.

LORD WINDERMERE *(kommt mit ihr nach vorne)*. Liebling, wie kommst du auf solche Gedanken?

LADY WINDERMERE *(setzt sich aufs Sofa)*. Weil ich meine Augen vor dem Leben verschlossen habe und an den Rand des Abgrunds geraten bin. Und jemand, der uns getrennt hatte ...

LORD WINDERMERE. Wir waren nie getrennt.

LADY WINDERMERE. Es darf nie wieder geschehen. Ach, Arthur, hab mich nicht weniger lieb, und ich werde dir mehr vertrauen. Ich werde dir restlos vertrauen. Fahren wir nach Selby. Im Rosengarten von Selby sind die Rosen weiß und rot.

(Lord Augustus tritt durch die Mitte auf)

LORD AUGUSTUS. Arthur, sie hat mir alles erklärt!

(Lady Windermere erschrickt maßlos. Lord Windermere zuckt zusammen. Lord Augustus nimmt Windermere beim Arm und führt ihn nach vorne. Er redet schnell und leise auf ihn ein. Lady Windermere beobachtet die beiden entsetzt)

LORD AUGUSTUS *(fährt fort)*. Mein lieber Freund, sie hat mir alles bis ins letzte verdeibelte Detail erklärt. Wir haben ihr enorm unrecht getan. Ausschließlich meinetwegen ist sie in Darlingtons Wohnung gewesen. Zuerst hat sie im Klub nach mir gefragt – de facto wollte sie mich von der schrecklichen Spannung befreien –, und als man ihr dort sagte, ich sei schon weg, da ist sie mir gefolgt – ist natürlicherweise erschrocken, als sie eine Menge Leute kommen hörte – hat sich in einem Nebenzimmer versteckt – ich kann dir versichern, die ganze Geschichte ist für mich äußerst befriedigend. Wir haben uns flegelhaft benommen. Sie ist die richtige Frau für mich. Paßt mir wie angemessen. Sie stellt eine einzige Bedingung – daß wir uns im Ausland niederlassen. Und das soll mir nur recht sein. Verdeibelte Klubs, verdeibeltes Klima, verdeibelte Köche, alles verdeibelt. Hängt mir zum Halse heraus!

LADY WINDERMERE *(ängstlich)*. Hat Mrs. Erlynne ...

LORD AUGUSTUS *(geht mit einer tiefen Verbeugung auf sie zu)*. Ja, Lady Windermere – Mrs. Erlynne hat mir die Ehre erwiesen, meinen Antrag anzunehmen.

LORD WINDERMERE. Also, du heiratest jedenfalls eine sehr gescheite Frau.

LADY WINDERMERE *(nimmt die Hand ihres Mannes)*. Ah – Sie heiraten eine sehr brave Frau!

Vorhang

Eine Frau ohne Bedeutung

Personen

Lord Illingworth
Sir John Pontefract
Lord Alfred Rufford
Mr. Kelvil, Mitglied des Parlaments
Seine Hochwürden, der Erzdiakon Daubeny, Dr. theol.
Gerald Arbuthnot
Farquhar, Butler
Francis, Lakai
Lady Hunstanton
Lady Caroline Pontefract
Lady Stutfield
Mrs. Allonby
Miß Hester Worsley
Alice, Kammerzofe
Mrs. Arbuthnot

Die Handlung verläuft innerhalb von vierundzwanzig Stunden.
Zeit: Um das Jahr 1892.

Uraufführung: 19. April 1893 im Theatre Royal am Haymarket in London

Erster Akt

Rasenplatz vor der Terrasse des Landsitzes Hunstanton Chase. Sir John und Lady Caroline Pontefract und Miß Worsley sitzen auf Gartenstühlen unter einer hohen Eibe.

LADY CAROLINE. Ich glaube, Sie befinden sich zum erstenmal auf einem englischen Landsitz, Miß Worsley?

HESTER. Ja, Lady Caroline.

LADY CAROLINE. Ich habe mir sagen lassen, daß es in Amerika gar keine Landgüter gibt.

HESTER. Nicht sehr viele.

LADY CAROLINE. Habt ihr dort überhaupt Land? Das, was wir – Land nennen würden?

HESTER *(lächelnd)*. Unser Land ist das größte auf Gottes Erdboden, Lady Caroline. In der Schule wurde uns gesagt, daß einige unserer Staaten so groß sind wie Frankreich und England zusammengenommen.

LADY CAROLINE. Ach, ich kann mir vorstellen, daß es bei euch recht windig sein muß. *(Zu Sir John)* John, du solltest deinen Schal umhaben. Was hat es für einen Zweck, daß ich dir immerzu Schals stricke, wenn du sie nicht trägst!

SIR JOHN. Mir ist recht warm, Caroline, glaube es mir.

LADY CAROLINE. Ich glaube es dir nicht, John ... Nun ja, Miß Worsley, Sie hätten sich kaum einen hübscheren Ort aussuchen können – obwohl das Haus äußerst feucht ist – unverzeihlich feucht – und die liebe Lady Huntington bei der Auswahl ihrer Gäste zuweilen etwas lax verfährt. *(Zu Sir John)* Jane hatte eine allzu große Vorliebe für gemischte Gesellschaft. Lord Illingworth allerdings ist ein hochangesehener Mann. Ihm zu begegnen ist eine besondere Ehre. Und dieser Abgeordnete, Mr. Kettle ...

SIR JOHN. Kelvil, meine Liebe, Kelvil.

LADY CAROLINE. Er muß recht respektabel sein. Noch nie im Leben hat man seinen Namen gehört, und das spricht Bände – heutzutage. Mrs. Allonby aber ist wohl kaum ein sehr passender Umgang.

HESTER. Mrs. Allonby gefällt mir nicht. Sie mißfällt mir mehr, als ich sagen kann.

LADY CAROLINE. Ich bin nicht sicher, Miß Worsley, ob Ausländer sich erlauben sollten, die Personen, denen man sie vorstellt, sympathisch oder unsympathisch zu finden. Mrs. Allonby ist von sehr guter Herkunft. Sie ist eine Nichte Lord Brancasters. Freilich heißt es, sie sei vor ihrer Heirat zweimal durchgebrannt. Aber man weiß ja, wie ungerecht die Leute oft sind. Ich persönlich glaube nicht, daß sie mehr als einmal durchgebrannt ist.

HESTER. Mr. Arbuthnot ist reizend.

LADY CAROLINE. Ach ja – der junge Bankbeamte. Es ist sehr lieb von Lady Hunstanton, ihn einzuladen, und Lord Illingworth scheint ihn ins Herz geschlossen zu haben. Ich bin aber nicht sicher, daß Jane recht daran tut, ihn über seinen gesellschaftlichen Rang hinauszuheben. In meiner Jugend, Miß Worsley, ist man in der guten Gesellschaft nie einem Menschen begegnet, der sich sein Brot mit Arbeit verdienen mußte. Es galt nicht als comme-il-faut.

HESTER. In Amerika sind das die Leute, vor denen wir die größte Achtung haben.

LADY CAROLINE. Das bezweifle ich nicht.

HESTER. Mr. Arbuthnot hat einen wunderbaren Charakter! So schlicht – so aufrichtig. Einem so wunderbaren Charakter bin ich kaum je begegnet. *Ihn* zu kennen ist eine Ehre.

LADY CAROLINE. In England ist es nicht üblich, Miß Worsley, daß eine junge Dame sich so begeistert über eine Person des anderen Geschlechts äußert. Wir Engländerinnen verheimlichen unsere Gefühle bis nach der Hochzeit. Dann erst zeigen wir sie.

HESTER. Ist in England keine freundschaftliche Beziehung zwischen einem jungen Mann und einem jungen Mädchen erlaubt?

(Lady Hunstanton tritt auf. Ihr folgt ein Lakai mit Schals und einem Kissen)

LADY CAROLINE. Nicht sehr ratsam ...! Jane, ich habe soeben erwähnt, was für nette Gäste du zusammen mit uns eingeladen hast. Du verstehst es großartig, die richtige Auswahl zu treffen. Das ist geradezu eine Begabung.

LADY HUNSTANTON. Liebe Caroline, wie lieb von dir! Ich glaube, wir passen alle recht gut zueinander. Und ich hoffe, unsere reizende amerikanische Besucherin wird angenehme Erinnerungen an unser englisches Landleben in ihre Heimat mitnehmen. *(Zu dem Lakaien)* Das Kissen dorthin, Francis. Und meinen Schal. Den Shetland. Holen Sie mir den Shetland.

(Lakai ab. Gerald Arbuthnot tritt auf)

GERALD. Lady Hunstanton, ich habe Ihnen etwas so Erfreuliches zu berichten. Lord Illingworth hat mir angeboten, sein Sekretär zu werden.

LADY HUNSTANTON. Sein Sekretär? Das ist wirklich eine erfreuliche Nachricht, Gerald. Es steht Ihnen eine strahlende Zukunft bevor. Ihre liebe Mutter wird sich freuen. Ich muß sie dazu bewegen, heute abend hierherzukommen. Glauben Sie, daß sie kommt, Gerald? Ich weiß, wie schwierig es ist, sie aus dem Hause zu locken.

GERALD. Oh, ich bin sicher, sie würde kommen, wenn sie wüßte, was für ein Angebot Lord Illingworth mir gemacht hat.

(Der Lakai mit dem Schal)

LADY HUNSTANTON. Ich schreibe ihr ein paar Zeilen und bitte sie, zu uns zu kommen, um ihn kennenzulernen. *(Zu dem Lakaien)* Warten Sie einen Augenblick, Francis. *(Schreibt einen Brief)*

LADY CAROLINE. Wunderbare Aussichten für einen so jungen Mann wie Sie, Mr. Arbuthnot!

GERALD. Ja, gewiß, Lady Caroline. Hoffentlich wird sich zeigen, daß ich ihrer würdig bin.

LADY CAROLINE. Hoffentlich.

GERALD *(zu Hester). Sie* haben mir noch nicht gratuliert, Miß Worsley.

HESTER. Freuen Sie sich sehr?

GERALD. Selbstverständlich. Für mich bedeutet es alles. Was ich bisher nicht erhoffen durfte, rückt jetzt vielleicht in den Bereich des Möglichen.

HESTER. Nichts ist unmöglich – und das Leben eine einzige Hoffnung.

LADY HUNSTANTON. Ich nehme an, daß Lord Illingworth an eine diplomatische Laufbahn denkt. Wie ich gehört habe, hat man ihm Wien offeriert. Aber das braucht nicht zu stimmen.

LADY CAROLINE. Ich bin nicht dafür, England im Ausland durch Junggesellen vertreten zu lassen, Jane. Das kann zu Komplikationen führen.

LADY HUNSTANTON. Du bist zu ängstlich, Caroline. Glaube mir, du bist zu ängstlich. Außerdem wird er vielleicht jeden Augenblick heiraten. Ich hatte gehofft, er würde sich mit Lady Kelso verheiraten. Aber ich glaube, er hat gesagt, daß ihm ihre Familie zu groß ist. Oder waren es ihre Füße? Ich habe es vergessen. Sehr bedauerlich! Sie ist wie geschaffen dazu, die Gattin eines Botschafters zu sein.

LADY CAROLINE. Sie hat jedenfalls die wunderbare Gabe, sich die Namen der Leute zu merken und ihre Gesichter zu vergessen.

LADY HUNSTANTON. Na, das ist doch ganz natürlich, Caroline, meinst du nicht? *(Zu dem Lakaien)* Henry soll auf eine Antwort warten ... Ich habe Ihrer lieben Mutter, Gerald, ein paar Zeilen geschrieben, ihr die gute Neuigkeit mitgeteilt und sie gebeten, unbedingt bei uns zu essen. *(Der Lakai ab)*

GERALD. Das ist furchtbar lieb von Ihnen, Lady Hunstanton. *(Zu Hester)* Wollen wir ein bißchen spazierengehen, Miß Worsley?

HESTER. Mit Vergnügen. *(Ab mit Gerald)*

LADY HUNSTANTON. Es ist mir eine tiefe Befriedigung, daß Gerald Arbuthnot so viel Glück hat. Ich betrachte ihn gewissermaßen als meinen Protegé. Und ganz besonders freut es mich, daß Lord Illingworth ihm das Angebot aus freien Stücken gemacht hat – ohne daß ich es vorgeschlagen hätte. Niemand läßt sich gerne um einen Gefallen bitten. Ich erinnere mich, wie die arme Charlotte Padgen sich eine ganze Saison lang unbeliebt gemacht hat, weil sie aller Welt ihre französische Gouvernante empfehlen wollte.

LADY CAROLINE. Ich habe die Gouvernante gesehen, Jane. Lady Padgen hatte sie zu mir geschickt. Das war vor Eleanors Debüt. Sie ist viel zu hübsch, um in einen achtbaren Haushalt aufgenommen zu werden. Es wundert mich nicht, daß Lady Padgen sie um jeden Preis loswerden wollte.

LADY HUNSTANTON. Aha – das erklärt alles.

LADY CAROLINE. John, das Gras ist zu feucht für dich. Geh lieber sofort und zieh dir die Überschuhe an.

SIR JOHN. Ich fühle mich durchaus wohl, Caroline, glaube es mir.

LADY CAROLINE. Das zu beurteilen mußt du mir überlassen, John. Bitte, tu, was ich sage.

(Sir John erhebt sich und geht ab)

LADY HUNSTANTON. Du verhätschelst ihn, Caroline – wirklich!

(Mrs. Allonby und Lady Stutfield treten auf)

LADY HUNSTANTON *(zu Mrs. Allonby)*. Nun, meine Liebe, ich hoffe, daß Ihnen der Park gefällt. Der Baumbestand gilt als sehr schön.

MRS. ALLONBY. Die Bäume sind prachtvoll, Lady Hunstanton.

LADY STUTFIELD. Ganz, ganz prachtvoll.

MRS. ALLONBY. Irgendwie aber habe ich das sichere Gefühl, wenn ich ein halbes Jahr lang auf dem Lande lebte, würde ich so brav und bieder werden, daß kein Mensch mehr auch nur die geringste Notiz von mir nimmt.

LADY HUNSTANTON. Glauben Sie mir, meine Liebe, Sie tun dem Landleben unrecht. Zum Beispiel ist Lady Belton mit Lord Fethersdale aus Melthorpe durchgebrannt – und Melthorpe liegt nur zwei Meilen von hier entfernt. Ich erinnere mich ganz genau an den Vorfall. Der arme Lord Belton starb drei Tage später – ob vor Freude oder an der Gicht, habe ich vergessen. Wir hatten damals das Haus voller Gäste, deshalb waren wir alle sehr an der Affäre interessiert.

MRS. ALLONBY. Ich finde es feige durchzubrennen. Das heißt vor der Gefahr davonlaufen. Und im heutigen Leben sind Gefahren so selten geworden.

LADY CAROLINE. Soweit ich es beurteilen kann, kennen die jungen Frauen von heute nur einen Lebenszweck – ständig mit dem Feuer zu spielen.

MRS. ALLONBY. Mit dem Feuer zu spielen hat einen Vorteil, Lady Caroline – man verbrennt sich dabei nicht einmal die Finger. Nur wer *nicht* mit ihm zu spielen versteht, brennt lichterloh.

LADY STUTFIELD. Ja, das leuchtet mir ein. Ein sehr, sehr nützlicher Hinweis.

LADY HUNSTANTON. Ich weiß nicht, wie die Welt mit solch einer Theorie zurechtkommen sollte, liebe Mrs. Allonby.

LADY STUTFIELD. Ach, die Welt ist für die Männer geschaffen, nicht für die Frauen.

MRS. ALLONBY. Sagen Sie das nicht, Lady Stutfield. Wir haben es viel amüsanter als die Männer. Uns ist weit mehr verboten als ihnen.

LADY STUTFIELD. Ja, das ist sehr, sehr wahr. Daran hatte ich gar nicht gedacht.

(Sir John und Mr. Kelvil treten auf)

LADY HUNSTANTON. Nun, Mr. Kelvil, haben Sie Ihr Tagespensum bewältigt?

KELVIL. Ich bin mit meinen Schreibereien fertig, Lady Hunstanton. Es war eine Plage. Heutzutage sind die Anforderungen, die an einen Mann der Öffentlichkeit gestellt werden, sehr groß, wirklich sehr groß. Und ich glaube nicht, daß man es gebührend zu schätzen weiß.

LADY CAROLINE. John, hast du deine Überschuhe angezogen?

SIR JOHN. Ja, meine Liebe.

LADY CAROLINE. Komm lieber hierher, John, hier bist du geschützter.

SIR JOHN. Ich habe es sehr bequem.

LADY CAROLINE. Das glaube ich nicht, John. Setz dich lieber zu mir. *(Sir John steht auf und begibt sich zu ihr)*

LADY STUTFIELD. Und welches Thema haben Sie heute früh behandelt, Mr. Kelvil?

KELVIL. Das gewohnte, Lady Stutfield. Die Reinheit der Sitten.

LADY STUTFIELD. Über dieses Thema zu schreiben muß sehr, sehr interessant sein.

KELVIL. Es ist heutzutage für unser Volk wirklich das einzige bedeutsame Thema, Lady Stutfield. Ich beabsichtige, noch bevor das Parlament zusammentritt, diese Frage meinen Wählern zu unterbreiten. Ich finde, daß die ärmeren Klassen unseres Landes eine ausgeprägte Sehnsucht nach höheren ethischen Maßstäben an den Tag legen.

LADY STUTFIELD. Das ist aber sehr, sehr nett von ihnen.

LADY CAROLINE. Sind Sie dafür, daß Frauen sich an der politischen Tätigkeit beteiligen, Mr. Kettle?

SIR JOHN. Kelvil, meine Liebe, Kelvil.

KELVIL. Nichts ist ermutigender als der Einfluß des weiblichen Geschlechts auf die Politik. Frauen verfechten stets die Sache der Moral – der öffentlichen und der privaten Moral.

LADY STUTFIELD. Das zu hören ist sehr, sehr erfreulich.

LADY HUNSTANTON. Ach ja – die moralischen Qualitäten der Frauen – sie sind das Allerwichtigste. Ich fürchte, Caroline, daß Lord Illingworth diese Qualitäten nicht gebührend zu würdigen weiß.

(Lord Illingworth tritt auf)

LADY STUTFIELD. Die Welt behauptet, daß Lord Illingworth ein sehr, sehr großer Sünder sei.

LORD ILLINGWORTH. Welche Welt behauptet es, Lady Stutfield? Es muß die Nachwelt sein. Diese Welt und ich stehen auf bestem Fuß miteinander.

(Setzt sich zu Mrs. Allonby)

LADY STUTFIELD. Alle Leute, die *ich* kenne, halten Sie für einen sehr, sehr großen Sünder.

LORD ILLINGWORTH. Es ist einfach ungeheuerlich, wie die Leute einem heutzutage hinter dem Rücken Dinge nachsagen, die absolut und völlig wahr sind.

LADY HUNSTANTON. Unser lieber Lord Illingworth ist ein hoffnungsloser Fall, Lady Stutfield. Ich habe es aufgegeben, ihn bessern zu wollen. Dazu wäre eine öffentliche Körperschaft mit einem Aufsichtsrat und einem bezahlten Sekretär erforderlich. Aber den Sekretär haben Sie schon, nicht wahr, Lord Illingworth? Gerald Arbuthnot hat uns von seinem Glück erzählt. Es ist wirklich sehr gütig von Ihnen.

LORD ILLINGWORTH. Ach, sagen Sie das nicht, Lady Hunstanton. Gütig ist ein schreckliches Wort. Arbuthnot hat mir vom ersten Augenblick an gefallen, und er wird mir von erheblichem Nutzen sein bei einem Unternehmen, das ich mir dummerweise vorgenommen habe.

LADY HUNSTANTON. Er ist ein vortrefflicher junger Mann. Und mit seiner Mutter bin ich aufs engste befreundet. Er geht grade mit unserer hübschen Amerikanerin spazieren. Sie ist sehr hübsch, finden Sie nicht auch?

LADY CAROLINE. Viel zu hübsch. Diese jungen Amerikanerinnen schnappen uns alle guten Partien vor der Nase weg. Warum bleiben sie nicht in ihrem eigenen Land? Immerzu erzählen sie uns, es sei das Paradies der Frauen.

LORD ILLINGWORTH. Und mit Recht, Lady Caroline. Deshalb

sind sie wie unsere Urmutter Eva so versessen darauf, ihm den Rücken zu kehren.

LADY CAROLINE. Wer sind Miß Worsleys Eltern?

LORD ILLINGWORTH. Die Amerikanerinnen verstehen es ausgezeichnet, ihre Herkunft zu vertuschen.

LADY HUNSTANTON. Mein lieber Lord Illingworth, was soll das heißen? Miß Worsley, Caroline, ist eine Waise. Ihr Vater war ein steinreicher Millionär oder Philanthrop oder, wie ich glaube, beides. Er hat meinen Sohn, als er Boston besuchte, sehr gastfreundlich aufgenommen. Ich weiß nicht, womit er ursprünglich sein Geld verdient hat.

KELVIL. Wahrscheinlich mit amerikanischen Lederwaren.

LADY HUNSTANTON. Was sind denn das für Lederwaren?

LORD ILLINGWORTH. Romane.

LADY HUNSTANTON. Wie eigentümlich ...! Also, egal, aus welchen Quellen ihr großes Vermögen herrühren mag – ich schätze sie sehr. Sie kleidet sich vorzüglich. Alle Amerikanerinnen kleiden sich gut. Sie kaufen ihre Kleider in Paris.

MRS. ALLONBY. Es heißt, Lady Hunstanton, wenn brave Amerikaner sterben, kommen sie nach Paris.

LADY HUNSTANTON. Tatsächlich? Und wo kommen die bösen hin, wenn sie sterben?

LORD ILLINGWORTH. Nach Amerika.

KELVIL. Ich fürchte, Sie wissen Amerika nicht zu schätzen, Lord Illingworth. Es ist ein bemerkenswertes Land – vor allem ein junges Land.

LORD ILLINGWORTH. Die Jugendlichkeit Amerikas ist seine älteste Tradition. Dreihundert Jahre alt. Wenn man sie reden hört, könnte man sich einbilden, sie hätten ihre erste Kindheit noch nicht hinter sich. In kultureller Beziehung haben sie schon die zweite erreicht.

KELVIL. Zweifellos herrscht sehr viel Korruption in der amerikanischen Politik. Vermutlich ist es dieser Aspekt, auf den Sie anspielen.

LORD ILLINGWORTH. Das möchte ich selber gern wissen.

LADY HUNSTANTON. Ich habe mir sagen lassen, daß es überall recht traurig um die Politik bestellt ist. In England ganz bestimmt. Der gute Cardew richtet das Land zugrunde. Mich wundert, daß Mrs. Cardew es zuläßt. Sie werden doch wohl nicht dafür sein, Lord Illingworth, der ungebildeten Masse das Wahlrecht zu gewähren.

LORD ILLINGWORTH. Meiner Meinung nach nur ihr und niemand anderem.

KELVIL. Nehmen Sie also gar keine Stellung zu den Fragen der heutigen Politik, Lord Illingworth?

LORD ILLINGWORTH. Man sollte überhaupt nie und nirgends Stellung nehmen, Mr. Kelvil. Mit der Stellungnahme fängt die Aufrichtigkeit an – auf die Aufrichtigkeit folgt der tierische Ernst – und man geht seinen Mitmenschen auf die Nerven. Eigentlich aber richtet das Unterhaus nur geringen Schaden an. Man kann die Menschen nicht durch Gesetze besser machen, als sie sind – und das ist immerhin etwas.

KELVIL. Sie werden nicht leugnen, daß das Unterhaus immer sehr viel Verständnis für die Leiden der Ärmsten bewiesen hat.

LORD ILLINGWORTH. Das ist sein spezifisches Laster. Es ist das spezifische Laster unserer Zeit. Für die Freude, die Schönheit, die Buntheit des Lebens sollte man Verständnis haben. Je weniger von den schwärenden Wunden des Lebens die Rede ist, desto besser, Mr. Kelvil.

KELVIL. Trotzdem sind unsere Elendsviertel ein sehr wichtiges Problem.

LORD ILLINGWORTH. Durchaus. Es ist das alte Problem der Sklaverei. Wir versuchen es dadurch zu lösen, daß wir die Sklaven amüsieren.

LADY HUNSTANTON. Bestimmt ist, wie Sie sagen, Lord Illingworth, mit Hilfe billigen Amüsements viel zu erreichen. Der liebe Doktor Daubeny, unser hiesiger Pastor – unterstützt durch seine Kaplane – bietet im Winter den Armen wirklich recht erfreuliche Erholungsstunden. Und viel Gutes läßt sich mit einer Laterna magica oder einem Missionar oder ähnlichen populären Vergnügungen ausrichten.

LADY CAROLINE. Ich bin gar nicht dafür, den Armen Vergnügungen zu bieten, Jane. Wolldecken und Kohlen genügen. Die Oberschicht ist ohnedies schon viel zu vergnügungssüchtig. Gesundheit fehlt in unserem heutigen Leben. Der Ton ist ungesund, durchaus ungesund.

KELVIL. Sie haben ganz recht, Lady Caroline.

LADY CAROLINE. Ich glaube, ich habe meistens recht.

MRS. ALLONBY. Ein gräßliches Wort – »Gesundheit«!

LORD ILLINGWORTH. Das albernste Wort unserer Sprache. Und man kennt ja nur allzugut den üblichen Inbegriff der Gesundheit. Der englische Junker, der hinter einem Fuchs einhergaloppiert: das Unaussprechliche auf der Jagd nach dem Ungenießbaren.

KELVIL. Darf ich fragen, Lord Illingworth, ob Sie das Oberhaus für eine bessere Einrichtung halten als das Unterhaus.

LORD ILLINGWORTH. Natürlich für eine weit bessere Einrichtung. Wir Mitglieder des Oberhauses kommen nie mit der öffentlichen Meinung in Kontakt. Deshalb sind wir eine kultivierte Körperschaft.

KELVIL. Ist es Ihr Ernst, wenn Sie solche Ansichten äußern?

LORD ILLINGWORTH. Mein voller Ernst, Mr. Kelvil. *(Zu Mrs. Allonby)* Was für eine vulgäre Gewohnheit der Leute, einen zu fragen, ob es ernst gemeint sei oder nicht, wenn man ihnen eine Idee vorgetragen hat! Nichts ist ernst zu nehmen außer den Leidenschaften. Der Verstand ist nichts Ernstes – ist es nie gewesen. Er ist ein Instrument, auf dem man improvisiert, weiter nichts. Die einzige ernste Variante des Verstandes, die ich kenne, ist der britische Verstand. Und auf ihm trommeln die britischen Analphabeten herum.

LADY HUNSTANTON. Was sagten Sie soeben, Lord Illingworth? Wer trommelt?

LORD ILLINGWORTH. Ich sprach mit Mrs. Allonby über die Leitartikel der Londoner Presse.

LADY HUNSTANTON. Aber glauben Sie denn alles, was in den Zeitungen steht?

LORD ILLINGWORTH. Ja. Heutzutage geschieht nur das Unleserliche. *(Er und Mrs. Allonby erheben sich)*

LADY HUNSTANTON. Gehen Sie schon, Mrs. Allonby?

MRS. ALLONBY. Nur bis zum Gewächshaus. Lord Illingworth hat mir heute früh von einer Orchidee erzählt, die so schön ist wie die sieben Todsünden.

LADY HUNSTANTON. Du lieber Gott, das will ich doch nicht hoffen! Ich muß mit dem Gärtner sprechen.

(Mrs. Allonby und Lord Illingworth ab)

LADY CAROLINE. Eine merkwürdige Type, diese Mrs. Allonby.

LADY HUNSTANTON. Manchmal läßt sie ihrer spitzen Zunge allzu freien Lauf.

LADY CAROLINE. Nur ihrer Zunge, Jane?

LADY HUNSTANTON. Hoffentlich, Caroline – bestimmt! *(Lord Alfred tritt auf)* Lieber Lord Alfred, setzen Sie sich zu uns. *(Lord Alfred setzt sich neben Lady Stutfield)*

LADY CAROLINE. Du glaubst von allen das Beste, Jane. Das ist ein großer Fehler.

LADY STUTFIELD. Meinen Sie wirklich, wirklich, Lady Caroline, daß man von allen das Schlimmste glauben sollte?

LADY CAROLINE. Ich halte es jedenfalls für sicherer, Lady Stutfield. Natürlich nur solange, bis man erkannt hat, daß die Leute doch ganz anständig sind. Aber das erfordert heutzutage umfangreiche Ermittlungen.

LADY STUTFIELD. Es wimmelt von böswilligen Skandalgeschichten.

LADY CAROLINE. Gestern abend bei Tisch sagte Lord Illingworth zu mir, die Grundlage jeder Skandalgeschichte sei eine absolut unmoralische Überzeugung.

KELVIL. Natürlich ist Lord Illingworth ein sehr geistreicher Mann, aber mir scheint, es fehlt ihm der schöne Glaube an den Adel und die Reinheit des Lebens, der grade in unserem Jahrhundert so überaus wichtig ist.

LADY STUTFIELD. Ja, sehr, sehr wichtig, nicht wahr?

KELVIL. Er macht auf mich den Eindruck eines Menschen, der die Schönheit unseres englischen Familienlebens nicht zu schätzen weiß. Ich möchte behaupten, daß er in diesem Punkt von ausländischen Gedankengängen beeinflußt – schädlich beeinflußt worden ist.

LADY STUTFIELD. Nichts, nichts geht über die Schönheit des Familienlebens, oder wie?

KELVIL. Es ist die tragende Säule englischer Gesittung, Lady Stutfield. Ohne unser Familienleben würden wir auf die Stufe unserer kontinentalen Nachbarländer hinabsinken.

LADY STUTFIELD. Das wäre aber sehr, sehr betrüblich, nicht wahr?

KELVIL. Außerdem fürchte ich, daß Lord Illingworth die Frau ganz einfach als Spielzeug betrachtet. Nun habe *ich* die Frau nie als ein Spielzeug betrachtet. Die Frau ist im öffentlichen wie im Privatleben die geistige Helferin des Mannes. Ohne sie würden wir die wahren Ideale vergessen. *(Läßt sich neben Lady Stutfield nieder)*

LADY STUTFIELD. Das höre ich sehr, sehr gern.

LADY CAROLINE. Sind Sie verheiratet, Mr. Kettle?

SIR JOHN. Kelvil, meine Liebe, Kelvil.

KELVIL. Ich bin verheiratet, Lady Caroline.

LADY CAROLINE. Kinder?

KELVIL. Ja.

LADY CAROLINE. Wie viele?

KELVIL. Acht.

(Lady Stutfield wendet ihre Aufmerksamkeit Lord Alfred zu)

LADY CAROLINE. Mrs. Kettle und die Kinder sind wohl an der See? *(Sir John zuckt die Achseln)*

KELVIL. Meine Frau ist mit den Kindern an der See, Lady Caroline.

LADY CAROLINE. Zweifellos werden Sie ihnen später nachreisen.

KELVIL. Wenn meine öffentlichen Verpflichtungen es erlauben.

LADY CAROLINE. Ihre öffentliche Tätigkeit muß für Mrs. Kettle eine Quelle tiefer Befriedigung sein.

SIR JOHN. Kelvil, meine Liebe, Kelvil.

LADY STUTFIELD *(zu Lord Alfred)*. Wie entzückend, entzückend Ihre Goldmundstückzigaretten sind, Lord Alfred.

LORD ALFRED. Sie sind furchtbar teuer. Ich kann sie mir nur leisten, wenn ich bis über die Ohren in Schulden stecke.

LADY STUTFIELD. Es muß schrecklich, schrecklich traurig sein, bis über die Ohren in Schulden zu stecken.

LORD ALFRED. Heutzutage muß der Mensch eine Beschäftigung haben. Wenn nicht meine Schulden wären, hätte ich an nichts zu denken. Alle meine Bekannten sind verschuldet.

LADY STUTFIELD. Bereiten Ihnen denn aber nicht die Leute, denen Sie Geld schulden, sehr, sehr viel Verdruß?

(Der Lakai tritt auf)

LORD ALFRED. Ach nein. Sie schreiben – ich nicht.

LADY STUTFIELD. Sehr, sehr sonderbar.

LADY HUNSTANTON. Aha, hier ist ein Brief unserer lieben Mrs. Arbuthnot, Caroline! Sie will nicht mit uns essen. Wie schade.

Aber sie kommt nach dem Essen. Das freut mich wirklich. Sie ist eine der nettesten Frauen, die ich kenne. Außerdem hat sie eine schöne Handschrift, so kräftig und deutlich. *(Gibt Lady Caroline den Brief)*

LADY CAROLINE *(betrachtet die Handschrift).* Ein bißchen unweiblich, Jane. Das Weibliche ist die Eigenschaft, die ich an Frauen am meisten schätze.

LADY HUNSTANTON *(läßt sich den Brief geben und legt ihn auf den Tisch).* Oh – sie ist sehr weiblich, Caroline, und auch ein so guter Mensch. Du solltest den Erzdiakon über sie reden hören. Er betrachtet sie als seine rechte Hand in der Pfarrgemeinde. *(Der Lakai sagt etwas zu ihr)* Im gelben Salon. Wollen wir jetzt alle hineingehen? Lady Stutfield, wollen wir Tee trinken gehen?

LADY STUTFIELD. Mit Vergnügen, Lady Hunstanton.

(Alle erheben sich und wenden sich zum Gehen. Sir John macht sich erbötig, Lady Stutfields Mantel zu tragen)

LADY CAROLINE. John! Wenn du es deinem Neffen überlassen wolltest, sich um Lady Stutfields Mantel zu kümmern, könntest du mir mit meinem Nähkorb behilflich sein.

(Lord Illingworth und Mrs. Allonby treten auf)

SIR JOHN. Gewiß, meine Liebe. *(Ab mit seiner Frau)*

MRS. ALLONBY. Eigentümlich: Häßliche Frauen sind immer auf ihre Männer eifersüchtig – schöne Frauen nie.

LORD ILLINGWORTH. Schöne Frauen haben nicht die Zeit dazu. Sie sind stets vollauf damit beschäftigt, auf die Männer anderer Frauen eifersüchtig zu sein.

MRS. ALLONBY. Ich hätte gedacht, Lady Caroline müßte mittlerweile der ehelichen Sorgen überdrüssig geworden sein. Sir John ist ihr vierter.

LORD ILLINGWORTH. Zu viel Ehe bekommt einer Frau nicht. Nach zwanzig Jahren Liebe sieht sie aus wie eine Ruine – nach zwanzig Jahren Ehe wie ein öffentliches Gebäude.

MRS. ALLONBY. Zwanzig Jahre Liebe! Gibt es so etwas?

LORD ILLINGWORTH. Heutzutage nicht mehr. Die Frauen sind zu geistreich geworden. Nichts ist der Liebe abträglicher, als wenn die Frau Sinn für Humor hat.

MRS. ALLONBY. Oder der Mann keinen.

LORD ILLINGWORTH. Sie haben völlig recht. In einem Tempel haben alle ernst zu sein, bis auf das angebetete Idol.

MRS. ALLONBY. Und das Idol wäre der Mann?

LORD ILLINGWORTH. Frauen knien so anmutig – Männer nicht.

MRS. ALLONBY. Sie denken an Lady Stutfield!

LORD ILLINGWORTH. Glauben Sie mir, seit einer Viertelstunde habe ich nicht mehr an Lady Stutfield gedacht.

MRS. ALLONBY. Ist sie so mysteriös?

LORD ILLINGWORTH. Mehr als mysteriös: eine Laune!

MRS. ALLONBY. Launen sind nicht von Dauer.

LORD ILLINGWORTH. Das ist ihr größter Reiz.

(Hester und Gerald treten auf)

GERALD. Lord Illingworth, alle haben mich beglückwünscht – Lady Hunstanton und Lady Caroline und – alle. Hoffentlich werde ich mich als Ihr Sekretär bewähren.

LORD ILLINGWORTH. Sie werden ein vorbildlicher Sekretär sein, Gerald. *(Unterhält sich mit ihm)*

MRS. ALLONBY. Gefällt Ihnen das Leben auf dem Lande, Miß Worsley?

HESTER. Sehr gut – wirklich sehr gut.

MRS. ALLONBY. Sehnen Sie sich nicht manchmal nach einer festlichen Londoner Abendgesellschaft?

HESTER. Londoner Abendgesellschaften mag ich nicht.

MRS. ALLONBY. Ich schwärme für sie. Die Klugen hören nicht zu, die Dummen schweigen.

HESTER. Ich finde, daß die Dummen sehr viel reden.

MRS. ALLONBY. Ach, ich höre nicht zu!

LORD ILLINGWORTH. Mein lieber Freund, wenn Sie mir nicht gefielen, hätte ich Ihnen den Posten nicht angeboten. Nur weil Sie mir so gut gefallen, will ich Sie um mich haben. *(Hester und Gerald ab)* Ein reizender Mensch, dieser Gerald Arbuthnot.

MRS. ALLONBY. Er ist sehr nett, wirklich sehr nett. Aber die junge Amerikanerin kann ich nicht ausstehen.

LORD ILLINGWORTH. Warum nicht?

MRS. ALLONBY. Gestern hat sie mir – und noch dazu mit lauter Stimme – erzählt, sie sei erst achtzehn Jahre alt. Das hat mich verdrossen.

LORD ILLINGWORTH. Nie einer Frau über den Weg trauen, die einem ihr wahres Alter verrät! Eine Frau, die einem das verrät, ist imstande, einem alles zu verraten.

MRS. ALLONBY. Außerdem ist sie eine Puritanerin.

LORD ILLINGWORTH. Ah – das ist unverzeihlich. Ich habe nichts dagegen, wenn häßliche Frauen Puritanerinnen sind. Sie haben keine andere Entschuldigung für ihre Häßlichkeit. Aber sie ist entschieden hübsch. Ich bewundere sie enorm. *(Sieht Mrs. Allonby fest ins Gesicht)*

MRS. ALLONBY. Was müssen Sie doch für ein durch und durch schlechter Mensch sein!

LORD ILLINGWORTH. Wann ist Ihrer Meinung nach ein Mann ein schlechter Mensch?

MRS. ALLONBY. Wenn er die Unschuld bewundert.

LORD ILLINGWORTH. Und eine Frau?

MRS. ALLONBY. Durch und durch schlecht sind die Frauen, deren die Männer nie überdrüssig werden.

LORD ILLINGWORTH. Sie sind streng – gegen sich selbst.

MRS. ALLONBY. Definieren Sie unser Geschlecht.

LORD ILLINGWORTH. Sphinx ohne Rätsel.

MRS. ALLONBY. Einschließlich der Puritanerinnen?

LORD ILLINGWORTH. Wissen Sie, ich glaube nicht an die Existenz der Puritanerinnen. Meiner Meinung nach gibt es auf der ganzen Welt keine Frau, die sich nicht ein wenig geschmeichelt fühlt, wenn man ihr den Hof macht. Deshalb sind ja die Frauen so unwiderstehlich anbetungswürdig.

MRS. ALLONBY. Ihrer Meinung nach gibt es auf der ganzen Welt keine Frau, die etwas dagegen hätte, sich küssen zu lassen?

LORD ILLINGWORTH. Nur sehr wenige.

MRS. ALLONBY. Miß Worsley würde sich nicht von Ihnen küssen lassen.

LORD ILLINGWORTH. Sind Sie dessen sicher?

MRS. ALLONBY. Ganz sicher.

LORD ILLINGWORTH. Was glauben Sie, was sie tun würde, wenn ich ihr einen Kuß gäbe?

MRS. ALLONBY. Entweder würde sie Sie heiraten oder Ihnen den Handschuh ins Gesicht werfen. Und was würden *Sie* tun, wenn sie Ihnen den Handschuh ins Gesicht würfe?

LORD ILLINGWORTH. Wahrscheinlich würde ich mich in sie verlieben.

MRS. ALLONBY. Dann ist es ein wahres Glück, daß Sie sie nicht küssen werden!

LORD ILLINGWORTH. Ist das eine Herausforderung?

MRS. ALLONBY. Ein Pfeil ins Blaue.

LORD ILLINGWORTH. Wissen Sie denn nicht, daß mir alles gelingt, was auch immer ich versuche?

MRS. ALLONBY. Bedauerlich. Wir Frauen lieben die gescheiterten Existenzen. Sie sind auf uns angewiesen.

LORD ILLINGWORTH. Ihr vergöttert den Sieger. Ihr hängt euch an ihn an.

MRS. ALLONBY. Wir sind der Lorbeer, der seine Glatze verhüllt.

LORD ILLINGWORTH. Und er braucht euch immer, außer in der Stunde des Triumphs.

MRS. ALLONBY. Dann ist er uninteressant.

LORD ILLINGWORTH. Sie spannen mich auf die Folter. *(Pause)*

MRS. ALLONBY. Lord Illingworth, eines wird mir immer an Ihnen gefallen.

LORD ILLINGWORTH. Nur eines? Ich habe doch so viele schlechte Eigenschaften.

MRS. ALLONBY. Ach, bilden Sie sich nicht allzuviel darauf ein. Vielleicht werden Sie sie mit zunehmendem Alter verlieren.

LORD ILLINGWORTH. Ich habe nicht die Absicht, alt zu werden. Die Seele kommt alt auf die Welt – dann aber wird sie immer jünger. Das ist die Komödie des Lebens.

MRS. ALLONBY. Der Körper kommt jung auf die Welt und wird alt. Das ist die Tragödie des Lebens.

LORD ILLINGWORTH. Zuweilen gleichfalls eine Komödie ... Aus welchem geheimnisvollen Grunde aber werde ich Ihnen immer gefallen?

MRS. ALLONBY. Weil Sie mir nie den Hof gemacht haben.

LORD ILLINGWORTH. Ich habe nie etwas anderes getan.

MRS. ALLONBY. Tatsächlich? Es ist mir entgangen.

LORD ILLINGWORTH. Was für ein Pech! Es hätte für uns beide tragisch enden können.

MRS. ALLONBY. Beide hätten wir's überlebt.

LORD ILLINGWORTH. Heutzutage überlebt man alles, außer den

Tod, und wird mit allem fertig, außer mit einem guten Ruf.

MRS. ALLONBY. Haben Sie schon einmal versucht, sich einen guten Ruf zuzulegen?

LORD ILLINGWORTH. Das ist eine der vielen Unannehmlichkeiten, denen ich mich nie ausgesetzt habe.

MRS. ALLONBY. Vielleicht kommt es noch so weit.

LORD ILLINGWORTH. Warum drohen Sie mir?

MRS. ALLONBY. Das werde ich Ihnen sagen, nachdem Sie die Puritanerin geküßt haben.

(Der Lakai tritt auf)

FRANCIS. Der Tee ist im gelben Salon serviert, Mylord.

LORD ILLINGWORTH. Richten Sie Mylady aus, daß wir gleich kommen.

FRANCIS. Ja, Mylord. *(Ab)*

LORD ILLINGWORTH. Gehen wir Tee trinken.

MRS. ALLONBY. Lieben Sie diese simplen Freuden?

LORD ILLINGWORTH. Ich schwärme für simple Freuden. Sie sind die letzte Zuflucht komplizierter Seelen. Aber wenn Sie wollen, bleiben wir hier. Ja, bleiben wir hier. Das Buch des Lebens beginnt mit einem Mann und einer Frau in einem Garten.

MRS. ALLONBY. Und endet mit Offenbarungen.

LORD ILLINGWORTH. Sie fechten nicht schlecht. Aber Ihre Klinge hat den Knopf verloren.

MRS. ALLONBY. Noch habe ich die Maske.

LORD ILLINGWORTH. Sie verschönt Ihre Augen.

MRS. ALLONBY. Danke ... Kommen Sie.

LORD ILLINGWORTH *(sieht Mrs. Arbuthnots Brief auf dem Tisch liegen, nimmt ihn zur Hand und betrachtet den Umschlag)*. Was für eine merkwürdige Handschrift! Sie erinnert mich an die Handschrift einer Frau, die ich vor Jahren gekannt habe.

MRS. ALLONBY. Wer ist diese Frau?

LORD ILLINGWORTH. Ach – niemand. Niemand besonderes. Eine Frau ohne Bedeutung. *(Wirft den Brief auf den Tisch und geht mit Mrs. Allonby die Stufen zur Terrasse hinauf. Lächelnd sehen sie einander an)*

Vorhang

Zweiter Akt

Salon im Landhaus der Lady Hunstanton: nach dem Essen. Das Licht brennt. Die Damen sitzen auf Sofas.

MRS. ALLONBY. Was für ein Labsal, die Männer für eine Weile los zu sein!

LADY STUTFIELD. Ja. Sie verfolgen uns auf Schritt und Tritt, nicht wahr?

MRS. ALLONBY. Verfolgen? Ich würde es mir wünschen.

LADY HUNSTANTON. Aber meine Liebe!

MRS. ALLONBY. Das Ärgerliche ist, daß die Kerle ohne uns recht glücklich sein können. Deshalb ist meiner Meinung nach jede Frau verpflichtet, sie keinen Augenblick lang aus den Augen zu lassen – abgesehen von dieser kurzen Atempause nach dem Essen. Ohne sie würden wir armen Frauen nur noch die Schatten unserer selbst sein.

(Diener bringen den Kaffee)

LADY HUNSTANTON. Schatten unserer selbst, meine Liebe?

MRS. ALLONBY. Ja, Lady Hunstanton. Es ist so überaus anstrengend, die Männer an der Kandare zu halten. Immer wieder versuchen sie, uns zu entwischen.

LADY STUTFIELD. Wie mir scheint, sind wir es, die den Männern zu entwischen versuchen. Die Männer sind so herzlos, so herzlos. Sie kennen ihre Macht und machen von ihr Gebrauch.

LADY CAROLINE *(nimmt ihre Kaffeetasse entgegen)*. Was ist denn das für ein dummes Gerede – lauter Unsinn! Es handelt sich nur daraum, den Männern die richtige Beschäftigung zu geben.

MRS. ALLONBY. Aber was ist denn die richtige Beschäftigung für sie, Lady Caroline?

LADY CAROLINE. Ihre Frauen zu versorgen, Mrs. Allonby.

MRS. ALLONBY. Nein, wirklich? Und wenn sie nicht verheiratet sind?

LADY CAROLINE. Wenn sie nicht verheiratet sind, sollten sie sich nach einer Frau umsehen. Es ist skandalös, wie viele Junggesellen sich in der guten Gesellschaft herumtreiben. Es müßte ein Gesetz erlassen werden, das sie zwingt, sich binnen zwölf Monaten zu verheiraten.

LADY STUTFIELD *(lehnt den Kaffee ab)*. Wie denn aber, wenn der Mann eine Frau liebt, die an einen anderen gebunden ist?

LADY CAROLINE. In diesem Falle, Lady Stutfield, würde man ihn binnen acht Tagen mit einem achtbaren, aber häßlichen jungen Mädchen verheiraten, damit er lernt, sich nicht an fremdem Eigentum zu vergreifen.

MRS. ALLONBY. Ich finde, man sollte nicht *uns* als fremdes Eigentum bezeichnen. Alle Männer samt und sonders gehören den verheirateten Frauen. Das ist die einzig richtige Definition des Besitzrechts. Wir aber gehören nur uns selber.

LADY STUTFIELD. Oh, das zu hören, freut mich aber sehr, sehr!

LADY HUNSTANTON. Glauben Sie wirklich, liebe Caroline, daß durch gesetzgeberische Maßnahmen die Zustände in irgendeiner Weise gebessert werden könnten? Ich habe mir sagen lassen, daß heutzutage sämtliche Ehemänner wie Junggesellen und sämtliche Junggesellen wie Ehemänner leben.

MRS. ALLONBY. *Ich* kann sie bestimmt nicht voneinander unterscheiden.

LADY STUTFIELD. Ach, ich finde, man merkt sofort, ob ein Mann an ein trautes Heim gefesselt oder ob er ungebunden ist. Mir ist so oft der tief-, tiefmelancholische Ausdruck in den Augen verheirateter Männer aufgefallen.

MRS. ALLONBY. Mir ist nur eines aufgefallen: daß sie einen fürchterlich anöden, wenn sie brave Ehemänner sind und sich vor Eitelkeit blähen, wenn sie es nicht sind.

LADY HUNSTANTON. Na ja, ich nehme an, daß sich der Typus des Ehegatten seit meiner Jugend radikal verändert hat – aber ich muß feststellen, daß der arme liebe Hunstanton ein reizender Mensch war und treu wie Gold.

MRS. ALLONBY. Ach, mein Mann ist eine Art von Solawechsel. Ich habe es satt, ihn immer wieder präsentiert zu bekommen.

LADY CAROLINE. Aber Sie prolongieren ihn von Zeit zu Zeit, nein?

MRS. ALLONBY. O nein, Lady Caroline! Bisher habe ich nur *einen* Gatten gehabt. Sie halten mich wohl für eine rechte Dilettantin.

LADY CAROLINE. Bei Ihrer Weltanschauung wundert es mich, daß Sie sich überhaupt verheiratet haben.

MRS. ALLONBY. Auch mich wundert es.

LADY HUNSTANTON. Mein liebes Kind, ich bin überzeugt, daß Sie eine glückliche Ehe führen – aber Sie verheimlichen gern Ihr Glück vor den anderen.

MRS. ALLONBY. Glauben Sie mir, ich hatte mich in Ernest fürchterlich getäuscht.

LADY HUNSTANTON. Das will ich doch nicht hoffen, liebes Kind! Ich habe seine Mutter recht gut gekannt. Sie war eine Stratton, Caroline, eine Tochter Lord Crowlands.

LADY CAROLINE. Victoria Stratton? Ich erinnere mich genau an sie. Eine alberne blonde Person ohne Kinn.

MRS. ALLONBY. Ach, Ernest hat ein Kinn. Er hat sogar ein sehr kräftig ausgeprägtes, ein eckiges Kinn. Ernests Kinn ist viel zu eckig.

LADY STUTFIELD. Aber meinen Sie denn wirklich, daß ein Mannskinn *zu* eckig sein kann? Meiner Meinung nach soll der Mann sehr, sehr kräftig aussehen und ein recht, recht eckiges Kinn haben.

MRS. ALLONBY. Dann müßten Sie Ernest unbedingt kennenlernen, Lady Stutfield. Ich halte es aber für fair, Sie von vornherein darauf aufmerksam zu machen, daß er keine Konversation führen kann.

LADY STUTFIELD. Ich schwärme für schweigsame Männer.

MRS. ALLONBY. Ernest ist alles eher als schweigsam. Er redet unaufhörlich. Aber er kann keine Konversation führen. Worüber er redet, weiß ich nicht. Ich höre ihm seit Jahren nicht mehr zu.

LADY STUTFIELD. Haben Sie ihm also nie verziehen? Wie traurig mir das vorkommt! Aber das ganze Leben ist sehr, sehr traurig, nicht wahr?

MRS. ALLONBY. Das Leben, Lady Stutfield, ist weiter nichts als ein *mauvais quart d'heure*, das aus köstlichen Augenblicken besteht.

LADY STUTFIELD. Ja, Augenblicke gibt es sicherlich. Aber war es etwas sehr, sehr Schlimmes, was Mr. Allonby angestellt hat? Hat er sich über Sie geärgert und sich ein unfreundliches oder wahres Wort entschlüpfen lassen?

MRS. ALLONBY. Ach du meine Güte – nein! Ernest ist nicht aus der Ruhe zu bringen. Das ist einer der Gründe, warum er mir auf die Nerven geht. Nichts ist verdrießlicher als ein ruhiges Temperament. Die Gelassenheit der meisten heutigen Männer hat etwas entschieden Brutales. Mich wundert, daß wir Frauen es so geduldig ertragen.

LADY STUTFIELD. Ja. Die unerschütterliche Seelenruhe der Männer beweist, daß sie nicht so sensibel sind wie wir – und nicht so zartbesaitet. Das schafft oft eine unübersteigliche Schranke zwischen Mann und Frau, nicht wahr? Aber ich möchte so gerne wissen, was Mr. Allonby Schlimmes angestellt hat.

MRS. ALLONBY. Gut, ich werde es Ihnen sagen, wenn Sie mir feierlich versprechen, es allen weiterzusagen.

LADY STUTFIELD. Besten Dank – besten Dank. Ich werde mir Mühe geben, es überall herumzuerzählen.

MRS. ALLONBY. Nachdem Ernest und ich uns verlobt hatten, beteuerte er auf seinen Knien, er habe bis dahin in seinem ganzen Leben noch nie eine Frau geliebt. Ich war damals sehr jung, deshalb habe ich es ihm nicht geglaubt – das brauche ich nicht zu betonen. Leider kam ich zu spät auf die Idee, Erkundigungen einzuziehen – wir waren vier oder fünf Monate miteinander verheiratet. Und da stellte sich heraus, daß er die reine Wahrheit gesagt hatte. So etwas macht einen Mann total uninteressant.

LADY HUNSTANTON. Aber mein Kind ...

MRS. ALLONBY. Der Mann will immer die erste Liebe einer Frau sein. Daran ist seine plumpe Eitelkeit schuld. Wir Frauen haben einen edleren Instinkt. Uns gefällt es, die letzte Liebe eines Mannes zu sein.

LADY STUTFIELD. Ich verstehe, was Sie meinen. Es ist sehr, sehr schön.

LADY HUNSTANTON. Mein liebes Kind, Sie werden mir doch nicht einreden wollen, Sie fänden es unverzeihlich, daß Ihr Mann nie eine andere geliebt hat. Hat man so etwas je gehört, Caroline? Ich staune.

LADY CAROLINE. Die Frau von heute ist so gebildet, Jane, daß wir nichts mehr erstaunlich finden sollten – abgesehen von glücklichen Ehen. Und die werden anscheinend immer seltener.

MRS. ALLONBY. Ach, sie sind ganz aus der Mode gekommen.

LADY STUTFIELD. Außer – wie ich mir habe sagen lassen – in bürgerlichen Kreisen.

MRS. ALLONBY. Das sieht ihnen ähnlich.

LADY STUTFIELD. Ja – nicht wahr? Sehr, sehr ähnlich.

LADY CAROLINE. Wenn das stimmt, was Sie uns von den bürgerlichen Kreisen erzählen, Lady Stutfield, gereicht es diesen Kreisen sehr zur Ehre. Ich finde es äußerst beklagenswert, daß in *unseren* Kreisen die Ehefrauen sich so frivol gebärden – anscheinend unter dem Eindruck, es sei »comme il faut«. Meiner Meinung nach ist das die Erklärung dafür, daß in der guten Gesellschaft so viele Ehen scheitern.

MRS. ALLONBY. Wissen Sie, Lady Caroline, ich glaube nicht, daß es an der Frivolität der Ehefrauen liegt. Mehr als durch alles andere werden heutzutage viele Ehen durch den gesunden Menschenverstand der Ehemänner zugrunde gerichtet. Wie kann man denn von einer Frau erwarten, daß sie mit einem Mann glücklich wird, der darauf beharrt, sie als ein durchaus vernünftiges Wesen zu behandeln.

LADY HUNSTANTON. Aber mein Kind …

MRS. ALLONBY. Der Mann, der arme, tölpelhafte, zuverlässige, unentbehrliche Mann, gehört einem Geschlecht an, das seit Millionen und aber Millionen von Jahren einen normalen Verstand hat. Er kann nichts dafür. Es liegt ihm im Blut. Ganz anders aber die Geschichte der Frau! Wir waren seit eh und je ein pittoresker Protest gegen die bloße Existenz des gesunden Menschenverstandes. Von allem Anfang an haben wir seine Gefahren erkannt.

LADY STUTFIELD. Ja, der gesunde Menschenverstand der Ehemänner ist wirklich sehr, sehr lästig. Sagen Sie mir doch, wie *Sie* sich den idealen Gatten vorstellen. Ich glaube, das wäre sehr, sehr nützlich.

MRS. ALLONBY. Wie ich mir den idealen Gatten vorstelle? So etwas ist unvorstellbar. Die Institution an sich ist grundfalsch.

LADY STUTFIELD. Also, dann den idealen Mann in seinen Beziehungen zu uns.

LADY CAROLINE. Wahrscheinlich würde er ein konsequenter Realist sein.

MRS. ALLONBY. Der ideale Mann! Ach ja – der ideale Mann würde zu uns reden, als wären wir Göttinnen, und uns behandeln, als wären wir kleine Kinder. Er würde alle unsere ernsthaften Bitten zurückweisen und jede unserer Launen befriedigen. Er würde uns ermuntern, kapriziös zu sein, und uns streng verbieten, eine höhere Aufgabe zu haben. Er würde immer mehr sagen, als er meint, und immer mehr meinen, als er sagt.

LADY HUNSTANTON. Aber wie soll er denn *beides* schaffen, meine Liebe?

MRS. ALLONBY. Er würde sich nie über andere hübsche Frauen herabsetzend äußern. Das würde nämlich beweisen, daß er keinen Geschmack hat, oder den Verdacht erregen, er habe zuviel Geschmack. Nein. Er würde zu allen nett sein, aber behaupten, er finde sie nicht attraktiv.

LADY STUTFIELD. Ja, das ist immer sehr, sehr erfreulich, wenn es anderen Frauen gilt.

MRS. ALLONBY. Wenn wir ihm irgendeine Frage stellen, müßte seine Antwort sich nur auf uns beziehen. Immer müßte er an uns die Eigenschaften loben, von denen er weiß, daß wir sie nicht besitzen. Aber erbarmungslos, völlig erbarmungslos müßte er uns die Tugenden vorwerfen, die zu besitzen uns nicht im Traum eingefallen wäre. Nie dürfte er sich einbilden, daß wir wissen, wozu nützliche Sachen von Nutzen sind. Das wäre unverzeihlich. Aber er würde uns mit allem überhäufen, was wir nicht haben wollen.

LADY CAROLINE. Soweit ich es beurteilen kann, würde er nichts anderes zu tun haben, als Rechnungen zu bezahlen und Komplimente zu machen.

MRS. ALLONBY. Er würde uns beharrlich in der Öffentlichkeit kompromittieren und unter vier Augen mit größter Hochachtung behandeln. Trotzdem würde er jederzeit bereit sein, uns eine fürchterliche Szene zu machen, wann immer wir uns eine wünschen – im Nu unglücklich, tief unglücklich zu sein – uns knapp zwanzig Minuten lang mit berechtigten Vorwürfen zu überschütten – nach einer halben Stunde nahezu handgreiflich zu werden – und uns ein Viertel vor acht, wenn es soweit ist, daß wir uns umziehen müssen, für ewig zu verlassen. Und wenn man ihn nachher wirklich zum letztenmal gesehen und er sich geweigert hat, seine kleinen Geschenke zurückzunehmen, und er hoch und heilig verspricht, sich nie wieder zu melden und auch nicht einen einzigen törichten Brief zu schreiben – ja, dann müßte er restlos verzweifelt sein und den ganzen lieben Tag lang Telegramme und jede halbe Stunde durch seinen Kutscher kleine Zettel schicken und abends mutterseelenallein im Klub essen, nur damit alle Welt wisse, wie unglücklich er ist. Und nach Verlauf einer fürchterlichen Woche, nachdem man sich mit seinem Mann überall hat sehen lassen, um zu zeigen, wie völlig einsam man ist, sollte man ihm einen dritten, letzten Abschied gewähren. Wenn dann sein Benehmen durchaus einwandfrei ist und man sich ihm gegenüber schändlich benommen hat, sollte er zugeben dürfen, daß er unrecht gehabt habe. Hat er es endlich zugegeben, dann ist die Frau verpflichtet, ihm zu verzeihen – und das Ganze kann von neuem beginnen – mit gewissen Variationen.

LADY HUNSTANTON. Sind Sie aber witzig, meine Liebe! Nichts, was Sie sagen, ist ernst gemeint – nicht ein einziges Wort.

LADY STUTFIELD. Vielen, vielen Dank, Mrs. Allonby. Es war äußerst, äußerst faszinierend. Ich muß versuchen, mir alles einzuprägen, diese vielen Einzelheiten, die so überaus, überaus wichtig sind.

LADY CAROLINE. Sie haben uns aber noch nicht verraten, welcher Lohn dem idealen Manne winkt.

MRS. ALLONBY. Lohn? Ach – nie enden wollende Erwartung. Das reicht für ihn.

LADY STUTFIELD. Aber die Männer sind so schrecklich, schrecklich anspruchsvoll, nicht wahr?

MRS. ALLONBY. Das spielt keine Rolle. Man darf nie kapitulieren.

LADY STUTFIELD. Nicht einmal vor dem idealen Mann?

MRS. ALLONBY. Vor ihm erst recht nicht. Es sei denn, daß man ihn gerne satt bekommen möchte.

LADY STUTFIELD. Oh ... Ja, das leuchtet mir ein. Ich finde diesen Fingerzeig sehr, sehr nützlich. Glauben Sie, Mrs. Allonby, daß ich je dem idealen Mann begegnen werde? Oder gibt es mehr als nur einen?

MRS. ALLONBY. In London gibt es genau vier Stück, Lady Stutfield.

LADY HUNSTANTON. Ach, du meine Güte!

MRS. ALLONBY *(nähert sich ihr).* Was ist los? Sagen Sie mir, was passiert ist.

LADY HUNSTANTON *(leise).* Ich hatte völlig vergessen, daß die junge Amerikanerin anwesend ist. Ich fürchte, einige Ihrer geistreichen Aperçus werden sie ein wenig schockiert haben.

MRS. ALLONBY. Ach, das wird ihr nur guttun.

LADY HUNSTANTON. Hoffentlich hat sie nicht viel davon verstanden. Ich will mich mal lieber zu ihr setzen und ein bißchen mit ihr plaudern. *(Steht auf und begibt sich zu Hester Worsley)* Nun, liebe Miß Worsley! *(Setzt sich zu ihr)* Wie still Sie die ganze Zeit in Ihrem gemütlichen kleinen Winkel gesessen haben! Sie haben wohl ein Buch gelesen. Wir haben so viele Bücher in unserer Bibliothek.

HESTER. Nein, ich habe zugehört.

LADY HUNSTANTON. Wissen Sie, liebes Kind, Sie dürfen nicht alles glauben, was da gesagt worden ist.

HESTER. Ich glaube nicht ein einziges Wort ...

LADY HUNSTANTON. Da haben Sie völlig recht, liebes Kind.

HESTER *(fährt fort).* ... weil es mir unvorstellbar ist, daß eine Frau im Ernst die Auffassungen haben könnte, die heute abend einige Ihrer Gäste geäußert haben.

(Eine Verlegenheitspause)

LADY HUNSTANTON. Wie ich gehört habe, ist die gute Gesellschaft in Amerika gar nicht übel. Hie und da – so schreibt mein Sohn – gleicht sie der unseren.

HESTER. In Amerika gibt es wie überall kleine Cliquen, Lady Hunstanton. Aber zu der sogenannten guten Gesellschaft rechnen wir alle anständigen Menschen, die in unserem Lande leben.

LADY HUNSTANTON. Was für ein vernünftiges und – das darf ich wohl sagen – erfreuliches System. In England haben wir leider allzu viele soziale Schranken – künstliche Schranken. Wir halten keinen rechten Kontakt mit bürgerlichen Kreisen und den unteren Gesellschaftsschichten.

HESTER. In Amerika gibt es keine unteren Gesellschaftsschichten.

LADY HUNSTANTON. Nein, wirklich? Was für eine seltsame Ordnung!

MRS. ALLONBY. Wovon spricht diese schreckliche Person?

LADY STUTFIELD. Sie ist von einer peinlichen Natürlichkeit, nicht wahr?

LADY CAROLINE. Ich habe mir sagen lassen, daß es bei Ihnen in Amerika so manches nicht gibt, Miß Worsley. Es heißt zum Beispiel, daß ihr keine Ruinen und keine Antiquitäten habt.

MRS. ALLONBY *(zu Lady Stutfield)*. Unsinn! Sie haben ihre Mütter und ihre Manieren.

HESTER. Die Antiquitäten liefert uns die englische Aristokratie, Lady Caroline. Sie werden uns regelmäßig jeden Sommer per Dampfer zugesandt und machen uns am Tag nach der Landung einen Heiratsantrag. Was die Ruinen betrifft, so versuchen wir etwas aufzubauen, das dauerhafter ist als Ziegel oder Steine. *(Steht auf, um ihren Fächer vom Tisch zu holen)*

LADY HUNSTANTON. Und das wäre, mein liebes Kind? Ach ja – eine Eisenkonstruktion, nicht wahr, in der Stadt mit dem kuriosen Namen.

HESTER *(bleibt neben dem Tisch stehen)*. Wir versuchen, das Leben, Lady Hunstanton, auf einer besseren, echteren, saubereren Grundlage aufzubauen, als sie hier in England besteht. Das kommt Ihnen allen sonderbar vor, nicht wahr? Wie sollte es anders als sonderbar klingen! Ihr reichen Leute in England, ihr wißt ja nicht, was für ein Leben ihr führt. Woher solltet ihr es wissen? Anständigen und guten Menschen verweigert ihr den Zutritt zu euren Kreisen, das Einfache und Reine findet ihr lächerlich. So, wie ihr alle lebt – auf Kosten anderer –, spottet ihr über jede Aufopferung, und wenn ihr den Armen ein Stück Brot hinwerft, dann nur, um ihnen für eine Saison den Mund zu stopfen. Trotz all eurem Prunk und Reichtum und euren Kunstschätzen versteht ihr nicht zu leben – nicht einmal das versteht ihr. Ihr liebt das Schöne, das ihr seht und das ihr anfassen könnt – das Schöne, das man zerstören kann und das ihr zerstört –, aber von der unsichtbaren Schönheit des Lebens, von der unsichtbaren Schönheit eines höheren Lebens habt ihr keine Ahnung. Das Geheimnis des Lebens ist euch abhanden gekommen. Ach, eure englische Gesellschaft finde ich seicht, egoistisch, albern! Sie hält sich Augen und Ohren zu. Sie ist wie ein Aussätziger im Purpurmantel – thront wie ein goldgetünchter, lebloser Götze. Durch und durch falsch – durch und durch falsch ...

LADY STUTFIELD. Davon sollte man gar nichts wissen wollen. Ich finde es nicht sehr nett, oder?

LADY HUNSTANTON. Meine liebe Miß Worsley, ich habe mir eingebildet, daß Sie sich in unseren Kreisen wohl fühlen. Sie haben ja so viel Erfolg gehabt! Die besten Leute haben Sie bewundert. Ich kann mich nicht mehr so recht erinnern, wie Lord Henry Weston sich über Sie geäußert hat – aber es war sehr schmeichelhaft, und Sie wissen, daß er in Fragen der Schönheit als Autorität gilt.

HESTER. Lord Henry Weston! Ich habe ihn nicht vergessen, Lady Hunstanton. Ein Mann mit einem abscheulichen Lächeln und einer abscheulichen Vergangenheit. Er wird überall eingeladen. Ohne ihn ist keine Abendgesellschaft vollzählig. Und die armen Frauen, die er zugrunde gerichtet hat? Sie sind verfemt. Sie sind namenlos. Wenn ihr ihnen auf der Straße begegnet, schaut ihr weg. Ich bedaure nicht, daß sie bestraft werden. Mögen alle Sünderinnen ihre gerechte Strafe erleiden!

(Mrs. Arbuthnot tritt hinten von der Terrasse her auf. Sie trägt einen Mantel und einen Spitzenschleier um den Kopf. Sie hört die letzten Worte und stutzt)

LADY HUNSTANTON. Meine liebe junge Dame ...

HESTER. Es ist nur recht, daß sie bestraft werden. Aber sie sollen nicht als einzige leiden. Wenn ein Mann und eine Frau gesündigt haben, dann soll man sie beide in die Wüste schicken, damit sie *dort* einander lieben – oder einander verabscheuen. Beide sind zu brandmarken. Prägt ihnen, wenn ihr wollt, allen beiden das Kainszeichen in die Stirn – aber bestraft nicht den einen Partner, während ihr den anderen laufen laßt. Es soll nicht für die Frauen ein anderes Gesetz gelten als für die Männer. Ihr Engländer behandelt die Frauen ungerecht. Und solange ihr nicht die Schande einer Frau mit der Infamie eines Mannes auf die gleiche Stufe stellt, werdet ihr immer ungerecht sein. Das Recht, die Feuersäule, und das Unrecht, die Wolkensäule, werden vor euren Augen verschwimmen – oder ihr werdet sie überhaupt nicht sehen – oder sie, wenn ihr sie seht, nicht beachten!

LADY CAROLINE. Darf ich Sie, liebe Miß Worsley, da Sie aufgestanden sind, um mein Strickgarn bitten, das hinter Ihnen auf dem Tisch liegt? Danke.

LADY HUNSTANTON. Meine liebe Mrs. Arbuthnot! Ich freue mich so sehr, daß Sie gekommen sind! Aber man hat Sie nicht angemeldet.

MRS. ARBUTHNOT. Ach, ich bin gleich über die Terrasse gegangen, ohne abzulegen. Sie hatten mir nicht gesagt, daß Sie eine Gesellschaft geben.

LADY HUNSTANTON. Keine Gesellschaft. Es sind nur ein paar Hausgäste, die Sie kennenlernen müssen. Gestatten Sie ... *(Will ihr aus dem Mantel helfen, klingelt)* Caroline, das ist Mrs. Arbuthnot, eine meiner liebsten Freundinnen. Lady Caroline Pontefract – Lady Stutfield – Mrs. Allonby und meine junge Freundin aus Amerika, Miß Worsley, die uns soeben vorgehalten hat, wie verdorben wir alle sind.

HESTER. Sie finden, wie ich fürchte, meine Worte zu grob, Lady Hunstanton! Aber es gibt in England Dinge ...

LADY HUNSTANTON. Meine liebe junge Dame, ich glaube, es steckt viel Wahres in dem, was Sie gesagt haben, und Sie haben dabei *so* hübsch ausgesehen. Lord Illingworth würde behaupten, daß das bedeutend wichtiger ist. Nur Lady Carolines Bruder, den armen Lord Henry, haben Sie meiner Meinung nach ein bißchen zu hart angefaßt. Er ist wirklich so überaus amüsant.

(Der Lakai tritt auf)

LADY HUNSTANTON *(zu dem Lakaien)*. Nehmen Sie Mrs. Arbuthnots Sachen mit. *(Der Lakai ab mit den Überkleidern)*

HESTER. Lady Caroline, ich hatte keine Ahnung, daß es Ihr Bruder ist. Verzeihen Sie mir – es muß Ihnen sehr peinlich gewesen sein – aber ich ...

LADY CAROLINE. Meine liebe Miß Worsley, der einzige Abschnitt Ihres kleinen Vortrags – wenn ich ihn so nennen darf –, mit dem ich durchaus übereinstimme, handelt von meinem Bruder. Was auch immer Sie über ihn sagen mögen, nichts könnte zu arg sein. Ich finde Henrys Benehmen niederträchtig, absolut niederträchtig. Aber ich muß feststellen – wie du schon bemerkt hast, Jane –, daß man sich in seiner Gesellschaft glänzend unterhält. Außerdem hat er einen der besten Köche Londons, und nach einem guten Essen kann man jedem Menschen verzeihen, sogar den leiblichen Verwandten.

LADY HUNSTANTON *(zu Miß Worsley).* Kommen Sie jetzt, liebes Kind, und freunden Sie sich mit Mrs. Arbuthnot an. Sie gehört zu den braven, lieben einfachen Menschen, denen wir, wie Sie behauptet haben, den Zutritt zu unseren Kreisen verweigern. Leider muß ich sagen, daß Mrs. Arbuthnot mich sehr selten besucht. Aber daran bin nicht ich schuld.

MRS. ALLONBY. Wie lästig, daß die Männer nach dem Essen so lange wegbleiben! Ich nehme an, daß sie sich über uns das Maul zerreißen.

LADY STUTFIELD. Meinen Sie wirklich?

MRS. ALLONBY. Ich bin fest davon überzeugt.

LADY STUTFIELD. Ach, wie abscheulich! Wollen wir auf die Terrasse hinausgehen?

MRS. ALLONBY. Oh, nur weg von den Matronen und den Tunten! *(Steht auf und nähert sich zusammen mit Lady Stutfield der Tür in der Mitte links)* Wir wollen uns die Sterne ansehen, Lady Hunstanton.

LADY HUNSTANTON. Es werden sehr viele zu sehen sein, meine Liebe, eine ganze Menge. Aber erkälten Sie sich nicht. *(Zu Mrs. Arbuthnot)* Wir alle werden Gerald sehr vermissen, liebe Mrs. Arbuthnot.

MRS. ARBUTHNOT. Hat ihm denn Lord Illingworth wirklich den Posten eines Sekretärs angeboten?

LADY HUNSTANTON. Ja, freilich! In der reizendsten Weise! Er hat die denkbar beste Meinung von Ihrem Sohn. Sie kennen ihn wohl nicht, meine Liebe?

MRS. ARBUTHNOT. Ich bin ihm nie begegnet.

LADY HUNSTANTON. Zweifellos kennen Sie ihn vom Hörensagen.

MRS. ARBUTHNOT. Leider nicht. Ich lebe so zurückgezogen und treffe so wenig Menschen. Ich erinnere mich, daß man mir vor Jahren von einem alten Lord Illingworth erzählt hat, der, wenn ich nicht irre, in Yorkshire ansässig war.

LADY HUNSTANTON. Ach ja. Das dürfte der vorletzte Earl gewesen sein. Ein sehr merkwürdiger Mann. Er wollte unter seinem Stand heiraten – oder hat sich, wie ich glaube, dagegen gesträubt. Es kam zu einem kleinen Skandal. Der jetzige Lord

Illingworth ist von anderem Schlag. Sehr vornehm. Er läßt sich nichts von alledem zuschulden kommen, was unsere hübsche Besucherin aus Amerika leider an uns auszusetzen hat, und ich wüßte nicht, daß er sich viel aus den Dingen macht, für die Sie sich so eifrig interessieren, liebe Mrs. Arbuthnot. Glaubst du, Caroline, daß Lord Illingworth sich für die Wohnverhältnisse armer Leute interessiert?

LADY CAROLINE. Meiner Meinung nach nicht im geringsten, Jane.

LADY HUNSTANTON. Jeder hat seinen eigenen Geschmack, nicht wahr? Lord Illingworth aber ist hoch angesehen, und was auch immer er sich wünscht, kann er jederzeit haben. Natürlich ist er noch verhältnismäßig jung und hat erst vor kurzem seinen Titel geerbt. Wie lange ist es eigentlich her, Caroline, seit Lord Illingworth die Erbfolge angetreten hat?

LADY CAROLINE. Ich glaube, ungefähr vier Jahre, Jane. Ich weiß, es war im selben Jahr, in dem mein Bruder zum letztenmal durch die Spalten der Skandalpresse geschleift wurde.

LADY HUNSTANTON. Ach ja, ich entsinne mich. Dann wären es etwa vier Jahre. Natürlich standen sehr viele Anwärter zwischen dem jetzigen Lord Illingworth und dem Titel, Mrs. Arbuthnot. Zum Beispiel – wer, Caroline?

LADY CAROLINE. Das Baby der armen Margaret. Du erinnerst dich, wie sehr sie sich einen Jungen gewünscht hatte, und es wurde ein Junge, aber es starb, und kurze Zeit später starb ihr Mann, und fast unmittelbar darauf heiratete sie wieder, einen Sohn Lord Ascots, der sie, wie ich gehört habe, prügelt.

LADY HUNSTANTON. Ach, das liegt in der Familie, meine Liebe, das liegt in der Familie. Und ich erinnere mich auch an einen Geistlichen, der ins Irrenhaus wollte – möglicherweise war es ein Irrsinniger, der Geistlicher werden wollte –, ob das eine oder das andere, habe ich vergessen, aber ich weiß, daß das Kanzleigericht den Fall untersucht und entschieden hat, der Mann sei durchaus normal. Nachher habe ich ihn bei dem armen Lord Plumstead getroffen, da hatte er Strohhalme im Haar oder sah sonstwie recht wunderlich aus – ich habe vergessen, was es war. Oft bedaure ich, Lady Caroline, daß die liebe Lady Cecilia nicht erlebt hat, wie ihr Sohn den Titel erbte.

MRS. ARBUTHNOT. Lady Cecilia?

LADY HUNSTANTON. Lord Illingworths Mutter, liebe Mrs. Arbuthnot, war eine der hübschen Töchter der Herzogin von Jerningham. Sie heiratete Sir Thomas Harford, der damals als keine sehr gute Partie galt, obwohl er, wie es allgemein hieß, der schönste Mann ganz Londons war. Ich habe sie alle gut gekannt, auch die beiden Söhne, Arthur und George.

MRS. ARBUTHNOT. Natürlich hat der ältere Sohn den Titel geerbt, Lady Hunstanton?

LADY HUNSTANTON. Nein, meine Liebe, er ist auf der Fuchsjagd tödlich verunglückt. Oder beim Angeln ertrunken, Caroline? Ich habe es vergessen. George wurde Alleinerbe. Ich sage immer zu ihm, noch nie hat ein jüngerer Sohn so viel Glück gehabt wie er.

MRS. ARBUTHNOT. Lady Hunstanton, ich möchte sofort mit Gerald sprechen. Geht das? Kann man ihn holen?

LADY HUNSTANTON. Aber selbstverständlich, meine Liebe. Ich werde einen Diener ins Eßzimmer schicken. Ich weiß nicht, was die Herren so lange festhält. *(Klingelt)* Als ich Lord Illingworth kennenlernte, hieß er noch schlicht und einfach George Harford und war weiter nichts als ein sehr intelligenter junger Lebemann, der keinen Groschen besaß außer dem Taschengeld, das die arme Lady Cecilia ihm bewilligte. Sie hat ihn sehr gern gehabt. Ich glaube, hauptsächlich deshalb, weil er mit seinem Vater verkracht war. Oh, da kommt der liebe Erzdiakon! *(Zu dem Diener)* Schon erledigt ...

(Sir John und Dr. Daubeny treten auf. Sir John nähert sich Lady Stutfield, Dr. Daubeny geht auf Lady Hunstanton zu)

DER ERZDIAKON. Lord Illingworth war äußerst unterhaltsam. Ich habe mich noch nie so gut amüsiert. *(Er erblickt Mrs. Arbuthnot)* Ah, Mrs. Arbuthnot!

LADY HUNSTANTON *(zu Dr. Daubeny)*. Wie Sie sehen, habe ich Mrs. Arbuthnot endlich dazu überredet, mich zu besuchen.

DER ERZDIAKON. Das ist eine große Ehre, Lady Hunstanton. Meine Frau wird Sie beneiden.

LADY HUNSTANTON. Wie schade, daß Mrs. Daubeny heute abend nicht mitkommen konnte. Die üblichen Kopfschmerzen?

DER ERZDIAKON. Ja, Lady Hunstanton. Eine wahre Märtyrerin.

Aber allein fühlt sie sich am wohlsten. Allein fühlt sie sich am wohlsten.

LADY CAROLINE *(zu ihrem Mann).* John!

(Sir John begibt sich zu seiner Frau. Dr. Daubeny unterhält sich mit Lady Hunstanton und Mrs. Arbuthnot. Mrs. Arbuthnot beobachtet unverwandt Lord Illingworth, der durchs Zimmer geschlendert ist, ohne sie zu sehen. Er hat sich Mrs. Allonby genähert, die neben Lady Stutfield an der Terrassentür steht)

LORD ILLINGWORTH. Wie geht es der reizendsten Frau von der Welt?

MRS. ALLONBY *(nimmt Lady Stutfield bei der Hand).* Danke, es geht uns beiden recht gut, Lord Illingworth. Aber Sie haben sich ja nur so kurze Zeit im Eßzimmer aufgehalten! Mir kommt es vor, als hätten wir die Herren soeben erst verlassen.

LORD ILLINGWORTH. Ich habe mich tödlich gelangweilt. Die ganze Zeit nicht den Mund aufgemacht. Mich nur danach gesehnt, zu Ihnen herüberzukommen.

MRS. ALLONBY. Warum sind Sie nicht gekommen? Sie haben etwas versäumt. Die junge Amerikanerin hat uns einen Vortrag gehalten.

LORD ILLINGWORTH. Ach! Ich glaube, alle Amerikaner dozieren. Es muß wohl am Klima liegen. Was war das Thema ihres Vortrags?

MRS. ALLONBY. Das puritanische Ideal – was denn sonst?

LORD ILLINGWORTH. Ich werde sie bekehren. Sind Sie nicht auch dafür? Welche Frist bewilligen Sie mir?

MRS. ALLONBY. Eine Woche.

LORD ILLINGWORTH. Eine Woche ist mehr als genug.

(Gerald und Lord Alfred treten auf)

GERALD *(geht auf seine Mutter zu).* Liebe Mutter!

MRS. ARBUTHNOT. Gerald, ich fühle mich nicht wohl. Bring mich nach Hause, Gerald. Ich hätte nicht kommen sollen.

GERALD. Das tut mir leid. Natürlich bringe ich dich nach Hause. Zuerst aber mußt du Lord Illingworth kennenlernen. *(Steuert auf Lord Illingworth zu)*

MRS. ARBUTHNOT. Nicht heute, Gerald.

GERALD. Lord Illingworth, ich möchte Sie so gerne mit meiner Mutter bekannt machen.

LORD ILLINGWORTH. Es wird mir ein Vergnügen sein. *(Zu Mrs. Allonby)* Ich bin gleich wieder da. Mütter langweilen mich tödlich. Alle Frauen ähneln mit der Zeit ihren Müttern. Das ist ihre Tragik.

MRS. ALLONBY. Der Mann freilich nie. Das ist *seine* Tragik.

LORD ILLINGWORTH. Sie sind heute abend in einer liebenswürdigen Laune. *(Macht kehrt und geht an Geralds Seite auf Mrs. Arbuthnot zu. Sowie er sie erblickt, weicht er verwundert zurück. Dann wandern seine Blicke langsam zu Gerald)*

GERALD. Mutter, das ist Lord Illingworth, der mir den Posten eines Privatsekretärs angeboten hat. *(Mrs. Arbuthnot verbeugt sich steif)* Eine wunderbare Chance für mich, nein? Ich hoffe nur, daß ich ihn nicht enttäusche. Du bist Lord Illingworth dankbar, nicht wahr, Mutter?

MRS. ARBUTHNOT. Es ist sehr lieb von Lord Illingworth, daß er sich vorläufig für dich interessiert.

LORD ILLINGWORTH *(legt die Hand auf Geralds Schulter)*. Gerald und ich sind schon gute Freunde geworden, Mrs. – Arbuthnot.

MRS. ARBUTHNOT. Es gibt nichts Gemeinsames zwischen Ihnen und meinem Sohn, Lord Illingworth.

GERALD. Liebe Mutter, wie kannst du so etwas sagen! Natürlich ist Lord Illingworth furchtbar klug und so weiter. Lord Illingworth weiß alles.

LORD ILLINGWORTH. Mein lieber Junge ...

GERALD. Ich kenne niemanden, der so viel Lebenserfahrung hat wie er. Neben Ihnen, Lord Illingworth, komme ich mir schrecklich dumm vor. Freilich habe ich wenig günstige Gelegenheiten gehabt. Ich habe weder in Eton noch in Oxford studiert. Aber daran scheint Lord Illingworth sich nicht zu stoßen. Er war furchtbar nett zu mir, Mutter.

MRS. ARBUTHNOT. Es wäre möglich, daß Lord Illingworth sich's überlegt. Vielleicht wird er dich gar nicht haben wollen.

GERALD. Mutter!

MRS. ARBUTHNOT. Vergiß nicht, daß du, wie du selber gesagt hast, sowenig Gelegenheit hattest, etwas zu lernen.

MRS. ALLONBY. Lord Illingworth, ich möchte einen Augenblick mit Ihnen sprechen. Bitte, kommen Sie zu mir.

LORD ILLINGWORTH. Entschuldigen Sie mich, Mrs. Arbuthnot!

Also, Gerald, Ihre reizende Mama soll uns keine Schwierigkeiten machen. Die Sache ist erledigt, nicht wahr?

GERALD. Hoffentlich ...

(Lord Illingworth begibt sich zu Mrs. Allonby)

MRS. ALLONBY. Ich dachte, Sie würden sich von der Dame in schwarzem Samt überhaupt nicht mehr trennen können.

LORD ILLINGWORTH. Eine äußerst schöne Frau. *(Betrachtet Mrs. Arbuthnot)*

LADY HUNSTANTON. Caroline, wollen wir ins Musikzimmer übersiedeln? Miß Worsley wird uns etwas vorspielen. Sie kommen doch auch mit, liebe Mrs. Arbuthnot, nicht wahr? Sie wissen nicht, was für ein Genuß Ihnen winkt. *(Zu Dr. Daubeny)* Ich muß Miß Worsley wirklich einmal ins Pfarrhaus mitnehmen. Ich möchte so gern, daß Ihre liebe Frau sie Geige spielen hört. Ach, wie vergeßlich ich bin! Ihre liebe Frau ist ein bißchen schwerhörig, nicht wahr?

DER ERZDIAKON. Durch ihre Taubheit geht ihr so manches verloren. Jetzt kann sie sich nicht einmal mehr meine Predigten anhören. Sie liest sie zu Hause. Aber sie hat ein reiches, reiches Innenleben.

LADY HUNSTANTON. Sie liest wohl sehr viel?

DER ERZDIAKON. Nur den allergrößten Druck. Ihr Sehvermögen läßt rapide nach. Aber sie jammert nie – sie jammert nie.

GERALD *(zu Lord Illingworth)*. Sprechen Sie doch mit meiner Mutter, Lord Illingworth, bevor Sie ins Musikzimmer gehen. Aus irgendeinem Grunde scheint sie sich einzubilden, daß Ihr Angebot nicht ernst gemeint sei.

MRS. ALLONBY. Kommen Sie nicht zu uns?

LORD ILLINGWORTH. In ein paar Minuten ...! Lady Hunstanton, wenn Mrs. Arbuthnot gestattet, möchte ich gerne ein paar Worte mit ihr reden. Wir kommen dann gleich nach.

LADY HUNSTANTON. Ach, selbstverständlich! Sie werden ihr viel zu sagen haben, und sie wird sich bei Ihnen bedanken wollen. Nicht jede Mutter erlebt es, daß man ihrem Sohn ein so großartiges Angebot macht. Aber ich weiß, daß Sie es zu würdigen wissen, meine Liebe.

LADY CAROLINE. John!

LADY HUNSTANTON. Halten Sie Mrs. Arbuthnot nicht zu lange auf, Lord Illingworth. Wir können sie nicht entbehren.

(Geht hinter den Gästen ab. Nach einer Weile Violinspiel aus dem Musikzimmer)

LORD ILLINGWORTH. Das ist also unser Sohn, Rachel. Ich bin stolz auf ihn. Jeder Zoll ein Harford. Übrigens – warum Arbuthnot, Rachel?

MRS. ARBUTHNOT. Wenn man kein Anrecht auf einen Namen hat, ist der eine Name so gut wie der andere.

LORD ILLINGWORTH. Vermutlich. Aber warum Gerald?

MRS. ARBUTHNOT. Nach einem Mann, dem ich das Herz gebrochen habe – nach meinem Vater.

LORD ILLINGWORTH. Vorbei ist vorbei, Rachel. Jetzt kann ich nur sagen, daß mir unser Junge gut gefällt. Die Welt wird ihn nur als meinen Privatsekretär kennen, mir aber wird er sehr nahestehen und sehr lieb sein. Merkwürdig, Rachel – ich fand mein Leben recht vollendet. Ich habe mich geirrt. Etwas hat mir gefehlt – ein Sohn. Jetzt habe ich meinen Sohn gefunden. Ich bin froh, daß ich ihn gefunden habe.

MRS. ARBUTHNOT. Du hast kein Recht, ihn zu beanspruchen – weder ganz oder auch nur zum geringsten Teil. Der Junge gehört mir und wird immer mir gehören.

LORD ILLINGWORTH. Liebe Rachel, du hast ihn mehr als zwanzig Jahre lang für dich gehabt. Warum willst du ihn nicht jetzt eine Weile mir überlassen? Er gehört mir ebenso wie dir.

MRS. ARBUTHNOT. Sprichst du von dem Kind, das du im Stich gelassen hast? Von dem Kind, das deinetwegen vor Hunger und Entbehrung hätte sterben mögen?

LORD ILLINGWORTH. Du vergißt, Rachel, daß *du* mich verlassen hast. Nicht ich habe dich verlassen.

MRS. ARBUTHNOT. Ich habe dich verlassen, weil du dem Kind keinen Namen geben wolltest. Bevor mein Sohn zur Welt kam, habe ich dich angefleht, mich zu heiraten.

LORD ILLINGWORTH. Damals hatte ich nichts zu erwarten. Außerdem war ich nicht viel älter als du, Rachel. Erst einundzwanzig. Ich war, glaube ich, einundzwanzig Jahre alt, als die ganze Geschichte im Garten deines Vaters anfing.

MRS. ARBUTHNOT. Wenn ein Mann alt genug ist, um unrecht zu handeln, dann sollte er auch alt genug sein, um das Rechte zu tun.

LORD ILLINGWORTH. Meine liebe Rachel, philosophische Verallgemeinerungen sind stets interessant – moralische besagen absolut nichts. Zu behaupten, ich hätte unser Kind dem Hungertod preisgegeben, ist natürlich unwahr und albern. Meine Mutter hat dir sechshundert Pfund jährlich angeboten. Aber du wolltest dir nichts schenken lassen. Du bist ganz einfach verschwunden und hast das Kind mitgenommen.

MRS. ARBUTHNOT. Von ihr hätte ich mir keinen Penny schenken lassen. Dein Vater war von anderem Schlag. Er hat, als wir in Paris waren, in meiner Anwesenheit zu dir gesagt, es sei deine Pflicht, mich zu heiraten.

LORD ILLINGWORTH. Ach, Pflicht ist, was man von anderen erwartet, nicht, was man selber tut. Natürlich war ich durch meine Mutter beeinflußt. Wie jeder junge Mann ...

MRS. ARBUTHNOT. Ich bin froh, daß du das gesagt hast. Ich werde dafür sorgen, daß Gerald nicht mit dir loszieht.

LORD ILLINGWORTH. Was für ein Unsinn, Rachel!

MRS. ARBUTHNOT. Glaubst du, ich würde meinem Sohn ...

LORD ILLINGWORTH. Unserem Sohn.

MRS. ARBUTHNOT. ... meinem Sohn – *(Lord Illingworth zuckt die Achseln)* – erlauben, mit dem Mann loszuziehen, der meine Jugend zerstört, mein Leben zugrunde gerichtet, jeden Tag, jede Stunde meines Daseins vergiftet hat? Du begreifst nicht, was ich in der Vergangenheit an Leid und Schande habe ausstehen müssen!

LORD ILLINGWORTH. Meine liebe Rachel, ich muß offen gestehen, daß ich Geralds Zukunft für erheblich wichtiger halte als deine Vergangenheit.

MRS. ARBUTHNOT. Gerald kann nicht seine Zukunft von meiner Vergangenheit trennen.

LORD ILLINGWORTH. Er sollte es versuchen – und *du* müßtest ihm dabei helfen. Was bist du doch für eine typische Frau! Du redest sentimental daher und denkst die ganze Zeit nur an dich. Aber wir wollen Szenen vermeiden. Rachel, ich bitte dich, die Angelegenheit unter einem vernünftigen Gesichtspunkt zu betrachten, einzig und allein unter dem Gesichtspunkt: Was ist das Beste für unseren Sohn? Lassen wir dich und mich aus dem Spiel. Was ist unser Sohn momentan? Ein schlechtbezahlter Angestellter einer kleinen Provinzbank in einer drittrangigen Provinzstadt. Wenn du dir einbildest, daß ihm diese Tätigkeit Freude macht, dann täuschst du dich. Er ist gründlich unzufrieden.

MRS. ARBUTHNOT. Er war nicht unzufrieden, bevor er dich kennenlernte. Du hast es ihm beigebracht.

LORD ILLINGWORTH. Natürlich habe ich es ihm beigebracht. Die Unzufriedenheit ist der erste Schritt eines Menschen oder einer Nation auf der Bahn des Fortschritts. Aber ich habe mich nicht damit begnügt, sein Verlangen nach dem Unerreichbaren zu wecken. Nein, ich habe ihm ein charmantes Angebot gemacht. Ich brauche kaum zu betonen, daß er mit beiden Händen zugegriffen hat. Jeder junge Mann würde zugreifen. Und nur, weil sich herausgestellt hat, daß ich sein Vater bin und er mein Sohn ist, nimmst du dir vor, seine Karriere so gut wie im Keim zu ersticken. Das heißt: Wenn ich dir völlig fremd wäre, würdest du Gerald ohne weiteres mit mir losziehen lassen. Weil er aber mein eigen Fleisch und Blut ist, sträubst du dich dagegen. Wenn das nicht unlogisch ist!

MRS. ARBUTHNOT. Ich werde ihm nicht erlauben, dein Sekretär zu werden.

LORD ILLINGWORTH. Wie willst du es verhindern? Unter welchem Vorwand kannst du ihn veranlassen, ein Angebot wie das meine abzulehnen? Ich werde ihm nicht erzählen, in welcher Beziehung ich zu ihm stehe – das brauche ich kaum zu betonen. Du aber wagst nicht, ihm die Wahrheit zu sagen. Das weiß ich. Schau doch nur, wie du ihn erzogen hast!

MRS. ARBUTHNOT. Ich habe ihn zu einem anständigen Menschen erzogen.

LORD ILLINGWORTH. Absolut. Und das Ergebnis? Wenn er je die Wahrheit erfährt, wird er den Stab über dich brechen. Du hast ihn zu deinem Richter erzogen. Und er wird dir ein erbitterter, ein ungerechter Richter sein. Mach dir nichts vor, Rachel. Anfangs lieben die Kinder ihre Eltern. Nach einiger Zeit beginnen sie sie zu verurteilen. Selten, wenn überhaupt je, verzeihen sie ihnen.

MRS. ARBUTHNOT. George, nimm mir nicht meinen Sohn weg! Zwanzig Jahre lang hatte ich Kummer – und zwanzig Jahre lang nur dieses eine Wesen, das mich liebte, das ich lieben durfte. Dein Leben war nichts als Freude, Vergnügen und Erfolg. Du warst recht glücklich, du hast nie an uns gedacht. Du mit deiner Weltanschauung hast keinen Grund gesehen, dich überhaupt noch an uns zu erinnern. Daß du uns begegnet bist, war ein reiner Zufall, ein grauenhafter Zufall. Vergiß ihn. Nimm mir jetzt nicht alles weg – alles, was ich auf dieser Welt besitze. Du bist ja sonst so reich. Laß mir den kleinen Weinberg meines Lebens, laß mir den ummauerten Garten und den Brunnen. Das Lamm, das Gott mir gesandt hat, aus Mitleid oder im Zorn, ach, laß es mir! George – nimm mir den Sohn nicht weg.

LORD ILLINGWORTH. Rachel, im Augenblick braucht Gerald dich nicht, um Karriere zu machen. Mich braucht er. Mehr ist zu dem Thema nicht zu sagen.

MRS. ARBUTHNOT. Ich lasse ihn nicht fort.

LORD ILLINGWORTH. Da kommt er. Es ist sein gutes Recht, selbst eine Entscheidung zu treffen.

(Gerald tritt auf)

GERALD. Also, liebe Mutter, hoffentlich hast du dich mit Lord Illingworth geeinigt.

MRS. ARBUTHNOT. Nein, Gerald.

LORD ILLINGWORTH. Ihrer Mutter scheint es aus irgendeinem Grunde nicht recht zu sein, daß Sie mit mir mitkommen.

GERALD. Warum, Mutter?

MRS. ARBUTHNOT. Ich habe mir eingebildet, daß du dich bei mir recht wohl fühlst, Gerald. Ich wußte nicht, daß du so begierig bist, mich zu verlassen.

GERALD. Mutter, wie kannst du so etwas sagen? Natürlich habe ich mich bei dir wohl gefühlt. Aber man kann doch nicht ewig bei seiner Mutter bleiben. Wer macht denn das? Ich will mir eine Position erobern, ich will etwas erreichen. Ich dachte, du würdest stolz darauf sein, mich als Sekretär Lord Illingworths zu sehen.

MRS. ARBUTHNOT. Meiner Meinung nach bist du für diesen Posten nicht geeignet. Dir fehlt die Befähigung.

LORD ILLINGWORTH. Ich möchte nicht einen Moment lang den Eindruck erwecken, daß ich mich einmische, Mrs. Arbuthnot –

aber was Ihren letzten Einwand betrifft, so kann das wohl *ich* am besten beurteilen. Und ich muß sagen, daß Ihr Sohn alle die Fähigkeiten besitzt, die ich mir erhofft habe. Eigentlich größere, als ich je gedacht hätte. Weit größere ... *(Mrs. Arbuthnot schweigt)* Haben Sie noch andere Gründe, Mrs. Arbuthnot, warum Sie nicht wünschen, daß Ihr Sohn die angebotene Stellung annimmt?

GERALD. Hast du Gründe, Mutter? Bitte, antworte!

LORD ILLINGWORTH. Wenn Sie Gründe haben, dann sagen Sie sie mir – bitte, bitte ... Wir sind hier ganz unter uns. Was auch immer es sei – ich werde es selbstverständlich nicht weitersagen.

GERALD. Mutter?

LORD ILLINGWORTH. Wenn Sie mit Ihrem Sohn allein sein möchten, werde ich mich zurückziehen. Sie könnten irgendeinen Grund haben, den ich nicht hören soll.

MRS. ARBUTHNOT. Ich habe keinen anderen Grund.

LORD ILLINGWORTH. Dann, mein lieber Junge, dürfen wir die Angelegenheit als erledigt betrachten. Kommen Sie, wir wollen gemeinsam auf der Terrasse eine Zigarette rauchen. Und, Mrs. Arbuthnot, gestatten Sie mir, bitte, zu sagen, daß Sie meiner Meinung nach sehr, sehr klug gehandelt haben.

(Ab mit Gerald. Mrs. Arbuthnot bleibt allein zurück. Regungslos steht sie da, einen Ausdruck unsäglichen Kummers in ihren Zügen)

Vorhang

Dritter Akt

Die Gemäldegalerie im Landhaus Lady Hunstantons. Eine Tür im Hintergrund führt zur Terrasse. Lord Illingworth und Gerald Mitte rechts. Lord Illingworth hingerekelt auf einem Sofa. Gerald in einem Sessel.

LORD ILLINGWORTH. Eine durchaus vernünftige Frau, Ihre Mutter, Gerald. Ich wußte – zu guter Letzt wird sie nachgeben.

GERALD. Meine Mutter ist furchtbar gewissenhaft, Lord Illingworth. Ich weiß, daß sie meine Bildung zu unzureichend hält. Sie hat auch völlig recht. In der Schule war ich entsetzlich faul, und heute könnte ich um keinen Preis mehr eine Prüfung bestehen.

LORD ILLINGWORTH. Mein lieber Gerald, Prüfungen haben gar keinen Wert. Ist man ein Gentleman, dann weiß man genug. Ist man keiner, dann schadet einem jedes Wissen.

GERALD. Aber ich kenne die Welt nicht, Lord Illingworth.

LORD ILLINGWORTH. Seien Sie unbesorgt, Gerald. Vergessen Sie nicht, daß Sie das Wunderbarste von der Welt auf Ihrer Seite haben – die Jugend! Nichts kommt ihr gleich. Die älteren Menschen sind dem Leben verpfändet – die Alten landen in der Rumpelkammer des Lebens. Die Jugend aber beherrscht das Leben! Auf den jungen Menschen wartet ein Königreich. Jeder wird als ein König geboren, und die meisten sterben im Exil, wie die meisten Könige. Um meine Jugend wiederzugewinnen, Gerald, würde ich vor nichts zurückschrecken – nur nicht Gymnastik treiben, früh aufstehen oder ein nützliches Mitglied der Gesellschaft werden.

GERALD. Aber Sie halten sich doch nicht für alt, Lord Illingworth?

LORD ILLINGWORTH. Ich bin alt genug, um Ihr Vater zu sein, Gerald.

GERALD. An meinen Vater kann ich mich nicht erinnern. Er starb vor Jahren.

LORD ILLINGWORTH. Das hat Lady Hunstanton mir erzählt.

GERALD. Es ist merkwürdig: Meine Mutter spricht nie mit mir

über meinen Vater. Manchmal vermute ich, daß sie sich unter ihrem Stand verheiratet hat.

LORD ILLINGWORTH *(zuckt leicht zusammen).* Wirklich? *(Geht zu Gerald hin und legt ihm die Hand auf die Schulter)* Ein Vater hat Ihnen wohl sehr gefehlt, Gerald.

GERALD. Ach nein. Meine Mutter war so gut zu mir. So eine Mutter hat noch nie ein Mensch gehabt.

LORD ILLINGWORTH. Davon bin ich überzeugt. Trotzdem stelle ich mir vor, daß die meisten Mütter ihre Söhne nicht ganz verstehen. Ich meine, daß sie nicht begreifen, daß ein Sohn ehrgeizig ist, das Leben kennenlernen will, sich einen Namen machen will. Schließlich kann man Ihnen doch nicht zumuten, Gerald, Ihr ganzes Leben in einem gottverlassenen Loch wie Wrockley zu verbringen!

GERALD. Nein, nein! Das wäre schrecklich.

LORD ILLINGWORTH. Natürlich ist die Mutterliebe rührend – oft aber merkwürdig egoistisch. Ich meine, es steckt viel Egoismus dahinter.

GERALD *(zögernd).* Vermutlich ...

LORD ILLINGWORTH. Ihre Mutter ist ein guter Mensch, eine brave Frau. Brave Frauen aber sehen sehr oft das Leben aus einem engen Gesichtswinkel, ihr Horizont ist begrenzt, sie interessieren sich nur für Lappalien. Habe ich recht?

GERALD. Eines ist sicher: Sie interessiert sich brennend für Dinge, die uns kalt lassen.

LORD ILLINGWORTH. Ich nehme an, daß Ihre Mutter fromm ist.

GERALD. Ach ja, sie geht fleißig in die Kirche.

LORD ILLINGWORTH. Aha – sie ist altmodisch. Sie ist nicht auf der Höhe ihrer Zeit. Heutzutage heißt es modern sein. *Sie* wollen natürlich auf der Höhe Ihrer Zeit – Sie wollen ein moderner Mensch sein, Gerald, nicht wahr? Sie wollen das Leben kennenlernen, wie es ist, und sich nicht mit verstaubten Theorien abspeisen lassen. Also, vorläufig haben Sie nichts anderes zu tun, als sich ganz einfach für die besten Kreise zu qualifizieren. Der Mann, der eine Londoner Tischrunde beherrschen kann, der kann die Welt beherrschen. Die Zukunft gehört dem Dandy. Der Elegant wird das Zepter schwingen.

GERALD. Ich möchte mich furchtbar gerne gut anziehen, aber man hat mir immer gesagt, ein Mann sollte nicht allzusehr auf seine Kleidung achten.

LORD ILLINGWORTH. Die heutigen Menschen sind so absolut oberflächlich, daß sie den tieferen Sinn des Oberflächlichen nicht erfassen. Übrigens, Gerald, müssen Sie lernen, Ihre Krawatte besser zu knöpfen. Die Blume im Knopfloch darf meinetwegen sentimental sein. Die Krawatte aber muß Stil haben. Eine gut geknüpfte Krawatte ist der erste ernsthafte Schritt ins Leben.

GERALD *(lachend)*. Vielleicht werde ich lernen, wie man eine Krawatte knüpft, Lord Illingworth – nie aber werde ich so das Wort führen können wie Sie. Ich verstehe nicht, mich auszudrücken.

LORD ILLINGWORTH. Ach, sprechen Sie mit jeder Frau so, als wären Sie in sie verliebt – und mit jedem Mann so, als ob er Sie anödete – dann werden Sie am Ende Ihrer ersten Saison als Meister des gesellschaftlichen Takts gelten.

GERALD. Aber es ist sehr schwierig, in die gute Gesellschaft aufgenommen zu werden, nein?

LORD ILLINGWORTH. Um heutzutage in die beste Gesellschaft aufgenommen zu werden, muß man die Leute entweder bewirten, amüsieren oder schockieren – das ist alles!

GERALD. Es muß ein Vergnügen sein, der guten Gesellschaft anzugehören.

LORD ILLINGWORTH. Ihr lediglich anzugehören ist langweilig. Aus ihr verbannt zu sein aber ganz einfach eine Tragödie. Die gute Gesellschaft ist ein notwendiges Übel. Kein Mann kann in dieser Welt Erfolg haben, wenn nicht Frauen hinter ihm stehen, und Frauen regieren die gute Gesellschaft. Wer keine Frauen an seiner Seite hat, ist verloren. Dann kann er ebensogut Rechtsanwalt, Börsenmakler oder gleich Journalist werden.

GERALD. Frauen zu verstehen ist nicht leicht.

LORD ILLINGWORTH. Man sollte nie versuchen, sie zu verstehen. Frauen sind Gemälde, Männer Probleme. Wenn Sie wissen wollen, was eine Frau wirklich meint – übrigens ist das immer gefährlich –, dann schauen Sie sie an – hören Sie ihr nicht zu.

GERALD. Aber Frauen sind furchtbar gescheit.

LORD ILLINGWORTH. Das soll man ihnen einreden. In den Augen des Philosophen aber, mein lieber Gerald, repräsentieren die

Frauen den Sieg der Materie über die Vernunft – genauso wie die Männer den Sieg der Vernunft über die Moral repräsentieren.

GERALD. Wie können dann die Frauen so mächtig sein, wie Sie behaupten?

LORD ILLINGWORTH. Die Geschichte der Frau ist die Geschichte der schlimmsten Tyrannei, die die Welt je gekannt hat. Der Tyrannei der Schwachen über die Starken. Der einzigen Tyrannei, die alles überdauert.

GERALD. Haben denn aber nicht die Frauen einen verfeinernden Einfluß?

LORD ILLINGWORTH. Verfeinernd wirkt nur der Intellekt.

GERALD. Immerhin gibt es viele verschiedene Arten von Frauen, oder wie?

LORD ILLINGWORTH. In der guten Gesellschaft nur zwei: die Häßlichen und die Geschminkten.

GERALD. Keine anständigen Frauen?

LORD ILLINGWORTH. Viel zu viele.

GERALD. Soll denn Ihrer Meinung nach eine Frau nicht anständig sein?

LORD ILLINGWORTH. Man darf es ihnen um Gottes willen nicht sagen – sie würden sofort alle miteinander anständig werden. Das weibliche Geschlecht ist von einem faszinierenden Eigensinn. Jede Frau ist eine Rebellin – und für gewöhnlich in wildem Aufruhr gegen sich selbst.

GERALD. Sie waren nie verheiratet, Lord Illingworth.

LORD ILLINGWORTH. Männer heiraten aus Überdruß, Frauen aus Neugier. Beide werden enttäuscht.

GERALD. Kann man Ihrer Meinung nach nicht glücklich sein, wenn man verheiratet ist?

LORD ILLINGWORTH. Restlos glücklich. Aber das Glück eines verheirateten Mannes, mein lieber Gerald, hängt von den Frauen ab, die er nicht geheiratet hat.

GERALD. Und wenn man verliebt ist?

LORD ILLINGWORTH. Man sollte immer verliebt sein. Und deshalb nie heiraten.

GERALD. Meinen Sie nicht auch, daß die Liebe etwas Herrliches ist?

LORD ILLINGWORTH. Wenn man verliebt ist, betrügt man zuerst sich selber. Zuletzt betrügt man andere. Das findet die Welt romantisch. Eine echte *grande passion* aber kommt heutzutage verhältnismäßig selten vor. Sie ist das Privileg der Leute, die nichts zu tun haben. Hier sehen wir den einzigen Nutzen der müßigen Klassen in einem Lande und die einzige Erklärung für uns Harfords.

GERALD. Harfords, Lord Illingworth?

LORD ILLINGWORTH. Mein Familienname. Sie müssen den Adelskalender studieren, Gerald, das Buch, mit dem jeder junge Weltmann gründlich vertraut sein sollte. Übrigens auch das größte Dichtwerk, das die Engländer je hervorgebracht haben. Und von nun an, Gerald, werden Sie an meiner Seite ein völlig neues Leben beginnen. Deshalb will ich Sie lehren, das Leben zu leben. *(Auf der Terrasse im Hintergrund wird Mrs. Arbuthnot sichtbar)* Denn die Welt ist von Dummköpfen geschaffen worden, damit die Klugen sie bevölkern!

(Mitte links: Lady Hunstanton und Dr. Daubeny)

LADY HUNSTANTON. Ah, da sind Sie ja, lieber Lord Illingworth! Sie haben wohl unseren jungen Freund Gerald in seine neuen Pflichten eingeführt und ihm bei einer guten Zigarette eine Menge guter Ratschläge erteilt.

LORD ILLINGWORTH. Die besten Ratschläge und die beste Zigarette, Lady Hunstanton.

LADY HUNSTANTON. Ich bedaure, daß ich nicht dabei war und zuhören durfte, aber ich bin wohl auch schon zu alt, um etwas hinzuzulernen. Außer von Ihnen, lieber Erzdiakon, wenn Sie in Ihrer schönen Kanzel stehen. Da aber weiß ich immer schon im voraus, was Sie sagen werden, und habe keine Angst. *(Sie erblickt Mrs. Arbuthnot)* Oh, liebe Mrs. Arbuthnot, kommen Sie doch zu uns. Kommen Sie, meine Liebe! *(Mrs. Arbuthnot tritt ein)* Gerald hatte ein langes Gespräch mit Lord Illingworth. Sie fühlen sich sicherlich sehr geschmeichelt durch diese erfreuliche Wendung der Dinge. Setzen wir uns! *(Sie setzen sich)* Und wie geht es mit Ihrer wunderschönen Stickerei voran?

MRS. ARBUTHNOT. Ich bin fleißig.

LADY HUNSTANTON. Auch Mrs. Daubeny stickt ab und zu, nicht wahr?

DER ERZDIAKON. Früher einmal wußte sie sehr geschickt mit der Nadel umzugehen. Sie war geradezu eine Dorcas. Aber durch die Gicht sind ihre Finger steif geworden. Seit neun oder zehn Jahren hat sie die Sticktrommel nicht mehr angerührt. Aber sie hat viele andere Vergnügungen. Sie interessiert sich lebhaft für ihren Gesundheitszustand.

LADY HUNSTANTON. Ach, das ist immer eine nette Zerstreuung. Nun, worüber haben Sie mit Gerald gesprochen, Lord Illingworth? Verraten Sie es mir.

LORD ILLINGWORTH. Ich wollte ihm soeben erklären, daß die Welt seit eh und je über ihre eigenen Tragödien gelacht hat – weil sie sie anders nicht ertragen könnte. Was die Welt ernst nimmt, gehört infolgedessen zu den komischen Aspekten des Lebens.

LADY HUNSTANTON. Jetzt verliere ich wieder den Boden unter den Füßen. Das passiert mir meistens, wenn Lord Illingworth etwas sagt. Und die Rettungsgesellschaft ist sehr schlampig. Nie wirft sie mir einen Rettungsring zu. Sie läßt mich ertrinken. Ich habe das dunkle Gefühl, Lord Illingworth, daß Sie immer für die Sünder Partei ergreifen – während ich mich bemühe, die Sache der Heiligen zu verfechten. Freilich bleibt es bei dem redlichen Bemühen. Und vielleicht ist es überhaupt reine Phantasie – die Wahnvorstellung einer Ertrinkenden.

LORD ILLINGWORTH. Ich sehe einen einzigen Unterschied zwischen dem Heiligen und dem Sünder: Jeder Heilige hat eine Vergangenheit und jeder Sünder eine Zukunft.

LADY HUNSTANTON. Ach, das gibt mir den Rest. Ich weiß nichts mehr zu sagen. Sie und ich, liebe Mrs. Arbuthnot, sind hinter unserer Zeit zurückgeblieben. Wir können mit Lord Illingworth nicht Schritt halten. Leider wurden wir zu sorgfältig erzogen. Wohlerzogen zu sein ist heutzutage ein großer Nachteil. Man muß auf so vieles verzichten.

MRS. ARBUTHNOT. Ich würde es bedauern, wenn ich mich irgendeiner der Ansichten Lord Illingworths anschließen müßte.

LADY HUNSTANTON. Sie haben völlig recht, meine Liebe.

(Gerald zuckt die Achseln und wirft seiner Mutter einen gereizten Blick zu. Lady Caroline tritt ein)

LADY CAROLINE. Jane, hast du John gesehen?

LADY HUNSTANTON. Du brauchst nicht um ihn besorgt zu sein,

meine Liebe. Er ist bei Lady Stutfield. Ich habe die beiden vor einiger Zeit im gelben Salon gesehen. Sie scheinen sich recht gut miteinander zu vertragen. Du willst doch nicht schon gehen, Caroline? Bitte, nimm Platz.

LADY CAROLINE. Ich will mich mal lieber nach John umsehen.

(Geht ab)

LADY HUNSTANTON. Es ist nicht ratsam, den Männern so viel Aufmerksamkeit zu schenken. Und Caroline braucht wirklich nicht besorgt zu sein. Lady Stutfield ist sehr teilnahmsvoll. Ob es sich um das eine oder das andere handelt. Eine schöne Seele. *(Sir John und Mrs. Allonby treten ein)* Ah, da ist Sir John! Und noch dazu in Gesellschaft Mrs. Allonbys. Dann habe ich ihn wohl mit Mrs. Allonby im gelben Salon sitzen sehen. Sir John, Caroline hat Sie überall gesucht.

MRS. ALLONBY. Wir haben im Musikzimmer auf sie gewartet, Lady Hunstanton.

LADY HUNSTANTON. Ach ja, selbstverständlich – im Musikzimmer. Nicht im gelben Salon ... Mein Gedächtnis wird immer schlechter. *(Zum Erzdiakon)* Mrs. Daubeny hat ein großartiges Gedächtnis, nicht wahr?

DER ERZDIAKON. Ihr Gedächtnis war einmal geradezu bemerkenswert gut, aber seit ihrem letzten Anfall erinnert sie sich hauptsächlich an die Ereignisse in ihrer frühesten Kindheit. Aber diese Rückblicke machen ihr viel Freude, sehr viel Freude.

(Lady Stutfield und Mr. Kelvil treten auf)

LADY HUNSTANTON. Ah, unsere liebe Lady Stutfield! Und worüber hat Mr. Kelvil sich mit Ihnen unterhalten?

LADY STUTFIELD. Soweit ich mich erinnern kann, über den Bimetallismus.

LADY HUNSTANTON. Bimetallismus! Ist das ein schickliches Thema? Aber ich weiß, daß heutzutage die Leute recht offen über alles reden. Worüber hat Sir John sich mit Ihnen unterhalten, liebe Mrs. Allonby?

MRS. ALLONBY. Über Patagonien.

LADY HUNSTANTON. Tatsächlich? Was für ein abseitiges Gesprächsthema! Aber zweifellos äußerst lehrreich.

MRS. ALLONBY. Er wußte viel Interessantes zu berichten. Die Wilden scheinen fast in allen Dingen die gleichen Anschauungen zu haben wie die Kulturvölker. Sie sind enorm fortgeschritten.

LADY HUNSTANTON. Was machen sie denn?

MRS. ALLONBY. Anscheinend alles.

LADY HUNSTANTON. Also, es ist doch sehr erfreulich, lieber Herr Erzdiakon, wenn sich zeigt, daß die menschliche Natur stets und überall ein und dieselbe bleibt. Im großen und ganzen ist die Welt ein und dieselbe Welt, oder wie?

LORD ILLINGWORTH. Die Welt zerfällt ganz einfach in zwei Klassen – jene, die wie die Allgemeinheit das Unglaubliche glauben, und jene, die das Unwahrscheinliche wagen.

MRS. ALLONBY. Wie Lord Illingworth.

LORD ILLINGWORTH. Ja. Ich muß mich immer wieder über mich selber wundern. Nur dadurch wird das Leben lebenswert.

LADY STUTFIELD. Und warum haben Sie sich neuerdings über sich gewundert?

LORD ILLINGWORTH. Ich habe alle möglichen schönen Charakterzüge an mir entdeckt.

MRS. ALLONBY. Oh, werden Sie nur nicht mit einem Schlag vollkommen! Schritt für Schritt!

LORD ILLINGWORTH. Ich habe gar nicht die Absicht, mich zu vervollkommnen. Wenigstens hoffe ich, daß es mir erspart bleibt. Es wäre höchst unbequem. Die Frauen lieben uns um unserer Mängel willen. Haben wir genug Mängel, dann verzeihen sie uns alles andere, sogar unseren gigantischen Intellekt.

MRS. ALLONBY. Nur nicht so vorschnell verlangen, daß wir tiefsinnige Tüfteleien verzeihen: Daß man uns vergöttert, verzeihen wir gern – mehr aber sollte man nicht von uns erwarten.

(Lord Alfred tritt auf und gesellt sich zu Lady Stutfield)

LADY HUNSTANTON. Ach, wir Frauen sollten alles verzeihen, nicht wahr, liebe Mrs. Arbuthnot? Sicher geben Sie mir recht.

MRS. ARBUTHNOT. Nein, Lady Hunstanton. Meiner Meinung nach gibt es vieles, das Frauen nie verzeihen sollten.

LADY HUNSTANTON. Zum Beispiel?

MRS. ARBUTHNOT. Die Handlungsweise eines Mannes, der das Leben einer anderen Frau zugrunde gerichtet hat. *(Weicht langsam in den Hintergrund zurück)*

LADY HUNSTANTON. Ja, so etwas ist zweifellos sehr traurig, aber ich glaube, es gibt fabelhafte Heime, in denen solche Personen betreut und gebessert werden. Im großen und ganzen bin ich dafür, alles möglichst leichtzunehmen. Das ist das Geheimnis des Lebens.

MRS. ALLONBY. Das Geheimnis des Lebens? Sich nie einem Gefühl hinzugeben, das einem nicht zu Gesicht steht.

LADY STUTFIELD. Das Geheimnis des Lebens? Die schrecklichsten Enttäuschungen als ein rares Vergnügen zu schätzen.

KELVIL. Das Geheimnis des Lebens? Der Versuchung zu widerstehen, Lady Stutfield.

LORD ILLINGWORTH. Es *gibt* kein Geheimnis des Lebens. Der *Sinn* des Lebens – falls das Leben einen Sinn hat – besteht ganz einfach darin, stets und ständig nach Versuchungen Ausschau zu halten. Es gibt ihrer nicht annähernd genug. Manchmal vergeht ein ganzer Tag, ohne daß mir auch nur eine einzige begegnet. Das ist beängstigend. Man bangt um die Zukunft.

LADY HUNSTANTON *(droht ihm mit dem Fächer)*. Ich weiß nicht, wie es kommt, Lord Illingworth, aber alles, was Sie heute abend gesagt haben, finde ich äußerst unmoralisch. Ich habe Ihnen mit großem Interesse zugehört.

LORD ILLINGWORTH. Alles Denken ist unmoralisch. Seine Quintessenz ist die Vernichtung. Sowie man über etwas nachdenkt, hat man es schon erwürgt. Nichts widersteht der Mordlust des Gedankens.

LADY HUNSTANTON. Ich verstehe zwar kein Wort, Lord Illingworth, aber ich bezweifle nicht, daß Sie recht haben. Ich persönlich habe mir in puncto Nachdenken nicht viel vorzuwerfen. Ich bin nicht dafür, daß Frauen zu viel nachdenken. Sie sollten – wie in allen Dingen – maßhalten.

LORD ILLINGWORTH. Mäßigung ist verhängnisvoll, Lady Hunstanton. Und nichts erfolgreicher als das Übermaß.

LADY HUNSTANTON. Das werde ich mir hoffentlich merken. Es klingt nach einer bewundernswerten Maxime. Aber ich fange an, alles zu vergessen. Ein wahres Unglück.

LORD ILLINGWORTH. Im Gegenteil: eine Ihrer bezauberndsten Eigenschaften, Lady Hunstanton! Frauen sollten überhaupt kein Gedächtnis besitzen. Bei einer Frau fängt mit dem Gedächtnis die Schlampigkeit an. An der Kopfbedeckung einer Frau merkt man sofort, ob sie ein Gedächtnis hat oder nicht.

LADY HUNSTANTON. Wie charmant Sie doch sind, lieber Lord Illingworth! Immer wieder stellen Sie fest, daß unser krassester Mangel unser wichtigster Vorzug sei. Sie haben eine tröstliche Weltanschauung.

FARQUHAR *(tritt auf)*. Doktor Daubenys Kutsche!

LADY HUNSTANTON. Mein lieber Herr Erzdiakon! Es ist erst halb elf.

DER ERZDIAKON *(erhebt sich)*. Ich muß leider gehen, Lady Hunstanton. Jeden Dienstag hat meine Frau eine ihrer schlechten Nächte.

LADY HUNSTANTON *(erhebt sich)*. Da will ich Sie nicht aufhalten. *(Begleitet ihn zur Tür)* Ich habe Farquhar angewiesen, zwei Rebhühner in den Wagen zu legen. Vielleicht werden sie Mrs. Daubeny schmecken.

DER ERZDIAKON. Sehr lieb von Ihnen, aber meine Frau nimmt keine feste Nahrung mehr zu sich. Lebt nur noch von Gelees. Aber sie ist von einer wunderbaren Heiterkeit – einer wunderbaren Heiterkeit. Sie klagt über nichts. *(Ab mit Lady Hunstanton)*

MRS. ALLONBY *(nähert sich Lord Illingworth)*. Heute abend scheint der Mond überaus schön.

LORD ILLINGWORTH. Dann wollen wir seinen Anblick genießen. Heutzutage sieht man so gern etwas Unbeständiges.

MRS. ALLONBY. Sie haben Ihren Spiegel.

LORD ILLINGWORTH. Er ist unfreundlich. Er zeigt mir nur meine Falten.

MRS. ALLONBY. Meiner benimmt sich besser. Er sagt mir nie die Wahrheit.

LORD ILLINGWORTH. Dann ist er in Sie verliebt.

(Sir John, Lady Stutfield, Mr. Kelvil und Lord Alfred ab)

GERALD *(zu Lord Illingworth)*. Darf ich mich anschließen?

LORD ILLINGWORTH. Freilich, mein lieber Junge. *(Nähert sich zusammen mit Mrs. Allonby und Gerald der Terrassentür)*

(Lady Caroline tritt ein, schaut sich hastig um und geht ab: Aber es ist die entgegengesetzte Richtung zu der, die ihr Mann und Lady Stutfield eingeschlagen haben)

MRS. ARBUTHNOT. Gerald!

GERALD. Ja, Mutter?

(Lord Illingworth mit Mrs. Allonby ab)

MRS. ARBUTHNOT. Es wird spät. Gehen wir nach Hause!

GERALD. Meine liebe Mutter – warten wir noch ein bißchen. Lord Illingworth ist so reizend. Übrigens habe ich eine große Überraschung für dich, Mutter. Ende des Monats reisen wir nach Indien.

MRS. ARBUTHNOT. Fahren wir nach Hause.

GERALD. Freilich, Mutter, wenn du es wirklich wünschst. Zuerst aber muß ich mich von Lord Illingworth verabschieden. In fünf Minuten bin ich wieder da. *(Ab)*

MRS. ARBUTHNOT. Wenn er will, mag er mich verlassen, aber nicht mit ihm – nicht mit ihm! Das könnte ich nicht ertragen. *(Geht auf und ab)*

(Hester tritt ein)

HESTER. Was für eine herrliche Nacht, Mrs. Arbuthnot!

MRS. ARBUTHNOT. Wirklich?

HESTER. Mrs. Arbuthnot, wenn Sie mir doch erlauben wollten, mich mit Ihnen anzufreunden! Sie sind so anders als alle die Frauen in diesem Haus. Als Sie heute abend in den Salon kamen, da hatte ich das Gefühl, das ist ein Mensch, der einen Sinn für das Gute und Reine im Leben hat. Ich hatte mich dumm benommen. Manchmal sagt man das Richtige, aber zur falschen Zeit und zu den falschen Personen.

MRS. ARBUTHNOT. Ich habe gehört, was Sie sagten. Ich bin einverstanden, Miß Worsley.

HESTER. Ich wußte nicht, daß Sie es gehört haben. Aber ich wußte, Sie würden einverstanden sein. Eine Frau, die gesündigt hat, verdient ihre Strafe, nicht wahr?

MRS. ARBUTHNOT. Ja.

HESTER. Man sollte ihr den Zutritt zu der Gesellschaft anständiger Menschen verwehren.

MRS. ARBUTHNOT. Absolut.

HESTER. Und der Mann verdient die gleiche Strafe.

MRS. ARBUTHNOT. Die gleiche Strafe. Auch die Kinder, wenn Kinder da sind?

HESTER. Ja, es ist richtig, daß die Sünden der Eltern an den Kindern heimgesucht werden. Das ist ein gerechtes Gesetz. Gottes Gesetz.

MRS. ARBUTHNOT. Eines der furchtbaren Gesetze Gottes. *(Nähert sich dem Kamin)*

HESTER. Sie sind traurig, weil Ihr Sohn Sie verläßt, Mrs. Arbuthnot?

MRS. ARBUTHNOT. Ja.

HESTER. Ist es Ihnen recht, daß er mit Lord Illingworth verreist? Freilich – kein Zweifel – die Stellung und das Geld ... Aber Stellung und Geld bedeuten doch nicht alles.

MRS. ARBUTHNOT. Sie bedeuten nichts. Sie bringen Unglück.

HESTER. Warum lassen Sie zu, daß Ihr Sohn zu ihm geht?

MRS. ARBUTHNOT. Es ist sein Wunsch.

HESTER. Aber wenn Sie ihn darum bäten, würde er bleiben oder nicht?

MRS. ARBUTHNOT. Er hat es sich in den Kopf gesetzt, Lord Illingworths Sekretär zu werden.

HESTER. Er könnte Ihnen Ihre Bitte nicht abschlagen. Er liebt Sie viel zu sehr. Bitten Sie ihn zu bleiben. Ich schicke ihn zu Ihnen. Momentan ist er auf der Terrasse bei Lord Illingworth. Ich habe sie reden hören, als ich durchs Musikzimmer ging.

MRS. ARBUTHNOT. Bemühen Sie sich nicht, Miß Worsley, ich kann warten. Es spielt keine Rolle.

HESTER. Nein, ich werde ihm sagen, daß Sie mit ihm zu sprechen wünschen. Bitten Sie ihn zu bleiben. *(Ab)*

MRS. ARBUTHNOT. Er kommt nicht, ich weiß, er kommt nicht.

(Lady Caroline tritt ein und schaut sich besorgt um. Gerald tritt ein)

LADY CAROLINE. Mrs. Arbuthnot, darf ich fragen, ob Sir John sich auf die Terrasse begeben hat?

GERALD. Nein, Lady Caroline, er ist nicht auf der Terrasse.

LADY CAROLINE. Sehr merkwürdig. Es ist Zeit für ihn, sich zurückzuziehen. *(Ab)*

GERALD. Liebe Mutter, ich fürchte, ich habe dich warten lassen. Ich hatte es völlig vergessen. Ich bin heute abend so glücklich, Mutter – so glücklich wie noch nie.

MRS. ARBUTHNOT. Über die Aussicht, mich zu verlassen?

GERALD. So darfst du es nicht formulieren, Mutter. Natürlich tut es mir leid, dich verlassen zu müssen. Du bist die beste Mutter auf Gottes Erdboden. Aber man kann schließlich nicht, wie Lord Illingworth sagt, sein Leben in einem Winkel wie Wrockley verbringen. Dir macht es nichts aus. Ich aber habe meinen Ehrgeiz. Ich verlange etwas mehr vom Leben. Ich will Karriere machen. Ich will etwas leisten, damit du stolz sein kannst auf mich – und Lord Illingworth wird mir dazu verhelfen. Er wird alles für mich tun ...

MRS. ARBUTHNOT. Gerald, geh nicht zu Lord Illingworth. Ich flehe dich an, Gerald – ich bitte dich darum!

GERALD. Mutter, wie wankelmütig du bist! Nicht einen Augenblick lang scheinst du zu wissen, was du eigentlich willst. Vor anderthalb Stunden – im Salon – warst du mit allem einverstanden. Jetzt machst du kehrt und erhebst Einwände und willst mich zwingen, auf meine einzige Chance zu verzichten. Ja, auf meine einzige Chance ... Du nimmst wohl nicht an, Mutter, daß einem alle Tage ein Mann wie Lord Illingworth begegnet? Ich finde es sonderbar, daß der einzige Mensch, der meinem Glück im Wege steht, meine eigene Mutter ist. Außerdem, weißt du – ich liebe Hester Worsley. Wer sollte sie nicht lieben! Ich liebe sie mehr, als ich dir je gesagt habe – weit mehr. Wenn ich eine Stellung, wenn ich Aussichten hätte, dann könnte ich sie fragen, sie bitten, meine ... Verstehst du jetzt, Mutter, was es für mich bedeutet, Lord Illingworths Sekretär zu werden! Eine Karriere fix und fertig vor sich zu haben – sie wartet auf dich – du brauchst nur zuzugreifen ... Als Lord Illingworths Sekretär könnte ich Hester um ihre Hand bitten. Solange ich ein armseliger Bankbeamter bin, mit hundert Pfund im Jahr, wäre es eine Unverschämtheit.

MRS. ARBUTHNOT. Ich fürchte, du brauchst dir keine unnützen Hoffnungen zu machen. Ich kenne Miß Worsleys Anschauungen. Sie hat sie mir soeben mitgeteilt. *(Pause)*

GERALD. Dann bleibt mir auf jeden Fall mein Ehrgeiz. Immerhin etwas – ich bin froh, daß ich ihn habe. Du hast seit jeher versucht, meinen Ehrgeiz zu dämpfen, Mutter, nicht wahr? Du hast mir erzählt, die Welt sei schlecht, die gute Gesellschaft seicht und so weiter und so weiter – nun, ich glaube es dir nicht, Mutter. Die Welt muß wunderbar sein. Erfolg zu haben, lohnt die Mühe. Alles, was du mir beigebracht hast, war falsch, Mutter, grundfalsch. Lord Illingworth ist ein erfolgreicher Mann. Er ist ein vornehmer Mann. Er lebt in der Welt und lebt für sie. Also, ich würde alles darum geben, genauso zu sein wie Lord Illingworth.

MRS. ARBUTHNOT. Lieber möchte ich dich tot umfallen sehen.

GERALD. Mutter, was hast du gegen Lord Illingworth einzuwenden? Sag es mir – sag es mir offen. Was?

MRS. ARBUTHNOT. Er ist ein schlechter Mensch.

GERALD. In welcher Hinsicht schlecht! Ich verstehe nicht, was du meinst.

MRS. ARBUTHNOT. Ich werde es dir erklären.

GERALD. Du hältst ihn wohl für einen schlechten Menschen, weil er andere Ansichten hat als du. Männer und Frauen sind voneinander verschieden, Mutter. Da ist es nur natürlich, daß sie verschiedene Ansichten haben.

MRS. ARBUTHNOT. Es handelt sich nicht um seine Ansichten. Es handelt sich um den Menschen.

GERALD. Mutter, ist es etwas, das du weißt – wirklich weißt?

MRS. ARBUTHNOT. Es ist etwas, das ich weiß.

GERALD. Bist du dessen ganz sicher?

MRS. ARBUTHNOT. Ganz sicher.

GERALD. Seit wann weißt du es?

MRS. ARBUTHNOT. Seit zwanzig Jahren.

GERALD. Ist es fair, zwanzig Jahre weit zurückzugreifen – egal, wer es sei? Und was haben wir, du und ich, mit Lord Illingworths früherem Leben zu tun? Was geht es uns an?

MRS. ARBUTHNOT. Was dieser Mann damals war, ist er noch heute und wird es bleiben.

GERALD. Mutter, berichte mir, was Lord Illingworth getan hat. Wenn es eine Schandtat war, werde ich nicht mit ihm verreisen. Dazu kennst du mich wohl gut genug.

MRS. ARBUTHNOT. Gerald, komm zu mir – ganz nahe, wie in früheren Zeiten, als du noch ein kleiner Junge warst, als du der kleine Junge deiner Mutter warst ... *(Gerald setzt sich zu ihr. Sie fährt ihm mit den Fingern durchs Haar und streichelt seine Hände)* Gerald – es war einmal ein junges Mädchen, sie war sehr jung, kaum älter als achtzehn. George Harford – so hieß damals Lord Illingworth – lernte sie kennen. Sie wußte nichts vom Leben. Er – er wußte alles. Er machte das junge Mädchen in sich verliebt, so heftig verliebt, daß sie eines Morgens zusammen mit ihm das Vaterhaus verließ. Sie liebte ihn ja so sehr, und er hatte versprochen, sie zu heiraten. Er hatte feierlich versprochen, sie zu heiraten, und sie hatte es ihm geglaubt. Sie war sehr jung und – und unerfahren. Aber er schob die Heirat von Woche zu Woche, von Monat zu Monat hinaus. Ihr Vertrauen war unerschütterlich. Sie liebte ihn. – Bevor ihr Kind geboren wurde – sie bekam ein Kind –, flehte sie ihn an, er möge sie dem Kind zuliebe heiraten, damit das Kind einen Namen erhalte, damit nicht ihre Sünde an dem unschuldigen Kind heimgesucht werde. Er weigerte sich. Nach der Geburt des Kindes verließ sie ihn und nahm das Kind mit. Ihr Leben war zerstört, ihre Seele war zerstört – alles, was schön, gut und rein in ihr gewesen war – gleichfalls zerstört ... Sie litt fürchterlich – sie leidet noch heute. Sie wird immer leiden. Für sie gibt es keine Freude, keinen Frieden, keine Sühne. Sie schleppt eine Kette mit sich herum wie ein Sträfling. Sie trägt eine Maske wie ein Aussätziger. Das Feuer kann sie nicht läutern, das Wasser ihre Qual nicht stillen. Nichts kann ihre Wunden heilen! Keine Pille kann ihr den Schlaf, kein Mohnsaft das Vergessen schenken. Sie ist verloren. Eine verlorene Seele. Deshalb bezeichne ich Lord Illingworth als einen schlechten Menschen. Deshalb will ich nicht, daß mein Junge sich mit ihm zusammentut.

GERALD. Meine liebe Mutter, natürlich klingt das alles sehr tragisch. Aber ich muß sagen, daß das junge Mädchen genauso zu tadeln war wie ihr Verführer. Wird denn schließlich ein wirklich anständiges junges Mädchen, ein junges Mädchen mit einem Minimum an Anstandsgefühl, ihr Elternhaus mit einem Mann verlassen, mit dem sie nicht verheiratet ist, und als seine Frau mit ihm leben? Das würde kein anständiges Mädchen tun.

MRS. ARBUTHNOT *(nach einer Pause).* Gerald, ich ziehe alle meine Einwände zurück. Es steht dir frei, Lord Illingworth zu folgen – wann und wohin auch immer es dir beliebt.

GERALD. Liebe Mutter, ich habe gewußt, daß du mir nicht im

Wege stehen wirst. Du bist die beste Frau, die Gott je geschaffen hast. Und was Lord Illingworth betrifft, so glaube ich nicht, daß er einer infamen oder niedrigen Handlungsweise fähig ist. Ich kann es nicht glauben – nein, ich kann es nicht glauben.

HESTER *(draußen)*. Lassen Sie mich los! Lassen Sie mich los!

(Hester kommt entsetzt gelaufen, stürzt zu Gerald hin und wirft sich in seine Arme)

HESTER. Retten Sie mich – schützen Sie mich vor ihm!

GERALD. Vor wem?

HESTER. Er hat mich beleidigt – schwer beleidigt! Schützen Sie mich!

GERALD. Wer? Wer hat es gewagt ...?

(Lord Illingworth tritt im Hintergrund auf. Hester reißt sich aus Geralds Armen und zeigt auf Lord Illingworth)

GERALD *(völlig außer sich vor Wut und Entrüstung)*. Lord Illingworth, Sie haben das reinste Wesen auf Gottes Erdboden beleidigt, ein Wesen, so rein wie meine Mutter. So wahr ein Gott im Himmel ist, ich erschlage Sie!

MRS. ARBUTHNOT *(wirft sich ihm entgegen und hält ihn fest)*. Nein! Nein!

GERALD *(stößt sie zurück)*. Halt mich nicht fest, Mutter – halt mich nicht fest! Ich erschlage ihn!

MRS. ARBUTHNOT. Gerald!

GERALD. Laß mich los, sage ich!

MRS. ARBUTHNOT. Halt, Gerald, halt! Er ist dein Vater!

(Gerald umkrampft die Hände seiner Mutter und schaut ihr ins Gesicht. Vor Scham sinkt sie langsam zu Boden. Hester schleicht zur Tür. Lord Illingworth runzelt die Stirn und beißt sich auf die Lippe. Nach einer Weile hebt Gerald seine Mutter auf, legt den Arm um sie und führt sie aus dem Zimmer)

Vorhang

Vierter Akt

Wohnzimmer in Mrs. Arbuthnots Haus in Wrockley. Im Hintergrund eine breite, geöffnete Terrassentür mit Aussicht auf den Garten. Türen rechts Mitte und links Mitte. Gerald Arbuthnot sitzt schreibend an einem Tisch.

(Alice von rechts. Ihr folgen Lady Hunstanton und Mrs. Allonby)

ALICE. Lady Hunstanton und Mrs. Allonby. *(Ab nach links)*

LADY HUNSTANTON. Guten Morgen, Gerald.

GERALD *(erhebt sich)*. Guten Morgen, Lady Hunstanton. Guten Morgen, Mrs. Allonby.

LADY HUNSTANTON *(setzt sich)*. Wir wollen uns nach Ihrer lieben Mutter erkundigen, Gerald. Hoffentlich geht es ihr besser.

GERALD. Meine Mutter ist noch nicht heruntergekommen, Lady Hunstanton.

LADY HUNSTANTON. Ich fürchte, die Hitze hat sie gestern abend überwältigt. Es muß ein Gewitter in der Luft gelegen haben. Vielleicht war aber die Musik schuld. Musik stimmt einen immer gar so romantisch – zumindest geht sie einem immer auf die Nerven.

MRS. ALLONBY. Heutzutage ist das ein und dasselbe.

LADY HUNSTANTON. Ach, wie ich mich freue, daß ich nicht verstehe, was Sie meinen, meine Liebe! Ich fürchte, Sie meinen etwas Schlechtes. Aha – wie ich sehe, inspizieren Sie Mrs. Arbuthnots hübsches Zimmer. Ist es nicht nett und altmodisch?

MRS. ALLONBY *(betrachtet die Einrichtung durch ihr Lorgnon)*. Das traute englische Heim – wie es im Buch steht.

LADY HUNSTANTON. Das ist das richtige Wort, meine Liebe – die treffende Beschreibung. In allem, was Ihre Mutter um sich hat, Gerald, spürt man ihren guten Einfluß.

MRS. ALLONBY. Lord Illingworth behauptet, daß jeder Einfluß schlecht sei – der gute aber am allerschlimmsten.

LADY HUNSTANTON. Wenn Lord Illingworth erst einmal Mrs. Arbuthnot näher kennengelernt hat, wird er seine Meinung ändern. Ich muß ihn unbedingt mitbringen.

MRS. ALLONBY. Ich möchte Lord Illingworth in einem trauten englischen Heim sehen.

LADY HUNSTANTON. Es würde ihm sehr guttun, meine Liebe. Die meisten Frauen in London scheinen heutzutage ihre Wohnungen mit nichts anderem als Orchideen, Ausländern und französischen Romanen zu möblieren. Hier aber haben wir das Zimmer einer kleinen süßen Heiligen. Frische Gartenblumen, Bücher, die einen nicht schockieren, Bilder, die man anschauen kann, ohne zu erröten.

MRS. ALLONBY. Ich erröte aber gern.

LADY HUNSTANTON. Na ja, es hat schon was für sich, rot zu werden – besonders, wenn es einem im richtigen Augenblick glückt. Der arme gute Hunstanton hat immer zu mir gesagt, daß ich nicht annähernd oft genug erröte. Aber er war ja so überaus wunderlich. Ich durfte keinen seiner Freunde kennenlernen – bis auf solche, die über siebzig waren, wie der arme Lord Ashton – der übrigens kurze Zeit später vor das Scheidungsgericht zitiert wurde. Ein recht bedauerlicher Fall.

MRS. ALLONBY. Männer über siebzig finde ich reizend. Sie legen einem stets ihr ganzes Leben zu Füßen. Ich halte Siebzig für das ideale Alter eines Mannes.

LADY HUNSTANTON. Sie ist unverbesserlich, Gerald, nicht wahr? Nebenbei, Gerald – ich hoffe, daß Ihre liebe Mutter mich jetzt öfter besuchen wird. Sie und Lord Illingworth beabsichtigen wohl, sofort abzureisen?

GERALD. Ich habe die Absicht aufgegeben, Lord Illingworths Sekretär zu werden.

LADY HUNSTANTON. Aber nicht doch, Gerald! Das wäre sehr unvernünftig. Was kann denn der Grund sein?

GERALD. Ich glaube nicht, daß ich für den Posten geeignet bin.

MRS. ALLONBY. Ach, wenn Lord Illingworth *mich* auffordern wollte, seine Sekretärin zu werden! Aber er hält mich für zu frivol.

LADY HUNSTANTON. Meine Liebe, so dürfen Sie in diesem Hause nicht daherreden. Mrs. Arbuthnot kennt die lasterhafte Gesellschaft nicht, in der wir alle uns bewegen. Sie lehnt sie ab. Sie ist viel zu brav. Ich betrachte es als eine große Ehre, daß sie mich gestern besucht hat. Mit einem Mal hatte der Abend einen respektablen Anstrich.

MRS. ALLONBY. Das muß das Gewitter in der Luft gewesen sein.

LADY HUNSTANTON. Wie können Sie so etwas sagen, meine Liebe! Beides läßt sich überhaupt nicht miteinander vergleichen. Aber im Ernst, Gerald, was soll das heißen: nicht geeignet sein?

GERALD. Lord Illingworths Weltanschauung und meine sind zu sehr voneinander verschieden.

LADY HUNSTANTON. Aber, mein lieber Gerald, in Ihrem Alter sollten Sie noch gar keine Weltanschauung haben. Das ist völlig deplaciert. In Lebensfragen haben Sie sich von andern leiten zu lassen. Lord Illingworth hat Ihnen das denkbar schmeichelhafteste Angebot gemacht. Wenn Sie mit ihm auf Reisen gehen, werden Sie die Welt unter den bestmöglichen Auspizien sehen – wenigstens, soweit es sich lohnt, sie sich anzusehen. Sie werden bei den richtigen Leuten zu Gast sein, und das ist in diesem kritischen Augenblick Ihrer Laufbahn so überaus wichtig.

GERALD. Ich habe keine Lust, die Welt zu sehen – ich habe schon genug von ihr gesehen.

MRS. ALLONBY. Hoffentlich bilden Sie sich nicht ein, das Leben erschöpfend kennengelernt zu haben, Mr. Arbuthnot. Wenn das ein Mann behauptet, weiß man, daß das Leben ihn erschöpft hat.

GERALD. Ich will meine Mutter nicht verlassen.

LADY HUNSTANTON. Also, Gerald, das ist reine Faulheit! Ihre Mutter nicht verlassen! Wenn *ich* Ihre Mutter wäre, würde ich darauf bestehen, daß Sie sich davonmachen!

(Alice von links Mitte)

ALICE. Mrs. Arbuthnot läßt sich empfehlen, Mylady, aber sie hat starke Kopfschmerzen und kann heute vormittag niemanden empfangen. *(Ab rechts Mitte)*

LADY HUNSTANTON *(erhebt sich)*. Starke Kopfschmerzen! Das tut mir aber leid! Vielleicht bringen Sie sie im Laufe des Nachmittags nach Hunstanton mit, Gerald, wenn es ihr bis dahin besser geht.

GERALD. Ich fürchte, heute nachmittag wird nichts daraus werden, Lady Hunstanton.

LADY HUNSTANTON. Na, dann morgen. Ach, wenn Sie einen Vater hätten, Gerald, würde er Ihnen nicht gestatten, daß Sie hier versauern. Er würde Sie sofort mit Lord Illingworth losschicken. Mütter aber sind so schwach. Sie geben ihren Söhnen in allem nach. Wir sind ganz Herz, ganz Herz. Kommen Sie, meine Liebe, ich muß im Pfarrhaus vorsprechen und mich nach Mrs. Daubeny erkundigen. Ich fürchte, es geht ihr gar nicht gut. Bewundernswert, wie der Erzdiakon es erträgt, einfach bewundernswert. Er ist der teilnahmsvollste Gatte. Ein Mustergatte. Auf Wiedersehen, Gerald. Richten Sie Ihrer Mutter meine innigsten Grüße aus.

MRS. ALLONBY. Auf Wiedersehen, Mr. Arbuthnot.

GERALD. Auf Wiedersehen.

(Lady Hunstanton und Mrs. Allonby ab. Gerald setzt sich und liest seinen Brief durch)

GERALD. Mit welchem Namen soll ich unterzeichnen? Ich, der ich kein Recht auf einen Namen habe. *(Unterschreibt den Brief, legt ihn in einen Umschlag, schreibt die Adresse und will gerade den Umschlag versiegeln, da wird die Tür links Mitte geöffnet, und Mrs. Arbuthnot tritt ein. Gerald legt das Siegelwachs weg. Mutter und Sohn sehen einander an)*

LADY HUNSTANTON *(durch die Terrassentür im Hintergrund).* Noch einmal auf Wiedersehen, Gerald! Wir nehmen die Abkürzung durch Ihren hübschen Garten. Also, vergessen Sie nicht meinen Rat – machen Sie sich sofort mit Lord Illingworth auf den Weg.

MRS. ALLONBY. Au revoir, Mr. Arbuthnot! Bringen Sie mir etwas Nettes von Ihren Reisen mit – aber keinen indischen Schal – auf keinen Fall einen indischen Schal. *(Beide ab)*

GERALD. Mutter, ich habe soeben an ihn geschrieben.

MRS. ARBUTHNOT. An wen?

GERALD. An meinen Vater. Ich habe ihm geschrieben, er soll heute nachmittag um vier Uhr zu uns kommen.

MRS. ARBUTHNOT. Er soll nicht hierherkommen. Er soll die Schwelle meines Hauses nicht überschreiten.

GERALD. Es muß sein.

MRS. ARBUTHNOT. Gerald, wenn du entschlossen bist, mit ihm zu verreisen, dann geh sofort zu ihm. Geh, bevor es mein Tod ist – aber verlange nicht von mir, ihn zu treffen.

GERALD. Mutter, du verstehst mich nicht. Nichts in der Welt würde mich bewegen, mit Lord Illingworth zu verreisen – oder dich zu verlassen. Dazu kennst du mich wohl gut genug. Nein, ich habe ihm geschrieben, um ihm mitzuteilen ...

MRS. ARBUTHNOT. Was hast du ihm mitzuteilen?

GERALD. Kannst du nicht erraten, Mutter, was in diesem Brief steht?

MRS. ARBUTHNOT. Nein.

GERALD. Mutter, bestimmt errätst du es. Denk nach – überlege dir, was sofort zu geschehen hat – innerhalb der nächsten paar Tage.

MRS. ARBUTHNOT. Nichts hat zu geschehen.

GERALD. Ich habe Lord Illingworth geschrieben, daß er verpflichtet ist, dich zu heiraten.

MRS. ARBUTHNOT. Mich heiraten?

GERALD. Mutter, ich werde ihn dazu zwingen. Das Unrecht, das er dir angetan hat, muß wiedergutgemacht werden – muß gesühnt werden. Die Gerechtigkeit mag lange zögern, Mutter, aber zuletzt nimmt sie ihren Lauf. In wenigen Tagen wirst du Lord Illingworths rechtmäßige Frau sein.

MRS. ARBUTHNOT. Aber, Gerald ...

GERALD. Ich werde darauf bestehen. Ich werde ihn dazu zwingen. Er wird es nicht wagen, sich zu weigern.

MRS. ARBUTHNOT. Aber, Gerald, *ich* bin es, die sich weigert. Ich werde ihn nicht heiraten.

GERALD. Ihn nicht heiraten? Mutter!

MRS. ARBUTHNOT. Ich werde ihn nicht heiraten.

GERALD. Aber du verstehst mich nicht. Es geht mir um dich, nicht um mich. Diese Heirat, diese notwendige Heirat, diese Heirat, die aus offensichtlichen Gründen unbedingt stattfinden muß – mir wird sie nichts nützen – mir wird sie nicht einen Namen schenken, der mir wirklich von Rechts wegen nicht zusteht. Dir aber wird es sicherlich etwas bedeuten, wenn du, meine Mutter, ob auch noch so spät, die Frau des Mannes wirst, der mein Vater ist. Ist das nicht etwas wert?

MRS. ARBUTHNOT. Ich denke nicht daran, ihn zu heiraten.

GERALD. Mutter, es muß sein.

MRS. ARBUTHNOT. Nein. Du sprichst von einem zu sühnenden Unrecht. Wie kann es gesühnt werden? Es kann nicht gesühnt werden. Ich bin entehrt – er ist es nicht. Das ist alles. Die übliche Geschichte von einem Mann und einer Frau, wie sie meistens passiert – wie sie immer wieder passiert. Und sie endet wie üblich. Die Frau leidet. Der Mann geht frei aus.

GERALD. Ich weiß nicht, ob das das übliche Ende ist, Mutter. Hoffentlich nicht. Aber *dein* Leben soll auf jeden Fall nicht so enden. Der Mann soll das Unrecht soweit wie möglich wiedergutmachen. Das genügt nicht. Es löscht nicht die Vergangenheit aus – das weiß ich. Aber es macht dir wenigstens die Zukunft heller, Mutter.

MRS. ARBUTHNOT. Ich weigere mich, Lord Illingworth zu heiraten.

GERALD. Wenn er von sich aus zu dir käme und dich um deine Hand bäte, würdest du anders antworten. Vergiß nicht – er ist mein Vater.

MRS. ARBUTHNOT. Wenn er von sich aus zu mir käme – er wird es nicht tun –, würde meine Antwort die gleiche sein. Vergiß nicht – ich bin deine Mutter.

GERALD. Mutter, wenn du so redest, machst du es mir furchtbar schwer – und ich kann nicht verstehen, warum du diese Angelegenheit nicht unter dem richtigen, dem einzig angemessenen Gesichtspunkt betrachten willst! Um die Bitterkeit aus deinem Leben zu tilgen – um den Schatten zu tilgen, der auf deinem Namen liegt –, deshalb muß die Heirat stattfinden. Es gibt keine Alternative. Nach der Trauung gehen wir beide unseren Weg. Zuerst aber muß sie stattfinden. Das bist du nicht nur dir selber, sondern auch allen anderen Frauen schuldig – ja, allen anderen Frauen auf der Welt, damit er keine mehr verrät.

MRS. ARBUTHNOT. Anderen Frauen bedeute ich nichts. Nicht eine einzige würde mir zu Hilfe kommen. Auf der ganzen Welt gibt es keine Frau, bei der ich Mitleid finden würde, wenn ich es mir gefallen ließe, Teilnahme, wenn ich sie verdiente. Frauen sind hart zueinander. Das junge Mädchen mit ihrem guten Herzen – gestern abend ist sie geflohen, als wäre ich die Pest. Sie hatte recht. Ich bin die Pest. Aber das Unrecht, das man mir angetan hat, gehört mir, und ich will es allein tragen. Ich muß es allein tragen. Was haben Frauen, die nicht gesündigt haben, mit mir zu tun – was habe ich mit ihnen zu tun? Wir verstehen einander nicht.

(Hester tritt im Hintergrund auf)

GERALD. Ich flehe dich an – tu, was ich verlange!

MRS. ARBUTHNOT. Wann hat je ein Sohn von seiner Mutter ein so abscheuliches Opfer verlangt? Nie.

GERALD. Wann hat je eine Mutter sich geweigert, den Vater ihres Kindes zu heiraten? Nie.

MRS. ARBUTHNOT. Dann laß mich die erste sein. Ich heirate ihn nicht.

GERALD. Mutter, du glaubst an Gott und hast mich in diesem Glauben erzogen. Deine Religion, die Religion, die du mich gelehrt hast, als ich ein kleiner Junge war, Mutter – sie muß dir sagen, daß ich recht habe. Du weißt es, du fühlst es.

MRS. ARBUTHNOT. Ich weiß es nicht. Ich fühle es nicht. Und nie werde ich vor dem Altar Gottes stehen und Gottes Segen zu einer so abscheulichen Posse erbitten, wie eine Heirat zwischen mir und George Harford es sein würde. Nie werde ich die Worte aussprechen, die die Kirche uns in den Mund legt. Nie! Ich wage es nicht. Wie könnte ich geloben, den Mann zu lieben, den ich verabscheue, ihn zu ehren, der mich entehrt hat, ihm zu gehorchen, der mich als mein Herr und Gebieter zur Sünde verleitet hat? Nein. Die Ehe ist ein Sakrament für Menschen, die einander lieben. Nicht für Menschen wie ihn und mich! Gerald, um dich vor dem Hohn und dem Gespött der Welt zu bewahren, habe ich die Welt belogen. Zwanzig Jahre lang habe ich sie belogen. Ich konnte ihr nicht die Wahrheit sagen. Wer würde je dazu imstande sein? Aber ich werde nicht meinetwegen Gott belügen – im Gotteshaus. Nein, Gerald, keine Zeremonie – ob kirchlich, ob zivil – wird mich je an George Harford binden. Vielleicht bin ich schon allzusehr an ihn gebunden. Er hat mich bestohlen, aber nachher war ich reicher als zuvor. Im Sumpf meines Lebens habe ich die Perle gefunden, die mein Lohn war – oder glaube sie gefunden zu haben ...

GERALD. Jetzt verstehe ich dich nicht.

MRS. ARBUTHNOT. Männer verstehen eine Mutter nicht. Ich unterscheide mich nicht von anderen Frauen, außer durch das Unrecht, das man mir angetan hat, und das Unrecht, das ich mir zuschulden kommen ließ, und durch die schwere Strafe, die Schande, die ich auf mich geladen habe. Aber um dich zur Welt zu bringen, mußte ich dem Tod ins Auge schauen. Um dich zu nähren, mußte ich mit ihm ringen. Der Tod hat mit mir um dich gekämpft. Alle Frauen müssen mit dem Tod kämpfen, um ihre Kinder zu behalten. Der Tod, selbst kinderlos, will uns unsere Kinder rauben. Gerald, als du nackt warst, habe ich dich gekleidet, als du hungrig warst, habe ich dir zu essen gegeben. Tag und Nacht, jenen langen Winter hindurch, habe ich dich gepflegt. Kein Dienst ist zu niedrig, keine Sorge zu gering für das Wesen, das wir Frauen lieben – und ach, wie habe *ich dich* geliebt! Nie hat Hanna den Samuel mehr geliebt! Und du brauchtest Liebe, weil du schwächlich warst. Nur Liebe konnte dich am Leben erhalten. Nur Liebe kann einen Menschen am Leben erhalten. Und kleine Jungen sind oft rücksichtslos – ohne es zu wollen, tun sie uns weh. Wir bilden uns ein: Wenn sie erst einmal zum Mann herangewachsen sind und uns besser verstehen, dann werden sie uns schadlos halten. Aber das stimmt ja gar nicht. Die Welt entreißt sie uns, sie finden Freunde, in deren Gesellschaft sie sich wohler fühlen als bei uns, sie gehen Vergnügungen nach, die uns vorenthalten sind, sie haben Interessen, die nicht die unseren sind. Und oft behandeln sie uns ungerecht: Wenn das Leben bitter schmeckt, geben sie uns die Schuld daran – schmeckt es süß, dann dürfen wir nicht mit ihnen davon kosten ... Du hast viele Freunde gefunden, du hast in ihren Häusern verkehrt und dich in ihrer Mitte amüsiert – ich aber, mit meinem Geheimnis, bin zu Hause geblieben, habe die Tür zugemacht, damit die Sonne nicht hereinkam, und habe im Dunkel gesessen. Meine Vergangenheit ist nie von mir gewichen ... Und du hast dir eingebildet, ich machte mir nichts aus den Freuden des Lebens. Ich sage dir, ich habe nach ihnen gelechzt, aber ich wagte nicht, sie anzurühren – ich glaubte mich nicht dazu berechtigt. Du dachtest, bei meiner Arbeit unter den Armen fühlte ich mich wohler. Du hast dir eingebildet, das sei meine *Mission.* Sie war es nie – aber wohin sollte ich mich wenden? Die Kranken fragen nicht danach, ob die Hand, die ihr Kissen glättet, unbefleckt ist – die Sterbenden kümmert es nicht, ob die Lippen, die ihre Stirn berührten, den Kuß der Sünde gekannt haben. Nur an dich habe ich immerzu gedacht. Die Liebe, die du nicht mehr brauchtest, habe ich ihnen geschenkt. Ich habe sie mit deiner *Liebe* überschüttet, die ihnen nicht zukam ... Du warst der Meinung, daß ich zu viel Zeit mit Kirchgang und kirchlichen Pflichten vergeudete. Wohin sonst hätte ich mich wenden sollen? Das Gotteshaus ist das einzige Haus, in dem man die Sünder willkommen heißt, und mein Herz war immer bei dir. Obwohl ich Tag für Tag, beim Frühgottesdienst oder bei der Abendandacht, im Gotteshaus kniete, habe ich nie meine Sünde bereut. Wie konnte ich meine Sünde bereuen, wenn du, mein alles, ihre Frucht warst? Auch jetzt, da du so hart zu mir bist, kann ich nicht bereuen. Nein. Du bedeutest mir mehr als die Unschuld. Lieber, oh, viel lieber – will ich deine Mutter sein, als meine Reinheit bewahrt zu haben ... Siehst du das nicht ein? Begreifst du es nicht? Meine *Schande* ist es, die dich mir so lieb gemacht hat. Meine *Schande* ist es, die das Band zwischen mir und dir so fest geknüpft hat. Sie ist der Preis, den ich für dich bezahlt habe – mit Leib und Seele –, der Preis, der meine Liebe zu dir so unergründlich macht. Verlange nicht diesen abscheulichen Schritt von mir. Kind meiner Schande, bleib das Kind meiner Schande ...

GERALD. Mutter, ich wußte nicht, daß du mich so sehr liebst. Ich werde dir von jetzt an ein besserer Sohn sein, als ich's gewesen bin. Du und ich, wir dürfen einander nie verlassen – aber, Mutter – ich kann mir nicht helfen –, du mußt die Frau meines Vaters werden. Du mußt ihn heiraten. Du bist dazu verpflichtet.

HESTER *(kommt nach vorne gelaufen und umarmt Mrs. Arbuthnot)*. Nein, nein – Sie dürfen es nicht tun! Das wäre die wahre Schande – die erste, die Sie auf sich laden. Ja, die wahre Schande – die erste, mit der Sie sich beflecken. Verlassen Sie ihn und kommen sie mit mir. Es gibt auch andere Länder außer England – ja, andere Länder in Übersee, bessere, weisere und weniger ungerechte Länder. Die Welt ist sehr weit und sehr groß.

MRS. ARBUTHNOT. Nein, nicht für mich. Meine Welt ist zur Handbreite eingeschrumpft, und wohin ich auch gehe, trete ich auf Dornen.

HESTER. Dabei soll es nicht bleiben. Irgendwo werden wir grüne Täler finden und frisches Wasser, und wenn wir weinen, nun, dann werden wir gemeinsam weinen. Haben wir ihn denn nicht beide geliebt?

GERALD. Hester!

HESTER *(mit einer abweisenden Handbewegung)*. Nein, nein! Sie können mich ja gar nicht lieben, wenn Sie nicht auch *sie* lieben. Sie können mich nicht in Ehren halten, wenn nicht *sie* Ihnen heiliger ist. In ihr sind *alle* Frauen zu Märtyrerinnen geworden. Nicht sie allein, sondern wir *alle* trauern an ihrem Herd.

GERALD. Hester – was soll ich tun, Hester?

HESTER. Haben Sie Respekt vor dem Mann, der Ihr Vater ist?

GERALD. Respekt? Ich verachte ihn. Er ist ein Lump.

HESTER. Ich danke Ihnen, daß Sie mich gestern abend vor ihm geschützt haben.

GERALD. Ach, das ist nicht der Rede wert. Ich würde mein Leben opfern, um Sie zu beschützen. Aber Sie sagen mir nicht, was ich jetzt machen soll.

HESTER. Habe ich mich nicht dafür bedankt, daß Sie mich gerettet haben?

GERALD. Aber was soll ich machen?

HESTER. Fragen Sie Ihr Herz – nicht mich. Ich habe nie vor der Wahl gestanden, eine Mutter zu retten – oder ihr Schande zu machen.

MRS. ARBUTHNOT. Er ist hart – er ist hart. Laßt mich gehen.

GERALD *(stürzt zu ihr hin und kniet neben ihr nieder)*. Mutter, verzeih mir. Es war meine Schuld.

MRS. ARBUTHNOT. Du sollst nicht meine Hände küssen, sie sind kalt. Mein Herz ist kalt. Man hat mir das Herz gebrochen.

HESTER. Oh, sagen Sie das nicht. Das Menschenherz lebt von den Wunden, die das Leben ihm schlägt. Vergnügungen können ein Herz abstumpfen – der Reichtum kann es verhärten – aber der Kummer – o nein, der Kummer kann ein Herz nicht brechen. Außerdem – was haben Sie denn jetzt noch für Kummer? In diesem Augenblick sind Sie ihm teurer denn je – obwohl Sie ihm immer teuer waren – oh, wie teuer! Seien Sie gut zu ihm.

GERALD. Du bist mir Mutter und Vater in einem. Ich brauche keinen Vater. Ich habe das alles ja nur dir zuliebe gesagt –

nur dir zuliebe ... Sag doch etwas, Mutter! Habe ich eine Liebe gefunden, nur um eine andere zu verlieren? Sag das nicht! O Mutter, du bist grausam. *(Steht auf und wirft sich schluchzend auf ein Sofa)*

MRS. ARBUTHNOT *(zu Hester).* Hat er denn wirklich eine neue Liebe gefunden?

HESTER. Sie wissen, daß ich ihn von Anfang an geliebt habe.

MRS. ARBUTHNOT. Aber wir sind sehr arm.

HESTER. Wer ist arm, wenn er geliebt wird? Kein Mensch ... Mir ist mein Reichtum verhaßt. Eine Last. Ich will sie gerne mit ihm teilen.

MRS. ARBUTHNOT. Wir sind ehrlos. Ausgestoßen. Gerald hat keinen Namen. Die Sünden der Väter werden an ihren Kindern heimgesucht. Das ist Gottes Gebot.

HESTER. Ich hatte unrecht. Gott kennt nur ein Gebot – die Liebe.

MRS. ARBUTHNOT *(erhebt sich, nimmt Hester bei der Hand und geht mit ihr zu dem Sofa, auf dem Gerald liegt, den Kopf in die Hände vergraben. Sie berührt seine Achsel, und er blickt auf).* Gerald, ich kann dir keinen Vater geben, aber ich habe dir eine Frau gebracht.

GERALD. Ich verdiene weder sie noch dich, Mutter.

MRS. ARBUTHNOT. Kommt sie an erster Stelle, dann verdienst du sie. Und wenn du weg bist, Gerald – mit ihr –, ach, dann denk manchmal an mich. Vergiß mich nicht. Und wenn du betest, bete für mich. Wenn wir am glücklichsten sind, sollten wir fleißig beten, und du wirst glücklich sein, Gerald.

HESTER. Sie wollen uns doch nicht verlassen?

GERALD. Uns verlassen, Mutter?

MRS. ARBUTHNOT. Ich könnte euch Schande bereiten.

GERALD. Mutter ...

MRS. ARBUTHNOT. Dann für eine Weile. Und wenn es euch recht ist – immer in eurer Nähe.

HESTER *(zu Mrs. Arbuthnot).* Kommen Sie mit uns in den Garten hinaus.

MRS. ARBUTHNOT. Später – später.

(Hester und Gerald ab. Mrs. Arbuthnot geht auf die Tür Mitte links zu. Bleibt vor dem Spiegel über dem Kamin stehen und schaut hinein. Alice von Mitte rechts)

ALICE. Ein Herr wünscht Sie zu sprechen, gnädige Frau.

MRS. ARBUTHNOT. Sagen Sie, ich bin nicht zu Hause. Zeigen Sie mir die Karte. *(Nimmt die Visitenkarte vom Tablett)* Sagen Sie, ich bin nicht für ihn zu sprechen.

(Lord Illingworth tritt ein. Mrs. Arbuthnot erblickt ihn im Spiegel, zuckt zusammen, dreht sich aber nicht um. Alice ab)

MRS. ARBUTHNOT. Was kannst du mir heute zu sagen haben, George Harford? Du kannst mir nichts zu sagen haben. Du wirst dieses Haus verlassen.

LORD ILLINGWORTH. Rachel, Gerald weiß jetzt, wie es mit uns steht – deshalb müssen wir zu einer Vereinbarung gelangen, die allen dreien gerecht wird. Glaube mir, er wird in mir den charmantesten und großzügigsten aller Väter finden.

MRS. ARBUTHNOT. Mein Sohn kann jeden Augenblick hereinkommen. Gestern abend habe ich dich gerettet. Vielleicht wird es mir nicht noch einmal glücken. Meinem Sohn geht meine Schande tief zu Herzen. Ich bitte dich – geh!

LORD ILLINGWORTH *(setzt sich)*. Das war gestern abend ein ausgesprochenes Pech. Daß die dumme kleine Puritanerin eine Szene macht, nur weil ich ihr einen Kuß geben wollte! Was ist denn schon dabei?

MRS. ARBUTHNOT *(dreht sich um)*. Ein Kuß kann ein Menschenleben zerstören, George Harford. *Ich* weiß es. Ich weiß es nur zu gut.

LORD ILLINGWORTH. Darüber wollen wir uns im Augenblick nicht unterhalten. Wichtig ist heute wie gestern nach wie vor unser Sohn. Wie du weißt, habe ich ihn sehr gern – und so wunderlich es dir vorkommen mag, ich habe sein Verhalten gestern abend enorm bewundert. Ohne Zögern ist er für die hübsche prüde Person in die Bresche gesprungen. Genauso würde ich mir meinen Sohn gewünscht haben – abgesehen davon, daß mein Sohn nicht für Puritanerinnen Partei ergreifen sollte. Das ist allemal ein Schnitzer ... Folgendes habe ich vorzuschlagen ...

MRS. ARBUTHNOT. Lord Illingworth, Ihre Vorschläge interessieren mich nicht.

LORD ILLINGWORTH. Zufolge unserer lächerlichen Gesetze kann ich Gerald nicht legalisieren. Aber ich kann ihm mein Vermögen vermachen. Schloß Illingworth ist natürlich ein Fideikommiß – aber es ist ohnedies eine öde Kaserne. Er kann Ashby bekommen, das viel hübscher ist, Harborough, das die beste Jagd von Nordengland hat, und das Haus am St. Jame's Square. Was kann ein Gentleman auf dieser Welt mehr verlangen?

MRS. ARBUTHNOT. Mehr ganz bestimmt nicht.

LORD ILLINGWORTH. Was den Titel betrifft, so ist in diesen demokratischen Zeiten ein Titel eher von Nachteil. Als George Harford hatte ich alles, was ich mir wünschte. Jetzt habe ich nur das, was andere sich wünschen, und das ist nicht annähernd so lustig. Also – mein Vorschlag lautet folgendermaßen ...

MRS. ARBUTHNOT. Ich habe dir gesagt, daß ich nicht interessiert bin, und ich bitte dich, geh.

LORD ILLINGWORTH. Der Junge wohnt ein halbes Jahr bei dir, die anderen sechs Monate bei mir. Das ist durchaus fair, nicht wahr? Du erhältst eine Zuwendung, deren Höhe du selber bestimmst, und lebst, wo es dir gefällt. Deine Vergangenheit kennt kein Mensch außer mir und Gerald. Und natürlich auch die kleine Puritanerin im weißen Musselin – aber sie zählt nicht. Sie kann es nicht weitersagen, ohne zu erwähnen, daß sie sich nicht küssen lassen wollte. Da würden alle Frauen sie für eine dumme Gans und die Männer sie für eine langweilige Tunte halten. Und du brauchst nicht zu befürchten, daß Gerald um seine Erbschaft kommt. Ich brauche nicht zu betonen, daß ich nicht die geringste Absicht habe, mich zu verheiraten.

MRS. ARBUTHNOT. Du kommst zu spät. Mein Sohn hat dich nicht mehr nötig. Du bist überflüssig.

LORD ILLINGWORTH. Was soll das heißen, Rachel?

MRS. ARBUTHNOT. Daß er auch ohne dich Karriere machen kann! Er braucht dich nicht.

LORD ILLINGWORTH. Ich verstehe kein Wort.

MRS. ARBUTHNOT. Schau in den Garten hinaus. *(Lord Illingworth steht auf und nähert sich der Terrassentür)* Laß dich lieber nicht blicken. Dein Anblick erweckt unangenehme Erinnerungen. *(Lord Illingworth blickt hinaus und stutzt)* Sie liebt ihn. Sie lieben einander. Wir sind vor dir sicher, und wir verlassen Wrockley.

LORD ILLINGWORTH. Wo wollt ihr hin?

MRS. ARBUTHNOT. Das sagen wir dir nicht. Und wenn du uns findest, kennen wir dich nicht. Du staunst. Wie würde das junge Mädchen dich empfangen, dessen Lippen du beschmutzen wolltest – der Sohn, dem du Schande gebracht hast – die Mutter, der du die Ehre geraubt hast?

LORD ILLINGWORTH. Du bist hart geworden, Rachel.

MRS. ARBUTHNOT. Ich bin einmal weich gewesen. Gut für mich, daß ich mich verändert habe.

LORD ILLINGWORTH. Ich war damals sehr jung. Wir Männer lernen das Leben viel zu früh kennen.

MRS. ARBUTHNOT. Und wir Frauen zu spät. Das ist der Unterschied zwischen Männern und Frauen. *(Pause)*

LORD ILLINGWORTH. Rachel, ich will meinen Sohn haben. Vielleicht braucht er mein Geld nicht – vielleicht braucht er mich nicht – aber ich will meinen Sohn haben. Bring uns zusammen, Rachel. Du kannst es, wenn du willst. *(Erblickt den Brief auf dem Tisch)*

MRS. ARBUTHNOT. Für dich ist kein Platz im Leben meines Sohnes. Du interessierst ihn nicht.

LORD ILLINGWORTH. Warum schreibt er dann an mich?

MRS. ARBUTHNOT. Wie bitte?

LORD ILLINGWORTH. Was bedeutet dieser Brief? *(Nimmt den Brief zur Hand)*

MRS. ARBUTHNOT. Dieser Brief? Nichts – gar nichts. Gib ihn mir.

LORD ILLINGWORTH. Er ist an *mich* adressiert.

MRS. ARBUTHNOT. Du darfst ihn nicht öffnen. Ich verbiete dir, ihn zu öffnen.

LORD ILLINGWORTH. Geralds Handschrift.

MRS. ARBUTHNOT. Er sollte nicht abgeschickt werden. Gerald hat ihn heute früh geschrieben, bevor ich herunterkam. Jetzt bereut er es – er bereut es tief. Du hast den Brief nicht zu öffnen. Gib ihn mir.

LORD ILLINGWORTH. Er gehört mir! *(Öffnet den Brief, setzt sich und liest ihn langsam durch. Mrs. Arbuthnot beobachtet ihn unverwandt)* Ich nehme an, daß du diesen Brief gelesen hast, Rachel.

MRS. ARBUTHNOT. Ich habe ihn nicht gelesen.

LORD ILLINGWORTH. Du weißt, was drinsteht.

MRS. ARBUTHNOT. Ja.

LORD ILLINGWORTH. Ich gebe nicht einen Augenblick zu, daß der Junge recht hat. Ich gebe nicht zu, daß ich verpflichtet sei, dich zu heiraten. Ich leugne es ganz entschieden. Aber um meinen Sohn zurückzubekommen, bin ich bereit – ja, ich bin bereit, dich zu heiraten, Rachel, und dich stets mit der Ehrerbietung und Achtung zu behandeln, die meiner Frau gebührt. Ich heirate dich, sobald es dir beliebt. Ich gebe dir mein Ehrenwort.

MRS. ARBUTHNOT. Dieses Versprechen hast du mir schon einmal gegeben und es gebrochen.

LORD ILLINGWORTH. Jetzt werde ich es halten. Und daraus wirst du ersehen, daß ich meinen Sohn mindestens ebenso sehr liebe, wie du ihn liebst. Wenn ich dich heirate, Rachel, werde ich einige meiner Pläne aufgeben müssen. Noch dazu hochfliegende Pläne – wenn Pläne hochfliegend sein können.

MRS. ARBUTHNOT. Ich lehne es ab, Sie zu heiraten, Lord Illingworth.

LORD ILLINGWORTH. Ist das dein Ernst?

MRS. ARBUTHNOT. Ja.

LORD ILLINGWORTH. Nenne mir deine Gründe. Sie würden mich ungeheuer interessieren.

MRS. ARBUTHNOT. Ich habe sie bereits meinem Sohn erläutert.

LORD ILLINGWORTH. Sie dürften recht sentimental sein. Ihr Frauen lebt von euren Gefühlen – und für eure Gefühle. Ihr habt keine Lebensphilosophie.

MRS. ARBUTHNOT. Du hast recht. Wir Frauen leben für unsere Gefühle – und von ihnen. Für unsere Leidenschaften – und von ihnen, wenn du willst. Mich beherrschen zwei Leidenschaften, Lord Illingworth: meine Liebe zu ihm und mein Haß gegen Sie. Die können Sie nicht ausrotten. Sie zehren voneinander.

LORD ILLINGWORTH. Was ist das für eine Liebe, die den Haß als ihren Bruder braucht?

MRS. ARBUTHNOT. Die Liebe, die ich für Gerald empfinde. Finden Sie es schrecklich? Schön – es ist schrecklich. Jede Liebe ist schrecklich. Jede Liebe ist eine Tragödie. Ich habe Sie einmal geliebt, Lord Illingworth. Oh, wie tragisch für eine Frau, Sie geliebt zu haben!

LORD ILLINGWORTH. Du weigerst dich also tatsächlich, mich zu heiraten?

MRS. ARBUTHNOT. Ja.

LORD ILLINGWORTH. Weil du mich haßt.

MRS. ARBUTHNOT. Ja.

LORD ILLINGWORTH. Haßt mein Sohn mich genauso wie du?

MRS. ARBUTHNOT. Nein.

LORD ILLINGWORTH. Das freut mich, Rachel.

MRS. ARBUTHNOT. Er verachtet dich nur.

LORD ILLINGWORTH. Wie schade! Ich meine, wie schade für ihn.

MRS. ARBUTHNOT. Machen Sie sich nichts vor, Lord Illingworth. Anfangs lieben Kinder ihre Eltern. Nach einiger Zeit beginnen sie sie zu verurteilen. Selten, daß sie ihnen je verzeihen.

LORD ILLINGWORTH *(liest den Brief noch einmal durch, sehr langsam)*. Darf ich fragen, mit welchen Argumenten du den jungen Mann, der diesen Brief, diesen wunderschönen, leidenschaftlichen Brief geschrieben hat, davon überzeugen konntest, es sei richtig von dir, seinen Vater, den Vater deines Kindes, nicht zu heiraten?

MRS. ARBUTHNOT. Nicht ich habe ihm die Augen geöffnet. Es war eine andere.

LORD ILLINGWORTH. Welche *Fin-de-siècle*-Person?

MRS. ARBUTHNOT. Die Puritanerin, Lord Illingworth. *(Pause)*

(Lord Illingworth zuckt zusammen, erhebt sich langsam und nähert sich dem Tisch, auf dem sein Hut und seine Handschuhe liegen. Mrs. Arbuthnot steht dicht neben dem Tisch. Er nimmt einen Handschuh und beginnt ihn anzuziehen)

LORD ILLINGWORTH. Dann habe ich hier nicht mehr viel zu suchen, Rachel?

MRS. ARBUTHNOT. Nichts.

LORD ILLINGWORTH. Es ist der Abschied, ja?

MRS. ARBUTHNOT. Diesmal hoffentlich für immer, Lord Illingworth.

LORD ILLINGWORTH. Wie eigentümlich! Momentan siehst du genauso aus wie an jenem Abend vor zwanzig Jahren, als du weggingst. Du hast genau denselben Zug um deinen Mund.

Auf mein Wort, Rachel, keine Frau hat mich je so geliebt wie du. Du hast dich mir geschenkt wie eine Blume, mit der ich machen durfte, was ich wollte. Du warst das allerhübscheste Spielzeug, das bezauberndste kleine Liebchen ... *(Zieht seine Uhr aus der Tasche)* Ein Viertel vor zwei! Da muß ich nach Hunstanton zurückwackeln. Ich nehme nicht an, daß ich dich dort noch einmal wiedersehen werde. Das tut mir leid, ehrlich leid. Es war ein amüsantes Erlebnis, unter Leuten des eigenen Standes einer früheren Mätresse zu begegnen, die noch dazu ernst genommen wird – und nicht nur ihr, sondern außerdem seinem leiblichen ...

(Mrs. Arbuthnot greift nach dem Handschuh und schlägt ihn Lord Illingworth ins Gesicht. Lord Illingworth fährt zusammen. Er ist wie betäubt von der Kränkung, die man ihm zugefügt hat. Dann beherrscht er sich, geht zur Terrassentür und blickt zu seinem Sohn hinaus. Mit einem Seufzer verläßt er den Raum)

MRS. ARBUTHNOT *(läßt sich schluchzend aufs Sofa fallen)*. Er hätte es gesagt ... Er hätte es gesagt ...

GERALD. Also, liebe Mutter – du bist ja doch nicht zu uns gekommen. Deshalb kommen wir dich holen. Mutter, hast du geweint? *(Kniet neben ihr nieder)*

MRS. ARBUTHNOT. Mein Junge – mein Junge – mein Junge! *(Fährt ihm mit den Fingern durchs Haar)*

HESTER *(tritt hinzu)*. Aber Sie haben jetzt zwei Kinder ... Darf ich Ihre Tochter sein?

MRS. ARBUTHNOT *(blickt auf)*. Würden Sie mich als Ihre Mutter wählen?

HESTER. Unter allen Frauen, die ich je gekannt habe, nur Sie.

(Sie nähern sich eng umschlungen der Tür, die zum Garten führt. Gerald geht zum Tisch Mitte links, um seinen Hut zu holen. Als er sich umdreht, sieht er Lord Illingworths Handschuh auf dem Boden liegen und hebt ihn auf)

GERALD. Hallo, Mutter, wem gehört dieser Handschuh? Du hast einen Besucher gehabt. Wer war es denn?

MRS. ARBUTHNOT *(dreht sich um)*. Ach – niemand. Niemand besonderer. Ein Mann ohne Bedeutung.

Vorhang

Ein idealer Gatte

Personen

Der Earl von Caversham, *Ritter des Hosenbandordens*
Viscount Goring, *sein Sohn*
Sir Robert Chiltern, *Baronet, Unterstaatssekretär im Auswärtigen Amt*
Vicomte de Nanjac, *Attaché bei der französischen Botschaft in London*
Mr. Montford
Mason, *Lord Gorings Butler*
Phipps, *Lord Gorings Diener*
James und Harold, *Lakaien*
Lady Chiltern
Lady Markby
Die Countess von Basildon
Mrs. Marchmont
Miß Mabel Chiltern, *Sir Robert Chilterns Schwester*
Mrs. Cheveley

Die Handlung erstreckt sich über vierundzwanzig Stunden.
Zeit: Um das Jahr 1894.
Uraufführung: 3. Januar 1895 im Theatre Royal am Haymarket

Erster Akt

Das achteckige Zimmer in Sir Robert Chilterns Haus am Grosvenor Square in London. Der Raum ist strahlend hell beleuchtet und wimmelt von Gästen. Oben an der Treppe steht Lady Chiltern, eine Frau von strenger griechischer Schönheit, ungefähr siebenundzwanzig Jahre alt. Sie begrüßt die Gäste in der Reihenfolge, wie sie die Treppe hinaufgehen. Über dem Treppenhaus hängt ein großer Kronleuchter mit Wachskerzen, die einen breiten französischen Gobelin aus dem achtzehnten Jahrhundert beleuchten: ›Der Triumph der Liebe‹, nach einem Entwurf von Boucher. Der Gobelin bedeckt die Wand des Treppenhauses. Rechts liegt der Eingang zum Musikzimmer, aus dem gedämpft die Klänge eines Streichquartetts zu hören sind. Die Tür links führt zu anderen Empfangsräumen. Mrs. Marchmont und Lady Basildon, zwei sehr hübsche Frauen, sitzen auf einem Louis-Seize-Sofa. Sie sind außerordentlich zart. Ihre gezierten Manieren haben einen köstlichen Charme. Watteau würde sie gerne gemalt haben.

MRS. MARCHMONT. Gehst du später noch zu den Hartlocks, Margaret?

LADY BASILDON. Vermutlich. Und du?

MRS. MARCHMONT. Ja. Ihre Abendgesellschaften sind gräßlich langweilig, nein?

LADY BASILDON. Gräßlich langweilig! Ich weiß nie, warum ich hingehe. Ich weiß überhaupt nicht, warum ich irgendwohin gehe.

MRS. MARCHMONT. Hier will ich etwas für meine Bildung tun.

LADY BASILDON. Ach, wie ich es hasse, etwas für meine Bildung zu tun!

MRS. MARCHMONT. Ich auch. Man sinkt nachgerade auf das Niveau der Geschäftemacher herab, findest du nicht? Aber die liebe Gertrude Chiltern predigt mir unaufhörlich, ich müßte mir einen ernsten Lebenszweck zulegen. Deshalb komme ich hierher und versuche, einen aufzustöbern.

LADY BASILDON *(blickt durch ihr Lorgnon in die Runde)*. Heute abend sehe ich weit und breit keinen einzigen, den man eventuell als ernsthaften Lebenszweck bezeichnen könnte. Der Mann, der mich zu Tisch geführt hat, sprach die ganze Zeit von seiner Frau.

MRS. MARCHMONT. Wie kann jemand so banal sein!

LADY BASILDON. Schrecklich banal! Worüber hat sich dein Tischnachbar mit dir unterhalten?

MRS. MARCHMONT. Über mich.

LADY BASILDON *(gleichgültig)*. Hat es dich interessiert?

MRS. MARCHMONT *(schüttelt den Kopf)*. Nicht im geringsten.

LADY BASILDON. Was sind wir doch für Märtyrerinnen, Margaret!

MRS. MARCHMONT *(steht auf)*. Und wie gut es uns zu Gesicht steht, Olivia!

(Beide gehen auf das Musikzimmer zu. Der Vicomte de Nanjac, ein junger Attaché, berühmt für seine Krawatten und seine Anglomanie, nähert sich ihnen mit einer tiefen Verbeugung und knüpft ein Gespräch mit ihnen an. Alle drei ab)

MASON *(von der obersten Treppenstufe aus Gäste anmeldend)*. Mr. und Lady Barford ... Lord Caversham.

(Lord Caversham tritt auf, ein siebzigjähriger alter Herr, mit dem Band und dem Stern des Hosenbandordens geschmückt. Ein schöner Whig-Typ. Ähnelt einem von Lawrence gemalten Porträt)

LORD CAVERSHAM. Guten Abend, Lady Chiltern! Ist mein Sohn, der Taugenichts, hier gewesen?

LADY CHILTERN *(lächelnd)*. Ich glaube nicht, daß Lord Goring schon gekommen ist.

MABEL CHILTERN *(geht auf Lord Caversham zu)*. Warum nennen Sie Lord Goring einen Taugenichts?

(Mabel Chiltern ist die typische hübsche Engländerin, wie sie im Buch steht – Apfelblütenteint. Sie hat den Duft und die Natürlichkeit einer Blume. Das gewellte Haar schimmert wie Sonnenschein. Das Mündchen mit den halb geöffneten Lippen wirkt erwartungsvoll wie ein Kindermund. Sie besitzt die faszinierend tyrannische Art der Jugend und den erstaunlichen Mut der Unschuld. Nüchterne Menschen erinnert sie nicht an ein Kunstwerk: Eigentlich aber gleicht sie einer Tanagra-Statuette und würde sehr böse sein, wenn man es ihr sagte)

LORD CAVERSHAM. Weil er ein so müßiges Leben führt.

MABEL CHILTERN. Wie können Sie so etwas sagen! Um zehn Uhr vormittags reitet er im Hydepark, dreimal wöchentlich geht er in die Oper, mindestens fünfmal am Tag zieht er sich um, und während der Saison ißt er Abend für Abend auswärts. Das kann man doch nicht als Müßiggang bezeichnen.

LORD CAVERSHAM *(mustert sie mit einem freundlichen Augenzwinkern)*. Sie sind eine reizende junge Dame.

MABEL CHILTERN. Wie lieb von Ihnen, Lord Caversham! Kommen Sie doch öfter zu uns. Sie wissen, mittwochs sind wir immer zu Hause, und Sie sehen so gut aus mit Ihrem Ordensstern!

LORD CAVERSHAM. Gehe jetzt nicht mehr aus. Habe die Londoner Gesellschaft satt. Hätte zwar nichts dagegen, meinem Schneider vorgestellt zu werden – er wählt immer die richtige Partei. Wehre mich aber entschieden dagegen, die Modistin meiner Frau zu Tisch zu führen. Ich habe Lady Cavershams Hüte nie ausstehen können.

MABEL CHILTERN. Oh, ich liebe die Londoner Gesellschaft! Ich finde, daß sie viel besser geworden ist. Jetzt besteht sie nur noch aus schönen Kretins und geistreichen Irrenhäuslern. So, wie die gute Gesellschaft aussehen soll!

LORD CAVERSHAM. Hm! Und Goring? Schöner Kretin oder die andere Variante?

MABEL CHILTERN *(ernst)*. Vorläufig sehe ich mich genötigt, Lord Goring in eine eigene Kategorie einzureihen. Aber er entwikkelt sich charmant.

LORD CAVERSHAM. Wozu?

MABEL CHILTERN *(mit einem kleinen Knicks)*. Das hoffe ich Ihnen sehr bald verraten zu können, Lord Caversham.

MASON *(Gäste meldend)*. Lady Markby – Mrs. Cheveley.

(Lady Markby und Mrs. Cheveley treten auf. Lady Markby ist eine nette, freundliche, allgemein beliebte Frau mit grauem Haar à la Pompadour und echten Spitzen. Mrs. Cheveley, die sie begleitet, ist hochgewachsen und ziemlich schlank. Die Lippen sehr schmal und stark geschminkt, ein roter Strich in einem bleichen Gesicht. Tizianrotes Haar, Adlernase und langer Hals. Wangenrot unterstreicht die angeborene Blässe ihres Teints. Graugrüne

Augen, deren Blick rastlos umherirrt. Ihr Kleid ist bläulichrot, mit Brillanten geschmückt. Sie sieht eher aus wie eine Orchidee und nimmt die Neugier des Betrachters sehr in Anspruch. Ihre Bewegungen sind äußerst graziös. Im großen und ganzen ein Kunstwerk, das aber den Einfluß allzu vieler Schulen verrät)

LADY MARKBY. Guten Abend, liebe Gertrude! Wie nett von Ihnen, daß Sie mir erlaubt haben, meine Freundin, Mrs. Cheveley, mitzubringen. Zwei so reizende Frauen müssen einander kennenlernen!

LADY CHILTERN *(geht mit einem holdseligen Lächeln auf Mrs. Cheveley zu. Dann bleibt sie plötzlich stehen und verbeugt sich recht zurückhaltend).* Ich glaube, Mrs. Cheveley und ich kennen einander von früher. Ich wußte nicht, daß sie ein zweites Mal geheiratet hat.

LADY MARKBY *(heiter).* Ach, heutzutage heiraten die Leute so oft wie nur möglich. Es ist Mode geworden. *(Zu der Herzogin von Maryborough)* Liebe Herzogin – und wie geht es dem Herzog? Immer noch recht schwach im Kopf? Na ja, das war wohl zu erwarten. Genau wie sein braver Vater. Es geht doch nichts über Rasse, nicht wahr?

MRS. CHEVELEY *(spielt mit ihrem Fächer).* Sind wir einander wirklich schon früher begegnet, Lady Chiltern? Ich kann mich nicht erinnern, wo. Ich bin so lange im Ausland gewesen.

LADY CHILTERN. Wir sind miteinander zur Schule gegangen.

MRS. CHEVELEY *(hochmütig).* Tatsächlich! Meine Schulzeit habe ich restlos vergessen. Ich habe den vagen Eindruck, daß sie abscheulich war.

LADY CHILTERN *(kalt).* Das wundert mich nicht.

MRS. CHEVELEY *(mit übertriebener Liebenswürdigkeit).* Wissen Sie, ich freue mich darauf, Ihren gescheiten Gatten kennenzulernen, Lady Chiltern. Seit er im Auswärtigen Amt tätig ist, war in Wien sehr viel von ihm die Rede. Die Zeitungen bringen es sogar fertig, seinen Namen richtig zu schreiben. Auf dem Kontinent bedeutet das an und für sich, daß man eine Berühmtheit ist.

LADY CHILTERN. Ich glaube kaum, daß es zwischen Ihnen und meinem Mann viel Gemeinsames geben wird, Mrs. Cheveley. *(Entfernt sich)*

VICOMTE DE NANJAC. Ah, chère Madame, quelle surprise. Ich habe Sie seit Berlin nicht mehr gesehen.

MRS. CHEVELEY. Nicht seit Berlin, Vicomte. Es ist fünf Jahre her.

VICOMTE DE NANJAC. Und Sie sehen jünger und schöner aus denn je. Wie bringen Sie das fertig?

MRS. CHEVELEY. Ich mache es mir zur Regel, mich nur mit Leuten zu unterhalten, die so vollendet charmant sind wie Sie.

VICOMTE DE NANJAC. Ach, Sie schmeicheln mir. Sie schmieren mir Honig um den Bart, wie es hierzulande heißt.

MRS. CHEVELEY. Heißt es hierzulande so? Wie schrecklich!

VICOMTE DE NANJAC. Ja, eine wunderschöne Sprache. Sie sollte in weiteren Kreisen bekannt sein.

(Sir Robert Chiltern tritt auf. Vierzig Jahre alt, sieht aber jünger aus. Glattrasiert, mit feingeschnittenen Zügen; schwarzes Haar und schwarze Augen. Eine markante Persönlichkeit. Nicht sehr beliebt – wenige Persönlichkeiten sind es. Aber tief bewundert von den wenigen und hoch geachtet von den vielen. Vollendete Vornehmheit, mit einem Anflug von Stolz, prägt seine Haltung. Man spürt, daß er sich seines Erfolges bewußt ist. Ein nervöses Temperament, müde Miene. Der scharfgeschnittene Mund und das Kinn bilden einen auffallenden Kontrast zu dem romantischen Ausdruck in den tiefliegenden Augen. Dieser Gegensatz läßt auf eine fast restlose Trennung von Gefühl und Verstand schließen, als wären sie durch einen gewaltigen Willensakt jeweils in ihre eigene Sphäre verwiesen worden. Nervosität spricht aus den Nasenflügeln und den blassen, mageren, spitz zulaufenden Händen. Es wäre nicht recht zutreffend, seine Erscheinung pittoresk zu nennen. Pittoreske Erscheinungen überleben nicht eine einzige Session des Unterhauses. Van Dyck aber würde seinen Kopf gerne gemalt haben)

SIR ROBERT CHILTERN. Guten Abend, Lady Markby. Hoffentlich haben Sie Sir John mitgebracht.

LADY MARKBY. Ich habe eine viel charmantere Person mitgebracht als Sir John. Seit Sir John sich ernsthaft der Politik zugewandt hat, ist seine Laune ganz unerträglich geworden. Tatsächlich – jetzt, da das Unterhaus sich nützlich zu machen versucht, richtet es sehr viel Schaden an.

SIR ROBERT CHILTERN. Das will ich nicht hoffen, Lady Markby. Auf jeden Fall geben wir uns alle Mühe, das Geld der Steuerzahler zum Fenster hinauszuwerfen. Aber wer ist die reizende Person, die Sie netterweise mitgebracht haben?

LADY MARKBY. Sie heißt Mrs. Cheveley. Eine Cheveley aus Dorset, wie ich vermute. Eigentlich aber weiß ich es nicht. Heutzutage sind die Familien durcheinandergewürfelt. In der Regel entpuppt sich jeder als ein ganz anderer.

SIR ROBERT CHILTERN. Mrs. Cheveley? Der Name klingt mir bekannt.

LADY MARKBY. Sie ist soeben aus Wien eingetroffen.

SIR ROBERT CHILTERN. Ach ja! Ich glaube zu wissen, wen Sie meinen.

LADY MARKBY. Sie ist dort zu Hause und weiß über alle ihre Bekannten so hübsche Skandalgeschichten zu berichten. Ich muß wirklich nächsten Winter nach Wien fahren. Hoffentlich hat die dortige Botschaft einen guten Koch.

SIR ROBERT CHILTERN. Wenn nicht, dann bleibt uns nichts übrig, als den Botschafter abzuberufen. Bitte, zeigen Sie mir Mrs. Cheveley. Ich möchte sie gerne sehen.

LADY MARKBY. Darf ich vorstellen ... *(Zu Mrs. Cheveley)* Meine Liebe, Sir Robert Chiltern brennt darauf, Sie kennenzulernen.

SIR ROBERT CHILTERN *(verbeugt sich)*. Alle Welt brennt darauf, die geistreiche Mrs. Cheveley kennenzulernen. Unsere Attachés in Wien wissen über nichts anderes mehr zu schreiben.

MRS. CHEVELEY. Schönen Dank, Sir Robert. Eine Bekanntschaft, die mit einem Kompliment beginnt, wird sich bestimmt zu einer echten Freundschaft entwickeln. Sie fängt richtig an. Und ich habe festgestellt, daß ich Lady Chiltern bereits kenne.

SIR ROBERT CHILTERN. Tatsächlich?

MRS. CHEVELEY. Ja. Sie hat mich soeben daran erinnert, daß wir zusammen zur Schule gingen. Jetzt entsinne ich mich wieder ganz genau. Sie bekam immer den Preis für gutes Betragen. Ja, ich erinnere mich deutlich, daß Lady Chiltern immer den Preis für gutes Betragen erhalten hat.

SIR ROBERT CHILTERN. Und welche Preise haben Sie erhalten, Mrs. Cheveley?

MRS. CHEVELEY. Meine Preise sind mir erst im späteren Leben zugefallen. Ich glaube nicht, daß ich auch einen für gutes Betragen bekommen habe. Vergessen!

SIR ROBERT CHILTERN. Sicherlich aber für etwas Charmantes.

MRS. CHEVELEY. Ich wüßte nicht, daß Frauen immer für ihren Charme belohnt werden. Ich fürchte, meistens werden sie für ihn bestraft. Heutzutage macht nichts die Frauen so alt wie die Treue ihrer Bewunderer. Anders kann ich mir zumindest nicht das furchtbar verhärmte Aussehen der meisten hübschen Frauen in London erklären.

SIR ROBERT CHILTERN. Was für eine erschreckende Philosophie! Sie klassifizieren zu wollen, Mrs. Cheveley, wäre eine Impertinenz. Aber darf ich Sie fragen: Sind Sie im Grunde Ihres Herzens Optimistin oder Pessimistin? Das scheinen die beiden einzigen modischen Religionen zu sein, die uns geblieben sind.

MRS. CHEVELEY. Weder noch. Der Optimismus beginnt mit einem breiten Lächeln, der Pessimismus endet mit einer blauen Brille. Außerdem ist das eine wie das andere nur eine Pose.

SIR ROBERT CHILTERN. Sie ziehen es vor, natürlich zu sein?

MRS. CHEVELEY. Zuweilen. Aber *diese* Pose aufrechtzuerhalten ist sehr schwer.

SIR ROBERT CHILTERN. Was würden die modernen psychologisierenden Romanschriftsteller, von denen so viel die Rede ist, zu Ihrer These sagen?

MRS. CHEVELEY. Ach, wir Frauen beziehen unsere Stärke aus der Tatsache, daß die Psychologie uns nicht erklären kann. Männer kann man analysieren, Frauen nur – vergöttern.

SIR ROBERT CHILTERN. Sie meinen also, daß das Problem Frau wissenschaftlich nicht zu bewältigen sei.

MRS. CHEVELEY. Nie ist das Irrationale wissenschaftlich zu bewältigen. Deshalb hat die Wissenschaft in dieser Welt keine Zukunft.

SIR ROBERT CHILTERN. Und Frauen repräsentieren das Irrationale.

MRS. CHEVELEY. Gut gekleidete Frauen.

SIR ROBERT CHILTERN *(mit einer höflichen Verbeugung)*. Leider kann ich Ihnen in diesem Punkt nicht zustimmen. Aber nehmen Sie doch Platz. Und nun sagen Sie mir, was hat Sie veranlaßt, das strahlende Wien mit unserem düsteren London zu vertauschen – oder ist diese Frage am Ende indiskret?

MRS. CHEVELEY. Fragen sind nie indiskret. Antworten zuweilen.

SIR ROBERT CHILTERN. Dürfte ich immerhin erfahren, ob es die Politik oder das Vergnügen ist?

MRS. CHEVELEY. Mein einziges Vergnügen ist die Politik. Sehen Sie, heutzutage ist es nicht Mode, vor dem vierzigsten Lebensjahr zu flirten oder vor dem fünfundvierzigsten romantische Neigungen zu hegen – also bleibt uns armen Frauen, die wir noch keine dreißig sind oder es behaupten, nichts übrig, als uns der Politik oder der Philanthropie zu widmen. Und die Philanthropie scheint mir ganz einfach die Zuflucht der Leute geworden zu sein, die ihre Mitmenschen ärgern wollen. Ich bevorzuge die Politik. Ich finde, sie – steht mir besser zu Gesicht.

SIR ROBERT CHILTERN. Sein Leben der Politik zu weihen ist eine edle Laufbahn.

MRS. CHEVELEY. ... Manchmal ein Hazardspiel, Sir Robert. Und manchmal eine Plage.

SIR ROBERT CHILTERN. Was ist sie Ihnen?

MRS. CHEVELEY. Eine Mischung aus allen dreien. *(Läßt ihren Fächer fallen)*

SIR ROBERT CHILTERN *(hebt den Fächer auf)*. Gestatten Sie ...

MRS. CHEVELEY. Danke.

SIR ROBERT CHILTERN. Aber Sie haben mir noch immer nicht verraten, was Sie veranlaßt, London so plötzlich mit Ihrer Anwesenheit zu beehren. Unsere Saison ist schon fast zu Ende.

MRS. CHEVELEY. Ach, ich mache mir nichts aus der Londoner Saison. Sie steht mir zu sehr im Zeichen der Ehe. Die Frauen sind auf der Jagd nach Ehemännern – oder sie verkriechen sich vor ihnen. Ich wollte *Sie* kennenlernen. Ungelogen. Sie wissen, wie neugierig Frauen sind! Fast so neugierig wie die Männer. Ich habe mir brennend gewünscht, Sie kennenzulernen – und Sie um einen Gefallen zu bitten.

SIR ROBERT CHILTERN. Hoffentlich ist es keine Kleinigkeit. Ich finde, Kleinigkeiten sind so überaus beschwerlich.

MRS. CHEVELEY *(nachdem sie einen Moment überlegt hat)*. Nein, ich glaube nicht, daß es eine Kleinigkeit ist.

SIR ROBERT CHILTERN. Das freut mich sehr. Sagen Sie mir doch, worum es sich handelt.

MRS. CHEVELEY. Später. *(Steht auf)* Darf ich jetzt einen Rundgang durch das schöne Haus machen? Wie ich gehört habe, ist Ihre Gemäldesammlung exquisit. Der arme Baron Arnheim – erinnern Sie sich an ihn? – hat mir oft erzählt, daß Sie einige großartige Corots besitzen.

SIR ROBERT CHILTERN *(zuckt fast unmerklich zusammen)*. Haben Sie Baron Arnheim gut gekannt?

MRS. CHEVELEY *(lächelnd). Sehr gut. Und Sie?*

SIR ROBERT CHILTERN. Vor längerer Zeit.

MRS. CHEVELEY. Ein wunderbarer Mensch, nicht wahr?

SIR ROBERT CHILTERN *(nach einer Pause)*. Er war in vieler Hinsicht bemerkenswert.

MRS. CHEVELEY. Ich denke mir oft, es ist jammerschade, daß er nie seine Memoiren geschrieben hat. Sie wären sehr interessant gewesen.

SIR ROBERT CHILTERN. Ja. Er kannte Menschen und Städte – wie jener alte Grieche.

MRS. CHEVELEY. Ohne den schrecklichen Nachteil, daß zu Haus eine Penelope auf ihn wartete.

MASON. Lord Goring.

(Lord Goring tritt auf. Vierunddreißig Jahre alt. Aber er behauptet stets, jünger zu sein. Wohlerzogene, ausdruckslose Miene. Er ist gescheit, will aber nicht als gescheit gelten. Für ihn, den makellosen Dandy, wäre es ärgerlich, für romantisch gehalten zu werden. Er tändelt mit dem Leben und steht mit der Welt auf denkbar bestem Fuße. Er läßt sich gerne mißverstehen. Das verschafft ihm eine vorteilhafte Position)

SIR ROBERT CHILTERN. Guten Abend, mein lieber Arthur! Mrs. Cheveley, gestatten Sie mir, Sie mit Lord Goring bekannt zu machen, dem größten Müßiggänger in ganz London.

MRS. CHEVELEY. Ich kenne Lord Goring von früher.

LORD GORING *(verbeugt sich)*. Ich hätte nicht gedacht, daß Sie sich an mich erinnern, Mrs. Cheveley.

MRS. CHEVELEY. Ich habe mein Gedächtnis fest in der Hand. Sind Sie noch immer Junggeselle?

LORD GORING. Ich – ich glaube, ja.

MRS. CHEVELEY. Wie romantisch!

LORD GORING. O nein – ich bin durchaus kein Romantiker. Dazu bin ich nicht alt genug. Romantische Schwärmereien überlasse ich den älteren Herren.

SIR ROBERT CHILTERN. Lord Goring ist das Produkt des Boodle-Clubs, Mrs. Cheveley.

MRS. CHEVELEY. Er macht dem Institut alle Ehre.

LORD GORING. Darf ich fragen, ob Sie lange in London bleiben?

MRS. CHEVELEY. Das hängt zum Teil vom Wetter, zum Teil von der Küche und zum Teil von Sir Robert ab.

SIR ROBERT CHILTERN. Sie werden uns doch hoffentlich nicht in einen europäischen Krieg verwickeln.

MRS. CHEVELEY. Keine Gefahr – vorläufig! *(Sie wirft Lord Goring einen belustigten Blick zu und geht mit Sir Robert Chiltern ab. Lord Goring schlendert zu Mabel Chiltern hinüber)*

MABEL CHILTERN. Sie sind sehr verspätet!

LORD GORING. Haben Sie mich vermißt?

MABEL CHILTERN. Schrecklich!

LORD GORING. Dann bereue ich, daß ich nicht länger weggeblieben bin. Ich lasse mich gerne vermissen.

MABEL CHILTERN. Wie egoistisch!

LORD GORING. Ich bin ein Egoist.

MABEL CHILTERN. Immer erzählen Sie mir von Ihren schlechten Eigenschaften, Lord Goring.

LORD GORING. Bisher habe ich Ihnen nur die Hälfte erzählt, Miß Mabel.

MABEL CHILTERN. Sind die anderen sehr schlimm?

LORD GORING. Geradezu fürchterlich. Wenn ich nachts an sie denke, schlafe ich sofort ein.

MABEL CHILTERN. Ich bin entzückt von Ihren schlechten Eigenschaften. Es wäre mir nicht recht, wenn Sie auch nur eine einzige ablegen würden.

LORD GORING. Wie nett von Ihnen! Aber Sie sind ja immer nett. Übrigens wollte ich Sie etwas fragen, Miß Mabel. Wer hat Mrs. Cheveley mitgebracht? Die Frau in dem blauroten Kleid, die soeben zusammen mit Ihrem Bruder das Zimmer verlassen hat...

MABEL CHILTERN. Ach, ich glaube, Lady Markby hat sie mitgebracht. Warum fragen Sie?

LORD GORING. Weil ich sie seit Jahren nicht gesehen habe.

MABEL CHILTERN. Ein absurder Grund!

LORD GORING. Alle Gründe sind absurd.

MABEL CHILTERN. Was ist sie denn für eine Frau?

LORD GORING. Bei Tag ein Genie – nachts eine Schönheit.

MABEL CHILTERN. Ich kann sie schon jetzt nicht leiden.

LORD GORING. Daran erkennt man Ihren bewundernswert guten Geschmack.

VICOMTE DE NANJAC *(nähert sich)*. Ah, die junge Engländerin ist die Patronin des guten Geschmacks, nicht wahr? Sie hütet ihn wie den heiligen Gral.

LORD GORING. Das predigen uns ständig die Zeitungen.

VICOMTE DE NANJAC. Ich lese sämtliche englischen Zeitungen. Ich finde sie *so* amüsant.

LORD GORING. Dann müssen Sie aber bestimmt zwischen den Zeilen lesen, mein lieber Nanjac.

VICOMTE DE NANJAC. Das würde ich gerne tun, aber mein Sprachlehrer verbietet es mir. *(Zu Mabel Chiltern)* Darf ich das Vergnügen haben, Sie ins Musikzimmer zu begleiten, Mademoiselle?

MABEL CHILTERN *(mit sehr enttäuschter Miene)*. Ich bitte darum, Vicomte, ich bitte darum. *(Wendet sich zu Lord Goring)* Kommen Sie nicht mit ins Musikzimmer?

LORD GORING. Nicht, wenn dort musiziert wird, Miß Mabel.

MABEL CHILTERN *(streng)*. Es ist deutsche Musik. Sie würden sie nicht verstehen. *(Ab mit dem Vicomte de Nanjac)*

LORD CAVERSHAM *(tritt zu seinem Sohn)*. Na, Sir! Was machst denn du hier? Vergeudest wie gewöhnlich dein Leben! Du solltest im Bett liegen, Sir! Du bleibst zu lange auf. Ich habe mir sagen lassen, daß du neulich bei Lady Rufford bis vier Uhr morgens getanzt hast.

LORD GORING. Nur bis drei Viertel vier, Papa.

LORD CAVERSHAM. Ich begreife nicht, wie du die Londoner gute Gesellschaft ausstehen kannst. Sie ist längst vor die Hunde gegangen. Eine Schar erbärmlicher Nullen, die sich über nichts unterhalten.

LORD GORING. Ich liebe es, mich über nichts zu unterhalten, Papa. Das einzige, wovon ich etwas verstehe.

LORD CAVERSHAM. Du scheinst mir nur deinem Vergnügen zu leben.

LORD GORING. Wofür sonst lohnt es sich zu leben, Papa? Nichts macht so schnell alt wie das häusliche Glück.

LORD CAVERSHAM. Du hast kein Herz.

LORD GORING. Das will ich nicht hoffen ... Guten Abend, Lady Basildon!

LADY BASILDON *(zieht ihre hübschen Brauen hoch). Sie* sind hier? Ich hatte keine Ahnung, daß Sie politische Abende frequentieren.

LORD GORING. Ich schwärme für politische Abende. Sie sind die einzigen, an denen nicht von Politik die Rede ist.

LADY BASILDON. Ich rede liebend gerne über Politik. Den ganzen Tag. Aber ich ertrage es nicht zuzuhören. Ich weiß nicht, wie die Unglücklichen im Unterhaus diese langen Debatten aushalten.

LORD GORING. Indem sie nicht zuhören.

LADY BASILDON. Wirklich?

LORD GORING *(todernst).* Selbstverständlich. Sehen Sie, Zuhören ist sehr gefährlich. Wenn man zuhört, kann es passieren, daß man sich überzeugen läßt – und wer sich durch Argumente überzeugen läßt, ist ein durchaus unvernünftiger Mensch.

LADY BASILDON. Ah – daraus erklärt sich bei den Männern so vieles, das ich nie begriffen habe, und bei den Frauen so vieles, das ihre Männer nie an ihnen zu schätzen wissen.

MRS. MARCHMONT *(mit einem Seufzer).* Unsere Männer wissen nie etwas an uns zu schätzen. Das müssen wir uns bei den anderen holen.

LADY BASILDON *(mit Nachdruck).* Ja, immer bei den andern, nicht wahr?

LORD GORING *(lächelnd).* Und das sind die Ansichten der beiden Damen, die dafür bekannt sind, daß sie die bewundernswertesten Gatten in ganz London haben.

MRS. MARCHMONT. Das ist es ja eben, was wir nicht ausstehen können. Mein Reginald ist hoffnungslos einwandfrei – manchmal bis zum Exzeß! Wer ihn kennt, wird nie auch nur die kleinste Aufregung erleben.

LORD GORING. Wie entsetzlich! Nein, das sollte sich herumsprechen.

LADY BASILDON. Basildon ist nicht um ein Jota besser. Er ist so häuslich, als wäre er Junggeselle.

MRS. MARCHMONT *(drückt ihr die Hand).* Meine arme Olivia! Wir haben perfekte Ehemänner geheiratet und sind dafür streng bestraft worden.

LORD GORING. Ich hätte gedacht, daß es die Ehemänner zu büßen haben.

MRS. MARCHMONT *(richtet sich auf).* O du meine Güte – nein! Sie könnten nicht glücklicher sein. Und was für ein Vertrauen sie zu uns haben! Es ist geradezu tragisch.

LADY BASILDON. Absolut tragisch.

LORD GORING. Oder komisch, Lady Basildon?

LADY BASILDON. Alles eher als komisch, Lord Goring. Wie unfreundlich von Ihnen, so etwas zu unterstellen!

MRS. MARCHMONT. Ich fürchte, Lord Goring steht wie gewöhnlich im Lager des Feindes. Ich habe ihn mit Mrs. Cheveley sprechen sehen.

LORD GORING. Eine schöne Frau, diese Mrs. Cheveley.

LADY BASILDON *(steif).* Bitte, loben Sie nicht in unserer Anwesenheit andere Frauen. Warten Sie, bis wir es tun.

LORD GORING. Ich habe gewartet.

MRS. MARCHMONT. Also, wir denken nicht daran, ihr Lob zu singen. Sie soll am Montag in der Oper gewesen sein und nachher beim Souper zu Tommy Rufford gesagt haben, daß die gute Gesellschaft Londons, soweit sie es beurteilen könne, aus lauter Schlampen und Dandys bestehe.

LORD GORING. Sie hat auch völlig recht. Die Männer sind schlampig und die Frauen schick.

MRS. MARCHMONT *(nach einer Pause).* Oh – glauben Sie wirklich, daß es so gemeint war?

LORD GORING. Selbstverständlich. Und es ist noch dazu eine sehr *vernünftige* Bemerkung unserer Mrs. Cheveley.

MABEL CHILTERN *(tritt auf und gesellt sich zu der Gruppe).* Warum sprecht ihr über Mrs. Cheveley? Alle sprechen über Mrs. Cheveley! Lord Goring sagt – was sagten Sie über Mrs. Cheveley, Lord Goring? Ach ja, es fällt mir ein: Sie sei bei Tag ein Genie und bei Nacht eine Schönheit.

LADY BASILDON. Was für eine greuliche Kombination! So unnatürlich!

MRS. MARCHMONT *(in ihrer verträumtesten Art).* Ich sehe mir gerne Genies an und höre gerne schönen Menschen zu.

LORD GORING. Das ist morbid, Mrs. Marchmont!

MRS. MARCHMONT *(ehrlich erfreut).* Ach, ich bin froh, daß Sie das sagen! Seit sieben Jahren bin ich mit Marchmont verheiratet, und nicht ein einziges Mal hat er zu mir gesagt, ich sei morbid. Was doch die Männer für schlechte Beobachter sind! Und von einer geradezu verletzenden Unaufmerksamkeit.

LADY BASILDON *(wendet sich zu ihr).* Ich habe schon immer gesagt, Margaret, daß du die morbideste Person in ganz London bist.

MRS. MARCHMONT. Ja, du, Olivia! Aber du hast seit jeher ein mitfühlendes Herz.

MABEL CHILTERN. Ist es morbid, Hunger zu haben? Ich habe schrecklichen Hunger. Lord Goring, wollen Sie mich zu Tisch begleiten?

LORD GORING. Mit Vergnügen, Miß Mabel. *(Die beiden nähern sich der Treppe)*

MABEL CHILTERN. Sie haben sich abscheulich benommen. Den ganzen Abend haben Sie kein Wort mit mir geredet.

LORD GORING. Ja, wie hätte ich denn mit Ihnen reden können? Sie sind mir ja mit dem Diplomatenbürschchen weggelaufen.

MABEL CHILTERN. Warum sind Sie nicht hinterhergelaufen? Das wäre ein Gebot der Höflichkeit gewesen. Ich glaube, heute abend gefallen Sie mir überhaupt nicht.

LORD GORING. Sie gefallen mir ungeheuer gut.

MABEL CHILTERN. Schade, daß Sie sich's nicht deutlicher anmerken lassen. *(Beide gehen die Treppe hinunter)*

MRS. MARCHMONT. Olivia, mir ist ganz kurios zumute. Ich fühle mich schwach. Ich glaube, ein kleiner Imbiß würde mir gut bekommen. Ich weiß, daß er mir gut bekommen würde.

LADY BASILDON. Ich vergehe vor Hunger, Margaret!

MRS. MARCHMONT. Männer sind schreckliche Egoisten. An so etwas denken sie nicht.

LADY BASILDON. Männer sind Materialisten, rohe Materialisten.

(Der Vicomte de Nanjac erscheint zusammen mit anderen Gästen aus dem Musikzimmer. Nachdem er sämtliche Anwesenden sorgfältig gemustert hat, nähert er sich Lady Basildon)

VICOMTE DE NANJAC. Gräfin, darf ich die Ehre haben, Sie zum Souper hinunterzugeleiten?

LADY BASILDON *(kalt)*. Ich soupiere nie – danke, Vicomte. *(Der Vicomte will sich zurückziehen. Lady Basildon merkt es, steht sofort auf und nimmt seinen Arm)* Aber ich gehe gerne mit Ihnen nach unten.

VICOMTE DE NANJAC. Ich esse furchtbar gern! Ich habe in jeder Hinsicht den Geschmack eines Engländers.

LADY BASILDON. Sie sehen auch aus wie ein Engländer, Vicomte.

(Sie gehen ab. Mr. Montford, ein geschniegelter junger Dandy, nähert sich Mrs. Marchmont)

MR. MONTFORD. Ein kleiner Imbiß, Mrs. Marchmont?

MRS. MARCHMONT *(gleichgültig)*. Danke, Mr. Montford, ich soupiere nie. *(Erhebt sich hastig und nimmt seinen Arm)* Aber ich werde mich zu Ihnen setzen und Ihnen zuschauen.

MR. MONTFORD. Ich weiß nicht, ob es mir gefällt, wenn man mir beim Essen zuschaut.

MRS. MARCHMONT. Dann werde ich jemand anderem zuschauen.

MR. MONTFORD. Ich weiß auch nicht, ob mir das gefallen würde.

MRS. MARCHMONT *(streng)*. Bitte, Mr. Montford, machen Sie mir nicht in aller Öffentlichkeit peinliche Eifersuchtsszenen!

(Sie gehen zusammen mit den übrigen Gästen die Treppe hinunter und kommen an Sir Robert Chiltern und Mrs. Cheveley vorbei, die soeben zurückkehren)

SIR ROBERT CHILTERN. Beabsichtigen Sie, auch einen unserer Landsitze zu besuchen, bevor Sie England verlassen, Mrs. Cheveley?

MRS. CHEVELEY. Ach nein! Ich kann eure englischen Wochenendpartien nicht ausstehen. Hausgäste! Menschen, die sich in der Tat nicht scheuen, am Frühstückstisch geistreich sein zu wollen. Was für eine schreckliche Sitte! Nur Dummköpfe sind am Frühstückstisch geistreich. Und im Keller wimmert das Schloßgespenst. Mein Aufenthalt in England gilt wirklich nur Ihnen, Sir Robert. *(Sie setzt sich aufs Sofa)*

SIR ROBERT CHILTERN *(setzt sich zu ihr)*. Im Ernst?

MRS. CHEVELEY. Im Ernst. Ich möchte mich mit Ihnen über ein großes politisches und finanzielles Projekt unterhalten – nämlich über die geplante Argentinien-Kanal-Gesellschaft.

SIR ROBERT CHILTERN. Und Sie interessieren sich für ein so langweiliges pragmatisches Thema, Mrs. Cheveley?

MRS. CHEVELEY. Oh, ich liebe langweilige, pragmatische Themen. Zum Unterschied von langweiligen, pragmatischen Menschen. Der Unterschied ist sehr groß. Außerdem weiß ich, daß *Sie* sich für internationale Kanalprojekte interessieren. Als die Regierung die Suezkanal-Aktien kaufte, waren Sie Lord Radleys Sekretär.

SIR ROBERT CHILTERN. Ja. Aber der Suezkanal war ein kolossales und glänzendes Unternehmen. Er hat uns eine direkte Route nach Indien gebracht. Er ist von größtem Wert für das Empire. Wir mußten unseren Einfluß sichern. Dieses Argentinien-Projekt aber ist ein ganz gewöhnlicher Börsenschwindel.

MRS. CHEVELEY. Eine Spekulation, Sir Robert! Eine brillante, gewagte Spekulation.

SIR ROBERT CHILTERN. Glauben Sie, Mrs. Cheveley, es handelt sich um ein Schwindelmanöver. Nennen wir die Dinge beim rechten Namen. Das vereinfacht die Sache. Das Auswärtige Amt besitzt alle erforderlichen Informationen. De facto habe ich eine Sonderkommission beauftragt, die Angelegenheit in aller Stille zu prüfen, und mir wurde berichtet, daß die Arbeit kaum erst begonnen hat. Was das gezeichnete Kapital betrifft, scheint kein Mensch zu wissen, was aus ihm geworden ist. Das Ganze ist ein zweites Panama und hat nicht einmal ein Viertel soviel Erfolgschancen, wie diese miserable Affäre je gehabt hat. Hoffentlich haben Sie nichts investiert. Dazu sind Sie sicherlich viel zu schlau.

MRS. CHEVELEY. Ich habe mich sehr stark engagiert.

SIR ROBERT CHILTERN. Wer kann Ihnen zu so einer Dummheit geraten haben?

MRS. CHEVELEY. Ein gemeinsamer alter Freund.

SIR ROBERT CHILTERN. Wer?

MRS. CHEVELEY. Baron Arnheim.

SIR ROBERT CHILTERN *(runzelt die Stirn)*. Ach ja. Ich erinnere mich. Um die Zeit seines Todes habe ich gehört, daß er in die Angelegenheit verwickelt war.

MRS. CHEVELEY. Es war sein letztes Liebesabenteuer. Sein vorletztes – um ihm nicht unrecht zu tun.

SIR ROBERT CHILTERN *(steht auf)*. Aber Sie haben meine Corots noch nicht gesehen. Sie hängen im Musikzimmer. Corot und Musik passen gut zueinander, nicht wahr? Darf ich sie Ihnen zeigen?

MRS. CHEVELEY *(schüttelt den Kopf)*. Ich bin heute abend nicht in der richtigen Stimmung für silbriges Zwielicht und rosenrote Morgendämmerung. Ich will über Geschäfte reden. *(Bedeutet ihm mit ihrem Fächer, sich wieder zu ihr zu setzen)*

SIR ROBERT CHILTERN. Leider kann ich Ihnen keinen Rat geben, Mrs. Cheveley. Nur eines: Interessieren Sie sich für etwas weniger Riskantes. Natürlich hängt der Erfolg des Kanalprojekts von der Haltung Englands ab, und ich beabsichtige, morgen abend dem Unterhaus den Bericht der Kommissionsmitglieder zu unterbreiten.

MRS. CHEVELEY. Das dürfen Sie nicht tun ... In Ihrem eigenen Interesse, Sir Robert – von mir ganz zu schweigen – dürfen Sie es nicht tun.

SIR ROBERT CHILTERN *(sieht sie verwundert an)*. In meinem eigenen Interesse? Meine liebe Mrs. Cheveley, was soll das heißen? *(Setzt sich zu ihr)*

MRS. CHEVELEY. Sir Robert, ich will kein Blatt vor den Mund nehmen. Ich ersuche Sie, den Bericht, den Sie dem Unterhaus vorlegen wollten, zurückzuziehen – mit der Begründung, Sie hätten Anlaß zu der Vermutung, die Mitglieder der Kommission seien voreingenommen gewesen oder falsch informiert worden – oder so ähnlich. Dann möchte ich, daß Sie ein paar Worte hinzufügen: Die Regierung beabsichtige, die Frage zu überprüfen, und Sie hätten allen Grund zu der Annahme, der Kanal werde nach seiner Fertigstellung von großem internationalem Nutzen sein. Sie wissen ja, was Minister in Fällen dieser Art zu äußern pflegen. Ein paar gewöhnliche Plattitüden werden genügen. Im heutigen Leben ist nichts so wirksam wie eine solide Plattitüde. Da ist man mit der ganzen Welt auf du und du. Wollen Sie mir diesen Gefallen erweisen?

SIR ROBERT CHILTERN. Mrs. Cheveley, es kann nicht Ihr Ernst sein, mir mit einem solchen Vorschlag zu kommen.

MRS. CHEVELEY. Es ist mein voller Ernst.

SIR ROBERT CHILTERN *(kalt)*. Bitte, gestatten Sie mir anzunehmen, daß es nicht ernst gemeint war.

MRS. CHEVELEY *(mit Bedacht und Nachdruck)*. O doch! Und wenn Sie mir meinen Wunsch erfüllen, werde ich Sie – sehr anständig bezahlen.

SIR ROBERT CHILTERN. Mich bezahlen?

MRS. CHEVELEY. Ja.

SIR ROBERT CHILTERN. Ich fürchte, ich verstehe nicht recht, was damit gemeint ist.

MRS. CHEVELEY *(lehnt sich zurück und mustert ihn)*. Sie enttäuschen mich. Da habe ich eigens die weite Reise aus Wien hierher unternommen, damit Sie mich recht verstehen.

SIR ROBERT CHILTERN. Leider verstehe ich Sie nicht.

MRS. CHEVELEY *(in ihrer nonchalantesten Art)*. Mein lieber Sir Robert, Sie sind ein Mann von Welt und haben, wie ich annehme, Ihren Preis. Heutzutage hat jeder seinen Preis. Das hat nur einen Nachteil: Die meisten Leute sind schrecklich teuer. Ich zum Beispiel. Hoffentlich werden Ihre Ansprüche bescheidener sein.

SIR ROBERT CHILTERN *(erhebt sich entrüstet)*. Wenn Sie gestatten, werde ich Ihren Wagen vorfahren lassen. Sie haben so lange im Ausland gelebt, Mrs. Cheveley, daß Sie nicht zu wissen scheinen, wie man mit einem englischen Gentleman spricht.

MRS. CHEVELEY *(hält ihn zurück, indem sie seinen Arm mit ihrem Fächer berührt, und während sie zu ihm spricht, behält sie die Berührung bei)*. Ich weiß nur, wie der Mann, mit dem ich spreche, den Grundstein seines Vermögens gelegt hat – nämlich dadurch, daß er einem Börsenspekulanten ein Kabinettsgeheimnis verkaufte.

SIR ROBERT CHILTERN *(beißt sich auf die Lippe)*. Was soll das heißen?

MRS. CHEVELEY *(steht auf und schaut ihn an)*. Das soll heißen, daß ich den eigentlichen Ursprung Ihres Reichtums und Ihrer Karriere kenne. Außerdem besitze ich Ihren Brief.

SIR ROBERT CHILTERN. Welchen Brief?

MRS. CHEVELEY *(verachtungsvoll)*. Den Brief, den Sie an Baron Arnheim geschrieben haben, als Sie Lord Radleys Sekretär waren, und in dem Sie ihm raten, Suez-Aktien zu kaufen –

den Brief, geschrieben drei Tage, bevor die Regierung ihren Ankauf bekanntgab.

SIR ROBERT CHILTERN *(heiser)*. Das ist nicht wahr.

MRS. CHEVELEY. Sie haben sich eingebildet, der Brief sei vernichtet. Wie dumm von Ihnen! Er befindet sich in meinem Besitz.

SIR ROBERT CHILTERN. Die Angelegenheit, auf die Sie anspielen, war eine reine Spekulation. Das Unterhaus hatte die Gesetzesvorlage noch nicht gebilligt. Es hätte sie ablehnen können.

MRS. CHEVELEY. Es war ein Schwindel, Sir Robert. Nennen wir doch die Dinge beim rechten Namen. Das vereinfacht alles. Jetzt werde ich Ihnen den Brief verkaufen. Der Preis, den ich verlange? Daß Sie das Argentinien-Projekt öffentlich unterstützen. Sie selber haben Ihr Vermögen mit einem Kanal verdient. Jetzt müssen Sie mir und meinen Freunden helfen, mit einem anderen Kanal ein Vermögen zu verdienen.

SIR ROBERT CHILTERN. Was Sie mir vorschlagen, ist infam – infam!

MRS. CHEVELEY. O nein! Das ist das Hazardspiel des Lebens, wie wir alle es zu spielen haben – früher oder später.

SIR ROBERT CHILTERN. Ich kann Ihnen Ihren Wunsch nicht erfüllen.

MRS. CHEVELEY. Sie meinen, daß Ihnen nichts anderes übrigbleibt. Sie wissen, daß Sie am Rande eines Abgrundes stehen. Nicht Sie haben Bedingungen zu stellen. Sie haben meine Bedingungen zu akzeptieren. Gesetzt den Fall, daß Sie sich weigern ...

SIR ROBERT CHILTERN. Was geschieht dann?

MRS. CHEVELEY. Was dann geschieht, lieber Sir Robert? Sie sind ruiniert, weiter nichts! Bedenken Sie, wie weit ihr es mit eurem Puritanismus in England gebracht habt. Früher einmal hat kein Mensch so getan, als sei er ein bißchen besser als sein Nächster. Ja, ein bißchen besser zu sein als sein Nächster, galt sogar als überaus vulgär und spießig. Heutzutage, seit die bürgerliche Moral zu einer Manie geworden ist, muß jeder als ein Ausbund von Reinheit, Unbestechlichkeit posieren – nebst den übrigen sieben Todsünden mit umgekehrtem Vorzeichen. Was ist das Ergebnis? Alle purzelt ihr wie die Kegel – einer nach dem anderen. In England vergeht kein Jahr, ohne daß jemand von der Bildfläche verschwindet. Früher einmal hat ein Skandal den Betroffenen charmant oder zumindest interessant gemacht – heute richtet er ihn zugrunde. Und der Skandal, der Ihnen droht, ist sehr häßlich. Sie würden ihn nicht überleben. Wenn bekannt wird, daß Sie als junger Mensch, als der Sekretär eines mächtigen und bedeutenden Ministers, ein Kabinettsgeheimnis für eine große Summe verkauft haben und daß das der Ursprung Ihres Reichtums und Ihrer Karriere war, wird man Sie aus dem öffentlichen Leben davonjagen – Sie werden spurlos verschwinden. Und warum, Sir Robert, sollten Sie schließlich Ihre gesamte Zukunft opfern, statt mit dem Feind diplomatisch zu verhandeln? Momentan bin ich Ihr Feind. Ich gebe es zu! Und ich bin viel stärker als Sie. Ich habe die stärkeren Bataillone auf meiner Seite. *Sie* haben eine glänzende Stellung – aber just diese glänzende Stellung macht Sie so verwundbar. Sie können sie nicht verteidigen. Und ich greife an! Natürlich habe ich Ihnen keine Moralpredigt gehalten. Wenn Sie gerecht sein wollen, müssen Sie zugeben, daß ich Ihnen das erspart habe. Vor Jahren haben Sie einen frechen, skrupellosen Schritt getan. Er hat sich als äußerst erfolgreich erwiesen. Ihm verdanken Sie Ihr Vermögen und Ihre Stellung. Und jetzt müssen Sie dafür zahlen. Früher oder später müssen wir alle das bezahlen, was wir getan haben. Jetzt sind *Sie* an der Reihe. Bevor ich Sie heute abend verlasse, müssen Sie mir versprechen, Ihren Bericht unter den Tisch fallen zu lassen und im Unterhaus für das Projekt einzutreten.

SIR ROBERT CHILTERN. Was Sie verlangen, ist unmöglich.

MRS. CHEVELEY. Sie müssen es ermöglichen. Sie werden es ermöglichen. Sir Robert, Sie kennen die englische Presse. Angenommen, ich fahre von Ihrer Haustür zu einer Zeitungsredaktion und liefere ihr den Skandal samt den Beweisen. Denken Sie daran, mit welch widerwärtigem Jubel, mit welchem Vergnügen man Sie von Ihrem Sockel stürzen und durch den Dreck ziehen würde! Sehen Sie nicht den Heuchler mit seinem schmierigen Lächeln vor sich, wie er seinen Leitartikel schreibt und die niederträchtigen Schlagzeilen für den Aushang arrangiert?

SIR ROBERT CHILTERN. Halt! Ich soll also den Bericht zurückziehen und in einer kurzen Rede erklären, daß ich dem Projekt gewisse Chancen gebe?

MRS. CHEVELEY *(setzt sich aufs Sofa)*. Das sind meine Bedingungen.

SIR ROBERT CHILTERN *(mit gedämpfter Stimme)*. Ich biete Ihnen jede beliebige Summe an.

MRS. CHEVELEY. Nicht einmal Sie, Robert, sind reich genug, um Ihre Vergangenheit zurückzukaufen. Kein Mensch ist so reich.

SIR ROBERT CHILTERN. Ich weigere mich, Ihren Wunsch zu erfüllen. Ich weigere mich.

MRS. CHEVELEY. Es bleibt Ihnen nichts anderes übrig. Sonst ... *(Sie erhebt sich)*

SIR ROBERT CHILTERN *(verwirrt und entmutigt)*. Warten Sie einen Augenblick! Was haben Sie mir vorgeschlagen? Sie sagten, daß Sie mir meinen Brief zurückgeben würden, nicht wahr?

MRS. CHEVELEY. Ja. Das ist abgemacht. Morgen nacht um halb zwölf werde ich mich auf der Damengalerie befinden. Wenn Sie bis dahin – und es wird sich oft Gelegenheit dazu bieten – das Haus in dem von mir gewünschten Sinne informiert haben, werde ich Ihnen mit dem schönsten Dank oder auf jeden Fall mit dem passendsten Kompliment, das mir einfällt, Ihren Brief zurückgeben. Ich habe die Absicht, fair zu spielen. Man sollte immer fair spielen – wenn man die Trümpfe in der Hand hat. Das hat mich der Baron gelehrt – unter vielem anderen.

SIR ROBERT CHILTERN. Ich brauche Zeit, um über Ihren Vorschlag nachzudenken.

MRS. CHEVELEY. Nein – Sie müssen sich sofort entscheiden!

SIR ROBERT CHILTERN. Bewilligen Sie mir eine Woche – drei Tage.

MRS. CHEVELEY. Ausgeschlossen! Ich muß heute nacht nach Wien telegrafieren.

SIR ROBERT CHILTERN. Mein Gott! Welcher Teufel hat Sie mir in den Weg geführt!

MRS. CHEVELEY. Der Teufel des Zufalls. *(Steuert auf die Tür zu)*

SIR ROBERT CHILTERN. Bleiben Sie ... Ich willige ein. Ich werde den Bericht zurückziehen und dafür sorgen, daß man eine kleine Anfrage an mich richtet.

MRS. CHEVELEY. Danke. Ich wußte, wir würden zu einer freundschaftlichen Einigung gelangen. Ich habe Sie vom ersten Augenblick an durchschaut. Ich habe Ihren Charakter seziert – obwohl Sie mich nicht gerade anbeten. Und jetzt können Sie meinen Wagen vorfahren lassen, Sir Robert. Ich sehe, daß Ihre Gäste vom Souper zurückkehren. Engländer werden nach dem Essen romantisch, und das ödet mich fürchterlich an. *(Sir Robert Chiltern ab)*

(Lady Chiltern und Gäste treten auf: Lady Markby, Lord Caversham, Lady Basildon, Mrs. Marchmont, Vicomte de Nanjac, Mr. Montford)

LADY MARKBY. Nun, liebe Mrs. Cheveley, hoffentlich haben Sie sich gut amüsiert. Sir Robert ist sehr unterhaltsam, nicht wahr?

MRS. CHEVELEY. Sehr unterhaltsam! Unser Gespräch war äußerst amüsant.

LADY MARKBY. Er hat eine interessante und strahlende Karriere gemacht – und eine bewundernswerte Frau geheiratet. Zu meiner Freude muß ich sagen, daß Lady Chiltern eine hochmoralische Frau ist. Ich selber bin schon ein wenig zu alt, um mir die Mühe zu machen und mit gutem Beispiel voranzugehen, aber ich bewundere die Menschen, die es tun. Lady Chiltern übt einen sehr veredelnden Einfluß aus – wenn auch ihre Abendgesellschaften manchmal recht langweilig sind. Aber man darf von einem Menschen nicht alles verlangen, nicht wahr? Und jetzt muß ich gehen, meine Liebe. Soll ich Sie morgen abholen?

MRS. CHEVELEY. Danke.

LADY MARKBY. Wir könnten um fünf im Park spazierenfahren. Jetzt sieht dort alles so frisch aus.

MRS. CHEVELEY. Bis auf die Leute.

LADY MARKBY. Die Leute sind vielleicht ein bißchen abgehetzt. Ich habe oft bemerkt, daß jede Saison im Laufe der Zeit eine Art von Gehirnerweichung verursacht. Aber meiner Meinung nach ist nichts so schlimm wie ein mit Hochdruck arbeitender Verstand. Es gibt nichts Unbekömmlicheres. Die Nasen der jungen Mädchen werden davon merkwürdig lang. Und nichts ist schwieriger zu verheiraten als eine lange Nase. Die Männer mögen sie nicht. Gute Nacht, meine Liebe! *(Zu Lady Chiltern)*

Gute Nacht, Gertrude! *(Geht an Lord Cavershams Arm ab)*

MRS. CHEVELEY. Was haben Sie doch für ein bezauberndes Haus, Lady Chiltern! Ich habe einen köstlichen Abend verbracht. Es war so interessant, Ihren Gatten kennenzulernen.

LADY CHILTERN. Warum lag Ihnen daran, meinen Mann kennenzulernen, Mrs. Cheveley?

MRS. CHEVELEY. Ach, das will ich Ihnen sagen. Ich wollte ihn für das Argentinien-Projekt interessieren, von dem Sie bestimmt schon gehört haben. Und ich fand ihn sehr zugänglich – Vernunftgründen zugänglich. Bei Männern ist das selten. Binnen zehn Minuten hatte ich ihn bekehrt. Morgen abend wird er im Unterhaus eine Rede halten und den Plan billigen. Wir müssen uns auf die Damengalerie setzen und zuhören! Es wird eine einmalige Gelegenheit sein.

LADY CHILTERN. Ich glaube, Sie haben ihn mißverstanden. Nie wird mein Mann dieses Projekt befürworten.

MRS. CHEVELEY. Ach, seien Sie versichert – alles ist geregelt. Jetzt brauche ich die ermüdende Reise nicht zu bedauern. Sie war ein großer Erfolg. Aber für die nächsten vierundzwanzig Stunden ist das Ganze natürlich ein tiefes Geheimnis.

LADY CHILTERN *(sanft)*. Ein Geheimnis? Zwischen wem?

MRS. CHEVELEY *(mit einem belustigten Ausdruck in den Augen)*. Zwischen Ihrem Gatten und mir.

SIR ROBERT CHILTERN *(kehrt zurück)*. Ihr Wagen ist vorgefahren, Mrs. Cheveley.

MRS. CHEVELEY. Danke... Gute Nacht, Lady Chiltern – gute Nacht, Lord Goring ... Ich wohne im Claridge. Meinen Sie nicht, daß Sie dort Ihre Karte abgeben könnten?

LORD GORING. Wenn Sie es wünschen, Mrs. Cheveley.

MRS. CHEVELEY. Ach, seien Sie doch nicht so feierlich – sonst werde ich mich genötigt sehen, meine Karte bei Ihnen abzugeben. In England würde das wohl schwerlich als *en règle* gelten. Im Ausland ist man zivilisierter ... Wollen Sie mich hinunterbegleiten, Sir Robert? Jetzt, da uns beiden die gleichen Interessen am Herzen liegen, werden wir hoffentlich gute Freunde sein.

(Segelt an Sir Robert Chilterns Arm davon. Lady Chiltern tritt an die Treppe heran und blickt ihnen nach. Ihre Miene ist be-

unruhigt. Nach einer Weile gesellen sich andere Gäste zu ihr, und sie begibt sich mit ihnen in einen anstoßenden Empfangsraum)

MABEL CHILTERN. Was für eine gräßliche Person!

LORD GORING. Sie sollten zu Bett gehen, Miß Mabel.

MABEL CHILTERN. Lord Goring!

LORD GORING. Mein Vater hat mich schon vor einer Stunde ermahnt, ins Bett zu gehen. Ich sehe nicht ein, warum ich nicht Ihnen denselben Rat erteilen sollte. Gute Ratschläge gebe ich stets weiter. Was anderes kann man nicht mit ihnen anfangen. Einem selber nützen sie nichts.

MABEL CHILTERN. Lord Goring, immer wieder fordern Sie mich auf, das Zimmer zu verlassen. Ich finde das sehr kühn. Zumal ich noch stundenlang nicht zu Bett gehen werde. *(Nähert sich dem Sofa)* Wenn Sie wollen, dürfen Sie sich zu mir setzen und über alles in der Welt plaudern – nur nicht über die Königliche Akademie, Mrs. Cheveley oder schottische Heimatromane. Das sind keine erbaulichen Gesprächsgegenstände. *(Sieht etwas auf dem Sofa liegen. Es ist durch ein Kissen halb verdeckt)* Was ist denn das? Jemand hat eine Brillantbrosche verloren. Nicht übel, nein? *(Zeigt sie ihm)* Schade, daß sie nicht mir gehört, aber Gertrude erlaubt mir nicht, anderen Schmuck zu tragen als Perlen. Ich habe Perlen gründlich satt. Man sieht immer gleich so unansehnlich, so brav und so intellektuell aus. Wem mag die Brosche gehören?

LORD GORING. Wer mag sie verloren haben?

MABEL CHILTERN. Es ist eine schöne Brosche.

LORD GORING. Ein schönes Armband.

MABEL CHILTERN. Es ist kein Armband. Es ist eine Brosche.

LORD GORING. Sie kann als Armband getragen werden. *(Nimmt ihr das Schmuckstück weg, legt es in eine grüne Brieftasche, die er gezückt hat, und steckt das Ganze kaltblütig ein)*

MABEL CHILTERN. Was machen Sie denn?

LORD GORING. Miß Mabel, ich werde jetzt eine recht seltsame Bitte an Sie richten.

MABEL CHILTERN *(eifrig)*. Oh, bitte – ja! Ich warte schon den ganzen Abend darauf.

LORD GORING *(ist ein wenig verdutzt – faßt sich aber schnell)*. Erwähnen Sie keinem Menschen gegenüber, daß ich diese Brosche an mich genommen habe. Sollte jemand schreiben und sie reklamieren, dann verständigen Sie mich sofort.

MABEL CHILTERN. Das ist eine merkwürdige Bitte.

LORD GORING. Ja, sehen Sie, diese Brosche habe ich vor Jahren jemandem geschenkt.

MABEL CHILTERN. Tatsächlich?

LORD GORING. Ja.

(Lady Chiltern tritt allein auf. Die übrigen Gäste haben sich bereits entfernt)

MABEL CHILTERN. Dann werde ich Ihnen gute Nacht sagen ... Gute Nacht, Gertrude. *(Ab)*

LADY CHILTERN. Gute Nacht, liebe Mabel ... *(Zu Lord Goring)* Haben Sie gesehen, wen Lady Markby mitgebracht hat?

LORD GORING. Ja. Es war eine unliebsame Überraschung. Was wollte sie?

LADY CHILTERN. Anscheinend Robert dazu verleiten, ein Betrugsmanöver zu befürworten, an dem sie interessiert ist. Es handelt sich um den Argentinien-Kanal.

LORD GORING. Dann ist sie aber an den Falschen geraten, nicht wahr?

LADY CHILTERN. Sie ist nicht fähig, eine aufrechte Natur wie die meines Mannes zu verstehen.

LORD GORING. Ja. Ich kann mir vorstellen, daß es schiefgegangen ist, wenn sie versucht hat, Robert in ihre Schlingen zu locken. Unverständlich, was für Fehler kluge Frauen begehen können!

LADY CHILTERN. Frauen dieser Art bezeichne ich nicht als klug. Ich nenne sie dumm.

LORD GORING. Oft ist es ein und dasselbe. Gute Nacht, Lady Chiltern!

LADY CHILTERN. Gute Nacht!

(Sir Robert Chiltern tritt auf)

SIR ROBERT CHILTERN. Mein lieber Arthur, du willst doch nicht schon gehen? Bleib doch noch eine Weile.

LORD GORING. Danke, aber es geht leider nicht. Ich habe versprochen, bei den Hartlocks vorbeizuschauen. Ich glaube, sie haben eine lila Zigeunerkapelle engagiert, die lila ungarische Musik spielt. Wir sehen uns bald wieder! Gute Nacht! *(Ab)*

SIR ROBERT CHILTERN. Wie schön du heute abend aussiehst, Gertrude!

LADY CHILTERN. Robert, es ist doch nicht wahr – oder? Du wirst doch nicht diese argentinische Spekulation unterstützen! Das kann ich mir nicht vorstellen.

SIR ROBERT CHILTERN *(stutzt)*. Wer hat dir gesagt, daß ich es beabsichtige?

LADY CHILTERN. Diese Frau, die soeben weggegangen ist – Mrs. Cheveley, wie sie sich neuerdings nennt. Anscheinend wollte sie mich verhöhnen. Robert, ich kenne sie. Du kennst sie nicht. Wir haben zusammen die Schule besucht. Sie war verlogen, unehrlich, hatte einen schlechten Einfluß auf alle, deren Vertrauen oder Freundschaft sie gewinnen konnte. Ich habe sie gehaßt, ich habe sie verachtet. Sie stahl, sie war eine Diebin. Wegen eines Diebstahls wurde sie fortgeschickt. Warum läßt du dich durch sie beeinflussen?

SIR ROBERT CHILTERN. Gertrude, was du sagst, mag stimmen – aber es hat sich vor vielen Jahren ereignet. Schwamm drüber. Vielleicht ist Mrs. Cheveley seit damals ein anderer Mensch geworden. Niemand sollte nur nach seiner Vergangenheit beurteilt werden.

LADY CHILTERN *(betrübt)*. Zeig mir deine Vergangenheit, und ich sage dir, wer du bist. *Nur* nach ihrer Vergangenheit sollte man die Menschen beurteilen.

SIR ROBERT CHILTERN. Das ist ein hartes Wort, Gertrude.

LADY CHILTERN. Es ist ein wahres Wort, Robert. Und was hat sie damit gemeint, als sie sich rühmte, sie hätte dich bewogen, eine Sache zu unterstützen, einer Sache deinen Namen zu leihen, die du selber mir als das schändlichste Betrugsmanöver geschildert hast, das jemals im politischen Leben vorgekommen sei?

SIR ROBERT CHILTERN *(beißt sich auf die Lippe)*. Ich hatte mir ein falsches Bild gemacht. Wir alle irren uns zuweilen.

LADY CHILTERN. Aber erst gestern hast du mir erzählt, daß der Kommissionsbericht vorliegt und daß er die ganze Angelegenheit glattweg verwirft!

SIR ROBERT CHILTERN *(geht auf und ab)*. Ich habe jetzt gute Gründe anzunehmen, daß die Kommission voreingenommen oder auf jeden Fall falsch informiert war. Außerdem, Gertrude, sind das öffentliche und das Privatleben zwei verschiedene Dinge. Sie unterliegen verschiedenen Gesetzen und bewegen sich in verschiedenen Bahnen.

LADY CHILTERN. Beide sollten das Beste im Menschen widerspiegeln. Ich sehe da keinen Unterschied.

SIR ROBERT CHILTERN *(bleibt stehen)*. Im vorliegenden Fall – in einer praktisch politischen Frage – habe ich meinen Standpunkt geändert. Das ist alles.

LADY CHILTERN. Alles!

SIR ROBERT CHILTERN *(schroff)*. Ja!

LADY CHILTERN. Robert ... Es ist furchtbar, daß ich dir so eine Frage stellen muß ... Robert, sagst du mir die volle Wahrheit?

SIR ROBERT CHILTERN. Warum stellst du mir diese Frage?

LADY CHILTERN *(nach einer Pause)*. Warum beantwortest du sie nicht?

SIR ROBERT CHILTERN *(setzt sich)*. Gertrude, die Wahrheit ist eine sehr komplizierte Sache und die Politik ein sehr kompliziertes Geschäft. Viele Räder greifen ineinander. Es kann passieren, daß man gewissen Leuten gegenüber gewisse Verpflichtungen hat, denen man nachkommen muß. Im politischen Leben ist man früher oder später zu Kompromissen gezwungen. Das bleibt keinem erspart.

LADY CHILTERN. Kompromisse? Robert, warum redest du heute so anders, als ich dich bisher habe reden hören? Warum hast du dich verändert?

SIR ROBERT CHILTERN. *Ich* habe mich nicht verändert. Es sind die Umstände, die man berücksichtigen muß.

LADY CHILTERN. Nicht, wenn es um Grundsätze geht.

SIR ROBERT CHILTERN. Aber wenn ich dir sagen würde ...

LADY CHILTERN. Was?

SIR ROBERT CHILTERN. ... daß es notwendig war – lebenswichtig?

LADY CHILTERN. Was unehrenhaft ist, kann nie notwendig sein. Oder – *wenn* es notwendig sein sollte – ja, woran habe ich dann meine Liebe verschwendet? Aber nein, Robert, sag mir, daß es *nicht* notwendig ist! *Warum* sollte es notwendig sein? Was hast du dabei zu gewinnen? Geld? Wir brauchen es nicht. Und Geld, das aus einer schmutzigen Quelle stammt, entwürdigt den Empfänger. Macht? Aber Macht an und für sich bedeutet nichts. Macht ist nur dann etwas Schönes, wenn sie einem ermöglicht, Gutes zu tun – nur dann, ausschließlich dann! Was also steckt dahinter? Robert, sag mir, warum du dich zu diesem unehrenhaften Schritt entschlossen hast.

SIR ROBERT CHILTERN. Gertrude, du hast kein Recht, diesen Ausdruck zu benützen. Ich habe dir gesagt, daß es sich um einen vernünftigen Kompromiß handelt. Mehr steckt nicht dahinter.

LADY CHILTERN. Robert, das mag anderen Männern genügen, Männern, die das Leben nur als eine üble Spekulation betrachten. Nicht aber dir, Robert, nicht dir! Du bist anders als die anderen. Dein Leben lang hast du dich von den anderen unterschieden. Nie hast du dich mit dem Schmutz der Welt besudelt. In den Augen der Welt bist du – genauso wie in meinen Augen – immer ein Ideal gewesen. Ach, bleib, was du bist – ein Ideal. Wirf nicht dieses stolze Erbe weg – zerstör nicht diesen Elfenbeinturm! Männer finden sich mit allem ab – sie bringen es fertig, das Unwürdige, das Unsaubere, das Ehrlose zu lieben. Wenn wir Frauen lieben, ist unsere Liebe Verehrung. Und wenn wir den Gegenstand unserer Liebe nicht länger verehren können, dann ist alles verloren. Bitte – töte nicht meine Liebe zu dir – ich bitte dich darum.

SIR ROBERT CHILTERN. Gertrude!

LADY CHILTERN. Ich weiß, daß es Menschen gibt, die ein schreckliches Geheimnis mit sich herumtragen – Menschen, die etwas Schändliches begangen haben und es in einem kritischen Augenblick durch eine neue Schandtat büßen müssen ... Sag nicht, daß auch du zu ihnen gehörst! Robert, gibt es in deinem Leben irgendeine geheime Schande oder Ehrlosigkeit? Sag mir, sag mir sofort, ob ...

SIR ROBERT CHILTERN. Ob ...?

LADY CHILTERN *(ganz langsam)*. ... ob unsere Wege vielleicht auseinandergehen.

SIR ROBERT CHILTERN. Auseinandergehen?

LADY CHILTERN. Ob sie sich vielleicht endgültig trennen werden. Es wäre für uns beide besser.

SIR ROBERT CHILTERN. Gertrude, in meinem vergangenen Leben gibt es nichts, das du nicht erfahren dürftest.

LADY CHILTERN. Davon war ich überzeugt, Robert – davon war ich überzeugt. Warum aber hast du etwas so Schreckliches gesagt – etwas, das so gar nicht zu *dir* paßt – zu dem wirklichen Robert? Wir wollen nie wieder auf dieses Thema zu sprechen kommen. Du wirst – nicht wahr? – Mrs. Cheveley schreiben und ihr mitteilen, daß du ihr skandalöses Projekt nicht befürworten kannst. Wenn du ihr etwas versprochen hast, mußt du dein Versprechen zurücknehmen, das ist alles!

SIR ROBERT CHILTERN. Muß ich ihr das schriftlich mitteilen?

LADY CHILTERN. Freilich, Robert! Was bleibt dir anderes übrig?

SIR ROBERT CHILTERN. Ich könnte sie aufsuchen. Das wäre besser.

LADY CHILTERN. Du darfst sie nie mehr wiedersehen, Robert. Mit so einer Frau spricht man nicht. Und sie verdient es nicht, mit einem Mann wie dir zu sprechen. Nein, du mußt ihr sofort schreiben, auf der Stelle, augenblicklich – und aus deinem Brief muß hervorgehen, daß dein Entschluß unwiderruflich ist.

SIR ROBERT CHILTERN. Augenblicklich schreiben?

LADY CHILTERN. Ja.

SIR ROBERT CHILTERN. Es ist ja schon so spät. Fast zwölf.

LADY CHILTERN. Das spielt keine Rolle. Sie muß sofort erfahren, daß sie sich in dir getäuscht hat – daß du nicht der Mann dazu bist, etwas Niedriges oder Hinterhältiges oder Unehrenhaftes zu tun. Setz dich hin und schreib, Robert. Schreib ihr, daß du es ablehnst, ihren Plan zu unterstützen, da du ihn für unredlich hältst. Ja – schreib ›unredlich‹! Sie weiß, was dieses Wort bedeutet. *(Sir Robert Chiltern setzt sich und schreibt einen Brief. Seine Frau nimmt den Brief und liest ihn durch)* Ja – das reicht. *(Klingelt)* Und jetzt den Umschlag. *(Bedächtig schreibt sie die Adresse. Mason tritt auf)* Schicken Sie diesen Brief sofort ins Hotel Claridge. Eine Antwort erübrigt sich. *(Mason ab. Lady Chiltern kniet neben ihrem Mann nieder und legt die Arme um ihn)* Robert, die Liebe schärft unseren Instinkt. Heute abend habe ich das Gefühl, daß es mir gelungen ist, dich vor einem falschen Schritt zu bewahren – einem Schritt, der dir hätte gefährlich werden können – der die Gefahr heraufbeschworen hätte, daß man dir weniger Ehre erweist als heute. Du bist dir, glaube ich, nicht genügend im klaren darüber, daß du das politische Leben unserer Zeit um eine edlere Atmosphäre bereichert hast – um eine vornehmere Haltung – um die reinere Luft uneigennütziger Ziele und höherer Ideale ... Ich weiß es, und deshalb liebe ich dich, Robert.

SIR ROBERT CHILTERN. Hör nicht auf, mich zu lieben, Gertrude – hör nicht auf, mich zu lieben.

LADY CHILTERN. Ich werde nie aufhören, dich zu lieben, weil du es immer verdienen wirst. Wenn wir dem Besten begegnen, müssen wir es lieben. *(Küßt ihn, steht auf und geht ab)*

(Sir Robert Chiltern geht eine Weile auf und ab. Dann setzt er sich und schlägt die Hände vors Gesicht. Mason tritt ein und beginnt die Beleuchtung auszuschalten. Sir Robert Chiltern blickt auf)

SIR ROBERT CHILTERN. Machen Sie das Licht aus, Mason – machen Sie das Licht aus!

(Mason geht von Schalter zu Schalter. Es wird beinahe finster. Zuletzt brennt nur noch der große Lüster über dem Treppenhaus, der den Gobelin ›Triumph der Liebe‹ beleuchtet)

Vorhang

Zweiter Akt

Wohnzimmer in Sir Robert Chilterns Haus.

(Lord Goring, nach neuester Mode gekleidet, fläzt sich in einem Sessel. Sir Robert Chiltern steht vor dem Kamin. Er befindet sich sichtlich in einem Zustand starker seelischer Erregung. Im Verlauf der Szene geht er nervös auf und ab)

LORD GORING. Mein lieber Robert, das ist eine peinliche Geschichte – sehr peinlich. Du hättest deiner Frau alles erzählen sollen. Den Frauen anderer Männer etwas zu verheimlichen, ist im heutigen Leben ein unentbehrlicher Luxus – wenigstens erzählen mir das im Klub immerzu Leute, die kahlköpfig genug sind, um es wissen zu müssen. Kein Mann aber sollte vor seiner eigenen Frau Geheimnisse haben. Sie kommt ihm unweigerlich dahinter. Frauen haben einen unerhört guten Instinkt. Sie entdecken alles – bis auf das Augenscheinlichste.

SIR ROBERT CHILTERN. Arthur, ich *konnte* es ihr nicht sagen. Wann hätte ich es ihr sagen sollen? Jedenfalls nicht gestern abend. Es hätte die Trennung fürs Leben bedeutet – ich hätte die Liebe der einzigen Frau auf der Welt verloren, die ich anbete, der einzigen Frau, für die je mein Herz geschlagen hat. Gestern abend wäre es ganz unmöglich gewesen. Sie hätte sich entsetzt von mir abgewandt, entsetzt und voller Verachtung.

LORD GORING. So vollkommen ist Lady Chiltern?

SIR ROBERT CHILTERN. Ja – so vollkommen ist meine Frau.

LORD GORING *(zieht den linken Handschuh aus)*. Wie schade ...! Ich bitte um Verzeihung, lieber Freund – es war nicht ganz so gemeint ... Aber wenn das stimmt, was du sagst, möchte ich mich gerne einmal mit Lady Chiltern ernsthaft über das Leben unterhalten.

SIR ROBERT CHILTERN. Es wäre völlig zwecklos.

LORD GORING. Darf ich's versuchen?

SIR ROBERT CHILTERN. Ja. Aber sie läßt sich durch nichts in ihren Ansichten beirren.

LORD GORING. Na ja, im schlimmsten Falle würde es eben nur ein psychologisches Experiment sein.

SIR ROBERT CHILTERN. Experimente dieser Art sind furchtbar gefährlich.

LORD GORING. Alles ist gefährlich, mein lieber Freund. Sonst wäre ja das Leben nicht lebenswert ... Nun, ich muß sagen – du hättest es ihr schon vor Jahren erzählen sollen.

SIR ROBERT CHILTERN. Wann? Als wir verlobt waren? Glaubst du, sie würde mich geheiratet haben, wenn sie den Ursprung meines Vermögens, die eigentliche Grundlage meiner Karriere, gekannt hätte – wenn sie gewußt hätte, daß ich etwas getan hatte, was die meisten Menschen als schändlich und unehrenhaft bezeichnen würden?

LORD GORING *(langsam)*. Ja – die meisten Menschen würden es häßlich finden. Ganz ohne Zweifel ...

SIR ROBERT CHILTERN *(erbittert)*. Menschen, die Tag für Tag selber etwas Ähnliches tun. Menschen, von denen jeder schlimmere Geheimnisse mit sich herumschleppt.

LORD GORING. Deshalb macht es ihnen so viel Vergnügen, die Geheimnisse der anderen herauszufinden. Es lenkt das Augenmerk der Öffentlichkeit von ihren eigenen ab.

SIR ROBERT CHILTERN. Und wem habe ich denn schließlich durch meine Handlungsweise geschadet? Keinem Menschen.

LORD GORING *(sieht ihn fest an)*. Außer dir selbst, Robert.

SIR ROBERT CHILTERN *(nach einer Pause)*. Freilich hatte ich geheime Informationen über eine bestimmte, von der damaligen Regierung geplante Transaktion erhalten – und ich habe mich dieser Informationen bedient. Geheime Informationen sind praktisch die Quelle aller großen heutigen Vermögen.

LORD GORING *(klopft mit einem Spazierstock gegen den Schuh)*. Und öffentliche Skandale das unvermeidliche Ergebnis.

SIR ROBERT CHILTERN *(geht auf und ab)*. Arthur, meinst du, was ich vor fast achtzehn Jahren getan habe, sollte mir heute zum Vorwurf gemacht werden? Hältst du es für gerecht, die ganze Karriere eines Menschen wegen eines Fehltritts zu zerstören, den er in seiner Jugend begangen hat? Damals war ich zweiundzwanzig Jahre alt und hatte das doppelte Pech, aus guter Familie und arm zu sein. Beides ist heutzutage unverzeihlich. Hältst du es für gerecht, daß eine Dummheit, eine Jugendsünde – wenn die Menschen es als eine Sünde bezeichnen wollen – ein Leben wie das meine ruiniert, mich an den Pranger stellt – alles zerschlägt, wofür ich gearbeitet habe – alles, was ich aufgebaut habe? Ist das gerecht, Arthur?

LORD GORING. Das Leben ist nie gerecht, Robert. Und das ist vielleicht für die meisten von uns nur gut.

SIR ROBERT CHILTERN. Jeder ehrgeizige Mensch muß sein Jahrhundert mit dessen eigenen Waffen bekämpfen. Unser Jahrhundert beweihräuchert den Reichtum. Reichtum ist die Gottheit dieses Jahrhunderts. Um Erfolg zu haben, muß man reich sein – um jeden Preis reich sein.

LORD GORING. Du unterschätzt dich, Robert. Glaube mir, ohne deinen Reichtum hättest du genausoviel Erfolg gehabt.

SIR ROBERT CHILTERN. Im späten Alter vielleicht. Als ein alter Mann, der die Macht nicht mehr begehrt oder sie nicht mehr anwenden kann. Müde, verbraucht, enttäuscht. Ich wollte als junger Mensch Erfolg haben. Die Jugend ist die richtige Zeit für den Erfolg. Ich konnte nicht warten.

LORD GORING. Also, du hast wirklich mit jungen Jahren Erfolg gehabt. Keiner unserer Zeitgenossen hat eine so glänzende Karriere gemacht. Als Vierzigjähriger Unterstaatssekretär für Auswärtige Angelegenheiten – ich sollte meinen, das würde jedem reichen.

SIR ROBERT CHILTERN. Und wenn mir jetzt alles entrissen wird? Wenn ich alles durch einen entsetzlichen Skandal verliere? Wenn man mich aus dem öffentlichen Leben verjagt?

LORD GORING. Robert, wie konntest du dich nur für Geld verkaufen?

SIR ROBERT CHILTERN *(erregt)*. Ich habe mich nicht verkauft. Ich habe mir den Erfolg um einen hohen Preis erkauft. Das ist alles.

LORD GORING *(ernst)*. Ja. Du hast wirklich einen hohen Preis gezahlt. Aber wer hat dich denn auf diesen Gedanken gebracht?

SIR ROBERT CHILTERN. Baron Arnheim.

LORD GORING. Der gottverdammte Lump!

SIR ROBERT CHILTERN. Nein. Er war ein Mann von scharfem und geschliffenem Verstand. Ein kultivierter, charmanter und vornehmer Mann. Einer der klügsten Menschen, denen ich je begegnet bin.

LORD GORING. Ach! Ein anständiger Dummkopf ist mir jederzeit lieber. Zugunsten der Dummheit spricht mehr, als die Leute ahnen. Ich persönlich bin ein großer Bewunderer der Dummheit. Vermutlich ist das eine Art von Wahlverwandtschaft. Aber wie hat er es denn geschafft? Erzähl mir alles.

SIR ROBERT CHILTERN *(wirft sich in einen Sessel neben dem Schreibtisch).* Eines Abends nach dem Essen im Hause Lord Radleys kam der Baron auf das Thema des Erfolgs zu sprechen. Er behauptete, im heutigen Leben sei der Erfolg wissenschaftlich zu definieren. Mit seiner wunderbar faszinierenden, ruhigen Stimme entwickelte er die schrecklichste aller Philosophien, die Philosophie der Macht – predigte uns das herrlichste aller Evangelien, das Evangelium des Goldes. Ich glaube, er hat gespürt, wie tief seine Worte auf mich gewirkt hatten – denn ein paar Tage später schrieb er mir einen Brief und bat mich, ihn aufzusuchen. Er wohnte damals in der Park Lane, in dem Haus, das jetzt Lord Woolcomb gehört. Ich erinnere mich noch so gut, wie er mich mit einem seltsamen Lächeln auf seinen bleichen, geschwungenen Lippen durch seine wunderschöne Gemäldegalerie führte, mir seine Gobelins, seine Emailarbeiten, seine Juwelen, sein geschnitztes Elfenbein zeigte – wie er mich durch den eigenartigen Luxus, in dem er lebte, in Erstaunen versetzte. Nachher sagte er zu mir, dieser Luxus sei nichts weiter als eine Kulisse, eine Theaterdekoration. Macht – Macht über andere Menschen – Macht über die Welt, sei der einzige erstrebenswerte Besitz, die höchste Freude, die zu erleben sich lohnt, die einzige Lust, derer man nicht überdrüssig wird – und die in unserem Jahrhundert nur die Reichen besitzen.

LORD GORING *(sehr bedächtig).* Ein durchaus seichtes Credo.

SIR ROBERT CHILTERN *(erhebt sich).* Damals war ich anderer Meinung – und bin es heute noch. Der Reichtum hat mir kolossale Macht verliehen. Er hat mir schon auf der Schwelle meines Lebens Freiheit geschenkt – und Freiheit bedeutet alles. Du bist nie arm gewesen – du hast nie gewußt, was Ehrgeiz ist. Du kannst nicht verstehen, wie wunderbar die Chance war, die der Baron mir bot – eine Chance, wie sie nur wenigen Menschen je geboten wird.

LORD GORING. Ein wahres Glück – nach den Ergebnissen zu urteilen ... Aber sag mir, wie hat der Baron dich schließlich dazu bewogen – nun, den Schritt zu tun, den du getan hast?

SIR ROBERT CHILTERN. Als ich wegging, sagte er zu mir: Wenn ich je in der Lage wäre, ihm wirklich wertvolle geheime Informationen zukommen zu lassen, würde er mich zu einem sehr reichen Mann machen. Von diesem Aspekt war ich geblendet. Mein Ehrgeiz und meine Machtgier waren damals grenzenlos. Sechs Wochen später gingen gewisse Geheimdokumente durch meine Hände.

LORD GORING *(den Blick starr auf den Teppich gerichtet)*. Staatspapiere?

SIR ROBERT CHILTERN. Ja.

(Lord Goring seufzt, fährt sich mit der Hand über die Stirn und blickt auf)

LORD GORING. Ich hätte nie gedacht, daß gerade du, Robert, gerade du so schwach sein könntest, einer Versuchung nachzugeben, wie Baron Arnheim sie dir bereitet hat.

SIR ROBERT CHILTERN. Schwach? Ich habe diese Phrase satt! Ob sie mir oder anderen gilt ... Schwach! Glaubst du denn wirklich, Arthur, daß es Schwäche ist, einer Versuchung zu widerstehen? Ich sage dir, es gibt fürchterliche Versuchungen, denen zu widerstehen Stärke – Stärke und Mut – erfordert. Das ganze Leben in einem einzigen Augenblick aufs Spiel zu setzen, alles auf einen Wurf zu wagen, egal, ob es um die Macht oder um das Vergnügen geht – das ist nicht Schwäche. Dazu gehört Mut. Erschreckender, desperater Mut. Ich hatte Mut. Noch am selben Nachmittag setzte ich mich hin und schrieb den Brief, den jetzt diese Frau besitzt. Arnheim hat durch die Transaktion drei Viertel Millionen verdient.

LORD GORING. Und du?

SIR ROBERT CHILTERN. Ich erhielt hundertzehntausend Pfund.

LORD GORING. Warst du nicht mehr wert?

LORD ROBERT CHILTERN. Nein. Dieses Geld hat mir das gebracht, was ich mir wünschte – Macht über andere Menschen. Ich ließ mich sogleich ins Unterhaus wählen. Der Baron beriet mich von Zeit zu Zeit in finanziellen Angelegenheiten. Binnen fünf Jahren hatte ich mein Vermögen beinahe verdreifacht. Seither ist mir alles gelungen, was ich anfaßte. In allem, was mit Geld zusammenhing, hatte ich ein so außerordentliches Glück, daß mir zuweilen fast angst und bange wurde. Ich erinnere mich, irgendwo – in einem merkwürdigen Buch – gelesen zu haben, daß die Götter, wenn sie uns strafen wollen, unsere Gebete erhören.

LORD GORING. Aber sag mir, Robert, hast du deine Handlungsweise nie bereut?

SIR ROBERT CHILTERN. Nie. Ich hatte das Jahrhundert mit seinen eigenen Waffen bekämpft – und gesiegt.

LORD GORING *(betrübt)*. Du glaubst gesiegt zu haben.

SIR ROBERT CHILTERN. Ich habe es mir eingebildet. *(Nach einer langen Pause)* Arthur – verachtest du mich?

LORD GORING *(mit tiefem Mitgefühl)*. Du tust mir sehr leid, Robert – wirklich sehr leid.

SIR ROBERT CHILTERN. Ich kann nicht behaupten, daß ich's bereut habe. Jedenfalls nicht in dem üblichen, recht albernen Sinn des Wortes. Aber ich habe oft Reuegeld gezahlt. Ich gab mich der irren Hoffnung hin, das Schicksal entwaffnen zu können. Die Summe, die mir Baron Arnheim geschenkt hat, habe ich seither in doppelter Höhe öffentlichen Wohlfahrtseinrichtungen zufließen lassen.

LORD GORING *(blickt auf)*. Öffentlichen Wohlfahrtseinrichtungen? Du meine Güte – wie viel Unheil mußt du angerichtet haben, Robert!

SIR ROBERT CHILTERN. Ach, sag das nicht, Arthur – rede nicht so daher.

LORD GORING. Kümmere dich nicht darum, was ich sage, Robert. Ich sage immer Dinge, die ich nicht sagen sollte. Eigentlich sage ich meistens das, was ich mir denke. Das ist heutzutage ein schwerer Fehler. Man läuft Gefahr, richtig verstanden zu werden ... Was diese schreckliche Affäre betrifft, werde ich dir helfen, so gut ich kann. Das weißt du natürlich.

SIR ROBERT CHILTERN. Ich danke dir, Arthur, ich danke dir. Aber was soll geschehen? Was kann geschehen?

LORD GORING *(lehnt sich zurück, die Hände in den Hosentaschen)*. Also, Menschen, die stets behaupten, im Recht zu sein, können die Engländer nicht ausstehen, aber sie lieben den Mann, der zugibt, er habe unrecht gehandelt. Das ist eine ihrer besten Seiten ... In deinem Falle aber, Robert, wäre eine Beichte nicht angebracht. Dazu ist das Geld, wenn du mir den Ausdruck gestattest, zu übelriechend. Ferner: *Wenn* du ein Bekenntnis ablegst, bist du nie mehr in der Lage, Moral zu predigen. Und in England ist ein Mann, der nicht zweimal wöchentlich einer vielköpfigen, biederen und unmoralischen Zuhörerschaft Moral predigen kann, als ernst zu nehmender Politiker erledigt. Es bleibt ihm kein anderer Beruf mehr übrig als der eines Botanikers oder eines Geistlichen. Eine Beichte würde nichts nützen. Sie würde dich zugrunde richten.

SIR ROBERT CHILTERN. Sie würde mich zugrunde richten ... Arthur, ich habe keine Wahl – ich muß es ausfechten.

LORD GORING *(erhebt sich)*. Darauf habe ich gewartet, Robert. Es ist im Augenblick der einzig denkbare Weg. Und zuallererst mußt du deiner Frau die ganze Geschichte erzählen.

SIR ROBERT CHILTERN. Das kommt nicht in Frage.

LORD GORING. Robert, glaube mir, du hast unrecht.

SIR ROBERT CHILTERN. Ich bringe es nicht über mich. Es würde ihre Liebe töten ... Und nun zu dieser Person, dieser Mrs. Cheveley. Wie kann ich mich gegen sie wehren? Anscheinend kennst du sie von früher, Arthur.

LORD GORING. Ja.

SIR ROBERT CHILTERN. Hast du sie näher gekannt?

LORD GORING *(zieht seine Krawatte zurecht)*. Flüchtig. So flüchtig, daß ich mich einmal, als wir bei den Tenbys zu Gast waren, mit ihr verlobt habe. Die Affäre dauerte drei Tage – beinahe.

SIR ROBERT CHILTERN. Warum ging die Verlobung in die Brüche?

LORD GORING *(leichthin)*. Ach, das habe ich vergessen. Zumindest spielt es keine Rolle ... Hast du es übrigens schon mit Geld versucht? Sie war früher einmal verdammt hinterm Geld her.

SIR ROBERT CHILTERN. Ich habe ihr jede beliebige Summe geboten. Sie hat mein Angebot abgelehnt.

LORD GORING. Dann bricht also das herrliche Evangelium des Geldes manchmal in sich zusammen. Die Reichen können doch nicht alles schaffen.

SIR ROBERT CHILTERN. Nicht alles. Du dürftest recht haben, Arthur – ich habe das Gefühl, das sichere Gefühl, daß sich ein öffentlicher Skandal nicht vermeiden läßt. Bisher habe ich nicht gewußt, was Angst ist. Jetzt weiß ich es. Als ob eine eiskalte Hand das Herz anfaßte – als ob das Herz in einer leeren Höhle dem Tod entgegenpochte ...

LORD GORING *(schlägt auf den Tisch)*. Robert, du mußt dich wehren – du mußt dich wehren.

SIR ROBERT CHILTERN. Aber wie?

LORD GORING. Das kann ich dir vorläufig nicht sagen. Ich habe nicht die blasseste Ahnung. Aber jeder Mensch hat seine Achillesferse. Keiner von uns ist fehlerfrei. *(Schlendert zum Kamin und schaut in den Spiegel)* Mein Vater behauptet, daß sogar *ich* Fehler habe. Vielleicht. Ich weiß es nicht.

SIR ROBERT CHILTERN. Wenn ich mich gegen Mrs. Cheveley wehre – bin ich dann berechtigt, mich jeder Waffe zu bedienen, die ich auftreiben kann?

LORD GORING *(betrachtet sich noch immer im Spiegel)*. Ich glaube nicht, daß ich an deiner Stelle auch nur die geringsten Skrupel hegen würde. Sie ist durchaus imstande, sich zu verteidigen.

SIR ROBERT CHILTERN *(setzt sich an den Tisch und nimmt eine Feder zur Hand)*. Ich werde ein Kodetelegramm an die Botschaft in Wien schicken und mich erkundigen, ob dort etwas gegen sie vorliegt. Vielleicht gibt es einen verborgenen Skandal, vor dem sie Angst hat.

LORD GORING *(rückt seine Knopflochblume zurecht)*. Ich kann mir denken, daß Mrs. Cheveley zu den sehr modernen Frauen unserer Zeit gehört, die einen neuen Skandal so kleidsam finden wie einen neuen Hut und beide jeden Nachmittag um halb sechs im Park spazierenfahren. Ich bin sicher, daß sie für Skandale schwärmt ... Momentan ist es ihr ärgster Kummer, daß sie keinen genügend großen Vorrat sammeln kann.

SIR ROBERT CHILTERN *(schreibt)*. Wie kommst du darauf?

LORD GORING. Sie hatte gestern abend viel zuviel Rouge aufgelegt und sich viel zu spärlich angezogen. Das ist bei einer Frau immer das Zeichen tiefer Verzweiflung.

SIR ROBERT CHILTERN *(läutet mit einem Glöckchen)*. Aber es lohnt die Mühe, nach Wien zu telegrafieren, ja?

LORD GORING. Fragen zu stellen lohnt sich immer – wenn es sich auch nicht immer lohnt, sie zu beantworten.

(Mason tritt ein)

SIR ROBERT CHILTERN *(legt das Geschriebene in einen Umschlag, den er sorgfältig zuklebt)*. Er soll das sofort chiffrieren und abschicken. Es ist kein Augenblick zu verlieren.

MASON. Ja, Sir Robert.

SIR ROBERT CHILTERN. Ach, geben Sie es noch einmal her!

(Schreibt etwas auf den Umschlag. Dann geht Mason mit dem Brief ab)

SIR ROBERT CHILTERN *(fährt fort)*. Sie muß einen sonderbaren Einfluß auf Baron Arnheim besessen haben. Woran mag es gelegen haben?

LORD GORING *(lächelnd)*. Das frage auch ich mich.

SIR ROBERT CHILTERN. Ich werde sie bis aufs Messer bekämpfen – solange meine Frau nichts ahnt ...

LORD GORING *(mit Nachdruck)*. Wehre dich auf jeden Fall – auf jeden Fall!

SIR ROBERT CHILTERN *(mit einer verzweifelten Handbewegung)*. Wenn meine Frau es erfährt, bleibt mir wenig, wofür es sich zu kämpfen lohnte ... Also, sobald ich etwas aus Wien höre, verständige ich dich. Es ist eine Chance, nichts als eine Chance – aber ich glaube an sie. Und so, wie ich das Zeitalter mit seinen eigenen Waffen bekämpft habe, so werde ich diese Frau mit ihren eigenen Waffen bekämpfen. Das ist nur gerecht – und sie sieht aus wie eine Frau mit einer Vergangenheit, meinst du nicht?

LORD GORING. Wie die meisten hübschen Frauen. Aber die Vergangenheit einer Frau ist genauso eine Modesache wie ihre Roben. Vielleicht ist Mrs. Cheveleys Vergangenheit nur ganz leicht dekolletiert – eine heutzutage äußerst populäre Mode. Außerdem, mein lieber Robert, würde ich mir keine zu große Hoffnung machen, Mrs. Cheveley ins Bockshorn jagen zu können. Ich kann mir nicht vorstellen, daß Mrs. Cheveley ein Mensch ist, der sich leicht ins Bockshorn jagen läßt. Sie hat alle ihre Gläubiger überlebt und legt eine bewundernswerte Geistesgegenwart an den Tag.

SIR ROBERT CHILTERN. Ich zehre jetzt nur noch von der Hoffnung. Ich greife nach jeder Chance. Mir ist zumute wie einem Menschen auf einem sinkenden Schiff. Das Wasser reicht mir bis zu den Knöcheln, und die Luft riecht nach Sturm. Still – ich höre die Stimme meiner Frau.

(Lady Chiltern tritt auf. Sie trägt Straßenkleidung)

LADY CHILTERN. Guten Tag, Lord Goring!

LORD GORING. Guten Tag, Lady Chiltern! Waren Sie im Park?

LADY CHILTERN. Nein. Ich komme aus einer Sitzung des Liberalen Frauenvereins. Übrigens wurde dort dein Name, Robert, mit lautem Beifall begrüßt. Und jetzt will ich meinen Tee haben. *(Zu Lord Goring)* Sie bleiben doch, nicht wahr?

LORD GORING. Danke. Ich bleibe noch eine Weile.

LADY CHILTERN. Ich bin gleich wieder da. Ich gehe nur den Hut ablegen.

LORD GORING *(mit ernstestem Ton)*. Oh, bitte nicht! Er ist so hübsch. Einer der hübschesten Hüte, die ich je gesehen habe. Hoffentlich hat der Liberale Frauenverein ihn mit lautem Beifall begrüßt.

LADY CHILTERN *(mit einem Lächeln)*. Wir haben Wichtigeres zu tun, als uns gegenseitig zu bewundern, Lord Goring.

LORD GORING. Tatsächlich? Womit beschäftigt man sich?

LADY CHILTERN. Ach, mit langweiligen, nützlichen, charmanten Fragen, als da sind: Fabrikgesetze, Achtstundentag, Frauenwahlrecht ... Kurz, mit allem, was *Sie* nicht im geringsten interessieren würde.

LORD GORING. Nie mit Hüten?

LADY CHILTERN *(mit gespielter Entrüstung)*. Nie mit Hüten – nie!

(Lady Chiltern entfernt sich durch die Tür, die zu ihrem Boudoir führt)

SIR ROBERT CHILTERN *(nimmt Lord Gorings Hand)*. Du bist mir ein sehr guter Freund gewesen, Arthur, ein durch und durch guter Freund.

LORD GORING. Ich wüßte nicht, daß ich bisher sehr viel für dich hätte tun können, Robert. Eigentlich habe ich, soweit ich es beurteilen kann, überhaupt noch nie etwas für dich getan. Ich bin von mir tief enttäuscht.

SIR ROBERT CHILTERN. Du hast mir ermöglicht, die Wahrheit zu sagen. Das ist schon etwas. Ich wäre fast an ihr erstickt.

LORD GORING. Ach, ich bin immer bemüht, die Wahrheit so schnell wie nur möglich loszuwerden. Übrigens ist das eine schlechte Angewohnheit. Man macht sich unbeliebt. Im Klub – bei den älteren Mitgliedern. Sie nennen es Selbstgefälligkeit. Vielleicht haben sie recht.

SIR ROBERT CHILTERN. Wollte Gott, ich wäre fähig gewesen, immer die Wahrheit zu sagen – und der Wahrheit zu leben. Es ist etwas Großes, der Wahrheit zu leben. *(Seufzt und geht zur Tür)* Wir sehen uns bald wieder, Arthur, ja?

LORD GORING. Freilich. Wann du willst. Ich werde heute abend beim Junggesellenball vorbeischauen, falls sich nichts Besseres ergibt. Aber morgen früh besuche ich dich. Solltest du mich zufällig im Laufe des heutigen Abends brauchen, dann gib mir Nachricht in die Curzon Street.

SIR ROBERT CHILTERN. Danke.

(Als er an der Tür angelangt ist, kehrt Lady Chiltern aus ihrem Boudoir zurück)

LADY CHILTERN. Du gehst doch nicht, Robert?

SIR ROBERT CHILTERN. Ich habe ein paar Briefe zu schreiben.

LADY CHILTERN *(auf ihn zu)*. Du arbeitest zu viel, Robert. Du scheinst nie an dich zu denken – und du siehst sehr müde aus.

SIR ROBERT CHILTERN. Nicht der Rede wert, mein Kind, nicht der Rede wert.

(Küßt ihr die Hand und geht ab)

LADY CHILTERN *(zu Lord Goring)*. Nehmen Sie Platz. Ich bin so froh, daß Sie gekommen sind. Ich habe mit Ihnen zu sprechen – nein, nicht über Hüte oder den Liberalen Frauenverein. Sie interessieren sich viel zu sehr für das eine Thema und viel zuwenig für das andere.

LORD GORING. Sie wollen sich mit mir über Mrs. Cheveley unterhalten.

LADY CHILTERN. Ja, Sie haben es erraten. Nachdem Sie gestern abend weggegangen waren, habe ich festgestellt, daß das stimmt, was sie zu mir gesagt hatte. Natürlich habe ich Robert veranlaßt, ihr sofort zu schreiben und sein Versprechen zurückzunehmen.

LORD GORING. Das hat er mir zu verstehen gegeben.

LADY CHILTERN. Dieses Versprechen zu halten, wäre der erste Makel auf einer bisher makellosen Karriere gewesen. Robert muß über jeden Vorwurf erhaben sein. Er ist nicht wie andere Menschen. Er kann sich nicht erlauben, so zu handeln wie andere Menschen. *(Sie sieht Lord Goring an, der beharrlich schweigt)* Sind Sie nicht auch dieser Meinung? Sie sind Roberts bester Freund. Sie sind unser bester Freund, Lord Goring. Niemand außer mir kennt Robert besser als Sie. Er hat keine Geheimnisse vor mir – und ich glaube, daß er auch Ihnen nichts verheimlicht.

LORD GORING. Vor mir hat er bestimmt keine Geheimnisse. Zumindest glaube ich's nicht.

LADY CHILTERN. Ist denn dann nicht meine Einschätzung richtig? Ich weiß, daß ich recht habe. Aber sprechen Sie offen mit mir.

LORD GORING *(schaut sie fest an)*. Ganz offen?

LADY CHILTERN. Freilich. Sie haben doch nichts zu verbergen, oder?

LORD GORING. Nichts. Aber, meine liebe Lady Chiltern, ich bin der Meinung – wenn Sie mir gestatten, es zu behaupten –, daß im praktischen Leben ...

LADY CHILTERN *(lächelnd)*. Das Sie so wenig kennen, Lord Goring ...

LORD GORING. ... das ich zwar nicht aus Erfahrung, aber einigermaßen aus Beobachtung kenne ... Ich bin der Meinung, daß im praktischen Leben Erfolg, der wirkliche Erfolg, oft mit einer gewissen Skrupellosigkeit Hand in Hand geht – und der Ehrgeiz *immer*. Wenn ein Mensch erst einmal Herz und Seele dareinsetzt, ein bestimmtes Ziel zu erreichen, wird er, wenn es eine Klippe zu erklettern gilt, die Klippe erklettern. Ist es nötig, einen Sumpf zu durchwaten, dann ...

LADY CHILTERN. Dann?

LORD GORING. ... watet er im Sumpf ... Natürlich spreche ich nur über das Leben im allgemeinen.

LADY CHILTERN *(ernst)*. Hoffentlich. Warum sehen Sie mich so merkwürdig an, Lord Goring?

LORD GORING. Lady Chiltern, ich habe mir manchmal gedacht – vielleicht sind Sie ein wenig zu streng in Ihren Ansichten. Ich habe mir gedacht – Sie üben oft nicht genug Nachsicht. Jeder Charakter hat seine Schwächen – oder noch schlimmere Eigenschaften. Angenommen zum Beispiel, daß – daß ein Mann der Öffentlichkeit, mein Vater oder Lord Merton oder Robert – sagen wir, daß er vor Jahren einen dummen Brief geschrieben hat ...

LADY CHILTERN. Was verstehen Sie unter einem dummen Brief?

LORD GORING. Einen Brief, der die Stellung des Absenders ernsthaft gefährdet. Einen kompromittierenden Brief ... Ich setze nur den Fall.

LADY CHILTERN. Robert ist ebenso außerstande, etwas Dummes zu tun, wie er außerstande ist, etwas Unrechtes zu tun.

LORD GORING *(nach einer langen Pause)*. Niemand ist außerstande, eine Dummheit zu begehen. Niemand ist außerstande, etwas Unrechtes zu tun.

LADY CHILTERN. Sind Sie ein Pessimist? Was werden die anderen Dandys dazu sagen? Sie werden alle Trauer tragen müssen.

LORD GORING *(erhebt sich)*. Nein, Lady Chiltern, ich bin kein Pessimist. Eigentlich weiß ich nicht einmal genau, was das Wort bedeutet. Ich weiß nur, daß man ohne Barmherzigkeit das Leben nicht verstehen – daß man es ohne Barmherzigkeit nicht meistern kann. Liebe – nicht die deutsche Philosophie – ist der Schlüssel zu dieser Welt – wie auch immer die nächste sich erklären lassen mag. Und sollten Sie je in Schwierigkeiten geraten, Lady Chiltern, haben Sie dann, bitte, restloses Vertrauen zu mir. Ich werde Ihnen in jeder Weise behilflich sein. Wenn Sie mich brauchen, wenden Sie sich an mich – ich werde Sie nicht im Stich lassen. Wenden Sie sich sofort an mich.

LADY CHILTERN *(sieht ihn verwundert an)*. Lord Goring, das klingt völlig ernst. Ich glaube, ich habe Sie noch nie so ernsthaft reden hören.

LORD GORING *(lachend)*. Sie müssen mich entschuldigen, Lady Chiltern. Soweit es an mir liegt, soll es nie wieder vorkommen.

LADY CHILTERN. Aber mir gefällt es, wenn Sie ernst sind.

(Mabel Chiltern tritt auf. Sie hat ein hinreißendes Kleid an)

MABEL CHILTERN. Liebe Gertrude, so etwas Schreckliches darfst du nicht sagen. Ernsthaftigkeit würde ihm gar nicht zu Gesicht stehen. Guten Tag, Lord Goring. Bitte, seien Sie doch so trivial wie nur möglich.

LORD GORING. Gerne würde ich Ihnen diesen Gefallen tun, Miß Mabel, aber ich bin heute leider – ein wenig aus der Übung. Außerdem muß ich jetzt gehen.

MABEL CHILTERN. Jetzt, da ich gerade gekommen bin! Was haben Sie doch für schreckliche Manieren! Sie haben sicherlich eine sehr schlechte Erziehung genossen.

LORD GORING. Das stimmt.

MABEL CHILTERN. Wenn bloß ich Sie erzogen hätte!

LORD GORING. Schade.

MABEL CHILTERN. Jetzt ist es wohl schon zu spät.

LORD GORING *(lächelnd)*. Das bleibe dahingestellt.

MABEL CHILTERN. Werden Sie morgen früh ausreiten?

LORD GORING. Ja – um zehn.

MABEL CHILTERN. Vergessen Sie es nicht.

LORD GORING. Natürlich nicht. Übrigens, Lady Chiltern, die heutige Morningpost enthält kein Verzeichnis Ihrer Gäste. Anscheinend ist es durch die Tagung des Städterats oder die Synodalkonferenz oder etwas ähnlich Langweiliges verdrängt worden. Könnten Sie mir eine Liste zur Verfügung stellen? Meine Bitte hat einen besonderen Grund.

LADY CHILTERN. Mr. Trafford wird Ihnen bestimmt eine geben können.

LORD GORING. Vielen Dank.

MABEL CHILTERN. Tommy ist der brauchbarste Mensch in ganz London.

LORD GORING *(wendet sich ihr zu)*. Und der dekorativste?

MABEL CHILTERN *(triumphierend)*. Ich!

LORD GORING. Wie klug von Ihnen, daß Sie es gleich erraten haben! *(Greift nach Hut und Stock)* Leben Sie wohl, Lady Chiltern! Sie werden sich merken, was ich zu Ihnen gesagt habe, nicht wahr?

LADY CHILTERN. Ja, aber ich weiß nicht, warum Sie es gesagt haben.

LORD GORING. Ich weiß es selber kaum. Auf Wiedersehen, Miß Mabel!

MABEL CHILTERN *(verzieht enttäuscht den Mund)*. Wenn Sie doch nicht schon weglaufen würden! Ich habe heute vier wunderbare Abenteuer erlebt – eigentlich vierundeinhalb. Sie könnten sich Zeit lassen, mir zuzuhören.

LORD GORING. Wie egoistisch von Ihnen, vierundeinhalb Abenteuer zu erleben! Da bleibt ja keines für mich übrig.

MABEL CHILTERN. Sie sollen keine Abenteuer erleben. Die würden Ihnen nicht gut bekommen.

LORD GORING. Das ist das erste Mal, daß Sie etwas Unfreundliches zu mir gesagt haben. Wie reizend Sie es gesagt haben! Morgen vormittag um zehn.

MABEL CHILTERN. Pünktlich.

LORD GORING. Auf die Minute. Aber bringen Sie nicht Mr. Trafford mit.

MABEL CHILTERN *(wirft den Kopf leicht zurück)*. Natürlich werde ich Tommy Trafford nicht mitbringen. Tommy Trafford ist bei mir in Ungnade gefallen.

LORD GORING. Das höre ich gern.

(Verbeugt sich und geht ab)

MABEL CHILTERN. Gertrude, tu mir den Gefallen und sprich mit Tommy Trafford.

LADY CHILTERN. Was hat der arme Trafford diesmal angestellt? Robert sagt, er sei der beste Sekretär, den er je gehabt hat.

MABEL CHILTERN. Also, Tommy hat mir schon wieder einen Heiratsantrag gemacht. Eigentlich tut er überhaupt nichts anderes mehr. Gestern abend im Musikzimmer hat er mir einen Antrag gemacht – ich war wehrlos, weil gerade ein kompliziertes Trio gespielt wurde. Ich brauche nicht zu erwähnen, daß ich nicht wagte, mir auch nur die kleinste Replik zu erlauben. Die Musiker hätten sofort aufgehört. Musiker sind so furchtbar unvernünftig. Immer soll man gerade dann schweigen, wenn man so gerne stocktaub sein möchte. Dann hat er mir heute früh am hellichten Tage einen Heiratsantrag gemacht – vor der abscheulichen Achilles-Statue. Nein, es ist erschreckkend, was sich vor diesem Kunstwerk alles abspielt! Die Polizei müßte eingreifen. Während des Mittagessens ersah ich aus seinem funkelnden Blick, daß er drauf und dran war, mir wieder einen Antrag zu machen. Ich konnte es gerade noch rechtzeitig dadurch verhindern, daß ich ihm versicherte, ich sei eine glühende Anhängerin des Bimetallismus. Zum Glück weiß ich nicht, was Bimetallismus ist. Und ich glaube auch nicht, daß andere es wissen. Aber meine Bemerkung hat Tommy für zehn Minuten die Rede verschlagen. Er sah recht schockiert drein. Und außerdem ist mir seine Art, mir einen Heiratsantrag zu machen, so überaus lästig. Wenn er es laut hinaussagen würde, hätte ich gar nicht soviel dagegen. Es würde vielleicht seine Wirkung auf die Zuhörer nicht ganz verfehlen. Aber er schlägt einen so entsetzlich vertraulichen Ton an. Wenn Tommy romantisch wird, redet er zu einem wie der Onkel Doktor. Ich habe Tommy sehr gern, aber seine Methoden sind veraltet. Ich bitte dich, Gertrude, sprich mit ihm und sag ihm, es genügt durchaus, wenn jemand einmal wöchentlich seinen Antrag macht – und dann hat es so zu geschehen, daß es einiges Aufsehen erregt.

LADY CHILTERN. Liebes Kind, sag das nicht. Außerdem hält Robert große Stücke auf Trafford. Seiner Meinung nach hat der Mann eine glänzende Zukunft vor sich.

MABEL CHILTERN. Ach, um nichts in der Welt würde ich einen Mann heiraten, der eine Zukunft vor sich hat.

LADY CHILTERN. Mabel!

MABEL CHILTERN. Ich weiß, liebe Gertrude – du hast einen Mann mit Zukunft geheiratet. Robert aber war schließlich ein Genie, und *du* hast einen edlen, opferwilligen Charakter. Du kannst Genies vertragen. Ich bin total charakterlos, und Robert ist das einzige Genie, das ich je aushalten konnte. In der Regel finde ich sie ganz unmöglich. Genies reden soviel, nein? Eine so üble Angewohnheit! Und immerzu denken sie an sich, statt an mich zu denken. Jetzt muß ich zu Lady Basildon und proben. Du erinnerst dich, daß wir lebende Bilder inszenieren. ›Der Triumph‹ – na, ich weiß nicht, *was* da triumphiert. Hoffentlich werde ich es sein. Das ist der einzige Triumph, der mich momentan interessiert. *(Küßt Lady Chiltern, geht ab, kommt zurückgerannt)* Oh, Gertrude, weißt du, wer dich besuchen kommt? Diese schreckliche Mrs. Cheveley in einem bezaubernden Kleid. Hast du sie eingeladen?

LADY CHILTERN *(erhebt sich)*. Mrs. Cheveley? Sie will *mich* besuchen? Ausgeschlossen.

MABEL CHILTERN. Glaube mir, sie kommt die Treppe herauf, in Lebensgröße und nicht annähernd so echt.

LADY CHILTERN. Du brauchst nicht zu bleiben, Mabel. Vergiß nicht, daß Lady Basildon dich erwartet.

MABEL CHILTERN. Oh, ich muß Lady Markby die Hand geben. Sie ist reizend. Ich lasse mich so gerne von ihr herunterputzen.

(Mason tritt auf)

MASON. Lady Markby – Mrs. Cheveley.

(Lady Markby und Mrs. Cheveley treten auf)

LADY CHILTERN *(geht ihnen entgegen)*. Liebe Lady Markby, wie nett von Ihnen, mich zu besuchen! *(Reicht ihr die Hand und nickt Mrs. Cheveley etwas kühl zu)* Wollen Sie nicht Platz nehmen, Mrs. Cheveley?

MRS. CHEVELEY. Danke. Ist das Miß Chiltern? Ich möchte sie so gerne kennenlernen.

LADY CHILTERN. Mabel, Mrs. Cheveley möchte dich kennenlernen. *(Mabel Chiltern nickt kurz)*

MRS. CHEVELEY *(setzt sich)*. Ich fand gestern abend Ihr Kleid so hübsch, Miß Chiltern. So schlicht und – so angemessen.

MABEL CHILTERN. Wirklich? Das muß ich meiner Schneiderin erzählen. Sie wird sich wundern. Auf Wiedersehen, Lady Markby!

LADY MARKBY. Gehen Sie schon?

MABEL CHILTERN. Tut mir leid, aber es läßt sich nicht ändern. Ich bin zu einer Probe unterwegs. Ich muß in einem Tableaux kopf stehen.

LADY MARKBY. Kopf stehen! Oh – das will ich doch nicht hoffen! Ich glaube, daß so etwas sehr ungesund ist. *(Sie setzt sich zu Lady Chiltern aufs Sofa)*

MABEL CHILTERN. Aber es geschieht zu einem wohltätigen Zweck. Wir unterstützen Leute, die es nicht verdienen – die einzigen, die mich wirklich interessieren. Ich bin Sekretärin – Tommy Trafford ist Schatzmeister.

MRS. CHEVELEY. Und Lord Goring?

MABEL CHILTERN. Lord Goring ist unser Vorsitzender.

MRS. CHEVELEY. Dieses Amt müßte gut zu ihm passen – falls es nicht mit ihm bergab gegangen ist.

LADY MARKBY *(nachdenklich)*. Sie sind ein bemerkenswert moderner Mensch, Mabel. Vielleicht ein bißchen zu modern. Nichts ist gefährlicher, als zu modern zu sein. Man riskiert, ganz plötzlich altmodisch zu werden. Ich habe viele Beispiele erlebt.

MABEL CHILTERN. Was für schreckliche Aussichten!

LADY MARKBY. Ach, liebes Kind, Sie brauchen nicht nervös zu werden. Sie werden immer hübsch sein. Das ist die allerbeste Mode – und die einzige, in der England tonangebend ist.

MABEL CHILTERN. Ich bedanke mich, Lady Markby – in meinem und im Namen Englands. *(Geht ab)*

LADY MARKBY. Liebe Gertrude, wir sind nur gekommen, um uns zu erkundigen, ob Mrs. Cheveleys Brillantbrosche gefunden worden ist.

LADY CHILTERN. Hier?

MRS. CHEVELEY. Ja. Nach meiner Rückkehr ins Claridge habe ich sie vermißt. Ich dachte, vielleicht könnte ich sie hier verloren haben.

LADY CHILTERN. Mir ist nichts zu Ohren gekommen. Aber ich werde den Butler fragen. *(Drückt auf die Klingel)*

MRS. CHEVELEY. Bemühen Sie sich nicht, Lady Chiltern. Wahrscheinlich habe ich sie schon vorher in der Oper verloren.

LADY MARKBY. Ach ja, es muß wohl in der Oper gewesen sein. Heutzutage ist überall das Gedränge so groß – man wundert sich, daß man zuletzt überhaupt noch einen Faden am Leibe hat. Ich selber weiß, daß ich immer das Gefühl habe, nackt dazustehen – bis auf ein kleines Feigenblatt des Anstands, das gerade genügt, damit nicht die Plebs durch die Fenster der Kutsche peinliche Bemerkungen fallenläßt. Unsere gute Gesellschaft ist übervölkert. Man sollte wirklich eine systematische Auswanderung finanzieren. Das wäre eine Wohltat.

MRS. CHEVELEY. Ich stimme Ihnen vorbehaltlos zu, Lady Markby. Seit fast sechs Jahren habe ich keine Saison mehr in London erlebt, und ich muß sagen, es ist eine sehr gemischte Gesellschaft geworden. Überall stößt man auf die sonderbarsten Typen.

LADY MARKBY. Sehr wahr, meine Liebe. Aber man braucht sie nicht kennenzulernen. Bestimmt kenne ich die Hälfte der Leute nicht, die in meinem Hause aus und ein gehen. Nach allem, was ich höre, möchte ich sie auch gar nicht kennen.

(Mason tritt auf)

LADY CHILTERN. Was ist es denn für eine Brosche, die Sie verloren haben, Mrs. Cheveley?

MRS. CHEVELEY. Eine Brillantbrosche mit einem Rubin, einem ziemlich großen Rubin. Eine Schlangenbrosche.

LADY MARKBY. Sagten Sie nicht, daß im Kopf der Schlange ein Saphir sitzt?

MRS. CHEVELEY *(lächelnd)*. Nein, Lady Markby – ein Rubin.

LADY MARKBY *(nickt)*. Sicherlich sehr kleidsam.

LADY CHILTERN. Wurde heute früh in irgendeinem der Räume eine Brillanten-und-Rubin-Brosche gefunden, Mason?

MASON. Nein, Mylady.

MRS. CHEVELEY. Es spielt wirklich keine Rolle, Lady Chiltern. Verzeihen Sie, daß ich Ihnen Ungelegenheiten bereitet habe.

LADY CHILTERN *(kalt)*. Von Ungelegenheiten kann gar keine Rede sein ... Schon gut, Mason. Servieren Sie den Tee.

(Mason ab)

LADY MARKBY. Also, ich muß sagen, etwas zu verlieren ist äußerst ärgerlich. Ich erinnere mich, wie ich einmal vor Jahren in Bath in der Trinkhalle ein ungewöhnlich hübsches Kameenarmband verloren habe, ein Geschenk Sir Johns. Seither hat er mir leider nie mehr etwas geschenkt. Mit ihm geht es bergab. Ein trauriger Verfall. Meiner Meinung nach ist das der bei weitem schwerste Schlag, den das Eheleben seit der Erfindung jener schrecklichen Pest, der sogenannten Frauenemanzipation, erlitten hat.

LADY CHILTERN. So etwas in diesen vier Wänden zu sagen, ist reine Ketzerei, Lady Markby. Robert ist ein eifriger Anhänger der Frauenemanzipation – und ich muß es leider auch von mir behaupten.

MRS. CHEVELEY. Ich möchte gerne einmal die Männer emanzipiert sehen. Sie hätten es bitter nötig.

LADY MARKBY. Allerdings, meine Liebe. Leider würde es undurchführbar sein. Ich glaube nicht, daß der Mann entwicklungsfähig ist. Er ist so weit gekommen, wie er kann – und das ist nicht weit. Was die Frauen betrifft – na ja, liebe Gertrude,

Sie gehören der jüngeren Generation an, da ist es sicherlich ganz richtig, wenn Sie ihre Emanzipation und höhere Bildung billigen. Zu meiner Zeit freilich wurden wir angehalten, nichts zu verstehen. Das war das alte System – und es war äußerst interessant. Ich kann Ihnen versichern – was man mir und meiner armen lieben Schwester *nicht* beigebracht hat, war kolossal! Die moderne Frau aber, heißt es, weiß und versteht alles.

MRS. CHEVELEY. Mit Ausnahme ihres Gatten. Ihn wird die moderne Frau nie verstehen.

LADY MARKBY. Da kann ich nur sagen: Gott sei Dank! Andernfalls würde so manches traute Heim in die Brüche gehen. Natürlich nicht das Ihre, Gertrude – das brauche ich wohl kaum zu betonen. Sie haben einen Mustergatten geheiratet. Wenn ich das nur auch von mir behaupten könnte! Aber seit Sir John sich angewöhnt hat, den Debatten regelmäßig beizuwohnen – in der guten alten Zeit war das nicht seine Gewohnheit –, ist sein Umgangston ganz unmöglich geworden. Er scheint sich immerzu einzubilden, daß er eine Rede hält. Wenn er dann auf die Lage der Landarbeiter oder die walisische Kirche oder etwas ähnlich Unpassendes zu sprechen kommt, muß ich die Dienerschaft aus dem Zimmer schicken. Es ist kein angenehmer Anblick, wenn der eigene Butler, der einem dreiundzwanzig Jahre lang treu gedient hat, am Büfett puterrot wird und die Lakaien sich in allen Ecken wie die Zirkusakrobaten winden. Glauben Sie mir, wenn Sir John nicht bald ins Oberhaus befördert wird, ist mein Leben zerstört. Dann nämlich wird er sich nicht mehr für Politik interessieren, nicht wahr? Das Oberhaus ist eine vernünftige Einrichtung. Seine Mitglieder sind Gentlemen. In seinem jetzigen Zustand aber ist Sir John wirklich ein wahres Hauskreuz. Heute früh zum Beispiel, noch bevor das Frühstück halb vorbei war, hat er sich vor den Kamin hingestellt und, die Hände in den Hosentaschen, mit schallender Stimme einen Appell an das englische Volk gerichtet. Kaum hatte ich meine zweite Tasse Tee getrunken, habe ich den Tisch verlassen – das versteht sich wohl von selbst. Aber seine Kraftausdrücke waren im ganzen Haus zu hören! Ich hoffe doch sehr, Gertrude, daß Sir Robert nicht auch solche Unarten hat?

LADY CHILTERN. Aber ich interessiere mich für Politik, Lady Markby. Ich höre Robert gerne über politische Fragen reden.

LADY MARKBY. Hoffentlich ist er nicht so sehr auf Blaubücher versessen wie Sir John. Ich kann mir nicht vorstellen, daß das eine besonders erbauliche Lektüre ist.

MRS. CHEVELEY *(gelangweilt)*. Ich habe noch nie ein Blaubuch gelesen. Ich bevorzuge Bücher in – gelbem Einband.

LADY MARKBY *(ahnungslos heiter)*. Gelb ist eine viel lustigere Farbe, nicht wahr? In meiner Jugend habe ich viel Gelb getragen. Ich würde es noch heute tun, wenn nicht Sir John immer mit seinen peinlichen persönlichen Anspielungen käme, und sowie ein Mann sich über Kleidung äußert, macht er sich lächerlich, oder?

MRS. CHEVELEY. Keineswegs. Meiner Meinung nach sind Männer in Modefragen die einzige Autorität.

LADY MARKBY. Wirklich? Aus den Hüten, die sie tragen, ist das nicht zu ersehen.

(Der Butler tritt ein, ihm folgt ein Lakai. Auf einem Tischchen ganz in der Nähe Lady Chilterns wird der Tee serviert)

LADY CHILTERN. Eine Tasse Tee, Mrs. Cheveley?

MRS. CHEVELEY. Danke.

(Der Butler reicht Mrs. Cheveley eine gefüllte Tasse auf einem Tablett)

LADY CHILTERN. Tee, Lady Markby?

LADY MARKBY. Danke, nein, liebe Gertrude. *(Die beiden Diener ab)* Ich habe nämlich der armen Lady Brancaster versprochen, für zehn Minuten bei ihr vorbeizuschauen. Sie hat große Sorgen. Ihre Tochter – noch dazu ein wohlerzogenes junges Mädchen – hat sich allen Ernstes mit einem Kuraten in Shropshire verlobt. Das ist traurig, wirklich sehr traurig. Ich verstehe diese moderne Manie für Kuraten nicht. Natürlich haben auch zu meiner Zeit wir jungen Mädchen sie wie die Kaninchen überall herumhuschen sehen. Aber ich brauche nicht zu betonen, daß wir sie überhaupt nicht beachteten. Dagegen habe ich mir sagen lassen, daß heutzutage auf dem Lande die besten Häuser von ihnen nur so wimmeln. Das finde ich geradezu gotteslästerlich. Außerdem hat sich der älteste Sohn mit seinem Vater verzankt, und es heißt, wenn sie einander im Klub begegnen, versteckt sich Lord Brancaster hinter dem Wirtschaftsteil der ›Times‹. Das dürfte aber neuerdings ganz und gar üblich sein. Ich glaube, sämtliche Klubs an der St. James's Street waren bereits gezwungen, zusätzliche Exemplare der ›Times‹ zu abonnieren. Es gibt so viele Söhne, die nichts mit ihren Vätern zu tun haben wollen, und so viele Väter, die nicht mehr mit ihren Söhnen sprechen. Ich persönlich finde das sehr bedauerlich.

MRS. CHEVELEY. Auch ich. Väter haben heutzutage so viel von ihren Söhnen zu lernen.

LADY MARKBY. Tatsächlich, meine Liebe? Was denn?

MRS. CHEVELEY. Die Lebenskunst. Die einzige schöne Kunst, die die Neuzeit hervorgebracht hat.

LADY MARKBY *(kopfschüttelnd)*. Ach, ich fürchte, davon hat Lord Brancaster allerlei verstanden. Mehr als seine arme Frau. *(Zu Lady Chiltern)* Sie kennen doch Lady Brancaster, nicht wahr, mein Liebe?

LADY CHILTERN. Nur flüchtig. Sie war im vorigen Herbst in Langton – gleichzeitig mit uns.

LADY MARKBY. Wie alle dicken Frauen sieht sie wie die verkörperte Zufriedenheit aus. Es ist Ihnen sicherlich aufgefallen. Doch abgesehen von der Affäre mit dem Kuraten haben sich in ihrer Familie zahlreiche Tragödien ereignet. Ihre Schwester, Mrs. Jekyyl, hat ein sehr unglückliches Leben geführt – ohne bedauerlicherweise selber daran schuld zu sein. Zuletzt war sie so niedergeschmettert, daß sie ins Kloster ging – oder zur Bühne, ich habe vergessen, was es war. Nein, ich glaube, sie hat sich der Kunststickerei zugewandt. Ich weiß nur, daß ihr jede Freude am Leben vergangen war. *(Steht auf)* Und jetzt, Gertrude, werde ich, wenn Sie gestatten, Mrs. Cheveley in Ihrer Obhut zurücklassen und sie in einer Viertelstunde abholen. Vielleicht aber, liebe Mrs. Cheveley, hätten Sie nichts dagegen, im Wagen zu warten, während ich bei Lady Brancaster bin? Da es sich um eine Kondolenzvisite handelt, wird es nicht lange dauern.

MRS. CHEVELEY *(erhebt sich)*. Ich habe gar nichts dagegen, im Wagen zu warten, vorausgesetzt, daß jemand durchs Fenster guckt.

LADY MARKBY. Also, der Kurat soll den ganzen Tag ums Haus herumschleichen.

MRS. CHEVELEY. Leider habe ich nichts für die Liebhaber junger Mädchen übrig.

LADY CHILTERN *(steht auf)*. Ich hoffe doch, daß Mrs. Cheveley eine Weile bei mir bleibt. Ich würde mich gerne ein paar Minuten mit ihr unterhalten.

MRS. CHEVELEY. Das ist aber lieb von Ihnen, Lady Chiltern. Glauben Sie mir, nichts könnte mir ein größeres Vergnügen sein.

LADY MARKBY. Ach ja, zweifellos haben die Damen viele gemeinsame nette Erinnerungen an die Schulzeit zu besprechen. Auf Wiedersehen, liebe Gertrude. Treffen wir uns heute abend bei Lady Bonar? Sie hat ein wunderbares neues Genie entdeckt. Er macht – gar nichts, wie ich glaube. Das ist ein großer Trost, nicht wahr?

LADY CHILTERN. Robert und ich essen heute abend allein zu Hause, und ich glaube kaum, daß ich nachher Lust haben werde auszugehen. Robert muß natürlich ins Parlament. Aber es steht nichts Interessantes auf der Tagesordnung.

LADY MARKBY. Allein zu Hause essen? Ist das vernünftig? Ach, ich vergesse ganz, daß Ihr Mann eine Ausnahme ist. Meiner ist der Normalfall, und keine Frau altert so schnell wie die Frau, die einen Normalfall geheiratet hat. *(Ab)*

MRS. CHEVELEY. Eine bemerkenswerte Frau, unsere Lady Markby. Ich kenne keinen Menschen, der mehr redet und weniger sagt. Sie ist zur Volksrednerin geschaffen. Weit eher als ihr Mann – obwohl Sir John ein typischer Engländer ist, immer sterbenslangweilig und meistens rabiat.

LADY CHILTERN *(bleibt stehen, ohne zu antworten. Pause. Dann begegnen einander die Blicke der beiden Frauen. Lady Chiltern sieht streng und blaß aus. Mrs. Cheveley macht eher einen belustigten Eindruck)*. Mrs. Cheveley, ich halte es für richtig, Ihnen offen zu sagen – wenn ich gewußt hätte, wer Sie eigentlich sind, würde ich Sie gestern abend nicht in mein Haus eingeladen haben.

MRS. CHEVELEY *(mit einem unverschämten Lächeln)*. Wirklich nicht?

LADY CHILTERN. Es wäre mir ganz unmöglich gewesen.

MRS. CHEVELEY. Wie ich sehe, haben Sie sich in all den Jahren nicht im geringsten verändert, Gertrude.

LADY CHILTERN. Ich verändere mich nicht.

MRS. CHEVELEY *(zieht die Brauen hoch)*. Dann hat also das Leben Sie nichts gelehrt?

LADY CHILTERN. Eines hat es mich gelehrt. Ein Mensch, der sich einmal eine unehrliche und unehrenhafte Handlung hat zuschulden kommen lassen, wird dazu auch ein zweites Mal fähig sein – deshalb sollte man ihm aus dem Wege gehen.

MRS. CHEVELEY. Würden Sie diese Regel auf jeden Menschen anwenden?

LADY CHILTERN. Ja, auf jeden – ohne Ausnahme.

MRS. CHEVELEY. Dann tun Sie mir sehr leid, Gertrude, sehr leid.

LADY CHILTERN. Jetzt begreifen Sie wohl, daß aus vielerlei Gründen während Ihres Aufenthalts in London jeder weitere Umgang zwischen uns ausgeschlossen ist.

MRS. CHEVELEY *(lehnt sich zurück)*. Wissen Sie, Gertrude, ich habe gar nichts dagegen, daß Sie mir Moral predigen. Das macht man ganz einfach immer dann, wenn man jemanden nicht leiden kann. Sie können mich nicht leiden. Darüber bin ich mir durchaus im klaren. Und ich habe Sie seit eh und je verabscheut. Trotzdem bin ich gekommen, um Ihnen einen Dienst zu erweisen.

LADY CHILTERN *(voller Verachtung)*. Wahrscheinlich einen ähnlichen Dienst, wie Sie ihn gestern abend meinem Mann erweisen wollten. Gott sei Dank habe ich ihn davor bewahrt.

MRS. CHEVELEY *(springt auf)*. Sie also waren es, die ihn veranlaßt hat, mir diesen impertinenten Brief zu schreiben! *Sie* haben ihn veranlaßt, sein Wort zu brechen!

LADY CHILTERN. Ja.

MRS. CHEVELEY. Dann müssen Sie ihn zwingen, es zu halten. Ich setze Ihnen eine Frist bis morgen früh – nicht länger. Wenn sich bis dahin Ihr Mann nicht feierlich verpflichtet hat, mir bei dem größten Projekt, an dem ich interessiert bin, behilflich zu sein ...

LADY CHILTERN. Diesem Betrugsmanöver ...

MRS. CHEVELEY. Nennen Sie es, wie Sie wollen. Ich habe Ihren

Mann in der Hand, und wenn Sie klug sind, werden Sie ihn veranlassen, mir meinen Wunsch zu erfüllen.

LADY CHILTERN *(steht auf und geht auf sie zu).* Sie sind tolldreist. Was hat mein Mann mit Ihnen zu tun? Mit einer Frau wie Sie?

MRS. CHEVELEY *(mit einem bitteren Lachen).* Gleich und gleich gesellt sich gern. Warum passen wir so gut zusammen, Ihr Mann und ich? Weil er selber unehrlich und ein Betrüger ist. Da liegen Abgründe zwischen Ihnen und ihm. Er und ich aber sind mehr als enge Freunde. Wir sind Feinde, durch das Schicksal aneinandergekettet. Uns bindet die gleiche Sünde.

LADY CHILTERN. Wie können Sie es wagen, meinen Mann mit Ihnen auf die gleiche Stufe zu stellen? Wie können Sie es wagen, ihm oder mir zu drohen? Verlassen Sie mein Haus! Sie sind nicht wert, es zu betreten.

(Sir Robert Chiltern aus dem Hintergrund. Er hört die letzten Worte seiner Frau und sieht, an wen sie gerichtet sind. Er wird todbleich)

MRS. CHEVELEY. Ihr Haus! Ein mit einer Schandtat erkauftes Haus! Ein Haus, in dem alles durch Betrügereien bezahlt wurde. *(Dreht sich um und erblickt Sir Robert Chiltern)* Fragen Sie ihn nach dem Ursprung seines Vermögens! Er soll Ihnen erzählen, wie er einem Börsenmakler ein Kabinettsgeheimnis verkauft hat. Erfahren Sie doch aus seinem Mund, welchen Machenschaften Sie Ihre Stellung verdanken.

LADY CHILTERN. Das ist nicht wahr, Robert – das ist nicht wahr!

MRS. CHEVELEY *(zeigt mit ausgestrecktem Zeigefinger auf ihn).* Schauen Sie ihn an! Kann er es bestreiten? Wagt er es zu bestreiten?

SIR ROBERT CHILTERN. Gehen Sie! Gehen Sie sofort! Jetzt haben Sie Ihr Ärgstes getan.

MRS. CHEVELEY. Mein Ärgstes? Ich bin noch nicht fertig mit euch beiden. Ich lasse euch bis morgen, zwölf Uhr mittags, Zeit. Wenn bis dahin nicht geschehen ist, was ich verlange, wird die ganze Welt von den Ursprüngen Robert Chilterns erfahren.

(Sir Robert Chiltern klingelt. Mason tritt ein)

SIR ROBERT CHILTERN. Führen Sie Mrs. Cheveley hinaus.

(Mrs. Cheveley zuckt zusammen. Dann verbeugt sie sich mit

übertriebener Höflichkeit vor Lady Chiltern, die nicht reagiert. Während sie an Sir Robert Chiltern vorbeikommt, der an der Tür steht, bleibt sie einen Augenblick stehen und blickt ihm fest ins Gesicht. Dann verläßt sie den Raum. Mason folgt ihr und macht die Tür hinter sich zu. Mann und Frau bleiben allein miteinander. Lady Chiltern steht erstarrt da, wie von einem Alptraum befallen. Dann dreht sie sich um und betrachtet ihren Mann. Sie betrachtet ihn mit seltsamer Miene, als sähe sie ihn zum erstenmal vor sich)

LADY CHILTERN. Du hast ein Kabinettsgeheimnis verkauft! Du hast dein Leben mit einem Betrug begonnen! Du hast deine Karriere auf einer Schandtat aufgebaut! Oh – sag, daß es nicht wahr ist! Lüg mich an! Lüg mich an! Sag, daß es nicht wahr ist!

SIR ROBERT CHILTERN. Was diese Frau behauptet, stimmt. Aber hör zu, Gertrude – du kannst dir nicht vorstellen, wie groß die Versuchung war. Laß mich berichten ... *(Geht auf sie zu)*

LADY CHILTERN. Komm mir nicht in die Nähe. Rühr mich nicht an. Ich fühle mich durch dich für immer beschmutzt. Oh, was für eine Maske hast du in all diesen Jahren getragen! Eine abscheulich übertünchte Maske! Du hast dich verkauft! Ein gewöhnlicher Dieb wäre mir lieber. Du hast dich dem Höchstbietenden zum Kauf angeboten! Du hast dich auf dem Markt kaufen lassen. Die ganze Welt hast du belogen. Trotzdem weigerst du dich, mich zu belügen.

SIR ROBERT CHILTERN *(eilt auf sie zu)*. Gertrude! Gertrude!

LADY CHILTERN *(stößt ihn mit ausgestreckten Händen von sich)*. Nein, schweig! Sag nichts! Deine Stimme ruft schreckliche Erinnerungen wach – Erinnerungen an Dinge, die mich verlockt haben, dich zu lieben – an Worte, die mich verlockt haben, dich zu lieben – Erinnerungen, die mir jetzt ein Grauen sind. Wie habe ich dich verehrt! In meinen Augen warst du über das alltägliche Leben erhaben – etwas Sauberes, Edles, Ehrliches – fleckenlos. Die Welt kam mir schöner vor, nur weil es dich gibt – und menschliche Güte echter, nur weil du lebst. Und jetzt – ach, wenn ich bedenke, daß ich einen Menschen wie dich zu meinem Ideal gemacht habe – zu dem Ideal meines Lebens!

SIR ROBERT CHILTERN. Das war dein Fehler. Das war dein Irrtum. Der Irrtum, den alle Frauen begehen. Warum könnt ihr Frauen uns nicht mit allen unseren Fehlern lieben? Warum stellt ihr uns auf ein monströses Piedestal? Alle stehen wir auf tönernen Füßen, Männer wie Frauen. Aber wenn wir Männer Frauen lieben, dann lieben wir sie im Bewußtsein ihrer Schwächen, ihrer Torheiten, ihrer Mängel – aber wir lieben sie darum nur noch inniger. Nicht die Vollkommenen, die Unvollkommenen brauchen Liebe. Wenn wir uns selber – oder wenn andere uns verwundet haben, dann sollte die Liebe zur Stelle sein, um uns zu heilen. Was hätte sie denn sonst für einen Zweck? Alle Sünden sollte sie verzeihen – solange man sich nicht an ihr selber versündigt. Wahre Liebe verzeiht alles im Leben – nur nicht die Lieblosigkeit. So liebt der Mann. Seine Liebe ist umfassender, größer, menschlicher als die der Frau. Die Frauen glauben, daß sie aus den Männern Ideale machen. Aber sie machen hohle Götzen aus uns. Du hast mich zu Unrecht vergöttert, und ich hatte nicht den Mut, von meinem Sockel herabzusteigen, dir meine Wunden zu zeigen, dir meine Schwächen zu bekennen. Ich hatte Angst, deine Liebe zu verlieren – so wie ich sie jetzt verloren habe. Und so hast du gestern nacht mein Leben zerstört – ja, mein Leben zugrunde gerichtet. Was diese Frau von mir verlangte, war ein Nichts im Vergleich zu dem, was sie mir angeboten hat. Sie hat mir Sicherheit, Frieden, Bestand angeboten. Die Jugendsünde, die ich begraben glaubte, ist vor mir auferstanden, gräßlich, abscheulich – und packt mich bei der Gurgel. Ich wäre in der Lage gewesen, sie für immer zu vernichten, sie in ihr Grab zurückzustoßen, ihre Spuren auszulöschen, das einzige Zeugnis gegen mich zu verbrennen. Du hast mich daran gehindert. Du allein – das weißt du. Und was steht mir jetzt anderes bevor als der öffentliche Skandal, der Ruin, die ärgste Schande, das Gespött der Welt, ein einsames, ehrloses Leben und vielleicht, eines Tages, ein ehrloser Tod? Mögen die Frauen doch die Männer nicht länger idealisieren! Sie nicht länger auf den Altar stellen und sich vor ihnen neigen, sonst werden die anderen das Leben so völlig zerstören, wie du – du, die ich so wahnsinnig liebe – das meine zugrunde gerichtet hast!

(Er verläßt den Raum. Lady Chiltern läuft ihm nach, aber die Tür fällt zu, bevor sie sie erreicht hat. Bleich vor Kummer, verstört, ratlos schwankt sie wie eine Blume im Wasser. Ihre ausgestreckten Hände scheinen in der Luft zu zittern wie Blüten im Wind. Dann wirft sie sich neben einem Sofa zu Boden und schlägt die Hände vors Gesicht. Sie schluchzt wie ein Kind)

Vorhang

Dritter Akt

Die Bibliothek in Lord Gorings Haus an der Curzon Street, London. Adam-Stil. Rechts die Tür zur Diele, links die Tür zum Rauchzimmer. Im Hintergrund führt eine Flügeltür zum Salon. Im Kamin brennt ein Feuer. Phipps, der Butler, ordnet Zeitungen auf dem Schreibtisch. Phipps zeichnet sich durch seine stoische Haltung aus. Enthusiasten haben ihn als den idealen Butler bezeichnet. Selbst die Sphinx ist nicht so verschlossen. Eine Maske mit Manieren. Von seinem Gefühls- oder Geistesleben ist der Geschichte nichts bekannt. Er repräsentiert die Dominanz der Form.

(Lord Goring tritt auf. Abendanzug mit einem Sträußchen im Knopfloch. Zylinder und Cape. Weiße Handschuhe und ein Louis-Seize-Spazierstock. Von Kopf bis Fuß der geckenhafte Elegant. Man merkt ihm an, daß er die engste Beziehung zum heutigen Leben hat, ihm eigentlich sein Gepräge verleiht und es dadurch meistert. Er ist der erste gutgekleidete Philosoph in der Geschichte des menschlichen Denkens)

LORD GORING. Haben Sie mir mein frisches Sträußchen besorgt, Phipps?

PHIPPS. Ja, Mylord. *(Nimmt Hut, Stock und Mantel entgegen und überreicht auf einem Tablett ein neues Sträußchen.*

LORD GORING. Sehr distinguiert, Phipps. Ich bin momentan der einzige auch nur einigermaßen bedeutende Mensch in London, der ein Sträußchen im Knopfloch trägt.

PHIPPS. Ja, Mylord. Es ist mir aufgefallen.

LORD GORING. Sehen Sie, Phipps, elegant ist, was man selber trägt – unelegant, was andere Leute tragen.

PHIPPS. Ja, Mylord.

LORD GORING. So wie Vulgarität ganz einfach nur das Benehmen anderer Leute ist.

PHIPPS. Ja, Mylord.

LORD GORING *(steckt das neue Sträußchen ins Knopfloch)*. Und Lüge, was andere Leute für wahr halten.

PHIPPS. Ja, Mylord.

LORD GORING. Die anderen sind unausstehlich. Die einzig mögliche Gesellschaft ist man selbst.

PHIPPS. Ja, Mylord.

LORD GORING. Eigenliebe ist der Beginn einer lebenslangen Schwärmerei, Phipps.

PHIPPS. Ja, Mylord.

LORD GORING *(schaut in den Spiegel)*. Glauben Sie ja nicht, daß mir dieses Sträußchen so richtig gefällt, Phipps. Es macht mich ein wenig zu alt. Ich sehe fast so aus wie in der Blüte meiner Jahre, Phipps.

PHIPPS. Ich merke keine Veränderung im Aussehen Eurer Lordschaft.

LORD GORING. Nein, Phipps?

PHIPPS. Nein, Mylord.

LORD GORING. Ich bin nicht ganz sicher. In Zukunft, Phipps, am Donnerstagabend ein alltäglicheres Sträußchen.

PHIPPS. Ich werde mit der Blumenhändlerin sprechen. Sie hat vor kurzem einen nahen Angehörigen verloren – vielleicht erklärt sich daraus der Mangel an Alltäglichkeit, über den Eure Lordschaft sich beklagen.

LORD GORING. Es ist merkwürdig mit den unteren Schichten in England: Immerzu verlieren sie ihre Angehörigen.

PHIPPS. Ja, Mylord. In dieser Beziehung dürfen sie von Glück sagen.

(Lord Goring dreht sich um und mustert ihn. Phipps verzieht keine Miene)

LORD GORING. Hm ... Post, Phipps?

PHIPPS. Drei Briefe, Mylord. *(Überreicht die Briefe auf einem Tablett)*

LORD GORING *(nimmt die Briefe zur Hand)*. In zwanzig Minuten soll mein Wagen vor der Tür stehen.

PHIPPS. Ja, Mylord. *(Geht auf die Tür zu)*

LORD GORING *(zeigt ihm einen Brief in einem rosa Kuvert)*. He, Phipps – wann ist dieser Brief angekommen?

PHIPPS. Er wurde durch einen Boten überbracht, kurz nachdem Eure Lordschaft sich in den Klub begeben hatten.

LORD GORING. Schon gut. *(Phipps ab)* Lady Chilterns Handschrift auf Lady Chilterns rosa Briefpapier. Das ist recht eigenartig. Ich dachte, Robert würde mir schreiben. Was mag Lady Chiltern mir zu sagen haben? *(Setzt sich an den Schreibtisch, öffnet den Brief und liest ihn)* ›Ich brauche Hilfe. Mein Vertrauen ist grenzenlos. Ich komme. Gertrude.‹ *(Mit verdutzter Miene legt er den Brief weg, nimmt ihn abermals zur Hand und liest ihn langsam durch)* ›Ich brauche Hilfe. Mein Vertrauen ist grenzenlos. Ich komme ...‹ Sie hat alles herausbekommen ... Arme Frau ... Arme Frau ... *(Schaut auf seine Taschenuhr)* Aber was ist das für eine Besuchsstunde! Zehn Uhr. Ich werde darauf verzichten müssen, bei den Berkshires zu erscheinen. Aber es ist immer nett, wenn man erwartet wird und sich nicht blicken läßt. Auf dem Junggesellenball erwartet man mich nicht, also werde ich dort bestimmt erscheinen ... Na schön, ich werde sie veranlassen, zu ihrem Mann zu halten. Dazu ist jede Frau verpflichtet. Durch das wachsende Verantwortungsgefühl der Frauen ist die Ehe zu einer hoffnungslos einseitigen Institution geworden. Zehn Uhr. Sie dürfte bald kommen. Ich muß Phipps sagen, daß ich für niemand anderen zu sprechen bin.

(Nähert sich der Klingel)

(Phipps tritt auf)

PHIPPS. Lord Caversham!

LORD GORING. Ach, warum müssen Eltern immer im unrechten Augenblick auftauchen! Da hat wohl die Natur einen Kunstfehler begangen. *(Lord Caversham tritt ein)* Ich freue mich, dich zu sehen, lieber Vater. *(Geht ihm entgegen)*

LORD CAVERSHAM. Hilf mir aus dem Mantel.

LORD GORING. Lohnt es sich, Papa?

LORD CAVERSHAM. Natürlich lohnt es sich, Sir. Welcher Sessel ist der bequemste?

LORD GORING. Dieser hier. Es ist der Sessel, Papa, den ich selber benütze, wenn ich Besuch habe.

LORD CAVERSHAM. Danke. Hoffentlich zieht es nicht in diesem Zimmer?

LORD GORING. Nein, Papa.

LORD CAVERSHAM *(setzt sich)*. Das höre ich gern. Kann Zugluft nicht vertragen. Zu Hause zieht es nie.

LORD GORING. Aber es geht zuweilen stürmisch zu, Papa.

LORD CAVERSHAM. Äh? Äh? Ich verstehe nicht, was damit gemeint ist. Ich habe ein ernstes Gespräch mit dir zu führen, Sir.

LORD GORING. Mein lieber Vater – um diese Zeit?

LORD CAVERSHAM. Also, Sir, es ist erst zehn. Was hast du gegen diesen Zeitpunkt einzuwenden? Ich finde, daß dieser Zeitpunkt ein ganz ausgezeichneter Zeitpunkt ist.

LORD GORING. Es ist nämlich so, Papa, daß das nicht der Tag ist, an dem ich ernste Gespräche führe. Bedaure sehr, aber es ist nicht mein Tag.

LORD CAVERSHAM. Was soll das heißen, Sir?

LORD GORING. Während der Saison, Papa, führe ich ernste Gespräche nur am ersten Dienstag jeden Monats zwischen vier und sieben.

LORD CAVERSHAM. Na, dann nehmen wir an, daß heute Dienstag ist, Sir.

LORD GORING. Aber es ist schon nach sieben, Papa, und meine Ärzte haben mir ernste Gespräche nach sieben Uhr abends verboten. Ich spreche sonst im Schlaf.

LORD CAVERSHAM. Du sprichst im Schlaf, Sir? Was spielt das für eine Rolle? Du bist ja nicht verheiratet.

LORD GORING. Nein, Papa, ich bin nicht verheiratet.

LORD CAVERSHAM. Hm! Just darüber wollte ich mit dir sprechen, Sir. Du mußt heiraten, und zwar sofort. In deinem Alter, Sir, war ich seit drei Monaten ein untröstlicher Witwer und machte bereits deiner bewundernswerten Mama den Hof. Gottverdammich, Sir, es ist deine Pflicht, zu heiraten. Du kannst nicht immer nur deinem Vergnügen leben. Jeder Mann von Rang ist heutzutage verheiratet. Junggesellen sind nicht mehr in Mode. Sie können kaum noch krauchen. Man kennt sie zu gut. Du mußt dir eine Frau nehmen, Sir. Schau, wie weit dein Freund Robert Chiltern es durch Rechtschaffenheit, Fleiß und die vernünftige Heirat mit einer braven Frau gebracht hat! Warum eiferst du ihm nicht nach, Sir? Warum nimmst du dir nicht an ihm ein Beispiel?

LORD GORING. Ich glaube, ich werde mir an ihm ein Beispiel nehmen, Papa.

LORD CAVERSHAM. Gott gebe es, Gott gebe es! Da würde ich endlich zufrieden sein. Momentan mache ich deiner Mutter deinetwegen das Leben zur Hölle. Du bist herzlos, Sir, total herzlos.

LORD GORING. Das will ich nicht hoffen, Papa.

LORD CAVERSHAM. Und es ist höchste Zeit, daß du dich verheiratest. Du bist vierunddreißig Jahre alt, Sir.

LORD GORING. Ja, Papa, aber ich gebe nur zweiunddreißig zu – einunddreißigeinhalb, wenn ich ein besonders schönes Sträußchen im Knopfloch trage. Dieses Sträußchen ist nicht – alltäglich genug.

LORD CAVERSHAM. Ich sage dir, du bist vierunddreißig. Außerdem zieht es in diesem Zimmer. Das wirft ein noch schlechteres Licht auf dein Benehmen. Warum hast du behauptet, daß es hier nicht zieht, Sir? Ich spüre, daß es zieht, Sir, ich spüre es deutlich.

LORD GORING. Auch ich, Papa. Es zieht fürchterlich. Ich suche dich morgen auf, Papa. Da können wir uns dann über alles mögliche unterhalten. Darf ich dir in den Mantel helfen, Papa?

LORD CAVERSHAM. Nein, Sir. Mich hat ein ganz bestimmter Zweck zu dir geführt, und diesen Zweck werde ich erreichen, koste es, was es wolle – meine und deine Gesundheit. Leg meinen Mantel weg, Sir.

LORD GORING. Gewiß, Papa. Aber gehen wir doch in ein anderes Zimmer. *(Klingelt)* Hier zieht es fürchterlich. *(Phipps tritt ein)* Phipps, brennt im Rauchzimmer ein ordentliches Feuer?

PHIPPS. Ja, Mylord.

LORD GORING. Komm, wir gehen ins Rauchzimmer. Dein Niesen ist herzzerreißend.

LORD CAVERSHAM. Ich habe doch wohl das Recht, Sir, zu niesen, wo und wann es mir beliebt!

LORD GORING *(beflissen)*. Durchaus, Papa. Ich wollte dir nur mein Mitgefühl ausdrücken.

LORD CAVERSHAM. Hol der Kuckuck das Mitgefühl. Davon ist heutzutage viel zuviel da.

LORD GORING. Ich stimme dir vorbehaltlos zu, Papa. Gäbe es weniger Mitgefühl auf der Welt, dann gäbe es weniger Unheil auf der Welt.

LORD CAVERSHAM *(geht auf das Rauchzimmer zu)*. Das ist ein Paradoxon, Sir. Ich verabscheue Paradoxa.

LORD GORING. Genau wie ich, Papa. Heutzutage ist jeder Mensch, dem man begegnet, ein Paradoxon. Es ödet mich an. Auf Schritt und Tritt nichts als Plattitüden.

LORD CAVERSHAM *(dreht sich um und mustert seinen Sohn unter buschigen Brauen)*. Verstehst du wirklich immer, was du sagst, Sir?

LORD GORING *(nach einigem Zögern)*. Ja, Papa, wenn ich aufmerksam zuhöre.

LORD CAVERSHAM *(indigniert)*. Wenn du aufmerksam zuhörst ... Du eingebildeter Laffe ...

(Begibt sich brummend ins Rauchzimmer. Phipps tritt ein)

LORD GORING. Phipps, eine Dame wird mich noch heute abend in einer besonderen Angelegenheit besuchen. Führen Sie sie in den Salon. Haben Sie mich verstanden?

PHIPPS. Ja, Mylord.

LORD GORING. Es handelt sich um eine äußerst schwerwiegende Angelegenheit, Phipps.

PHIPPS. Ich verstehe, Mylord.

LORD GORING. Niemand anderer ist einzulassen – unter keinen Umständen.

PHIPPS. Ich verstehe, Mylord.

(Die Türklingel ertönt)

LORD GORING. Aha, das dürfte die Dame sein. Ich werde ihr selber entgegengehen.

(Gerade als er sich der Tür nähert, kehrt Lord Caversham aus dem Rauchzimmer zurück)

LORD CAVERSHAM. Nun, Sir – läßt du mich antichambrieren?

LORD GORING *(sehr verlegen)*. Ich komme sofort, Papa. Entschuldige ... *(Lord Caversham verschwindet ins Rauchzimmer)* Also, vergessen Sie nicht meine Weisungen, Phipps. In diesen Raum!

PHIPPS. Ja, Mylord.

(Lord Goring geht ins Rauchzimmer ab. Harold, der Lakai, führt Mrs. Cheveley herein. Sie trägt ein grünsilbernes Kleid – wie die blutsaugerische Lamia der griechischen Mythologie – und über dem Kleid einen mit mattroter Seide gefütterten, schwarzen Satinmantel)

HAROLD. Wen darf ich melden, gnädige Frau?

MRS. CHEVELEY *(zu Phipps, der ihr entgegengeht).* Wo ist Lord Goring? Man hat mir gesagt, er sei zu Hause.

PHIPPS. Seine Lordschaft ist momentan mit Lord Caversham beschäftigt, gnädige Frau. *(Wirft Harold einen kalten, glasigen Blick zu. Der Lakai zieht sich schleunigst zurück)*

MRS. CHEVELEY *(für sich).* Ein braver Sohn ...

PHIPPS. Seine Lordschaft hat mich beauftragt, die gnädige Frau zu bitten, daß die gnädige Frau die Güte haben möchte, im Salon auf ihn zu warten. Seine Lordschaft wird sich dort einfinden.

MRS. CHEVELEY *(mit erstaunter Miene).* Lord Goring erwartet meinen Besuch?

PHIPPS. Ja, gnädige Frau.

MRS. CHEVELEY. Sind Sie dessen ganz sicher?

PHIPPS. Seine Lordschaft hat mir ausdrücklich befohlen, die Dame, die zu Besuch kommt, in den Salon zu bitten. *(Geht zur Salontür und öffnet sie)* Die Weisungen seiner Lordschaft in diesem Punkt waren sehr präzise.

MRS. CHEVELEY *(für sich).* Wie aufmerksam von ihm! Das Unerwartete zu erwarten, zeugt von einem durchaus modernen Verstand. *(Geht zur Tür und wirft einen Blick in den Salon)* Hu! Warum sieht der Salon eines Junggesellen immer so düster aus? Das muß anders werden. *(Phipps hat die Lampe vom Schreibtisch geholt)* Nein, diese Lampe mag ich nicht. Ihr Licht ist viel zu grell. Zünden Sie ein paar Kerzen an.

PHIPPS *(stellt die Lampe wieder auf den Schreibtisch).* Gewiß, gnädige Frau.

MRS. CHEVELEY. Hoffentlich haben die Kerzen kleidsame Schirme.

PHIPPS. Bisher hat sich noch niemand beschwert, gnädige Frau. *(Geht in den Salon und beginnt die Kerzen anzuzünden)*

MRS. CHEVELEY *(für sich).* Ich möchte wissen, welche Frau er heute abend erwartet! Es wird mir ein Vergnügen sein, ihn zu ertappen. Männer sehen immer so albern drein, wenn sie ertappt worden sind. Und sie lassen sich immer wieder ertappen. *(Schaut sich um und tritt an den Schreibtisch)* Was für ein interessantes Zimmer! Was für ein interessantes Bild! Wie mag seine Korrespondenz aussehen? *(Nimmt Briefe zur Hand)* Oh, was für eine uninteressante Korrespondenz! Rechnungen und

Einladungen, Gläubiger und Witwen mit heiratsfähigen Töchtern ... Wer in aller Welt schreibt ihm auf rosa Papier? Wie albern, auf rosa Papier zu schreiben! Das sieht ja aus wie der Beginn einer kleinbürgerlichen Liebelei. Liebeleien sollten nie mit dem Gefühl beginnen, sondern mit einer wissenschaftlichen Analyse – und mit einer Abfindung enden. *(Legt den Brief weg, nimmt ihn noch einmal zur Hand)* Ich kenne die Handschrift. Es ist Gertrude Chilterns Schrift. Ich erinnere mich genau an sie. In jedem Federstrich die Zehn Gebote und über die ganze Seite weg das Sittengesetz in der Brust. Was hat Gertrude ihm mitzuteilen? Vermutlich macht sie mich schlecht. Wie ich diese Person verabscheue! *(Liest den Brief)* ›Ich brauche Hilfe. Mein Vertrauen ist grenzenlos. Ich komme. Gertrude.‹ *(Ein triumphierendes Lächeln huscht über ihre Züge. Gerade will sie den Brief entwenden, da kehrt Phipps zurück)*

PHIPPS. Die Kerzen im Salon brennen, gnädige Frau – Ihrem Wunsch gemäß.

MRS. CHEVELEY. Danke ... *(Steht hastig auf und schiebt den Brief unter eine große, mit Silber beschlagene Schreibunterlage, die auf dem Tisch liegt.)*

PHIPPS. Hoffentlich werden der gnädigen Frau die Schirme gefallen. Es sind die kleidsamsten, die wir besitzen, dieselben Schirme, die seine Lordschaft benützt, wenn seine Lordschaft sich zum Abendessen umzieht.

MRS. CHEVELEY *(lächelnd)*. Dann werden sie sicherlich perfekt sein.

PHIPPS *(ernst)*. Danke, gnädige Frau.

(Mrs. Cheveley geht in den Salon ab. Phipps macht die Tür zu und zieht sich zurück. Dann wird die Tür ein wenig geöffnet. Mrs. Cheveley schiebt sich ins Zimmer und schleicht auf den Schreibtisch zu. Plötzlich hört man Stimmen aus dem Rauchzimmer. Mrs. Cheveley erblaßt und bleibt stehen. Die Stimmen werden lauter. Sie beißt sich auf die Lippe und kehrt in den Salon zurück)

(Lord Goring und Lord Caversham treten auf)

LORD GORING *(vorwurfsvoll)*. Mein lieber Vater, wenn ich schon heirate, wirst du mir wohl gestatten, mir den Zeitpunkt, den Ort und die Person selber auszusuchen. Vor allem die Person.

LORD CAVERSHAM *(gereizt).* Das ist meine Sache, Sir. Wahrscheinlich würdest du eine jämmerliche Wahl treffen. Mich muß man fragen, nicht dich. Es geht ums Geld, nicht um die Gefühle. Die Gefühle stellen sich im Eheleben erst später ein.

LORD GORING. Ja. Wenn Mann und Frau einander nicht mehr ausstehen können, nicht wahr, Papa? *(Hilft Lord Caversham in den Mantel)*

LORD CAVERSHAM. Natürlich, Sir – natürlich nicht! Du redest heute lauter dummes Zeug daher. Was ich sagen wollte: Heiraten ist eine Frage des gesunden Menschenverstandes.

LORD GORING. Frauen mit gesundem Menschenverstand sind aber merkwürdigerweise so häßlich, Papa. Natürlich spreche ich nur vom Hörensagen.

LORD CAVERSHAM. Keine Frau, ob häßlich oder hübsch, besitzt gesunden Menschenverstand, Sir. Der gesunde Menschenverstand ist ein Vorrecht unseres Geschlechts.

LORD GORING. Absolut. Und wir Männer sind so selbstaufopfernd, daß wir nie von ihm Gebrauch machen.

LORD CAVERSHAM. Ich schon. Ich mache *nur* von meinem gesunden Menschenverstand Gebrauch.

LORD GORING. Das hat Mama mir erzählt.

LORD CAVERSHAM. Es ist das Geheimnis ihres Glücks. Und du bist ein herzloser Mensch, Sir, ein völlig herzloser Mensch.

LORD GORING. Das will ich nicht hoffen, Papa.

(Lord Goring verläßt zusammen mit seinem Vater das Zimmer, kehrt dann recht konsterniert mit Sir Robert Chiltern zurück)

SIR ROBERT CHILTERN. Mein lieber Arthur, was für ein Glück, dir auf der Schwelle zu begegnen! Dein Diener hatte mir soeben gesagt, du seist nicht zu Hause. Wie merkwürdig!

LORD GORING. Die Sache ist die, Robert, ich habe furchtbar viel zu tun. Deshalb habe ich Weisung erteilt, daß ich für niemanden zu sprechen bin. Sogar mein Vater wurde verhältnismäßig kühl empfangen. Er hat sich die ganze Zeit über Zugluft beklagt.

SIR ROBERT CHILTERN. Für mich mußt du zu sprechen sein, Arthur. Du bist mein bester Freund. Vielleicht von morgen an mein einziger. Meine Frau hat alles erfahren.

LORD GORING. Aha – ich habe es geahnt ...

SIR ROBERT CHILTERN *(sieht ihn an).* Wirklich? Wieso?

LORD GORING *(nach einigem Zögern).* Ich habe es an deiner Miene gemerkt, als du zur Tür hereinkamst ... Wer hat es ihr erzählt?

SIR ROBERT CHILTERN. Mrs. Cheveley selbst ... Die Frau, die ich liebe, weiß, daß ich meine Karriere mit einer gemeinen Schandtat begonnen habe, daß ich mein Leben auf Sand gebaut habe – daß ich wie ein gewöhnlicher Höker das Geheimnis verschachert habe, das mir als einem Ehrenmann anvertraut worden war. Dem Himmel sei Dank, daß der arme Lord Radley gestorben ist, ohne zu wissen, daß ich ihn betrogen hatte. Wollte Gott, *ich* wäre gestorben, bevor ich in eine so fürchterliche Versuchung geraten oder so tief gesunken war. *(Er schlägt die Hände vors Gesicht)*

LORD GORING *(nach einer Pause).* Hast du schon aus Wien eine Antwort auf dein Telegramm erhalten?

SIR ROBERT CHILTERN *(blickt auf).* Ja. Gestern abend um acht kam ein Telegramm des ersten Botschaftssekretärs.

LORD GORING. Und?

SIR ROBERT CHILTERN. Es liegt nichts gegen sie vor. Im Gegenteil, sie ist in der guten Gesellschaft ziemlich hoch angesehen. Es ist ein offenes Geheimnis, daß Baron Arnheim ihr den größten Teil seines Vermögens hinterlassen hat. Darüber hinaus konnte ich nichts erfahren.

LORD GORING. Sie hat sich also nicht als Spionin entpuppt?

SIR ROBERT CHILTERN. Ach, Spione sind heutzutage nicht mehr gebräuchlich. Ihr Metier ist veraltet. Ihre Tätigkeit haben die Zeitungen übernommen.

LORD GORING. Und schaffen es verteufelt gut.

SIR ROBERT CHILTERN. Arthur, ich verdurste. Darf ich mir etwas bestellen? Ein Glas Weißwein mit Selter?

LORD GORING. Freilich. Laß mich das besorgen. *(Klingelt)*

SIR ROBERT CHILTERN. Danke ... Ich weiß nicht, was ich machen soll, Arthur, ich weiß nicht, was ich machen soll – und du bist mein einziger Freund. Aber was für ein Freund – der einzige Mensch, zu dem ich Vertrauen haben kann! Ich kann mich doch restlos auf dich verlassen, nicht wahr?

(Phipps tritt ein)

LORD GORING. Mein lieber Robert – selbstverständlich! *(Zu Phipps)* Bringen Sie ein Glas Weißwein mit Selters.

PHIPPS. Ja, Mylord.

LORD GORING. Und – Phipps ...

PHIPPS. Ja, Mylord?

LORD GORING. Entschuldigst du mich einen Augenblick, Robert? Ich muß meinem Diener eine Weisung erteilen.

SIR ROBERT CHILTERN. Bitte ...

LORD GORING *(beiseite zu Phipps)*. Wenn die Dame erscheint, dann sagen Sie ihr, daß ich heute nicht mehr zurückerwartet werde. Sagen Sie ihr, ich hätte plötzlich verreisen müssen. Verstanden?

PHIPPS. Die Dame befindet sich bereits im bewußten Zimmer, Mylord. Sie haben mir befohlen, sie in das bewußte Zimmer zu führen, Mylord.

LORD GORING. Das war völlig in Ordnung. *(Phipps ab)* Da hat man mir etwas Schönes eingebrockt. Aber ich glaube, ich werde mich herauswursteln. Ich werde ihr durch die Tür eine Lektion erteilen. Aber es wird nicht leicht sein ...

SIR ROBERT CHILTERN. Arthur, sag mir, was ich machen soll. Mein Leben scheint rund um mich herum in Trümmer gesunken zu sein. Ich bin ein Schiff ohne Steuer in einer sternenlosen Nacht.

LORD GORING. Du liebst deine Frau, Robert, ja?

SIR ROBERT CHILTERN. Ich liebe sie mehr als alles in der Welt. Ich habe mir eingebildet, Ehrgeiz sei das Höchste. Nein. Das Höchste auf Erden ist die Liebe. Nichts geht über die Liebe, und ich liebe Gertrude. Aber in ihren Augen bin ich diffamiert. In ihren Augen bin ich ein schlechter Mensch. Heute liegt ein Abgrund zwischen uns. Sie hat mich durchschaut, Arthur, sie hat mich durchschaut.

LORD GORING. Hat sie nie in ihrem Leben etwas Dummes gemacht – etwas Unüberlegtes? –, daß sie dir deine Sünde nicht verzeihen kann.

SIR ROBERT CHILTERN. Meine Frau? Nie! Sie weiß nicht, was Willensschwäche oder Versuchung ist. Ich bin ein Lehmkloß wie alle Menschen. *Sie* steht über uns, wie alle braven Frauen – erbarmungslos in ihrer Vollkommenheit – kalt und streng und ohne Gnade. Aber ich liebe sie, Arthur. Unsere Ehe ist kinderlos, und ich habe niemanden anderen, den ich liebe – niemand anderen, der mich liebt – nur sie. Wenn Gott uns Kinder geschenkt hätte, wäre sie vielleicht gütiger. Aber unser Haus ist verwaist. Und sie hat mein Herz zerfleischt. Sprechen wir nicht mehr darüber. Ich habe sie heute abend brutal behandelt. Aber wenn Sünder mit Heiligen hadern, sind sie wohl immer brutal. Ich habe Dinge zu ihr gesagt, die erschreckend wahr sind – von meinem Standpunkt, vom Standpunkt der Männer aus. Aber auch darüber wollen wir nicht mehr reden.

LORD GORING. Deine Frau wird dir verzeihen. Vielleicht hat sie dir in diesem Augenblick verziehen. Sie liebt dich, Robert. Warum sollte sie dir nicht verzeihen?

SIR ROBERT CHILTERN. Das gebe Gott! Das gebe Gott! *(Schlägt die Hände vors Gesicht)* Aber ich habe dir noch mehr zu sagen, Arthur.

(Phipps mit Getränken)

PHIPPS *(reicht Sir Robert Chiltern ein Glas Weißwein mit Selter).* Weißwein mit Selter, Sir.

SIR ROBERT CHILTERN. Danke.

LORD GORING. Steht dein Wagen draußen, Robert?

SIR ROBERT CHILTERN. Nein. Ich bin vom Klub zu Fuß hierhergegangen.

LORD GORING. Sir Robert wird meinen Wagen nehmen, Phipps.

PHIPPS. Ja, Mylord. *(Ab)*

LORD GORING. Robert, du hast doch nichts dagegen, wenn ich dich wegschicke?

SIR ROBERT CHILTERN. Laß mich noch fünf Minuten bleiben, Arthur. Ich habe einen Entschluß gefaßt. Ich weiß, was ich in der heutigen Nachtsitzung sagen werde. Die Debatte über den Argentinienkanal beginnt um elf Uhr. *(Im Salon fällt ein Stuhl um)* Was war das?

LORD GORING. Nichts.

SIR ROBERT CHILTERN. Ich habe im Nebenzimmer einen Stuhl umfallen hören. Jemand hat uns belauscht.

LORD GORING. Nein, nein, es ist niemand dort.

SIR ROBERT CHILTERN. Doch – es ist jemand im Nebenzimmer. Es brennt Licht, die Tür steht halb offen. Arthur, was soll das bedeuten?

LORD GORING. Du bist aufgeregt – verstört. Ich sage dir, es ist niemand im Nebenzimmer. Setz dich, Robert.

SIR ROBERT CHILTERN. Gibst du mir dein Wort darauf?

LORD GORING. Ja.

SIR ROBERT CHILTERN. Dein Ehrenwort? *(Setzt sich).*

LORD GORING. Ja.

SIR ROBERT CHILTERN *(springt auf).* Laß mich nachsehen.

LORD GORING. Nein, nein ...

SIR ROBERT CHILTERN. Wenn niemand im Nebenzimmer ist, warum darf ich dann nicht einen Blick hineintun? Arthur, du mußt mir gestatten, hineinzugehen und mich davon zu überzeugen, daß niemand zugehört hat – daß niemand das Geheimnis meines Lebens erfahren hat. Arthur, du bist dir nicht im klaren darüber, was ich durchmache.

LORD GORING. Robert, mach Schluß! Ich habe dir gesagt, daß niemand im Nebenzimmer ist – das genügt.

SIR ROBERT CHILTERN *(stürzt auf die Tür zu).* Es genügt mir nicht. Ich bestehe darauf, einen Blick in dieses Zimmer zu tun. Du behauptest, daß niemand drin ist – was für einen Grund hast du, es mir zu verwehren?

LORD GORING. Um Gottes willen, laß es sein! Es ist jemand drin. Jemand, den du nicht sehen darfst.

LORD ROBERT CHILTERN. Aha – das habe ich mir gedacht!

LORD GORING. Ich verbiete dir, dieses Zimmer zu betreten.

SIR ROBERT CHILTERN. Zurück! Mein Leben steht auf dem Spiel. Mich kümmert nicht, wer dort drin ist. Ich will wissen, wem ich mein Geheimnis und meine Schande erzählt habe. *(Geht in den Salon ab)*

LORD GORING. Allmächtiger Himmel! Seine eigene Frau ...

(Sir Robert Chiltern kehrt zurück. Verachtung und Zorn spiegeln sich in seinen Mienen)

SIR ROBERT CHILTERN. Wie erklärst du mir die Anwesenheit dieser Dame?

LORD GORING. Robert, ich schwöre bei meiner Ehre, daß sie untadelig ist – daß sie sich dir gegenüber nichts hat zuschulden kommen lassen.

SIR ROBERT CHILTERN. Sie ist ein gemeines, ein niederträchtiges Geschöpf!

LORD GORING. Sag das nicht, Robert! Deinetwegen ist sie hierhergekommen. Um dich zu retten, ist sie hierhergekommen. Sie liebt dich und keinen anderen.

SIR ROBERT CHILTERN. Du bist wahnsinnig. Was geht mich eure Liebschaft an? Sie soll ruhig deine Mätresse bleiben. Ihr paßt gut zueinander. Sie, korrupt und schändlich – du, treulos als Freund, verräterisch sogar als Feind ...

LORD GORING. Es ist nicht wahr, Robert. Es ist bei Gott nicht wahr. In deiner und ihrer Anwesenheit werde ich dir alles erklären.

SIR ROBERT CHILTERN. Lassen Sie mich vorbei, Sir. Sie haben mir genug auf Ihr Ehrenwort vorgelogen.

(Sir Robert Chiltern geht ab. Lord Goring eilt zur Tür des Salons. Da erscheint Mrs. Cheveley mit strahlender und belustigter Miene)

MRS. CHEVELEY *(mit einem spöttischen Knicks)*. Guten Abend, Lord Goring!

LORD GORING. Mrs. Cheveley! Du lieber Gott ... Darf ich Sie fragen, was Sie in meinem Salon zu suchen hatten?

MRS. CHEVELEY. Ich habe nur zugehört. Durch Schlüssellöcher zu horchen, ist meine größte Leidenschaft. Man bekommt immer so fabelhafte Dinge zu hören.

LORD GORING. Heißt das nicht die Vorsehung in Versuchung führen?

MRS. CHEVELEY. Ach, die Vorsehung wird inzwischen gelernt haben, den Versuchungen zu widerstehen. *(Sie bedeutet ihm, ihr aus dem Mantel zu helfen. Er gehorcht ihrem Wink)*

LORD GORING. Ich bin froh, daß Sie mich aufgesucht haben. Ich werde Ihnen einen guten Rat geben.

MRS. CHEVELEY. Bitte nicht! Man sollte einer Frau nie etwas geben, das sie nicht abends tragen kann.

LORD GORING. Wie ich sehe, sind Sie noch immer genauso eigenwillig wie früher.

MRS. CHEVELEY. Noch viel eigenwilliger! Ich habe große Fortschritte gemacht. Ich habe Erfahrungen gesammelt.

LORD GORING. Allzu viele Erfahrungen sind gefährlich. Bitte, nehmen Sie sich eine Zigarette. Die Hälfte aller hübschen Frauen in London raucht Zigaretten. Ich ziehe die andere Hälfte vor.

MRS. CHEVELEY. Danke. Ich rauche nie. Meiner Schneiderin würde es nicht recht sein, und die erste Pflicht einer Frau gilt ihrer Schneiderin. Wem die zweite gilt, hat bisher noch niemand herausgefunden.

LORD GORING. Sie sind gekommen, um mir Robert Chilterns Brief zu verkaufen, oder?

MRS. CHEVELEY. Um Ihnen den Brief unter gewissen Bedingungen anzubieten. Wieso haben Sie das erraten?

LORD GORING. Weil Sie es unterließen, das Thema zu berühren. Haben Sie ihn bei sich?

MRS. CHEVELEY *(setzt sich)*. O nein! Ein gutsitzendes Kleid hat keine Taschen.

LORD GORING. Welchen Preis fordern Sie?

MRS. CHEVELEY. Ihr absurden Engländer! Ihr bildet euch ein, daß jedes Problem mit Hilfe eines Scheckbuchs zu lösen sei. Mein lieber Arthur, ich habe viel mehr Geld als Sie und ebensoviel, wie Robert Chiltern an sich gerafft hat. Mir geht es nicht ums Geld.

LORD GORING. Worum also geht es Ihnen, Mrs. Cheveley?

MRS. CHEVELEY. Warum sagen Sie nicht Laura zu mir?

LORD GORING. Ich mag den Namen nicht.

MRS. CHEVELEY. Sie haben für ihn geschwärmt.

LORD GORING. Ebendeshalb ... *(Mrs. Cheveley bedeutet ihm, sich zu ihr zu setzen. Er lächelt und gehorcht)*

MRS. CHEVELEY. Arthur, Sie haben mich einmal geliebt.

LORD GORING. Ja.

MRS. CHEVELEY. Und mich um meine Hand gebeten.

LORD GORING. Das war das natürliche Ergebnis meiner Verliebtheit.

MRS. CHEVELEY. Und Sie haben mich sitzenlassen, weil Sie – angeblich – gesehen hatten, wie der arme alte Lord Mortlake im Gewächshaus von Tenby heftig mit mir zu flirten versuchte.

LORD GORING. Ich glaube mich dunkel zu erinnern, daß mein Anwalt diese Angelegenheit unter gewissen Bedingungen mit Ihnen geordnet hat – Bedingungen, die Sie selber diktiert haben.

MRS. CHEVELEY. Damals war ich arm. Sie waren reich.

LORD GORING. Richtig. Deshalb gaben Sie vor, mich zu lieben.

MRS. CHEVELEY *(zuckt die Achseln)*. Der arme alte Lord Mortlake, der nur zwei Gesprächsthemen kannte – seine Gicht und seine Frau! Ich konnte nie so recht schlau daraus werden, wovon gerade die Rede war. Er äußerte sich über beide in den abscheulichsten Worten. Ach, waren Sie dumm, Arthur! Lord Mortlake hat mir nie mehr bedeutet als ein flüchtiges Amüsement. Eines jener äußerst langweiligen Amüsements, wie man sie nur auf einem englischen Landsitz an einem englischen Landsonntag erleben kann. Meiner Meinung nach ist niemand voll verantwortlich dafür, was er – oder sie – auf einem englischen Landsitz tut.

LORD GORING. Ja, ich weiß, daß viele Leute dieser Meinung sind.

MRS. CHEVELEY. Ich habe Sie geliebt, Arthur.

LORD GORING. Meine liebe Mrs. Cheveley, Sie waren schon immer viel zu klug, um etwas von Liebe zu verstehen.

MRS. CHEVELEY. Doch – ich habe Sie geliebt. Und Sie haben mich geliebt. Sie wissen, daß Sie mich geliebt haben. Und die Liebe ist etwas Wunderbares. Ich nehme an, wenn ein Mann einmal eine Frau geliebt hat, wird er bereit sein, alles für sie zu tun – bis auf das eine: sie weiterhin zu lieben. *(Legt ihre Hand auf die seine)*

LORD GORING *(entzieht ihr gelassen seine Hand)*. Ja – bis auf das eine ...

MRS. CHEVELEY. Ich habe es satt, im Ausland zu leben. Ich möchte nach London zurückkehren. Ich möchte ein hübsches Haus haben. Einen Salon. Wenn man den Engländern das Reden und den Irländern das Zuhören beibringen könnte, würde die hiesige gute Gesellschaft einigermaßen zivilisiert sein. Außerdem habe ich das romantische Stadium erreicht. Als ich Sie gestern abend bei den Chilterns wiedersah, da wußte ich, daß Sie der einzige Mann sind, aus dem ich mir je etwas gemacht habe ... Deshalb werde ich Ihnen am Morgen nach unserem Hochzeitstag Robert Chilterns Brief überreichen. Das ist mein Angebot. Wenn Sie mir versprechen, mich zu heiraten, bekommen Sie ihn sofort.

LORD GORING. Sofort?

MRS. CHEVELEY *(lächelnd)*. Morgen.

LORD GORING. Ist das Ihr Ernst?

MRS. CHEVELEY. Ja, mein voller Ernst.

LORD GORING. Ich würde einen schlechten Ehemann abgeben.

MRS. CHEVELEY. Ich habe nichts gegen schlechte Ehemänner. Ich habe zwei konsumiert. Sie haben mich glänzend amüsiert.

LORD GORING. Das soll heißen, daß *Sie* sich glänzend amüsiert haben, nicht wahr?

MRS. CHEVELEY. Was wissen denn Sie von meinem Eheleben?

LORD GORING. Nichts. Aber ich kann darin lesen wie in einem aufgeschlagenen Buch.

MRS. CHEVELEY. Und was sollte das für ein Buch sein?

LORD GORING *(erhebt sich)*. Das Einmaleins.

MRS. CHEVELEY. Finden Sie es nett, in Ihrem eigenen Haus eine Frau so unhöflich zu behandeln?

LORD GORING. Im Falle einer faszinierenden Frau ist das Geschlecht keine Barriere, sondern eine Herausforderung.

MRS. CHEVELEY. Das soll wohl ein Kompliment sein. Mein lieber Arthur, Frauen sind nie durch Komplimente zu entwaffnen. Nur Männer. Das ist der Unterschied zwischen den beiden Geschlechtern.

LORD GORING. Soweit ich die Frauen kenne, sind sie durch nichts zu entwaffnen.

MRS. CHEVELEY *(nach einer Pause)*. Sie werden also lieber Ihren besten Freund, Robert Chiltern, zugrunde gehen lassen, als eine Frau zu heiraten, deren Reize eigentlich noch recht gut erhalten sind. Ich dachte, Sie hätten den Gipfel der Selbstaufopferung erklommen. Ich würde es Ihnen empfehlen. Sie könnten dann den Rest Ihrer Tage mit der Betrachtung Ihrer eigenen Vollkommenheit verbringen.

LORD GORING. Ach, so weit bin ich ohnedies schon. Und Selbstaufopferung sollte polizeilich verboten sein. Sie demoralisiert die Menschen, für die man sich aufopfert. Die Armen gehen vor die Hunde.

MRS. CHEVELEY. Als ob Robert Chiltern zu demoralisieren wäre! Sie scheinen zu vergessen, daß ich seinen wahren Charakter kenne.

LORD GORING. Nicht seinen wahren Charakter. Sie wissen nur, daß er in seiner Jugend einen törichten Schritt getan hat – einen unehrenhaften Schritt, das gebe ich zu – einen schändlichen Schritt, das gebe ich zu – einen Schritt, der – auch das gebe ich zu – seiner unwürdig war und gerade deshalb keine Schlüsse auf seinen wahren Charakter zuläßt.

MRS. CHEVELEY. Wie ihr Männer doch füreinander in die Bresche springt!

LORD GORING. Wie ihr Frauen doch einander in den Haaren liegt!

MRS. CHEVELY *(erbittert)*. Ich habe nur eine Feindin, Gertrude Chiltern. Ich hasse sie. Ich hasse sie jetzt bitterer denn je.

LORD GORING. Wohl deshalb, weil Sie eine wahre Tragödie in ihr Leben hineingetragen haben.

MRS. CHEVELEY *(höhnisch)*. Im Leben einer Frau gibt es nur eine wahre Tragödie – daß ihre Vergangenheit dem Liebhaber und ihre Zukunft unweigerlich dem Ehemann gehört.

LORD GORING. Das Leben, auf das Sie anspielen, ist Lady Chiltern fremd.

MRS. CHEVELEY. Einer Frau mit der Handschuhgröße siebendreiviertel ist das meiste fremd. Sie wissen, daß Gertrude seit jeher siebendreiviertel trägt? Das ist einer der Gründe, warum es zwischen uns nie auch nur die geringste Sympathie gegeben hat ... Nun, Arthur, ich nehme an, daß das romantische Intermezzo beendet ist. Sie müssen aber zugeben, daß es romantisch war. Für das Vorrecht, Ihre Frau zu sein, war ich bereit, einen großen Preis zu zahlen – den Höhepunkt meiner diplomatischen Laufbahn zu opfern. Sie haben abgelehnt. Schön. Wenn Sir Robert nicht mein argentinisches Projekt unterstützt, werde ich ihn bloßstellen. *Voilà tout.*

LORD GORING. Das dürfen Sie nicht tun. Es wäre gemein, abscheulich, schändlich.

MRS. CHEVELEY *(achselzuckend)*. Ersparen Sie sich die großen Worte. Sie besagen so wenig. Es handelt sich um eine geschäftliche Transaktion. Das ist alles. Es hat keinen Zweck, sentimental zu werden. Ich habe Robert Chiltern ein Angebot gemacht. Wenn er den geforderten Preis nicht zahlen will, muß er der Welt einen höheren Preis zahlen. Mehr ist nicht dazu zu sagen. Ich muß aufbrechen. Leben Sie wohl. Wollen Sie mir nicht die Hand reichen?

LORD GORING. Ihnen? Nein. Ihre geschäftliche Transaktion mag als das widerliche Gebaren eines widerlich kommerzialisierten

Zeitalters hingehen. Aber Sie scheinen vergessen zu haben, daß Sie hierhergekommen sind, um von Liebe zu sprechen – Sie, deren Lippen das Wort Liebe entweihen ... Sie, für die Liebe ein Buch mit sieben Siegeln ist, waren heute nachmittag im Hause einer der edelmütigsten und gütigsten Frauen von der Welt, um ihren Mann in ihren Augen zu degradieren, ihre Liebe zu ihm auszulöschen, ihr Herz zu vergiften, ihr das Leben zu verbittern, ihr Idol zu zertrümmern und – vielleicht – ihre Seele zu verderben. Das kann ich Ihnen nicht verzeihen. Das war grauenhaft. Dafür gibt es keine Verzeihung.

MRS. CHEVELEY. Arthur, Sie tun mir unrecht. Glauben Sie mir, Sie tun mir unrecht. Ich hatte überhaupt nicht die Absicht, Gertrude zu verhöhnen. Nicht im Traum habe ich daran gedacht! Ich ging zusammen mit Lady Markby zu den Chilterns, um mich zu erkundigen, ob ein Schmuckstück, ein Juwel, das ich gestern abend irgendwo verloren hatte, im Haus gefunden worden sei. Wenn Sie mir nicht glauben, können Sie Lady Markby fragen. Sie wird es bestätigen. Zu dem Auftritt kam es erst, nachdem Lady Markby sich entfernt hatte. Er wurde mir durch Gertrudes Unhöflichkeit und höhnische Art aufgezwungen. Na ja, vielleicht war von Anfang an ein wenig Bosheit mit dabei ... Eigentlich aber wollte ich mich *nur* erkundigen, ob eine Brillantbrosche, die mir gehört, gefunden worden sei. So hat es sich ergeben.

LORD GORING. Eine Brillantbrosche mit einem Rubin?

MRS. CHEVELEY. Ja. Wieso wissen Sie es?

LORD GORING. Weil sie gefunden worden ist. De facto habe ich selber sie gefunden und dummerweise vergessen, vor dem Weggehen den Butler zu informieren. *(Tritt an den Schreibtisch und öffnet Schubladen)* In dieser Lade liegt sie, nein, hier. Das ist die Brosche, nicht wahr? *(Zeigt ihr das Schmuckstück)*

MRS. CHEVELEY. Ich bin so froh, daß ich sie wiederhabe. Sie ist ein – Geschenk.

LORD GORING. Wollen Sie sie nicht tragen?

MRS. CHEVELEY. Freilich ... Wenn Sie sie mir anstecken? *(Lord Goring legt ihr das Schmuckstück unversehens ums Handgelenk)* Warum ums Handgelenk? Ich wußte gar nicht, daß diese Brosche als Armband getragen werden kann.

LORD GORING. Ach?

MRS. CHEVELEY *(streckt ihren schönen Arm aus).* Nein. Aber sie macht sich auch als Armband sehr gut an mir, nicht wahr?

LORD GORING. Ja – viel besser als dort, wo ich sie zuletzt gesehen habe.

MRS. CHEVELEY. Wann haben Sie sie zuletzt gesehen?

LORD GORING *(gelassen).* Ach, vor zehn Jahren – bei Lady Berkshire, der Sie sie gestohlen haben.

MRS. CHEVELEY *(zuckt zusammen).* Was soll das heißen?

LORD GORING. Das soll heißen, daß Sie dieses Schmuckstück meiner Kusine, Mary Berkshire, gestohlen haben, der ich es zu ihrer Hochzeit geschenkt hatte. Der Verdacht fiel auf einen armen Dienstboten, der Knall und Fall entlassen wurde. Gestern nacht habe ich die Brosche wiedererkannt. Ich beschloß zu schweigen, bis ich den Dieb – oder die Diebin – gefunden haben würde. Jetzt habe ich die Diebin gefunden – und habe ihr Geständnis gehört.

MRS. CHEVELEY *(wirft den Kopf zurück).* Das stimmt nicht.

LORD GORING. Sie wissen genau, daß es stimmt. In diesem Augenblick steht das Wort ›Diebin‹ auf Ihrem Gesicht geschrieben.

MRS. CHEVELEY. Ich werde alles von Anfang bis Ende bestreiten. Ich werde erklären, daß ich diesen miserablen Firlefanz nie gesehen habe – daß er sich nie in meinem Besitz befunden hat.

(Mrs. Cheveley versucht, das Armband abzulegen, aber es gelingt ihr nicht. Lord Goring sieht ihr belustigt zu. Vergebens zerren ihre schmalen Finger an dem Juwel. Sie stößt einen Fluch aus)

LORD GORING. Stehlen hat *einen* Nachteil, Mrs. Cheveley: Man weiß nie, wie großartig der Gegenstand ist, den man stiehlt. Wenn Sie nicht wissen, wo die Feder sitzt, werden Sie dieses Armband nicht wieder los. Sie ist ziemlich schwer zu finden.

MRS. CHEVELEY. Sie Scheusal! Sie Feigling! *(Wieder versucht sie den Verschluß zu öffnen – wieder mißlingt es ihr)*

LORD GORING. Ach, ersparen Sie sich die großen Worte. Sie besagen so wenig.

MRS. CHEVELEY *(zerrt in wilder Raserei an dem Armband. Unartikulierte Laute kommen von ihren Lippen. Dann hält sie inne und sieht Lord Goring an).* Was haben Sie vor?

LORD GORING. Ich werde nach meinem Diener klingeln. Er ist

ein hervorragender Diener. Sowie man klingelt, kommt er zur Tür herein. Ich werde ihn beauftragen, die Polizei zu holen.

MRS. CHEVELEY *(zitternd)*. Die Polizei? Weshalb?

LORD GORING. Morgen werden die Berkshires Anzeige erstatten. Deshalb muß ich die Polizei verständigen.

(Mrs. Cheveley wird von physischer Angst geschüttelt. Ihr Gesicht ist verzerrt, ihr Mund steht halb offen. Eine Maske ist von ihr abgefallen. In diesem Moment bietet sie einen schrecklichen Anblick)

MRS. CHEVELEY. Nein – bitte nicht! Ich tue, was Sie von mir verlangen – was auch immer Sie von mir verlangen!

LORD GORING. Geben Sie mir Robert Chilterns Brief.

MRS. CHEVELEY. Halt! Halt ...! Lassen Sie mich nachdenken.

LORD GORING. Geben Sie mir Robert Chilterns Brief.

MRS. CHEVELEY. Ich habe ihn nicht bei mir. Sie bekommen ihn morgen.

LORD GORING. Sie wissen genau, daß das eine Lüge ist. Geben Sie ihn mir sofort. *(Mrs. Cheveley zieht den Brief hervor und reicht ihn Lord Goring. Sie ist leichenblaß)* Ist er das?

MRS. CHEVELEY *(mit heiserer Stimme)*. Ja.

LORD GORING *(nimmt den Brief, betrachtet ihn, seufzt und verbrennt ihn über der Lampe)*. Für eine so gutangezogene Frau, Mrs. Cheveley, haben Sie Momente bewundernswert gesunden Menschenverstandes. Ich beglückwünsche Sie.

MRS. CHEVELEY *(erblickt Lady Chilterns Brief, dessen Rand unter der Schreibunterlage hervorschaut)*. Bitte, geben Sie mir ein Glas Wasser.

LORD GORING. Gerne. *(Geht in eine Ecke des Zimmers und füllt ein Glas mit Wasser. Während er Mrs. Cheveley den Rücken kehrt, stiehlt sie Lady Chilterns Brief. Dann lehnt sie das Glas Wasser mit einer Handbewegung ab)*

MRS. CHEVELEY. Danke. Würden Sie so freundlich sein, mir in den Mantel zu helfen?

LORD GORING. Mit Vergnügen. *(Hilft ihr in den Mantel)*

MRS. CHEVELEY. Danke. Ich werde nie wieder auch nur den geringsten Versuch machen, Robert Chiltern zu schaden.

LORD GORING. Zum Glück haben Sie keine Chance mehr.

MRS. CHEVELEY. Nun, auch wenn ich eine Chance hätte – ich

würde sie nicht ausnützen. Im Gegenteil – ich werde ihm einen großen Dienst erweisen.

LORD GORING. Das höre ich mit Freuden. Was für ein Gesinnungswandel!

MRS. CHEVELEY. Ja. Ich kann nicht ertragen, daß ein so aufrechter Gentleman, ein so ehrenhafter britischer Gentleman, so schändlich hintergangen wird – so ...

LORD GORING. Ja?

MRS. CHEVELEY. Es stellt sich heraus, daß Gertrude Chilterns letzte Worte und ihr stammelndes Geständnis sich irgendwie in meine Tasche verirrt haben.

LORD GORING. Was soll das heißen?

MRS. CHEVELEY *(in bitter triumphierendem Ton)*. Das soll heißen, daß ich Robert Chiltern den Liebesbrief zusenden werde, den seine Frau Ihnen heute abend geschrieben hat.

LORD GORING. Liebesbrief?

MRS. CHEVELEY *(lachend)*. Ich brauche Hilfe. Mein Vertrauen ist grenzenlos. Ich komme. Gertrude ...

(Lord Goring stürzt zum Schreibtisch, greift nach dem Umschlag, sieht, daß er leer ist, und dreht sich um)

LORD GORING. Elendiges Frauenzimmer – können Sie das Stehlen nicht lassen? Geben Sie mir den Brief zurück. Sonst werde ich Gewalt anwenden! Sie verlassen das Zimmer nicht, bevor ich den Brief wiederhabe.

(Er stürzt auf sie zu, aber sie drückt schnell auf die elektrische Tischklingel, deren schrille Töne durch den Raum hallen. Phipps tritt ein)

MRS. CHEVELEY *(nach einer Pause)*. Lord Goring hat nur geklingelt, damit Sie mich hinausbegleiten. Gute Nacht, Lord Goring!

(Sie geht ab. Phipps folgt ihr. Boshafte Siegesfreude leuchtet aus ihren Zügen. Ihre Augen funkeln. Sie scheint mit einem Male wieder jung geworden zu sein. Ihr letzter Blick ist wie ein schneller Pfeil. Lord Goring beißt sich auf die Lippe und zündet sich eine Zigarette an)

Vorhang

Vierter Akt

Der gleiche Schauplatz wie im zweiten Akt.

(Lord Goring steht am Kamin, die Hände in den Hosentaschen. Er macht einen recht gelangweilten Eindruck)

LORD GORING *(schaut auf seine Taschenuhr, klingelt)*. Das ist doch zu ärgerlich! Ich kann in diesem Haus keinen Menschen auftreiben, mit dem sich reden läßt. Dabei bin ich vollgepfropft mit interessanten Neuigkeiten. Ich komme mir vor wie die Spätausgabe dieser oder jener Tageszeitung.

(James tritt ein)

JAMES. Sir Robert ist nach wie vor im Auswärtigen Amt, Mylord.

LORD GORING. Ist Lady Chiltern noch nicht nach unten gekommen?

JAMES. Mylady hat ihr Zimmer noch nicht verlassen. Miß Chiltern ist soeben von ihrem Morgenritt zurückgekehrt.

LORD GORING *(für sich)*. Ah – das ist immerhin etwas ...

JAMES. Lord Caversham wartet schon seit einiger Zeit in der Bibliothek auf Sir Robert. Ich habe ihm mitgeteilt, daß Eure Lordschaft hier sind.

LORD GORING. Danke. Würden Sie so freundlich sein und ihm mitteilen, daß ich gegangen bin.

JAMES *(mit einer Verbeugung)*. Sehr wohl, Mylord. *(Ab)*

LORD GORING. Ich habe wirklich keine Lust, meinen Vater drei Tage hintereinander zu treffen. Das wäre für jeden Sohn viel zu aufregend. Ich hoffe zu Gott, daß er nicht heraufmarschiert. Väter soll man weder sehen noch hören. Das ist die einzig richtige Grundlage für ein harmonisches Familienleben. Mütter sind ein anderes Kapitel. Sie sind immer lieb und nett. *(Setzt sich in einen Sessel und beginnt Zeitung zu lesen)*

(Lord Caversham tritt auf)

LORD CAVERSHAM. Na, Sir, was machst denn *du* hier? Vergeudest wohl wie gewöhnlich deine Zeit.

LORD GORING *(wirft die Zeitung weg und steht auf)*. Mein lieber Vater, wenn man einen Besuch macht, geschieht es, um anderer Leute Zeit zu vergeuden, nicht die eigene.

LORD CAVERSHAM. Hast du dir überlegt, was ich gestern abend zu dir gesagt habe?

LORD GORING. Ich habe an nichts anderes mehr gedacht.

LORD CAVERSHAM. Schon verlobt?

LORD GORING *(vergnügt)*. Noch nicht. Aber ich hoffe es vor dem Mittagessen zu sein.

LORD CAVERSHAM *(säuerlich)*. Wenn es dir bequemer ist, kannst du dir bis zum Abendessen Zeit lassen.

LORD GORING. Heißen Dank, aber ich werde mich wohl lieber schon vor dem Mittagessen verloben.

LORD CAVERSHAM. Hm! Ich weiß nie, ob du etwas ernst meinst oder nicht.

LORD GORING. Auch ich nicht, Papa. *(Pause)*

LORD CAVERSHAM. Ich nehme an, daß du heute früh die ›Times‹ gelesen hast.

LORD GORING *(von oben herab)*. Die ›Times‹? Natürlich nicht. Ich lese die ›Morningpost‹. Man braucht nur zu erfahren, wo die Herzoginnen sich herumtreiben. Alles andere ist demoralisierend.

LORD CAVERSHAM. Soll das heißen, daß du den Leitartikel der ›Times‹ über Robert Chilterns Laufbahn nicht gelesen hast?

LORD GORING. Himmel, nein! Was steht drin?

LORD CAVERSHAM. Was wird denn drinstehen? Natürlich lauter Lobgesänge. Chilterns gestrige Rede über das Argentinien-Kanal-Projekt sei eine der größten oratorischen Leistungen gewesen, die das Unterhaus seit Canning erlebt hat.

LORD GORING. Ach! Nie von Canning gehört. Habe auch nie was von ihm hören wollen. Und hat – hat Chiltern das Projekt befürwortet?

LORD CAVERSHAM. Befürwortet, Sir? Wie wenig du ihn kennst! Er hat es rundweg verworfen und mit ihm das gesamte heutige System politisch orientierter Finanzmanipulationen. Die ›Times‹ betont, daß diese Rede der Wendepunkt seiner Karriere sei. Du müßtest den Artikel lesen, Sir. *(Schlägt die ›Times‹ auf)* ›Sir Robert Chiltern ... Keiner unserer jüngeren Staatsmänner in so strahlendem Aufstieg begriffen wie er ... Glänzender Redner ... Makellose Laufbahn ... Untadeliger Charakter ... Repräsentiert das Beste im öffentlichen Leben

Englands ... Edler Kontrast zu der laxen Moral, die unter ausländischen Politikern gang und gäbe ist ...‹ Von dir wird man nie so etwas sagen, Sir.

LORD GORING. Ich hoffe es von ganzem Herzen, Papa. Aber was du mir da erzählst, freut mich wirklich – freut mich sehr. Es zeigt, daß Robert mutig ist.

LORD CAVERSHAM. Mehr als mutig – genial.

LORD GORING. Ach, Mut ist mir lieber. Er ist heutzutage nicht so alltäglich wie die Genialität.

LORD CAVERSHAM. Ich bedaure, daß du dich nicht auch ins Unterhaus wählen läßt.

LORD GORING. Mein lieber Vater, nur Leute, die dumm aussehen, werden ins Unterhaus gewählt – und nur die Dummen kommen dort voran.

LORD CAVERSHAM. Warum versuchst du nicht, etwas Nützliches im Leben auszurichten?

LORD GORING. Dazu bin ich viel zu jung.

LORD CAVERSHAM *(gereizt)*. Ich kann diese Ziererei nicht leiden, Sir – diese Affektiertheit, sich jung zu gebärden –, der man heutzutage auf Schritt und Tritt begegnet.

LORD GORING. Jungsein ist keine Affektiertheit, sondern eine Kunst.

LORD CAVERSHAM. Warum hältst du nicht um die Hand der hübschen Miß Chiltern an?

LORD GORING. Ich bin ein sehr nervöser Mensch – besonders am Vormittag.

LORD CAVERSHAM. Es besteht wohl nicht die geringste Chance, daß sie dich nimmt.

LORD GORING. Ich weiß nicht, wie die Odds heute stehen.

LORD CAVERSHAM. Wenn sie dich nimmt, ist sie die hübscheste dumme Gans in ganz England.

LORD GORING. Das wäre gerade das Richtige zum Heiraten ... Eine durch und durch vernünftige Frau würde mich binnen sechs Monaten in einen Zustand restloser Verblödung versetzen.

LORD CAVERSHAM. Du verdienst sie nicht, Sir.

LORD GORING. Mein lieber Vater, wenn wir Männer die Frauen heiraten würden, die wir verdienen, wären wir übel daran.

(Mabel Chiltern tritt auf)

MABEL CHILTERN. Oh ...! Guten Morgen, Lord Caversham! Hoffentlich geht es Lady Caversham gut.

LORD CAVERSHAM. Wie üblich, wie üblich.

LORD GORING. Guten Morgen, Miß Mabel!

MABEL CHILTERN *(nimmt überhaupt keine Notiz von ihm und wendet sich ausschließlich an Lord Caversham).* Und Lady Cavershams Hüte – hat ihr Zustand sich gebessert?

LORD CAVERSHAM. Ich muß leider sagen, daß sie einen ernsten Rückfall erlitten haben.

LORD GORING. Guten Morgen, Miß Mabel.

MABEL CHILTERN *(zu Lord Caversham).* Hoffentlich wird sich eine Operation vermeiden lassen.

LORD CAVERSHAM *(quittiert ihre schnippische Bemerkung mit einem Lächeln).* Wenn nicht, dann werden wir Lady Caversham narkotisieren müssen. Sonst wird sie nicht dulden, daß man auch nur die kleinste Feder anrührt.

LORD GORING *(mit gesteigertem Nachdruck).* Guten Morgen, Miß Mabel!

MABEL CHILTERN *(dreht sich mit gespielter Verwunderung zu ihm um).* Ach, Sie sind auch da? Natürlich haben Sie begriffen, daß ich nie wieder mit Ihnen reden werde, nachdem Sie unsere Verabredung nicht eingehalten haben.

LORD GORING. Ach, bitte, sagen Sie das nicht. Sie sind der einzige Mensch in ganz London, von dem ich mir aufrichtig wünsche, daß er mir zuhört.

MABEL CHILTERN. Lord Goring, was *Sie* zu *mir* sagen – und was *ich* zu *Ihnen* sage –, da glaube ich kein Wort!

LORD CAVERSHAM. Sie haben ganz recht, meine Liebe, ganz recht – ich meine, soweit es ihn betrifft.

MABEL CHILTERN. Glauben Sie, daß Sie möglicherweise Ihren Herrn Sohn bewegen könnten, sich ab und zu ein wenig besser zu benehmen – nur der Abwechslung halber?

LORD CAVERSHAM. Ich bedaure sagen zu müssen, Miß Chiltern, daß ich überhaupt keinen Einfluß auf ihn habe. Leider Gottes. Andernfalls wüßte ich schon, wozu ich ihn bewegen würde.

MABEL CHILTERN. Ich fürchte, er gehört zu den erschreckend schwachen Charakteren, die sich nicht beeinflussen lassen.

LORD CAVERSHAM. Er ist ein herzloser, ein sehr herzloser Mensch.

LORD GORING. Ich scheine hier ein bißchen im Wege zu sein.

MABEL CHILTERN. Es wird Ihnen ganz gut bekommen, im Wege zu sein und zu erfahren, was die Leute hinter Ihrem Rücken über Sie sagen.

LORD GORING. Ich erfahre gar nicht gern, was die Leute hinter meinem Rücken über mich sagen. Es macht mich viel zu eitel.

LORD CAVERSHAM. Nach dieser Bemerkung, liebe Miß Mabel, muß ich mich wirklich von Ihnen verabschieden.

MABEL CHILTERN. Oh! Hoffentlich werden Sie mich nicht mit Lord Goring allein lassen! Noch dazu so früh am Tage.

LORD CAVERSHAM. Leider kann ich ihn nicht in die Downing Street mitnehmen. Es ist heute nicht der Tag, an dem der Premierminister die Arbeitslosen empfängt. *(Reicht Mabel Chiltern die Hand, nimmt Hut und Stock, wirft Lord Goring zum Abschied einen entrüsteten Blick zu und geht ab)*

MABEL CHILTERN *(nimmt Rosen zur Hand und arrangiert sie in einer Schale)*. Leute, die ihre Verabredungen im Park nicht einhalten, finde ich gräßlich.

LORD GORING. Verabscheuungswürdig.

MABEL CHILTERN. Ich bin froh, daß Sie es zugeben. Aber Sie sollten dabei nicht so vergnügt dreinschauen.

LORD GORING. Ich kann nichts dafür. Ich schaue immer vergnügt drein, wenn ich mit Ihnen beisammen bin.

MABEL CHILTERN *(bekümmert)*. Dann wäre es wohl meine Pflicht, bei Ihnen zu bleiben.

LORD GORING. Selbstverständlich.

MABEL CHILTERN. Nun, meine Pflicht tue ich grundsätzlich nicht. Es ist mir viel zu deprimierend. Also muß ich Sie leider verlassen.

LORD GORING. Bitte nicht, Miß Mabel! Ich habe Ihnen etwas ganz Besonderes mitzuteilen.

MABEL CHILTERN *(hingerissen)*. Oh – ist es ein Heiratsantrag?

LORD GORING *(ein wenig verdutzt)*. Also, ja, es ist – ich muß zugeben, daß es ein Heiratsantrag ist.

MABEL CHILTERN *(mit einem frohen Seufzer)*. Wie mich das freut! Dann ist es heute schon der zweite.

LORD GORING *(indigniert)*. Heute schon der zweite? Welcher eingebildete Esel ist so frech, daß er es gewagt hat, um Ihre Hand anzuhalten, bevor *ich* um Ihre Hand angehalten habe?

MABEL CHILTERN. Natürlich Tommy Trafford. Heute hatte er wieder einmal seinen Tag. Während der Saison hält er jeden Dienstag und Donnerstag um meine Hand an.

LORD GORING. Sie haben ihm hoffentlich nicht Ihr Jawort gegeben.

MABEL CHILTERN. Ich mache es mir zur Regel, Tommy nie mein Jawort zu geben. Deshalb hält er immer wieder um meine Hand an. Heute früh allerdings – als Sie sich nicht blicken ließen –, hätte ich beinahe ja gesagt. Es wäre eine ausgezeichnete Lektion gewesen – für Sie wie für ihn. Es hätte euch beiden bessere Manieren beigebracht.

LORD GORING. Ach, hol der Teufel Tommy Trafford! Tommy Trafford ist ein alberner Esel. Ich liebe dich.

MABEL CHILTERN. Das weiß ich. Und ich bin der Meinung, Sie hätten es schon längst erwähnen können. Bestimmt habe ich Ihnen dazu reichlich Gelegenheit geboten.

LORD GORING. Mabel, sei ernst. Bitte, sei ernst!

MABEL CHILTERN. Ach, so etwas sagt jeder Mann zu einem jungen Mädchen, bevor er mit ihr verheiratet ist. Nachher nie wieder.

LORD GORING *(nimmt ihre Hand)*. Mabel, ich habe dir gesagt, daß ich dich liebe. Kannst du mir nicht ein bißchen Gegenliebe schenken?

MABEL CHILTERN. Arthur, du Dummkopf! Wenn du etwas von dem verstündest – wovon du nichts verstehst –, dann würdest du wissen, daß ich für dich schwärme. Das weiß in London jeder Mensch außer dir. Es ist geradezu ein öffentlicher Skandal. Seit sechs Monaten erzähle ich überall herum, daß ich für dich schwärme. Mich wundert, daß du dich herbeiläßt, überhaupt noch mit mir zu reden. Ich bin völlig charakterlos. Nur ein charakterloser Mensch kann so glücklich sein wie ich.

LORD GORING *(nimmt sie in seine Arme und küßt sie. Dann schweigen sie beide verzückt. Dann sagt er)*. Liebste! Weißt du, daß ich schreckliche Angst gehabt habe, du würdest mir einen Korb geben?

MABEL CHILTERN *(blickt zu ihm auf)*. Aber dir hat doch wohl noch nie eine Frau einen Korb gegeben, Arthur? So etwas kann ich mir gar nicht vorstellen.

LORD GORING *(nachdem er sie abermals geküßt hat)*. Natürlich bin ich lange nicht gut genug für dich, Mabel.

MABEL CHILTERN *(schmiegt sich eng an ihn an)*. Ach, wie schön! Gerade vor dem Gegenteil hätte ich Angst.

LORD GORING *(nach einigem Zögern)*. Und ich bin – ich bin ein wenig über dreißig.

MABEL CHILTERN. Lieber Arthur, du siehst um Wochen jünger aus.

LORD GORING *(begeistert)*. Wie lieb von dir, daß du das sagst! – ... Und um ganz fair zu sein, muß ich dir offen gestehen, daß ich an Verschwendungssucht leide.

MABEL CHILTERN. Ich doch auch, Arthur! Also werden wir uns bestimmt einigen. Und jetzt muß ich mit Gertrude sprechen.

LORD GORING. Ist das unbedingt nötig? *(Küßt sie)*

MABEL CHILTERN. Ja.

LORD GORING. Dann sag ihr, daß ich besonders dringend mit ihr zu sprechen wünsche. Ich warte hier schon den ganzen Vormittag auf eine Gelegenheit, mit ihr oder mit Robert zu sprechen.

MABEL CHILTERN. Soll das heißen, daß du nicht eigens hierhergeeilt bist, um mir einen Heiratsantrag zu machen?

LORD GORING *(triumphierend)*. Nein – das war ein Geistesblitz!

MABEL CHILTERN. Dein erster.

LORD GORING *(entschlossen)*. Mein letzter.

MABEL CHILTERN. Das höre ich gern. Rühr dich jetzt nicht vom Fleck. In fünf Minuten bin ich wieder da. Und gerate nicht in Versuchung, während ich weg bin.

LORD GORING. Liebe Mabel, solange du weg bist, bin ich gegen jede Versuchung gefeit – und deshalb ganz von dir abhängig.

(Lady Chiltern tritt auf)

LADY CHILTERN. Guten Morgen, Kind! Wie hübsch du aussiehst!

MABEL CHILTERN. Wie blaß du bist, Gertrude! Es steht dir gut.

LADY CHILTERN. Guten Morgen, Lord Goring.

LORD GORING *(mit einer Verbeugung)*. Guten Morgen, Lady Chiltern.

MABEL CHILTERN *(beiseite zu Lord Goring)*. Ich warte im Wintergarten, unter der zweiten Palme links.

LORD GORING. Unter der zweiten links?

MABEL CHILTERN *(mit gespielter Verwunderung)*. Ja – unter der üblichen Palme.

(Ohne daß Lady Chiltern es merkt, wirft sie ihm eine Kußhand zu und geht ab)

LORD GORING. Lady Chiltern, ich habe Ihnen eine ganze Menge guter Nachrichten mitzuteilen. Gestern abend hat Mrs. Cheveley mir Roberts Brief ausgehändigt, und ich habe ihn verbrannt. Robert hat nichts mehr zu befürchten.

LADY CHILTERN *(sinkt aufs Sofa)*. Er hat nichts mehr zu befürchten! Oh! Ich bin so froh. Was sind Sie ihm doch für ein guter Freund – ihm – uns ...!

LORD GORING. Es gibt jetzt nur noch eine Person, von der man behaupten könnte, sie sei gefährdet.

LADY CHILTERN. Nämlich?

LORD GORING *(setzt sich zu ihr)*. Sie.

LADY CHILTERN. Ich! Gefährdet? Was soll das heißen?

LORD GORING. Gefährdet ist ein zu großes Wort. Ein Wort, das ich nicht hätte gebrauchen dürfen. Aber ich gestehe, daß ich Ihnen etwas zu erzählen habe, das Ihnen vielleicht Sorge machen wird – das mir schreckliche Sorge bereitet. Gestern abend haben Sie mir einen sehr schönen, fraulichen Brief geschrieben und mich um Hilfe gebeten. Sie schrieben an mich als an einen Ihrer ältesten Freunde, einen der ältesten Freunde Ihres Mannes. Mrs. Cheveley hat den Brief aus meiner Wohnung gestohlen.

LADY CHILTERN. Was nützt er ihr denn? Warum soll sie ihn nicht haben?

LORD GORING *(steht auf)*. Lady Chiltern, ich will ganz offen sein. Mrs. Cheveley gibt dem Brief eine gewisse Deutung und beabsichtigt, ihn Ihrem Mann zuzusenden.

LADY CHILTERN. Aber welche Deutung könnte sie ihm geben ...? Oh, nur das nicht – nur das nicht! Wenn ich – in Bedrängnis bin – Ihre Hilfe brauche, Vertrauen zu Ihnen habe, Sie aufsuchen will – damit Sie mich beraten, mir behilflich sind ... Oh, gibt es so abscheuliche Frauen? Sie beabsichtigt, den Brief meinem Mann zuzusenden? Berichten Sie, was geschehen ist! Alles ...

LORD GORING. Mrs. Cheveley befand sich ohne mein Wissen in einem Zimmer neben meiner Bibliothek. Ich dachte, die Person, die dort auf mich wartete, wären Sie, Lady Chiltern. Unversehens taucht Robert auf. Ein Stuhl fällt um. Robert erzwingt sich Zutritt zu diesem Zimmer und erblickt Mrs. Cheveley. Es kommt zu einer heftigen Szene zwischen uns. Ich glaube noch immer, daß Sie es sind. Wütend läuft er weg. Zuallerletzt bemächtigt sich Mrs. Cheveley Ihres Briefes – stiehlt ihn – ich weiß nicht, wann oder wie ...

LADY CHILTERN. Um welche Zeit hat sich das abgespielt?

LORD GORING. Um halb elf. Und jetzt schlage ich vor, daß wir beide Robert sofort die ganze Geschichte erzählen.

LADY CHILTERN *(sieht ihn mit einem Staunen an, das an Entsetzen grenzt)*. Ich soll Robert erzählen, daß die Frau, die Sie erwarteten, nicht Mrs. Cheveley war – daß ich es war? Daß Sie glaubten, *ich* sei die Frau, die sich um halb elf Uhr nachts in einem Zimmer Ihres Hauses versteckt hatte? Das soll *ich* ihm erzählen?

LORD GORING. Ich halte es für das beste, ihm reinen Wein einzuschenken.

LADY CHILTERN *(steht auf)*. Nein, das bringe ich nicht fertig ... Das bringe ich nicht fertig ...

LORD GORING. Darf *ich* es ihm erzählen?

LADY CHILTERN. Nein.

LORD GORING *(ernst)*. Sie begehen einen Fehler, Lady Chiltern.

LADY CHILTERN. Nein. Der Brief muß abgefangen werden. Das ist alles. Aber wie? Jeden Augenblick kommen Briefe an – von früh bis Abend. Seine Sekretäre öffnen sie und legen sie ihm vor. Ich kann nicht die Dienstboten bitten, mir seine Briefe zu bringen. Das ist ausgeschlossen ... Warum sagen Sie mir nicht, was ich tun soll?

LORD GORING. Bitte, beruhigen Sie sich, Lady Chiltern, und beantworten Sie die Fragen, die ich Ihnen stellen werde. Sie sagten, daß seine Sekretäre die Briefe öffnen.

LADY CHILTERN. Ja.

LORD GORING. Wer hat heute Dienst? Mr. Trafford, nein?

LADY CHILTERN. Nein – ich glaube, Mr. Montford.

LORD GORING. Können Sie sich auf ihn verlassen?

LADY CHILTERN *(mit einer verzweifelten Handbewegung).* Ach, woher soll ich das wissen?

LORD GORING. Wenn Sie ihn um etwas bitten – wird er es tun?

LADY CHILTERN. Ich nehme es an ...

LORD GORING. Ihr Brief ist auf rosa Papier geschrieben. Er könnte ihn ohne weiteres erkennen, ohne zu lesen, was drinsteht. An der Farbe, nicht wahr?

LADY CHILTERN. Vermutlich.

LORD GORING. Ist er momentan im Hause?

LADY CHILTERN. Ja.

LORD GORING. Dann werde ich selber mit ihm sprechen und ihm sagen, daß ein gewisser, auf rosa Papier geschriebener Brief heute an Robert abgesandt worden ist und ihn um keinen Preis erreichen darf. *(Geht zur Tür und öffnet sie)* Oh – Robert kommt die Treppe herauf. Der Brief hat ihn schon erreicht.

LADY CHILTERN *(mit einem gedämpften Schmerzensruf).* Ach – ihm haben Sie das Leben gerettet – aber was haben Sie mit dem meinen gemacht?

(Sir Robert Chiltern tritt auf. Er hält den Brief in der Hand und liest ihn. Ohne Lord Gorings Anwesenheit zu bemerken, geht er auf seine Frau zu)

SIR ROBERT CHILTERN. ›Ich brauche Hilfe. Mein Vertrauen ist grenzenlos. Ich komme. Gertrude.‹ – Ist das wahr, Gertrude, ist das wahr? Hast du wirklich Vertrauen zu mir – brauchst du mich und meine Hilfe? Da muß *ich* zu *dir* kommen – da mußt doch nicht du schreiben, daß du zu mir kommst! Dieser Brief, Gertrude, macht mich glücklich. Jetzt habe ich das Gefühl – was auch die Welt mir antun mag, es berührt mich nicht mehr. Du brauchst mich, Gertrude.

(Lord Goring, dessen Anwesenheit Sir Robert Chiltern noch immer nicht bemerkt hat, gibt Lady Chiltern ein flehentliches Zeichen, die Situation und Roberts Irrtum zu akzeptieren)

LADY CHILTERN. Ja.

SIR ROBERT CHILTERN. Du hast Vertrauen zu mir.

LADY CHILTERN. Ja.

SIR ROBERT CHILTERN. Warum hast du nicht hinzugefügt, daß du mich liebst?

LADY CHILTERN *(nimmt seine Hand).* Weil ich dich liebe.

(Lord Goring verschwindet in den Wintergarten)

SIR ROBERT CHILTERN *(küßt sie)*. Gertrude, du weißt nicht, wie mir zumute ist. Als Montford mir deinen Brief über den Tisch reichte – er hatte ihn wohl aus Versehen geöffnet, ohne die Handschrift auf dem Umschlag zu beachten –, und ich ihn las – oh! da hat es mir nichts mehr ausgemacht, ob Schande oder Strafe auf mich wartet – da hatte ich nur den einen Gedanken: Sie liebt mich noch immer.

LADY CHILTERN. Es wartet keine Strafe auf dich – und auch keine öffentliche Schande. Mrs. Cheveley hat das Dokument, das in ihrem Besitz war, Lord Goring ausgehändigt. Er hat es vernichtet.

SIR ROBERT CHILTERN. Bist du dessen sicher, Gertrude?

LADY CHILTERN. Ja. Lord Goring hat es mir soeben erzählt.

SIR ROBERT CHILTERN. Dann bin ich gerettet! Oh, was für ein herrliches Gefühl! Zwei Tage lang habe ich gezittert. Jetzt kann mir nichts mehr passieren. Sag mir – wie hat Arthur den Brief vernichtet?

LADY CHILTERN. Er hat ihn verbrannt.

SIR ROBERT CHILTERN. Ach, wie gern hätte ich zugeschaut, wie meine einzige Jugendsünde zu Asche wird. Wie viele würden ach so gern ihre Vergangenheit zu weißer Asche werden sehen! Ist Arthur noch hier?

LADY CHILTERN. Ja, im Wintergarten.

SIR ROBERT CHILTERN. Ich bin so froh, daß ich gestern im Unterhaus die Rede gehalten habe – heilfroh. Ich rechnete damit, daß sie mir einen öffentlichen Skandal eintragen würde. Es ist anders gekommen.

LADY CHILTERN. Sie wird dir öffentliche Ehrungen eintragen.

SIR ROBERT CHILTERN. Das glaube ich auch. Ich befürchte es fast. Denn, Gertrude – obwohl ich keine Bloßstellung mehr zu befürchten habe, obwohl alle Beweise vernichtet sind, nehme ich an, daß ich verpflichtet bin – verpflichtet bin, mich aus dem öffentlichen Leben zurückzuziehen ... *(Fragend sieht er seine Frau an)*

LADY CHILTERN *(eifrig)*. Ja, Robert, ich halte es für richtig – ich halte es für deine Pflicht.

SIR ROBERT CHILTERN. Ein großer Verzicht.

LADY CHILTERN. Nein, ein großer Gewinn.

(Sir Robert Chiltern geht mit beunruhigter Miene auf und ab. Dann bleibt er bei seiner Frau stehen und legt ihr die Hand auf die Schulter)

SIR ROBERT CHILTERN. Und du wärst es zufrieden, irgendwo allein mit mir zu leben, vielleicht im Ausland oder auf dem Lande – fern von London, fern vom öffentlichen Leben? Du würdest es nicht bedauern?

LADY CHILTERN. O nein, Robert.

SIR ROBERT CHILTERN *(betrübt)*. Und dein Ehrgeiz, der mir gegolten hat? Ich sollte eine große Rolle spielen – das war früher einmal dein Ehrgeiz.

LADY CHILTERN. Ach, mein Ehrgeiz! Ich habe keinen mehr – oder nur noch den einen: daß wir einander lieben. *Dein* Ehrgeiz hat dich irregeführt. Reden wir nie mehr vom Ehrgeiz.

(Lord Goring kehrt aus dem Wintergarten zurück, er schaut selbstzufrieden drein und trägt im Knopfloch ein Sträußchen, das ihm jemand zurechtgemacht hat)

SIR ROBERT CHILTERN *(geht ihm entgegen)*. Arthur, ich muß mich bei dir bedanken. Ich weiß nicht, wie ich dir das je vergelten kann. *(Drückt ihm die Hand)*

LORD GORING. Mein lieber Freund, das werde ich dir sofort sagen. In diesem Augenblick – unter der üblichen Palme – ich meine, im Wintergarten ...

(Mason tritt auf)

MASON. Lord Caversham.

LORD GORING. Mein bewundernswerter Vater macht es sich tatsächlich zur Gewohnheit, im unrechten Augenblick hereinzuschneien. Das ist sehr herzlos von ihm, wirklich sehr herzlos.

(Lord Caversham tritt auf. Mason geht ab)

LORD CAVERSHAM. Guten Morgen, Lady Chiltern. Meinen wärmsten Glückwunsch, Chiltern, zu Ihrer brillanten Rede in der gestrigen Unterhaussitzung. Ich war soeben beim Premierminister. Sie erhalten den vakanten Sitz im Kabinett.

SIR ROBERT CHILTERN *(Freude und Triumph im Blick)*. Einen Sitz im Kabinett?

LORD CAVERSHAM. Ja. Hier ist der Brief des Premierministers. *(Überreicht den Brief)*

SIR ROBERT CHILTERN *(nimmt den Brief zur Hand und liest ihn).* Einen Sitz im Kabinett!

LORD CAVERSHAM. Freilich, und Sie haben ihn auch redlich verdient. Sie besitzen, was wir heutzutage in der Politik so oft vermissen – Charakter, Sittenstrenge, Prinzipien. *(Zu Lord Goring)* All das, was du nicht hast, Sir, und nie haben wirst.

LORD GORING. Ich mag Prinzipien nicht, Papa. Vorurteile sind mir lieber.

(Sir Robert Chiltern ist nahe dran, das Angebot des Premierministers zu akzeptieren, da merkt er, wie seine Frau ihn mit klarem, offenem Blick betrachtet. Er begreift, was sie meint)

SIR ROBERT CHILTERN. Ich kann das Angebot nicht akzeptieren, Lord Caversham. Ich bin entschlossen, es abzulehnen.

LORD CAVERSHAM. Ablehnen, Sir?

SIR ROBERT CHILTERN. Ich habe die Absicht, mich unverzüglich aus dem öffentlichen Leben zurückzuziehen.

LORD CAVERSHAM *(ärgerlich).* Einen Ministersessel ablehnen und sich aus dem öffentlichen Leben zurückziehen? Das ist der größte Unsinn, den ich je in meinem Dasein gehört habe, gottverdammich! Verzeihung, Lady Chiltern ... Chiltern, ich bitte um Verzeihung. *(Zu Lord Goring)* Lach nicht, Sir!

LORD GORING. Nein, Papa.

LORD CAVERSHAM. Lady Chiltern. Sie sind eine vernünftige Frau. Die vernünftigste Frau in ganz London, die vernünftigste Frau, die ich kenne. Wollen Sie gütigst Ihren Gatten davon abhalten, so was – hm – zu tun – so was – hm – zu sagen ...? Ich bitte Sie darum, Lady Chiltern.

LADY CHILTERN. Ich halte den Entschluß meines Mannes für richtig. Ich billige ihn.

LORD CAVERSHAM. Sie billigen ihn? Allmächtiger Himmel!

LADY CHILTERN *(nimmt ihren Mann bei der Hand).* Ich bewundere meinen Mann. Ich habe ihn nie zuvor so aufrichtig bewundert. Er ist doch bewundernswerter, als ich je geglaubt habe, *(Zu Sir Robert Chiltern)* Du schreibst sofort an den Premierminister, nicht wahr? Schieb es nicht auf, Robert.

SIR ROBERT CHILTERN *(mit einem bitteren Unterton).* Ja, es ist wohl am besten, wenn ich sofort schreibe. Solche Angebote werden nicht wiederholt. Ich bitte Sie, mich für einen Augenblick zu entschuldigen, Lord Caversham.

LADY CHILTERN. Darf ich mitkommen, Robert, darf ich ...?

SIR ROBERT CHILTERN. Ja, Gertrude.

(Lady Chiltern geht mit ihm ab)

LORD CAVERSHAM. Was ist denn mit dieser Familie los? Hier oben nicht ganz richtig, wie? *(Klopft sich an die Schläfe).* Idiotie? Vielleicht erblich. Noch dazu beide. Frau und Mann. Sehr traurig. Wirklich sehr traurig! Dabei ist es gar keine alte Familie. Ich verstehe es nicht.

LORD GORING. Es ist nicht Idiotie, Papa, das darfst du mir glauben.

LORD CAVERSHAM. Was denn sonst, Sir?

LORD GORING *(nach einigem Zögern).* Das, was man heutzutage Charakter, Sittenstrenge, Prinzipien nennt, Papa. Weiter nichts.

LORD CAVERSHAM. Ich kann diese neumodischen Ausdrücke nicht leiden. Vor fünfzig Jahren hat man es schlecht und recht als Idiotie bezeichnet. In diesem Haus bleibe ich nicht länger.

LORD GORING *(nimmt ihn beim Arm).* Ach, geh doch mal schnell dort hinein, Papa. Zweite Palme links, die übliche Palme.

LORD CAVERSHAM. Wie bitte, Sir?

LORD GORING. Verzeihung, Papa – ich vergaß ... Im Wintergarten, Papa – im Wintergarten ist jemand, mit dem du reden sollst.

LORD CAVERSHAM. Worüber, Sir?

LORD GORING. Über mich, Papa.

LORD CAVERSHAM *(ingrimmig).* Ein Thema, das nicht viel Beredsamkeit erfordert.

LORD GORING. Nein, Papa – aber die Dame ist wie ich. Sie macht sich nicht viel aus der Beredsamkeit anderer Leute. Und findet sie aufdringlich.

(Lord Caversham begibt sich in den Wintergarten. Lady Chiltern tritt auf)

LORD GORING. Lady Chiltern, warum spielen Sie mit Mrs. Cheveleys Karten?

LADY CHILTERN *(stutzt).* Ich verstehe nicht, was Sie meinen.

LORD GORING. Mrs. Cheveley hat versucht, Ihren Mann zugrunde zu richten – ihn entweder aus dem öffentlichen Leben zu verjagen oder ihm eine unehrenhafte Handlungsweise aufzuzwingen. Vor der einen Tragödie haben Sie ihn bewahrt. In die andere wollen Sie ihn jetzt hineinhetzen. Warum tun Sie ihm das Unrecht an, das Mrs. Cheveley ihm antun wollte, ohne daß es ihr geglückt ist?

LADY CHILTERN. Lord Goring?

LORD GORING *(nimmt alle Kraft zusammen und kehrt den Philosophen hervor, der hinter dem Dandy steckt)*. Lady Chiltern, gestatten Sie ... Gestern abend haben Sie mir einen Brief geschrieben, in dem es heißt, daß Ihr Vertrauen zu mir keine Grenzen kennt und daß Sie meine Hilfe brauchen. Jetzt ist der Augenblick da, wo Sie wirklich meine Hilfe brauchen, jetzt ist es an der Zeit, mir Ihr Vertrauen zu schenken, sich auf meinen Rat und auf mein Urteil zu verlassen. Sie lieben Robert. Wollen Sie *seine* Liebe auslöschen? Was für ein Dasein steht ihm bevor, wenn Sie ihm die Früchte seines Ehrgeizes rauben, wenn Sie ihn um den Glanz einer stolzen politischen Laufbahn bringen, wenn Sie ihm die Tore des öffentlichen Lebens verschließen, wenn Sie ihn zu einem sterilen Vegetieren verdammen, ihn, der für den Sieg und den Erfolg geschaffen ist? Die Frauen sind nicht dazu da, den Stab über uns zu brechen, sondern uns zu verzeihen, wenn wir Verzeihung nötig haben. Gnade, nicht Strafe ist ihre Mission. Warum ihn für eine Sünde geißeln, die er in seiner Jugend begangen hat – bevor er Sie kannte, bevor er sich selber kannte? Das Leben eines Mannes ist wertvoller als das Leben einer Frau. Er setzt sich höhere Ziele, hat einen weiteren Gesichtskreis und größeren Ehrgeiz. Das Leben einer Frau dreht sich im Kreis der Gefühle. Auf den Bahnen der Vernunft schreitet das Leben des Mannes voran. Begehen Sie nicht einen schrecklichen Fehler, Lady Chiltern. Eine Frau, die die Liebe eines Mannes behalten kann und sie erwidert, hat alles getan, was die Welt von den Frauen verlangen darf oder verlangen sollte.

LADY CHILTERN *(verwirrt und zögernd)*. Aber Robert selbst will sich aus dem öffentlichen Leben zurückziehen. Er fühlt sich dazu verpflichtet. Er hat es gesagt.

LORD GORING. Um Ihre Liebe nicht zu verlieren, wäre Robert zu allem bereit. Er würde ohne Zögern seine Laufbahn opfern – wie er es schon beschlossen hat. Es ist ein erschreckendes Opfer, das er Ihnen bringt. Folgen Sie meinem Rat, Lady Chiltern – nehmen Sie ein so großes Opfer nicht an. Sonst werden Sie es bitter bereuen. Wir Menschen sind nicht dazu geschaffen, uns von unseren Mitmenschen solche Opfer bringen zu lassen. Wir verdienen sie nicht. Außerdem ist Robert schon genug bestraft worden.

LADY CHILTERN. Wir sind beide bestraft worden. Ich hatte zu viel von ihm gehalten.

LORD GORING *(mit tiefer Empfindung)*. Halten Sie nicht aus diesem Grunde jetzt allzuwenig von ihm. Wenn er vom Altar gestürzt ist – stoßen Sie ihn nicht in den Sumpf des Verzichts. Er würde es als beschämend empfinden, seine Karriere gescheitert zu sehen. Macht ist seine Leidenschaft. Er würde alles verlieren, auch die Fähigkeit zu lieben. Sie haben in diesem Augenblick das Leben Ihres Mannes in der Hand – Sie haben seine Liebe in der Hand – zerstören Sie ihm nicht beides!

(Sir Robert Chiltern tritt auf)

SIR ROBERT CHILTERN. Gertrude, hier ist der Entwurf meines Briefes. Soll ich ihn dir vorlesen?

LADY CHILTERN. Gib ihn mir.

(Sir Robert reicht ihr den Brief. Sie liest ihn und zerreißt ihn dann mit einer heftigen Handbewegung)

SIR ROBERT CHILTERN. Was fällt dir ein?

LADY CHILTERN. ›Das Leben eines Mannes ist wertvoller als das einer Frau. Er setzt sich höhere Ziele, hat einen weiteren Gesichtskreis und größeren Ehrgeiz. Unser Leben bewegt sich im Kreis der Gefühle. Auf den Bahnen der Vernunft schreitet der Mann voran ...‹ Das – und noch so manches andere – habe ich soeben von Lord Goring gelernt. Ich denke nicht daran, dir dein Leben zu zerstören oder zu dulden, daß du es zerstörst, um mir ein Opfer zu bringen – ein nutzloses Opfer.

SIR ROBERT CHILTERN. Gertrude – Gertrude!

LADY CHILTERN. Du wirst alles vergessen. Männer vergessen leicht. Und ich verzeihe dir alles. So helfen die Frauen der Welt. Das habe ich eingesehen.

SIR ROBERT CHILTERN *(umarmt sie, von seinen Gefühlen über-*

wältigt). Meine Gertrude! Meine Gertrude! *(Zu Lord Goring)* Arthur, mir scheint, ich werde ewig in deiner Schuld stehen.

LORD GORING. Ach, du lieber Gott, nein, Robert. Deiner Frau bist du Dank schuldig, nicht mir.

SIR ROBERT CHILTERN. Ich verdanke dir viel. Und sag mir jetzt, was du mich fragen wolltest, bevor Lord Caversham hereinkam.

LORD GORING. Robert, du bist der Vormund deiner Schwester, und ich bitte dich, in meine Heirat mit ihr einzuwilligen. Das ist alles.

LADY CHILTERN. Oh, wie mich das freut! Wie mich das freut! *(Sie drückt Lord Goring die Hand)*

SIR ROBERT CHILTERN *(bestürzt).* Meine Schwester soll deine Frau werden?

LORD GORING. Ja.

SIR ROBERT CHILTERN *(mit fester Stimme).* Arthur, es tut mir sehr leid – aber so etwas kommt nicht in Frage. Ich muß an Mabels künftiges Glück denken. Und ich glaube nicht, daß ihr Glück an deiner Seite gesichert sein würde. Ich kann sie nicht opfern.

LORD GORING. Opfern!

SIR ROBERT CHILTERN. Ja, opfern. Eine lieblose Ehe ist etwas Fürchterliches. Aber es gibt noch Schlimmeres als eine völlig lieblose Ehe. Eine Ehe, in der zwar Liebe da ist, aber nur bei dem einen Partner – Treue, aber nur bei dem einen Partner – Hingabe, aber nur bei dem einen Partner: Da wird unweigerlich eines der beiden Herzen brechen.

LORD GORING. Ich liebe Mabel. Keine andere Frau spielt eine Rolle in meinem Leben.

LADY CHILTERN. Wenn sie einander lieben, Robert, warum sollen sie dann nicht heiraten?

SIR ROBERT CHILTERN. Arthur kann Mabel nicht die Liebe schenken, die sie verdient.

LORD GORING. Was berechtigt dich zu dieser Behauptung?

SIR ROBERT CHILTERN *(nach einer Pause).* Verlangst du wirklich von mir, daß ich es sage?

LORD GORING. Selbstverständlich.

SIR ROBERT CHILTERN. Wie du willst ... Als ich dich gestern abend aufsuchte, hattest du Mrs. Cheveley in deiner Wohnung versteckt. Es war zwischen zehn und halb elf Uhr nachts. Mehr möchte ich nicht sagen. Deine Beziehung zu Mrs. Cheveley hat, wie ich schon gestern betonte, nichts mit mir zu tun. Ich weiß, daß du einmal mit ihr verlobt warst. Jetzt scheinst du wieder in ihren Bannkreis geraten zu sein. Du hast sie mir gegenüber gestern abend als einen reinen und untadeligen Menschen bezeichnet – als eine Frau, die du achtest und ehrst. Gut und schön. Aber ich kann dir unmöglich das Leben meiner Schwester anvertrauen. Das wäre falsch. Und ein Unrecht an ihr, ein schändliches Unrecht ...

LORD GORING. Ich habe nichts dazu zu sagen.

LADY CHILTERN. Robert – es war nicht Mrs. Cheveley, die Lord Goring gestern abend erwartete.

SIR ROBERT CHILTERN. Nicht Mrs. Cheveley? Wer denn?

LORD GORING. Lady Chiltern.

LADY CHILTERN. Ja, deine Frau, Robert ... Gestern nachmittag hatte Lord Goring zu mir gesagt, wenn ich je in Schwierigkeiten geriete, dürfe ich mich an ihn wenden, da er unser ältester und bester Freund sei. Später – nach dem schrecklichen Auftritt, der sich in diesem Zimmer abgespielt hat – schrieb ich ihm, daß ich ihn brauchte, daß ich grenzenloses Vertrauen zu ihm hätte, daß ich ihn aufsuchen würde, um seine Hilfe und seinen Rat zu erbitten ... *(Sir Robert Chiltern zieht den Brief aus der Tasche)* Ja, diesen Brief ... Dann aber ging ich doch nicht zu ihm. Ich hatte das Gefühl, daß nur wir selber uns helfen können. Das sagte mir mein Stolz. Mrs. Cheveley hat Lord Goring aufgesucht. Sie hat meinen Brief gestohlen und ihn dir heute früh anonym zugesandt, damit du dir einbildest ... Ach, Robert, ich mag es nicht aussprechen ...

SIR ROBERT CHILTERN. Wie? War ich in deinen Augen so tief gesunken? Hast du mir auch nur eine Sekunde lang zugetraut, daß ich an deiner Anständigkeit zweifle? Gertrude, Gertrude, für mich bist du die Verkörperung alles Guten. An dich kann die Sünde nicht heran ... Arthur, geh zu Mabel. Meine besten Wünsche begleiten dich ... Ach – einen Augenblick! Der Brief beginnt ohne Anrede. Das scheint der schlauen Mrs. Cheveley entgangen zu sein! Es müßte ein Name dastehen.

LADY CHILTERN. Ich will deinen Namen schreiben. Du bist es, dem ich vertraue, den ich brauche. Du und kein anderer.

LORD GORING. Also, Lady Chiltern, ich finde, Sie sollten mir meinen Brief zurückgeben.

LADY CHILTERN *(lächelnd)*. Nein. Sie bekommen Mabel. *(Nimmt den Brief zur Hand und schreibt den Namen ihres Mannes)*

LORD GORING. Hoffentlich hat sie sich nicht anders besonnen. Es ist fast eine Viertelstunde her, seit ich sie zuletzt gesehen habe.

(Mabel Chiltern und Lord Caversham treten auf)

MABEL CHILTERN. Lord Goring, ich finde die Konversation Ihres Vaters viel lehrreicher als die Ihre. In Zukunft werde ich mich nur noch mit Lord Caversham unterhalten – und zwar stets unter der üblichen zweiten Palme.

LORD GORING. Darling! *(Küßt sie)*

LORD CAVERSHAM *(reichlich verdutzt)*. Was soll das bedeuten, Sir? Du willst doch wohl nicht behaupten, daß diese reizende, kluge junge Dame so dumm war, dich zu akzeptieren?

LORD GORING. Aber ja, Papa! Und Chiltern war klug genug, den Kabinettssitz zu akzeptieren.

LORD CAVERSHAM. Das höre ich mit Freuden, Chiltern. Ich gratuliere, Sir. Wenn das Land nicht vor die Hunde geht oder den Radikalen in die Hände fällt, werden wir Sie eines Tages als Premierminister begrüßen.

(Mason tritt auf)

MASON. Das Mittagessen ist serviert, Mylady! *(Ab)*

MABEL CHILTERN. Sie essen doch bei uns, Lord Caversham?

LORD CAVERSHAM. Mit Vergnügen ... Nachher fahre ich Sie in die Downing Street, Chiltern. Sie haben eine große Zukunft vor sich – eine große Zukunft. *(Zu Lord Goring)* Wenn ich das nur auch von dir sagen könnte, Sir! Aber deine Karriere wird sich auf den engsten Familienkreis beschränken.

LORD GORING. Ja, Papa – das ist mir bedeutend lieber.

LORD CAVERSHAM. Und wenn du dieser jungen Dame kein idealer Gatte bist, enterbe ich dich.

MABEL CHILTERN. Ein idealer Gatte! So etwas wäre mir gar nicht recht. Es klingt nach einer Stimme aus dem Jenseits.

LORD CAVERSHAM. Wie also wünschen Sie sich Ihren Gatten, liebes Kind?

MABEL CHILTERN. Wie es ihm beliebt. Ich habe nur einen Wunsch: ihm – ach ja, ihm eine richtige Gattin zu sein.

LORD CAVERSHAM. Auf mein Wort, da steckt viel gesunder Menschenverstand dahinter, Lady Chiltern.

(Alle ab bis auf Sir Robert Chiltern. Er setzt sich, in Gedanken versunken. Nach einer Weile kehrt Lady Chiltern zurück, um zu sehen, wo er bleibt)

LADY CHILTERN *(beugt sich über die Rücklehne des Sessels).* Kommst du nicht zu Tisch, Robert?

SIR ROBERT CHILTERN *(nimmt ihre Hand).* Gertrude, was du für mich empfindest – ist es Liebe oder nur Mitleid?

LADY CHILTERN *(küßt ihn).* Es ist Liebe, Robert. Liebe – nichts als Liebe. Für uns beide fängt ein neues Leben an.

Vorhang

Salome

Tragödie in einem Akt

Personen

Herodes Antipas, *Tetrarch von Judäa*
Jochanaan, *der Prophet*
Der junge Syrier, *Hauptmann der Wache*
Tigellinus, *ein junger Römer*
Ein Kappadozier
Ein Nubier
Erster Soldat
Zweiter Soldat
Der Page der Herodias
Ein Sklave
Juden
Nazarener
Naaman, *der Scharfrichter*
Herodias, *Gemahlin des Tetrarchen*
Salome, *Tochter der Herodias*
Die Sklavinnen der Salome

Eine große Terrasse im Palast des Herodes, die an den Bankettsaal stößt. Einige Soldaten lehnen sich über die Brüstung. Rechts eine mächtige Treppe, links im Hintergrund eine alte Zisterne mit einer Einfassung aus grüner Bronze. Der Mond scheint sehr hell.

DER JUNGE SYRIER. Wie schön ist die Prinzessin Salome heute nacht!

DER PAGE DER HERODIAS. Sieh die Mondscheibe! Wie seltsam sie aussieht. Wie eine Frau, die aus dem Grab aufsteigt. Wie eine tote Frau. Man könnte meinen, sie blickt nach toten Dingen aus.

DER JUNGE SYRIER. Sie ist sehr seltsam. Wie eine kleine Prinzessin, die einen gelben Schleier trägt und deren Füße von Silber sind. Wie eine kleine Prinzessin, deren Füße weiße Tauben sind. Man könnte meinen, sie tanzt.

DER PAGE DER HERODIAS. Wie eine Frau, die tot ist. Sie gleitet langsam dahin.

(Lärm im Bankettsaal)

ERSTER SOLDAT. Was für ein Aufruhr! Was sind das für wilde Tiere, die da heulen?

ZWEITER SOLDAT. Die Juden. Sie sind immer so. Sie streiten über ihre Religion.

ERSTER SOLDAT. Warum streiten sie über ihre Religion?

ZWEITER SOLDAT. Ich weiß es nicht. Sie tun das immer. Die Pharisäer zum Beispiel sagen, daß es Engel gibt, und die Sadduzäer behaupten, daß es keine gibt.

ERSTER SOLDAT. Ich finde es lächerlich, über solche Dinge zu streiten.

DER JUNGE SYRIER. Wie schön ist die Prinzessin Salome heute abend!

DER PAGE DER HERODIAS. Du siehst sie immer an. Du siehst sie zuviel an. Es ist gefährlich, Menschen auf diese Art anzusehn. Schreckliches kann geschehen.

DER JUNGE SYRIER. Sie ist sehr schön heute abend.

ERSTER SOLDAT. Der Tetrarch sieht finster drein.

ZWEITER SOLDAT. Ja, er sieht finster drein.

ERSTER SOLDAT. Er blickt auf etwas.

ZWEITER SOLDAT. Er blickt auf jemanden.

ERSTER SOLDAT. Auf wen blickt er?

ZWEITER SOLDAT. Ich weiß nicht.

DER JUNGE SYRIER. Wie blaß die Prinzessin ist. Niemals habe ich sie so blaß gesehen. Sie ist wie der Schatten einer weißen Rose in einem silbernen Spiegel.

DER PAGE DER HERODIAS. Du mußt sie nicht ansehn. Du siehst sie zuviel an.

ERSTER SOLDAT. Herodias hat den Becher des Tetrarchen gefüllt.

DER KAPPADOZIER. Ist das die Königin Herodias dort mit dem perlenbesetzten schwarzen Kopfputz und dem blauen Puder im Haar?

ERSTER SOLDAT. Ja, das ist Herodias, die Frau des Tetrarchen.

ZWEITER SOLDAT. Der Tetrarch liebt den Wein sehr. Er hat drei Sorten Wein. Den einen bringt man von der Insel Samothrake, er ist purpurn wie der Mantel des Cäsar.

DER KAPPADOZIER. Ich habe Cäsar nie gesehn.

ZWEITER SOLDAT. Der zweite kommt aus einer Stadt namens Zypern und ist gelb wie Gold.

DER KAPPADOZIER. Ich liebe Gold.

ZWEITER SOLDAT. Und der dritte ist ein Wein aus Sizilien. Dieser Wein ist rot wie Blut.

DER NUBIER. Die Götter meines Landes lieben Blut sehr. Zweimal im Jahr opfern wir ihnen Jünglinge und Jungfrauen: fünfzig Jünglinge und fünfzig Jungfrauen. Aber ich fürchte, wir geben ihnen nie genug, denn sie sind sehr hart gegen uns.

DER KAPPADOZIER. In meinem Lande sind keine Götter mehr. Die Römer haben sie ausgetrieben. Einige sagen, sie hielten sich in den Bergen versteckt, aber ich glaube es nicht. Drei Nächte bin ich in den Bergen gewesen und habe sie überall gesucht. Ich fand sie nicht, und zuletzt rief ich sie beim Namen, aber sie kamen nicht. Sie sind wohl tot.

ERSTER SOLDAT. Die Juden beten einen Gott an, den man nicht sehen kann.

DER KAPPADOZIER. Ich kann das nicht verstehen.

ERSTER SOLDAT. Wirklich, sie glauben nur an Dinge, die man nicht sehen kann.

DER KAPPADOZIER. Das finde ich ganz und gar lächerlich.

DIE STIMME DES JOCHANAAN. Nach mir wird einer kommen, der ist stärker als ich. Ich bin nicht wert, ihm die Riemen an seinen Schuhen zu lösen. Wenn er kommt, werden die verödeten Stätten frohlocken. Sie werden aufblühen wie die Rosen. Die Augen der Blinden werden den Tag sehen, und die Ohren der Tauben werden geöffnet. Das Kind wird an der Höhle des Drachen spielen, es wird die Löwen an ihren Mähnen führen.

ZWEITER SOLDAT. Heiß ihn schweigen! Er sagt immer lächerliche Dinge.

ERSTER SOLDAT. Nein, nein, er ist ein heiliger Mann. Und er ist sehr sanft. Jeden Tag, wenn ich ihm zu essen gebe, dankt er mir.

DER KAPPADOZIER. Wer ist es?

ERSTER SOLDAT. Ein Prophet.

DER KAPPADOZIER. Wie ist sein Name?

ERSTER SOLDAT. Jochanaan.

DER KAPPADOZIER. Woher kommt er?

ERSTER SOLDAT. Aus der Wüste, wo er sich von Heuschrecken und wildem Honig nährte. Er trug ein Kleid von Kamelhaaren und um die Lenden einen ledernen Gürtel. Er war sehr schrecklich anzusehn. Eine große Schar war immer um ihn. Er hatte auch Jünger, die ihm folgten.

DER KAPPADOZIER. Wovon redet er?

ERSTER SOLDAT. Das kann man nie wissen. Manchmal sagt er Dinge, die einen erschrecken, aber es ist unmöglich zu verstehen, was er sagt.

DER KAPPADOZIER. Kann man ihn sehen?

ERSTER SOLDAT. Nein, der Tetrarch hat es verboten.

DER JUNGE SYRIER. Die Prinzessin verbirgt ihr Gesicht hinter dem Fächer. Ihre kleinen weißen Hände flattern wie Tauben, wenn sie in den Schlag fliegen. Sie sind wie weiße Schmetterlinge. Sie sind genau wie weiße Schmetterlinge.

DER PAGE DER HERODIAS. Was geht es dich an? Warum siehst du sie an? Du sollst sie nicht ansehn ... Schreckliches kann geschehen.

DER KAPPADOZIER *(auf die Zisterne zeigend)*. Ein sonderbares Gefängnis.

ZWEITER SOLDAT. Es ist eine alte Zisterne.

DER KAPPADOZIER. Eine alte Zisterne? Das muß ein mörderischer Ort zum Wohnen sein.

ZWEITER SOLDAT. O nein! Zum Beispiel, des Tetrarchen Bruder, sein älterer Bruder, der erste Mann der Königin Herodias, war da zwölf Jahre gefangen. Es hat ihn nicht umgebracht. Nach Verlauf der zwölf Jahre mußte man ihn erdrosseln.

DER KAPPADOZIER. Erdrosseln? Wer wagte das?

ZWEITER SOLDAT *(deutet auf den Henker, einen riesigen Neger)*. Der Mann dort, Naaman.

DER KAPPADOZIER. Fürchtete er sich nicht?

ZWEITER SOLDAT. O nein, der Tetrarch sandte ihm den Ring.

DER KAPPADOZIER. Was für einen Ring?

ZWEITER SOLDAT. Den Todesring. Da fürchtete er sich nicht.

DER KAPPADOZIER. Es ist aber doch etwas Schreckliches, einen König zu erdrosseln.

ERSTER SOLDAT. Wieso? Könige haben auch nur einen Hals wie andere Leute.

DER KAPPADOZIER. Ich finde es schrecklich.

DER JUNGE SYRIER. Die Prinzessin erhebt sich! Sie verläßt die Tafel. Sie ist sehr erregt. Sie kommt hierher. Ja, sie kommt auf uns zu. Wie blaß sie ist. Ich habe sie nie so blaß gesehn.

DER PAGE DER HERODIAS. Sieh sie nicht an. Ich bitte dich, sieh sie nicht an.

DER JUNGE SYRIER. Sie ist wie eine Taube, die sich verirrt hat ... Sie ist wie eine Narzisse, die im Winde zittert ... Sie ist wie eine silberne Blume.

(Salome tritt ein)

SALOME. Ich will nicht bleiben. Ich kann nicht bleiben. Warum sieht mich der Tetrarch fortwährend so an mit seinen Maulwurfsaugen unter den zuckenden Lidern? Es ist seltsam, daß der Mann meiner Mutter mich so ansieht. Ich weiß nicht, was es heißen soll. In Wahrheit – ich weiß es nur zu gut.

DER JUNGE SYRIER. Ihr habt das Fest verlassen, Prinzessin?

SALOME. Wie süß die Luft hier ist. Hier kann ich atmen. Da drinnen sitzen Juden aus Jerusalem, die sich einander über ihre närrischen Gebräuche in Stücke reißen, und Barbaren, die trinken und trinken und ihren Wein auf den Estrich schütten, und Griechen aus Smyrna mit bemalten Augen und Backen, mit ihrem gekräuselten Haar und ihren Säulenlocken, und schweigsame, listige Ägypter mit langen Achatnägeln und rostbraunen Mänteln, und brutale ungeschlachte Römer mit ihrer plumpen Sprache. Oh, wie ich diese Römer hasse! Sie sind grob und gemein und geben sich das Ansehen, als ob sie Fürsten wären.

DER JUNGE SYRIER. Wollt Ihr nicht sitzen, Prinzessin?

DER PAGE DER HERODIAS. Warum sprichst du zu ihr? Oh, es wird Schreckliches geschehen. Warum siehst du sie an?

SALOME. Wie gut ist es, in den Mond zu sehen. Er ist wie eine silberne Blume. Kühl und keusch. Wie eine Jungfrau. Ja, wie die Schönheit einer Jungfrau. Gewiß, wie eine Jungfrau, die rein geblieben ist. Die sich nie Männern preisgegeben hat wie die andern Göttinnen.

DIE STIMME DES JOCHANAAN. Siehe! Der Herr ist gekommen. Des Menschen Sohn ist nahe. Die Zentauren haben sich in die Ströme geflüchtet, und die Nymphen haben die Ströme verlassen und liegen unter den Blättern des Waldes begraben.

SALOME. Wer war das, der hier gerufen hat?

ZWEITER SOLDAT. Der Prophet, Prinzessin.

SALOME. Ach, der Prophet! Der, vor dem der Tetrach Angst hat?

ZWEITER SOLDAT. Wir wissen davon nichts, Prinzessin. Es war der Prophet Jochanaan, der gerufen hat.

DER JUNGE SYRIER. Beliebt es Euch, daß ich Eure Sänfte holen lasse, Prinzessin? Die Nacht ist schön im Garten.

SALOME. Er sagt schreckliche Dinge über meine Mutter, nicht wahr?

ZWEITER SOLDAT. Wir verstehen nie, was er sagt, Prinzessin.

SALOME. Ja, er sagt schreckliche Dinge über sie.

(Ein Sklave tritt ein)

DER SKLAVE. Prinzessin, der Tetrarch ersucht Euch, wieder zum Fest hineinzugehn.

SALOME. Ich will nicht hineingehn.

DER JUNGE SYRIER. Verzeihung, Prinzessin, aber wenn Ihr nicht hineingeht, kann Schlimmes geschehen.

SALOME. Ist dieser Prophet ein alter Mann?

DER JUNGE SYRIER. Prinzessin, es wäre besser, hineinzugehen. Gestattet, daß ich Euch führe.

SALOME. Ist der Prophet ein alter Mann?

ERSTER SOLDAT. Nein, Prinzessin, er ist ganz jung.

ZWEITER SOLDAT. Man kann es nicht sicher wissen. Welche sagen, es sei Elias.

SALOME. Wer ist Elias?

ZWEITER SOLDAT. Ein Prophet dieses Landes aus vergangenen Tagen, Prinzessin.

DER SKLAVE. Welche Antwort soll ich dem Tetrarchen von der Prinzessin bringen?

DIE STIMME DES JOCHANAAN. Jauchze nicht, du Land Palästina, weil der Stab dessen, der dich schlug, zerbrochen ist. Denn aus dem Samen der Schlange wird ein Basilisk kommen, und seine Brut wird die Vögel verschlingen.

SALOME. Welch seltsame Stimme! Ich möchte mit ihm sprechen.

ERSTER SOLDAT. Ich fürchte, das kann nicht sein, Prinzessin. Der Tetrarch duldet nicht, daß irgendwer mit ihm spricht. Er hat selbst dem Hohenpriester verboten, mit ihm zu sprechen.

SALOME. Ich wünsche mit ihm zu sprechen.

ERSTER SOLDAT. Es ist unmöglich, Prinzessin.

SALOME. Ich will mit ihm sprechen.

DER JUNGE SYRIER. Wäre es nicht besser, wieder zum Bankett zu gehen?

SALOME. Bringt diesen Propheten heraus.

(Der Sklave geht ab)

ERSTER SOLDAT. Wir dürfen nicht, Prinzessin.

SALOME *(tritt an die Zisterne heran und blickt hinunter).* Wie schwarz es da drunten ist! Es muß schrecklich sein, in so einer schwarzen Höhle zu leben. Es ist wie eine Gruft ... *(Zu den Soldaten)* Habt ihr nicht gehört? Bringt den Propheten heraus. Ich möchte ihn sehen.

ZWEITER SOLDAT. Prinzessin, ich bitte Euch, verlangt das nicht von uns.

SALOME. Ich soll wohl warten, bis es euch beliebt?

ERSTER SOLDAT. Prinzessin, unser Leben gehört Euch, aber wir können nicht tun, was Ihr von uns begehrt. Und Ihr solltet das wirklich von uns nicht verlangen.

SALOME *(einen Blick auf den jungen Syrier werfend).* Ah!

DER PAGE DER HERODIAS. Oh, was wird geschehen? Ich weiß, es wird Schreckliches geschehen.

SALOME *(tritt an den jungen Syrier heran).* Du wirst das für mich tun, Narraboth, nicht wahr? Du wirst das für mich tun. Ich war dir immer gewogen. Du wirst es für mich tun. Ich möchte ihn bloß sehen, diesen seltsamen Propheten. Die Leute haben so viel von ihm gesprochen. Ich habe den Tetrarchen oft von ihm sprechen hören. Ich glaube, der Tetrarch hat Angst vor ihm. Hast du auch Angst vor ihm, Narraboth, du auch?

DER JUNGE SYRIER. Ich fürchte ihn nicht, Prinzessin; ich fürchte niemanden. Aber der Tetrarch hat es ausdrücklich verboten, daß irgendwer den Deckel zu diesem Brunnen aufhebt.

SALOME. Du wirst das für mich tun, Narraboth, und morgen, wenn ich in meiner Sänfte an dem Torweg, wo die Götzenbildhändler stehen, vorbeikomme, werde ich eine kleine Blume für dich fallen lassen, ein kleines grünes Blümchen.

DER JUNGE SYRIER. Prinzessin, ich kann nicht, ich kann nicht.

SALOME *(lächelnd).* Du wirst das für mich tun, Narraboth. Du weißt, daß du das für mich tun wirst. Und morgen früh, wenn ich in meiner Sänfte an der Brücke vorbeikomme, wo man Götzenbilder kauft, werde ich unter den Musselinschleiern dir einen Blick zuwerfen, Narraboth, ich werde dich ansehn, kann sein, ich werde dir zulächeln. Sieh mich an, Narraboth, sieh mich an. Ah! wie gut du weißt, daß du tun wirst, um was ich dich bitte! Wie du es weißt ... Ich weiß, du wirst das tun.

DER JUNGE SYRIER *(gibt dem dritten Soldaten ein Zeichen).* Laß den Propheten herauskommen ... Die Prinzessin Salome wünscht ihn zu sehen.

SALOME. Ah!

DER PAGE DER HERODIAS. Oh, wie seltsam der Mond aussieht! Wie die Hand einer toten Frau, die das Laken über sich ziehen will.

DER JUNGE SYRIER. Ja, sehr seltsam! Wie eine kleine Prinzessin, mit Augen wie Bernsteinaugen. Durch die Wolken von Musselin lächelt das Gesicht hervor wie eine kleine Prinzessin.

(Der Prophet kommt aus der Zisterne. Salome sieht ihn an und weicht langsam zurück)

JOCHANAAN. Wo ist er, dessen Sündenbecher jetzt voll ist? Wo ist er, der eines Tages im Angesichte alles Volkes in einem Silbermantel sterben wird? Heißt ihn herkommen, auf daß er die Stimme dessen höre, der in den Wüsten und in den Häusern der Könige gekündet hat.

SALOME. Von wem spricht er?

DER JUNGE SYRIER. Niemand kann es sagen, Prinzessin.

JOCHANAAN. Wo ist sie, die vor den gemalten Männerbildern gestanden hat, vor den buntgemalten Bildern der Chaldäer, die sich hingab der Lust ihrer Augen und Gesandte ins Land der Chaldäer schickte?

SALOME. Er spricht von meiner Mutter.

DER JUNGE SYRIER. O nein, Prinzessin.

SALOME. Ja, er spricht von meiner Mutter.

JOCHANAAN. Wo ist sie, die sich den Hauptleuten Assyriens gab, mit ihren Wehrgehängen und bunten Kronen auf dem Kopf? Wo ist sie, die sich den jungen Männern der Ägypter gegeben hat, die in feinem Leinen und Hyazinthgesteinen prangen, deren Schilde von Gold sind und die Helme von Silber und die Leiber wie von Riesen? Geht, heißt sie aufstehn von dem Bett ihrer Greuel, vom Bett ihrer Blutschande; auf daß sie die Worte dessen vernehme, der dem Herrn die Wege bereitet, und ihre Missetaten bereue. Und wenn sie gleich nicht bereut, sondern verstockt bleibt in ihren Sündengreueln, heißt sie herkommen, denn die Geißel des Herrn ist in seiner Hand.

SALOME. Oh, er ist schrecklich, er ist wirklich schrecklich!

DER JUNGE SYRIER. Bleibt nicht hier, Prinzessin, ich bitte Euch.

SALOME. Seine Augen sind von allem das Schrecklichste. Sie sind, als ob schwarze Löcher mit Fackeln in einen tyrischen Teppich gebrannt worden wären. Sie sind wie die schwarzen Höhlen, wo die Drachen leben, die schwarzen Höhlen Ägyptens, wo die Drachen hausen. Sie sind wie schwarze Seen, aus denen irres Mondlicht flackert ... Glaubt ihr, daß er noch einmal sprechen wird?

DER JUNGE SYRIER. Bleibt nicht hier, Prinzessin. Ich bitte inständig, bleibt nicht hier.

SALOME. Wie abgezehrt er ist! Er ist wie eine dünne Elfenbeinfigur. Er ist wie ein Bildnis aus Silber. Gewiß ist er keusch wie der Mond. Er ist wie ein Mondenstrahl, wie ein Silberschaft. Sein Fleisch muß sehr kühl sein, kühl wie Elfenbein ... Ich möchte ihn näher besehen.

DER JUNGE SYRIER. Nein, nein, Prinzessin.

SALOME. Ich muß ihn näher besehen.

DER JUNGE SYRIER. Prinzessin! Prinzessin!

JOCHANAAN. Wer ist dieses Weib, das mich ansieht? Ich will ihre Augen nicht auf mir haben. Warum sieht sie mich an mit ihren Goldaugen unter den gleißenden Lidern? Ich weiß nicht, wer sie ist. Ich will nicht wissen, wer sie ist. Heißt sie gehen. Zu ihr will ich nicht sprechen.

SALOME. Ich bin Salome, die Tochter der Herodias, Prinzessin von Judäa.

JOCHANAAN. Zurück, Tochter Babylons! Komm dem Erwählten des Herrn nicht nahe! Deine Mutter hat die Erde erfüllt mit dem Wein ihrer Lüste, und das Unmaß ihrer Sünden schreit zu Gott.

SALOME. Sprich mehr, Jochanaan. Deine Stimme ist wie Musik in meinen Ohren.

DER JUNGE SYRIER. Prinzessin! Prinzessin! Prinzessin!

SALOME. Sprich mehr! Sprich mehr! Jochanaan, und sage mir, was ich tun soll.

JOCHANAAN. Tochter Sodoms, komm mir nicht nahe! Vielmehr bedecke dein Gesicht mit einem Schleier und streue Asche auf deinen Kopf und mach dich auf in die Wüste und suche des Menschen Sohn.

SALOME. Wer ist das, des Menschen Sohn? Ist er so schön wie du, Jochanaan?

JOCHANAAN. Weiche von mir! Ich höre die Flügel des Todesengels im Palaste rauschen.

DER JUNGE SYRIER. Prinzessin, ich flehe: geh hinein.

JOCHANAAN. Engel des Herrn meines Gottes, was tust du hier mit deinem Schwert? Wen suchst du in diesem Palast? Der Tag dessen, der im Silbermantel sterben soll, ist noch nicht gekommen.

SALOME. Jochanaan!

JOCHANAAN. Wer spricht hier?

SALOME. Ich bin verliebt in deinen Leib, Jochanaan! Dein Leib ist weiß wie die Lilien auf einem Felde, das nie die Sichel berührt hat. Dein Leib ist weiß wie der Schnee, der auf den Bergen Judäas liegt und in die Täler herabkommt. Die Rosen im Garten der Königin von Arabien sind nicht so weiß wie dein Leib. Nicht die Rosen im Garten der Königin von Arabien, im Gewürzgarten der Königin von Arabien, nicht die Füße der Dämmerung, wenn sie auf die Blätter herabsteigt, nicht die Brüste des Mondes, wenn er auf dem Meere liegt ... Nichts in der Welt ist so weiß wie dein Leib ... Laß mich ihn berühren, deinen Leib!

JOCHANAAN. Zurück, Tochter Babylons! Durch das Weib kam das Übel in die Welt. Sprich nicht zu mir. Ich will dich nicht anhören. Ich höre nur auf die Stimme des Herrn, meines Gottes.

SALOME. Dein Leib ist grauenvoll. Er ist wie der Leib eines Aussätzigen. Er ist wie eine getünchte Wand, wo Nattern gekrochen sind; wie eine getünchte Wand, wo die Skorpione ihr Nest gebaut haben. Er ist wie ein übertünchtes Grab, voll widerlicher Dinge. Er ist gräßlich, dein Leib ist gräßlich. In dein Haar bin ich verliebt, Jochanaan. Dein Haar ist wie Weintrauben, wie Büschel schwarzer Trauben, die an den Weinstöcken Edoms hängen im Lande der Edomiter. Dein Haar ist wie die Zedern vom Libanon, wie die großen Zedern vom Libanon, die den Löwen und Räubern ihren Schatten spenden, wenn sie sich am Tage verbergen wollen. Die langen schwarzen Nächte, wenn der Mond sein Gesicht verbirgt, wenn den Sternen bange ist, sind nicht so schwarz wie dein Haar. Das Schweigen, das im Walde wohnt, ist nicht so schwarz. Nichts in der Welt ist so schwarz wie dein Haar ... Laß mich es berühren, dein Haar!

JOCHANAAN. Zurück, Tochter Sodoms! Berühre mich nicht. Entweihe nicht den Tempel des Herrn, meines Gottes.

SALOME. Dein Haar ist gräßlich. Es starrt von Staub und Unrat. Es ist wie eine Dornenkrone auf deinen Kopf gesetzt. Es ist wie ein Schlangenknoten um deinen Hals gewickelt. Ich liebe dein Haar nicht ... Deinen Mund begehre ich, Jochanaan. Dein Mund ist wie ein Scharlachband an einem Turm von Elfenbein. Er ist wie ein Granatapfel von einem Elfenbeinmesser zerteilt. Die Granatapfelblüten, die in den Gärten von Tyrus wachsen, die glühender sind als Rosen, sind nicht so rot. Die roten Fanfaren der Trompeten, die das Nahen von Königen künden und vor denen der Feind erzittert, sind nicht so rot. Dein Mund ist röter als die Füße der Männer, die den Wein in der Kelter stampfen. Er ist röter als die Füße der Tauben, die in den Tempeln wohnen und von den Priestern ihr Futter bekommen. Er ist röter als die Füße des Mannes, der aus dem Walde kommt, wo er einen Löwen erschlagen und goldfarbige Tiger erblickt hat. Dein Mund ist wie ein Korallenzweig, den die Fischer in der Dämmerung des Meeres gefunden haben, wie die Koralle, die sie für Könige bewahren ...! Er ist wie der Purpur, den die Moabiter in den Gruben von Moab finden, wie der Purpur, den die Könige von ihnen haben. Er ist wie der Bogen des Perserkönigs, der mit Purpur bemalt und mit Korallen besetzt ist. Nichts in der Welt ist so rot wie dein Mund ... Laß mich ihn küssen, deinen Mund!

JOCHANAAN. Niemals! Tochter Babylons! Tochter Sodoms! Niemals!

SALOME. Ich will deinen Mund küssen, Jochanaan. Ich will deinen Mund küssen.

DER JUNGE SYRIER. Prinzessin, Prinzessin, die wie ein Garten von Myrrhen ist, die die Taube aller Tauben ist, sieh diesen Mann nicht an, sieh ihn nicht an. Sprich nicht solche Worte zu ihm. Ich kann es nicht ertragen ... Prinzessin, sprich nicht solche Dinge.

SALOME. Ich will deinen Mund küssen, Jochanaan.

DER JUNGE SYRIER. Ah! *(Er tötet sich und fällt zwischen Salome und Jochanaan)*

DER PAGE DER HERODIAS. Der junge Syrier hat sich getötet. Der junge Hauptmann hat sich getötet. Der mein Freund war, hat sich getötet. Ich habe ihm eine kleine Nardenbüchse und silberne Ohrringe geschenkt, und nun hat er sich getötet. Ach, sagte er nicht, es wird Schlimmes geschehen? Ich sagte es auch, und es ist eingetroffen. Wohl wußte ich, daß der Mond etwas Totes suchte, aber ich wußte nicht, daß er es war, den er suchte. Ach, warum barg ich ihn nicht vor dem Mond! Hätte ich ihn in einer Höhle verborgen, dann hätte er ihn nicht gesehen.

ERSTER SOLDAT. Prinzessin, der junge Hauptmann hat sich getötet.

SALOME. Laß mich deinen Mund küssen, Jochanaan!

JOCHANAAN. Wird dir nicht bange, Tochter der Herodias? Habe ich dir nicht gesagt, daß ich im Palaste den Flügelschlag des Todesengels gehört habe, und ist er nicht gekommen, der Engel des Todes?

SALOME. Laß mich deinen Mund küssen!

JOCHANAAN. Tochter der Unzucht, es lebt nur Einer, der dich retten kann. Er ist Der, von dem ich sprach. Geh, such ihn. Er ist in einem Nachen auf dem See von Galiläa und redet zu seinen Jüngern. Knie nieder am Ufer des Sees, rufe ihn an und nenne ihn beim Namen. Wenn er zu dir kommt, und er kommt zu allen, die ihn anrufen, dann bücke dich zu seinen Füßen, daß er dir deine Sünden vergebe.

SALOME. Laß mich deinen Mund küssen!

JOCHANAAN. Sei verflucht! Tochter einer blutschänderischen Mutter, sei verflucht!

SALOME. Ich will deinen Mund küssen, Jochanaan!

JOCHANAAN. Ich will dich nicht ansehn. Du bist verflucht, Salome, du bist verflucht. *(Er geht in die Zisterne hinab)*

SALOME. Ich will deinen Mund küssen. Jochanaan, ich will deinen Mund küssen!...

ERSTER SOLDAT. Wir müssen den Leichnam an einen andern Ort tragen. Der Tetrarch mag keine Toten sehen, außer wenn er selbst gemordet hat.

DER PAGE DER HERODIAS. Er war mein Bruder, ja er war mir näher als ein Bruder. Ich gab ihm eine kleine Nardenbüchse und einen Achatring, den er immer an der Hand trug. Abends gingen wir oft am Fluß spazieren und unter den Mandelbäumen, und er erzählte mir gern von seiner Heimat. Er sprach immer sehr leise. Der Klang seiner Stimme war wie der Klang der Flöte, wie wenn einer auf der Flöte spielt. Er hatte auch große Freude daran, im Fluß sein Bild zu betrachten. Ich habe ihn oft darum getadelt.

ZWEITER SOLDAT. Du hast recht, wir müssen den Leichnam verstecken. Der Tetrarch darf ihn nicht sehen.

ERSTER SOLDAT. Der Tetrarch wird nicht hierherkommen. Er

kommt nie auf die Terrasse. Er hat zu große Angst vor dem Propheten.

(Herodes, Herodias und der ganze Hof treten ein)

HERODES. Wo ist Salome, wo ist die Prinzessin? Warum kam sie nicht wieder zum Bankett, wie ich ihr befohlen hatte? Ah! Hier ist sie!

HERODIAS. Du sollst sie nicht ansehen! Fortwährend siehst du sie an!

HERODES. Wie der Mond heute nacht aussieht! Es steckt Seltsames in ihm. Ist es nicht ein seltsames Bild? Es sieht aus wie ein wahnsinniges Weib, ein wahnsinniges Weib, das überall nach Buhlen sucht. Und nackt ist, ganz nackt. Die Wolken wollen seine Nacktheit bekleiden, aber das Weib läßt sie nicht. Es stellt sich nackt am Himmel zur Schau, wie ein betrunkenes Weib, das durch die Wolken taumelt ... Gewiß, es sucht nach Buhlen. Sieht es nicht aus wie ein betrunkenes Weib? Es steckt heut etwas im Mond wie ein wahnsinniges Weib, nicht?

HERODIAS. Nein, der Mond ist wie der Mond, das ist alles. Wir wollen hineingehen ... Wir haben hier nichts zu tun.

HERODES. Ich will hierbleiben! Manasseh, leg Teppiche hierher! Zündet Fackeln an! Bringt die Elfenbeintische heraus und die Tische von Jaspis! Die Luft ist süß hier. Ich will noch Wein mit meinen Gästen trinken. Wir müssen den Gesandten des Cäsar alle Ehren erweisen.

HERODIAS. Nicht um ihretwillen willst du bleiben.

HERODES. Doch; die Luft ist sehr süß. Komm, Herodias, unsere Gäste warten auf uns. Ah! Ich bin ausgeglitten! Ich bin in Blut getreten! Das ist ein böses Zeichen, das ist ein sehr böses Zeichen. Warum ist hier Blut ...? Und dieser Tote? Was soll dieser Tote hier? Denkt ihr, ich sei wie der König von Ägypten, der seinen Gästen kein Fest gibt, ohne ihnen einen Leichnam zu zeigen? Wer ist der Tote? Ich will ihn nicht sehen.

ERSTER SOLDAT. Es ist unser Hauptmann, Herr. Es ist der junge Syrier, den Ihr erst vor drei Tagen zum Hauptmann der Leibwache ernannt habt.

HERODES. Ich erließ keinen Befehl, daß er getötet würde.

ERSTER SOLDAT. Er hat sich selbst getötet, Herr.

HERODES. Aus welchem Grund? Ich hatte ihn zum Hauptmann meiner Leibwache ernannt!

ZWEITER SOLDAT. Wir wissen es nicht, Herr. Aber mit eigener Hand hat er sich getötet.

HERODES. Das scheint mir seltsam. Ich habe gedacht, nur die römischen Philosophen töteten sich selbst. Nicht wahr, Tigellinus, die Philosophen in Rom töten sich selbst?

TIGELLINUS. Es gibt dort einige, die sich selbst töten. Es sind die Stoiker. Die Stoiker sind Leute ohne Bildung. Es sind lächerliche Leute. Ich für meinen Teil halte sie für ganz und gar lächerlich.

HERODES. Ich auch. Es ist lächerlich, sich selbst zu töten.

TIGELLINUS. Alle Welt in Rom lacht über sie. Der Kaiser hat eine Satire gegen sie geschrieben. Man trägt sie überall vor.

HERODES. Ah! Er hat eine Satire gegen sie geschrieben? Cäsar ist erstaunlich. Er kann alles ... Es ist seltsam, daß der junge Syrier sich getötet hat. Es tut mir leid, daß er sich getötet hat. Es tut mir sehr leid. Denn er war schön zu sehen. Er war sehr schön. Er hatte so schmachtende Augen. Ich erinnere mich, ich sah seine schmachtenden Augen, wenn er Salome ansah. Wahrhaftig, ich dachte: er sieht sie zuviel an.

HERODIAS. Es gibt noch andere, die sie zuviel ansehen.

HERODES. Sein Vater war ein König. Ich vertrieb ihn aus seinem Reich. Und seine Mutter, die eine Königin war, machtest du zur Sklavin, Herodias. Er war also sozusagen mein Gast, und darum ernannte ich ihn zu meinem Hauptmann. Es tut mir leid, daß er tot ist. He! Warum habt ihr den Leichnam hier liegenlassen? Er muß fortgebracht werden. Ich will ihn nicht sehen – fort mit ihm! *(Sie tragen den Leichnam weg)* Es ist kalt hier. Es weht ein Wind. Weht nicht ein Wind?

HERODIAS. Nein, es weht kein Wind.

HERODES. Ich sage euch, es weht ein Wind – Und in der Luft höre ich etwas wie das Rauschen von Flügeln, wie das Rauschen von mächtigen Flügeln. Hört ihr es nicht?

HERODIAS. Ich höre nichts.

HERODES. Jetzt höre ich es nicht mehr. Aber ich habe es gehört. Es war das Wehen des Windes. Es ist vorüber. Horch, jetzt höre ich es wieder. Hört ihr es nicht? Es ist genau wie ein Rauschen von Flügeln.

HERODIAS. Ich sage dir, es ist nichts daran. Du bist krank. Wir wollen hineingehen.

HERODES. Ich bin nicht krank. Aber deine Tochter ist krank zu Tode. Niemals habe ich sie so blaß gesehen.

HERODIAS. Ich habe dir gesagt, du sollst sie nicht ansehen.

HERODES. Schenkt mir Wein ein. *(Es wird Wein gebracht)* Salome, komm, trink Wein mit mir. Ich habe hier einen köstlichen Wein. Cäsar hat ihn mir selbst geschickt. Tauche deine kleinen roten Lippen hinein, dann will ich den Becher leeren.

SALOME. Ich bin nicht durstig, Tetrarch.

HERODES. Hörst du, wie sie mir antwortet, diese deine Tochter?

HERODIAS. Sie hat recht. Warum stierst du sie immer an?

HERODES. Bringt reife Früchte. *(Es werden Früchte gebracht)* Salome, komm, iß mit mir von diesen Früchten. Ich sehe den Abdruck deiner kleinen Zähne in einer Frucht so gern. Beiß nur ein wenig von dieser Frucht hier ab, dann will ich essen, was übrig ist.

SALOME. Ich bin nicht hungrig, Tetrarch.

HERODES *(zu Herodias)*. Du siehst, wie du diese deine Tochter erzogen hast.

HERODIAS. Meine Tochter und ich stammen aus königlichem Blut. Du aber, weißt du, dein Vater war Kameltreiber! Dein Vater war ein Dieb und ein Räuber obendrein!

HERODES. Du lügst!

HERODIAS. Du weißt wohl, daß es wahr ist.

HERODES. Salome, komm, setz dich zu mir. Du sollst auf dem Thron deiner Mutter sitzen.

SALOME. Ich bin nicht müde, Tetrarch.

HERODIAS. Du siehst, wie sie dich achtet.

HERODES. Bringt mir – Was wünsch ich denn? Ich hab es vergessen. Ah! Ah! Ich erinnere mich.

DIE STIMME DES JOCHANAAN. Siehe, die Zeit ist gekommen! Was ich vorhersagte, ist eingetroffen. Der Tag, von dem ich sprach, ist da.

HERODIAS. Heiß ihn schweigen. Ich will seine Stimme nicht hören. Dieser Mensch beschimpft mich fortwährend.

HERODES. Er hat nichts gegen dich gesagt. Überdies ist er ein sehr großer Prophet.

HERODIAS. Ich glaube nicht an Propheten. Kann jemand sagen, was sich in Zukunft ereignen wird? Niemand weiß das. Auch beschimpft er mich fortwährend. Aber ich glaube, du hast Angst vor ihm. Ich weiß wohl, daß du Angst vor ihm hast.

HERODES. Ich habe keine Angst vor ihm. Ich habe vor niemand Angst.

HERODIAS. Ich sage dir, du hast Angst vor ihm. Wenn du keine Angst vor ihm hast, warum lieferst du ihn nicht den Juden aus, die seit sechs Monaten nach ihm schreien?

EIN JUDE. Wahrhaftig, Herr, es wäre besser, ihn in unsere Hände zu geben.

HERODES. Genug davon. Ich habe euch meine Antwort schon gegeben. Ich werde ihn nicht in eure Hände geben. Er ist ein heiliger Mann. Er ist ein Mann, der Gott geschaut hat.

EIN JUDE. Das kann nicht sein. Seit dem Propheten Elias hat niemand Gott gesehen. Er war der letzte, der Gott von Angesicht zu Angesicht geschaut hat. In unseren Tagen zeigt Gott sich nicht. Gott verbirgt sich. Darum ist großes Übel über das Land gekommen.

EIN ANDERER JUDE. In Wahrheit weiß niemand, ob Elias in der Tat Gott gesehen hat. Möglicherweise war es nur der Schatten Gottes, was er sah.

EIN DRITTER JUDE. Gott ist zu keiner Zeit verborgen. Er zeigt sich zu allen Zeiten und an allen Orten. Gott ist in dem Schlimmen ebenso wie in dem Guten.

EIN VIERTER JUDE. Du solltest das nicht sagen. Es ist eine sehr gefährliche Lehre. Es ist eine Lehre, die aus Alexandria kommt, wo die griechische Philosophie gelehrt wird. Und die Griechen sind Heiden. Sie sind nicht einmal beschnitten.

EIN FÜNFTER JUDE. Niemand kann sagen, wie Gott wirkt. Seine Wege sind sehr dunkel. Es kann sein, daß die Dinge, die wir schlimm nennen, gut sind, und daß die Dinge, die wir gut nennen, schlimm sind. Wir wissen von nichts etwas. Wir können nur unser Haupt unter seinen Willen beugen, denn Gott ist sehr stark. Er bricht den Starken in Stücke wie den Schwachen, denn jeder gilt ihm gleich.

ERSTER JUDE. Du sagst die Wahrheit. Fürwahr, Gott ist furchtbar. Er bricht den Starken und den Schwachen in Stücke, wie man Körner in einem Mörser zerreibt. Aber was diesen Menschen angeht, der hat Gott nie gesehen. Seit dem Propheten Elias hat niemand Gott gesehen.

HERODIAS. Heiß sie schweigen. Sie langweilen mich!

HERODES. Doch hab ich davon sprechen hören. Jochanaan sei in Wahrheit euer Prophet Elias.

DER JUDE. Das kann nicht sein. Seit den Tagen des Propheten Elias sind mehr als dreihundert Jahre vergangen.

HERODES. Welche sagen, der Mann sei der Prophet Elias.

EIN NAZARENER. Mir ist es sicher, daß er der Prophet Elias ist.

DER JUDE. Keineswegs, es ist nicht der Prophet Elias.

DIE STIMME DES JOCHANAAN. Siehe, der Tag ist nahe, der Tag des Herrn, und ich höre auf den Bergen die Schritte Dessen, der der Erlöser der Welt sein wird.

HERODES. Was soll das heißen: der Erlöser der Welt?

TIGELLINUS. Es ist ein Titel, den Cäsar führt.

HERODES. Aber Cäsar kommt nicht nach Judäa. Erst gestern hatte ich Briefe von Rom. Es stand nichts von dieser Sache darin. Und Ihr, Tigellinus, Ihr wart ja den Winter über in Rom. Ihr habt nichts von dieser Sache gehört, was?

TIGELLINUS. Herr, ich habe nichts von der Sache gehört. Ich wollte nur den Titel erklären. Es ist einer von Cäsars Titeln.

HERODES. Aber Cäsar kann nicht kommen. Er wird zu sehr von der Gicht geplagt. Es heißt, seine Füße seien wie die eines Elefanten. Es sprechen auch politische Erwägungen mit. Wer Rom verläßt, hat Rom verloren. Er wird nicht kommen. Indessen, Cäsar ist der Herr, er wird kommen, wenn es ihm so beliebt. Trotzdem glaube ich, er wird nicht kommen.

ERSTER NAZARENER. Herr, die Worte, die der Prophet sprach, haben sich nicht auf Cäsar bezogen.

HERODES. Wie? Nicht auf Cäsar bezogen?

ERSTER NAZARENER. Nein, Herr.

HERODES. Auf wen bezogen sie sich denn?

ERSTER NAZARENER. Auf den Messias, der gekommen ist.

EIN JUDE. Der Messias ist nicht gekommen.

ERSTER NAZARENER. Er ist gekommen, und allenthalben tut er Wunder.

HERODIAS. Oho! Wunder! Ich glaube nicht an Wunder. Ich habe ihrer zu viele gesehen. *(Zu dem Pagen)* Meinen Fächer.

ERSTER NAZARENER. Der Mann tut wirkliche Wunder. Zum Beispiel hat er bei einer Hochzeit, die in einer kleinen Stadt in

Galiläa stattfand, Wasser in Wein verwandelt. Zuverlässige Leute, die dabei waren, haben es mir berichtet. Ferner heilte er zwei Aussätzige, die vor dem Tor von Kapernaum saßen, durch einfaches Berühren.

ZWEITER NAZARENER. Nein, zwei Blinde heilte er in Kapernaum.

ERSTER NAZARENER. Nein, es waren Aussätzige. Aber er hat auch Blinde geheilt, und man hat ihn auf einem Berg im Gespräch mit Engeln gesehen.

EIN SADDUZÄER. Es gibt keine Engel.

EIN PHARISÄER. Es gibt Engel, aber ich glaube nicht, daß der Mann mit ihnen gesprochen hat.

ERSTER NAZARENER. Eine große Menge Volkes hat ihn gesehen, wie er mit Engeln sprach.

HERODIAS. Wie diese Menschen mich langweilen! Sie sind lächerlich! Sie sind alle miteinander lächerlich. *(Zu dem Pagen)* Nun! Mein Fächer? *(Der Page gibt ihr den Fächer)* Du blickst drein wie ein Träumer. Du sollst nicht träumen. Nur kranke Menschen träumen. *(Sie schlägt den Pagen mit ihrem Fächer)*

ZWEITER NAZARENER. Dann geschah ferner das Wunder mit der Tochter des Jairus.

ERSTER NAZARENER. Jawohl, das ist gewiß. Niemand kann es bestreiten.

HERODIAS. Diese Menschen sind verrückt. Sie haben zu lange in den Mond gesehen. Befiehl ihnen, daß sie schweigen!

HERODES. Was ist das für ein Wunder mit der Tochter des Jairus?

ERSTER NAZARENER. Die Tochter des Jairus war tot. Der Mann erweckte sie von den Toten.

HERODES. Wie! Er erweckt die Menschen vom Tode?

ERSTER NAZARENER. Jawohl, Herr, er erweckt die Toten.

HERODES. Ich will nicht, daß er das tue. Ich verbiete ihm, das zu tun. Ich erlaube niemandem, die Toten zu erwecken. Der Mann muß gefunden werden, und man soll ihm sagen, daß ich ihm verbiete, die Toten zu erwecken. Wo ist der Mann zur Zeit?

ZWEITER NAZARENER. Herr, er ist überall, aber es ist schwer, ihn zu finden.

ERSTER NAZARENER. Es heißt, er sei jetzt in Samaria.

EIN JUDE. Man kann leicht sehen, daß er nicht der Messias ist, wenn er in Samaria ist. Nicht zu den Leuten von Samaria soll der Messias kommen. Die von Samaria sind verflucht. Sie bringen keine Opfer zum Tempel.

ZWEITER NAZARENER. Vor ein paar Tagen verließ er Samaria. Ich glaube, im Augenblick ist er in der Nähe von Jerusalem.

ERSTER NAZARENER. Nein, dort ist er nicht. Ich bin erst aus Jerusalem gekommen. In zwei Monaten haben sie keine Nachricht von ihm gehabt.

HERODES. Tut nichts! Er soll gefunden werden, und man soll ihm sagen: So spricht Herodes, der König: ›Ich will nicht dulden, daß du die Toten erweckest.‹ – Wasser in Wein verwandeln, Aussätzige und Blinde heilen ... derlei Dinge mag er tun, wenn er will. Ich sage nichts gegen diese Dinge. In Wahrheit, ich halte es für eine gute Tat, einen Aussätzigen zu heilen. Aber niemand soll die Toten erwecken ... Es müßte schrecklich sein, wenn die Toten wiederkämen.

DIE STIMME DES JOCHANAAN. O über dies geile Weib! Diese Hure! Ha! die Tochter Babylons mit ihren Goldaugen und ihren gleißenden Lidern! So sagt der Herr unser Gott: Eine Menge Menschen werden sich gegen sie sammeln. Und sie werden Steine nehmen und sie steinigen ...

HERODIAS. Befiehl ihm, er soll schweigen!

DIE STIMME DES JOCHANAAN. Die Kriegshauptleute werden sie mit ihren Schwertern durchbohren, sie werden sie unter ihren Schilden zermalmen.

HERODIAS. Wahrhaftig, es ist schändlich!

DIE STIMME DES JOCHANAAN. Es ist so, daß ich alle Verruchtheit von der Erde austilgen werde und daß alle Weiber lernen werden, nicht auf den Wegen ihrer Greuel zu wandeln.

HERODIAS. Du hörst, was er gegen mich sagt? Du duldest es, daß er die schmähe, die dein Weib ist!

HERODES. Er hat deinen Namen nicht genannt.

HERODIAS. Was tut das zur Sache? Du weißt wohl, daß ich es bin, die er zu schmähen sucht. Und ich bin dein Weib – oder nicht?

HERODES. In der Tat, teure und vieledle Herodias, du bist mein Weib, und zuvor warst du das Weib meines Bruders.

HERODIAS. Nämlich du rissest mich aus seinen Armen.

HERODES. In der Tat war ich stärker als er ... Aber wir wollen von dieser Sache nicht reden. Ich wünsche nicht, davon zu reden. Es handelt sich um die schrecklichen Worte, die der Prophet gesprochen hat. Am Ende bedeuten diese Worte, daß Schlimmes geschehen wird. Wir wollen von dieser Sache nicht reden. Edle Herodias, wir sind gegen unsere Gäste nicht aufmerksam. Füll du mein Glas, Vielgeliebte. He! Füllt die großen Pokale von Silber und die großen Pokale von Glas mit Wein. Ich will auf Cäsar trinken. Es sind Römer hier, wir müssen auf Cäsar trinken!

ALLE. Cäsar! Cäsar!

HERODES. Siehst du nicht, wie blaß deine Tochter ist?

HERODIAS. Was kümmert es dich, ob sie blaß ist oder nicht?

HERODES. Nie hab ich sie so blaß gesehen.

HERODIAS. Du brauchst sie nicht anzusehen.

DIE STIMME DES JOCHANAAN. Es kommt ein Tag, da wird die Sonne finster werden wie Blut, und die Sterne des Himmels werden auf die Erde fallen wie unreife Feigen vom Feigenbaum, und die Könige der Erde werden erzittern.

HERODIAS. Haha! Den Tag möcht ich sehen, von dem er spricht, wenn der Mond wie Blut wird und die Sterne wie unreife Feigen zur Erde fallen. Dieser Prophet schwatzt wie ein Betrunkener ... aber ich kann den Klang seiner Stimme nicht ertragen. Ich hasse seine Stimme. Befiehl ihm, er soll schweigen.

HERODES. Ich will nicht. Ich kann nicht verstehen, was das sein soll, wovon er spricht, aber vielleicht ist es ein Zeichen.

HERODIAS. Ich glaube nicht an Zeichen. Er spricht wie ein Betrunkener.

HERODES. Kann sein, er ist trunken vom Weine Gottes.

HERODIAS. Was ist das für ein Wein, der Wein Gottes? Auf was für Weinbergen ist er gewachsen? In welcher Kelter findet man ihn?

HERODES *(sieht von diesem Augenblick ab fortwährend Salome an)*. Tigellinus, als Ihr jüngst in Rom wart, sprach der Kaiser mit Euch über ...?

TIGELLINUS. Worüber, Herr?

HERODES. Worüber? Ach, ich fragte Euch etwas, nicht? Ich habe vergessen, was ich Euch fragen wollte ...

HERODIAS. Du fängst wieder an, meine Tochter anzusehn. Du sollst sie nicht ansehn. Ich habe es schon gesagt.

HERODES. Du sagst nichts anderes.

HERODIAS. Ich sage es nochmals.

HERODES. Und dann der Ausbau des Tempels, von dem sie so viel geredet haben, wird da etwas geschehn? Sie sagen, der Vorhang zum Allerheiligsten sei verschwunden, nicht wahr?

HERODIAS. Du hast ihn selber gestohlen. Du schwatzest in den Tag hinein und sinnloses Zeug. Ich will nicht hierbleiben. Wir wollen hineingehn.

HERODES. Tanz für mich, Salome.

HERODIAS. Ich will nicht haben, daß sie tanzt.

SALOME. Ich habe keine Lust zu tanzen, Tetrarch.

HERODES. Salome, Tochter der Herodias, tanz für mich.

HERODIAS. Sei still! Laß sie in Frieden.

HERODES. Ich befehle dir zu tanzen, Salome.

SALOME. Ich will nicht tanzen, Tetrarch.

HERODIAS *(lachend)*. Du siehst, wie sie dir gehorcht.

HERODES. Was kümmert es mich, ob sie tanzt oder nicht? Das gilt mir gleich. Heut nacht bin ich glücklich. Ich bin ausnehmend glücklich. Ich bin nie so glücklich gewesen ...

ERSTER SOLDAT. Der Tetrarch blickt finster drein. Sieht er nicht finster drein?

ZWEITER SOLDAT. Ja, er sieht finster drein.

HERODES. Warum sollte ich nicht glücklich sein? Cäsar, der der Herr der Welt ist, Cäsar, der der Herr über alles ist, liebt mich gar sehr. Er hat mir höchst kostbare Geschenke übersandt. Auch hat er mir versprochen, den König von Kappadozien, der mein Feind ist, nach Rom vorzuladen. Kann sein, daß er ihn in Rom ans Kreuz schlagen läßt, denn er ist imstande, alles zu tun, wonach ihm der Sinn steht. Cäsar ist in Wahrheit ein Herr. Darum tue ich wohl daran, glücklich zu sein. Ich bin sehr glücklich, nie bin ich so glücklich gewesen. Nichts in der Welt kann mein Glück stören.

DIE STIMME DES JOCHANAAN. Er wird auf seinem Throne sitzen. Er wird gekleidet sein in Scharlach und Purpur. In seiner Hand wird er einen goldenen Becher halten, der voll ist seiner Lästerungen. Und der Engel des Herrn wird ihn darniederschlagen. Er wird von den Würmern gefressen werden.

HERODIAS. Du hörst, was er über dich sagt. Er sagt, du wirst von den Würmern gefressen werden.

HERODES. Er spricht nicht von mir. Er spricht nie gegen mich. Er spricht von dem König von Kappadozien, der mein Feind ist. Der wird von den Würmern gefressen werden. Ich bin es nicht. Nie hat er ein Wort gegen mich gesprochen, dieser Prophet, außer daß ich sündigte, als ich das Weib meines Bruders zum Weibe nahm. Kann sein, er hat recht. Denn in der Tat, du bist unfruchtbar.

HERODIAS. Ich bin unfruchtbar, ich? Das sagst du, du, der fortwährend meine Tochter ansieht, du, der sich an ihrem Tanze weiden möchte? Du sprichst wie ein Narr. Ich habe ein Kind geboren. Du hast kein Kind gezeugt, nein, nicht mit einer einzigen deiner Sklavinnen. An dir liegt es, nicht an mir!

HERODES. Still, Weib! Ich sage, du bist unfruchtbar. Du hast mir kein Kind geboren, und der Prophet sagt, daß unsere Ehe keine rechte Ehe ist. Er sagt, daß es eine Ehe der Blutschande ist, eine Ehe, die Unheil bringen wird ... Ich fürchte, er hat recht; es ist mir sicher, daß er recht hat. Aber es ist nicht die Stunde, von diesen Dingen zu sprechen. Ich möchte glücklich sein heute. Wahrhaftig, ich bin glücklich. Es gibt nichts, was ich misse.

HERODIAS. Ich bin froh, daß du heut nacht so gut gelaunt bist. Es kommt nicht oft vor bei dir. Aber es ist spät. Wir wollen hineingehen. Vergiß nicht, daß wir bei Sonnenaufgang zur Jagd gehen. Alle Ehren müssen Cäsars Gesandten erwiesen werden, nicht?

ZWEITER SOLDAT. Der Tetrarch blickt finster drein.

ERSTER SOLDAT. Ja, er blickt finster drein.

HERODES. Salome, Salome, tanz für mich. Ich bitte dich, tanz für mich. Ich bin traurig heut nacht. Als ich hierherkam, bin ich in Blut getreten, und das ist ein böses Zeichen; auch hört ich in der Luft ein Rauschen von Flügeln, ein Rauschen von riesengroßen Flügeln. Ich weiß nicht, worauf das deuten mag ... Ich bin traurig heut nacht. Drum tanz für mich. Tanz für mich, Salome, ich bitte gar sehr. Wenn du für mich tanzest, kannst du von mir begehren, was du willst, ich werde es dir geben. Ja, tanz für mich, Salome, und was du immer von mir begehren magst, das will ich dir geben, und wär's die Hälfte meines Königreichs.

SALOME *(steht auf)*. Willst du mir wirklich alles geben, was ich von dir begehre, Tetrarch?

HERODIAS. Tanze nicht, meine Tochter!

HERODES. Alles, was du von mir begehren wirst, und wär's die Hälfte meines Königreichs.

SALOME. Du schwörst es, Tetrarch?

HERODES. Ich schwöre es, Salome!

HERODIAS. Tanze nicht, meine Tochter!

SALOME. Wobei willst du das beschwören, Tetrarch?

HERODES. Bei meinem Leben, bei meiner Krone, bei meinen Göttern. Verlange, was du willst, ich will es dir geben, und wär's die Hälfte meines Königreichs, wenn du nur für mich tanzen willst. O Salome, Salome, tanz für mich!

SALOME. Du hast einen Eid geschworen, Tetrarch!

HERODES. Ich habe einen Eid geschworen!

HERODIAS. Meine Tochter, tanze nicht!

HERODES. Und wär's die Hälfte meines Königreichs. Du wirst unermeßlich schön sein als Königin, Salome, wenn es dir gefällt, die Hälfte meines Königreichs zu begehren. Wird sie nicht schön sein als Königin? Ah, es ist kalt hier! Es geht ein eisiger Wind, und ich höre ... warum hör ich in der Luft dies Rauschen von Flügeln? Ah! Es ist doch so, als ob ein ungeheurer schwarzer Vogel über die Terrasse schwebte. Warum kann ich ihn nicht sehen, diesen Vogel? Das Rauschen seiner Flügel ist schrecklich. Der sausende Wind von diesen Flügelschlägen ist schrecklich. Es ist ein schneidender Wind. Aber nein, er ist nicht kalt, er ist heiß. Es ist zum Ersticken. Gießt mir Wasser über die Hände. Gebt mir Schnee zu essen. Macht mir den Mantel los! Schnell, schnell, macht mir den Mantel los! Doch nein, laßt ihn. Mein Kranz drückt mich, die Rosen meines Kranzes. Die Blumen sind wie Feuer. Sie haben mir die Stirn verbrannt. *(Er reißt das Gewinde vom Kopf und wirft es auf den Tisch)* Ah! Jetzt kann ich atmen. Wie rot diese Rosenblätter sind! Sie sind wie Blutflecken auf einem Gewande. Doch lassen wir's. Es ist töricht, in allem, was man sieht, nach Bedeutung zu spüren. Es bringt zu viel Entsetzen ins Leben. Es wäre besser zu sagen, daß Blutflecken so lieblich wie Rosenblätter sind. Es wäre ferner besser zu sagen, daß ...

Aber wir wollen nicht davon sprechen. Ich bin jetzt glücklich. Ich bin über die Maßen glücklich. Hab ich nicht das Recht, glücklich zu sein? Deine Tochter will für mich tanzen. Wirst du nicht für mich tanzen, Salome? Du hast versprochen, für mich zu tanzen.

HERODIAS. Ich will nicht haben, daß sie tanzt.

SALOME. Ich will für dich tanzen, Tetrarch.

HERODES. Du hörst, was deine Tochter sagt. Sie will für mich tanzen. Du hast recht, wenn du für mich tanzest, Salome. Und wenn du für mich getanzt hast, vergiß nicht, von mir zu begehren, was zu begehren dir in den Sinn kommen mag. Alles, was du verlangst, werde ich dir geben, und wär's die Hälfte meines Königreichs. Ich habe es geschworen – oder nicht?

SALOME. Du hast es geschworen, Tetrarch.

HERODES. Und ich habe immer mein Wort gehalten. Ich bin keiner von denen, die ihre Eide brechen. Ich verstehe mich nicht aufs Lügen. Ich bin der Sklave meines Worts, und mein Wort ist das Wort eines Königs. Der König von Kappadozien trug immer Lügen im Mund, aber er ist kein echter König. Er ist ein Wicht. Er schuldet mir auch Geld, das er nicht heimzahlt. Er hat sogar meine Gesandten beleidigt. Er hat Worte gesprochen, die kränkend waren. Aber Cäsar wird ihn ans Kreuz schlagen lassen, wenn er nach Rom kommt. Ich weiß, Cäsar wird ihn kreuzigen lassen. Und wenn er ihn nicht kreuzigen läßt, wird er doch sterben und von den Würmern gefressen werden. Der Prophet hat es prophezeit. Nun! Warum zögerst du, Salome?

SALOME. Ich warte, bis meine Sklavinnen mir Salbe und die sieben Schleier bringen und die Sandalen von meinen Füßen lösen.

(Sklavinnen bringen Salben und die sieben Schleier und nehmen Salome die Sandalen ab)

HERODES. Ah, du wirst mit nackten Füßen tanzen! 's ist gut! 's ist gut! Deine kleinen Füße werden wie weiße Tauben sein. Sie werden wie kleine weiße Blumen sein, die auf den Bäumen tanzen ... Nein, nein, sie wird auf Blut tanzen! Da auf dem Boden ist Blut vergossen! Sie soll nicht auf Blut tanzen! Es wäre ein böses Zeichen.

HERODIAS. Was kümmert es dich, ob sie auf Blut tanzt? Du hast tief genug darin gewatet ...

HERODES. Was kümmert es mich? Ah, sieh den Mond an! Er ist rot geworden. Er ist rot geworden wie Blut. Ah, der Prophet hat wahr prophezeit. Er prophezeite, daß der Mond wie Blut werden würde. Hat er das nicht prophezeit? Ihr alle habt gehört, wie er es prophezeite. Und jetzt ist der Mond wie Blut geworden. Seht ihr es nicht?

HERODIAS. O ja, ich sehe es gut, und die Sterne fallen wie unreife Feigen, nicht? Und die Sonne wird finster wie ein schwarzes Tuch, und die Könige der Erde erzittern. Das wenigstens kann man sehen. Darin wenigstens hat der Prophet recht behalten mit seinem Wort, denn fürwahr, die Könige der Erde zittern ... Wir wollen hineingehen. Du bist krank. Sie werden in Rom sagen, daß du verrückt bist. Wir wollen hineingehen, sage ich.

DIE STIMME DES JOCHANAAN. Wer ist Der, der von Edom kommt, wer ist Der, der von Bozra kommt, dessen Kleid mit Purpur gefärbt ist, der in der Schönheit seiner Gewänder leuchtet, der mächtig in seiner Größe wandelt? Warum ist dein Kleid mit Scharlach gefleckt?

HERODIAS. Wir wollen hineingehen. Die Stimme dieses Menschen macht mich wahnsinnig. Ich will nicht haben, daß meine Tochter tanzt, während er fortwährend dazwischenschreit. Ich will nicht, daß sie tanzt, während du sie auf solche Art ansiehst. Mit einem Wort, ich will nicht haben, daß sie tanzt.

HERODES. Steh nicht auf, mein Weib, meine Königin, es wird dir nichts helfen. Ich gehe nicht hinein, bevor sie getanzt hat. Tanze, Salome, tanze für mich!

HERODIAS. Tanze nicht, meine Tochter!

SALOME. Ich bin bereit, Tetrarch. *(Salome tanzt den Tanz der sieben Schleier)*

HERODES. Ah! Wundervoll! Wundervoll! Siehst du, sie hat für mich getanzt, deine Tochter. Komm her, Salome, komm her, du sollst deinen Lohn haben. Ah! Ich zahle denen königlichen Preis, die mir zur Lust tanzen wollen. Ich will dich königlich belohnen. Ich will dir alles geben, was dein Herz begehrt. Was willst du haben? Sprich!

SALOME *(kniend)*. Ich möchte, daß sie mir gleich in einer Silberschüssel ...

HERODES *(lachend)*. In einer Silberschüssel? Gewiß doch, in einer Silberschüssel! Sie ist reizend, nicht? Was ist es, das du in einer Silberschüssel haben möchtest, o süße, schöne Salome, du, die schöner ist als alle Töchter Judäas? Was sollen sie dir in einer Silberschüssel bringen? Sag es mir! Was es auch sein mag, du sollst es erhalten. Meine Reichtümer gehören dir. Was ist es, das du haben möchtest, Salome?

SALOME *(steht auf)*. Den Kopf des Jochanaan.

HERODIAS. Ah! Das sagst du gut, meine Tochter.

HERODES. Nein, nein!

HERODIAS. Das sagst du gut, meine Tochter.

HERODES. Nein, nein, Salome. Das ist es nicht, was du begehrst. Hör nicht auf die Stimme deiner Mutter. Sie hat dir immer schlechten Rat gegeben. Achte nicht auf sie.

SALOME. Ich achte nicht auf die Stimme meiner Mutter. Zu meiner eigenen Lust will ich den Kopf des Jochanaan in einer Silberschüssel haben. Du hast einen Eid geschworen, Herodes. Vergiß es nicht, du hast einen Eid geschworen!

HERODES. Ich weiß es. Ich habe einen Eid geschworen, bei meinen Göttern habe ich geschworen. Ich weiß es wohl. Aber ich beschwöre dich, Salome, verlange etwas anderes von mir. Verlange die Hälfte meines Königreichs von mir. Ich will sie dir geben. Aber verlange nicht von mir, was deine Lippen verlangt haben.

SALOME. Ich verlange von dir den Kopf des Jochanaan.

HERODES. Nein, nein, ich will ihn dir nicht geben.

SALOME. Du hast einen Eid geschworen, Herodes.

HERODIAS. Ja, du hast einen Eid geschworen. Alle haben es gehört. Du hast es vor allen geschworen.

HERODES. Still, Weib! Zu dir spreche ich nicht.

HERODIAS. Meine Tochter hat wohl daran getan, den Kopf des Jochanaan zu verlangen. Er hat mich mit Schimpf und Schande bedeckt. Er hat unsägliche Dinge gegen mich gesagt. Man kann sehen, daß sie ihre Mutter lieb hat. Gib nicht nach, meine Tochter. Er hat einen Eid geschworen, er hat einen Eid geschworen.

HERODES. Still! Sprich nicht zu mir!... Salome, ich beschwöre dich, sei nicht trotzig. Ich bin immer gut zu dir gewesen. Ich habe dich immer lieb gehabt... Kann sein, ich habe dich zu lieb gehabt. Darum verlange das nicht von mir. Das ist etwas Schreckliches, etwas Grauenvolles, was du von mir verlangst. Sicher, ich glaube, du willst scherzen. Der Kopf eines Mannes, der vom Rumpf getrennt ist, das ist ein übler Anblick, nicht? Es ziemt sich nicht, daß die Augen eines Mädchens auf so etwas fallen. Was für eine Lust könntest du darin finden? Du könntest keine Lust darin finden. Nein, nein, das begehrst du nicht. Horch, was ich sage. Ich habe einen Smaragd, einen großen Smaragd, einen runden, den Cäsars Freundin mir hergeschickt hat. Wenn du durch diesen Smaragd siehst, kannst du sehen, was weit weg vor sich geht. Cäsar selbst trägt solch einen Smaragd, wenn er in den Zirkus geht. Aber mein Smaragd ist der größere. Ich weiß es, er ist der größere. Er ist der größte Smaragd in der ganzen Welt. Den willst du haben, nicht wahr? Verlange ihn von mir, ich werde ihn dir geben.

SALOME. Ich fordere den Kopf des Jochanaan.

HERODES. Du hörst nicht zu. Du hörst nicht zu. Laß mich zu dir reden, Salome.

SALOME. Den Kopf des Jochanaan.

HERODES. Nein, nein, du möchtest das nicht haben. Du sagst das nur, um mich zu quälen, weil ich dich so angesehen und es den ganzen Abend nicht gelassen habe. Es ist wahr, ich habe dich angesehen und hab's den ganzen Abend nicht gelassen. Deine Schönheit hat mich verwirrt. Deine Schönheit hat mich maßlos verwirrt, und ich habe dich allzuviel angesehen. Aber ich will dich wahrhaftig nicht mehr ansehen. Man sollte gar nichts ansehen. Weder Dinge noch Menschen sollte man ansehen. Nur in Spiegeln sieht es sich gut, denn Spiegel zeigen uns bloß Masken. Oh, oh! Bringt Wein! Mich dürstet!... Salome, Salome, laß uns wie Freunde zueinander sein. Bedenk dich!... Ah, was wollte ich sagen? Was war's! Ah! Ich weiß es wieder!... Salome – komm doch näher her zu mir, ich fürchte, du hörst sonst meine Worte nicht – Salome, du kennst meine weißen Pfauen, meine schönen weißen Pfauen, die im Garten zwischen den Myrten und den hohen Zypressenbäumen wandeln. Ihre Schnäbel sind mit Gold bemalt, und die Körner, die sie fressen, sind vergoldet, und ihre Füße sind mit Purpur gefärbt. Wenn sie ihren Schrei ausstoßen, kommt Regen, und der Mond zeigt sich am Himmelszelt, wenn sie ihr Rad entfalten. Zwei und zwei wandeln sie zwischen den Zypressenbäumen und den dunklen Myrten, und für jeden ist ein Sklave da, der ihn pflegt. Manchmal fliegen sie über die Bäume weg, und zuweilen ruhen sie im Gras und rund um die Teiche. In der ganzen Welt gibt es keine so wunderbaren Vögel. Ich weiß, Cäsar selbst hat nicht so schöne Vögel, wie meine Vögel sind. Ich will dir fünfzig von meinen Pfauen geben. Sie werden dir folgen, wohin du gehen willst, und inmitten ihrer Schar wirst du wie der Mond sein in einer großen weißen Wolke ... Ich will sie dir geben, alle. Ich habe bloß hundert, und in der ganzen Welt lebt kein König, der Pfauen hat, wie meine Pfauen sind. Aber ich will sie dir alle geben. Nur mußt du mich von meinem Eid entbinden und mußt nicht von mir verlangen, was deine Lippen von mir verlangt haben. *(Er leert seinen Becher)*

SALOME. Gib mir den Kopf des Jochanaan!

HERODIAS. Gut gesagt, meine Tochter! Und du, du bist lächerlich mit deinen Pfauen!

HERODES. Still! Was kreischest du denn immer? Du kreischest wie ein Raubvogel. Du mußt nicht so kreischen. Deine Stimme peinigt mich. Still, sag ich dir! ... Salome, bedenke, was du tun willst. Es kann sein, daß der Mann von Gott gesandt ist. Er ist ein heiliger Mann. Der Finger Gottes hat ihn berührt. Gott hat schreckliche Worte in seinen Mund gelegt. Im Palast wie in der Wüste ist immer Gott bei ihm ... Es kann wenigstens sein, daß er bei ihm ist. Man kann es nicht sagen, aber es ist möglich, daß Gott bei ihm ist und ihm beisteht. Wenn er daher stirbt, kann mich vielleicht ein Unheil treffen. Er hat wirklich gesagt, an dem Tage, da er stirbt, wird irgend jemanden Unheil treffen. Wen sollte es treffen, wenn nicht mich? Denk daran, ich trat in Blut, als ich hierher kam. Und hörte ich nicht auch in der Luft ein Rauschen von Flügeln, ein Rauschen von ungeheuren Flügeln? Das sind schlimme Zeichen. Und es war noch anderes da. Ich bin sicher, es war noch anderes da, ich habe es nur nicht gesehen. Du möchtest nicht, daß mich ein Unheil trifft, Salome? Hör jetzt auf mich.

SALOME. Gib mir den Kopf des Jochanaan!

HERODES. Ach! Du willst nicht auf mich hören. Sei ruhig. Ich, siehst du, ich bin ruhig. Ich bin ganz und gar ruhig. Höre. Ich habe an diesem Ort Juwelen versteckt – Juwelen, die selbst deine Mutter nie gesehen hat! Juwelen, die wundervoll zu sehen sind. Ich habe ein Halsband mit vier Reihen Perlen. Sie sind wie Monde, die an silberne Strahlen gekettet sind. Ja, sie sind wie ein halbes Hundert Monde, die man in goldenem Netz gefangen hat. Auf der Elfenbeinbrust einer Königin haben sie geruht. Du sollst schön sein wie eine Königin, wenn du sie trägst. Ich habe zwei Arten Amethyste; die einen sind wie dunkelschwarzer Wein, und die andern sind rot wie Wein, den man mit Wasser vermengt hat. Ich habe Topase, gelb wie die Augen der Tiger, und Topase, die sind hellrot wie die Augen einer Waldtaube, und grüne Topase, die sind wie Katzenaugen. Ich habe Opale, die immer funkeln, mit einem Feuer, das kalt wie Eis ist, Opale, die den Geist der Menschen traurig stimmen und die das Dunkel nicht ertragen können. Ich habe Onyxe gleich den Augäpfeln einer toten Frau. Ich habe Mondsteine, die ihre Farbe wechseln, wenn der Mond wechselt, und erblassen, wenn sie die Sonne sehen. Ich habe Saphire, so groß wie ein Ei und so blau wie blaue Blumen. Das Meer wogt in ihnen, und der Mond wandelt nie das Blau ihrer Wellen. Ich habe Chrysolithe und Berylle und Chrysoprase und Rubine, ich habe Sardonyx- und Hyazinthsteine und Steine von Chalzedon – und ich will sie dir alle geben, alle, und will noch andere Dinge dazutun. Der König von Indien hat mir jetzt eben erst vier Fächer geschickt, die aus Papageifedern gefertigt sind, und der König von Numidien ein Gewand von Straußfedern. Ich habe einen Kristall, in den zu schauen keinem Weibe erlaubt ist, und junge Männer dürfen ihn nur betrachten, wenn sie vorher mit Ruten gestrichen wurden. In einem Perlmutterkästchen habe ich drei wunderbare Türkise. Wer sie an seiner Stirn trägt, kann Dinge schauen, die nicht wirklich sind, und wer sie in der Hand trägt, kann einer Frau die Fruchtbarkeit benehmen. Das sind große Schätze. Es sind unbezahlbare Schätze. Aber das ist nicht alles. In einem Kästchen aus Ebenholz habe ich zwei Becher aus

Bernstein, die sind wie Äpfel von reinem Gold. Wenn ein Feind Gift in diese Becher gießt, werden sie Äpfel von Silber. In einem Kästchen, das mit Bernstein verziert ist, habe ich Sandalen, die mit Glas eingelegt sind. Ich habe Mäntel, die man aus dem Lande der Serer gebracht hat, und Armspangen, rundum mit Karfunkeln und Achaten besetzt, die aus der Stadt Euphrates kommen ... Was begehrst du noch sonst, Salome? Sage mir, was du begehrst, ich will es dir geben. Alles, was du verlangst, will ich dir geben – nur eines nicht. Ich will dir alles geben, was mein ist – nur nicht das Leben dieses einen Mannes. Ich will dir den Mantel des Hohenpriesters geben. Ich will dir den Vorhang des Allerheiligsten geben ...

DIE JUDEN. Oh, oh!

SALOME. Gib mir den Kopf des Jochanaan!

HERODES *(sinkt auf seinen Sitz zurück)*. Man soll ihr geben, was sie verlangt! Sie ist in Wahrheit ihrer Mutter Kind!

(Der erste Soldat tritt näher. Herodias zieht dem Tetrarchen den Todesring vom Finger und gibt ihn dem Soldaten, der ihn auf der Stelle dem Henker überbringt. Der Henker sieht erschrocken drein)

HERODES. Wer hat meinen Ring genommen? Ich hatte einen Ring an der rechten Hand. Wer hat meinen Wein getrunken? Es war Wein in meinem Becher. Er war mit Wein gefüllt. Es hat ihn jemand ausgetrunken! Oh! Gewiß wird Unheil über einen kommen. *(Der Henker geht in die Zisterne hinunter)* Oh! Warum hab ich einen Eid geschworen? Von jetzt ab soll kein König mehr einen Eid schwören. Wenn er ihn nicht hält, ist es schrecklich, und wenn er ihn hält, ist es auch schrecklich.

HERODIAS. Meine Tochter hat recht getan.

HERODES. Ich bin sicher, es wird ein Unheil geschehen.

SALOME *(lehnt sich über die Zisterne und horcht)*. Es ist kein Laut zu vernehmen. Ich höre nichts. Warum schreit er nicht, der Mann? Ah! Wenn einer mich zu töten käme, ich würde schreien, ich würde mich wehren, ich würde es nicht dulden ... Schlag zu, schlag zu, Naaman, schlag zu, sag ich dir ... Nein, ich höre nichts. Es ist alles still, eine schreckliche Stille. Ah! Es ist etwas zu Boden gefallen. Ich hörte etwas fallen. Es war das Schwert des Henkers. Er hat Angst, dieser Sklave. Er hat das Schwert fallen lassen. Er traut sich nicht, ihn zu töten. Er ist eine Memme, dieser Sklave! Schickt Soldaten hin. *(Sie sieht den Pagen der Herodias und redet ihn an)* Komm hierher. Du warst der Freund des Toten, nicht? Wohlan, ich sage dir, es sind noch nicht genug Tote. Geh zu den Soldaten und befiehl ihnen, hinabzusteigen und mir zu holen, was ich verlange, was mir der Tetrarch versprochen hat, was mein ist. *(Der Page weicht zurück, sie wendet sich den Soldaten zu)* Hierher, ihr Soldaten! Geht ihr in diese Zisterne hinunter und holt mir den Kopf des Mannes. Tetrarch, Tetrarch, befiehl deinen Soldaten, daß sie mir den Kopf des Jochanaan holen.

(Ein riesengroßer schwarzer Arm, der Arm des Henkers, streckt sich aus der Zisterne heraus, auf einem silbernen Schild den Kopf des Jochanaan haltend. Salome greift danach. Herodes verhüllt sein Gesicht mit dem Mantel. Herodias fächelt sich zu und lächelt. Die Nazarener sinken in ihre Knie und beginnen zu beten)

SALOME. Ah! Du wolltest mich deinen Mund nicht küssen lassen, Jochanaan. Wohl! Ich will ihn jetzt küssen. Ich will mit meinen Zähnen hineinbeißen, wie man in eine reife Frucht beißen mag. Ja, ich will ihn küssen, deinen Mund, Jochanaan. Ich hab es gesagt. Ah, ich will ihn jetzt küssen ... Aber warum siehst du mich nicht an, Jochanaan? Deine Augen, die so schrecklich waren, so voller Wut und Verachtung, sind jetzt geschlossen. Warum sind sie geschlossen? Öffne doch deine Augen! Erhebe deine Lider, Jochanaan! Warum siehst du mich nicht an? Hast du Angst vor mir, Jochanaan, daß du mich nicht ansehn willst? ... Und deine Zunge, die wie eine rote, giftsprühende Schlange war, sie bewegt sich nicht mehr, sie spricht kein Wort, Jochanaan, diese Scharlachnatter, die ihren Geifer auf mich spie. Es ist seltsam, nicht? Wie kommt es, daß die rote Natter sich nicht mehr rührt? ... Du wolltest mich nicht haben, Jochanaan! Du wiesest mich von dir. Du sprachst böse Worte gegen mich. Du benahmst dich gegen mich wie gegen eine Hure, wie gegen ein geiles Weib, gegen mich, Salome, die Tochter der Herodias, Prinzessin von Judäa! Nun wohl, ich lebe noch, aber du bist tot, und dein Kopf gehört mir. Ich kann mit ihm tun, was ich will. Ich kann ihn den Hunden vorwerfen und den Vögeln in der Luft. Was die

Hunde übriglassen, sollen die Vögel der Luft verzehren ... Ah! Jochanaan, Jochanaan, du warst der Mann, den ich allein von allen Männern liebte! Alle andern Männer waren mir verhaßt. Doch du warst schön! Dein Leib war eine Elfenbeinsäule auf silbernen Füßen. Er war ein Garten voller Tauben und Silberlilien. Er war ein silberner Turm, mit Elfenbeinschilden gedeckt. Nichts in der Welt war so weiß wie dein Leib. Nichts in der Welt war so schwarz wie dein Haar. In der ganzen Welt war nichts so rot wie dein Mund. Deine Stimme war ein Weihrauchgefäß, das seltene Düfte verbreitete, und wenn ich dich ansah, hörte ich geheimnisvolle Musik. Oh! Warum hast du mich nicht angesehen, Jochanaan! Mit deinen Händen als Mantel und mit dem Mantel deiner Lästerworte verhülltest du dein Gesicht. Du legtest über deine Augen die Binde eines, der seinen Gott schauen wollte. Wohl, du hast deinen Gott gesehen, Jochanaan, aber mich, mich, mich hast du nie gesehen! Hättest du mich gesehen, so hättest du mich geliebt! Ich sah dich, und ich liebte dich! Oh, wie liebte ich dich! Ich liebe dich noch, Jochanaan! Ich liebe nur dich ... Ich dürste nach deiner Schönheit; ich hungre nach deinem Leib; nicht Wein noch Äpfel können mein Verlangen stillen. Was soll ich jetzt tun, Jochanaan? Nicht die Fluten noch die großen Wasser können dies brünstige Begehren löschen. Ich war eine Fürstin, und du verachtetest mich, eine Jungfrau, und du nahmst mir meine Keuschheit. Ich war rein und züchtig, und du hast Feuer in meine Adern gegossen ... Ah! Ah! Warum sahst du mich nicht an? Hättest du mich angesehen, du hättest mich geliebt. Ich weiß es wohl, du hättest mich geliebt, und das Geheimnis der Liebe ist größer als das Geheimnis des Todes ...

HERODES. Sie ist ein Ungeheuer, deine Tochter; ich sage dir, sie ist ein Ungeheuer. In Wahrheit, was sie getan hat, ist ein großes Verbrechen. Mir ist gewiß, es ist ein Verbrechen gegen einen unbekannten Gott.

HERODIAS. Ich bin ganz zufrieden mit meiner Tochter. Sie hat recht getan. Und ich möchte jetzt hierbleiben.

HERODES *(steht auf)*. Ah! Da spricht meines Bruders Weib! Komm! Ich will nicht an diesem Ort bleiben. Komm, sag ich dir! Sicher, es wird Schreckliches geschehen. Manasseh, Issachar, Osias, löscht die Fackeln aus! Ich will all die Dinge nicht sehen, ich will nicht leiden, daß all die Dinge mich sehen. Löscht die Fackeln aus! Verbergt den Mond! Verbergt die Sterne! Wir wollen uns selber im Palast verbergen, Herodias. Ich fange an zu erzittern.

(Die Sklaven löschen die Fackeln aus. Die Sterne verschwinden. Eine große Wolke zieht über den Mond und verhüllt ihn völlig. Die Bühne wird ganz dunkel. Der Tetrarch beginnt die Treppe hinaufzusteigen)

DIE STIMME DER SALOME. Ah, ich habe deinen Mund geküßt, Jochanaan; ich hab ihn geküßt, deinen Mund. Es war ein bitterer Geschmack auf deinen Lippen. Hat es nach Blut geschmeckt? ... Nein; doch schmeckte es vielleicht nach Liebe ... Sie sagen, daß die Liebe bitter schmecke ... Doch, was tut's, was tut's? Ich habe deinen Mund geküßt, Jochanaan, ich hab ihn geküßt, deinen Mund! *(Ein Strahl des Mondlichts fällt auf Salome und beleuchtet sie)*

HERODES *(wendet sich um und erblickt Salome).* Man töte dieses Weib!

(Die Soldaten stürzen vor und zermalmen Salome, die Tochter der Herodias, Prinzessin von Judäa, unter ihren Schilden)

Die heilige Hure

oder

Das mit Edelsteinen behangene Weib

Schauplatz ist ein Talwinkel in der Thebais. Auf der Bühne rechts eine Höhle. Vor der Höhle steht ein Kruzifix. Links Sanddünen. Der Himmel ist blau wie die Innenseite einer Schale aus Lapislazuli. Auf den roten Sandhügeln wächst hier und dort Dornengestrüpp.

ERSTER MANN. Wer ist sie? Mir wird angst und bange. Sie trägt einen Purpurmantel, und ihre Haare sind wie goldene Fäden. Sie muß die Tochter des Kaisers sein. Ich habe die Ruderer sagen hören, daß der Kaiser eine Tochter hat, die einen Purpurmantel trägt.

ZWEITER MANN. Sie hat Vogelschwingen an ihren Sandalen, und ihr Gewand ist grün wie der junge Mais, ist wie der Mais im Frühling, sobald sie stille steht, und wie der junge Mais im Schatten der huschenden Falken, sobald sie sich bewegt. Die Perlen auf ihrem Gewand sind wie lauter Monde.

ERSTER MANN. Sie sind wie die Monde, die man im Wasser sieht, wenn der Wind aus den Bergen weht.

ZWEITER MANN. Ich glaube, sie ist eine Gottheit. Ich glaube, sie kommt aus Nubien.

ERSTER MANN. Bestimmt ist sie die Tochter des Kaisers. Ihre Nägel sind mit Henna gefärbt. Sie sind wie die Blütenblätter einer Rose. Sie ist gekommen, um Adonis zu beweinen.

ZWEITER MANN. Sie ist eine Gottheit. Ich weiß nicht, warum sie ihren Tempel verlassen hat. Die Götter sollten ihre Tempel nicht verlassen. Wenn sie uns anredet, so wollen wir nicht antworten, und sie wird vorbeigehen.

ERSTER MANN. Sie wird uns nicht anreden. Sie ist die Tochter des Kaisers.

MYRRHINA. Wohnt er nicht hier, der schöne junge Eremit, er, der kein Frauenantlitz ansehen will?

ERSTER MANN. Wahrhaftig, hier wohnt der Eremit.

MYRRHINA. Warum will er kein Frauenantlitz ansehen?

ZWEITER MANN. Das wissen wir nicht.

MYRRHINA. Warum seht ihr mich nicht an?

ERSTER MANN. Du bist mit funkelnden Steinen behangen. Sie blenden unsere Augen.

ZWEITER MANN. Wer in die Sonne schaut, erblindet. Du leuchtest zu sehr, als daß man dich ansehen könnte. Es ist nicht ratsam, etwas anzusehen, das sehr hell leuchtet. Viele Tempelpriester sind blind und werden von Sklaven geführt.

MYRRHINA. Wo wohnt er, der schöne junge Eremit, der kein Frauenantlitz ansehen will? Hat er ein Haus aus Schilf oder ein Haus aus gebranntem Lehm, oder lagert er auf dem Hügelhang? Oder bettet er sich in den Binsen?

ERSTER MANN. Er wohnt in der Höhle dort drüben.

MYRRHINA. Was für eine sonderbare Wohnstätte?

ERSTER MANN. Früher hauste hier ein Kentaur. Als er den Eremiten kommen sah, stieß er einen gellenden Schrei aus, weinte und wehklagte und galoppierte davon.

ZWEITER MANN. Nein. Es war ein weißes Einhorn, das in der Höhle hauste. Als es den Eremiten kommen sah, kniete das Einhorn nieder und betete ihn an. Viele Leute haben es gesehen.

ERSTER MANN. Ich habe mit Leuten gesprochen, die es gesehen haben.

...

ZWEITER MANN. Manche sagen, er sei ein Holzhauer gewesen und habe sich verdungen. Aber das ist vielleicht nicht wahr.

...

MYRRHINA. Was für Götter verehrt ihr denn? Habt ihr überhaupt Götter, die ihr verehrt? Es gibt Menschen, die haben keine Götter, die sie verehren. Die Philosophen mit ihren langen Bärten und braunen Mänteln haben keine Götter, die sie verehren. Sie hadern miteinander in den Säulengängen. Die – lachen sie aus.

ERSTER MANN. Wir verehren sieben Götter. Ihre Namen dürfen wir nicht nennen. Es ist sehr gefährlich, die Namen der Götter zu nennen. Kein Mensch sollte je den Namen seines Gottes nennen. Sogar die Priester, welche den ganzen lieben Tag lang die Götter preisen und ihre Nahrung mit ihnen teilen, nennen sie nicht bei ihren rechten Namen.

MYRRHINA. Wo sind diese Götter, die ihr verehrt?

ERSTER MANN. Wir verbergen sie in den Falten unserer Gewänder.

Wir zeigen sie niemandem. Wenn wir sie jemandem zeigten, würden sie uns vielleicht verlassen.

MYRRHINA. Wo seid ihr ihnen begegnet?

ERSTER MANN. Ein Totenbalsamierer hat sie uns geschenkt. Er hatte sie in einem Grab gefunden. Wir frohnten ihm sieben Jahre lang.

MYRRHINA. Die Toten sind fürchterlich. Ich habe Angst vor dem Tod.

ERSTER MANN. Der Tod ist kein Gott. Er dient nur den Göttern.

MYRRHINA. Er ist der einzige Gott, den ich fürchte. Habt ihr viele Götter gesehen?

ERSTER MANN. Wir haben ihrer viele gesehen. Man sieht sie hauptsächlich nachts. Sie huschen schnell vorbei. Einmal haben wir etliche Götter bei Tagesanbruch gesehen. Sie wanderten über eine Ebene.

MYRRHINA. Als ich einmal auf den Markt kam, hörte ich einen Sophisten aus Kilikien behaupten, es gebe nur einen Gott. Er hat es vor vielen Leuten behauptet.

ERSTER MANN. Das kann nicht stimmen. Wir selber haben viele gesehen, obwohl wir gewöhnliche und unbedeutende Leute sind. Als ich sie sah, versteckte ich mich in einem Gebüsch. Sie haben mir nichts zuleide getan.

...

MYRRHINA. Erzählt mir mehr von dem schönen jungen Eremiten. Berichtet von dem schönen jungen Eremiten, der kein Frauenantlitz ansehen will. Wie lautet die Geschichte seines Lebens? Wie ist seine Lebensweise?

ERSTER MANN. Wir verstehen dich nicht.

MYRRHINA. Was tut er, der schöne junge Eremit? Sät oder erntet er? Pflanzt er einen Garten, oder fängt er Fische im Netz? Webt er Linnen auf einem Webstuhl? Legt er die Hand an den hölzernen Pflug und schreitet hinter den Ochsen einher?

ZWEITER MANN. Da er ein heiliger Mann ist, tut er nichts. Wir sind gewöhnliche und unbedeutende Leute. Wir plagen uns den ganzen lieben Tag lang in der Sonne. Manchmal ist der Boden sehr hart.

MYRRHINA. Ernähren ihn die Vögel der Luft? Teilen die Schakale ihre Beute mit ihm?

ERSTER MANN. Allabendlich bringen wir ihm etwas zu essen. Wir glauben nicht, daß die Vögel der Luft ihn ernähren.

MYRRHINA. Warum ernährt ihr ihn? Was bringt es euch für einen Gewinn?

ZWEITER MANN. Er ist ein heiliger Mann. Einer der Götter, die er gekränkt hat, hat ihn mit Wahnsinn geschlagen. Wir glauben, daß er den Mond gekränkt hat.

MYRRHINA. Geht hin und meldet ihm, jemand, der aus Alexandria gekommen ist, wünscht mit ihm zu sprechen.

ERSTER MANN. Das wagen wir ihm nicht zu melden. Um diese Stunde betet er zu seinem Gott. Bitte, verzeih uns, wenn wir deinem Gebot nicht gehorchen.

MYRRHINA. Habt ihr Angst vor ihm?

ERSTER MANN. Wir haben Angst vor ihm.

MYRRHINA. Warum habt ihr Angst vor ihm?

ERSTER MANN. Das wissen wir nicht.

MYRRHINA. Wie heißt er?

ERSTER MANN. Die Stimme, die nachts in der Höhle mit ihm redet, nennt ihn Honorius. Auch die drei Aussätzigen, die einmal hier auftauchten, haben ihn Honorius genannt. Wir glauben, daß er Honorius heißt.

MYRRHINA. Warum haben die drei Aussätzigen ihn aufgesucht?

ERSTER MANN. Damit er sie heile.

MYRRHINA. Hat er sie geheilt?

ZWEITER MANN. Nein. Sie hatten irgendeine Sünde begangen. Aus diesem Grund hatte der Aussatz sie befallen. Ihre Hände und Gesichter waren wie Salz. Einer trug eine Leinenmaske. Er war ein Königssohn.

MYRRHINA. Was ist das für eine Stimme, die nachts in der Höhle mit ihm redet?

ERSTER MANN. Wir wissen nicht, wessen Stimme es ist. Wir glauben, es ist die Stimme Gottes. Denn wir haben keinen Menschen die Höhle betreten oder verlassen sehen.

...

MYRRHINA. Honorius!

HONORIUS *(von drinnen)*. Wer ruft Honorius?

MYRRHINA. Komm heraus, Honorius.

Mein Gemach hat ein Dach aus Zedernholz und duftet nach

Myrrhen. Die Pfosten meines Bettes sind aus Zedernholz und die Wandbehänge aus Purpur. Mein Bett ist mit Purpur bestreut, und die Stufen sind aus Silber. Die Wandbehänge sind mit silbernen Granatäpfeln bestickt und die silbernen Stufen mit Safran und Myrrhen bestreut. Meine Liebhaber hängen Girlanden an die Säulen meines Hauses. Nachts kommen sie mit den Flötenspielern und den Harfenisten. Sie umwerben mich mit Äpfeln und schreiben meinen Namen mit Wein auf das Pflaster meines Hofes.

Aus den entferntesten Winkeln der Welt kommen meine Liebhaber zu mir. Die Könige der Erde kommen zu mir und bringen mir Geschenke.

Als der Kaiser von Byzanz meinen Namen hörte, verließ er sein Porphyrgemach und befahl seinen Galeeren, in See zu stechen. Seine Sklaven trugen keine Fackeln, damit niemand von seinem Kommen erfahre. Als der König von Zypern meinen Namen hörte, schickte er Gesandte zu mir. Die beiden Könige von Libyen, welche Brüder sind, brachten mir Ambra als Gabe.

Ich habe dem Cäsar seinen Günstling geraubt und ihn zu meinem Spielgefährten gemacht. Nachts kam er in einer Sänfte zu mir. Er war bleich wie Narzissus, und sein Leib war wie Honig.

Der Sohn des Präfekten hat sich mir zu Ehren entleibt, und der Tetrarch von Kilikien geißelt sich zu meinem Vergnügen vor den Augen meiner Sklaven.

Der König von Hierapolis, der ein Priester und ein Räuber ist, läßt mich auf Teppichen schreiten.

Manchmal sitze ich im Zirkus, und zu meinen Füßen kämpfen die Gladiatoren. Einmal wurde ein Thrakier, der mein Liebhaber war, im Netz gefangen. Ich gab das Zeichen, ihn zu töten, und das ganze Theater klatschte Beifall. Manchmal schlendere ich durchs Gymnasium und schaue den Jünglingen zu, wie sie miteinander ringen oder um die Wette laufen. Ihre Leiber glänzen von Öl, ihre Stirnen sind mit Weidenreis und Myrrhen bekränzt. Wenn sie ringen, stampfen sie mit den Füßen auf, und wenn sie laufen, folgt ihnen der Sand wie eine kleine Wolke. Derjenige, welchem ich zulächle, verläßt seine

Gefährten und folgt mir in mein Haus. Ein andermal gehe ich an den Hafen hinunter und sehe den Kaufleuten zu, wie sie ihre Fahrzeuge entladen. Diejenigen, welche aus Tyrus kommen, tragen seidene Mäntel und Ohrgehänge aus Smaragd. Diejenigen, die aus Massilia kommen, tragen Mäntel aus feiner Wolle und Ohrgehänge aus Messing. Wenn sie mich kommen sehen, treten sie in den Bug ihrer Schiffe und rufen meinen Namen, aber ich antworte nicht. Ich gehe in die kleinen Schenken, wo die Seeleute den ganzen Tag lang liegen und dunkelroten Wein trinken und würfeln, und ich setze mich zu ihnen.

Ich habe den Fürsten zu meinem Sklaven und seinen Sklaven, der ein Tyrer war, für die Spanne eines Mondes zu meinem Herrn gemacht.

Ich steckte ihm einen verzierten Ring an den Finger und holte ihn in mein Haus. Ich habe herrliche Dinge in meinem Hause.

Der Wüstenstaub liegt auf deinem Haar, deine Füße sind von Dornen zerschunden, dein Leib von der Sonne versengt. Komm mit mir, Honorius, ich werde dich in ein seidenes Gewand kleiden. Ich werde deinen Leib mit Myrrhen salben und dir Lavendelöl ins Haar gießen. Ich werde dich in ein hyazinthrotes Gewand hüllen und Honig in deinen Mund träufeln. Liebe ...

HONORIUS. Es gibt keine Liebe außer der Liebe Gottes.

MYRRHINA. Wer ist er, dessen Liebe größer ist als die der Sterblichen?

HONORIUS. Er ist es, den du am Kreuze siehst, Myrrhina. Er ist der Sohn Gottes und wurde von einer Jungfrau geboren. Drei Weise, welche Könige waren, brachten ihm Opfergaben, und die Hirten, die auf den Hügeln lagerten, wurden durch ein helles Licht aus dem Schlaf geweckt.

Die Sibyllen wußten von seinem Kommen. Die Haine und die Orakel sprachen von ihm. David und die Propheten verkündeten ihn. Keine Liebe kommt der Liebe Gottes gleich – keine Liebe läßt sich mit ihr vergleichen.

Der Leib ist wertlos, Myrrhina. Gott wird dich mit einem neuen Leib auferstehen lassen, einem Leib, der keine Fäulnis kennt, du wirst in den Wohnungen des Herrn weilen und ihn erblicken, ihn, dessen Haar wie feine Wolle ist und dessen Füße aus Messing sind.

MYRRHINA. Die Schönheit ...

HONORIUS. Die Schönheit der Seele wächst, bis sie Gott zu sehen vermag. Bereue deshalb deine Sünden, Myrrhina. Den Schächer, der neben ihm gekreuzigt wurde, hat er ins Paradies geholt.

(Geht ab)

MYRRHINA. Wie seltsam er zu mir geredet hat. Mit welcher Verachtung er mich angesehen hat. Warum mag er so seltsam zu mir geredet haben?

...

HONORIUS. Myrrhina, mir ist es wie Schuppen von den Augen gefallen. Jetzt sehe ich deutlich, was ich vorher nicht gesehen habe. Nimm mich nach Alexandria mit und laß mich von den sieben Sünden kosten.

MYRRHINA. Spotte nicht meiner, Honorius, rede auch nicht mit so bitteren Worten zu mir. Denn ich habe meine Sünden bereut und suche eine Höhle in der Wüste, wo ich wohnen kann, damit meine Seele würdig werde, Gott zu sehen.

HONORIUS. Die Sonne sinkt, Myrrhina. Komm mit mir nach Alexandria.

MYRRHINA. Ich will nicht nach Alexandria.

HONORIUS. Leb wohl, Myrrhina.

MYRRHINA. Honorius, leb wohl. Nein, nein, geh nicht.

...

Ich habe meine Schönheit verflucht ob des Unheils, das sie dir angetan hat, ich habe die Herrlichkeit meines Leibes verflucht ob des Bösen, das sie auf dich herabbeschworen hat.

Herr, dieser Mann hat mich zu dir geführt, daß ich dir zu Füßen liege. Er hat mir von deiner Ankunft auf Erden, von dem Wunder deiner Geburt und auch von dem großen Wunder deines Todes berichtet. Durch ihn, o Herr, wurdest du mir geoffenbart.

HONORIUS. Du redest wie ein Kind, Myrrhina, und ohne Wissen. Falte nicht länger die Hände. Warum bist du in all deiner Schönheit in dieses Tal gekommen?

MYRRHINA. Der Gott, den du verehrst, hat mich hierhergeführt, damit ich meine Schandtaten bereue und in ihm den Herrn erkenne.

HONORIUS. Warum hast du mich mit Worten in Versuchung geführt?

MYRRHINA. Damit du die Sünde in ihrer übertünchten Maske und den Tod in seinem schändlichen Gewand erblickst.

Briefe

Übersetzt von Hedda Soellner

Ein Brief aus dem Zuchthaus zu Reading
(De Profundis)

An Lord Alfred Douglas

[Januar-März 1897] H. M. Prison, Reading

Lieber Bosie, nach langem, vergeblichem Warten habe ich mich nun entschlossen, Dir zu schreiben, nicht nur in Deinem, sondern auch in meinem Interesse, denn mich schmerzt der Gedanke, daß ich in zwei langen Jahren der Gefangenschaft keine einzige Zeile von Dir erhielt und daß Deine spärlichen Botschaften und die wenigen Berichte über Dich mir nur Kummer bereitet haben.

Unsere verhängnisvolle und unselige Freundschaft endete für mich in Zusammenbruch und öffentlicher Schande, und doch läßt mich die Erinnerung an unsere einstige Zuneigung nicht los, stimmt der Gedanke, daß Ekel, Bitterkeit und Verachtung in meinem Herzen für immer den Platz einnehmen sollten, den einst die Liebe innehatte, mich traurig: und sicher wird auch Dir Dein Herz sagen, daß Du besser daran tätest, mir in die Einsamkeit des Kerkerdaseins zu schreiben, als ohne meine Erlaubnis meine Briefe zu veröffentlichen oder mir, ohne zu fragen, Gedichte zu widmen, wenn auch die Welt dann nicht erfahren wird, welche Worte des Leids oder der Leidenschaft, der Reue oder der Gleichgültigkeit Du für Deine Antwort oder Deinen Anruf wähltest.

Zweifellos wird manches in diesem Brief, der von Deinem Leben und meinem sprechen muß, von Vergangenheit und Zukunft, von Süßem, das sich in Bitterkeit wandelte, und von Bitterem, das sich vielleicht einmal in Freude verkehrt, Deine Eitelkeit im Innersten treffen. Wenn Du das spürst, so lies diesen Brief immer wieder, bis er Deine Eitelkeit vernichtet hat. Wenn Du auf etwas stößt, das Dir als ungerechte Anklage erscheint, so bedenke, man sollte dankbar dafür sein, daß es Fehler gibt, deren man zu Unrecht angeklagt werden kann. Wenn Du zu einer einzigen Stelle kommen solltest, die Dir Tränen entlockt, dann weine, so wie wir im Kerker weinen, wo der Tag wie die Nacht für Tränen geschaffen sind. Sie sind Deine einzige Rettung. Wenn Du Deiner Mutter Dein Herz ausschüttest, damit sie Dir recht gibt und Deinem Dünkel und Deiner Arroganz das Wort redet wie damals, als ich in meinem Brief an Robbie meine Verachtung für Dich kundtat, so bist Du verloren. Wenn Du *eine* heuchlerische Ausrede für Dich findest, dann wirst Du bald auch hundert finden und genau das sein, was Du vorher warst. Sagst Du noch immer wie in Deiner Antwort an Robbie, daß ich Dir *»unwürdige Motive unterstellte«?* Ach, in Deinem Leben gab es keine Motive. Da gab es nur Gelüste. Ein Motiv ist eine geistige Zielsetzung. Daß Du *»sehr jung«* gewesen seist, als unsere Freundschaft begann? Dein Fehler war nicht, daß Du so wenig vom Leben wußtest, sondern daß Du so viel wußtest. Die Morgenfrische der Kindheit mit ihrem zarten Hauch, ihrem klaren, reinen Licht, ihrer unschuldigen, erwartungsvollen Freude hattest Du weit hinter Dir gelassen. Leichten, behenden Fußes warst Du von der Romantik zum Realismus geeilt. Schon faszinierte Dich die Gosse und ihre Welt. Daraus erwuchs die Not, in der Du meine Hilfe suchtest, und ich, so unklug gemessen an der Weisheit dieser Welt, gewährte sie Dir aus Mitleid und Güte. Du mußt diesen Brief zu Ende lesen, auch wenn jedes Wort zum Glüheisen oder Skalpell wird, unter dem das wunde Fleisch brennt oder blutet. Bedenke, ein Tor sein in den Augen der Götter, und ein Tor sein in den Augen der Menschen, ist nicht das gleiche. Einem Menschen, der nichts weiß vom stürmischen Formwandel in der Kunst und vom stetigen Fortschritt des Denkens, nichts weiß vom Prunk des lateinischen Verses noch von toskanischer Bildkunst und der Lyrik der Elisabethaner, kann dennoch süßeste Weisheit innewohnen. Der wahre Tor, den Hohn und Haß der Götter trifft, ist der Mensch, der sich selbst nicht kennt. Allzulang war ich ein solcher Narr. Schon allzu lange bist Du es.

Laß es genug sein. Fürchte Dich nicht. Das schlimmste Laster ist die Seichtheit. Alles ist gut, was man geistig erfaßt hat. Bedenke auch, daß alles, was Dich beim Lesen mit Elend erfüllt, mir beim Schreiben noch größeres Elend gebracht hat. Die unsichtbaren Mächte waren sehr gut zu Dir. Sie haben Dich die seltsamen und tragischen Erscheinungen des Lebens so sehen lassen, wie man Schatten in einer Kristallkugel sieht. Das Haupt der Medusa, bei dessen Anblick lebende Menschen zu Stein erstarren, durftest Du gefahrlos im Spiegel betrachten. Du wandelst unter Blumen. Mir ist die schöne Welt der Farbe und der Bewegung genommen.

Als erstes möchte ich Dir sagen, daß ich bittere Anklage gegen mich erhebe. Ich sitze hier in meiner dunklen Zelle, in Sträflingskleidung, ein entehrter, zugrunde gerichteter Mann, und klage mich an. In den qualvollen, angstfiebernden Nächten, den langen, eintönigen Tagen der Pein klage ich mich an. Ich klage mich an, weil ich es zuließ, daß eine ungeistige Freundschaft, eine Freundschaft, die nicht die Erschaffung und Betrachtung des Schönen zum obersten Ziel hatte, mein Leben völlig beherrschte. Von allem Anfang an klaffte zwischen uns eine zu breite Kluft. Du warst schon in der Schule träge gewesen und an der Universität mehr als träge. Du machtest Dir nicht klar, daß ein Künstler, und zumal ein Künstler wie ich es bin, das heißt einer, bei dem die Qualität seines Werkes von der Vervollkommnung seiner Persönlichkeit abhängt, für die Entfaltung seiner Kunst den Umgang mit Ideen braucht und eine geistige Atmosphäre und Ruhe, Frieden und Einsamkeit. Du hast meine Arbeit bewundert, wenn sie vollendet war: hast die glänzenden Erfolge meiner Premieren genossen und die glänzenden Soupers, die ihnen folgten: Du warst stolz, versteht sich, der beste Freund eines so prominenten Künstlers zu sein: aber die unerläßlichen Voraussetzungen für die Schaffung eines Kunstwerks konntest Du nicht begreifen. Ich drechsle keine rhetorischen Phrasen, sondern bleibe auf dem Boden der durch Tatsachen erhärteten Wahrheit, wenn ich Dich daran erinnere, daß ich während der ganzen Zeit, die wir zusammen waren, keine einzige Zeile geschrieben habe. Ob in Torquay, Goring, London, Florenz oder anderswo, immer war mein Leben unfruchtbar, unschöpferisch, solange Du bei mir warst. Und mit nur wenigen Unterbrechungen warst Du leider immer bei mir.

Um nur ein Beispiel von vielen herauszugreifen: ich erinnere mich, daß ich im September '93 ein paar Zimmer mietete, nur um ungestört arbeiten zu können, denn ich hatte meinen Vertrag mit John Hare, für den ich ein Stück schreiben sollte, gebrochen, und er drängte mich. In der ersten Woche ließest Du mich in Ruhe. Wir hatten uns – kein Wunder – über den künstlerischen Wert Deiner *Salome*-Übersetzung gestritten, und Du beschränktest Dich deshalb darauf, mir törichte Briefe zu schicken. In dieser Woche schrieb ich den ganzen ersten Akt von *An Ideal Husband* fertig, bis ins Detail so, wie er schließlich aufgeführt wurde. In der zweiten Woche kamst Du wieder, und mit meiner Arbeit war es praktisch vorbei. Jeden Vormittag fuhr ich um halb zwölf zum St. James's Place, um dort denken und schreiben zu können, ohne Angst vor Störungen wie sie selbst ein so stiller und friedlicher Haushalt wie der meine mit sich bringt. Doch der Versuch scheiterte. Um zwölf Uhr kamst Du vorgefahren und bliebst Zigaretten rauchend und schwatzend bis halb zwei, dann mußte ich Dich zum Lunch ins Café Royal oder ins Berkeley führen. Lunch plus *liqueurs* dauerten meist bis halb vier. Auf eine Stunde zogst Du Dich in den Club zurück. Zur Teezeit warst Du wieder da und bliebst, bis es Zeit war, sich fürs Abendessen umzuziehen. Dann warst Du mein Gast zum Dinner, entweder im Savoy oder in der Tite Street. Meist trennten wir uns nach Mitternacht, da ein Souper bei Willis den entzückenden Tag würdig beschließen mußte. So lebte ich diese drei Monate hindurch, Tag für Tag, bis auf die vier Tage, die Du verreist warst. Natürlich mußte ich nach Calais hinüber und Dich abholen. Für einen Menschen meiner Art und meines Temperaments war dieses Leben grotesk und tragisch zugleich.

Du mußt Dir das doch inzwischen klargemacht haben? Du mußt doch jetzt einsehen, daß Dein Unvermögen, allein zu sein, Dein Glaube, ständig und völlig die Zeit und die Aufmerksamkeit anderer beanspruchen zu dürfen, Dein völliger Mangel an geistiger Konzentrationsfähigkeit, der unglückliche Zufall – ich möchte gerne an diese Auslegung glauben –, daß Du im Umgang mit geistigen Dingen noch immer nicht den »Oxford-Stil« entwickelt hattest, ich meine, daß Du nie elegant mit Ideen spielen, sondern nur mit radikalen Ansichten auftrumpfen konntest – daß dies alles, zusammen mit der Tatsache, daß Deine Wünsche und Interessen dem Leben galten, nicht der Kunst, die Entwicklung Deiner Persönlichkeit genauso hemmte wie meine Arbeit als Künstler. Wenn ich unsere Freundschaft mit der Freundschaft vergleiche, die mich mit noch jüngeren Männern wie John Gray und Pierre Louÿs verband, so schäme ich mich. Mein wahres Leben, mein Leben im höheren Sinn, verbrachte ich mit ihnen und ihresgleichen.

Ich spreche jetzt nicht von den verheerenden Folgen meiner Freundschaft mit Dir. Ich spreche nur von dem, was sie war, solange sie bestand. Für mich bedeutete sie geistige Erniedrigung. Der Keim zu künstlerischem Temperament war in Dir angelegt. Aber ich bin Dir entweder zu spät oder zu früh begegnet, welche von diesen beiden Möglichkeiten zutrifft, weiß ich nicht. Wenn Du weg warst, ging alles gut. Als ich Anfang Dezember jenes Jahres, auf das ich vorhin anspielte, Deine Mutter dazu bewegen konnte, Dich ins Ausland zu schicken, ordnete ich zugleich das zerrissene, wirre Gespinst meiner schöpferischen Phantasie, bekam mein Leben wieder fest in die Hand und beendete nicht nur die drei letzten Akte von *An Ideal Husband*, sondern ersann auch in ihrem Charakter völlig verschiedene Stücke, die *Florentine Tragedy* und *La Sainte Courtisane*, und hatte sie fast fertig, als Du plötzlich ungebeten, unwillkommen und unter Umständen, die meinen Seelenfrieden gefährdeten, wieder auftauchtest. Die Arbeit an den beiden Stücken konnte ich nie wieder aufnehmen. Die Stimmung, aus der sie entstanden waren, konnte ich nicht wiederfinden. Jetzt, nachdem Du selbst einen Gedichtband veröffentlicht hast, wirst Du die Wahrheit dessen erkennen, was ich hier schreibe. Doch ob Du sie erkennst oder nicht, sie bleibt als häßliche Wahrheit auf dem Grunde unserer Freundschaft. Solange Du bei mir warst, machtest Du meine Kunst zuschanden, und daß ich Dir erlaubte, Dich ständig zwischen mich und meine Kunst zu drängen, dafür muß ich Schuld und Schande voll auf mich nehmen. Du konntest es nicht wissen, Du konntest es nicht verstehen, Du konntest es nicht beurteilen. Ich hatte kein Recht, es überhaupt von Dir zu erwarten. Du interessiertest Dich ausschließlich für Deinen Magen und Deine Marotten. Dir stand der Sinn nur nach Vergnügungen, nach gängigen oder weniger gängigen Lustbarkeiten. Scheinbar oder wirklich brauchte Dein Temperament damals weiter nichts. Ich hätte Dir verbieten sollen, mein Haus und meine Räume ohne ausdrückliche Einladung zu betreten. Ich mache mir die schwersten Vorwürfe wegen meiner Schwäche. Denn es war reine Schwäche. Eine halbe Stunde mit der Kunst gab mir stets mehr als jede noch so lange Zeit mit Dir. In keinem Abschnitt meines Lebens war jemals irgend etwas von annähernd solcher Bedeutung für mich wie die Kunst. Doch bei einem Künstler ist Schwäche ein Verbrechen, wenn diese Schwäche die schöpferische Phantasie lähmt.

Und ich klage mich an, weil ich mich von Dir in den völligen und schimpflichen finanziellen Ruin treiben ließ. Ich denke an jenen Morgen in den ersten Oktobertagen des Jahres '92, als ich mit Deiner Mutter in den herbstlichen Wäldern von Bracknell saß. Damals kannte ich Deine wahre Natur noch kaum. Ich war übers Wochenende bei Dir in Oxford gewesen. Du warst zehn Tage lang bei mir zum Golfspielen in Cromer gewesen. Das Gespräch kam auf Dich, und Deine Mutter klärte mich über Deinen Charakter auf. Sie erzählte mir von Deinen beiden Hauptfehlern, Deiner Eitelkeit und Deiner, wie sie es ausdrückte, »Beziehungslosigkeit zum Geld«. Ich erinnere mich genau, wie ich lachte. Ich ahnte nicht, daß die erste Eigenschaft mich ins Gefängnis und die zweite in den Bankrott stürzen sollte. Eitelkeit hielt ich für eine Art eleganter Knopflochblume für junge Leute; und was Leichtfertigkeit in Gelddingen anlangt – denn ich glaubte, sie meine nur Leichtfertigkeit –, so lagen die Tugenden des Einteilens und Sparens auch nicht in meiner Natur oder in meiner Art. Doch ehe unsere Freundschaft einen Monat älter geworden war, dämmerte mir, was Deine Mutter meinte. Dein Verlangen nach einem Leben in bedenkenloser Verschwendung: Deine ständigen Geldforderungen; das Ansinnen, daß ich für alle Deine Vergnügungen aufkommen müsse, ob ich dabei war oder nicht, brachten mich bald in ernste Geldverlegenheit, und je nachhaltiger Du mein Leben mit Beschlag belegtest, um so langweiliger und uninteressanter wurden diese Extravaganzen für mich, da das Geld kaum für andere Freuden als die des Essens, Trinkens und dergleichen ausgegeben wurden. Von Zeit zu Zeit macht es Vergnügen, die Tafel rot zu decken, mit Wein und Rosen. Du jedoch kanntest weder Sitte noch Maß. Du fordertest ohne Anmut und nahmst ohne Dank. Bald glaubtest Du, eine Art Anspruch auf ein Leben zu meinen Lasten und in verschwenderischem Luxus zu haben, der Dir neu war und daher Deine

Begierde immer mehr reizte; und wenn Du in einem Spielcasino in Algier Geld verlorst, dann depeschiertest Du mir einfach am nächsten Morgen nach London, ich solle den verspielten Betrag auf Dein Bankkonto überweisen, und damit war der Fall für Dich erledigt.

Wenn ich Dir sage, daß ich vom Herbst 1892 bis zu meiner Inhaftierung mehr als £ 5 000 in barem Geld mit Dir und für Dich ausgegeben habe, und obendrein noch Schulden machte, dann wird Dir aufgehen, welchen Lebensstil Du mir aufzwangst. Glaubst Du, ich übertreibe? Meine gewöhnlichen Ausgaben für einen gewöhnlichen Tag mit Dir in London – Lunch, Dinner, Souper, Vergnügungen, Droschken und alles übrige – beliefen sich auf £ 12 bis £ 20, und die Ausgaben für eine Woche betrugen dementsprechend zwischen £ 80 und £ 130. Unsere drei Monate in Goring haben mich (einschließlich Miete natürlich) £ 1 340 gekostet. Mit dem Konkursverwalter mußte ich jeden Posten meines Lebens einzeln durchgehen. Es war gräßlich. *»Einfach leben und edel denken«* war natürlich ein Ideal, mit dem Du damals noch nichts anfangen konntest, aber solche Vergeudung war für uns beide eine Schande. Eines der reizendsten Dinners, an die ich mich erinnere, habe ich zusammen mit Robbie in einem kleinen Café in Soho eingenommen, es kostete etwa so viel in Shilling, wie meine Dinners mit Dir in Pfund zu kosten pflegten. Auf mein Dinner mit Robbie geht mein erster und bester Essay zurück. Idee, Titel, Aufbau, Form, alles ist bei einem Menu zu 3 Francs 50 herausgekommen. Von den üppigen Dinners mit Dir bleibt nur die Erinnerung an zu viele Speisen und zu viele Getränke. Und daß ich Dir in allem nachgab, war schlecht für Dich. Du weißt es jetzt. Es hat Dich noch gieriger gemacht: gelegentlich recht skrupellos: und immer unliebenswürdig. Bei viel zu häufigen Gelegenheiten war es weder ein Vergnügen noch ein Vorzug, Dein Gastgeber zu sein. Es fehlte – ich will nicht sagen die formelle Höflichkeit Deines Dankes, denn formelle Höflichkeiten belasten eine enge Freundschaft –, es fehlte einfach die Atmosphäre vertrauten Beisammenseins, der Zauber angenehmer Unterhaltung, das *τερπνὸν κακόν*, wie die Griechen es nannten, und jene feine Bildung, die das Leben verschönt, es begleitet wie Musik, die Dinge in Harmonie bringt und grelle oder stumme Stellen mit Wohlklang überbrückt. Es befremdet Dich vielleicht, daß ein Mensch in meiner schrecklichen Lage einen Unterschied zwischen der einen Schande und der anderen findet; daß ich jedoch so viel Geld an Dich wegwarf und Dich widerstandslos mein Vermögen zu meinem und Deinem Schaden verschleudern ließ, diese Torheit, ich muß es offen gestehen, verleiht meinem Bankrott in meinen Augen den Anstrich einer vulgären Liederlichkeit, die mich den Zusammenbruch als doppelt beschämend empfinden läßt. Ich war für andere Dinge geschaffen.

Doch mein bitterster Vorwurf gegen mich selbst geht dahin, daß ich Dich meine sittliche Persönlichkeit völlig untergraben ließ. Die Basis des Charakters ist die Willenskraft, und meine ganze Willenskraft ordnete sich der Deinen unter. Es klingt grotesk, ist aber darum nicht weniger wahr. Die ständigen Szenen, die für Dich beinahe ein physisches Bedürfnis zu sein schienen und die Deinen Sinn und Deine Züge verzerrten und Dein Bild und Deine Worte gleich abstoßend machten: die abscheuliche Manie, die Du von Deinem Vater geerbt hast, die Manie, empörende und gemeine Briefe zu schreiben: die völlige Unbeherrschtheit Deiner Gefühle, die sich bald in langem, schmollendem Schweigen äußerte, bald in jähen, fast epileptischen Wutanfällen: alle diese Dinge, derentwegen ich Dich in einem meiner Briefe beschwor, den Du im Savoy oder in einem anderen Hotel herumliegen ließest und den der Anwalt Deines Vaters dem Gericht vorlegte, eine Beschwörung, die nicht frei war von Pathos, doch Du warst damals unfähig, Pathos in seinem Wesen oder seinen Äußerungen zu erkennen: – alle diese Dinge waren Grund und Anlaß meiner fatalen Nachgiebigkeit gegen Deine täglich wachsenden Forderungen. Du hast mich mürbe gemacht. Es war der Triumph der kleineren über die größere Natur. Es war ein Fall jener Tyrannei des Schwachen über den Starken, von der ich irgendwo in einem meiner Stücke sage, daß sie »die einzige Tyrannei ist, die sich auf die Dauer hält«.

Und sie war unvermeidlich. In jeder engen menschlichen Beziehung muß man ein *moyen de vivre* finden. In Deinem Fall hatte man nur die Möglichkeit, Dir entweder nachzugeben oder Dich aufzugeben. Eine andere Alternative gab es nicht. Aus tiefer, wenn auch verfehlter Zuneigung zu Dir: aus großer Nachsicht mit Deiner Unausgeglichenheit und Deinen Schwächen: aus der mir eigenen sprichwörtlichen Gutmütigkeit und keltischen Trägheit: aus der Aversion des Künstlers gegen derbe Auftritte und rüde Ausdrücke: aus der für mich damals typischen Unfähigkeit, jemandem etwas nachzutragen: aus Abneigung, mir das Leben verbittern und entstellen zu lassen durch Dinge, die mir, dessen Augen auf ganz andere Dinge gerichtet waren, als bloße Lappalien erschienen, zu unwichtig, um mehr als flüchtige Überlegung und Beachtung zu verdienen – aus all diesen Gründen, die im einzelnen einfältig klingen mögen, gab ich Dir schließlich immer nach. Kein Wunder, daß Deine Ansprüche, Deine Herrschsucht, Deine Erpressungen ins Maßlose wuchsen. Die niedrigste Regung, das banalste Gelüst, die vulgärste Leidenschaft wurde Dir zum Gesetz, dem das Leben anderer sich stets zu beugen hatte und dem sie notfalls skrupellos geopfert wurden. Das Wissen, daß Du bloß eine Szene zu machen brauchtest, um jederzeit alles zu erzwingen, stachelte Dich natürlicherweise und zweifellos beinah unbewußt zu Exzessen gemeiner Gewalttätigkeit an. Am Ende wußtest Du nicht mehr, was Du wolltest oder warum Du es wolltest. Nachdem Du mein Genie, meine Willenskraft und mein Vermögen in Beschlag genommen hattest, verlangtest Du in blinder, unersättlicher Gier meine ganze Existenz. Und nahmst sie. In dem im wahrsten und tragischsten Sinne kritischen Augenblick meines Lebens, kurz ehe ich den verhängnisvollen Schritt tat und mich auf jenen absurden Prozeß einließ, attakkierte mich von der einen Seite Dein Vater mit widerlichen Karten, die er in meinem Club abgab, und auf der anderen Seite attackiertest Du mich mit nicht minder ekelhaften Briefen. Am Morgen des Tages, an dem ich mich von Dir zum Polizeigericht schleppen ließ, um den lächerlichen Haftbefehl gegen Deinen Vater zu erwirken, hatte ich einen der übelsten und beschämendsten Briefe erhalten, die Du jemals geschrieben hast. Zwischen euch beide gestellt, verlor ich den Kopf. Meine Urteilsfähigkeit verließ mich. Panik trat an ihre Stelle. Ich sah, offen gestanden, keine Möglichkeit mehr, einem von Euch zu entfliehen. Blind tappte ich dahin, wie ein Ochse zum Schlachthaus. Ich hatte einen gewaltigen psychologischen Irrtum begangen. Ich hatte die ganze Zeit geglaubt, mein Nachgeben in unwichtigen Dingen hätte nichts zu bedeuten: ich könnte im entscheidenden Augenblick meiner Willenskraft wieder zu ihrer natürlichen Überlegenheit verhelfen. Das stimmte nicht. Im entscheidenden Augenblick ließ meine Willenskraft mich im Stich. Im Leben gibt es tatsächlich nichts Entscheidendes oder Unwichtiges. Alle Dinge sind gleichwertig und gleichgewichtig. Meine – zunächst hauptsächlich auf Gleichgültigkeit beruhende – Gewohnheit, Dir in allem nachzugeben, war unbemerkt ein Teil meines Wesens geworden. Ohne daß ich es wußte, hatte sie mein Temperament auf eine einzige verhängnisvolle Stimmung festgelegt. Deshalb sagt Pater in dem subtilen Epilog zur ersten Auflage seiner Essays, »Scheitern heißt, Gewohnheiten annehmen«. Das stumpfsinnige Volk von Oxford deutete diesen Ausspruch als bloße eigenwillige Umkehrung der recht langweiligen aristotelischen Auffassung von der Ethik, tatsächlich birgt er jedoch eine wunderbare, eine schreckliche Wahrheit. Ich hatte zugelassen, daß Du meine Moral untergrubst, und die Annahme einer Gewohnheit führte bei mir nicht nur zum Scheitern, sondern zum Untergang. In moralischer Hinsicht hast Du mich noch weit mehr gelähmt als in künstlerischer.

Sobald der Haftbefehl ausgestellt war, lenkte Dein Wille selbstverständlich alles Weitere. Während ich mich in London um kundigen Rat bemühen und in Ruhe die gemeine Falle hätte studieren sollen, in der ich mich hatte fangen lassen – die Gimpelfalle, wie Dein Vater sie noch heute nennt –, mußte ich unbedingt mit Dir nach Monte Carlo fahren, ausgerechnet an diesen abstoßendsten aller Orte auf Gottes weiter Welt, damit Du Tag und Nacht, solange das Casino geöffnet war, am Spieltisch sitzen konntest. Ich konnte mir – da das Bakkarat mich nicht reizt – draußen die Zeit vertreiben. Du warst nicht dazu zu bewegen, auch nur fünf Minuten lang mit mir die Lage zu beraten, in die Ihr, Du und Dein Vater, mich gebracht hattet. Ich hatte lediglich Deine Hotelrechnung und Deine Spielschulden zu bezahlen. Die kleinste Anspielung auf die Feuerprobe, die mir bevorstand, ödete Dich an, eine neue Champagnermarke, die uns empfohlen wurde, interessierte Dich mehr.

Als wir nach London zurückkehrten, beschworen mich Freunde,

die wirklich um mein Wohl besorgt waren, ich solle ins Ausland gehen, mich nicht auf einen unmöglichen Prozeß einlassen. Weil sie mir diesen Rat gaben, unterstelltest Du ihnen niedrige Motive, und mich nanntest Du feige, weil ich ihn anhörte. Du zwangst mich zu bleiben und die Sache mit allen Mitteln durchzufechten, wenn möglich im Zeugenstand durch Leistung von absurden und dummen Meineiden. Am Ende wurde ich natürlich festgenommen, und Dein Vater war der Held des Tages: ja, mehr als der Held des Tages: Deine Familie hat sich jetzt, so komisch das ist, unter die Unsterblichen gereiht: denn durch jene groteske Unberechenbarkeit, die gewissermaßen ein gotisches Element in der Geschichte darstellt und Klio zur unseriösesten aller Musen macht, wird Dein Vater in der Schar der gütigen, reingesinnten Eltern aus den Erbauungsgeschichten fortleben und Du an der Seite des Knaben Samuel, ich aber sitze im tiefsten Kot des Malebolge zwischen Gilles de Retz und dem Marquis de Sade.

Natürlich hätte ich mit Dir brechen sollen. Ich hätte Dich aus meinem Leben schleudern sollen, wie man ein stechendes Insekt von seinem Anzug schleudert. Im schönsten seiner Dramen erzählt Aischylos uns von jenem Hirtenkönig, der ein Löwenjunges, *λέοντος ἶνιν*, in seinem Hause aufzieht und es liebt, weil es freudig seinem Rufe folgt und wedelnd seinen Hunger kundtut: *φαιδρωπὸς ποτὶ λεῖρα, σαίνων τε γαστρὸς ἀνάγκαιας*. Doch es wird größer und zeigt seine wahre Natur *ἦθος τὸ πρόσθε τοκήων*, vernichtet den König und sein Haus und seine ganze Habe. Mir ging es ähnlich wie diesem König. Doch mein Fehler war nicht, daß ich mich nicht von Dir trennte, sondern daß ich mich zu oft von Dir trennte. Soweit ich mich entsinne, kündigte ich Dir regelmäßig alle drei Monate die Freundschaft, und jedesmal brachtest Du es fertig, sei es durch Bitten, Telegramme, Briefe, durch Vermittlung Deiner oder auch meiner Freunde und auf sonstige Art, daß ich Dich wieder aufnahm. Als Du Ende März '93 mein Haus in Torquay verließest, war ich entschlossen, nie mehr mit Dir zu sprechen und Dich unter keinen Umständen mehr in meine Nähe zu lassen, so empörend war der Auftritt gewesen, den Du am Vorabend Deiner Abreise gemacht hattest. Aus Bristol batest Du mich in Briefen und Telegrammen um

Verzeihung und um ein Wiedersehen. Dein Hauslehrer, der in Torquay geblieben war, sagte mir, daß Du seiner Meinung nach manchmal einfach nicht verantwortlich seist für das, was Du sagtest und tätest, und daß die meisten, wenn nicht alle Studenten des Magdalen College diese Meinung teilten. Ich willigte ein, Dich wiederzusehen, und verzieh Dir natürlich. Auf der Fahrt nach London batest Du mich, mit Dir ins Savoy zu gehen. Das wurde mein Verhängnis.

Drei Monate später, im Juni, waren wir in Goring. Einige Deiner Freunde aus Oxford kamen übers Wochenende auf Besuch. Am Morgen ihrer Abreise machtest Du eine so fürchterliche, so peinliche Szene, daß ich Dir sagte, wir müßten uns trennen. Ich weiß noch gut, wie wir auf dem gepflegten Rasen des ebenen Krockettplatzes standen und ich Dir auseinandersetzte, daß wir einander nur das Leben schwermachten, daß Du meines völlig ruiniertest und daß ich Dich offensichtlich nicht wirklich glücklich machte und daß unwiderrufliche Trennung, ein endgültiger Schlußstrich, die einzig kluge und philosophische Lösung sei. Du reistest nach dem Lunch schmollend ab, nicht ohne dem Butler einen Deiner kränkendsten Briefe mit der Anweisung hinterlassen zu haben, ihn mir nach Deiner Abreise auszuhändigen. Vor Ablauf von drei Tagen telegrafiertest Du aus London, ich möge Dir verzeihen und Dich zurückkommen lassen. Ich hatte das Haus nur Dir zuliebe gemietet. Ich hatte auf Dein Verlangen Deine eigenen Diener engagiert. Es tat mir immer mehr leid, daß Du ein Opfer dieser gräßlichen Launenhaftigkeit warst. Ich hatte Dich gern. Und so ließ ich Dich zurückkommen und verzieh Dir. Drei Monate später, im September, kam es zu neuerlichen Szenen, weil ich Dich auf die Schuljungenschnitzer in Deinem Übersetzungsentwurf von *Salome* aufmerksam gemacht hatte. Inzwischen kannst Du genug Französisch und weißt, daß diese Übersetzung eines Oxford-Studenten, der Du ja warst, ebenso unwürdig war wie des Werkes, das sie wiedergeben sollte. Damals wußtest Du das natürlich noch nicht, und in einem Deiner ausfallenden Briefe, die Du mir in dieser Sache schriebst, sagtest Du, Du seist mir in »intellektueller Hinsicht nicht verpflichtet«. Als ich das las, spürte ich, daß es der einzige wahre Satz war, den Du mir im Laufe unserer ganzen Freundschaft geschrieben hattest. Ich sah ein, daß eine weniger kultivierte Natur viel besser zu Dir gepaßt hätte. Ich sage das jetzt nicht aus Verbitterung, sondern stelle es einfach als Tatsache fest. Die Voraussetzung für jede menschliche Bindung, sei es Ehe oder Freundschaft, ist letztlich das Gespräch; dieses Gespräch muß eine gemeinsame Basis haben, und bei zwei Menschen von sehr verschiedenem Bildungsniveau kann diese Basis nur auf der niedrigsten Ebene liegen. Trivialität in Wort und Tat ist bezaubernd. Ich hatte sie zum Grundstein einer geistreichen Philosophie gemacht, die ich in meinen Theaterstücken und Paradoxen zum Ausdruck brachte. Aber den Tand und die Torheit unseres gemeinsamen Lebens empfand ich oft als öde: nur im Morast begegneten wir uns: und so faszinierend, schrecklich faszinierend das einzige Thema war, um das Deine Reden beharrlich kreisten, am Ende langweilte es mich nur noch. Es langweilte mich oft tödlich, doch ich nahm es hin, wie ich Deine Leidenschaft für Varietévorstellungen hinnahm oder Deine Manie für sinnloses Prassen oder Deine sonstigen, für mich noch weniger anziehenden Eigenheiten: als etwas nämlich, womit man sich eben abzufinden hatte, als einen Teil des hohen Preises, den man für Deine Bekanntschaft bezahlen mußte. Als ich nach unserem Aufenthalt in Goring für zwei Wochen nach Dinard fuhr, warst Du mir sehr böse, weil ich Dich nicht mitnahm, machtest mir deshalb vor meiner Abreise mehrere sehr unerquickliche Szenen im Albemarle Hotel und schicktest mir ebenso unerquickliche Telegramme in das Landhaus, in dem ich ein paar Tage zu Gast war. Ich weiß noch, daß ich Dir sagte, es sei Deine Pflicht, eine Weile bei Deinen Angehörigen zu bleiben, nachdem Du den ganzen Sommer fern von ihnen verbracht hattest. Doch um die Wahrheit zu sagen, ich hätte Dich unter keinen Umständen um mich haben können. Wir waren fast zwölf Wochen lang zusammen gewesen. Ich brauchte Ruhe und mußte mich von den schrecklichen Strapazen Deiner Gesellschaft erholen. Ich mußte eine Weile mit mir allein sein. Es war eine intellektuelle Notwendigkeit. Und so sah ich, offen gestanden, in Deinem eben zitierten Brief eine treffliche Gelegenheit, die verhängnisvolle Freundschaft, die sich zwischen uns entwickelt hatte, zu beenden, sie ohne Bitterkeit zu beenden, wie ich es schon drei Monate früher an jenem strahlenden Junimorgen in Goring versucht hatte. Ich wurde jedoch darauf aufmerksam gemacht – wie ich zugeben muß, von einem meiner Freunde, an den Du Dich in Deiner Bedrängnis gewandt hattest –, daß Du tief verletzt sein würdest, vielleicht sogar gedemütigt, wenn Du Deine Arbeit wie einen Schulaufsatz zurückerhieltest; daß ich Dich geistig überfordere; und daß Du mir, was immer Du schreiben oder tun würdest, aufrichtig ergeben seist. Ich wollte nicht der erste sein, der Deine literarischen Gehversuche hemmte oder geringschätzte: ich wußte genau, daß Farbe und Rhythmus meines Werkes nur in der Übersetzung eines Dichters erhalten bleiben würden: doch Ergebenheit war und ist für mich noch immer etwas sehr Schönes, das man nicht leichthin abtun sollte: und so nahm ich die Übersetzung und Dich wieder an. Genau drei Monate danach, nach einer Reihe von Auftritten, die ihren Höhepunkt in einer besonders abstoßenden Szene fanden, als Du an einem Montagabend in Begleitung zweier Freunde bei mir auftauchtest, flüchtete ich buchstäblich am nächsten Morgen vor Dir ins Ausland. Ich nannte meinen Angehörigen irgendeinen albernen Grund für meine plötzliche Abreise und hinterließ meinem Diener eine falsche Adresse, da ich fürchtete, Du könntest sonst mit dem nächsten Zug nachkommen. Ich weiß noch, wie ich an jenem Nachmittag zum Zug nach Paris eilte und darüber nachdachte, wie unmöglich, wie schrecklich, wie völlig verfahren mein Leben sein mußte, wenn ich, ein Mann von weltweiter Berühmtheit, buchstäblich zur Flucht aus England gezwungen war, um von einer Freundschaft loszukommen, die in mir alles geistig und sittlich Gute zerstörte: dabei floh ich nicht vor einem Fabelwesen, das aus Schlamm und Unrat in unsere moderne Welt gestiegen war und in dessen Fängen ich mich verstrickt hatte, sondern vor Dir, einem jungen Mann meiner eigenen Gesellschaftsschicht, der wie ich in Oxford studiert hatte und ständiger Gast in meinem Hause gewesen war. Es folgten die üblichen Bitt- und Reue-Telegramme: ich ignorierte sie. Schließlich drohtest Du, nicht nach Ägypten zu reisen, wenn ich nicht in ein Treffen einwilligte. Ich selbst hatte aber, mit Deinem Wissen und Willen, Deine Mutter gebeten, Dich aus England wegzuschicken, nach Ägypten, da Du in London Dein Leben zerstörtest. Ich wußte, daß es für Deine

Mutter eine schreckliche Enttäuschung gewesen wäre, wenn Du nicht gingest, und ihr zuliebe traf ich mich mit Dir und in einer großen Gefühlsaufwallung, die selbst Du nicht vergessen haben kannst, verzieh ich das Vergangene; von der Zukunft jedoch sprach ich kein Wort.

Ich weiß noch, wie ich nach meiner Rückkehr am nächsten Tag traurig in meinem Zimmer in London saß und ernstlich zu ergründen versuchte, ob Du wirklich so seist, wie Du mir erschienst, so voll schrecklicher Fehler, so verderbenbringend für Dich selbst wie für andere, ein Mensch, dessen Gesellschaft, ja dessen bloße Bekanntschaft einem zum Verhängnis wird. Eine ganze Woche lang dachte ich darüber nach, fragte mich, ob ich Dich nicht doch ungerecht oder falsch einschätzte. Und am Ende der Woche wird ein Brief Deiner Mutter abgegeben. Er spiegelte bis ins einzelne den gleichen Eindruck, den auch ich von Dir hatte. Deine Mutter schrieb von Deiner blinden, maßlosen Eitelkeit, die Schuld daran sei, daß Du Dein Zuhause gering achtetest und Deinen älteren Bruder – diese *candidissima anima* – »wie einen Philister« behandeltest: von Deiner Unbeherrschtheit, die sie davor zurückschrecken ließ, mit Dir über Dein Leben zu sprechen, über das Leben, das Du, wie sie fühlte und wußte, führtest: über Dein Verhalten in Gelddingen, das sie in mehr als einer Hinsicht betrübte: von der Veränderung zu Deinen Ungunsten, die mit Dir vorgegangen sei. Sie sah natürlich ein, daß Du mit einem schrecklichen Erbe belastet bist, und gab es offen zu, gab es voll Entsetzen zu: er ist »dasjenige meiner Kinder, das den unseligen Douglas-Charakter geerbt hat«, schrieb sie. Und abschließend stellte sie fest, sie fühle sich zu der Bemerkung verpflichtet, ihrer Ansicht nach habe Deine Freundschaft mit mir Deine Eitelkeit in einem solchen Maße gesteigert, daß sie zur Quelle all Deiner Fehler wurde, und sie bat mich ernstlich, ich möge mich nicht im Ausland mit Dir treffen. Ich beantwortete ihren Brief umgehend und schrieb ihr, daß ich jedem ihrer Worte beipflichte. Ich schrieb noch viel mehr. Ich ging so weit, wie ich irgend gehen konnte. Ich schrieb ihr, unsere Freundschaft datiere von Deiner Studentenzeit in Oxford, als Du mich gebeten hättest, Dir aus einer Kalamität heikelster Art zu helfen. Ich schrieb ihr, daß Dein Leben schon immer von dem gleichen Problem überschattet gewesen sei. Die Verantwortung für Deine Reise nach Belgien hattest Du Deinem Gefährten zugeschoben, und Deine Mutter machte mir Vorwürfe, daß ich Dich mit ihm bekannt gemacht hatte. Ich legte die Verantwortung dem auf die Schultern, dem sie zukam, nämlich Dir. Schließlich versicherte ich Deiner Mutter, daß ich nicht die geringste Absicht hätte, Dich im Ausland zu treffen, und bat sie, sie möge dafür sorgen, daß Du für mindestens zwei oder drei Jahre dort bliebest, vielleicht als ehrenamtlicher Attaché oder, falls das nicht ginge, zur Erlernung neuerer Sprachen oder unter irgendeinem beliebigen Vorwand; das wäre für Dich und für mich das Beste.

Inzwischen schriebst Du mir mit jeder Post aus Ägypten. Ich reagierte auf keine dieser Mitteilungen. Ich las sie und zerriß sie. Ich hatte endgültig mit Dir Schluß gemacht. Meine Entscheidung stand fest, und freudig widmete ich mich wieder der Kunst, von deren Vervollkommnung ich mich durch Dich so lange abhalten ließ. Nach Ablauf von drei Monaten schreibt mir doch tatsächlich Deine Mutter – zweifellos auf Dein Bestreben – aus jener unglückseligen Willensschwäche heraus, die ihr eigen ist und die in der Tragödie meines Lebens eine nicht minder verhängnisvolle Rolle spielt als die Gewalttätigkeit Deines Vaters, und teilt mir mit, Du wartest sehnlichst auf eine Nachricht von mir, und damit ich keinen Vorwand hätte, Dir nicht zu schreiben, gibt sie mir Deine Adresse in Athen, die ich natürlich genau kannte. Ich gestehe, daß ihr Brief mich überraschte. Ich verstand nicht, wie sie nach dem, was sie mir im Dezember geschrieben und was ich ihr darauf geantwortet hatte, den Versuch machen konnte, meine unglückselige Freundschaft mit Dir zu kitten oder zu erneuern. Selbstverständlich bestätigte ich ihren Brief und riet ihr dringend zu dem Versuch, Dich doch bei einer ausländischen Gesandtschaft unterzubringen, damit Du nicht nach England zurückkehrtest; Dir jedoch schrieb ich nicht und nahm nach wie vor keine Notiz von Deinen Telegrammen. Schließlich gingst Du soweit, an meine Frau zu depeschieren, sie solle doch ihren Einfluß auf mich geltend machen und mich veranlassen, Dir zu schreiben. Unsere Freundschaft war für sie schon immer eine Quelle der Betrübnis gewesen: nicht nur, weil sie Dich persönlich nie mochte, sondern weil sie sah, wie der Umgang mit Dir mich veränderte, und zwar nicht zu meinem Vorteil: dennoch, sie war nicht nur immer liebenswürdig und gastfreundlich zu Dir, sie konnte auch den Gedanken nicht ertragen, daß ich eine Unfreundlichkeit – als solche betrachtete sie es – gegen einen meiner Freunde beging. Sie glaubte, ja sie wußte, daß das meinem Charakter zuwiderlief. Auf ihre Bitte hin nahm ich mit Dir Verbindung auf. Ich erinnere mich noch an den Wortlaut meines Telegramms. Ich schrieb, die Zeit heile alle Wunden, doch müßten noch viele Monate vergehen, ehe ich Dir wieder schreiben oder Dich sehen könne. Du reistest unverzüglich nach Paris ab und schicktest mir von unterwegs leidenschaftliche Telegramme, in denen Du um ein Zusammentreffen batest, um ein einziges nur. Ich lehnte ab. Du trafst an einem späten Samstagabend in Paris ein und fandest in Deinem Hotel meinen kurzen Brief mit der Mitteilung, daß ich Dich nicht sehen wolle. Am nächsten Morgen traf in der Tite Street ein zehn oder elf Seiten langes Telegramm von Dir ein. Darin sagtest Du, Du könntest einfach nicht glauben, daß ich Dich, ganz gleich, was Du mir angetan habest, um keinen Preis sehen wolle: Du hieltest mir vor, daß Du sechs Tage und sechs Nächte ohne Aufenthalt quer durch ganz Europa gefahren seist, nur um mich wenigstens für eine Stunde zu sehen: Dein Hilferuf war, wie ich zugeben muß, höchst eindrucksvoll aufgemacht und schloß mit einer kaum verhüllten Selbstmorddrohung. Jedenfalls mußte ich es so auffassen. Denn Du hattest mir oft erzählt, daß viele Deiner Ahnen die Hand mit dem eigenen Blut befleckt hatten; Dein Onkel ganz bestimmt, Dein Großvater höchstwahrscheinlich; und viele andere aus dem hohlen, morschen Stamm, der Dich hervorgebracht hat. Mitleid, meine alte Neigung zu Dir, Rücksicht auf Deine Mutter, für die Dein Tod unter so gräßlichen Umständen ein kaum zu ertragender Schicksalsschlag gewesen wäre, der schreckliche Gedanke, daß ein so junges Leben, das bei all seinen häßlichen Fehlern doch Schönes verhieß, ein so entsetzliches Ende nehmen sollte, reine Menschlichkeit, all diese Regungen müssen mir als Entschuldigung dafür dienen – falls es einer Entschuldigung bedarf –, daß ich Dir eine letzte Zusammenkunft gewährte. Ich kam nach Paris: und Du brachst den ganzen Abend immer wieder in Tränen aus, die wie Regen über Deine Wangen flossen, zuerst während des Diners bei Voisin, anschließend beim Souper bei Paillard: Du zeigtest Freude über das Wiedersehen, faßtest so oft es ging nach meiner Hand wie ein braves, reuiges Kind: Du warst an diesem Abend voll ungekünstelter aufrichtiger Zerknirschung: und so gab ich nach und erneuerte unsere Freundschaft. Zwei Tage nach unserer Ankunft in London sah Dein Vater Dich mit mir beim Lunch im Café Royal, kam an meinen Tisch, trank von meinem Wein, und am gleichen Nachmittag holte er durch einen an Dich gerichteten Brief zu seinem ersten Schlag gegen mich aus.

Seltsamerweise sah ich mich noch einmal, ich will nicht sagen vor die glückliche Möglichkeit, sondern geradezu vor die Pflicht gestellt, mich von Dir zu trennen. Ich brauche Dich wohl kaum daran zu erinnern, daß ich Dein Benehmen mir gegenüber während unseres Aufenthalts in Brighton vom 10. bis 13. Oktober 1894 meine. Dich über drei Jahre zurückzuerinnern, dürfte Dir schwerfallen. Wir jedoch im Kerker, deren Leben kein Ereignis kennt, nur Gram, wir müssen die Zeit nach dem Pochen des Leids und der Erinnerung an bittere Augenblicke messen. Wir haben sonst nichts, woran wir denken könnten. Das Leid ist – so wunderlich Dir das klingen mag – das Mittel, durch das wir existieren, weil es das einzige Mittel ist, das uns die eigene Existenz noch bewußt macht; und die Erinnerung an frühere Leiden brauchen wir als Gewähr, als Beweis dafür, daß wir noch immer wir selbst sind. Zwischen mir und meinen freudigen Erinnerungen liegt ein Abgrund, der nicht minder tief ist als der Abgrund zwischen mir und den wirklichen Freuden des Daseins. Wäre unser gemeinsames Leben so gewesen, wie die Welt es sich vorstellt, ein Leben in Vergnügungen, Üppigkeit und Freude, dann könnte ich mich an keine Einzelheit mehr erinnern. Weil es aber so viele Augenblicke und Tage gab, die tragisch, bitter und gespenstisch waren mit ihren Anzeichen kommenden Unheils, öde oder qualvoll mit ihren immer wiederkehrenden Auftritten und häßlichen Streitereien, darum sehe oder höre ich jeden einzelnen Vorfall noch heute in aller Schärfe, ja ich sehe oder höre kaum etwas anderes. An diesem Ort lebt man so ausschließlich vom Schmerz, daß meine Freundschaft mit Dir, so wie sie sich meiner Erinnerung aufzwingt, mir immer wie ein stimmiges Präludium zu dem Chor der Angststimmen erscheint, den ich Tag für Tag hören, nein, schlimmer noch: selbst dirigieren muß; als wäre mein Leben, was immer ich selbst und andere darin gesehen haben, die ganze Zeit über eine wahre Symphonie des Schmerzes gewesen, eine Suite rhythmisch verbundener Sätze, die ihrem sicheren Schlußfall mit jener Zwangsläufigkeit zueilen, die in der Kunst für die Behandlung eines jeden großen Themas charakteristisch ist.

Es war die Rede von Deinem Benehmen mir gegenüber an drei aufeinanderfolgenden Tagen vor drei Jahren gewesen, nicht wahr? Ich versuchte, mein letztes Theaterstück in Worthing zu vollenden. Du warst soeben nach Deinem zweiten Besuch dort abgereist. Nun tauchtest Du plötzlich ein drittes Mal auf, und zwar mit einem Begleiter, der nach Deinem eigenen Vorschlag im Hause wohnen sollte. Ich lehnte entschieden (und wie Du jetzt zugeben mußt, zu recht) ab. Du warst selbstverständlich mein Gast – in dem Punkt hatte ich keine Wahl –, aber nicht in meinem Haus: ich brachte Dich anderswo unter. Am nächsten Tag, einem Montag, kehrte Dein Gefährte zu seinen beruflichen Pflichten zurück, und Du bliebst bei mir. Du findest Worthing langweilig und erst recht meine nutzlosen Versuche, mich auf mein Stück zu konzentrieren, auf das Einzige, was mich im Augenblick wirklich interessierte, und zwingst mich, mit Dir nach Brighton ins Grand Hotel zu übersiedeln. Am Abend unserer Ankunft erkrankst Du an dem gräßlichen, tückischen Fieber, das man fälschlicherweise Influenza nennt. Es war Dein zweiter oder sogar dritter Anfall. Ich brauche Dich nicht daran zu erinnern, wie ich Dich hegte und pflegte, nicht nur mit allem Luxus, den Geld beschaffen kann, Früchte, Blumen, Geschenke, Bücher und dergleichen, sondern auch mit jener Hingabe, Zärtlichkeit und Liebe, die man, wie immer Du darüber denken magst, nicht für Geld bekommt. Nur zu einem einstündigen Spaziergang am Morgen und einer einstündigen Ausfahrt am Nachmittag verließ ich das Hotel. Ich ließ Dir aus London die erlesensten Trauben kommen, denn die Trauben, die es im Hotel gab, mochtest Du nicht, erfand allerlei Zeitvertreib für Dich, blieb bei Dir oder im anstoßenden Zimmer und saß jeden Abend an Deinem Bett, um Dich zu beruhigen oder aufzuheitern.

Nach vier oder fünf Tagen bist Du wieder gesund, und ich

miete eine Wohnung, um endlich mein Stück fertigzuschreiben. Selbstverständlich begleitest Du mich. Am Morgen nach unserem Einzug fühle ich mich schwer krank. Du mußt geschäftlich nach London, versprichst aber, nachmittags zurück zu sein. In London triffst Du einen Bekannten und kommst erst am späten Abend des folgenden Tages nach Brighton zurück. Inzwischen habe ich hohes Fieber, und die Ärzte stellen fest, daß ich mir von Dir die Influenza geholt habe. Und die Unterkunft erweist sich als denkbar unbequem für einen Kranken. Mein Wohnzimmer ist im Erdgeschoß, mein Schlafzimmer im zweiten Stock. Es gibt keinen Diener, der eine Handreichung tun, nicht einmal jemand, den man auf einen Botengang oder in die Apotheke schicken könnte. Aber Du bist ja da. Ich brauche mich nicht zu beunruhigen. Die beiden nächsten Tage läßt Du mich ohne Pflege, ohne Bedienung, ohne alles. Es ging nicht um Trauben, Blumen und reizende Geschenke: es ging um das Allernötigste: ich konnte nicht einmal die Milch bekommen, die der Arzt mir verordnet hatte: Zitronenwasser war angeblich nicht zu haben: und als ich Dich bat, mir ein bestimmtes Buch in der Buchhandlung zu besorgen oder, falls es nicht vorrätig wäre, etwas anderes auszusuchen, machst Du Dir nicht einmal die Mühe, hinzugehen. Und nachdem ich so den ganzen Tag nichts zu lesen hatte, erklärst Du in aller Ruhe, Du habest das Buch gekauft und man habe Dir versprochen, es mir zu schicken, eine Behauptung, die, wie ich später zufällig feststellte, Wort für Wort erlogen war. Die ganze Zeit lebst Du natürlich auf meine Kosten, fährst aus, dinierst im Grand Hotel und erscheinst nur, wenn Du Geld brauchst. Am Samstagabend, nachdem Du mich den ganzen Tag hilflos und allein gelassen hattest, bat ich Dich, nach dem Dinner zurückzukommen und mir ein Weilchen Gesellschaft zu leisten. Ungehalten und in gereiztem Ton versprichst Du mir es. Ich warte bis elf, vergebens. Daraufhin hinterließ ich ein paar Zeilen für Dich in Deinem Zimmer, nur um Dich an Dein Versprechen zu erinnern und daran, wie Du es gehalten hattest. Um drei Uhr morgens schlief ich noch immer nicht, der Durst quälte mich, und ich tastete mich im Dunkeln und in der Kälte hinunter ins Wohnzimmer, wo ich Wasser zu finden hoffte. Ich fand *Dich*. Du fielst mit allen Beschimpfungen über mich her, die unbeherrschte

Laune und ein ungebärdiges und ungebändigtes Naturell sich ausdenken können. Durch die schreckliche Alchimie des Egotismus verwandeltest Du Deine Gewissensbisse in Wut. Weil ich Dich in meiner Krankheit um mich haben wollte, warfst Du mir vor, ich sei selbstsüchtig, ich gönnte Dir kein Vergnügen; ich wollte Dich hindern, Dein Leben zu genießen. Du sagtest, und ich weiß, daß es stimmte, Du seist um Mitternacht nur zurückgekommen, um Dich umzukleiden und erneut auszugehen, neuen Freuden entgegen, doch der Brief, den Du vorfandest und worin ich Dich daran erinnert hatte, daß Du mich den ganzen Tag und den ganzen Abend vernachlässigt hattest, habe Dir jede Lust an weiteren Vergnügungen verdorben, ja Deine Aufnahmefähigkeit für neue Genüsse vermindert. Voller Ekel ging ich wieder hinauf, lag schlaflos bis zum Morgen, und erst lange nach Tagesanbruch konnte ich meinen Fieberdurst löschen. Um elf Uhr kamst Du in mein Zimmer. Während unseres Auftritts konnte ich mir nicht verkneifen, zu bemerken, daß mein Brief wenigstens den Ausschweifungen einer Nacht, die über das übliche Maß hinausgingen, ein Ende gesetzt hatte. Am Morgen warst Du unverändert. Ich wartete natürlich, was Du zu Deiner Entschuldigung vorbringen und mit welchen Worten Du um Vergebung bitten würdest, die Dir, wie Du genau wußtest, völlig gewiß war, ganz gleich, was Du getan hattest; Deine unerschütterliche Überzeugung, daß ich Dir immer verzeihen würde, war ja gerade das, was ich am meisten an Dir liebte, vielleicht überhaupt das Liebenswerteste an Dir. Doch weit gefehlt, Du machtest Miene, die gleiche Szene in noch heftigerem Tone und anmaßenderer Ausfälligkeit zu wiederholen. Schließlich befahl ich Dir, mein Zimmer zu verlassen; Du sagtest, Du wolltest gehen, doch als ich den Kopf von dem Kissen hob, worin ich ihn vergraben hatte, warst Du noch immer da und kamst plötzlich mit brutalem Gelächter und in hysterischer Wut auf mich zu. Grauen überkam mich, warum, konnte ich nicht genau sagen: aber ich stand sofort auf und schleppte mich, barfuß, wie ich war, die beiden Stockwerke zum Wohnzimmer hinunter, das ich nicht mehr verließ, bis der Hausbesitzer – nach dem ich geklingelt hatte – mir versicherte, Du hättest mein Schlafzimmer verlassen, und versprach, sich für den Notfall in Rufweite zu halten. Eine

Stunde verging, der Arzt war dagewesen und hatte mich natürlich in einem Zustand völliger nervöser Erschöpfung und mit höherem Fieber als bei Ausbruch der Krankheit angetroffen, da kamst Du heimlich zurück, um Dir Geld zu holen: nahmst Dir, was Du auf Kommode und Kaminsims finden konntest und verließest das Haus mitsamt Deinem Gepäck. Muß ich Dir sagen, was ich während der zwei folgenden elenden, einsamen Krankheitstage von Dir dachte? Muß ich wirklich aussprechen, daß ich es als Schmach empfand, mit dem Menschen, als den Du Dich erwiesen hattest, weiterhin auch nur bekannt zu sein? Daß ich den Augenblick der Trennung gekommen sah und ihn wirklich mit großer Erleichterung begrüßte? Und daß ich wußte, in Zukunft würden meine Kunst und mein Leben in jeder Hinsicht freier, besser und schöner sein? So krank ich war, ich fühlte mich wohl. Daß die Trennung endgültig sein würde, brachte mir Frieden. Am Dienstag war das Fieber gewichen, und ich aß zum erstenmal unten. Mittwoch war mein Geburtstag. Unter den Telegrammen und Glückwünschen auf meinem Tisch war ein Brief mit Deiner Handschrift. Ich öffnete ihn, und Wehmut ergriff mich. Ich wußte, daß die Zeit vorüber war, in der ein hübscher Satz, eine zärtliche Wendung, ein Wort des Bedauerns genügt hätten, damit ich Dich wieder aufnehme. Aber ich hatte mich gründlich getäuscht. Ich hatte Dich unterschätzt. Dein Geburtstagsbrief war eine abgefeimte Wiederholung der beiden Szenen, perfid und methodisch schwarz auf weiß festgehalten! Du hast Dich auf billige Art über mich mokiert. Du schriebst, für Dich habe die ganze Sache nur das eine Gute gehabt, daß Du hättest ins Grand Hotel übersiedeln und mir den Lunch, den Du vor Deiner Abreise nach London dort noch einnahmst, auf die Rechnung setzen lassen können. Du gratuliertest mir zu meinem klugen Einfall, vom Krankenlager aufzustehen, zu meiner panischen Flucht über die Treppen. *»Es war ein kritischer Augenblick für Dich«*, schriebst Du, *»kritischer, als Du Dir vorstellen kannst.«* Ach! ich fühlte es nur zu genau. Wenn ich auch nicht wußte, was es wirklich zu bedeuten hatte: ob Du die Pistole bei Dir trugst, die Du gekauft hattest, um Deinen Vater damit zu erschrecken, und die Du schon einmal, in der Annahme, daß sie nicht geladen sei, in einem Restaurant in meiner Gegenwart abgefeuert hattest: ob Deine Hand sich auf ein Messer zubewegte, das zufällig auf dem Tisch zwischen uns lag: ob Du in Deiner Wut vergessen hattest, wie klein und schwächlich Du bist und mir einen ganz besonderen, persönlichen Schimpf antun oder gar mich angreifen wolltest, der ich krank dalag: ich wußte es nicht. Ich weiß es noch heute nicht. Ich weiß nur, daß mich äußerstes Entsetzen packte und daß ich das Gefühl hatte, ich müsse schleunigst aus dem Zimmer und weg von Dir, um Dich vor einer Tat zu bewahren, die selbst für Dich zeitlebens eine Quelle der Scham sein würde. Nur ein einziges Mal in meinem Leben hatte ich vorher solches Grauen vor einem Menschen empfunden. Es war in der Tite Street, als Dein Vater in meiner Bibliothek stand – zwischen uns sein Freund oder Leibwächter – und in epileptischer Wut mit seinen kleinen Händen in der Luft herumfuchtelte, alle zotigen Wörter hervorstieß, die sein zotiges Hirn ausdenken konnte und die gemeinen Drohungen kreischte, die er später hinterlistig ausführte. In diesem Fall war natürlich er derjenige, der das Zimmer als erster verließ. Ich wies ihm die Tür. In Deinem Fall mußte ich weichen. Es war nicht das erste Mal, daß ich Dich vor Dir selbst bewahrte.

Du schlossest Deinen Brief mit den Sätzen: *»Wenn Du nicht auf Deinem Podest stehst, bist Du uninteressant. Wenn Du wieder einmal krank wirst, verschwinde ich sofort.«* Ach! welch ein grobschlächtiges Naturell verrät sich da! Welch ein völliger Mangel an Phantasie! Wie gefühllos, wie gemein war da schon der Ton geworden! *»Wenn Du nicht auf Deinem Podest stehst, bist Du uninteressant. Wenn Du wieder einmal krank wirst, verschwinde ich sofort.«* Wie oft hallten diese Worte in den elenden Einzelzellen der verschiedenen Gefängnisse wider, in die man mich geschafft hat. Ich wiederhole sie unablässig und sehe in ihnen, zu Unrecht, wie ich noch immer hoffe, eines der Geheimnisse Deines unerklärlichen Schweigens. Daß ausgerechnet Du mir etwas so Rüdes und Krudes schriebst, nachdem ich mir die Krankheit und das Fieber, woran ich litt, bei Deiner Pflege zugezogen hatte, war natürlich empörend; ja, jeder Mensch auf der ganzen Welt beginge eine unverzeihliche Sünde, wenn er so an einen anderen Menschen schriebe – sollte es so etwas wie unverzeihliche Sünden geben.

Ich gestehe, daß ich mich nach der Lektüre Deines Briefes wie besudelt fühlte, als hätte ich durch den Umgang mit einem Menschen wie Dir mein Leben ein für allemal beschmutzt und geschändet. Und das traf auch zu, doch erst sechs Monate später sollte ich erfahren, wie sehr es zutraf. Ich hatte beschlossen, am Freitag nach London zurückzufahren, Sir George Lewis persönlich aufzusuchen und ihn zu bitten, er möge Deinem Vater schreiben, daß ich entschlossen sei, Dich nie wieder und unter keinen Umständen mein Haus betreten, an meinem Tisch sitzen, mit mir plaudern und ausgehen zu lassen, noch irgendwo oder irgendwann Dich um mich zu dulden. Danach wollte ich Dir schreiben, lediglich um Dich von meinem Vorgehen in Kenntnis zu setzen; die Gründe dafür wären Dir ganz von selbst klargeworden. Am Donnerstagabend war alles in die Wege geleitet. Am Freitagmorgen, als ich kurz vor meinem Aufbruch beim Frühstück saß, warf ich zufällig noch einen Blick in die Zeitung und las, daß Dein älterer Bruder, das eigentliche Familienoberhaupt und der Erbe des Titels, die Säule des Hauses, tot in einem Graben aufgefunden worden war, das abgefeuerte Gewehr neben sich. Die grauenvollen Begleitumstände der Tragödie, die jetzt als Unfall erwiesen ist, die damals aber den Makel eines düsteren Verdachts trug; das Pathos des plötzlichen Todes eines Menschen, der allgemein beliebt war und nun praktisch am Vorabend seiner Hochzeit sterben mußte; der Gedanke, wie tief Dein Schmerz sein würde oder sein sollte; die Vorstellung von dem Leid, das Deine Mutter erwartete, nachdem sie den Sohn verloren hatte, der ihr einziger Trost und ihre einzige Freude im Leben gewesen war und der, wie sie mir einmal erzählt hatte, ihr vom Tag seiner Geburt an nicht eine Stunde lang Kummer bereitet hatte; die Vorstellung, wie verloren Du sein müßtest, da Deine beiden anderen Brüder sich fern von Europa aufhielten und Du daher der einzige Mensch sein würdest, an den Deine Mutter und Deine Schwester sich wenden könnten, nicht nur um Trost zu suchen, sondern auch Hilfe bei der Erledigung all der traurigen großen und kleinen Pflichten, die der Tod immer mit sich bringt; das Gefühl für die *lacrimae rerum*, die Tränen, aus denen die Welt gemacht ist, und die Traurigkeit alles Menschlichen – aus all diesen Gedanken und Regungen, die mich durchströmten und sich mir aufdrängten, entsprang unendliches Mitleid mit Dir und den Deinen. Was Du mir an Kränkendem und Bitterem zugefügt hattest, vergaß ich. Ich konnte Dich in Deinem Kummer nicht so behandeln, wie Du mich während meiner Krankheit behandelt hattest. Ich depeschierte Dir sogleich mein tiefstes Mitgefühl und ließ einen Brief folgen, in dem ich Dich einlud, sobald wie möglich in mein Haus zu kommen. Ich hätte es als Grausamkeit empfunden, Dir gerade in diesem Augenblick meine Freundschaft aufzukündigen, noch dazu in aller Form durch einen Anwalt.

Als Du vom Schauplatz der Tragödie, wohin man Dich gerufen hatte, nach London zurückkehrtest, kamst Du sogleich zu mir, sehr süß, sehr schlicht, im Trauergewand und mit tränenfeuchten Augen. Wie ein Kind suchtest Du Trost und Hilfe. Ich öffnete Dir mein Haus und mein Herz. Ich machte Deinen Schmerz auch zu dem meinen, half ihn Dir tragen. Nie, mit keinem Wort, kam ich auf Dein Verhalten mir gegenüber zu sprechen, auf die empörenden Szenen und den empörenden Brief. Dein Kummer, der echt war, schien Dich mir näher zu bringen, als Du mir je gewesen warst. Die Blumen, die Du von mir aufs Grab Deines Bruders legtest, sollten nicht nur die Schönheit seines Lebens symbolisieren, sondern die Schönheit, die in jedem Leben schlummert und auf Erweckung wartet.

Die Götter sind rätselhaft. Nicht nur aus unseren Lüsten erschaffen sie das Werkzeug, uns zu geißeln. Sie verderben uns durch das, was in uns gut ist, edel, menschlich, liebenswert. Weil ich mit Dir gefühlt, Dich und die Deinen geliebt habe, darum fließen meine Tränen jetzt an diesem Schreckensort.

Natürlich weiß ich jetzt, daß unsere Beziehungen nicht allein vom Schicksal, sondern vom Unheil gelenkt wurden: einem Unheil, das immer schnell dahinschreitet, da es Blutopfer fordert. Durch Deinen Vater entstammst Du einem Geschlecht, das die Ehe zum Schrecken, Freundschaft zum Verhängnis macht, das gewaltsam Hand anlegt ans eigene Leben oder an das Leben anderer. Allem – jeder Gelegenheit, bei der unsere Bahnen sich kreuzten; jedem Vorfall von großer oder scheinbar trivialer Bedeutung, der Dich auf der Suche nach Vergnügungen oder Hilfe zu mir führte; den kleinen Zufällen, den Nebensächlichkeiten, die am ganzen Leben gemessen nur wie Stäubchen erscheinen, die im Sonnenstrahl tanzen wie Blätter, die vom Baum wehen – folgte die Katastrophe wie das Echo eines Wehlauts, wie der Schatten eines reißenden Raubtiers. Unsere Freundschaft beginnt doch damit, daß Du mich in einem höchst rührenden und reizenden Brief um Beistand in einer Sache bittest, die für jeden schlimm gewesen wäre, und doppelt schlimm war für einen jungen Mann in Oxford: ich helfe Dir, mit dem Ergebnis, daß Du mich bei Sir George Lewis als Deinen Freund ausgibst, wodurch ich seine Wertschätzung und Freundschaft verliere, eine Freundschaft, die seit fünfzehn Jahren bestanden hatte. Als mir sein Rat und Beistand und seine Achtung verlorengingen, verlor ich die einzige große Stütze meines Lebens.

Du schickst mir ein recht hübsches Gedicht, aus der Unterstufe der Verskunst, zur Begutachtung: ich antworte mit einem Brief voll phantastischer literarischer Manierismen: Ich vergleiche Dich mit Hylas oder Hyakinthos, Jonquil oder Narzissus, jedenfalls mit einem, dem der große Gott der Dichtkunst huldvoll seine Liebe schenkte. Dieser Brief ist wie eine Stelle aus einem Shakespeare-Sonett, nach Moll transponiert. Er ist nur denen verständlich, die Platons *Gastmahl* gelesen oder den Geist jener Schwermut erfaßt haben, deren Schönheit uns die griechischen Statuen enthüllen. Es war, offen gesagt, genau der Brief, den ich in einer glücklichen Stimmung oder Laune, wenn man so will, an jeden liebenswürdigen jungen Mann an jeder beliebigen Universität geschrieben hätte, von dem mir ein selbstverfaßtes Gedicht zugegangen wäre, in der sicheren Überzeugung, daß er genügend Witz und Bildung besäße, die phantastischen Wendungen richtig zu interpretieren. Schau Dir die Geschichte dieses Briefes an! Von Dir gelangt er in die Hände eines widerlichen Kumpanen: von ihm an eine Erpresserbande: Abschriften werden an meine Freunde in ganz London verschickt und an den Direktor des Theaters, wo gerade mein Stück läuft: er erfährt jede mögliche Auslegung, nur nicht die richtige: die Gesellschaft delektiert sich an dem absurden Gerücht, ich hätte eine Riesensumme bezahlen müssen, weil ich Dir einen infamen Brief geschrieben hätte: daraus konstruiert Dein Vater seine übelste Anklage: ich selbst lege den Originalbrief dem Gericht vor, um zu zeigen, was wirklich an ihm ist: der Anwalt Deines Vaters brandmarkt ihn als empörenden und heimtückischen Versuch, die Unschuld zu verführen: schließlich wird er zum Gegenstand einer Strafanzeige: der Staatsanwalt bemächtigt sich seiner: der Richter läßt sich mit wenig Wissen und viel Moral über ihn aus: und zum Schluß wandere ich seinetwegen ins Gefängnis. Und das alles, weil ich Dir einen netten Brief geschrieben habe.

Während ich bei Dir in Salisbury zu Besuch bin, beunruhigst Du Dich über einen Drohbrief eines früheren Bekannten: Du bittest mich, den Schreiber aufzusuchen, Dir zu helfen: ich tue es: das Ergebnis ist für mich katastrophal. Ich werde gezwungen, alles, was Du tatest, auf meine Schultern zu nehmen und zu verantworten. Als Du bei der Abschlußprüfung in Oxford durchfällst und von der Universität mußt, telegrafierst Du mir nach London, ich solle zu Dir kommen. Ich komme sofort: Du bittest mich, Dich nach Goring mitzunehmen, weil Du unter den gegebenen Umständen nicht nach Hause möchtest: in Goring siehst Du ein Haus, das Dich entzückt: ich miete es für Dich: das Ergebnis ist für mich in jeder Hinsicht katastrophal. Eines Tages kommst Du zu mir und erbittest von mir als ganz persönlichen Gefallen, ich möge etwas für eine Oxforder Studentenzeitschrift schreiben, die ein Freund von Dir gründen wolle, von dem ich nie im Leben gehört hatte und nicht das mindeste wußte. Dir zu Gefallen – was habe ich Dir zu Gefallen nicht alles getan? – schickte ich ihm eine Seite Aphorismen, die ursprünglich für die *Saturday Review* bestimmt waren. Ein paar Monate später finde ich mich auf der Anklagebank von Old Bailey dank des Rufes der Zeitschrift, die als Belastungsmaterial gegen mich dient. Ich werde aufgerufen, die Prosa Deines Freundes und Deine Verse zu verteidigen. Ersterer ist beim besten Willen nicht zu helfen, letztere verteidigte ich mit allen Mitteln, halte Deiner jugendlichen Literatur und Deinem jugendlichen Leben die Treue bis zum bitteren Ende, will nichts davon hören, daß Du pornographische Gedichte schreiben solltest. Gleichviel, ich gehe ins Gefängnis für die Studentenzeitschrift Deines Freundes und für »die Liebe, die ihren Namen nicht zu nennen wagt«. Zu Weihnachten mache ich Dir ein »sehr hübsches Geschenk«, wie Du es in Deinem Dankbrief bezeichnest, etwas, was Du Dir von Herzen gewünscht hattest, im Werte von höchstens £ 40 bis £ 50.

Dann geht mein Leben in Trümmer, ich bin ruiniert, der Gerichtsvollzieher pfändet und versteigert meine gesamte Bibliothek und bezahlt damit dieses »sehr hübsche Geschenk«. Dafür war mein Haus unter den Hammer gekommen. Im letzten und schrecklichen Augenblick, als ich durch Sticheleien, ganz besonders von Deiner Seite, so weit gebracht werden soll, Deinen Vater zu verklagen und verhaften zu lassen, führe ich in meinem verzweifelten Bestreben, mich aus der Schlinge zu ziehen, die ungeheuren Kosten ins Treffen. Ich sage dem Anwalt in Deiner Gegenwart, daß ich kein Kapital besäße, daß ich für die immensen Unkosten unmöglich aufkommen könnte, daß ich kein Geld zur Verfügung hätte. Damit sagte ich, wie Du wußtest, die reine Wahrheit. Statt in Humphreys' Büro schwächlich in meinen eigenen Untergang einzuwilligen, wäre ich an jenem fatalen Freitag glücklich und frei in Frankreich gewesen, weg von Dir und Deinem Vater, unbehelligt von seinen ekelhaften Karten und gleichgültig gegen Deine Briefe, wenn ich das Avondale Hotel hätte verlassen können. Aber die Leute vom Hotel weigerten sich entschieden, mich gehen zu lassen. Du warst dort zehn Tage lang mein Gast gewesen: ja, zuletzt brachtest Du noch zu meiner großen und, wie Du zugeben wirst, gerechten Entrüstung einen Kumpan mit, der ebenfalls auf meine Kosten dort wohnte: meine Rechnung für zehn Tage belief sich auf annähernd £ 140. Der Besitzer sagte, er könne mein Gepäck nicht freigeben, bis ich den vollen Betrag entrichtet hätte. Darum mußte ich in London bleiben. Wäre die Hotelrechnung nicht gewesen, ich hätte am Donnerstagmorgen nach Paris reisen können.

Als ich dem Anwalt mitteilte, ich sei solchen Riesenspesen finanziell nicht gewachsen, griffest Du sofort ein. Du sagtest, Deine eigene Familie werde nur zu gern alle notwendigen Kosten übernehmen: Dein Vater laste wie ein Alb auf ihnen allen: sie hätten schon oft die Möglichkeit erwogen, ihn in eine Irrenanstalt zu bringen, um ihn loszuwerden: er sei Deiner Mutter und allen anderen Leuten eine tägliche Quelle des Ärgers und der Qual: wenn ich es nur übernähme, ihn einsperren zu lassen, so würde die Familie in mir ihren Ritter und Wohltäter sehen: die reichen Verwandten Deiner Mutter würden es als die reine Wonne betrachten, alle anfallenden Kosten und Spesen tragen zu dürfen. Der Anwalt hakte sofort ein, und ich wurde eilends zum Polizeigericht geschleppt. Jetzt hatte ich keine Ausrede mehr. Ich mußte hingehen. Natürlich zahlt Deine Familie die Kosten nicht, und ich werde für bankrott erklärt, und zwar auf Betreiben Deines Vaters und *eben wegen* der Gebühren – wegen des schäbigen Rests – von einigen £ 700. Im gegenwärtigen Augenblick betreibt meine Frau, die mir durch die wichtige Frage entfremdet wurde, ob mir wöchentlich £ 3 oder £ 3 und 10 Shilling zum Leben ausgesetzt werden sollen, die Scheidung, wozu natürlich ganz neues Beweismaterial und eine neuerliche Verhandlung nötig sein werden, danach womöglich noch weitere Gerichtsverfahren. Ich bin natürlich über die Einzelheiten nicht im Bilde. Ich kenne lediglich den Namen des Zeugen, auf dessen Aussage die Anwälte meiner Frau sich stützen. Es ist Dein eigener Diener aus Oxford, den ich auf Deinen besonderen Wunsch während unseres gemeinsamen Sommers in Goring beschäftigt hatte.

Doch ich brauche wirklich keine weiteren Beispiele für das seltsame Unheil anzuführen, das Du im großen wie im kleinen über mich gebracht zu haben scheinst. Manchmal ist mir, als wärst Du selbst nur eine Marionette gewesen, von verborgener, unsichtbarer Hand geführt, um schreckliche Dinge zu einem schrecklichen Ende zu bringen. Doch auch Puppen haben ihre Leidenschaften. Sie bringen einen neuen Zug in das Stück, das sie darstellen, verdrehen den jeweils vorgegebenen Ausgang nach eigener Lust und Laune. Völlig frei zu sein und zugleich völlig unter der Herrschaft des Gesetzes zu stehen, ist das ewige Paradoxon des Menschenlebens, das jeder Augenblick uns spürbar macht, und darin liegt auch, wie ich oft denke, die einzig mögliche Erklärung Deines Charakters, wenn es für die tiefen und schrecklichen Geheimnisse einer Menschenseele überhaupt eine Erklärung gibt, die das Mysterium nicht nur noch wunderbarer machte.

Natürlich hattest Du Deine Illusionen, ja Du lebtest in ihnen und sahst durch ihre wogenden Nebel und bunten Schleier alle Dinge verändert. Daß Du Dich ganz mir widmetest, völlig auf Deine Familie und Dein Familienleben verzichtetest, hieltest Du, das weiß ich noch genau, für einen Beweis Deiner wunderbaren

Wertschätzung für mich, Deiner großen Liebe zu mir. Zweifellos erschien es Dir wirklich so. Doch erinnere Dich, daß ich Dir Luxus bot, Wohlleben, Vergnügen ohne Einschränkung, Geld ohne Maß. Dein Familienleben langweilte Dich. Der »kalte, billige Wein von Salisbury«, um einen Ausdruck Deiner eigenen Prägung zu gebrauchen, schmeckte Dir nicht. Ich bot Dir nicht nur geistige Genüsse, ich bot Dir auch die Fleischtöpfe Ägyptens. Wenn Du meiner nicht habhaft werden konntest, so suchtest Du Dir einen wenig schmeichelhaften Ersatz.

Auch dachtest Du, das ritterliche Ideal der Freundschaft zu verwirklichen, den edelsten Ton der Selbstverleugnung anzuschlagen, wenn Du Deinem Vater durch einen Anwalt schreiben ließest, Du wollest lieber auf das Taschengeld von jährlich £ 250 verzichten, das er Dir damals, glaube ich, abzüglich Deiner Schulden in Oxford aussetzte, als Deine ewige Freundschaft mit mir lösen. Doch der Verzicht auf Deine kleine Rente bedeutete nicht, daß Du auch nur eine Deiner höchst überflüssigen Aufwendigkeiten oder höchst unnötigen Extravaganzen aufgegeben hättest. Im Gegenteil. Nie war Deine Gier nach Luxus so unersättlich gewesen. Meine Ausgaben für acht Tage in Paris für mich, Dich und Deinen italienischen Diener betrugen annähernd £ 150: allein Paillard verschlang davon £ 85. Bei Deinem Lebensstil hätte Dein gesamtes Jahreseinkommen, selbst wenn Du Deine Mahlzeiten allein eingenommen hättest und besonders haushälterisch in der Wahl Deiner wohlfeileren Vergnügungen gewesen wärst, kaum drei Wochen ausgereicht. Daß Du in einer Anwandlung von Großzügigkeit Dein sogenanntes Taschengeld geopfert hattest, lieferte Dir schließlich einen plausiblen Grund zu der Annahme, Du könntest ein Leben auf meine Kosten beanspruchen; oder das, was Du für einen plausiblen Grund hieltest: und bei vielen Gelegenheiten machtest Du ihn ernstlich geltend und bedientest Dich seiner recht gründlich: und die ständigen Aderlasse, die Du vor allem bei mir, aber auch, wie ich weiß, bis zu einem gewissen Grade bei Deiner Mutter vornahmst, waren besonders schmerzlich, da sie, zumindest in meinem Fall, auch nicht vom kleinsten Wort des Dankes oder von der kleinsten Mäßigung begleitet waren.

Ferner dachtest Du, wenn Du Deinen Vater mit abscheulichen

Briefen, beleidigenden Telegrammen und kränkenden Postkarten bombardiertest, kämpftest Du wirklich für Deine Mutter, trätest als ihr Ritter in die Schranken und rächtest die zweifellos schrecklichen Unbillen und Leiden ihrer Ehe. Es war reine Illusion Deinerseits; eine Deiner schlimmsten sogar. Es gab ein Mittel, die Leiden Deiner Mutter an Deinem Vater zu rächen, falls Du das für einen Teil Deiner Sohnespflicht hieltest: Du hättest Deiner Mutter ein besserer Sohn sein müssen, als Du ihr warst: Du hättest ihr nicht den Mut nehmen dürfen, ernsthaft mit Dir zu sprechen: Du hättest keine Wechsel unterschreiben dürfen, deren Einlösung dann ihr zufiel: Du hättest freundlicher zu ihr sein, ihr keinen Kummer bereiten sollen. Dein Bruder Francis linderte während der kurzen Jahre seines blumenhaften Lebens ihre Leiden durch seine Liebenswürdigkeit und Güte. An ihm hättest Du Dir ein Beispiel nehmen sollen. Selbst Deine Vermutung war irrig, es wäre für Deine Mutter eitel Wonne und Freude gewesen, wenn Du auf dem Umweg über mich Deinen Vater tatsächlich ins Gefängnis gebracht hättest. Ich bin überzeugt, daß Du Dich irrtest. Und wenn Du wissen willst, wie einer Frau wirklich zumute ist, wenn ihr Mann, der Vater ihrer Kinder, Gefängniskleidung trägt, in einer Gefängniszelle sitzt, dann schreibe meiner Frau. Sie wird es Dir sagen.

Auch ich hatte meine Illusionen. Ich glaubte, das Leben würde sich abspielen wie eine geistreiche Komödie und Du würdest eine der vielen anmutigen Personen darin darstellen. Es erwies sich als abscheuliches, abstoßendes Trauerspiel, und Du entpupptest Dich als der unselige Auslöser der großen Katastrophe, unselig durch die Besessenheit und Stoßkraft eines Willens, der nur ein einziges Ziel kennt, die Maske der Freude und Lust fiel von Dir ab, von der Du Dich nicht minder als ich hattest täuschen und in die Irre führen lassen.

Nun verstehst Du – Du verstehst doch? – einiges von meinen Leiden. Eine Zeitung, ich glaube, es war die *Pall Mall Gazette*, sprach in ihrer Rezension der Generalprobe eines meiner Stücke von Dir als von meinem Schatten, der mir überallhin folge: die Erinnerung an unsere Freundschaft ist der Schatten, der mich hier begleitet: der sich nie von mir zu trennen scheint: der mich nachts aufweckt, um mir immer wieder die gleiche Geschichte zu erzählen, bis das quälende Geleier den Schlaf für den Rest der Nacht verscheucht: bei Tagesgrauen ist er auch schon wach: er folgt mir in den Gefängnishof und zwingt mich, mit mir selbst zu reden, während ich im Kreis trotte: jede Einzelheit eines jeden schrecklichen Augenblicks fällt mir wieder ein: nichts hat sich in jenen Unglücksjahren ereignet, was ich nicht in jenem Fach meines Hirns reproduzieren könnte, wo Leid und Verzweiflung ihren Sitz haben: jeder gespannte Ton Deiner Stimme, jede Zuckung und Geste Deiner nervösen Hände; jedes bittere Wort, jeder vergiftende Satz wird wieder gegenwärtig: ich sehe die Straße oder den Fluß, die wir entlanggingen, die Wand oder Waldung, die uns umgab, die Ziffer, bei der die Uhrzeiger angekommen waren, die Richtung, in der die Schwingen des Windes flogen, Gestalt und Farbe des Mondes.

Ich weiß, auf alles, was ich Dir sage, gibt es eine gemeinsame Antwort, nämlich, daß Du mich liebtest: daß Du mich diese zweieinhalb Jahre hindurch, als die Parzen die Fäden unserer beiden Leben zu einem scharlachroten Muster verwoben, wirklich geliebt hast. Ja: ich weiß, daß Du mich liebtest. Wie immer Du Dich mir gegenüber benahmst, ich fühlte stets, daß Du mich im Grunde Deines Herzens liebtest. Ich sah wohl, daß meine Stellung in der Welt der Kunst, das Interesse, das meine Person immer und überall erregte, mein Geld, der Luxus, in dem ich lebte, die tausend und ein Dinge, die zusammen ein so zauberhaft und wunderbar unwahrscheinliches Leben wie das meine ausmachten, jedes für sich und alle zusammen Elemente waren, die Dich faszinierten und zu mir hinzogen: und doch war da noch mehr, ein weiterer seltsamer Anziehungspunkt für Dich: Du hast mich weit mehr geliebt als irgendeinen anderen Menschen. Doch auch Dein Leben birgt, genau wie meines, eine schreckliche Tragödie, wenn auch von gänzlich entgegengesetzter Art. Soll ich Dir sagen, welche? Ich sage es Dir. In Dir war der Haß stets stärker als die Liebe, Dein Haß auf den Vater war so groß, daß er Deine Liebe zu mir weit übertraf, überwog, überragte. Es kam zwischen ihnen gar nicht oder kaum zum Kampf; so abgrundtief war Dein Haß und so riesengroß. Du machtest Dir nicht klar, daß eine Seele nicht Raum hat für beide Leidenschaften. Sie können in dem reichgeschnitzten Schrein nicht zusammen hausen. Die Liebe nährt sich von der Phantasie, die uns weiser macht, als wir wissen, besser, als wir fühlen, edler, als wir sind: durch die wir das Leben als Einheit sehen können: durch die, und durch die allein, wir andere in ihren realen und ideellen Bindungen verstehen können. Nur Schönes und schön Erdachtes kann die Liebe nähren. Den Haß aber nährt alles. Kein Glas Champagner, das Du in all den Jahren trankst, kein üppiges Gericht, von dem Du aßest, das nicht Deinen Haß genährt und gemästet hätte. Um ihn zu sättigen, verspieltest Du mein Leben, wie Du mein Geld verspieltest, sorglos, achtlos, gleichgültig gegen die Folgen. Solltest Du verlieren, so hattest nicht Du den Verlust zu tragen, meintest Du. Solltest Du gewinnen, dann gehörten Dir, das wußtest Du, der Triumph und die Früchte des Sieges.

Haß macht die Menschen blind. Das merktest Du nicht. Liebe kann die Inschrift auf dem fernsten Stern entziffern, doch der Haß blendete Dich so sehr, daß Du über den engen, ummauerten und wollustwelken Garten Deiner niederen Gelüste nicht hinaussahst. Deine schreckliche Phantasielosigkeit, Dein einziger wirklich fataler Charakterfehler, war ausschließlich die Folge des Hasses, der in Dir lebte. Listig, lautlos, langsam nagte der Haß an Deinem Wesen – so wie die Flechte an der Wurzel einer fahlen Pflanze zehrt –, bis Du nur noch den dürftigsten Eigennutz und die schäbigsten Ziele wahrnehmen konntest. Die Fähigkeiten, die von der Liebe gediehen wären, vergiftete und lähmte in Dir der Haß. Seine ersten Angriffe richtete Dein Vater gegen mich als Deinen persönlichen Freund, und zwar in einem persönlichen Brief an Dich. Sobald ich diesen Brief mit seinen obszönen Drohungen und plumpen Ausfällen gelesen hatte, sah ich eine schreckliche Gefahr am Horizont meiner unruhigen Tage aufsteigen: ich sagte Dir, ich wolle nicht für Euch beide den Prügelknaben abgeben, an dem ihr Euren alten Haß austoben könntet: daß ich in London für ihn natürlich eine fettere Beute sei als ein Außenminister in Bad Homburg: daß es unfair gegen mich wäre, mich auch nur einen Augenblick lang in eine derartige Lage zu bringen: und daß ich mit meinem Leben Besseres vorhätte, als mich mit einem Trunkenbold, *déclassé* und Halbirren wie ihm herumzuschlagen. Du wolltest das nicht einsehen. Der

Haß blendete Dich. Du beharrtest auf der Ansicht, daß der Zwist überhaupt nichts mit mir zu tun habe: daß Du Dir von Deinem Vater Deine Freundschaften nicht vorschreiben lassen wolltest: daß es höchst unfair von mir wäre, mich einzumischen. Ohne mich zu fragen, schicktest Du an Deinen Vater ein albernes und ordinäres Telegramm. Damit warst Du natürlich auch im folgenden auf ein albernes und ordinäres Vorgehen festgelegt. Die verhängnisvollen Irrtümer des Lebens entspringen nicht der menschlichen Unvernunft: ein unvernünftiger Augenblick kann der schönste Augenblick unseres Lebens sein. Sie entspringen der menschlichen Logik. Das ist ein gewaltiger Unterschied. Dieses Telegramm bestimmte Dein ganzes ferneres Verhältnis zu Deinem Vater und folglich auch mein ganzes Leben. Und das Groteske daran ist, daß es sich um ein Telegramm handelte, dessen der gewöhnlichste Gassenjunge sich geschämt hätte. Die natürliche Entwicklung führte von flegelhaften Telegrammen zu arroganten Anwaltsbriefen, und die Briefe Deines Anwalts hatten weitere Schritte Deines Vaters zur Folge. Er mußte immer weitergehen, Du ließest ihm keine andere Wahl. Du zwangst es ihm als Ehrensache, oder besser gesagt als Unehrensache auf, damit Deine Herausforderung desto mehr wirken sollte. Also attackiert er mich das nächste Mal nicht mehr in einem persönlichen Brief und als Deinen persönlichen Freund, sondern in der Öffentlichkeit und als einen Mann der Öffentlichkeit. Ich muß ihn aus meinem Hause jagen. Er geht von einem Restaurant zum anderen und sucht mich, um mich vor aller Welt zu beschimpfen, und zwar in einer solchen Art und Weise, daß ich erledigt war, wenn ich es ihm heimzahlte, und wenn ich es ihm nicht heimzahlte, ebenfalls erledigt war. *Das* war zweifellos der Zeitpunkt, an dem *Du* hättest einschreiten und erklären müssen, Du wolltest mich nicht um Deinetwillen derart widerlichen Angriffen und infamen Belästigungen aussetzen, sondern lieber unverzüglich jeden Anspruch auf meine Freundschaft aufgeben. Heute weißt Du es vermutlich selbst. Damals jedoch kamst Du gar nicht auf diese Idee. Der Haß blendete Dich. Du kamst lediglich auf den Gedanken (abgesehen davon natürlich, daß Du Deinem Vater beleidigende Briefe und Telegramme schicktest), Dir eine lächerliche Pistole zu kaufen, die im Berkeley losgeht und auf Grund der besonderen Begleitumstände einen Skandal auslöst, der *Dir* im vollen Ausmaß nie zu Ohren kam. Ja, Du warst offenbar sogar entzückt darüber, Gegenstand einer schrecklichen Auseinandersetzung zwischen Deinem Vater und einem Mann meiner Stellung zu sein. Ich darf wohl annehmen, daß es Deiner Eitelkeit guttat und Deinem Dünkel schmeichelte. Deinem Vater Deine leibliche Existenz zu überlassen, die mich nicht interessierte, und mir Deine Seele, die ihn nicht interessierte, wäre für Dich eine deprimierende Lösung des Falles gewesen. Du hattest die Möglichkeit eines öffentlichen Skandals gewittert und stürztest Dich darauf. Die Aussicht auf einen Kampf, in dem Du nichts riskieren würdest, entzückte Dich. Ich erinnere mich, Dich nie besserer Stimmung gesehen zu haben als zu Ende dieses Sommers. Du schienst nur ein wenig darüber enttäuscht zu sein, daß nichts wirklich passierte und daß es zwischen uns zu keinem weiteren Treffen oder Krawall kam. Du tröstetest Dich mit der Absendung derart beleidigender Telegramme, daß der erbärmliche Mensch Dir schließlich schrieb, er habe seinen Dienstboten befohlen, ihm unter keinem Vorwand auch nur irgendein Telegramm auszuhändigen. Du gabst Dich nicht geschlagen. Du sahst die ungeheuren Möglichkeiten, die eine offene Postkarte bietet, und machtest ausgiebig davon Gebrauch. Du hast seine Jagdwut noch angestachelt. Ich glaube nicht, daß er je abgelassen hätte. Die Familieninstinkte waren stark in ihm verwurzelt. Sein Haß gegen Dich war genauso zäh wie Dein Haß gegen ihn, und ich war für euch beide Pirschpferd, Angriffswaffe und Deckung zugleich. Seine Sucht, von sich reden zu machen, war kein persönlicher Zug, sondern ein Familienmerkmal. Und wäre sein Interesse dennoch einen Augenblick erlahmt, so hättest Du es mit Briefen und Karten schleunigst wieder zur alten Glut entfacht. Tatest es auch. Und natürlich ging er dann noch weiter. Nachdem er mich als Privatmann privatim, als Mann der Öffentlichkeit öffentlich attackiert hatte, beschließt er nun, seinen letzten und entscheidenden Angriff gegen mich als Künstler zu führen und an dem Ort, wo meine Kunst zur Darstellung gelangt. Er verschafft sich durch Betrug einen Platz zur Premiere eines meiner Stücke und schmiedet den Plan, die Vorstellung zu stören, dem Publikum eine verleumderische Rede über mich zu halten, meine Schauspieler zu insultieren, verletzende oder anstößige Geschosse nach mir zu schleudern, wenn ich am Schluß der Vorstellung vor den Vorhang gerufen würde, also mich auf gemeine Weise durch mein Werk zu vernichten. Rein zufällig, in einer flüchtigen Anwandlung von Aufrichtigkeit, die ihn ankam, weil er betrunkener war als gewöhnlich, rühmt er sich vor anderen dieses Einfalls. Die Polizei wird benachrichtigt, und man läßt ihn nicht ins Theater. Damals hattest Du Deine Chance. Das war Deine große Gelegenheit. Bist Du Dir jetzt darüber klar, daß Du sie hättest sehen und ergreifen müssen, hättest sagen müssen, Du wollest nicht, daß auch noch meine Kunst um Deinetwillen zugrunde gehe? Du wußtest, was meine Kunst mir bedeutete, die große Dominante, durch die ich mich erst mir selbst und dann der ganzen Welt zu Bewußtsein brachte; die wahre Passion meines Lebens; die Liebe, neben der jede andere Liebe war wie Sumpfwasser neben rotem Wein, wie der Leuchtkäfer im Sumpf neben dem Zauberspiegel des Mondes. Verstehst Du denn jetzt, daß Deine Phantasielosigkeit Deinen wahrhaft fatalen Charakterfehler darstellte? Was Du zu tun hattest, war ganz einfach und stand deutlich vor Dir, doch der Haß hatte Dich geblendet, und Du konntest nichts sehen. Ich konnte mich nicht bei Deinem Vater dafür entschuldigen, daß er mich fast neun Monate lang in der gemeinsten Weise beleidigt und belästigt hatte. Ich konnte Dich nicht aus meinem Leben verbannen. Immer wieder hatte ich es versucht. Ich hatte sogar England verlassen und war ins Ausland gereist in der Hoffnung, Dir zu entkommen. Alles vergebens. Du warst der einzige Mensch, der etwas hätte unternehmen können. Du allein besaßest den Schlüssel zu allem Geschehen. Es war Deine große Chance, Dich für all meine Liebe und Zuneigung, Freundlichkeit und Großzügigkeit und Rücksicht ein wenig erkenntlich zu zeigen. Hättest Du meinen Wert als Künstler auch nur zu einem Zehntel zu schätzen gewußt, Du hättest es getan. Doch der Haß blendete Dich. Die Fähigkeit, »durch die und durch die allein wir andere in ihren realen und ideellen Bindungen verstehen können«, war in Dir gestorben. Du dachtest nur noch daran, wie Du Deinen Vater ins Gefängnis bringen könntest. Ihn auf der »Arme-Sünderbank«, wie Du zu sagen pflegtest, zu sehen, war Dein einziges Bestreben. Der Ausdruck wurde zu einer der vielen *scies* Deiner Alltagsgespräche. Man bekam ihn bei jeder Mahlzeit serviert. Nun, Dein Wunsch ging in Erfüllung. Der Haß gewährte Dir bis ins kleinste alles, was Du verlangt hattest. Er war Dir ein milder Herr. Das ist er allen seinen Dienern. Zwei Tage lang saßest Du mit den Richtern auf der Estrade, und es war Dir eine Augenweide, Deinen Vater auf der Anklagebank des Obersten Kriminalgerichts zu sehen. Und am dritten Tag nahm ich seinen Platz ein. Was war geschehen? In dem widerlichen Spiel Eures gegenseitigen Hasses hattet Ihr um meine Seele gewürfelt, und zufällig hattest Du verloren. Weiter nichts.

Du siehst, daß ich Dir Dein Leben beschreiben muß und daß Du es geistig erfassen mußt. Wir kennen einander nun seit über vier Jahren. Die Hälfte dieser Zeit haben wir zusammen verbracht: die andere Hälfte mußte ich im Kerker zubringen, wohin diese Freundschaft mich gebracht hat. Wo dieser Brief Dich erreichen wird, wenn er Dich überhaupt erreicht, weiß ich nicht. In Rom, Neapel, Paris, Venedig, in irgendeiner schönen Stadt am Meer oder an einem Fluß hältst Du Dich zweifellos auf. Wenn Dich vielleicht auch nicht der verschwenderische Luxus umgibt, den ich Dir geboten habe, so doch wohl alles, was Auge, Ohr und Geschmack ergötzt. Du führst ein recht schönes Leben. Und doch, wenn Du klug bist und das Leben noch weit schöner finden möchtest, und schön in einem anderen Sinne, dann wirst Du bei der Lektüre dieses schrecklichen Briefes – ich weiß, daß er schrecklich ist – dasselbe Gefühl einer entscheidenden Krisis und eines wichtigen Wendepunkts haben, das ich bei seiner Niederschrift habe. Dein blasses Gesicht haben Wein und Freude immer schnell gerötet. Wenn es bei der Lektüre dieser Zeilen von Zeit zu Zeit vor Scham entbrennt wie in der Glut des Schmelzwerks, dann freue Dich. Das schlimmste Laster ist die Seichtheit. Alles ist gut, was man geistig erfaßt hat.

Hiermit wäre ich beim Untersuchungsgefängnis angelangt, nicht wahr? Nach einer Nacht in der Polizeizelle werde ich im Gefangenenwagen hingebracht. Du warst sehr aufmerksam und freundlich. Wenn auch nicht gerade jeden, so doch beinahe jeden Nachmittag vor Deiner Abreise ins Ausland nahmst Du Dir die Mühe, nach Holloway zu fahren und mich zu besuchen. Du schriebst auch die reizendsten und freundlichsten Briefe. Doch daß nicht Dein Vater mich ins Gefängnis gebracht hatte, sondern Du selbst es warst, daß Du von Anfang bis Ende die Verantwortung dafür trugst, daß ich durch Dich, für Dich und Deinetwegen dort war, kam Dir auch nicht einen Augenblick in den Sinn. Nicht einmal das Schauspiel, das sich Dir bot, als ich hinter den Stäben eines hölzernen Käfigs saß, vermochte Deine tote Phantasie zu beleben. Du brachtest soviel Sympathie und Sentiment auf wie der Zuschauer bei einem Rührstück. Daß Du selbst der Urheber der entsetzlichen Tragödie warst, merktest Du nicht. Ich sah, daß Du Dir nicht im geringsten klarmachtest, was Du angerichtet hattest. Nicht ich wollte Dir sagen, was Dein Herz Dir hätte sagen sollen und was es Dir auch gesagt hätte, wenn der Haß es nicht hätte verhärten und abstumpfen dürfen. Alle Erkenntnis muß aus einem selbst kommen. Es ist sinnlos, einem Menschen etwas zu sagen, was er nicht selbst empfindet, nicht verstehen kann. Wenn ich Dir jetzt dennoch diesen Brief schreibe, so weil Dein Schweigen und Dein Verhalten während meiner langen Gefangenschaft es nötig machten. Zudem hatte, wie sich herausstellte, der Vernichtungsschlag nur mich allein getroffen. Das war mir eine Quelle des Trostes. Aus vielen Gründen fand ich mich mit meinem Leiden ab, obgleich meine Augen, wenn sie Dir folgten, in Deiner völligen und vorsätzlichen Blindheit etwas nicht wenig Verächtliches sahen. Ich erinnere mich, wie Du voll Stolz einen Brief hervorzogst, den Du in einem Groschenblatt über mich veröffentlicht hattest. Es war ein sehr vorsichtiges, mäßiges, ja banales Produkt. Du appelliertest an den »englischen Sinn für *fair play*«, oder sonst etwas in dieser traurigen Kategorie, zugunsten »eines Mannes, der am Boden lag«. Es war die Art Brief, die Du hättest schreiben können, wenn eine peinliche Anklage gegen irgendeinen Dir persönlich ganz unbekannten Ehrenmann erhoben worden wäre. Aber Du fandest den Brief wundervoll. Du betrachtetest ihn als Beweis einer fast quijotehaften Ritterlichkeit. Ich weiß, daß Du weitere Briefe an weitere Zeitungen schriebst, die sie aber nicht veröffentlichten. Darin stand jedoch nur, daß Du Deinen Vater haßtest. Und das interessierte keinen Menschen. Der Haß ist, das mußt Du erst noch lernen, intellektuell betrachtet, die Ewige Verneinung. Vom

Standpunkt der Emotionen aus betrachtet, ist er eine Art Auszehrung, die alles tötet, nur nicht sich selbst. An Zeitungen zu schreiben, daß man irgend jemanden hasse, ist das gleiche, wie wenn man an Zeitungen schriebe, daß man an einer unaussprechlichen, peinlichen Krankheit leide: daß der Mann, den Du haßtest, Dein eigener Vater war und daß er dieses Gefühl von ganzem Herzen erwiderte, veredelte oder verschönte Deinen Haß in keiner Weise. Es kennzeichnete ihn lediglich als Erbübel.

Weiter erinnere ich mich, daß ich, als über mein Haus die Zwangsversteigerung verhängt wurde, meine Bücher und Möbel beschlagnahmt und zum Verkauf ausgeschrieben wurden und der Bankrott drohte, Dir natürlich darüber schrieb. Ich erwähnte mit keinem Wort, daß das Haus, dessen Gastfreundschaft Du so oft genossen hattest, unter den Hammer kam, damit ein paar Geschenke bezahlt werden konnten, die ich Dir gemacht hatte. Ich dachte, zu recht oder zu unrecht, daß diese Eröffnung Dich vielleicht ein wenig schmerzen würde. Ich schrieb Dir nur die nackten Tatsachen. Ich fand es korrekt, Dir davon Mitteilung zu machen. Du antwortetest aus Boulogne mit einem Erguß fast lyrischen Frohlockens. Du schriebst, daß Dein Vater »knapp bei Kasse« sei und £ 1500 für die Gerichtskosten habe borgen müssen und daß mein bevorstehender Bankrott eine »köstliche Schlappe« für ihn sei, denn nun könne er sich wegen seiner Spesen nicht mehr an mich halten! Ist Dir jetzt klargeworden, warum man sagt, der Haß mache blind? Siehst Du jetzt ein, daß meine Beschreibung des Hasses als einer Auszehrung, die alles zerstört, nur nicht sich selbst, die wissenschaftliche Beschreibung einer bestehenden psychologischen Tatsache war? Daß alle meine hübschen Besitztümer verkauft werden sollten: meine Zeichnungen von Burne-Jones, von Whistler, mein Monticelli: meine Simeon Solomons: mein Porzellan: meine Bibliothek mit ihrer Sammlung von dedizierten Exemplaren nahezu aller Dichter meiner Zeit von Hugo bis Whitman, von Swinburne bis Mallarmé, von Morris bis Verlaine; mit den schön gebundenen Ausgaben der Werke meines Vaters und meiner Mutter; ihrem wundervollen Aufgebot von Universitäts- und Schulpreisen, ihren *éditions de luxe* und dergleichen mehr; das alles sagte Dir absolut nichts. Du bezeichnetest es als lästig: weiter nichts. Du sahst in dem Ganzen nur die Möglichkeit, daß Dein Vater schließlich ein paar hundert Pfund einbüßen würde, und diese erbärmliche Erwägung erfüllte Dich mit ekstatischer Freude. Was die Gerichtskosten anlangt, so interessiert es Dich vielleicht, daß Dein Vater im Orleans Club ganz offen erklärte, selbst wenn der Prozeß ihn £ 20 000 gekostet hätte, so fände er, er habe sein Geld gut angelegt, denn die ganze Sache sei für ihn ein großartiger Zeitvertreib, Genuß und Triumph gewesen. Daß er mich nicht nur für zwei Jahre ins Gefängnis bringen, sondern mich auch noch für einen Tag herausholen und in aller Öffentlichkeit zum Bankrotteur erklären lassen konnte, war eine zusätzliche Würze seines Genusses, die er nicht erwartet hatte. Es war der Gipfel meiner Demütigung und die Krönung seines Sieges. Wäre dieser Kostenanspruch Deines Vaters an mich nicht gewesen, so hättest Du, wie ich sehr wohl weiß, zumindest in Worten größten Anteil an dem Verlust meiner Bibliothek genommen, für einen Literaten ein unersetzlicher Verlust, die traurigste aller meiner materiellen Einbußen. Eingedenk der Summen, die ich mit vollen Händen für Dich verschleudert hatte, und des Lebens, das Du jahrelang auf meine Kosten geführt hattest, wärst Du vielleicht sogar so weit gegangen, einige meiner Bücher für mich zu ersteigern. Die besten gingen für insgesamt nicht ganz £ 150 weg: etwa soviel, wie ich in einer normalen Woche für Dich ausgegeben habe. Doch die hämische Schadenfreude darüber, daß Dein Vater ein paar Pence zusetzen würde, verdrängte in Dir jeden Wunsch, mir einen kleinen Gegendienst zu erweisen, der ebenso geringfügig, leicht, billig und naheliegend für Dich wie wichtig und hochwillkommen für mich gewesen wäre. Stimmst Du mir zu, daß der Haß die Menschen blind macht? Siehst Du es jetzt ein? Wenn nicht, dann versuche es wenigstens.

Wie klar ich es damals sah und heute sehe, brauch ich Dir nicht zu sagen. Doch ich sagte mir: *»Um jeden Preis muß ich in meinem Herzen die Liebe bewahren. Wenn ich ins Gefängnis gehe ohne Liebe, was soll aus meiner Seele werden?«* Die Briefe, die ich Dir damals aus Holloway schrieb, waren meine Versuche, meinem Wesen die Liebe als Dominante zu erhalten. Es wäre mir ein leichtes gewesen, Dich mit bitteren Vorwürfen zu zermalmen. Ich hätte Dich mit meinem Fluch zerschmettern können.

Ich hätte Dir einen Spiegel vorhalten und Dir ein Bild zeigen können, das Du nur dadurch als Dein eigenes erkannt hättest, daß es dieselben Gebärden des Abscheus ausführte wie Du; dann hättest Du gewußt, wessen Gestalt es wiedergab und Dein Bild und Dich selbst auf ewig gehaßt. Ja, mehr noch. Die Sünden eines anderen wurden mir zur Last gelegt. Wenn ich gewollt hätte, ich hätte mich bei jeder Verhandlung auf seine Kosten retten können, wenn auch nicht vor der Schande, so doch vor dem Kerker. Hätte ich den Beweis antreten wollen, daß den Kronzeugen – den drei wichtigsten – von Deinem Vater und Deinen Anwälten sorgfältig eingetrichtert worden war, nicht nur was sie verschweigen, sondern auch was sie aussagen, wie sie nach genau ausgeheckten und geprobtem Plan die Handlungen und Taten eines anderen buchstäblich mir in die Schuhe schieben sollten, so hätte ich erreichen können, daß der Richter sie allesamt noch weit prompter aus dem Zeugenstand gewiesen hätte als den meineidigen Lumpen Atkins. Ich hätte mir ins Fäustchen lachen und, die Hände in den Taschen, als freier Mann den Gerichtssaal verlassen können. Man wollte mich förmlich dazu zwingen. Ich wurde ernstlich dazu aufgefordert, gedrängt, genötigt von Leuten, denen es einzig um mein Wohl und das Wohl meiner Familie ging. Aber ich weigerte mich. Ich wollte nicht. Ich habe meinen Entschluß nie auch nur einen Augenblick lang bereut, auch nicht in den bittersten Zeiten meiner Kerkerhaft. Ein solches Vorgehen wäre unter meiner Würde gewesen. Die Sünden des Fleisches bedeuten nichts. Sie sind Krankheiten, die der Arzt heilen soll, wenn sie überhaupt geheilt werden müssen. Allein die Sünden der Seele sind beschämend. Ein Freispruch, den ich mir durch solche Mittel erwirkt hätte, hätte lebenslängliche Folter für mich bedeutet. Doch glaubst Du wirklich, daß Du die Liebe wert gewesen bist, die ich Dir damals bewies, oder daß ich Dich auch nur einen Augenblick lang ihrer für würdig hielt? Glaubst Du wirklich, daß Du zu irgendeiner Zeit unserer Freundschaft der Liebe würdig warst, die ich Dir zeigte, oder daß ich Dich auch nur einen Augenblick lang ihrer würdig gehalten hätte? Ich wußte, daß Du sie nicht verdientest. Doch die Liebe feilscht nicht auf dem Markte und rechnet nicht nach der Krämerwaage. Ihre Freude besteht wie die Freuden des Intellekts darin, daß sie sich lebendig weiß. Das Ziel der Liebe ist zu lieben: nicht mehr und nicht weniger. Du warst mein Feind: ein Feind, wie kein Mensch ihn je gehabt hat. Ich hatte Dir mein Leben geschenkt, und um die niedrigsten aller menschlichen Leidenschaften zu befriedigen, Haß, Eitelkeit und Gier, warfst Du es weg. In weniger als drei Jahren hattest Du mich in jeder Hinsicht völlig ruiniert. Um meiner selbst willen blieb mir nichts anderes übrig als Dich zu lieben. Ich wußte, wenn ich mich zum Haß gegen Dich hinreißen ließe, würde in der dürren Wüste des Daseins, die ich durchqueren mußte und noch durchquere, jeder Fels seinen Schatten verlieren, jede Palme verwelkt und jede Wasserstelle an der Quelle vergiftet sein. Beginnst Du jetzt zu verstehen? Erwacht Deine Phantasie aus ihrer langen Lethargie? Du weißt, was der Haß ist. Dämmert Dir nun, was die Liebe, was das Wesen der Liebe ist? Noch hast Du Zeit, es zu lernen, ich aber mußte in die Sträflingszelle ziehen, um es Dich lehren zu können.

Nach meiner Verurteilung, als ich Gefängniskleidung trug, das Gefängnistor sich hinter mir geschlossen hatte, saß ich auf den Trümmern meines wundervollen Lebens, von Angst zermalmt, von Grauen geschüttelt, von Schmerz betäubt. Doch ich wollte Dich nicht hassen. Tag für Tag sagte ich mir: *»Heute muß ich meinem Herzen die Liebe erhalten, wie soll ich sonst den Tag überstehen?«* Ich sagte mir immer wieder, daß Du nichts Böses im Sinn hattest, jedenfalls nicht gegen mich: ich redete mir ein, Du habest von ungefähr den Bogen gespannt und mit Deinem Pfeil einen König zwischen Panzer und Wehrgehänge getroffen. Dich abzuwägen gegen das kleinste meiner Leiden, den geringsten meiner Verluste hätte ich als unfair empfunden. Ich beschloß, auch in Dir einen Leidenden zu sehen. Ich zwang mich zu dem Glauben, daß Dir endlich die Schuppen von den lange verblendeten Augen gefallen seien. Immer wieder stellte ich mir voll Schmerz das Grauen vor, das Dich angesichts Deines schrecklichen Werkes erfaßt haben mußte. Sogar in diesen dunklen Tagen, den dunkelsten meines Lebens, überkam mich zuzeiten wirklich das Verlangen, Dich zu trösten. So sicher war ich, daß Du endlich wußtest, was Du getan hattest.

Nie wäre ich damals auf den Gedanken gekommen, Du könntest mit dem abscheulichsten aller Laster behaftet sein, der Seichtheit. Ja, ich war aufrichtig bekümmert, als ich Dir mitteilen mußte, daß der erste Brief, den ich hier in Empfang nehmen dürfe, meinen Familienangelegenheiten vorbehalten sein müsse: aber mein Schwager hatte mir geschrieben, wenn ich nur ein einziges Mal an meine Frau schriebe, so wolle sie, um meinet- und unserer Kinder willen, nicht auf Ehescheidung klagen. Ich hielt es für meine Pflicht, das zu tun. Von sonstigen Gründen abgesehen, konnte ich den Gedanken nicht ertragen, von Cyril getrennt zu werden, meinem schönen, liebevollen und liebenswerten Kind, diesem Freund aller Freunde, Gefährten aller Gefährten; ein einziges Haar seines Goldköpfchens hätte mir teuerer und wertvoller sein sollen als, ich will nicht sagen Du vom Scheitel bis zur Sohle, aber doch als aller Chrysolith der ganzen Welt: war es mir auch immer gewesen, nur begriff ich es erst, als es zu spät war.

Zwei Wochen nach Deinem Gesuch hörte ich von Dir. Robert Sherard, dieser tapferste und ritterlichste aller Prachtmenschen, besucht mich und erzählt mir unter anderem, Du wollest in diesem lächerlichen *Mercure de France*, der sich absurderweise damit brüstet, das eigentliche Zentrum der literarischen Korruption zu sein, einen Artikel über mich, mit Auszügen aus meinen Briefen, veröffentlichen. Er fragt mich, ob das wirklich meinem Wunsch entspreche. Ich war tief bestürzt und sehr ärgerlich und gab Auftrag, die Sache sofort niederzuschlagen. Du hast meine Briefe herumliegen lassen, so daß sie von Deinen Erpresserfreunden gestohlen, von Hausknechten entwendet, von Zimmermädchen verkauft werden konnten. Das war einfach Deine gedankenlose Geringschätzung dessen, was ich Dir geschrieben hatte. Doch daß Du allen Ernstes vorhaben solltest, Auszüge aus dem Restbestand zu veröffentlichen, konnte ich kaum glauben. Und um welche Briefe mochte es sich handeln? Ich konnte nichts erfahren. Das also war das erste, was ich von Dir hörte. Ich hörte es ungern.

Die zweite Nachricht folgte wenig später. Die Anwälte Deines Vaters waren im Gefängnis erschienen, um mir persönlich den Gerichtsbeschluß zuzustellen, wonach wegen lumpiger £ 700, ihres Gebührenanspruchs, das Konkursverfahren gegen mich eröffnet werden sollte. Ich wurde zum zahlungsunfähigen Schuldner erklärt und vor Gericht geladen. Ich war entschieden der Meinung, und bin es noch und werde auch noch darauf zurückkommen, daß diese Kosten von Deiner Familie hätten bezahlt werden müssen. Du hattest persönlich dafür eingestanden, daß Deine Familie sie übernehmen würde. Unter diesen Voraussetzungen hatte der Anwalt den Fall so übernommen, wie er ihn auch vertreten hat. Du warst entschieden verantwortlich. Selbst unabhängig von der Zusage, die Du im Namen Deiner Angehörigen gegeben hattest, hättest Du, als der Urheber meines Unglücks, mir wenigstens die zusätzliche Schmach eines Bankrotts wegen einer absolut lächerlichen Summe ersparen sollen, einer Summe, die halb so groß war wie der Betrag, den ich während der drei kurzen Sommermonate in Goring für Dich ausgab. Doch davon nun nichts weiter. Es stimmt, daß ich durch den Schreiber des Anwalts in dieser Sache oder zumindest im Zusammenhang damit eine Botschaft von Dir erhalten habe. Als er mich aufsuchte, um meine Erklärungen und Angaben entgegenzunehmen, beugte er sich über den Tisch – denn der Wärter war zugegen – und sagte, nachdem er ein Stück Papier aus seiner Tasche gezogen und studiert hatte, mit leiser Stimme: »Prinz Fleur-de-Lys läßt Sie grüßen.« Ich starrte ihn an. Er wiederholte die Botschaft. Ich wußte nicht, was er meinte. »Der Herr befindet sich zur Zeit im Ausland«, fügte er geheimnisvoll hinzu. Jetzt begriff ich blitzartig, und ich erinnere mich, daß ich zum ersten und letzten Male während meiner ganzen Gefangenschaft lachte. Dieses Lachen enthielt alle Verachtung der Welt. In diesem Lachen lag aller Hohn der Welt. Prinz Fleur-de-Lys! Ich sah – und die folgenden Ereignisse bewiesen mir, daß ich richtig sah –, daß Du von allem, was geschehen war, nicht das mindeste begriffen hattest. In Deinen eigenen Augen warst Du noch immer der schöne Prinz einer trivialen Komödie, nicht die düstere Figur eines tragischen Schauspiels. Alles Geschehene war bloß eine Feder für das Barett, das einen beschränkten Kopf ziert, eine Ansteckblume für das Wams, unter dem ein Herz schlägt, das nur der Haß allein erwärmt und das allein die Liebe eisig findet. Prinz Fleur-de-Lys! Gewiß hattest Du ganz recht, unter einem Decknamen mit mir in Verbindung zu treten. Ich selbst hatte zu jener Zeit überhaupt keinen Namen. In dem großen Gefängnis, in dem ich damals eingekerkert war, war ich nur die Nummer und der Buchstabe einer kleinen Zelle an einem langen Gang, eine von tausend leblosen Chiffren, eines von tausend leblosen Leben. Doch gewiß hätten sich viele echte Namen in der wirklichen Geschichte gefunden, die besser zu Dir gepaßt hätten und an denen ich Dich unschwer sofort erkannt hätte. Hinter dem Flitter eines Fastnachtsvisiers, wie man es nur zur kurzweiligen Maskerade trägt, suchte ich Dich nicht. Ach! wäre Deine Seele nur, wie es zu ihrer Rettung nötig gewesen wäre, vom Leid verwundet, von Reue gebeugt und demütig gewesen vor Gram, dann hätte sie eine andere Maske gewählt, um unter ihrem Schutz in das Schmerzenshaus Einlaß zu suchen! Die großen Dinge im Leben sind das, was sie zu sein scheinen, und gerade darum, so seltsam es Dir klingen mag, oft schwer zu deuten. Doch die kleinen Dinge des Lebens sind Symbole. Die bitteren Lehren unseres Lebens erhalten wir meistens durch sie. Deine scheinbar zufällige Wahl eines Decknamens war und bleibt symbolisch. Sie zeigt Dich, wie Du wirklich bist.

Sechs Wochen später trifft zum drittenmal Nachricht ein. Man ruft mich aus dem Krankenrevier, wo ich elend darniederlag, um mir durch den Gefängnisdirektor eine besondere Botschaft von Dir zu übermitteln. Er liest mir einen Brief vor, den Du an ihn gerichtet hattest und in dem Du schriebst, daß Du im *Mercure de France* (»einer Zeitschrift«, so fügtest Du aus irgendeinem besonderen Grund hinzu, »die unserer englischen *Fortnightly Review* entspricht«) einen Artikel »über den Fall Oscar Wilde« veröffentlichen wollest, und um meine Zustimmung nachsuchtest, Auszüge und Stellen aus – welchen? – Briefen zu veröffentlichen. Aus den Briefen, die ich Dir aus dem Gefängnis von Holloway geschrieben hatte! Den Briefen, die Dir heiliger und unveräußerlicher hätten sein sollen als alles in der Welt! Und ausgerechnet diese Briefe wolltest Du veröffentlichen, damit der abgetakelte *décadent* etwas zu bestaunen, der geile *feuilletoniste* etwas zu besabbern, die kleinen Löwen des *Quartier Latin* etwas zu beglotzen und zu bekläffen hätten! Wenn schon Dein eigenes Herz nicht gegen eine so vulgäre Entweihung aufschrie, so hättest Du wenigstens an das Sonett denken können, das jener schrieb, der mit soviel Schmerz und Verachtung zusah, wie John Keats'

Briefe in London öffentlich versteigert wurden, hättest wenigstens die wahre Bedeutung meiner Verse begreifen sollen:

I think they love not Art
Who break the crystal of a poet's heart
That small and sickly eyes may glare or gloat*.

Denn was sollte Dein Artikel beweisen? Daß ich Dich zu sehr geliebt hatte? Dem Pariser *gamin* war dies ohnehin bekannt. Sie alle lesen die Zeitungen, und die meisten von ihnen schreiben für die Presse. Daß ich ein Genie war? Die Franzosen verstanden das und die Besonderheit meines Genies weit besser, als Du es verstandest oder billigerweise verstehen konntest. Daß Leidenschaften und Lüste beim Genie oft eigentümlich pervertiert sind? Vortrefflich: doch dies ist Lombrosos Thema, nicht Deines. Zudem tritt das betreffende pathologische Phänomen auch bei Menschen auf, die durchaus keine Genies sind. Daß ich in Deinem Haßfeldzug gegen Deinen Vater euch beiden zugleich Schild und Schwert war? Mehr noch: daß er mich bei der scheußlichen Jagd um mein Leben, die einsetzte, als der Feldzug vorbei war, nie hätte einholen können, wenn Du nicht bereits die Schlingen für meine Füße gelegt hättest? Ganz richtig: aber wie ich höre, hat Henri Bauër das bereits eindeutig festgestellt. Und um seine Ansicht zu erhärten, falls das Deine Absicht gewesen sein sollte, brauchtest Du meine Briefe nicht zu veröffentlichen; jedenfalls nicht die Briefe, die ich aus Holloway schrieb.

Willst Du mir auf meine Frage erwidern, ich selbst hätte Dich in einem meiner Briefe aus Holloway gebeten, Du möchtest mich nach Deinen Kräften vor einem kleinen Teil der Welt ein wenig mehr ins rechte Licht rücken? Ja, das tat ich. Bedenke, in welchem Zustand und warum ich heute hier bin. Glaubst Du, ich sei hier wegen meiner Beziehungen zu den Zeugen in meinem Prozeß? Meine wirklichen oder mutmaßlichen Beziehungen zu Leuten dieser Art interessierten weder die Regierung noch die Gesellschaft. Sie wußten nichts davon und scherten sich noch weniger darum. Ich bin hier, weil ich versucht habe, Deinen Va-

* Der liebt die Kunst nicht, glaube ich, / Der den Kristall eines Dichterherzens zerschlägt, / Damit dürftige und kranke Augen etwas zu starren und zu glotzen haben.

ter ins Gefängnis zu bringen. Mein Versuch mußte fehlschlagen. Meine eigenen Anwälte gaben auf. Dein Vater drehte den Spieß um und brachte *mich* ins Gefängnis, und da bin ich noch immer. Dafür verachtet man mich. Darum verhöhnt man mich. Darum muß ich meine schreckliche Haft bis zum letzten Tag, zur letzten Stunde, zur letzten Minute ableisten. Darum werden meine Gesuche verworfen.

Du allein hättest, und zwar ohne Dich in irgendeiner Weise der Verachtung oder Gefahr oder einem Tadel auszusetzen, der ganzen Angelegenheit eine andere Färbung geben, die Sache in ein anderes Licht rücken, bis zu einem gewissen Grad den wirklichen Stand der Dinge beweisen können. Selbstverständlich hätte ich nicht erwartet, nicht einmal gewünscht, daß Du aussagen solltest, wie und aus welchem Grund Du meinen Beistand suchtest, als Du in Oxford in Schwierigkeiten geraten warst: und wie oder aus welchem Grund, falls Du überhaupt einen Grund hattest, Du mir drei Jahre lang praktisch nicht mehr von der Seite gewichen warst. Meine ständigen Versuche, eine Freundschaft abzubrechen, die für mich als Künstler wie als einem Mann von Rang und sogar als einem Mitglied der guten Gesellschaft so verhängnisvoll war, brauchten nicht mit der Genauigkeit verzeichnet zu werden, mit der ich sie hier dargetan habe. Ich hätte auch nicht verlangt, daß Du die Szenen beschreiben solltest, die Du mit fast monotoner Regelmäßigkeit wiederholtest: oder daß Du die wundervolle Folge Deiner Telegramme an mich mit ihrer kuriosen Mischung aus Romanzen und Finanzen abdrucken ließest: oder daß Du die besonders empörenden und herzlosen Stellen aus Deinen Briefen zitiertest, wie ich es tun mußte. Kurzum, ich meine, es wäre für Dich und für mich besser gewesen, wenn Du gegen die Auslegung protestiert hättest, die Dein Vater unserer Freundschaft gab, eine ebenso groteske wie giftige Auslegung und ebenso absurd, soweit sie Dich, wie entehrend, soweit sie mich betraf. Diese Auslegung ist nun in die Geschichte eingegangen: sie wird zitiert, geglaubt, aufgezeichnet: der Prediger benutzt sie als Text, der Moralist als Thema seiner trockenen Abhandlung: und ich, der zu allen Generationen sprechen konnte, mußte mir von einem Affen und Hanswursten das Urteil sprechen lassen. Ich sagte in diesem Brief bereits, und wie ich zugebe mit einiger Erbitterung, daß die Ironie des Schicksals Deinen Vater zum unsterblichen Helden von Sonntagsschul-Traktätchen gemacht hat: Dich mit dem Knaben Samuel auf eine Stufe stellte: und mir den Platz zwischen Gilles de Retz und dem Marquis de Sade anwies. Ich behaupte, das ist gut so. Ich will nicht klagen. Eine der vielen Lehren, die das Gefängnis erteilt, lautet: die Dinge sind, was sie sind, und werden sein, was sie sein werden. Ich zweifle auch nicht, daß der von der Schwarzen Magie Zerfressene und der Autor der *Justine* angenehmere Nachbarn sind als *Sandford and Merton*.

Doch als ich Dir damals schrieb, hielt ich es in unser beider Interesse für gut, angemessen, richtig, die Darstellung *nicht* zu akzeptieren, die Dein Vater durch seine Anwälte zur Erbauung der Philister gegeben hatte, und deshalb bat ich Dich, eine der Wahrheit näher kommende Fassung zu entwerfen und niederzuschreiben. Auf jeden Fall wäre es für Dich besser gewesen, als Deine für französische Zeitungen bestimmten Kritzeleien über das häusliche Leben Deiner Eltern. Was kümmerte es die Franzosen, ob Deine Eltern ein glückliches Familienleben geführt haben oder nicht? Ein für sie noch uninteressanteres Thema gibt es gar nicht. Dagegen interessiert es sie, wie ein Künstler meines Ranges, der durch die Schule und die literarische Bewegung, die er verkörperte, das französische Geistesleben entscheidend beeinflußt hatte, erst ein solches Leben und dann einen solchen Prozeß hat führen können. Hättest Du zur Veröffentlichung in Deinem Artikel die – wie ich fürchte – zahllosen Briefe vorgeschlagen, in denen ich von dem Unheil sprach, das Du über mein Leben brachtest, von dem Wahnsinn der Wutausbrüche, denen Du Dich zu Deinem und zu meinem Schaden überließest, und von meinem Wunsch, nein, meinem Entschluß, eine für mich in jeder Hinsicht so verhängnisvolle Freundschaft zu beenden, dann hätte ich das verstanden, wenn ich auch eine Veröffentlichung dieser Briefe nicht gestattet hätte: als der Anwalt Deines Vaters in der Absicht, mich in einen Widerspruch zu verstricken, dem Gericht plötzlich einen Brief vorlegte, den ich Dir im März '93 geschrieben hatte und worin ich sagte, ehe ich mich weiteren Wiederholungen der abstoßenden Szenen aussetzte, an denen Du offenbar so schrecklichen Gefallen fändest, würde ich mich damit abfinden, mich »von jedem ›renter‹ in London erpressen zu lassen«, da schmerzte es mich aufrichtig, daß damit dieser Aspekt meiner Freundschaft mit Dir dem gemeinen Blick enthüllt wurde: daß Du jedoch so begriffsstutzig, so stumpfsinnig und allem Seltenen, Erlesenen und Schönen so unzugänglich sein konntest, daß Du die Briefe zu veröffentlichen gedachtest, in denen und durch die ich versuchte, Geist und Seele der Liebe lebendig zu erhalten, damit sie in meinem Körper während der langen Jahre der Demütigung dieses Körpers wohnen bliebe – das war und ist noch heute für mich eine Quelle tiefsten Schmerzes, grausamster Enttäuschung. Warum Du es tatest, weiß ich wohl leider allzu gut. Wenn der Haß Deine Augen blendete, so nähte die Eitelkeit Deine Lider mit eisernen Fäden zusammen. Die Fähigkeit, »durch die und durch die allein man andere in ihren realen und ideellen Bindungen verstehen kann«, hatte Dein bornierter Egoismus abgestumpft, sie war lahm geworden vom langen Brachliegen. Deine Phantasie war genauso eingekerkert wie ich es bin. Die Eitelkeit hatte die Fenster vergittert, und Wärter war der Haß!

Das alles ereignete sich Anfang November vorletzten Jahres. Ein breiter Strom Leben fließt zwischen Dir und einer so fernen Zeit. Über einen solchen Abstand hinweg reicht Dein Auge wohl schwerlich. Mir jedoch ist, als wäre es nicht gestern, sondern erst heute geschehen. Das Leiden ist ein einziger langer Augenblick. Wir können ihn nicht in Jahreszeiten aufteilen. Wir können nur seine Phasen festhalten und deren Wiederkehr verzeichnen. Die Zeit selbst schreitet für uns nicht fort. Sie rotiert. Sie scheint um die Achse des Schmerzes zu kreisen. Die lähmende Starrheit eines Lebens, das bis ins kleinste nach einer festen Schablone geregelt ist, so daß wir nach den unbeugsamen Gesetzen einer eisernen Formel essen und trinken und gehen und uns hinlegen und beten oder doch zum Gebet niederknien: diese Unbeweglichkeit, die jeden grauenvollen Tag bis ins kleinste Detail seinem Bruder gleichen läßt, scheint sich jenen äußeren Kräften mitzuteilen, die nur aus dem ständigen Wechsel leben können. Wir wissen nichts von Saatzeit und Ernte, vom Schnitter, der sich über das Korn neigt, noch vom Winzer, der sich durch den Weinberg müht, vom Gras unter den Bäumen, das weiß ist von abgefallenen

Blüten oder bestreut mit reifen Früchten – wir können nichts davon wissen. Für uns hier gibt es nur eine Jahreszeit, die Jahreszeit des Grams. Selbst Sonne und Mond scheinen uns verwehrt. Draußen mag der Tag blau sein und golden, das Licht, das durch das trübe Glas des Gitterfensterchens zu uns herunterkriecht, ist grau und karg. In der Zelle herrscht immer Dämmerung, in unseren Herzen Mitternacht. Und wie der Lauf der Zeit, so stockt auch der Lauf des Denkens. Was Du längst vergessen hast oder leicht vergessen kannst, stößt mir heute zu und wird mir morgen wieder zustoßen. Wenn Du das bedenkst, dann wirst Du eher verstehen können, warum ich Dir schreibe und warum ich so schreibe.

Eine Woche danach werde ich hierher gebracht. Drei weitere Monate vergehen, und meine Mutter stirbt. Niemand weiß besser als Du, wie innig ich meine Mutter geliebt und verehrt habe. Ihr Tod war für mich so furchtbar, daß ich, einst ein Meister der Sprache, keine Worte finde, meine Bedrängnis und Scham zu schildern. Niemals, nicht einmal auf dem Höhepunkt meiner künstlerischen Schaffenskraft, hätte ich Worte gefunden, die eine so erhabene Bürde hätten tragen oder mit angemessen hohem Klang über die purpurne Szene meines unsagbaren Wehs hätten schreiten können. Sie und mein Vater hatten mir einen Namen vererbt, dem sie nicht nur in Literatur, Kunst, Archäologie und Wissenschaft Ansehen und Geltung verschafft hatten, sondern auch in der Geschichte der Entwicklung meines Heimatlandes zur Nation. Diesen Namen habe ich auf ewig entehrt. Ich habe ihn zum gemeinen Schimpfwort gemeiner Leute gemacht. Ich habe ihn in den Schmutz gezerrt. Ich habe ihn den Schandmäulern ausgeliefert, damit sie ihn schänden, den Narren, damit sie daraus ein anderes Wort für Narrheit machen. Was ich damals litt und noch leide, kann keine Feder niederschreiben, kein Buch vermelden. Meine Frau, die in jenen Tagen gut und freundlich zu mir war und nicht wollte, daß ich die Nachricht von gleichgültigen oder fremden Lippen hören müsse, reiste trotz ihrer Krankheit von Genua bis hierher, um mir die Botschaft von dem unersetzlichen, unwiederbringlichen Verlust zu überbringen. Alle, die mich noch gern hatten, drückten mir ihr Beileid aus. Selbst Leute, die mich persönlich nicht kannten, jedoch von dem neuen Kummer gehört hatten, der mein zerbrochenes Leben heimgesucht hatte, baten brieflich, man möge mir ihre Teilnahme übermitteln. Du allein hieltest Dich abseits, schicktest mir kein Wort, schriebst mir keine Zeile. Zu solchem Verhalten kann man nur sagen, was Vergil zu Dante über die Seelen sagt, deren dumpfes Leben nie von edlen Antrieben entflammt worden ist, die Unentschiedenen, die Tatenlosen: *»Non ragioniam di lor, ma guarda, e passa.«*

Drei Monate vergehen. Der Kalender draußen an meiner Zellentür, auf dem mein Name und mein Urteil stehen und auf dem täglich meine Führung und Arbeitsleistung eingetragen werden, sagt mir, daß es Mai ist. Wieder besuchen mich meine Freunde. Wie immer erkundige ich mich nach Dir. Man berichtet mir, Du seist in Deiner Villa in Neapel mit den Vorbereitungen zur Herausgabe eines Gedichtbandes beschäftigt. Am Schluß der Unterredung wird beiläufig erwähnt, Du werdest ihn mir widmen. Bei dieser Nachricht stieg Lebensekel in mir hoch. Ich sagte nichts, ging nur schweigend in meine Zelle zurück, Verachtung und Abscheu im Herzen. Wie konntest Du Dir träumen lassen, mir einen Gedichtband zu widmen, ohne zunächst meine Erlaubnis einzuholen? Träumen, sage ich? Wie konntest Du Dich unterstehen? Willst Du mir antworten, ich hätte in den Tagen meines Glanzes und Ruhms die Zueignung Deiner frühen Arbeiten akzeptiert? Gewiß; genauso, wie ich die Huldigung eines jeden anderen jungen Mannes akzeptiert hätte, der sich der schweren und schönen Kunst des Schreibens widmen wollte. Jede Huldigung ist köstlich für den Künstler, doppelt süß, wenn die Jugend sie darbringt. Lorbeer und Kränze welken, wenn eine greise Hand nach ihnen greift. Nur die Jugend hat das Recht, den Künstler zu krönen. Dies ist das wahre Vorrecht des Jungseins, wenn die Jugend es nur erkennen würde. Doch die Tage der Erniedrigung und der Schmach haben nichts gemein mit der Zeit des Ruhms und des Glanzes. Du mußt erst noch lernen, daß Glück, Luxus und Erfolg grobmaschig in der Textur, billig in der Faser sein können, das Leid jedoch ist das allerzarteste Gespinst. Jede geringste Bewegung irgendwo in der Welt der Gedanken und Taten versetzt das Leid in schreckliche, wiewohl erlesene Schwingung. Wie plump sind dagegen die hauchdünnen

Goldblättchen, deren Vibrieren Kraftströme anzeigt, die das Auge nicht wahrnehmen kann. Das Leid ist eine Wunde, die unter der Berührung einer fremden Hand zu bluten anfängt, ja selbst unter der Hand der Liebe von neuem aufbricht, wenn auch nicht schmerzt.

Du konntest dem Direktor des Gefängnisses von Wandsworth schreiben und meine Genehmigung zum Abdruck meiner Briefe im *Mercure de France*, »der unserer englischen *Fortnightly Review* entspricht«, einholen. Warum konntest Du nicht an den Direktor des Zuchthauses von Reading schreiben und anfragen, ob Du mir Deine Gedichte widmen dürftest, ganz gleich, was für eine phantastische Beschreibung Du für sie gewählt hättest? Tatest Du es deshalb nicht, weil ich im ersten Fall der Zeitschrift verboten hatte, meine Briefe zu veröffentlichen, deren Urheberrechte, wie Du natürlich sehr wohl weißt, ausschließlich bei mir lagen und liegen, und weil Du nun in diesem Fall dachtest, Du könntest eigenmächtig vorgehen und mir so lange nichts davon sagen, bis es zu spät wäre, noch einzugreifen? Allein daß ich ein entehrter, ruinierter Mann war und im Gefängnis saß, hätte Dir gebieten müssen, die Erlaubnis, meinen Namen auf die Titelseite Deines Werkes setzen zu dürfen, von mir als eine Gunst, eine Ehre, ein Privileg zu erbitten. Nur so sollte man an Menschen herantreten, die in Elend und Schande schmachten.

Wo das Leid herrscht, dort ist geweihte Erde. Eines Tages wirst Du begreifen, was das heißt. Bis dahin weißt Du nichts vom Leben. Als ich zwischen zwei Polizisten aus dem Zuchthaus zum Konkursgericht geführt wurde, wartete Robbie auf dem langen, düsteren Korridor, nur um im Angesicht einer Menge, die vor einer so freundlichen und schlichten Tat ehrfürchtig verstummte, ernst vor mir den Hut zu ziehen, als ich in Handschellen und gesenkten Hauptes an ihm vorüberging. Um geringerer Verdienste willen sind Menschen in den Himmel gekommen. In dem gleichen Geiste, in der gleichen Liebe knieten die Heiligen nieder, um den Armen die Füße zu waschen, beugten sich zur Wange des Aussätzigen, um sie zu küssen. Ich habe nie mit ihm darüber gesprochen. Ich weiß bis zum heutigen Tage nicht, ob er ahnt, daß ich es überhaupt bemerkt habe. Es ist unmöglich, dafür in förmlichen Worten einen förmlichen Dank auszusprechen. Ich bewahre es in der Schatzkammer meines Herzens. Ich betrachte es als eine heimliche Schuld und freue mich, daß ich sie wohl nie werde begleichen können. In ihrer ganzen Lieblichkeit frisch erhalten durch Myrrhe und Cassia vieler Tränen. Als die Weisheit mir nichts nützte, die Philosophie mir nicht fruchtete, und die Sprüche und Reden derer, die mich zu trösten suchten, in meinem Munde wie Staub und Asche waren, da hat bei mir der Gedanke an diesen kleinen, demütigen, stummen Akt der Liebe bewirkt, daß alle Brunnen des Mitleids wieder flossen, daß die Wüste aufblühte wie eine Rose, daß ich aus der Bitternis meines einsamen Exils in die Harmonie mit dem wunden, gebrochenen und großen Herzen der Welt fand. Sobald Du nicht nur verstehst, wie schön Roberts Tat war, sondern auch warum sie mir soviel bedeutete und mir in aller Zukunft soviel bedeuten wird, wird Dir klarwerden, wie und in welchem Geist Du mich um die Erlaubnis hättest bitten müssen, mir Deine Verse widmen zu dürfen.

Der Gerechtigkeit halber will ich zugeben, daß ich eine solche Widmung nicht zugelassen hätte. Wenn ich mich unter veränderten Umständen auch vielleicht über Deine Bitte gefreut hätte, so hätte ich sie Dir doch um *Deinetwillen* abgeschlagen, ohne Rücksicht auf meine eigenen Gefühle. Der erste Gedichtband, den ein junger Mensch im Frühling seiner Mannesjahre in die Welt schickt, soll wie eine Blüte oder eine Frühlingsblume sein, wie der Weißdorn auf der Wiese vom Magdalen oder die Primeln auf den Feldern von Cumnor. Er sollte nicht belastet werden mit dem Gewicht einer schrecklichen, empörenden Tragödie, eines schrecklichen, empörenden Skandals. Hätte ich einem solchen Buch meinen Namen als Herold vorangestellt, so wäre das ein schwerer künstlerischer Fehler gewesen. Die ganze Atmosphäre des Werkes wäre dadurch verfälscht worden, und in der modernen Kunst bedeutet die Atmosphäre so viel. Das moderne Leben ist komplex und relativ. Das sind seine beiden Grundtöne. Um den ersten wiederzugeben, brauchen wir die künstlerische Atmosphäre mit aller Feinheit der *nuances*, der Impressionen, der neuen Perspektiven: für das zweite brauchen wir einen Hintergrund. Deshalb gehört die Plastik heute nicht mehr zu den darstellenden Künsten; deshalb ist die Musik sehr wohl eine darstellende Kunst; und deshalb ist, war und bleibt die Literatur die höchste unter den darstellenden Künsten.

Dein Bändchen hätte die Luft Siziliens und Arkadiens atmen müssen, nicht den Pesthauch der Strafgerichte oder den dumpfen Brodem der Kerkerzelle. Zudem wäre eine Widmung, wie Du sie vorschlugst, nicht nur ein künstlerischer Fauxpas gewesen; auch in anderer Hinsicht wäre sie völlig unziemlich gewesen. Sie hätte den Eindruck erweckt, als wolltest Du nach meiner Verhaftung in Deiner früheren Haltung verharren. Das Publikum hätte darin einen Versuch törichter Prahlsucht gesehen: ein Beispiel für jene Art Mut, die in den Straßen der Schande billig verkauft und billig erstanden wird. In unserer Freundschaft hat die Nemesis uns beide wie Fliegen zerquetscht. Mir Verse zu widmen, während ich im Gefängnis saß, hätte wie der Versuch zu einer schlagfertigen Erwiderung gewirkt, eine Fähigkeit, auf die Du Dir in den alten Tagen Deiner schrecklichen Briefschreibe-Sucht – in Tagen, die hoffentlich zu Deinem eigenen Besten nicht wiederkehren werden – in aller Öffentlichkeit viel zugute tatest und mit der Du Dich so gern gebrüstet hast. Von der ernsthaften und schönen Wirkung, die Dir bestimmt – daran glaube ich fest – vorschwebte, wäre keine Rede gewesen. Hättest Du mich um Rat gefragt, so hätte ich Dir nahegelegt, mit der Veröffentlichung Deiner Verse noch ein wenig zu warten; oder sie, falls Du Dich dazu nicht bereitfinden könntest, zunächst anonym herauszubringen und erst dann, wenn Du Deinem Lied Freunde gewonnen hättest – die einzige Art Freunde, deren Gewinnung die Mühe wert ist –, der Welt Dein Gesicht zu zeigen und ihr zu sagen: »Die Blumen, die ihr bewundert, habe ich gepflanzt, und nun bringe ich sie Einem dar, den ihr zum Paria und Ausgestoßenen gemacht habt, und sie sollen mein Tribut an alles das sein, was ich an ihm liebe, verehre und bewundere.« Doch Du hast den falschen Weg und die falsche Stunde gewählt. Es gibt einen Takt in der Liebe, wie es einen Takt in der Literatur gibt. Du hast sie beide verletzt.

Ich verbreite mich so ausführlich über diesen Punkt, weil ich möchte, daß Du seine ganze Tragweite erfaßt, daß Du verstehst, warum ich sofort an Robbie schrieb und mich so ablehnend und geringschätzig über Dich äußerte, die Zueignung strikt untersagte und verlangte, er solle alles, was ich über Dich geschrieben hatte, genau abschreiben und Dir zuschicken. Nach meinem Dafürhalten war es höchste Zeit, Dir zu zeigen, klarzumachen, zu Bewußtsein zu bringen, was Du getan hattest. Man kann die Verblendung so weit treiben, daß sie grotesk wird, und eine phantasielose Natur, die durch nichts aufgerüttelt wird, versteinert am Ende zu völliger Fühllosigkeit. Mag der Körper auch weiterhin essen und trinken und sein Vergnügen genießen, die Seele, die er beherbergt, wird wie die Seele des Branca d'Oria bei Dante in Stein verkehrt. Mein Brief scheint keinen Augenblick zu früh gekommen zu sein. Er traf Dich, soweit ich das beurteilen kann, wie ein Blitzschlag. In Deiner Antwort an Robbie nennst Du Dich »aller Kraft des Denkens und Formulierens beraubt«. Ja, offenbar, denn es fällt Dir nichts Besseres ein, als einen Klagebrief an Deine Mutter zu schreiben. Und sie natürlich, blind wie immer für Dein wahres Wohl, eine Blindheit, die ihr und Dir zum bösen Schicksal wurde, tröstet Dich, so gut sie es vermag, und macht Dir Deinen früheren unglücklichen, unwürdigen Zustand wieder schmackhaft; was dagegen mich anlangt, so ließ sie meine Freunde wissen, sie sei »höchst betroffen« ob meiner schonungslosen Äußerungen über Dich. Ja, sie teilt ihre Betroffenheit nicht nur meinen Freunden mit, sondern auch solchen Leuten – weit größer an der Zahl, wie ich Dir kaum zu sagen brauche –, die nicht meine Freunde sind: und ich erfahre jetzt über Leute, die Dir und den Deinen durchaus wohlwollen, daß mir durch dieses Vorgehen viel von der Sympathie, die auf Grund meiner hervorragenden Gaben und meiner schrecklichen Leiden langsam, aber stetig für mich aufkam, für immer verlorenging. Es heißt: »Ah! Zuerst hat er versucht, den guten Vater ins Gefängnis zu bringen, das schlug fehl: jetzt hält er sich an seinen unschuldigen Sohn und läßt ihn seinen Fehlschlag entgelten. Wie recht wir hatten, ihn zu verabscheuen! Wie sehr verdient er unsere Verachtung!« Wenn mein Name in Gegenwart Deiner Mutter erwähnt wird und sie schon kein Wort des Kummers oder Bedauerns über ihren – gar nicht so kleinen – Anteil am Ruin meines Hauses findet, dann sollte sie wenigstens so viel Anstand haben zu schweigen. Und Du – meinst Du jetzt nicht auch, daß Du, statt Dich bei *ihr* zu beklagen, in jeder Hinsicht besser daran getan hättest, *mir* direkt zu schreiben und den Mut aufzubringen, mir zu sagen, was Du sagen mußtest oder glaubtest, sagen zu müssen? Es ist fast ein Jahr her, daß ich diesen Brief schrieb, Du kannst nicht während dieser ganzen Zeit »aller Kraft des Denkens und Formulierens beraubt« gewesen sein. Warum hast Du mir nicht geschrieben? Du sahst an meinem Brief, wie tief Dein Verhalten mich verletzt und gekränkt hatte. Mehr noch: Deine ganze Freundschaft mit mir war Dir endlich im rechten Licht gezeigt worden, und zwar in nicht mißzuverstehender Weise. Oft hatte ich Dir in vergangenen Tagen gesagt, Du ruiniertest mein Leben. Du hast immer gelacht. Als ganz zu Beginn unserer Freundschaft Edwin Levy mitansah, wie Du mich vorschobst, damit ich für alle Folgen, Widrigkeiten, ja selbst für die Kosten Deines Oxforder, sagen wir: Mißgeschicks, einstehen sollte – er war in dieser Sache um Rat und Beistand zugezogen worden –, da redete er eine volle Stunde lang auf mich ein, um mich vor dem Umgang mit Dir zu warnen; ich berichtete Dir in Bracknell von meinem langen und eindringlichen Gespräch mit ihm, und Du lachtest. Als ich Dir erzählte, wie selbst der unglückliche junge Mensch, der am Ende neben mir auf der Anklagebank saß, mir mehr als einmal prophezeite, Du würdest mich weit sicherer und gründlicher ruinieren als irgendeiner der Durchschnittsjungen, mit denen ich mich törichterweise abgegeben hatte, lachtest Du, wenn auch nicht ganz so belustigt. Als meine klügeren oder weniger gutmütigen Freunde mich entweder warnten oder wegen meiner Bekanntschaft mit Dir verließen, lachtest Du verächtlich. Du lachtest unbändig, als Dein Vater Dir den ersten von Beleidigungen gegen mich strotzenden Brief schrieb und ich zu Dir sagte, ich wisse, daß ich bei Eurem abscheulichen Zwist bloß den Prügelknaben abgeben sollte und zwischen Euch zu Schaden kommen würde. Doch alles und jedes kam genauso, wie ich sagte, daß es kommen werde – wie das Ergebnis zeigt. Es gibt keine Entschuldigung dafür, daß Du nicht gesehen hast, wie die Dinge sich entwickelt hatten. Warum hast Du mir nicht geschrieben? Aus Feigheit? Aus Dumpfsinn? Aus welchem Grunde? Daß ich über Dich empört war und dieser Empörung Ausdruck verliehen hatte, wäre erst recht ein Grund zum Schreiben gewesen. Wenn Du meinen Brief für ungerecht ansahst, hättest Du schreiben müssen. Wenn Du ihn auch nur im kleinsten Punkt für ungerecht hieltest, hättest Du schreiben müssen. Ich wartete auf einen Brief. Wenn schon alte Zuneigung, vielbeschworene Liebe, die tausend Taten schlechtvergoltener Freundschaft, mit denen ich Dich überschüttete, die tausend unbezahlten Dankesschulden – wenn schon das alles Dir nichts bedeuten sollte, so war ich doch überzeugt, daß schieres Pflichtgefühl, das dürftigste aller Bande von Mensch zu Mensch, Dich zum Schreiben veranlassen würde. Du kannst nicht behaupten, daß Du allen Ernstes geglaubt habest, ich dürfe ausschließlich geschäftliche Mitteilungen von seiten meiner Angehörigen empfangen. Du wußtest genau, daß Robbie mir alle zwölf Wochen eine kleine Zusammenstellung der literarischen Neuigkeiten schrieb. Es gibt nichts Reizenderes als seine Briefe in ihrem Witz, ihrer klug gefaßten Kritik, ihrem leichten Ton: sie sind wirkliche Briefe: sie sind wie Gespräche: sie besitzen die Qualität einer französischen *causerie intime*: und in seiner diskreten Ehrerbietung, in der Art, wie er bald an meine Urteilsfähigkeit appelliert, bald an meinen Humor, bald an meinen Instinkt für Schönheit oder an meine Bildung, mich auf hunderterlei Weise zart daran erinnert, daß ich einst vielen als Autorität in künstlerischen Stilfragen galt, manchen sogar als oberste Autorität, zeigt er, daß er den Takt der Liebe und literarisches Taktgefühl besitzt. Seine Briefe sind die kleinen Boten zwischen mir und der schönen, unwirklichen Welt der Kunst, in der ich einst König war und auch König geblieben wäre, wenn ich mich nicht in die armselige Welt grober, unvollkommener Leidenschaft, wahlloser Gier, unmäßiger und gemeiner Lüste hätte locken lassen. Bleibt noch zu sagen: Du hättest verstehen oder Dir zumindest sagen müssen, daß es für mich allein schon aus Gründen rein psychologischer Neugier interessanter gewesen wäre, von *Dir* zu hören, als zu erfahren, daß Alfred Austin einen Gedichtband veröffentlichen wolle, oder daß Street Theaterkritiken im *Daily Chronicle* schreibe, oder daß jemand, der keine Laudatio aufsagen kann, ohne steckenzubleiben, Mrs. Meynell zur neuen Sibylle der Stilistik erklärte.

Ach! wärst Du im Gefängnis gewesen – ich will nicht sagen, durch meine Schuld, denn ich hätte diesen Gedanken niemals ertragen, sondern durch eigenes Verschulden, durch eigene Irrung, durch Deinen Glauben an einen unwürdigen Freund, einen Fehltritt im Sumpf der Sinne, schlecht verschenktes Vertrauen, irregeleitete Liebe oder aus keinem von diesen Gründen oder aus allen zusammen – glaubst Du, ich hätte zugelassen, daß Du Dich in Dunkel und Einsamkeit verzehrtest, ohne auch nur im geringsten zu versuchen, Dir die bittere Bürde Deiner Schmach tragen zu helfen? Glaubst Du nicht, ich hätte Dich wissen lassen, wenn Du littest, so litte ich mit Dir? Wenn Du weintest, so flössen auch meine Tränen? Und wenn Du hinter Gefängnismauern lägst, verachtet von den Menschen, so hätte auch ich aus meinem Schmerz eine Mauer um mich gezogen, hinter der ich weilen würde, bis Du wiederkämst, und hinter der alle Güter, die die Menschen Dir vorenthielten, für Deine Heilung mit hundertfachem Zins verwahrt lägen. Wenn die bittere Notwendigkeit, oder was ich als noch bitterer empfinde, die Vorsicht, mir verwehrt hätte, Dir zu nahen, mich Deiner Gegenwart beraubt hätte, die mir selbst durch Kerkerstäbe und im Gewand der Schande noch zur Freude gereichte, so hätte ich zur gegebenen und nicht gegebenen Zeit an Dich geschrieben in der Hoffnung, daß eine bloße Wendung, ein einziges Wort, ein gebrochenes Echo der Liebe Dich erreichen möge. Hättest Du meine Briefe zurückgewiesen, ich hätte dennoch weitergeschrieben, damit Du zumindest wüßtest, daß immer ein Brief auf Dich wartete. Viele haben so an mir gehandelt. Sie schreiben mir alle drei Monate oder stellen Anträge, mir schreiben zu dürfen. Ihre Briefe und Mitteilungen werden verwahrt. Man wird sie mir bei meiner Entlassung aushändigen. Ich weiß, daß sie da sind. Ich kenne die Namen der Leute, die sie geschrieben haben. Ich weiß, daß sie voller Mitgefühl und Liebe und Güte sind. Das genügt mir. Mehr brauche ich nicht zu wissen. Dein Schweigen war entsetzlich. Dein Schweigen währte nicht nur Wochen und Monate, sondern Jahre; Jahre, die sogar für jene zählen, die wie Du eilends im Glück dahinleben und kaum die goldenen Füße der Tage im Vorübertanzen erhaschen können und atemlos hinter dem Vergnügen herjagen. Für dieses Schweigen gibt es keine Ausflucht; es ist ein Schweigen ohne mildernde Umstände. Ich wußte, daß Du tönerne Füße hast. Wer wußte es besser als ich?

Als ich in einem meiner Aphorismen schrieb, erst die tönernen Füße machen das Gold der Bildsäule so kostbar, dachte ich natürlich an Dich. Aber Du hast aus Dir kein goldenes Bild mit tönernen Füßen gemacht. Aus dem Staub der ausgetretenen Straßen, den die Hufe des Hornviehs zu Kot zerstampfen, hast Du für meine Blicke Dein Ebenbild geformt, und wonach immer ich mich heimlich gesehnt haben mag, jetzt wäre es mir unmöglich, etwas anderes als Verachtung und Hohn für Dich zu empfinden, etwas anderes als Verachtung und Hohn auch für mich selbst. Und die besonderen Umstände, die meinen Fall begleiteten oder ihm folgten, machten – abgesehen von allen anderen Gründen – Deine Gleichgültigkeit, Deine Weltschlauheit, Deinen Dumpfsinn, Deine Vorsicht, oder wie immer Du es nennen willst, noch bitterer für mich.

Andere Unglückliche, die im Kerker schmachten, werden wohl auch der Schönheit dieser Welt beraubt, doch sind sie dafür wenigstens auch ziemlich sicher vor den tödlichsten Schlingen, den tückischsten Pfeilen dieser Welt. Sie können ins Dunkel ihrer Zellen tauchen und aus ihrer Schande eine Freistatt machen. Die Welt hat erreicht, was sie wollte, und nimmt weiter ihren Lauf, man überläßt die Opfer ungestört ihren Leiden. Nicht so bei mir. Ein Leid nach dem anderen hat auf seiner Suche nach mir ans Gefängnistor gepocht. Jedem hat man alle Türen weit geöffnet und es eingelassen. Meine Freunde durften mich selten oder gar nicht besuchen. Doch meine Feinde haben immer Zutritt zu mir. Zweimal bei meinem öffentlichen Erscheinen vor dem Konkursgericht, und wiederum zweimal, als ich öffentlich von einem Zuchthaus in ein anderes gebracht wurde, hat man mich unter unsagbar erniedrigenden Umständen dem Geglotze und Gespött der Menge ausgesetzt. Der Todesbote brachte mir seine Kunde und zog weiter, und ich mußte in völliger Einsamkeit, abgeschieden von allem, was mich hätte trösten oder mir Linderung hätte bringen können, die unmenschliche Bürde des Elends und der Reue tragen, die der Gedanke an meine Mutter mir auferlegte und noch immer auferlegt. Kaum hat die Zeit diese Wunde fühllos gemacht – nicht geheilt –, da schickt meine Frau mir durch ihren Anwalt heftige, bittere und schroffe Briefe. Man droht mir mit der Armut und wirft sie mir zugleich vor. Das kann ich ertragen. Ich kann mich in Schlimmeres fügen. Doch man nimmt mir meine beiden Kinder durch Gerichtsbeschluß. Das ist und bleibt für mich eine Quelle unendlicher Betrübnis, unendlichen Schmerzes, unendlichen, grenzenlosen Grams. Daß das Gesetz bestimmen kann, sich anmaßen kann, zu bestimmen, daß ich für meine eigenen Kinder kein Umgang sei, das ist für mich fürchterlich. Die Schande des Kerkers ist nichts dagegen. Ich beneide die anderen Männer, die mit mir im Hofe ihre Runden traben. Gewiß warten ihre Kinder auf sie, freuen sich auf ihr Kommen, werden lieb zu ihnen sein.

Die Armen sind klüger, barmherziger, freundlicher, gefühlvoller als wir. In ihren Augen ist das Gefängnis ein tragischer Unfall im Leben eines Menschen, ein Unglück, ein Mißgeschick, etwas, womit man Mitleid haben muß. Wenn jemand im Gefängnis ist, sagen sie, er seit »in Schwierigkeiten«, habe »Pech gehabt«. Diesen Ausdruck gebrauchen sie immer, er spricht von der höchsten Weisheit der Liebe. Bei Leuten unseres Standes ist das anders. Aus uns macht das Gefängnis Parias. Ich und meinesgleichen haben kaum noch ein Recht auf Luft und Sonne. Unsere Gegenwart verdirbt den anderen jedes Vergnügen. Wenn wir herauskommen, heißt niemand uns willkommen. Wir dürfen nicht aufs neu' des Mondes Dämmerschein besuchen. Die eigenen Kinder nimmt man uns weg. Diese holden Bande zur Menschheit werden zerrissen. Wir sind dazu verdammt, einsam zu bleiben, während unsere Söhne noch am Leben sind. Man verwehrt uns das einzige, was uns heilen und helfen könnte und Balsam bringen unseren wunden Herzen und Frieden der gequälten Seele.

Und zu alldem kam noch erschwerend der geringfügige Umstand hinzu, daß Du mir durch Dein Handeln und Dein Schweigen, durch alles, was Du tatest und unterließest, jeden Tag meiner langen Gefangenschaft noch unerträglicher gemacht hast. Selbst die Gefängniskost aus Brot und Wasser hast Du durch Dein Verhalten entstellt. Vergällt das eine, schal gemacht das andere. Das Leid, das Du hättest teilen sollen, hast Du verdoppelt, den Schmerz zur Qual vertieft, statt ihn zu lindern gesucht. Ich zweifle nicht daran, daß Du es nicht mit Absicht tatest. Ich weiß, es war nicht Deine Absicht. Es war einfach Dein »einzig wirklicher Charakterfehler, Deine völlige Phantasielosigkeit«.

Und das alles endet damit, daß ich Dir vergeben muß. Ich muß es tun. Ich schreibe diesen Brief nicht, um Bitternis in Dein Herz zu senken, sondern um sie aus dem meinen zu reißen. Um meiner selbst willen muß ich Dir vergeben. Man kann nicht ständig eine Natter am Busen nähren, nicht allnächtlich aufstehen, um Dornen im Garten der eigenen Seele zu säen. Es wird nicht schwer für mich sein, wenn Du mir ein wenig hilfst. Ich habe Dir immer gern alles verziehen, was Du mir in den vergangenen Tagen antatest. Es hat Dir damals nicht zum Guten gereicht. Nur ein Mensch, dessen eigenes Leben fleckenlos ist, darf Sünden vergeben. Doch jetzt, da ich in Erniedrigung und Schande schmachte, ist alles anders. Jetzt sollte meine Vergebung Dir viel bedeuten. Eines Tages wirst Du es begreifen. Ob das früh oder spät sein wird, bald oder gar nicht, mein Weg liegt klar vor mir. Ich kann nicht zulassen, daß Du Dein ganzes Leben lang die Bürde im Herzen trägst, einen Mann wie mich vernichtet zu haben. Der Gedanke könnte Dich bis zur Fühllosigkeit abstumpfen oder zu Tode traurig machen. Ich muß die Bürde von Dir nehmen und sie mir selbst auf die Schulter laden.

Ich muß mir sagen, daß weder Du noch Dein Vater, und wenn man Euch vertausendfachte, einen Mann wie mich hättet zugrunde richten können: daß ich mich selbst zugrunde richtete: und daß niemand, ob hoch oder niedrig, von anderer Hand als von seiner eigenen zugrunde gerichtet werden kann. Ich bin bereit, mir das zu sagen. Ich versuche es, wenn Du es auch im gegenwärtigen Augenblick vielleicht nicht glaubst. Wenn ich diese schonungslose Anklage gegen Dich vorgebracht habe, so bedenke, welche Anklage ich ohne jede Schonung gegen mich selbst vorbringe. So schrecklich das war, was Du mir antatest – was ich selbst mir antat, war weitaus schrecklicher.

Ich war ein Mann, der Kunst und Kultur seiner Zeit symbolisierte. Ich selbst hatte das schon an der Schwelle meines Mannesalters erkannt, und später zwang ich die ganze Welt, es zu erkennen. Selten nimmt ein Mensch zu Lebzeiten einen so unbestrittenen Rang ein. Er wird zumeist erst, wenn überhaupt, vom Historiker oder vom Kritiker zugewiesen, lange nachdem dieser Mensch und seine Zeit dahingegangen sind. Mein Fall lag anders. Ich fühlte das und teilte dieses Gefühl anderen mit. Byron war eine symbolische Figur, doch er symbolisierte die Leidenschaft seiner Zeit und ihre Abkehr von der Leidenschaft. Ich vertrat etwas Edleres, Bleibenderes, das tiefer wurzelte und weiter reichte.

Die Götter hatten mir beinahe alles gegeben. Ich besaß Genie, einen angesehenen Namen, eine Stellung in der Gesellschaft, Witz, intellektuellen Mut: ich machte aus der Kunst eine Philosophie und aus der Philosophie eine Kunst: ich änderte das Denken der Menschen und die Farbe der Dinge: was immer ich tat oder sagte, wirkte erstaunlich: ich nahm das Drama, die objektivste Kunstform, und schuf daraus eine ebenso subjektive Ausdrucksform wie Lied oder Sonett, während ich zugleich seinen Geltungsbereich erweiterte und seine Möglichkeiten vervielfachte. Drama, Roman, Versdichtung, Prosadichtung, subtiler oder phantastischer Essay, was immer ich anfaßte, wurde durch mich schön in einer neuen Art Schönheit: der Wahrheit selbst wies ich das Falsche und das Wahre als ihr legitimes Reich zu und zeigte auf, daß das Falsche wie das Wahre lediglich geistige Seins-Formen sind. In der Kunst sah ich die höchste Form der Realität, im Leben nur eine Spielart des Romans: ich weckte die Phantasie meines Jahrhunderts, und es umwob mich mit Mythen und Legenden: alle Systeme faßte ich in einen Satz, die ganze Existenz in ein Epigramm.

Doch zu diesen Dingen kamen andere. Ich ließ mich in lange Perioden sinnlosen, sinnlichen Behagens locken. Ich amüsierte mich damit, als *flâneur* aufzutreten, als Dandy, als Modeheld. Ich umgab mich mit dürftigeren Naturen, geringeren Geistern. Ich wurde zum Verschleuderer meines eigenen Genies; eine ewige Jugend zu vergeuden, bereitete mir ein prickelndes Vergnügen. Müde, auf den Höhen zu wandeln, stieg ich absichtlich in die Tiefe und suchte dort neue Reize. Was das Paradoxe mir im Bereich des Denkens war, wurde mir im Reich der Leidenschaften die Perversion. Am Ende war die Begierde zu Krankheit oder Wahnsinn oder zu beidem geworden. Ich nahm keine Rücksicht mehr auf andere. Ich nahm die Freuden, wo sie sich mir boten, und ging meines Wegs. Ich vergaß, daß jede kleine Alltagshandlung den Charakter formt oder verformt und daß man daher eines Tages laut vom Dache ausschreit, was man bislang im verschwiegenen Zimmer tat. Ich war nicht mehr Herr über mich selbst. Ich war nicht mehr Steuermann meiner Seele, und ich wußte es nicht. Ich ließ mich von Dir beherrschen und von Deinem Vater einschüchtern. Ich endete in grauenvoller Schmach. Mir bleibt nur noch eines, äußerste Demut: genau wie Dir nur noch eines bleibt, äußerste Demut. Wirf Dich in den Staub und lerne sie an meiner Seite.

Seit beinahe zwei Jahren liege ich nun im Kerker. Mein Wesen machte sich Luft in wilder Verzweiflung; in der Hingabe an den Gram, dessen Anblick allein Mitleid erregte: in schrecklicher und ohnmächtiger Wut: in Bitterkeit und Verachtung: in Angst, die laut weinte: in Elend, das keinen Laut finden konnte: in stummem Leid. Jede erdenkliche Phase des Leidens habe ich durchlebt. Besser als Wordsworth selbst weiß ich, was Wordsworths Verse besagen:

Das Leiden ist beständig, trüb und finster
Und hat das Wesen der Unendlichkeit.

Zuzeiten labte mich sogar der Gedanke, daß meine Leiden endlos sein mochten, doch daß sie bedeutungslos sein sollten, konnte ich nicht ertragen. Jetzt entdecke ich auf dem verborgenen Grund meines Wesens etwas, das mir sagt, nichts in der Welt sei bedeutungslos, am wenigsten das Leiden. Dieses Etwas, das wie ein Schatz auf dem Grunde meines Wesens verborgen liegt, ist die Demut.

Sie ist das Letzte, was noch in mir lebt, und das Beste: die endliche Entdeckung, bei der ich angelangt bin: der Ausgangspunkt für eine neue Entwicklung. Sie ist aus mir selbst gekommen, daher weiß ich, daß sie zur rechten Zeit kam. Sie hätte nicht früher kommen können und nicht später. Hätte mir jemand davon gesprochen, ich hätte abgewehrt. Hätte man sie mir gebracht, ich hätte sie zurückgewiesen. Da ich selbst sie fand, will ich sie behalten. Ich muß sie behalten. Sie ist das einzige, was das Element des Lebens in sich trägt, eines neuen Lebens, meiner *Vita Nuova*. Sie ist das seltsamste aller Dinge. Man kann sie nicht wegschenken, niemand kann sie einem geben. Man kann sie nicht erwerben, wenn man nicht alles hingibt, was man besitzt. Erst wenn man alles andere verloren hat, dann weiß man, daß man sie besitzt.

Jetzt, da ich weiß, daß sie in mir wohnt, sehe ich ganz klar, was ich zu tun habe, unbedingt tun muß. Und wenn ich mich so ausdrücke, brauche ich Dir nicht zu sagen, daß ich nicht von äußerem Zwang oder Gebot spreche. Ich unterwerfe mich keinem von beiden. Mehr denn je bin ich Individualist. Mir erscheint alles wertlos, was nicht aus dem eigenen Innern kommt. Mein Wesen sucht eine neue Möglichkeit der Selbstverwirklichung. Das ist mein einziges Bestreben. Und daher muß ich mich vor allem anderen von aller etwaigen Bitterkeit gegen Dich freimachen.

Ich bin völlig mittellos, ich habe kein Zuhause mehr. Und doch gibt es auf der Welt Schlimmeres als das. Ich meine es ernst, wenn ich Dir sage, lieber gehe ich von Tür zu Tür und erbettle mein Brot, als daß ich dieses Gefängnis mit einem Herzen voll Groll gegen Dich und die Welt verlasse. Wenn ich im Hause der Reichen nichts bekäme, so würden doch die Armen mir eine Gabe reichen. Wer viel besitzt, ist oft geizig. Wer wenig hat, teilt immer. Warum sollte ich nicht im Sommer auf dem kühlen Rasen schlafen und im Winter in den warmen, strohdichten Schober schlüpfen oder unters Dach einer großen Scheune, wenn ich nur Liebe im Herzen hätte? Die Äußerlichkeiten des Lebens scheinen mir jetzt bedeutungslos. Du siehst, welchen Grad von Individualismus ich erreicht habe, oder vielmehr anstrebe, denn der Weg ist weit, »und wo ich gehe, sind Dornen«.

Natürlich weiß ich, daß es nicht mein Los sein wird, auf den Landstraßen zu betteln, und sollte ich je nachts im kühlen Gras liegen – dann nur, um Sonette an den Mond zu schreiben. Wenn ich das Gefängnis verlasse, wird Robbie jenseits des großen Eisentors auf mich warten, und er ist nicht nur das Symbol seiner eigenen Zuneigung zu mir, sondern auch das der Zuneigung vieler anderer. Ich glaube, ich werde auf jeden Fall für etwa anderthalb Jahre genug zum Leben haben, so daß ich, wenn ich auch vielleicht keine schönen Bücher schreiben werde, doch schöne Bücher lesen kann, und welche Freude könnte größer sein? Danach werde ich hoffentlich meine schöpferischen Kräfte wiedererlangen. Doch stünden die Dinge anders: hätte ich keinen Freund mehr in der Welt: stünde kein Haus mir mehr offen, und sei's auch nur aus Mitleid; müßte ich Ränzel und Lumpenrock der bittersten Armut anlegen: so lange ich frei bleibe von Rachsucht, Härte und Verachtung, könnte ich dem Leben ruhiger und zuversichtlicher ins Auge blicken, als wenn mein Leib in Purpur und feines Linnen gehüllt, die Seele darin jedoch krank wäre vor Haß. Und es wird mir wirklich nicht schwerfallen, Dir zu verzeihen. Doch damit es mir zur Freude wird, muß Du selbst spüren, daß Du meine Vergebung brauchst. Wenn Du sie wirklich ersehnst, wirst Du sie auch finden.

Ich brauche nicht zu sagen, daß meine Aufgabe damit nicht zu Ende ist. Sonst wäre sie vergleichsweise leicht. Mir steht Schwereres bevor. Ich habe weit steilere Hügel zu erklimmen, viel dunklere Täler zu durchwandern. Und ich muß das alles aus eigener Kraft bewältigen. Weder die Religion noch Moral oder Vernunft können mir dabei helfen.

Die Moral ist mir keine Stütze. Ich bin der geborene Antinomist. Ich gehöre zu denen, die für die Ausnahmen geschaffen sind, nicht für die Regel. Doch während ich weiß, daß in dem, was man tut, nie ein Unrecht liegt, sehe ich ein, daß in dem, was man wird, Unrecht liegen kann. Es ist gut, das gelernt zu haben.

Die Religion ist mir keine Stütze. Andere glauben an das Unsichtbare, ich glaube an das, was man berühren und betrachten kann. Meine Götter wohnen in Tempeln, die von Menschenhand erbaut sind, und mein Credo erfüllt und weitet sich ständig im Radius meiner lebendigen Erfahrung: zu sehr vielleicht, denn wie Viele oder Alle, die ihren Himmel auf dieser Erde erreichten, habe ich darin nicht nur die Schönheit des Himmels, sondern auch die Schrecken der Hölle gefunden. Wenn ich überhaupt an die Religion denke, dann mit dem Gefühl, daß ich einen Orden stiften möchte für die, die nicht glauben können: die Bruderschaft der Vaterlosen könnte man ihn nennen, und an seinem Altar, wo keine Kerzen brennen, würde ein Priester, in dessen Herzen nicht der Friede wohnte, mit ungeweihtem Brot und leerem Kelch die Messe lesen. Alles, was wahr sein soll, muß zur Religion werden. Genau wie der Glaube sollte der Unglaube sein Ritual haben. Auch er hat seine Märtyrer ausgesät, darum sollte auch er seine Heiligen ernten und Gott täglich dafür danken, daß Er sich dem Menschen verbirgt. Doch ob Glaube oder Unglaube, nichts darf mir von außen zukommen. Alle Symbole müssen meine eigenen Schöpfungen sein. Das Spirituelle muß seine eigene Form erschaffen können. Wenn ich sein Geheimnis nicht in mir selbst finde, so finde ich es nie. Wenn es nicht bereits in mir ist, so wird es mir nie zuteil werden.

Die Vernunft ist mir keine Stütze. Sie sagt mir, daß die Gesetze, kraft deren ich verurteilt wurde, falsche und ungerechte Gesetze sind und das System, unter dem ich leide, ein falsches und ungerechtes System ist. Ich aber habe die Aufgabe, diese beiden Dinge für mich recht und gerecht zu machen. In der ethischen Entwicklung des Charakters geht es, genau wie in der Kunst, nur darum, was einem eine ganz bestimmte Sache zu einem ganz bestimmten Zeitpunkt bedeutet. Ich muß alles, was mir widerfahren ist, als gut für mich bejahen. Die Pritsche, die ekle Kost, die rauhen Stricke, die man zu Werg zupft, bis die Fingerspitzen fühllos werden vor Schmerz, die Frondienste, mit denen jeder Tag beginnt und endet, die schroffen Weisungen, die der Routine unerläßlich scheinen, die abscheuliche Kleidung, die dem Leid ein groteskes Aussehen verleiht, das Schweigen, die Einsamkeit, die Schande – jedes dieser Dinge und alle zusammen muß ich der geistigen Erfahrung einverwandeln. Ich muß versuchen, jede einzelne Demütigung des Leibes zu einem Erlebnis der Seele zu machen.

Ich möchte dahin kommen, schlicht und leidenschaftslos sagen zu können, daß es in meinem Leben zwei große Wendepunkte gegeben hat: als mein Vater mich nach Oxford schickte, und als die Gesellschaft mich ins Gefängnis schickte. Ich will nicht sagen, daß mir gar nichts Besseres hätte passieren können, denn dieser Ausspruch würde zu sehr nach Bitterkeit gegen mich selbst schmecken. Lieber würde ich sagen, oder andere über mich sagen hören, ich sei ein so typisches Kind meiner Zeit gewesen, daß ich in meiner Perversität und um dieser Perversität willen das Gute in meinem Leben in Schlechtes und das Schlechte in Gutes verkehrt habe. Doch was ich selbst oder andere über mich sagen, zählt gering. Wichtig dagegen ist die Aufgabe, die vor mir liegt, die ich zu lösen habe, wenn ich nicht den kurzen Rest meiner Tage als Unglücklicher, als Krüppel und halber Mensch hinbringen soll, nämlich alles, was mir widerfahren ist, meiner Natur einzuverwandeln, zu einem Teil meiner selbst zu machen, es ohne Klage, Furcht und Zaudern anzunehmen. Das größte Laster ist die Seichtheit. Was geistig erfaßt ist, ist gut.

Damals, als ich ins Gefängnis kam, rieten mir einige Leute, ich solle zu vergessen suchen, wer ich bin. Es war ein schlimmer Rat. Nur indem ich mir klarmachte, was ich bin, habe ich überhaupt Trost finden können. Nun geben andere mir den Rat, ich solle nach meiner Entlassung zu vergessen suchen, daß ich jemals im Gefängnis war. Ich weiß, daß dies genauso verhängnisvoll wäre. Es würde bedeuten, daß mich mein Leben lang ein unerträgliches Schuldgefühl verfolgen würde, und alles, was genausogut für mich da ist wie für irgendeinen anderen – die Schönheit von Sonne und Mond, der Festzug der Jahreszeiten, die Musik der Frühe und das Schweigen hoher Nächte, der Regen, der durchs Laub rieselt, und der Tau, der das Gras mit Silber überzieht –, all das wäre für mich entstellt, würde seine heilende und freudespendende Kraft verlieren. Wer seine eigenen Erfahrungen verneint, hemmt seine Entwicklung. Die eigenen Erfahrungen leugnen, heißt dem eigenen Leben eine Lüge in den Mund legen. Es ist nicht weniger schlimm als eine Verneinung der Seele. Denn genauso, wie der Körper sich alle möglichen Dinge einverleibt, gewöhnliche und unreine Dinge ebenso wie solche, die der Priester oder die Vision geläutert haben, und sie in Energie und Kraft umsetzt, in das Spiel schöner Muskeln und die Rundungen gesunden Fleisches, in die Linien und Farben des Haares, der Lippen, des Auges: so hat auch die Seele eine nährende Funktion und kann in hohen Gedankenflug, in tiefste Leidenschaft umwandeln, was im Grunde gemein, grausam und entwürdigend ist: mehr noch, sie kann gerade darin ihren erhabensten Ausdruck finden, kann sich in ihrer ganzen Vollendung oft gerade erst mit Hilfe dessen zeigen, was sie hätte entweihen, sie hätte zerstören sollen.

Ich muß das Faktum, daß ich ein ganz gewöhnlicher Sträfling in einem ganz gewöhnlichen Gefängnis bin, ohne Beschönigung hinnehmen, und ich muß überdies so weit kommen (was Dir sonderbar erscheinen mag), mich dessen nicht zu schämen. Ich muß es als Strafe hinnehmen, und wer sich seiner Strafe schämt, an dem ist diese Strafe verloren. Natürlich bin ich für viele Dinge verurteilt worden, die ich nicht begangen habe, aber ich wurde auch für viele Dinge verurteilt, die ich begangen habe, und für noch mehr Dinge, die ich im Leben beging, bin ich nie vor Gericht gekommen Und da die Götter, wie ich an früherer Stelle dieses Briefes schrieb, rätselhaft sind und uns für das Gute und Menschliche in uns ebenso strafen wie für das Böse und Perverse, so muß ich mich damit abfinden, daß man für das Gute, das man tut, genauso gestraft wird wie für das Böse, das man tut. Und zweifellos ganz zu Recht. Es hilft einem, oder sollte einem helfen, beides geistig zu erfassen und sich auf keines von beiden allzuviel einzubilden. Und dann, wenn ich, wie ich hoffe, mich meiner Strafe nicht mehr schäme, werde ich in Freiheit denken und wandeln und leben können.

Viele nehmen bei ihrer Entlassung ihr Gefängnis mit sich ins Freie hinaus, verstecken es als heimliche Schmach in ihrem Herzen, und am Ende kriechen sie wie arme Opfer eines schleichenden Gifts in ein Loch und sterben. Wie niederträchtig, daß ihnen nichts anderes übrigbleiben sollte, wie unrecht, schrecklich unrecht tut die Gesellschaft, sie dazu zu zwingen. Die Gesellschaft maßt sich einerseits das Recht an, dem Individuum die haarsträubendsten Strafen aufzuerlegen, und ist andererseits dem schlimmsten Laster der Seichtheit verfallen und macht sich nicht klar, was sie getan hat. Wenn der Mensch seine Strafe abgebüßt hat, überläßt sie ihn seinem Geschick: das heißt, sie wendet sich genau in dem Moment von ihm ab, wo ihre vornehmste Pflicht gegen ihn einsetzen würde. In Wahrheit schämt sie sich ihres Vorgehens und weicht denjenigen aus, die sie bestraft hat, wie die Leute einem Gläubiger ausweichen, den sie nicht bezahlen können, oder einem Menschen, dem sie unermeßliches, nicht gutzumachendes Unrecht zugefügt haben. Wenn ich meinerseits mir klarmache, was ich gelitten habe, so fordere ich auch, daß die Gesellschaft sich klarmacht, was sie mir angetan hat: und daß auf keiner Seite mehr Haß oder Bitterkeit herrsche.

Natürlich weiß ich, daß in einer Hinsicht alles für mich schwieriger sein wird als für andere; ja schwieriger sein muß, denn das liegt in der Natur des Falles. Die armen Diebe und Schelme, die hier mit mir gefangensitzen, sind in vieler Hinsicht glücklicher daran als ich. Die Gasse in der grauen Stadt, der Pfad im grünen Feld, die ihre Sünde sahen, sind eng: wenn sie Menschen suchen, die nichts von ihren Taten wissen, so brauchen sie nicht weiter zu gehen, als der Vogel fliegen kann zwischen Frühlicht und Morgenrot: für mich jedoch ist »die Welt zu einer Spanne eingeschrumpft«, und wohin ich mich auch wende, steht mein Name in bleiernen Lettern an den Fels geschrieben. Denn nicht aus dem Dunkel trat ich für Sekunden ins Licht krimineller Berühmtheit, sondern aus einer Art unsterblichen Ruhms in eine Art unsterblicher Schmach, und manchmal scheint mir, als hätte ich den Beweis erbracht, wenn ein Beweis vonnöten ist, daß von berühmt zu berüchtigt nur ein Schritt ist, höchstens ein Schritt.

Doch selbst in der Tatsache, daß die Leute mich erkennen werden, wohin ich auch gehe, und mein ganzes Leben kennen, jedenfalls seine Torheiten, kann ich noch etwas Gutes für mich entdecken. Ich werde dadurch gezwungen sein, mich aufs neue als Künstler durchzusetzen, und so schnell wie ich irgend kann. Wenn mir nur noch ein weiteres Kunstwerk gelingt, so werde ich der Bosheit ihr Gift, der Feigheit ihr Grinsen austreiben und der Verachtung die Zunge an der Wurzel ausreißen können. Und wenn das Leben für mich ein Problem sein wird, was es sicherlich sein wird, so werde auch ich für das Leben ein Problem sein. Die Leute müssen sich zu irgendeinem Verhalten gegen mich entschließen und damit sich und mir das Urteil sprechen. Ich brauche nicht zu sagen, daß ich nicht von bestimmten Personen spreche. Mir liegt jetzt nur noch am Umgang mit Künstlern und mit solchen Menschen, die gelitten haben: solchen, die wissen, was Schönheit ist, und solchen, die wissen, was Leid ist: andere interessieren mich nicht mehr. Auch fordere ich nichts mehr vom Leben. Alles, was ich hier sage, betrifft lediglich meine eigene geistige Einstellung zum Leben in seiner Ganzheit: und ich bin überzeugt, daß ich als eines der ersten Ziele anstreben muß, mich meiner Strafe nicht zu schämen, um meiner Vervollkommnung willen, und weil ich so unvollkommen bin.

Danach muß ich lernen, glücklich zu sein. Früher konnte ich es instinktiv, oder glaubte es zu können. Früher war in meinem Herzen ewiger Frühling. Mein Temperament war der Freude verwandt. Ich füllte mein Leben bis zum Rande mit Vergnügungen, wie man einen Becher bis zum Rande mit Wein füllt. Jetzt gehe ich aus ganz neuer Sicht an das Leben heran, oft fällt es mir sogar äußerst schwer, mir vorzustellen, daß ich glücklich sein könnte. Ich erinnere mich, daß ich in meinem ersten Semester in Oxford in Paters *Renaissance* las – diesem Buch, das einen so seltsamen Einfluß auf mein Leben ausgeübt hat –, wie tief in der Hölle Dante die Trübseligen ansiedelt, die grämlich ihr Leben vertrauern, und daß ich in der Universitätsbibliothek die Stelle der *Divina Commedia* aufschlug, wo im trüben Schlamm die Sünder stecken, die »grämlich war'n im süßen Sonnenlicht«, und nun in Ewigkeit seufzen:

Tristi fummo
nell' aer dolce che dal sol s'allegra.

Ich wußte, daß die Kirche die *accidia* verurteilt, dennoch schien mir die ganze Idee phantastisch, genau die Art Sünde, meinte ich, die ein lebensfremder Priester erfinden würde. Ebensowenig begriff ich, wie Dante, der doch sagt: »Der Schmerz vereint uns wieder mit Gott«, so hart mit jenen verfahren konnte, die in Traurigkeit schwelgten, falls es solche je gegeben hatte. Ich ahnte nicht, daß diese Versuchung eines Tages mit solcher Macht an mich herantreten würde.

Im Gefängnis von Wandsworth sehnte ich den Tod herbei. Sterben war mein einziger Wunsch. Als ich nach zweimonatigem Aufenthalt in der Krankenabteilung hierher gebracht wurde und meine körperliche Verfassung sich allmählich besserte, erfüllte mich Zorn. Ich beschloß, am Tage meiner Entlassung Selbstmord zu begehen. Nach einiger Zeit legte sich diese Erbitterung, und ich entschloß mich zum Leben, aber ich würde Trübsal tragen, wie ein König Purpur trägt: nie wieder lächeln: jedes Haus, das ich betreten würde, zum Trauerhaus machen: meine Freunde zwingen, langsam und betrübt neben mir zu schreiten: sie lehren, daß die Melancholie das wahre Geheimnis des Lebens ist: ihre Freuden durch fremdes Leid vergällen: ihnen mit meinem eigenen Schmerz weh tun. Jetzt denke ich ganz anders. Ich sehe ein, daß es undankbar und unfreundlich von mir wäre, ein so langes Gesicht zu ziehen, daß meine Freunde, wenn sie mich besuchen, anstandshalber ein noch längeres ziehen müßten, oder sie, wenn ich sie wieder bewirten wollte, zu schweigendem Leichenmahl mit bitteren Kräutern zu laden.

Während der beiden letzten Besuche meiner Freunde, die ich

hier empfangen durfte, versuchte ich, so heiter wie möglich zu sein, und meine Heiterkeit zu zeigen, um sie ein wenig dafür zu entschädigen, daß sie den weiten Weg von London bis hierher gekommen waren. Ich weiß, es ist eine geringe Entschädigung, aber gewiß diejenige, die ihnen am meisten Freude macht. Samstag vor einer Woche sprach ich eine Stunde lang mit Robbie und versuchte, der großen Freude über unser Zusammensein deutlichen Ausdruck zu verleihen. Und daß ich mit den Ansichten und Ideen, die ich mir hier bilde, auf dem rechten Weg bin, zeigt mir die Tatsache, daß ich zum erstenmal seit meiner Gefangennahme wieder Verlangen nach dem Leben habe.

Vor mir liegen so viele Aufgaben, daß ich es als schreckliche Tragik ansehen würde, wenn ich sterben müßte, ohne vorher wenigstens einige davon zu erfüllen. Ich sehe neue Entwicklungsmöglichkeiten in Kunst und Leben, von denen jede einen unbeschrittenen Weg zur Vollkommenheit darstellt. Ich möchte leben, damit ich eine Welt erforschen kann, die für mich ganz neu ist. Willst Du wissen, welche Welt das ist? Ich glaube, Du kannst es erraten. Es ist die Welt, in der ich jetzt lebe.

Das Leid also und alles, was es uns lehrt, ist meine neue Welt. Früher lebte ich ausschließlich dem Vergnügen, Leid und Schmerzen jeglicher Art ging ich aus dem Weg. Beide haßte ich. Ich hatte beschlossen, sie soweit wie irgend möglich zu ignorieren, das heißt, sie als Formen des Unvollkommenen abzutun. Sie gehörten nicht in meinen Lebensplan. Sie hatten keinen Platz in meiner Philosophie. Meine Mutter, die das Leben so gut kannte, zitierte mir oft Goethes Verse – die Carlyle ihr in ein Buch geschrieben hat, das er ihr vor vielen Jahren schenkte – und die er, glaube ich, auch übersetzt hat:

> Wer nie sein Brot mit Tränen aß,
> Wer nie die kummervollen Nächte
> Auf seinem Bette weinend saß,
> Der kennt euch nicht, ihr himmlischen Mächte.

Diese Verse zitierte die edle Königin von Preußen, die von Napoleon mit so brutaler Rücksichtslosigkeit behandelt wurde, in ihrer Erniedrigung und ihrem Exil: diese Verse zitierte meine Mutter oft an trüben Tagen ihres späteren Lebens: ich lehnte es entschieden ab, die ungeheure Wahrheit, die in ihnen liegt, hinzunehmen oder anzuerkennen. Ich verstand sie nicht. Ich erinnere mich gut, wie ich meiner Mutter immer wieder sagte, ich hätte keine Lust, mein Brot mit Tränen zu essen oder auch nur eine Nacht auf meinem Bette weinend zu sitzen. Ich ahnte nicht, daß das Schicksal mir gerade das als eine seiner besonderen Gaben zugedacht hatte; ja, daß ich ein volles Jahr meines Lebens wenig anderes tun sollte. Doch so ist mir mein Teil zugemessen worden; und während der letzten Monate habe ich nach schrecklichen Kämpfen und Widerständen einige der Lehren erfaßt, die im Herzen des Kummers verborgen liegen. Prediger und andere Leute, die Phrasen ohne Sinn und Verstand gebrauchen, sprechen manchmal vom Leiden als einem Geheimnis. Es ist vielmehr eine Offenbarung. Man sieht Dinge, die man früher nie gesehen hat. Man betrachtet die ganze Weltgeschichte mit anderen Augen. Was man über die Kunst bisher rein instinktiv ahnte, wird nun vom Verstand mit äußerster Schärfe definiert und von der Seele mit größter Intensität erfaßt.

Ich habe erkannt, daß das Leid als vornehmste Gemütsbewegung, deren der Mensch fähig ist, zugleich Urform und Prüfstein aller großen Kunst ist. Der Künstler sucht ständig nach einer Lebensform, bei der Leib und Seele eins und unteilbar sind: bei der das Äußere der Ausdruck des Innern ist: bei der die Form den Inhalt enthüllt. Solche Daseinsformen sind nicht gering an Zahl: die Jugend und Kunstformen, die sich der Jugend verschreiben, können uns zu einem bestimmten Zeitpunkt als Vorbild dienen: zu einem anderen Zeitpunkt neigen wir vielleicht eher zu der Ansicht, daß dank der Subtilität und Sensitivität ihrer Eindrücke, dank der morbiden Harmonie ihrer Stimmungen, Töne und Farben die moderne Landschaftsmalerei für uns im Bild verwirklicht, was die Griechen in der Perfektion ihrer Plastiken zu verwirklichen verstanden. Die Musik, die den Gegenstand ganz in Ausdruck umsetzt, bis beides nicht mehr voneinander zu trennen ist, bietet ein komplexes Beispiel, und eine Blume oder ein Kind ein einfaches Beispiel für das, was ich sagen will: doch im Leid finden Leben und Kunst ihren gültigsten Ausdruck.

Hinter Frohsinn und Lachen kann sich ein grobes, hartes und dumpfes Temperament verbergen: hinter dem Leid dagegen findet man immer nur Leid. Der Schmerz trägt keine Maske wie die Freude. Die Wahrheit in der Kunst bedeutet nicht eine gewisse Übereinstimmung zwischen der wesenhaften Idee und der zufälligen Existenz; nicht die Ähnlichkeit zwischen Gestalt und Schatten, oder zwischen dem Bild der Form, wie der Kristall es spiegelt, und der Form selbst: sie ist nicht Echo, das vom hohlen Hügel tönt, und nicht der Silberborn im Tal, der dem Mond den Mond zeigt und Narzissus den Narzissus. Die Wahrheit in der Kunst ist die Identität eines Dinges mit sich selbst: das Äußere, das zum Ausdruck des Innern geworden: die fleischgewordene Seele: der vergeistigte Leib. Und darum kann keine Wahrheit dem Leid gleichkommen. Zuzeiten scheint mir das Leid die einzige Wahrheit zu sein. Andere Erscheinungen mögen Trugbilder des Auges oder des Hungers sein, die das eine blenden und den anderen zügeln sollen, doch aus Leid sind die Welten geschaffen, und Schmerz begleitet die Geburt der Kinder und der Sterne.

Mehr noch, das Leid ist von intensiver, äußerster Realität. Ich sagte von mir selbst, ich symbolisierte die Kunst und Kultur meiner Zeit. Es gibt keinen Elenden hier an diesem Elendsort, der nicht das innerste Geheimnis des Lebens symbolisierte. Denn das Geheimnis des Lebens heißt Leiden. Hinter allem verbirgt sich nur dies. Zu Anfang unseres Lebens schmeckt das Süße uns so süß, das Bittere so bitter, daß wir unweigerlich unser ganzes Streben auf den Genuß richten und nicht nur »einen Monat oder zwei von Honig leben«, sondern am liebsten unser Leben lang keine andere Nahrung kosten möchten und dabei nicht wissen, daß wir unsere Seele Hunger leiden lassen.

Ich erinnere mich, daß ich darüber einst mit einem der herrlichsten Wesen sprach, das ich je gekannt habe: mit meiner Frau, die mir vor und seit meiner tragischen Gefangenschaft ein Übermaß an Mitgefühl und edler Güte erwies: die mir wirklich mehr als irgend jemand sonst auf der Welt geholfen hat – wenn sie es auch nicht weiß –, die Bürde meiner Sorgen zu tragen: und das alles durch die bloße Tatsache, daß sie existiert: daß sie das ist, was sie ist, teils ein Ideal, teils eine wirkende Kraft, ein Bild dessen, was man werden könnte, zugleich eine echte Hilfe auf dem Wege dorthin; eine Seele, die der Erdenluft Süßigkeit verleiht und alles Geistige schlicht und natürlich erscheinen läßt wie Sonne und See, für die Schönheit und Leid Hand in Hand gehen und die gleiche Aussagekraft haben. Ich weiß noch genau, wie ich bei der Gelegenheit, auf die ich anspiele, zu ihr sagte, das Elend in einer einzigen Londoner Gasse beweise hinlänglich, daß Gott die Menschen nicht liebe und daß überall dort, wo Leid herrsche, und sei es nur das Leid eines Kindes, das in einem Gärtchen wegen eines Vergehens weinte, das es begangen oder nicht begangen habe, das Antlitz der Schöpfung völlig entstellt werde. Ich hatte gänzlich unrecht. Sie sagte es mir, aber ich konnte es nicht glauben. Ich lebte nicht in jenen Sphären, wo man zu solchem Glauben gelangen kann. Nun scheint mir, daß das Übermaß an Leiden in dieser Welt nur durch irgendeine Art von Liebe zu erklären ist. Ich kann mir keine andere Erklärung denken. Ich bin überzeugt, daß es keine andere gibt und daß die Welten, wenn sie wirklich, wie ich sagte, aus Leid geschaffen sind, von der Hand der Liebe geschaffen wurden, denn anders könnte die Seele des Menschen, für den die Welt geformt ist, nie zu ihrer höchsten Vollendung gelangen. Freude für den schönen Leib, doch Schmerz für die schöne Seele.

Wenn ich sage, ich sei von diesen Dingen überzeugt, so spreche ich mit übermäßigem Stolz. In weiter Ferne kann man wie eine makellose Perle die Stadt Gottes sehen. So wundervoll, daß man meint, ein Kind könne sie an einem Sommertag erreichen. Und ein Kind könnte es auch. Doch mit mir und meinesgleichen verhält es sich anders. In einem einzigen Augenblick kann der Geist etwas in seiner ganzen Wahrheit erfassen, doch in den langen Stunden, die mit bleiernen Füßen folgen, verliert man es wieder. Es ist so schwer, »Höh'n zu halten, darauf allein die Seele wandeln darf«. Wir denken in Ewigkeiten, doch wir bewegen uns langsam in der Zeit: und wie langsam die Zeit für uns vergeht, die wir im Kerker liegen, davon brauche ich nicht noch einmal zu sprechen, auch nicht von der Müdigkeit und Verzweiflung, die immer wieder in die Zelle gekrochen kommen und in die Zelle unseres Herzens, mit solch seltener Beharrlichkeit, daß man gewissermaßen das Haus für sie schmücken und fegen muß, wie für einen unerwünschten Gast oder einen strengen Herrn oder einen Sklaven, dessen Sklave man durch Zufall oder aus eigenem Antrieb geworden ist. Und wenn Du es jetzt auch schwer verständlich findest, so stimmt es darum doch, daß es für Dich, der

Du in Freiheit, Müßiggang und Wohlstand lebst, leichter ist, die Lehren der Demut anzunehmen, als für mich, der ich den Tag damit beginne, auf meinen Knien den Boden meiner Zelle aufzuwaschen. Denn das Kerkerleben mit seinen endlosen Entbehrungen und Beschränkungen macht einen rebellisch. Das Schrecklichste daran ist nicht, daß es einem das Herz bricht – Herzen sind dazu da, gebrochen zu werden –, sondern daß es das Herz zu Stein verwandelt. Oft spürt man, daß man den Tag nur mit eherner Stirn und höhnenden Lippen überstehen kann. Und wer sich auflehnt, kann nicht der Gnade teilhaftig werden – um einen Ausdruck zu gebrauchen, den die Kirche so schätzt (zu Recht schätzt, möchte ich sagen) –, denn im Leben wie in der Kunst verschließt die Auflehnung die Kanäle der Seele und sperrt die Luft des Himmels aus. Und doch muß ich diese Lehren hier beherzigen lernen, wenn es überhaupt geschehen soll, und muß mich freuen, wenn mein Fuß auf dem rechten Weg wandelt und mein Angesicht »des Tempels Tür, die da heißt die schöne« zugewandt ist, mag ich auch oft ausgleiten im Schlamm und irregehen im Nebel.

Dieses Neue Leben, wie ich es in meiner Liebe zu Dante bisweilen nenne, ist natürlich kein neues Leben, sondern nur Weiterentwicklung, also Fortsetzung meines früheren Lebens. Ich erinnnere mich, daß ich in Oxford zu einem Freund sagte, als wir eines Junimorgens kurz vor meinem Examen auf den schmalen, von Vögeln umflatterten Wegen des Magdalen College wandelten, ich wolle von den Früchten aller Bäume im Garten der Welt essen und ich ginge hinaus in die Welt mit diesem leidenschaftlichen Wunsch in der Seele. Und so ging ich auch hinaus, und so lebte ich auch. Ich beging nur den Fehler, mich so ausschließlich den Bäumen des scheinbar sonnenhellen Teils des Gartens zuzuwenden und den anderen Teil zu meiden, der mir kalt und düster schien. Scheitern und Schande, Armut, Leid, Verzweiflung, Schmerzen, selbst Tränen, die gebrochenen Worte, die von den Lippen der Pein kommen, Reue, die den Pfad mit Dornen bestreut, das richtende Gewissen, strafende Selbsterniedrigung, das Elend, das sich Asche aufs Haupt streut, die Seelenangst im härenen Gewand, die sich Galle in den Becher mischt – all das hatte ich immer gefürchtet. Ich hatte nichts von ihnen wissen wollen, und nun werde ich gezwungen, eines nach dem anderen zu kosten, mich von ihnen zu nähren, ja eine Weile keine andere Kost zu kennen. Nicht eine Sekunde lang bereue ich, dem Genuß gelebt zu haben. Ich tat es in vollen Zügen, wie man alles, was man tut, in vollen Zügen tun soll. Es gibt keinen Genuß, den ich nicht gekannt hätte. Ich warf die Perle meiner Seele in einen Becher Wein. Ich wandelte bei Flötenklang den Rosenpfad der Jugend entlang. Ich nährte mich von Honig. Doch dieses Leben fortzuführen, wäre falsch gewesen, weil es Stillstand bedeutet hätte. Ich mußte weiter. Auch die andere Hälfte des Gartens barg Geheimnisse für mich.

Natürlich ist dies alles in meiner Kunst vorgeahnt und vorgeformt. Einiges in »The Happy Prince«: einiges in »The Young King«, insbesondere die Stelle, wo der Bischof zu dem knienden Knaben sagt: »Ist Er, der das Elend schuf, nicht weiser als du?« Worte, die mich, als ich sie niederschrieb, wenig mehr dünkten als eben Worte: vieles davon birgt sich in der Stimme der Verdammnis, die sich wie ein Purpurfaden durch das Goldgewirk des *Dorian Gray* zieht: in »The Critic as Artist« schillert es in vielen Farben: in *The Soul of Man* steht es schlicht und in allzu lesbaren Lettern: es ist einer der Refrains, deren immer wiederkehrende *motifs* aus *Salome* eine Art Symphonie machen und es balladenhaft zusammenfügen: in dem Prosagedicht von dem Mann, der das Erz der Statue »Freude, die einen Augenblick lebt« umbilden muß in die Statue »Leid, das ewig währet«, ist es verkörpert. Es hätte nicht anders sein können. In jedem Augenblick des Lebens ist man gleichermaßen das, was man gewesen ist, und das, was man sein wird. Die Kunst ist ein Symbol, weil der Mensch ein Symbol ist.

Wenn ich dieses Ziel erreichen kann, so bedeutet das die höchste Verwirklichung meines Lebens als Künstler. Denn das Leben des Künstlers ist einfach Entwicklung des Ich. Demut heißt beim Künstler, daß er jede Erfahrung offen bejaht, so wie Liebe beim Künstler einfach jener Schönheitssinn ist, der der Welt ihren Leib und ihre Seele enthüllt. In *Marius the Epicurean* versucht Pater, das künstlerische Leben mit dem religiösen Leben in der tiefen, süßen und strengen Bedeutung des Wortes in Einklang zu bringen. Doch Marius ist kaum mehr als ein Zuschauer: allerdings ein idealer Zuschauer, einer, dem es gegeben ist, »dem Schauspiel des Lebens mit angemessenen Gefühlen zu folgen«, was Wordsworth als das wahre Ziel des Dichters definiert: aber doch nur ein Zuschauer und vielleicht ein wenig zu sehr mit der Erlesenheit des Tempelgeräts beschäftigt, um zu bemerken, daß er den Tempel des Leids vor Augen hatte.

Ich sehe eine viel engere und direktere Verbindung zwischen dem Leben Christi und dem Leben des Künstlers, und ich empfinde besondere Freude bei dem Gedanken, daß ich, lange ehe das Leid sich meiner Tage bemächtigte und mich auf sein Rad flocht, in *The Soul of Man* geschrieben habe, wer ein christushaftes Leben führen wolle, müsse ganz und gar er selbst sein, und daß ich als Archetypen nicht nur den Schäfer auf den Hügeln und den Gefangenen in seiner Zelle hingestellt habe, sondern auch den Maler, dem die Welt ein Schau-Stück und den Dichter, dem die Welt ein Lied ist. Ich entsinne mich, daß ich einst zu André Gide sagte, als wir zusammen in einem Pariser Café saßen, für die Metaphysik hätte ich nur wenig wirkliches Interesse und für die Moral gar keines, dagegen lasse sich alles, was Platon oder Christus je gesagt hätten, unmittelbar in die Sphäre der Kunst transponieren und finde dort seine letzte Erfüllung. Eine Verallgemeinerung, die ebenso tief wie neu war.

Wir wissen nicht nur, daß in Christus Persönlichkeit und Perfektion jene enge Verbindung eingegangen sind, die das unterscheidende Merkmal zwischen klassischer und romantischer Kunst bildet und Christus zum wahren Vorläufer der romantischen Bewegung im Leben macht, wir wissen auch, daß sein Wesen auf der gleichen Grundlage basierte wie das Wesen des Künstlers gründet: auf einer kraftvollen, flammenden Phantasie. Er brachte im gesamten Bereich der menschlichen Beziehungen jene Fähigkeit des Mitempfindens zur Geltung, die im Bereich der Kunst das Geheimnis des Schaffens bildet. Er verstand den Aussatz des Aussätzigen, das Dunkel des Blinden, das wilde Elend derer, die dem Genuß leben, die schwer verständliche Armut der Reichen. Jetzt verstehst Du doch wohl – oder nicht? –, daß Du damals, als Du mir in meinem Unglück schriebst: »Wenn Du nicht auf Deinem Podest stehst, bist Du nicht interessant. Bei

Deiner nächsten Krankheit verschwinde ich sofort«, ebensoweit vom wahren Temperament des Künstlers entfernt warst wie von dem, was Matthew Arnold »das Geheimnis Jesu« nennt. Jeder hätte Dir sagen können, daß alles, was einen anderen trifft, uns selbst trifft, und wenn Du ein Motto brauchst, das Du morgens und abends, in Freude und Leid lesen kannst, dann schreibe an die Mauer Deines Hauses in Lettern, die die Sonne vergolde und der Mond versilbere, *»Alles, was einen anderen trifft, trifft auch mich selbst«*, und sollte jemand Dich fragen, was eine solche Inschrift wohl bedeuten mag, so kannst Du antworten, sie bedeute »Unseres Herrn Jesu Herz und Shakespeares Hirn«.

Ja, Christi Platz ist bei den Dichtern. Sein Menschheitsbild entsprang direkt seiner Vorstellungskraft und kann nur durch sie verwirklicht werden. Was dem Pantheisten Gott war, war ihm der Mensch. Er hat als erster die aufgespaltenen Rassen als Einheit gesehen. Ehe er kam, gab es Götter und Menschen. Er allein sah, daß es auf dem Hügel des Lebens nur Gott und den Menschen gibt, und da seine mystische Fähigkeit des Mitempfindens ihm sagt, daß in ihm beide Fleisch geworden waren, nennt er sich bald Gottessohn, bald Menschensohn. Mehr als jede andere Gestalt in der Geschichte weckt er in uns den Sinn für das Wunderbare, an den die Romantik immer appelliert. Immer noch scheint es mir kaum faßbar, daß ein junger Galiläer sich vorstellt, er könne sich die Last der ganzen Welt auf seine Schultern legen: alles, was bisher getan und gelitten worden war, und alles, was noch zu tun und zu erleiden blieb: die Sünden Neros, Cesare Borgias, Alexanders VI. und des Mannes, der Kaiser von Rom und Priester des Sonnengottes war: und die Leiden der vielen, die Legion heißen und die bei den Gräbern wohnen, die Leiden der geknechteten Völker, der Kinder in den Fabriken, der Diebe, der Sträflinge, der Parias, derer, die stumm sind unterm Joch und deren Schweigen Gott allein hört: und daß er sich das nicht nur vorstellte, sondern es wirklich tat, so daß noch heute jeder, der mit seiner Person in Berührung kommt, auch wenn er sich nicht vor seinem Altar neigt noch vor seinem Priester kniet, doch spürt, wie der Makel der Sünden von ihm genommen und die Schönheit des Leids ihm offenbart wird.

Ich sagte von ihm, er zähle zu den Dichtern. Das stimmt. Shelley und Sophokles sind seine Gefährten. Doch auch sein ganzes Leben ist das wunderbarste Gedicht. An »Furcht und Mitleid« hat die ganze Welt der griechischen Tragödie nicht desgleichen. Die makellose Reinheit der Hauptfigur erhebt das ganze Drama auf eine Höhe romantischer Kunst, zu der die Leiden des »Hauses Theben und der Pelopiden« gerade durch ihre Grausigkeit nicht aufsteigen können, und beweist, wie unrecht Aristoteles hatte, als er in seiner Schrift über das Drama sagte, die Darstellung eines schuldlos Leidenden sei unerträglich. Auch bei Aischylos oder Dante, den strengen Meistern der Zartheit, bei Shakespeare, dem menschlichsten aller großen Künstler, im gesamten keltischen Mythen- und Legendenkreis, wo der Liebreiz der Welt durch einen Tränenschleier gezeigt wird und das Leben des Menschen nicht mehr gilt als das Leben einer Blume, findet sich nichts, wovon sich sagen ließe, es reiche in der Verbindung und Verschmelzung reinsten, schlichtesten Pathos mit der äußersten Erhabenheit des tragischen Effekts auch nur entfernt an den letzten Akt der Passion Christi heran. Das Abendmahl mit seinen Jüngern, von denen einer ihn bereits um Geld verschachert hat: die Todesangst im stillen, mondhellen Olivenhain: der falsche Freund, der dicht an ihn herantritt, um ihn mit einem Kuß zu verraten: der Freund, der noch an ihn glaubte und auf den er, wie auf einen Fels, eine Zuflucht für den Menschen zu bauen gehofft hatte und der ihn verleugnete, als der Hahn im Frühlicht krähte: seine äußerste Verlassenheit, seine Unterwerfung, sein Ja zu allen Leiden: und dazu solche Szenen wie die vom Hohenpriester der Rechtgläubigen, der im Zorn seine Kleider zerreißt, und die vom kaiserlichen Landpfleger, der sich Wasser bringen läßt in der eitlen Hoffnung, er könne seine Hände reinwaschen von dem unschuldigen Blut, das ihn zur Henkersfigur der Geschichte macht: die Dornenkrönung des Schmerzensmannes, eine der wunderbarsten Begebenheiten, die das Buch der Geschichte verzeichnet: die Kreuzigung des Schuldlosen vor den Augen seiner Mutter und seines Lieblingsjüngers: die Soldaten, die um seine Kleider spielen und würfeln: der schreckliche Tod, durch den er der Welt ihr ewiges Symbol gab: und schließlich die Grablegung in der Gruft des reichen Mannes, der Leichnam mit kostbaren Spezereien gesalbt, mit Wohlgerüchen besprengt und in ägyptisches Linnen gehüllt wie der Leichnam eines Königssohnes – wenn man das alles rein vom Standpunkt der Kunst aus betrachtet, dann muß man dankbar sein, daß der höchste Gottesdienst der Kirche im Nachspielen der Tragödie ohne Blutvergießen besteht, in der mystischen Darstellung der Passion ihres Herrn nur mit den Mitteln des Dialogs, des Kostüms und der Geste, und mich erfüllt der Gedanke mit Freude und Ehrfurcht, daß der griechische Chor, der überall sonst in der Kunst verstummt ist, noch in dem Ministranten weiterlebt, der dem Priester bei den Meßgebeten antwortet.

Und doch ist das Leben Christi – so vollständig können Leid und Schönheit in Bedeutung und Ausdruck eins werden – im Grunde eine Idylle, auch wenn am Ende der Vorhang im Tempel zerreißt, Finsternis das Antlitz der Erde bedeckt und der Stein vor den Eingang des Grabes gewälzt wird. Man stellt ihn sich immer als einen jungen Bräutigam im Kreise seiner Gefährten vor, wie er selbst sich auch beschreibt, oder als Schäfer, der auf der Suche nach einer grünen Weide oder dem kühlen Fluß mit seiner Herde durchs Tal zieht; oder als Sänger, der die Mauern der Stadt Gottes aus Musik erbauen möchte, oder als Liebenden, für dessen Liebe die ganze Welt viel zu eng war. Seine Wunder dünken mich so erlesen wie das Nahen des Frühlings und ebenso natürlich. Es macht mir überhaupt keine Schwierigkeiten, den Zauber seiner Person für so groß zu halten, daß seine Gegenwart allein schon der gequälten Seele Frieden bringen konnte und daß diejenigen, die sein Gewand oder seine Hände berührten, ihre Schmerzen vergaßen: oder Leute, die bisher blind gewesen waren für die Mysterien des Lebens, sie plötzlich klar erkannten, wenn er auf der Straße des Lebens an ihnen vorüberschritt, und daß andere, die taub waren für jede Stimme, nur nicht für die Stimme des Genusses, nun zum erstenmal die Stimme der Liebe hörten und sie »lieblich fanden wie Apollons Leier«: oder daß böse Leidenschaften flohen, wenn er sich näherte, und Menschen, deren stumpfes, phantasieloses Dasein nur eine Form des Todes war, bei seinem Anruf aus ihrem Grab auferstanden: oder daß die Menge, der er auf dem Berg predigte, Hunger und Durst und alle Sorgen dieser Welt vergaß, und daß seinen Freunden, die ihm beim Mahle lauschten, die karge Speise wohlschmeckte und das Wasser wie edler Wein mundete und das ganze Haus sich mit der Narden Duft und Süße erfüllte.

Renan sagt irgendwo in seinem *Vie de Jésus* – diesem köstlichen Fünften Evangelium, dem Thomas-Evangelium, wie man es nennen könnte –, Christi größte Tat bestehe darin, daß er es verstanden habe, nach seinem Tode ebenso geliebt zu werden, wie er zu Lebzeiten geliebt wurde. Ja, ihm gebührt ein Platz unter den Dichtern, unter den Liebenden aber ist er der Erste. Er erkannte, daß die Liebe das verlorene Geheimnis der Welt ist, nach dem die Weisen suchen, und daß man nur durch die Liebe dem Herzen des Aussätzigen und den Füßen Gottes nahekommen kann.

Und vor allem ist Christus der höchste Individualist. Seine Demut ist, wie die Unterwerfung des Künstlers unter jede Art von Erfahrung, nur eine Möglichkeit zur Selbstdarstellung. Christus ist immer auf der Suche nach der Seele des Menschen. Er nennt sie »das Reich Gottes« – *ἡ βασιλεία τοῦ θεοῦ* – und findet sie bei jedem. Er vergleicht sie mit kleinen Gegenständen: mit einem winzigen Saatkorn, einer Handvoll Sauerteig, einer Perle. Er tut das, weil man sich der eigenen Seele nur dadurch bewußt wird, daß man sich aller fremden Leidenschaften entäußert, aller angelernten Bildung und aller irdischen Güter, mögen sie gut sein oder schlecht.

Ich lehnte mich mit aller Hartnäckigkeit meines Willens und der großen Spontaneität meines Herzens gegen alles auf, bis mir nichts mehr in der Welt geblieben war – außer Cyril. Ich hatte meinen Namen verloren, mein Ansehen, mein Glück, meine Freiheit, mein Vermögen. Ich war gefangen und bettelarm. Doch ein Gut war mir noch geblieben, mein ältester Sohn. Plötzlich nahm das Gesetz ihn mir weg. Der Schlag war so betäubend, daß ich mir keinen Rat wußte, und so warf ich mich auf die Knie und neigte den Kopf und weinte und sprach: »Der Leib eines Kindes ist dem Leib des Herrn gleich; ich bin beider unwürdig.« Dieser Augenblick muß meine Rettung gewesen sein. Damals erkannte ich, daß mir nur noch eines blieb: alles hinzunehmen. Seitdem – so sonderbar das für Dich klingen mag – bin ich glücklicher.

Denn ich war bis zum innersten Wesen meiner Seele vorgestoßen. Ich war in so vielem ihr Feind gewesen, und doch erwartete sie mich wie einen Freund. Die Berührung mit der eigenen Seele macht den Menschen einfältig wie ein Kind, was er nach Christi Wort sein soll. Es ist tragisch, wie viele Menschen bis zu ihrem Tode nie »ihre Seele besaßen«. »Nichts ist so selten beim Menschen«, sagt Emerson, »wie eine eigene Handlung«. Das stimmt. Die meisten Leute sind andere Leute. Ihr Leben ist eine Kopie, ihre Gedanken sind die Meinungen anderer, ihre Leidenschaften Zitate. Christus war nicht nur der größte Individualist der Geschichte, er war auch der erste. Man hat versucht, in ihm einen gewöhnlichen Philanthropen zu sehen, ähnlich den gräßlichen Menschenfreunden des neunzehnten Jahrhunderts, oder hat ihn als Altruisten unter die Ungebildeten und Sentimentalen eingereiht. Aber er war weder das eine noch das andere. Freilich hat er Mitleid mit den Armen, mit denen, die in Gefängnissen schmachten, mit den Geringen und den Elenden, doch er hat weit mehr Mitleid mit den Reichen, mit den hartnäckigen Hedonisten, mit denen, die ihre Freiheit vergeuden und sich zu Sklaven der Könige machen, mit denen, die weiche Gewänder tragen und in Palästen leben. Reichtum und Genuß scheinen ihm in Wahrheit weitaus tragischer zu sein als Armut und Leid. Und was seinen Altruismus anlangt: wer wußte besser als er, daß die Berufung, nicht der Wille uns zu dem macht, was wir sind, und daß man nicht Trauben ernten kann von den Dornen oder Feigen von den Disteln?

Seine Lehre fordert nicht ein Leben für andere als letztes, selbstgestecktes Ziel. Das war nicht die Grundlage seiner Lehre. Wenn er sagt »Vergebet euren Feinden«, so meint er nicht, den Feinden zuliebe, sondern sich selbst zuliebe und weil die Liebe schöner ist als der Haß. Mit der Aufforderung an den reichen Jüngling, den er ansah und sofort liebte, »Verkaufe alles, was du hast und gib's den Armen«, will er nicht den Armen helfen, sondern der Seele des jungen Mannes, der lieblichen Seele, die der Reichtum verdorben hat. Er sieht das Leben, wie der Künstler es sieht, der weiß, daß kraft des unabweisbaren Gesetzes der Selbstvollendung der Dichter singen, der Bildhauer in Bronze denken und der Maler die Welt zum Spiegel seiner Empfindungen machen muß, so unbedingt und sicher, wie der Weißdorn im

Frühling blühen und das Korn zur Erntezeit zu Gold reifen und der Mond auf seiner vorbestimmten Bahn vom Schild zur Sichel und von der Sichel zum Schilde werden muß.

Christus sprach nicht zu den Menschen »Lebt für andere«, er hat vielmehr dargetan, daß es zwischen dem Leben der anderen und dem eigenen Leben gar keinen Unterschied gibt. Dadurch verlieh er dem Menschen eine grenzenlose, eine titanische Persönlichkeit. Seit seinem Erscheinen wird die Geschichte jedes einzelnen Individuums zur Weltgeschichte, kann zumindest dazu werden. Natürlich hat die Kultur die Persönlichkeit des Menschen intensiviert. Die Kunst hat unserem Geist tausend Facetten verliehen. Wer das Temperament des Künstlers hat, geht mit Dante ins Exil und erfährt, wie salzig das Brot der Fremde schmeckt und wie steil ihre Treppen sind; einen Augenblick lang erfaßt er die Heiterkeit und Gelassenheit Goethes und weiß doch nur zu gut, warum Baudelaire zu Gott aufschrie:

> Ah, Herr, verleih mir Kraft und Mut, meinen Körper
> und mein Herz ohne Ekel zu betrachten.

Shakespeares Sonetten entnimmt er, vielleicht zum eigenen Schaden, das Geheimnis von Shakespeares Liebe und macht es sich zu eigen: mit neuen Augen sieht er das moderne Leben, weil er ein Nocturno Chopins gehört oder mit griechischen Dingen umgegangen ist oder die Geschichte der Leidenschaft eines Toten zu einer Toten gelesen hat, deren Haar wie gesponnenes Gold war und deren Mund einem Granatapfel glich. Doch die Sympathie des künstlerischen Temperaments gehört notwendig dem, was zu Ausdruck gelangt ist. In Worten oder Farben, in Musik oder Marmor, hinter den bemalten Masken einer Aischyleischen Tragödie und durch das geschnitzte und gefügte Schilfrohr eines sizilianischen Hirten müssen Mensch und Botschaft sich ihm offenbaren.

Für den Künstler ist der geformte Ausdruck die einzige Möglichkeit, das Leben zu begreifen. Alles Stumme ist für ihn tot. Nicht so für Christus. Mit einer Vorstellungskraft von beinahe erschreckender Weite und Tiefe erkor er sich die ganze Welt des Unartikulierten, die stimmlose Welt der Qual zu seinem Reich und machte sich selbst zu ihrem ewigen Sprecher. Die, von denen ich sprach, die stumm sind unterm Joch, und die, »deren Schweigen Gott allein hört«, erwählte er sich zu Brüdern. Er wollte dem Blinden Auge sein, dem Tauben Ohr und der Schrei auf den Lippen dessen, dem die Zunge gebunden ist. Den Myriaden, die keiner Sprache mächtig sind, wollte er Posaune sein, durch die sie den Himmel anrufen könnten. Seine Künstlernatur, der Sorge und Leid Möglichkeiten waren, seine Auffassung vom Schönen zu verwirklichen, sagt ihm, daß eine Idee so lange wertlos ist, wie sie nicht Fleisch geworden und zum Bild gemacht ist, und so macht er sich selbst zum Bild des Schmerzensmannes, und dieses Bild fasziniert und beherrscht die Kunst in einem Maße, wie es keinem griechischen Gott je gelang.

Denn die griechischen Götter waren trotz des Weiß und Rot ihrer schönen, geschmeidigen Glieder nicht wirklich das, was sie zu sein schienen. Apollons geschwungene Braue war wie die Sonnenscheibe, die im Frühlicht über dem Hügel aufwächst, und seine Füße waren wie die Schwingen des Morgens, doch er selber war grausam gewesen gegen Marsyas und hatte Niobe ihrer Kinder beraubt: in den stählernen Schilden der Augen Pallas Athenes leuchtete kein Erbarmen mit Arachne: die Pracht und die Pfauen der Hera waren das einzige wirklich Edle an ihr: und der Göttervater selbst hatte die Menschentöchter allzusehr geliebt. Die beiden wirklich fruchtbaren Gestalten der griechischen Mythologie waren für die Religion Demeter, eine Erdgöttin, die nicht zu den Olympiern gehörte, und für die Kunst Dionysos, der Sohn einer Sterblichen, die im Augenblick seiner Geburt den Tod fand.

Doch das Leben selbst brachte aus seinen tiefsten Niederungen Einen hervor, wunderbarer als die Mutter der Proserpina oder der Sohn der Semele. Aus der Zimmermannswerkstatt zu Nazareth war eine Persönlichkeit hervorgegangen, unendlich größer als irgendeine, die Mythos oder Sage geschaffen hatten, und – seltsam genug – dazu bestimmt, der Welt die mystische Bedeutung des Weins und die wahre Schönheit der Lilien zu lehren, wie es vor ihm keiner getan hat, nicht auf dem Kithäron und nicht zu Enna.

Das Lied des Jesajas, »Er war der Allerverachtetste und Unwerteste, voller Schmerzen und Krankheit. Er war so verachtet, daß man das Angesicht vor ihm verbarg...«, erschien ihm wie eine Ankündigung seiner selbst, und der Spruch erfüllte sich an ihm. Wir brauchen vor einem solchen Satz nicht zu scheuen. Jedes Kunstwerk ist die Erfüllung einer Prophezeiung. Denn jedes Kunstwerk ist die Umsetzung einer Idee in ein Bild. Jedes menschliche Wesen sollte die Erfüllung einer Prophezeiung sein. Denn jedes menschliche Wesen sollte die Verwirklichung eines Ideals sein, sei es nach dem Sinne Gottes oder nach dem Sinn der Menschen. Christus fand den Typus und legte ihn fest, und der Traum eines vergilischen Dichters in Jerusalem oder Babylon verkörperte sich nach langen Jahrhunderten in ihm, auf den die Welt wartete. *»... weil seine Gestalt häßlicher ist denn anderer Leute und sein Ansehen denn der Menschenkinder«*, gehört zu den typischen Merkmalen des neuen Ideals, wie Jesajas sie aufzeichnete, und sobald die Kunst seine Bedeutung verstanden hatte, erblühte sie wie eine Blume in der Gegenwart des Einen, in dem die Wahrheit in der Kunst zutage trat wie nie zuvor. Denn ist nicht, wie ich schon sagte, die Wahrheit in der Kunst erreicht, wenn »das Äußere Ausdruck des Innern ist; wenn die Seele Fleisch geworden und der Leib vom Geiste beseelt ist: wenn die Form den Inhalt offenbart«?

Für mich gehört es zu den bedauerlichsten Fakten der Geschichte, daß die wahrhaft christliche Renaissance, der wir die Kathedrale von Chartres verdanken, die Artus-Sagen, das Leben des heiligen Franz von Assisi, die Kunst Giottos und Dantes *Divina Commedia*, sich nicht in ihrem eigenen Sinn weiterentwickeln durfte, sondern von der öden klassischen Renaissance verdrängt und verdorben wurde, die uns Petrarca bescherte und Raffaels Fresken und die Architektur des Palladio, die formenstrenge französische Tragödie und die St. Pauls-Kathedrale und Popes Dichtung und alles, was von außen her und nach starren Regeln gemacht wird, statt von innen her, aus der Eingebung zu kommen. Überall jedoch, wo sich in der Kunst eine romantische Bewegung zeigt, ist auch, in irgendeiner Form, unter irgendeiner Gestalt, Christus oder die Seele Christi. So in *Romeo und Julia*, in *Das Wintermärchen*, in der provenzalischen Lyrik, in »The Ancient Mariner«, in »La Belle Dame sans Merci« und in Chattertons »Ballad of Charity«.

Ihm verdanken wir die verschiedensten Dinge und Menschen.

Les Misérables von Hugo, Baudelaires *Fleurs du Mal*, das Mit-Leiden im russischen Roman, das bunte Glas, die Gobelins und Quattrocento-Arbeiten von Burne-Jones und Morris, Verlaine und Verlaines Gedichte gehen genauso auf ihn zurück wie Giottos Glockenturm, Lancelot und Ginevra, Tannhäuser, die leidbewegten romantischen Plastiken Michelangelos, die gotische Spitzbogenarchitektur und die Liebe zu Kindern und Blumen, für die in der klassischen Kunst ja wenig Platz war, kaum so viel, daß sie darin wachsen und spielen konnten, wenn sie auch vom zwölften Jahrhundert an bis in unsere Tage in der Kunst immer wieder auftraten, unter verschiedenen Formen und zu verschiedenen Zeiten, sprunghaft und eigenwillig, wie das die Art der Kinder und der Blumen ist – scheint es uns im Frühling nicht jedesmal, als hätten die Blumen sich versteckt gehalten und kämen nur heraus in die Sonne, weil sie fürchteten, diese Erwachsenen da könnten müde werden, nach ihnen auszuschauen und die Suche aufgeben, und ist nicht das Leben eines Kindes bloß ein Apriltag, der für die Narzisse Regen und Sonnenschein zugleich bereithält.

Und dank der Vorstellungskraft seiner Natur wird Christus zum pulsierenden Herz der Romantik. Die wundersamen Gestalten erdichteter Dramen und Balladen wurden aus der Phantasie anderer geboren, Jesus von Nazareth jedoch schuf sich selbst aus seiner eigenen Phantasie. Jesajas Ruf hatte mit seinem Kommen nicht mehr zu tun als der Gesang der Nachtigall mit dem Aufgang des Mondes – nicht mehr, wenn auch vielleicht nicht weniger. Er war zugleich Widerlegung und Bestätigung des Prophetenworts. Für jede Erwartung, die er erfüllte, zerstörte er eine andere. Alles Schöne, sagt Bacon, zeige »ungewohnte Proportionen«, und Christus sagt von denen, die aus dem Geiste geboren, von denen, die wie er selbst dynamische Kräfte sind, sie glichen dem Wind, der »bläst, wo er will, aber du weißt nicht, woher er kommt und wohin er fährt«. Darum ist er so faszinierend für den Künstler. Er vereint alle Farbelemente des Lebens: Geheimnis, Neuheit, Pathos, Ahnung, Ekstase, Liebe. Er spricht den Sinn für das Wunderbare an und schafft die Empfänglichkeit, die allein zum Verständnis seiner Person führt.

Und ich werde froh bei dem Gedanken, daß, wenn er »aus

Einbildung besteht«, die ganze Welt aus diesem Stoff gemacht sein muß. In *Dorian Gray* habe ich gesagt, die größten Sünden der Welt würden im Gehirn vollzogen, doch es vollzieht sich alles Geschehen ausschließlich im Gehirn. Wir wissen jetzt, daß wir nicht mit den Augen sehen oder mit den Ohren hören. Sie sind nur mehr oder weniger taugliche Leitungskanäle für Sinneseindrücke. Erst im Gehirn ist der Klatschmohn rot, duftet der Apfel und trillert die Lerche. Seit kurzem studiere ich eifrig die vier Prosagedichte über Christus. Zu Weihnachten konnte ich eines griechischen Testaments habhaft werden, und jeden Morgen, wenn ich meine Zelle gefegt und mein Blechgeschirr gereinigt habe, lese ich ein wenig in den Evangelien, ein Dutzend Verse irgendwo herausgegriffen. Es ist ein köstlicher Tagesbeginn. Für Dich, in Deinem turbulenten, ungeregelten Leben, wäre das ebenfalls eine glänzende Idee. Es würde Dir unendlich guttun, und das Griechisch ist ganz einfach. Endlose Wiederholung, zur rechten und zur unrechten Zeit, hat uns die *naïveté*, die Frische, den schlichten, romantischen Zauber der Evangelien verleidet. Sie werden uns viel zu oft und viel zu schlecht vorgelesen, und jede Wiederholung ist ungeistig. Kehrt man zum Griechischen zurück, so meint man, aus einem engen, dunklen Haus in einen Garten voller Lilien zu treten.

Und für mich wird die Lektüre zum doppelten Genuß, wenn ich bedenke, daß wir aller Wahrscheinlichkeit nach die von Christus wirklich gebrauchten Ausdrücke, die *ipsissima verba*, vor uns haben. Man nahm immer an, Christus habe aramäisch gesprochen. Selbst Renan glaubte das. Jetzt aber wissen wir, daß die galiläischen Bauern, genau wie heutzutage die irischen, zwei Sprachen redeten und daß in ganz Palästina, wie ja in der ganzen östlichen Welt, das Griechische die Umgangssprache war. Mir war der Gedanke immer unsympathisch, daß wir Christi eigene Worte nur in der Übersetzung einer Übersetzung kennen sollten. Nun freut mich um so mehr der Gedanke, daß Charmides ihm gelauscht und Sokrates mit ihm philosophiert und Platon ihn verstanden haben könnte: daß er wirklich gesagt hat: *ἐγώ εἰμι ὁ ποιμὴν ὁ καλός*, daß er in dem Gleichnis von den Lilien auf dem Felde, die nicht arbeiten, auch nicht spinnen, genau das gesagt hat: *καταμάθετε τὰ κρίνα τοῦ ἀγροῦ πῶς* αὐξάνει. οὐ κοπιᾷ οὐδὲ νήθει, und daß sein letztes Wort, sein Ausruf: »Mein Leben ist abgeschlossen, hat seine Erfüllung gefunden, ist vollendet«, genauso lautete, wie Johannes es uns mitteilt τετέλεσται: nichts weiter.

Und während ich die Evangelien studiere – zumal das des heiligen Johannes oder irgendeines frühen Gnostikers, der sich hinter seinem Namen verbarg –, finde ich darin dauernd die Phantasie als Grundlagen alles spirituellen und materiellen Lebens bestätigt, finde auch, daß für Christus die Phantasie nur eine Form der Liebe und die Liebe in des Wortes voller Bedeutung Der Herr war. Vor etwa sechs Wochen wurde mir vom Arzt Weißbrot verordnet statt des groben schwarzen oder braunen Brotes, der üblichen Gefängniskost. Es ist eine wahre Delikatesse. Für Dich wird es seltsam klingen, daß trockenes Brot irgend jemand als Delikatesse vorkommen sollte. Ich versichere Dir, für mich ist es eine solche Köstlichkeit, daß ich nach jeder Mahlzeit sorgsam alle Krumen esse, die etwa noch auf meinem Blechteller liegen geblieben oder auf das grobe Handtuch gefallen sind, das man als Tischdecke benutzt, um den Tisch nicht zu beschmutzen: und nicht aus Hunger – ich bekomme jetzt genug zu essen –, sondern nur, damit nichts von dieser Gabe verlorengehe. So sollte man es auch mit der Liebe machen.

Christus besaß, wie alle faszinierenden Persönlichkeiten, nicht nur die Fähigkeit, schöne Dinge zu sagen, sondern auch andere dazu anzuregen, daß sie ihm Schönes sagten; und ich liebe die Geschichte, die der heilige Markus uns von der griechischen Frau erzählt – der γυνὴ Ἑλληνίς –: als er ihr, um ihren Glauben zu erproben, sagte, er könne ihr nicht das Brot der Kinder Israels geben, da antwortete sie, daß dennoch die Hündlein – κυνάρια, »kleine Hunde« müßte es heißen – unter dem Tisch von den Brosamen der Kinder äßen. Die meisten Menschen leben *für* die Liebe und die Bewunderung, doch wir sollten *durch* die Liebe und die Bewunderung leben. Wenn uns Liebe geschenkt wird, so sollten wir wissen, daß wir ihrer gänzlich unwürdig sind. Niemand ist würdig, geliebt zu werden. Daß Gott die Menschen liebt, zeigt, daß in der göttlichen Ordnung der idealen Dinge geschrieben steht, ewige Liebe solle dem ewig Unwürdigen geschenkt werden. Oder, wenn dieser Satz Dir zu bitter klingt, sagen wir so: jeder ist der Liebe würdig, nur der nicht, der sich selbst für würdig hält. Die Liebe ist ein Sakrament und sollte kniend empfangen werden, und die Lippen und Herzen derer, die es entgegennehmen, sollten sprechen *Domine, non sum dignus*. Ich wünschte von Herzen, daß Du manchmal daran dächtest. Du hast es bitter nötig.

Sollte ich jemals wieder schreiben, ich meine künstlerische Arbeit leisten, so möchte ich mich über und durch zwei Themen äußern: das eine ist »Christus als Vorläufer der romantischen Bewegung im Leben«, das andere »das Leben des Künstlers und wohin es führt«. Das erste Thema ist natürlich ausgesprochen faszinierend, denn ich sehe in Christus nicht nur die Wesensmerkmale des gehobensten romantischen Typus, sondern auch alle Zufälligkeiten, sogar Eigenwilligkeiten des romantischen Temperaments. Er forderte als erster die Menschen auf, ein »blumenhaftes« Leben zu führen. Er prägte das Wort. Er sagte den Menschen, sie sollten wie die Kinder werden. Er hielt die Kinder den Älteren als Beispiel vor, und darin habe auch ich stets den schönsten Daseinszweck der Kinder gesehen, wenn das Vollendete überhaupt einen Zweck haben muß. Dante beschreibt die Seele, wie sie aus der Hand des Schöpfers hervorgeht, als »weinend und lachend wie ein kleines Kind«, und auch Christus wollte die Seele eines jeden Menschen *»a guisa di fanciulla, che piangendo e ridendo pargoleggia«* (nach des Kindes Weise bald mit Weinen, bald mit Lachen tändelnd). Er spürte, daß das Leben wechselreich, fließend, aktiv ist und daß Erstarrung in jeder Form den Tod bedeutet. Er sagte, die Menschen sollten die materiellen, alltäglichen Interessen nicht zu ernst nehmen: es sei etwas Großes, unpraktisch zu sein: man solle sich nicht allzu viele Sorgen machen. »Wenn's die Vögel nicht tun, warum der Mensch?« Wie bezaubernd ist sein Wort: »Sorget nicht für den anderen Morgen. Ist nicht das *Leben* mehr denn die Speise? und der *Leib* mehr denn die Kleidung?« Der letzte Satz könnte von einem Griechen stammen. Aus ihm spricht das griechische Lebensgefühl. Doch beides zusammen konnte nur Christus sagen und darin für uns die Summe des Lebens fassen.

Seine Moral besteht im Mitgefühl; genau darin sollte die Moral bestehen. Hätte er weiter nichts gesagt als: »Ihr sind viele

Sünden vergeben, denn sie hat viel geliebt«, so wäre dieses Wort den Tod wert. Seine Gerechtigkeit ist dichterische Gerechtigkeit, eben das, was die Gerechtigkeit sein sollte. Der Bettler kommt in den Himmel, weil er unglücklich gewesen ist. Ich kann mir keinen besseren Grund für die Aufnahme in den Himmel denken. Die Leute, die am kühlen Abend eine Stunde im Weinberg arbeiten, erhalten den gleichen Lohn wie die anderen, die sich den ganzen Tag lang in der heißen Sonne abgeplackt haben. Warum auch nicht? Wahrscheinlich hat keiner einen Lohn verdient. Oder vielleicht waren es verschiedene Arten von Leuten. Christus mochte die stumpfen, leblosen mechanischen Systeme nicht, die Menschen wie Dinge behandeln, also jedermann gleich: als gäbe es zwei Menschen oder Dinge auf dieser Welt, die völlig gleich wären. Für ihn galten nicht Regeln, nur Ausnahmen.

Dieser Grundton der romantischen Kunst war für ihn auch die Grundlage des realen Lebens. Eine andere Grundlage sah er nicht. Und als man das Weib zu ihm brachte, das auf frischer Tat beim Ehebruch ertappt worden war, und man ihm ihr Urteil nach dem Gesetz vorwies und ihn fragte, was zu tun sei, da schrieb er mit dem Finger auf die Erde, als hörte er sie nicht, und schließlich, als sie immer wieder in ihn drangen, blickte er auf und sprach zu ihnen: »Wer unter euch ohne Sünde ist, der werfe den ersten Stein auf sie.« Dieses Wort war ein Leben wert.

Wie alle Dichternaturen liebte er die Unwissenden. Er wußte, daß die Seele eines Unwissenden immer Raum hat für eine große Idee. Die Dummen dagegen konnte er nicht ausstehen, besonders diejenigen, die durch Erziehung verdummt wurden. Leute, die voller Ansichten stecken, von denen sie keine einzige verstehen, ein vornehmlich moderner Typus, den Christus treffsicher als den Typus beschreibt, der den Schlüssel zum Wissen hat, ihn aber selbst nicht gebrauchen kann und nun auch anderen den Gebrauch verwehrt, wenngleich es der Schlüssel zum Himmelreich ist. Vor allem zog er gegen die Philister zu Felde. Diesen Krieg muß jedes Kind des Lichtes führen. Das Philistertum kennzeichnete die Zeit und die Gesellschaft, in der er lebte. In ihrer plumpen Unempfänglichkeit für Ideen, ihrer muffigen Ehrbarkeit, ihrer selbstzufriedenen Rechtgläubigkeit, ihrer Ehrfurcht vor billigem Erfolg, ihrer ausschließlichen Sorge um die materielle

Seite des Lebens und ihrer lächerlichen Selbstbeweihräucherung waren die Juden im Jerusalem der Tage Christi die genaue Entsprechung der britischen Philister von heute. Christus spottete über die »übertünchten Gräber« der Ehrbarkeit und prägte damit eine feststehende Wendung. Weltlichen Erfolg tat er als etwas ganz Verächtliches ab. Er bedeutete ihm gar nichts. Er sah im Reichtum nur eine Last für den Menschen. Er wollte nichts davon wissen, daß man das Leben irgendeinem philosophischen oder moralischen System opferte. Er tat dar, daß Formen und Riten für den Menschen geschaffen seien, nicht der Mensch für Formen und Riten. Die Sabbatheiligung gehörte für ihn zu den Dingen, die abgeschafft werden sollten. Die kalte Menschheitsbeglückung, die ostentative öffentliche Wohltätigkeit, die Öde der äußeren Formen, die dem Spießbürgergemüt so teuer sind, entlarvte er mit beißender, unerbittlicher Verachtung. Für uns ist die sogenannte Orthodoxie nur ein bequemes, geistloses Mittun, für sie jedoch und in ihren Händen war sie eine furchtbare und lähmende Macht. Christus fegte sie vom Thron. Er zeigte, daß allein der Geist Wert besitze. Mit großem Vergnügen tat er ihnen dar, daß sie zwar ständig das Gesetz und die Propheten läsen, in Wahrheit jedoch nicht die geringste Ahnung hätten, was beide sagen wollten. Als Antithese zu ihrer Regel, jeden einzelnen Tag aufzuzehnteln in starre Routine und bestimmte Pflichten, so wie sie von Minze und Raute den Zehnten abzwackten, predigte er die ungeheuere Wichtigkeit eines in jedem Augenblick neu erfüllten Lebens.

Die er von ihren Sünden lossprach, verdankten ihre Lossprechung einfach schönen Augenblicken in ihrem Leben. Als Maria Magdalena Christus erblickt, zerbricht sie die kostbare Alabastervase, die einer ihrer sieben Liebhaber ihr geschenkt hat, und gießt die duftenden Salben über seine müden, staubigen Füße, und um dieses Augenblicks willen sitzt sie in Ewigkeit mit Ruth und Beatrice im Blütenfächer der schneeweißen Himmelsrose. Liebevoll mahnt Christus uns, daß *jeder* Augenblick schön sein sollte, und die Seele *allezeit* bereit, den Bräutigam zu empfangen, *immer* in Erwartung der Stimme des Geliebten. Das Philistertum ist ihm einfach der Teil der Menschennatur, den die Phantasie nicht erhellt, er sieht alle schönen Aspekte des Lebens als Formen des Lichts: die Phantasie selbst ist das Welt-Licht, τὸφῶς τοῦ κοσμοῦ: aus ihm ist die Welt erschaffen, doch die Welt kann es nicht verstehen: denn die Phantasie ist eine Erscheinungsform der Liebe, und durch die Liebe und die Fähigkeit zur Liebe unterscheiden sich die Menschen voneinander.

Aber Christus ist dann am romantischsten, sprich: am realsten, wenn er mit einem Sünder zu tun hat. Von jeher hat die Welt den Heiligen geliebt, da er der göttlichen Vollkommenheit am nächsten kommt. Christus scheint kraft eines göttlichen Instinkts immer den Sünder geliebt zu haben, weil er der menschlichen Vollendung am nächsten kommt. Sein höchster Wunsch war nicht, die Menschen zu bessern, so wenig, wie es sein höchster Wunsch war, Leiden zu lindern. Er trachtete nicht, aus einem interessanten Dieb einen langweiligen Ehrenmann zu machen. Von der »Gesellschaft für entlassene Strafgefangene« und ähnlichen modernen Einrichtungen hätte er wenig gehalten. Die Bekehrung eines Zöllners zum Pharisäer wäre ihm keineswegs als löbliches Werk erschienen. Nein, auf eine Weise, die von der Welt noch nicht begriffen worden ist, betrachtete er Sünde und Leiden als etwas an sich Schönes, Heiliges und als Varianten der Vollendung. Dieser Gedanke *klingt* sehr gefährlich. Und er ist es auch. *Alle* großen Ideen sind gefährlich. Daß Christus an sie geglaubt hat, steht über jedem Zweifel. Daß dieser Glaube der wahre ist, daran zweifle ich nicht.

Natürlich muß der Sünder bereuen. Aber warum? Einfach weil er sich sonst nicht klarmachen könnte, was er getan hat. Der Augenblick der Reue ist auch der Augenblick der Weihung. Mehr noch. Er ist die Voraussetzung für die Überwindung der Vergangenheit. Die Griechen glaubten, man könne seine Vergangenheit nicht ändern. In ihren Sinnsprüchen sagen sie oft: »Nicht einmal die Götter können Vergangenes ändern.« Christus hat gezeigt, daß der gewöhnlichste Sünder es kann. Daß es das einzige ist, was er kann. Hätte man Christus gefragt, er hätte – dessen bin ich sicher – gesagt, in dem Augenblick, da der verlorene Sohn auf die Knie fiel und weinte, machte er aus der Vergeudung seines Vermögens mit den Dirnen, aus seinem Dasein als Schweinehirt, als er vor Hunger nach den Trebern gierte, schöne und heilige Begebnisse seines Lebens. Den meisten Menschen wird die

Idee schwer faßlich sein. Ich möchte sogar sagen, man muß ins Gefängnis gehen, um sie zu begreifen. Das ist den Aufenthalt im Gefängnis wert.

Die Christusgestalt hat etwas Einzigartiges. Freilich, genau wie vor der eigentlichem Dämmerung ein trügerischer Schein zu sehen ist, wie manche Wintertage mit jäher Sonnenwärme den klugen Krokus dazu verleiten, sein Gold zur Unzeit zu verschwenden und ein paar törichte Vögel zu Lockruf und Nestbau auf den kahlen Zweigen, so gab es auch schon Christen, ehe Christus kam. Wir sollten dafür dankbar sein. Leider hat es nach ihm keine mehr gegeben. Mit einer Ausnahme, Franz von Assisi. Ihm aber hatte Gott bei seiner Geburt die Seele eines Dichters mitgegeben, und er selbst hatte in früher Jugend in mystischer Ehe die Armut zu seiner Braut erkoren; und mit der Seele eines Dichters und dem Leib eines Bettlers fand er den Weg zur Vollendung nicht mühsam. Er verstand Christus, und so wurde er ihm ähnlich. Wir brauchen kein *Liber Conformitatum*, um zu wissen, daß das Leben des heiligen Franziskus die wahre *Imitatio Christi* war: ein Gedicht, neben dem das Buch dieses Namens bare Prosa ist. Ja, darin liegt letztlich der Zauber Christi. Er ist selbst einem Kunstwerk gleich. Er lehrt einen nichts direkt, doch durch die Berührung werden wir verwandelt. Und jeder ist dazu bestimmt, mit ihm in Berührung zu kommen. Zumindest einmal in seinem Leben wandert jeder mit Christus nach Emmaus.

Was das zweite Thema angeht, »das Leben des Künstlers und wohin es führt«, so wird Dir diese Wahl sonderbar vorkommen. Die Leute deuten auf das Zuchthaus zu Reading und sagen: »Dorthin führt das Künstlerleben.« Nun, es könnte zu schlimmeren Orten führen. Praktische Naturen, für die das Leben eine schlaue Spekulation ist, die von der sorgfältigen Berechnung aller Mittel und Wege abhängt, wissen immer, wohin sie gehen, und dahin gehen sie auch. Sie gehen aus von dem Wunsch, Kirchendiener zu werden, und einerlei, mit welchen Lebenssphären sie in Berührung kommen, sie werden wirklich Kirchendiener und sonst nichts. Wer danach trachtet, etwas zu werden, was nichts mit seiner Persönlichkeit zu tun hat, Parlamentsmitglied oder erfolgreicher Gemischtwarenhändler oder ein bekannter Rechtsanwalt oder Richter oder sonst etwas Langweiliges, wird unweigerlich dieses Ziel erreichen. Das ist seine Strafe. Wer eine Maske haben will, muß sie auch tragen.

Ganz anders verhält es sich mit den dynamischen Lebenskräften und mit den Menschen, in denen diese dynamischen Kräfte lebendig sind. Wer einzig nach Selbstverwirklichung strebt, weiß nie, wohin er geht. Er kann es nicht wissen. In einem bestimmten Sinn des Wortes ist es natürlich nötig, daß man, wie das griechische Orakel sagte, sich selbst erkennt. Darin besteht die erste Stufe des Wissens. Und die letzte Stufe der Weisheit ist die Erkenntnis, daß die Menschenseele unerforschlich ist. Das letzte Geheimnis sind wir selbst. Wir mögen das Gewicht der Sonne bestimmen, die Bahn des Mondes messen und die sieben Himmel Stern für Stern auf Karten verzeichnen, dann bleiben immer noch wir selbst. Wer kann den Lauf der eigenen Seele berechnen? Als der Sohn des Kis sich aufmachte, seines Vaters Eselinnen zu suchen, wußte er nicht, daß ein Mann Gottes mit dem Salböl der Könige auf ihn wartete und daß seine Seele bereits die Seele eines Königs war.

Ich hoffe, lange genug zu leben und ein Werk zu schaffen, das mich am Ende meiner Tage zu der Bemerkung berechtigt: »Seht, dahin führt das Leben des Künstlers.« Zwei vollendete Beispiele für ein solches Leben kenne ich aus eigener Anschauung: Verlaine und den Fürsten Kropotkin. Beide Männer waren jahrelang im Gefängnis: der eine war der einzige christliche Dichter seit Dante, der andere ist ein Mann mit der Seele jenes schönen, weißen Christus, der in Rußland beheimatet scheint. Und seit sieben oder acht Monaten komme ich, trotz größter Widrigkeiten, die mich fast pausenlos von der Außenwelt her heimsuchen, direkt mit einem neuen Geist in Berührung, der durch Menschen und Dinge in diesem Gefängnis wirkt und mir mehr hilft, als sich in Worten ausdrücken läßt; während ich im ersten Jahre meiner Kerkerhaft nichts anderes tat, mich heute an nichts erinnere, als daß ich meine Hände in ohnmächtiger Verzweiflung rang und ausrief: »Was für ein Ende! Was für ein schreckliches Ende!«, versuche ich mir jetzt selbst zuzurufen, rufe mir wirklich und wahrhaftig manchmal zu, wenn ich der Selbstquälerei müde bin: »Was für ein Anfang! Was für ein wunderbarer Anfang!« Vielleicht ist es das wirklich. Vielleicht wird es das wirklich.

Wenn ja, dann verdanke ich viel der neuen Persönlichkeit, die unser aller Leben an diesem Ort verändert hat.

Die Dinge an sich sind von geringer Bedeutung, ja sie haben – und hier können wir wenigstens einmal der Metaphysik für eine Lehre danken – keine reale Existenz. Von Bedeutung ist allein der Geist. Eine Strafe kann so erteilt werden, daß sie heilend wirkt, nicht Wunden schlägt, genau wie man Almosen so geben kann, daß das Brot in der Hand des Gebers zu Stein wird. Wie groß die Veränderung ist – nicht in den Vorschriften, denn die sind nach ehernen Regeln festgelegt, sondern in dem Geist, durch den sie zum Ausdruck kommen –, kannst Du ermessen, wenn ich Dir sage: wäre ich im vergangenen Mai entlassen worden, wie ich es versuchte, so wäre ich mit einem Abscheu gegen diesen Ort und alle, die hier tätig sind, geschieden, mit einem Haß von solcher Bitterkeit, daß er mein Leben vergiftet hätte. Ich mußte zwar ein weiteres Jahr im Kerker bleiben, doch edle Menschlichkeit hat mit uns zusammen hier geweilt, und wenn ich jetzt hinausgehe, werde ich immer der großen Freundlichkeit gedenken, die mir von fast allen hier entgegengebracht worden ist, und am Tage meiner Entlassung werde ich vielen Leuten die Hand schütteln und sie bitten, auch sie möchten mitunter meiner gedenken.

Das System des Strafvollzugs ist durch und durch falsch. Ich würde alles dafür geben, daß ich nach meiner Entlassung hier eine Änderung bewirken könnte. Ich will es versuchen. Doch nichts in der Welt ist so falsch, daß nicht der Geist edler Menschlichkeit, der gleich ist dem Geist der Liebe, dem Geiste Christi, den man nicht in Kirchen findet, es, wenn auch nicht richtig, so doch erträglich machen, die Bitterkeit des Herzens lindern könnte.

Ich weiß auch, daß draußen viel Schönes auf mich wartet: angefangen von dem, was der heilige Franz von Assisi *»mein Bruder, der Wind«* und *»meine Schwester, der Regen«* nennt, beides wundervolle Dinge, bis hin zu den Schaufenstern und Sonnenuntergängen der großen Städte. Wollte ich eine Liste aller Dinge aufstellen, die mir noch immer verbleiben, ich wüßte nicht, wo ich aufhören sollte: denn wahrlich, Gott schuf die Welt für mich so gut wie für alle anderen. Vielleicht nehme ich sogar etwas mit hinaus, was ich vorher nicht besessen habe. Ich brauche Dir nicht zu sagen, daß ich Reformen in der Moral genauso sinnlos und abgeschmackt finde, wie Reformationen in der Theologie. Doch während der Vorsatz, ein besserer Mensch zu werden, nur gedankenloser Heuchelei entspringt, ist es das Vorrecht dessen, der gelitten hat, ein *tieferer* Mensch zu werden. Und das bin ich, glaube ich, geworden. Du kannst es selbst beurteilen.

Wenn nach meiner Entlassung einer meiner Freunde ein Fest gäbe und mich nicht einlüde, so würde ich mich nicht grämen. Ich kann mit mir selbst völlig glücklich sein. In Freiheit mit Blumen, Büchern und dem Mond – wer könnte da nicht glücklich sein? Zudem sind Feste nichts mehr für mich. Ich habe selbst in meinem Leben allzu viele Feste gegeben und mache mir nichts mehr daraus. Dieser Teil des Lebens ist für mich abgeschlossen, glücklicherweise, möchte ich sagen. Doch wenn nach meiner Entlassung einer meiner Freunde einen Kummer hätte und mich nicht daran mittragen lassen wollte, so würde mich das zutiefst schmerzen. Wenn er die Tür des Trauerhauses vor mir verschlösse, so würde ich immer wieder kommen und Einlaß begehren, und den Anteil fordern, der mir zusteht. Wenn er mich für unwürdig hielte, unwert, mit ihm zu weinen, so würde ich das als die schmerzlichste Demütigung empfinden, die grausamste Art, mir einen Schimpf anzutun. Doch das wäre unmöglich. Ich habe ein Recht, mitzuleiden, und wer die Lieblichkeit der Welt ansehen und ihr Leid mitleiden und etwas von dem Wunderbaren, das in beidem liegt, erfassen kann, der pflegt Umgang mit dem Göttlichen und ist Gottes Geheimnis so nah gekommen, wie ein Mensch es irgend vermag.

Vielleicht wird auch meine Kunst, genau wie mein Leben, auf eine tiefere Note gestimmt, die meinen Leidenschaften einen volleren Klang verleiht und meinen Impulsen eine größere Spontaneität. Nicht die Breite, die Tiefe ist das wahre Ziel der modernen Kunst. In der Kunst beschäftigt uns nicht mehr das Typische. Wir müssen uns mit der Ausnahme auseinandersetzen. Ich kann meine Leiden in keine der Formen bringen, die sie wirklich angenommen hatten, das brauche ich wohl kaum zu sagen. Die Kunst beginnt erst dort, wo die Nachahmung endet. Doch in irgendeiner Form müssen sie in mein Werk eingehen: als vollere

Harmonie des Wortes vielleicht, als reichere Kadenzen, als kühnere Farbeffekte, als größere Schlichtheit in der Architektonik, als irgendeine ästhetische Qualität auf jeden Fall.

Als Marsyas »aus seiner Glieder Scheide ward gezogen« – *dalla vagina delle membre sue*, um eines von Dantes schrecklichsten, taciteischen Bildern zu gebrauchen –, war sein Lied verstummt, sagten die Griechen. Apollon war Sieger geblieben. Die Leier hatte die Hirtenflöte besiegt. Doch vielleicht irrten die Griechen. Ich hörte in der modernen Kunst oft den Schrei des Marsyas. Er klingt bitter bei Baudelaire, süß und klagend bei Lamartine, mystisch bei Verlaine. Er schwingt mit in den verzögerten Auflösungen der Chopinschen Musik. Er tönt aus dem Mißvergnügen, das auf allen Frauengesichtern bei Burne-Jones wiederkehrt. Selbst Matthew Arnold, dessen Lied des Kallikles vom »Triumph der süß verführerischen Leier« und vom »glänzend vielgerühmten Sieg« in so hohen Tönen lyrischer Schönheit erzählt – selbst er bringt in der von Zweifel und Verzweiflung erregten Nebenstimme, die in seinen Versen mitschwingt, mehr als eine Ahnung davon. Weder Goethe noch Wordsworth konnten ihn heilen, wiewohl er erst dem einen, dann dem anderen folgte, und wenn er um »Thyrsis« trauern, vom »Zigeuner-Studenten« singen will, so muß er zur Hirtenflöte greifen, um seine Weise zu Gehör zu bringen. Mag der phrygische Faun nun stumm sein oder nicht, ich kann nicht schweigen. Selbstäußerung ist so notwendig für mich, wie die Blätter und Blüten für die schwarzen Äste der Bäume, die über die Gefängnismauer ragen und so ruhelos im Winde schwanken. Zwischen meiner Kunst und der Welt klafft jetzt ein breiter Abgrund, doch nicht zwischen der Kunst und mir. Ich hoffe es jedenfalls.

Jedem von uns ist ein anderes Los zugeteilt. Freiheit, Genuß, Vergnügen, ein angehmes Leben sind Dein Los, und Du bist seiner nicht würdig. Mein Los ist öffentliche Schande, lange Gefangenschaft, Elend, Ruin, Ehrlosigkeit, und auch ich bin seiner nicht würdig – jedenfalls noch nicht. Ich erinnere mich, daß ich zu sagen pflegte, ich könne vermutlich eine große Tragödie ertragen, wenn sie sich mir in Purpur und unter der Maske edlen Schmerzes nahe, doch das Furchtbare an der Moderne sei, daß sie die Tragödie in das Gewand der Komödie stecke, so daß die großen, wesenhaften Dinge vulgär oder grotesk oder stillos erschienen. Das trifft auf die Moderne wirklich zu. Wahrscheinlich hat es zu allen Zeiten auf das Leben in der Zeit zugetroffen. Es heißt, dem Zuschauer komme jedes Martyrium schäbig vor. Das neunzehnte Jahrhundert macht von der allgemeinen Regel keine Ausnahme.

An meiner eigenen Tragödie ist alles häßlich, schäbig, abstoßend, stillos. Allein unsere Kleidung macht uns grotesk. Wir sind die Witzfiguren des Leids. Clowns mit gebrochenem Herzen. Wir sind Karikaturen, die die Lachmuskeln reizen. Am 13. November 1895 wurde ich von London hierhergebracht. An diesem Tag mußte ich von zwei Uhr bis halb drei Uhr auf dem mittleren Bahnsteig der Station Clapham Junction stehen, in Sträflingskleidung und mit Handschellen, als Schauspiel für die Umstehenden. Man hatte mich aus der Krankenabteilung geholt, ohne mir auch nur eine Minute vorher Bescheid zu sagen. Etwas Groteskeres als mich kann man sich nicht vorstellen. Die Leute lachten bei meinem Anblick. Mit jedem neuen Zug, der einlief, wurde die Zahl der Gaffer größer. Sie amüsierten sich maßlos. Da wußten sie natürlich noch nicht, wer ich war. Als sie es erfahren hatten, lachten sie noch mehr. Eine halbe Stunde lang stand ich da im grauen Novemberregen, umringt von einem johlenden Mob. Ein volles Jahr lang, nachdem man mir das angetan hatte, weinte ich jeden Tag zur gleichen Zeit, gleich lange. Das ist nicht so tragisch, wie es für Dich klingen mag. Im Gefängnis gehören Tränen zum täglichen Leben. Ein Tag im Gefängnis, an dem man nicht weint, ist ein Tag, an dem das Herz verhärtet ist, nicht ein Tag, an dem das Herz besonders glücklich wäre.

Und heute bin ich so weit, daß ich mehr Mitleid habe mit den Leuten, die damals lachten, als mit mir. Als sie mich sahen, stand ich natürlich nicht auf meinem Podest. Ich stand am Pranger. Doch nur sehr phantasielose Naturen legen ausschließlich Wert auf Leute, die auf einem Podest stehen. Ein Podest kann etwas sehr Unreales sein. Ein Pranger ist furchtbare Realität. Sie hätten auch das Leid besser interpretieren sollen. Ich sagte schon, hinter dem Leid verberge sich stets nur Leid. Noch klüger wäre es, zu sagen, hinter dem Leid verberge sich stets eine Seele. Und es ist furchtbar, über eine Seele in Not zu spotten. Wer das tut, dessen Leben ist unschön. In der merkwürdig einfachen Ökonomie der Welt bekommt jeder nur, was er gibt, und wer nicht genügend Vorstellungskraft aufbringt, durch die Oberfläche der Dinge zu dringen und Mitleid zu empfinden, welches andere Mitleid kann dem zuteil werden als das Mitleid der Verachtung?

Ich habe Dir die Geschichte erzählt, wie ich hierher überführt wurde, nur damit Du Dir klarmachen kannst, wie schwer es für mich ist, meiner Strafe etwas anderes als Bitterkeit und Verzweiflung abzugewinnen. Und doch muß ich es tun, und zuweilen habe ich Anwandlungen von Ergebung und Fügsamkeit. Der ganze Frühling kann in einer einzigen Knospe versteckt sein, und das Ackernest der Lerche kann die Freude beherbergen, die den Füßen manches rosenroten Morgens vorauseilt, und so ist vielleicht auch die Schönheit, die mir noch verbleiben soll, in einem Augenblick der Hingabe, der Erniedrigung und Demütigung enthalten. Wie dem auch sei, ich kann nur in der Bahn meiner eigenen Entwicklung weiterschreiten und mich dessen, was mir widerfuhr, nur dadurch würdig erweisen, daß ich es bejahe.

Man sagte mir gewöhnlich nach, ich sei ein zu großer Individualist. Ich muß ein noch viel größerer Individualist werden, als ich je war. Ich muß mir selbst weit mehr abverlangen denn je und weit weniger von der Welt erwarten. Denn mein Verderben war in Wahrheit nicht die Folge eines zu großen Individualismus, sondern eines zu geringen. Die einzige schändliche, unverzeihliche und für alle Zeit verächtliche Handlung meines Lebens beging ich, als ich mich dazu zwingen ließ, die Gesellschaft um Hilfe und Schutz gegen Deinen Vater anzurufen. Eine solche Bitte um Schutz vor irgend jemandem wäre, vom individualistischen Standpunkt aus, schon schlimm genug gewesen, welche Entschuldigung aber kann es für jemanden geben, der vor einem Menschen von der Veranlagung und dem Aussehen Deines Vaters Schutz sucht?

Sobald ich die Kräfte der Gesellschaft einmal in Bewegung gebracht hatte, machte die Gesellschaft natürlich gegen mich Front und sagte: »Du hast dich die ganze Zeit über meine Gesetze hinweggesetzt, und nun appellierst du an diese Gesetze zu deinem Schutz? Du sollst die ganze Schwere dieser Gesetze zu spüren kriegen. Du sollst nicht umsonst an sie appelliert haben.«

Ergebnis: ich sitze im Zuchthaus. Und wie bitter empfand ich die Ironie und Unwürdigkeit meiner Position, als ich im Verlauf meiner drei Prozesse, angefangen mit der Verhandlung vor dem Polizeigericht, Deinen Vater geschäftig hin und her eilen sah in der Hoffnung, die Aufmerksamkeit des Publikums auf sich zu ziehen, als ob irgendwer diese Gestalt mit dem Auftreten und dem Anzug eines Stallburschen, den Säbelbeinen, den fuchtelnden Händen, der hängenden Unterlippe, dem bestialischen und schwachsinnigen Grinsen übersehen oder je wieder vergessen könnte. Selbst wenn er nicht anwesend oder gerade nicht zu sehen war, spürte ich seine Gegenwart, und an den kahlen, düsteren Mauern des großen Gerichtssaals, selbst in der Luft schienen mir zuweilen die mannigfachsten Masken dieser äffischen Fratze zu hängen. Bestimmt ist nie ein Mensch so schmählich und durch so schmähliche Werkzeuge zu Fall gebracht worden wie ich. Irgendwo in *Dorian Gray* sage ich, »man kann in der Wahl seiner Feinde nicht vorsichtig genug sein«. Ich ließ mir nicht träumen, daß ein Paria mich eines Tages zum Paria machen sollte.

Daß Du mich drängtest, zwangst, die Gesellschaft zu Hilfe zu rufen, ist einer der Gründe, warum ich Dich so sehr verachte, mich selber so sehr verachte, weil ich Dir nachgab. Daß Du mich als Künstler nicht zu schätzen wußtest, war durchaus entschuldbar. Es lag in Deinem Temperament. Du konntest nichts dafür. Aber Du hättest mich als Individualisten schätzen müssen. Dazu bedurfte es keiner besonderen Bildung. Aber auch das tatest Du nicht und brachtest so das philisterhafte Element in ein Leben, das ein einziger Protest gegen dieses Element gewesen war und es in mancher Hinsicht ad absurdum führte. Das Philisterhafte im Leben besteht nicht darin, daß jemand nichts von Kunst versteht. Es gibt reizende Menschen, Fischer, Hirten, Landarbeiter, Bauern und dergleichen, die nichts von Kunst wissen und doch das Salz der Erde sind. Ein Philister ist ein Mensch, der die plumpen, zähen, blinden, mechanischen Kräfte der Gesellschaft trägt und stützt und die dynamische Kraft, wenn sie ihm in einem Menschen oder einer Bewegung begegnet, nicht erkennt.

Man hat es mir schrecklich verübelt, daß ich die bösen Dinge des Lebens an meinen Tisch lud und an ihrer Gesellschaft Gefallen fand. Doch von dem Standpunkt aus, von dem ich, auch im

Leben ein Künstler, ihnen nahte, waren sie wunderbar anregend und reizvoll. Es waren Gelage mit Panthern. In der Gefahr lag der größte Reiz. Ich fühlte mich immer, wie der Schlangenbeschwörer sich fühlen muß, wenn er die Kobra von dem bunten Tuch oder aus dem Weidenkorb lockt, daß sie sich hochstemmt und auf sein Geheiß ihr Schild breitet und sich in der Luft hin- und herwiegt, wie eine Pflanze gelassen in der Strömung schaukelt. Sie waren für mich die goldschimmerndsten Schlangen. Ihr Gift war ein Teil ihrer Vollkommenheit. Als sie nach mir stießen, wußte ich nicht, daß sie nach Deiner Pfeife und für das Geld Deines Vaters tanzten. Ich schäme mich überhaupt nicht meiner Bekanntschaft mit ihnen. Sie waren höchst interessant. Aber ich schäme mich der ekligen Philisterwelt, in die Du mich brachtest. Als Künstler hatte ich mich mit Ariel zu messen. Du ließest mich zum Ringkampf mit Caliban antreten. Statt schöne, farbenprächtige Werke zu schaffen, wie *Salome* und *Florentine Tragedy* und *La Sainte Courtisane*, sah ich mich gezwungen, lange Advokatenbriefe an Deinen Vater zu schicken, und genötigt, gerade an die Kräfte zu appellieren, gegen die ich immer protestiert hatte. Clibborn und Atkins waren wundervoll in ihrem infamen Krieg gegen das Leben. Es war ein riskantes Abenteuer, sie zu bewirten. Dumas père, Cellini, Goya, Edgar Allan Poe oder Baudelaire hätten genau das gleiche getan. Verhaßt dagegen ist mir die Erinnerung an die endlosen Besuche, die ich in Deiner Begleitung dem Rechtsanwalt Humphreys abstattete, wo ich mit Dir in der gespenstischen Beleuchtung eines düsteren Zimmers saß und einem Kahlkopf mit gewichtiger Miene gewichtige Lügen auftischte, bis ich selbst vor lauter *ennui* ächzte und gähnte. *Dort* war ich nach zweijähriger Freundschaft mit Dir angelangt, im Herzen Philistäas, fern von allem, was schön und glänzend oder wunderbar oder kühn war. Und am Ende mußte ich Deinetwegen als Verfechter der Wohlanständigkeit im Wandel, des Puritanismus im Leben und der Moralität in der Kunst antreten. *Voilà où mènent les mauvais chemins!*

Und das Erstaunlichste für mich bleibt Dein Versuch, Deinen Vater in seinen wesentlichen Charakterzügen nachzuahmen. Ich verstehe nicht, warum er Dir zum Vorbild wurde, wo er Dir ein abschreckendes Beispiel hätte sein sollen, es sei denn, daß auch der Haß zwischen zwei Menschen eine Art von brüderlichem Band darstellt. Ich vermute, ihr haßtet einander kraft des sonderbaren Gesetzes, wonach gleich und gleich einander abstößt, also nicht weil ihr in vielem so verschieden, sondern weil ihr in einigem so ähnlich seid. Als Du im Juni 1893 von Oxford abgingst, ohne Examen und mit Schulden, die an sich unbedeutend, für einen Mann vom Vermögen Deines Vaters jedoch beträchtlich waren, schrieb Dein Vater Dir einen höchst vulgären, barschen und beleidigenden Brief. Dein Antwortbrief an ihn war in jeder Hinsicht noch übler und natürlich weit weniger entschuldbar, und daher warst Du sehr stolz darauf. Ich erinnere mich noch gut, wie Du zu mir mit Deiner eingebildetsten Miene sagtest, Du könntest Deinen Vater »mit seinen eigenen Mitteln schlagen«. Stimmt. Aber welche Mittel! Welcher Wettkampf! Du lachtest und mokiertest Dich über Deinen Vater, weil er sich aus dem Hause Deines Vetters, wo er wohnte, in ein nahes Hotel begab, um von dort aus an ihn schmutzige Briefe zu schreiben. Genauso machtest Du es mit mir. Du aßest ständig mit mir in einem öffentlichen Restaurant, schmolltest oder machtest Szenen während des Essens und zogst Dich dann in den White's Club zurück, um mir Briefe übelster Art zu schreiben. Du unterschiedest Dich nur darin von Deinem Vater, daß Du ein paar Stunden, nachdem Du mir Deinen Brief durch einen Boten hattest zustellen lassen, selbst in meinem Hause erschienst, nicht um Dich zu entschuldigen, sondern um zu erfahren, ob ich das Abendessen im Savoy bestellt hätte, und wenn nicht, warum ich es nicht getan hätte. Manchmal trafst Du tatsächlich schon ein, ehe ich Deinen Schmähbrief gelesen hatte. Ich erinnere mich, wie Du mich einmal gebeten hattest, zwei Deiner Freunde, von denen ich den einen nie im Leben gesehen hatte, zum Lunch ins Café Royal einzuladen. Ich tat es und bestellte auf Deinen besonderen Wunsch ein besonders erlesenes Menu. Ich weiß noch, daß der *chef* herbeizitiert wurde und daß detaillierte Anweisungen wegen der Weine erteilt wurden. Statt zum Lunch zu erscheinen, schicktest Du mir einen beleidigenden Brief ins Café, dessen Zustellung Du so berechnet hattest, daß er ankam, nachdem wir eine halbe Stunde auf Dich gewartet hatten. Ich las die erste Zeile und wußte Bescheid, steckte den Brief in die Tasche, erklärte Deinen Freunden, Du seist plötzlich erkrankt, und der Rest des Briefes handle von den Symptomen Deiner Krankheit. Tatsächlich las ich den Brief erst, als ich mich an diesem Abend in der Tite Street zum Dinner umzog. Als ich inmitten dieses Schlamms steckte, mich voll unendlicher Traurigkeit fragte, wie Du Briefe schreiben konntest, die dem Schaum und Geifer auf den Lippen eines Epileptikers glichen, da meldete mir mein Diener, Du seist in der Diele und möchtest mich unbedingt ein paar Minuten sprechen. Ich ließ Dich sogleich heraufbitten. Du tratest ein, verstört und blaß, wie ich zugeben muß, und erbatest meinen Rat und Beistand, da Dir hinterbracht worden sei, ein Mann aus dem Büro des Anwalts Lumley habe sich nach Dir am Cadogan Place erkundigt, und Du befürchtetest, daß die Oxford-Affäre oder irgendeine neue Sache Dich in Schwierigkeiten bringen könnte. Ich beruhigte Dich, sagte Dir, daß es sich wahrscheinlich nur um die Rechnung eines Lieferanten handle, was sich nachher auch als zutreffend herausstellte, und lud Dich ein, zum Essen zu bleiben und den Abend mit mir zu verbringen. Du erwähntest Deinen gemeinen Brief mit keinem Wort, ich auch nicht. Ich behandelte ihn einfach als unglückliches Symptom eines unglücklichen Temperaments. Die Sache kam nie aufs Tapet. Mir um 2 Uhr 30 einen häßlichen Brief zu schreiben und am gleichen Nachmittag um ein Viertel nach sieben zu mir zu eilen, um Hilfe und Mitgefühl zu suchen, war in Deinem Leben ein durchaus gewöhnliches Ereignis. In solchen Gepflogenheiten übertrafst Du noch Deinen Vater, in manchen anderen übrigens auch. Als seine empörenden Briefe an Dich vor Gericht verlesen wurden, schämte er sich natürlich und tat, als weinte er. Wären von seinem Anwalt Deine Briefe an ihn verlesen worden, so hätten alle Zuhörer noch weit mehr Entsetzen und Abscheu empfunden. Und nicht nur stilistisch schlugst Du ihn »in seinem eigenen Fach«, auch in der Art des Angriffs ließest Du ihn weit hinter Dir. Du bedientest Dich des öffentlichen Telegramms und der offenen Postkarte. Ich meine, solche Formen der Behelligung hättest Du Alfred Wood überlassen können, der ausschließlich davon lebte. Nicht wahr? Für ihn und seinesgleichen war es ein Beruf, für Dich ein Vergnügen, und zwar ein niederträchtiges. Auch hast Du die abscheuliche Angewohnheit, beleidigende Briefe zu schreiben, keineswegs abgelegt, nachdem Du gesehen hast, was mir durch sie und um ihretwillen widerfahren ist. Du siehst darin noch immer eine Deiner ausgeprägtesten Fähigkeiten und übst sie an meinen Freunden, an denen, die mir im Gefängnis Gutes tun wie Robert Sherard und andere. Du solltest Dich schämen. Als Robert Sherard von mir erfuhr, daß ich die Veröffentlichung Deines Artikels über mich im *Mercure de France* nicht wünschte – mit Briefen oder ohne Briefe –, hättest Du ihm dankbar dafür sein sollen, daß er Dir meine Wünsche in dieser Sache dartat und Du so davor bewahrt wurdest, mir, ohne es zu wollen, noch mehr Schmerz zuzufügen, als Du ohnehin schon getan hattest. Du mußt bedenken, daß ein gönnerhafter und philiströser Brief über »fair play« für einen »Mann, der am Boden liegt«, in einer englischen Zeitung am Platz ist. Er setzt, was die Einstellung zu Künstlern angeht, die alte englische Journalistentradition fort. In Frankreich dagegen hätte ein solcher Ton mich der Lächerlichkeit und Dich der Verachtung preisgegeben. Ich hätte keinen Artikel zulassen können, dessen Ziel, Tonart, Tendenz und dergleichen ich nicht kannte. In der Kunst haben gute Absichten nicht den geringsten Wert. Alle schlechte Kunst entstammt guten Absichten.

Auch ist Robert Sherard nicht der einzige unter meinen Freunden, an den Du ätzende und bittere Briefe richtetest, weil er fand, man müsse meine Meinung einholen, wo es sich um Angelegenheiten handelte, die mich unmittelbar betrafen, wie die Veröffentlichung von Artikeln über mich, die Zueignung Deiner Gedichte, die Rückgabe meiner Briefe und Geschenke und dergleichen. Du hast auch andere beleidigt oder zu beleidigen versucht.

Kommt Dir je in den Sinn, wie übel ich in den vergangenen zwei Jahren, während meiner entsetzlichen Strafe, daran gewesen wäre, wenn ich mich auf Deine Freundestreue hätte verlassen müssen? Denkst Du jemals daran? Empfindest Du jemals die geringste Dankbarkeit denjenigen gegenüber, die durch unerschöpfliche Güte, grenzenlose Anhänglichkeit, durch heitere Freude am Geben mir meine schwarze Last erleichtert, mich immer wieder besucht haben, mir schöne und mitfühlende Briefe schrieben, sich meiner Interessen annahmen, mein künftiges Leben für mich planten, zu mir standen, aller Verleumdung, Stichelei, offenen Geringschätzung, ja Beleidigung zum Trotz? Ich danke Gott jeden Tag, daß er mir andere Freunde gegeben hat, als Du einer bist. Ich verdanke ihnen alles. Selbst die Bücher in meiner Zelle hat Robbie von seinem Taschengeld bezahlt. Aus der gleichen Quelle sollen mir nach meiner Entlassung Kleider beschafft werden. Ich schäme mich nicht, anzunehmen, was Liebe und Zuneigung mir schenken. Ich bin stolz darauf. Doch hast Du je überlegt, was meine Freunde wie More Adey, Robbie, Robert Sherard, Frank Harris und Arthur Clifton für mich tun, indem sie mir Trost, Hilfe, Liebe, Mitgefühl entgegenbringen? Daran hast Du wohl noch nie gedacht. Und doch – wenn Du einen Funken Vorstellungskraft in Dir hättest, wüßtest Du, daß es nicht einen Menschen gibt unter all denen, die während meiner Gefängnisjahre gut zu mir waren, bis hinunter zu dem Wärter, der mir vielleicht ein »Guten Morgen« oder ein »Gute Nacht« sagt, obgleich das nicht zu seinen dienstlichen Pflichten gehört – bis hinunter zu den gewöhnlichen Polizisten, die mich auf ihre schlichte, rauhe Art zu trösten suchten, als ich unter schrecklichen seelischen Qualen mehrmals vom Gefängnis zum Konkursgericht und zurück gebracht wurde – bis hinunter zu dem armen Dieb, der mich erkannte, als wir im Gefängnishof zu Wandsworth unsere Runde machten und mir mit der heiseren Kerkerstimme, die man vom langen, erzwungenen Schweigen bekommt, zuflüsterte: *»Sie tun mir leid: Leute wie Sie trifft's härter als unsereinen«* – daß nicht einer unter ihnen ist, sage ich, dem Du nicht danken müßtest, wenn er Dir erlaubte, vor ihm niederzuknien und den Schmutz von seinen Schuhen zu putzen.

Hast Du genügend Phantasie, zu verstehen, wie tragisch es für mich war, Deiner Familie begegnet zu sein? Wie tragisch es für jeden Menschen gewesen wäre, der eine angesehene Stellung, einen angesehenen Namen, irgendwas von Bedeutung zu verlieren hatte? Unter Deinen erwachsenen Angehörigen ist kaum einer – mit Ausnahme von Percy, der wirklich ein guter Junge ist –, der nicht auf seine Weise zu meinem Ruin beigetragen hätte.

Ich habe Dir von Deiner Mutter gesprochen, nicht ohne Bitterkeit, und ich rate Dir dringend, ihr – vor allem um Deinetwillen –

diesen Brief zu zeigen. Wenn es sie schmerzt, eine solche Anklage gegen einen ihrer Söhne zu lesen, so soll sie daran denken, daß *meine* Mutter, der im Geistesleben der Platz neben Elizabeth Barrett Browning und in der Geschichte der Platz neben Madame Roland gebührt, an gebrochenem Herzen starb, weil der Sohn, auf dessen Genie und Werk sie so stolz war und in dem sie immer den würdigen Träger eines geachteten Namens sah, zu zwei Jahren Zwangsarbeit verurteilt worden war. Du wirst mich fragen, wie Deine Mutter zu meinem Umtergang beigetragen hat. Ich will es Dir sagen. Genau wie Du versuchtest, die ganze Verantwortung für Deine Unmoral auf mich zu schieben, so bemühte sich Deine Mutter, ihre ganze moralische Verantwortung Dir gegenüber auf mich zu schieben. Statt offen mit Dir über Dein Leben zu sprechen, wie es die Pflicht einer Mutter ist, schrieb sie immer heimlich an mich und beschwor mich zugleich eindringlich und furchtsam, Dir nichts von ihrem Brief an mich zu sagen. Du siehst, in welche Stellung zwischen Dir und Deiner Mutter ich gedrängt wurde. Sie war ebenso falsch, ebenso absurd und ebenso tragisch wie meine Stellung zwischen Dir und Deinem Vater. Im August 1892 und am 8. November des gleichen Jahres führte ich mit Deiner Mutter zwei lange Gespräche über Dich. Beide Male fragte ich sie, warum sie nicht direkt mit Dir spreche. Beide Male erhielt ich die gleiche Antwort: *»Ich wage es nicht, er wird so ärgerlich, wenn man ihm gut zuredet.«* Das erste Mal kannte ich Dich erst so flüchtig, daß ich nicht begriff, was sie meinte. Das zweite Mal kannte ich Dich so gut, daß ich vollauf begriff. (In der Zwischenzeit hattest Du einen Anfall von Gelbsucht gehabt und auf Anraten des Arztes eine Woche in Bournemouth verbringen müssen, Du hattest mich überredet, mitzukommen, weil Du nicht allein sein wolltest.) Doch die erste Pflicht einer Mutter ist es, vor einem ernsten Gespräch mit ihrem Sohn keine Angst zu haben. Hätte Deine Mutter ernstlich mit Dir über die mißliche Geschichte gesprochen, in der Du im Juli 1892 stecktest, und Dein Vertrauen gewonnen, es wäre letztlich für Euch beide viel besser und viel glücklicher gewesen. Alle diese verstohlenen, geheimen Mitteilungen an mich waren falsch. Welchen Zweck hatten die zahllosen Briefchen, die Deine Mutter mir schickte, mit dem Vermerk »Persönlich« auf dem Umschlag, in denen sie mich bat, Dich nicht so oft zum Essen einzuladen und Dir kein Geld zu geben, jedes mit der gewichtigen Nachschrift: *»Lassen Sie Alfred auf keinen Fall wissen, daß ich Ihnen geschrieben habe.«* Was konnte bei einer solchen Korrespondenz herauskommen? Hast Du jemals gewartet, bis man Dich zum Essen einlud? Niemals. Mit schöner Selbstverständlichkeit nahmst Du alle Mahlzeiten an meinem Tisch ein. Wenn ich Einspruch erhob, hattest Du stets die Erwiderung: *»Wenn ich nicht mit dir esse, mit wem soll ich dann essen? Denkst du vielleicht zu Hause?«* Darauf gab es keine Antwort. Und wenn ich mich strikt weigerte, Dich mit mir essen zu lassen, dann drohtest Du jedesmal, irgendeine Dummheit anzustellen, und tatest es auch. Welche Wirkung konnten Briefe haben, wie Deine Mutter sie mir dauernd schrieb, außer der, die dann auch eintrat: daß die moralische Verantwortung in törichter und verhängnisvoller Weise auf mich abgeschoben wurde. Ich will nicht weiter über die Einzelheiten sprechen, in denen die Schwäche und Feigheit Deiner Mutter sich so verderblich für sie, für Dich und für mich erwies, doch als sie erfuhr, daß Dein Vater in mein Haus eindrang, um eine widerliche Szene zu machen und einen öffentlichen Skandal zu erregen, hätte sie wahrhaftig begreifen können, daß eine ernste Krise bevorstand, und entsprechende Schritte unternehmen sollen, um sie nach Möglichkeit zu vermeiden. Statt dessen fiel ihr nichts Besseres ein, als den glatten George Wyndham herzuschicken, der mir mit seiner glatten Zunge vorschlagen sollte – was wohl? Ich solle Dich »schön langsam abhängen«!

Als hätte ich eine Möglichkeit gehabt, Dich schön langsam abzuhängen! Ich hatte auf alle mögliche Art versucht, unserer Freundschaft ein Ende zu setzen, war so weit gegangen, England zu verlassen und eine falsche Adresse im Ausland anzugeben, in der Hoffnung, mit einem Streich ein Band zu zerschneiden, das mir lästig, verhaßt und verderblich geworden war. Glaubst Du, ich hätte Dich »schön langsam abhängen« *können?* Glaubst Du, Dein Vater hätte sich damit zufriedengegeben? Du weißt, daß das nicht der Fall gewesen wäre. Dein Vater wollte nicht den Abbruch unserer Freundschaft erreichen, sondern einen öffentlichen Skandal. Darum ging es ihm. Seit Jahren war sein Name nicht mehr in den Zeitungen gestanden. Er sah die Möglichkeit, sich dem britischen Publikum in einer völlig neuen Rolle vorzustellen, in der Rolle des liebenden Vaters. Sein Sinn für Humor war erwacht. Wenn ich meine Freundschaft mit Dir gelöst hätte, wäre er furchtbar enttäuscht gewesen, und das bißchen Klatsch um seine zweite Ehescheidung, wenn auch im einzelnen und dem Anlaß nach empörend, wäre ihm nur eine geringe Entschädigung gewesen. Alle Welt sollte von ihm sprechen, er wollte, wie man so sagt, als Vorkämpfer der Sittenreinheit gelten, denn das ist bei der heutigen Geistesverfassung der britischen Öffentlichkeit das sicherste Mittel, der Held des Tages zu werden. Von dieser Öffentlichkeit habe ich in einem meiner Stücke gesagt, sie sei in der einen Hälfte des Jahres Caliban und Tartuffe in der anderen, und Dein Vater, in dem beide Figuren verkörpert waren, war prädestiniert zum typischen Vertreter des Puritanismus in seiner aggressivsten und ausgeprägtesten Form. Dich langsam abzuhängen hätte gar nichts genützt, selbst wenn es praktisch durchführbar gewesen wäre. Fühlst Du jetzt, daß es die Pflicht Deiner Mutter gewesen wäre, mich zu sich zu bitten und Dich und Deinen Bruder dazu und mit aller Entschiedenheit zu erklären, mit dieser Freundschaft sei ein für allemal Schluß? Sie hätte in mir ihre wärmste Stütze gefunden und in Drumlanrigs und meiner Anwesenheit auch ruhig wagen können, Dir gut zuzureden. Sie tat es nicht. Sie hatte Angst vor ihrer Verantwortung und versuchte, sie auf mich abzuwälzen. Es stimmt, daß sie mir einen Brief geschrieben hat. Ein paar Zeilen nur, worin sie mich bat, das Schreiben des Anwalts, das Deinen Vater vor weiteren Unternehmungen warnen sollte, nicht abzuschicken. Sie hatte völlig recht. Es war lächerlich von mir, Anwälte zu konsultieren und bei ihnen Schutz zu suchen. Doch sie zerstörte jede Wirkung, die ihr Brief hätte haben können, durch ihren üblichen Nachsatz: *»Lassen Sie Alfred auf keinen Fall wissen, daß ich Ihnen geschrieben habe.«*

Die Idee, daß auch ich, genau wie Du, Advokatenbriefe an Deinen Vater schicken sollte, fandest Du hinreißend. Es war Dein Vorschlag. Ich konnte nicht einwenden, daß Deine Mutter entschieden dagegen war, denn sie hatte mir das feierliche, bindende Versprechen abgenommen, Dir nie etwas von ihren Briefen an mich zu sagen, und ich war töricht genug, dieses Versprechen zu halten. Siehst Du nicht ein, wie unrecht sie daran getan hat, nicht direkt mit Dir zu sprechen? Daß all das Hintertreppen-Getuschel mit mir und die ganze Hintertür-Korrespondenz falsch waren? Niemand kann seine Verantwortung auf einen anderen abwälzen. Am Ende fällt sie immer auf ihren Träger zurück. Du hattest eine einzige Lebensauffassung, eine einzige Philosophie – falls man Dir überhaupt eine Philosophie zutrauen darf –, und zwar, daß für alles, was Du tatest, ein anderer bezahlen müsse: ich meine nicht nur im finanziellen Sinn – das war einfach die praktische Anwendung Deiner Philosophie auf den Alltag –, sondern im weitesten, vollsten Sinn der abgeschobenen Verantwortung. Das machtest Du zu Deinem Glaubensbekenntnis. Es hatte den größten Erfolg, solange es dauerte. Du drängtest mich in einen Prozeß, weil Du wußtest, daß Dein Vater keinesfalls Dich oder Dein Leben angreifen und daß ich beides bis zum äußersten verteidigen würde, daß ich alles, was man mir auflud, auf meine Schultern nehmen würde. Du hattest recht. Dein Vater und ich handelten, jeder natürlich aus anderen Motiven, genau so, wie Du es erwartet hattest. Und doch bist Du, trotz allem, nicht wirklich davongekommen. Die »Theorie vom Knäblein Samuel«, wie man sie der Kürze halber nennen kann, ist gut und schön, soweit die Welt der kleinen Leute im Spiel ist. In London mag man weidlich darüber spotten, in Oxford ein bißchen die Nase rümpfen, doch auch das nur, weil es an beiden Orten ein paar Leute gibt, die Dich kennen, und weil Du an jedem dieser Orte die Spuren Deines Wandelns zurückließest. Abgesehen von einem kleinen Grüppchen in jeder dieser beiden Städte sieht die Welt in Dir den anständigen jungen Mann, der um ein Haar von dem bösen und unmoralischenKünstler zur Sünde verführt worden wäre, wenn ihn nicht im letzten Augenblick der gütige und liebende Vater gerettet hätte. Das klingt ganz plausibel. Und doch weißt Du, daß Du nicht davongekommen bist. Ich spreche jetzt nicht von einer dummen Frage, die ein dummer Geschworener stellte und die selbstverständlich vom Staatsanwalt und vom Richter geringschätzig abgetan wurde. Niemand interessierte sich dafür. Ich spreche jetzt vielmehr von Deiner grundsätzlichen Einstellung. In Deinem Innersten, und eines Tages wirst Du über Dein Verhalten nachdenken müssen, bist Du nicht zufrieden, kannst Du nicht zufrieden sein damit, wie die Dinge sich entwickelten. Insgeheim mußt Du Dich vor Dir selbst schämen. Es eine feine Sache, der Welt eine eherne Stirn zu zeigen, doch dann und wann, wenn Du allein bist und kein Publikum hast, wirst Du wohl die Maske abnehmen müssen, und sei es nur, um Atem zu schöpfen. Sonst wärst Du bestimmt schon erstickt.

Und genauso muß Deine Mutter manchmal bedauern, daß sie versucht hat, ihre ernste Verantwortung auf einen anderen Menschen zu schieben, einen, der schon schwer genug zu tragen hatte. Sie hätte Dir Mutter und Vater sein sollen. Hat sie auch nur eine dieser beiden Pflichten erfüllt? Wenn ich Nachsicht hatte mit Deiner Launenhaftigkeit, Deiner Rücksichtslosigkeit und Deinen Szenen, so hätte auch sie sich damit abfinden können. Als ich meine Frau zum letztenmal sah – vor vierzehn Monaten –, sagte ich zu ihr, sie müsse Cyril nun Mutter und Vater sein. Ich erzählte ihr, wie Deine Mutter sich in allen Stücken Dir gegenüber verhalten hat, so wie ich es in diesem Brief niedergeschrieben habe, natürlich nur ausführlicher. Ich sagte ihr, was es mit den zahllosen Briefen auf sich hatte, die alle auf dem Umschlag den Vermerk »Persönlich« trugen, mit den Briefen, die Deine Mutter immer in die Tite Street schickte, und das mit solcher Beharrlichkeit, daß meine Frau schon lachte und sagte, wir müßten wohl gemeinsam an einem Gesellschaftsroman oder dergleichen arbeiten. Ich beschwor sie, an Cyril nicht so zu handeln, wie Deine Mutter an Dir gehandelt hatte. Ich sagte ihr, sie solle ihn so erziehen, daß er, falls er je unschuldiges Blut vergießen sollte, zu ihr kommen und sich ihr anvertrauen würde, damit sie es ihm zuerst von den Händen waschen und ihn dann lehren möge, wie er es danach durch Reue oder Sühne auch von seiner Seele waschen könne. Ich sagte ihr, wenn sie davor zurückschrecke, die Verantwortung für ein anderes Leben zu übernehmen, selbst wenn es das Leben ihres eigenen Kindes sei, so müsse sie einen Vormund bestellen lassen, der ihr helfen würde. Das hat sie auch getan, und ich bin froh darüber. Sie hat Adrian Hope gewählt, einen Mann von hoher Abkunft und Bildung und edlem Charakter, ihren Vetter, den Du einmal in der Tite Street getroffen hast, und er bietet Cyril und Vyvyan alle Aussicht auf eine schöne Zukunft. Wenn Deine Mutter schon Angst hatte, ernsthaft mit Dir zu sprechen, so hätte sie einen ihrer eigenen Verwandten darum bitten sollen, auf den Du vielleicht gehört hättest. Aber sie hätte überhaupt keine Angst haben sollen. Sie hätte sich mit Dir aussprechen sollen. Sieh doch selbst, was dabei herausgekommen ist. Ist sie jetzt glücklich und zufrieden?

Ich weiß, daß sie mir die Schuld gibt. Ich höre es, nicht von Leuten, die Dich kennen, sondern von Leuten, die Dich nicht kennen und auch nicht kennenlernen wollen. Ich höre es oft. Sie spricht zum Beispiel vom Einfluß eines älteren auf einen jüngeren Menschen. Es ist der Aspekt, unter dem sie das Problem am liebsten angeht und ein Appell an das landläufige Vorurteil und die allgemeine Ignoranz, der seine Wirkung nie verfehlt. Ich brauche Dich nicht zu fragen, welchen Einfluß ich auf Dich hatte. Du weißt, daß ich keinen hatte. Du prahltest häufig damit, daß ich keinen hatte, ausnahmsweise eine Prahlerei, die begründet war. Was war denn auch in Dir, was ich hätte beeinflussen können? Dein Verstand? Er war nicht entwickelt. Deine Phantasie? Sie war tot. Dein Herz? Es war noch nicht geboren. Von allen Menschen, die jemals meinen Lebensweg gekreuzt haben, warst Du derjenige, der einzige, den ich in keiner Weise und in keiner Richtung zu beeinflussen vermochte. Als ich krank und hilflos an einem Fieber darniederlag, das ich mir bei Deiner Pflege zugezogen hatte, reichte mein Einfluß nicht einmal aus, Dich zu bewegen, daß Du mir einen Becher Milch zu trinken holtest oder dafür sorgtest, daß mein Krankenzimmer mit den nötigsten Utensilien ausgestattet wurde oder daß Du Dir die Mühe gemacht hättest, ein paar hundert Meter weit bis zu einem Buchladen zu fahren, um mir auf meine Kosten ein Buch zu besorgen. Als ich auf der Höhe meiner schriftstellerischen Laufbahn war, Komödien schrieb, die Congreve an Geist und Dumas fils an philosophischem Gehalt übertrafen, und ich glaube auch jeden anderen in jeder anderen Hinsicht, reichte mein Einfluß auf Dich nicht aus, mir Ruhe vor Dir zu verschaffen, wie jeder Künstler sie braucht. Wo immer ich meine Arbeitsstätte aufschlug, für Dich war sie eine Art Clubhalle, ein Raum, wo man raucht, Weißwein mit Soda trinkt und über albernes Zeug plaudert. Der »Einfluß eines älteren auf einen jüngeren Menschen« ist eine großartige Theorie, solange sie mir nicht zu Ohren kommt.

Dann wird sie grotesk. Wenn sie Dir zu Ohren kommt, dann lächelst Du wohl – insgeheim. Dazu hast Du gewiß allen Grund. Ich höre auch viel davon, was Deine Mutter über Geld sagt. Sie behauptet, und das mit vollem Recht, daß sie mich unermüdlich beschworen habe, Dir kein Geld mehr zu geben. Das stimmt. Ihre Briefe waren zahllos, und die Nachschrift: *»Bitte lassen Sie Alfred nicht wissen, daß ich Ihnen geschrieben habe«*, tragen sie alle. Aber für mich war es kein Vergnügen, alles und jedes für Dich bezahlen zu müssen, vom Rasieren am Morgen bis zur Droschke um Mitternacht. Es war außerordentlich lästig. Wie oft habe ich Dir deswegen Vorhaltungen gemacht. Wie oft sagte ich – Du weißt es doch noch? –, wie widerlich es mir sei, daß Du mich als »nützlichen« Menschen betrachtetest und daß kein Künstler so betrachtet oder behandelt werden wolle; denn der Künstler ist, wie die Kunst selbst, seinem Wesen nach völlig nutzlos. Wenn ich das zu Dir sagte, wurdest Du jedesmal sehr ärgerlich. Ja, die Wahrheit ist eben höchst schmerzlich zu hören und höchst schmerzlich auszusprechen. Dennoch änderte sie weder Deine Ansichten noch Deine Lebensführung. Jeden Tag mußte ich für alles und jedes bezahlen, was Du den ganzen Tag über tatest. Nur ein absurd gutmütiger oder unbeschreiblich törichter Mensch hätte so etwas getan. Unglücklicherweise vereinigte ich beide Eigenschaften in mir. Sooft ich anregte, Deine Mutter solle Dich mit dem nötigen Geld versorgen, wußtest Du eine sehr hübsche und elegante Erwiderung. Du sagtest, das ihr von Deinem Vater ausgesetzte Einkommen – einige £ 1 500 pro Jahr, glaube ich – sei für die Bedürfnisse einer Dame ihres Standes völlig unzureichend, und Du könntest sie nicht um mehr Geld angehen, als Du bereits bekämst. Du hattest völlig recht damit, daß ihr Einkommen für eine Dame ihres Standes und Geschmacks durchaus indiskutabel war, aber das hätte Dir nicht zum Vorwand dienen sollen, auf meine Kosten im Überfluß zu leben: im Gegenteil, es hätte Dich zur Sparsamkeit in Deiner eigenen Lebenshaltung mahnen sollen. Tatsache ist, daß Du ausgesprochen sentimental warst und es wohl noch bist. Denn ein sentimentaler Mensch ist einer, der sich den Luxus eines Gefühls leisten möchte, ohne dafür zu bezahlen. Es war schön von Dir, daß Du Deiner Mutter nicht auf der Tasche liegen wolltest. Daß Du Dich dafür an mir schadlos hieltest, war häßlich. Du glaubst, Gefühle seien gratis. Weit gefehlt. Selbst für die schönsten und selbstlosesten Gefühle muß man bezahlen. Seltsamerweise macht gerade das sie schön. Das intellektuelle und emotionelle Leben der Masse ist etwas sehr Verächtliches. Genau wie sie ihre Ideen einer Art Leihbücherei des Denkens entlehnen – dem seelenlosen *Zeitgeist* der Epoche – und sie an jedem Wochenende beschmutzt zurückgeben, so versuchen sie auch stets, ihre Gefühle auf Kredit zu kriegen und verweigern die Zahlung, wenn die Rechnung präsentiert wird. Über diese Lebensauffassung solltest Du hinauswachsen. Sobald Du für ein Gefühl zahlen mußt, kennst Du seinen Wert und wirst um diesen Betrag mehr wert sein. Und bedenke, daß der sentimentale Mensch im Herzen immer ein Zyniker ist. Ja, Sentimentalität ist bloß der Bankfeiertag des Zynismus. Und so reizvoll die intellektuelle Seite des Zynismus ist, jetzt, nachdem er die Tonne mit dem Club vertauscht hat, kann er nur noch die passende Philosophie für einen Menschen ohne Seele abgeben. Er hat seine gesellschaftlichen Meriten, und für den Künstler ist jede Ausdrucksmöglichkeit interessant, doch an sich ist er nur eine armselige Sache, denn dem wahren Zyniker wird nichts je geoffenbart.

Ich glaube, wenn Du jetzt rückblickend Deine Einstellung zum Geld Deiner Mutter und Deine Einstellung zu meinem Geld betrachtest, so wirst Du nicht stolz auf Dich sein. Du wirst Deiner Mutter vielleicht eines Tages, falls Du ihr diesen Brief nicht zeigst, erklären, die Frage, ob es mir recht sei, daß Du aus meiner Tasche lebtest, sei nie gestellt worden. Es war einfach eine besondere und für mich persönlich höchst betrübliche Form, die Deine Neigung zu mir angenommen hatte. Daß Du Dich in kleinsten wie in größten Summen von mir abhängig machtest, verlieh Dir in Deinen eigenen Augen den ganzen Zauber des Kindseins, und in dem Verfahren, mich für jede Deiner Vergnügungen zahlen zu lassen, glaubtest Du, das Geheimnis der ewigen Jugend gefunden zu haben. Ich gestehe, daß es mich schmerzt, wenn ich von den Bemerkungen Deiner Mutter über mich höre, und ich bin überzeugt, daß Du mir bei einigem Nachdenken darin recht gibst: wenn sie schon kein Wort des Bedauerns oder Mitleids findet für das Verderben, das Deine Familie über die meine gebracht hat, so wäre es besser, sie hüllte sich in Schweigen. Es besteht natürlich keine Veranlassung, ihr die Abschnitte dieses Briefes zu zeigen, die sich auf die geistige Wandlung beziehen, die sich in mir vollzogen hat, oder auf neue Ansätze, zu denen ich zu gelangen hoffe. Das würde sie nicht interessieren. Doch die Abschnitte, die sich ausschließlich mit Deinem Leben befassen, würde ich ihr an Deiner Stelle zeigen.

Ja, an Deiner Stelle würde ich keinen Wert darauf legen, unter Vorspiegelung falscher Tatsachen geliebt zu werden. Es hat keinen Sinn, daß man sein Leben vor aller Welt bloßlegt. Die Welt versteht nichts. Anders ist es bei Menschen, nach deren Liebe man sich sehnt. Ein guter Freund – ein Freund, der seit zehn Jahren zu mir hält – besuchte mich vor einiger Zeit und sagte mir, er glaube nicht ein Wort von dem, was mir vorgeworfen werde, und wolle mir zu wissen geben, daß er mich für unschuldig halte, für das Opfer eines abscheulichen Komplotts, das Dein Vater ausgeheckt habe. Ich brach über seine Worte in Tränen aus und sagte ihm, von den entscheidenden Anschuldigungen Deines Vaters sei zwar vieles völlig unwahr gewesen und mir mit empörender Bosheit unterstellt worden, doch es stimme, daß mein Leben von perversen Genüssen und abwegigen Leidenschaften erfüllt gewesen sei, und er müsse sich diese Tatsache, die von mir nicht zu trennen sei, im vollen Umfang klarmachen, sonst könne ich sein Freund nicht mehr sein, nicht einmal mehr mit ihm zusammenkommen. Es war ein schrecklicher Schock für ihn, doch wir sind Freunde geblieben, und ich habe seine Freundschaft nicht unter Vorspiegelung falscher Tatsachen erschlichen. Ich sagte Dir, es schmerze, die Wahrheit zu sagen. Zum Lügen gezwungen sein, schmerzt noch viel mehr.

Ich erinnere mich, wie ich bei meinem letzten Prozeß auf der Anklagebank saß und mir Lockwoods vernichtende Anklage gegen mich anhören mußte – wie ein Kapitel aus Tacitus, wie eine Stelle aus Dante, wie eine von Savonarolas Brandreden wider die Päpste in Rom – und ich krank war vor Ekel über das, was ich hörte. Plötzlich fuhr mir der Gedanke durch den Kopf: »Wie großartig wäre es, wenn ich selbst das alles über mich sagte!« Damals erkannte ich mit einem Schlag, daß es nichtig ist, was über einen gesagt wird. Es kommt darauf an, wer es sagt. Der Mensch, daran zweifle ich nicht, erhebt sich dann am höchsten, wenn er im Staub kniet, sich an die Brust schlägt und alle Sünden seines Lebens bekennt. Das trifft auch auf Dich zu. Du würdest viel glücklicher sein, wenn Du Deiner Mutter wenigstens einen kleinen Einblick in Dein Leben gewährtest. Ich erzählte ihr im Dezember 1893 allerlei, doch ich war selbstverständlich zu Auslassungen und Verallgemeinerungen gezwungen. Es hat ihr offenbar nicht Mut gemacht, Dir offener als bisher gegenüberzutreten. Im Gegenteil. Beharrlicher denn je vermied sie es, der Wahrheit ins Auge zu blicken. Wenn Du selber mit ihr sprächest, wäre es anders. Meine Worte mögen Dir oft allzu bitter klingen. Doch die Tatsachen kannst Du nicht leugnen. Die Dinge waren wirklich so, wie ich sie dargestellt habe, und wenn Du diesen Brief so sorgfältig lesen wirst, wie Du ihn lesen sollst, dann bist Du Dir selbst Aug' in Auge gegenübergestanden.

Ich habe Dir das alles mit so großer Ausführlichkeit geschrieben, um Dir klarzumachen, was Du mir vor meiner Inhaftierung, während jener drei Jahre einer verhängnisvollen Freundschaft, gewesen bist: was Du mir während meiner Inhaftierung warst, die jetzt nur noch zwei Monde vor ihrem Ablauf steht: und was ich hoffe, für mich und andere zu sein, wenn ich aus meiner Haft entlassen sein werde. Ich kann meinen Brief nicht umformen oder umschreiben. Du mußt ihn so nehmen, wie er ist, an vielen Stellen von Tränen verwischt, an manchen von Leidenschaft und Leid gezeichnet; entziffere ihn, so gut Du kannst, seine undeutlichen Stellen und Korrekturen. Die Korrekturen und *errata* habe ich gemacht, um Worte zu finden, die meine Gedanken treu wiedergeben und weder durch ein Zuviel noch durch ein Zuwenig von ihnen abirren. Die Sprache will gestimmt sein wie eine Geige: und genau wie zu hohe oder zu niedrige Frequenz in der Stimme des Sängers oder im Schwingen der Saite einen falschen Ton ergeben, so verfälschen zu viele oder zu wenige Worte eine Botschaft. Zumindest hat in meinem Brief, so wie er jetzt dasteht, jeder Satz seine entschiedene Bedeutung. Er enthält keine Rhetorik. Wo immer etwas durchgestrichen, eine geringfügige oder umfangreiche Änderung vorgenommen worden ist, da geschah es, weil ich meinen wahren Eindruck wiedergeben, meinen Gefühlen den genau entsprechenden Ausdruck verleihen wollte. Je stärker das Gefühl, desto geringer die formale Brillanz.

Ich gebe zu, daß dies ein strenger Brief ist. Ich habe Dich nicht geschont. Du könntest sogar sagen, ich hätte zunächst eingeräumt, es sei unbillig, Dich gegen das kleinste meiner Leiden, gegen den geringsten meiner Verluste abzuwägen, und hätte es dann doch getan und das Gewicht Deines Wesens Gran für Gran aufs peinlichste bestimmt. Das ist wahr. Doch Du mußt bedenken, daß Du selbst auf die Waage gestiegen bist.

Bedenke auch: legte man in die andere Schale nur einen einzigen Augenblick meiner Kerkerhaft, so würde die Schale, in der Du liegst, in die Höhe schnellen, denn aus Eitelkeit hast Du die Waage gewählt, aus Eitelkeit an ihr festgehalten. *Da* liegt der eine große psychologische Irrtum unserer Freundschaft, ihr völliger Mangel an Proportion. Du hast Dich in ein Leben gedrängt, das viel zu groß für Dich war, in ein Leben, dessen Kreisbahn weit über den Radius Deiner Vorstellungskraft hinausschwang, dessen zyklische Eigenbewegung die Deine weit übertrifft, dessen Gedanken, Passionen und Aktionen weitreichend und vielschichtig waren und dem eine vielleicht allzu große Fülle wunderbarer und schrecklicher Möglichkeiten innewohnte. Dein kleines Leben kleiner Launen war bewundernswert, solange es sich in seiner eigenen kleinen Kreisbahn bewegte. Es war bewundernswert in Oxford, wo das Schlimmste, was Dich treffen konnte, ein Tadel des Deans oder eine Strafpredigt des Präsidenten war, das höchste der Gefühle aber ein Sieg Magdalens im Wettrudern und das Abbrennen eines Freudenfeuers im Innenhof zur Feier des hehren Ereignisses. Auch nach Deinem Weggang von Oxford hätte es auf seiner eigenen Bahn weiterkreisen sollen. Du stimmtest mit Dir überein. Du warst ein vollendetes Exemplar eines sehr modernen Typs. Unstimmig warst Du nur in Deiner Beziehung zu mir. Deine leichtsinnige, sorglose Verschwendung war kein Verbrechen. Die Jugend ist immer verschwenderisch. Schändlich war nur, daß Du mich zwangst, für Deine Extravaganzen aufzukommen. Deine Sehnsucht nach einem Freund, mit dem Du Deine ganze Zeit von morgens bis abends hinbringen könntest, war reizend. Beinahe idyllisch. Doch der Freund, an den Du Dich klammertest, hätte nicht Schriftsteller, nicht Künstler sein dürfen, nicht jemand, dessen Werk durch Deine ständige Gegenwart in seiner Schönheit aufs äußerste gefährdet, ja dessen schöpferische Fähigkeit gelähmt wurde. Es schadet niemandem, daß Du allen Ernstes glaubtest, ein wohlgelungener Abend müsse aus einem Champagner-Dinner im Savoy bestehen, gefolgt vom Besuch eines Varietés auf einem Logenplatz und danach noch aus einem Champagner-Souper bei Willis als *bonne-bouche* zum Abschluß. Scharen ganz reizender junger Leute in London sind der gleichen Meinung. Es ist nicht einmal ausgefallen. Es ist die Aufnahmebedingung für den White's Club. Aber Du hattest kein Recht, mich zu Deinem Vergnügungs-Lieferanten zu stempeln. Es zeigt, daß Du mein Genie in keiner Weise zu schätzen wußtest. Ferner hätte Dein Streit mit Deinem Vater, was immer man davon halten mag, eindeutig eine Angelegenheit zwischen Euch beiden bleiben müssen. Er hätte in einem Hinterhof ausgetragen werden sollen. Dorthin gehören meines Wissens derartige Händel. Du begingst den Fehler, unbedingt eine Tragikomödie auf der überhöhten Bühne der Geschichte aufführen zu wollen, mit der ganzen Welt als Publikum und mir selbst als Trophäe für den Sieger in diesem unedlen Wettstreit. Die Tatsache, daß Dein Vater Dich haßte und daß Du Deinen Vater haßtest, war für die englische Öffentlichkeit völlig uninteressant. Solche Gefühle trifft man im englischen Familienleben auf Schritt und Tritt, und sie sollten auf die Umgebung beschränkt bleiben, für die sie charakteristisch sind: auf das traute Heim. Außerhalb dieses Kreises sind sie fehl am Platz. Sie anderswo hinzuverlegen ist geschmacklos. Das Familienleben kann man nicht wie eine rote Fahne auf der Straße entrollen oder wie einen Hornstoß vom Dach trompeten. Du hast die Häuslichkeit aus ihrer eigentlichen Sphäre herausgehoben, genau wie Du Dich selbst aus Deiner eigentlichen Sphäre heraushobst.

Und wer seine eigentliche Sphäre verläßt, wechselt nur seine Umgebung, nicht aber sein Wesen. Er übernimmt weder die Gedanken noch die Leidenschaften, die der neubetretenen Sphäre eigen sind. Er hat gar nicht die Kraft dazu. Die emotionalen Kräfte sind, wie ich irgendwo in *Intentions* ausführe, in Maß und Dauer ebenso begrenzt wie die physischen Energien. Der kleine Becher, der für ein bestimmtes Quantum gemacht worden ist, kann dieses Quantum fassen und nicht mehr, mögen auch alle Purpurhütten Burgunds mit Wein gefüllt sein bis zum Rand und die Einstampfer knietief in den Trauben aus den steinigen Rebgärten Spaniens stehen. Es ist der weitest verbreitete Irrtum, anzunehmen, daß Menschen, welche Ursache oder Anlaß großer Tragödien sind, auch Gefühle besitzen, die dieser Tragik anstehen: kein Irrtum ist verhängnisvoller als diese Erwartung. Der Märtyrer im »Flammenhemd« mag zu Gottes Antlitz aufblicken, doch dem, der das Reisig türmt oder die Scheite lockert, damit die Flamme hochschlägt, bedeutet die ganze Szene nicht mehr, als dem Metzger das Schlachten eines Ochsen bedeutet, dem Köhler im Wald das Fällen eines Baums, oder der Fall einer Blume dem Schnitter, der mit der Sense das Gras mäht. Große Leidenschaften sind für große Seelen da, und große Ereignisse können nur die wahrnehmen, die auf gleicher Höhe mit ihnen stehen.

Ich kenne in der gesamten dramatischen Literatur nichts, was vom Standpunkt der Kunst aus unvergleichlicher wäre oder vielschichtiger in der Feinheit der Beobachtung als Shakespeares Porträts von Rosenkranz und Güldenstern. Sie sind Hamlets Studienfreunde. Sie waren seine Gefährten. Sie bringen Erinnerungen an gemeinsam verlebte frohe Tage mit. Zu dem Zeitpunkt, als sie Hamlet im Stück begegnen, wankt er unter einer Bürde einher, die für einen Menschen seines Temperaments unerträglich ist. Die Toten sind bewaffnet aus dem Grab gestiegen und haben ihm einen Auftrag erteilt, der zugleich zu hoch und zu niedrig für ihn ist. Er ist ein Träumer und nun zum Handeln aufgerufen. Er hat die Natur eines Dichters, und nun soll er sich ins gemeine Getümmel von Ursachen und Wirkungen stürzen, sich mit dem Leben in seiner praktischen Gestalt auseinandersetzen, von dem er nichts versteht, nicht mit dem Leben in seinem ideellen Wesen, von dem er so viel versteht. Er hat keine Vorstellung davon, was zu tun sei, und sein Wahnsinn besteht darin, daß er Wahnsinn heuchelt. Brutus nutzte die Tollheit als Mantel, unter dem er das Schwert seiner Absicht, den Dolch seines Willens verbarg, doch für Hamlet ist die Tollheit bloß die Maske, unter der er die Schwäche versteckt. Im Grimassieren und Witzereißen sieht er das Mittel zum Aufschub. Er spielt lange mit der

Tat, wie der Künstler mit einer Theorie spielt. Er macht sich zum Spion seines eigenen Tuns, lauscht seinen eigenen Worten und weiß dabei doch, es sind nur »Worte, Worte, Worte«. Statt sich zum Helden seiner eigenen Geschichte aufzuschwingen, will er bloß Zuschauer bei seiner eigenen Tragödie sein. Er zweifelt an allem, auch an sich selbst, und doch hilft sein Zweifel ihm nicht, denn er entspringt nicht der Skepsis, sondern einem gespaltenen Willen.

Von alldem begreifen Güldenstern und Rosenkranz nichts. Sie buckeln und feixen und lächeln, und was der eine sagt, wirft der andere als noch schleimigeres Echo zurück. Als Hamlet schließlich mit Hilfe des Spiels im Spiele und der tändelnden Marionetten den König in der »Schlinge seines Gewissens fängt« und den Elenden in panischem Schreck vom Thron jagt, da sehen Güldenstern und Rosenkranz in seinem Vorgehen weiter nichts als einen recht peinlichen Bruch der Hofetikette. Weiter bringen sie's nicht in der Kunst, »dem Schauspiel des Lebens mit angemessenen Gefühlen zu folgen«. Sie stehen dicht vor seinem Geheimnis und verstehen nichts davon. Es hätte auch keinen Sinn, ihnen etwas zu erklären. Sie sind die kleinen Becher, die ein bestimmtes Quantum fassen, und nicht mehr. Gegen Ende wird angedeutet, daß sie sich in einer listigen Schlinge, die sie einem anderen gelegt haben, selbst gefangen und einen gewaltsamen und plötzlichen Tod gefunden haben oder wohl finden werden. Aber ein dergestalt tragisches Ende, auch wenn Hamlets Humor ihm einen Anstrich von Komödien-Überraschung und Komödien-Gerechtigkeit gibt, paßt nicht für diese beiden. Solche Gestalten sterben nie. Horatio, der, um »Hamlet und seine Sache den Unbefriedigten zu erklären«,

> sich noch verbannet von der Seligkeit
> und in der herben Welt mit Mühe atmet

stirbt, wenn auch nicht auf der Bühne, und hinterläßt keinen Bruder. Doch Güldenstern und Rosenkranz sind so unsterblich wie Angelo und Tartuffe und gehören mit ihnen in einen Topf. Sie sind der Beitrag des modernen Lebens zum Freundschaftsideal der Antike. Wer ein neues *De Amicitia* schreibt, muß ihnen eine Nische zuweisen und sie mit Ciceros Prosa besingen. Ihr Typus ist zeitlos. Sie tadeln, hieße sie falsch einschätzen. Sie stehen einfach außerhalb ihrer eigentlichen Sphäre: das ist alles. Seelengröße ist nicht ansteckend. Hehre Gedanken und hehre Gefühle sind ihrem Wesen nach isoliert. Was nicht einmal Ophelia verstehen konnte, das vermochten erst recht nicht »Güldenstern und der liebe Rosenkranz« und »Rosenkranz und der liebe Güldenstern« zu fassen. Natürlich will ich keinen Vergleich mit Dir anstellen. Zwischen euch besteht ein großer Unterschied. Was bei ihnen Schicksal war, war bei Dir Wille. Vorsätzlich und unaufgefordert drängtest Du Dich in meine Sphäre, belegtest einen Platz, der Dir weder zukam noch anstand, und als Du schließlich durch seltene Zähigkeit, und indem Du Deine Gegenwart zum Bestandteil meines Tagesablaufs machtest, mein ganzes Leben in Besitz nahmst, wußtest Du mit diesem Leben nichts Besseres anzufangen, als es in Stücke zu brechen. So wunderlich es Dir klingen mag, es war nur natürlich, daß Du das tatest. Wenn man einem Kind ein Spielzeug gibt, das für seinen kleinen Geist viel zu wunderbar oder für seine erst halb erwachten Augen viel zu schön ist, so zerbricht es, wenn es sich um ein eigensinniges Kind handelt, dieses Spielzeug; ein phlegmatisches Kind wird es fallen lassen und sich wieder seinen Spielgefährten anschließen. Genauso verhieltest Du Dich. Du hieltest mein Leben in Deinen Händen und wußtest nichts damit anzufangen. Du konntest es nicht wissen. Es war viel zu wunderbar für Deine gierigen Hände. Du hättest es loslassen und wieder zu Deinen früheren Spielgefährten zurückkehren sollen. Doch unseligerweise warst Du eigensinnig und zerbrachst es. Darin liegt vielleicht das innerste Geheimnis aller späteren Begebenheiten. Denn Geheimnisse sind stets kleiner als ihre Auswirkungen. Die Verlagerung eines Atoms kann eine Welt erschüttern. Und um mich selbst genausowenig zu schonen wie Dich, will ich folgendes hinzufügen: das Zusammentreffen mit Dir war an sich schon gefährlich für mich, verhängnisvoll wurde es durch den Zeitpunkt, zu dem es erfolgte. Denn Du befandest Dich in jenem Alter, in dem alles, was man tut, nicht mehr ist als das Auswerfen der Saat, und ich befand mich in jenem Alter, in dem alles, was man tut, nichts Geringeres ist als das Einbringen der Ernte.

Ich muß Dir noch über ein paar weitere Punkte schreiben. Erstens über meinen Bankrott. Vor einigen Tagen erfuhr ich, wie ich zugeben muß zu meiner großen Enttäuschung, daß es jetzt für Deine Familie zu spät sei, Deinen Vater auszuzahlen, daß es ungesetzlich wäre und daß ich noch geraume Zeit in meiner gegenwärtigen peinlichen Lage werde bleiben müssen. Das ist bitter für mich, denn man versicherte mir von zuständiger Seite, daß ich ohne Genehmigung des Konkursverwalters, dem alle Abrechnungen vorgelegt werden müssen, nicht einmal ein Buch veröffentlichen dürfe. Ich kann weder mit einem Theaterleiter einen Vertrag abschließen, noch ein Stück aufführen lassen, ohne daß die Einkünfte daraus Deinem Vater und meinen übrigen Gläubigern zuflössen. Selbst Du wirst jetzt wohl zugeben müssen, daß der Plan, mich durch Deinen Vater für bankrott erklären zu lassen, um ihm dadurch »eins auszuwischen«, sich nicht ganz als der glänzende Sieg auf der ganzen Linie erwies, als der er Dir vorschwebte. Für mich jedenfalls nicht, und die Möglichkeit einer Niederlage sowie die Demütigung, die meine Armut mir bereitet, hätten eher den Ausschlag geben müssen als Dein wenn auch kaustischer und eigenwilliger Humor. In der Praxis hast Du, indem Du meinen Bankrott zuließest und mich in den ersten Prozeß hetztest, Deinem Vater direkt in die Hände gespielt und genau das getan, was er erreichen wollte. Allein und ohne Helfer wäre er von Anfang an machtlos gewesen. In Dir – der Du freilich ein so abscheuliches Amt nicht absichtlich bekleidet hast – hat er immer seinen Hauptverbündeten gefunden.

More Adey teilt mir in seinem Brief mit, Du habest im vergangenen Sommer bei mehr als einer Gelegenheit den Wunsch geäußert, mir »einen kleinen Teil meiner Ausgaben für Dich« zurückzuerstatten. Wie ich ihm in meiner Antwort schrieb, wollte es das Unglück, daß ich meine Kunst, mein Leben, meinen Namen, meinen Platz in der Geschichte für Dich gab, und selbst wenn Deine Familie über alles Wunderbare auf der Welt verfügte: über Genie, Schönheit, Reichtum, Ansehen und dergleichen, und mir all das zu Füßen legte, so würde mir damit nicht einmal zu einem Zehntel die geringste Kleinigkeit erstattet, die man mir weggenommen hat, oder auch nur die geringste Träne, die ich vergossen habe. Und doch muß man für alles bezahlen, was man getan hat. Das gilt sogar für den Bankrotteur. Du scheinst unter dem Eindruck zu stehen, der Bankrott sei ein bequemes Mittel, die Bezahlung von Schulden zu vermeiden, ja, den Gläubigern »eins auszuwischen«. Es ist genau umgekehrt. Er ist das Mittel für die Gläubiger, einem Schuldner »eins auszuwischen«, wenn wir bei Deinem Lieblingsausdruck bleiben wollen, das Mittel, mit dem das Gesetz ihn durch die Beschlagnahme seines gesamten Besitzes zwingt, alle seine Schulden zu zahlen, und wenn er dazu nicht imstande ist, steht er so mittellos da wie der gemeinste Bettler, der sich in einem Torweg aufstellt oder eine Straße entlangkriecht und die Hand nach dem Almosen ausstreckt, um das er, in England wenigstens, nicht zu bitten wagt. Das Gesetz hat mir nicht nur alles genommen, was ich besaß, meine Bücher, Möbel, Bilder, die Rechte an meinen bisher veröffentlichten Werken, die Rechte an meinen Theaterstücken, wirklich alles, angefangen von *The Happy Prince* und *Lady Windermere's Fan* bis hinunter zu den Treppenläufern und Fußmatten in meinem Haus, sondern auch das, was ich jemals noch erwerben werde. So wurde zum Beispiel mein Anteil aus meinem Ehevertrag verkauft. Zum Glück konnte ich ihn durch meine Freunde zurückkaufen. Andernfalls wären im Falle des Todes meiner Frau meine beiden Kinder zeit meines Lebens so bettelarm wie ich selber. Mein Anteil aus unserem irischen Besitz, den mein Vater mir vererbt hat, wird wohl als nächstes drankommen. Es tut mir bitter weh, daß er verkauft wird, aber ich muß mich fügen.

Schließlich geht es um die siebenhundert Pence – oder sind es Pfund? –, die Dein Vater zu bekommen hat. Selbst wenn man mir alles genommen haben wird, was ich besitze und je besitzen werde, und das Verfahren gegen mich wegen hoffnungsloser Zahlungsunfähigkeit einstellt, so muß ich immer noch meine Schulden bezahlen. Die Dinners im Savoy – klare Schildkrötensuppe, die leckeren Fettammern, in spröde, sizilianische Weinblätter gehüllt, der schwere, bernsteinfarbene, ja beinahe bernsteinduftende Champagner – Dagonet 1880 war, glaube ich, Dein Lieblingstropfen? –, das alles muß noch bezahlt werden. Die Soupers bei Willis, die Extra-*cuvée* Perrier-Jouet, die immer für uns reserviert waren, die wundervollen *pâtés*, die direkt aus Straßburg kamen, der herrliche *fine champagne*, der immer in großen, glockenförmigen Gläsern serviert wurde, damit sich für die wahren Genießer der wahrhaft erlesenen Dinge des Lebens seine Blume noch duftender entfalten könne – man kann sie nicht unbezahlt lassen als schlimme Schulden eines unehrlichen Gastes. Selbst die zierlichen Manschettenknöpfe – vier herzförmige Mondsteine von silbrigem Lüster, mit Rubinen und Diamanten eingefaßt –, die ich entwarf und bei Henry Lewis als besonderes kleines Geschenk für Dich anfertigen ließ zur Feier des Erfolgs meiner zweiten Komödie – selbst diese – obwohl ich glaube, daß Du sie ein paar Monate später um einen Pappenstil verkauft hast – müssen noch bezahlt werden. Ich kann den Juwelier nicht um der Geschenke willen schädigen, die ich Dir gemacht habe, einerlei, was Du mit ihnen angefangen hast. Du siehst also, selbst wenn das Verfahren eingestellt wird, habe ich immer noch meine Schulden zu begleichen.

Und was für einen Bankrotteur gilt, gilt auch für jeden anderen Menschen. Für alles und jedes, was getan wird, muß irgendwer bezahlen. Selbst Du – trotz Deines Strebens, aller Pflichten ledig zu bleiben, trotz Deiner selbstverständlichen Erwartung, daß andere in allem für Dich sorgen, trotz Deiner Bemühungen, jeden Anspruch auf Deine Zuneigung, Rücksicht oder Dankbarkeit zurückzuweisen – selbst Du wirst eines Tages ernsthaft darüber nachdenken müssen, was Du getan hast, und den, wenn auch vergeblichen, Versuch unternehmen müssen, einiges wieder gutzumachen. Daß Du dazu außerstande sein wirst, wird einen Teil Deiner Strafe ausmachen. Du kannst Deine Hände nicht einfach in Unschuld waschen und mit einem Achselzucken oder einem Lächeln zu einem neuen Freund, einer frisch gedeckten Festtafel übergehen. Du kannst nicht all das, was Du über mich gebracht hast, als sentimentale Reminiszenz abtun, die man gelegentlich mit Zigarren und *liqueurs* wieder aufträgt, ein malerisches Dekor für ein modernes Genußleben, gleich einem alten Wandbehang in einer Bierkneipe. Es mag im Augenblick den Reiz einer neuen Soße oder eines heurigen Weins haben, doch die Reste eines Festmahls werden schimmelig, und der Bodensatz in einer Flasche ist bitter. Heute oder morgen oder irgendwann wirst Du Dich damit auseinandersetzen müssen. Sonst stirbst Du am Ende, ehe Du dazu gekommen bist, und was für ein dürftiges, leeres, phantasieloses Leben läge dann hinter Dir. In meinem

Brief an Adey habe ich einen Gesichtspunkt angeschnitten, unter dem Du so bald wie möglich das Problem angehen solltest. Er wird Dir sagen, um welchen es sich handelt. Damit Du ihn verstehst, wirst Du Deine Phantasie entwickeln müssen. Denke daran, daß allein die Phantasie uns befähigt, Dinge und Menschen sowohl in ihren realen wie in ihren ideellen Bezügen zu sehen. Wenn Du selber es nicht geistig erfassen kannst, so sprich mit anderen darüber. Ich muß jetzt meiner Vergangenheit offen ins Auge sehen. Sieh auch Du Deiner Vergangenheit ins Auge. Setz Dich ganz still hin und betrachte sie. Das höchste Laster ist Seichtheit. Was geistig erfaßt wird, ist gut. Sprich mit Deinem Bruder darüber. Ja, Percy ist dafür der Richtige. Laß ihn diesen Brief lesen und alle Umstände unerer Freundschaft wissen. Wenn ihm die Tatsachen vorliegen, so ist er der beste Richter. Hätten wir ihm die Wahrheit gesagt, wieviel Leiden und Schande wäre mir erspart geblieben! Du erinnerst Dich, daß ich in London, am Abend Deiner Rückkehr aus Algier, diesen Vorschlag machte. Du lehntest entschieden ab. Und als er dann nach dem Abendessen zu uns kam, mußten wir eine Komödie aufführen, mußten sagen, daß Dein Vater ein Irrer sei, der zu absurden und aberwitzigen Wahnvorstellungen neige. Die Komödie war großartig, solange sie dauerte, nicht zuletzt, weil Percy alles für bare Münze nahm. Leider endete sie höchst widerwärtig. Zu ihren Folgen gehört auch das Thema, das ich jetzt abhandle, und falls es Dir lästig sein sollte, so bitte ich Dich, zu bedenken, daß es sich um meine tiefste Demütigung handelt, die ich bis zur Neige auskosten muß. Ich habe keine Wahl. Auch Du hast keine.

Das zweite, worüber ich zu Dir sprechen muß, betrifft Bedingungen, Umstände und Ort unseres Zusammentreffens nach Ablauf meiner Strafzeit. Auszügen Deines Briefes an Robbie vom vergangenen Frühsommer entnehme ich, daß Du meine Briefe und Geschenke an Dich – soweit noch vorhanden – in zwei Päckchen versiegelt hast und sie mir gern persönlich aushändigen möchtest. Natürlich müssen sie unbedingt herausgegeben werden. Du hast nicht verstanden, warum ich Dir schöne Briefe schrieb, sowenig wie Du verstanden hast, warum ich Dir schöne Dinge schenkte. Du hast nicht begriffen, daß erstere nicht zum Veröffentlichen und letztere nicht zum Versetzen gedacht waren. Zudem gehören sie einem Teil meines Lebens an, der längst abgeschlossen ist, einer Freundschaft, deren wahren Wert Du nicht zu würdigen vermochtest. Heute mußt Du voll Erstaunen auf die Tage zurückblicken, als Du mein ganzes Leben in Händen hieltest. Auch ich blicke voll Erstaunen auf sie zurück, und noch mit anderen, gänzlich andersartigen Gefühlen.

Wenn nichts dazwischenkommt, werde ich gegen Ende Mai entlassen und hoffe, unverzüglich mit Robbie und More Adey in ein kleines Fischerdorf im Ausland zu reisen. Das Meer, sagt Euripides in einem seiner Iphigenie-Dramen, reinigt von allem Schmutz und allen Wunden der Welt. *Θάγασσα κλύζει πάντα τ' ἀνθρώπων κακά.*

Ich hoffe, wenigstens einen Monat mit meinen Freunden zu verbringen und in ihrer gesunden und liebevollen Gesellschaft Frieden und Ausgeglichenheit, ein ruhigeres Herz und eine gelassenere Seele zu finden. Eine seltsame Sehnsucht zieht mich zu den großen, schlichten Ur-Dingen, an die See, die für mich nicht weniger eine Mutter ist als die Erde. Mir scheint, wir alle betrachten die Natur zu viel und leben zu wenig in ihr. Die Griechen hatten eine gesunde Einstellung dazu. Sie plapperten nie über Sonnenuntergänge, erörterten nicht, ob die Schatten auf dem Gras wirklich malvenfarben seien oder nicht. Aber sie sahen, daß das Meer für den Schwimmer da ist und der Sand für die Füße des Läufers. Sie liebten die Bäume wegen ihres Schattens und den Wald der Mittagsstille wegen. Der Winzer umwand sein Haar mit Efeu, um die Sonnenstrahlen abzuhalten, wenn er sich über die jungen Pflanzen beugte, und für den Künstler und den Athleten, die beiden Typen, die Griechenland uns geschenkt hat, flocht man Girlanden aus den Blättern des bitteren Lorbeers und der wilden Petersilie, die beide nicht den geringsten Nutzwert hatten.

Wir nennen uns selbst eine utilitaristische Generation und kennen doch nicht den Nutzen eines einzigen Dings. Wir wissen nicht mehr, daß Wasser reinwäscht und Feuer läutert und daß die Erde uns allen Mutter ist. Darum ist unsere Kunst vom Mond und spielt mit Schatten, während die griechische Kunst von der Sonne kommt und mit den Dingen selbst umgeht. Ich bin überzeugt, daß die Elemente reinigende Kraft besitzen, und ich will zu ihnen zurückkehren und in ihrem Kreis leben. Natürlich wird für einen so modernen Menschen wie mich, *enfant de mon siècle*, die bloße Betrachtung der Welt immer reizvoll sein. Ich zittere vor Freude bei dem Gedanken, daß an dem Tag, an dem ich das Gefängnis verlasse, Goldregen und Flieder in den Gärten blühen werden und daß ich sehen werde, wie der Wind das schwanke Gold des einen zu bebender Schönheit erregen wird und vom anderen den blassen Purpur seiner Blütenbüschel zaust, so daß die ganze Luft für mich die Düfte Arabiens haucht. Linné fiel auf die Knie und weinte vor Freude, als er zum erstenmal die weite Heide eines englischen Hochlands im Gelb der würzigen Ginsterblüten auflohen sah, und ich weiß, daß auf mich, dem Blumen Gegenstand des Sehnens sind, im Blütenkelch einer Rose Tränen warten. Seit meinen Knabenjahren war das so. Es gibt keine Farbnuance, und sei sie noch so tief im Kelch einer Blume, in der Höhlung einer Muschel versteckt, auf die meine Natur nicht anspräche, dank ihres subtilen Mitgefühls mit der Seele aller Dinge. Wie Gautier habe ich von jeher zu denen gehört, *pour qui le monde visible existe.*

Allerdings ist mir jetzt bewußt geworden, daß hinter all dieser Schönheit, so vollendet sie sein mag, ein Geist sich verbirgt, und daß die gemalten Formen und Figuren nur Gestaltwerdungen dieses Geistes sind. In Harmonie mit diesem Geist möchte ich leben. In bin der artikulierten Lebensäußerungen der Menschen und Dinge müde. Das Mystische in der Kunst, das Mystische im Leben, das Mystische in der Natur – das suche ich jetzt, und vielleicht finde ich es in den großen Ton-Symphonien, in der Vertrautheit mit dem Leid, in den Tiefen des Meeres. Finden muß ich es um jeden Preis.

In jeder Gerichtsverhandlung geht es um das Leben, wie jedes Urteil ein Todesurteil ist, und ich bin dreimal vor Gericht gestellt worden. Das erste Mal verließ ich die Anklagebank, um festgenommen zu werden, das zweite Mal brachte man mich ins Untersuchungsgefängnis zurück, und nach dem drittenmal wanderte ich für zwei Jahre ins Zuchthaus. Die Gesellschaft, so wie wir sie gestalteten, wird keinen Platz mehr für mich haben, hat mir keinen anzubieten; die Natur jedoch, deren linder Regen auf Gerechte und Ungerechte fällt, hat Schluchten im Fels, wo ich mich verbergen, versteckte Dörfer, in deren Stille ich ungestört weinen kann. Sie wird die Nacht mit Sternen behängen, so daß ich, ohne zu straucheln, im Dunkeln außer Landes gehen kann, und sie wird den Wind über meine Fußstapfen wehen lassen, so daß kein Feind mir folgen kann: in großen Wassern wird sie mich reinwaschen und mit bitteren Kräutern gesundpflegen.

Nach Ablauf eines Monats, wenn die Junirosen in ihrer üppigen Pracht stehen, will ich, wenn ich mich dazu imstande fühle, durch Robbie Vorbereitungen zu einem Wiedersehen mit Dir treffen lassen, in irgendeiner ruhigen, fremden Stadt wie Brügge, dessen graue Häuser und grüne Kanäle und kühle, stille Gassen mich vor Jahren bezaubert haben. Zunächst wirst Du Deinen Namen ändern müssen. Den kleinen Titel, auf den Du so stolz warst – er ließ Deinen Namen auch wirklich wie den Namen einer Blume klingen –, wirst Du aufgeben müssen, wenn Du *mich* sehen willst; so wie ich *meinerseits* den Namen werde ablegen müssen, der einst aus dem Munde des Ruhmes wie Musik klang. Wie engstirnig und erbärmlich, wie hilflos vor seinen Aufgaben ist doch unser Jahrhundert! Es kann dem Erfolg seinen Porphyrpalast erbauen, doch für Leid und Schande hat es nicht einmal ein Strohdach bereit, unter dem sie hausen könnten: und für *mich* weiß es nur eine Lösung, nämlich das Geheiß, ich solle meinen Namen gegen einen anderen vertauschen, während selbst das Mittelalter mir die Mönchskapuze oder das Gesichtstuch des Aussätzigen gewährt hätte, damit ich in ihrem Schutze Frieden fände.

Ich hoffe, daß unser Wiedersehen so sein wird, wie ein Wiedersehen zwischen uns, nach allem was vorgefallen ist, sein sollte. In den früheren Tagen klaffte stets ein weiter Abgrund zwischen uns – der Abgrund zwischen künstlerischer Eigenleistung und aufgesetzter Bildung –: jetzt trennt uns ein noch weiterer Abgrund, der Abgrund des Leids: doch der Demut ist nichts unmöglich, und der Liebe wird alles leicht.

Der Brief, den Du mir als Antwort hierauf schreibst, mag lang oder kurz sein, ganz wie Du willst. Adressiere den Umschlag an »The Governor, H. M. Prison, Reading«. Dahinein lege einen zweiten, offenen Umschlag mit Deinem Brief an mich: wenn das

Briefpapier sehr dünn ist, so beschreibe es nicht auf beiden Seiten, weil dadurch das Lesen erschwert würde. Ich habe Dir in voller Aufrichtigkeit geschrieben, Du kannst an mich genauso schreiben. Vor allem muß ich von Dir erfahren, warum Du nie auch nur den Versuch gemacht hast, mir zu schreiben, obgleich Du seit August vorvergangenen Jahres und besonders seit Mai letzten Jahres, also seit nunmehr elf Monaten, wußtest – und dieses Wissen auch anderen gegenüber zugabst –, wie sehr ich durch Deine Schuld leiden mußte und wie sehr mir dies bewußt war. Monat um Monat wartete ich auf Nachricht von Dir. Selbst wenn ich nicht gewartet, sondern die Türen vor Dir versperrt hätte, hättest Du bedenken sollen, daß niemand auf die Dauer seine Tür vor der Liebe versperren kann. Der ungerechte Richter aus dem Evangelium erhebt sich schließlich, um einen gerechten Spruch zu fällen, weil die Gerechtigkeit täglich kommt und an seine Tür klopft; und zur Mitternacht gibt der Freund, in dessen Herzen keine wahre Freundschaft wohnt, schließlich dem Freunde »um seines unverschämten Geilens willen«. Es gibt kein Gefängnis auf der ganzen Welt, in das die Liebe sich nicht Einlaß schaffen könnte. Wenn Du das nicht verstanden hast, dann hast Du überhaupt nichts von der Liebe verstanden. Ferner möchte ich alles von Deinem Artikel über mich im *Mercure de France* wissen. Einiges daraus kenne ich bereits. Ich empfehle Dir, zu zitieren. Er ist im Druck vorhanden. Teile mir auch den genauen Wortlaut der Zueignung Deiner Gedichte mit. Wenn sie in Prosa ist, zitiere die Prosa; ist sie in Versen, so zitiere die Verse. Ich zweifle nicht, daß sie schön ist. Schreibe mir ganz offen über Dich selbst: über Dein Leben: Deine Freunde: Dein Tun und Lassen: Deine Bücher. Erzähle mir von Deinem Gedichtband und von der Aufnahme, die er gefunden hat. Was immer Du über Dich zu sagen hast, sage es ohne Furcht. Schreibe nichts, was Dir nicht vom Herzen kommt: mehr will ich nicht. Sollte irgendeine Stelle in Deinem Brief falsch oder geheuchelt sein, so werde ich sie sofort am Klang erkennen. Nicht umsonst, nicht ohne Grund habe ich mich in meiner lebenslangen Hingabe an die Literatur zu einem Menschen geformt, der

> Mit Laut und Silbe geizt, nicht minder als
> Mit seinem Golde Midas.

Bedenke auch, daß ich Dich erst kennenlernen muß. Vielleicht müssen wir beide einander erst kennenlernen.

Für Dich habe ich nur noch ein Letztes zu sagen. Fürchte Dich nicht vor der Vergangenheit. Wenn die Menschen Dir sagen, sie sei unabänderlich, so glaube ihnen nicht. Vergangenheit, Gegenwart und Zukunft sind vor Gott nur ein Augenblick, und vor Gott sollten wir zu leben suchen. Zeit und Raum, Abfolge und Ausdehnung sind nur zufällige Bezüge des Denkens. Die Phantasie kann sie überwinden und sich in einer freien Sphäre ideeller Existenzen bewegen. Auch die Dinge sind in ihrem Wesen nur das, was wir aus ihnen machen wollen. Ein Ding *ist*, je nachdem, wie wir es ansehen. »Wo andere«, sagte Blake, »nur das Frühlicht über den Berg kommen sehen, da sehe ich die Söhne Gottes vor Freude jauchzen.« Was der Welt und mir selbst als meine Zukunft erschien, habe ich unwiederbringlich verloren, als ich mich in den Prozeß gegen Deinen Vater hetzen ließ: ja, ich hatte sie in Wahrheit lang vordem schon verloren. Was nun vor mir liegt, ist meine Vergangenheit. Ich muß mich dahin bringen, sie mit anderen Augen zu sehen, muß die Welt dahin bringen, daß auch sie diese Vergangenheit mit anderen Augen sieht, muß Gott dahin bringen, daß er sie mit anderen Augen sieht. Das kann ich nicht, indem ich sie ignoriere oder bagatellisiere oder sie rühme oder leugne. Die einzige Möglichkeit ist, sie als notwendigen Teil der Entwicklung meines Lebens und Charakters voll zu bejahen: mich allem zu unterwerfen, was ich gelitten habe. Wie weit ich noch entfernt bin von der wahren Seelenhaltung, das zeigt Dir dieser Brief mit seinen wechselnden, schwankenden Stimmungen, seinem Hohn und seiner Bitterkeit, seinem Sehnen und dem Unvermögen, dieses Sehnen zu verwirklichen. Doch vergiß nicht, in welcher schlimmen Schule ich über meiner Arbeit sitze. Und so unvollständig und unvollkommen ich bin, Du könntest dennoch viel von mir profitieren. Du bist zu mir gekommen, um die Freuden des Lebens und die Freuden der Kunst kennenzulernen. Vielleicht bin ich ausersehen, Dich weit Wunderbareres zu lehren: den Sinn des Leids und seine Schönheit. Dein Dich liebender Freund

Oscar Wilde

An Robert Ross

1. April 1897 H. M. Prison, Reading

Mein lieber Robbie, ich schicke Dir mit gleicher Post, getrennt verpackt, meinen Brief an Alfred Douglas und hoffe, daß er gut bei Dir ankommt. Sobald Du, und natürlich auch More Adey, den ich immer mit einschließe, wenn ich »Du« sage, ihn gelesen habt, sollst Du ihn wortgetreu für mich abschreiben lassen. Ich wünsche das aus vielen Gründen. Einer wird genügen. Ich möchte, daß Du im Falle meines Todes mein literarischer Testamentsvollstrecker wirst und volle Verfügungsgewalt über meine Stücke, Bücher und Papiere haben sollst. Sobald ich gesetzlich berechtigt bin, ein Testament zu machen, will ich es tun. Meine Frau versteht meine Kunst nicht, auch kann man von ihr kein Interesse daran erwarten, und Cyril ist noch ein Kind. Daher wende ich mich natürlicherweise an Dich, wie ich es ja in allen Dingen tue, und möchte Dir mein gesamtes Werk anvertrauen. Der Restbetrag, der sich aus dem Verkauf ergeben wird, kann Cyril und Vyvyan gutgebracht werden.

Wenn Du aber mein literarischer Testamentsvollstrecker bist, so mußt Du im Besitz des einzigen Dokuments sein, das mein ungewöhnliches Verhalten gegenüber Queensberry und Alfred Douglas wirklich erklärt. Wenn Du den Brief gelesen hast, wirst Du die psychologische Erklärung für eine Verhaltensweise finden, die dem Außenstehenden als eine Verbindung von komplettem Schwachsinn und vulgärer Großsprecherei erscheint. Eines Tages muß die Wahrheit ans Licht kommen: nicht unbedingt noch zu meinen oder Douglas' Lebzeiten: aber ich habe nicht vor, für alle Zeit an dem grotesken Schandpfahl stehenzubleiben, an den man mich gebunden hat: aus dem einfachen Grund nicht, weil ich von meinem Vater und meiner Mutter einen Namen geerbt habe, der in Literatur und Kunst hohes Ansehen genießt, und ich es nicht in alle Ewigkeit zulassen darf, daß dieser Name von den Queensberrys als Schild und Prellbock benutzt wird. Ich verteidige mein Tun nicht. Ich erkläre es.

In meinem Brief finden sich auch Stellen, die von meiner seelischen Wandlung im Zuchthaus sprechen und von der unvermeidlichen Entwicklung des Charakters und der geistigen Einstellung zum Leben, die sich dort anbahnten: und ich möchte, daß Du weißt und daß alle anderen, die noch zu mir halten und mich lieben, wissen, in welcher Verfassung und Haltung ich der Welt gegenüberzutreten hoffe. Natürlich weiß ich, daß ich in gewissem Sinn am Tag meiner Entlassung nur ein Gefängnis gegen ein anderes vertausche, und zuzeiten scheint mir die ganze Welt nicht größer zu sein als meine Zelle und ebenso schreckenerfüllt. Dennoch glaube ich, daß am Anfang Gott eine Welt schuf für jeden einzelnen Menschen, und daß wir versuchen sollten, in dieser Welt, die sich in uns befindet, zu leben. Auf jeden Fall werden diese Stellen Dich beim Lesen weniger schmerzen als die anderen. Natürlich brauche ich *Dir* nicht zu bedenken geben, welch fließendes Ding der Gedanke bei mir ist – bei uns allen – und aus welchem unendlich zarten Stoff unsere Gefühle gemacht sind. Dennoch sehe ich eine Art mögliches Ziel, dem ich – über die Kunst – nahekommen kann. Es ist nicht unwahrscheinlich, daß Du mir helfen wirst.

Was die Art der Abschrift betrifft: natürlich ist der Brief für jeden Schreiber zu lang: und Deine eigene Handschrift, lieber Robbie, scheint mich in Deinem letzten Brief ausdrücklich darauf hinweisen zu wollen, daß diese Arbeit nichts für Dich ist. Ich mag Dir unrecht tun, tue es hoffentlich, aber es sieht wirklich so aus, als wärst Du dabei, ein dreibändiges Werk über das gefährliche Überhandnehmen kommunistischer Ideen unter den Reichen zu verfassen oder sonst ein gräßliches Pamphlet von allergrößtem Interesse, oder als würdest Du auf irgendeine andere Art eine Jugend vertun, die, wie ich sagen muß, immer schon sehr vielversprechend war und es auch immer sein wird. Ich halte es für das einzig Richtige, ganz modern vorzugehen und ihn mit der Schreibmaschine abschreiben zu lassen. Selbstverständlich solltest Du das Manuskript nicht aus der Hand geben, aber könntest Du zum Beispiel nicht Mrs. Marshall bitten, eines ihrer Schreibmädchen – Frauen sind am zuverlässigsten, weil sie kein Gedächtnis für das Wichtige haben – in die Hornton Street oder nach Phillimore Gardens zu schicken, damit sie es dort unter Deiner Aufsicht abschreiben kann? Ich versichere Dir, daß eine Schreibmaschine, ausdrucksvoll gespielt, dem Ohr nicht weher tut als ein Piano, das von einer Schwester oder einer nahen Verwandten gespielt wird. Ja, viele Leute, darunter ausgesprochen häusliche Typen, ziehen sie letzterem vor.

Die Abschrift soll nicht auf dünnem Papier angefertigt werden, sondern auf gutem Papier, wie man es für Theaterstücke verwendet, und es soll ein breiter Rand für Korrekturen freibleiben. Sobald die Abschrift fertig und an Hand des Manuskripts überprüft worden ist, soll More das Original an A. D. senden, danach soll die Maschinenschreiberin eine zweite Kopie anfertigen, damit *Du* und ich ebenfalls je ein Exemplar besitzen. Außerdem möchte ich, daß von der vierten Seite des Bogens 9 ab bis zur letzten Seite von Bogen 14 zwei Maschinenabschriften gemacht werden, also von »und das alles endet damit, daß ich Dir vergeben muß« bis zu: »Zwischen der Kunst und mir...« (ich zitiere aus dem Gedächtnis). Ebenso Seite 3 des Bogens 18 von »Wenn nichts dazwischen kommt, werde ich gegen Ende Mai entlassen« bis »mit bitteren Kräutern gesundpflegen« auf Seite 4. Diese Passagen, denen Du noch andere hinzufügen kannst, die gute und freundliche Absichten verraten, wie zum Beispiel die erste Seite von Bogen 15, stelle bitte zusammen und schicke eine Abschrift davon an Lady von Wimbledon – von der ich ohne Namensnennung gesprochen habe – und eine weitere an Frankie Forbes-Robertson. Ich weiß, daß diese beiden reizenden Frauen sich dafür interessieren werden, was mit meiner Seele geschieht – nicht im theologischen Sinn, sondern rein im Sinne der geistigen Bewußtwerdung, die nichts mit dem gemein hat, was der Körper gerade tut. Es ist eine Art Botschaft oder Brief an sie, natürlich die einzige, die ich ihnen zu schicken wage. Wenn Frankie will, kann sie das Schreiben ihrem Bruder Eric zeigen, den ich immer gern gehabt habe, doch für die Allgemeinheit ist es selbstverständlich streng geheim. Die Lady von Wimbledon wird das auch wissen.

Wenn die Abschrift in der Hornton Street angefertigt wird, könnte man die Schreiberin durch ein Türgitter füttern wie die Kardinäle bei der Papstwahl, bis sie auf den Balkon hinaustritt und der Welt verkündet, *»Habet Mundus Epistolam«*; denn dieser Brief ist wirklich eine Enzyklika, und so wie die Bullen des Heiligen Vaters nach den Anfangsworten benannt werden, könnte man hier von der *Epistola: In Carcere et Vinculis* sprechen.

A. D. braucht nicht zu erfahren, daß eine Abschrift gemacht worden ist, es sei denn, er schriebe und beklagte sich, daß der Brief Ungerechtigkeiten und falsche Darstellungen enthalte: dann soll er wissen, daß eine Abschrift angefertigt worden ist. Ich hoffe aufrichtig, daß der Brief ihm guttun möge. Es ist das erste Mal in seinem Leben, daß jemand ihm die Wahrheit über ihn selbst sagt. Wenn er annehmen darf, der Brief sei lediglich eine stilistische Umsetzung der Gedanken, die eine hölzerne Pritsche zeitigt, und meine Ansichten seien durch die Entbehrungen des Kerkerlebens verschroben geworden, wird die Wirkung ausbleiben. Hoffentlich macht ihm jemand klar, daß er diesen Brief vollauf verdient und daß er, sollte der Brief ungerecht sein, die Ungerechtigkeit vollauf verdient. Wer sollte sie redlicher verdient haben als er, der immer so ungerecht gegen andere war?

Wirklich, Robbie, das Gefängnisleben zeigt einem Menschen und Dinge so, wie sie tatsächlich sind. Deshalb verwandelt es einen in Stein. Die Menschen draußen verfallen der Illusion eines in ständiger Bewegung befindlichen Lebens. Sie drehen sich mit dem Leben im Kreise und tragen zu seiner Unwirklichkeit bei. Wir, die Unbeweglichen, sehen und wissen. Ob dieser Brief seiner engherzigen Natur und seinem hektischen Hirn guttut oder nicht, mir hat er jedenfalls sehr gut getan. Ich habe »die Brust entledigt jener gift'gen Last«, um mit jenem Dichter zu sprechen, den Du und ich einstmals vor den Philistern zu retten gedachten. Ich brauche Dir nicht zu sagen, daß für den Künstler der reine Ausdruck die höchste und einzige Lebensform ist. Wir leben, indem wir uns ausdrücken. Ich muß dem Gefängnisdirektor für vieles dankbar sein, am allerdankbarsten jedoch für seine Erlaubnis, daß ich so offen an A. D. schreiben durfte, und so ausführlich, wie ich wollte. Fast zwei Jahre lang trug ich eine immer schwerer werdende Last von Bitterkeit in mir. Ihrer habe ich mich nun zum großen Teil entledigt. Jenseits der Gefängnismauer stehen ein paar armselige, schwarz verrußte Bäume, die gerade Knospen von einem beinahe schrillen Grün treiben. Ich weiß gut, was in ihnen vorgeht. Sie finden ihren Ausdruck.

Über einen weiteren, sehr ernsten Punkt muß ich Dir schreiben, und zwar wende ich mich direkt an Dich, weil ich Dich tadeln muß, und ich mag Dich viel zu gerne, als daß ich Dich jemand anderem gegenüber tadeln möchte. Am 20. März 1896, vor mehr als einem Jahr, habe ich Dir in den dringlichsten Worten geschrieben, ich könnte den Gedanken nicht ertragen, daß es zwischen mir und meiner Frau wegen Gelddingen je zu Auseinandersetzungen käme, nachdem sie so freundlich gewesen war, eigens von Italien hierher zu reisen, um mir die Nachricht vom Tode meiner Mutter schonend beizubringen, und daß ich meine Freunde bäte, von einem Erwerb meiner Leibrente gegen den Willen meiner Frau Abstand zu nehmen. Ihr hättet dafür sorgen müssen, daß mein Wunsch respektiert worden wäre. Ihr tatet sehr unrecht, das nicht zu tun. Ich saß völlig hilflos im Gefängnis und verließ mich ganz auf Euch. Ihr glaubtet, Eure Lösung sei die gescheite, die überschlaue Lösung, die Patentlösung. Ihr befandet Euch im Irrtum. Das Leben ist nicht kompliziert. Wir sind kompliziert. Das Leben ist einfach, und die einfache Lösung ist die richtige Lösung. Schau Dir das Ergebnis an! Gefällt es Dir?

Außerdem habt Ihr Mr. Hargrove völlig falsch eingeschätzt. Er wurde als Anwalt vom Schlage Humphreys gewertet, einer, der drohen würde, um seinen Zweck zu erreichen, Lärm schlagen, Gewalt anwenden und dergleichen. Ganz im Gegenteil. Er ist ein Mann von untadeligem Charakter und nimmt eine hervorragende Stellung ein. Wenn er etwas sagt, meint er es auch so. Der Gedanke, mich – einen elenden Sträfling und Bettler – gegen Mr. Hargrove und Sir George Lewis antreten zu lassen, war grotesk. Die Idee, gegen diese beiden zu bieten, war absurd. Mr. Hargrove – seit dreißig Jahren Familienanwalt der Lloyds – würde es nichts ausmachen, meiner Frau £ 10 000 vorzuschießen, wenn sie ihn darum bäte. Ich habe Mr. Holman gefragt, ob im Falle einer Scheidung ein Ehevertrag nicht *ipso facto* hinfällig würde. Ich habe keine Antwort erhalten. Ich sehe also, daß meine Vermutung richtig ist.

Ferner: wie töricht war der lange, hochtrabende Brief mit dem Rat, ich solle »mir das Recht, über meine Kinder zu bestimmen, nicht nehmen lassen«, ein Satz, der in der Korrespondenz siebenmal erscheint. Mein Recht! Ich hatte keines. Eine Forderung, die ein Einzelrichter auf einen offiziell erhobenen Einspruch hin in zehn Minuten zunichte machen kann, ist kein Recht. Ich bin bestürzt darüber, in welche Lage man mich gebracht hat. Wieviel besser wäre es gewesen, wenn Du Dich nach meinem Wunsch gerichtet hättest, da meine Frau zu diesem Zeitpunkt sehr liebenswürdig war und mir zugestehen wollte, daß ich meine beiden Kinder sehen und gelegentlich mit ihnen zusammensein dürfte. A. D. hat mich seinem Vater gegenüber in eine völlig falsche Position manövriert, mich hineingezwungen und darin festgehalten. More Adey hat mich, in den besten Absichten, in eine falsche Position meiner Frau gegenüber gezwungen. Selbst wenn ich irgendwelche legalen Rechte besäße – aber ich besitze keine –, wieviel reizvoller wäre ein Privileg, das die Liebe mir einräumte als eines, das durch Drohungen erzwungen ist. Meine Frau war sehr freundlich zu mir, jetzt aber stellt sie sich, was ganz natürlich ist, entschieden gegen mich. Auch ihr Charakter ist falsch eingeschätzt worden. Sie hat mich gewarnt, daß sie gewisse Maßnahmen ergreifen würde, falls ich es zuließe, daß meine Freunde gegen sie bieten würden, und sie wird sie ergreifen.

Ferner: Swinburne sagt in einem seiner Gedichte an Maria Stuart:

Warst Du doch sicherlich
beß'res als nur unschuldig!

und meine Freunde müssen sich wirklich mit der Tatsache abfinden, daß ich (abgesehen von den Punkten der Anklageschrift, die auf Konto meines Busenfreundes gehen, drei an der Zahl) nicht als Unschuldiger im Gefängnis sitze. Im Gegenteil, die Aufzählung meiner entarteten Leidenschaften und abwegigen Romanzen würde so manchen scharlachroten Folianten füllen. Ich erwähne das absichtlich – wenn es auch manchem überraschend und zweifellos schockierend klingen mag –, weil mir More Adey in seinem Brief mitteilt, die Gegenseite werde gezwungen sein, stichhaltige Details über Daten und Orte und genaue Umstände der furchtbaren Anklagen zu liefern, die gegen mich vorgebracht werden sollen. Stellt er sich wirklich vor, daß man mir bei weiteren Kreuzverhören Glauben schenken würde? Meint er wirklich, ich solle mich solchen Verhören stellen und das Fiasko mit Queensberry wiederholen? Es stimmt, daß die Anklagen unwahr sind. Aber darauf kommt es nicht an. Wenn jemand sich betrinkt, so ist es unwichtig, ob er sich mit rotem oder weißem Wein betrinkt. Wenn jemand perverse Leidenschaften hat, so ist es unwichtig, in welcher speziellen Weise sie sich äußern.

Ich habe von Anfang an gesagt, daß ich auf die Verzeihung meiner Frau baute. Ich habe nun erfahren, daß eine Verzeihung unwirksam ist, wenn mehr als ein Vergehen zur Last gelegt wird. Meine Frau braucht nur zu sagen, daß sie X verziehen hat, aber nichts von Y wußte und keinesfalls bereit sei, Z zu verzeihen. Es gibt ein Büchlein für einen Shilling – bei Barzahlung neun Pence –, betitelt *Jeder sein eigener Rechtsanwalt*. Wenn meine Freunde es mir nur geschickt oder selbst gelesen hätten, wären alle diese Mühen, Ausgaben und Unannehmlichkeiten vermieden worden. Trotz allem bin ich, wenn ich Dich auch *ab initio* tadle, jetzt in einer Gemütsverfassung, die mich denken läßt, daß alles, was geschieht, zum Besten geschieht, und daß die Welt nicht nur ein Chaos ist, in dem Zufall und Schlauheit sich schlagen. Was ich zu tun habe, ist einfach folgendes: ich muß mich in die Scheidung fügen. Ich glaube nicht, daß die Regierung mir noch einmal den Prozeß machen kann. Ein solches Vorgehen wäre selbst für eine britische Regierung zu brutal. Zuvor muß ich meiner Frau noch meinen Anteil an der im Ehevertrag festgelegten Summe zurückerstatten, ehe man ihn mir wegnimmt. Drittens muß ich eine Erklärung abgeben, wonach ich von ihr keinerlei Einkommen oder Zuschuß annehmen werde. Dies scheint mir die einfache, gerade und eines Gentleman würdige Lösung zu sein. Es ist ein harter Schlag für mich. Ich empfinde es als sehr schmerzlich, daß das Gesetz mir meine Kinder abspricht.

Meine Freundschaft mit A. D. brachte mich zuerst auf die Anklagebank des Kriminalgerichts, dann auf die Anklagebank des Konkursgerichts, und jetzt bringt sie mich auf die Anklagebank des Scheidungsgerichts. Soweit ich feststellen kann (ohne die vorgenannte Broschüre zur Hand zu haben), gibt es keine weiteren Anklagebänke, auf die er mich bringen könnte. Wenn das stimmt, so kann ich aufatmen. Aber ich möchte, daß Du meinen Vorschlag ernstlich bedenkst und More und seinen Anwalt bittest, das ebenfalls zu tun, und daß Du mir darüber schreibst und auch More veranlaßt, mir so bald wie möglich in dieser Sache zu schreiben. Ich glaube, meine Frau wird sich nicht weigern, die £ 75 zurückzugeben, die für die *damnosa haereditas* meiner

Leibrente gezahlt worden sind. Sie ist in Gelddingen sehr korrekt. Aber persönlich hoffe ich, daß es nicht zum Feilschen kommt. Es ist ein schwerer Fehler gemacht worden. Nun gibt es nur Unterwerfung. Ich schlage vor, meine Leibrente meiner Frau, der rechtmäßigen Besitzerin, als mein Abschiedsgeschenk zu überlassen. Mein Exit aus der Ehe wird dadurch weniger schäbig, als wenn ich wartete, bis ich vom Gesetz dazu gezwungen werde. Ob ich verheiratet bin oder nicht, ist für mich ohne Belang. Jahrelang habe ich dieses Band mißachtet. Aber ich glaube wirklich, daß es für meine Frau eine Härte bedeutet, an mich gebunden zu sein. Ich habe das immer geglaubt. Und wenn es einige meiner Freunde auch verwundern mag, ich bin meiner Frau wirklich sehr zugetan und sehr um sie besorgt. Ich hoffe aufrichtig, daß, sollte sie ein zweites Mal heiraten, ihre Ehe glücklich sein wird. Sie konnte mich nicht verstehen, und mich langweilte das Eheleben tödlich. Aber ihr Charakter hatte seine liebenswerten Seiten, und sie war wunderbar loyal gegen mich. Ich bitte Dich und More, mir unverzüglich zu diesem Punkt zu schreiben, sobald Ihr die Sache durchdacht habt.

Weiter würde ich es als große Gefälligkeit betrachten, wenn More an die Leute, die nach meiner Inhaftierung meinen Pelzmantel verpfändet oder verkauft haben, schreiben und sie in meinem Namen fragen würde, wohin er verkauft oder verpfändet worden ist, da ich ihn gerne aufstöbern und wenn möglich zurückkaufen würde. Ich habe ihn zwölf Jahre lang getragen, er war mit mir in ganz Amerika, er war bei allen meinen Premieren dabei, er kennt mich durch und durch, und ich möchte ihn wirklich gern wiederhaben. Der Brief sollte sehr höflich gehalten und zunächst an den Mann adressiert werden: wenn er nicht antwortet, dann an die Frau. Da die Frau diejenige war, die mich gedrängt hat, den Mantel in ihrer Obhut zu lassen, könnte erwähnt werden, daß ich überrascht und traurig sei, zumal ich *nach meiner Inhaftierung* aus eigener Tasche alle Ausgaben für ihr Wochenbett beglichen habe, eine Summe von £ 50, die ihr durch Leverson zugegangen ist. Dies könnte als Grund für meine Traurigkeit angeführt werden. Ihre Briefe müssen verwahrt werden. Ich habe einen ganz besonderen Grund für diesen Wunsch – ja, einen Grund von höchster Wichtigkeit. Und da der

Brief eine höfliche Anfrage darstellt, in dem alle erwähnten Gründe angeführt werden, so kann er nicht Streitigkeit oder Weigerung zur Folge haben. Ich brauche die Unterlagen nur zu meinem Schutz.

Ich hoffe, Frank Harris am Samstag nächster Woche oder jedenfalls in Kürze zu sehen. Wenn Du mir wegen meiner Scheidung schreibst, würde ich mich freuen, auch wegen der Abschrift meines Briefes Bescheid zu bekommen. Wenn Arthur Clifton die Kopie sehen möchte, sollst Du oder Dein Bruder Aleck sie ihm zeigen. Stets Dein

Oscar Wilde

Zwei Briefe an den »Daily Chronicle«

Erster Brief an die Redaktion des Daily Chronicle

27. Mai [1897] [Dieppe]

Sehr geehrter Herr, aus den Spalten Ihres Blattes erfahre ich mit großem Bedauern, daß der Aufseher Martin vom Gefängnis in Reading von der Gefängnisverwaltung entlassen worden ist, weil er einem kleinen hungrigen Kind ein paar süße Kekse gab. Ich habe die drei Kinder am Montag vor meiner Entlassung selbst gesehen. Sie waren gerade verurteilt worden und standen in Sträflingskleidung hintereinander in der Haupthalle, ihre Bettlaken unter dem Arm, und warteten darauf, in die ihnen zugewiesenen Zellen abgeführt zu werden. Ich kam zufällig einen der Korridore entlang auf meinem Weg zum Besuchszimmer, wo ich einen Freund treffen sollte. Sie waren noch ganz klein, das jüngste Kind – dem der Wärter die Kekse gab – ein winziges Bürschchen, für das man offenbar keinen Anzug gefunden hatte, der klein genug gewesen wäre. Ich hatte in den zwei Jahren meiner Haft natürlich viele Kinder im Gefängnis gesehen. Vor allem in Wandsworth waren immer viele Kinder. Aber der Kleine, den ich am Nachmittag des 17. Mai in Reading sah, war winziger als alle anderen. Ich brauche nicht zu sagen, wie furchtbar mich der Anblick dieser Kinder in Reading deprimierte, denn ich wußte, welche Behandlung sie erwartete. Die Grausamkeiten, die in englischen Gefängnissen Tag und Nacht an Kindern verübt werden, wird niemand glauben, der sie nicht mit eigenen Augen gesehen hat und die Brutalität des Systems kennt.

Die Menschen wissen heutzutage nicht, was Grausamkeit ist. Sie betrachten sie als eine Art mittelalterlicher Ausschweifung und bringen sie mit Menschen vom Schlage eines Ezzelino da Romano in Verbindung, die die vorsätzliche Peinigung anderer in einen wahren Taumel der Lust versetzte. Männer vom Schlage Ezzelinos sind weiter nichts als abnorme Vertreter eines pervertierten Individualismus. Gewöhnliche Grausamkeit ist einfach Dummheit. Sie beruht auf völligem Mangel an Phantasie. Heutzutage resultiert sie aus verknöcherten Systemen, starren Gesetzen und Dummheit. Wo Zentralisation herrscht, herrscht auch Dummheit. Das Unmenschliche am modernen Leben ist seine Bürokratie. Absolute Gewalt ist ebenso verderblich für die Ausübenden wie für die, an denen sie geübt wird. Hauptschuld an der Grausamkeit gegen Kinder im Gefängnis tragen der Gefängnisausschuß und das System, das er zur Anwendung bringt. Die Leute, die für dieses System eintreten, haben die besten Absichten. Auch die Ausführenden hegen durchaus humane Intentionen. Die Verantwortung wird auf die Anstaltsordnung abgeschoben. Man nimmt an, daß alles, was zur Regel geworden ist, auch richtig ist.

Die gegenwärtige Behandlung der Kinder ist schrecklich, vor allem, wenn sie Leuten ausgeliefert sind, die von der kindlichen Psyche nichts verstehen. Ein Kind kann eine Strafe begreifen, die ein Individuum ihm auferlegt, Vater, Mutter oder Vormund, und sie bis zu einem gewissen Grade als gerechtfertigt ansehen. Doch eine Strafe, die ihm von der Gesellschaft auferlegt wird, kann es nicht begreifen. Unter »Gesellschaft« kann es sich nichts vorstellen. Bei Erwachsenen verhält es sich natürlich umgekehrt. Wer von uns im Gefängnis ist oder jemals dort war, der kann und wird verstehen, was die kollektive Macht, Gesellschaft genannt, bedeutet, und was immer wir von ihren Methoden oder Forderungen halten mögen, wir können uns zwingen, sie zu akzeptieren. Eine Strafe dagegen, die uns ein Individuum zufügt, läßt sich kein Erwachsener gefallen, und man erwartet es auch gar nicht von ihm.

Ein Kind, das seinen Eltern von Leuten weggenommen wird, die es nie gesehen hat und von denen es nichts weiß und das sich in einer einsamen und fremden Zelle wiederfindet, von fremden Gesichtern bewacht und herumkommandiert und bestraft von den Vertretern eines Systems, das es nicht begreifen kann, wird folglich sofort die Beute jener ersten und beherrschenden Empfindung, die das moderne Gefängnisleben auslöst – der Empfindung des Grauens. Das Grauen eines Kindes im Gefängnis ist grenzenlos. Ich erinnere mich, daß ich einmal in Reading, als ich mich für die Runde im Hof fertigmachte, in der trüb erleuchteten Zelle, die der meinen gegenüberlag, einen kleinen Jungen sah. Zwei Wärter – keine unfreundlichen Männer – redeten auf ihn ein, offenbar mit einiger Strenge, oder gaben ihm vielleicht nützliche Ratschläge, wie er sich verhalten solle. Einer war bei ihm in der Zelle, der andere stand draußen. Das Gesicht des Kindes war wie ein weißes Dreieck aus blankem Grauen. In seinen Augen lag das Grauen eines gehetzten Tieres. Am nächsten Morgen um die Frühstückszeit hörte ich ihn laut weinen und rufen, man solle ihn herauslassen. Er weinte nach seinen Eltern. Von Zeit zu Zeit konnte ich die tiefe Stimme des diensthabenden Wärters hören, der ihn still sein hieß. Dabei war das Kind des geringfügigen Vergehens, dessen es angeklagt sein mochte, noch nicht einmal überführt. Es war nur in Untersuchungshaft. Das konnte ich daran sehen, daß es seine eigenen Kleider trug, die recht ordentlich waren. Es hatte jedoch Socken und Schuhe aus dem Gefängnis an. Das zeigte, daß der Junge sehr arm war und seine eigenen Schuhe, falls er überhaupt welche besaß, in schlechtem Zustand waren. Richter und Friedensrichter, gewöhnlich eine völlig unwissende Klasse, schicken Kinder oft für eine Woche in Untersuchungshaft und erlassen ihnen dann die Strafe, die sie verhängen könnten. Das nennen sie »ein Kind nicht ins Gefängnis schicken«. Es handelt sich natürlich um eine stupide Ansicht ihrerseits. Ein kleines Kind sieht zwischen Untersuchungshaft und Strafhaft keine feine soziale Abstufung, die ihm verständlich wäre. Für ein Kind ist der Gefängnisaufenthalt an sich grauenvoll. In den Augen der Menschheit sollte es grauenvoll sein, daß ein Kind überhaupt im Gefängnis sein kann.

Dieses Grauen, das ein Kind ergreift und beherrscht, wie es auch den Erwachsenen ergreift, wird natürlich unsagbar gesteigert durch das System der Einzelhaft. Jedes Kind ist dreiundzwanzig von vierundzwanzig Stunden in seine Zelle gesperrt. Das ist entsetzlich. Ein Kind dreiundzwanzig Stunden am Tag in eine trüb erleuchtete Zelle zu sperren, ist ein Beispiel für die Grausamkeit der Dummheit. Wenn eine Privatperson, ein Vater, eine Mutter oder ein Vormund, so etwas einem Kind antäte, würde sie streng bestraft. Die Gesellschaft für Kinderschutz würde die Sache sofort aufgreifen. Allenthalben würde dem, der sich eine solche Grausamkeit zuschulden kommen ließe, mit größter Verachtung begegnet. Ein strenges Urteil würde fraglos der Ausgang des Prozesses sein. Doch unsere eigene Gesellschaft tut weit Schlimmeres, und für das Kind ist eine solche Behandlung seitens einer abstrakten Macht, deren Anforderungen ihm kein Begriff sind, weit schlimmer, als wenn ihm die gleiche Behandlung durch Vater, Mutter oder einen ihm bekannten Menschen zuteil würde. Es ist immer unmenschlich, ein Kind unmenschlich zu behandeln, ganz gleich, wer es tut. Aber die unmenschliche Behandlung durch die Gesellschaft ist für das Kind am schrecklichsten, weil es da keine Gnade gibt. Ein Vater oder Vormund kann gerührt werden und das Kind aus dem dunklen, einsamen Zimmer herauslassen, wo es eingesperrt ist. Ein Wärter kann das nicht. Die meisten Wärter mögen Kinder gern. Aber das System verbietet ihnen, dem Kind irgend etwas Gutes zu tun. Wenn sie es wie der Aufseher Martin dennoch tun, so werden sie entlassen.

Das zweite, worunter ein Kind im Gefängnis leidet, ist der Hunger. Man gibt ihm dort ein Stück des meist schlecht gebackenen Gefängnisbrots und einen Napf mit Wasser zum Frühstück um halb acht. Um zwölf bekommt es Mittagessen, bestehend aus einem Napf groben Maisbreis, und um halb sechs bekommt es als Abendessen ein Stück trockenes Brot und einen Napf mit Wasser. Diese Diät führt, auf einen Erwachsenen angewendet, immer zu Erkrankungen, vor allem natürlich zu Diarrhöe, mit der dazugehörigen Entkräftung. Tatsächlich ist es in großen Gefängnissen an der Tagesordnung, daß die Wärter regelmäßig stopfende Medikamente verteilen. Wenn diese Nahrung einem Kind vorgesetzt wird, so ist dieses Kind in der Regel unfähig, sie überhaupt zu essen. Jeder Mensch, der etwas von Kindern versteht, weiß, wie leicht die Verdauung eines Kindes durch einen Weinkrampf oder Aufregung oder seelische Belastungen irgendwelcher Art gestört wird. Ein Kind, das den ganzen Tag und vielleicht die halbe Nacht in einer halbdunklen Zelle geweint hat und vom Grauen geschüttelt worden ist, kann einfach solche grobe, abscheuliche Kost nicht zu sich nehmen. Das Kind, dem der Aufseher Martin an jenem Dienstag morgen die Kekse gab, hatte vor Hunger geweint und war außerstande gewesen, sein

Brot und Wasser zum Frühstück zu sich zu nehmen. Nachdem das Frühstück ausgeteilt worden war, ging Martin hinaus und kaufte ein paar Kekse für das Kind, um nicht mit ansehen zu müssen, wie es verhungerte. Es war von ihm eine schöne Tat, und auch das Kind empfand es so und, in gänzlicher Unkenntnis der Gefängnisvorschriften, erzählte es einem der älteren Wärter, wie freundlich dieser jüngere Wärter zu ihm gewesen war. Das Ergebnis war natürlich ein Bericht und eine Entlassung.

Ich kenne Martin sehr gut, da ich während der letzten sieben Wochen meiner Gefangenschaft unter seiner Aufsicht war. Als er nach Reading kam, wurde ihm der Korridor C zugeteilt, wo meine Zelle lag, so daß ich ihn ständig sah. Ich war überrascht, wie auffallend freundlich und human er mit mir und den anderen Gefangenen sprach. Ein gutes Wort zählt im Gefängnis, und ein freundliches »Guten Morgen« oder »Gute Nacht« macht einen so glücklich, wie man es im Gefängnis eben sein kann. Martin war immer nett und rücksichtsvoll. Ich kenne zufällig einen anderen Fall, wo er einem Gefangenen eine große Freundlichkeit erwies, und ich zögere nicht, davon zu berichten. Zu den schrecklichsten Dingen im Gefängnis gehört die Unzulänglichkeit der sanitären Einrichtungen. Ein Gefangener darf unter keinen Umständen nach halb fünf Uhr nachmittags seine Zelle verlassen. Wenn er also an Durchfall leidet, muß er seine Zelle als Klosett benutzen und die Nacht in der verpesteten und ungesunden Luft verbringen. Einige Tage vor meiner Entlassung machte Martin zusammen mit einem der älteren Wärter die Runde, um den Werg und die Geräte von den Gefangenen einzusammeln. Ein Neuankömmling, der infolge der Ernährung wie üblich an heftigem Durchfall litt, bat den älteren Wärter um die Erlaubnis, den Eimer in der Zelle wegen des grauenhaften Geruchs und eines in der Nacht womöglich erneut auftretenden Anfalls ausleeren zu dürfen. Der ältere Wärter lehnte entschieden ab; es war gegen die Vorschrift. Der Mann müsse die Nacht unter diesen schauderhaften Umständen verbringen. Martin jedoch sagte, ehe er diesen armen Teufel in einer solchen Hölle sitzen lasse, wolle er selbst den Eimer leeren, und tat es. Daß ein Wärter den Eimer eines Gefangenen leert, ist natürlich gegen die Vorschrift, aber Martin erwies dem Mann diese Freundlichkeit aus der schlichten Menschlichkeit seiner Natur heraus, und der Mann war natürlich sehr dankbar.

Was die Kinder anlangt, so wird viel über den verderblichen Einfluß des Gefängnisses auf jüngere Kinder gesprochen. Das stimmt. Ein Kind ist im Gefängnis aufs äußerste gefährdet. Aber die Gefährdung geht nicht von den Gefangenen aus. Sie geht von dem ganzen Gefängnissystem aus – dem Direktor, dem Kaplan, den Wärtern, der Einzelzelle, der Einsamkeit, dem ungenießbaren Essen, den Vorschriften der Gefängnisverwaltung, der sogenannten disziplinarischen Regelung des Lebens. Man trifft alle Vorsorge, damit das Kind keinen Gefangenen über sechzehn Jahre zu sehen bekommt. In der Kapelle sitzen die Kinder hinter einem Vorhang, und ihren Spaziergang müssen sie in kleinen, sonnenlosen Höfen machen – manchmal in einem Steinhof, manchmal in einem der Höfe hinter den Spinnereien –, nur damit sie nicht die älteren Gefangenen beim Spaziergang sehen. Doch der einzige humane Einfluß in einem Gefängnis ist der Einfluß der Gefangenen. Ihr guter Mut unter so schrecklichen Umständen, ihr Mitgefühl füreinander, ihre Demut, ihre Güte, ihr freundliches, grüßendes Lächeln, wenn sie einander begegnen, ihre völlige Unterwerfung unter ihre Strafe, das alles ist wunderbar, und ich selbst lernte manche heilsame Lektion von ihnen. Ich will nicht vorschlagen, daß die Kinder in der Kapelle nicht hinter einem Vorhang sitzen oder daß sie ihren Spaziergang in einer Ecke des allgemeinen Hofs machen sollten. Ich weise nur darauf hin, daß der schlechte Einfluß auf Kinder nicht von den Gefangenen ausgeht und nie von ihnen ausgehen könnte, sondern jetzt und in alle Zukunft vom Gefängnissystem selbst. Im Gefängnis von Reading gibt es keinen einzigen Mann, der nicht freudig die Strafe der drei Kinder auf sich genommen hätte. Zum letztenmal sah ich sie am Dienstag nach ihrer Verurteilung. Ich machte um halb zwölf Uhr zusammen mit etwa einem Dutzend anderer Männer meinen Spaziergang, als die drei Kinder von einem Wärter an uns vorbeigeführt wurden. Sie kamen aus dem dumpfen, öden Steinhof, wo sie ihren Spaziergang absolviert hatten. Ich sah größtes Mitleid und Mitgefühl in den Augen meiner Gefährten, als sie die Kinder bemerkten. Gefangene haben im großen und ganzen viel Mitgefühl füreinander,

Leiden und Mit-Leiden stimmt die Menschen freundlich, und Tag für Tag empfand ich, wenn ich im Hof meine Runde machte, mit Freude und Beruhigung, was Carlyle an einer Stelle »den stummen, rhythmischen Zauber menschlicher Gemeinschaft« nennt. Wie in allem anderen, so irren die Philanthropen und Leute dieses Schlags auch hier. Nicht die Gefangenen müssen gebessert werden, sondern die Gefängnisse.

Selbstverständlich sollten Kinder unter vierzehn Jahren überhaupt nicht ins Gefängnis kommen. Es ist absurd, und wie vieles Absurde zeitigt es absolut tragische Folgen. Wenn sie jedoch ins Gefängnis geschickt werden, so sollten sie tagsüber unter Aufsicht eines Wärters in einer Werkstatt oder einem Schulzimmer sein. In der Nacht sollten sie in einem Schlafsaal schlafen und von einem Nacht-Aufseher bewacht werden. Sie sollten mindestens drei Stunden am Tag körperliche Bewegung haben dürfen. Die dunklen, schlecht gelüfteten, übel riechenden Gefängniszellen sind grauenhaft für ein Kind, ja grauenhaft für jeden Menschen. Im Gefängnis atmet man immer schlechte Luft. Die Nahrung der Kinder sollte aus Tee und Butterbroten bestehen und aus Suppe. Die Gefängnissuppe ist sehr gut und nahrhaft. Eine Resolution des Unterhauses könnte die Behandlung der Kinder in einer halben Stunde regeln. Ich hoffe, daß Sie Ihren Einfluß in diesem Sinne aufbieten werden. Wie diese Kinder heute behandelt werden, spricht wirklich der ganzen Menschheit und allem gesunden Denken hohn. Das alles hat die Dummheit angerichtet.

Lassen Sie mich noch auf eine zweite schreckliche Sache hinweisen, die man in englischen Gefängnissen antrifft, ja in allen Gefängnissen der Welt, wo das System des Redeverbots und der Einzelhaft praktiziert wird. Ich meine die große Zahl der Menschen, die im Gefängnis wahnsinnig oder schwachsinnig werden. In den Zuchthäusern für Lebenslängliche ist das natürlich gang und gäbe; aber es kommt auch in gewöhnlichen Gefängnissen vor wie dort, wo ich inhaftiert war.

Vor etwa drei Monaten fiel mir unter den Gefangenen beim Spaziergang ein junger Mann auf, der mir kindisch oder schwachsinnig vorkam. Natürlich hat jedes Gefängnis seine schwachsinnigen Insassen, die immer wieder zurückkommen, praktisch ihr Leben im Gefängnis zubringen. Aber bei diesem jungen Menschen hatte ich den Eindruck, er müsse mehr als nur schwachsinnig sein, denn er grinste albern und lachte idiotisch vor sich hin, und seine ständig zuckenden Hände kamen nie zur Ruhe. Durch sein sonderbares Verhalten fiel er allen Gefangenen auf. Von Zeit zu Zeit fehlte er beim Spaziergang, was mir bewies, daß er zur Strafe in seiner Zelle hatte bleiben müssen. Schließlich entdeckte ich, daß er unter Beobachtung stand und Nacht und Tag von Wärtern überwacht wurde. Sooft er beim Spaziergang erschien, machte er einen hysterischen Eindruck und absolvierte seine Runden weinend oder lachend. In der Kapelle mußte er unter Bewachung zweier Wärter sitzen, die ihn nicht aus den Augen ließen. Manchmal vergrub er den Kopf in den Händen, ein Verstoß gegen die Kapellenordnung, und sofort versetzte ein Wärter ihm einen Schlag auf den Kopf, damit er seine Augen wieder unverwandt auf den Altar richtete. Manchmal weinte er – ohne die Andacht zu stören –, Tränen liefen ihm übers Gesicht, und seine Kehle bebte vor hysterischem Schluchzen. Manchmal grinste er idiotisch vor sich hin und schnitt Gesichter. Mehr als einmal wurde er aus der Kapelle in seine Zelle zurückgeschickt, und natürlich wurde er ständig bestraft. Da die Bank, in der ich in der Kapelle meinen Platz hatte, direkt hinter derjenigen war, an deren Ende der Unglückliche saß, hatte ich die beste Gelegenheit, ihn zu beobachten. Natürlich sah ich ihn auch ständig beim Spaziergang und sah, daß er wahnsinnig wurde und daß man ihn als Simulanten behandelte.

Am Samstag der vorletzten Woche war ich gegen ein Uhr in meiner Zelle damit beschäftigt, das Blechgeschirr, aus dem ich zu Mittag gegessen hatte, zu putzen. Plötzlich fuhr ich hoch, denn die Gefängnisstille wurde durch ein überaus gräßliches und erschütterndes Geschrei, ja Geheul unterbrochen, und ich dachte zunächst, ein Tier – ein Stier oder eine Kuh – werde draußen vor den Mauern ungeschickt abgeschlachtet. Bald jedoch wurde mir klar, daß das Geheul aus dem Keller des Gefängnisses kam, und ich wußte, daß irgendein Unglücklicher ausgepeitscht wurde. Ich brauche nicht zu sagen, wie abscheulich und schrecklich das für mich war, und ich fragte mich, wer wohl in dieser empörenden Weise bestraft werden mochte. Plötzlich ging mir auf, daß sie vielleicht diesen unglücklichen Irren peitschten. Was ich dabei empfand, braucht nicht aufgezeichnet zu werden; es hat nichts mit der Frage zu tun.

Am nächsten Tag, am Sonntag, dem 16., sah ich den armen Kerl beim Spaziergang, sein schwaches, häßliches Gesicht war von Tränen und Hysterie fast bis zur Unkenntlichkeit entstellt. Er ging im inneren Kreis mit den alten Männern, den Bettlern und Lahmen, so daß ich ihn die ganze Zeit beobachten konnte. Es war mein letzter Sonntag im Gefängnis, ein makellos schöner Tag, der schönste, den wir im ganzen Jahr gehabt hatten, und da, in der herrlichen Sonne, ging diese arme Kreatur – dereinst nach Gottes Ebenbild erschaffen – und grinste wie ein Affe, fuchtelte mit den Händen, als spielte er in der Luft ein unsichtbares Saiteninstrument oder als parierte und verteilte er Schläge in irgendeinem phantastischen Boxkampf. Während der ganzen Zeit liefen diese hysterischen Tränen, ohne die keiner von uns ihn je sah, als schmutzige Rinnsale über sein weißes, verschwollenes Gesicht. Die gräßliche und bedächtige Grazie seiner Gesten ließ ihn wie einen Hanswurst wirken. Er war eine lebende Groteske. Alle Gefangenen beobachteten ihn, und nicht einer von ihnen lächelte. Jeder wußte, was mit ihm geschehen war und daß man ihn in den Wahnsinn trieb – daß er bereits wahnsinnig war. Nach einer halben Stunde wurde er vom Aufseher hineingerufen und vermutlich bestraft. Jedenfalls erschien er am Montag nicht zum Spaziergang, ich glaube allerdings, ihn in einer Ecke des Steinhofes gesehen zu haben, wie er unter Aufsicht eines Wärters auf und ab ging.

Am Dienstag, meinem letzten Tag in Reading, sah ich ihn beim Spaziergang. Es war noch schlimmer mit ihm als sonst, und er wurde wiederum hineingeschickt. Seitdem weiß ich nichts mehr von ihm, aber ich erfuhr von einem der Gefangenen, der beim Spaziergang neben mir ging, daß er am Samstagnachmittag im Küchenhaus vierundzwanzig Peitschenhiebe bekommen hatte, auf Veranlassung der Gefängnisinspektoren nach vorheriger Konsultation der Ärzte. Von ihm also stammte das Geheul, das uns alle so entsetzt hatte.

Dieser Mann wird zweifellos wahnsinnig werden. Gefängnisärzte verstehen nichts von Geisteskrankheiten. Sie sind im großen und ganzen Ignoranten. Die Pathologie des Geistes ist ihnen unbekannt. Wenn ein Mensch wahnsinnig wird, behandeln sie ihn als Simulanten. Sie lassen ihn unaufhörlich bestrafen. Natürlich wird es mit dem Mann immer schlimmer. Wenn die üblichen Bestrafungen erschöpft sind, dann meldet der Arzt den Fall den Richtern. Ergebnis: Auspeitschung. Natürlich wird die Auspeitschung nicht mit der neunschwänzigen Katze vorgenommen. Es handelt sich um das sogenannte Rutenstreichen. Züchtigungsinstrument ist eine Rute; aber die Wirkung auf den unglücklichen, halbblöden Menschen kann man sich vorstellen.

Er hat oder hatte die Nummer A. 2. 11. Es gelang mir auch, seinen Namen festzustellen. Er heißt Prince. Es müßte augenblicklich etwas für ihn getan werden. Er ist Soldat und wurde vom Militärgericht verurteilt. Er hat sechs Monate bekommen. Drei davon sind erst um.

Dürfte ich Sie bitten, Ihren Einfluß aufzubieten, damit dieser Fall untersucht und Vorsorge für eine angemessene Behandlung dieses geisteskranken Sträflings getroffen wird?

Berichte der Ärztekommission haben überhaupt keinen Wert. Auf sie ist kein Verlaß. Die Inspektionsärzte scheinen den Unterschied zwischen Idiotie und Wahnsinn nicht zu verstehen – zwischen dem völligen Fehlen einer Funktion oder eines Organs und der Erkrankung einer Funktion oder eines Organs. Dieser Mann A. 2. 11 wird, dessen bin ich sicher, imstande sein, seinen Namen zu nennen, die Art seines Vergehens, das Datum, den Tag seines Strafantritts und seiner Entlassung, und jede gewöhnliche einfache Frage beantworten können; aber es steht außer Zweifel, daß sein Geist verwirrt ist. Im Augenblick ist das Ganze ein furchtbares Duell zwischen ihm und dem Arzt. Der Arzt kämpft um eine Theorie. Der Mann kämpft um sein Leben. Ich möchte gern, daß der Mann gewinnt. Aber lassen Sie den ganzen Fall von Experten prüfen, die etwas von Geisteskrankheiten verstehen, und von Leuten mit menschlichem Empfinden und einem Rest von Einsicht und Mitleid. Es hat keinen Zweck, die Gefühlsdusler um ihre Einmischung zu bitten. Sie richten immer nur Schaden an.

Der Fall ist ein Musterbeispiel für die Grausamkeit, die von einem dummen System nicht zu trennen ist, denn der jetzige Gefängnisdirektor von Reading ist ein Mann von gütigem und humanem Charakter, der von allen Gefangenen sehr geliebt und geachtet wird. Er wurde im vergangenen Juli auf diesen Posten berufen, und obwohl er die Vorschriften des Gefängnissystems nicht ändern kann, hat er doch den Geist geändert, in dem sie unter seinem Vorgänger praktiziert wurden. Er ist bei den Gefangenen und den Wärtern sehr beliebt. Er hat tatsächlich den ganzen Ton des Gefängnisses geändert. Andererseits hat er natürlich keinen Einfluß auf das System, das heißt auf eine Änderung der Vorschriften. Ich zweifle nicht, daß er täglich viele Dinge sieht, die er als ungerecht, dumm und grausam erkennt. Aber ihm sind die Hände gebunden. Seine wahre Meinung über den Fall des A. 2. 11 kenne ich natürlich nicht, so wenig wie ich seine persönlichen Ansichten über unser gegenwärtiges System kenne. Ich beurteile ihn lediglich nach der völligen Veränderung, die er im Gefängnis von Reading bewirkt hat. Unter seinem Vorgänger wurde das System mit der äußersten Härte und Dummheit zur Anwendung gebracht.

Mit vorzüglicher Hochachtung Oscar Wilde

Zweiter Brief an die Redaktion des Daily Chronicle

23. März [1898] [Paris]

Sehr geehrte Herren, wie ich höre, gelangt die Vorlage des Innenministers für eine Gefängnisreform in dieser Woche zur ersten und zweiten Lesung, und da Ihre Zeitung das einzige Blatt in England ist, das sich dieser wichtigen Frage ernsthaft und tatkräftig annimmt, hoffe ich, daß Sie mich, der ich das Leben in einer englischen Strafanstalt lange Zeit hindurch am eigenen Leib erfahren habe, aufzeigen lassen, welche Reformen an unserem augenblicklichen stupiden und barbarischen System unbedingt nötig sind.

Einem Leitartikel, der vor etwa einer Woche in Ihrem Blatt erschien, entnehme ich, daß die Reformpläne in einer Erhöhung der Zahl der Inspektoren und Kontrolleure gipfeln, die Zutritt zu unseren englischen Gefängnissen haben.

Eine derartige Reform ist völlig sinnlos, und zwar aus einem höchst einfachen Grund. Die Inspektoren und Friedensrichter besuchen die Gefängnisse einzig und allein, um festzustellen, ob die Strafvollzugsvorschriften auch strikt eingehalten werden. Sie kommen zu keinem anderen Zweck und haben auch keinerlei Befugnis, selbst wenn sie es wünschten, eine einzige Klausel dieser Vorschriften zu ändern. Keinem Gefangenen wurde jemals die kleinste Erleichterung oder Beachtung oder Hilfe von einem solchen Kontrolleur zuteil. Die Kontrolleure kommen nicht, um den Gefangenen zu helfen, sondern um dafür zu sorgen, daß die Vorschriften eingehalten werden. Zweck ihres Besuches ist, die Durchführung eines törichten und unmenschlichen Kodex mit allen Mitteln zu sichern. Und da sie ja etwas zu tun haben müssen, widmen sie sich dieser Aufgabe sehr eingehend. Ein Gefangener, dem die geringfügigste Erleichterung eingeräumt wurde, fürchtet die Ankunft der Inspektoren. Und am Tag einer Gefängnisinspektion sind die Gefängnisbeamten gegen die Gefangenen noch brutaler als gewöhnlich. Sie wollen dadurch natürlich beweisen, wie großartig sie die Disziplin aufrechterhalten.

Die notwendigen Reformen sind sehr einfach. Sie betreffen die körperlichen und seelischen Bedürfnisse eines jeden unglücklichen Häftlings. Was die erstgenannten betrifft, so sind in englischen Gefängnissen drei Dauerstrafen gesetzlich vorgesehen:

1. Hunger
2. Schlaflosigkeit
3. Krankheit

Das Essen der Gefangenen ist völlig unzulänglich. Meistens ist es ekelerregend. Und ausreichend ist es nie. Jeder Gefangene leidet Tag und Nacht Hunger. Für jeden Gefangenen wird eine gewisse Nahrungsmenge sorgfältig Unze für Unze abgewogen. Gerade soviel, daß er zwar nicht leben, aber vegetieren kann. Immer aber ist er krank vor Hungerqualen.

Diese Ernährungsweise – das Essen besteht meist aus schwacher Hafergrütze, schlecht gebackenem Brot, Nierenfett und Wasser – führt zu Krankheit in Form von dauerndem Durchfall. Diese

Krankheit, die schließlich bei den meisten Gefangenen chronisch wird, nimmt man in jedem Gefängnis als gegeben hin. In Wandsworth zum Beispiel – wo ich zwei Monate inhaftiert war, bis man mich ins Spital bringen mußte, wo ich weitere zwei Monate blieb – machen die Wärter zwei- bis dreimal täglich die Runde mit stopfenden Medikamenten, die sie routinemäßig an die Gefangenen verteilen. Nach einer Woche dieser Therapie hat das Medikament selbstverständlich jede Wirkung verloren. Der unglückliche Häftling wird dann der äußerst schwächenden, deprimierenden und demütigenden Krankheit überlassen; und wenn er, was oft geschieht, aus körperlicher Schwäche nicht in der Lage ist, seine vorgeschriebene Leistung an der Kurbel oder in der Spinnerei zu erfüllen, wird er wegen Faulheit gemeldet und mit größter Strenge und Brutalität bestraft. Und das ist noch nicht alles.

Es gibt nichts Schlimmeres als die sanitären Einrichtungen in englischen Gefängnissen. Früher hatte jede Zelle eine Art Latrine. Diese Latrinen sind jetzt abgeschafft. Sie sind verschwunden. Statt dessen bekommt jeder Gefangene ein kleines Blechgefäß. Dreimal täglich darf der Gefangene dieses Geschirr leeren. Aber die Gefängnisaborte darf er nur während der Stunde des Spaziergangs benutzen. Und nach fünf Uhr nachmittags darf er seine Zelle nicht mehr verlassen, unter keinem Vorwand und zu keinem Zweck. Ein Mann, der an Durchfall leidet, befindet sich folglich in einer so widerlichen Lage, daß ein Verweilen bei diesem Thema unnötig, ja unziemlich wäre. Das Elend und die Qualen, denen die Gefangenen infolge dieser empörenden sanitären Einrichtungen ausgesetzt sind, spotten jeder Beschreibung. Und die verdorbene Luft der Kerkerzellen, noch verschlimmert durch ein völlig wirkungsloses Lüftungssystem, ist so übelkeiterregend und ungesund, daß die Wärter, wenn sie morgens aus der frischen Luft kommen und jede Zelle aufschließen und inspizieren, nicht selten von heftiger Übelkeit befallen werden. Ich habe das selbst mehr als dreimal erlebt, und mehrere Wärter haben es mir als eine der abstoßenden Seiten ihres Amtes geschildert.

Die Nahrung der Gefangenen sollte ausreichend und gesund sein. Sie sollte nicht so beschaffen sein, daß man davon ständigen

Durchfall bekommt, der zuerst als akute Erkrankung auftritt und dann chronisch wird.

Die sanitären Einrichtungen in englischen Gefängnissen müßten von Grund auf geändert werden. Jeder Gefangene müßte so oft wie nötig die Aborte aufsuchen und sein Nachtgeschirr leeren dürfen. Das jetzige Lüftungssystem der Zellen ist völlig nutzlos. Die Luft kommt durch verstopfte Gitter und durch einen kleinen Lüftungsspalt in der winzigen vergitterten Öffnung, der viel zu klein und viel zu mangelhaft konstruiert ist, um genügend frische Luft hereinzulassen. Man darf die Zelle nur für eine der vierundzwanzig Stunden verlassen, aus denen der lange Tag besteht, und daher atmet man dreiundzwanzig Stunden lang die denkbar verdorbenste Luft.

Was die Schlaflosigkeit als Strafart anlangt, so gibt es sie nur in chinesischen und englischen Gefängnissen. In China vollzieht man sie, indem man den Gefangenen in einen engen Bambuskäfig sperrt, in England mittels einer nackten Pritsche. Diese Pritsche hat den Zweck, den Gefangenen am Schlafen zu hindern. Einen anderen Zweck hat sie nicht, den aber erfüllt sie zuverlässig. Und selbst wenn man später eine harte Matratze bekommt, wie es bei längerer Haft üblich ist, so bleibt die Schlaflosigkeit einem treu. Denn der Schlaf ist, wie alles Gesunde, eine Gewohnheit. Jeder Gefangene, der eine Zeitlang auf einer Pritsche hat liegen müssen, leidet an Schlaflosigkeit. Es ist eine empörende und unverantwortliche Strafe.

Und nun lassen Sie mich bitte einiges zu den seelischen und geistigen Bedürfnissen sagen.

Das heutige Gefängnissystem scheint sich die Zerstörung der seelisch-geistigen Fähigkeiten zum Ziel gesetzt zu haben. Die Herbeiführung des Wahnsinns ist, wenn nicht seine Absicht, so doch sein Resultat. Diese Tatsache steht fest. Ihre Ursachen liegen auf der Hand. Ohne Bücher, ohne menschliche Gesellschaft, von jedem menschlichen und menschenwürdigen Einfluß abgeschnitten, zu ewigem Schweigen verdammt, jeder Verbindung mit der Außenwelt beraubt, wie ein unverständiges Tier behandelt, bestialischer mißhandelt als die niedrigste Bestie kann der Elende, der in einem englischen Gefängnis schmachtet, dem Wahnsinn kaum entgehen. Ich will diese Schrecknisse nicht ausmalen, noch weniger irgendein kurzlebiges, sentimentales Interesse an diesen Dingen wecken. Ich will also mit Ihrer Erlaubnis lediglich darlegen, was getan werden sollte.

Jedem Gefangenen sollten ausreichend gute Bücher zur Verfügung stehen. Im Augenblick darf man während der ersten drei Monate der Haft überhaupt keine Bücher haben, nur eine Bibel, ein Gebetbuch und ein Gesangbuch. Danach bekommt man ein Buch pro Woche. Das ist nicht nur zu wenig, die Bücher, aus denen sich eine durchschnittliche Gefängnisbibliothek zusammensetzt, sind ohne jeden Nutzen. Es sind meist drittklassige, schlecht geschriebene sogenannte Erbauungsbücher, offensichtlich für Kinder verfaßt und für Kinder wie für jeden anderen Menschen gänzlich unpassend. Man sollte die Gefangenen zur Lektüre anhalten, ihnen die Bücher geben, die sie brauchen, und die Bücher sollten sorgfältig ausgewählt werden. Gegenwärtig wird die Auswahl der Bücher vom Gefängnispfarrer getroffen.

Nach dem gegenwärtigen System darf der Gefangene nur viermal im Jahr von seinen Freunden besucht werden, jeweils zwanzig Minuten lang. Das ist ein schweres Unrecht. Ein Gefangener sollte seine Freunde einmal im Monat sehen dürfen und für eine angemessene Zeitdauer. Auch die Art, wie man heute den Gefangenen seinen Freunden vorführt, müßte geändert werden. Heute wird der Gefangene entweder in einen großen Eisenkäfig gesperrt oder in einen hölzernen Verschlag mit einer kleinen drahtvergitterten Öffnung, durch die er hindurchspähen darf. Seine Freunde stecken in einem ähnlichen Käfig, drei, vier Fuß entfernt, und dazwischen stehen zwei Wärter, die der sogenannten Unterhaltung zuhören und sie jederzeit nach Gutdünken unterbrechen können. Ich schlage vor, daß die Gefangenen ihre Verwandten oder Freunde in einem Zimmer treffen dürfen. Die augenblickliche Regelung ist unaussprechlich empörend und qualvoll. Ein Besuch von Verwandten oder Freunden bedeutet für jeden Gefangenen ein Übermaß an Demütigung und seelischer Belastung. Viele Gefangene verzichten lieber darauf, ihre Freunde zu sehen, als daß sie sich dieser Quälerei aussetzen. Und ich kann nicht sagen, daß mich das überrascht. Wenn jemand mit seinem Anwalt spricht, dann in einem Raum mit einer Glastür, hinter der ein Wärter steht. Wenn ein Mann mit seiner Frau und seinen Kindern oder seinen Eltern oder Freunden spricht, sollte er die gleiche Vergünstigung erhalten. Den Menschen, die man liebt und die einen lieben, wie ein Affe in einem Käfig vorgeführt zu werden, ist eine unnötige und grauenhafte Erniedrigung.

Jeder Gefangene sollte mindestens einmal im Monat einen Brief empfangen und schreiben dürfen. Zur Zeit darf man nur viermal im Jahr schreiben. Das genügt keineswegs. Eine der Tragödien des Gefängnislebens liegt darin, daß es das Herz eines Menschen zu Stein macht. Die Gefühle der natürlichen Zuneigung brauchen Nahrung wie alle Gefühle. Sie können leicht an Entkräftung sterben. Ein kurzer Brief viermal im Jahr genügt nicht zur Erhaltung der subtilen und humanen Regungen, denen die menschliche Natur ihre Empfänglichkeit für alle die guten und schönen Einflüsse verdankt, die ein zerschlagenes und zerstörtes Leben wieder heilen können.

Mit dem Brauch, die Briefe der Gefangenen zu verstümmeln und zusammenzustreichen, sollte Schluß gemacht werden. Wenn heute ein Gefangener in einem Brief irgendeine Klage über den Strafvollzug erhebt, so wird dieser Teil des Briefes mit der Schere herausgeschnitten. Und läßt er beim Gespräch mit seinen Freunden durch die Stäbe des Käfigs oder die Öffnung des Holzverschlags irgendeine Klage verlauten, so wird er von den Wärtern mißhandelt und jede Woche zur Bestrafung gemeldet, bis seine nächste Besuchszeit fällig ist; bis dahin glaubt man, daß er gelernt habe, zwar nicht sich zu bescheiden, aber doch sich zu verstellen, und das lernt man allemal. Es gehört zu dem Wenigen, was man im Gefängnis lernt. Glücklicherweise sind die übrigen Lehren zum Teil von höherer Ordnung.

Wenn ich den Platz auf Ihren Seiten noch weiter beanspruchen darf, erlauben Sie mir dann noch eine Bemerkung? Sie haben in Ihrem Leitartikel vorgeschlagen, daß kein Gefängnisgeistlicher irgendeine Aufgabe oder Beschäftigung außerhalb des Gefängnisses haben dürfte. Darauf kommt es jedoch nicht an. Die Gefängnisgeistlichen sind völlig überflüssig. Sie sind im großen und ganzen wohlmeinende, aber törichte, ja ausgesprochen dumme Menschen. Sie sind den Gefangenen keine Hilfe. Alle sechs Wochen etwa dreht sich ein Schlüssel in der Zellentür, und der Geistliche kommt herein. Man selbst nimmt natürlich Habt-acht-Stellung an. Er fragt einen, ob man in der Bibel lese. Man antwortet »Ja« oder »Nein«, je nachdem. Er zitiert dann einige Bibelstellen und geht wieder und verschließt die Tür. Manchmal läßt er ein Traktätchen da.

Wer dagegen keiner Beschäftigung außerhalb des Gefängnisses nachgehen oder keine Privatpraxis ausüben sollte, sind die Gefängnisärzte. Zur Zeit haben die Gefängnisärzte meist, wenn nicht immer, eine ausgedehnte Privatpraxis und halten Sprechstunden in anderen Institutionen ab. Die Folge ist, daß die Gesundheit der Gefangenen völlig vernachlässigt wird und die sanitären Zustände des Gefängnisses gar keine Beachtung finden. Ich habe seit frühester Jugend die Ärzte als den bei weitem humansten Berufsstand unserer Gesellschaft betrachtet. Aber die Gefängnisärzte muß ich ausnehmen. Sie sind, soweit ich sie kennengelernt habe, und nach allem, was ich im Spital und anderswo habe beobachten können, brutal im Benehmen, von grobem Temperament, und die Gesundheit oder das Wohlbefinden der Gefangenen ist ihnen völlig gleichgültig. Wenn man den Gefängnisärzten die private Praxis verbieten würde, so wären sie gezwungen, sich für die Gesundheit und die sanitären Lebensbedingungen der Menschen, die ihnen anvertraut sind, zu interessieren.

Ich habe versucht, in meinem Brief einige der Reformen anzudeuten, die unserem englischen Strafvollzug not tun. Sie sind einfach, praktisch und human. Sie sind natürlich nur ein Anfang. Aber es ist Zeit, einen Anfang zu machen, und das wird nur geschehen unter dem starken Druck der öffentlichen Meinung, der ein einflußreiches Blatt wie das Ihre Sprachrohr und Stütze ist.

Aber selbst wenn diese wenigen Reformen verwirklicht werden sollen, ist eine Menge zu tun. Und die erste – vielleicht schwierigste – Aufgabe besteht darin, aus den Direktoren der Gefängnisse Menschen zu machen, aus den Wärtern zivilisierte Wesen und aus den Geistlichen Christen. Ihr etc.

Autor von »The Ballad of Reading Gaol«

Gedichte

Übersetzt von Albrecht Schaeffer (Ballade) und
Rainer Gruenter

Die Ballade vom Zuchthaus zu Reading

In memoriam
C. T. W.
weiland Reiter der königl. Garden zu Pferd,
Obiit I. M. Kerker, Reading, Berkshire
7. Juli 1896

I

Er trug nicht seinen Scharlachrock,
Denn rot sind Blut und Wein.
Und Blut und Wein waren an seiner Hand,
Als sie ihn fanden, allein
Mit der armen Toten, die er geliebt
Und ermordet im Bett-Schrein.

Er machte in schäbig grauer Tracht
In der Häftlinge Ring seinen Gang;
Eine Kricketmütze war auf seinem Kopf,
Und sein Schritt schien leicht und frank;
Doch ich sah nie einen Mann, der geschaut
In den Tag so sehnsuchtskrank.

Ja, ich sah nie einen Mann, der geschaut
Mit Augen so sehnsuchtentbrannt
Hinauf in das winzige Zelt von Blau
– Von Sträflingen Himmel genannt –
Und zu jeglicher Wolke, treibend vorbei,
Mit Segeln von Silber bespannt.

Ich wandert mit anderen Seelen in Pein
In einem andern Ring
Und fragte mich, was der Mensch getan,
Ein groß oder kleines Ding?

»Der Bursch muß baumeln!« hinter mir leis
Eine wispernde Stimme da ging.

Oh Jesus! jäh zu taumeln schien
Des Kerkers Wand und Wall,
Und überm Haupt der Himmel mir ward
Ein Helm von glühendem Stahl,
Und ob ich in Qual eine Seele war,
Ich fühlte nicht meine Qual.

Ich wußte nur, welches Gedankengejag
Seinen Schritten zu eilen gebot,
Und weshalb er sah in den strahlenden Tag
Mit Augen so sehnsuchtumloht;
Er hatte getötet, was er geliebt,
Und also hatt' er den Tod.

Doch jeder tötet, was er liebt,
Das hört nur allzumal!
Der tuts mit einem giftigen Blick,
Und der mit dem Schmeichelwort schmal.
Der Feigling tut es mit dem Kuß,
Der Tapfre mit dem Stahl.

Die einen töten ihr Lieb, wenn sie jung,
Die andern, wenn sie alt;
Der drosselt mit den Händen der Lust,
Mit den Händen von Golde der krallt:
Der Beste braucht ein Messer, denn so
Wird bald der Tote kalt.

Der liebt zu leicht, und der zu lang,
Der kauft, verkaufen tut der.
Der tut die Tat mit Zähren viel,
Der hat keinen Seufzer mehr:
Denn jeder tötet, was er liebt,
Doch nicht jeder stirbt nachher.

Er stirbt nicht einen Tod der Schmach,
Zur Stunde dunkel verrucht,
Und hat kein Halfter um den Hals
Und vorm Gesicht ein Tuch,
Und macht, die Füße voran, durch ein Loch
Hinunter ins Leere den Flug.

Der sitzt bei schweigsamen Männern nicht,
Aufpassend, obs nachtet, obs tagt,
Aufpassend, wenn er zu weinen verlangt,
Und wenn er zu beten wagt;
Aufpassend, daß er selber nicht gar
Dem Gefängnis den Fang abjagt.

Der erwacht nicht im Zwielicht und sieht: in den Raum
Von Angstgestalten brichts:
Kaplan, frostklappernd, gekleidet in Weiß,
Und Richter, finstern Gesichts,
Und der Kerkerherr ganz in glänzendem Schwarz,
Mit dem gelben Gesicht des Gerichts.

Der steht nicht auf in Jammerhast,
Zieht an die Sträflingstracht,
Und jede Bewegung, nervengezerrt,
Ein Doktorsmaul glotzend bewacht,
Befingernd die Uhr, deren kleines Getick
Wie Hammerschlag fürchterlich kracht.

Der kennt nicht den Kitzel, den kranken Durst,
Der die Kehle versandet, bevor
Der Henker mit seinen Gartenhandschuhn
Schlüpft durch das gepolsterte Tor
Und legt ihm drei lederne Riemen an,
Daß die Kehle den Kitzel verlor.

Der hört die Begräbnisordnung nicht
Verlesen, den Kopf gebeugt.
Nicht kreuzt, derweil ihm ein Herzensschreck

»Du bist nicht tot!« bezeugt,
Sein eigner Sarg den Weg, den er hin
In den scheußlichen Schuppen keucht,

Der starrt nicht hinauf in die Luft, in den Hauch,
Durch ein kleines Loch von Glas.
Der fleht nicht: Geh, oh Todesweh!
Mit Lippen wie Lehm so blaß.
Der fühlt auf der schaudernden Wange nicht
Den Kuß des Kajafas.

II

Sechs Wochen machte im schäbigen Grau
Unser Gardesoldat seinen Gang.
Die Kricketmütze war auf seinem Kopf,
Und sein Schritt schien leicht und frank,
Doch ich sah nie einen Mann, der geschaut
In den Tag so sehnsuchtskrank.

Ja, ich sah nie einen Mann, der geschaut
Mit Augen so sehnsuchtentbrannt
Hinauf in das winzige Zelt von Blau
– Von Sträflingen Himmel genannt –
Und zu jeglicher Wolke, die wandert und schleppt
Ihr flattriges Vließgewand.

Er rang nicht die Hände, – der Sinnlose tuts
Und wills und begehrts und beganns
Und nährt im schwarzen Verzweiflungsloch
Einen schillernden Hoffnungspopanz;
Er trank die Morgenlüfte nur
Und sah in den Sonnenglanz.

Er rang nicht die Hände, er weinte nicht
Mit Grübeln, Grimm und Gram,
Doch er trank die Luft, als wär sie erfüllt
Mit schmeichelndem Heilbalsam;

Die Sonne trank er mit offenem Mund,
Wie wenn er Wein bekam.

Und ich und all die Seelen in Pein,
Hintrappend im andern Ring,
Vergaßen, was wir selbst getan,
Ein groß oder kleines Ding,
Und paßten stumpf, mit Staunen dumpf,
Auf den Mann, der zum Galgen ging.

Und ihn gehen zu sehn so leicht und frank,
Das war so sonderlich ...
Und ihn schauen zu sehn so sehnsuchtskrank,
Das war so sonderlich ...
Und zu denken die Schuld, und die Zahlung der Schuld,
Das war so sonderlich ...

Denn Eiche und Ulm' haben liebliches Laub,
Das auf im Frühjahr schießt,
Aber grimmig zu schaun ist der Galgenbaum,
Des Wurzel die Viper zerfrißt,
Und dürr oder grün, der Mensch muß dahin
Vor seiner Früchtefrist.

Der höchste der hoh'n ist der Gnadenthron,
Aller Irdischen einzig Gelüst!
Doch wer wünscht seinen Stand in dem hanfenen Band,
Auf der Höhe vom Galgengerüst,
Und daß durch Mörders Manschette sein Aug
Zuletzt den Himmel küßt?

Zu tanzen ist schön bei dem Geigengetön,
Stehn Liebe und Leben im Duft, –
Der Tanz, der ist zart und von seltener Art,
Wenn Flöte und Laute da ruft, –
Doch nicht süß, nicht Genuß ists, mit hurtigem Fuß
Zu tanzen in der Luft.

Mit ergebnem Genick und mit spähendem Blick
Haben Tag wir um Tag ihn umklirrt
Und fragten uns wohl, ob ein jeder von uns
Den gleichen Weg gehn wird,
Weil das keiner bedacht, in welch höllische Nacht
Sich blindlings die Seele verirrt.

Und endlich machte der Tote nicht mehr
Seinen Gang, den andern gesellt,
Und ich wußte, er war vor die Anklagebank
In den schwarzen Verschlag gestellt,
Und ich würde nicht wieder sein Antlitz sehn
In Gottes süßer Welt.

Wie zwei verdammte Schiffe im Sturm
So kreuzten wir Bord an Bord:
Wir gaben kein Zeichen, kein Wort ist gesagt,
Wir hatten zu sagen kein Wort;
Denn wir trafen nicht, ach, uns in heiliger Nacht,
Nein, schandbar war Tag und der Ort.

Gefängniswand war um uns rund,
Verstoßen waren wir Zwei:
Aus ihrem Herzen stieß die Welt
Und Gott aus der Obhut uns Zwei:
Und die Falle gestählt, die den Sünder nicht fehlt,
Schnappte ins Eisen uns Zwei.

III

In Schuldners Hof die Mauer troff,
Und hart war das Pflaster voll Kot.
Dort wars ihm erlaubt, daß er Lunge und Haupt
Dem bleiernen Himmel bot.
Ein Wärter trabte ihm links und rechts,
Argwöhnisch, der Mann ginge tot.

Sonst sitzt er mit ihnen, die passen auf
Seinen Ängsten früh und spät,
Die passen, wenn er zum Beten sich krümmt,
Und wenn er zu weinen aufsteht,
Die passen, daß durch ihn selber nicht gar
Dem Galgen die Beute entgeht. –

Der Kerkerherr war strenge aus
Auf Regeln und auf Takt.
Der Doktor sagte, der Tod sei bloß
Ein naturwissenschaftlicher Akt,
Kaplan kam zweimal am Tag und beließ
Einen kleinen geistlichen Trakt.

Und zweimal am Tag hat er Pfeife geraucht
Und getrunken sein Bier dabei.
Entschlossen war seine Seele und hielt
Keine Furt dem Fürchten frei.
Oft sagte er so, er wäre froh,
Daß nahe der Henker sei.

Warum er sprach so fremdes Zeug,
Die Wärter wagten nicht
Weder Frage noch Blick, – wem Wärters Geschick
Gegeben ist als Pflicht,
Der macht vor seinen Mund ein Schloß
Und zur Maske sein Gesicht.

Sonst wird er erweicht am Ende und reicht
Ein tröstliches: Du –, und: Nun – nun – –
Was sollte denn menschliches Mitleid, gepfercht
In die Höhle des Mörders, tun?
Welch gnädiges Wort gäb an solch einem Ort
Der Seel eines Bruders zu ruhn?

Mit Schlottern und krumm, wir trabten rundum,
Parade der Narretei.

Die Fragen laß fahrn! wir wußten, wir warn
– Kahlköpfig, die Stiefel von Blei –
Des Teufels Brigade und hatten Parade
Und lustige Maskerei.

Wir zupften zu Fasern die Taue voll Teer
Mit Nägeln blutend und krank.
Wir schruppten den Boden wohl unten und oben
Und putzten die Gitter blitzblank.
Wir seiften in Reihn die Dielen ein
Und machten mit Eimern klingklang.

Wir nähten die Säcke und brockten den Fels,
Wir drehten den staubigen Drill.
Wir schmissen das Zinn und brüllten die Hymn
Und schwitzten an dem Spill.
Aber im Herzen von jedem Mann
Lag das Grausen still.

So still es lag, daß jeder Tag
Schwer kroch wie die Woge voll Tang.
Wir dachten nicht groß an das bittere Los,
Das Narren und Schelme erlangt ...
Da trafen wir einst, heimtrappend vom Werk,
Ein offenes Grab auf dem Gang.

Das gelbe Loch mit gähnendem Maul
Erlechzte lebendiges Ding.
Selbst Dreck und Sud schrie laut um Blut
Zu dem dürren Asphaltring.
Und da wußten wir: eh'r wieder Dämmrung wär,
Einer der Häftlinge hing.

Wir gingen ins Haus, die Seele im Saus
Von Grausen und Grab und Gericht.
Der Henkerling mit dem kleinen Sack
Schlürfte durchs düstere Licht ...
Und jeder in seine benummerte Gruft
Mit Zittern und Beben kriecht.

Diese Nacht erfüllten Gestalten der Angst
Die leeren Flure dicht.
Und auf und ab die Eisenstadt
Schlichen Füße, – wir hörten sie nicht.
Durchs Stangenviereck, das die Sterne versteckt,
Spähte ein weißes Gesicht ...

Er lag wie einer, der liegt und träumt
In lieblichem Wiesenland.
Die Wächter bewachten ihn, als er schlief, –
Keiner von ihnen verstand,
Daß einer schlief so süßen Schlaf
Mit dem Henker nahe zur Hand.

Doch kein Schlaf einzieht, wenn ins Weinen geriet,
Wer nie zum Weinen sich bog.
So jeder von uns, Gauch, Gauner und Schelm,
Auf endlose Nachtwache zog.
Und durch jedwedes Herz, auf Händen von Schmerz,
Die Angst des Anderen kroch.

Ah fühls! es ist ein gräßlich Stück:
Schuldzins, auf Andern gehäuft!
Wenn der Sünden Schwert dich mitten durchfährt,
Mit giftigem Knauf beknäuft.
Und wie Blei schmolz in Glut, sind die Tränen fürs Blut,
Das nicht von deiner Hand träuft!

An den verriegelten Türen hin
In Filzschuhn der Wärter kroch,
Und guckt' und vernahm, in Scheu oder Scham,
Eine graue Gestalt in dem Loch,
Verwundert, Menschen knien zu sehn,
Die nie gebetet noch.

Die ganze Nacht sind wir betend gewacht,
Wirrsinniger Leichenbesuch!

Gefieder der Mitternacht, struppig gesträubt,
Glich Büschen im Trauerzug.
Und bittrer Wein in einem Schwamm
War der Reue Geschmack und Geruch.

Der graue Hahn kräht, und der rote Hahn kräht,
Aber der Tag kam nie.
Es hockten Gestalten angstverkrümmt,
Wo wir bogen im Winkel das Knie.
Jeder böse Geist, der die Nächte durchreist –
Vor uns spielten die!

Sie glitten geschwind, wie der Wind, wie der Wind,
Wie man Wandrer im Nebel gewahrt.
Sie taten wie Mond in dem Tanz Rigadon –
Umschlingung und Wendung gar zart!
Zu dem Stelldichein mit geziertem Gebein,
Mit verruchter Berückung geschart.

Das grinst und grimaßt und befühlt sich und faßt
Schmale Schatten, sich Hand über Hand,
Im Kreis, im Kreis, nach Geisterweis
Zu treten Saraband.
Verfluchte Grotesken, sie ziehn Arabesken
Als wie der Wind im Sand!

In Posen und Gruppen wie Puppenspielpuppen
Sie trippelten spitzige Pas.
Die Pfeifen der Furcht bliesen durch und durch,
Ein gräßlicher Maskentanz das!
Und sie sangen laut, und sie sangen laut,
Die Toten zu wecken etwas.

»Ho!« schrien sie los, »die Welt ist groß,
Doch gekettete Glieder sind schwach!
Und einmal und zwei rollt der Würfel so frei,
Kavaliere, das gibt ein Gelach!

Aber zeigt, was erzielt, wer in Sünden verspielt,
In dem heimlichen Hause der Schmach!«

Aus Luft nicht gemacht waren Tänzer und Tracht
Die so schäkerten scherzhaft im Drehn:
Der spürt es, der spürt, der in Fesseln geschnürt,
Nicht Freiheit hat zu gehn
Oh Christi Leid, das war Wirklichkeit
Und fürchterlich zu sehn!

Sie schwenkten sich rund mit grinsendem Mund
Zu Paaren und walzten mit Lust.
Mit Gesten, geleckt, wie Hetären gereckt,
Chassierten sie Treppen im Schuß,
Und sie halfen mit Hohn und mit schmeichelndem Ton
Bei unserm Angelus!

Der Morgenwind hub stöhnend an,
Die Nacht blieb dunkel genug.
Am riesigen Webstuhl die Webe der Nacht
Kroch durch, bis gesponnen das Tuch:
Uns, noch beim Gebet hat der Schauder umweht
Vor der Sonne Urteilsspruch.

Der stöhnende Wind strich wandernd entlang
Am weinenden Kerkerwall.
Minut' um Minute durchkroch unser Blut,
Wie ein eisernes Drehgatter bald.
Oh der stöhnende Wind! warum gab man uns denn
Solch einen Seneschall?

Jetzt bewegt sich der Schatten des Stangengevierts,
Wie ein bleiernes Gitter gespannt,
Gegenüber von meinem Dreibretterleinbett
An der weißgetünchten Wand.
Da begreif ich: es steht irgendwo in der Welt
Gottes furchtbarer Morgen in Brand. –

Wir putzten die Zellen um sechs Uhr früh,
Um sieben ist alles still.
Doch mit mächtigem Saus durch das ganze Haus
Eine riesige Schwinge schwillt.
Denn der Herzog Tod, eisodem-umloht,
Trat ein, zu töten gewillt.

Er ritt nicht groß auf mondweißem Roß,
Kam nicht in purpurnem Staat.
Drei Ellen Schnur und ein Rutschbrett nur,
Die braucht der Galgen grad.
Mit der Schnur, mit der Schmach der Herold vorsprach,
Zu tun seine heimliche Tat.

Da glichen wir Dem, der sich tastet im Lehm
Durch den Sumpf einer kotigen Nacht.
Wir haben, obzwar keine Angst in uns war,
Kein Ave zu sprechen gedacht.
In unser jedem war etwas tot, –
Die Hoffnung war umgebracht.

Der grimmige Richter der Menschheit geht
Seinen Gang und weicht keinen Schritt.
Er schlägt die Schwäche, er schlägt die Kraft,
Er hat einen tödlichen Tritt.
Mit eisernem Absatz trifft er die Kraft,
Der wüste Parrizid.

Wir warteten nur auf den Schlag acht Uhr, –
Von Durst war die Zunge uns dick.
Denn der Uhrschlag acht verdammt einen Mann,
Er ist der Schlag vom Geschick,
Und das wirft acht Uhr seine hanfene Schnur
Um das beste und böste Genick.

Wir hatten ja nichts als Warten zu tun,
Bis sich das Zeichen regt.

Wie Stücke von Stein sind in Öde allein,
Stumm saßen wir da, unbewegt.
Doch das Herz in dem Rumpf schlug so schnell und so dumpf,
Wie ein Irrer Trommel schlägt.

Jäh schüttelnd fuhr die Kerkeruhr
In die schaudernden Lüfte hinein.
Und Klagen fuhr aus im ganzen Haus
Von hilflos verzweifelter Pein.
So hören erschrockene Moore wohl
Den Leprosen vom Lagerplatz schrei'n.

Und wie sich grausige Dinge stelln
Im Kristall eines Traumes zur Schau,
So sahn wir gehakt an den Balken schwarz
Das fettige, hanfene Tau,
Und hörten von Henkerlings Strang das Gebet
Erdrosselt in würgendes Au . . .

Und von der Pein, die zu solchem Schrei'n
Die Seele da verdarb –
Von der Reue heiß und vom blutigen Schweiß –
Ich bins, der das Wissen erwarb!
Denn wer mehr Leben als eins gelebt,
Mehr Tode als einen starb.

IV

Kein Gottesdienst ist an dem Tag,
Wo einer starb durch den Strang.
Des Pfarrers Antlitz ist zu bleich –
Oder sein Herz ist ihm krank . . .
Oder gar eine Schrift, die keiner darf sehn,
Aus seinen Augen sprang.

So hielten sie uns bis Mittag fast,
Dann kam ein Glockenruf.

Und der Wärter mit seinem Geklimper kam
Und schloß auf jede lauernde Gruft.
Und die eisernen Treppen kam jeder getrappt
Aus gesonderter Höllenkluft.

Wir kamen an Gottes süße Luft,
Doch nicht im gewohnten Gang:
Denn dies Gesicht war weiß, und dies
War grau vom Grauenstrank.
Und nie sah ich Menschen, die geschaut
In den Tag so sehnsuchtskrank.

Ja, nie sah ich Menschen, die geschaut
Mit Augen so sehnsuchtentbrannt,
Hinauf in das winzige Zelt von Blau,
– Von Sträflingen Himmel genannt –
Und zu jedweder sorglosen Wolke, die zog
Durch glückliches Freiheitsland.

Doch welche gingen unter uns,
Den Nacken geduckt so krumm ...
Die wußten: wenn jeder bekäme, was recht –
Sie müßten sterben darum:
Denn jener erschlug ein Lebendiges nur,
Sie brachten ein Totes um.

Denn wer zum zweiten Mal gefehlt,
Erweckt eine Seele zur Qual,
Zieht aus ihr fleckiges Totenhemd
Und macht sie bluten nochmal,
Ja, bluten große Tropfen Blut,
Und umsonst ist ihre Zahl!

Wie Affen und Clowns in scheußlichem Kleid,
Mit verbogenen Bolzen besteckt,
So gingen wir schweigsam rund und rund
Im Asphalthof schmutzbefleckt.

Schweigsam gingen wir rund und rund,
Und ward kein Wort erweckt.

Schweigsam gingen wir rund und rund ...
Durchs hohle Herzgebind
Graunvoller Dinge Gedächtnis zog
Und stürmte, ein furchtbarer Wind,
Und Grausen schlich vor jedem her,
Und Schauder kroch hinter ihm blind.

Die Wärter hielten, stelzend umher,
Ihre Bestienschar an der Schnur;
Ihre Uniform war blink und blank,
Und sie trugen die Sonntagsmontur;
Aber wir merkten ihr heutiges Werk
An der kalkigen Stiefelspur.

Denn wo ein Grab weit offen war –
Keiner ein Grab mehr fand:
An der eklen Mauer des Kerkers war
Nur ein Streifen Dreck und Sand
Und ein kleiner Berg von gelöschtem Kalk –
Des Menschen Grabgewand.

Denn er hatt' ein Gewand, der elende Mensch,
Wie nicht für jeden bereit:
Tief unterm Zuchthaushof und nackt,
Für schlimmere Schändlichkeit,
Da liegt er, Fesseln an jedem Fuß,
In einem Flammenkleid.

Und immer nimmt der brennende Kalk
Gebein und Fleisch zum Fraß,
Er frißt das mürbe Bein bei Nacht,
Bei Tage süß Fleisch etwas, –
Er frißt abwechselnd Fleisch und Bein,
Doch das Herz ohn Unterlaß.

Drei lange Jahre keiner sä'n
Oder Setzlinge senken mag:
Drei Jahre liegt der verfluchte Fleck
Unfruchtbar da und brach
Und starrt dem wandernden Himmelszelt
Ohne Vorwurf nach.

Man sagt, das Herz eines Mörders färbt
Jeden Samen, farblos gesenkt.
Es ist nicht wahr! Gottes Erde gut
Ist gütiger, als ihr denkt,
Und die rote Rose wird röter blühn,
Und weißer die weiße sich drängt.

Aus seinem Mund eine Rose rot,
Aus der Brust eine weiße bricht!
Ach, ahnt es denn wer, wie besonders der Herr
Seinen Willen bringt ans Licht,
Seit dürrer Stecken des Pilgrims geblüht
Vor des großen Papstes Gesicht?

Nicht Rose weiß, nicht Rose rot
In Zuchthausluft verweilt.
Flint, Scherbe und der Kieselstein
Wird da an uns verteilt:
Denn Blumen wüßtens, wie sich der Gram
Eines schlichten Mannes heilt.

Doch dort läßt fallen Blatt um Blatt
Nicht Rose weiß noch rot,
Dort an der eklen Kerkerwand
Auf den Flecken Sand und Kot,
Zu sagen Den', die umtrappen den Hof:
Christ litt für alle den Tod! –

Doch ob die ekle Gefängniswand
Ihn rund und rund umringt –

Und ein Geist nicht umgehn darf bei Nacht,
Den eiserne Kette umschlingt –
Und ein Geist nicht weinen darf, der in solch
Unheiligen Grund versinkt –

Er ist in Frieden – der elende Mensch –
Oder bald in Friedens Hut.
Nichts verwirrt seinen Sinn, nicht Grausen geht
Nun um in Mittagsglut,
Denn weder Sonne hat noch Mond
Die Erde, drin er ruht.

Sie henkten ihn, wie man ein Untier hängt:
Sie gaben kein Requiem zu,
Das seine Seele, so verstört,
Gebracht haben würde zur Ruh.
Sie schleppten hurtig ihn hinaus, –
Ein Loch barg ihn im Nu.

Die leinenen Kleider streiften sie weg
Und gaben ihn Fliegengetier,
Nachäffend den purpurn geschwollenen Hals
Und die Augen starr und stier.
Und mit Lachen laut ward gehäufelt die Haut,
In der er liegt allhier.

Der Pfarrer wollte nicht knien zum Gebet
An seinem ehrlosen Grab,
Noch zeichnen das gesegnete Kreuz,
Das Christus für Sünder gab,
Denn er war ja von jenen, für deren Heil
Christus stieg herab.

Doch laßts gut sein ... Er gelangt' an das Ziel,
Das gesetzt ist dem Leben von weit.
Des Mitleids gesprungene Urne sind
Fremde Tränen zu füllen bereit,

Denn die ihn betrauern – Geächtete sinds,
Und Geächtete trauern allzeit.

V

Ich weiß nicht, welch Gesetz da gut
Und welches schlecht sein mag.
Die Mauer ist hart – sonst wissen wir nichts,
Die wir liegen im Kerkerverschlag, –
Und jeder Tag ist wie ein Jahr,
Ein Jahr – und lang ist sein Tag.

Doch weiß ich jetzt, daß jedes Gesetz,
Das der Mensch für die Menschen ersann,
Seit der erste Mensch seinen Bruder erschlug,
Und die traurige Welt begann,
In böser Schwinge die Spreu behält,
Derweil der Weizen zerrann.

Das weiß ich dazu – und weise wärs,
Ein jeder wüßte es mit:
In jedwedem Kerker, den Menschen gebaut,
Sitzt die Schande als Kitt,
Und Gitter sind dran, daß der Heiland nicht sieht,
Wie der Mensch seinen Bruder zertritt.

Sie verdunkeln den gütigen Mond und die Sonn,
Die liebe, mit Stangengefach.
Ja verbergt nur – 's ist gut! – die Höllenglut,
Denn Dinge geschehen drin, ach,
Daß Gottessohn und Menschensohn
Nicht hinsehn darf danach!

Die schlimmsten Taten wie Giftkraut blühn
In Kerkerlüften dreist,
Und nur was gut im Menschen ist,

Vergrindet da und vergreist.
Das schwere Tor wahrt bleiche Angst,
Der Wärter Verzweiflung heißt.

Da hungert das kleine, erschrockene Kind,
Bis es wimmert ohn Unterlaß.
Sie peitschen den Schwachen, sie schlagen den Narrn,
Den Alten verspotten sie baß.
Und mancher wird toll, und schlecht werden all,
Doch keiner darf sagen etwas.

Jede Zelle schmal, drin wir hausen zumal,
Ist ein fauler und finstrer Abort.
An der Gitterwand hoch der Stinkodem kroch
Aus dem lebendigen Mord.
Oh Maschine der Menschlichkeit! bis auf die Lust,
Alles zu Staub drin verdorrt.

Das brackige Wasser, das du trinkst,
Kriecht eklig, verschleimt und verbreit;
Auf Wagen gewogen, das bittere Brot
Ist voll Kreide und Kalk und verklei't.
Schlaf liegt nicht hin, sondern wandert herum,
Wildäugig, und schreit nach der Zeit.

Doch ob Hunger dürr und Dürsten grün
Wie Natter und Otter ficht,
Wir kümmern uns kaum um die Kerkerkost,
Denn das ists, was erstarrt und zerbricht:
Daß jeder Stein, den bei Tag du hobst,
Dein Herz wird im nächtlichen Licht.

Das Herz gefüllt mit Mitternacht,
Die Zelle mit Zwielichtschein;
Wir drehen das Schöpfrad, wir zupfen den Hanf,
In gesonderter Hölle allein,
Und grausiger das Schweigen schweigt,
Als eherne Glocken schrei'n.

Und nie kommt menschliche Stimme uns nah,
Mit sanftem Wort gesellt.
Das Auge ist hart und mitleidlos,
Das im Guckloch Wache hält.
Ohne Welt, ohne Trost, du verrohst, du verrohst!
An Leib und Seele entstellt.

So rosten wir, eiserne Kette des Seins –
Entehrt und ganz allein.
Der eine schluchzt, der andre flucht,
Der nennt keinen Seufzer mehr sein.
Doch Gottes ewge Gesetze sind lind
Und brechen das Herz von Stein.

Und jedes Menschenherz, das brach,
In Zuchthauszell oder -hof,
Ist die Büchse, die brach und dem Heiland gab
Ihren kostbar edelen Stoff,
Von dem das unreine Aussatzhaus
Mit köstlichem Nardeduft troff.

Glücklich das Herz, das brechen kann
Und zum Frieden der Gnade gedeihn!
Wie glättet sich anders der Pfad, wie wird sonst
Die Seele von Sünde rein?
Wie anders als durch ein gebrochenes Herz
Zieht der Heiland ein?

Und er mit dem purpurn geschwollenen Hals
Und Augen starr und verdreht,
Er weiß die heilige Hand, die den Dieb
Ins Paradies einlädt.
Und gebrochenes Herz, und bereuendes Herz,
Der Heiland nicht verschmäht.

Der Mann in Rot, der das Urteil verliest,
Gab ihm drei Wochen schmal,

Drei Wochen zu leben, – zu heilen das Herz
Von Herzenskampf und -qual,
Und zu waschen jeden Flecken Bluts
Von der Hand, die gehalten den Stahl.

Die Hand, die das Messer gehalten – er wusch
Sie in blutigen Tränen mit Fleiß.
Denn nur das Blut wischt ab das Blut,
Und die Träne nur Heilung verheißt.
Und der rote Fleck, der an Kain war,
Ward Christi Siegel schneeweiß.

VI

In Readingzuchthaus bei Readingstadt,
Da ist ein Schandeneck.
Drin liegt ein elender Mensch, – ihn frißt
Der Zahn der Flamme weg;
Er liegt gewickelt in brennendes Tuch, –
Keinen Namen hat der Fleck.

In Schweigen laßt ihn ruhn, – bis Christ
Den Toten zu kommen gebot.
Vergeudet nicht törichte Tränen! es ist
Kein windiger Seufzer not:
Er hatte getötet, was er geliebt,
Und also hatt er den Tod.

Und jeder tötet, was er liebt,
Das hört nur allzumal!
Der tuts mit einem giftigen Blick,
Und der mit dem Schmeichelwort schmal.
Der Feigling tut es mit dem Kuß,
Der Tapfre mit dem Stahl.

C. 3. 3.

Gedichte

Endymion
(For Music)

The apple trees are hung with gold,
   And birds are loud in Arcady,
The sheep lie bleating in the fold,
The wild goat runs across the wold,
But yesterday his love he told,
   I know he will come back to me.
O rising moon! O Lady moon!
   Be you my lover's sentinel,
   You cannot choose but know him well,
For he is shod with purple shoon,
You cannot choose but know my love,
   For he a shepherd's crook doth bear,
And he is soft as any dove,
   And brown and curly is his hair.

The turtle now has ceased to call
   Upon her crimson-footed groom,
The grey wolf prowls about the stall,
The lily's singing seneschal
Sleeps in the lily-bell, and all
   The violet hills are lost in gloom.
O risen moon! O holy moon!
   Stand on the top of Helice.
   And if my own true love you see,
Ah! if you see the purple shoon,
The hazel crook, the lad's brown hair,
   The goat-skin wrapped about his arm,
Tell him that I am waiting where
   The rushlight glimmers in the Farm.

The falling dew is cold and chill,
And no bird sings in Arcady,
The little fauns have left the hill,
Even the tired daffodil
Has closed its gilded doors, and still
My lover comes not back to me.
False moon! False moon! O waning moon!
Where is my own true lover gone,
Where are the lips vermilion,
The shepherd's crook, the purple shoon?
Why spread that silver pavilion,
Why wear that veil of drifting mist?
Ah! thou hast young Endymion,
Thou hast the lips that should be kissed!

Endymion
(Für Musik)

Die Apfelbäume sind mit Gold behangen,
und Vogelsang tönt in Arkadien,
die Schafe lagern blökend im Gehege,
der wilde Geißbock springt durch Moor und Heide,
doch gestern sprach Er mir von seiner Liebe.
Ich weiß, Er wird zurückkommen zu mir.
O, aufgehender Mond! O, Dame Mond!
Sei du die Wache meines Liebsten,
unmöglich ist's, ihn nicht zu kennen,
denn an den Füßen trägt er Purpurschuhe,
unmöglich auch, den Liebsten nicht zu finden,
denn er trägt einen Hirtenstab,
und er ist sanft wie eine Taube,
und braun und lockig ist sein Haar.

Die Turteltaube hat nun aufgehört zu rufen
nach ihrem rotfüßigen Freund,
der graue Wolf streicht um den Stall,

der Lilie singender Hüter
schläft in dem Lilienkelch, und alle
die blauen Hügel im Dunkel sind versunken.
O, Mond am Himmel! O, heiliger Mond!
Verweile über Helike!
Und wenn du Ihn siehst, den treulich ich liebe,
ach, wenn du siehst den Purpurschuh,
den Haselstab, des Jünglings braunes Haar,
das Geißfell um den Arm geschlungen,
sag' ihm, daß ich auf Ihn warte, wo
das Binsenlicht in der Hütte schimmert.

Der Tau, der fällt, ist kühl und frostig,
und kein Vogel singt in Arkadien,
die kleinen Faune haben den Hügel verlassen,
und selbst die müde Narzisse
hat ihre goldenen Tore verschlossen und immer noch
kommt mein Liebster nicht zurück zu mir.
Trügerischer Mond! Falscher Mond! O, Mond,
schon schwindend
Wohin ist mein Liebster geflohen,
wo sind die roten Lippen,
der Schäferstab, der Purpurschuh?
Warum ist ausgebreitet das Silberzelt?
Warum die Verhüllung in Schleiern treibenden
Nebels?
Ach, bei dir ist wohl Endymion,
du küßt die Lippen, die ich küssen sollte.

*

In the Gold Room
A Harmony

Her ivory hands on the ivory keys
Strayed in a fitful fantasy,
Like the silver gleam when the poplar trees

Rustle their pale leaves listlessly,
Or the drifting foam of a restless sea
When the waves show their teeth in the flying breeze.

Her gold hair fell on the wall of gold
Like the delicate gossamer tangles spun
On the burnished disk of the marigold,
Or the sunflower turning to meet the sun
When the gloom of the jealous night is done,
And the spear of the lily is aureoled.

And her sweet red lips on these lips of mine
Burned like the ruby fire set
In the swinging lamp of a crimson shrine,
Or the bleeding wounds of the pomegranate,
Or the heart of the lotus drenched and wet
With the spilt-out blood of the rose-red wine.

Im Goldenen Zimmer

Ihre Elfenbeinhände über den Elfenbeintasten
schweiften in launischer Träumerei
wie der silberne Glanz, wenn die Pappeln
ihre blassen Blätter lautlos schütteln,
wie der treibende Schaum einer ruhlosen See,
wenn die Wogen ihre Zähne zeigen im fliegenden Sturm.

Ihr goldenes Haar fiel über die Wand von Gold,
wie die zarten Sommerfädengespinste woben
über dem leuchtenden Kranz der Ringelblume,
oder die Sonnenblume, die sich reckt, der Sonne
entgegenzukommen,
wenn das Dunkel der eifersüchtigen Nacht schwindet,
und der Speer der Lilie im goldenen Schein erstrahlt.

Und ihre süßen roten Lippen auf meinen Lippen
brannten wie die rubinrote Flamme
in der sanft schaukelnden Lampe eines kostbaren Gefäßes,
oder die blutenden Wunden eines Granatapfels,
oder das Herz der Lotusblüte getränkt und feucht
vom vergossenen Blut des rosenroten Weins.

*

The Grave of Shelley

Like burnt-out torches by a sick man's bed
Gaunt cypress-trees stand round the sun-bleached stone;
Here doth the little night-owl make her throne,
And the slight lizard show his jewelled head.
And, where the chaliced poppies flame to red,
In the still chamber of yon pyramid
Surely some Old-World Sphinx lurks darkly hid,
Grim warder of this pleasaunce of the dead.

Ah! sweet indeed to rest within the womb
Of Earth, great mother of eternal sleep,
But sweeter far for thee a restless tomb
In the blue cavern of an echoing deep,
Or where the tall ships founder in the gloom
Against the rocks of some wave-shattered steep.

Rome

Shelley's Grab

Wie ausgebrannte Fackeln am Bett des Kranken
stehn düstre Zypressen rings um den sonnengebleichten Felsen;
hier baut die kleine Nachteule sich ihr Nest,
und die schlanke Eidechse zeigt ihren Juwelenkopf.

Und wo des Mohnes Kelche aufflammen,
  in der stillen Kammer der Pyramide drüben
  lauert gewiß eine alte Sphinx, dunkel verborgen,
der grimme Wächter dieses Totenfriedens.

Ach, süß gewiß, tief zu ruhen im Schoß
  der Erde, der großen Mutter des ewigen Schlafs,
doch süßer wohl für dich ein ruhloses Grab
  in einer blauen Grotte, aus deren Tiefe das Echo hallt,
oder wo die großen Schiffe scheitern im Dunkel
  an den Riffen wogenzerschlagener Felsküsten.

Rom

*

The Grave of Keats

Rid of the world's injustice, and his pain,
He rests at last beneath God's veil of blue.
Taken from life when life and love were new
The youngest of the martyrs here is lain,
  Fair as Sebastian, and as early slain.
  No cypress shades his grave, no funeral yew,
  But gentle violets weeping with the dew
Weave on his bones an ever-blossoming chain.
O proudest heart that broke for misery!
  O sweetest lips since those of Mitylene!
  O poet-painter of our English Land!
Thy name was writ in water—it shall stand:
  And tears like mine will keep thy memory green,
As Isabella did her Basil-tree.

Rome

Keats' Grab

Frei von der ungerechten Welt und seiner Pein
ruht endlich er unter Gottes blauem Schleier.
Dem Leben geraubt, als Leben und Liebe jung waren,
liegt hier der jüngste Märtyrer,
  schön wie Sebastian und so jung erschlagen.
  Keine Zypresse gibt Schatten seinem Grab, keine Trauer-Eibe,
  doch zarte Veilchen voller Tränen aus Tau
flechten über seinen Gebeinen eine immerblühende Kette.
O, stolzestes Herz, das Elend zerbrach!
  O, süßeste Lippen seit jenen von Mytilene!
  O, Dichter-Maler unseres Englischen Landes!
Dein Name war ›in Wasser geschrieben‹ – er wird dauern:
  und Tränen wie die meinen werden grün dein Gedächtnis
  halten
wie Isabella ihren Basilienbaum.

Rom

*

On the Sale by Auction of Keats' Love Letters

These are the letters which Endymion wrote
  To one he loved in secret, and apart.
  And now the brawlers of the auction mart
Bargain and bid for each poor blotted note,
Ay! for each separate pulse of passion quote
  The merchant's price. I think they love not art
  Who break the crystal of a poet's heart
That small and sickly eyes may glare and gloat.

Is it not said that many years ago,
  In a far Eastern town, some soldiers ran
  With torches through the midnight, and began
To wrangle for mean raiment, and to throw
  Dice for the garments of a wretched man,
Not knowing the God's wonder, or His woe?

Zum Verkauf der Liebesbriefe von Keats auf einer Versteigerung

Dieses sind die Briefe, die Endymion schrieb
an jemand, den er liebte geheim und für sich.
Und nun feilschen Zänker der Versteigerung und
überbieten sich für jede arme, kaum leserliche Notiz.
Ach, für jeden Pulsschlag der Leidenschaft setzen sie
den Preis des Kaufmanns fest. Ich weiß, sie lieben nicht die Kunst,
die den Kristall eines Dichterherzens zerbrechen,
damit kleine und erbärmliche Augen funkeln und hämisch lachen.

Steht nicht geschrieben, daß vor vielen Jahren
in einer Stadt des Ostens ein paar Soldaten liefen
mit Fackeln durch die Mitternacht und begannen,
sich um den armen Rock zu balgen und zu würfeln
um die Kleider des Gemarterten,
nichts wissend von dem Wunder Gottes und Seinem Leiden?

*

Easter Day

The silver trumpets rang across the Dome:
The people knelt upon the ground with awe:
And borne upon the necks of men I saw,
Like some great God, the Holy Lord of Rome.
Priest-like, he wore a robe more white than foam,
And, king-like, swathed himself in royal red,
Three crowns of gold rose high upon his head:
In splendour and in light the Pope passed home.
My heart stole back across wide wastes of years
To One who wandered by a lonely sea,
And sought in vain for any place of rest:
»Foxes have holes, and every bird its nest,
I, only I, must wander wearily,
And bruise my feet, and drink wine salt with tears.«

Ostern

Die silbernen Posaunen schallten durch den Dom:
das Volk kniete nieder in Ehrfurcht:
und über den gebeugten Nacken der Menschen hoch
getragen
wie einen Großen Gott sah ich den Heiligen Herren Roms.
Dem Priester gleich trug er ein Kleid weißer als Schaum,
und gleich dem König, eingehüllt in königliches Rot,
erhoben drei goldne Kronen hoch sich über seinem
Haupte:
in Glanz und Licht zog der Papst zurück in seine Gemächer.
Mein Herz stahl sich zurück durch weite Jahresräume
zu Einem, der an einem einsamen See seinen Weg
und vergeblich nach einer Stätte suchte, wo er ruhen
könnte:
»Füchse haben ihre Höhlen, und jeder Vogel hat sein Nest.
Ich, allein ich, muß in Kümmernis umherirren
und meine Füße wund laufen und Wein mit Tränen
gesalzen trinken.«

*

Sonnet

On Hearing the Dies Iræ Sung in the Sistine Chapel

Nay, Lord, not thus! white lilies in the spring,
Sad olive-groves, or silver-breasted dove,
Teach me more clearly of Thy life and love
Than terrors of red flame and thundering.
The empurpled vines dear memories of Thee bring:
A bird at evening flying to its nest
Tells me of One who had no place of rest:
I think it is of Thee the sparrows sing.
Come rather on some autumn afternoon,
When red and brown are burnished on the leaves,
And the fields echo to the gleaner's song.
Come when the splendid fulness of the moon

Looks down upon the rows of golden sheaves,
And reap Thy harvest: we have waited long.

Sonett

'Dies Irae' in der Sixtinischen Kapelle hörend

Nein, Herr, nicht so! Weiße Lilien im Frühling,
dunkle Olivenhaine oder silberbrüstige Tauben
lehren mich reiner Dein Wesen, Deine Liebe
als die Schrecken roten Feuers und Donners.
Der purpurfarbene Rebstock erfüllt mich mit zarten Erinnerungen an Dich:
ein Vogel, der abends heimwärts fliegt zu seinem Nest,
spricht mir von Einem, der keine Stätte der Ruhe hatte:
der Sperling singt, so glaube ich, von Dir.
Komm lieber an einem Nachmittag im Herbst,
wenn Rot und Braun im Laube leuchten,
und die Flur vom Sang der Schnitter widerhallt.
Komm, wenn des Mondes glänzende Fülle
schaut nieder auf die Reihen goldener Garben,
und schneide Deine Ernte: lange haben wir gewartet.

*

E Tenebris

Come down, O Christ, and help me! reach thy hand,
For I am drowning in a stormier sea
Than Simon on thy lake of Galilee:
The wine of life is spilt upon the sand,
My heart is as some famine-murdered land
Whence all good things have perished utterly,
And well I know my soul in Hell must lie
If I this night before God's throne should stand.
»He sleeps perchance, or rideth to the chase,
Like Baal, when his prophets howled that name

From morn to noon on Carmel's smitten height.«
Nay, peace, I shall behold, before the night,
The feet of brass, the robe more white than flame,
The wounded hands, the weary human face.

Aus der Tiefe

Komm, Christus, und hilf mir! Reiche mir deine Hand
denn ich versinke in einem wilderen Meer
als Petrus in deinem See von Galiläa:
der Wein des Lebens ist vergossen im Sand,
mein Herz ist wie ein verhungertes Land,
wo alles Gute und Schöne gewichen und verdorben ist,
und ich weiß wohl, daß ich in der Hölle schmachten müßte,
wenn ich in dieser Nacht vor Gottes Thron stehen sollte.
»Er schläft vielleicht oder reitet aus zur Hatz
wie Baal, wenn seine Propheten jenen Namen heulen
von Morgen bis Mittag auf den schroffen Höhen des Karmel.«
Nein, stille, ich werde schauen vor Nacht
die Füße von Erz, das Kleid weißer als Feuer,
die durchbohrten Hände, das todmüde Menschenantlitz.

*

Quia multum Amavi

Dear Heart, I think the young impassioned priest
When first he takes from out the hidden shrine
His God imprisoned in the Eucharist,
And eats the bread, and drinks the dreadful wine,

Feels not such awful wonder as I felt
When first my smitten eyes beat full on thee,

And all night long before thy feet I knelt
Till thou wert wearied of Idolatry.

Ah! hadst thou liked me less and loved me more,
Through all those summer days of joy and rain,
I had not now been sorrow's heritor,
Or stood a lackey in the House of Pain.

Yet, though remorse, youth's white-faced seneschal,
Tread on my heels with all his retinue,
I am most glad I loved thee—think of all
The suns that go to make one speedwell blue!

Weil ich viel geliebt habe

Mein Herz, ich glaube, der junge Priester voll heiliger
Leidenschaft,
wenn er zum ersten Mal befreit aus dem verborgenen
Schrein
seinen Gott, eingeschlossen in der Eucharistie,
und ißt das Brot und trinkt den grauenvoll erhabnen
Wein,

fühlt nicht so ehrfürchtiges Wunder, wie ich es fühlte,
als zum ersten Male meine erschütterten Augen dich
voll erblickten
und ich die Nacht so lang zu deinen Füßen kniete,
bis dir mein abgöttisches Verehren lästig wurde.

Ach, hättest weniger du mit mir getändelt, mich mehr geliebt
in allen diesen sommerlichen Fest- und Regentagen,
ich wäre nun des Kummers Erbe nicht
und diente, ein Lakai, nicht im Haus der Schmerzen.

Jedoch, ob Reue auch, der Jugend blaßgesichtiger Seneschall
mir auf dem Fuße folgt mit all seinem Gefolge,
so bin ich froh, daß ich dich liebte – gedenke
aller Sonnen, die auf- und untergehn, damit ein
Ehrenpreis erblaue!

*

Taedium Vitae

To stab my youth with desperate knives, to wear
This paltry age's gaudy livery,
To let each base hand filch my treasury,
To mesh my soul within a woman's hair,
And be mere Fortune's lackeyed groom,— I swear
I love it not! these things are less to me
Than the thin foam that frets upon the sea,
Less than the thistledown of summer air
Which hath no seed: better to stand aloof
Far from these slanderous fools who mock my life
Knowing me not, better the lowliest roof
Fit for the meanest hind to sojourn in,
Than to go back to that hoarse cave of strife
Where my white soul first kissed the mouth of sin.

Zittern des Lebens

Meine Jugend mit verzweifelten Messern zu morden,
dieser verdorbenen Zeit flittergrelles Dienerkleid zu tragen,
jede niederträchtige Hand in meinen Schätzen wühlen
zu lassen,
meine Seele in Frauenhaar zu verstricken
und närrischen Glücks Lakai zu sein – ich schwöre:
ich liebe es nicht! Dies alles gilt mir geringer als leichter

Schaum, der überm Meer sich kräuselt,
geringer als Distelflaum der Sommerluft,
der ohne Samen treibt: besser abseits zu stehn,
fern von diesen verleumderischen Narren, die mein Leben schmähen
und mich nicht kennen, besser die ärmste Hütte,
dem gemeinsten Tagelöhner gerade recht zu flüchtigem Hausen,
als zurückzukehren in jene krächzende Höhle des Gezänks,
wo meine weiße Seele zum ersten Mal den Mund der Sünde küßte.

*

Le Jardin des Tuileries

This winter air is keen and cold,
And keen and cold this winter sun,
But round my chair the children run
Like little things of dancing gold.

Sometimes about the painted kiosk
The mimic soldiers strut and stride,
Sometimes the blue-eyed brigands hide
In the bleak tangles of the bosk.

And sometimes, while the old nurse cons
Her book, they steal across the square,
And launch their paper navies where
Huge Triton writhes in greenish bronze.

And now in mimic flight they flee,
And now they rush, a boisterous band—
And, tiny hand on tiny hand,
Climb up the black and leafless tree.

Ah! cruel tree! if I were you,
And children climbed me, for their sake
Though it be winter I would break
Into spring blossoms white and blue!

Le Jardin des Tuileries

Diese Winterluft ist scharf und kalt,
und scharf und kalt ist dieses Winters Sonne,
aber rings um meinen Stuhl spielen die Kinder,
liebliches Etwas aus tanzendem Gold.

Manchmal rings um den buntbemalten Kiosk
stolzieren sie mit langen Schritten, Soldatenspieler,
und manchmal verstecken sie sich, blauäugige Räuber,
im kahlen Gezweig der Büsche.

Und wieder dann, wenn das alte Kindermädchen liest
in ihrem Buch, stehlen sie sich hinweg über den Platz
und lassen ihre Papierschiffe schwimmen, wo
der Große Triton sich krümmt in grüner Bronze.

Und nun fliehen sie in künstlicher Flucht,
und jetzt stürzen sie herbei, ein lärmender Schwarm –
und, kleine Hand in kleiner Hand,
klettern sie auf den schwarzen und blätterlosen Baum.

Ach, grausamer Baum! Wäre ich du,
und Kinder kletterten an mir herauf, ihretwillen,
wenn es auch Winter wäre, bräche ich aus
in Frühlingsblüten weiß und blau!

*

Anhang

Rainer Gruenter

Versuch über Oscar Wilde

Daß er seiner Kunst nur sein Talent gewährt, aber sein Genie an sein Leben verschwendet habe, sei das große Drama seines Lebens, bekennt Oscar Wilde, vom Erfolg verwöhnt, André Gide. Darf man dieser als Geständnis dramatisierten Bemerkung Oscar Wildes Gewicht beimessen? Dem Geständnis eines Redekünstlers, der Selbsterkenntnisse so unverbindlich improvisiert wie alles, was sein rhetorischer Appetit nicht verschmäht, was ihm den Genuß seiner Zungenfertigkeit gestattet? Wohl doch. Es schuldet wenig der Koketterie seiner übertreibenden Selbstenthüllungen, die ernst zu nehmen gegen die Spielregeln Oscar Wildes verstieße. Denn die Bedeutung, ernst zu sein oder sich ernst zu nehmen – *der Künstler ist die einzige Person, die niemals ernst ist* –, widerspricht dem Prinzip seiner Frivolität, die freilich seine besondere Form des Ernstes, eines kostspieligen Ernstes, ist. Im Geiste dieser Frivolität ist es ihm ernst gewesen mit der Genialisierung des Lebens, das er nicht nur als Kunstwerk zu formen wünscht, sondern auch im vollkommenen Genuß, im Kunstgenuß, mit allen Mitteln des Künstlichen erweitern und vertiefen, zur Sensation ohne Ende und Minderung steigern will. *Sich selbst zu lieben ist der Anfang einer lebenslangen Romanze.* Das eigene Leben wie einen Roman zu komponieren – wenige Gedanken konnten ihn so entzücken wie dieser, und keiner war wie dieser unheilvoll für ihn.

Gefühle und Handlungen, Begegnungen und Beschäftigungen des eigenen Lebens sollten nur Stoff für das Artefakt des konsequenten Ästheten sein. So entwarf sich, so posierte Oscar Wilde. Doch die Verwirklichung einer solchen Kunstfigur, freilich für ihn nur geistiges Spielzeug, setzt große Kälte und ungewöhnliche Kraft des Willens und der Organisation voraus, und eine besondere Besessenheit, jene Stiefschwester der Leidenschaft, die Tauglichkeit zum Verbrechen, muß beides beherrschen. Aber Oscar Wilde war viel zu gutartig, um kalt zu sein, viel zu zerstreuungshörig, um sich ausdauernd und gezielt zu disziplinieren. Der ›Satanismus‹, mit dem er zuweilen liebäugelt, ist von geradezu peinlicher Belanglosigkeit, eine Papierblume des Bösen. Er war so wenig Satanist wie Dandy. Nur allzugern hätte er sich die Züge jenes satanischen Bacchus verliehen, den Baudelaire im einundzwanzigsten Kapitel von *Le spleen de Paris* beschreibt. Aber seine vielberedeten Laster waren sehr banale Ausschweifungen, schmuddelige Läßlichkeiten einer Schuljungenneugier, keine verfeinerten Greuel. Einen Dandy kann ihn nur philiströse Vorstellung von Eleganz nennen. Denn zum Dandy fehlte ihm alles. Vor allem Geschmack und Selbstbeherrschung. Er wirkte in jüngeren Jahren wie ein Salonzigeuner, eine Karikatur des Dandy. Die vulgäre Opulenz seines Anzugs und Auftretens verstieß grob gegen das Prinzip der Unauffälligkeit, das der Dandy streng beachtet.

Wie sehr seine Natur ihm auch das Format eines herausfordernden und berauschenden Lebenskünstlers verwehrte, zu dem er *hinaufleben* wollte wie schon in Oxford zur Schönheit der blauen chinesischen Vasen seines Zimmers in Magdalen College, so verheerte dieser Vorsatz, die *Romanze* künstlerischer Selbstbewunderung, sein Leben. Daß die Vermischung von Kunst und Leben zum Ruin beider führe, davor hatte schon der Werther-Dichter gewarnt. Hugo von Hofmannsthal, der diese Gefährdung des Ästheten erfuhr und erlitt, hat das *schöne Leben* in Claudio, den auch die Kunst ins Leben einweihen sollte, sterben und vor dem Tod die Torheit des *schönen Lebens* erkennen lassen. Oscar Wildes schönheitsselige Unverfrorenheit, die Maximen seiner Kunst zu Lebensidealen zu machen, führte ihn nicht in das künstliche Paradies absoluter Freiheit, sondern in das *Grab für Noch-nicht-Tote,* ins Zuchthaus.

Wenn man heute feststellt, daß in den letzten fünfzig Jahren über keinen englischen Autor so viel geschrieben wurde wie über Oscar Wilde, so hat das nichts mit der mehr oder minder umstrittenen Qualität seiner Werke zu tun, sondern mit der ruinösen Vermischung von Kunst und Leben, die eine der großen Gefahren moderner Lebensverfehlung ist. Sie hat nicht als kurioser Einzelfall eines schreibenden Abnormen, sondern als exemplarische Katastrophe, als Schreckenslösung eines Problems, das seit der Mitte des achtzehnten Jahrhunderts den ›empfindsamen‹, den künstlerischen Menschen bedrängt, immer wieder beunruhigtes Interesse geweckt.

Auch die Kunst- und Künstlerfeindschaft des Bürgers, der sich in der europäischen ›Aufklärung‹ als Hüter von Sitte und Anstand sozial etablierte, sein Haß auf die Freiheitsräume der Bohème, erhielt durch den Skandal Oscar Wildes eine verschärfte Note. Die ›öffentliche Meinung‹, jenes grobe und grausame Hinrichtungsgerät, das das Bürgertum im Namen und zum Schutze der bürgerlichen Freiheiten konstruiert hatte, machte sich die Justiz gefügig, um den lästigen und lasterhaften Apostel der Freiheit, den Künstler, beiseite zu schaffen. Die Moralisten und Juristen der ›öffentlichen Meinung‹ genossen in der Verurteilung Wildes die Bestätigung ihres Verdachts, daß künstlerische Existenz mit der kriminellen verschwistert oder doch benachbart sei. Oscar Wildes Leben und Ende, *An Improbable Life,* wie der Dichter Auden es nannte, hat im alten Gesellschaftskonflikt eine tiefere Krise bezeugt, die das Thema dieses Konflikts erweitert: Der Künstler ist der ›Einzelne‹ in der Gesellschaft, der sich ihren Anpassungszwängen nicht unterwirft. Der gerichtliche Nachweis der Homosexualität Oscar Wildes bot der Gesellschaft ein willkommenes Alibi, die Bestrafung der verweigerten Anpassung moralisch zu motivieren. Doch der Haß der Gesellschaft, die Eruption ihres Neides auf die Freiheit des Einzelnen ist Pogrom als gesellschaftliche Institution. So enthüllte Oscar Wilde als Verurteilter der Gesellschaft, in der er lebte und deren ›Häßlichkeit‹ ihn lebensgefährlich belustigte, die Eigenschaften ihrer moralischen Konventionen.

Daß ein witziger Komödienschreiber, ein Unterhaltungskünstler, der eine kurzlebige Londoner Mode war, ins Zuchthaus geschickt wurde, kann man in der chronique scandaleuse der Londoner Nineties auf sich beruhen lassen. Doch der Sturz eines Glücksverwöhnten in das Bagno der Zwangsarbeit, der organisierten Zerrüttung des Verurteilten, die öffentliche Verhöhnung des Gefangenen auf einem Londoner Bahnhof, die kranke Erbärmlichkeit der letzten Jahre im Exil, der Tod in einem Pariser Hotel – Rue des Beaux-Arts! –, dies alles liest sich wie eine Legende menschlicher Verfolgung, eine Leidensgeschichte, der eine märchenhafte Schwere der Verhängnisse eine eigentümliche und bedeutsame Unwirklichkeit verleiht. Der das schöne Leben als *Happy Prince* zu führen sich ausersehen glaubte, lernte das Leben kennen als Schurke beschimpft, als Schwätzer verachtet, als zeternder Bettler, *clownish*, krank, in den Schlingen der Süchte, sich anklammernd an Hoffnungen und Vorsätze, doch zu schwer und müde, um sich zu halten, schließlich nach schäbigsten Genüssen gierig, um jeden Ernst betrogen durch die schlimmste Art der Unaufrichtigkeit, die Sentimentalität des Trinkers. Nur mit Mühe wurde verhindert, daß der Leichnam des unter falschem Namen Gestorbenen in die Morgue gebracht wurde.

Sein Leben besitzt etwas, was seinen Werken völlig mangelt: ein Geheimnis. Das Geheimnis der Erniedrigung. Zu ihr bekannte er sich in Augenblicken großer Entschiedenheit und Klarheit.

Dublin und Oxford

Oscar Wilde war der zweite Sohn des Dubliner Arztes William Robert Wills Wilde und seiner Frau Jane Francesca Elgee, die sich eine Tochter gewünscht hatte. Es ist eine kolorierte Daguerreotypie erhalten, die den am 16. Oktober 1854 geborenen Oscar als Dreijährigen in Mädchenkleidung zeigt. Verkleidungsspiel des Geschlechterwechsels, das die Sentimentalität enttäuschter oder phantastischer Mütter ersinnt. Der kleine René Rilke wurde von seiner Mutter fünf Jahre wie ein Mädchen gekleidet und gehalten. Bleiben nicht Spuren eines solchen mütterlichen Puppenspiels zurück? Schäden, von denen Sohn und Mutter nichts wissen?

Oscar blieb seiner Mutter bis zu ihrem Tode zärtlich ergeben, der auch eine Tochter geschenkt wurde, Isola Francesca, die früh starb, von Oscar sehr geliebt. Der Zwölfjährige bewahrte in einem mit frommen Emblemen und Grabsprüchen verzierten Kuvert eine Locke der Toten auf und schrieb noch acht Jahre später ein Memorialgedicht *Requiescat* auf die Frühverstorbene, *weiß wie Schnee*, eine Lilie *unter dem Schnee*, ein Bild präraffaelitisch-viktorianischer *sweetness*, das noch William Butler Yeats, den großen Lyriker Irlands, beeindrucken konnte.

Die Mutter war eine außergewöhnliche Frau, die als Mädchen unter dem Namen ›Speranza‹ für die irische Freiheit freilich mehr literarisch schwärmte als politisch kämpfte. Eine belesene und schreibende Frau mit gesellschaftlichen Ambitionen, die das Haus ihres Mannes, der als königlicher Leibarzt, Verfasser medizinischer und historischer Bücher, Akademiemitglied geadelt worden war, durch einen Salon zu zieren wünschte. Oscar Wilde hat über seine Kindheit so gut wie nichts mitgeteilt. Eine *Recherche du temps perdu* Wildes, eine *Dubliner Kindheit*, auch nur Ansätze dazu, gibt es nicht. Sein späteres Schreiben läßt nirgends die Bedeutung frühester Eindrücke erkennen. Es ist eigenartig wurzellos, dadurch alles Gemütlichen bar, das ja sprachliche Kindheit, in der Kindheit gefärbte und geformte Sprache ist. Seine Sprache ist daher ungemein konventionell, gewinnt mehr und mehr, ob im Märchen, ob im Essay oder in der Erzählung, jene erzogene Oberflächlichkeit, die sie ideal geeignet macht zur Sprache seiner Gesellschaftsstücke. Das zeigen bereits seine ersten Reisebriefe an die Eltern. Hier schreibt er wie jeder seiner Studienfreunde – vielleicht ein wenig frischer, wacher, gescheiter, erstaunlich nüchtern in der Schilderung von Gegenständen und Monumenten. Der spätere typische Zug zur Extravaganz, die wiederum nur Ausdruckskonvention, Konventionalsprache einer bestimmten Gesellschaftsklasse in bestimmten Zirkeln ist, deutet sich kaum an in einzelnen übertrieben dezidierten Beiwörtern.

Das Kind Oscar Wilde war zweifellos kein unglückliches Kind. Seine Gemütsbedürfnisse, so scheint es, wurden gestillt, auch wenn die Eltern sich in diesen Jahren ganz den Anstrengungen ihres gesellschaftlichen Ansehens widmeten. Dieses Ansehen wurde in einem Skandal ruiniert, in den der Vater, Sir William, durch die erotischen Phantasien einer Dubliner Professorentochter verstrickt wurde. Ein gerichtlicher Prozeß rehabilitierte ihn. Aber anrüchig blieb der Fall, und man mied Praxis und Haus. Als der Vater am 19. April 1876 starb, war Oscar Wilde Student in Oxford. Er erinnerte sich des Vaters nicht nur mit pflichtschuldiger Rührung, als er wenige Monate später seinen ersten akademischen Ruhm mit einer in *The Times* notierten ›Eins‹ im Examen erntete: *Wie hätte sich mein Vater gefreut. Ich meine, Gott ist sehr hart mit uns verfahren. Die Freude an meiner Eins war getrübt, und mein Glaube an die Vorsehung ist nicht so stark, daß ich sagen könnte, was Gott tut, ist wohlgetan – ich weiß, daß es nicht stimmt. Ich fürchte mich schrecklich davor, in unser altes Haus heimzukommen, wo alles mit Erinnerungen beladen ist.*

In welchem Maße dieser Skandal, der gesellschaftliche Tod des Vaters, dem Knaben bewußt und bedrückend geworden ist, wissen wir nicht. Als familiäres Vorspiel seines eigenen Skandals, einer cause célèbre der modernen Sittengeschichte, hat er eine seltsame Bedeutsamkeit: als ob es nicht nur ein physisches, sondern auch ein metaphysisches Erbe gäbe, die erbliche Haftung eines ›Fluches‹, einer Disposition zum Sturz, zum Ruin, zur Verfemung.

Äußerlich scheint den geweckten Knaben nichts zu beeinträchtigen. Er wurde auf den besten Schulen Irlands erzogen, zuletzt als Schüler des Trinity College in Dublin. Er lernte leicht, mit entschiedenen Vorlieben und Abneigungen, und gewann Schulpreise, schließlich ein beachtliches Stipendium für das Studium der klassischen Sprachen in Oxford. Er war ein beliebter, umgänglicher Schüler, etwas phlegmatisch, kein Freund sportlicher Anstrengungen, doch der Freiluftbeschäftigungen eines Gentleman, des Jagens und Fischens.

Der Einfluß des Lehrers, der ihn als Zögling von Trinity College in die Antike einführte, John Pentland Mahaffy, war stark und nachhaltig. Mahaffy war der Typus des urbanen Gelehrten, belesen, äußerst kundig und scharfsinnig in seinem Fache, der Altertumswissenschaft. Zugleich besaß er jene eigenartige Mischung von Eloquenz, guten Manieren, savoir vivre, praktischem Verstand, Weltläufigkeit und Akkuratesse, wie sie das Collegesystem mit seiner Selbstverwaltung und öffentlichen Repräsentation fordert und immer wieder hervorbringt. Mahaffy bestimmte die literarischen und künstlerischen Interessen seines Schülers Oscar Wilde, protegierte ihn, gestattete dem Studenten von Magdalen College, mit ihm in Italien und Griechenland zu reisen, zog ihn auch zu wissenschaftlichen Hilfsarbeiten heran. Doch versuchte er wohl nie, auch nicht nach den Universitätserfolgen Oscar Wildes, den jungen poeta laureatus des *Ravenna*-Gedichts, für die gelehrte Welt zu gewinnen.

Als Oscar Wilde, zwanzigjährig, ausgestattet mit einem schmeichelhaften Stipendium für das Magdalen College, seine Studien in Oxford begann und sein College-Zimmer (zuerst in ›Chaplain's I‹, später in ›Cloisters VIII‹) bezog, bezeichnete er das in seinem großen Brief der Rechenschaft aus dem Zuchthaus als eines der beiden großen Ereignisse seines Lebens. Das ist glaubhaft. Denn Oxford bedeutet für Oscar Wilde ja nicht nur Eintritt und Einweihung in eine mächtige und ehrwürdige geistige Welt, sondern auch, wichtiger für ihn, den Zugang zur ›Gesellschaft‹, zu den Kreisen der sozial Privilegierten, mit deren Söhnen er nun mehr oder minder vertrauten Umgang hatte. Eine andere Frage ist es, ob Oscar Wilde aufgenommen oder auch nur eingeladen wurde in jene Kreise, denen sein gesellschaftlicher Ehrgeiz galt. Das war durchaus nicht der Fall, sondern ist ein pittoreskes Gerücht der anekdotensüchtigen Nachwelt ebenso wie jenes von der mondänen Aufführung eines in kostbare Phantasieanzüge gehüllten College-Ästheten, der gesuchte Parties gibt in einem Raum, gefüllt mit schönen Bildern und erlesenem Porzellan, ein Prinz geschliffener Konversation, der seine staunenden Zuhörer durch druckreife Bonmots und Paradoxe entzückt und demütigt. Wie als Schüler des Dubliner Trinity College, so unterscheidet er sich auch in Magdalen College von seinen Altersgenossen wenig, wenn nicht durch einen besonderen Zug koketter Selbstdramatisierung, der freilich erst, nachdem er Oxford verlassen hatte, üppig ins Kraut schießen sollte. Seine Oxforder ›Intimen‹, William Welsford Ward, ›Bouncer‹, und Richard Reginald Harding, ›Kitten‹, entstammten soliden bürgerlichen Häusern und ergriffen später gediegene Berufe ihrer sozialen Sphäre.

Oxford als Lokalsymbol einer gesellschaftlichen Exklusivität, die alle Möglichkeiten eröffnete, hatte gewiß für Oscar Wilde großen Reiz. Unabhängigkeit des Denkens und Betragens ist nicht nur Ausdruck besonderer Intelligenz, sondern auch eines Sozialprivilegs. Wo die materiellen und gesellschaftlichen Voraussetzungen des letzteren fehlten, erlaubte Oxford als privilegierte Institution diesen Mangel durch das zu ersetzen, was man persönlichen Stil nennt. Wie erfrischend natürlich und nüchtern die Studentenbriefe Oscar Wildes sind, wie viel sie auch, wo er gespreizt und großmäulig redet, dem Jargon der jeunesse dorée schulden, so tauchen doch jetzt schon – bezeichnend genug als Redeweise, als Manierismus des Sprechens – erste Anzeichen der Gesellschaftsherausforderung Wildes auf, jener besonderen Arroganz einer Überlegenheit ungreifbarer Herkunft und ärgerlichen Anspruchs. Dieses provozierende Verfahren wird er später ungemein verfeinern und ausbeuten: Er macht sich über sich selbst lustig, um nichts und niemanden ernst zu nehmen. Sein erstes Examen in Oxford schildert er bereits in dieser Manier: Er hat die ernste Absicht, seinen Catull zu präparieren, liegt aber noch am Examensmorgen mit *einem Band Swinburne im Bett.* In Theologie *rasselt er durch*, kommt dann ins *entzückendste Mündliche*, wo er mit dem Examinator über die *Odyssee*, über *Hunde und Frauen*, über Aischylos, Walt Whitman und die *Poetik* des Aristoteles *plauderte.* Der Prüfer war *ganz und gar reizend. Natürlich wußte ich, daß ich eine Eins hatte, schritt also hocherhobenen Haupts von dannen.*

Die Komik seiner *furchtbaren Angeberei* genoß er, aber auch, daß er in *The Times* beim lunch *in der Mitra* die Publikation seiner Auszeichnung lesen konnte. Gewiß wiegt dies alles nicht schwerer als die etwas exaltierte Kinderei irgendeines jungen Mannes, der sich selbst kultiviert und sich selbst zum Gegenstand seiner theatralischen Sendung macht. Das schwelgerische Vagieren im geistigen Neuland, die Erfolge seiner Studien zählten für Oscar Wilde nicht mehr als die Beute, mit der er sich als Ferienjäger und -angler brüstete. In dieser Weise macht er auch jungen und älteren Damen den Hof. Er spielt lawn-tennis mit ihnen und verliebt sich in vier Schwestern seines Freundes Frank Miles auf einmal. *Meine Bewunderung für alle vier zerreißt mir das Herz und untergräbt meine Gesundheit.* Er genießt sich und läßt sich genießen als *Prince Charming*, der das Affektierte als Form der Selbstverspottung für amüsant und nicht für lästig hält. *Ich zeige mich wie immer von meiner charmantesten Seite und werde viel bewundert.* Diese Züge einer Selbstverliebtheit, die zugleich ›big fun‹, ein großer Spaß für Zuschauer, sein soll, einer Koketterie, die sich zum besten hält, treten im weiteren Verlauf seines Lebens immer stärker hervor, bis sie, da ihm das *schöne Leben* sein Gorgonenhaupt zuwendet, zur tragischen Maske der späten Lebensjahre erstarren. Doch auch in dieser furchtbaren Vergröberung und Entstellung sind sie, was sie im koketten Schönheitsschwärmer Oxfords immer schon waren, um es mit einem Worte zu sagen: *clownish*.

Doch der *clown* ist ohne seinen spezifischen Ernst nicht denkbar, und er erfüllt seinen Typus nicht, wenn er nicht ein Opfer der Torheit, wenn ihm sein Tun und Trachten nicht zum Verhängnis wird. Was sowohl den Ernst als auch das Verhängnis Oscar Wildes betrifft, sollte die Familie seines Oxforder Freundes Frank Miles unsere Aufmerksamkeit fesseln.

Der Vater seines Freundes war Pfarrer in Bingham, und er hatte mit ihm, *der in Oxford mit Newman, Pusey, Manning befreundet war*, Diskussionen, *ein paar gute Streitgespräche*. Eine Predigt des römisch-katholischen Kardinals Henry Edward Manning hatte Wilde noch einen Tag vor seiner Abreise nach Bingham gehört. Er ist faszinierender als je, schrieb er seinem Intimus William Ward, und er fährt fort: *Sehe dort MacCall und Williamson, die mich mit dem größten empressement grüßten. Bei solchen Gelegenheiten kommt es mir vor, als belöge und betröge ich mich selbst, ich muß eine Entscheidung treffen.*

Diese ›Entscheidung‹ beschäftigte und bewegte ihn mehr oder minder drängend während seines ganzen Studiums: der Wunsch, der zuweilen zur zwingenden Überzeugung wurde, zum römisch-katholischen Glauben übertreten zu sollen. Mit dieser ›Entscheidung‹ war es ihm ernst, wenn sie auch den Zusammenhang mit einer religiösen Mode Oxfords nicht leugnen kann. Diese Mode war eine Folge der sogenannten Oxford-Bewegung. Männer wie Newman und Pusey, beide Fellows des Oriel College in Oxford, wie Manning, Fellow des Oxforder Merton College, waren ihre Führer, die nach ihrem Übertritt in die römisch-katholische Kirche als Amtsträger und theologische Autoren für den englischen Katholizismus sehr folgenreich wirkten. Konversionen Oxforder Kommilitonen Oscar Wildes waren nichts Außergewöhnliches. Wie vieles man auch in der Beschäftigung Oscar Wildes mit Rom und dem Papst einer geistigen Laune und modischen Neugierde, welche die Oxford-Bewegung erweckt hatte, zuschreiben mag, so kann man die immer wieder in brieflichen Bemerkungen bezeugte Auseinandersetzung mit Schriften dieser

Bewegung nicht flüchtig oder den Charakter ihrer Dringlichkeit gespielt nennen. Den Konzilsbericht Pomponio Letos, der das Vatikanische Konzil von 1869 bis 1870 beschrieb, empfahl er seinem Freunde Ward mit kritischen Bemerkungen zur Lektüre. Er zog das Studium der Schriften Newmans den Vorbereitungen für ein Stipendium vor. An Skepsis fehlte es ihm nicht. *Was Newman betrifft, so glaube ich, daß sein innerstes Gefühl sich gegen Rom empörte, die Logik es ihm jedoch als einzig rationale Form des Christentums aufnötigte. Sein Leben ist eine schreckliche Tragödie. Ich fürchte, er ist ein sehr unglücklicher Mensch.* Man kann ernsthafte theologische Interessen haben, ohne religiös zu sein. Bestimmte Äußerungen Wildes aus dieser Zeit lassen es als ganz unwahrscheinlich erscheinen, daß er es nicht gewesen sei.

Religiosität ist ein Mysterium, das sich jeder logischen und psychologischen Erschließung entzieht. Lasterhaftigkeit und öffentliche Religionsverspottung sprechen nicht gegen die Religiosität dessen, dem beides nachgewiesen werden kann. Religiosität ist mit moralischen Maßstäben nicht bestimmbar. Das Sittliche ist nur eine ihrer Erscheinungsweisen und auch nicht die Voraussetzung für jene Erlösung, die das Geheimnis des christlichen Glaubens ist. Einem Verständnis, das sich nicht mit der Erklärung der literatur- und kulturgeschichtlichen Kuriosität dieses *improbable life* begnügen mag, stellt sich die Frage nach der Religiosität Oscar Wildes ebenso dringlich, wie sie schwer zu beantworten ist. Die Beschädigung oder gar Ausdörrung der religiösen Empfindungen Oscar Wildes, denen die oppositionellen Bedürfnisse seines Kopfes und seiner Sinnlichkeit jede Glaubwürdigkeit zu rauben scheinen, kann nicht darüber hinwegtäuschen, daß die Person Christi, gleichgültig in welchen zeitlichen Abständen und Graden der Intensität, ihn immer wieder berührte. Der kirchlich gelehrte Glaube war ihm schon in Oxford ein Problem: *Der Glaube ist zwar, so meine ich, eine helle Leuchte unserem Fuß, in unserem Denken jedoch eine exotische Pflanze, die ständiger Pflege bedarf.* Aber die Person Christi war ihm absolut glaubwürdig: *Zugegeben, der Erlösungsgedanke ist schwierig zu erfassen. Doch glaube ich, seit Christus ist die tote Welt aus dem Schlaf erwacht. Seit er erschienen ist, leben wir.*

Einundzwanzig Jahre später, *in carcere et vinculis,* bekannte der Zuchthäusler Wilde in seinem Rechenschaftsbrief, der als Dokument konkreter Leiden in der Geschichte der modernen Dichter nicht leicht seinesgleichen hat, daß ihm wie *Moral* und *Vernunft* auch die *Religion keine Stütze sei.* Religion als kirchliches Angebot der Botschaft Christi wies er im Stande seiner brutalen Erniedrigung zurück. *Wenn ich überhaupt an Religion denke, dann mit dem Gefühl, daß ich einen Orden stiften möchte für die, die nicht glauben können: Die Bruderschaft der Vaterlosen könnte man ihn nennen, und an seinem Altar, wo keine Kerzen brennen, würde ein Priester, in dessen Herzen nicht der Friede wohnte, mit ungeweihtem Brot und leerem Kelch die Messe lesen. Alles, was wahr sein soll, muß Religion werden. Genau wie der Glaube sollte der Unglaube sein Ritual haben. Auch er hat seine Märtyrer ausgesät, darum sollte er auch seine Heiligen ernten und Gott täglich dafür danken, daß Er sich dem Menschen verbirgt.*

Doch die Person Christi blieb von dieser Glaubenszurückweisung ausgeschlossen. In der ›Gott-ist-tot‹-Religiosität der Glaubenslosigkeit Wildes erschien ihm Christus als der göttliche Bruder des ›Künstlers‹, das Leben Christi als höchstes Symbol leidenden und überwindenden ›Künstlertums‹. Wildes Christus-Deutung als *Gefährten* Shelleys und Sophokles', als *Dichter,* Wildes Exegese der *vier Prosagedichte über Christus,* der vier Evangelien, und *des Fünften Evangeliums,* Renans *Vie de Jésus,* des *Thomas-Evangeliums,* sind gewiß eine ästhetizistische Verfälschung, ja Veruntreuung des christlichen Glaubens an Jesus. Aber im Zentrum der auf vielen Briefseiten von Wilde entwickelten Theorie des Leidens, der Demut, der Liebe steht doch die Gestalt Christi. Wilde glaubt an Christus auf eine Weise, die dem Betrachter, der diesen Glauben an seinen Früchten erkennen will, unaufrichtig und daher unglaubwürdig erscheint. Aber der Glaube an Christus und die Nachfolge, die imitatio Christi sind dem Schwachen nicht eins. Auch ist die Grenze zwischen Schein und Sein religiöser Gefühle problematisch genug. Wer jedoch wollte Sätze wie diese nicht ernst nehmen: *Er* (Christus) *lehrt einen nichts direkt, doch durch die Berührung mit ihm werden wir verwandelt. Und jeder ist dazu bestimmt, mit ihm in Be-*

rührung zu kommen. Zumindest einmal in seinem Leben wandert jeder mit Christus nach Emmaus.

Zumindest einmal in seinem Leben wandert jeder mit Christus nach Emmaus – das mag wer will als sentimentale Anwandlung des Eingekerkerten abtun. Doch der Zuchthausalltag dieser *Witzfigur des Leids* war sentimental weder zu ertragen noch in seinem Reglement zu leisten. Der religiöse Mut zur renovatio, zum neuen Anfang, der alles falsche Vergangene auslöscht, mochte in der mehr armseligen als widerwärtigen Schwäche der letzten Lebensjahre als leerer Vorsatz entlarvt werden; doch es gab Handlungen und Entschlüsse, Einsichten und Verzichte Wildes, die das Niveau des religiösen Anfangs-Mutes haben.

Am Morgen des ersten Tages seiner Entlassung aus dem Zuchthaus schrieb Oscar Wilde in der Wohnung seines Freundes Headlam einen Brief an ein Kloster mit der Bitte, ihm zu gestatten, sich dorthin ein halbes Jahr zurückzuziehen. Den Brief ließ er durch einen Boten befördern, der auf Antwort warten sollte. Die Klosterleitung mag generelle Bedenken gegen solche Aufnahmegesuche entlassener Strafgefangener gehabt haben. Der spezielle Verdacht, daß es sich im Falle Oscar Wildes um eine spektakuläre Augenblickslaune handelte, tat wohl ein übriges, die Bitte Wildes abzulehnen und ihm zu empfehlen, sie nach einjähriger Bedenkzeit erneut zu stellen. Als Wilde diese Antwort las, berichtet Ada Leverson, »brach er zusammen und weinte bitterlich«.

Seine katholischen Neigungen, die in Oxford so stark waren, daß ein Vetter von *bigotter Intoleranz gegen die Katholiken* ihn aus seinem Testament strich und ihm nur das Minimum von hundert Pfund beließ unter der Bedingung, daß er Protestant bleibe, begleiteten viele Moden seines Lebens und Denkens. Mit ihnen verblaßten sie auch und konnten literarische Dekoration werden wie in Dorian Grays ästhetischem Haushalt geistiger Neugierden. Denn in Oxford schon schwankte er immer wieder wie ein Rohr im Winde solcher Neugierden, wenn er plötzlich *ein Faible für die Freimaurerei entwickelt* und zugleich täglich mit dem Jesuitenpater Parkinson *frühstückt*, mit seinem Kommilitonen Dunlop, der konvertierte, *sentimentale Religionsgespräche* führt und *hoffnungslos im Netz des Vogelstellers, in den Schlingen des Weibes im Scharlachgewand zappelt. Kann sein, daß ich in den Ferien übertrete. Ich träume von einem Besuch bei Newman, vom heiligen Sakrament in einer neuen Kirche und von Stille und Frieden, die danach in meine Seele einziehen. Und doch schwanke ich bei jedem Gedankenholen, bin mehr denn je der Schwachheit und Selbsttäuschung verfallen.*

Die Stationen des Weges, der von der Thomas von Kempen-Lektüre des Oxfordstudenten bis zum Empfang des Sakraments der Letzten Ölung auf dem Sterbebette führt, liegen in einem unerkenntlichen Zusammenhang weit auseinander. Doch »nicht der Weg ist schwierig, sondern der Schwierige ist der Weg«. –

Im Hause seines Freundes Frank Miles sehen wir Oscar Wilde nicht nur im clownischen Ernst seiner religiösen Unruhe, der er immer wieder auszuweichen weiß, sondern hier berührte ihn auch das, was ihm in späteren Jahren zum ›Verhängnis‹ wird.

Frank Miles war schon, als Wilde ihn kennenlernte, ein großes Zeichentalent. Er war zwei Jahre älter als Wilde, der ihn bewunderte, wenn er *gerade die reizendste und gefährlichste Frau Londons skizzierte – Lady Desart.* Wildes mondänes Interesse an den Spitzen der Gesellschaft und allem, was sie betraf, witterte immer ergiebige Möglichkeiten eines Kontakts. Durch Miles machte Wilde die Bekanntschaft mit dem neun Jahre älteren Lord Ronald Gower, dem jüngeren Sohn des Herzogs von Sutherland, der die erste Begegnung mit Wilde in seinem Tagebuch schilderte: *Netter, lustiger Mensch, hat aber seinen langhaarigen Schädel voller Unsinn über die katholische Kirche. Sein Zimmer voller Fotografien des Papstes und Kardinal Mannings.* Ein nüchterner Kenner der viktorianischen Sittengeschichte nannte das oft zusammen reisende Paar Frank Miles und Ronald Gower »ungehemmte Homosexuelle«. Wilde besuchte gemeinsam mit Ronald Gower das elterliche Haus von Miles in Bingham. Wenig später verbrachte Wilde mit Miles *a royal time* in einer Fischerhütte. Alle drei – *a great Trinity* – planten eine gemeinsame Reise nach Rom. Sie trafen sich immer wieder, in London, gewiß ein Ereignis für Wilde, den Freund hoher Adelstitel, bei der Schwester Gowers, der Herzogin von Westminster. Nach dem Abschluß der Studien Wildes in Oxford nahmen

Wilde und Miles, der bereits ein gesuchter Porträtist war, eine gemeinsame Wohnung in London, um die Stadt gesellschaftlich und künstlerisch zu erobern. Ein ungeklärter Streit brachte beide auseinander. Miles starb sechs Jahre später in einer Irrenanstalt; vermutlich beging er Selbstmord.

Wohl niemand hatte in Wildes jüngeren Jahren so starken Einfluß auf ihn als Frank Miles, der, ebenso frühreif wie hochbegabt, Wilde in die Welt seiner bohèmehaften Freizügigkeit einführte. Die erotischen Abenteuer und Gewohnheiten Miles' konnten Wilde nicht verborgen geblieben sein, und er hat sie, falls er sie in diesen Jahren noch nicht teilte, gebilligt oder hingenommen als eine Lizenz, die der ästhetischen Existenz einzuräumen und einer Gesellschaft abzuverlangen sei, deren Moralbegriffe als Schutz- und Rachewerkzeuge eines degenerierten Freiheitsbedürfnisses zu verstehen und zu verspotten er sich anschickte. In den Oxforder Jahren mochte dies alles noch keine Rolle gespielt haben, wie das die etwas tantenhafte Beanstandung einer allzu deutlich bekundeten Neigung, die ein Kommilitone zu einem schönen Knaben gefaßt hatte, vor allem aber seine schwärmerische Verehrung und Beziehung zu einer Dubliner beauté, der siebzehnjährigen Florence Balcombe, mit dem *makellos schönsten Gesicht,* das er je sah, bezeugen können.

Dennoch hat man wohl mit Recht Wildes Freundschaft mit Miles fatal genannt. Dabei fällt weniger ins Gewicht, ob und in welchem Maße diese Verbindung die erotischen Dispositionen und Empfänglichkeiten Wildes veränderte oder betonte. Wichtiger ist, daß er in ihrer Beurteilung alle moralischen Verbotstafeln geringschätzen lernte, daß seine ästhetische Emanzipation, sein neues Schönheitsideal, in seiner sittlichen Emanzipation, dem Ideal absoluter Freiheit, in der moralischen Sondergenehmigung für den ›Künstler‹ ihre Rechtfertigung suchen und finden wird.

Das Schönheitsideal Wildes, oft erörtert, war ein Bildungsprodukt, ein mixtum compositum akademischer und literarischer Lern- und Lesefrüchte sehr unterschiedlicher, ja unverträglicher Abstammung. Er huldigte dem ›Hellenismus‹ seines alten Dubliner Lehrers Mahaffy, er begeisterte sich für die ästhetischen Erneuerungslehren John Ruskins, der die ›Prae-Raphaelite Brotherhood‹, die präraffaelitischen Maler Englands, zu mächtiger Geltung gebracht hatte, er war fasziniert von der Schönheits- und Lebenslehre Walter Paters, des Verfassers von *Marius the Epicurean,* und wie er John Keats verehrte, so genoß er die brünstige Poesie des skandalumdunkelten Swinburne.

Wenn Oscar Wilde den Vater seines Freundes Miles als theologischen Diskussionspartner lobte, so war die Mutter, die Wilde *einfach wundervoll* nannte, für ihn eine ganz im präraffaelitischen Stil empfundene Gärtnerin im Liliengarten der Bingham Rectory. Er bewunderte *Zeichnungen von ihrer Hand,* die er dem Freunde William Ward zeigte, als sie dessen Schwester *in der Ruskin-Schule in Oxford* besuchten.

Die Interessen und Beschäftigungen Oscar Wildes während der kurzen Ferien im Hause seines Freundes Miles sind wohl ebenso typisch für die Gastgeber wie für den Gast: ein Pfarrhaus in den siebziger Jahren, dessen Hausherr, in Oxford erzogen, mit Newman, Pusey und Manning befreundet ist, dessen Mitglieder *fast alle begabte Künstler sind,* die Mutter sowohl als auch der verführerisch talentierte Sohn Frank, und der Gast, in alle ein wenig verliebt, in sich selbst am meisten, findet hier Verständnis für seinen religiösen Romantizismus, seine Anschauungen, die er als Proselyt Ruskins verkündet, vor allem genießt er die Bewunderung, die er als Plauderkünstler, als liebenswürdiger Poseur alles dessen, was er gelesen und gesehen hat, erweckt.

In diesen Stimmungen und Zuständen hatte der Student der klassischen Sprachen, der Italien- und Griechenlandreisende, der zugleich ›Hellenist‹ und schwärmerischer Gefangener des *Weibes im Scharlachgewand,* der Kirche Roms, war, der zugleich Keats und Swinburne bewunderte, begonnen, Gedichte zu schreiben. Die Mehrzahl seiner Gedichte ist in der Oxforder Zeit entstanden und zu einem großen Teil in verschiedenen Zeitschriften publiziert worden. Hätte er diese Gedichte nicht geschrieben, so wäre das kein unersetzlicher Verlust für die Geschichte der modernen englischen Lyrik gewesen. Sie sind geschickte Talentproben, wortreiche Reflexe von Lektüre- und Kunsteindrücken, in denen jeder aufgeweckte Student schwelgt, zuweilen hübsche und gewandte rhetorische Machwerke, vorgezeichneten Mustern angelesener und anempfundener Gefühle und Gedanken nachgezogen. Von den bedeutenderen englischen Lyrikern dieser Jahre ist, mit Ausnahme von Swinburne, den er gelegentlich erwähnt, kaum die Rede. Ihre lyrischen Produkte konnten ihm kein originelles Interesse abgewinnen, und sein kritisches Urteil war, wie seine naiven Empfehlungen bezeugen, völlig belanglos. Dennoch haben seine eigenen Gebilde, so sehr sie zum lyrischen Kunstgewerbe zählen mögen, einen bestimmten stilistischen Effekt: Sie lassen sich von Motiven und Themen bestimmen, die in Mode kamen oder waren und ihn in Mode brachten. *In the Golden Room* ist schon als Schauplatz ein Lokalsymbol des neuromantischen ›Ästhetizismus‹. Den Türmen und Gräbern Ravennas – und nicht, wie man erwarten sollte, Rom oder Athen – gehört die betont aparte Vorliebe des jungen poeta laureatus, der 1878 für das mit präraffaelitischen Motiven garnierte Gedicht *Ravenna* den Newdigate-Preis erhielt. Die Toscana, die Landschaft der damaligen Modeepoche, der Renaissance, wird mit allem gängigen Zubehör ebenso wie das heimatliche Gefilde als Bühne der obligaten Jahreszeiten beschworen – sein erstes publiziertes Gedicht war ein Jahreszeiten-Gedicht, *From Spring Days to Winter*. Ausdruck, der sich von Klischees freimachen konnte, gelang ihm kaum, am ehesten dort, wo er dem Tode, dem Vergessen wie in *On the Sale by Auction of Keats' Love Letters* oder dem Laster wie in *Taedium Vitae* begegnete. Aufhorchen lassen die nicht seltenen und bedeutsam variierten Bibelzitate und die Verwendung der Christus-Gestalt in einzelnen reizvolleren Gedichten – noch das ein Jahr vor seiner Verurteilung veröffentlichte Gedicht *The Sphinx* läßt den Gepeinigten mit einem Blick auf den Cruzifixus schließen, der *um jede Seele weint, die zugrunde geht, und um jede Seele vergeblich weint.* Freilich, das ganze College-Arkadien mit seinen papiernen Faunen, Nymphen, Hirten und Knaben, das Oscar Wilde in zahllosen Versen als neuen ›Hellenismus‹ und Wiedergeburt antiken Lebens, als *Genius der Schönheit* im *Liebesgarten* anpreist, verdient keine Notiz. Doch des Jünglings hochtrabende Zivilisations- und Fortschrittsfeindschaft, sein Haß auf das Teleskop, die Wissenschaft, die neue Rasse von brutalen Troglodyten, die mit *iron roads* die ideale Landschaft Dante Gabriel Rossettis profanieren, zählt zum künftigen Programm des Schönheitspropagandisten, der bald als *spätester Endymion, the last Endymion,* durch Land und Länder ziehen sollte.

London und Reisen

Diese Rolle übernahm er, als er Oxford verließ, um London zu erobern. Er war gewitzigt genug, um den Wert fester Einkünfte, die stille Hauptrolle des ›Geldes‹ in einem schönen Leben sehr hoch zu schätzen. Wildes Sinn für Geld, sein zähes, oft verbissenes Feilschen um kleine Summen, das durchaus nicht seiner Generosität, ja seiner Verschwendung widersprechen mußte, verdiente ebenso eine Untersuchung wie seine Einnahmen und Ausgaben bis zum Bankrott im Jahre 1895. Eine Soziologie des Künstlers kann eine Wirtschaftsprüfung des Künstlerhaushaltes, der oft einen ganz eigenen ökonomischen Stiltypus unerwarteter Ausnutzung und Berechnung entwickelt, nicht entbehren. Oscar Wildes nüchterne und präzise Honorarkorrespondenz, seine lakonische Behandlung finanzieller Fragen verblüffen immer wieder, ob er nun über das Salär bei Übernahme der Redaktionsgeschäfte von *The Woman's World,* über Vortragshonorare verhandelt oder ob er Lady Mount-Temple Miete für ihr *reizendes Haus* in Babbacombe anbietet.

Oscar Wilde hatte weder ausreichende Einkünfte aus seinem väterlichen Erbe noch Aussichten auf eine Beschäftigung, die ihren Mann ernähren oder gar üppigere Bedürfnisse eines ehrgeizigen *flâneur* befriedigen konnte. Der ›Ästhet‹ darf kein nützliches Gewerbe treiben oder die Schmach eines bürgerlichen Berufs, einer Tätigkeit gegen abgezählte Bezahlung dulden. Er ist ein Virtuose der Muße, der sich den Anschein schönen Müßiggangs, der freien Zeit für alles und alle etwas kosten lassen muß.

Oscar Wilde ließ es sich etwas kosten. Er war gesund, er war sehr fleißig. Diese beiden Eigenschaften gelten einer ›Gesellschaft‹ nichts, wenn sie sich von den Trivialitäten ihrer Gesundheit und ihres Fleißes erholen, wenn sie sich unterhalten und amüsieren will. Oscar Wilde wußte sehr wohl, daß er, falls er seinen Fleiß nicht domestizieren und nicht einen bürgerlichen Beruf ergreifen wollte, sich einen Namen in der sogenannten tonangebenden Gesellschaft machen mußte. Daß er ein gesellschaftliches ›Gerücht‹ werden mußte. Wilde hat sich freilich einmal um das Amt eines Schulinspektors beworben. Auch um ein *fellowship* an der Universität Oxford. Beides führte zu nichts. Doch er spürte sehr bald, daß sein phantastisches Apostolat der neuen ästhetischen Botschaft auch materiell honoriert werden würde. Die Gesellschaft sollte für die Besichtigung eines kostümierten Plauderkünstlers seines Witzes und seiner Bildung Eintrittsgeld zahlen. Sie tat es. Man kann überzeugt sein, daß dies mit eminentem Fleiß betriebene Geschäft Oscar Wildes, in aller Leute – der Leute von *Bedeutung* – Mund zu sein, mit einer Art besonderen Finanzinstinkts zusammenhing. Öffentliches ›Dandytum‹, geschickt kommerzialisiert, kann sehr einträglich sein. Nun wendet sich das Blatt: Die Gesellschaft läßt sich ihrerseits einen ›Dandy‹, der nicht nur zum Bühnengenuß, sondern auch zum Hausgebrauch zur Verfügung steht, etwas kosten. Sie zahlt für das unterhaltsame Behagen der Distanz zum Außenseiter der Gesellschaft, zum Künstler, zum ›Dandy‹, dem Halbbruder des Bohémien.

Oscar Wildes oft erörtertes Verhältnis zur Gesellschaft muß unter diesem Aspekt der materiellen Ergiebigkeit, des kommerzialisierten gesellschaftlichen Ärgernisses betrachtet werden. Skandal als Finanzspekulation: Schauspieler zeigen sich, wie man weiß, oft meisterhaft dazu befähigt. Man hat Oscar Wilde immer wieder und deshalb nicht mit geringerem Recht einen ›Schauspieler‹ genannt. Er war es so sehr, daß er der Schauspieler seiner selbst war. Dieser »Egozentriker ohne Ego« war, als er seine künstlerische und gesellschaftliche Laufbahn betrat, kein Ästhet, sondern der perfekte, das heißt vollkommen angepaßte Conférencier einer neuen Schönheitsbewegung, die der viktorianischen Gesellschaft ein Ärgernis war – ein Ärgernis, dessen Reklamepotential niemand so gut auszuschöpfen verstand wie der Vortragsreisende des englischen Ästhetizismus. –

Der Schauspieler seiner selbst stellt sich aus. Er macht sich publik im Sinne jener publicity, die das Ausgestellte zur Ware und damit verkäuflich macht. Die Verkäuflichkeit der ausgestellten Person, die ein Konglomerat gesuchter Posen von hochgebuchtem Handelswert ist, stellt eine Form von Prostitution dar, die viele Sublimationsgrade kennt.

Die künstlerische Prostitution, die gewerbliche Preisgabe der persönlichen Erlebnisse und individuellen Gedanken, ist vom künstlerischen Ausstellungszwang nicht zu trennen. Die mangelnde finanzielle Rentabilität eines Kunstwerks, die berühmte Künstlerverachtung des materiellen Erfolgs kann keinem Kunstprodukt seinen Warencharakter nehmen, wie diskret er auch prinzipielle Unverkäuflichkeit behaupten und erzwingen mag. Freilich trennt eine Welt des künstlerischen Taktes und Könnens, der inneren Nötigung und Leidensbereitschaft die Prostitution eines Baudelaire von derjenigen eines Oscar Wilde. Oscar Wilde, der nicht nur seine Kunstfiguren davon träumen ließ, das Leben selbst zum Kunstwerk zu machen, Leben und Kunst zu vermischen, organisierte dieses Künstlerleben als Gesellschaftsspiel. Wir sehen, die Gesellschaft ist für einen solchen Lebenskünstler, der künstlerische Prostitution als Gesellschaftsspiel betreibt, in höchstem Grade unentbehrlich. Materiell wie ideell. Denn im Zirkel des wechselseitigen Interesses, das Gesellschaft und Künstler aneinander nehmen, schließt sich auch der Zirkel jenes Kommerzes, den künstlerische Prostitution, nicht minder als physische, immer bedenkt und bezweckt. Ihre treibende Kraft, bei Oscar Wilde, ist die publicity des gesellschaftlichen Künstlerskandals.

Die Gefährlichkeit des Gesellschaftsspiels Wildes mit der Gesellschaft ist leicht einzusehen. Die Gesellschaft kann dem Künstler und seinen Schöpfungen alles gestatten, solange er als Künstler, gesellschaftliche Ausnahmeerscheinung, diese soziale Exklusivität nicht nur als Vorrecht genießt, sondern auch als Vertrag respektiert, der bestimmte Kompensationsbürden auferlegt. Die Gesellschaft kann es ertragen, wenn der Künstler in seinen Werken die Tugend schmäht und das Laster feiert, das Abartige erlesen und das geschätzte Normale degeneriert und böse nennt. Die Grenze, die nicht nur Kunst und Leben, sondern auch Künstler und Gesellschaft trennt, ermöglicht diese Toleranz.

Die Gesellschaft ist sogar bereit, falls nicht durch ein Versehen oder einen Spielverderber der Mechanismus ihrer Justiz ausgelöst wird, Nachsicht zu üben, wenn der Künstler als besonders gekennzeichnetes Mitglied der Gesellschaft, das er auch als professioneller Außenseiter bleibt, sich eines strafbaren Vergehens schuldig macht. Der gesellschaftliche Ermessensspielraum der moralischen Beurteilung hat hier Sondersicherungen für die spezielle Unzurechnungsfähigkeit produktiver Außenseiter vorgesehen. Doch der Gesellschaftsvertrag zwischen Gesellschaft und Künstler tritt außer Kraft, wenn der Künstler ihn dadurch bricht, daß er im Besitz solcher Vorrechte und Begünstigungen ein Mitglied der Gesellschaft im Namen der Moral, die zu ignorieren oder zur Zielscheibe erregender Pamphlete zu machen die Gesellschaft ihm vertraglich zugesteht, zur Rechenschaft zieht.

Wenn nun der Künstler Oscar Wilde programmatisch die Grenze zwischen Kunst und Leben aufheben will, wenn er die Gesellschaft nicht als Künstler, sondern als Lebenskünstler, Gesellschaftsartist – als jemand, der mit allen ›heiligen Kühen‹ der Gesellschaft seinen jokulatorischen Scherz treibt – amüsieren oder brüskieren will, so bietet das für den Kenner der Spielregeln, des Gesellschaftsvertrages mit dem Künstler, das Schauspiel halsbrecherischer Seiltänzerei. Denn Oscar Wilde machte sich genau jenes Verstoßes gegen die Spielregeln schuldig, den die Gesellschaft nicht mehr mit Spielbußen ahnden konnte. Die Naivität dieses Fehlers ist in der Wilde-Literatur ein vielberedetes Rätsel geblieben: Er, der überzeugte und praktizierende Immoralist, nahm die Justiz gegen eine Verleumdung in Anspruch, die zutraf. Das war nun in der Tat Seiltänzerei nicht nur ohne Netz, sondern auch ohne Seil.

Selten ist der in Spielregeln gebändigte Konflikt zwischen Gesellschaft und Künstler so demonstrationsreif geworden wie in der Lebensgeschichte Oscar Wildes. Sie ist ein ins Leben getretener Künstlerroman. Das Besondere dieses Künstlers war nun, daß er nicht nur Dichtungen verfaßte, sondern sein Leben ›dichtete‹, und daß das Gesellige innerhalb der Gesellschaft ihm zum Stoffe dieser Lebensdichtung diente.

Die Geselligkeit in den *upper classes* mit ihrem reichen Instrumentarium der Einladungen, Kurzvisiten, Hotelfrühstücke, Hausdinners, den ›festen Tagen‹, Empfängen, Empfehlungen, mit ihren *seasons* und wechselnden Schauplätzen von *town* und *country*, ihren nur für die Oberen der Gesellschaft reservierten Orten und zugänglichen Plätzen des körperlichen und musischen Müßiggangs, mit ihrer Theorie und Praxis des Vorranges, der gesellschaftlichen Würde, der Etikette, der Zugehörigkeit zu Vereinen, die ein mystischer *numerus clausus* über alles begehrenswert macht: dieses alles war für den jungen ›Ästheten‹ aus Oxford das ideale Medium seiner Selbstdarstellung. Sie war zugleich seine Form der Selbstverwirklichung in einer als ästhetisches Phantom erlogenen Wirklichkeit. Die anfängliche Wohngemeinschaft mit seinem Freunde Frank Miles, dem Erfolgsmaler eleganter Damen, war gewiß auch ein Zweckverband zur Erleichterung und Erweiterung gesellschaftlicher Kontakte, und diese dienten wiederum vor allem den ersten Übungen in der Kunst, von sich reden zu machen. Er schreckte, bis an die Grenze des Aufdringlichen, auch vor gröberen Mitteln nicht zurück, Bekanntschaften zu suchen, wenn sie ihm nützlich erschienen: vor platter Lobhudelei, dreister Anbiederung, doch erträglich gemacht durch eine Eloquenz, die, zugleich sprudelnd und pointiert, eine Gesellschaft, die mehr Witz als Geist besaß und wünschte, bis zur Faszination amüsant fand. Doch da die Gesellschaftsschicht, auf der er sich zu bewegen und darzustellen wünschte, allzu genau wußte, daß er nicht ›dazu‹-gehörte, haftete seinem Vortrag und Auftreten immer das gesellschaftlich und psychologisch Zwielichtige eines *entertainer* an, eines aufgeblasenen Redekünstlers. So erschien er nicht nur dem Flegel, sondern auch dem Wohlerzogenen der Gesellschaft, den Wildes Liebenswürdigkeit nicht beeindrucken konnte.

Den erklärten Absichten seines Auftretens wurde durch ein zweites ungewöhnliches Talent Nachdruck verliehen: sich auffällig zu kleiden. Über die Anzüge, Krawatten, Knopflochblumen Wildes in seinen ersten Londoner Jahren ist so oft und dasselbe Törichte geschrieben worden, daß man das als bekannt auf sich beruhen lassen könnte. Doch einen besonders zählebigen Irrtum sollte man bei dieser Gelegenheit berichtigen.

Die Wörter *dandy, snob, flâneur* werden in der Wilde-Literatur ohne Rücksicht auf die Begriffe, die sie bestimmen, in Verwirrung der Begriffe und zur Verkehrung ihrer Inhalte gebraucht. Wilde selbst verwechselt sie – und das hat seine guten Gründe – noch in dem berühmten Passus seines großen Briefes aus dem Zuchthaus an Alfred Douglas: *Ich amüsierte mich damit, als flâneur aufzutreten, als Dandy, als Modeheld (a man of fashion).*

Bereits Baudelaire hat den *dandy* scharf vom *man of fashion* geschieden. Der Modeheld ist das Gegenteil des *dandy*. Eleganz der Kleidung und Gebrauchsgegenstände sind für den *dandy* nur gesellschaftliche Ausdrucksmittel seiner geistigen Unabhängigkeit und Überlegenheit. Oft auch gezielte Mittel der Distanz. Seine Eleganz beruht auf dem Prinzip der Unauffälligkeit und Einfachheit. Oscar Wildes Ästhetenkostüm wäre jedem *dandy* ein Greuel gewesen. Auch in der späteren Zeit, in der er auf gesetzteres Aussehen Wert legte, war er immer nach der ›letzten Mode‹ gekleidet. Das widerspricht dem Prinzip der Eleganz. Sie verachtet Mode, denn diese schließt den Kult des Unnachahmlichen, des Einmaligen aus.

Der *dandy* verfügt über Geld, das er nicht erwerben muß. Denn seine Liebhabereien und Leidenschaften dürfen keine nützliche Tätigkeit sein. Luxus ist für ihn auch nur ein Ausdrucksmittel seiner Freiheit, zu tun und zu lassen, was ihm beliebt. Der *dandy* ist ein Produkt außergewöhnlicher Selbstzucht. Baudelaire hat diese moralische (stoische) Seite des *dandysme* betont. Diese Zucht treibt den *dandy* auch zu gefährlichen Sportarten, die als ›Spiel‹ die Komponenten des Zweckfreien und der Disziplin ideal vereinen.

Man sieht, daß Oscar Wilde in keiner Phase seines Lebens die materiellen und intellektuellen Qualitäten eines *dandy* besaß. Er hatte weder Vermögen, noch gehörte er einer gesellschaftlichen Klasse an, die durch das erbliche Privileg sozialen Vorranges die Unabhängigkeit des *dandy* ermöglichte. Wilde war, da ihm Luxus nicht selbstverständlich war, nicht elegant, sondern ein Stutzer, eine Karikatur des Eleganten. Die spezifische Zucht des *dandy* war ihm vollends fremd. Er war weichlich, sinnlich, menschlich. Er war, mit einem Wort, der reichlich vulgäre Mime des *dandy*. Diesen Zustand und Typus bezeichnet man mit *snob*. Ein *snob* täuscht, mit unentwegter Anstrengung, welche die Absicht dieser

Anstrengung: dandystische Mühelosigkeit, unglaubwürdig und lächerlich macht, die Qualitäten des *dandy* vor, deren Voraussetzungen er niemals erfüllen kann.

Dieser gemimte *dandysme*, der Snobismus Wildes, stellte eine paradoxe Herausforderung an die von ihm zugleich umworbene und gereizte Gesellschaft dar.

Snobishness ist ein sozialer Spleen, ein krankhafter Respekt vor den Oberklassen, den Wilde teilte, indem er sich zugleich an dieser Schwäche dadurch rächte, daß er sein Gesellschaftsidol so respektlos als denkbar in der Konversation, in der Korrespondenz mit Vertrauten, später auf der Bühne behandelte. Gewiß, er milderte diese Respektsaufkündigung durch Witz, aber verschärfte sie auch durch das Augenzwinkern angemaßter Dazugehörigkeit. Sein Snobismus konnte die schmeichelhafte Aufmerksamkeit der Einflußreichen und Bedeutenden nicht entbehren. Er gefiel sich in der eitlen Vorstellung, das verwöhnte und bewunderte *enfant terrible* dieser Kreise zu sein. Man weiß heute, daß er, allen von ihm begünstigten Legenden zum Trotz, keineswegs in den Häusern seiner zahlreichen adligen Adressaten verkehrte, die er als Herausgeber von *The Woman's World* um Beiträge bat. Oscar Wilde als »lion among Duchesses« ist eine Erfindung, die Wildes selber würdig wäre. Aber sie kann sich auf nichts stützen.

Man sollte unterscheiden zwischen Wildes Verhältnis zur Aristokratie, der Klasse, die regiert und repräsentiert, und der Bourgeoisie, die Handel und Gewerbe treibt. Die Bourgeoisie als Institution nützlicher Beschäftigungen und öffentlicher Moral verachtete er. Der traditionelle Spott des Künstlers über den ›Philister‹ war gewiß dabei im Spiele. Doch vor allem sein Snobismus. Als *snob*, der den *dandy* posierte, pflegte er seine ›aristokratische‹ Gleichgültigkeit gegenüber den neuen Zeitmächten, den industriellen und wissenschaftlichen Erfindungen, dem ›Fortschritt‹, den die Bourgeoisie ohne Rücksicht auf die Verhäßlichung (*ugliness*) der Welt und der Sitten vorwärtstrieb. Als *snob* griff er die moralische Verfassung der englischen Bourgeoisie an, ihre unduldsame geistige Mediokrität. Gegen sie – die entsprechend reagierte – errichtete er die gezierte und ›morbide‹ Kunstwelt seines Romans *The Picture of Dorian Gray*.

So reizte Oscar Wilde die Gesellschaft in einem doppelten Sinne: als Künstler mit der Forderung eines ›neuen Hedonismus‹ erlesener und wunderbarer Sinnlichkeit, als *snob*, der die bürgerlichen Tugenden als ordinär und langweilig verspottete. Diese in seiner Lebenskünstlerschaft vereinte Polemik gegen die Gesellschaft mußte sie ungemein provozieren. Sie setzte sich – durchaus folgerichtig – mit den wahrlich furchtbaren Instanzen ihrer verlachten öffentlichen Moral zur Wehr: mit ihrem Journalismus, der öffentlichen Meinung, schließlich mit ihrer Justiz.

Die Geschichte dieser langjährigen Auseinandersetzung ist oft genug und jedem leicht erreichbar beschrieben worden. Ihre einzelnen Stationen kann man heute gleichsam als Augenzeuge aufsuchen: als Leser der Briefe Oscar Wildes. Sie liegen in einer Sammlung vor, deren gelehrte Erläuterungen den zahlreichen Wilde-Biographien den Rang ablaufen. Wir können ihn begleiten bei seinen unermüdlichen Bemühungen, Leute von Einfluß, Größen des Theaters, der Literatur und des öffentlichen Lebens für seine Zwecke – und er kennt nur e i n e n Zweck: Oscar Wilde – zu gewinnen. Ob er dem Historiker Oscar Browning aus Cambridge, dem Lehrer von Curzon, Balfour, Austen Chamberlain, anbietet, Krawatten in London auszusuchen – um ihn dann zu bitten, ihn beim Herzog von Richmond für einen Posten im Erziehungsministerium zu empfehlen –, ob er sich in eine romantische Affäre mit der gefeiertsten *beauté* dieser Tage, Lily Langtry, *The New Helen,* hineindichtet.

Im Jahre 1881 veröffentlicht Oscar Wilde auf eigene Kosten seine Gedichte *Poems.* Auch diese Aktion kann den Charakter einer öffentlichen Selbstempfehlung nicht verleugnen. So steigerte sie seine berüchtigte Popularität, die er als Propagandist der ›Englischen Renaissance‹ genoß. Als Lyriker mußte er sich einen »verwässerten Swinburne« nennen lassen, der Rossetti und Elisabeth Browning imitierte.

Diese Belehrung konnte seine Betriebsamkeit und Wirksamkeit nicht beeinträchtigen. Karikaturen und Satiren schmeichelten ihm nicht nur, sie bestätigten auch die Richtigkeit seiner Gesellschaftstaktik. In der Erfolgsoperette *Patience* von Gilbert und Sullivan als ›Ästhet‹ verspottet zu werden, der mit einer *Sonnenblume oder Lilie* in der *mittelalterlichen Hand* durch eine krude und gemeine Welt wandelt, hat ihn gewiß befriedigt und nicht erschrecken oder warnen können. Er war nicht unempfindlich gegen geschmacklose Angriffe, wie er sie auf seiner einjährigen Amerikatournee ertragen und abwehren mußte. Doch diese Vortragsreise, die er 1881 Ende Dezember antrat, in ihrer kuriosen Mischung von Geschäft, Reklame für die amerikanische Aufführung von *Patience*, pittoresker Ideenwerbung und Anknüpfung neuer Geschäftsverbindungen, brachte ihm, vor allem, Geld. Geld, das er wieder in das Kunstwerk ›Oscar Wilde‹ investierte.

Er reiste, nach London zurückgekehrt, nach Paris, um sich in drei Monaten bekannt zu machen mit Verlaine, Mallarmé, Zola, Edmond de Goncourt, mit Victor Hugo, Alphonse Daudet und Degas. Die Periode der präraffaelitischen Schönheitsseligkeit und der Kunstmoral Ruskins lag hinter ihm. Er hatte die Wirkungsmöglichkeiten dieser Bewegung für seine Person völlig ausgeschöpft, er fühlte den modischen Marktwert, den seine Werbung für ihre Künstler und Werke ihm eingebracht hatte, ebenso schwinden wie den Antrieb, Gedichte im Stile der *Poems* zu schreiben.

In solchen Lagen helfen sich Naturen, die in ›punktuellen Ekstasen‹ leben und immer auf Neuinszenierungen ihrer inneren Unveränderlichkeit angewiesen sind, durch die Behauptung einer Lebenszäsur. Eine Lebensphase ist beendet. Oscar Wilde rechtfertigte seine sensible Willensschwäche in einer Philosophie der *intensity*. Intensität ist immer die vorgetäuschte Kraft dessen, der keine Stärke hat. Er holte sich Argumente seiner neuen Philosophie dort, wo er sich einen neuen Marktwert seiner Person durch sie versprechen konnte: Bei der französischen *décadence*. Die Schönheit des Bösen, der *spleen* des Lasters erscheinen ihm als ergiebige Motive. Es ist kein Zufall, wenn er an seinem wohl schon in Oxford begonnenen langen Gedicht *The Sphinx* in Paris wieder gearbeitet hat.

Der Wandel als Modewechsel muß ins Auge fallen. Sonst hat er seinen Zweck verfehlt, Aufmerksamkeit zu erregen. Oscar Wilde veränderte seinen Kopf durch eine verblüffende Haartracht: *Aber die Gesellschaft will verblüfft sein, und meine*

Nero-Coiffure hat sie verblüfft. Niemand erkennt mich wieder, und alle sagen, ich sähe jung aus: das hört man natürlich gern.

Niemand erkennt mich wieder: Er ist sich selbst und der Gesellschaft neu, und die Triumphformel *alle sagen* bezeugt die gewünschte Musik in seinen Ohren.

Oscar Wilde ist, am Beginn einer ›neuen Epoche‹, zwar kein Weltmann, aber eine mondäne Erscheinung. Doch davon kann ein Mann ohne Vermögen nicht leben. Oscar Wilde mußte sich mit den Realitäten einrichten, mit der Gesellschaft arrangieren. Sein Äußeres blieb auffällig, aber er nahm ihm das Anstößige. Ja, er konnte es bestimmten Zwecken anpassen und soigniert erscheinen. Doch auch diese gewählte Sorgfalt des Anzugs war allzu poliert und genüßlich, wenn er Vortragseinladungen folgte und die englischen Städte durch seine Vorlesungen über schönes Wohnen und zweckmäßige Stilkleidung *zivilisierte.* Mit Herablassung sprach er von dieser *Mission.* Aber sie brachte Geld.

Was ging in ihm vor? Waren seine Berechnungen falsch? Seine *Poems* hatten ihre Schuldigkeit getan. Aber hatte ihr reserviertes und ironisches Echo nicht doch einen geheimeren Ehrgeiz getroffen und verletzt? Die Gesellschaft, seine *Belle Dame sans merci,* billigte ihm zu, interessant, nicht aber ein Poet zu sein. Wovon sollte er leben? Geordnete Tätigkeit lag ihm nicht nur nicht, sie stand auch der neuen Pose nicht, der er nur durch gewagte Unternehmungen, nicht durch den Anblick paradoxen Berufsfleißes die nötige Bewunderung sichern konnte.

Er heiratete. Jeder erdenkliche psychologische Stumpfsinn und Scharfsinn hat sich zu diesem Ereignis und dem Komplex der erkennbaren und unerkennbaren Anlässe geäußert. Man mag in den Chor der Vermutungen nicht einstimmen, wenn man nicht meint, ihn zum Schweigen bringen zu können. Zweierlei erscheint jedoch sicher. Die Heirat der siebenundzwanzigjährigen Constance Mary Lloyd aus Dublin hat Oscar Wilde ebensowenig beeindruckt oder auch nur in der Phase einer unbekümmerten Verliebtheit verändert, wie man an der Freundlichkeit und Wärme seiner Gefühle Zweifel hegen sollte. Das unvermischte Nebeneinander von Sympathie und Kälte, von Spontanität und Kalkül ist keine verruchte Spezialität einer durch abnorme Veranlagungen beschädigten Seele. Spaltungen der Person zählen zum Beobachtungs- und Erfahrungsbefund eines jeden, der die Bestandteile einer Psyche nicht durch die Brille eines moralischen Postulats sehen und dadurch die Identität der Person herstellen muß. Daß Künstler in hohem Maße unverbindliche Baumaterialien ihrer Gefühlsentscheidungen zu koordinieren oder auch in ihrer dislocierten Lagerung zu belassen haben, ist bekannt. Oscar Wilde löste dieses Problem wie alle seine Probleme: Er ordnete alles, so auch menschliche Begegnungen und Bindungen, den Bedürfnissen und Zwecken seiner Selbstorganisation unter. Das ist für ihn ein natürlicher Vorgang. Man kann ihn, wie das biographische Psychologie anläßlich der Heirat Wildes getan hat, keineswegs einen Akt unentschuldbarer Herzlosigkeit nennen. Denn im System des schöpferischen Egoismus sind auch selbstlose Handlungen der Zuneigung noch Ausdruck der Selbstliebe, des *sacro egoismo* des Künstlers. Der Moralist kann hier von einem Bann sprechen, der die freie Beweglichkeit und Empfindlichkeit des Gewissens lähmt. Diesen Bann kann nur die Leidenschaft brechen oder das Leiden – aber beides kann ihn nicht aufheben. Das ist nicht Sache menschlicher Anstrengung und Willigkeit.

Oscar Wilde hatte keine Schwierigkeit, seine Heirat dem Bilde, das er der Öffentlichkeit zu bieten wünschte, einzufügen. Die bürgerliche Reputation der Gründung eines Hausstandes konnte seinen beruflichen Bemühungen nur nützen. Die Zeitschrift *World* sprach von »Oscar und der Dame, die er zur *châtelaine* des Schönen Hauses erkoren hat«. So sah man es richtig, so wünschte es Oscar Wilde. Er selbst sah die *châtelaine* seines Hauses *Beautiful* in Chelsea ebenfalls, wie er es wünschte. Daß die Natur die Kunst und nicht die Kunst die Natur nachahme, war eines seiner Lieblingsparadoxe. So war für ihn Constance Lloyd eine vollkommene präraffaelitische Kunstfigur, in die er sich verliebte und die er seinen Freunden schilderte: *... eine ernste, schlanke, veilchenäugige kleine Artemis mit schweren Flechten dichten braunen Haars, unter dem ein blumengleiches Köpfchen sich wie eine Blüte neigt, und mit wunderbaren Elfenbeinhänden, die dem Piano so süße Musik entlocken, daß die Vögel zu singen aufhören, um ihr zu lauschen.*

Die Briefe, die Constance Lloyd in ihrer Verlobungszeit und von der Hochzeitsreise schrieb, haben den Charme des Frischen, einer mädchenhaften Lebensneugier. Constance enthielt Elemente des Kindlichen, die Wilde, den zärtlichen Bewunderer des Kindes, stark angezogen haben müssen. Constance war durchaus nicht beschränkt, gewiß nicht prüde. Sie hatte sogar kapriziöse Züge, und sie war gelehrig und eigensinnig genug, um neben ihrem ungewöhnlichen Mann nicht als ›Weibchen‹ zu vegetieren, das sich mit der Zeit in das Hausgespenst mürrischer Selbstzufriedenheit verwandelt. Daß sie nicht seine Vertraute, seine ›Frau‹ werden konnte, lag im Gesetz ihrer Naturen, die sich nur um den Preis des Irrtums aneinander binden konnten. Oscar Wilde war zum ›Ehemann‹ völlig untauglich – auch zur Ehe gehört Genie, sittliches Genie –, und von dem Eheleben, wie er später bekannte, war er *zu Tode gelangweilt*. Dennoch war im Wesen dieser jungen Frau etwas, das die noblen Bedürfnisse seines Charakters befriedigte: verläßliche Achtung zu erweisen, Takt zu üben, Schutz zu gewähren, soweit und solange das seine ruinösen Passionen erlaubten. Sie verschloß sich, auch als ihre Angst vor den Meuten der öffentlichen Meinung und dem gefangenen ›Monstrum‹ Oscar ihr bescheidenes Verständnis versteinerte, ohne Haß vor dem Manne, der sie immer wieder enttäuschen mußte. *Ich hasse ihn nicht, aber ich gestehe, daß ich ihn fürchte,* schrieb sie einen Monat vor ihrem Tode. Sie starb im Alter von vierzig Jahren am 7. April 1898 in Genua. Die Telegramme und Briefe, die Oscar Wilde absandte, als er diese Nachricht erhielt, stehen in rätselhaftem, aber nicht unbegreiflichem Widerspruch zum Bericht seines Freundes Robert Ross: *Oscar ging es natürlich nicht besonders nahe. Entsetzlich ist für ihn nur, daß seine Rente hiermit aufhört ... Er ist bei bester Laune und trinkt nicht allzuviel.*

Constance war die Mutter zweier Knaben, Cyril und Vyvyan, die Oscar Wilde in einer tieferen, sehr diskreten Schicht seines Wesens liebte. Das Kind, das Kindliche, wo es sich auch immer in der Natur versinnbildlichte, war ihm eine Welt für sich. Sie entzückte ihn nicht nur als Zauber des ›Kleinen‹, des Blumen- und Vogelhaften, des Leichten, Bunten und Unmittelbaren, sondern sie konnte ihn auch als Offenbarung des Arglosen und Schutzlosen v e r w a n d e l n. Er war, alle Zeugnisse sprechen dafür, verwandelt, wenn er mit Kindern sprach oder spielte. Wer seine Schilderung des Kinderfestes gelesen hat, das er, kaum aus dem Zuchthaus entlassen, in Berneval-sur-Mer zu Ehren des Krönungsjubiläums der Queen Victoria gab, wird mit einem natürlichen Geheimnis seiner Verletzlichkeit vertraut, das dieser hemmungslose Plauderer niemals ausplaudern konnte. Die Trennung von seinen Kindern, die moralisch argumentierende Quälerei ihrer Begründung hat etwas in ihm zerbrochen, das man nicht hätte antasten dürfen, wenn man ihn leben lassen wollte: den Glauben an die Neigung eines Kindes. Gewiß, Oscar Wildes Geständnisse waren wahr und unwahr zugleich. Sie lagen wie falsche Karten mit echten Karten vermischt durcheinander, und wer auf eine von ihnen setzte, zog immer den kürzeren. Doch wer wagte ein solches Geständnis unwahr zu nennen: *... ich muß mein verstümmeltes Leben nach eigener Façon neu schaffen. Hätte Constance mir erlaubt, meine Kinder zu sehen, so wäre mein Leben wohl anders verlaufen. Aber das tat sie nicht. Nicht daß ich sie ihres Verhaltens wegen im geringsten tadeln wollte, aber jedes Verhalten hat seine Konsequenzen.*

Seine reinsten künstlerischen Gebilde sind gleichsam im Sprechen mit seinen Kindern entstanden: Er erzählte ihnen Geschichten und Märchen, und in diesen Jahren schreibt er seine Kunstmärchen nieder. Die literarische Dürftigkeit dieser Märchen zu beklagen, mag manches darin Anlaß bieten. Aber erwartet man von dem *homme blasé* der Londoner Gesellschaft, der ein gefragter und auch gefürchteter Kritiker geworden ist, Beschäftigung mit redenden Vögeln und Gräsern, mit verdrießlichen Riesen und hochmütigen Feuerwerksraketen? Literarische Spekulationen, Abwehr der ›Moderne‹, Gefälligkeitserwägungen, die er als einfallsreicher Herausgeber von *The Woman's World* anstellte, und anderes mehr mochten ihn sich in der Rolle des Märchenschreibers gefallen lassen. Aber der Leser spürt, wie wohl sich Wilde beim Verfertigen solcher Phantasiestücke fühlte. Die erste Sammlung *The Happy Prince and Other Tales (Der glückliche Prinz und andere Märchen)*, die 1888 erschien, enthielt eine so hintersinnige Geschichte wie *Die vornehme Rakete (The Remarkable Rocket):* das *Humpty-Dumpty*-Schicksal der englischen Kinderreimfigur, mit der ihn Constance nach seinem Sturze bitter verglich.

Die vornehme Rakete, ihr Hochmut vor dem Fall, liest sich wie eine allegorisierte Geschichte Oscar Wildes. Man meint sein märchenhaftes Selbstporträt zu betrachten, über das er sich mit melancholischer Ironie belustigt: *Die vornehme Rakete* erklärt allen ›vulgären‹ Raketen, der *Römischen Kerze*, dem *Schwärmer*, dem *Bengalischen Licht*, daß sie die Sensation des Festes und des Feuerwerkes sei. Der Prinz und der Hofstaat haben die einzigartige Ehre, ihrer Explosion beizuwohnen. *Prinzen haben eben immer Glück*. Das arme *Bengalische Licht*, das sie philologisch belehren will, daß es *pyrotechnisch* und nicht *polytechnisch* heißt, wird souverän erniedrigt und zum Schweigen gebracht: *Ich aber sage polytechnisch*. Und alles hält den Atem an. Der vorlaute *Schwärmer*, der lacht, weil er glücklich ist, wird belehrt: *Welches Recht haben Sie, glücklich zu sein? Sie sollten an andere denken, Sie sollten in der Tat an mich denken. Ich denke immer an mich, und ich erwarte, daß jeder das gleiche tut. Das nennt man Sympathie. Die einzige Sache, die einen im Leben aufrechterhält, ist das Bewußtsein der ungeheuren Inferiorität aller andern, und das ist ein Gefühl, das ich immer kultiviert habe.*

Und die ganze banale Raketenverwandtschaft geht mit Pracht und Prunk in die Luft, nur die *vornehme Rakete* nicht, die mit affektierten Tränen ihr Pulver genäßt hat. Sie fühlt sich natürlich für etwas ganz Besonderes, *a grand occasion*, aufgehoben. Doch die Arbeiter werfen sie am anderen Morgen über die Mauer in den Schlamm. *Bad rocket, schlechte Rakete*, sagen die Arbeiter. Sprachfehler der arbeitenden Klasse natürlich. *Grand rocket, großartige Rakete*, wollten die Arbeiter sagen. Aber *bad* und *grand* klingen ja sehr ähnlich *und bedeuten auch oft dasselbe. Und damit fiel sie in den Schlamm.*

Ihre Unterhaltung mit dem hochnäsigen Frosch ist wie eine Parodie der Gespräche Oscar Wildes mit seinem Freundfeinde, dem Maler James Abbott McNeill Whistler. Die ehrbare Ente muß sich sagen lassen, daß *Handarbeit nur die Zuflucht von Leuten ist, die nichts anderes zu tun haben*. Ihr menschenfreundliches Angebot an die Rakete, bei den Tieren des Teiches zu wohnen, weist diese mit dem entrüsteten Schrei einer *Fremden von Distinktion* zurück: *Es gibt hier weder Gesellschaft noch Einsamkeit*. Aristokraten lieben die Schauplätze der Komödie, des Hofs, oder des Hirtengedichts, der Wildnis. Alles andere riecht nach Vorstadt. Sie will an den Hof zurück, denn sie ist dazu bestimmt, sensationelles Aufsehen in der Welt zu erregen. *I am made for public life – ich bin für die Öffentlichkeit gemacht*, sagt die Rakete. Wo Raketen erscheinen, erregen sie *größte Aufmerksamkeit*.

Das Ende der Geschichte: Zwei Bauernbuben suchen Holz für ihren Wasserkessel. Sie halten das erlesene pyrotechnische Artefakt, den Star der höfischen Lustbarkeit, dem *zu Ehren der Prinz und die Prinzessin geheiratet haben*, für einen Stock! Vom königlichen Park in den Dorfteich, vom Schlamm ins Kesselfeuer, welch Werdegang des Genies! *Was für ein Erfolg ich bin!* ruft sie und steigt in die Luft. Aber niemand sah sie, denn die Buben waren eingeschlafen. *Ich explodiere*, verkündet sie, *und ich werde die ganze Welt in Brand setzen und ein solches Getöse machen, daß die Welt ein Jahr lang über nichts anderes spricht*. Ja, Krach! macht das Pulver, aber niemand hat es gehört, auch nicht die zwei neben dem Kessel in ihrem gesunden Armenschlaf. *I knew I should create a great sensation – ich wußte, ich würde ein überwältigendes Ereignis sein*, keucht sie und verlischt. Sie war einer Gans auf den Rücken gefallen. Sie hat eine Gans zum Staunen gebracht: *Großer Gott, es beginnt Stöcke zu regnen!* –

Oscar Wilde als *The Remarkable Rocket* der Londoner Gesellschaft begann in der Zeit, in der er dieses melancholisch-mokante Märchen niederschrieb, seinen steilen literarischen Aufstieg. Dieser Aufstieg hatte in der Tat etwas von raketenhafter Energie und prasselnder Prachtentfaltung. Seit 1888 nimmt sein literarischer Ruhm in dem Maße zu, in dem er sich um sein gesellschaftliches In-aller-Munde-Sein nicht mehr zu kümmern brauchte. Er hat in einem Jahr – 1887 – vier Erzählungen publiziert, darunter die sehr amüsante Gruselgeschichte von einem melodramatischen Gespenst, das zuweilen als romantischer Dandy posiert, und dem Erlösungswerk des Kindes Virginia in *The Canterville Ghost (Das Gespenst von Canterville)*. Eine Figur wie Lady Alroy *with a mania for mystery*, einer Mystifikationsmanie, in *The Sphinx Without a Secret (Die Sphinx ohne Geheimnis)* war ideal auf die Interessen einer Gesellschaft zugeschnitten, deren Lebenselixier verfeinerter Klatsch und delikate

Gerüchte sind. Wilde war der literarische *couturier* der Londoner Gesellschaft – keineswegs zufällig Herausgeber von *The Woman's World* –, ein Kenner des weiblichen seelischen Schicks. Diese mondäne Modeschneiderei Wildes, diese Gebrauchsliteratur für den Tag und die Stunde, zeigt den Unterschied seines Schreibens von der Literatur im üblichen Sinne. Man handelt die Prosa Wildes unter ihrem Wert, wenn man ihre besonderen Funktionen übersieht. Sie ist notierte Plauderei. Im Druck wirkt sie wie eine Partitur. Das gilt ebenso für seine großen kritischen Essays, die mit guten Gründen den Dialog einführen, wie für seine Bühnenstücke.

1888 brachte die Märchensammlung *The Happy Prince*, 1899 war das Jahr der großen Essays, die nicht aufhörten, bis auf den heutigen Tag, eine erstaunliche Wirkung auszuüben. Gewiß ist die Wildesche ›Erfindung‹ dieser Essays – ihr rücksichtsloser Subjektivismus, der sich in einer Kettenexplosion rücksichtsloser Paradoxe entlädt – längst im westlichen Feuilletonjournalismus allzusehr imitiert und verbraucht worden, um noch originell zu wirken. Doch man unterschätzt und verkennt auch die Absichten und Verfahrensweisen der kritischen Essays Wildes, wenn man sie nicht immer wieder auf den zentralen Punkt ihrer Entstehung bezieht, die Lebens- und Kunstmaxime Oscar Wildes: nur von sich zu sprechen. Die Weise, in der er dies zu tun wünscht, hat er immer wieder betont: *It is only the superficial qualities that last – nur Oberflächlichkeit kann Anspruch auf dauernde Wirkung erheben.*

Man betrachte nur die Titel und Untertitel seines berühmtesten Essays: *The Critic as Artist (Der Kritiker als Künstler).* Man sollte, wie das in der jüngsten Neuausgabe der kritischen Schriften Wildes geschehen ist, die Positionen der Begriffe vertauschen: *The Artist as Critic (Der Künstler als Kritiker).* Denn das Künstler-Ich bemächtigt sich aller Medien nach Belieben und so auch der literarischen Gattungen. Es unterwirft sich nicht ihren Gesetzen, es setzt sie, für den selbstherrlichen Augenblick ihres Gebrauchs, außer Kurs. *Play* und *pleasure, Spiel* und *Vergnügen* (Genuß), sind die Wappenwörter Wildes. So wird der Obertitel des ersten Titels von *The Critic as Artist: The True Function and Value of Criticism (Der wahre Sinn und Wert der Kritik)* durch den Untertitel ironisiert: *With Some Remarks on the Importance of Doing Nothing (Mit einigen Bemerkungen über die Wichtigkeit des Nichtstuns).* In der zweiten Fassung setzte Wilde einen zweiten Untertitel hinzu: *With Some Remarks upon the Importance of Discussing Everything (Mit einigen Bemerkungen über die Wichtigkeit, alles zu erörtern).*

Importance (Bedeutung, Wichtigkeit), Ausdruck Ernst erheischenden Respekts vor allgemeingültigen Werten, ist ein Lieblings- und Schlüsselwort Wildes in seinen Titeln, das seinen Darbietungen prinzipielle ›Bedeutungslosigkeit‹ sichern soll. Eine ›Bedeutungslosigkeit‹, die das Übergewicht banalen oder pathetischen Ernstes, der alle Beschäftigungen und Gesinnungen beschwert, ironisch beseitigen soll. Solange eine Sache *importance* besitzt, ist für Wilde die Perspektive des Betrachters falsch. ›Wichtigkeit‹ einer Sache ist für ihn der Beweis einer unrichtigen und unangemessenen Einstellung zu ihr. Ernest und Gilbert diskutieren in *The Critic as Artist* Walter Pater und Leonardos Mona Lisa, die Tannhäuser-Ouvertüre, Ravenna und Venedig nicht anders, als sie die Ortolane und den Chambertin ihres Abendessens ›diskutieren‹ *(After we have discussed some Chambertin and a few ortolans ...).* Dadurch wird die Rangordnung der ›Wichtigkeit‹ der diskutierten Gegenstände aufgehoben und ein ästhetischer Absolutismus des souveränen Subjekts verkündet, der jedem der von ihm regierten Dinge, sei es ein wohlzubereiteter Ortolan, sei es die Mona Lisa, ›Wichtigkeit‹ nach höchstem Belieben des künstlerischen Gottesgnadentums verleihen kann.

Das erscheint maßlos arrogant. Aber die ironische Übertreibung der Behauptungen Wildes läßt uns erst ihre Methode und Tragweite erkennen: Allein *intensity*, das heißt die geniale Lebendigkeit des hervorragenden Individuums, kann zum Wesen einer Sache, was immer sie auch sei, vordringen. Sie ist die unerlernbare Voraussetzung für jede Aussage von Belang (*importance*). Sie ist daher auch oberstes Prinzip des Kritikers, der ein ›Künstler‹ sein muß, wenn seine Kritik etwas bedeuten will. Nur durch die Intensivierung seiner Persönlichkeit kann der Kritiker andere Individuen und ihre Werke verstehen und auslegen, ohne in den Niederungen eines nichtssagenden Historismus gelehrte Floskeln zusammenzuhäufen. Je mehr der Kritiker seine Persönlichkeit kultiviert und intensiviert, desto realer wird seine Interpretation des betrachteten Objekts, desto befriedigender, überzeugender und wahrer wird sie *(it is only by intensifying his own personality that the critic can interpret the personality and works of others, and the more strongly this personality enters into interpretation, the more real the interpretation becomes, the more satisfying, the more convincing, and the more true).*

Das ist nicht weniger als ein Vorschlag zur Lösung des Historismus-Problems in der Kunstkritik, der sich hören lassen kann. Darüber hinaus gestattet ihm dieses Intensitätsprinzip ein brillantes Plädoyer für den konsequenten Subjektivismus der interpretierenden Künste, des Pianisten, des Schauspielers. Das Paradox, daß die persönlichste Behandlung eines Kunstwerks seine Absichten am reinsten erfülle, daß die völlig personalisierte Sicht auf eine Sache die ergiebigste unter allen möglichen sein kann, wirft ein Licht auf Wildes Theorie des Paradoxen, deren Logik er witzig zu verheimlichen verstand.

Die Thesen eines anderen dialogischen Essays, *The Decay of Lying (Der Verfall des Lügens)*, der 1889 erschien, sind nicht minder atemberaubend. Wie der Kritiker als Künstler den pedantischen Historismus *ad absurdum* führt, so fertigt er den modischen Naturalismus und Psychologismus eines Zola und Bourget ab mit ihrer phantasielosen Verehrung des Häßlichen und Banalen. Vivian, der Verfasser eines Essays *The Decay of Lying: A Protest*, liest daraus seinem zigarettenrauchenden Freunde Cyril vor und überzeugt ihn mit unerschöpflichen Argumenten, daß der literarische Realismus eine Kunst sei, die das Lügen verlernt habe, daß Lügen nicht nur eine Kunst sei, sondern daß alle wahre Kunst Lüge sei und mit der Lüge aus ein und derselben Wurzel schöpferischer Imagination emporblühe. Der Realismus verderbe die Kunst dadurch, daß er die geordneten Verhältnisse von Kunst und Wirklichkeit verkehre: denn die Kunst habe nicht die Wirklichkeit zu kopieren, sondern die Wirklichkeit die Kunst. Daß Lebensläufe Romanfiguren imitieren, könne man wohl nicht leugnen. Es habe das Werther-Fieber gegeben, und in Mode seien die mit ihren Liebhabern durchbrennenden Leserinnen von Ehebruchsromanen. Und mit der Bemerkung *Mein lieber Junge, ich bin in der Lage, alles zu beweisen* erklärt er dem verblüfften Cyril, warum die Natur dem Landschaftsmaler folge und ihre berühmten Wirkungen allein ihm verdanke. Daß die Natur in Frankreich jetzt Monets und Pissaros reproduziere wie früher Corots und Daubignys, könne jeder Reisende bestätigen.

Das ist nicht nur geistreicher Unsinn, sondern in dieser Übertreibung – *Übertreiben* will Oscar Wilde als Kunst der Wahrheitsfindung, als hermeneutischen Akt respektiert wissen – steckt der Kern einer erstaunlich richtigen Beobachtung. Das moderne Bewußtsein kann der Natur nicht mehr unmittelbar begegnen. Bildzitate einer ausgeformten Aneignung, eines Gemäldes, eines Gedichts, stellen sich ein – diese moderne Erfahrung ist so alt wie Lottes Ausruf *Klopstock!*, als sie mit Werther das abziehende Gewitter betrachtete.

Der Verfall des Lügens ist nicht nur von einem Witz und einer Gescheitheit, wie wir sie in unserer kritischen Literatur nicht mehr kennen, sondern er enthält mehr als gescheite, außergewöhnlich kluge Bemerkungen über Shakespeare, Balzac, Meredith, die Wilde, der Künstler des ›Oberflächlichen‹, unter der Oberfläche seiner Paradoxe und vergnügten Überspitzungen verbirgt.

Der Wainewright-Essay *Feder, Pinsel und Gift. Eine Studie in Grün (Pen, Pencil and Poison. A Study in Green)*, 1899 zuerst erschienen, 1891 mit dem Zusatz des Untertitels, liest sich in manchen Partien wie die Anwendung der Imitationstheorie Vivians auf Oscar Wilde selbst. Der ebenfalls in diesen Jahren des Produktionsrausches niedergeschriebene Essay *Die Seele des Menschen unter dem Sozialismus (The Soul of Man Under Socialism)*, zuerst 1890 erschienen, treibt das, was man die schreibende Vergnügungssucht Oscar Wildes nennen könnte, auf die Spitze. Ständig wechselt die Einstellung der geistigen Optik. Einmal ist er der Märchenerzähler des Sozialismus, der Kindern von einem herrlichen Lande hinter den Sieben Bergen berichtet, ein andermal ist er der kultivierte ›Einzelne‹, der literarische Feinschmekker, der den Sozialismus als Droge, als *remedium* gegen den blasierten *ennui* empfiehlt. Dann wieder ist er der Philanthrop, der den Sozialismus als perfekte Beseitigung des Privateigentums preist. Und nicht zuletzt posiert er als Revolutionär, der die grausigste Form der gesellschaftlichen Despotie, die Macht der

Presse, der manipulierten öffentlichen Meinung, als die bösartigste Knebelung und Mißachtung der Menschenrechte angreift. Alles dies ist er im Interesse eines *individualism,* des erlesensten und natürlichsten aller Menschenrechte; aber er taucht dieses Interesse immer wieder in die Wirbel seiner sprachlichen Vergnügungssucht, die alles und jedes dem Überraschungseffekt, der Pointe, der unwiderstehlichen Lust opfert, die Wörter ihres buchstäblichen Sinnes wie die herrschende Meinung ihrer Geltung zu berauben.

Es lag nahe, daß Oscar Wilde alle in den letzten Jahren aufgenommenen Ideen und gewonnenen Fertigkeiten einer größeren Arbeit zugute kommen lassen wollte. So waren die Märchen und Erzählungen nicht minder als die kritischen Essays nur kleinere Geschwister seines ›Romans‹ oder seiner Erzählung größeren Umfangs: *Das Bildnis des Dorian Gray (The Picture of Dorian Gray).* Die Dialoge seiner Essays werden hier nur fortgesetzt, seine Märchen und Schauergeschichten nur weitererzählt. Der Roman erschien zuerst 1890 in der Zeitschrift *Lippincott's Monthly Magazine,* dann in Buchform, erweitert und verändert, 1891. Man kann nicht sagen, daß Wilde mit dieser Erzählung einen literarischen Skandal wünschte; aber er fühlte sich doch auf der gewünschten Höhe seiner Popularität, als er, der Mann gepflegten Müßiggangs, an den Herausgeber des *Scots Observer* schrieb: *Zeitungsfehden jeder Art sind mir zuwider, und von zweihundertsechzehn Kritiken des Dorian Gray, die von meinem Schreibtisch in den Papierkorb gewandert sind, bin ich nur auf drei eingegangen.*

Erstaunlich ist freilich die empfindliche Reaktion eines dezidierten ›Immoralisten‹ und Kenners der englischen Gesellschaft auf den Vorwurf der schlechten Moral seines Dorian Gray. Er möchte, daß der Liebhaber seiner Pointen entzückt ist über ein *pronunciamiento* wie *Kein Künstler hat ethische Neigungen (ethical sympathies); hat er solche, so ist das eine unverzeihliche Manieriertheit,* und daß zugleich die aufgeweckte Leserschaft ergriffen bemerkt, daß Dorian Gray *kein gefühlloses, berechnendes, gewissenloses Geschöpf war. Im Gegenteil, er ist äußerst impulsiv, absurd romantisch und wird sein Leben lang von der Stimme seines Gewissens verfolgt, die ihm jede Freude vergällt und ihm mahnend vorhält.* Hier verstößt Wilde naiv gegen seine eigene Maxime: *Alle Kunst ist zugleich Oberfläche und Gleichnis. Wer unter die Oberfläche gräbt, tut es auf eigene Gefahr. Wer das Gleichnis liest, tut es auf eigene Gefahr.*

Die zutreffendste Erklärung der Absichten, die Oscar Wilde mit *The Picture of Dorian Gray* verfolgte, hat er selbst gegeben: *... Die Ästhetische Bewegung hat gewisse Farben kreiert, die erlesen sind in ihrer Lieblichkeit und berückend in ihrer nahezu mystischen Tönung. Sie waren und sind unsere Erwiderung auf die häßlichen Primärfarben eines zweifellos respektableren, aber gewiß weniger kultivierten Zeitalters. Meine Erzählung ist ein Essay über Dekorationskunst. Sie wendet sich gegen die krude Banalität des nackten Realismus* – hier hören wir wörtlich Vivians Argumente aus *The Decay of Lying.* Oscar Wilde möchte mit seiner Erzählung vom schönen und bösen Dorian und dem Dandy Lord Henry Wotton dem Rinnstein-Realismus des modernen Romans nicht nur eine dichterische ›Lüge‹ im Sinne Vivians entgegensetzen, sondern auch eine Stilübung vorführen. *Dekorationskunst* ist keine Vokabel blasierter Untertreibung, sondern wörtlich zu nehmen. Als gelehriger Leser von Huysmans *A rebours* und Gautiers *Émaux et Camées* verfeinerte er die Mittel dieser *Dekorationskunst.* Er verbarg in dieser Erzählung weder persönliche Sündenbekenntnisse noch Erfahrungen erlauchter Sünden; es ging ihm auch nicht um eine Variation der romantischen Emanzipation des ›Fleisches‹, sondern eben um *Dekoration* als eine Form seines permanenten Protestes gegen die ›Philister‹. Als polemische Stilübung, nicht gewichtiger, sollte man *The Picture of Dorian Gray* auf sich wirken lassen. Von weiteren Übungen dieser Art ließ er ja auch ab. Er hatte anderes zu tun: Komödien zu schreiben.

Die literarische Produktivität Oscar Wildes, die sich in diesen Jahren fast explosiv entlud und in einem Jahr (1891) die Buchfassung seiner Essays unter dem Titel *Intentions,* ein neues Märchenbuch *A House of Pomegranates (Das Granatapfelhaus),* die Neufassung von *The Picture of Dorian Gray* und die Sammlung seiner Erzählungen auf den Markt brachte, eroberte sich jetzt erst das ideale Spielfeld seiner elementaren Begabung: die Gesellschaftskomödie.

Wilde hatte schon, bevor er *Lady Windermere's Fächer (Lady Winderemere's Fan. A Play about a good Woman)* niederzuschreiben begann, zwei Dramen geschrieben: *Vera; or The Nihilists (Vera oder die Nihilisten)* und *The Duchess of Padua. A tragedy of the XVI. century (Die Herzogin von Padua).* Beide Stücke, vergessene Dokumente der unglücklichen Liebe Wildes zur Tragödie, hatten keinen oder keinen nennenswerten Erfolg. Die Gesellschaftskomödien, die nun drei Jahre lang die Londoner Theatersaison beherrschten, brachten ihn, als ob er an einem Zauberring gedreht hätte, in das Paradies der Ehren und Genüsse, das ihm bisher verschlossen geblieben war. Der Chor der Bewunderer und Neider wuchs, seine Ideen von Komfort und Eleganz konnte er realisieren, er konnte Geschenke und Reisen nach seinem Geschmack machen, opulente Essen geben, kostbar eingerichtete Landhäuser von Aristokraten mieten und tun, was ihm beliebte.

Blieb ihm verborgen, daß alle Gegenstände seines Spotts ihm als leichte Beute zufielen, daß die Gesellschaft ihren sprühenden Clown honorierte, doch daß ihm mißlang, was er immer wieder versucht hat, seitdem er seine ersten Gedichte schrieb: ein *Dichter* zu werden? Es ist gewiß kein Zufall, daß er dies in einem letzten Gewaltakt zu erzwingen versuchte, indem er sich einer fremden Sprache, des Französischen, bemächtigte. Den Einakter *Salomé* schrieb er im Winter 1891 in Paris französisch. Er verhielt sich reserviert den sprachlichen Einwänden seiner französischen Freunde gegenüber. Kein Zweifel, daß Wildes Francophilie und die ›französische‹ Mode der Nineties sein Schreiben in der bewunderten Sprache der bewunderten Dichter Balzac und Gautier, Baudelaire und Mallarmé begünstigte. Es war die Zeit der berühmt-berüchtigten *Yellow Books* – *gelb* war die Farbe der französischen Romane, die Anstoß erregten. ›*Frenchified*‹, französiert, war in den Nineties alles, was luxuriös, üppig, verfeinert, sinnlich-melancholisch wie Beardsleys Zeichnungen, kurz, so lustvoll ›ungesund‹ *(unhealthy)* und prunkvoll ›dekadent‹ wie *The Picture of Dorian Gray* war.

Dies alles läßt jedoch für den Entschluß Wildes, die biblische Geschichte von Herodes, dem Propheten Johannes und Salome mit ihren berühmten Schrecknissen und Süchten in einer fremden

Sprache zu dramatisieren, eine letzte Erklärung offen. Weder die Sprache seiner Verse noch die seiner Prosa, wo sie nicht den Zwecken seiner und seiner Figuren Plauderkünste diente, hatte die zeitgenössische Kritik überzeugen können. Wo er ›ernst‹ wurde, breiteten sich in seiner Sprache die Fettflecke des Sentimentalen, der Gefühlskopie, der kunstgewerblichen Unaufrichtigkeit aus. Wildes sprachliche Originalität lag gerade darin, daß er die Sprache entlasten konnte von allem lyrischen Schwergewicht, von aller gedanklichen *importance,* daß er in sie hineinblasen konnte wie in gewichtlosen Schaum. Seine Sprache war ja nur dann ganz und gar die unvergleichliche Sprache Wildes, wenn er eine Sprache *of no importance, ›ohne Bedeutung‹,* sein schillernd bezauberndes Unsinnsidiom sprach, das sich aller Stilfiguren der Ironie in immer neuerfundener Anordnung bedienen konnte. Wilde hatte seine Sprache gleichsam verhext, sie unbrauchbar gemacht für alle anderen Zwecke als den einer nur anscheinend aus allen Fugen platzenden, doch blendend gezügelten und gelenkten Causerie. So mußte er scheitern – und er mußte spüren, was er nicht zugeben konnte –, sobald er in dieser Sprache den Propheten donnern lassen wollte: *Back, daughter of Sodom! Touch me not (Zurück, Tochter Sodoms! Rühre mich nicht an)* und die brünstige Königstochter drohen und flehen: *I will kiss thy mouth (Deinen Mund will ich küssen).*

Dieses Problem wurde auch nicht gelöst, als er den richtigen Ausweg in die Gesellschaftskomödie suchte. Erst die letzte löst es. Denn die drei ersten Komödien akzeptieren mit einem ›guten Ausgang‹ auch seine sittlichen Normen und Garantien. So wird das Spielfeld der Konflikte und ihrer Lösungen nicht durch den geringsten moralischen Skeptizismus verwirrt oder auch nur kompliziert. Die für Wildes Geschmack banalen Typen der opfernden Mutterliebe, der ehrbaren Verkannten, der zynischen Heuchlerin, der Überheblichen, des Ehrgeizigen, und wie sie alle heißen, stellen das Personal. In der Handlung begegnen wir ebenfalls nur Vergehen und Lastern, Tugenden und guten Taten, die dem Bilderbuch der viktorianischen Moral entnommen sind. Zugleich aber führt er Figuren ein oder läßt Mentalitäten zu Worte kommen, die sich über das System der gesellschaftlichen Verabredungen, in welchem sie handeln, ihr Ansehen gewinnen, halten oder verlieren, lustig machen und nichts für so schäbig oder lästig halten wie das eindeutige Gut und Böse, Schwarz und Weiß der Komödienmoral.

Wilde waren Art und Anlaß der Konflikte, die er in *A Woman of No Importance (Eine Frau ohne Bedeutung)* nicht anders als in *Lady Windermere's Fan* darzustellen hatte, gleichgültig oder eben nur im Interesse des Publikums interessant. Das erzeugte die sprachlichen Brüche, das Reden nicht in zwei verschiedenen Tonarten, sondern auf völlig unterschiedlichen Ebenen: der Sprache des gutverkäuflichen Boulevardstücks und der Sprache des selbstgenügsam in Paradoxen versprühenden Monologs des Mannes, der es *liebt*, das *Sprechen alleine zu besorgen*, und nur von sich selber spricht, wenn er zu anderen spricht.

In *The Ideal Husband (Der ideale Gatte)* nimmt ihn das ›Problem‹, der drohende Gesellschaftsskandal in höchster gesellschaftlicher Position, mehr gefangen, und er waltet in der Handlungsführung nicht nur mit mehr Kunstverstand, sondern auch die Sprache seiner seriösen Figuren in ernsten Lagen ist nicht mehr aus dem sprachlichen Ersatzstoff gemacht, aus dem Wilde zuweilen die Rede seiner edlen Heroinen formt.

Noch einmal bricht er, nach dem Erfolg der *Salomé*, die Sarah Bernhardt bereit war zu spielen, in die ›dichterische‹ Sprache aus, zu deren Gebrauch er untauglich war. Er duldete den Versuch der Rückübersetzung der *Salomé* ins Englische, den Alfred Douglas unter seinen Auspizien unternahm. Aubrey Beardsley, mit Wilde die Hauptfigur des sogenannten *revival of Decadence* der neunziger Jahre in England, illustrierte die englische Ausgabe von *Salomé*, die 1894 in London und Boston gedruckt wurde. Im gleichen Jahr erschien aber nicht nur *The Sphinx* – in Oxford begonnen! –, sondern auch die *Poems in Prose*, die, wie durch unterirdisches Wurzelwerk mit der Oxforder Religiosität Wildes verbunden, in einer Sprache biblischer Einfachheit religiöse Erfahrungen und Einsichten in Parabeln kleiden sollen. Diese sprachlichen Erlösungsversuche Wildes sind nur zu verstehen im Zusammenhang mit den inneren Befreiungsversuchen, die er, immer unbehauster von Wohnung zu Wohnung, von Land zu Land ziehend und reisend, von Alfred Douglas begleitet, verfolgt, gemieden, gesucht, unternommen hat. Diese kleinen

Prosastücke mit Titeln anspruchsvoller Einfachheit wie *Der Meister, Der Jünger, Der Lehrer der Weisheit* sollen seiner Sprache – und da die Sprache nie lügt: seinem verlorenen Selbst – die verlorene Unschuld zurückgewinnen, die Sprache der Kindheit und des Gebets. Das mußte mißlingen. Daran änderte auch das Zuchthaus, auch das Exil nichts.

Doch etwas anderes gelang, und zwar im höchsten und rühmlichsten Grade. Alle Kenner stimmen heute darin überein, daß Oscar Wildes letzte Komödie, *The Importance of Being Earnest; A Trivial Comedy for Serious People (Die Bedeutung, Ernst zu sein),* die beste englische Komödie seit Shakespeare ist, und manche geben ihr den Rang der reinsten Gesellschaftskomödie der Weltliteratur. Diese Schätzung verdankt sie nicht ihrem witzigen Handlungsschema, das er verschieben konnte, wie der zahlende Auftraggeber des Stückes, der Schauspieler und Theaterleiter Sir George Alexander, das wünschte. Der Dichter Wystan Hugh Auden nannte das Stück *»perhaps the only pure verbal opera in English«*. Eine »Wort-Oper« – das trifft den Nagel auf den Kopf. Die Sprache Wildes ist in diesem Stück die einzige Person. Die Sprache als Drama einer Person mit verteilten Rollen! Die auftretenden ›Personen‹ sind nur verschiedene Artikulationen dieser Sprache. Person, Aktion, Situation, alles wird der Sprache, ihrem Dialog mit sich selbst und ihrem puren Selbstzweck untergeordnet.

Man hat nicht übel Wildes Handhabung der Sprache, die hier die Behandlung des *plot,* die Zeichnung des Handlungsmusters, souverän bestimmt, mit dem Verfahren eines Ballettmeisters verglichen. Die natürlichen Bewegungen des Körpers, Gehen, Springen, Greifen, Sitzen, Stehen, werden von ihren natürlichen Absichten und Funktionen getrennt und als Material tänzerischen Ausdrucks zu rein ›dekorativen‹ Zwecken formalisiert. Formalisiert man auf diese Weise die Sprache, so erfindet, improvisiert sie sich selbst in Vorführungen, die das Wortspiel als rhetorische Figur eines überaus beziehungsreichen Nonsense regiert. Der Ausruf John Worthings, mit dem er die Komödie beschließt, daß er zum ersten Male in seinem Leben begriffen habe *the vital Importance of Being Earnest,* spielt zum Titel des Stückes zurück, indem die ganze Tragweite der Irrungen und Wirrungen aus dem Wortspiel der phonetisch assimilierten Wörter *Ernest* (Vorname einer vorgetäuschten Person) und *earnest* (Eigenschaft, deren Wert die vortäuschende Person am Ende des Stücks durchaus unernst beteuert) entwickelt wird.

Die Entstehung des Stückes war mehr als andere den Zufällen der chronischen Geldnot Wildes zu verdanken, war künstlerisch ein Gelegenheitsstreich, den er, wiederum mehr aus Berechnung als aus künstlerischer Erwägung, durch einen anderen verdrängen wollte, den er aber dann auf sich beruhen ließ. Dazu paßt es, daß Wilde diese *Farce*, wie er das Stück selbst nannte (deren *Dialog zwar reinste Komödie ist, der beste, den ich je geschrieben habe*), nicht sehr ernst nimmt: *Man könnte es nicht in ein Repertoire ernster oder klassischer Stücke aufnehmen, es sei denn zum Spaß – einmal –, so wie Irving den Jeremy Diddler spielt, um den Bostonern zu zeigen, wie vielseitig er ist, und wie ein Mann, der den Hamlet gestaltet, es auch mit den besten Possenspielern aufnehmen kann.*

Dieses Possenspiel wurde eine der schönsten Komödien der Weltliteratur, in der alles Gold ist, was glänzt. Oscar Wilde schrieb sie im letzten Akt des Possenspiels seines Londoner Ruhms. Am 3. Januar 1895 wurde mit pompösem Erfolg *The Ideal Husband* im Theatre Royal, Haymarket; aufgeführt, einen Monat später, am 14. Februar, war die Premiere von *The Importance of Being Earnest* im St. James-Theater. Der *Scharlachrote Marquis*, der Vater Alfred Douglas', versuchte, von einem Boxer begleitet, sich Eintritt in das Theater zu verschaffen, um *zum Publikum zu sprechen*. Am 22. Februar überreichte der Portier des Albemarle Clubs Oscar Wilde eine Karte des Marquess of Queensberry mit der Aufschrift: *To Oscar Wilde, posing as somdomite* (sic!).

Ein Sodomit! Der *Lord of Life*, der *»the act of sodomy«*, den sodomitischen Akt, an Londoner Strichjungen in Hotelzimmern vollzog. So schilderte es der Zeuge Charlie Parker im Prozeß, der am 3. April begann und am 25. Mai die Lebensposse Oscar Wildes durch eine beklemmende Posse der viktorianischen Justiz und Gesellschaft beendete: Der Richter Wills verlas seine Urteilsbegründung im Vollgefühl zermalmenden Abscheus und warf die öffentliche Haßfigur des feisten Schwätzers und perversen Lüstlings der öffentlichen Meinung zum Fraße vor. Die Justiz schickte ihn zwei Jahre ins Zuchthaus, die Gesellschaft bis zum Tode in ihre grausamere Strafanstalt: Gleichgültigkeit und *unnatürliche Tugend,* die entsetzlicher ist als *fünfzig unnatürliche Laster* und *die Welt für die Leidenden zu einer vorzeitigen Hölle macht.*

Das Ende
Zuchthaus und Exil

Im Juli 1891 hatte Oscar Wilde in ein Exemplar der großformatigen Ausgabe von *Das Bildnis des Dorian Gray* geschrieben: *Alfred Douglas von seinem Freunde, der dieses Buch geschrieben hat. Juli 91. Oscar.* Lord Alfred Bruce Douglas, der dritte Sohn des achten Marquess of Queensberry, 1870 geboren, in Winchester erzogen, Student des Oxforder Magdalen College, eine typische britische ›Schönheit‹, mußte alle Vorstellungen Wildes von einem ›griechischen‹ Engländer, einem Gedichte schreibenden jungen Aristokraten erfüllen. Körperliche Schönheit – weniger athletische als schmalgliedrige – faszinierte Wilde. Er wollte sie auch, wie man weiß, bei den käuflichen Objekten seiner Ausschweifungen, den jungen Kellnern, Hotelboten, den gerissenen Kreaturen des Taylorschen Männerbordells, nicht entbehren. Die ›Vorläufer‹ Bosies, der *blue coat boy* Harry Marillier, ein Student aus Cambridge, der als Fünfzehnjähriger Wilde und seinem Freund Miles in Salisbury Street *Kaffee serviert* hatte, mehr noch der mysteriöse John Gray, der Protegé Wildes, der seine Briefe an Wilde mit *Dorian* unterzeichnete und so auch von anderen genannt wurde, waren junge Männer von auffallender Schönheit.

Alfred Douglas, ›Bosie‹, war für Wilde kein schönes Phantom außerhalb einer ästhetisch vernichteten häßlichen Wirklichkeit, kein Spielzeug seiner Bezauberungsübungen, wohl auch kein erotischer Partner, den Wilde der Abartigkeit seiner Bedürfnisse aussetzen konnte oder wollte. Bosie war die wirkliche, entsetzlich quälende, unerbittliche, vernichtende Leidenschaft seines Lebens. Sie machte diesen mächtigen, impulsiven Menschen, der mit seinem kindischen sinnlichen Appetit, der *greediness*, der Schlingsucht nach jeder Art billiger Süßspeisen eine komische Figur und gewiß kein Krimineller war, im mythischen Sinne blind. Wilde war von Natur ebenso arglos wie wehrlos. Seine Leidenschaft für Bosie entsprach Alfred Douglas' fataler Zwangsbindung an Wilde. Diese Zwangsbindung, den narzißtischen Ausnutzungszwang eines Wesens, das sich keinem Du ergeben, nicht lieben kann, hat der Dichter Auden sehr einleuchtend beschrieben als das verhängnisvolle Treffen des *Overloved*, Wildes, des Vielgeliebten, in seiner Kindheit von seiner Mutter bis zur Verhätschelung Verwöhnten, mit dem *Underloved*, dem Ungeliebten, von seinem Vater Zurückgestoßenen und Gehaßten. Sein zur praktischen Bosheit angestautes Gefühl der Minderwertigkeit heftet sich saugend an sein Opfer, das von einem Überfluß empfangener Sympathien durchblutet und durchwärmt ist.

Wildes Leidenschaft ist bei aller Devotion, Erniedrigung, Anhänglichkeit nicht Liebe. Er selbst ist nicht minder, nur auf kehrseitige Weise, ein Narziß. Es gibt den warmblütigen und den kaltblütigen Typ. Man kann impulsiv, arglos, wehrlos, freundlich, liebenswürdig sein und dennoch völlig unfähig zur Liebe. Dieser Defekt kann sich nicht nur bei Verweigerung von Sympathien einstellen, sondern auch bei Überfütterung mit Neigungsbeweisen. Im ersten Fall kühlt sie die Psyche aus bis zur Vereisung, im zweiten weicht sie sie auf bis zur Bewegungsuntauglichkeit. Gefühle sind Handlungen, und Liebe ist Gefühl in höchster Aktion. Leidenschaft ist nicht Handlung, sondern Dulden, Passion. Oscar Wilde hat versucht, gewiß, seinen Gefühlen für Bosie den Charakter der Handlung, der Liebe zu geben. Aber in dieser spezifischen Handlungsunfähigkeit seiner Leidenschaft gleicht er zwar nicht einem Gelähmten und Erfrorenen – wie Douglas in der Zwangswelt seines Minderwertigkeitskomplexes –, sondern einem Verfetteten, dessen verweichlichte Glieder durch ihr eigenes Gewicht daran gehindert werden, lebenswichtige Bewegungen zu machen.

Es gibt einen Brief von Campbell Dodgson an Lionel Johnson, der Douglas mit Wilde bekannt gemacht und Dodgson als

Repetitor für Bosie empfohlen hatte, aus der glücklichsten Zeit des unglückseligen Paares. Dieser Brief und ein Brief Wildes an Campbell Dodgson, beide im Februar 1893 im luxuriösen Refugium in Babbacombe geschrieben, sind ungemein aufschlußreich für die Natur der Beziehung zwischen diesem ›Liebhaber‹ und seinem ›Geliebten‹. Diese Briefe würden durch jedes noch so behutsame Referat ihres Reizes einer mit unheimlichen Einschüssen verdunkelten Ausgelassenheit und ihrer Vergegenwärtigungskraft beraubt. Deshalb sollen sie im vollen Wortlaut folgen, der ironisch affektierte, ganz à la Oscar verfaßte Bericht des jungen Dodgson, des *Zuschauers*, über das Paar und der Brief des Hauptakteurs Oscar Wilde, der ihn von seiner unwiderstehlichsten Seite zeigt, in seiner kapriziösen Gutmütigkeit und sprühenden Laune.

Wildes Frau Constance ist mit ihrer Tante in der geschilderten Zeit in Florenz und Rom; aber seine beiden kleinen Söhne Cyril und Vyvyan, die *das Meer abgöttisch lieben*, wohnen bei ihm.

Campbell Dodgson an Lionel Johnson.

8. Februar 1893 Babbacombe Cliff

Mein lieber Lionel, Bosies Launen haben mich seit Samstag abend auf allerhand Ab- und Umwege geführt, und in diesen paar Tagen sind mir mehr unwahrscheinliche Dinge zugestoßen als sonst in ebenso vielen Monaten meines farblosen Kuh-Daseins. Als Zuschauer amüsiert mich die ganze Geschichte höchlichst, während ich mir als Hauslehrer wie eine glatte Niete vorkomme: nur daß offenbar niemand etwas anderes erwartet. Meine letzten Tage zu Hause wurden durch pausenlose Telegramme der Familie Douglas belebt, die bewirkten, daß ich schließlich von Samstag bis Montag nach Winchester ging, statt nach Salisbury. Ich genoß diese Tage sehr; das Wetter war himmlisch, die Richardsons empfingen mich mit größter Herzlichkeit, und ich begegnete keinen langweiligen Leuten.

Am Montag fuhr ich dann nach Salisbury in der Hoffnung, Bosie zu Hause vorzufinden: nichts dergleichen – er trieb sich noch immer herum. Ich verbrachte einen sehr angenehmen Tag mit Lady Queensberry, streifte in der Kathedrale und der Domfreiheit umher; wurde in die Kreuzgänge eingesperrt und drang in die bischöflichen Gärten ein. Am Abend tauchte Bosie auf – inmitten eines Schwarms von Telegrammen – mit aufgelösten Locken und stürzte sich sofort in seine Redaktionskorrespondenz. Das dauerte den ganzen Abend, während ich friedlich in Deinem Goethe und der Westminster Gazette las.

Am nächsten Tag studierte Bosie mit Feuereifer seinen Platon eineinhalb Stunden lang. Dann teilte er mir beim Lunch in aller Ruhe mit, daß wir am Nachmittag nach Torquay zu Oscar Wilde reisen würden. Ich japste überrascht, bin jedoch phlegmatisch und von kräftiger Konstitution, wurde mit dem Schock daher gut fertig, und resigniert verbrachte ich den ganzen Nachmittag damit, den Koffer wieder zu packen, den ich gerade erst ausgepackt hatte. Unser Aufbruch war dramatisch; Bosie veranstaltete den üblichen Wirbel; er hatte kein Buch, kein Geld, keine Zigaretten und viele Telegramme von äußerster Wichtigkeit abzuschicken vergessen. Dann mußten wir in dem Minimum von Zeit, die noch blieb, um den Zug zu erwischen, eine kleine Pony-Chaise mit einer großen Anzahl von Reisekoffern überladen, während mir ein Foxterrier anvertraut wurde und eine scharlachrote Maroquin-Schreibmappe, ein prächtiges und schönes Geschenk von Oscar. Nach eiligem Abschiednehmen von den Damen preschten wir in wildem Karacho los, Bosie kutschierte. Ich war darauf gefaßt, nur noch meine zerschmetterten Gliedmaßen ins Spital von Salisbury zu schleppen, doch wir kamen heil am Bahnhof an.

Als wir etwa eine Stunde gefahren waren, fiel Bosie ein, daß er Oscar überhaupt nicht von unserer Ankunft benachrichtigt hatte, es wurde also von Exeter aus ein langes Telegramm abgesandt. Gegen neun Uhr waren wir schließlich am Ziel und dinierten aufs üppigste. Das Haus ist wunderschön, voll von Überraschungen und wunderlichen Räumen, Rossetti an allen Ecken und Enden. Es gehört Lady Mount-Temple und ist an Oscar vermietet. Unser Leben ist lässig und luxuriös; unsere moralischen Grundsätze sind lax. Wir argumentieren stundenlang über verschiedene Interpretationen des Platonismus. Oscar beschwört mich mit ausgebreiteten Armen und Tränen in den Augen, ich solle meine Seele Seele sein lassen und sechs Wochen lang meinen Körper pflegen. Bosie ist schön und faszinierend, aber sehr bösartig. Er ist begeistert von Platons Bild vom demokratischen Menschen, und keines meiner Argumente vermag ihn zu überzeugen, daß es so etwas wie absolute ethische Maßstäbe gibt. Wir studieren keine Logik, keine Geschichte, sondern spielen mit Täubchen und Kindern und fahren am Meer entlang spazieren.

Oscar sitzt im allerkünstlerischsten aller Zimmer, genannt ›Wunderland‹, und meditiert über sein nächstes Stück. Ich finde ihn einfach hinreißend, bin allerdings überzeugt, daß seine Moral abscheulich ist. Er behauptet, entdeckt zu haben, daß meine genauso schlecht sei. Seine Sprachgewandtheit ist außergewöhnlich, so wenigstens erscheint sie mir, der ich unartikuliert bin und die Iren bewundere, die es nicht sind. Am Samstag fahre ich zurück. Wahrscheinlich werde ich alles dort lassen, was von meiner Religion und meinen moralischen Grundsätzen noch übrig ist. Stets Dein C. D.

Oscar Wilde an Campbell Dodgson

[Poststempel 23. Februar 1893] Babbacombe Cliff

Mein lieber Dodgson, wir freuen uns sehr, daß Ihnen das Papiermesser gefällt, hoffentlich weckt es in Ihnen angenehme Erinnerungen. Ich kann Ihnen meinerseits nur versichern, wie sehr ich Ihren Besuch genossen habe. Ich freue mich darauf, Sie in London wiederzusehen, entweder wunderbare Rembrandt-Radierungen hütend oder einfach in Schönheit wandelnd, was noch besser ist, und wir müssen von purpurnen Dingen sprechen und purpurnen Wein trinken.

Ich führe das Institut noch immer im alten Sinne weiter und glaube wirklich, daß es mir gelungen ist, die Vorzüge einer öffentlichen Schule mit denen einer privaten Irrenanstalt zu kombinieren, was, wie Sie wissen, mein Bestreben war. Bosie ist sehr goldhaarig, und ich habe Salome in Purpur binden lassen, damit sie zu ihm paßt. Diese tragische Tochter der Leidenschaft erschien letzten Donnerstag und tanzt jetzt um den Kopf des englischen Publikums. Sollten Sie ihr begegnen, dann sagen Sie mir, wie sie Ihnen gefällt. Ich möchte, daß sie Ihnen gut gefällt.

Alle Jungen der Schule schicken beste Grüße und freundliche Wünsche. Mit vielen Grüßen Ihr

Oscar Wilde
Direktor der Schule von Babbacombe

Schule von Babbacombe

Direktor – Mr. Oscar Wilde
Konrektor – Mr. Campbell Dodgson
Schüler – Lord Alfred Douglas

Hausordnung

Tee für Lehrer und Schüler um 9 Uhr 30 morgens
Frühstück um 10 Uhr 30
Arbeiten 11 Uhr 30 – 12 Uhr 30
Um 12 Uhr 30 Sherry und Biskuits für Direktor und Schüler (der Konrektor ist dagegen)
12 Uhr 40 – 13 Uhr 30 Arbeit
13 Uhr 30 Lunch
14 Uhr 30 – 16 Uhr 30 Versteckspiel mit dem Direktor (Pflichtfach)
17 Uhr Tee für Rektor und Konrektor, Cognac mit Soda (nicht mehr als sieben) für Schüler
18 – 19 Uhr Arbeit
19 Uhr 30 Abendessen, Champagnerzwang
20 Uhr 30 – 24 Uhr Ecarté, pro Auge höchstens fünf Guineas
24 – 1 Uhr Lesen im Bett (Pflichtfach). Schüler, die bei Übertretung dieser Vorschrift ertappt werden, werden sofort aufgeweckt.
Nach Schluß des Schuljahres wird dem Rektor von den dankbaren Schülern ein silbernes Tintenzeug überreicht werden, dem Konrektor ein Federmäppchen.

Diese Idylle des Witzes und Wohllebens spielt sich auf einem Hintergrund ab, dessen Kontrast jeden Betrachter erschrecken läßt. Doch beides gehört zusammen. Es ist die gleiche Person Oscar Wilde, die im *Wunderland* von *Babbacombe Cliff* wie ein Glücksprinz waltet und *Salome, in tyrischen Purpur und blasses Silber gebunden,* in *stürmischer Nacht* liest und die in Paris und London *diners* für sinistre Mietlinge und Erpresser des Männermarktes gibt und seine männlichen *›Belles de jour‹* zu Pascal schickt, dem berühmten Pariser Coiffeur im Grand Hotel, damit er ihre Haare onduliere.

In seinem Buch *Feasting with Panthers (Gelage mit Panthern)* gibt Rupert Croft-Cooke ein ungeschminktes Bild dieses Treibens. Wilde war 1893 völlig vertraut mit der Welt, in der sein späterer Mitangeklagter Alfred Waterhouse Somerset Taylor seine Geschäfte machte. Er wechselte die jungen Männer so oft, wie die Routine seiner Annäherung und Verabschiedung von trister Eintönigkeit war: ein Abendessen mit vielen Gängen in einem Restaurant von plattem Luxus, Champagner, vergeudete Monologe Wildes über Dichtung und Kunst und *the old Roman days,* die Gastmähler der römischen Dekadenz, bei Cognac und Zigarren, die Fütterung seines *boy* mit gezuckerten Kirschen, ein Hotelzimmer, ein silbernes Zigarettenetui mit dem Namenszug Oscars zum Andenken.

So floß unter der Oberfläche seiner Erfolge, seiner Arbeiten, seines geselligen Verkehrs der Strom seiner gewöhnlichen Tage und die bunte Prozession seiner *boys,* seiner *painted pageants.* Er bezahlte und entließ sie »wie die Hansom-Droschken, die er mietete«. Er aß täglich zuviel und zu gut, ein von Jahr zu Jahr dicker werdender Schlemmer, lunchte im Café Royal, dinierte im Savoy und soupierte *»at Willis's«,* trank zuviel beim Essen und zu viele *drinks* an Vor- und Nachmittagen. Zuweilen hatte er Schwierigkeiten mit dem Hoteldirektor, wenn er seine *boys* mit auf sein Zimmer nahm. Dann mietete er eine Wohnung in der Stadt, um ungestört zu arbeiten.

Was er in diesen Jahren schrieb, wissen wir. Was er dachte, wissen wir kaum – oder aus Berichten anderer, die seinen Selbstmystifikationen glaubten: ein erlauchter Nachgeborener spätrömischer Lustgelage zu sein, ein Lebens-Künstler, der den ›Satanismus‹ der romantischen Poeten mit allen Fibern nicht dichtete, sondern lebte. Noch im Zuchthaus konnte er das banale Faktum, einer bezahlten Ausschnüffelei seiner ›spätrömischen Späße‹ in die Falle gegangen zu sein, nur durch die Mystifikation ertragen, als großer ›Sünder‹ im höllischen Malebolge eingekerkert zu sein.

Er mag, als er mit den kleinen schmutzigen Erpressern verhandelte, die gestohlene Briefe an Bosie kopierten, sein ›Doppelleben‹ als eine Art stimulierenden Gruselreizes empfunden haben. Solche Vorkommnisse konnten ihn weder warnen noch beeindrucken, und wenn, dann nur für sehr kurze Zeit. Seine äußere Lebenseinrichtung wurde freilich unstabil, auf Wechsel und Abbruch berechnet, durch Schulden und Arbeitsunfähigkeit mehr gefährdet, als er sich eingestehen wollte. Es wurde ihm zur Gewohnheit, Wohnungen oder Landhäuser zu mieten, er reist mit Alfred Douglas im Mai 1894 nach Florenz, im Oktober dieses Jahres nach Brighton, taucht während der Proben von *The Importance of Being Earnest* in Algier auf, wo André Gide das Paar trifft *(Ich hab ihn* [Bosie] *inständig gebeten, noch während der Proben bleiben zu dürfen, doch so schön ist seine Natur, daß er spontan ablehnte,* schreibt Wilde an Ada Leverson), fährt mit Alfred Douglas noch im März, als Wilde bereits gegen den Vater seine verhängnisvolle Verleumdungsklage erhoben hatte, nach Monte Carlo. Dann kommt das Ende.

Oscar Wildes Briefe aus dem Holloway-Gefängnis und später aus dem Zuchthaus in Reading zeigen, wie er den Adressaten, seinen Freunden, seine Handlungen, ihre Motive und seinen jetzigen Zustand darzustellen wünschte. Sie zeigen auch, wie diese Selbstinterpretation sich änderte unter der Härte der abgelebten Zuchthausstunden, die inkommensurabel ist wie alle unvermittelte Wirklichkeit, wie alles ohne Kulturschutz nackt berührte Leben. Der große Liebesbrief an Alfred Douglas vom 20. Mai 1895, *Mein Kind* ihn anredend, in der Euphorie der Vorstellung, *in Demut der Liebe alle Schmach zu dulden für den Geliebten,* ist ebenso ›wahr‹, wie es die Sätze des traurigen Abscheus vor dem Freunde und der *unseligen Freundschaft* sind, die er in den beiden folgenden Jahren niederschreibt. Die ›Wahrheit‹ seiner Gefühle wird er auch in seinem *De Profundis*-Brief an Alfred Douglas so klar und zugleich so widerruflich sagen, wie in den späteren Zeugnissen im Exil, wo er zu seiner *Liebe*, zu Alfred Douglas zurückkehrt und die *vergoldete Säule der Schändlichkeit* wieder verläßt, verlassen muß. Gegen seinen Willen, mit seinem Willen – man drohte Wilde mit Entzug seiner kümmerlichen Rente, falls er sich von Alfred Douglas nicht trennte –, die ›Wahrheit‹ ist hier gleichgültig für einen, der weiß: *Ohne ihn war mein Leben ohne Licht* und zugleich *weil er mein Leben zerstörte, muß ich ihn lieben.*

In Neapel, wenige Tage vor seiner Abreise nach Paris im Februar 1898, schrieb er: *Mein Leben ist hier in Scherben gegangen, ich habe keine Ideen, keine Energien.* Der letzte Versuch, sein Leben zu formen, die auseinanderfließenden Massen seiner unbelehrbaren Bedürfnisse zu festigen, war gescheitert, weil er kein Versuch, sondern ein Vorwand war, den schneidenden Bedingungen eines Versuchs zu entkommen. Denn diese Bedingungen hoben seine Lebensbedingungen auf. Er hatte sich zum Geschöpf der ›Gesellschaft‹ gemacht; als sie sich ihm entzog, erfuhr er, wie Tiere, die nur in einem bestimmten Klima, unter bestimmten Nahrungs- und Schutzbedingungen gedeihen können, seine existentielle Abhängigkeit von dem Milieu, das er nicht durch ein anderes ersetzen konnte. *Die Ballade vom Zuchthaus zu Reading (The Ballad of Reading Gaol)* zeigte, wie vergeblich es war, als *poète maudit* zu dichten und als ›Feind der Gesellschaft‹ gegen die Gesellschaft zu leben.

Wie seine Handschrift, *einst von attischer Anmut*, zerläuft und *zerrüttet* ist – *genau wie mein Charakter*, schreibt er an Robert Ross –, so zerläuft sein Leben, das er in armseligen Hotels zwischen Paris und der Riviera hinschleppt, einmal am Genfer See in einer Villa als Gast eines reichen und geizigen Schweizers, der ihm *gräßlichsten vin ordinaire* vorsetzt, einmal auch in Genua an Constances Grab: *Es war furchtbar traurig, ihren Namen in einen Grabstein geschnitten zu sehen – ihren Vornamen, meinen Namen natürlich nicht – nur »Constance Mary, Tochter von Horace Lloyd, Q. C.« und einen Vers aus der Offenbarung. Ich legte ein paar Blumen hin. Ich war tief bewegt, unter anderem auch von dem Gefühl der Sinnlosigkeit aller Reue. Nichts hätte anders sein können, und das Leben ist etwas Schreckliches.*

Die Reisen im letzten Jahr seines Lebens sind wie Zuckungen

vor dem Tode: Palermo, Rom – wo der Papst Leo XIII. an ihm vorbeigetragen wurde, *eine weiße Seele in Weiß gewandet* –, Genfer See und die letzte Station Paris, *Hôtel d'Alsace.* In Rom war er noch einmal, in einem sehr einfachen, physischen Sinn des Wortes, glücklich.

Die letzten Briefe, die er hinterließ, sind, zwischen Operation und Tod geschrieben, Geldforderungen mit sehr genauen geschäftlichen Details. Das Geld thematisierte die echten Erregungen dieses Lebens, das im Wesen des Geldes die Wirklichkeit begriff, mehr noch begriff, daß in der Zivilisation, in der er lebte und in der wir leben, das Geld die reale Form der Freiheit ist. Daß diese Realität nicht die Freiheit des Dichters und seines einzigen Schützlings, des Menschen, ist, hat Oscar Wilde, das Geschöpf dieser Zivilisation, sehr wohl gewußt und mit unverbindlichem Spott im *Sozialismus*-Essay seine Leser wissen lassen.

Wir haben den Bericht der letzten Tage von Robert Ross, seines Sterbens von Father Cuthbert Dunne. Wir kennen den Ablauf der Krankheit, nicht die Gedanken des Kranken. In Palermo, ein Jahr vor seinem Tode, schrieb Wilde, daß ihn, den großen ›Plauderer‹, eine seltsame Lähmung der Mitteilung befallen habe, eine ›Krankheit‹, die *Sucht des Schweigens: ich kann einfach nicht schreiben. Es ist so schrecklich, nicht v o n mir, sondern f ü r mich. Es ist eine Art Lähmung – cacoethes tacendi –, die Spezialform, die diese Krankheit bei mir annimmt.*

In Rom sitzt er *in einem winzigen Café vor der Fontana di Trevi: das Rauschen des Wassers ist wundervoll: es beruhigt: es hat* κάθαρσις.

Wenn jemand mitteilt, was er tut, und für sich behält, was er weiß, hat er die allen offene und allen auffindliche Schutzzone des Menschlichen erreicht, wo die Brocken und Brösel des zerschlagenen, unfertigen, vertanen und vergeblichen Lebens im Geheimnis aufgehoben werden.

Zeittafel

1854 Geburt Oscar Wildes am 16. Oktober in Dublin, 21 Westland Row

1864 Eintritt in die Portora Royal School, Enniskillen

1871 Eintritt in das Trinity College, Dublin, als »Junior Freshman«, mit einem Stipendium der Portora Royal School

1873 Erhält ein Universitätsstipendium

1874 *Oktober:* Verläßt Trinity College, um das Magdalen College in Oxford zu besuchen

1875 *Juni:* Reist mit seinem Lehrer Mahaffy in Italien

1876 *19. April:* Tod des Vaters
Sehr gutes Prüfungsergebnis seines Universitätsexamens in Oxford

1877 *März–April:* Besucht Ravenna und Griechenland

1878 Erhält den Newdigate-Preis für sein Gedicht *Ravenna.*
Abschlußprüfung mit dem »Bachelor of Arts« an der Universität Oxford am 28. November mit »Auszeichnung«

1879	*Herbst:* Übersiedlung nach London. Wohnung mit Frank Miles: 13 Salisbury Street	Veröffentlichung des Essays *Die Anfänge der historischen Kritik*
1880	*August:* Gemeinsame Wohnung mit Frank Miles in: Keats House, Tite Street, Chelsea	Veröffentlichung des Dramas *Vera oder Die Nihilisten*
1881	*24. Dezember:* Abreise nach Amerika	Veröffentlichung des Gedichtbandes *Poems*
1882	Vortragsreise durch die USA und Kanada	
1883	Längerer Aufenthalt in Paris, wo er Goncourt, Daudet, Victor Hugo, Bourget, Mallarmé und Zola kennenlernte; Reise durch die englische Provinz, wo er Vorträge über *The House Beautiful* hält; *26. November:* Verlobung mit Constance Lloyd, wohlhabende Tochter eines Rechtsanwaltes aus Dublin	Theaterstück *Die Herzogin von Padua* veröffentlicht; *Vera oder Die Nihilisten* in New York uraufgeführt ohne Erfolg; nach einer Woche wieder abgesetzt
1884	Heiratet Constance Lloyd in London. Mai–Juni: Hochzeitsreise nach Paris und Dieppe	
1885	*5. Juni:* Geburt seines ersten Sohnes Cyril	
1886	*3. November:* Geburt seines zweiten Sohnes Vyvyan	
1887–89		Herausgeber der Frauenzeitschrift »The Woman's World«; *Das Gespenst von Canterville* veröffentlicht; *Die Sphinx ohne Geheimnis* erscheint als *Lady Alroy* in »The World«;

		Der Modellmillionär erscheint in »The World«; *Lord Savile's Verbrechen* erscheint in »The Court and Society Review«
1888	Dieses Jahr kennzeichnet den Beginn einer Periode großer literarischer Aktivität, die bis zum Zusammenbruch der Karriere Wildes 1895 andauerte	Veröffentlichung der ersten Märchensammlung *Der glückliche Prinz und andere Märchen*; die Sammlung enthielt *Die Nachtigall und die Rose, Der selbstsüchtige Riese, Der ergebene Freund, Die bemerkenswerte Rakete;* *Der junge König* erscheint in »The Lady's Pictorial«, Weihnachtsausgabe
1889	*Januar:*	Der Essay *Das Bildnis des Mr. W. H.* erscheint in der Zeitschrift »Blackwood's Edinburgh Magazine«; *Der Verfall der Lüge* in »The Nineteenth Century«; *Feder, Gift und Stift* in »The Fortnightly Review«
1890		*Das Bildnis des Dorian Gray* erscheint in der Zeitschrift »Lippincott's Magazine«; *Der Kritiker als Künstler* veröffentlicht
1891	Beginn der Freundschaft mit Lord Alfred Bruce Douglas, zweiter Sohn des Marquess of Queensberry	*Die Herzogin von Padua* wird in New York anonym uraufgeführt unter dem Titel *Guido Ferranti*; der Essay *Die Seele des Menschen unter dem Sozialismus* erscheint in der Zeitschrift »Fortnightly Review«; *Das Bildnis des Dorian Gray*

erscheint in Buchform mit einem Vorwort und einigen Erweiterungen;
die Essaysammlung *Intentions* veröffentlicht; sie enthält *Der Verfall der Lüge, Feder, Gift und Stift, Der Kritiker als Künstler, Die Wahrheit der Masken*;
die Sammlung *Lord Arthur Savile's Verbrechen und andere Erzählungen* erscheint in Buchform; sie enthält die 1887 in Zeitschriften veröffentlichten Erzählungen *Die Sphinx ohne Geheimnis, das Gespenst von Canterville, Der Modellmillionär;*
die zweite Märchensammlung *Das Granatapfelhaus* wird veröffentlicht; sie enthält *Der junge König, Der Geburtstag der Infantin, Der Fischermann und seine Seele, Das Sternkind*;
in Paris schreibt Wilde *Salomé* und *Lady Windermere's Fächer*

1892 *Juli:* Kur in Bad Homburg
November: Mietet das Landhaus »Babbacombe Cliff« bei Lorquay

Lady Windermere's Fächer uraufgeführt;
Salomé wurde mit Sarah Bernhardt einstudiert für eine Uraufführung im »Palace Theatre«, London, als der Lord Chamberlain, der Theaterzensor Englands, Einspruch erhob und das Stück nicht aufführen ließ mit der Begründung, daß biblische Personen aufträten

1893 *März:* Verläßt »Babbacombe Cliff«.
Juni–Oktober: Mietet »The Cottage«, Goring-on-Thames.

Salomé publiziert;
Eine Frau ohne Bedeutung im »Haymarket Theatre« uraufgeführt;

	Oktober: Mietet Zimmer in 10, 11 St. Jame's Place	*Lady Windermere's Fächer* veröffentlicht
1894	*Mai:* Florenzreise mit Alfred Douglas. *Oktober:* Mit Alfred Douglas in Brighton	Die englische Ausgabe von *Salomé* erscheint, übersetzt von Alfred Douglas und illustriert von Aubrey Beardsley; *Gedichte in Prosa* in der »Fortnightly Review« veröffentlicht; *Eine Frau ohne Bedeutung* publiziert; *Die Sphinx ohne Geheimnis* veröffentlicht; schreibt im August/September in Worthing *The Importance of Being Earnest*
1895	*Januar/Februar:* Algierreise mit Douglas; *März:* Reise mit Douglas nach Monte Carlo. Aufgrund einer beleidigenden Karte (28. Februar) Lord Queensberrys, Douglas' Vater, erwirkt Wilde dessen Verhaftung. Der Verleumdungsprozeß endet mit dem Freispruch Queensberrys und der Verhaftung Wildes (5. April). Er wird nach zwei Strafprozessen zu zwei Jahren Zuchthaus verurteilt (25. Mai.) Konkursverfahren gegen Wilde; Bankrotterklärung. *20. November:* Einlieferung in das Zuchthaus Reading	*Ein idealer Gatte* uraufgeführt; *Bunbury oder Ernst muß man sein* uraufgeführt
1896	*3. Februar:* Wildes Mutter stirbt	*Salomé* wird am 11. Februar im »Théâtre de L'œuvre«, Paris, mit Sarah Bernhardt uraufgeführt; erster Brief an den »Daily Chronicle« veröffentlicht

1897	Übersendung seines Manuskriptes *De Profundis* (Brief an Alfred Douglas) an seinen Freund Robert Ross aus dem Zuchthaus Reading. Nach seiner Entlassung (19. Mai) fährt Wilde nach Dieppe und Berneval-sur-Mer. Treffen mit Douglas in Rouen und Neapel. Reise nach Sizilien	
1898	*Februar:* Ankunft in Paris. *7. April:* Tod seiner Frau Constance Wilde. Wilde macht verschiedene Reisen durch Frankreich	*Ballade vom Zuchthaus Reading* veröffentlicht; zweiter Brief an den »Daily Chronicle« veröffentlicht
1899	Verschiedene Reisen durch die Schweiz und Frankreich	*Bunbury oder Ernst muß man sein* veröffentlicht; *Ein idealer Gatte* veröffentlicht
1900	Italienreise nach Palermo und Rom. Nach einer schweren Operation stirbt Wilde in Paris, Hôtel d'Alsace, am 30. November	
1905		*De Profundis* veröffentlicht;
1907		*Eine Frau ohne Bedeutung* neuaufgeführt am »His Majesty's Theatre«; erste Gesamtausgabe von Wildes Werken, in der zum erstenmal *Eine Florentinische Tragödie, Die heilige Kurtisane,* vier Briefe an Albert Ross aus dem Zuchthaus Reading, der Essay *Die Anfänge der historischen Kritik* vollständig und das Gedicht *An L. L.* veröffentlicht wurden

1909	Zweite Gesamtausgabe erscheint
1949	Ein bis zu diesem Jahr vorenthaltener Teil aus *De Profundis* wird von Vyvyan Holland, Sohn Oscar Wildes, veröffentlicht

Bemerkungen des Herausgebers

Als ich den freundlichen Vorschlag des Verlages annahm, eine deutsche Oscar Wilde-Ausgabe zu betreuen, dachte ich weniger daran, den »Dichter« Oscar Wilde einem bestimmten literarischen Raritätenappetit begehrlich erscheinen zu lassen, als eine exemplarische Figur des fin de siècle-Ästhetizismus in ihrer kulturgeschichtlichen Bedeutung und Aktualität wieder ins Gedächtnis zu rufen. Schon Hugo von Hofmannsthal hat in seinem 1905 erschienenen Aufsatz *Sebastian Melmoth* – Masken-Name des entlassenen Zuchthäuslers Oscar Wilde – die einem rein literarhistorischen Interesse verschlossene Bedeutung der Leidensgeschichte Oscar Wildes erfaßt. Freilich besitzt der Autor Oscar Wilde als Essayist, Erzähler, Briefschreiber und Verfasser der einzigartigen *Bunbury*-Komödie Qualitäten genug, welche allgemeine Aufmerksamkeit verdienen und eindringliche Beschäftigung mit ihnen gewiß lohnen werden.

So ist diese zweibändige Ausgabe wie die *Complete Works of Oscar Wilde,* die seit 1948 in zahlreichen Auflagen in einem Bande in London bei Collins erscheinen, einem weiten Leserkreis zugedacht, der seit geraumer Zeit eine handliche Versammlung der Werke Oscar Wildes entbehren mußte.

Der Herausgeber dieser Ausgabe konnte nicht den Ehrgeiz hegen, sich in die Probleme der zünftigen Oscar Wilde-Philologie zu vertiefen. Daher blieb es den einzelnen Übersetzern überlassen, die Zuverlässigkeit ihrer Vorlagen zu prüfen und die Versehen und Irrtümer ihrer Vorgänger zu berichtigen.

Die Ausgabe vereinigt vollständig die *Poems in Prose* (Gedichte in Prosa), die »Märchen«-Sammlungen *A House of Pomegranates* (Das Granatapfelhaus) und *The Happy Prince and Other Tales* (Der glückliche Prinz und andere Geschichten), ebenfalls die *Stories* (Erzählungen), unter ihnen *The Picture of Dorian Gray* in der ersten Fassung von 1890. In die Sammlung der Essays ist *The Rise of Historical Criticism* nicht aufgenommen. Oscar Wildes Aphorismen sind durch *A Few Maxims for the Instruction of the Over-Educated* (Maximen zur Belehrung der

Über-Gebildeten), so wie er selbst sie veröffentlicht hat, repräsentiert.

Die *Plays* (Theaterstücke) Oscar Wildes mußten auf eine Auswahl der Erfolgstücke beschränkt werden. Hier sollte freilich den bekannten und vielgespielten Gesellschaftsstücken nicht nur *Salome* beigesellt werden, sondern es erschien mir wichtig, daß diese besondere Geschmacksrichtung Oscar Wildes auch durch die Aufnahme von *La Sainte Courtisane* (Die heilige Hure) dem Leser sich einprägt.

Die Gedichte Oscar Wildes, die nur noch auf die Anteilnahme des Literarhistorikers rechnen dürfen, konnten in einer Vorstellung der Werke Oscar Wildes nicht gänzlich fehlen. Ich habe Beispiele ausgewählt, die nicht nur Leseeinflüsse und Vorbilder, sondern auch die eigentümliche Beschäftigung Oscar Wildes mit der Christus-Figur und der Katholischen Kirche Roms spürbar werden lassen. Den Leser meines *Versuchs über Oscar Wilde* mache ich mit den Voraussetzungen und Folgen dieser Eigentümlichkeit bekannt. Der Abdruck des Originaltextes der Gedichte bedeutet bewußten Verzicht auf eine »dichterische« Übersetzung oder Nachdichtung. Die jeweils angefügte Übersetzung stellt nichts anderes als eine möglichst wortgetreue Lesehilfe dar. *The Ballad of Reading Gaol,* die berühmte *Ballade vom Zuchthaus zu Reading,* hat in der Übertragung Albrecht Schaeffers einen festen Platz in der Übersetzungsgeschichte des großen Gedichts. Daher wurde eine neue Übersetzung nicht erwogen.

Die Auswahl der Briefe konnte auf den großen epistolarischen Lebensbericht aus dem Zuchthaus an Lord Alfred Douglas (bekannt geworden unter dem Titel *De Profundis*) und die zwei Briefe an die Redaktion des *Daily Chronicle* beschränkt werden, da seit 1962 die englische, seit 1966 die deutsche Ausgabe der Briefe Oscar Wildes – ebenso unschätzbar in ihrem Informationswert wie jedem Interessierten leicht erreichbar – vorliegt.

Nur ungern habe ich auf eine Auswahl der zahlreichen, in Zeitschriften verstreuten Gelegenheitsarbeiten Wildes verzichtet, Kunst- und Buchkritiken, Anregungen für eine Kleiderreform und andere Oscariana, die zum Bilde des großen Plauderers gehören. Doch das hätte den Rahmen und die Komposition einer zweibändigen Ausgabe gesprengt.

Zu danken habe ich dem Verlag für mitdenkendes Verständnis und erhebliche technische Hilfe. Der Heidelberger Anglist Rudolf Sühnel hat meine eigenen Übersetzungsversuche überwacht und mit freundlicher Geduld erörtert. Die gelehrten Werke, denen ich die Kenntnisse und Erkenntnisse meiner Beschäftigung mit Oscar Wilde und seiner Zeit verdanke, kann ich in dieser kurzen Notiz nicht einzeln nennen. Gewichtigste Belehrung verdanke ich vor allem dem Kommentar der imposanten Edition der *Letters* und ihrer deutschen Ausgabe. Der Essay des Dichters W. H. Auden *An Improbable Life*, der 1963 zuerst in *The New Yorker Magazine* erschien, hat mich manches mit neuen Augen sehen gelehrt. Einige Bemerkungen von James Joyce über Wildes *Salome* bestärkten mich in dem Versuch, Oscar Wilde als Figur nicht nur der Literaturgeschichte, sondern auch der Religionsgeschichte zu betrachten und zu verstehen. Anregung und Unterrichtung danke ich vor allem dem Buch des Autors von *Bosie*, Rupert Croft-Cooke, *Feasting with Panthers* (A New Consideration of Some Late Victorian Writers, London 1967). Im vorigen Jahr erschien ein kurzer, vorzüglicher biographischer Abriß von Peter Funke, den ich den Lesern der Hanser-Ausgabe empfehle: *Oscar Wilde in Zeugnissen und Bilddokumenten*, in *rowohlts monographien* (Reinbek bei Hamburg 1969).

R. G.

Inhaltsverzeichnis

Theaterstücke

Briefe

Gedichte

Anhang

Die Aufnahme der Übersetzung der »Salome« durch Hedwig Lachmann und der »Ballade vom Zuchthaus zu Reading« durch Albrecht Schaeffer erfolgt mit freundlicher Genehmigung des Insel Verlag, Frankfurt/M., die der Briefe und Aphorismen durch Hedda Soellner mit freundlicher Genehmigung des Rowohlt Verlag, Reinbek.

Bitte beachten Sie
die folgenden Seiten:

Hermann Glaser

Weltliteratur der Gegenwart

Ullstein Buch 126

ein Ullstein Buch

»Der Autor hat für seine ›Kleine Geschichte der modernen Weltliteratur‹ eine reizvolle Form gefunden, indem er seinen Stoff nicht chronologisch oder nach Nationalitäten, sondern in Problemkreise gliederte. Glaser entwickelte diese Probleme zwanglos und natürlich aus den wesentlichen Werken der zeitgenössischen Literatur.«
Börsenblatt für den deutschen Buchhandel.

»Hier hat die ›Poésie engagée‹ unseres Zeitalters nicht nur eine äußerst lehrreiche, sondern zugleich auch eine fesselnd-unterhaltsame Darstellung gefunden.«
Blätter für den Deutschlehrer

H. L. Arnold (Hrsg.)

Dein Leib ist mein Gedicht

Deutsche Lyrik aus fünf Jahrhunderten

Ullstein Buch 2934

ein Ullstein Buch

Dies sind Gedichte von unverblümter Sinnenfreude und ungehemmter Erotik. Verse der »Klassiker« beweisen, daß sie sich nie gescheut haben, erotische oder gar obszöne Themen zu reimen. Die Gedichte aus unserer Zeit, etwa von Heißenbüttel, Grass oder Meckel, zeigen, daß sich im Zeitalter der Provokation auch die erotische Dichtung als Teil des Protestes gegen Tabus und Scheinmoral versteht.

Hannah Arendt

Rahel Varnhagen

Lebensgeschichte
einer deutschen Jüdin
aus der Romantik

Ullstein Buch 3091

ein Ullstein Buch

Hier ist eine große »innere Biographie« entstanden, eine genau dokumentierte und zugleich romanhaft spannende Darstellung eines romantischen Frauenschicksals.
»Es hat lange kein Buch gegeben, in dem leidenschaftlichster Anteil am Thema zu solcher Objektivität gebändigt ist. 1933 ›schon mit dem Bewußtsein des Untergangs des deutschen Judentums geschrieben‹, legt es Gesetzlichkeiten bloß, die nicht nur Rahel betreffen.«
Frankfurter Allgemeine Zeitung

ein Ullstein Buch

Ullstein Buch Nr. 3210
im Verlag Ullstein GmbH,
Frankfurt/M — Berlin — Wien

Umschlagentwurf: Manfred Siegler

Mit Genehmigung des
Carl Hanser Verlag, München

Printed in Germany 1976
Gesamtherstellung:
Augsburger Druck- und
Verlagshaus GmbH
ISBN 3 548 03210 9

Oscar Wilde

Werke in zwei Bänden

Erster Band

Gedichte in Prosa
Märchen
Erzählungen
Versuche und Aphorismen

Herausgegeben von
Rainer Gruenter

ein Ullstein Buch

Gedichte in Prosa

Übersetzt von Hannelore Neves

Der Künstler

Eines Abends kam der Wunsch in seine Seele, ein Bildnis zu schaffen von der *Lust, die einen Augenblick verweilet.* Und er ging hinaus in die Welt, um nach Bronze zu suchen. Denn er konnte nur in Bronze denken.

Doch die Bronze der ganzen Welt war verschwunden, und nirgends auf der ganzen Welt war Bronze zu finden, ausgenommen die Bronze des Bildnisses vom *Leid, das ewig währet.*

Nun hatte er dieses Bildnis selber mit seinen eigenen Händen geschaffen und es über dem Grabmal des einzigen Wesens aufgerichtet, das er in seinem Leben geliebt hatte. Über dem Grabmal des toten Wesens, das er am meisten geliebt, hatte er dies Werk seiner Hände aufgerichtet, daß es ein Zeichen der Menschenliebe sei, die nicht stirbt, und ein Sinnbild des Menschenleides, das ewig währet. Und auf der ganzen Welt gab es keine Bronze, ausgenommen die Bronze dieses Bildnisses.

Und er nahm das Werk, das er geschaffen, und stellte es in einen großen Schmelzofen und überließ es dem Feuer.

Und aus der Bronze des Bildnisses vom *Leid, das ewig währet,* schuf er ein Bildnis von der *Lust, die einen Augenblick verweilet.*

Der Wohltäter

Es war Nacht, und Er war allein.

Und Er sah in der Ferne die Wälle einer runden Stadt und ging auf die Stadt zu.

Und als Er sich näherte, hörte Er aus dem Innern der Stadt den Schritt der Füße der Freude und das Lachen des Mundes der Fröhlichkeit und das Geräusch vieler Lauten. Und Er pochte ans Tor, und einige Torwächter öffneten Ihm.

Und Er gewahrte ein Haus, das war aus Marmor, und es standen schöne Marmorsäulen davor. Die Säulen waren mit Girlanden behangen, und drinnen und draußen brannten Fackeln aus Zeder. Und Er trat in das Haus.

Und als Er die Halle aus Chalzedon und die Halle aus Jaspis durchschritten und die lange Halle der Festlichkeiten erreicht hatte, da sah Er auf einem Lager von Purpur einen liegen, dessen Haar war von roten Rosen bekränzt, und dessen Lippen waren rot vom Weine.

Und Er trat hinter ihn und berührte seine Schulter und sprach zu ihm: »Warum lebst du auf solche Art?«

Und der Jüngling wandte sich um und erkannte Ihn, und er antwortete und sprach: »War ich doch aussätzig einst, und du hast mich geheilt. Wie sonst sollte ich leben?«

Und Er verließ das Haus und trat wieder auf die Straße.

Und nach einer kleinen Weile erblickte Er eine, deren Antlitz geschminkt, deren Kleid bunt und deren Füße bedeckt mit Perlen waren. Und hinter ihr schlich, langsam wie ein Jäger, ein junger Mann in einem zwiefarbenen Umhang. Das Antlitz des Weibes aber war wie das schöne Antlitz eines Götzenbildes, und des jungen Mannes Augen glänzten vor Begierde.

Und Er folgte ihnen rasch und berührte des jungen Mannes Hand und sprach zu ihm: »Was blickst du nach diesem Weibe, und auf solche Art?«

Und der junge Mann wandte sich um und erkannte Ihn und sagte: »War ich doch einst blind, und du gabst mir das Gesicht. Wonach sonst sollte ich blicken?«

Und Er lief vorwärts und berührte das bunte Gewand des Weibes und sprach zu ihr: »Ist kein anderer Pfad, darauf zu wandeln, als nur der Pfad der Sünde?«

Und das Weib wandte sich um und erkannte Ihn, und sie lachte und sprach: »Meine Sünden hast du mir vergeben, und dieser Pfad gefällt mir wohl.«

Und Er schritt hinaus aus der Stadt.

Und als Er die Stadt verlassen hatte, da sah Er am Wegrand einen Jüngling sitzen, welcher weinte.

Und Er trat auf ihn zu und berührte die langen Locken seines Haares und sprach zu ihm: »Was weinest du?«

Und der Jüngling blickte auf und erkannte Ihn und gab Ihm zur Antwort: »Einst war ich tot, und du hast mich von den Toten auferweckt. Was sonst sollte ich tun als weinen?«

Der Schüler

Als Narziß starb, da verwandelte sich der Weiher seiner Lust aus einer Schale voll süßen Wassers in eine Schale voll salziger Tränen, und die Oreaden eilten weinend herbei durch den Wald, um dem Weiher zu singen und Trost zu geben.

Und als sie sahen, daß der Weiher aus einer Schale voll süßen Wassers sich in eine Schale voll salziger Tränen verwandelt hatte, da lösten sie die grünen Flechten ihres Haares und riefen dem Weiher zu und sprachen: »Kein Wunder, daß du auf solche Art um Narziß trauerst – er war so schön.«

»War Narziß denn schön?« fragte der Weiher.

»Wer wüßte es besser als du?« antworteten die Oreaden. »An uns ging er immer achtlos vorüber, dich aber suchte er auf und lag an deinen Ufern und sah hinab auf dich, und im Spiegel deiner Wasser spiegelte er seine eigene Schönheit.«

Und der Weiher entgegnete: »Ich aber liebte Narziß, weil ich, wie er an meinen Ufern lag und auf mich niederblickte, im Spiegel seiner Augen stets meine eigene Schönheit gespiegelt schaute.«

Der Meister

Als nun die Dunkelheit sich über die Erde senkte, da entzündete Joseph von Arimathäa eine Fackel von Kiefernholz und stieg vom Hügel herunter ins Tal. Denn er hatte in seinem Hause zu tun.

Da sah er auf den Kieseln im Tal der Einöde einen Jüngling knien, der war nackt und weinte. Sein Haar war von der Farbe des Honigs und sein Leib wie eine weiße Blume; doch er hatte seinen Leib mit Dornen verwundet und Asche wie eine Krone über sein Haar gestreut.

Und er, der reich an Besitztümern war, sprach zu dem Jüngling, der nackt war und weinte: »Ich wundere mich nicht, daß dein Schmerz so groß ist, denn Er war wahrlich ein Gerechter.«

Und der Jüngling antwortete: »Nicht um seinetwillen weine ich, sondern um meinetwillen. Auch ich habe Wasser in Wein verwandelt, Aussätzige geheilt und Blinden das Gesicht gegeben. Ich bin auf den Wassern gewandelt und habe Teufel ausgetrieben aus denen, die in Gräbern wohnen. Die Hungrigen habe ich gespeist in der Wüste, wo keine Nahrung ist, und die Toten aus ihren engen Häusern erhoben, und auf mein Geheiß verdorrte ein unfruchtbarer Feigenbaum im Angesicht einer großen Menge Volkes. Alles, was dieser Mann getan hat, habe auch ich getan. Und doch haben sie mich nicht gekreuzigt.«

Das Haus des Gerichts

Und es war Stille im Haus des Gerichts, und der Mensch trat nackt vor Gott.

Und Gott öffnete das Buch des Lebens dieses Menschen.

Und Gott sprach zu dem Menschen: »Dein Leben ist übel gewesen, und Grausamkeit hast du denen erwiesen, die der Hilfe bedurften, und bitter und hartherzig warst du gegen die, denen es an Beistand mangelte. Die Armen riefen dich an, und du hörtest sie nicht, und deine Ohren waren dem Schrei Meiner Betrübten verschlossen. Das Erbe der Waisen rissest du an dich, und die Füchse sandtest du in deines Nachbarn Weinberg. Den Kindern nahmst du das Brot und gabst es den Hunden zu fressen, und Meine Aussätzigen, die in den Sümpfen lebten und in Frieden waren und Mich lobten, jagtest du fort auf die Landstraßen, und auf Meiner Erde, daraus ich dich schuf, hast du unschuldig Blut vergossen.«

Und der Mensch antwortete und sprach: »Also tat ich.«

Und wieder öffnete Gott das Buch des Lebens dieses Menschen.

Und Gott sprach zu dem Menschen: »Dein Leben ist übel gewesen, und nach dem Schönen, das offenbar ist, hast du getrachtet, und des Guten, das ich verbarg, hast du nicht geachtet. Die Wände deiner Kammer waren mit Bildern bemalt, und vom Bett deiner Laster erhobst du dich zum Klang der Flöten. Sieben

Altäre errichtetest du den Sünden, die ich in der Welt beließ; du aßest von dem, was nicht gegessen werden darf, und der Purpur deines Kleides war bestickt mit den drei Zeichen der Schande. Deine Götzen waren weder von Gold noch von Silber, die von Dauer sind, sondern vom Fleisch, das stirbt. Du färbtest ihr Haar mit Wohlgerüchen und legtest Granatäpfel in ihre Hände. Du färbtest ihre Füße mit Safran und breitetest Teppiche vor ihnen aus. Mit Antimon färbtest du ihre Lider und salbtest ihre Leiber mit Myrrhe. Bis zur Erde neigtest du dich vor ihnen, und die Throne deiner Götzen waren in der Sonne aufgestellt. Der Sonne wiesest du deine Schande und dem Mond deinen Wahnsinn.«

Und der Mensch antwortete und sprach: »Also tat ich.«

Und ein drittes Mal öffnete Gott das Buch des Lebens dieses Menschen.

Und Gott sprach zu dem Menschen: »Übel ist dein Leben gewesen, und mit Übel hast du Gutes vergolten und Güte mit Untaten. Die Hände, die dich nährten, schlugst du, und den Brüsten, die dich säugten, gabst du Verachtung. Der mit Wasser zu dir kam, ging durstig weg, und die Geächteten, die dich zur Nachtzeit in ihren Zelten verbargen, verrietest du vor der Morgendämmerung. Deine Feinde, die dich verschonten, locktest du in den Hinterhalt, und den Freund, der mit dir ging, verkauftest du um Geld, und denen, die dir Liebe schenkten, gabst du dafür nur Lust.«

Und der Mensch antwortete und sprach: »Also tat ich.«

Und Gott schloß das Buch des Lebens dieses Menschen und sprach: »Wahrlich, ich will dich zur Hölle senden. Ja, hinab zur Hölle will ich dich senden.«

Und der Mensch schrie: »Das kannst du nicht.«

Und Gott sprach zu dem Menschen: »Warum kann ich dich nicht zur Hölle senden und aus welchem Grunde?«

»Weil ich immer in der Hölle gelebt habe«, antwortete der Mensch. Und Stille war im Hause des Gerichts.

Und nach einer Weile sprach Gott und sagte zu dem Menschen: »Da ich dich denn nicht zur Hölle senden kann, so will ich dich wahrlich in den Himmel senden. Ja, empor zum Himmel will ich dich senden.«

Und der Mensch schrie: »Das kannst du nicht.«

Und Gott sprach zu dem Menschen: »Warum kann ich dich nicht in den Himmel senden und aus welchem Grunde?«

»Weil ich nirgends und niemals mir den Himmel denken konnte«, antwortete der Mensch.

Und Stille war im Hause des Gerichts.

Der Lehrer der Weisheit

Von Kindheit an war er gewesen wie einer, der erfüllt von der vollkommenen Erkenntnis Gottes war, und schon da er noch ein Knabe war, erregte er viele Heilige wie auch manche frommen Frauen, die in der freien Stadt seiner Geburt wohnten, zu großem Staunen über die ernste Weisheit seiner Reden.

Und als seine Eltern ihm Kleid und Ring des Mannes gegeben hatten, da küßte er sie und verließ sie und ging hinaus in die Welt, auf daß er der Welt von Gott spräche. Denn zu jener Zeit waren viele in der Welt, die Gott entweder gar nicht kannten oder nur ein unvollkommenes Wissen von Ihm hatten, oder die falsche Götter anbeteten, welche in Hainen wohnten und sich nicht um die kümmerten, die sie anbeteten.

Und er wandte sein Antlitz der Sonne zu und wanderte, ohne Sandalen an den Füßen, wie er die Heiligen wandern gesehen hatte, und an seinem Gürtel trug er einen ledernen Beutel und eine kleine Wasserflasche aus gebranntem Ton.

Und da er die Landstraße entlangging, war er erfüllt von der Freude, welche aus der vollkommenen Erkenntnis Gottes kommt, und er sang ohne Unterlaß Loblieder auf Gott; und nach einer Weile gelangte er in ein fremdes Land, darin viele Städte waren.

Und er wanderte durch elf Städte. Und einige von diesen Städten lagen in Tälern, andere wieder an den Ufern breiter Flüsse, und andere waren auf Hügeln erbaut. Und in jeder Stadt fand er einen Jünger, der ihn liebte und ihm nachfolgte, und aus jeder Stadt folgte ihm auch eine große Menge Volkes, und die Erkenntnis Gottes verbreitete sich im ganzen Land, und von den Mächtigen wurden viele bekehrt, und die Priester jener Tempel, darin Götzenbilder standen, sahen ihren halben Gewinn dahinschwinden, und wenn sie am Mittag auf ihre Trommeln schlugen, da kam keiner, oder doch nur wenige, mit Pfauen und anderen lebenden Opfergaben, wie es vor seiner Ankunft hierzulande der Brauch gewesen war.

Doch je mehr Leute ihm folgten und je größer die Zahl seiner Jünger wurde, desto größer wurde auch seine Betrübnis. Und er wußte nicht, warum diese Betrübnis so groß war. Denn allezeit sprach er von Gott aus der Fülle der vollkommenen Erkenntnis Gottes heraus, die Gott selbst ihm gegeben hatte.

Und eines Abends schritt er aus der elften Stadt heraus, welche eine Stadt in Armenien war, und seine Jünger und eine große Menge Volkes folgten ihm nach; und er stieg einen Berg hinauf und setzte sich auf einen Felsen, der auf dem Berge war, und seine Jünger standen um ihn, und die Menge kniete unten im Tal.

Und er barg das Haupt in seine Hände und weinte und sprach zu seiner Seele: »Wie kommt es, daß ich voller Angst und Betrübnis bin und daß jeder meiner Jünger mir ein Feind ist, der im Licht des Mittags schreitet?«

Und seine Seele antwortete ihm und sprach: »Gott erfüllte dich mit der vollkommenen Erkenntnis Seiner selbst, und du hast diese Erkenntnis an andere hinweggegeben. Die Perle von großem Wert hast du verteilt, aufgetrennt hast du das nahtlose Kleid. Wer Weisheit verschenkt, beraubt sich selber. Er ist wie einer, der seinen Schatz einem Räuber überläßt. Ist Gott nicht weiser als du? Wer bist du, daß du das Geheimnis verschenkst, das Gott dir gesagt hat? Einst war ich reich, du hast mich arm gemacht. Einst sah ich Gott, nun hast du Ihn vor mir verborgen.«

Und wieder weinte er, denn er wußte, daß seine Seele ihm die Wahrheit sagte und daß er die vollkommene Erkenntnis Gottes an andere gegeben hatte und daß er wie einer war, der sich an den Saum von Gottes Gewand hing, und daß sein Glaube ihn verließ um der großen Zahl derer willen, die nun an ihn selber glaubten.

Und er sprach zu sich: »Ich will nicht länger über Gott reden. Wer Weisheit verschenkt, beraubt sich selber.«

Und als einige Stunden verstrichen waren, traten die Jünger zu ihm und neigten sich bis zum Boden und sprachen: »Meister, rede uns über Gott, denn du hast die vollkommene Erkenntnis Gottes, und kein Mensch außer dir hat diese Erkenntnis.«

Und er antwortete ihnen und sprach: »Über alle anderen Dinge im Himmel und auf Erden will ich zu euch reden, aber über Gott will ich nicht zu euch reden. Nicht jetzt noch irgendein anderes Mal will ich zu euch über Gott reden.«

Und sie wurden zornig über ihn und sprachen: »Du hast uns in die Wüste geführt, auf daß wir deinen Worten lauschten. Willst du uns hungrig fortsenden, wie auch die große Menge, die du mit dir ziehen hießest?«

Und er antwortete ihnen und sprach: »Ich will nicht über Gott zu euch reden.«

Und die Menge murrte wider ihn und sprach: »Du hast uns in die Wüste geführt und uns keine Speise zu essen gegeben. Rede zu uns über Gott, und es wird uns genügen.«

Aber er antwortete ihnen nicht mit einem Wort. Denn er wußte, wenn er zu ihnen über Gott redete, würde er seinen Schatz dahingeben.

Und seine Jünger stahlen sich traurig fort, und die Menge Volkes kehrte heim in ihre Häuser. Und viele starben unterwegs.

Und als er allein war, erhob er sich und wandte sein Antlitz dem Mond zu und wanderte sieben Monde lang, und in dieser Zeit sprach er mit keinem Menschen, noch gab er jemals Antwort. Und als der siebente Mond verflossen war, gelangte er zu jener Wüste, welche die Wüste des Großen Flusses ist. Und als er eine Höhle gefunden hatte, darin ein Zentaur einst gehaust, nahm er sie als seine Wohnung, knüpfte sich eine Matte aus Schilf, um darauf zu liegen, und wurde ein Einsiedler. Und zu jeder Stunde pries der Einsiedler nun Gott, daß Er ihm erlaubt hatte, noch etwas von der Erkenntnis Seines Wesens und Seiner herrlichen Größe zu bewahren.

Eines Abends nun, als der Einsiedler vor jener Höhle saß, die er zu seiner Wohnung gemacht hatte, da gewahrte er einen Jüngling von bösem und schönem Aussehen, der in geringer Kleidung und mit leeren Händen vorüberging. Jeden Abend ging der Jüngling vorbei mit leeren Händen, und jeden Morgen kehrte er wieder, die Hände voll von Purpur und Perlen. Denn er war ein Räuber und raubte die Karawanen der Kaufleute aus.

Und der Einsiedler blickte ihn an, und er bemitleidete ihn. Doch er sprach nicht ein Wort. Denn er wußte, daß der, der auch nur ein Wort spricht, seinen Glauben verliert.

Und eines Morgens, als der Jüngling zurückkehrte, die Hände voll von Purpur und Perlen, da hielt er inne und runzelte die Stirn und stampfte mit dem Fuß auf den Sand und sagte zu dem Einsiedler: »Was siehst du mich immer an mit solchen Augen, wenn ich vorübergehe? Was ist es, was ich in deinen Augen sehe? Denn kein Mensch hat mich jemals zuvor auf solche Weise angesehen. Und das ist mir ein Stachel und ein Ärgernis.«

Und der Einsiedler antwortete ihm und sprach: »Was du in meinen Augen siehst, ist Mitleid. Mitleid ist es, was aus meinen Augen dich ansieht.«

Und der Jüngling lachte verächtlich und rief dem Einsiedler mit bitterem Ton zu und sagte: »Ich habe Purpur und Perlen in meinen Händen, du aber hast nichts als eine Matte aus Schilf, um darauf zu liegen. Was für ein Mitleid willst du mit mir haben? Und aus welchem Grund hast du dieses Mitleid?«

»Ich habe Mitleid mit dir«, sagte der Einsiedler, »weil du nicht die Erkenntnis Gottes besitzt.«

»Ist diese Erkenntnis Gottes etwas Kostbares?« fragte der Jüngling und näherte sich dem Eingang der Höhle.

»Sie ist kostbarer als aller Purpur und alle Perlen der Welt«, entgegnete der Einsiedler.

»Und du hast sie?« fragte der junge Räuber und trat noch näher heran.

»Einstmals wohl«, antwortete der Einsiedler, »einstmals besaß ich die vollkommene Erkenntnis Gottes. Doch in meiner Torheit trennte ich mich von ihr und verschenkte sie an andere. Doch selbst jetzt noch ist die Erkenntnis, welche mir verblieben ist, kostbarer als Purpur und Perlen.«

Und als der junge Räuber das hörte, schleuderte er Purpur und Perlen, die er in seinen Händen trug, von sich und zog ein gebogenes Schwert von scharfem Stahl und sagte zu dem Einsiedler: »Gib mir auf der Stelle die Erkenntnis Gottes, die du besitzt, oder ich will dich gewißlich töten. Weshalb sollte ich den nicht töten, der einen Schatz besitzt, der größer ist als mein Schatz?«

Und der Einsiedler breitete die Arme aus und erwiderte: »Wäre es mir nicht besser, in die fernsten Höfe Gottes zu gehen und ihn zu preisen, als in der Welt zu leben und ihn nicht zu erkennen? Töte mich, wenn dein Sinn danach steht. Doch meine Erkenntnis Gottes will ich nicht dahingeben.«

Und der junge Räuber kniete nieder und flehte ihn an, aber der Einsiedler wollte nicht über Gott zu ihm reden, noch ihm seinen Schatz überlassen, und so erhob sich der junge Räuber und sprach zum Einsiedler: »Es sei, wie du willst. Ich selber aber will hingehen zur Stadt der Sieben Sünden, welche nur drei Tagesreisen von diesem Ort entfernt ist, und für meinen Purpur werden sie mir Genuß geben und für meine Perlen Freude verkaufen.« Und er nahm Purpur und Perlen an sich und eilte von dannen.

Und der Einsiedler schrie auf und lief ihm nach und flehte ihn an. Drei Tage lang folgte er dem jungen Räuber auf der Straße und beschwor ihn, umzukehren und die Stadt der Sieben Sünden nicht zu betreten.

Und dann und wann blickte der junge Räuber auf den Einsiedler zurück und rief ihm zu und sprach: »Willst du mir jene Erkenntnis Gottes geben, welche kostbarer ist als Purpur und Perlen? Gibst du mir diese, so will ich die Stadt nicht betreten.«

Und jedesmal antwortete der Einsiedler: »Alles, was ich habe, will ich dir geben, nur dieses eine nicht. Denn dieses hinzugeben ist nicht recht.«

Und in der Abenddämmerung des dritten Tages näherten sie sich den hohen, scharlachfarbenen Toren der Stadt der Sieben Sünden. Und von der Stadt her scholl der Lärm von lautem Gelächter.

Und der junge Räuber lachte zurück und machte sich daran, ans Tor zu klopfen. Und als er das tat, stürzte der Einsiedler herbei und faßte ihn am Saum seines Gewandes und sagte zu ihm: »Breite deine Hände aus und lege deine Arme um meinen Nacken und bring dein Ohr nahe an meine Lippen, und ich will dir geben, was mir von der Erkenntnis Gottes geblieben ist.« Und der junge Räuber hielt inne.

Und als der Einsiedler seine Erkenntnis Gottes dahingegeben hatte, da fiel er zu Boden und weinte, und eine große Finsternis verbarg vor ihm die Stadt und den jungen Räuber, daß er sie nicht sah.

Und als er weinend lag, gewahrte er Einen, der stand ihm zur Seite; und Er, der ihm zur Seite stand, hatte Füße aus Messing und Haar aus feiner Wolle. Und Er hob den Einsiedler auf und sprach zu ihm: »Einst besaßest du die vollkommene Erkenntnis Gottes. Nun sollst du die vollkommene Liebe Gottes gewinnen. Was also weinest du?« Und Er küßte ihn.

Märchen

Übersetzt von Hannelore Neves

Der junge König

Es war am Vorabend des Tages, an dem er gekrönt werden sollte, und der junge König saß allein in seinem prächtigen Gemach. Seine Höflinge hatten alle Urlaub von ihm genommen, indem sie nach dem zeremoniellen Brauch der Zeit den Kopf bis zum Boden neigten und sich in die große Halle des Palastes zurückzogen, um vom Kämmerer noch einige letzte Belehrungen zu empfangen; einige von ihnen hatten nämlich noch ganz natürliche Manieren, was an einem Höfling, wie ich kaum zu sagen brauche, ein sehr schwerer Fehler ist.

Dem Knaben – denn mit seinen sechzehn Jahren war er nicht mehr als ein Knabe – war ihr Abschied nicht leid; mit einem tiefen Seufzer der Erleichterung hatte er sich auf die weichen Kissen seines bestickten Lagers geworfen, und hier lag er nun, mit flammenden Augen und offenem Mund, wie ein brauner Faun des Waldes, oder wie ein junges Tier aus dem Forst, eben erst von den Jägern gefangen.

Und wirklich waren es Jäger gewesen, die ihn gefunden hatten, fast durch Zufall waren sie auf ihn gestoßen, wie er, barfuß und die Flöte in seiner Hand, hinter der Herde des armen Schäfers herwanderte, der ihn aufgezogen und für dessen Sohn er sich immer gehalten hatte. Er, des Königs einziger Tochter Kind, entsprossen einer heimlichen Ehe mit einem, der an Geburt weit unter ihr stand – einem Fremdling, sagten manche, der durch die wunderbare Kraft seines Lautenspiels die junge Prinzessin bezaubert hatte, daß sie ihn lieben mußte; andere wieder munkelten von einem Künstler aus Rimini, dem die Prinzessin viel, ja vielleicht allzuviel Ehre erwies und der mit einem Mal aus der Stadt verschwand und sein Werk in der Kathedrale unvollendet zurückließ –, er also wurde, kaum eine Woche alt, von der Seite seiner Mutter gerissen, während sie schlief, und einem einfachen Bauern und dessen Weib in Obhut gegeben, die kinderlos in einem abgelegenen Teil des Waldes lebten, mehr als einen Tagesritt von der Stadt entfernt. Gram oder die Pest, wie der Hofarzt behauptete, oder, wie andere vermuteten, ein rasch wirkendes italienisches Gift, in einem Becher voll gewürzten Weines verabreicht, raffte schon eine Stunde nach dem Erwachen das bleiche Kind dahin, das ihn geboren hatte; und als der getreue Bote, der das Kind quer überm Sattelbogen forttrug, von seinem müden Pferd stieg und an die grob gezimmerte Tür der Hirtenhütte klopfte, da senkte man gerade den Leichnam der Prinzessin in ein offenes Grab, das man in einem verlassenen Friedhof jenseits der Stadtmauern ausgehoben hatte, in ein Grab, darin, wie es hieß, schon ein anderer Leichnam lag, der eines jungen Mannes von wunderbarer und fremdartiger Schönheit, dessen Hände mit verschlungenen Stricken auf den Rücken gebunden und dessen Brust von vielen roten Wunden bedeckt war.

So wenigstens wußte es das Gerücht, das die Leute einander zuflüsterten. Gewiß aber war, daß der alte König auf seinem Totenbett, ob nun bewegt von Reue über seine große Sünde oder einfach in dem Wunsch, seinem Haus die Königskrone zu erhalten, nach dem Knaben gesandt und ihn in Gegenwart des Kronrats als seinen Erben anerkannt hatte.

Und es scheint, daß dieser vom allerersten Augenblick seiner Anerkennung an jene seltsame Leidenschaft für die Schönheit zeigte, der ein so großer Einfluß auf sein Leben beschieden sein sollte. Die ihn zu jener Flucht von Zimmern geleitet hatten, welche für ihn bestimmt war, sprachen oft von dem Schrei des Vergnügens, der ihm beim Anblick der köstlichen Gewänder und reichen Juwelen, welche für ihn bereitet waren, von den Lippen brach, und von der beinahe wilden Freude, mit welcher er seinen groben Lederkittel und seinen rauhen Umhang aus Schafsfell zur Seite schleuderte. Wohl vermißte er zuzeiten die Freiheit des Lebens im Wald, und leicht brachten ihn die ermüdenden Hofzeremonien in Harnisch, die so viele Stunden eines jeden Tages verschlangen; aber der herrliche Palast – *Joyeuse* wurde er genannt –, dessen Herr er nun geworden, schien ihm eine neue Welt, neu geschaffen zu seinem Entzücken; und sobald er nur dem Kronrat oder dem Audienzsaal entfliehen konnte, lief er die breite Treppe mit ihren Löwen aus vergoldeter Bronze und ihren Stufen aus schimmerndem Porphyr hinunter und wanderte von Gemach zu Gemach, von Gang zu Gang, wie einer, der in der Schönheit Balsam für den Schmerz, ja Genesung von Siechtum zu finden sucht.

Auf diesen Entdeckungsfahrten, wie er sie gerne nannte – und für ihn bedeuteten sie wahrhaft Reisen durch ein Land der Wunder –, war er manchmal von den schlanken, blondhaarigen Hofpagen mit den wehenden Mänteln und flatternden Bändern begleitet; öfter aber blieb er allein, denn er empfand mit einem raschen, sicheren Gefühl, das fast einer Eingebung glich, daß die Geheimnisse der Kunst sich am besten im geheimen erkennen lassen, und daß Schönheit wie Weisheit den lieben, der sie einsam verehrt.

Zu jener Zeit erzählte man sich über ihn viele seltsame Geschichten. Es hieß, ein dicker Bürgermeister, gekommen, um im Namen der Bürger der Stadt eine blumige, wortreiche Ansprache zu halten, habe ihn in aufrichtiger Anbetung vor einem großen Gemälde kniend erblickt, das eben aus Venedig gebracht worden war und die Anbetung neuer Götter anzukünden schien. Bei einer anderen Gelegenheit hatte man ihn mehrere Stunden lang vermißt und erst nach langem Suchen in einer kleinen Kammer in einem der nördlichen Türmchen des Palastes entdeckt, wie er gleichsam verzückt auf eine griechische Gemme starrte, darauf die Gestalt des Adonis geschnitten war. Man hatte ihn gesehen, so ging die Rede, wie er seine warmen Lippen auf die Marmorstirn einer antiken Statue preßte, die man beim Bau der steinernen Brücke im Flußbett gefunden und darauf der Name des bithynischen Sklaven des Hadrian geschrieben stand. Eine ganze Nacht hatte er damit zugebracht, die Wirkung des Mondlichts auf ein silbernes Bild des Endymion zu beobachten.

Alle seltenen und kostbaren Stoffe übten in Wahrheit eine große Anziehung auf ihn aus, und in seiner Begierde, sie sich zu verschaffen, hatte er viele Kaufleute ausgesandt: die einen, um mit den rauhen Fischern der nördlichen Meere um Bernstein zu handeln; andere nach Ägypten, um nach jenem seltsamen grünen Türkis zu forschen, den man nur in den Gräbern der Könige findet und von dem es heißt, er besitze magische Eigenschaften; andere schickte er nach Persien um seidene Teppiche und bemalte Töpferware, und wieder andere nach Indien, um Schleierstoffe zu kaufen und gefärbtes Elfenbein, Mondsteine und Armreifen aus Jade, Sandelholz und blaues Email und Schals aus feiner Wolle.

Was ihn aber am meisten beschäftigte, war das Gewand, das er zu seiner Krönung tragen sollte, das Gewand aus gewebtem Gold, und die rubinenbesetzte Krone, und das Zepter mit seinen Reihen und Ringen von Perlen. Das war es in der Tat, woran er an diesem Abend dachte, als er sich auf seinem üppigen Lager zurücklehnte und das schwere Tannenscheit betrachtete, das sich im offenen Kaminfeuer verzehrte. Die Entwürfe, welche von den Händen der berühmtesten Künstler der Zeit stammten, waren ihm schon vor vielen Monaten vorgelegt worden, und er hatte Befehl gegeben, daß die Handwerker sich Tag und Nacht mühen sollten, sie auszuführen, und daß die ganze Welt nach Juwelen zu durchsuchen sei, die ihrer Arbeit würdig wären. In Gedanken sah er sich bereits, wie er, angetan mit dem prächtigen königlichen Kleid, vor dem Hochaltar der Kathedrale stand, und ein Lächeln spielte um seine Knabenlippen und verweilte dort und erhellte mit klarem Glanz seine dunklen Waldaugen.

Nach einer Weile erhob er sich von seinem Sitz, lehnte sich gegen den geschnitzten Kaminsims und blickte in dem spärlich erleuchteten Raum um sich. Die Wände waren verhangen mit reichen Gobelins, die den Triumph der Schönheit darstellten. Ein großer Schrank, mit Achat und Lapislazuli eingelegt, füllte eine Ecke, und gegenüber dem Fenster stand ein seltsam geformter Schrein mit lackierten Füllungen von Goldstaub und Goldmosaik, und darauf standen zierliche Trinkbecher aus venezianischem Glas und eine Schale aus dunkel geädertem Onyx. Bleiche Mohnblumen waren auf die seidene Bettdecke gestickt, als wären sie den müden Händen des Schlafes entglitten, und schlanke Stäbe aus kanneliertem Elfenbein hoben den Samtbaldachin empor, von dem ein großes Büschel Straußenfedern wie weißer Gischt dem bleichen Silber der Kassettendecke entgegensprang. Ein lachender Narziß in grüner Bronze hielt einen glatten Spiegel über seinem Haupt. Auf dem Tisch stand eine flache Schale aus Amethyst.

Draußen konnte er die gewaltige Kuppel der Kathedrale sehen, die sich wie eine Seifenblase über den dunklen Häusern ausbreitete, und die müden Schildwachen, wie sie die neblige Terrasse am Fluß auf und nieder schritten. Fern in einem Obsthain sang eine Nachtigall. Schwacher Duft nach Jasmin kam durch das offene Fenster. Er strich seine braunen Locken aus der Stirn, nahm eine Laute und ließ seine Finger über die Saiten gleiten. Seine schweren Lider senkten sich, und eine seltsame Mattigkeit überkam ihn. Nie zuvor hatte er so heftig und mit so erlesener Freude Zauber und Geheimnis der schönen Dinge empfunden.

Als es von der Turmuhr Mitternacht schlug, berührte er eine Klingel, und seine Pagen traten ein und entkleideten ihn unter vielen Zeremonien, gossen Rosenwasser über seine Hände und streuten Blumen auf sein Kissen. Wenige Augenblicke, nachdem sie das Zimmer verlassen hatten, fiel er in Schlaf.

Und da er schlief, träumte ihm ein Traum, und dieses war sein Traum.

Ihm war, als stünde er in einer langen, niedrigen Dachstube, mitten im Geschwirr und Geklapper vieler Webstühle. Spärliches Tageslicht drang durch die vergitterten Fenster und fiel auf die hageren Gestalten der Weber, die sich über ihre Rahmen beugten. Blasse, kränklich aussehende Kinder hockten auf den mächtigen Querbalken. Wenn die Schiffchen durch die Kette schossen, hoben sie die schweren Laden, und wenn die Schiffchen standen, ließen sie die Laden fallen und schoben die Fäden zusammen. Ihre Gesichter waren schmal vor Hunger, und ihre dünnen Hände zuckten und zitterten. Abgehärmte Frauen saßen an einem Tisch und nähten. Ein gräßlicher Geruch erfüllte den Raum. Die Luft war stickig und schwer, und die Wände troffen und tropften vor Feuchtigkeit.

Der junge König trat zu einem der Weber und stellte sich neben ihn und sah ihm zu.

Und der Weber blickte ihn zornig an und sprach: »Was siehst du mir zu? Bist du ein Späher, den unser Herr über uns gesetzt hat?«

»Wer ist dein Herr?« fragte der junge König.

»Unser Herr!« rief der Weber bitter aus. »Er ist ein Mensch wie ich. Wahrlich, es gibt nur diesen einen Unterschied zwischen uns – daß er kostbare Kleider trägt, während ich in Fetzen gehe, und daß ich vor Hunger schwach bin, während er nicht wenig leidet an Übersättigung.«

»Das Land ist frei«, sagte der junge König, »und du bist keines Menschen Sklave.«

»Im Krieg«, gab der Weber zur Antwort, »machen die Starken die Schwachen zu Sklaven, und im Frieden versklaven die Reichen die Armen. Wir müssen arbeiten, um zu leben, und sie geben uns so kargen Lohn, daß wir sterben. Den ganzen Tag lang plagen wir uns ab für sie, und sie häufen Gold auf in ihren Kästen, und unsere Kinder welken dahin vor der Zeit, und die Gesichter derer, die wir lieben, werden hart und böse. Wir keltern die Traube, und andere trinken den Wein. Wir säen das Korn, und unser eigener Tisch ist leer. Wir tragen Ketten, wenn auch kein Auge sie wahrnimmt; wir sind Sklaven, wenn auch die Menschen uns frei nennen.«

»Ist es so mit allen?« fragte er.

»So ist es mit allen«, erwiderte der Weber, »mit den Jungen wie mit den Alten, mit den Weibern wie mit den Männern, mit den kleinen Kindern wie mit denen, die hoch an Jahren sind. Die Händler saugen uns aus, und wir müssen tun, was sie verlangen. Der Priester geht vorüber und betet seinen Rosenkranz, und keiner schert sich um uns. Durch unsere von der Sonne gemiedenen Straßen kriecht die Armut mit hungrigen Augen, und mit gedunsenem Gesicht folgt die Sünde ihr auf den Fersen. Elend weckt uns am Morgen, und Schande wacht mit uns in der Nacht. Was aber sind dir diese Dinge? Du bist keiner von uns. Dein Gesicht ist zu glücklich.« Und mürrisch wandte er sich ab und schoß das Schiffchen durch den Webstuhl, und der junge König sah, daß es mit einem goldenen Faden eingefädelt war. Und großes Entsetzen ergriff ihn, und er sprach zu dem Weber: »Was ist es für ein Kleid, das du hier webst?«

»Es ist das Kleid für die Krönung des jungen Königs«, antwortete er, »was geht's dich an?«

Und der junge König stieß einen lauten Schrei aus und erwachte, und siehe! er war in seinem eigenen Zimmer, und durch das Fenster erblickte er den großen honigfarbenen Mond in der schwärzlichen Luft hängen.

Und wieder fiel er in Schlaf und träumte, und dieses war sein Traum.

Ihm war, als läge er auf dem Deck einer großen Galeere, die von hundert Sklaven gerudert wurde. Auf einem Teppich zu seiner Seite saß der Herr der Galeere. Er war schwarz wie Ebenholz, und sein Turban war von karmesinroter Seide. Große Ohrringe aus Silber zogen an seinen dicken Ohrläppchen, und in seinen Händen hielt er eine Waage aus Elfenbein.

Die Sklaven waren nackend bis auf ein zerfetztes Lendentuch, und jeder war an seinen Nachbarn gekettet. Die heiße Sonne stach glühend auf sie nieder, und Neger liefen die Laufplanke auf und ab und schlugen mit Riemen auf sie ein. Sie streckten ihre mageren Arme aus und zogen die schweren Ruder durch das Wasser. Salziger Gischt sprühte von den Ruderblättern.

Endlich erreichten sie eine kleine Bucht und machten sich ans Loten. Ein leichter Wind wehte von der Küste her und überzog das Deck und das große Lateinsegel mit einem feinen roten Staub. Drei Araber auf wilden Eseln sprengten heran und schleuderten Speere nach ihnen. Der Herr der Galeere nahm einen bemalten Bogen zur Hand und schoß einem von ihnen durch die Kehle. Schwer fiel dieser in die Brandung, und seine Gefährten galoppierten davon. Eine in einen gelben Schleier gehüllte Frau folgte ihnen langsam auf einem Kamel und blickte dann und wann über die Schulter zurück auf den Leichnam.

Sobald sie den Anker ausgeworfen und das Segel eingeholt hatten, stiegen die Neger in den Bauch des Schiffes und holten eine lange, mit Blei beschwerte Strickleiter heraus. Der Herr der Galeere befestigte die Enden an zwei eisernen Haken und warf sie über Bord. Dann packten die Neger den jüngsten der Sklaven und nahmen ihm die Fußfesseln ab, verstopften ihm Nasenlöcher und Ohren mit Wachs und banden einen großen Stein um seinen Leib. Mit müden Bewegungen kroch er schwer die Leiter hinab und verschwand im Meer. Ein paar Blasen stiegen dort auf, wo er versunken war. Einige von den anderen Sklaven spähten neugierig über Bord. Im Bug der Galeere saß ein Haifischbeschwörer und schlug einförmig auf einer Trommel.

Nach einer Weile kam der Taucher aus dem Wasser herauf und klammerte sich keuchend an die Leiter, eine Perle in seiner rechten Hand. Die Neger entrissen sie ihm und stießen ihn zurück. Die Sklaven schliefen über ihren Rudern ein.

Wieder und wieder tauchte er empor, und jedesmal brachte er eine wunderschöne Perle mit. Der Herr der Galeere wog sie und legte sie in einen kleinen Beutel von grünem Leder.

Der junge König versuchte zu sprechen, aber die Zunge schien ihm am Gaumen zu kleben, und seine Lippen wollten sich nicht bewegen. Die Neger schwatzten miteinander und fingen an, sich um eine Schnur von glänzenden Perlen zu streiten. Zwei Kraniche umkreisten unablässig das Schiff.

Dann kam der Taucher zum letzten Mal herauf, und die Perle, die er mitbrachte, war schöner als alle Perlen des Ormuzd, denn sie hatte die Gestalt des vollen Mondes und war weißer als der Morgenstern. Aber das Gesicht des Sklaven war seltsam bleich, und als er auf das Deck fiel, schoß ihm Blut aus Nase und Ohren. Ein Zittern überlief ihn, dann rührte er sich nicht mehr. Die Neger zuckten die Schultern und warfen den Leichnam über Bord.

Und der Herr der Galeere lachte, streckte seine Hand aus nach der Perle, und als er sie sah, preßte er sie an seine Stirn und neigte sich. »Sie soll für das Zepter des jungen Königs sein«, sprach er und machte den Negern ein Zeichen, den Anker zu lichten.

Und als der junge König das hörte, stieß er einen Schrei aus und erwachte, und durchs Fenster sah er die langen grauen Finger der Dämmerung nach den erbleichenden Sternen greifen.

Und wieder fiel er in Schlaf und träumte, und dieses war sein Traum.

Ihm war, als wanderte er durch einen dämmerigen Wald, der behangen war mit fremdartigen Früchten und wunderschönen, giftigen Blumen. Die Nattern zischten ihm nach, da er vorbeiging, und bunte Papageien flogen kreischend von Zweig zu Zweig. Riesige Schildkröten lagen schlafend im heißen Schlamm. Die Bäume waren voll von Affen und Pfauen.

Weiter und weiter ging er, bis er den Rand des Waldes erreichte, und dort erblickte er eine ungeheure Menge von Menschen im Bett eines vertrockneten Flusses arbeiten. Wie Ameisen liefen sie an den Uferfelsen hinauf. Sie gruben tiefe Schächte in die Erde und stiegen darin hinunter. Manche spalteten mit großen Äxten die Felsblöcke; andere wühlten im Sand. Kakteen rissen sie an ihren Wurzeln aus und zertrampelten die scharlachfarbenen Blüten. Sie hasteten umher und riefen einander zu, und keiner war müßig.

Aus der Dunkelheit einer Höhle schauten Tod und Habsucht ihnen zu, und der Tod sagte: »Ich bin es müde; gib mir ein Dritteil und laß mich ziehen.«

Aber die Habsucht schüttelte den Kopf. »Sie sind meine Knechte«, erwiderte sie.

Und der Tod sprach zu ihr: »Was hast du in deiner Hand?«

»Drei Weizenkörner«, antwortete sie, »was kümmert es dich?«

»Gib mir eins von den Körnern«, rief der Tod, »daß ich es in meinem Garten säe; nur eines, und ich will gehen.«

»Ich werde dir überhaupt nichts geben«, sagte die Habsucht und verbarg die Hand in den Falten ihres Gewandes.

Und der Tod lachte und nahm einen Becher und tauchte ihn in eine Pfütze, und aus dem Becher stieg das Wechselfieber. Es ging durch die große Menschenmenge, und ein Dritteil von ihnen blieb tot liegen. Kalter Nebel folgte ihm, und Wasserschlangen krochen ihm zur Seite.

Und als die Habsucht sah, daß ein Dritteil der Menge tot war, schlug sie ihre Brust und weinte. Sie schlug ihren vertrockneten Busen und wehklagte laut. »Ein Dritteil meiner Knechte hast du getötet«, rief sie, »hebe dich hinweg. Krieg ist in den Bergen der Tataren, und die Könige auf jeder Seite rufen nach dir. Die Afghanen haben den schwarzen Stier geschlachtet und ziehen in den Kampf. Mit den Speeren haben sie auf ihre Schilde geschlagen und sich die eisernen Helme aufs Haupt gesetzt. Was ist dir mein Tal, daß du darin verweilest? Weiche, Tod, und kehre niemals wieder.«

»Nein«, entgegnete der Tod, »ich gehe nicht eher, bis du mir ein Weizenkorn gegeben hast.«

Aber die Habsucht schloß ihre Hand und preßte ihre Zähne zusammen. »Ich werde dir nicht das geringste geben«, stieß sie hervor.

Und der Tod lachte und hob einen schwarzen Stein auf und schleuderte ihn in den Wald, und aus einem Dickicht von wildem Schierling trat das Fieber in flammendem Gewande. Es schritt durch die Menge und berührte sie, und jeder, den es berührte, starb. Das Gras verwelkte unter seinen Füßen, wie es dahinschritt. Und die Habsucht erschauerte und streute Asche auf ihr Haupt. »Grausam bist du«, rief sie, »du bist grausam. Hungersnot herrscht in den ummauerten Städten Indiens, und die Zisternen von Samarkand sind vertrocknet. Hungersnot herrscht in den ummauerten Städten Ägyptens, und die Heuschrecken sind heraufgezogen aus der Wüste. Der Nil ist nicht über seine Ufer getreten, und die Priester haben Isis und Osiris verflucht. Scher dich weg, geh hin zu denen, die dich brauchen, und laß mir meine Knechte.«

»Nein«, versetzte der Tod, »erst wenn du mir ein Weizenkorn gegeben hast, will ich gehen, nicht eher.«

»Ich werde dir gar nichts geben«, versetzte die Habsucht.

Und wieder lachte der Tod und pfiff durch die Finger, und ein Weib kam durch die Luft geflogen. Pest stand auf ihrer Stirn geschrieben, und ein Haufen von hageren Geiern umkreiste sie. Sie bedeckte das Tal mit ihren Schwingen, und kein Mensch blieb am Leben.

Und laut schreiend floh die Habsucht durch den Wald, und der Tod schwang sich auf sein rotes Pferd und galoppierte hinweg, und sein Galopp war schneller als der Wind. Und aus dem Schlamm am Grunde des Tales krochen Drachen und gräßlich geschupptes Getier, und die Schakale kamen über den Sand getrottet und witterten mit ihren Nüstern in der Luft.

Und der junge König weinte und sprach: »Wer waren diese Menschen, und wonach suchten sie?«

»Sie suchten nach Rubinen für eines Königs Krone«, entgegnete einer, der hinter ihm stand.

Und der junge König fuhr auf und wandte sich um und erblickte einen Mann, wie ein Pilger gekleidet, der in seiner Hand einen silbernen Spiegel hielt.

Und er erbleichte und sprach: »Für welchen König?«

Und der Pilger versetzte: »Schau in diesen Spiegel, und du sollst ihn sehen.«

Und er blickte in den Spiegel, und als er sein eigenes Gesicht erkannte, stieß er einen lauten Schrei aus und erwachte, und heller Sonnenschein strömte in das Gemach, und von den Bäumen in Garten und Hain sangen die Vögel.

Und der Kämmerer und die hohen Würdenträger des Staates kamen herein und huldigten ihm, und die Pagen brachten ihm das Gewand aus gewebtem Gold und legten Krone und Zepter vor ihn hin.

Und der junge König sah die Dinge an, und sie waren sehr schön. Herrlicher waren sie als alles, was er je gesehen. Doch er gedachte seiner Träume und sprach zu seinen Großen: »Schafft diese Dinge fort, denn ich will sie nicht tragen.«

Und die Höflinge waren erstaunt, einzelne lachten sogar, denn sie meinten, er habe gescherzt.

Doch ernst wandte er sich wieder an sie und sprach: »Schafft diese Dinge fort und verbergt sie vor mir. Ist auch heute der Tag meiner Krönung, so will ich sie doch nicht tragen. Denn auf dem Webstuhl der Sorge und von den weißen Händen des Leides wurde dieses Kleid gewoben. Blut ist im Herzen des Rubins und Tod im Herzen der Perle.« Und er erzählte ihnen seine drei Träume.

Und als die Höflinge sie gehört hatten, blickten sie einander an und flüsterten und sprachen: »Er ist bestimmt wahnsinnig – denn was ist ein Traum anderes als ein Traum, und ein Gesicht anderes als ein Gesicht? Sie sind nichts Wirkliches, daß man ihrer achten sollte. Und was haben wir zu schaffen mit dem Leben derer, die sich für uns plagen? Soll ein Mensch kein Brot essen, ehe er nicht den Sämann kennt, noch Wein trinken, ehe er den Winzer sprach?«

Und der Kämmerer sprach zu dem jungen König und sagte: »Mein Gebieter, ich bitte dich, laß ab von diesen schwarzen Gedanken und lege dein schönes Gewand an und setze die Krone auf dein Haupt. Denn wie soll das Volk wissen, daß du ein König bist, wenn du nicht eines Königs Kleider trägst?«

Und der junge König sah ihn an. »Ist es so, wie du sagst?« fragte er. »Werden sie mich nicht als König erkennen, wenn ich nicht eines Königs Kleider trage?«

»Sie werden dich nicht erkennen, mein Gebieter«, rief der Kämmerer.

»Ich glaubte, es gebe Männer, deren Wesen königlich ist«, gab er zur Antwort, »aber es mag sein, wie du sagst. Und dennoch will ich dieses Kleid nicht tragen, noch mit dieser Krone gekrönt werden, sondern wie ich zu dem Palast kam, so will ich ihn auch wieder verlassen.« Und er hieß sie alle hinausgehen, bis auf einen Pagen, den er als Begleiter behielt, einen Knaben, der ein Jahr jünger war als er. Ihn behielt er zu seiner Bedienung. Und nachdem er in klarem Wasser gebadet hatte, öffnete er eine große, bemalte Truhe und zog daraus den Lederkittel und den Mantel aus rauhem Schaffell, die er getragen hatte, als er noch die zottigen Ziegen des Geißhirten in den Hügeln gehütet hatte. Dieses nun legte er an, und in die Hand nahm er seinen derben Hirtenstab.

Und der kleine Page sperrte seine großen blauen Augen vor Verwunderung weit auf und sprach lächelnd zu ihm: »Mein Fürst, ich sehe dein Kleid und dein Zepter, aber wo ist deine Krone?«

Da brach der junge König einen wilden Rosenzweig, der über den Balkon kletterte, bog ihn und machte einen Reif daraus und setzte sich ihn auf das Haupt. »Das soll meine Krone sein«, antwortete er.

Und so angetan verließ er das Gemach und ging hinaus in den großen Saal, wo die Edelleute auf ihn warteten.

Und die Edelleute lachten laut, und einige von ihnen riefen ihm zu: »Mein Gebieter, das Volk wartet auf seinen König, und du zeigst ihm einen Bettler«, und andere wurden zornig und sprachen: »Er bringt Schande über unser Land und ist nicht würdig, unser Herr zu sein.« Aber er antwortete ihnen nicht ein Wort, sondern schritt weiter, die Treppe von schimmerndem Porphyr hinunter und hinaus durch die bronzenen Tore, und stieg auf sein Roß und ritt zur Kathedrale, und der kleine Page lief neben ihm her.

Und das Volk lachte und sagte: »Es ist des Königs Narr, der da vorüberreitet«, und sie verspotteten ihn.

Und er zügelte sein Roß und sagte: »Nein, ich selber bin der König.« Und er erzählte ihnen seine drei Träume.

Da trat ein Mann heraus aus der Menge und sprach voll Bitterkeit zu ihm und sagte: »Herr, weißt du nicht, daß das Leben der Armen vom Überfluß der Reichen genährt wird? Euer Prunk ist es, der uns sättigt, und eure Laster geben uns Brot. Hart ist es, für einen Herrn zu arbeiten, aber keinen Herrn zu haben, für den man arbeiten kann, ist noch härter. Glaubst du, die Raben werden uns speisen? Und welches Heilmittel hast du für diese Not? Willst du dem Käufer vorschreiben: ›Für soundso viel sollst du kaufen‹, und dem Kaufmann: ›Zu diesem Preis sollst du verkaufen‹? Ich glaube nicht. Darum geh zurück in deinen Palast und lege deinen Purpur an und dein feines Leinen. Was kümmern dich wir und unsere Leiden?«

»Sind nicht der Reiche und der Arme Brüder?« fragte der junge König.

»Ja«, erwiderte der Mann, »und der Name des reichen Bruders ist Kain.«

Und des jungen Königs Augen füllten sich mit Tränen, und er ritt weiter durch das murrende Volk, und den kleinen Pagen ergriff die Furcht, und er ließ ihn im Stich.

Und als er vor das große Portal der Kathedrale kam, stießen die Wachen ihre Hellebarden vor und sagten: »Was suchst du hier? Keiner tritt durch dieses Tor als der König.«

Und sein Gesicht rötete sich vor Zorn, und er sprach zu ihnen: »Ich bin der König«, stieß ihre Hellebarden zur Seite und trat ein.

Und als der alte Bischof ihn kommen sah in seinem Hirtenkleid, erhob er sich voll Verwunderung von seinem Thron und kam ihm entgegen und sagte zu ihm: »Mein Sohn, ist dies der Aufzug eines Königs? Und mit welcher Krone soll ich dich krönen und welches Zepter in deine Hand legen? Wahrlich, ein Tag der Freude sollte dieser Tag für dich sein, und nicht ein Tag der Erniedrigung.«

»Soll Freude tragen, was Leid geschaffen hat?« entgegnete der junge König. Und er erzählte ihm seine drei Träume.

Und als der Bischof ihn angehört hatte, runzelte er die Stirn und sprach: »Mein Sohn, ich bin ein alter Mann und im Winter meiner Tage, und ich weiß, daß viel Übel geschieht in der weiten Welt. Die grimmigen Räuber kommen herunter von den Bergen und verschleppen die kleinen Kinder und verkaufen sie an die Mohren. Die Löwen lauern den Karawanen auf und stürzen sich auf die Kamele. Der wilde Eber reißt das Korn im Tale an den Wurzeln aus, und die Füchse benagen die Reben auf dem Hügel. Die Seeräuber verwüsten die Küste und verbrennen die Boote der Fischer und stehlen ihnen ihre Netze. In den Salzsümpfen leben die Aussätzigen, sie haben Häuser aus geflochtenem Schilf, und keiner darf ihnen nahe kommen. Die Bettler wandern durch die Städte und essen ihr Brot mit den Hunden. Kannst du bewirken, daß alles dies nicht ist? Willst du den Aussätzigen zu deinem Bettgenossen machen und den Bettler an deine Tafel laden? Soll der Löwe deinem Geheiß folgen und der wilde Eber dir gehorchen? Ist nicht Er, der das Elend gemacht hat, weiser als du? Deshalb lobe ich dich nicht für das, was du getan hast, sondern bitte dich, reite zurück zu deinem Palast und laß dein Antlitz vor Freude leuchten, kleide dich in Gewänder, würdig eines Königs, und mit der goldenen Krone will ich dich krönen, und das Zepter von Perlen will ich in deine Hand legen. Deine Träume aber vergiß. Die Bürde dieser Welt ist zu groß, als daß ein einziger sie tragen könnte, und das Leid der Welt zu schwer, als daß ein einziges Herz es erdulde.«

»Sagst du das in diesem Haus?« sprach der junge König, schritt vorbei am Bischof und stieg die Stufen des Altars empor und stand vor Christi Bild.

Er stand vor Christi Bild, und zu seiner Rechten und zu seiner Linken glänzten die herrlichen Gefäße aus Gold, der Kelch voll gelben Weines und die Phiole mit dem heiligen Öl. Er kniete nieder vor Christi Bild, und die großen Kerzen brannten hell vor dem juwelenbesetzten Schrein, und der Weihrauch kräuselte sich in dünnen grauen Rauchwölkchen durch den Dom. Er neigte seinen Kopf im Gebet, und die Priester in ihren steifen Chorröcken schlichen sich fort vom Altar.

Und plötzlich kam von der Straße draußen ein wilder Tumult, und mit gezogenen Schwertern und wippenden Federn und Schilden von glänzendem Stahl drangen die Edelleute herein. »Wo ist dieser Träumer von Träumen?« riefen sie. »Wo ist dieser König, der sich wie ein Bettler kleidet – dieser Knabe, der Schande bringt über unser Land? Wahrlich, wir wollen ihn töten, denn er ist nicht würdig, über uns zu herrschen.«

Und wieder neigte der junge König sein Haupt und betete, und als er sein Gebet beendet hatte, erhob er sich, wandte sich um und blickte sie traurig an.

Und siehe! durch die bunten Fenster strömte das Sonnenlicht über ihn hin, und die Strahlen der Sonne woben um ihn ein gewebtes Gewand, viel schöner noch als jenes Kleid, das zu seinem Vergnügen gefertigt worden. Der tote Stab blühte und trug Lilien, die weißer waren als Perlen. Der dürre Dorn blühte und trug Rosen, die röter waren als Rubine. Weißer als reine Perlen waren die Lilien, und ihre Stempel waren aus lauterem Silber. Röter als glutrote Rubine waren die Rosen, und ihre Blätter waren aus getriebenem Gold.

Da stand er im Gewand eines Königs, und die Türen des juwelenbesetzten Schreines flogen auf, und vom Kristall der vielstrahligen Monstranz leuchtete ein wunderbares und mystisches Licht. Da stand er im Gewand eines Königs, und die Herrlichkeit Gottes erfüllte den Raum, und die Heiligen in ihren gemeißelten Nischen schienen sich zu bewegen. Im strahlenden Kleid eines Königs stand er vor ihnen, und die Orgel strömte ihre Melodien aus, und die Trompeter bliesen auf ihren Trompeten, und die Sängerknaben sangen.

Und das Volk fiel in Ehrfurcht auf die Knie, und die Edelleute steckten ihre Schwerter ein und huldigten ihm, und des Bischofs Angesicht erbleichte, und seine Hände zitterten. »Ein Größerer als ich hat dich gekrönt«, rief er und sank vor ihm auf die Knie.

Und der junge König trat hernieder vom Hochaltar und schritt mitten durch sein Volk nach Hause. Aber keiner wagte sein Gesicht anzuschauen, denn es war wie das Gesicht eines Engels.

Der Geburtstag der Infantin

Es war der Geburtstag der Infantin. Sie war gerade zwölf Jahre alt geworden, und die Sonne schien hell in die Gärten des Palastes.

Wenn sie auch eine richtige Prinzessin war und die Infantin von Spanien, so hatte sie doch jedes Jahr nur einmal Geburtstag, wie die Kinder von ganz armen Leuten auch, und daher war es für das ganze Land natürlich von großer Bedeutung, daß sie zu diesem Anlaß einen wirklich schönen Tag hatte. Und ein wirklich schöner Tag war es gewiß. Die hohen, gestreiften Tulpen standen wie lange Reihen von Soldaten aufrecht auf ihren Stengeln und blickten herausfordernd über das Gras hinüber zu den Rosen und sagten: »Wir sind jetzt genauso prächtig wie ihr.« Die purpurnen Schmetterlinge flatterten umher, Goldstaub auf ihren Flügeln, und besuchten der Reihe nach jede Blume; die kleinen Eidechsen schlüpften aus den Mauerritzen und sonnten sich im weißen Glast; und die Granatäpfel splitterten und barsten vor Hitze und zeigten ihre blutenden roten Herzen. Selbst die bleichen gelben Zitronen, die in Fülle von den verwitterten Spalieren und entlang den dunklen Bogengängen hingen, schienen in dem wunderbaren Sonnenschein eine stärkere Farbe anzunehmen, und die Magnolienbäume öffneten ihre großen, kugelrunden Blüten, die wie gefaltetes Elfenbein waren, und erfüllten die Luft mit ihrem süßen, schweren Duft.

Die kleine Prinzessin ging mit ihren Gefährten die Terrasse auf und ab und spielte rund um die steinernen Vasen und die alten, moosüberwachsenen Statuen Verstecken. An gewöhnlichen Tagen durfte sie nur mit Kindern ihres Ranges spielen, also spielte sie immer allein; aber an ihrem Geburtstag machte man eine Ausnahme, und der König hatte angeordnet, daß sie von ihren jungen Freunden einladen sollte, wen sie wollte, um sich mit ihnen zu vergnügen. Eine gemessene Grazie umgab diese schlanken spanischen Kinder, wie sie da vorüberglitten: Die Knaben trugen federgeschmückte Hüte und kurze, flatternde Umhänge, die Mädchen hoben die Schleppen ihrer langen Brokatkleider hoch und schützten ihre Augen mit riesengroßen schwarzen und silbernen Fächern vor der Sonne. Aber die Infantin war die anmutigste von allen, sie war am geschmackvollsten gekleidet, wenn auch nach der etwas schwerfälligen Mode der Zeit. Ihr Kleid war aus grauem Satin, der Saum und die weiten Puffärmel mit Silber reich bestickt, das steife Mieder übersät mit Reihen von makellosen Perlen. Zwei winzige Pantoffel mit großen, rosenroten Schleifen guckten unter ihrem Kleid hervor, wenn sie ging. Rosenrot und perlfarben war ihr großer Gazefächer, und in ihrem Haar, das wie eine Aureole von mattem Gold steif um ihr bleiches kleines Gesicht stand, hatte sie eine wunderschöne weiße Rose.

Von einem Fenster des Palastes schaute der traurige, melancholische König den Kindern zu. Neben ihm stand sein Bruder, Don Pedro von Aragon, den er haßte; und sein Beichtvater, der Großinquisitor von Granada, saß an seiner Seite. Der König war noch trauriger als gewöhnlich, denn wenn er auf die Infantin blickte, wie sie mit kindlichem Ernst die versammelten Höflinge grüßte, oder wie sie hinter dem Fächer über die mürrische Herzogin von Albuquerque lachte, die sie immer begleitete, mußte er an die junge Königin, ihre Mutter, denken, die vor so kurzer Zeit erst – so schien es ihm – aus dem heiteren Lande Frankreich gekommen und im düsteren Glanz des spanischen Hofes dahingewelkt war; sechs Monate nach der Geburt ihres Kindes war sie gestorben, ehe sie die Mandelbäume im Garten zweimal hatte blühen sehen, oder die Frucht des zweiten Jahres von dem alten knorrigen Feigenbaum gepflückt hatte, der in der Mitte des nun grasüberwachsenen Hofes stand. So groß war seine Liebe zu ihr gewesen, daß er es selbst dem Grab nicht erlaubte, sie vor ihm zu verbergen. Sie wurde von einem maurischen Arzt einbalsamiert, dem man zum Dank für diesen Dienst sein Leben schenkte, welches, wie es hieß, wegen Ketzerei und des Verdachts auf zauberische Praktiken schon dem Heiligen Offizium verfallen war; noch immer lag ihr Leib auf der teppichgeschmückten Bahre in der schwarzen Marmorkapelle des Palastes, genau so wie die Mönche sie an jenem windigen Tag im März vor nahezu zwölf Jahren hereingetragen hatten. Einmal in jedem Monat ging der König, eingehüllt in einen dunklen Umhang und eine abgedeckte Laterne in der Hand, hinein und kniete an ihrer Seite nieder und rief aus: »Mi reina! Mi reina!« Und bisweilen durchbrach er die förmliche Etikette, die in Spanien jede einzelne Handlung des Lebens beherrscht und selbst dem Gram eines Königs Grenzen setzt, und umklammerte die bleichen juwelengeschmückten Hände in wilder Qual des Schmerzes, und versuchte, mit seinen irren Küssen das kalte, bemalte Gesicht aufzuerwecken.

Heute war ihm, als sähe er sie wieder, wie er sie zum erstenmal gesehen hatte, im Schloß von Fontainebleau, da er erst fünfzehn Jahre gewesen, und sie noch jünger. Damals wurden sie vom päpstlichen Nuntius in Gegenwart des französischen Königs und des ganzen Hofes in aller Form miteinander verlobt, und er war in den Escorial zurückgekehrt und hatte ein Löckchen gelben

Haares mit sich getragen und die Erinnerung an zwei Kinderlippen, die sich niederbeugten, um seine Hand zu küssen, als er in seinen Wagen stieg. Später war die Hochzeit gefolgt, eilig vollzogen in Burgos, einer kleinen Stadt an der Grenze zwischen den beiden Ländern, und darauf der großartige öffentliche Einzug in Madrid mit der herkömmlichen Feier des Hochamtes in der Kirche von La Atocha, und ein Autodafé, feierlicher als gewöhnlich, bei welchem an die dreihundert Ketzer, unter ihnen viele Engländer, der weltlichen Obrigkeit für den Scheiterhaufen ausgeliefert wurden.

Er hatte sie wahrlich bis zum Wahnsinn geliebt und, wie viele meinten, bis zum Verderben seines Landes, das sich damals gerade im Krieg mit England befand um die Herrschaft über die Neue Welt. Kaum jemals hatte er ihr gestattet, sich aus seiner Nähe zu entfernen; um ihretwillen hatte er, so schien es wenigstens, alle ernsthaften Staatsgeschäfte vergessen; und in jener fürchterlichen Blindheit, die die Leidenschaft über ihre Diener verhängt, war es ihm entgangen, daß die ausgewählten Zeremonien, mit denen er sie zu erheitern suchte, die seltsame Krankheit, an der sie litt, nur verschlimmerten. Als sie starb, war er eine Zeitlang wie von Sinnen. Und es ist in der Tat nicht daran zu zweifeln, daß er in aller Form dem Thron entsagt und sich ins große Trappistenkloster in Granada zurückgezogen hätte, dessen Titularprior er bereits war, hätte er sich nicht gescheut, die kleine Infantin in den Händen seines Bruders zurückzulassen, der wegen seiner Grausamkeit selbst in Spanien berüchtigt war, und den viele im Verdacht hatten, mit Hilfe eines Paares von vergifteten Handschuhen, die er ihr anläßlich eines Besuchs auf seinem Schloß in Aragon überreichte, den Tod der Königin herbeigeführt zu haben. Auch nach Ablauf der dreijährigen öffentlichen Trauer, die er durch königliches Edikt im ganzen Umkreis seiner Herrschaft angeordnet hatte, erlaubte er es seinen Ministern niemals, von einer neuen Verbindung zu sprechen; und als der Kaiser selber Boten sandte und ihm die Hand der lieblichen Erzherzogin von Böhmen, seiner Nichte, zur Ehe anbot, da befahl er den Gesandten, ihrem Herrn zu melden, der König von Spanien sei mit der Trauer vermählt, und wenn sie auch nur eine kärgliche Braut sei, so sei sie ihm doch lieber als die Schönheit – eine Antwort, die seiner Krone die reichen Provinzen der Niederlande kostete, welche bald darauf auf Anstiftung des Kaisers sich unter der Führung von einigen Fanatikern der Reformierten Kirche gegen ihn empörten.

Die ganze Zeit seiner Ehe, mit ihren wilden, feuerfarbenen Freuden und der entsetzlichen Qual ihres jähen Endes, schien heute wieder vor ihm zu erstehen, da er die Infantin auf der Terrasse spielen sah. Sie glich ganz der Königin in ihrem bezaubernd übermütigen Benehmen, sie hatte die gleiche eigensinnige Art, ihren Kopf zurückzuwerfen, den gleichen stolzgeschwungenen, schönen Mund, das gleiche wunderbare Lächeln – wahrlich ein *vrai sourire de France* –, wenn sie hin und wieder zum Fenster aufblickte oder ihre kleine Hand den würdevollen spanischen Edelleuten zum Kuß hinstreckte. Aber das laute Gelächter der Kinder war seinen Ohren schmerzhaft, und das helle, erbarmungslose Licht der Sonne verhöhnte sein Leid, und ein fader Geruch von fremdartigen Gewürzen, wie die Einbalsamierer sie gebrauchen, schien die klare Morgenluft – oder war es Einbildung? – zu vergiften. Er vergrub das Gesicht in seine Hände, und als die Infantin wieder aufblickte, waren die Vorhänge zugezogen, und der König hatte sich entfernt.

Sie machte eine kleine *moue* der Enttäuschung und zuckte die Schultern. An ihrem Geburtstag wenigstens hätte er bei ihr bleiben können. Was lag schon an den dummen Staatsgeschäften? Oder war er in diese düstere Kapelle gegangen, wo die Kerzen immer brannten, und wo sie niemals eintreten durfte? Wie töricht von ihm, wenn die Sonne so hell schien und jeder so glücklich war! Außerdem würde er nun das Stierkampfspiel versäumen, zu dem schon die Fanfare lud, vom Puppentheater und den anderen herrlichen Dingen ganz zu schweigen. Ihr Onkel und der Großinquisitor waren doch viel vernünftiger. Sie waren auf die Terrasse herausgekommen und machten ihr artige Komplimente. Also warf sie ihren hübschen Kopf zurück, nahm Don Pedro bei der Hand und ging langsam die Stiegen hinab auf ein langes Zelt aus purpurner Seide zu, das am anderen Ende des Gartens aufgestellt war, und die anderen Kinder folgten in strenger Rangordnung, wobei die mit den längsten Namen vorangingen.

Eine Prozession von vornehmen Knaben, phantastisch gekleidet als *toreadors*, kam ihr entgegen, und der junge Graf von Tierra-Nueva, ein wunderbar hübscher Knabe im Alter von etwa vierzehn Jahren, entblößte seinen Kopf mit aller Anmut eines geborenen Hidalgo und Grande von Spanien und geleitete sie feierlich hinein zu einem kleinen Stuhl aus Gold und Elfenbein, der auf einem erhöhten Podium über der Arena stand. Die Kinder verteilten sich ringsumher, bewegten ihre großen Fächer und flüsterten miteinander, und Don Pedro und der Großinquisitor standen lachend am Eingang. Selbst die Herzogin – Camerera-Mayor wurde sie genannt –, eine dünne Dame mit harten Zügen und einer gelben Halskrause, sah nicht ganz so schlechtgelaunt aus wie üblich, und etwas wie ein frostiges Lächeln huschte über ihr faltiges Gesicht und zerrte an ihren dünnen, blutleeren Lippen.

Es war sicherlich ein herrlicher Stierkampf, viel schöner, dachte die Infantin, als der wirkliche Stierkampf, zu dem man sie in Sevilla mitgenommen hatte, als der Herzog von Parma ihren Vater besuchte. Einige von den Knaben paradierten auf reich aufgeputzten Steckenpferden und schwangen lange Wurfspieße, die mit bunten Bändern lustig bewimpelt waren; andere waren zu Fuß und schwenkten ihre scharlachroten Umhänge vor dem Stier und sprangen leichtfüßig über die Schranke, wenn er sie angriff. Was nun den Stier selber angeht, so war er ganz wie ein lebender Stier, obwohl er doch nur aus Flechtwerk und gespanntem Fell war und manchmal darauf bestand, auf seinen Hinterbeinen rund um die Arena zu laufen, was einem lebenden Stier auch nicht im Traum einfiele. Er lieferte aber auch einen großartigen Kampf, und die Kinder wurden so aufgeregt, daß sie auf die Bänke stiegen und ihre Spitzentaschentücher schwenkten und ausriefen: *»Bravo toro! Bravo toro!«*, ganz so verständig, als wären sie erwachsene Leute. Zu guter Letzt jedoch, nach einem erbitterten Kampf, in dessen Verlauf mehrere Steckenpferde völlig durchbohrt und ihre Reiter aus dem Sattel geworfen worden waren, zwang der junge Graf von Tierra-Nueva den Stier in die Knie; und nachdem er von der Infantin die Erlaubnis erhalten hatte, ihm den *Coup de grace* zu geben, stieß er sein hölzernes Schwert mit solcher Kraft in den Nacken des Tieres, daß der Kopf auf der Stelle herunterfiel und das lachende Gesicht des kleinen Monsieur de Lorraine, des Sohnes des französischen Gesandten in Madrid, zum Vorschein kam.

Darauf wurde unter viel Applaus die Arena geräumt, die toten Steckenpferde von zwei maurischen Pagen in gelben und schwarzen Livreen feierlich weggeschleppt; und nach einem kurzen Zwischenspiel, in dem ein französischer Akrobat auf dem Drahtseil seine Künste vorführte, erschienen auf der Bühne eines kleinen Theaters, das eigens zu diesem Zweck errichtet worden war, mehrere italienische Marionetten in der halb-klassischen Tragödie *Sophonisbe.* Sie spielten so gut und agierten so ungemein natürlich, daß am Schluß des Stückes die Augen der Infantin ganz trüb vor Tränen waren. Einige von den Kindern weinten wirklich und mußten mit Zuckerwerk getröstet werden, und der Großinquisitor selber war so ergriffen, daß er Don Pedro gegenüber die Bemerkung nicht unterdrücken konnte, es sei ihm unerträglich, daß Puppen, die nur aus Holz und bemaltem Wachs bestünden und mechanisch an Drähten bewegt würden, so unglücklich sein und solch gräßliches Mißgeschick erleiden sollten.

Ein afrikanischer Gaukler folgte; er trug einen breiten, flachen Korb herein, der mit rotem Tuch bedeckt war, und nachdem er ihn in die Mitte der Arena gestellt hatte, nahm er aus seinem Turban eine eigenartige Flöte aus Schilf und blies darauf. Nach wenigen Augenblicken fing es unter dem Tuch an, sich zu regen, und als die Flöte schriller und schriller wurde, steckten zwei grüngoldene Schlangen ihre seltsamen, keilförmigen Köpfe heraus und erhoben sich langsam und wiegten sich hin und her im Takt der Musik, wie Pflanzen im Wasser. Die Kinder jedoch hatten Angst vor ihren gesprenkelten Kronen und ihren schnell herausschießenden Zungen, und es gefiel ihnen viel besser, als der Gaukler ein winziges Orangenbäumchen aus dem Sand wachsen und es prächtige weiße Blüten und Trauben von echten Früchten tragen ließ; und als er den Fächer der kleinen Tochter des Marquis de Las-Torres nahm und ihn in einen blauen Vogel verwandelte, der im Pavillon umherflog und sang, da kannten ihr Jubel und ihr Staunen keine Grenzen. Auch das feierliche Menuett war bezaubernd, das die Tanzknaben der Kirche von Nuestra Señora del Pilar vorführten. Die Infantin hatte diese wunderbare Zeremonie, die jedes Jahr im Mai vor dem Hochaltar der Jungfrau und ihr zu Ehren stattfindet, nie zuvor gesehen; und wirklich hatte auch kein Mitglied der königlichen Familie Spaniens die große Kathedrale von Saragossa jemals wieder betreten, seit ein wahnsinniger Priester, der nach Meinung vieler im Sold Elisabeths von England gestanden, versucht hatte, dem Prinzen von Asturien eine vergiftete Hostie zu reichen. Deshalb hatte sie »Unserer Frauen Tanz«, wie er genannt wurde, nur vom Hörensagen gekannt, und es war wirklich ein herrliches Schauspiel. Die Knaben trugen altmodische Hofgewänder aus weißem Samt, ihre seltsamen, dreieckigen Hüte waren mit Silber eingefaßt und von riesigen Straußenfedern gekrönt, und das blendende Weiß ihrer Gewänder, wie sie sich da im Sonnenlicht bewegten, wurde noch gehoben durch ihre dunkelhäutigen Gesichter und ihr langes schwarzes Haar. Jedermann war fasziniert von der ernsthaften Würde, mit der sie sich in den verschlungenen Figuren des Tanzes bewegten, von der kunstvollen Grazie ihrer langsamen Gebärden und würdigen Verneigungen; und als sie ihren Auftritt beendet und ihre großen federngeschmückten Hüte vor der Infantin gezogen hatten, da nahm sie ihre Huldigung sehr gnädig auf und gelobte, eine große Wachskerze nach dem Heiligtum Unserer Lieben Frau von Pilar zu senden, als Dank für das Vergnügen, das sie ihr verdankte.

Eine Schar von schönen Ägyptern – wie die Zigeuner damals genannt wurden – rückte sodann in die Arena ein; mit gekreuzten Beinen setzten sie sich in einem Kreis nieder und begannen, leise auf ihren Zithern zu spielen, bewegten ihre Leiber im Takt der Musik und summten fast unhörbar eine leise, träumerische Melodie. Als sie Don Pedro gewahrten, blickten sie finster drein, und einige von ihnen sahen ganz entsetzt aus, denn nur wenige Wochen zuvor hatte er zwei von ihrem Stamm wegen Hexerei auf dem Marktplatz von Sevilla hängen lassen. Aber die hübsche Infantin bezauberte sie, wie sie zurückgelehnt saß und mit ihren großen blauen Augen verstohlen über ihren Fächer blickte, und sie fühlten, daß ein so liebliches Kind wie sie gegen niemanden jemals grausam sein könnte. So spielten sie also sehr sanft weiter, gerade daß sie die Saiten der Zithern mit ihren langen bemalten Nägeln berührten, und ihre Köpfe begannen zu nicken, als wollten sie in Schlaf versinken. Plötzlich aber, mit einem Schrei, so schrill, daß alle Kinder jäh auffuhren und Don Pedros Hand den Achatgriff seines Dolches umklammerte, sprangen sie auf und wirbelten wie verrückt rund um die Einfassung und schlugen auf ihren Tambourinen und intonierten in ihrer fremdartigen, kehligen Sprache wilde Liebeslieder. Dann, auf ein anderes Zeichen hin, warfen sie sich alle zu Boden und lagen ganz still, und das einförmige Gezirp der Zithern war der einzige Laut, der die Stille durchbrach. Nachdem sie das mehrere Male wiederholt hatten, verschwanden sie für einen Augenblick und kehrten mit einem braunen, zottigen Bär an einer Kette zurück und trugen kleine Berberäffchen auf ihren Schultern. Der Bär stand höchst würdevoll auf seinem Kopf, und die verhutzelten Affen führten mit zwei Zigeunerjungen, anscheinend ihren Lehrmeistern, alle Arten von unterhaltenden Kunststücken auf: Sie fochten mit winzigen Schwertern und feuerten Gewehre ab und exerzierten einen regelrechten militärischen Drill vor, genau wie des Königs eigene Leibwache. Kurzum, die Zigeuner waren ein großer Erfolg.

Aber der lustigste Teil der ganzen Morgenunterhaltung war ohne Zweifel der Tanz des kleinen Zwerges. Als er in die Arena torkelte, auf seinen krummen Beinen watschelnd und mit seinem gewaltigen, unförmigen Kopf von einer Seite zur anderen wakkelnd, da brachen die Kinder in laute Schreie des Entzückens aus, und die Infantin selber lachte so sehr, daß die Camerera gezwungen war, sie zu erinnern: man habe in Spanien zwar viele Präzedenzfälle dafür, wie eine Königstochter vor ihresgleichen geweint, doch keinen, wie eine Prinzessin von königlichem Geblüt so ausgelassen vor jenen sich benommen hätte, die von niedrigerer Geburt wären. Der Zwerg war aber wirklich ganz unwiderstehlich, und nicht einmal am spanischen Hof, seit jeher bekannt für seine raffinierte Vorliebe für das Gräßliche, hatte man ein derart groteskes Ungeheuer jemals erblickt. Es war noch dazu sein erster öffentlicher Auftritt. Wild durch den Wald laufend, war er erst am Tag zuvor von zwei Edelleuten entdeckt worden, die zufällig in einem abgelegenen Teil jenes Korkwaldes jagten, der die Stadt umgab, und diese beiden hatten ihn zum Palast gebracht als Geburtstagsüberraschung für die Infantin; sein Vater, ein armer Köhler, war nur zu erfreut gewesen, ein so häßliches und nutzloses Kind loszuwerden. Das Ergötzlichste an ihm war vielleicht die völlige Unkenntnis seiner grotesken Erscheinung. Er schien in der Tat ganz glücklich und in bester Laune zu sein. Wenn die Kinder lachten, so lachte er so leicht und fröhlich wie nur eines von ihnen, und am Ende eines jeden Tanzes machte er jedem von ihnen die allerlustigste Verneigung, lächelte und nickte ihnen zu, ganz so, als wäre er wirklich eines von ihnen und nicht ein kleines, ungestaltes Ding, das die Natur in einer launigen Stimmung geschaffen hatte, damit andere seiner spotteten. Was nun die Infantin angeht, so war er völlig von ihr bezaubert. Er konnte seine Augen nicht von ihr lassen, schien für sie allein zu tanzen, und als am Ende der Vorstellung die Infantin sich erinnerte, wie die großen Damen des Hofes dem berühmten italienischen Kastraten Cafarelli, den der Papst aus seiner eigenen Kapelle nach Madrid gesandt hatte, daß er durch den Wohllaut seiner Stimme des Königs Schwermut heile, Blumensträuße zugeworfen hatten, da nahm sie die wunderschöne weiße Rose aus ihrem Haar und warf sie, teils im Scherz, teils um die Camerera zu ärgern, mit ihrem reizendsten Lächeln über die ganze Arena hin dem Zwerg zu; und dieser nahm die Sache ganz ernst, preßte die Blume an seine rissigen, unförmigen Lippen, legte die Hand aufs Herz, sank vor ihr aufs Knie, grinste von einem Ohr zum andern, und seine kleinen, strahlenden Augen funkelten vor Vergnügen.

Dies brachte die Infantin so sehr aus aller Fassung, daß sie noch immer lachte, lange nachdem der kleine Zwerg aus der Arena gelaufen war, und ihrem Onkel gegenüber den Wunsch äußerte, der Tanz möge sogleich wiederholt werden. Unter dem Vorwand jedoch, daß die Sonne jetzt zu heiß schiene, entschied die Camerera, es wäre für ihre Hoheit besser, unverzüglich in den Palast zurückzukehren, wo schon ein herrliches Festmahl für sie bereitet war und dazu eine echte Geburtstagstorte mit ihren eigenen Initialen in bemaltem Zucker darauf und einer lieblichen silbernen Flagge, die von der Spitze wehte. Also erhob sich die Infantin höchst würdevoll, und nachdem sie Befehl gegeben, daß der kleine Zwerg nach der Stunde der Siesta noch einmal für sie tanzen sollte, und dem jungen Grafen von Tierra-Nueva ihren Dank für den reizenden Empfang übermittelt hatte, ging sie zurück in ihre Gemächer, und die Kinder folgten in der gleichen Reihenfolge, in der sie gekommen waren.

Als nun der kleine Zwerg hörte, daß er ein zweites Mal vor der Infantin tanzen sollte, und zwar auf ihren eigenen ausdrücklichen Befehl, da war er so stolz, daß er in den Garten hinauslief und in einer unsinnigen Ekstase des Vergnügens die weiße Rose küßte und in den linkischsten und plumpsten Gebärden sein Entzücken kundtat.

Die Blumen waren recht ungehalten darüber, daß er es wagte, in ihr schönes Heim einzudringen, und als sie ihn die Wege auf und ab Luftsprünge machen und die Arme in derart lächerlicher Weise über seinem Kopf schwenken sahen, da konnten sie ihre Empfindungen nicht länger zurückhalten.

»Er ist wirklich viel zu häßlich, als daß er jemals an einem Ort spielen dürfte, wo wir uns aufhalten«, riefen die Tulpen. »Er sollte Mohnsaft trinken und tausend Jahre schlafen!« sagten die großen scharlachroten Lilien, und sie wurden ganz heiß vor lauter Ärger.

»Er ist ein wahres Scheusal!« zeterte der Kaktus. »Was, ist er nicht verkrümmt und ein Stumpen, und steht nicht sein Kopf in gar keinem Verhältnis zu seinen Beinen? Wirklich, es läuft mir kalt über den Rücken, wenn ich ihn sehe, und wenn er mir nahe kommt, will ich ihn mit meinen Stacheln stechen.«

»Und er hat doch wahrhaftig eine meiner schönsten Blüten erwischt«, rief der weiße Rosenstock aus. »Diesen Morgen gab ich sie selber der Infantin als Geburtstagsgeschenk, und er hat sie ihr gestohlen.« Und er rief: »Dieb! Dieb!«, so laut er nur konnte.

Sogar die roten Geranien, die sich für gewöhnlich nicht wichtig machten und von denen man wußte, daß sie selber eine große Zahl armer Verwandter hatten, kräuselten sich vor Ekel, als sie ihn sahen, und als die Veilchen bescheiden bemerkten, daß er zwar außerordentlich häßlich sei, doch schließlich nicht durch seine Schuld, da versetzten sie schlagfertig und mit einem gewissen Recht, eben dies sei sein ärgster Fehler, und man hätte keinen Grund, eine Person nur deshalb zu bewundern, weil sie unheilbar wäre; und wirklich empfanden selbst einige Veilchen, daß die Häßlichkeit des kleinen Zwerges fast etwas Prahlerisches hatte, und daß er weit besseren Geschmack bewiesen hätte, traurig zu blicken oder wenigstens nachdenklich, anstatt fröhlich herumzuhüpfen und sich in derart grotesken und dummen Stellungen zu gefallen.

Was die alte Sonnenuhr angeht, die eine höchst bedeutende Persönlichkeit war und die Tageszeit einst keinem Geringeren als Kaiser Karl V. selber angezeigt hatte, so war sie vom Auftreten des kleinen Zwerges so bestürzt, daß sie fast vergessen hätte, mit ihrem langen, schattigen Finger zwei volle Minuten anzuzeigen, und sie konnte es sich nicht versagen, dem großen milchweißen Pfau gegenüber, der sich auf der Balustrade sonnte, zu bemerken, jedermann wisse, daß die Kinder von Königen Könige wären und die Kinder von Köhlern Köhler, und es sei absurd, zu behaupten, dem wäre nicht so; eine Feststellung, welcher der Pfau völlig beistimmte, und wirklich rief er aus: »Sicherlich! Sicherlich!« in einer derart lauten, grellen Stimme, daß die Goldfische, die in dem Bassin des kühlen, sprudelnden Springbrunnens lebten, ihre Köpfe aus dem Wasser reckten und die riesigen steinernen Tritonen fragten, was um des Himmels willen denn los sei.

Die Vögel aber liebten ihn. Sie hatten ihn oft im Wald gesehen, wenn er wie ein Kobold hinter den wirbelnden Blättern herantanzte, oder wenn er, in die Höhlung eines Eichbaums gekauert, seine Nüsse mit den Eichhörnchen teilte. Seine Häßlichkeit störte sie nicht im geringsten. Sah doch auch die Nachtigall, die des Nachts so süß in den Orangenhainen sang, daß manchmal der Mond sich niederbeugte, um zu lauschen, nach gar nichts Besonderem aus; und außerdem war er gut zu ihnen gewesen, und in jenem furchtbar bitteren Winter, als es keine Beeren an den Bäumen gab und der Boden hart war wie Eisen und die Wölfe bis hinab vor die Tore der Stadt gekommen waren, um nach Futter zu suchen, da hatte er sie kein einziges Mal vergessen, sondern ihnen immer Krumen gegeben von seinem kleinen Stück schwarzen Brotes und auch das kärglichste Frühstück noch mit ihnen geteilt.

So flogen sie rund um ihn herum und berührten im Vorbeifliegen leicht seine Wangen und schwatzten miteinander, und der kleine Zwerg freute sich so sehr, daß er sich nicht enthalten konnte, ihnen die wunderschöne weiße Rose zu zeigen und zu erzählen, daß die Infantin selber sie ihm gegeben hatte, weil sie ihn liebte.

Die Vögel verstanden kein einziges Wort von dem, was er sagte, aber das machte gar nichts, denn sie legten ihre Köpfe auf die Seite und blickten weise – und das ist ebenso gut wie richtig verstehen, und so viel leichter.

Auch die Eidechsen faßten eine große Zuneigung zu ihm, und als er des Herumlaufens müde wurde und sich ins Gras warf, um auszuruhen, da balgten und tollten sie ausgelassen über ihn hin und versuchten, ihn zu unterhalten, so gut sie konnten. »Es kann nicht jeder so schön sein wie eine Eidechse«, riefen sie, »das wäre zuviel verlangt. Und wenn es auch unsinnig klingt, das zu sagen, so ist er schließlich gar nicht so häßlich, vorausgesetzt natürlich, daß man die Augen schließt und ihn nicht ansieht.« Die Eidechsen waren von Natur aus äußerst philosophisch; oft saßen sie Stunden um Stunden und dachten nach, wenn sonst nichts weiter zu tun war, oder wenn ihnen das Wetter zu regnerisch war zum Ausgehen.

Jedoch die Blumen waren über ihr Benehmen und das Benehmen der Vögel außerordentlich verärgert. »Das zeigt nur«, sagten sie, »was dieses unausgesetzte Herumflitzen und -fliegen für eine verrohende Wirkung hat. Wohlerzogene Leute bleiben immer an einem Ort, so wie wir. Keiner sah uns jemals die Wege auf und ab hopsen oder wie verrückt hinter Libellen durchs Gras galoppieren. Wenn wir eine Luftveränderung wünschen, senden wir nach dem Gärtner, und er trägt uns in ein anderes Bett. Dies ist ein würdiges Benehmen, wie es sich eben schickt. Aber Vögel und Eidechsen haben keinen Sinn für Ruhe, ja, Vögel haben nicht einmal eine ständige Anschrift. Sie sind einfach Vagabunden, wie die Zigeuner, und man sollte sie ganz genauso behandeln wie diese.« Und sie steckten ihre Nasen in die Luft und blickten sehr hochmütig drein und waren ganz entzückt, als sie nach einer Weile den kleinen Zwerg aus dem Gras krabbeln und über die Terrasse auf den Palast zugehen sahen.

»Für den Rest seines Lebens sollte er auf keinen Fall mehr ins Freie gelassen werden«, sagten sie.»Seht seinen Buckel und seine Säbelbeine«, und sie begannen zu kichern.

Aber der kleine Zwerg bemerkte gar nichts von alledem. Er liebte die Vögel und die Eidechsen über alles, und er hielt die Blumen für die wunderbarsten Wesen in der ganzen Welt, ausgenommen natürlich die Infantin; aber sie hatte ihm ja die herrliche weiße Rose geschenkt, und sie liebte ihn, und das machte einen großen Unterschied. Wie sehr wünschte er, er wäre mit ihr gegangen! Sie hätte ihn zu ihrer Rechten gesetzt und ihm zugelächelt, und er wäre niemals von ihrer Seite gewichen, sondern hätte sie zu seiner Gespielin gemacht und sie alle Arten von köstlichen Kunststücken gelehrt. Denn wenn er auch nie zuvor in einem Palast gewesen war, so kannte er doch sehr viele wunderbare Dinge. Er konnte aus Binsen kleine Käfige für die Grashüpfer machen, damit sie darin sangen, und den langgliedrigen Bambus zu jener Flöte zurechtschneiden, die Pan so gerne hört. Er kannte den Schrei eines jeden Vogels, er konnte den Star vom Baumwipfel rufen und den Reiher vom See. Er kannte die Spur eines jeden Tiers, er konnte den Hasen an seinen feinen Fußabdrücken verfolgen und den Eber an den niedergetrampelten Blättern. Alle die wilden Tänze kannte er, den rasenden Tanz im roten Gewande mit dem Herbst, den leichten Tanz in blauen Sandalen über dem Korn, den Tanz mit weißen Flockenkränzen im Winter und den Blütentanz durch die Obstgärten im Frühling. Er wußte, wo die Ringeltauben ihre Nester bauten, und als einmal ein Vogelsteller die Vogeleltern gefangen hatte, da hatte er die Jungen selber aufgezogen und im Riß einer gekappten Ulme einen kleinen Taubenschlag für sie gebaut. Sie waren ganz zahm und fraßen ihm jeden Morgen aus der Hand. Sie würden ihr gefallen, auch die Kaninchen, die im langen Farn umherhoppelten, und die Eichelhäher mit ihren stahlblauen Federn und ihren schwarzen Schnäbeln, und die Igel, die sich zu stachligen Kugeln aufrollen konnten, und die großen weisen Schildkröten, die langsam herumkrochen, ihre Köpfe schüttelten und an den jungen Trieben knabberten. Ja, sie mußte unbedingt in den Wald kommen und mit ihm spielen. Er würde ihr sein eigenes kleines Bett überlassen und vor dem Fenster Wache halten bis zur Morgendämmerung, damit das wilde, gehörnte Vieh ihr kein Leid zufügte, und die hohläugigen Wölfe sich nicht zu nahe an die Hütte schlichen. Und bei Tagesanbruch würde er an die

Fensterläden klopfen und sie wecken, und sie würden hinausgehen und den ganzen Tag lang miteinander tanzen. Es war wirklich gar nicht einsam im Wald. Manchmal ritt ein Bischof auf seinem weißen Maultier durch den Wald und las in einem bunten Buch. Manchmal gingen die Falkner vorbei, in ihren grünen Samtkappen und Wämsen aus gegerbtem Wildleder, mit bekappten Falken auf ihren Fäusten. Zur Weinlese kamen die Traubentreter mit purpurnen Händen und Füßen, mit glänzendem Efeu bekränzt, triefende Weinschläuche tragend; und die Köhler saßen des Nachts rund um ihre riesigen Kohlenpfannen und sahen den trockenen Holzblöcken zu, wie sie langsam im Feuer verkohlten; sie rösteten Kastanien in der Asche, und die Räuber kamen aus ihren Höhlen und waren fröhlich mit ihnen. Einmal hatte er auch eine prächtige Prozession sich die lange staubige Straße nach Toledo winden gesehen. Vorn gingen die Mönche und sangen lieblich und trugen helle Banner und Kreuze aus Gold, und dann, in silbernem Harnisch, mit Musketen und Spießen, kamen die Soldaten, und in ihrer Mitte gingen drei Männer, barfuß, in fremdartigen gelben Gewändern, die über und über mit wunderbaren Zeichen bemalt waren, und trugen brennende Kerzen in ihren Händen. O ja, vieles gab es im Wald zu sehen; und wenn sie müde war, würde er eine weiche Moosbank für sie finden oder sie in seinen Armen tragen, denn er war sehr stark, wenn er auch wußte, daß er nicht groß war. Er würde ihr eine Halskette aus roten Beeren machen, das wäre ganz ebenso hübsch wie die weißen Beeren, die sie auf ihrem Kleid trug, und wenn sie genug davon hatte, konnte sie sie wegwerfen, und er würde ihr andere suchen. Er würde ihr Eichelnäpfe bringen und betaute Anemonen und winzige Glühwürmchen als Sterne in dem matten Gold ihres Haares.

Aber wo war sie? Er fragte die weiße Rose, doch sie gab ihm keine Antwort. Der ganze Palast schien zu schlafen, und sogar dort, wo die Fensterläden nicht geschlossen waren, hatte man schwere Vorhänge vor die Fenster gezogen, um die Glut auszusperren. Er wanderte rund um den Palast und suchte nach einer Stelle, wo er eintreten könnte, und erspähte schließlich eine kleine Seitentür, die offenstand. Er schlüpfte hinein und fand sich in einem prachtvollen Saal, viel prächtiger noch, so fürchtete er, als der Wald; denn da war überall so viel mehr vergoldet, und sogar der Boden war aus großen farbigen Steinen aneinandergefügt in der Art eines geometrischen Musters. Aber die kleine Infantin war nicht hier, nur ein paar wunderbare weiße Statuen, die von ihren Jaspissockeln mit traurigen, leeren Augen und seltsam lächelnden Lippen auf ihn herabblickten.

Am Ende des Saales hing ein reichbestickter Vorhang aus schwarzem Samt, mit Sonne und Sternen bestreut, des Königs liebsten Zeichen, und in seiner Lieblingsfarbe bestickt. Vielleicht versteckte sie sich dahinter? Er würde jedenfalls nachsehen.

Also stahl er sich leise hinüber und zog den Vorhang zur Seite. Nein, da war nur noch ein Raum, ein schönerer allerdings, so meinte er, als der, den er eben verlassen hatte. Die Wände waren verhangen mit vielgestaltigen, grünen, handgewirkten Teppichen, die eine Jagd darstellten; flämische Künstler hatten mehr als sieben Jahre an ihrer Vollendung gearbeitet. Das war einmal das Zimmer von *Jean le Fou* gewesen, wie man ihn nannte, jenes wahnsinnigen Königs, den die Jagdleidenschaft so sehr besaß, daß er in seinen Rasereien oft versucht hatte, die mächtigen, sich aufbäumenden Rosse zu besteigen und den Hirsch herunterzureißen, auf den die großen Rüden sprangen; dabei blies er sein Jagdhorn und stach mit dem Hirschfänger nach dem bleichen, fliehenden Wild. Diesen Raum benutzte man jetzt als Ratssaal, und auf dem Tisch in der Mitte lagen die roten Portefeuilles der Minister, bedruckt mit der goldenen Tulpe Spaniens und mit dem Wappen und den Emblemen des Hauses Habsburg.

Der kleine Zwerg blickte verwundert um sich und fürchtete sich fast, weiterzugehen. Die seltsamen, schweigenden Reiter, die so schnellfüßig und ohne jedes Geräusch über die langen Lichtungen galoppierten, erschienen ihm wie jene schrecklichen Gespenster, von denen er die Köhler hatte reden hören – jene Comprachos, die nur zur Nacht jagen und den, der ihnen begegnet, in eine Hirschkuh verwandeln und hetzen. Doch dann dachte er an die reizende Infantin und faßte wieder Mut. Er wollte sie gern allein antreffen und ihr sagen, daß auch er sie liebe. Vielleicht war sie im nächsten Zimmer.

Er lief über die weichen maurischen Teppiche und öffnete die Tür. Nein! Hier war sie auch nicht. Das Zimmer war ganz leer.

Es war ein Thronsaal, in dem die ausländischen Gesandten empfangen wurden, wenn der König, was in letzter Zeit nicht oft geschah, eingewilligt hatte, ihnen eine persönliche Audienz zu gewähren; derselbe Saal, in dem vor vielen Jahren die Abgesandten Englands erschienen waren, um Vorbereitungen zu treffen für die Vermählung ihrer Königin, damals eine der katholischen Fürstinnen Europas, mit des Kaisers ältestem Sohn. Die Tapeten waren aus vergoldetem Leder von Cordoba, und ein schwerer, vergoldeter Kronleuchter mit Armen für dreihundert Wachskerzen hing nieder von der schwarz-weißen Decke. Unter einem großen Baldachin aus Goldtuch, auf den die Löwen und Türme von Kastilien mit Staubperlen gestickt waren, stand der Thron selber, mit einem reichen Überwurf aus schwarzem Samt verhangen, den silberne Tulpen und kunstvolle Fransen aus Silber und Perlen zierten. Auf der zweiten Stufe des Thrones stand der Knieschemel der Infantin mit seinem Kissen aus silberdurchwirktem Tuch, und noch weiter unten und schon nicht mehr im Bereich des Baldachins stand der Sessel für den päpstlichen Nuntius, der allein das Recht hatte, bei jeder öffentlichen Zeremonie in Gegenwart des Königs zu sitzen; der Kardinalshut mit seinen verschlungenen, scharlachfarbenen Quasten lag davor auf einem purpurnen Taburett. An der Wand gegenüber dem Thron hing ein lebensgroßes Porträt von Karl V. im Jagdkostüm, mit einer großen Dogge ihm zur Seite; und ein Gemälde von Philipp II., der die Huldigung der Niederlande entgegennimmt, füllte die Mitte der anderen Wand. Zwischen den Fenstern stand ein Geheimschrank aus schwarzem Ebenholz, mit Elfenbeinplatten eingelegt, auf denen die Figuren aus Holbeins Totentanz eingeschnitten waren – von des berühmten Meisters eigener Hand, wie manche sagten.

Aber der kleine Zwerg machte sich gar nichts aus dieser ganzen Herrlichkeit. Nicht für alle Perlen des Baldachins hätte er seine Rose hergegeben, noch ein weißes Blütenblatt seiner Rose für den Thron selber. Er wollte nichts weiter als die Infantin sehen, bevor sie zum Pavillon hinunterging, und sie bitten, mit ihm fortzugehen, wenn er seinen Tanz beendet hätte. Hier im Palast war die Luft drückend und schwer, aber im Wald blies ein frischer Wind, und mit wandernden Goldhänden schob das Sonnenlicht die bebenden Blätter zur Seite. Auch Blumen gab es im Wald, nicht so prächtige vielleicht wie die Blumen in den Gärten, aber dafür dufteten sie um so süßer; Hyazinthen im Vorfrühling, die mit wogendem Purpur die kühlen Felsschluchten und grasgrünen Hügel überfluteten; gelbe Himmelsschlüssel, die sich in kleinen Büscheln um die knorrigen Wurzeln der Eichen schmiegten; leuchtendes Schellkraut, blauer Ehrenpreis und lila und goldene Iris. Graue Kätzchen hingen von den Haselsträuchern, und der rote Fingerhut neigte sich unterm Gewicht seiner gesprenkelten, von Bienen umschwirrten Blüten. Die Kastanie hatte ihre Türme von weißen Sternen und der Weißdorn seine bleichen Monde der Schönheit. Ja, sicherlich würde sie kommen, wenn er sie nur finden konnte! Sie würde mit ihm in den holden Wald kommen, und den ganzen Tag würde er zu ihrer Freude tanzen. Bei diesem Gedanken erhellte ein Lächeln seine Augen, und er trat ins nächste Zimmer.

Von allen Zimmern war dieses das glänzendste und das schönste. Die Wände waren mit rosablumigem Damast aus Lucca bespannt, mit Vögeln gemustert und mit zierlichen Blüten aus Silber bestreut; die Möbel waren aus massivem Silber, behangen mit blühenden Girlanden und schaukelnden Amoretten; vor den beiden mächtigen Kaminen standen große, mit Papageien und Pfauen bestickte Wandschirme, und der Boden aus seegrünem Onyx schien sich weit in die Ferne zu dehnen. Auch war er nicht allein. Im Schatten der Tür, am äußersten Ende des Saales, erblickte er eine kleine Gestalt, die ihn ansah. Sein Herz erbebte, ein Schrei der Freude brach von seinen Lippen, und er trat hinaus ins Sonnenlicht. Als er sich so bewegte, trat auch die Gestalt näher, und er sah sie nun deutlich.

Die Infantin! Nein, ein Scheusal war es, das wunderlichste Scheusal, das er je gesehen hatte. Nicht wohlgestalt wie alle anderen Menschen, sondern bucklig und krummbeinig, mit einem riesengroßen, wackelnden Kopf und einer Mähne von schwarzem Haar. Der kleine Zwerg runzelte die Stirn, und auch das Scheusal runzelte die seine. Er lachte, und es lachte mit ihm und stemmte die Hände in die Seiten, ganz ebenso wie er. Er machte ihm eine spöttische Verbeugung, und es antwortete ihm mit einer tiefen Reverenz. Er ging darauf zu, und es kam ihm entgegen, machte jeden seiner Schritte nach und blieb stehen, wenn auch er stehenblieb. Er schrie vor Vergnügen, lief vorwärts und streckte seine Hand aus, und die Hand des Scheusals berührte die seine, und sie war so kalt wie Eis. Da erschrak er und bewegte seine Hand hin und her, und flink folgte ihr die Hand des Scheusals. Er versuchte weiterzugehen, aber etwas Glattes und Hartes hielt ihn zurück. Das Gesicht des Scheusals war nun ganz nah an dem seinen und schien voll Entsetzen. Er strich sich das Haar aus den Augen. Das Scheusal machte ihn nach. Er schlug nach ihm, und es gab ihm Schlag um Schlag zurück. Er verzog das Gesicht vor Ekel, und es schnitt ihm scheußliche Grimassen. Er wich zurück, und es entfernte sich.

Was war das? Er dachte einen Augenblick lang nach und blickte sich im Saal um. Es war seltsam, aber alles schien in dieser unsichtbaren Wand von klarem Wasser sein Ebenbild zu haben. Ja, Bild für Bild wiederholte sich, Sessel für Sessel. Der schlafende Faun, der im Alkoven bei der Tür lag, hatte seinen schlummernden Zwillingsbruder, und die silberne Venus im Sonnenlicht streckte ihre Arme einer Venus entgegen, die ebenso lieblich war wie sie selber.

War es das Echo? Einmal hatte er im Tal nach ihm gerufen, und es hatte ihm Wort für Wort zurückgegeben. Konnte es das Auge ebenso täuschen wie das Ohr? Konnte es eine Welt des Scheins schaffen, die völlig der wirklichen glich? Konnten die Schatten der Dinge Farbe haben und Leben und Bewegung? War es möglich, daß ...?

Er sprang auf, nahm die herrliche weiße Rose von seiner Brust, wandte sich um und küßte sie. Auch das Scheusal hatte eine Rose, Blatt für Blatt die gleiche! Er küßte sie mit den gleichen Küssen und preßte sie mit gräßlichen Gebärden an sein Herz.

Als ihm die Wahrheit aufdämmerte, stieß er einen wilden Schrei der Verzweiflung aus und stürzte schluchzend zu Boden. Er war es also, der bucklig und verkrüppelt war, scheußlich anzusehen und grotesk. Er selber war das Scheusal, über ihn hatten die Kinder gelacht; und die kleine Prinzessin, von der er gedacht hatte, sie liebe ihn – auch sie hatte nur über seine Häßlichkeit gespottet und sich über seine verkrümmten Glieder lustig gemacht. Warum hatten sie ihn nicht im Wald gelassen, wo es keinen Spiegel gab, der ihm sagte, wie widerlich er war? Warum hatte ihn sein Vater nicht lieber getötet, anstatt ihn zu seiner Schande zu verkaufen? Heiße Tränen flossen ihm die Wange herab, und er riß die weiße Rose in Stücke. Das kriechende Scheusal tat das gleiche und streute die welken Rosenblätter in die Luft. Bäuchlings lag es auf dem Boden, und wenn er es anblickte, so starrte es ihm mit vor Schmerz verzerrtem Gesicht entgegen. Er kroch hinweg, um es nicht mehr zu sehen, und bedeckte die Augen mit seinen Händen. Wie ein verwundetes Tier kroch er in den Schatten, und dort blieb er stöhnend liegen.

Und in diesem Augenblick kam durch die offene Balkontür die Infantin selber mit ihren Gespielen herein, und als sie sahen, wie der häßliche kleine Zwerg auf der Erde lag und in höchst närrischer und übertriebener Art mit geballten Fäusten auf den Boden hämmerte, da brachen sie in lautes, glückliches Lachen aus und standen alle um ihn und sahen ihm zu.

»Sein Tanz war lustig«, sagte die Infantin, »aber sein Spiel ist noch viel lustiger. Er ist wirklich fast so gut wie die Marionetten, nur nicht so natürlich, das ist ja klar.« Und sie fächelte mit ihrem großen Fächer und applaudierte.

Aber der kleine Zwerg blickte nicht auf, und sein Schluchzen wurde schwächer und schwächer, und plötzlich schnappte er merkwürdig nach Luft und faßte sich an die Seite. Und dann fiel er wieder zurück und lag ganz still.

»Das war großartig«, sagte die Infantin nach einer Pause, »aber jetzt mußt du für mich tanzen.«

»Ja«, riefen alle Kinder, »du mußt aufstehen und tanzen, denn du bist ebenso klug wie die Berberäffchen und noch viel mehr zum Lachen.« Aber der kleine Zwerg gab keine Antwort.

Und die Infantin stampfte mit dem Fuß auf und rief nach ihrem Onkel, der mit dem Kanzler auf der Terrasse auf und ab ging und einige Depeschen las, die gerade aus Mexiko gekommen waren, wo die Heilige Inquisition vor kurzem eingeführt worden war. »Mein komischer kleiner Zwerg schmollt«, rief sie, »du mußt ihn aufwecken und ihm sagen, daß er für mich tanzen soll.«

Die Herren lächelten einander an und schlenderten hinein, und Don Pedro beugte sich nieder und schlug den Zwerg mit seinem gestickten Handschuh auf die Wange. »Du sollst tanzen«, sagte er, »*petit monstre*. Du sollst tanzen. Die Infantin von Spanien und beiden Indien will amüsiert sein.«

Aber der kleine Zwerg rührte sich nicht.

»Man sollte nach dem Peitschenmeister senden«, sagte Don Pedro gelangweilt und ging wieder hinaus auf die Terrasse. Aber der Kanzler machte ein ernstes Gesicht, kniete an der Seite des kleinen Zwerges nieder und legte die Hand auf sein Herz. Und nach wenigen Augenblicken zuckte er die Achseln, erhob sich, machte der Infantin eine tiefe Verbeugung und sprach:

»*Mi bella princesa*, Euer komischer kleiner Zwerg wird nie wieder tanzen. Schade, denn er ist so häßlich, daß er vielleicht sogar den König zum Lächeln gebracht hätte.«

»Aber warum wird er nie wieder tanzen?« fragte die Infantin lachend.

»Weil ihm das Herz gebrochen ist«, antwortete der Kanzler. Und die Infantin runzelte die Stirn, und ihre zierlichen, rosenblättrigen Lippen kräuselten sich in anmutiger Verachtung. »In Zukunft mögen die, die mit mir spielen, keine Herzen haben«, rief sie und lief hinaus in den Garten.

Der Fischer und seine Seele

Jeden Abend fuhr der junge Fischer hinaus auf das Meer und warf seine Netze ins Wasser.

Wenn der Wind vom Land her wehte, fing er nichts oder nur wenig, denn es war ein bitterer Wind mit schwarzen Schwingen, und schwere Wellen bäumten sich ihm entgegen. Doch wenn der Wind zur Küste hin wehte, kamen die Fische aus der Tiefe herauf und schwammen in die Maschen seiner Netze, und er trug sie zum Markt und verkaufte sie.

Jeden Abend fuhr er hinaus auf das Meer, und eines Abends war das Netz so schwer, daß er es kaum ins Boot ziehen konnte. Und er lachte und sprach bei sich selber: »Sicherlich habe ich alle Fische gefangen, die schwimmen, oder eines der trägen Ungeheuer, über die die Leute sich wundern werden, oder sonst einen Gegenstand des Grauens, wonach die große Königin verlangen wird«, und er nahm alle Kraft zusammen und zog an den groben Tauen, bis die langen Adern an seinen Armen hervortraten wie Linien von blauem Email auf einem Bronzegefäß. Er zog an den dünnen Tauen, und näher und näher kam der Ring aus flachen Korken, und endlich stieg das Netz an die Oberfläche des Wassers.

Aber kein Fisch war darin, auch kein Ungeheuer noch ein Gegenstand des Grauens, sondern nur eine kleine Meerjungfer, die fest schlief. Ihr Haar war wie ein feuchtes Vlies aus Gold, und jedes einzelne Haar wie ein Faden aus lauterem Gold in einer gläsernen Schale. Ihr Leib war wie weißes Elfenbein, ihr Schwanz aus Silber und Perlmutt. Aus Silber und Perlmutt war ihr Schwanz, und grüner Seetang schlang sich darum; und wie Seemuscheln waren ihre Ohren und ihre Lippen wie Meerkorallen. Die kalten Wogen schlugen über ihre kalten Brüste, und das Salz glitzerte auf ihren Augenlidern.

So schön war sie, daß der junge Fischer bei ihrem Anblick von Staunen erfüllt wurde, und er streckte seine Hand aus und zog das Netz nahe zu sich heran, lehnte sich über den Bootsrand und umfaßte sie mit seinen Armen. Und als er sie berührte, stieß sie einen Schrei aus wie eine aufgescheuchte Möwe, erwachte und blickte ihn mit ihren malven- und amethystfarbenen Augen voll Entsetzen an und wand sich, um ihm zu entkommen. Er aber drückte sie fest an sich und wollte sie nicht von sich lassen.

Und da sie merkte, daß sie ihm auf keine Art entfliehen konnte, fing sie an zu weinen und sprach: »Ich bitte dich, laß mich gehen, denn ich bin eines Königs einzige Tochter, und mein Vater ist alt und einsam.«

Aber der junge Fischer antwortete: »Ich lasse dich nicht gehen, es sei denn, du gibst mir das Versprechen, daß du kommst, wann immer ich dich rufe, und für mich singst, denn die Fische lauschen gern dem Gesang des Meervolks, und so werden meine Netze sich füllen.«

»Wirst du mich wahrhaftig gehen lassen, wenn ich dir das verspreche?« rief die Meerjungfer.

»Ich werde dich wahrhaftig gehen lassen«, sagte der junge Fischer. So gab sie ihm das Versprechen, das er verlangte, und beschwor es mit dem Eid des Meervolks. Und er löste seine Arme von ihrem Leib, und sie sank nieder ins Wasser und erzitterte in fremdartiger Furcht.

Jeden Abend fuhr der junge Fischer hinaus auf das Meer und rief nach der Meerjungfer, und sie stieg aus dem Wasser und sang für ihn. Rund um sie herum schwammen die Delphine, und die wilden Möwen kreisten über ihrem Kopf.

Und sie sang ein herrliches Lied. Denn sie sang vom Meervolk, das seine Herden von Höhle zu Höhle treibt und die kleinen Kälber auf der Schulter trägt; von den Tritonen mit langen, grünen Bärten und einer behaarten Brust, die in gewundene Muschelhörner blasen, wenn der König vorbeizieht; vom Palast des Königs, der ganz aus Bernstein ist, mit einem Dach aus klarem Smaragd und einem Boden aus strahlenden Perlen; und von den Gärten der See, wo die großen Filigranfächer der Korallen den ganzen Tag auf und nieder wallen und die Fische umherflitzen gleich silbernen Vögeln und die Anemonen sich an die Felsen schmiegen und in geribbtem, gelbem Sand die Nelken knospen. Sie sang von den Sirenen, die von so herrlichen Dingen sagen, daß die Kaufleute ihre Ohren mit Wachs verstopfen müssen, damit sie sie nicht hören und ins Wasser springen und ertrinken; von den versunkenen Galeeren mit ihren hohen Masten, und den erfrorenen Matrosen, die sich ans Takelwerk klammern, und den Makrelen, die durch die offenen Bullaugen aus und ein schwimmen; von den kleinen Entenmuscheln, die große Reisen machen, sich an die Kiele der Schiffe heften und rund um die weite Welt fahren; und von den Tintenfischen, die an den Rändern der Klippen leben und ihre langen schwarzen Arme ausstrecken und Nacht machen können, wann sie wollen. Sie sang vom Nautilus, der ein eigenes Boot hat, aus einem Opal geschnitzt und gesteuert mit einem seidenen Segel; von den glücklichen Meermännern, die auf der Harfe spielen und den großen Kraken in Schlaf zaubern können; von den kleinen Kindern, die die glitschigen Meerschweinchen einfangen und lachend auf ihren Rücken reiten; von den Meerjungfrauen, die im weißen Gischt liegen und ihre Arme ausstrecken nach den Matrosen; und von den Seelöwen mit ihren krummen Fangzähnen und von den Seepferden mit ihren dahintreibenden Mähnen.

Und wie sie so sang, kamen alle die Thunfische aus der Tiefe herauf, um ihr zu lauschen, und der junge Fischer warf seine Netze um sie und fing sie, und andere erlegte er mit dem Speer. Und wenn sein Boot wohlgeladen war, sank die Meerjungfer hinab ins Meer und lächelte ihm zu.

Niemals jedoch kam sie ihm so nahe, daß er sie hätte berühren können. Oft rief er sie und flehte sie an, aber sie kam nicht; und wenn er sie zu fassen suchte, tauchte sie wie eine Robbe ins Wasser und ließ sich den ganzen Tag nicht mehr sehen. Und jeden Tag wurde der Klang ihrer Stimme seinen Ohren süßer. So süß war ihre Stimme, daß er seiner Netze und seiner List vergaß und sich nicht kümmerte um sein Handwerk. Mit zinnoberroten Flossen und Augen aus gebuckeltem Gold schwammen die Thunfische in Scharen vorbei, er aber beachtete sie nicht. Müßig lag der Speer an seiner Seite, und seine Körbe aus Weidengeflecht blieben leer. Mit offenem Mund und vor Staunen dunklen Augen saß er reglos in seinem Boot und lauschte und lauschte, bis die Seenebel um ihn krochen und der wandernde Mond seine braunen Glieder silbern färbte.

Und eines Abends rief er sie und sprach: »Kleine Meerjungfer, kleine Meerjungfer, ich liebe dich. Nimm mich zu deinem Bräutigam, denn ich liebe dich.«

Aber die Meerjungfer schüttelte den Kopf. »Du hast eine menschliche Seele«, antwortete sie. »Wenn du nur deine Seele fortsenden wolltest, dann könnte ich dich lieben.«

Und der junge Fischer sprach bei sich selber: »Was nützt mir meine Seele? Ich kann sie nicht sehen. Ich kann sie nicht berühren. Ich kenne sie nicht. Wahrlich, ich will sie von mir senden, und große Freude wird meiner warten.« Und ein Freudenruf brach von seinen Lippen, er stand auf in dem bunten Boot und streckte seine Arme aus nach der Meerjungfer. »Ich will meine Seele fortsenden«, rief er, »und du sollst meine Braut sein und ich dein Bräutigam, und in den Tiefen des Meeres werden wir zusammen wohnen, und alles, wovon du gesungen hast, sollst du mir zeigen, und alles, was du begehrst, will ich tun, und nichts soll unsere Leben trennen.«

Und die kleine Nixe lachte vor Vergnügen und barg das Gesicht in ihren Händen.

»Aber wie soll ich meine Seele von mir senden?« rief der junge Fischer. »Sag mir, wie ich es tun kann, und siehe! es wird geschehen.«

»Ach! Ich weiß es nicht«, sprach die kleine Meerjungfer. »Das Meervolk hat keine Seelen.« Und sie sank hinab in die Tiefe und blickte ihn sehnsuchtsvoll an.

Früh am nächsten Morgen, bevor die Sonne die Spanne einer Manneshand hoch über dem Hügel stand, ging der junge Fischer zum Haus des Priesters und klopfte dreimal an die Tür.

Der Novize schaute durchs Guckloch heraus, und als er sah, wer es war, schob er den Riegel zurück und sprach: »Tritt ein.« Und der junge Fischer trat ein und kniete auf den süßduftenden Binsen des Bodens nieder und rief den Priester an, der aus der Heiligen Schrift las, und sprach zu ihm: »Vater, ich liebe eine aus dem Meervolk, und meine Seele hindert mich, nach meiner Lust zu tun. Sag mir, wie ich meine Seele von mir sende, denn fürwahr, ich bedarf ihrer nicht. Welchen Wert hat meine Seele für mich? Ich kann sie nicht sehen. Ich kann sie nicht berühren. Ich kenne sie nicht.«

Und der Priester schlug sich die Brust und antwortete: »Wehe, wehe, dein Geist ist irr, oder du hast von giftigen Kräutern gegessen; denn die Seele ist des Menschen edelster Teil, uns von Gott gegeben, auf daß wir uns ihrer in edler Weise bedienen. Kein kostbarer Ding ist als eine menschliche Seele, nichts Irdisches kann sie aufwiegen. Alles Gold ist sie wert, das in der Welt ist, wertvoller ist sie als die Rubine der Könige. Deshalb, mein Sohn, denk nicht weiter daran, denn dies ist eine Sünde, die nicht vergeben wird. Und was das Meervolk anlangt, so sind sie alle verloren, und verloren ist, wer Umgang pflegt mit ihnen. Sie sind wie die Tiere des Feldes, die nicht das Gute vom Üblen scheiden, und für sie ist der Herr nicht gestorben.«

Als er die bitteren Worte des Priesters hörte, füllten die Augen des jungen Fischers sich mit Tränen, und er erhob sich von den Knien und sprach zu ihm: »Vater, die Faune leben im Wald und sind froh, und auf den Klippen sitzen die Meermänner mit ihren Harfen aus rotem Gold. Laß mich sein wie sie, ich flehe dich an, denn ihre Tage sind wie die Tage der Blumen. Und meine Seele, was nützt sie mir, wenn sie zwischen mir steht und dem, was ich liebe?«

»Nichtswürdig ist die Liebe des Leibes«, rief der Priester und zog die Brauen zusammen, »und verächtlich und böse sind die heidnischen Wesen, die Gott durch Seine Welt wandern läßt. Fluch über die Faune des Waldes, und Fluch über die Sänger des Meeres! Zur Nachtzeit habe ich sie gehört, und sie haben mich von meinem Rosenkranz wegzulocken gesucht. Sie klopfen ans Fenster und lachen. Ins Ohr raunen sie mir die Mär ihrer verderblichen Wonnen. Sie versuchen mich mit Versuchungen, und wenn ich bete, schneiden sie mir Fratzen. Verloren sind sie, sage ich dir, sie sind verloren. Für sie gibt es weder Himmel noch Hölle, und weder da noch dort sollen sie den Namen Gottes preisen.«

»Vater«, rief der junge Fischer, »du weißt nicht, was du sagst. Einmal fing ich eine Königstochter in meinem Netz. Sie ist schöner als der Morgenstern und weißer als der Mond. Für ihren Leib will ich meine Seele hingeben, und für ihre Liebe den Himmel abtreten. Sage mir, worum ich dich bitte, und laß mich in Frieden ziehen.«

»Hinweg! Hinweg!« schrie der Priester. »Deine Buhle ist verloren, und du sollst mit ihr verloren sein.« Und er gab ihm keinen Segen, sondern jagte ihn von seiner Tür.

Und der junge Fischer ging hinunter auf den Marktplatz, und er ging langsam, mit gebeugtem Kopf, wie jemand, der ein Leid trägt. Und als die Kaufleute ihn kommen sahen, begannen sie, miteinander zu tuscheln, und einer von ihnen ging ihm entgegen und rief ihn beim Namen und sprach zu ihm: »Was hast du zu verkaufen?«

»Ich will dir meine Seele verkaufen«, antwortete er. »Ich bitte dich, kauf sie mir ab, denn ich bin ihrer müde. Was nützt mir meine Seele? Ich kann sie nicht sehen. Ich kann sie nicht berühren. Ich kenne sie nicht.«

Aber die Kaufleute verhöhnten ihn und sprachen: »Was nützt denn uns eines Menschen Seele? Keine gekippte Silbermünze ist sie wert. Verkaufe uns deinen Leib als Sklave, und wir wollen dich in Seepurpur kleiden und einen Ring an deinen Finger stekken und dich zum Liebling der großen Königin machen. Aber rede uns nicht von der Seele, denn uns ist sie ein Nichts, noch besitzt sie Wert für unser Geschäft.«

Und der junge Fischer sprach bei sich selber: »Wie seltsam! Der Priester sagt, die Seele sei alles Gold der Welt wert, und die Kaufleute sagen, sie sei weniger wert als eine gekippte Silbermünze.« Und er verließ den Marktplatz und ging hinunter ans Gestade des Meeres und begann zu überlegen, was er tun sollte.

Und zu Mittag fiel ihm ein, wie einer seiner Gefährten, der ein Sammler von Meerfenchel gewesen, ihm von einer jungen Hexe erzählt hatte, die am Ende der Bucht in einer Höhle wohnte und in Hexenkünsten sehr beschlagen war. Und er machte sich auf und rannte, so begierig war er, seine Seele loszuwerden, und wie er rund um das Ufer der Bucht lief, folgte ihm eine Staubwolke. Am Jucken ihrer hohlen Hand erriet die junge Hexe, daß er kam, und sie lachte und löste ihr rotes Haar. Umwallt von ihrem roten Haar stand sie am Eingang der Höhle, und in der Hand hielt sie einen blühenden Zweig von wildem Schierling.

»Was brauchst? Was brauchst?« rief sie, als er keuchend den Abhang heraufkam und sich vor ihr neigte. »Fische für dein Netz, wenn der Wind flau ist? Ich habe eine kleine Rohrpfeife, und wenn ich darauf blase, kommen die Meeräschen in die Bucht gezogen. Aber sie hat ihren Preis, schöner Knabe, sie hat ihren Preis. Was brauchst? Was brauchst? Einen Sturm, der die Schiffe scheitern läßt und Kisten voll reicher Schätze ans Land spült? Ich habe mehr Stürme als der Wind, denn ich diene einem, der stärker ist als dieser, und mit einem Sieb und einem Eimer Wasser kann ich die großen Galeeren in den Meeresgrund schikken. Aber es hat seinen Preis, schöner Knabe, es hat seinen Preis. Was brauchst? Was brauchst? Ich weiß eine Blume, die blüht im Tal, keiner kennt sie, nur ich. Purpurne Blätter hat sie und einen Stern im Herzen, und ihr Saft ist weiß wie Milch. Berührtest du mit dieser Blume die harten Lippen der Königin, durch die ganze Welt würde sie dir folgen. Heraus aus dem Bett des Königs würde sie steigen, und durch die ganze Welt würde sie dir folgen. Und das hat seinen Preis, schöner Knabe, das hat seinen Preis. Was brauchst? Was brauchst? Ich kann eine Kröte im Mörser zerstampfen und Brühe daraus machen, und die Brühe rühren mit der Hand eines Toten. Sprenge sie auf deinen Feind, wenn er schläft, und er wird zu einer schwarzen Natter werden, und seine eigene Mutter wird ihn erschlagen. Mit einem Rad kann ich den

Mond vom Himmel ziehen und in einem Kristall dir den Tod zeigen. Was brauchst? Was brauchst? Sag mir, was du begehrst, und ich will es dir geben, und du sollst mir einen Preis zahlen, schöner Knabe, sollst mir einen Preis zahlen.«

»Mein Wunsch geht nur nach einem kleinen Ding«, sagte der junge Fischer, »und doch hat der Priester mir gezürnt und mich fortgejagt. Es ist nur nach einem kleinen Ding, und doch haben die Kaufleute mich verhöhnt und mir's versagt. Deshalb komme ich zu dir, wenn auch die Menschen dich böse nennen, und was dein Preis auch sei, ich will ihn zahlen.«

»Was willst du?« fragte die Hexe und kam näher.

»Ich will meine Seele von mir senden«, antwortete der junge Fischer.

Die Hexe erbleichte und schauerte und verbarg ihr Gesicht in ihrem blauen Umhang. »Schöner Knabe, schöner Knabe«, murmelte sie, »furchtbar ist, was du tun willst.«

Er schüttelte seine braunen Locken und lachte. »Meine Seele achte ich für nichts«, erwiderte er. »Ich kann sie nicht sehen. Ich kann sie nicht berühren. Ich kenne sie nicht.«

»Was willst du mir geben, wenn ich es dir verrate?« fragte die Hexe und blickte mit ihren schönen Augen auf ihn nieder.

»Fünf Goldstücke«, versetzte er, »und meine Netze und das Haus aus Flechtwerk, in dem ich wohne, und das bunte Boot, mit dem ich aufs Meer fahre. Sag mir nur, wie ich meine Seele loswerde, und ich will dir alles geben, was ich besitze.«

Spöttisch lachte sie ihm ins Gesicht und schlug ihn mit dem Schierlingszweig. »Ich kann die Blätter des Herbstes in Gold verwandeln«, antwortete sie, »und ich kann die bleichen Mondstrahlen zu Silber weben, wenn ich es will. Er, dem ich diene, ist reicher als alle Könige dieser Welt, und er herrscht über ihre Länder.«

»Was sonst soll ich dir geben«, rief er, »wenn dein Preis nicht Gold noch Silber ist?«

Mit ihrer schmalen weißen Hand strich die Hexe ihm übers Haar. »Du mußt mit mir tanzen, schöner Knabe«, murmelte sie und lächelte ihm zu, während sie sprach.

»Nichts als das?« rief der junge Fischer verwundert aus und stand auf.

»Nichts als das«, antwortete sie und lächelte ihm wieder zu.

»Dann wollen wir bei Sonnenuntergang an einem geheimen Ort miteinander tanzen«, sagte er, »und wenn wir getanzt haben, sollst du mir sagen, was ich zu wissen begehre.«

Sie schüttelte den Kopf. »Wenn der Mond voll ist, wenn der Mond voll ist«, murmelte sie. Dann spähte sie um sich und horchte. Ein blauer Vogel erhob sich schreiend aus seinem Nest und kreiste über den Dünen, und drei gefleckte Vögel raschelten durch das harte, graue Gras und pfiffen einander zu. Sonst war kein Laut zu hören, außer dem Laut einer Woge, die sich unten an den glatten Kieselsteinen rieb. Da streckte sie ihre Hand aus und näherte sich ihm und brachte ihre trockenen Lippen nahe an sein Ohr.

»Heut nacht mußt du kommen, zum Gipfel des Berges«, flüsterte sie. »Sabbath ist, und Er wird dort sein.«

Der junge Fischer fuhr zusammen und sah sie an, und sie zeigte ihre weißen Zähne und lachte. »Wer ist Er, von dem du sprichst?« fragte er.

»Was liegt daran?« antwortete sie. »Komm du heut nacht und steh unter den Ästen der Hainbuche und warte, bis ich komme. Wenn ein schwarzer Hund auf dich zuläuft, schlag ihn mit einer Weidenrute, und er wird von dir ablassen. Wenn eine Eule dich anruft, gib ihr keine Antwort. Wenn der Mond voll ist, bin ich bei dir, und auf dem Gras wollen wir miteinander tanzen.«

»Aber schwörst du, mir zu sagen, wie ich meine Seele von mir senden kann?« drang er in sie.

Sie trat hinaus ins Sonnenlicht, und der Wind schlängelte sich durch ihr rotes Haar. »Bei den Hufen des Geißbocks, ich schwöre es«, gab sie zur Antwort.

»Du bist die beste der Hexen«, rief der junge Fischer, »und gewiß will ich heute nacht auf dem Gipfel des Berges mit dir tanzen. Ich wünschte zwar, du hättest Gold oder Silber von mir verlangt. Doch was dein Preis auch sei, du sollst ihn haben, denn es ist nur ein Kleines.« Und er zog seine Mütze vor ihr und neigte tief sein Haupt, und von großer Freude erfüllt lief er zurück in die Stadt.

Und die Hexe sah ihm nach, wie er ging, und als er ihr aus den Augen war, trat sie in ihre Höhle; und sie nahm aus einer

Lade von geschnitzter Zeder einen Spiegel und stellte ihn auf einen Balken, und auf glühenden Holzkohlen verbrannte sie davor Eisenkraut und spähte durch das Gekringel des Rauchs. Und nach einer Weile ballte sie die Hände im Zorn. »Mein hätte er werden müssen«, murmelte sie heiser. »Ich bin so schön wie sie.«

Und diesen Abend, als der Mond aufgegangen war, stieg der junge Fischer hinauf zum Gipfel des Berges und stellte sich unter die Äste der Hainbuche. Wie ein Schild von blankem Metall lag das Rund des Meeres zu seinen Füßen, und die Schatten der Fischerboote trieben in der kleinen Bucht. Eine große Eule mit gelben, schwefeligen Augen rief ihn beim Namen, aber er gab ihr keine Antwort. Ein schwarzer Hund lief auf ihn zu und knurrte. Er schlug ihn mit einer Weidenrute, und jaulend lief der Hund weg.

Um Mitternacht kamen wie Fledermäuse die Hexen durch die Luft geflogen. »Hui!« riefen sie, als sie auf die Erde herabstießen, »hier ist einer, den wir nicht kennen!« Und sie schnüffelten umher und schwatzten miteinander und winkten einander zu. Als allerletzte kam die junge Hexe, und ihr rotes Haar flatterte im Wind. Sie trug ein Kleid aus Goldgewebe, mit Pfauenaugen bestickt, und eine kleine Mütze aus grünem Samt saß auf ihrem Kopf.

»Wo ist er, wo ist er?« kreischten die Hexen, als sie sie sahen, aber sie lachte nur und lief zur Hainbuche, nahm den Fischer an der Hand, führte ihn hinaus ins Mondlicht und begann zu tanzen.

Rundherum im Kreis wirbelten sie, und die junge Hexe sprang so hoch, daß er die scharlachroten Absätze ihrer Schuhe sehen konnte. Dann kam quer durch die Tanzenden das Geräusch eines galoppierenden Pferdes, aber kein Pferd war zu sehen, und er fürchtete sich.

»Schneller«, rief die Hexe, und sie warf ihre Arme um seinen Nacken, und ihr Atem war heiß auf seinem Gesicht. »Schneller, schneller!« rief sie, und die Erde schien sich unter seinen Füßen zu drehen, und sein Hirn trübte sich, und eine große Angst überfiel ihn, wie vor Bösem, das ihn belauerte, und endlich gewahrte er, daß unter dem Schatten eines Felsens eine Gestalt war, die zuvor nicht dort gewesen. Es war ein Mann, gekleidet in ein

Gewand aus schwarzem Samt, nach spanischer Mode geschnitten. Sein Gesicht war seltsam bleich, aber seine Lippen waren wie eine stolze rote Blume. Er schien müde, lehnte sich zurück und tändelte achtlos mit dem Knauf seines Dolches. Im Gras neben ihm lagen ein Federhut und ein Paar Reithandschuhe, mit vergoldeten Schnüren besetzt und mit Staubperlen bestickt, die sich zu einem wunderlichen Muster fügten. Ein kurzer, mit Zobel gesäumter Umhang hing von seiner Schulter, und seine feinen weißen Hände waren mit Ringen besetzt. Schwere Lider senkten sich über seine Augen.

Der junge Fischer starrte ihn an, als bannte ihn ein Zauber. Endlich trafen ihre Augen einander, und wo er auch tanzte, stets war ihm, als folgten ihm die Augen des Mannes. Er hörte die Hexe lachen und griff sie um den Leib und wirbelte sie wie rasend um und um.

Plötzlich bellte ein Hund im Wald, und die Tänzer hielten inne und gingen in Paaren hin, knieten nieder und küßten des Mannes Hände. Als sie dies taten, berührte der Anflug eines Lächelns seine stolzen Lippen, wie eines Vogels Schwinge das Wasser berührt, daß es sich lachend kräuselt. Doch lag Verachtung darin. Noch immer war sein Blick auf den jungen Fischer gerichtet.

»Komm! Laß uns anbeten«, raunte die Hexe, und sie führte ihn hin, und eine große Begierde erfaßte ihn, zu tun, was sie verlangte, und er folgte ihr. Doch als er nahe heran war, schlug er, ohne zu wissen warum, auf seiner Brust das Zeichen des Kreuzes und sprach den heiligen Namen aus.

Kaum hatte er das getan, so kreischten die Hexen auf wie Falken und flogen hinweg, und das bleiche Gesicht, das ihn angeblickt, zuckte in einem Schmerzenskrampf. Der Mann schritt hinüber zu einem kleinen Gehölz und pfiff. Ein kleines spanisches Pferd mit silbernem Geschirr kam ihm entgegengetrabt. Als er sich in den Sattel schwang, wandte er sich um und blickte den jungen Fischer traurig an.

Und die Hexe mit den roten Haaren versuchte ebenfalls wegzufliegen, aber der Fischer packte sie bei den Handgelenken und hielt sie fest.

»Gib mich frei«, rief sie, »und laß mich gehen. Denn du hast ausgesprochen, was nicht ausgesprochen werden soll, und jenes Zeichen gezeigt, das nicht erblickt werden darf.«

»O nein«, erwiderte er, »ich lasse dich nicht gehen, du sagtest mir denn das Geheimnis.«

»Welches Geheimnis?« sagte die Hexe, rang mit ihm wie eine wilde Katze und biß sich auf die schaumgefleckten Lippen.

»Du weißt es«, gab er zur Antwort.

Ihre grasgrünen Augen wurden trüb vor Tränen, und sie sagte zum Fischer: »Verlange alles von mir, nur dies nicht.«

Er lachte und hielt sie nur um so fester.

Und als sie sah, daß sie sich nicht befreien konnte, flüsterte sie ihm zu: »Ich bin wohl auch so schön wie die Tochter der See und so anmutig wie sie, die in den blauen Wassern wohnen«, und schmeichelnd schmiegte sie sich an ihn und brachte ihr Gesicht dicht an das seine.

Er aber stieß sie finster zurück und sprach: »Wenn du nicht das Versprechen hältst, das du mir gegeben, will ich dich als eine falsche Hexe erschlagen.«

Sie wurde grau wie die Blüte des Judasbaumes und erschauerte. »Sei es denn«, murmelte sie. »Es ist deine Seele und nicht meine. Mach damit, was du willst.« Und sie zog aus ihrem Gürtel ein kleines Messer mit einem Griff aus grüner Natternhaut und gab es ihm.

»Wozu soll mir das dienen?« fragte er verwundert.

Eine kleine Weile schwieg sie, und ein Ausdruck des Entsetzens flog über ihr Gesicht. Dann strich sie ihr Haar aus der Stirn zurück, lächelte ihn seltsam an und sagte: »Was die Menschen den Schatten des Leibes nennen, ist nicht der Schatten des Leibes, sondern der Leib der Seele. Stelle dich ans Ufer des Meeres mit dem Rücken zum Mond und schneide rund um deine Füße deinen Schatten weg, der der Leib deiner Seele ist, und heiß deine Seele, dich zu verlassen, und sie wird es tun.«

Der junge Fischer zitterte. »Ist das wahr?« murmelte er.

»Es ist wahr, und ich wollte, ich hätte es dir nicht gesagt«, rief sie und umfaßte weinend seine Knie.

Er schob sie von sich und ließ sie im üppigen Gras, trat an des Gipfels Rand, steckte das Messer in seinen Gürtel und begann hinabzusteigen.

Und seine Seele, die in ihm war, rief heraus zu ihm und sprach: »Siehe! Alle diese Jahre habe ich bei dir gewohnt und war deine Dienerin. Sende mich jetzt nicht von dir; denn was habe ich dir Übles getan?«

Und der junge Fischer lachte. »Du hast mir nichts Übles getan, aber ich brauche dich nicht«, antwortete er. »Die Welt ist weit, und da sind der Himmel und auch die Hölle und jenes trübe, dämmrige Haus, das zwischen beiden liegt. Gehe, wohin du willst, aber belästige mich nicht, denn meine Liebste ruft nach mir.«

Und seine Seele beschwor ihn flehentlich, aber er achtete ihrer nicht, sondern sprang wie eine wilde Ziege mit sicherem Fuß von Klippe zu Klippe, und endlich erreichte er ebenen Grund und das gelbe Gestade des Meeres.

Mit bronzenen Gliedern und anmutiger Gestalt, gleich einer von den Griechen geformten Statue, stand er am Strand, den Rücken zum Mond gekehrt, und aus dem Gischt hoben sich weiße Arme, die ihm zuwinkten, und aus den Wogen erhoben sich Nebelgestalten, die ihm huldigten. Vor ihm lag sein Schatten, der der Leib seiner Seele war, und hinter ihm hing der Mond in der honigfarbenen Luft. Und seine Seele sprach zu ihm: »Wenn du mich denn wirklich von dir treiben mußt, so sende mich nicht ohne Herz fort. Die Welt ist grausam, gib mir dein Herz, daß ich es mitnehmen kann.«

Er schüttelte seinen Kopf und lächelte. »Womit sollte ich meine Liebste lieben, wenn ich dir mein Herz gäbe?« rief er.

»Ach, habe Erbarmen mit mir«, bat seine Seele. »Gib mir dein Herz, denn die Welt ist sehr grausam, und ich fürchte mich.«

»Mein Herz gehört meiner Liebsten«, antwortete er, »daher verweile nicht, sondern gehe mir aus den Augen.«

»Soll nicht auch ich lieben?« fragte seine Seele.

»Hebe dich hinweg, denn ich bedarf deiner nicht«, rief der junge Fischer, und er nahm das kleine Messer mit dem Griff aus grüner Natternhaut, und rings um seine Füße schnitt er seinen Schatten weg, und der Schatten erhob sich und stand vor ihm und blickte ihn an, und es war einer gerade so wie der andere.

Der Fischer wich zurück und stieß das Messer in seinen Gürtel, und ein Gefühl des Grauens überkam ihn. »Hebe dich hinweg«, murmelte er, »und laß mich dein Gesicht nicht mehr sehen.«

»Und doch müssen wir einander wiederbegegnen«, versetzte die Seele. Ihre Stimme war leise und flötengleich, und wenn sie sprach, bewegten sich kaum ihre Lippen.

»Wie sollten wir einander wiederbegegnen?« rief der junge Fischer. »Du willst mir doch nicht folgen in die Tiefen des Meeres?«

»Einmal im Jahr will ich an diesen Ort hier kommen und dich rufen«, erwiderte die Seele. »Vielleicht, daß du dann meiner bedarfst.«

»Wie sollte ich deiner bedürfen?« rief der junge Fischer. »Doch es sei, wie du willst«, und er tauchte hinab in die Flut, und die Tritonen stießen in ihre Hörner, und die kleine Meerjungfer kam herauf, ihm entgegen, und sie schlang ihre Arme um seinen Hals und küßte ihn auf den Mund.

Und die Seele stand am einsamen Strand und sah ihnen zu. Und als sie hinuntergesunken waren ins Meer, ging sie weinend über die Marschen davon.

Und als ein Jahr vorüber war, kam die Seele herab ans Gestade des Meeres und rief den jungen Fischer, und er stieg empor aus der Tiefe und sagte: »Weshalb rufst du mich?« Und die Seele antwortete: »Komm näher, auf daß ich mit dir rede, denn ich habe wunderbare Dinge gesehen.«

Da kam er näher und lagerte sich im seichten Wasser, stützte den Kopf in die Hand und lauschte.

Und die Seele sagte zu ihm: »Als ich dich verlassen hatte, wandte ich mein Antlitz nach Osten und wanderte. Aus dem Osten kommt alles, was weise ist. Sechs Tage wanderte ich, und am Morgen des siebenten Tages gelangte ich an einen Hügel, der im Land der Tataren liegt. Im Schatten eines Tamariskenbaumes setzte ich mich nieder, um Schutz vor der Sonne zu suchen. Das Land war dürr und ganz versengt von der Hitze. Menschen bewegten sich auf der Ebene hin und her wie Fliegen, die über eine blanke Kupferscheibe kriechen.

Zur Mittagsstunde erhob sich am flachen Horizont des Landes eine Wolke von rotem Staub. Als die Tataren sie gewahrten, spannten sie ihre bemalten Bogen, schwangen sich auf ihre kleinen Pferde und jagten ihr entgegen. Kreischend flohen die Weiber zu den Wagen und versteckten sich hinter Vorhängen aus Fellen.

In der Dämmerung kehrten die Tataren zurück, aber fünf von ihnen fehlten, und von denen, die zurückgekommen, waren nicht wenige verwundet. Sie schirrten ihre Pferde vor die Wagen und zogen eilig davon. Drei Schakale kamen aus einer Höhle und schauten ihnen nach. Dann witterten sie mit ihren Nüstern in die Luft und trotteten in die entgegengesetzte Richtung davon.

Als der Mond aufging, sah ich ein Lagerfeuer auf der Ebene brennen und ging darauf zu. Rund um das Feuer auf Teppichen saß eine Gesellschaft von Kaufleuten. Ihre Kamele waren hinter ihnen angepflockt, und die Neger, die ihre Diener waren, stellten Zelte aus gegerbten Häuten im Sand auf und errichteten einen hohen Wall aus Opuntien.

Als ich mich ihnen genähert hatte, erhob sich der Oberste der Händler, zog sein Schwert und fragte mich nach meinem Begehr.

Ich erwiderte, ich sei ein Fürst in meinem Land und den Tataren entflohen, die getrachtet hätten, mich zu ihrem Sklaven zu machen. Der Anführer lächelte und wies auf fünf Köpfe, die auf hohen Bambusstangen staken.

Dann fragte er mich, wer der Prophet Gottes sei, und ich antwortete: Mohammed.

Als er den Namen des falschen Propheten hörte, verneigte er sich, nahm mich bei der Hand und hieß mich an seiner Seite sitzen. Ein Neger brachte mir Stutenmilch in einer hölzernen Schale und ein Stück gebratenen Lammfleisches.

Bei Tagesanbruch machten wir uns auf die Reise. Ich ritt auf einem rothaarigen Kamel an der Seite des Anführers, und ein Läufer, der einen Speer trug, lief vor uns her. Links und rechts von uns schritten die Krieger, und die Maultiere folgten mit den Waren. Vierzig Kamele zählte ich, und die Maultiere waren zweimal vierzig an der Zahl.

Wir zogen vom Land der Tataren ins Land derer, die den Mond verfluchen. Auf den weißen Felsen sahen wir die Greife ihr Gold hüten und die schuppigen Drachen in ihren Höhlen schlafen. Wenn wir über die Gebirge stiegen, hielten wir den

Atem an, daß der Schnee nicht auf uns fiele, und jeder von uns band sich einen Gazeschleier vor die Augen. Wenn wir durch die Täler kamen, schossen aus den Höhlungen der Bäume die Pygmäen mit Pfeilen nach uns, und zur Nachtzeit hörten wir die Wilden ihre Trommeln schlagen. Als wir zum Turm der Affen kamen, stellten wir Früchte vor sie hin, und sie taten uns kein Leid. Als wir zum Turm der Schlangen kamen, gaben wir ihnen warme Milch in Messingschalen, und sie ließen uns vorüberziehen. Dreimal auf unserer Reise stießen wir an die Ufer des Oxus. Wir überquerten ihn auf Flößen aus Holz und prallen Schwimmblasen aus Tierhäuten. Die Flußpferde wüteten gegen uns und wollten uns töten. Wenn die Kamele sie sahen, so zitterten sie.

Die Könige einer jeden Stadt erhoben Zoll von uns, verwehrten uns aber, durch ihre Tore zu schreiten. Sie warfen uns Brot über die Mauern, kleine, in Honig gebackene Maiskuchen, und Kuchen aus feinem Mehl, mit Datteln gefüllt. Für jedes Hundert Körbe gaben wir ihnen eine Bernsteinperle.

Wenn die Bewohner der Dörfer uns kommen sahen, vergifteten sie die Brunnen und flohen auf die Berggipfel. Wir kämpften gegen die Magadäer, die alt zur Welt kommen und jedes Jahr jünger und jünger werden und sterben, wenn sie kleine Kinder sind; und gegen die Laktroiten, die von sich sagen, sie wären die Söhne von Tigern, und sich selber gelb und schwarz bemalen; und gegen die Auranten, die ihre Toten in den Wipfeln der Bäume bestatten und selbst in dunklen Höhlen leben, auf daß die Sonne, die ihr Gott ist, sie nicht töte; und gegen die Krimnier, die ein Krokodil anbeten und ihm Ohrringe aus grünem Gras geben und es mit Butter und frischem Geflügel nähren; und gegen die Agazomben, die Hundsgesichtigen, und gegen die Silbaner, die Pferdefüße haben und schneller laufen als Pferde. Ein Dritteil unserer Schar fiel in der Schlacht, und ein Dritteil erlag dem Mangel. Die übrigen murrten gegen mich und sagten, ich hätte ihnen Unglück gebracht. Da griff ich unter einen Stein, holte eine Hornviper hervor und ließ mich von ihr stechen. Als sie sahen, daß ich davon nicht erkrankte, erschraken sie.

Im vierten Monat erreichten wir die Stadt Illel. Es war Nacht, als wir bei dem Hain anlangten, der außerhalb ihrer Mauern liegt, und die Luft war schwül, denn der Mond stand im Zeichen des Skorpions. Wir pflückten die reifen Granatäpfel von den Bäumen und brachen sie auf und tranken ihren süßen Saft. Dann legten wir uns nieder auf unsere Teppiche und warteten auf die Morgendämmerung.

Und in der Morgendämmerung erhoben wir uns und klopften ans Tor der Stadt. Es war aus roter Bronze geschmiedet und mit Seedrachen und Drachen, die Flügel haben, ziseliert. Die Wächter blickten von ihren Zinnen herab und fragten nach unserem Begehr. Der Dolmetscher der Karawane erwiderte, wir kämen mit viel Ware von der Insel Syrien.

Sie nahmen Geiseln und sagten, sie wollten zu Mittag das Tor für uns öffnen, und hießen uns bis dahin warten.

Als es Mittag war, öffneten sie das Tor, und als wir die Stadt betraten, kamen die Menschen in Scharen aus den Häusern, uns anzugaffen, und ein Ausrufer ging durch die ganze Stadt und rief durch eine Muschel. Wir standen auf dem Marktplatz, und die Neger schnürten die bunten Stoffballen auf und öffneten die geschnitzten Kästen aus Sykomorenholz. Und als sie damit geendet hatten, breiteten die Händler ihre seltenen Waren aus: gewachstes Linnen aus Ägypten, gefärbtes Linnen aus dem Land der Äthiopier, Purpurschwämme aus Tyrus und blaue Wandbehänge aus Sidon, Schalen aus kühlem Bernstein, feine Gefäße aus Glas und seltsame Gefäße aus gebranntem Ton. Vom Dach eines Hauses sah uns eine Schar von Frauen zu. Eine von ihnen trug eine Maske aus vergoldetem Leder.

Und am ersten Tag kamen die Priester und tauschten mit uns, und am zweiten Tag kamen die Vornehmen, und am dritten Tag kamen die Handwerker und die Sklaven. Und so ist es bei ihnen Brauch mit allen Kaufleuten, solange sie in ihrer Stadt weilen.

Und wir verweilten einen Mond lang, und als der Mond im Abnehmen war, wurde ich des Treibens müde und wanderte durch die Straßen der Stadt und gelangte zum Hain ihres Gottes. Schweigend wandelten die Priester in ihren gelben Gewändern dahin unter den grünen Bäumen, und auf einem Pflaster aus schwarzem Marmor erhob sich das rosenrote Haus, in dem der Gott seine Wohnung hatte. Seine Tore waren mit gestäubtem Lack bedeckt, und in erhabener Arbeit prangten darauf Stiere und Pfaue aus glänzendem Gold. Das Dach deckten Ziegel von meergrünem Porzellan, und die vorspringenden Traufen waren mit Glöckchen behangen. Wenn die weißen Tauben vorüberflogen, schlugen sie mit ihren Flügeln an die Glöckchen und ließen sie klingeln.

Vor dem Tempel war ein Teich von klarem Wasser, mit geädertem Onyx gepflastert. Ich legte mich daneben hin, und mit meinen bleichen Fingern berührte ich die breiten Blätter. Einer der Priester kam auf mich zu und blieb hinter mir stehen. An den Füßen hatte er Sandalen, eine aus weicher Schlangenhaut, die andere aus Vogelgefieder. Auf seinem Kopf trug er eine Mitra aus schwarzem Filz, geschmückt mit silbernen Mondsicheln. In siebenfältigem Gelb war sein Gewand gewoben, und sein gekräuseltes Haar war mit Antimon gefärbt.

Und nach einer kleinen Weile redete er mich an und fragte mich nach meinem Begehr.

Ich sagte ihm, mein Begehren wäre, den Gott zu sehen.

›Der Gott ist auf der Jagd‹, sprach der Priester und blickte mich mit seinen schmalen, schrägen Augen seltsam an.

›Sag mir, in welchem Wald, und ich will mit ihm reiten‹, antwortete ich.

Er kämmte mit seinen langen, gespitzten Nägeln durch die weichen Fransen seiner Tunika. ›Der Gott schläft‹, murmelte er.

›Sag mir, auf welchem Lager, und ich will bei ihm wachen‹, erwiderte ich.

›Der Gott ist beim Festmahl‹, rief er.

›Ist der Wein süß, so will ich mit ihm trinken, und ist er bitter, so will ich gleichfalls mit ihm trinken‹, war meine Antwort.

Staunend neigte er den Kopf, faßte mich an der Hand, half mir auf und führte mich in den Tempel hinein.

Und in der ersten Kammer sah ich ein Götzenbild auf einem Thron aus Jaspis sitzen, besetzt mit großen, glänzenden Perlen. Es war aus Ebenholz geschnitzt, und seine Gestalt war gleich der Gestalt eines Mannes. Auf seiner Stirn leuchtete ein Rubin, und dickflüssiges Öl tropfte von seinem Haar nieder auf seine Schenkel. Seine Füße waren gerötet vom Blut eines frisch geschlachteten Zickleins, seine Lenden gegürtet mit einem Kupfergürtel, der mit sieben Beryllen besetzt war.

Und ich sprach zu dem Priester: ›Ist das der Gott?‹, und er antwortete: ›Das ist der Gott.‹

›Zeig mir den Gott‹, rief ich, ›oder ich werde dich gewißlich töten.‹ Und ich berührte seine Hand, und sie verdorrte.

Und der Priester flehte mich an und sprach: ›Möge mein Herr seinen Diener heilen, und ich will ihm den Gott zeigen.‹ Da blies ich mit meinem Atem auf seine Hand, und sie ward wieder heil, und er erzitterte und führte mich in die zweite Kammer, und ich sah ein Götzenbild auf einem Lotus aus Jade stehen, behängt mit großen Smaragden. Es war aus Elfenbein geschnitzt, und seine Gestalt war doppelt so groß wie die Gestalt eines Mannes. Auf seiner Stirn glänzte ein Chrisolyt, und seine Brüste waren mit Myrrhen und Zimt gesalbt. In einer Hand hielt es ein gebogenes Zepter aus Jade, in der anderen einen runden Kristall. Es stand auf Kothurnen aus Messing, und von seinem dicken Nacken wand sich ein Kranz von Seleniten.

Und ich sprach zu dem Priester: ›Ist das der Gott?‹, und er antwortete mir: ›Das ist der Gott.‹

›Zeig mir den Gott‹, schrie ich, ›oder ich werde dich gewißlich töten.‹ Und ich berührte seine Augen, und sie waren blind.

Und der Priester flehte mich an und sprach: ›Möge mein Herr seinen Diener heilen, und ich will ihm den Gott zeigen.‹

Da blies ich mit meinem Atem über seine Augen, und das Gesicht kam ihm zurück; er erzitterte wieder und führte mich in die dritte Kammer, und siehe! dort war kein Götzenbild, noch ein Bild von anderer Art, sondern nur ein runder Spiegel aus Metall auf einem steinernen Altar.

Und ich sprach zu dem Priester: ›Wo ist der Gott?‹

Und er antwortete mir: ›Es gibt keinen Gott außer diesem Spiegel, den du siehst, denn dies ist der Spiegel der Weisheit. Und er spiegelt alle Dinge wider, die im Himmel und auf Erden sind, ausgenommen allein das Antlitz dessen, der in ihn hineinblickt. Dies allein spiegelt er nicht wider, auf daß er, der hineinblickt, weise sei. Viele andere Spiegel sind hier, doch sie sind nur Spiegel der Meinungen. Dieser allein ist der Spiegel der Weisheit. Und die diesen Spiegel besitzen, sind allwissend, und nichts bleibt ihnen verborgen. Und die ihn nicht besitzen, haben auch keine Weisheit. Deshalb ist er der Gott, und wir beten ihn an.‹ Und ich blickte in den Spiegel, und es war, wie er mir gesagt hatte. Und ich tat etwas Seltsames; doch was es war, ist nicht wichtig, denn in einem Tal, nur eine Tagesreise von hier, habe ich den Spiegel der Weisheit verborgen. Laß mich nur wieder in dich ein und dein Diener sein, und du sollst weiser sein als alle Weisen, und alle Weisheit soll dein sein. Laß mich nur wieder in dich eingehen, und keiner wird so weise sein wie du.«

Aber der junge Fischer lachte. »Liebe ist besser als Weisheit«, rief er, »und die kleine Meerjungfer liebt mich.«

»Nein, nichts ist besser als Weisheit«, sagte die Seele.

»Die Liebe ist besser«, antwortete der junge Fischer und tauchte hinab in die Tiefe, und die Seele ging weinend weg über die Marschen davon.

Und als das zweite Jahr vorüber war, kam die Seele herab ans Gestade des Meeres und rief den jungen Fischer, und er stieg empor aus der Tiefe und sagte: »Was rufst du mich?«

Und die Seele antwortete: »Komm näher, auf daß ich mit dir rede, denn ich habe wunderbare Dinge gesehen.«

Da kam er näher und lagerte sich im seichten Wasser und stützte den Kopf in die Hand und lauschte.

Und die Seele sagte zu ihm: »Als ich dich verließ, wandte ich mein Antlitz nach Süden und wanderte. Aus dem Süden kommt alles, was kostbar ist. Sechs Tage wanderte ich über die Landstraßen, die zu der Stadt Aschter führen, über die staubigen, rötlichen Landstraßen wanderte ich, wo die Pilger ziehen, und am Morgen des siebenten Tages erhob ich meine Augen, und siehe! die Stadt lag zu meinen Füßen, denn sie liegt in einem Tal.

Neun Tore führen in diese Stadt, und vor jedem Tor steht ein bronzenes Roß, das wiehert, wenn die Beduinen niedersteigen von den Bergen. Die Mauern sind mit Kupfer gepanzert, die Wachttürme auf den Wällen mit Messing überdacht. In jedem Turm steht ein Bogenschütze mit einem Bogen in der Hand. Bei Sonnenuntergang stößt er in ein hürnenes Horn.

Als ich die Stadt betreten wollte, hielten die Wachen mich auf und fragten mich, wer ich sei. Ich gab zur Antwort, ich sei ein Derwisch und auf dem Weg nach der Stadt Mekka, wo man einen grünen Schleier habe, worauf in silbernen Lettern von der

Hand der Engel der Koran gestickt wäre. Von Staunen erfüllt, forderten sie mich auf, einzutreten.

Drinnen war es wie in einem Basar. Wahrlich, du hättest mit mir sein sollen. Über den engen Gassen flattern bunte Papierlaternen gleich großen Schmetterlingen. Wenn der Wind über die Dächer bläst, steigen und fallen sie wie farbige Seifenblasen. Auf Seidenteppichen sitzen die Kaufleute vor ihren Buden. Sie haben glatte, schwarze Bärte, und ihre Turbane sind mit goldenen Zechinen bedeckt, und lange Schnüre von Bernstein und geschnitzten Pfirsichkernen gleiten durch ihre kühlen Finger. Einige von ihnen verkaufen Galbanum und Narde, und seltsames Räucherwerk von den Inseln des Indischen Meeres, und das dickflüssige Öl der roten Rosen, und Myrrhe und kleine, nagelförmige Nelken. Bleibt einer stehen, um mit ihnen zu sprechen, so werfen sie Weihrauchkörner auf ein Kohlenbecken und machen damit die Luft süß. Ich sah einen Syrer, der in seinen Händen einen Stab hielt, dünn wie ein Schilfrohr. Graue Rauchfäden stiegen davon auf, und sein Geruch, da er brannte, war wie der Duft von rosa Mandelblüten im Frühling. Andere verkaufen silberne Armreifen, über und über besetzt mit milchigblauen Türkisen, und Knöchelreifen aus Messingdraht, mit kleinen Perlen gesäumt, und in Gold gefaßte Tigerklauen, und die Klauen jener güldenen Katze, des Leoparden, gleichfalls in Gold gefaßt, und Ohrringe aus durchbohrtem Smaragd, und Fingerringe aus gehöhlter Jade. Aus den Teehäusern steigt der Klang der Gitarre, und die Opiumraucher mit ihren weißen, lächelnden Gesichtern blicken heraus auf die Vorübergehenden.

Wahrlich, du hättest mit mir sein sollen. Mit ihren Ellbogen bahnen die Weinverkäufer sich den Weg durch die Menge, große schwarze Schläuche auf ihren Schultern. Die meisten von ihnen verkaufen den Wein aus Schiraz, der so süß ist wie Honig. Sie schenken ihn aus in kleinen metallenen Näpfen und streuen Rosenblätter darauf. Auf dem Marktplatz stehen die Obsthändler, die alle Arten von Früchten feilbieten: reife Feigen mit ihrem aufbrechenden purpurnen Fleisch, Melonen, nach Moschus duftend und gelb wie Topase, Zitronen und Rosenäpfel und Trauben von weißem Wein, runde, rotgoldene Orangen und ovale Limonen von grünem Gold. Einmal sah ich einen Elefanten vorübergehen. Sein Rüssel war mit Zinnober und Gelbwurz bemalt, und über seine Ohren spannte sich ein Netz von karmesinfarbenen seidenen Schnüren. Gegenüber einer der Buden hielt er an und begann, die Orangen zu fressen, und der Händler lachte nur. Du kannst dir nicht vorstellen, was für ein seltsames Volk das ist. Wenn sie fröhlich sind, gehen sie zu den Vogelhändlern und kaufen einen gefangenen Vogel im Käfig und lassen ihn frei, auf daß ihre Freude noch größer werde, und wenn sie traurig sind, geißeln sie sich selber mit Dornen, auf daß ihre Trauer sich nicht mindere.

Eines Abends begegnete ich Negern, die eine schwere Sänfte durch den Basar trugen. Sie war aus vergoldetem Bambus gemacht, und die Tragstangen waren aus zinnoberrotem Lack, mit Pfauen aus Messing beschlagen. Vor den Fenstern hingen dünne Vorhänge aus Musselin, bestickt mit Käferflügeln und feinen Staubperlen, und als die Sänfte vorüberzog, sah eine bleiche Zirkassierin heraus und lächelte mir zu. Ich folgte der Sänfte, und die Neger blickten finster und beschleunigten ihre Schritte. Doch das kümmerte mich nicht. Ich fühlte, wie eine große Neugier über mich kam.

Endlich verhielten sie vor einem würfelförmigen weißen Haus. Es hatte keine Fenster, nur eine kleine Pforte, wie der Eingang zu einer Gruft. Sie setzten die Sänfte nieder und klopften dreimal mit einem kupfernen Hammer. Ein Armenier in einem Kaftan aus grünem Leder spähte heraus, und da er sie erblickte, öffnete er und breitete einen Teppich auf den Boden, und die Frau stieg aus der Sänfte. Als sie hineinging, wandte sie sich um und lächelte mir abermals zu. Nie hatte ich jemanden gesehen, der so bleich war.

Als der Mond aufging, kehrte ich an denselben Ort zurück und hielt Ausschau nach dem Haus, aber es war nicht mehr da. Als ich das sah, wußte ich, wer die Frau war, und warum sie mir zugelächelt hatte.

Wahrlich, du hättest mit mir sein sollen. Beim Fest des Neuen Mondes trat der junge Kaiser heraus aus seinem Palast und ging in die Moschee, um zu beten. Sein Haar und Bart waren mit Rosenblättern gefärbt, und seine Wangen mit feinem Goldstaub gepudert. Die Flächen seiner Füße und Hände waren gelb von Safran.

Bei Sonnenaufgang schritt er heraus aus seinem Palast in einem Gewand aus Silber, und bei Sonnenuntergang kehrte er in einem Gewand aus Gold dahin zurück. Das Volk warf sich auf die Erde und verbarg sein Gesicht, aber ich verhielt mich nicht ebenso. Ich stand neben der Bude eines Dattelverkäufers und wartete. Als der Kaiser mich erblickte, hob er seine bemalten Brauen und hielt an. Ich stand ganz ruhig und erwies ihm keine Huldigung. Die Leute erstaunten über meine Verwegenheit und rieten mir, aus der Stadt zu fliehen. Ich beachtete sie nicht, sondern ging hin und setzte mich zu den Verkäufern fremder Götter, die man um ihres Gewerbes willen verabscheut. Als ich ihnen erzählte, was ich getan hatte, gab mir jeder von ihnen einen Gott und bat mich, sie zu verlassen.

Diese Nacht, da ich in dem Teehaus in der Straße der Granatäpfel auf einem Kissen lag, traten des Kaisers Wachen ein und führten mich zum Palast. Als ich eintrat, schlossen sie jedes Tor hinter mir zu und legten eine Kette davor. Drinnen war ein großer Hof, um den ein Arkadengang lief. Die Mauern waren aus weißem Alabaster, hier und dort mit blauen und grünen Ziegeln eingelegt. Die Pfeiler waren aus grünem Marmor, das Pflaster aus Marmor in der Farbe von Pfirsichblüten. Nie zuvor hatte ich Ähnliches gesehen.

Da ich über den Hof ging, sahen zwei verschleierte Frauen von einem Balkon herab und verwünschten mich. Die Wachen hasteten vorwärts, und die Schäfte ihrer Lanzen hallten auf dem blanken Boden. Sie öffneten ein Tor aus geschnitztem Elfenbein, und ich fand mich in einem wohlbewässerten, in sieben Terrassen ansteigenden Garten. Er war bepflanzt mit Tulpen und Mondblumen und silberdurchwirkten Aloen. Wie ein schlankes Schilfrohr aus Kristall hing ein Springbrunnen in der schwärzlichen Luft. Die Zypressen glichen ausgebrannten Fackeln. Auf einer von ihnen sang eine Nachtigall.

Am Ende des Gartens stand ein kleiner Pavillon. Als wir uns ihm näherten, traten zwei Eunuchen heraus und kamen uns entgegen. Ihre fetten Leiber schwappten beim Gehen, und mit ihren gelblidrigen Augen blickten sie mich neugierig an. Der eine von ihnen zog den Hauptmann der Wache beiseite und flüsterte ihm mit leiser Stimme etwas zu. Der andere kaute schmatzend duftende Pastillen, die er mit einer gezierten Geste einer ovalen Dose aus lila Email entnahm.

Nach wenigen Augenblicken entließ der Hauptmann der Wache die Soldaten. Sie gingen zurück zum Palast; langsam folgten ihnen die Eunuchen, die im Vorübergehen süße Maulbeeren von den Bäumen pflückten. Einmal wandte der ältere der beiden sich um und lächelte mir zu mit einem üblen Lächeln.

Dann winkte mich der Hauptmann der Wache zum Eingang des Pavillons. Ohne Zittern schritt ich vorwärts, schlug den schweren Vorhang zur Seite und trat ein.

Der junge Kaiser ruhte ausgestreckt auf einem Lager aus gegerbten Löwenfellen, und ein Gerfalke hockte auf seinem Handgelenk. Hinter ihm stand ein Nubier mit einem Turban aus Messing, nackt bis zu den Hüften und mit schweren Ohrringen in seinen gespaltenen Ohren. Auf einem Tisch neben dem Ruhebett lag ein mächtiger Türkensäbel aus Stahl.

Als der Kaiser mich erblickte, runzelte er die Stirn und sagte zu mir: ›Was ist dein Name? Weißt du nicht, daß ich der Kaiser dieser Stadt bin?‹ Aber ich gab ihm keine Antwort.

Er deutete mit seinem Finger auf den Türkensäbel, und der Nubier ergriff ihn, stürzte vorwärts und hieb nach mir mit großer Gewalt. Die Klinge zischte durch mich hindurch und tat mir keinen Schaden. Der Mann fiel der Länge nach auf den Boden, und als er aufstand, klapperten seine Zähne vor Entsetzen, und er verbarg sich hinter dem Lager.

Der Kaiser sprang auf, riß eine Lanze aus einem Waffenständer und schleuderte sie auf mich. Ich fing sie in ihrem Flug und zerbrach den Schaft in zwei Teile. Er schoß nach mir mit einem Pfeil, aber ich hob meine Hände empor, und der Pfeil stand mitten in der Luft still. Da zückte der Kaiser einen Dolch aus einem Gürtel aus weißem Leder und bohrte ihn dem Nubier in den Hals, daß der Sklave seine Schmach nicht verriete. Der Mann krümmte sich wie eine zertretene Schlange, und roter Schaum troff von seinen Lippen.

Kaum war er tot, wandte sich der Kaiser zu mir, und nachdem er mit einem kleinen Mundtuch aus bestickter purpurfarbener Seide sich den glänzenden Schweiß von der Stirn gewischt hatte, sprach er: ›Bist du ein Prophet, daß ich dir kein Leid tun kann, oder der Sohn eines Propheten, daß ich dich nicht zu verwunden vermag? Ich bitte dich, verlaß meine Stadt noch diese Nacht, denn solange du in ihr weilst, bin ich nicht länger ihr Herr.‹

Und ich antwortete ihm: ›Um die Hälfte deines Schatzes will ich gehen. Gib mir die Hälfte deines Schatzes, und ich will von hinnen ziehen.‹

Er nahm mich bei der Hand und führte mich hinaus in den Garten. Als der Hauptmann der Garde mich sah, erstaunte er sehr. Als die Eunuchen mich erblickten, schlotterten ihre Knie, und sie fielen in Furcht zu Boden.

Im Palast gibt es eine Kammer mit acht Wänden aus rotem Porphyr und einer messinggeschuppten Decke, die mit Lampen behangen ist. Der Kaiser berührte eine der Wände, und sie öffnete sich, und wir schritten einen Gang hinunter, der von vielen Fackeln erhellt war. In den Nischen zur Linken und zur Rechten standen große Weinkrüge, bis zum Rand gefüllt mit Silberstücken. Als wir die Mitte des Ganges erreicht hatten, sprach der Kaiser das Wort aus, das nicht genannt werden darf, und von einer geheimen Feder bewegt, sprang eine granitene Tür auf, und er legte die Hände vor das Gesicht, daß seine Augen nicht geblendet würden.

Du kannst nicht ermessen, was dieser für ein herrlicher Ort war. Da waren ungeheure Schildkrötenschalen voll mit Perlen, und gehöhlte Mondsteine von seltener Größe, überhäuft von roten Rubinen. In Koffern aus Elefantenhaut war das Gold gelagert und der Goldstaub in ledernen Flaschen. Da waren Opale und Saphire, jene in Schalen von Kristall, diese in Schalen von Jade. Runde grüne Smaragde reihten sich auf feinen Platten von Elfenbein, und in einer Ecke lehnten seidene Beutel, die einen gefüllt mit Türkisen, die anderen mit Beryllen. Aus Füllhörnern von Elfenbein quollen purpurfarbene Amethyste, aus Füllhörnern von Messing Chalzedone und Karneole. Die Pfeiler aus Zedernholz waren mit Schnüren von gelben Luchssteinen behangen. In flachen, ovalen Schilden lagen Karfunkel, weinfarbene und solche von der Farbe des Grases. Und doch habe ich dir erst ein Zehntel von dem beschrieben, was dort war.

Und als der Kaiser die Hände vom Gesicht genommen hatte,

sprach er zu mir: ›Dies ist mein Schatzhaus, und die Hälfte von dem, was darin ist, sei dein, wie ich es dir versprochen habe. Und ich will dir Kamele geben und Kameltreiber, und sie sollen tun, wie du ihnen heißt, und deinen Teil des Schatzes an jeden Ort der Welt bringen, wohin du auch ziehen möchtest. Und das soll noch heute nacht geschehen, denn ich will nicht, daß der Gott der Sonne, der mein Vater ist, in meiner Stadt einen Mann erblickt, den ich nicht töten kann.‹

Ich aber erwiderte ihm: ›Das Gold, das hier ist, ist dein, und auch das Silber ist dein, und dein sind die kostbaren Juwelen und die wertvollen Dinge. Denn ich selber bedarf ihrer nicht. Nichts will ich von dir nehmen als den kleinen Ring, den du am Finger deiner Hand trägst.‹

Und der Kaiser runzelte die Stirn. ›Es ist nur ein Ring aus Blei‹, rief er, ›und er hat keinen Wert. Nimm deshalb die Hälfte meines Schatzes und gehe aus meiner Stadt.‹

›Nein‹, antwortete ich, ›ich will nichts nehmen als nur diesen Ring aus Blei, denn ich weiß, was darin geschrieben steht und zu welchem Zweck.‹

Und der Kaiser erzitterte und flehte mich an und sprach: ›Nimm den ganzen Schatz und gehe aus meiner Stadt. Auch die Hälfte, die mein ist, soll noch dir gehören.‹

Und ich tat etwas Seltsames, doch was ich tat, ist nicht wichtig, denn in einer Höhle, die nur eine Tagesreise von hier ist, habe ich den Ring der Reichtümer verborgen. Es ist nur eine Tagesreise von hier, und er erwartet dein Kommen. Er, der den Ring hat, ist reicher als alle Könige der Welt. Komm daher und nimm ihn, und die Reichtümer der Welt sollen dein sein.«

Aber der junge Fischer lachte. »Liebe ist besser als Reichtum«, rief er, »und die kleine Meerjungfer liebt mich.«

»Nein, nichts ist besser als Reichtum«, sagte die Seele.

»Die Liebe ist besser«, antwortete der junge Fischer, und er tauchte hinab in die Tiefe, und die Seele ging weinend über die Marschen davon.

Und da das dritte Jahr vorüber war, kam die Seele herab ans Gestade des Meeres und rief den jungen Fischer, und er stieg herauf aus der Tiefe und sagte: »Weshalb rufst du mich?«

Und die Seele antwortete: »Komm näher, auf daß ich mit dir rede, denn ich habe wunderbare Dinge gesehen.«

Da kam er näher, lagerte sich im seichten Wasser, stützte den Kopf in die Hand und lauschte.

Und die Seele sprach zu ihm: »In einer Stadt, die ich kenne, steht eine Schenke am Ufer des Flusses. Dort saß ich mit Matrosen, die von zwei verschiedenfarbenen Weinen tranken und Gerstenbrot aßen und kleine gesalzene Fische, die auf Lorbeerblättern mit Essig gereicht wurden. Und als wir da saßen und fröhlich waren, da trat zu uns ein alter Mann, der trug einen Teppich aus Leder und eine Laute mit zwei Schnecken aus Bernstein. Und als er den Teppich auf den Boden gebreitet hatte, schlug er mit einem Federkiel die Drahtsaiten seiner Laute, und ein Mädchen mit verschleiertem Gesicht lief herein und begann, vor uns zu tanzen. Ihr Gesicht war mit einem Schleier von Gaze verhangen, doch ihre Füße waren nackt. Nackt waren ihre Füße, und sie schwebten über den Teppich wie kleine weiße Tauben. Nie habe ich etwas so Herrliches gesehen, und die Stadt, in der sie tanzt, ist nur eine Tagesreise von hier.«

Als nun der junge Fischer diese Worte seiner Seele vernahm, fiel ihm ein, daß die kleine Meerjungfer keine Füße hatte und nicht tanzen konnte. Und ein großes Verlangen überkam ihn, und er sprach bei sich selber: »Es ist nur eine Tagesreise von hier, und ich kann zu meiner Liebsten zurückkehren«, und er lachte und stand auf in dem seichten Wasser und schritt zum Ufer.

Und als er das trockene Ufer erreicht hatte, lachte er wieder und breitete die Arme seiner Seele entgegen. Und seine Seele stieß einen lauten Freudenschrei aus und lief auf ihn zu und ging in ihn ein, und vor sich auf den Sand hingeworfen sah der junge Fischer jenen Schatten des Leibes, der der Leib der Seele ist.

Und seine Seele sprach zu ihm: »Laß uns nicht säumen, sondern uns sogleich aufmachen, denn die Meeresgötter sind eifersüchtig und haben Ungeheuer, die ihrem Geheiß folgen.«

Sie eilten also von hinnen und zogen die ganze Nacht dahin unter dem Mond, und den ganzen nächsten Tag wanderten sie dahin unter der Sonne, und am Abend dieses Tages kamen sie zu einer Stadt.

Und der junge Fischer sprach zu seiner Seele: »Ist das die Stadt, in der sie tanzt, von der du mir gesagt hast?«

Und seine Seele antwortete ihm: »Es ist nicht diese Stadt, sondern eine andere. Dennoch laß uns hineingehen.«

Sie gingen also hinein und wanderten durch die Straßen, und als sie durch die Straße der Juweliere kamen, sah der junge Fischer eine schöne Silberschale in einer Bude ausgestellt. Und seine Seele sprach zu ihm: »Nimm diese Silberschale und verbirg sie.«

Da nahm er die Schale und verbarg sie in den Falten seiner Tunika, und sie verließen eilends die Stadt.

Und nachdem sie sich eine Wegstunde von der Stadt entfernt hatten, runzelte der junge Fischer die Stirn und schleuderte die Schale von sich und sprach zu seiner Seele: »Warum hießest du mich, diese Schale zu nehmen und zu verbergen, da dies doch übel gehandelt war?«

Aber seine Seele erwiderte ihm: »Sei ruhig, sei ruhig!«

Und am Abend des zweiten Tages kamen sie zu einer Stadt, und der junge Fischer sprach zu seiner Seele: »Ist das die Stadt, in der sie tanzt, von der du mir gesagt hast?«

Und seine Seele antwortete: »Es ist nicht diese Stadt, sondern eine andere. Dennoch laß uns hineingehen.«

Sie gingen also hinein und wanderten durch die Straßen, und als sie durch die Straße der Sandalenverkäufer kamen, sah der junge Fischer neben einem Wasserkrug ein Kind stehen. Und seine Seele sprach zu ihm: »Ohrfeige dieses Kind.« Da ohrfeigte er das Kind, bis es weinte, und als er das getan hatte, verließen sie eilends die Stadt.

Und nachdem sie sich eine Wegstunde von der Stadt entfernt hatten, da wurde der junge Fischer zornig und sprach zu seiner Seele: »Warum hießest du mich dieses Kind ohrfeigen, da dies doch übel gehandelt war?«

Aber seine Seele erwiderte ihm: »Sei ruhig, sei ruhig.«

Und am Abend des dritten Tages kamen sie zu einer Stadt, und der junge Fischer sprach zu seiner Seele: »Ist das die Stadt, in der sie tanzt, von der du mir gesagt hast?«

Und seine Seele antwortete ihm: »Es kann sein, daß es diese Stadt ist, laß uns daher hineingehen.«

Also betraten sie die Stadt und wanderten durch die Straßen, aber nirgends konnte der junge Fischer den Fluß finden, noch die Schenke, die an seinem Ufer stand. Und die Bewohner der Stadt blickten ihn neugierig an, und er begann, sich zu fürchten, und sprach zu seiner Seele: »Laß uns weiterziehen, denn sie, die mit weißen Füßen tanzt, ist nicht hier.«

Doch seine Seele versetzte: »Nein, laß uns noch verweilen, denn die Nacht ist finster, und es werden Räuber auf dem Weg sein.« Da setzte er sich hin auf den Marktplatz und rastete, und nach einer Weile kam ein Kaufmann vorüber, der sich in einen Umhang aus Tatarentuch gehüllt hatte und auf der Spitze eines knotigen Rohres eine Laterne trug, die aus durchbrochenem Horn war. Und der Kaufmann sprach zu ihm: »Was sitzest du hier auf dem Marktplatz, da die Buden geschlossen und die Ballen verschnürt sind?«

Und der junge Fischer antwortete ihm: »Ich kann keine Herberge finden in dieser Stadt, noch habe ich Vetter oder Bruder, der mir Obdach gäbe.«

»Sind wir nicht alle Brüder?« versetzte der Kaufmann. »Hat nicht ein Gott uns alle geschaffen? Daher komme mit mir, denn ich habe Raum für einen Gast.«

Da erhob sich der junge Fischer und folgte dem Kaufmann zu seinem Haus. Und als er durch einen Garten mit Granatäpfelbäumen geschritten war und das Haus betreten hatte, brachte der Kaufmann ihm Rosenwasser in einem kupfernen Becken, daß er sich die Hände wasche, und reife Melonen, daß er seinen Durst stille, und stellte eine Schale voll Reis und ein Stück gebratenen Zickleins vor ihn hin.

Und nachdem er sein Mahl beendet hatte, führte der Kaufmann ihn ins Gastzimmer und hieß ihn schlafen und wohl ruhen. Und der junge Fischer dankte ihm und küßte den Ring, der an seiner Hand war, und legte sich nieder auf die Teppiche aus gefärbtem Ziegenhaar. Und nachdem er sich mit einer Decke aus schwarzer Schafwolle zugedeckt hatte, fiel er in Schlaf.

Und drei Stunden vor der Morgendämmerung, da es noch Nacht war, weckte ihn seine Seele und sprach zu ihm: »Erhebe dich und geh ins Zimmer des Kaufmanns, in das Zimmer, darin er schläft, und erschlage ihn, und nimm ihm sein Gold, denn wir können es wohl gebrauchen.«

Und der junge Fischer erhob sich und schlich zum Zimmer des Kaufmanns, und quer über den Füßen des Kaufmanns lag ein krummes Schwert, und auf dem Tisch neben dem Kaufmann lagen neun Börsen voll Gold. Und er streckte seine Hand aus und griff nach dem Schwert, und als er es berührte, fuhr der Kaufmann zusammen und erwachte, sprang auf und griff selber nach dem Schwert und rief dem jungen Fischer zu: »Vergiltst du so Gutes mit Üblem und zahlst mit Blutvergießen für die Güte, die ich dir erwies?«

Und seine Seele sagte zu dem jungen Fischer: »Schlag ihn!« Und er schlug den Kaufmann derart, daß diesem die Sinne vergingen, und der junge Fischer ergriff die neun Börsen voll Gold und floh hastig durch den Granatäpfelgarten und wandte sein Antlitz nach jenem Stern, der der Stern des Morgens ist.

Und als sie sich eine Wegstunde von der Stadt entfernt hatten, da schlug sich der junge Fischer an die Brust und sprach zu seiner Seele: »Warum hießest du mich den Händler schlagen und sein Gold stehlen? Wahrlich, du bist von Übel.« Aber seine Seele erwiderte ihm: »Sei ruhig, sei ruhig.«

»Nein«, rief der junge Fischer, »ich will nicht ruhig sein, denn ich hasse alles, was du mich tun ließest. Auch dich hasse ich, und ich bitte dich, mir zu sagen, warum du so mit mir umgehst.«

Und seine Seele gab ihm zur Antwort: »Als du mich in die Welt hinausstießest, gabst du mir kein Herz; so lernte ich alle diese Dinge tun und mich daran erfreuen.«

»Was sagst du da?« murmelte der junge Fischer.

»Du weißt es«, versetzte seine Seele, »du weißt es wohl. Hast du vergessen, daß du mir kein Herz gabst? Ich glaube kaum. Und nun quäle weder dich selber noch mich, sondern sei ruhig, denn da ist kein Schmerz, den du nicht geben, noch ein Vergnügen, das du nicht empfangen sollst.« Und als der junge Fischer diese Worte hörte, zitterte er und sagte zu seiner Seele: »Nein, du bist von Übel, hast mich meine Liebste vergessen lassen, mich mit Versuchungen versucht und meinen Fuß den Pfad der Sünde geführt.«

Und seine Seele antwortete ihm: »Du hast es nicht vergessen, daß du mir kein Herz gabst, als du mich in die Welt hinaussandtest. Komm, laß uns in eine andere Stadt ziehen und lustig sein, denn wir haben neun Börsen voll Gold.«

Aber der junge Fischer nahm die neun Börsen voll Gold und warf sie auf die Erde und trat sie unter seine Füße.

»Nein«, rief er, »nein, ich will nichts mit dir zu schaffen haben, noch will ich irgendwohin mit dir gehen; sondern wie ich dich zuvor von mir stieß, also will ich dich auch jetzt verstoßen, denn du hast mir nichts als Unheil gebracht.« Und er wandte seinen Rücken dem Mond zu, und mit dem kleinen Messer, dessen Griff aus grüner Natternhaut war, versuchte er, von seinen Füßen jenen Schatten des Leibes wegzuschneiden, der der Leib der Seele ist.

Doch seine Seele wich nicht von ihm, noch achtete sie seines Gebotes, sondern sprach zu ihm: »Der Zauber, den die Hexe dich lehrte, hilft dir nichts mehr, denn ich kann dich nicht verlassen, noch kannst du mich von hinnen senden. Einmal in seinem Leben kann der Mensch seine Seele fortsenden, aber der seine Seele wieder bei sich aufnimmt, muß sie von nun an bei sich behalten, und das ist seine Strafe und sein Lohn.«

Und der junge Fischer erbleichte und ballte die Hände und schrie: »Sie war eine falsche Hexe, daß sie mir das nicht gesagt hat.«

»Das war sie nicht«, antwortete seine Seele, »sie war nur Ihm treu, den sie anbetet und dessen Magd sie immer sein wird.«

Und da nun der junge Fischer wußte, daß er seine Seele nie wieder loswerden konnte und daß sie eine böse Seele war und immer bei ihm wohnen würde, da fiel er zu Boden und weinte bitterlich.

Und als es Tag geworden, erhob sich der junge Fischer und sprach zu seiner Seele: »Ich werde meine Hände binden, daß ich deinem Geheiß nicht folge leiste, und meine Lippen schließen, daß ich nicht deine Worte spreche, und an den Ort zurückkehren, wo sie ihre Wohnung hat, die ich liebe. Sogleich will ich zum Meer zurückkehren und in die kleine Bucht, wo sie zu singen pflegte, und ich will nach ihr rufen und ihr das Übel bekennen, das ich getan habe, und das Übel, das du über mich gebracht hast.«

Und seine Seele versuchte ihn und sagte: »Wer ist deine Liebste, daß du zu ihr zurückkehren solltest? Die Welt hat viele, die schöner sind als sie. Da sind die Tänzerinnen von Samaris, die tanzen in der Art der Vögel und der vierbeinigen Tiere. Ihre Füße sind mit Henna gefärbt, und in ihren Händen haben sie kleine kupferne Schellen. Sie lachen, während sie tanzen, und ihr Lachen ist so hell wie das Lachen des Wassers. Komm mit mir, und ich will sie dir zeigen. Denn was ist es, was dich an der Sünde ängstigt? Ist, was vergnüglich ist zu essen, nicht gemacht für den Esser? Ist Gift in dem Getränk, das süß ist zu trinken? Ängstige dich nicht, sondern komm mit mir in eine andere Stadt. Nahe von hier ist eine kleine Stadt, darin steht ein Garten von Tulpenbäumen. Und in diesem anmutigen Garten hausen weiße Pfauen und Pfauen mit blauer Brust. Wenn sie in der Sonne ihre Räder schlagen, so sind sie wie Scheiben von Elfenbein und wie Scheiben von Gold. Und die sie füttert, tanzt zu ihrer Lust, und manchmal tanzt sie auf den Händen und ein anderes Mal auf den Füßen. Ihre Augen sind mit Antimon gefärbt, und ihre Nasenflügel sind wie die Schwingen einer Schwalbe. Von einem Häkchen aus ihrer Nase hängt eine Blume herab, und die ist aus einer Perle geschnitzt. Während sie tanzt, lacht sie, und die silbernen Spangen rund um ihre Knöchel klingeln wie silberne Glocken. Betrübe dich also nicht länger, sondern komm mit mir in diese Stadt.«

Aber der junge Fischer gab seiner Seele keine Antwort, sondern verschloß seine Lippen mit dem Siegel des Schweigens; mit einer straffen Schnur band er seine Hände, und so reiste er zurück an den Ort, von dem er gekommen war, bis zu jener kleinen Bucht, wo seine Liebste zu singen pflegte. Und wieder und wieder versuchte ihn seine Seele, während sie wanderten, aber er gab ihr keine Antwort, noch tat er etwas von all dem Bösen, das sie ihn tun hieß, so groß war die Macht der Liebe, die in ihm war.

Und als er das Gestade des Meeres erreicht hatte, da löste er den Strick von seinen Händen und nahm das Siegel des Schweigens von seinen Lippen und rief nach der kleinen Meerjungfer. Aber sie kam nicht auf seinen Ruf, obwohl er den ganzen Tag nach ihr rief und flehte.

Und seine Seele verhöhnte ihn und sprach: »Du hast wahrlich nicht viel Freude an deiner Liebe. Du bist wie einer, der zur

Zeit der Dürre Wasser schöpft mit einem zerbrochenen Gefäß. Du gibst hin, was du hast, und nichts wird dir dafür gegeben. Es wäre besser für dich, du kämst mit mir, denn ich weiß, wo das Tal der Lust liegt und welche Dinge dort getan werden.« Aber der junge Fischer gab seiner Seele keine Antwort, sondern baute sich in einer Felsenkluft eine Hütte aus Flechtwerk und verweilte hier ein volles Jahr. Und jeden Morgen rief er nach der Meerjungfer, und jeden Mittag rief er wieder nach ihr, und am Abend nannte er ihren Namen. Doch niemals stieg sie herauf aus der See, um ihn zu sehen, und an keinem Ort des Meeres konnte er sie finden, obgleich er in den Höhlen und im grünen Wasser nach ihr suchte, in den Wassern der Gezeiten und in den Brunnen am Grund des Meeres.

Und immer wieder versuchte ihn seine Seele mit Übel und raunte ihm von gräßlichen Dingen. Doch sie vermochte damit bei ihm nichts, so groß war die Macht seiner Liebe.

Und als das Jahr vorüber war, da dachte die Seele in ihm: »Ich habe meinen Herrn mit Übel versucht, und seine Liebe ist stärker als ich. Nun will ich ihn mit Gutem versuchen, und es mag sein, daß er dann mit mir kommt.«

So redete sie also den jungen Fischer an und sprach: »Ich habe dir von den Freuden der Welt erzählt, und du hast mir ein taubes Ohr geliehen. Laß mich dir nun vom Leid der Welt berichten, vielleicht daß du mir Gehör gibst. Denn das Leid ist in Wahrheit Herr dieser Welt, und keiner ist, der seinem Netz entschlüpft. Den einen fehlt es an Kleidern, den anderen an Brot. Witwen gibt es, die schreiten in Purpur einher, und andere, die gehen in Fetzen. Hin und her auf den Mooren gehen die Aussätzigen, und sie sind grausam gegeneinander. Die Bettler ziehen die Landstraßen auf und ab, und ihre Ranzen sind leer. Durch die Straßen der Stadt schleicht die Hungersnot, und vor ihren Toren hockt die Pest. Komm, laß uns hingehen und den Jammer lindern und dem Elend abhelfen. Was sollst du hier verweilen und nach deiner Liebsten rufen, da sie doch nicht kommt auf deinen Ruf? Und was ist die Liebe, daß du ihr so hohen Wert zuerkennst?« Aber der junge Fischer gab ihr keine Antwort, so groß war die Macht seiner Liebe. Und jeden Morgen rief er nach der Meerjungfer, und jeden Mittag rief er wieder nach ihr, und am Abend nannte er ihren Namen. Doch niemals stieg sie herauf aus der See, um ihn zu sehen, und an keinem Ort des Meeres konnte er sie finden, obgleich er nach ihr suchte in den Strömen der See und in den Tälern, die unter den Wogen sind, im Meer, das die Nacht purpurn färbt, und im Meer, das die Morgendämmerung grau hinter sich läßt.

Und als das zweite Jahr vorüber war, sprach die Seele des Nachts zu dem jungen Fischer, da er allein saß in seiner Hütte aus Flechtwerk: »Siehe! Nun habe ich dich mit Bösem versucht, und ich habe dich mit Gutem versucht, und deine Liebe ist stärker als ich. Ich will dich deshalb nicht länger versuchen, sondern dich bitten, du mögest mich einlassen in dein Herz, auf daß ich eins werde mit dir wie zuvor.«

»Du bist in meinem Herzen willkommen«, erwiderte der junge Fischer. »Denn in den Tagen, da du ohne Herz durch die Welt gingst, magst du wohl viel gelitten haben.«

»Ach!« rief die Seele, »ich kann keine Stelle für einen Eingang finden, so ganz umschlossen von Liebe ist dein Herz.«

»Und doch wollte ich, ich könnte dir helfen«, antwortete der junge Fischer.

Und als er das sagte, da erklang vom Meer her ein lauter Schmerzensschrei, jener Schrei, den die Menschen hören, wenn jemand vom Meervolk gestorben ist. Und der junge Fischer sprang auf und verließ sein geflochtenes Haus und stürzte hinunter ans Ufer. Und die schwarzen Wogen kamen eilends ans Ufer gerollt und führten mit sich eine Last, die weißer war als Silber. Weiß wie die Brandung war sie, und wie eine Blume trieb sie auf den Wogen. Und die Brandung entriß sie den Wogen, und der Schaum entriß sie der Brandung, und das Gestade empfing sie, und zu seinen Füßen liegend erblickte der junge Fischer den Leib der kleinen Meerjungfer. Tot lag sie zu seinen Füßen.

Weinend wie einer, den der Schmerz zu Boden drückt, warf er sich an ihrer Seite nieder und küßte das kalte Rot des Mundes und spielte mit dem feuchten Bernstein des Haares. An ihrer Seite warf er sich hin auf den Sand und weinte wie jemand, der vor Lust erschauert, und in seinen braunen Armen drückte er sie an seine Brust. Kalt waren die Lippen, und doch küßte er sie. Salz war der Honig des Haares, doch er kostete ihn mit bitterer

Freude. Er küßte die geschlossenen Augenlider, und der wilde Gischt, der auf den Hügeln ihrer Augen lag, war weniger salzig als seine Tränen.

Und dem toten Leib beichtete er. In die Muscheln ihrer Ohren goß er den herben Wein seiner Geschichte. Er legte die kleinen Hände um seinen Nacken, und mit seinen Fingern berührte er das zarte Rohr des Halses. Bitter, bitter war seine Freude, und voll fremdartiger Freude war sein Schmerz.

Die schwarze See kam näher, und der weiße Schaum ächzte wie ein Aussätziger. Mit weißen Tatzen aus Schaum griff die See ans Ufer. Aus dem Palast des Meerkönigs kam wieder der Schrei der Trauer, und weit draußen auf dem Meer bliesen die großen Tritonen heiser auf ihren Hörnern.

»Flieh hinweg«, sprach seine Seele, »denn siehe, näher und näher rollt die See, und wenn du säumst, wird sie dich verderben. Fliehe, denn ich fürchte mich, weil deiner großen Liebe wegen dein Herz vor mir verschlossen ist. Flieh hinweg an einen sicheren Ort. Du willst mich doch nicht ohne Herz in eine andere Welt senden wollen?«

Aber der junge Fischer hörte nicht auf seine Seele, sondern rief die kleine Meerjungfer an und sprach: »Liebe ist besser als Weisheit und kostbarer als Reichtum und schöner als die Füße der Menschentöchter. Feuer kann sie nicht zerstören, noch Wasser sie löschen. In der Morgendämmerung rief ich dich, und du kamst nicht auf meinen Ruf. Der Mond hörte deinen Namen, doch du schenktest mir kein Gehör. Zum Bösen hatte ich dich verlassen, und zu meinem eigenen Schmerze war ich fortgegangen. Jedoch immer war deine Liebe bei mir, und immer war sie stark, und nichts kam gegen sie auf, ob ich auf Übles sah oder auf Gutes. Und nun, da du tot bist, nun will ich wahrlich mit dir sterben.«

Und seine Seele beschwor ihn, aufzubrechen, aber er wollte nicht, so groß war seine Liebe. Und die See kam näher und suchte ihn mit ihren Wogen zu bedecken, und als er sah, daß das Ende nahe war, küßte er mit irren Lippen die kalten Lippen der Meerjungfer, und sein Herz im Leibe brach ihm. Und als durch die Fülle seiner Liebe sein Herz brach, da fand die Seele einen Eingang und ging hinein und war eins mit ihm wie zuvor. Und die See bedeckte den jungen Fischer mit ihren Wogen.

Und am Morgen ging der Priester hinaus, um das Meer zu segnen, denn es war stürmisch gewesen. Und mit ihm gingen die Mönche und die Musikanten und die Kerzenträger und die Weihrauchschwinger und eine große Gesellschaft.

Und als der Priester das Ufer erreichte, da sah er den jungen Fischer ertrunken in der Brandung liegen, und in seinen Armen lag der Leib der kleinen Meerjungfer. Und erzürnt wandte er sich ab und machte das Zeichen des Kreuzes und rief laut und sprach: »Ich will das Meer nicht segnen, noch irgend etwas, das darin ist. Verflucht sei das Meervolk und verflucht seien alle, die mit ihm Umgang treiben. Und was ihn anlangt, der um der Liebe willen Gott verließ und hier liegt mit seiner Buhle, erschlagen von Gottes Urteil – nehmt auf seinen Leichnam und den Leichnam seiner Buhle und begrabt sie in der Ecke des Schindangers und setzt kein Mal darauf, noch ein Zeichen von irgendeiner Art, auf daß keiner den Ort ihrer Ruhe wisse. Denn verflucht waren sie zu ihren Lebzeiten, und verflucht sollen sie auch in ihrem Tode sein.«

Und die Leute taten, wie er sie geheißen, und in der Ecke des Schindangers, wo keine süßen Kräuter wachsen, gruben sie eine tiefe Grube und legten die toten Leiber hinein.

Und als das dritte Jahr vorüber war, an einem Tag, der ein heiliger Tag war, ging der Priester hinauf zur Kapelle, daß er dem Volk die Wunden des Herrn zeige und zu ihnen spreche von Gottes Zorn.

Und als er, in seine Gewänder gekleidet, eintrat und sich vor dem Altar neigte, da sah er, daß der Altar mit fremdartigen Blumen bedeckt war, wie man sie niemals zuvor gesehen hatte. Seltsam waren sie anzuschauen und von eigenartiger Schönheit, und ihre Schönheit verwirrte ihn, und ihr Duft war süß in seiner Nase, und er war froh und wußte nicht, warum.

Und als er den Tabernakel geöffnet und die Monstranz darin beweihräuchert und die schöne Hostie dem Volk gezeigt und sie wieder hinter dem Schleier der Schleier verborgen hatte, begann er, zum Volk zu sprechen, und er wollte ihm sagen von Gottes Zorn. Aber die Schönheit der weißen Blumen verwirrte ihn, und ihr Duft war süß in seiner Nase, und ein anderes Wort kam auf seine Lippen, und er sprach nicht von Gottes Zorn, sondern von dem Gott, dessen Name Liebe heißt. Und warum er so sprach, wußte er nicht.

Und als er seine Predigt geendet hatte, da weinten die Leute, und der Priester ging zurück in seine Sakristei, und seine Augen waren voll Tränen. Und die Diakone traten herein und begannen, ihn zu entkleiden, und nahmen ihm die Alba und den Gürtel ab, die Manipel und die Stola. Und er stand da wie im Traum.

Und da sie ihm die Kleider abgenommen hatten, blickte er sie an und sprach: »Was sind das für Blumen, die auf dem Altar stehen, und woher kommen sie?«

Und sie antworteten ihm: »Was das für Blumen sind, können wir nicht sagen, aber sie kommen von der Ecke des Schindangers.«

Und der Priester erzitterte und kehrte ein in sein Haus und betete.

Und am Morgen, da es noch dämmerte, ging er hinaus mit den Mönchen und den Musikanten, den Kerzenträgern und den Weihrauchschwingern und einer großen Gesellschaft und gelangte ans Gestade des Meeres und segnete das Meer und alle die wilden Geschöpfe, die darin sind. Auch die Faune segnete er und die kleinen Geschöpfe, die im Walde tanzen, und die Wesen mit den glänzenden Augen, die zwischen den Blättern herausspähen. Alle Lebewesen in Gottes Welt segnete er, und die Leute waren erfüllt von Freude und Staunen. Doch niemals wieder blühten in der Ecke des Schindangers Blumen von irgendeiner Art, sondern das Feld blieb unfruchtbar wie zuvor. Und auch das Meervolk kam nicht mehr in die Bucht wie früher, denn es zog in einen anderen Teil der See.

Das Sternkind

Es waren einmal zwei arme Holzfäller, die gingen durch einen großen Tannenwald nach Hause. Es war Winter, und die Nacht war bitterkalt. Hoch lag der Schnee auf der Erde und auf den Ästen der Bäume. Zu ihrer Rechten und Linken knackte, wenn sie vorübergingen, der Frost die kleinen Zweige, und als sie zu dem Gebirgsbach kamen, hing er reglos in der Luft, denn die Eiskönigin hatte ihn geküßt.

So kalt war es, daß selbst die Tiere des Waldes und die Vögel nicht wußten, was sie davon halten sollten.

»Huuu!« knurrte der Wolf, als er durchs Unterholz humpelte, den Schwanz zwischen den Beinen. »Das ist doch tatsächlich ein scheußliches Wetter. Warum tut denn die Regierung nichts dagegen?« – »Uitt! Uitt! Uitt!« zwitscherten die grünen Hänflinge, »die alte Erde ist tot, und sie haben sie in ihrem weißen Leichentuch aufgebahrt.«

»Die Erde will Hochzeit halten, und das ist ihr Brautkleid«, gurrten die Turteltauben einander zu. Ihre kleinen rosa Füße waren schon ganz erfroren, aber sie hielten es für ihre Pflicht, die Lage in romantischem Licht zu betrachten.

»Unsinn!« brummte der Wolf. »Ich sage euch, das ist alles Schuld der Regierung, und wenn ihr es nicht glaubt, werde ich euch fressen.« Der Wolf war eine durch und durch praktische Natur und nie um ein schlagendes Argument verlegen.

»Nun, ich meinerseits«, versetzte der Specht, der ein geborener Philosoph war, »ich kümmere mich kein Atom um Erklärungen. Wenn etwas so ist, ist es so, und zur Zeit ist es entsetzlich kalt.«

Entsetzlich kalt war es nun allerdings wirklich. Die kleinen Eichhörnchen, die im Inneren des hohen Tannenbaums wohnten, rieben in einem fort ihre Nasen aneinander, um sich warm zu halten, und die Kaninchen lagen zusammengerollt in ihren Löchern und wagten es nicht einmal, zur Tür hinauszugucken. Die einzigen, die sich wohl zu fühlen schienen, waren die großen Uhus. Ihr Gefieder war ganz steif vom Reif, aber das störte sie nicht. Sie rollten ihre großen gelben Augen und riefen einander quer durch den Wald zu: »Tu-uitt! Tu-wu! Tu-uitt! Tu-wuu! Was haben wir doch für ein herrliches Wetter!«

Weiter und weiter stapften die beiden Holzfäller, hauchten sich kräftig auf die Finger und stampften mit ihren riesigen eisenbeschlagenen Stiefeln auf dem festgefrorenen Schnee. Einmal versanken sie in einer tiefen Schneewehe und kamen so weiß heraus wie die Müller, wenn die Mühlsteine gerade Korn mahlen. Und einmal glitten sie aus auf dem harten, glatten Eis über dem gefrorenen Sumpf, und ihr Reisig fiel heraus aus den Bündeln, und sie mußten es aufklauben und wieder zusammenbinden. Und einmal glaubten sie schon, sie hätten den Weg verloren, und eine große Angst befiel sie, denn sie wußten, wie grausam der Schnee zu denen ist, die in seinen Armen einschlafen. Aber sie setzten ihr Vertrauen auf den guten Heiligen Martin, der über allen Wanderern wacht, gingen auf ihren Spuren zurück und dann sehr vorsichtig weiter, und endlich erreichten sie den Waldrand und sahen tief unten im Tal unter sich die Lichter des Dorfes, in welchem sie lebten.

So überglücklich waren sie über ihre Rettung, daß sie aus vollem Halse lachten, und die Erde kam ihnen vor wie eine Blume aus Silber und der Mond wie eine Blume aus Gold.

Doch nachdem sie gelacht hatten, wurden sie traurig, denn sie dachten an ihre Armut, und der eine von ihnen sagte zu dem andern: »Warum haben wir uns nur so gefreut, wo doch das Leben für die Reichen ist und nicht für solche wie uns? Besser wären wir im Wald umgekommen vor Kälte, oder ein wildes Tier hätte uns angefallen und zerrissen.«

»Wahrlich«, erwiderte sein Gefährte, »manchen ist viel gegeben, anderen aber nur wenig. Das Unrecht hat die Welt verteilt, und nur der Kummer ist einem jeden gleich zugemessen.« Doch während sie einander ihr Elend klagten, geschah etwas Seltsames: Vom Himmel fiel ein hellglänzender, schöner Stern. Er glitt am Himmel seitlich herab, vorbei an den anderen Sternen auf seinem Lauf, und da sie ihm staunend mit den Augen folgten, kam es ihnen vor, als ginge er hinter einer Gruppe von Weidenbäumen nieder, die nahe an einer kleinen Schafhürde stand, nicht mehr als einen Steinwurf von ihnen entfernt.

»Hoho! Da liegt ein Topf voll Gold für den, der ihn findet«, riefen sie und stürzten los und rannten, so begierig waren sie auf das Gold.

Und der eine von ihnen lief schneller als sein Gefährte und überholte ihn und bahnte sich einen Weg durch die Weiden und kam auf der anderen Seite wieder heraus, und siehe! da lag wirklich etwas Goldenes auf dem weißen Schnee. Er eilte also darauf zu, beugte sich nieder und berührte es mit den Händen, und es war ein Umhang aus Goldgewebe, mit Sternen wundersam durchwirkt und in viele Falten geschlungen. Und er rief seinem Gefährten zu, er hätte den Schatz gefunden, der vom Himmel gefallen war, und als sein Gefährte herzukam, setzten sie sich in den Schnee und lösten die Knoten des Umhangs, daß sie die Goldstücke unter sich teilten. Aber ach! Da war weder Gold darin noch Silber, noch sonst ein Schatz, sondern nur ein kleines Kind, das ruhig schlief.

Und der eine von ihnen sagte zu dem andern: »Das ist ein bitteres Ende für unsere Hoffnung, und gar kein Glück ist uns beschieden, denn was bringt ein Kind dem Manne für einen Nutzen? Wir wollen es hier liegenlassen und unseres Weges gehen, denn wir sind arme Leute und haben selber Kinder, deren Brot wir nicht an ein fremdes Kind verschenken dürfen.«

Aber sein Gefährte entgegnete ihm: »Nein, es wäre übel gehandelt, wenn wir das Kind hier im Schnee umkommen ließen. Bin ich gleich ebenso arm wie du und habe viele Mäuler zu stopfen und nur wenig im Topf, so will ich es doch mit mir nach Haus tragen, und mein Weib soll sich seiner annehmen.«

Und er hob das Kind behutsam auf und hüllte es in den Umhang, um es vor der grimmigen Kälte zu schützen, und ging den Hügel hinab auf das Dorf zu; und sein Gefährte wunderte sich sehr über seine Torheit und sein weiches Herz.

Und als sie ins Dorf kamen, sagte sein Gefährte zu ihm: »Du hast das Kind, so gib mir den Umhang, denn es ist nur recht und billig, daß wir teilen.«

Doch der andere erwiderte: »Nein, denn der Umhang gehört weder mir noch dir, sondern einzig dem Kind«, und er sagte ihm Lebewohl und gelangte zu seinem eigenen Haus und klopfte an.

Und als sein Weib die Tür öffnete und sah, daß ihr Mann heil zu ihr zurückgekehrt war, schlang sie ihre Arme um seinen Hals und küßte ihn und nahm ihm das Reisigbündel vom Rücken und bürstete den Schnee von seinen Stiefeln und hieß ihn eintreten.

Er aber sagte zu ihr: »Ich habe im Wald etwas gefunden und dir mitgebracht, auf daß du dich seiner annimmst«, und er wich nicht von der Schwelle.

»Was ist es?« rief sie. »Zeig es mir, denn das Haus ist leer, und es fehlt uns an vielen Dingen.« Da schlug er den Umhang zurück und zeigte ihr das schlafende Kind.

»Ach, lieber Mann!« murrte sie. »Haben wir nicht genug eigene Kinder, daß du uns noch einen Wechselbalg ins Haus schleppen mußt? Und wer weiß, ob es nicht Unglück bringt? Und wie sollen wir es aufziehen?« Und sie war sehr zornig über ihn.

»Ja, aber es ist ein Sternkind«, antwortete er und erzählte ihr, auf wie seltsame Art er es gefunden hatte. Aber sie wollte sich nicht beschwichtigen lassen, sondern spottete seiner und sprach im Zorn und rief: »Unsere Kinder haben kein Brot, und wir sollen das Kind eines anderen füttern? Wer kümmert sich denn um uns? Und wer gibt uns Brot?«

»Gott behütet auch die Sperlinge und gibt ihnen Brot«, antwortete er.

»Sterben nicht die Sperlinge im Winter vor Hunger?« fragte sie. »Und ist jetzt nicht Winter?« Und der Mann erwiderte nichts, wich aber nicht von der Schwelle. Und ein bitterer Wind wehte vom Wald herein durch die offene Tür und ließ sie erzittern, und sie schauderte und sagte zu ihm: »Willst du nicht die Tür schließen? Bitterer Wind bläst herein ins Haus, und mir ist kalt.«

»In ein Haus, in dem ein hartes Herz ist, bläst da nicht immer ein bitterer Wind?« fragte er. Und die Frau gab ihm keine Antwort, sondern rückte nur näher ans Feuer.

Und nach einer Weile wandte sie sich um und blickte ihn an, und ihre Augen waren voll Tränen. Und geschwind trat er ein und legte das Kind in ihre Arme, und sie küßte es und legte es in ein kleines Bett, wo das jüngste ihrer eigenen Kinder schlief. Und am Morgen nahm der Holzfäller den seltsamen Umhang aus Gold und tat ihn in eine große Truhe, und die Frau nahm eine Bernsteinkette, die um des Kindes Nacken lag, und tat sie gleichfalls dazu.

Und so wuchs das Sternkind auf mit den Kindern des Holzfällers, saß mit ihnen am selben Tisch und war ihr Spielgefährte. Und mit jedem Jahr war es schöner anzusehen, so daß alle, die im Dorf wohnten, mit Staunen erfüllt wurden. Denn während sie selber schwärzliche Haut und schwarze Haare hatten, so war das Kind weiß und zart, wie aus Elfenbein geschnitzt, und seine Locken glichen den Blütenblättern einer roten Blume, und seine Augen waren wie Veilchen an einem Bach voll klaren Wassers, und sein Leib wie die Narzisse auf einem Feld, dahin der Schnitter nicht kommt.

Und doch geriet seine Schönheit ihm zum Bösen, denn es wurde stolz und grausam und selbstsüchtig. Es verachtete die Kinder des Holzfällers und die anderen Kinder aus dem Dorf und sagte, sie seien von niederer, es selber jedoch von vornehmer Herkunft, einem Stern entsprossen, und es warf sich zum Herrn auf über sie und nannte sie seine Knechte. Kein Mitleid hatte es mit den Armen, noch mit denen, die blind oder verkrüppelt waren oder sonst vom Schicksal geschlagen, sondern es warf ihnen Steine nach und jagte sie hinaus auf die Landstraße und hieß sie anderswo um ihr Brot betteln, so daß außer den Geächteten keiner zweimal ins Dorf kam, um Almosen zu erbitten. Es war in der Tat wie verliebt in die Schönheit, verhöhnte die Kranken und Häßlichen und trieb seinen Spott mit ihnen; sich selber aber liebte es, und im Sommer, wenn die Winde ruhten, lag es oft am Brunnen im Garten des Priesters und blickte hinab auf das Wunder seines eigenen Antlitzes und lachte vor Vergnügen über seine eigene Schönheit.

Oft schalten es der Holzfäller und seine Frau und sagten: »Wir haben nicht so an dir gehandelt, wie du an denen tust, die verlassen sind und niemanden haben, der ihnen zu Hilfe käme. Was bist du so grausam zu allen, die Mitleid brauchen?« Oft auch sandte der alte Priester nach ihm und suchte, ihn die Liebe zu allem Lebenden zu lehren, und sagte zu ihm: »Die Fliege ist dein Bruder. Tu ihr kein Leid. Die wilden Vögel, die durch den Wald schwärmen, haben ihre Freiheit. Fange sie nicht zu deinem Vergnügen. Gott schuf die Blindschleiche und den Maulwurf, und jedes hat seinen Platz. Wer bist du, daß du Schmerz in Gottes Welt bringen solltest? Selbst die Tiere auf dem Felde preisen Ihn.«

Aber das Sternkind achtete nicht auf diese Worte, sondern verzog das Gesicht und spottete und ging wieder zurück zu seinen Gefährten und war ihr Anführer. Und seine Gefährten folgten ihm, denn es war schön und leichtfüßig und konnte tanzen und flöten und musizieren. Und wo immer das Sternkind sie hinführte, da folgten sie ihm nach, und was auch das Sternkind sie tun hieß, das taten sie. Und wenn es mit einem spitzen Rohr die trüben Augen des Maulwurfs durchstieß, so lachten sie, und wenn es die Aussätzigen mit Steinen bewarf, so lachten sie wieder. Und in allen Dingen herrschte es über sie, und ihre Herzen wurden ebenso hart wie das seine.

Eines Tages nun zog ein armes Bettelweib durch das Dorf. Ihre Kleider waren zerrissen und zerlumpt, und ihre Füße bluteten von der rauhen Straße, welche sie gewandert, und sie war in großem Elend. Und weil sie müde war, ließ sie sich unter einem Kastanienbaum nieder, um zu rasten.

Doch als das Sternkind sie erblickte, sagte es zu seinen Gespielen: »Seht! Dort sitzt ein garstiges Bettelweib unter dem schönen, grünblättrigen Baum. Kommt, wir wollen sie fortjagen, denn sie ist häßlich und ungestalt.«

Also näherte es sich ihr und bewarf sie mit Steinen und verhöhnte sie, und sie blickte es voll Entsetzen an und wandte das Auge nicht von ihm. Und als der Holzfäller, der nebenan in einem Schuppen Holz spaltete, sah, was das Sternkind tat, lief er herbei und schalt es und sagte zu ihm: »Wahrlich, du bist hartherzig und kennst kein Erbarmen, denn was hat diese arme Frau dir Böses getan, daß du ihr so begegnest?«

Und das Sternkind wurde rot vor Zorn und stampfte mit dem Fuß auf die Erde und sagte: »Wer bist du, daß du mich meiner Taten wegen zur Rede stellst? Ich bin nicht dein Sohn, daß ich dir gehorchen müßte.«

»Du sagst die Wahrheit«, versetzte der Holzfäller, »und doch erzeigte ich dir Mitleid, da ich dich im Walde fand.«

Als das Weib diese Worte vernahm, stieß sie einen lauten Schrei aus und sank ohnmächtig nieder. Und der Holzfäller trug sie in sein eigenes Haus, und seine Frau nahm sich ihrer an, und als sie erwachte aus der Ohnmacht, in die sie gefallen war, setzten sie ihr Speise und Trank vor und baten sie, guten Muts zu sein.

Aber sie wollte weder essen noch trinken, sondern sprach zu dem Holzfäller: »Sagtest du nicht, dieses Kind wäre im Walde gefunden worden? Und war es nicht heute vor zehn Jahren?«

Und der Holzfäller entgegnete: »Wohl, im Wald war es, wo ich es fand, und heute sind es zehn Jahre her.«

»Und welche Zeichen fandest du mit ihm?« rief sie. »Trug es nicht eine Kette von Bernstein um seinen Hals? War es nicht gehüllt in einen Umhang aus Goldgewebe, bestickt mit Sternen?«

»Wahrhaftig«, versetzte der Holzfäller, »es war so, wie du sagst.« Und er holte den Umhang und die Bernsteinkette aus der Truhe, darin sie lagen, und zeigte sie ihr.

Und als sie diese Dinge sah, brach sie in Tränen der Freude aus und rief: »Es ist mein kleiner Sohn, den ich im Walde verlor. Ich bitte dich sehr, sende eilends nach ihm, denn nach ihm habe ich die ganze Welt durchwandert.«

Also gingen der Holzfäller und sein Weib hinaus und riefen das Sternkind und sagten zu ihm: »Gehe hinein in das Haus, und dort sollst du deine Mutter finden, die auf dich wartet.«

Der Knabe lief hinein, erfüllt von Staunen und von einer großen Freude. Doch als er sah, wer auf ihn wartete, lachte er verächtlich und rief: »Nun, wo ist denn meine Mutter? Denn ich sehe niemanden hier als nur das scheußliche Bettelweib.«

Und das Weib erwiderte ihm: »Ich bin deine Mutter.«

»Du bist von Sinnen, daß du so sprichst«, schrie das Sternkind voll Zorn. »Ich bin nicht dein Sohn, denn du bist ein Bettelweib, häßlich und in Lumpen. Darum scher dich fort, und laß mich dein garstiges Gesicht nicht länger sehen.«

»Und doch bist du in Wahrheit mein kleiner Sohn, den ich im Walde gebar«, rief sie und fiel auf die Knie und streckte ihre Arme nach ihm aus. »Die Räuber entrissen dich mir und gaben dich dem Tode preis«, stieß sie hervor, »doch ich erkannte dich, als ich dich sah, und auch die Zeichen habe ich erkannt, den Umhang aus Goldgewebe und die Bernsteinkette. Daher bitte ich dich, komm mit mir, denn dich zu suchen bin ich durch die ganze Welt gewandert. Komm mit mir, mein Sohn, denn ich bedarf deiner Liebe.«

Aber das Sternkind rührte sich nicht von der Stelle, sondern verschloß die Tür seines Herzens vor ihr, und kein Laut war zu hören außer dem Weinen der Frau in ihrem großen Schmerz. Und endlich sprach der Knabe zu ihr, und seine Stimme war hart und bitter. »Wenn du wirklich und wahrhaftig meine Mutter bist«, sagte er, »so wärest du besser fern geblieben und hättest mir die Schande erspart, da ich doch glaubte, das Kind eines Sterns zu sein und nicht eines Bettlers Kind, wie du mir sagst. Daher scher dich weg und laß mich dich nicht länger sehen.«

»Ach, mein Sohn!« rief sie. »Willst du mich nicht küssen, eh' ich gehe? Denn ich habe viel erduldet, um dich zu finden.«

»Nein«, erwiderte das Sternkind, »denn du bist garstig anzusehen, und eher wollte ich die Natter und die Kröte küssen als dich.« Da stand das Weib auf und ging fort in den Wald und weinte bitterlich; und als das Sternkind sah, daß sie gegangen war, freute es sich und lief zurück zu seinen Spielgefährten, um mit ihnen zu spielen.

Doch als diese ihn kommen sahen, verspotteten sie ihn und sagten: »Oh, du bist garstig wie die Kröte und abscheulich wie die Natter. Scher dich weg von hier, denn wir lassen dich nicht mehr mit uns spielen«, und sie trieben ihn hinaus aus dem Garten.

Und das Sternkind zog die Stirn kraus und sagte zu sich selber: »Was sagen sie da zu mir? Ich will zum Brunnen gehen und hineinsehen, und er soll mir meine Schönheit beweisen.«

Also ging er hin zu dem Brunnen und blickte hinein, und ach! sein Antlitz war wie das Antlitz einer Kröte, und sein Leib war geschuppt wie der Leib einer Natter. Und er warf sich nieder ins Gras und sagte zu sich selber: »Wahrlich, um meiner Sünde willen ist dieses über mich gekommen. Denn ich habe meine Mutter verleugnet und sie fortgejagt, und ich bin stolz und grausam zu ihr gewesen. Daher will ich hingehen und durch die ganze Welt nach ihr suchen und nicht rasten, ehe ich sie gefunden habe.«

Da kam die kleine Tochter des Holzfällers zu ihm und legte ihre Hand auf seine Schulter und sagte: »Was tut es, wenn du nicht mehr schön und lieblich bist? Bleib bei uns, und ich will dich nicht verspotten.«

Und er erwiderte ihr: »Nein, denn ich war grausam gegen meine Mutter, und als Strafe ist mir dieses Übel gesandt worden. Daher muß ich fort und durch die ganze Welt wandern, bis ich sie gefunden und ihre Vergebung erlangt habe.«

Also lief er hinaus in den Wald und rief nach seiner Mutter, daß sie zu ihm komme, aber er erhielt keine Antwort. Den ganzen Tag rief er nach ihr, und als die Sonne unterging, legte er sich auf ein Bett von Blättern zum Schlafen nieder, und die Vögel und die vierfüßigen Tiere des Waldes flohen ihn, denn sie erinnerten sich an seine Grausamkeit; ganz verlassen war er, nur die Kröte glotzte ihn an, und die träge Natter kroch an ihm vorüber.

Und am Morgen erhob er sich und pflückte bittere Beeren von den Bäumen und aß sie und ging seinen Weg durch den großen Wald und weinte sehr. Und jedes Wesen, das er traf, befragte er, ob es nicht vielleicht seine Mutter gesehen hätte.

Er sprach zum Maulwurf: »Du kannst unter die Erde kriechen. Sag mir, ist meine Mutter dort?«

Und der Maulwurf erwiderte: »Du hast meine Augen geblendet. Wie kann ich es wissen?«

Er sprach zum Hänfling: »Du kannst über die Wipfel der hohen Bäume fliegen und die ganze Welt sehen. Sag mir, siehst du meine Mutter?« Und der Hänfling versetzte: »Du hast mir zum Spaß die Flügel beschnitten. Wie soll ich fliegen?«

Und zu dem kleinen Eichhörnchen, das in der Tanne lebte und einsam war, sagte er: »Wo ist meine Mutter?«

Und das Eichhörnchen antwortete: »Meine Mutter hast du getötet. Willst du nun auch deine Mutter töten?«

Und das Sternkind weinte und neigte sein Haupt und erflehte Verzeihung von den Geschöpfen Gottes, und weiter ging es durch den Wald und suchte nach dem Bettelweib. Und am dritten Tag erreichte der Knabe die andere Seite des Waldes und stieg hinauf in die Ebene.

Und wenn er durch die Dörfer wanderte, verhöhnten ihn die Kinder und warfen Steine nach ihm, und die Bauern ließen ihn nicht einmal in ihren Scheunen schlafen, aus Furcht, er brächte Meltau über ihr gespeichertes Korn, so ekelhaft war er anzusehen, und ihre Taglöhner verjagten ihn, und da war keiner, der Mitleid mit ihm hatte. Und nirgends konnte er etwas über das Bettelweib erfahren, welches seine Mutter war, obgleich er drei Jahre lang durch die Welt wanderte und oft meinte, sie vor sich auf der Straße zu erblicken, nach ihr rief und ihr nacheilte, bis die scharfen Kieselsteine seine Füße bluten ließen. Aber einholen konnte er sie nicht, und die, die am Wege wohnten, leugneten stets, sie gesehen zu haben oder eine, die ihr glich, und sie spotteten über seinen Gram.

Drei volle Jahre wanderte er durch die Welt, und er fand nicht Liebe noch Herzensgüte, noch Erbarmen darin, sondern es war eine Welt, wie er sie in den Tagen seiner großen Hoffart selbst geschaffen hatte.

Und eines Abends kam er ans Tor einer stark befestigten Stadt, die an einem Fluß stand, und obgleich er müde war und die Füße ihn schmerzten, schickte er sich doch an, hineinzugehen. Doch die Soldaten, die Wache hielten, senkten ihre Hellebarden quer vor den Eingang und fragten ihn barsch: »Was willst du hier in dieser Stadt?«

»Ich suche meine Mutter«, antwortete er, »und ich bitte euch sehr, laßt mich hinein, denn es könnte sein, daß sie in dieser Stadt ist.«

Doch sie verhöhnten ihn, und einer von ihnen schüttelte seinen schwarzen Bart, stieß seinen Schild auf den Boden und rief: »Bei meiner Ehre, deine Mutter wird sich nicht freuen über deinen Anblick, denn du bist greulicher als die Kröte im Moor und häßlicher als die Natter, die im Sumpf kriecht. Scher dich fort! Scher dich fort! Deine Mutter wohnt nicht in dieser Stadt.«

Und ein anderer, der ein gelbes Banner in der Hand trug, sagte zu ihm: »Wer ist deine Mutter, und warum suchst du nach ihr?«

Und er antwortete: »Meine Mutter ist eine Bettlerin, wie ich ein Bettler bin. Ich habe übel an ihr gehandelt, deshalb bitte ich euch sehr, laßt mich hinein, auf daß ich ihre Verzeihung erlange, wenn sie in dieser Stadt weilt.« Doch sie ließen ihn nicht ein, sondern stachen mit ihren Speeren nach ihm.

Und als er sich weinend abwandte, da kam einer hinzu, dessen Rüstung mit goldenen Blumen eingelegt war und auf dessen Helm ein geflügelter Löwe lag, und befragte die Soldaten, wer es denn wäre, der Einlaß begehrte. Und sie sagten ihm: »Es ist ein Bettler und das Kind eines Bettlers, und wir haben ihn fortgejagt.«

»Nicht doch«, rief er lachend, »laßt uns das greuliche Geschöpf doch als Sklaven verkaufen, und sein Preis soll sein, was man für eine Schale süßen Weines zahlt.«

Und ein alter Mann mit bösem Gesicht, der gerade vorbeiging, rief aus und sagte: »Um diesen Preis will ich ihn kaufen«, und als er den Preis bezahlt hatte, nahm er das Sternkind an der Hand und führte es in die Stadt.

Und nachdem sie durch viele Straßen gegangen waren, kamen sie an eine kleine Tür, die war eingelassen in eine Mauer, welche von einem Granatapfelbaum überwachsen war. Und der alte Mann berührte die Tür mit einem Ring aus geschnittenem Jaspis, und sie sprang auf, und über fünf Stufen aus Messing gingen sie hinunter in einen Garten voll schwarzer Mohnblumen und grüner Krüge von gebranntem Ton. Und der alte Mann löste aus seinem Turban ein Tuch von gemusterter Seide, verband damit die Augen des Sternkindes und stieß es vor sich her. Und als ihm das Tuch wieder von den Augen genommen wurde, fand das Sternkind sich in einem Verlies, das eine Hornlaterne erhellte.

Und der alte Mann setzte ihm auf einem Holzbrett schimmeliges Brot vor und sagte: »Iß«, und in einem Napf reichte er ihm brackiges Wasser und sagte: »Trink!« Und als der Knabe gegessen und getrunken hatte, ging der alte Mann hinaus und versperrte die Tür hinter sich und verschloß sie mit einer eisernen Kette.

Und am Morgen kam der alte Mann, der in Wahrheit der verschlagenste aller Zauberer Libyens war und seine Kunst von einem gelernt hatte, der in den Grabmälern am Nil hauste, zu ihm herein und blickte ihn finster an und sprach: »In einem Wald nahe den Toren dieser Stadt der Giauren liegen drei Stück Gold verborgen. Das eine ist von weißem Gold, das andere von gelbem, und das Gold des dritten ist rot. Heute sollst du mir das Stück von weißem Gold bringen, und wenn du es nicht bringst, so werde ich dich mit hundert Hieben schlagen. Mach, daß du schnell fortkommst, und bei Sonnenuntergang werde ich an der Tür dieses Gartens auf dich warten. Sieh zu, daß du das weiße Gold bringst, oder es wird dir übel ergehen, denn du bist mein Sklave, und ich habe dich gekauft um den Preis einer Schale süßen Weines.«

Und mit einem Schal aus gemusterter Seide verband er dem Sternkind die Augen und führte es durch das Haus und durch den Garten voller Mohnblumen und hinauf über die fünf Stufen aus Messing. Und nachdem er mit seinem Ring die kleine Tür geöffnet hatte, schob er es auf die Straße.

Und das Sternkind ging hinaus durch das Stadttor und kam zu dem Wald, von welchem der Zauberer gesprochen hatte.

Dieser Wald nun war von außen sehr lieblich anzusehen, er schien voll von singenden Vögeln und süß duftenden Blumen, und fröhlich betrat ihn das Sternkind. Aber diese Schönheit nützte ihm wenig; denn wo er sich auch hinwandte, schossen rauhe Stacheln und Dornen aus dem Boden und umklammerten ihn, und böse Nesseln stachen ihn und bohrten ihm ihre Dolche ins Fleisch, so daß er in große Bedrängnis kam. Und nirgends konnte er das Stück weißen Goldes finden, von dem der Magier gesprochen hatte, obwohl er von Morgen bis Mittag suchte und von Mittag bis Sonnenuntergang. Und bei Sonnenuntergang wandte er sein Antlitz heimwärts und weinte bitterlich, denn er wußte, welches Schicksal seiner harrte.

Doch als er den Saum des Waldes erreicht hatte, hörte er aus dem Dickicht einen Schrei, wie von einem, der in Not ist. Da vergaß er seinen eigenen Kummer und lief zurück zu der Stelle und erblickte einen kleinen Hasen in einer Falle gefangen, die ein Jäger ihm gestellt hatte. Und das Sternkind hatte Erbarmen mit ihm und befreite ihn und sagte zu ihm: »Ich bin selber nur ein Sklave, und doch kann ich dir die Freiheit geben.«

Und der Hase antwortete ihm und sprach: »Wahrlich, du hast mir die Freiheit geschenkt, was kann ich dir zum Dank dafür geben?«

Und das Sternkind sprach zu ihm: »Ich suche nach einem Stück weißen Goldes und kann es nirgends finden, und wenn ich es meinem Herrn nicht bringe, wird er mich schlagen.«

»Komm mit mir«, sagte der Hase, »und ich will dich dahin führen, denn ich weiß, wo es verborgen ist und zu welchem Zweck.«

Also ging das Sternkind mit dem Hasen, und siehe! in dem Spalt einer großen Eiche erblickte er das Stück von weißem Gold, das er gesucht hatte. Freude erfüllte ihn, und er ergriff es und sagte zu dem Hasen: »Den Dienst, den ich dir erwies, hast du mir vielfältig vergolten, und die Güte, die ich dir erzeigte, hast du mir hundertfach zurückgezahlt.«

»Nein«, versetzte der Hase, »allein wie du an mir getan, so tat ich nun an dir«, und flink lief er davon, und das Sternkind ging auf die Stadt zu.

Nun saß aber am Tor der Stadt einer, der war aussätzig. Vor seinem Gesicht hing eine Kapuze aus grauem Linnen, und durch die Augenschlitze glommen seine Augen wie rote Kohlen. Und als er das Sternkind kommen sah, schlug er auf einen hölzernen Napf und rasselte mit seiner Klapper und rief ihm zu und sagte: »Gib mir ein Geldstück, oder ich muß Hungers sterben. Denn sie haben mich aus der Stadt geworfen, und da ist keiner, der sich meiner erbarmte.«

»Ach!« rief das Sternkind. »Ich habe nur ein einziges Goldstück in der Tasche, und wenn ich es meinem Herrn nicht bringe, wird er mich schlagen, denn ich bin sein Sklave.«

Aber der Aussätzige flehte ihn an und beschwor ihn, bis das Sternkind sich erbarmte und ihm das Stück weißen Goldes gab.

Und als er zu dem Haus des Zauberers kam, da öffnete ihm dieser und ließ ihn ein und sagte zu ihm: »Hast du das Stück weißen Goldes?« Und das Sternkind antwortete: »Ich habe es nicht.« Und der Zauberer stürzte sich auf ihn und schlug ihn und stellte ein leeres Holzbrett vor ihn und sagte: »Iß!«, und reichte ihm einen leeren Becher und sagte: »Trink!«, und stieß ihn wieder in das Verlies.

Und am Morgen kam der Magier zu ihm und sagte: »Wenn du mir heute nicht das Stück gelben Goldes bringst, so will ich dich wahrlich als meinen Sklaven behalten und dir dreihundert Streiche aufzählen.«

Da ging das Sternkind in den Wald, und den ganzen Tag lang suchte er nach dem Stück gelben Goldes, konnte es aber nirgends finden. Und bei Sonnenuntergang ließ er sich nieder und begann zu weinen, und wie er so weinte, da kam der kleine Hase zu ihm, den er von der Falle gerettet hatte.

Und der Hase sagte zu ihm: »Warum weinst du? Und was suchst du im Wald?«

Und das Sternkind erwiderte: »Ich suche nach einem Stück gelben Goldes, das hier verborgen liegt, und wenn ich es nicht finde, wird mein Herr mich schlagen, und ich muß sein Sklave bleiben.«

»Komm mit mir«, rief der Hase und lief durch den Wald, bis er zu einem Tümpel voll Wasser kam. Und am Grunde des Tümpels lag das Stück gelben Goldes.

»Wie soll ich dir danken?« sagte das Sternkind. »Denn siehe! dies ist das zweite Mal, daß du mir zu Hilfe kommst.«

»Hast du doch zuerst dich meiner erbarmt«, versetzte der Hase und lief hurtig davon.

Und das Sternkind nahm das Stück gelben Goldes und steckte es in die Tasche und eilte der Stadt zu. Aber der Aussätzige sah ihn kommen und lief ihm entgegen und kniete nieder und rief: »Gib mir ein Geldstück, oder ich sterbe vor Hunger.«

Und das Sternkind antwortete ihm: »Ich habe nur ein Stück gelben Goldes in meiner Tasche, und wenn ich es nicht meinem Herrn bringe, wird er mich schlagen, und ich muß sein Sklave bleiben.«

Aber der Aussätzige beschwor ihn so inbrünstig, daß das Sternkind sich seiner erbarmte und ihm das Stück gelben Goldes gab.

Und als er zu dem Haus des Zauberers kam, öffnete ihm dieser und ließ ihn ein und fragte: »Hast du das Stück gelben Goldes?« Und das Sternkind erwiderte ihm: »Ich habe es nicht.« Da stürzte sich der Magier auf ihn und schlug ihn, belud ihn mit Ketten und warf ihn wieder in das Verlies.

Und am Morgen kam der Zauberer zu ihm und sagte: »Wenn du mir heute das Stück roten Goldes bringst, will ich dir die Freiheit geben, wenn aber nicht, so will ich dich wahrlich töten.«

Also ging das Sternkind in den Wald und suchte den ganzen Tag nach dem Stück roten Goldes, konnte es aber nirgends finden. Und am Abend setzte er sich hin und weinte, und noch während er weinte, kam der kleine Hase zu ihm.

Und der Hase sprach: »Das Stück roten Goldes, das du suchst, liegt in der Höhle hinter dir. Daher weine nicht länger, sondern sei guten Muts.«

»Wie soll ich es dir lohnen?« rief das Sternkind. »Denn siehe! dies ist das dritte Mal, daß du mir geholfen hast.«

»Du aber hast dich zuerst meiner erbarmt«, entgegnete der Hase und lief hurtig davon.

Und das Sternkind betrat die Höhle, und im hintersten Winkel fand er das Stück roten Goldes. Er steckte es in die Tasche und eilte der Stadt zu. Und als der Aussätzige ihn kommen sah, stellte er sich mitten auf den Weg und rief aus: »Gib mir das Stück roten Goldes, oder ich muß sterben«, und wieder hatte das

Sternkind Mitleid mit ihm und gab ihm das Stück roten Goldes und sprach: »Deine Not ist größer als die meine.« Doch sein Herz war schwer, denn er wußte, welch bitteres Geschick seiner harrte.

Doch siehe! als er durch das Stadttor schritt, da neigten sich die Wächter tief und huldigten ihm und sprachen: »Wie schön ist unser Herr!« Und ein Haufen Leute folgte ihm und rief: »Wahrlich, niemand auf der ganzen Welt ist so schön wie er!«, so daß das Sternkind weinte und zu sich selber sagte: »Sie treiben ihren Spott mit mir und haben nicht Achtung vor meinem Elend.« Und so groß war die Menge der Menschen, die zusammenliefen, daß er die Richtung seines Weges verlor und sich endlich auf einem großen Platz wiederfand, wo der Palast des Königs stand.

Und das Tor des Palastes öffnete sich, und die Priester und die hohen Würdenträger der Stadt kamen ihm entgegen und demütigten sich vor ihm und sprachen: »Du bist unser Herr, auf den wir gewartet haben, und der Sohn unseres Königs.«

Und das Sternkind antwortete ihnen und sprach: »Ich bin keines Königs Sohn, sondern das Kind eines armen Bettelweibs. Und wie könnt ihr sagen, ich sei schön, da ich doch weiß, daß ich übel anzusehen bin?«

Da hob jener, dessen Rüstung mit goldenen Blumen eingelegt war und auf dessen Helm ein geflügelter Löwe ruhte, seinen Schild empor und rief: »Wie mag mein Gebieter sagen, er sei nicht schön?«

Und das Sternkind schaute hinein, und siehe! sein Antlitz war, wie es gewesen, und seine Lieblichkeit war ihm zurückgekehrt, und er sah etwas in seinen Augen, das er noch nie zuvor gesehen hatte.

Und die Priester und die hohen Würdenträger knieten nieder und sprachen zu ihm: »Es war uns seit alten Zeiten geweissagt, daß an diesem Tag er kommen sollte, der über uns regieren wird. Möge daher unser Gebieter diese Krone und dieses Zepter nehmen und in Gerechtigkeit und Gnade König sein über uns.«

Doch er entgegnete ihnen: »Ich bin nicht würdig, denn ich habe die Mutter verleugnet, die mich gebar, und ich will nicht ruhen, bis ich sie gefunden und ihre Verzeihung erlangt habe.

Daher laßt mich ziehen, denn ich muß wieder durch die Welt wandern und darf nicht hier verweilen, wenn ihr mir auch Krone und Zepter bringt.«

Und als er so redete, wandte er sein Gesicht von ihnen hin zu der Straße, die zum Stadttor führte, und siehe! mitten in der Menge, die sich um die Soldaten drängte, sah er das Bettelweib, welches seine Mutter war, und an ihrer Seite stand der Aussätzige, der an der Straße gesessen hatte.

Und ein Schrei der Freude brach von seinen Lippen, und er lief hin und kniete nieder und küßte die Wunden an seiner Mutter Füße und netzte sie mit seinen Tränen. Er neigte sein Haupt in den Staub und schluchzte wie einer, dessen Herz brechen will, und sagte zu ihr: »Mutter, ich verleugnete dich in der Stunde meiner Hoffart. Nimm mich an in der Stunde meiner Demut. Mutter, ich gab dir Haß. Gib du mir Liebe. Mutter, ich stieß dich zurück. Nimm du mich jetzt auf als dein Kind.« Aber das Bettelweib antwortete ihm nicht ein Wort.

Und er streckte seine Hände aus und umklammerte die weißen Füße des Aussätzigen und sagte zu ihm: »Dreimal hatte ich mit dir Erbarmen. Bitte meine Mutter, sie möge nur einmal zu mir sprechen.« Aber der Aussätzige antwortete ihm nicht ein Wort.

Und wieder schluchzte er und sagte: »Mutter, mein Leid ist größer, als ich tragen kann. Gewähre mir deine Verzeihung, und laß mich zurückkehren in den Wald.« Und das Bettelweib legte ihre Hand auf sein Haupt und sprach zu ihm: »Stehe auf«, und der Aussätzige legte seine Hand auf sein Haupt und sprach gleichfalls zu ihm: »Stehe auf.«

Und er erhob sich von den Knien und blickte sie an, und siehe! sie waren ein König und eine Königin.

Und die Königin sprach zu ihm: »Dies ist dein Vater, welchem du geholfen hast.«

Und der König sprach: »Dies ist deine Mutter, deren Füße du mit deinen Tränen gewaschen hast.«

Und sie fielen ihm um den Hals und küßten ihn und führten ihn in den Palast und kleideten ihn in köstliche Gewänder, und sie setzten die Krone auf sein Haupt und gaben das Zepter in seine Hand, und er herrschte über die Stadt am Fluß und war ihr Gebieter.

Viel Gerechtigkeit und Gnade erzeigte er allen, und den bösen Zauberer verbannte er, und dem Holzfäller und seiner Frau sandte er viele kostbare Geschenke, und ihren Kindern erwies er hohe Ehren. Er duldete keine Grausamkeiten, weder an gefiedertem noch an gehörntem Getier, sondern lehrte Liebe und Güte und Barmherzigkeit, und die Hungrigen nährte er, und die Nackten kleidete er, und Friede und Fülle herrschten im ganzen Land.

Aber er regierte nicht lange, so groß war sein Leiden und so bitter das Feuer seiner Prüfung gewesen, denn nach drei Jahren starb er. Und der nach ihm kam, regierte übel.

Der Glückliche Prinz

Hoch über der Stadt auf einer schlanken Säule stand die Statue des Glücklichen Prinzen. Er war über und über mit feinem Blattgold bedeckt, als Augen hatte er zwei strahlende Saphire, und ein großer roter Rubin glühte an seinem Schwertknauf. Alle Welt bewunderte ihn sehr. »Er ist so schön wie ein Wetterhahn«, bemerkte einer der Stadträte, der gern in den Ruf eines Kunstkenners gekommen wäre. »Nur ist er nicht ganz so nützlich«, fügte er hinzu, aus Angst, man könnte ihn sonst für unpraktisch halten, was er durchaus nicht war.

»Warum kannst du nicht sein wie der Glückliche Prinz?« fragte eine vernünftig denkende Mutter ihren kleinen Jungen, der weinend nach dem Mond verlangte. »Dem Glücklichen Prinzen fiele es nicht im Traum ein, um etwas zu weinen.«

»Ich freue mich, daß es wenigstens einen auf dieser Welt gibt, der ganz glücklich ist«, murmelte ein Enttäuschter und starrte auf die wunderbare Statue.

»Er sieht ganz wie ein Engel aus«, sagten die Waisenkinder, wenn sie in ihren leuchtenden, scharlachfarbenen Umhängen und sauberen weißen Kittelschürzen aus der Kathedrale kamen.

»Wie wollt ihr das wissen?« sagte der Mathematiklehrer. »Ihr habt ja nie einen gesehen.«

»O doch, in unseren Träumen«, antworteten die Kinder; und der Mathematiklehrer runzelte die Stirn und machte ein strenges Gesicht, denn er billigte es nicht, wenn Kinder träumten.

Eines Nachts flog über die Stadt eine kleine Schwalbe, genau genommen war es ein Schwalbenjüngling. Seine Freunde waren vor sechs Wochen nach Ägypten abgereist, er aber war zurückgeblieben, denn er hatte sich in das hübscheste aller Schilfrohre verliebt. Er hatte sie zu Anfang des Frühlings kennengelernt, als er den Fluß hinab hinter einem großen gelben Falter hergeflogen war, und war von ihrer schlanken Taille so betört gewesen, daß er anhielt, um mit ihr zu plaudern.

»Soll ich dich lieben?« fragte der Schwalbenjüngling, der sogleich zum Thema zu kommen pflegte, und das Schilfrohr machte ihm eine tiefe Verneigung. Da zog er um sie seine Kreise und berührte mit den Flügeln leicht das Wasser, daß es sich silbern kräuselte. Auf diese Art machte er ihr den Hof, und so ging es den ganzen Sommer.

»Das ist eine lächerliche Verbindung«, zwitscherten die anderen Schwalben. »Sie hat kein Geld und viel zu viele Verwandte.« In der Tat war der ganze Fluß voller Röhricht. Als dann der Herbst kam, flogen alle Schwalben davon.

Nach ihrem Aufbruch fühlte der Schwalbenjüngling sich einsam und fing an, seiner Dame überdrüssig zu werden. »Sie hat keine Konversation«, sagte er, »und ich befürchte fast, sie ist eine Kokette, denn sie flirtet ständig mit dem Wind.« Und wahrhaftig, wann immer der Wind wehte, machte das Schilfrohr die zierlichsten Knicksе. »Ich gebe zu, sie ist häuslich«, fuhr er fort, »aber ich reise gern, und folglich sollte auch meine Frau das Reisen lieben.«

»Willst du mit mir kommen?« fragte er sie schließlich, aber sie schüttelte nur das Haupt, sie war zu sehr mit ihrer Heimat verwachsen.

»Du hast dein Spiel mit mir getrieben!« schluchzte er. »Ich verreise nach den Pyramiden. Leb wohl!«, und flog davon.

Er flog den ganzen Tag und erreichte gegen Abend die Stadt. »Wo soll ich absteigen?« sagte er. »Ich hoffe, die Stadt hat Vorkehrungen getroffen.«

Dann erblickte er die Statue auf der hohen Säule.

»Hier will ich absteigen«, rief er. »Die Lage ist reizend, und es ist genügend frische Luft hier.«
Damit landete er genau zwischen den Füßen des Glücklichen Prinzen.

»Ich habe ein goldenes Schlafgemach«, sagte er leise zu sich selber, als er um sich blickte, und bereitete sich zum Schlafen; aber als er gerade den Kopf unter seine Flügel stecken wollte, fiel ein großer Wassertropfen auf ihn herab. »Wie seltsam!« rief er. »Keine einzige Wolke steht am Himmel, die Sterne scheinen klar und hell, und dennoch regnet es. Das Klima im nördlichen Europa ist wirklich schauderhaft. Das Schilfrohr schwärmte zwar für Regen, aber das kam nur von ihrem Egoismus.«

Dann fiel noch ein Tropfen.

»Wofür ist eine Statue gut, wenn sie den Regen nicht abhalten kann?« sagte er. »Ich muß mich nach einem guten Schornstein umsehen«, und er beschloß, abzufliegen.

Aber bevor er seine Flügel öffnete, fiel ein dritter Tropfen, und er blickte auf und sah – Ah! was sah er da?

Die Augen des Glücklichen Prinzen waren gefüllt mit Tränen, und Tränen liefen seine goldenen Wangen herab. Im Mondlicht war sein Gesicht so schön, daß die kleine Schwalbe von Mitleid erfüllt wurde.

»Wer bist du?« sagte sie.

»Ich bin der Glückliche Prinz.«

»Warum weinst du dann?« fragte die Schwalbe. »Du hast mich ganz naß gemacht.«

»Als ich noch lebte und ein menschliches Herz hatte«, antwortete die Statue, »da wußte ich nicht, was Tränen sind, denn ich lebte im Schloß Sanssouci, wo die Sorge keinen Zutritt hat. Tagsüber spielte ich mit meinen Gefährten im Garten, und am Abend führte ich in der großen Halle den Tanz an. Rund um den Garten lief eine sehr hohe Mauer, aber ich kam nie auf den Gedanken, zu fragen, was dahinter läge, denn alles um mich her war so schön. Meine Höflinge nannten mich den Glücklichen Prinzen, und glücklich war ich in der Tat, wenn Vergnügen Glück bedeutet. So lebte ich, und so starb ich. Und nun, da ich tot bin, haben sie mich hier so hoch oben aufgestellt, daß ich alle Häßlichkeit und alles Elend meiner Stadt sehen kann, und wenn mein Herz auch aus Blei ist, kann ich doch nicht anders als weinen.«

»Was! Ist er nicht aus gediegenem Gold?« sagte die Schwalbe zu sich selber; sie war zu höflich, als daß sie eine so persönliche Bemerkung laut geäußert hätte.

»Fern von hier«, fuhr die Statue fort mit einer leisen, melodischen Stimme, »weit draußen in einer kleinen Straße steht ein armseliges Haus. Eines der Fenster ist geöffnet, und durch dieses Fenster sehe ich eine Frau an einem Tisch sitzen. Ihr Gesicht ist schmal und verhärmt, und sie hat rauhe und rote Hände, ganz von der Nadel zerstochen, denn sie ist Näherin. Sie stickt Passionsblumen auf ein Atlaskleid, das die lieblichste unter den Hofdamen der Königin beim nächsten Hofball tragen wird. In einem Bett in der Ecke der Kammer liegt ihr kleiner Junge krank zu Bett. Er hat Fieber und verlangt nach Orangen. Seine Mutter kann ihm aber nichts geben als Wasser aus dem Fluß, deshalb weint er. Schwalbe, Schwalbe, kleine Schwalbe, willst du ihr nicht den Rubin aus meinem Schwertknauf bringen? Meine Füße sind an diesem Sockel befestigt, und ich kann mich nicht bewegen.«

»Ich werde in Ägypten erwartet«, sagte die Schwalbe. »Meine Freunde fliegen den Nil auf und nieder und plaudern mit den großen Lotosblumen. Bald werden sie im Grabmal des großen Königs schlafen gehen. Der König selber liegt dort in seinem bemalten Sarg. Er ist in gelbes Linnen gewickelt und mit Spezereien einbalsamiert. Um seinen Hals schlingt sich eine Kette von blaßgrüner Jade, und seine Hände sind wie welkes Laub.«

»Schwalbe, Schwalbe, kleine Schwalbe«, sagte der Prinz, »willst du nicht eine Nacht lang bei mir bleiben und mein Bote sein? Der Junge ist so durstig und die Mutter so betrübt.«

»An sich mache ich mir nichts aus Jungen«, antwortete die Schwalbe. »Im letzten Sommer, als ich am Fluß wohnte, gab es da zwei ungezogene Jungen, die Söhne des Müllers, die immer mit Steinen nach mir warfen. Sie trafen mich natürlich niemals; dafür fliegen wir Schwalben viel zu schnell, und außerdem stamme ich aus einer Familie, die berühmt ist für ihre Gewandtheit; immerhin war das jedoch ein Zeichen von Respektlosigkeit.«

Aber der Glückliche Prinz blickte so traurig drein, daß er der kleinen Schwalbe leid tat. »Es ist sehr kalt hier«, sagte sie. »Aber ich will eine Nacht lang bei dir bleiben und dein Bote sein.«

»Dank dir, kleine Schwalbe«, entgegnete der Prinz.

Da pickte die Schwalbe den großen Rubin aus des Prinzen Schwert, nahm ihn in den Schnabel und flog damit über die Dächer der Stadt.

Sie flog am Turm der Kathedrale vorbei, wo die weißen Marmorengel stehen. Sie flog am Palast vorbei und hörte den Lärm des Balles. Ein wunderschönes Mädchen trat mit seinem Verehrer auf den Balkon. »Wie wunderbar sind die Sterne«, sprach er zu ihr. »Und wie herrlich ist die Macht der Liebe!«

»Ich hoffe, mein Kleid wird rechtzeitig fertig für den Staatsball«, erwiderte sie, »ich habe Passionsblumen darauf sticken lassen; aber die Näherinnen sind so faul.«

Sie flog über den Fluß und sah die Laternen an den Masten der Schiffe hängen. Sie flog über das Ghetto und sah die alten Juden miteinander handeln und Geld abwiegen auf kupfernen Waagen. Endlich erreichte sie das armselige Haus und blickte hinein.

Der Junge warf sich im Fieber auf dem Bett hin und her, und die Mutter war eingeschlafen, sie war so müde. Hinein hüpfte die Schwalbe und legte den großen Rubin auf den Tisch neben den Fingerhut der Frau. Dann flog sie sanft rund ums Bett und fächelte des Knaben Stirn mit ihren Flügeln. »Wie kühl mir ist!« sagte der Knabe. »Ich glaube, es geht mir besser«, und er versank in einen köstlichen Schlummer.

Darauf flog die Schwalbe zurück zum Glücklichen Prinzen und berichtete ihm, was sie getan hatte. »Seltsam«, bemerkte sie, »mir ist ganz warm geworden, obwohl es doch so kalt ist.«

»Das kommt daher, weil du eine gute Tat getan hast«, sagte der Prinz. Und die kleine Schwalbe begann, darüber nachzudenken, und dann schlief sie ein. Vom Nachdenken wurde sie immer schläfrig.

Bei Tagesanbruch flog sie hinunter zum Fluß und nahm ein Bad.

»Welch bemerkenswertes Phänomen!« sprach der Professor der Ornithologie, als er über die Brücke ging. »Eine Schwalbe im Winter!« Und er schrieb einen langen Brief darüber an das Lokalblatt. Jedermann zitierte ihn, er war voll von so vielen Ausdrücken, die sie nicht verstanden.

»Heute abend verreise ich nach Ägypten«, rief die Schwalbe, und diese Aussicht stimmte sie fröhlich. Sie besuchte alle Denkmäler und bedeutenden Bauten der Stadt und saß längere Zeit ganz oben auf der Kirchturmspitze. Wo sie auch hinging, zirpten die Spatzen und sagten einer zum andern: »Was für ein vornehmer Fremder!« Und so unterhielt sich die Schwalbe ganz ausgezeichnet.

Als der Mond aufging, flog sie zurück zum Glücklichen Prinzen.

»Hast du irgendwelche Aufträge für Ägypten?« rief sie. »Ich fliege gleich ab.«

»Schwalbe, Schwalbe, kleine Schwalbe«, sagte der Prinz, »willst du nicht noch eine Nacht lang bei mir bleiben?«

»Ich werde in Ägypten erwartet«, erwiderte die Schwalbe. »Morgen fliegen meine Freunde zum zweiten Katarakt hinauf. Das Nilpferd lagert dort im Schilf, und auf einem hohen granitenen Thron sitzt der Gott Memnon. Die ganze Nacht betrachtet er die Sterne, und wenn der Morgenstern erglänzt, stößt er einen Schrei der Freude aus, dann schweigt er wieder still. Zu Mittag kommen die gelben Löwen herab ans Ufer des Wassers, um zu trinken. Sie haben Augen wie grüne Berylle, und ihr Gebrüll ist mächtiger als das Brüllen des Katarakts.«

»Schwalbe, Schwalbe, kleine Schwalbe«, sagte der Prinz, »weit weg von hier, am anderen Ende der Stadt, sehe ich einen jungen Mann in einer Dachkammer. Er beugt sich über einen mit Papieren bedeckten Tisch, und neben ihm in einem Becher steht ein Strauß verwelkter Veilchen. Sein Haar ist braun und kraus, seine Lippen sind rot wie Granatäpfel, und er hat große und träumerische Augen. Er bemüht sich, ein Stück für den Theaterdirektor zu beenden, aber er friert so sehr, daß er nicht schreiben kann. Kein Feuer ist im Kamin, und vor Hunger ist er ganz entkräftet.«

»Ich will diese eine Nacht noch bei dir bleiben«, sagte die Schwalbe, die wirklich ein gutes Herz hatte. »Soll ich ihm auch einen Rubin bringen?«

»Ach! Ich habe keinen Rubin mehr«, entgegnete der Prinz. »Meine Augen sind alles, was mir geblieben ist. Sie sind aus seltenen Saphiren gemacht, vor wohl tausend Jahren aus Indien gebracht. Reiß eines davon heraus und bring es ihm. Er wird es dem Juwelier verkaufen und Brennholz dafür beschaffen und sein Stück beenden können.«

»Lieber Prinz«, sagte die Schwalbe, »das kann ich nicht tun.« Und sie begann zu weinen.

»Schwalbe, Schwalbe, kleine Schwalbe«, sagte der Prinz, »tu, was ich dir sage.«

Also riß die Schwalbe des Prinzen Auge aus und flog fort zur Dachkammer des Studenten. Man konnte leicht hineingelangen, denn das Dach hatte ein Loch. Da flog sie hindurch und kam hinein in die Kammer. Der junge Mann hatte den Kopf in den Händen vergraben, deshalb hörte er nicht das Flattern der Vogelschwingen, und als er aufblickte, fand er den herrlichen Saphir auf den verwelkten Veilchen liegen.

»Endlich beginnt man, mich anzuerkennen«, rief er. »Das hier kommt gewiß von einem großen Bewunderer. Nun kann ich mein Stück beenden«, und er sah ganz glücklich aus.

Am nächsten Tag flog die Schwalbe hinunter zum Hafen. Sie setzte sich auf den Mast eines großen Schiffes und beobachtete die Matrosen, wie sie große Kisten mit Stricken aus dem Laderaum zerrten. »Hievt, a-hoi!« schrien sie, wie eine Kiste nach der anderen heraufkam. »Ich verreise nach Ägypten!« rief die Schwalbe, aber keiner beachtete sie, und als der Mond aufging, flog sie zurück zum Glücklichen Prinzen.

»Ich bin gekommen, um dir Lebewohl zu sagen«, rief sie.

»Schwalbe, Schwalbe, kleine Schwalbe«, sagte der Prinz, »willst du nicht noch eine Nacht lang bei mir bleiben?«

»Es ist Winter«, versetzte die Schwalbe, »und der frostige Schnee wird bald hier sein. In Ägypten scheint die Sonne warm auf die grünen Palmbäume, und die Krokodile liegen im Schlamm und blinzeln träge vor sich hin. Meine Gefährten bauen ein Nest im Tempel von Baalbeck, und die weißen und rosenfarbenen Tauben schauen ihnen zu und gurren. Lieber Prinz, ich muß dich verlassen, aber ich will dich nie vergessen, und im nächsten Frühling will ich dir zwei prächtige Edelsteine bringen für die, die du verschenkt hast. Der Rubin soll röter sein als eine rote Rose, und der Saphir so blau wie die große See.«

»Auf dem Platz da unten«, sagte der Glückliche Prinz, »steht ein kleines Mädchen und verkauft Streichhölzer. Sie hat ihre Hölzchen in den Rinnstein fallen lassen, und nun sind alle verdorben. Ihr Vater wird sie schlagen, wenn sie kein Geld heimbringt, und jetzt weint sie. Sie hat keine Schuhe und Strümpfe, und ihr Köpfchen ist bloß. Reiß mein anderes Auge aus und gib es ihr, so wird ihr Vater sie nicht schlagen.«

»Ich will noch diese Nacht bei dir bleiben«, antwortete die Schwalbe, »aber ich kann nicht dein Auge ausreißen. Du wärest dann ja ganz blind.«

»Schwalbe, Schwalbe, kleine Schwalbe«, sagte der Prinz, »tu, was ich dir sage.«

So riß sie des Prinzen zweites Auge aus und stieß damit hinab. Sie schwirrte an dem Streichholzmädchen vorbei und ließ den Edelstein in seine Hand gleiten. »Was für ein schönes Stück Glas!« rief das kleine Mädchen; und lachend rannte es nach Haus.

Darauf kam die Schwalbe zurück zum Prinzen. »Nun bist du blind«, sagte sie, »so will ich immer bei dir bleiben.«

»Nein, kleine Schwalbe«, sagte der arme Prinz, »du mußt fortfliegen nach Ägypten.«

»Ich will immer bei dir bleiben«, entgegnete die Schwalbe und schlief zu des Prinzen Füßen ein.

Den ganzen nächsten Tag saß sie auf der Schulter des Prinzen und erzählte ihm, was alles sie in fernen Ländern gesehen hatte. Sie erzählte ihm von den roten Ibissen, die in langen Reihen an den Ufern des Nils stehen und mit ihren Schnäbeln Goldfische fangen; von der Sphinx, die so alt ist wie die Welt selber, in der Wüste lebt und alles weiß; von den Kaufleuten, die langsam neben ihren Kamelen schreiten und Bernsteinketten in den Händen tragen; vom König des Mondgebirges, der schwarz ist wie Ebenholz und einen riesigen Kristall anbetet; von der großen grünen Schlange, die in einer Palme schläft und zwanzig Priester um sich hat, die sie mit Honigkuchen füttern; und von den Pygmäen, die auf breiten, flachen Blättern über einen großen See segeln und immer im Krieg mit den Schmetterlingen liegen.

»Liebe kleine Schwalbe«, sagte der Prinz, »du erzählst mir von wunderbaren Dingen, aber wunderbarer als alles ist das Leiden der Menschen. Kein Geheimnis ist so tief wie das Elend. Flieg über meine Stadt, kleine Schwalbe, und sag mir, was du dort siehst.«

So flog die Schwalbe über die große Stadt und sah, wie die Reichen in ihren prächtigen Häusern sich vergnügten, während die Bettler draußen an den Toren saßen. Sie flog in dunkle Gassen und sah die weißen Gesichter hungernder Kinder gleichgültig in die schwarzen Straßen starren. Unter einem Brückenbogen lagen zwei kleine Knaben, einer in des anderen Arm geschmiegt, um sich aneinander zu wärmen. »Wir haben solchen Hunger«, sagten sie. »Hier dürft ihr nicht liegen«, brüllte der Wächter, und so gingen sie hinaus in den Regen.

Dann flog die Schwalbe zurück und erzählte dem Prinzen, was sie gesehen hatte. »Ich bin ganz mit feinem Gold bedeckt«, sagte der Prinz, »du mußt es abnehmen, Blatt für Blatt, und meinen Armen geben; die Lebenden glauben immer, daß Gold sie glücklich machen kann.«

Blatt für Blatt pickte die Schwalbe das feine Gold weg, bis der Glückliche Prinz ganz stumpf und grau aussah. Blatt für Blatt des feinen Goldes brachte sie den Armen, und die Gesichter der Kinder wurden rosiger, und sie lachten und spielten ihre Spiele auf den Straßen. »Jetzt haben wir Brot!« riefen sie.

Dann kam der Schnee, und nach dem Schnee kam der Frost. Die Straßen sahen aus, als wären sie aus Silber gemacht, sie leuchteten und glänzten; lange Eiszapfen hingen, kristallenen Dolchen gleich, von den Dachrinnen der Häuser, jedermann ging in Pelz einher, und die kleinen Jungen trugen scharlachrote Mützen und liefen auf dem Eis Schlittschuh.

Der armen kleinen Schwalbe wurde kälter und kälter, aber sie wollte den Prinzen nicht verlassen, dazu hatte sie ihn zu lieb. Vor den Türen der Bäcker pickte sie Krumen auf, wenn der Bäcker gerade nicht hinsah, und sie versuchte, sich zu wärmen, indem sie mit den Flügeln schlug.

Endlich aber erkannte sie, daß sie sterben würde. Sie hatte gerade genug Kraft, um noch einmal zu des Prinzen Schulter hinaufzufliegen. »Leb wohl, lieber Prinz!« sagte sie leise. »Darf ich deine Hand küssen?«

»Ich freue mich, daß du endlich nach Ägypten reist, kleine Schwalbe«, sagte der Prinz, »du bist zu lange hiergeblieben; aber du mußt mich auf die Lippen küssen, denn ich liebe dich.«

»Nicht nach Ägypten reise ich«, sagte die Schwalbe, »ich gehe zum Haus des Todes. Der Tod ist der Bruder des Schlafs, ist es nicht so?« Und sie küßte den Glücklichen Prinzen auf die Lippen und fiel tot zu seinen Füßen nieder.

In diesem Augenblick tönte aus dem Innern der Statue ein seltsames Knacken, als wäre etwas zerbrochen. Und wahrhaftig war das bleierne Herz in zwei Hälften gesprungen. Es war ja auch wirklich ein grimmig kalter Frost.

Früh am nächsten Morgen ging der Bürgermeister in Gesellschaft der Stadträte unten über den Platz. Als sie an der Säule vorbeikamen, blickten sie zu der Statue auf: »Du liebe Zeit! Wie schäbig der Glückliche Prinz aussieht!« sagte er.

»In der Tat, wie schäbig!« riefen die Stadträte, die dem Bürgermeister immer beipflichteten; und sie stiegen hinauf, um ihn zu betrachten.

»Der Rubin ist aus seinem Schwert gefallen, die Augen sind weg, und vergoldet ist er auch nicht mehr«, sagte der Bürgermeister. »Er sieht wahrhaftig nicht viel besser aus als ein Bettler!«

»Nicht viel besser als ein Bettler!« sagten die Stadträte.

»Und hier liegt doch tatsächlich ein toter Vogel zu seinen Füßen!« fuhr der Bürgermeister fort. »Wir müssen wirklich eine Bekanntmachung herausgeben, wonach es Vögeln nicht gestattet sein soll, hier zu sterben.« Und der Stadtschreiber notierte sich diesen Vorschlag. Und so riß man die Statue des Glücklichen Prinzen nieder. »Da er nicht länger schön ist, ist er auch nicht länger nützlich«, sprach der Kunstprofessor an der Universität.

Dann schmolzen sie die Statue in einem Hochofen, und der Bürgermeister berief eine Versammlung ein, um zu beschließen, was mit dem Metall geschehen sollte. »Wir brauchen selbstverständlich ein neues Denkmal«, sagte er, »und zwar soll es ein Denkmal von mir selbst werden.«

»Von mir«, sagte jeder der Stadträte, und sie stritten sich. Als ich zum letztenmal von ihnen hörte, stritten sie noch immer.

»Wie seltsam!« sagte der Werkmeister in der Schmelzhütte. »Dieses gesprungene Bleiherz will im Hochofen nicht schmelzen. Wir müssen es wegwerfen.« So warfen sie es auf einen Kehrichthaufen, wo auch die tote Schwalbe lag.

»Bring mir die beiden kostbarsten Dinge in der Stadt«, sprach Gott zu einem von seinen Engeln; und der Engel brachte ihm das bleierne Herz und den toten Vogel.

»Du hast recht gewählt«, sprach Gott, »denn in meinem Paradiesgarten soll dieser kleine Vogel ewig singen, und in meiner goldenen Stadt der Glückliche Prinz mich preisen.«

Die Nachtigall und die Rose

»Sie sagte, sie würde mit mir tanzen, wenn ich ihr rote Rosen brächte«, rief der junge Student, »aber in meinem ganzen Garten gibt es keine rote Rose.«

In ihrem Nest in der Steineiche hörte ihn die Nachtigall, und sie spähte durch das Laub und wunderte sich.

»Keine einzige Rose in meinem ganzen Garten«, rief er, und seine schönen Augen füllten sich mit Tränen. »Ach, an was für kleinen Dingen hängt das Glück! Ich habe alles gelesen, was weise Männer schrieben, ich bin im Besitz aller Geheimnisse der Philosophie, und doch wird mangels einer roten Rose mein Leben dem Unglück verfallen.«

»Hier endlich ist ein wahrhaft Liebender«, sagte die Nachtigall. »Nacht für Nacht habe ich von ihm gesungen, obwohl ich ihn nicht kannte; Nacht für Nacht habe ich seine Geschichte den Sternen erzählt, und nun sehe ich ihn. Sein Haar ist dunkel wie die Hyazinthenblüte, und seine Lippen sind rot wie die Rose seiner Sehnsucht; aber die Leidenschaft hat sein Gesicht zu Elfenbein gebleicht, und der Gram hat ihm sein Siegel auf die Stirn gedrückt.«

»Morgen abend gibt der Prinz einen Ball«, murmelte der junge Student, »und meine Liebste wird mit von der Gesellschaft sein. Wenn ich ihr eine rote Rose bringe, will sie bis zum Morgen mit mir tanzen. Wenn ich ihr eine rote Rose bringe, werde ich sie in meinen Armen halten, und sie wird ihren Kopf an meine Schulter lehnen, und ihre Hand wird in meiner liegen. Aber in meinem Garten gibt es keine rote Rose, so werde ich einsam sitzen, und sie wird an mir vorübergehen. Sie wird mir keine Beachtung schenken, und mir wird das Herz brechen.«

»In der Tat, hier ist ein wahrhaft Liebender«, sagte die Nachtigall. »Wovon ich singe, daran leidet er; was mir Freude bereitet, das ist ihm Schmerz. Liebe ist gewiß etwas Wunderbares. Sie ist kostbarer als Smaragd, teurer als reiner Opal. Perlen und Granatäpfel können sie nicht kaufen, noch wird sie auf dem Markt feilgeboten. Sie kann nicht von Kaufleuten gehandelt, noch wie Gold auf der Waage gewogen werden.«

»Die Musikanten werden in ihrer Galerie sitzen«, sagte der junge Student, »und auf ihren Streichinstrumenten spielen, und meine Liebste wird tanzen zum Klang der Harfen und Violinen. Sie wird so leicht tanzen, daß ihre Füße den Boden nicht berühren, und die Höflinge in ihren bunten Kleidern werden sich um sie drängen. Aber mit mir wird sie nicht tanzen, denn ich habe keine rote Rose für sie«, und er warf sich nieder ins Gras, vergrub sein Gesicht in den Händen und weinte.

»Warum weint er?« fragte eine kleine grüne Eidechse, während sie eilig mit dem Schwänzchen in der Luft an ihm vorbeischlüpfte.

»Ja, warum?« fragte ein Schmetterling, der hinter einem Sonnenstrahl herflatterte.

»Ja, warum?« flüsterte ein Gänseblümchen mit sanfter, schwacher Stimme seiner Nachbarin zu.

»Er weint wegen einer roten Rose«, sagte die Nachtigall.

»Wegen einer roten Rose?« riefen sie. »Ist das aber komisch!« Und die kleine Eidechse, die so etwas wie ein Zyniker war, lachte lauthals.

Aber die Nachtigall verstand das Geheimnis von des Studenten Kummer; still saß sie in der Eiche und sann über das Mysterium der Liebe nach.

Plötzlich breitete sie ihre braunen Flügel zum Flug aus und schwang sich in die Luft. Sie flog durch den Hain wie ein Schatten, und wie ein Schatten segelte sie über den Garten.

Da stand mitten auf dem Rasen ein wunderschöner Rosenstrauch, und als sie ihn sah, flog sie hinüber zu ihm und landete im Gezweig.

»Gib mir eine rote Rose«, rief sie, »und ich will dir mein süßestes Lied singen.«

Aber der Rosenstrauch schüttelte den Kopf.

»Meine Rosen sind weiß«, antwortete er, »so weiß wie der Schaum der See und weißer als der Schnee auf den Bergen. Aber geh zu meinem Bruder, der rund um die alte Sonnenuhr wächst, vielleicht gibt er dir, was du wünschest.«

So flog die Nachtigall hinüber zu dem Rosenstrauch, der rund um die alte Sonnenuhr wuchs.

»Gib mir eine rote Rose«, rief sie, »und ich will dir mein süßestes Lied singen.«

Aber der Rosenstrauch schüttelte den Kopf.

»Meine Rosen sind gelb«, antwortete er, »so gelb wie das Haar der Meerjungfer, die auf einem Thron aus Bernstein sitzt, und gelber als die Narzisse, die auf der Wiese blüht, bevor der Mäher kommt mit seiner Sense. Aber geh zu meinem Bruder, der unter des Studenten Fenster wächst, vielleicht gibt er dir, was du wünschest.«

Also flog die Nachtigall hinüber zu dem Rosenstrauch, der unter des Studenten Fenster wuchs.

»Gib mir eine rote Rose«, rief sie, »und ich will dir mein süßestes Lied singen.«

Aber der Rosenstrauch schüttelte den Kopf.

»Meine Rosen sind rot«, antwortete er, »so rot wie die Füße der Taube und röter als die großen Korallenfächer, die in den Meeresgrotten hin und wider wogen. Aber der Winter hat meine Adern erstarren lassen, der Frost hat meine Knospen erstickt und der Sturm meine Zweige gebrochen, und ich werde in diesem ganzen Jahr keine Rosen tragen.«

»Eine rote Rose ist alles, was ich will«, rief die Nachtigall, »nur eine einzige rote Rose! Gibt es keinen Weg, sie zu erlangen?«

»Es gibt einen Weg«, sagte der Rosenstock, »aber er ist so fürchterlich, daß ich nicht wage, ihn dir zu nennen.«

»Nenne ihn mir«, erwiderte die Nachtigall, »ich fürchte mich nicht.«

»Wenn du eine rote Rose willst«, sagte der Rosenstrauch, »so mußt du sie im Mondlicht weben aus Gesang und sie mit deinem eigenen Herzblut färben. Deine Brust gegen einen Dorn gedrückt, mußt du für mich singen. Die ganze Nacht lang mußt du für mich singen, und der Dorn muß dein Herz durchbohren, und dein Lebensblut muß in meine Adern fließen und zu dem meinen werden.«

»Der Tod ist ein hoher Preis für eine rote Rose«, rief die Nachtigall, »und das Leben ist uns allen sehr teuer. Lieblich ist es, im grünen Wald zu sitzen und die Sonne in ihrem goldenen Wagen zu betrachten und den Mond in seinem Wagen aus Perlen. Süß ist der Duft des Weißdorns, süß sind die blauen Glockenblumen, die sich im Tal verbergen, und das Heidekraut, das auf den Hügeln blüht. Und doch ist die Liebe besser als das Leben, und was ist das Herz eines Vogels gegen ein Menschenherz?«

So breitete sie ihre braunen Flügel zum Flug aus und schwang sich in die Luft. Wie ein Schatten streifte sie über den Garten, und wie ein Schatten segelte sie durch den Hain.

Der junge Student lag noch immer im Gras, wie sie ihn verlassen hatte, und die Tränen in seinen schönen Augen waren noch nicht getrocknet.

»Freue dich«, rief die Nachtigall, »freue dich; du sollst deine rote Rose haben. Aus Gesang will ich sie im Mondlicht weben und sie mit meinem eigenen Herzblut färben. Alles, was ich von dir zum Dank dafür verlange, ist, daß du deiner Liebe treu bleiben sollst, denn Liebe ist besser als Weisheit, auch wenn diese weise ist, und besser als Macht, auch wenn diese mächtig ist. Flammenfarben sind ihre Schwingen, und von der Farbe des Feuers ist ihr Leib. Ihre Lippen sind süß wie Honig, und ihr Atem ist wie Weihrauch.«

Der Student blickte aus dem Gras auf und lauschte, aber er konnte nicht verstehen, was die Nachtigall zu ihm sagte, denn er verstand nur Dinge, die in Büchern stehen.

Aber der Eichbaum verstand sie und war traurig, denn er liebte die Nachtigall, die ihr Nest in seinen Zweigen gebaut hatte.

»Sing mir ein letztes Lied«, flüsterte er. »Ich werde einsam sein, wenn du fort bist.«

Da sang die Nachtigall für den Eichbaum, und ihre Stimme war wie Wasser, das aus einem silbernen Krug sprudelt.

Als sie ihr Lied beendet hatte, stand der Student auf und zog Notizbuch und Bleistift aus seiner Tasche.

»Sie hat Form«, sagte er zu sich selber, während er sich durch den Hain entfernte, »das kann man ihr nicht absprechen; aber hat sie auch Gefühl? Ich fürchte nicht. Sie ist eben wie die meisten Künstler: ganz Stil, ohne jede echte Empfindung. Sie würde sich nicht für andere opfern. Sie hat nur Musik im Kopf, und man weiß ja, daß die Künste selbstsüchtig sind. Immerhin, man muß zugeben, daß sie einige herrliche Töne in ihrer Stimme hat. Wie schade, daß sie nichts bedeuten, noch irgend etwas wirklich Gutes tun!« Und er ging in seine Kammer und legte sich auf das schmale Feldbett und begann, an seine Liebste zu denken; und nach einer Weile fiel er in Schlaf.

Und als der Mond an den Himmeln erglänzte, da flog die Nachtigall zum Rosenstrauch und drückte ihre Brust gegen den Dorn. Die ganze Nacht sang sie, die Brust gegen den Dorn gepreßt, und der kalte, kristallene Mond neigte sich herab und lauschte. Die ganze Nacht sang sie, und der Dorn drang tiefer und tiefer in ihre Brust, und das Lebensblut ebbte hinweg von ihr.

Zuerst sang sie von der Geburt der Liebe im Herzen eines Jünglings und eines Mädchens. Und auf dem höchsten Zweig des Rosenstocks erblühte eine wunderbare Rose, Blütenblatt um Blütenblatt, wie Lied auf Lied folgte. Bleich war sie zuerst wie der Nebel, der über dem Fluß hängt, bleich wie die Füße des Morgens und silbrig wie die Schwingen der Morgenröte. Wie das Schattenbild einer Rose in einem Spiegel aus Silber, wie das Schattenbild einer Rose im Teich, so war die Rose, die auf dem höchsten Zweig des Rosenstocks erblühte.

Aber der Rosenstock rief der Nachtigall zu, fester gegen den Dorn zu drücken. »Drück fester, kleine Nachtigall«, rief der Rosenstock, »sonst kommt der Tag, noch ehe die Rose vollendet ist.«

Da drückte die Nachtigall fester gegen den Dorn, voller und voller ertönte ihr Lied, denn sie sang vom Erwachen der Leidenschaft in der Seele eines Mannes und einer Jungfrau.

Und ein zarter Anhauch von Rosa kam in die Blätter der Rose, wie das Erröten ins Gesicht des Bräutigams, wenn er die Lippen der Braut küßt. Aber der Dorn hatte ihr Herz noch nicht erreicht, so blieb das Herz der Rose noch weiß, denn nur das Herzblut einer Nachtigall kann das Herz einer Rose färben.

Und der Rosenstrauch rief der Nachtigall zu, fester gegen den Dorn zu drücken. »Drück fester, kleine Nachtigall«, rief der Rosenstock, »sonst kommt der Tag, noch ehe die Rose vollendet ist.«

So drückte die Nachtigall fester gegen den Dorn, und der Dorn berührte ihr Herz, und ein jäher, wilder Schmerz durchfuhr sie. Bitter, bitter war der Schmerz, stürmisch und stürmischer ertönte ihr Lied, denn sie sang von der Liebe, die im Tod sich erfüllt, von der Liebe, die auch im Grabe nicht stirbt.

Und die herrliche Rose wurde blutrot wie die Rose des östlichen Himmels. Blutrot war der Gürtel der Blütenblätter, und blutrot wie ein Rubin war das Herz.

Aber die Stimme der Nachtigall wurde schwächer, und ihre kleinen Flügel begannen zu flattern, und ein Schleier legte sich vor ihre Augen. Matt und matter wurde ihr Lied, und in ihrer Kehle fühlte sie ein Ersticken.

Da brach zum letztenmal ein Lied aus ihr hervor. Der weiße Mond vernahm es, und er vergaß die Morgendämmerung und verweilte noch am Himmel. Die rote Rose vernahm es, und sie erzitterte über und über in Verzückung und öffnete ihren Kelch der kühlen Morgenluft. Das Echo trug es zu seiner purpurnen Höhle in den Bergen und weckte die schlafenden Hirten aus ihren Träumen. Es schwebte über dem Schilf am Fluß, und er trug die Botschaft dem Meer zu.

»Siehe! Siehe«, rief der Rosenstrauch, »nun ist die Rose vollendet!« Doch die Nachtigall gab keine Antwort, denn sie lag tot im hohen Gras, den Dorn in ihrem Herzen.

Und zu Mittag öffnete der Student sein Fenster und blickte hinaus.

»Nein, was für ein unglaubliches Glück!« rief er. »Hier ist eine rote Rose! In meinem ganzen Leben habe ich keine solche Rose gesehen. Sie ist so schön, daß sie sicher einen langen lateinischen Namen hat«, und er beugte sich hinaus und pflückte sie.

Dann setzte er seinen Hut auf und lief mit der Rose in der Hand hinauf zum Haus des Professors.

Die Tochter des Professors saß in der Tür und wand blaue Seide auf eine Spule, und ihr kleiner Hund lag zu ihren Füßen.

»Du sagtest, du würdest mit mir tanzen, wenn ich dir eine rote Rose brächte«, rief der Student. »Hier ist die röteste Rose auf der ganzen Welt. Du wirst sie heute nacht an deinem Herzen tragen, und wenn wir miteinander tanzen, werde ich dir sagen, wie sehr ich dich liebe.«

Aber das Mädchen verzog das Gesicht.

»Leider paßt sie nicht zu meinem Kleid«, antwortete sie. »Und außerdem hat mir des Kammerherrn Neffe echte Juwelen geschickt, und jedermann weiß, daß Juwelen viel mehr kosten als Blumen.«

»Nun, auf mein Wort, du bist sehr undankbar«, rief der Student zornig und warf die Rose auf die Straße. Sie fiel in den Rinnstein, und ein Wagenrad fuhr darüber hinweg.

»Undankbar!« sagte das Mädchen. »Und ich will dir etwas sagen: Du bist unverschämt. Wer bist du denn überhaupt? Nur ein Student. Wahrscheinlich hast du nicht einmal silberne Schnallen für deine Schuhe wie des Kammerherrn Neffe!« Und sie erhob sich von ihrem Stuhl und ging ins Haus.

»Wie töricht ist doch die Liebe!« sagte der Student beim Fortgehen. »Sie ist nicht halb so nützlich wie die Logik, denn sie beweist nichts, und sie schwatzt einem immer von Dingen, die nicht eintreffen, und sie macht einen Dinge glauben, die nicht wahr sind. Sie ist in der Tat gänzlich unpraktisch, und da in unserer Zeit Praktischsein alles ist, werde ich zur Philosophie zurückkehren und Metaphysik studieren.«

Also ging er heim in sein Zimmer, zog ein großes, staubiges Buch hervor und begann zu lesen.

Der selbstsüchtige Riese

Jeden Nachmittag, wenn die Kinder aus der Schule kamen, gingen sie in den Garten des Riesen, um darin zu spielen.

Es war ein großer, lieblicher Garten mit weichem, grünem

Gras. Hier und da schauten wunderschöne Blumen aus dem Gras wie Sterne, und zwölf Pfirsichbäume standen da, die im Frühling köstliche rosa- und perlenfarbene Blüten trugen und im Herbst reiche Frucht brachten. Die Vögel saßen in den Bäumen und sangen so süß, daß die Kinder oft in ihren Spielen innehielten, um ihnen zu lauschen. »Wie glücklich wir hier sind!« rief eines dem anderen zu.

Eines Tages kam der Riese nach Haus. Er war auf Besuch gewesen bei seinem Freund, dem Menschenfresser von Cornwall, und war sieben Jahre bei ihm geblieben. Als die sieben Jahre um waren, hatte er alles gesagt, was er zu sagen hatte, denn das war nicht viel; und so beschloß er, in sein eigenes Schloß zurückzukehren. Als er ankam, sah er die Kinder in seinem Garten spielen.

»Was macht ihr hier?« schrie er mit sehr barscher Stimme, und die Kinder liefen weg.

»Mein eigener Garten ist mein eigener Garten«, sagte der Riese. »Das wird jeder einsehen, und ich erlaube keinem, darin zu spielen, außer mir selber.« Also baute er eine hohe Mauer rundherum und stellte eine Warntafel auf, darauf stand:

UNBEFUGTEN IST DER ZUTRITT BEI STRAFE VERBOTEN

Er war ein sehr selbstsüchtiger Riese.

Die armen Kinder konnten jetzt nirgends mehr spielen. Sie versuchten es auf der Straße, aber die Straße war sehr staubig und voll von harten Steinen, und das gefiel ihnen gar nicht. Wenn der Unterricht vorbei war, gingen sie jetzt oft rund um die hohen Mauern und unterhielten sich über den herrlichen Garten dahinter. »Wie glücklich waren wir dort!« sagten sie zueinander.

Dann kam der Frühling, und überall im ganzen Land gab es kleine Blüten und kleine Vögel. Nur im Garten des selbstsüchtigen Riesen herrschte noch immer Winter. Die Vögel hatten keine Lust, darin zu singen, weil keine Kinder da waren, und die Bäume vergaßen zu blühen. Einmal steckte eine wunderschöne Blume ihren Kopf aus dem Gras heraus, aber als sie die Warntafel sah, taten ihr die Kinder so leid, daß sie wieder zurück in die Erde schlüpfte und weiterschlief. Die einzigen, die sich freuten, waren der Schnee und der Frost. »Der Frühling hat diesen Garten vergessen«, riefen sie, »so wollen wir das ganze Jahr hier wohnen bleiben.« Mit seinem großen, weiten Mantel bedeckte der Schnee das Gras, und der Frost bemalte alle Bäume mit Silber. Sie luden den Nordwind ein, bei ihnen zu wohnen, und er kam. Er war in Pelze eingemummt, heulte den ganzen Tag durch den Garten und fegte die Schornsteinaufsätze herunter. »Das ist ein reizender Ort«, sagte er, »wir müssen den Hagel zu Besuch bitten.« So kam der Hagel. Jeden Tag prasselte er drei Stunden lang auf das Dach des Schlosses, bis die meisten Dachschiefer zerbrochen waren, und dann lief er rund um den Garten, so schnell er nur konnte. Er war in Grau gekleidet, und sein Atem war wie Eis. »Ich kann nicht begreifen, warum der Frühling sich mit seinem Kommen so lange Zeit läßt«, sagte der selbstsüchtige Riese, als er am Fenster saß und in seinen kalten, weißen Garten hinausblickte. »Ich hoffe, das Wetter ändert sich bald.«

Aber der Frühling kam nicht und auch nicht der Sommer. Der Herbst brachte jedem Garten goldene Früchte, doch dem Garten des Riesen brachte er nichts. »Er ist zu selbstsüchtig«, sagte er. So blieb es hier immer Winter, und Nordwind und Hagel, Frost und Schnee tanzten zwischen den Bäumen.

Eines Morgens lag der Riese wach im Bett; da hörte er eine liebliche Musik. So süß klang es seinen Ohren, daß er meinte, die Musikanten des Königs zögen vorbei. In Wirklichkeit sang nur ein kleiner Hänfling draußen vor seinem Fenster, aber es war so lange her, seit er einen Vogel in seinem Garten singen gehört hatte, daß es ihm schien wie die herrlichste Musik in der Welt. Dann hörte der Hagel auf, über seinem Kopf zu tanzen, der Nordwind hörte auf zu heulen, und durch den offenen Fensterflügel drang ein köstlicher Duft. »Ich glaube, der Frühling ist endlich gekommen«, sagte der Riese; und er sprang aus dem Bett und sah hinaus.

Und was sah er?

Er sah ein höchst wunderbares Bild. Durch ein kleines Loch der Mauer waren die Kinder hereingekrochen und saßen nun in den Zweigen der Bäume. In jedem Baum, den er sehen konnte, saß ein kleines Kind. Und die Bäume freuten sich so sehr, die Kinder wiederzuhaben, daß sie sich in Blüten gekleidet hatten und ihre Arme sanft über den Köpfen der Kinder wehen ließen. Die Vögel schwirrten umher und zwitscherten vor Vergnügen, und die Blumen blickten aus dem grünen Gras heraus und lachten. Es war ein wunderschöner Anblick; nur in einer Ecke war noch Winter. Es war der entfernteste Winkel des Gartens, und dort stand ein kleiner Junge. Er war so klein, daß er nicht hinaufreichen konnte zu den Ästen des Baumes, und so lief er rundherum und weinte bitterlich. Der arme Baum war noch immer mit Frost und Schnee bedeckt, und der Nordwind blies und heulte darüber hin. »Steig herauf, kleiner Junge«, sagte der Baum und neigte seine Äste so weit herunter, wie er nur konnte; aber der Junge war zu winzig.

Und das Herz des Riesen schmolz, als er hinausblickte. »Wie selbstsüchtig bin ich doch gewesen!« sagte er. »Jetzt weiß ich, warum der Frühling nicht hierherkommen wollte. Ich werde diesen armen kleinen Jungen in den Wipfel des Baumes setzen, und dann werde ich die Mauer niederreißen, und mein Garten soll für immer ein Spielplatz der Kinder sein.« Und er bedauerte wirklich sehr, was er getan hatte.

Er schlich also hinunter, öffnete ganz sachte die Haustür und trat hinaus in den Garten. Aber als die Kinder ihn sahen, erschraken sie so, daß sie alle davonliefen, und im Garten wurde es wieder Winter. Nur der kleine Junge lief nicht davon, denn seine Augen waren so voll Tränen, daß er den Riesen nicht kommen sah. Und der Riese stahl sich hinter ihn, hob ihn sanft auf seine Hand und setzte ihn hinauf in den Baum. Und mit einem Male brach der Baum in Blüten aus, und die Vögel kamen und sangen darauf, und der kleine Junge streckte seine beiden Arme aus und schlang sie um des Riesen Nacken und küßte ihn. Und als die anderen Kinder sahen, daß der Riese nicht länger böse war, kamen sie zurückgelaufen, und mit ihnen kam der Frühling. »Das ist jetzt euer Garten, ihr kleinen Kinder«, sagte der Riese, und er nahm eine große Axt und riß die Mauer nieder. Und als die Leute um zwölf Uhr auf den Markt gingen, sahen sie den Riesen mit den Kindern spielen in dem herrlichsten Garten, den sie jemals erblickt hatten.

Den ganzen Tag lang spielten sie, und am Abend kamen sie zum Riesen, um sich zu verabschieden.

»Aber wo ist euer kleiner Spielgefährte«, sagte er, »der Junge, den ich in den Baum gesetzt habe?« Der Riese hatte ihn am liebsten, weil er ihn geküßt hatte.

»Wir wissen es nicht«, antworteten die Kinder, »er ist weggegangen.«

»Ihr müßt ihm sagen, daß er morgen ganz sicher wiederkommen soll«, sagte der Riese. Aber die Kinder erwiderten, sie wüßten nicht, wo er wohne, und hätten ihn niemals zuvor gesehen; da wurde der Riese sehr traurig.

Jeden Nachmittag, wenn die Schule vorbei war, kamen die Kinder und spielten mit dem Riesen. Aber der kleine Junge, den der Riese liebte, wurde niemals wieder gesehen. Der Riese war sehr freundlich zu allen Kindern, aber er sehnte sich nach seinem ersten kleinen Freund und sprach oft von ihm. »Wie gern würde ich ihn sehen!« sagte er dann immer.

Jahre vergingen, und der Riese wurde recht alt und schwach. Er konnte nicht mehr draußen spielen, also saß er in einem riesigen Lehnstuhl, sah den Kindern bei ihren Spielen zu und freute sich an seinem Garten. »Ich habe viele herrliche Blumen«, sagte er, »aber die Kinder sind die allerschönsten.«

Eines Wintermorgens, als er sich eben ankleidete, blickte er aus einem Fenster. Jetzt haßte er den Winter nicht mehr, denn er wußte, daß der Frühling nur schlief und die Blumen sich ausruhten.

Plötzlich rieb er sich seine Augen vor Erstaunen und schaute und schaute. Und wahrhaftig hatte er einen herrlichen Anblick. Im entferntesten Winkel des Gartens war ein Baum ganz bedeckt mit lieblichen weißen Blüten. Seine Äste waren golden, und silberne Früchte hingen von ihnen, und darunter stand der kleine Knabe, den er geliebt hatte.

Voller Freude lief der Riese hinunter und hinaus in den Garten. Er hastete über das Gras und näherte sich dem Kind. Und als er ganz nahe war, rötete sich sein Gesicht vor Zorn, und er sagte: »Wer hat es gewagt, dich zu verwunden?« Denn auf der Handfläche des Kindes waren die Male zweier Nägel, und Male zweier Nägel waren auf den kleinen Füßen.

»Wer hat es gewagt, dich zu verwunden?« rief der Riese. »Sage es mir, daß ich mein großes Schwert nehme und ihn erschlage.«

»Laß nur dein Schwert in der Scheide«, erwiderte das Kind, »denn dies sind die Wunden der Liebe.«

»Wer bist du?« fragte der Riese, und eine fremdartige Scheu überfiel ihn, und er kniete nieder vor dem kleinen Kind. Und das Kind lächelte dem Riesen zu und sagte zu ihm: »Du ließest mich einst in deinem Garten spielen, heute sollst du mit mir in meinen Garten kommen, der da ist das Paradies.«

Und als die Kinder an diesem Nachmittag hereinliefen, da fanden sie den Riesen tot unter dem Baum liegen, und er war ganz bedeckt mit weißen Blüten.

Der ergebene Freund

Eines Morgens steckte der alte Wasserratz den Kopf aus seinem Loch. Er hatte glänzende Knopfaugen und einen steifen grauen Schnurrbart, und sein Schwanz war wie ein langes Stück schwarzer Kautschuk. Die kleinen Enten schwammen auf dem Weiher umher und sahen genau wie ein Haufen gelber Kanarienvögel aus, und ihre Mutter, die rein weiß war mit echten roten Beinen, versuchte ihnen beizubringen, wie man im Wasser kopfsteht.

»Ihr werdet nie zur besten Gesellschaft gehören, wenn ihr nicht kopfstehen könnt«, wiederholte sie unaufhörlich; und alle Augenblicke führte sie ihnen vor, wie man's macht. Aber die kleinen Enten waren überhaupt nicht aufmerksam. Sie waren so jung, daß sie noch nicht wußten, wie vorteilhaft es ist, zur besten Gesellschaft zu gehören.

»Was für ungehorsame Kinder!« rief der alte Wasserratz, »sie verdienten es wahrhaftig, daß man sie ertränkte.«

»Beileibe nicht«, erwiderte die Ente, »aller Anfang ist schwer, und Eltern können nie zu geduldig sein.«

»Ach ja? Ich verstehe nichts von elterlichen Gefühlen«, sagte der Wasserratz. »Ich habe keinen Sinn für Familie. Ich war allerdings niemals verheiratet und habe auch keinerlei Absicht, es jemals zu sein. Liebe ist auf ihre Art recht schön und gut, aber Freundschaft steht viel höher. Ich wüßte wahrhaftig nichts auf der Welt, das edler oder auch seltener wäre als eine ergebene Freundschaft.«

»Und was, wenn ich bitten darf, ist Ihre Vorstellung von den Pflichten eines ergebenen Freundes?« fragte ein grüner Hänfling, der auf einem Weidenbaum gleich daneben saß und der Unterhaltung gefolgt war.

»Ja, genau das möchte ich auch erfahren«, sagte die Ente, schwamm weg zum anderen Ende des Teiches und machte einen Kopfstand, um ihren Kindern ein gutes Beispiel zu geben.

»Was für eine dumme Frage!« rief der Wasserratz. »Ich würde von meinem ergebenen Freund selbstverständlich erwarten, daß er mir ergeben ist.«

»Und was würden Sie zum Dank dafür für ihn tun?« fragte der kleine Vogel, wippte auf einem silbrigen Zweig und flatterte mit seinen zierlichen Flügeln.

»Ich verstehe Sie nicht«, antwortete der Wasserratz.

»Dann will ich Ihnen zu diesem Thema eine Geschichte erzählen«, sagte der Hänfling.

»Handelt die Geschichte von mir?« fragte der Wasserratz. »In diesem Fall will ich sie mir anhören, denn ich schätze Geschichten ganz außerordentlich.«

»Die Geschichte läßt sich auf Sie anwenden«, versetzte der Hänfling; und er flog herunter, ließ sich am Ufer nieder und erzählte die Geschichte vom ergebenen Freund.

»Es war einmal«, begann der Hänfling, »ein redlicher kleiner Bursche, der hieß Hans.«

»War er in irgendeiner Hinsicht bemerkenswert?«

»Nein«, versetzte der Hänfling, »ich glaube nicht, daß er irgendwie bemerkenswert war, außer wegen seines gütigen Herzens und seines lustigen runden, gutgelaunten Gesichts. Er lebte ganz allein in einer winzigen Hütte und arbeitete jeden Tag in seinem Garten. In der ganzen Gegend war kein Garten so lieblich wie seiner. Bartnelken wuchsen da, Goldlack und Hirtentäschelkraut und Hahnenfuß. Da gab es Damaszenerrosen und gelbe Rosen, lila und goldenen Krokus, purpurne und weiße Veilchen. Akelei und Wiesenschaumkraut, Majoran und Basilienkraut, Primeln und Lilien, Narzissen und Nelken sproßten und blühten jedes zu seiner Zeit, wie die Monate kamen und gingen; eine Blume trat an die Stelle einer andern, so daß es immer etwas Schönes zum Anschauen und etwas Angenehmes zum Riechen gab.

Der kleine Hans hatte eine große Zahl von Freunden, aber der treueste Freund von allen war Hugo, der Müller. In der Tat, so ergeben war der reiche Müller dem kleinen Hans, daß er niemals an seinem Garten vorbeiging, ohne sich über den Zaun zu lehnen und einen stattlichen Blumenstrauß oder eine Handvoll Küchenkräuter zu pflücken oder sich die Taschen mit Pflaumen und Kirschen zu füllen, wenn die Zeit der Früchte war.

›Wahre Freunde sollten alles miteinander teilen‹, pflegte der Müller zu sagen, und der kleine Hans nickte und lächelte und war sehr stolz darauf, einen Freund mit so erbaulichen Gedanken zu haben.

Manchmal fanden es die Nachbarn zwar recht sonderbar, daß der reiche Müller dem kleinen Hans nicht auch einmal etwas schenkte, obwohl er in seiner Mühle Hunderte von Mehlsäcken aufgestapelt hatte, sechs Milchkühe besaß und eine große Herde wolliger Schafe; aber Hans beschwerte seinen Kopf nicht mit diesen Dingen, und nichts machte ihm mehr Vergnügen, als den wunderbaren Worten zu lauschen, die der Müller über die Selbstlosigkeit wahrer Freundschaft zu sagen wußte.

So arbeitete der kleine Hans tagein, tagaus in seinem Garten. Im Frühling, im Sommer und im Herbst war er sehr glücklich, aber wenn der Winter kam, hatte er keine Früchte oder Blumen mehr, um sie zum Markt zu bringen, er litt recht unter Kälte und Hunger und ging oft ins Bett ohne ein anderes Abendbrot als ein paar getrockneten Birnen oder einigen harten Nüssen. Im Winter war er auch sehr einsam, denn der Müller besuchte ihn dann nie.

›Es hätte keinen Sinn, den kleinen Hans zu besuchen, solange der Schnee liegt‹, sagte der Müller dann immer zu seiner Frau, ›denn wenn ein Mensch Sorgen hat, soll man ihn allein lassen und ihn nicht mit Besuchen belästigen. Das ist wenigstens meine Vorstellung von Freundschaft, und ich bin überzeugt, daß ich im Recht bin. Daher will ich warten, bis der Frühling kommt, und ihn dann aufsuchen; dann kann er mir einen großen Korb voll Schlüsselblumen schenken, und das wird ihn ganz glücklich machen.‹

›Du bist wirklich sehr rücksichtsvoll gegen andere‹, antwortete die Frau, die in ihrem bequemen Lehnstuhl neben dem großen Kiefernfeuer saß, ›wirklich sehr rücksichtsvoll. Es ist ein wahrer Genuß, dich über Freundschaft sprechen zu hören. Ich bin sicher, daß der Pfarrer selber nicht so schöne Sachen darüber sagen könnte wie du, wenn er auch in einem dreistöckigen Haus wohnt und einen goldenen Ring an seinem kleinen Finger trägt.‹

›Aber könnten wir den kleinen Hans nicht zu uns einladen?‹ fragte des Müllers jüngster Sohn. ›Wenn der arme Hans in Not ist, werde ich ihm die Hälfte von meinem Porridge geben und ihm meine weißen Hasen zeigen.‹

›Was bist du doch für ein dummer Bub!‹ rief der Müller. ›Ich weiß wirklich nicht, wozu ich dich in die Schule schicke. Du scheinst da überhaupt nichts zu lernen. Nun, wenn der kleine Hans zu uns käme und unser warmes Feuer sähe und unser gutes Abendbrot und unser großes Faß voll roten Weines, da könnte er neidisch werden, und der Neid ist etwas ganz Schlimmes und verdirbt jeden Charakter. Ich aber werde es sicherlich nicht gestatten, daß Hans' Charakter verdorben wird. Ich bin sein bester Freund, und ich werde immer meine Hand über ihn halten und darauf sehen, daß man ihn nicht in Versuchung führt. Übrigens, wenn Hans hierherkäme, würde er mich vielleicht bitten, ihm auf Kredit etwas Mehl zu leihen, und das könnte ich nicht tun. Mehl ist eine Sache, und Freundschaft ist eine andere, und man soll die beiden nicht durcheinanderbringen. Die Wörter werden unterschiedlich buchstabiert und bedeuten ganz verschiedene Dinge. Das sieht schließlich jedes Kind.‹

›Wie schön du sprichst!‹ sagte des Müllers Weib und goß sich ein großes Glas Warmbier ein, ›mir wird schon ganz schläfrig dabei. Es ist genauso, als wäre man in der Kirche.‹

›Es gibt eine Menge Leute, die gut handeln‹, antwortete der Müller, ›aber nur sehr wenige sprechen auch gut, woraus verständlich wird, daß Sprechen bei weitem das Schwierigere ist von den beiden Dingen und auch bei weitem das Feinere.‹ Und er blickte streng über den Tisch auf seinen kleinen Sohn, der vor lauter Scham seinen Kopf hängen ließ und ganz scharlachrot anlief und in seinen Tee hinein zu weinen begann. Aber er war ja noch so klein, daß man ihm das nicht übelnehmen darf.«

»Ist die Geschichte zu Ende?« fragte der Wasserratz.

»Aber nein«, versetzte der Hänfling, »das ist der Anfang.«

»Dann sind Sie aber gar nicht auf dem laufenden«, sagte der Wasserratz. »Heutzutage beginnt jeder gute Erzähler mit dem Ende, geht dann über zum Anfang und schließt mit der Mitte. Das ist die moderne Methode. Ich habe neulich alles darüber gehört, und zwar von einem Kritiker, der mit einem jungen Mann rund um den Teich spazierenging. Er sprach sehr ausführlich über die Angelegenheit, und ich bin überzeugt, daß er recht hatte, denn er trug blaue Brillen und hatte eine Glatze, und immer, wenn der junge Mann irgendeine Bemerkung machte, sagte er nur: ›Bah!‹ Doch fahren Sie bitte fort mit Ihrer Geschichte. Ich schätze den Müller ganz außerordentlich. Ich habe selbst alle Arten von erhabenen Gefühlen, so daß eine tiefe seelische Verwandtschaft zwischen uns besteht.«

»Nun«, sagte der Hänfling und hüpfte von einem Bein aufs andere, »als der Winter vorüber war und die Schlüsselblumen ihre bleichen, gelben Sterne gerade öffneten, sagte der Müller zu seiner Frau, er wolle hinuntergehen und den kleinen Hans besuchen.

›Ach, was hast du für ein gutes Herz!‹ rief seine Frau. ›Immer denkst du an andere. Und vergiß ja nicht, den großen Korb für die Blumen mitzunehmen.‹

Der Müller band also mit einer starken Eisenkette die Flügel der Windmühle fest und ging mit dem Korb überm Arm den Hügel hinunter.

›Guten Morgen, kleiner Hans‹, sagte der Müller.

›Guten Morgen‹, sagte Hans, auf seinen Spaten gelehnt, und lachte von einem Ohr zum anderen.

›Und wie ist es dir den ganzen Winter über ergangen?‹ fragte der Müller.

›Ach‹, rief Hans, ›es ist sehr gütig von dir, danach zu fragen, wirklich sehr gütig. Ich habe leider eine recht schwere Zeit gehabt, aber jetzt ist der Frühling gekommen, und ich bin ganz glücklich, und alle meine Blumen gedeihen.‹

›Wir haben den Winter über oft von dir gesprochen, Hans‹, sagte der Müller, ›und uns gefragt, wie es dir wohl ginge.‹

›Das war sehr freundlich von euch‹, sagte Hans, ›ich fürchtete schon fast, ihr hättet mich vergessen.‹

›Hans, ich muß mich über dich wundern‹, erwiderte der Müller, ›Freundschaft vergißt niemals. Das ist ja das Wunderbare daran; aber ich fürchte, du begreifst die Poesie des Lebens nicht. Übrigens, nebenbei gesagt, wie entzückend deine Schlüsselblumen aussehen!‹

›Ja, sie sind wirklich sehr schön‹, sagte Hans, ›und es ist ein großes Glück für mich, daß ich so viele davon habe. Ich will sie zum Markt bringen und der Tochter des Bürgermeisters verkaufen und mit dem Geld meinen Schubkarren auslösen.‹

›Deinen Schubkarren auslösen? Du willst doch nicht sagen, daß du ihn verkauft hast? Das war aber sehr dumm von dir!‹

›Nun ja, Tatsache ist‹, entgegnete Hans, ›daß ich dazu gezwungen war. Verstehst du, der Winter war eine sehr schlechte Zeit für mich, und ich hatte wirklich gar kein Geld, um mir Brot zu kaufen. Daher verkaufte ich zuerst die silbernen Knöpfe von meinem Sonntagsmantel und dann meine silberne Kette und dann meine große Pfeife, und als letztes verkaufte ich meinen Schubkarren. Aber jetzt werde ich das alles wieder zurückkaufen.‹

›Hans‹, sagte der Müller, ›ich will dir meinen Schubkarren schenken. Er ist nicht eben in bestem Zustand; eine Seite ist in der Tat ganz hin, und mit den Radspeichen ist etwas nicht in Ordnung. Ich weiß, es ist sehr großzügig von mir, und viele Leute würden mich für äußerst töricht halten, daß ich ihn hergebe; aber ich bin nicht wie die anderen. Ich glaube, daß Großzügigkeit das Wesen der Freundschaft ausmacht, und außerdem habe ich für mich bereits einen neuen Schubkarren angeschafft. Ja, du darfst nun in Ruhe schlafen, denn ich will dir meinen Schubkarren schenken.‹

›Ach, das ist wirklich sehr großzügig von dir‹, sagte der kleine Hans, und sein lustiges rundes Gesicht strahlte über und über vor Freude. ›Ich kann ihn leicht selber richten, denn ich habe eine Holzplanke im Haus.‹

›Eine Holzplanke!‹ sagte der Müller. ›Das ist ja genau das,

was ich für das Dach meiner Scheune brauche. Das hat ein weites Loch, und wenn ich nichts dagegen unternehme, wird das Getreide ganz feucht. Wie gut, daß du davon gesprochen hast! Es ist doch erstaunlich, wie eine gute Tat immer eine andere nach sich zieht. Ich habe dir meinen Schubkarren geschenkt, und du wirst mir nun dein Brett geben. Selbstverständlich ist der Schubkarren bei weitem mehr wert als das Brett. Aber wahre Freundschaft beachtet solche Dinge nicht. Ich bitte dich, hole es gleich, damit ich noch heute mit der Arbeit an meiner Scheune beginnen kann.‹

›Aber gern‹, rief der kleine Hans, lief in den Schuppen und schleppte das Brett heraus.

›Es ist kein sehr großes Brett‹, sagte der Müller und sah es an, ›und ich fürchte, wenn mein Scheunendach geflickt ist, wird nichts für dich übrigbleiben, womit du den Schubkarren flicken könntest; aber das ist selbstverständlich nicht meine Schuld. Und nun, da ich dir meine Schubkarre gegeben habe, wirst du mir sicherlich zum Dank dafür gern ein paar Blumen schenken wollen. Hier ist der Korb, mach ihn nur ganz voll.‹

›Ganz voll?‹ sagte der kleine Hans ziemlich bekümmert, denn es war wirklich ein sehr großer Korb, und er sah, daß ihm keine Blumen mehr für den Markt bleiben würden, wenn er ihn bis oben füllte, und ihm lag sehr viel daran, seine Silberknöpfe wiederzubekommen.

›Nun, ich muß schon sagen‹, versetzte der Müller, ›wo ich dir meinen Schubkarren gegeben habe, finde ich es wirklich nicht zuviel verlangt, wenn ich dich um ein paar Blumen bitte. Bitte, vielleicht irre ich mich, aber ich hätte angenommen, daß Freundschaft, wahre Freundschaft, von jedweder Selbstsucht gänzlich frei wäre.‹

›Mein lieber Freund, mein bester Freund‹, rief der kleine Hans, ›ich gebe dir gern alle Blumen in meinem Garten. Mir liegt allezeit viel mehr an deiner guten Meinung als an meinen Silberknöpfen‹, und er lief und pflückte alle seine schönen Primeln und füllte des Müllers Korb.

›Adieu, kleiner Hans‹, sagte der Müller und stieg mit dem Brett auf der Schulter und dem großen Korb in seiner Hand den Hügel hinauf.

›Guten Tag‹, sagte der kleine Hans und machte sich lustig wieder ans Graben; er freute sich so über den Schubkarren.

Am nächsten Tag machte er gerade Geißblattranken über der Tür fest, als er die Stimme des Müllers hörte, der ihn von der Straße her rief. Gleich sprang er von der Leiter, lief in den Garten hinunter und blickte über den Zaun. Da stand der Müller mit einem großen Mehlsack auf seinem Rücken.

›Mein lieber kleiner Hans‹, sagte der Müller, ›würde es dir etwas ausmachen, mir diesen Sack mit Mehl auf den Markt zu tragen?‹

›Ach, es tut mir so leid‹, versetzte Hans, ›aber ich habe heute wirklich viel zu tun. Ich muß alle meine Schlingpflanzen aufbinden und alle meine Blumen gießen und meinen ganzen Rasen walzen.‹

›Nun, ich muß schon sagen‹, sagte der Müller, ›ich finde, in Anbetracht dessen, daß ich dir meinen Schubkarren schenken will, ist deine Weigerung doch einigermaßen unfreundlich.‹

›Ach, sage das nicht‹, rief der kleine Hans, ›ich möchte um alles in der Welt nicht unfreundlich sein‹, und er lief um seine Mütze und schleppte sich mit dem großen Sack auf seinen Schultern mühselig davon.

Es war ein sehr heißer Tag, und die Landstraße war schrecklich staubig; und bevor Hans den sechsten Meilenstein erreichte, war er so müde, daß er sich hinsetzen und ausruhen mußte. Aber gleich marschierte er wieder tapfer weiter und erreichte endlich den Markt.

Nachdem er eine Weile dort gewartet hatte, verkaufte er den Sack voll Mehl zu einem sehr guten Preis und machte sich darauf sogleich auf den Heimweg, denn er fürchtete, es könnten ihn Räuber auf dem Weg überfallen, wenn er sich zu lange aufhielte.

›Das war schon ein schwerer Tag heute‹, sagte der kleine Hans beim Bettgehen zu sich selber, ›aber ich bin froh, daß ich den Müller nicht abgewiesen habe, denn er ist mein bester Freund, und noch dazu will er mir seinen Schubkarren schenken.‹

Früh am nächsten Morgen kam der Müller herunter, um das Geld für seinen Mehlsack zu holen, aber der kleine Hans war so müde, daß er noch im Bett lag.

›Auf mein Wort‹, sagte der Müller, ›du bist sehr faul. Wirklich, in Anbetracht der Tatsache, daß ich dir meinen Schubkarren schenken will, finde ich, daß du härter arbeiten könntest. Müßiggang ist eine schwere Sünde, und ich kann es an meinen Freunden durchaus nicht leiden, wenn sie faul oder träge sind. Du darfst es mir nicht übelnehmen, wenn ich ganz aufrichtig mit dir rede. Selbstverständlich würde ich nicht im Traum an so etwas denken, wenn ich nicht dein Freund wäre. Aber wozu ist Freundschaft gut, wenn man nicht deutlich sagen kann, was man denkt? Komplimente machen, Annehmlichkeiten und Schmeicheleien sagen, das kann ein jeder; aber der wahre Freund sagt immer unangenehme Dinge, und es macht ihm nichts aus, wenn er dem anderen damit weh tut. Ja, wenn er in Wahrheit ein treuer Freund ist, dann ist ihm das sogar lieber, denn er weiß, daß er damit nur Gutes bewirkt.‹

›Es tut mir sehr leid‹, sagte der kleine Hans, rieb sich die Augen und zog die Schlafmütze vom Kopf, ›aber ich war so müde, daß ich dachte, ich würde noch ein wenig im Bett liegenbleiben und dem Gesang der Vögel lauschen. Weißt du, daß ich immer besser arbeite, wenn ich die Vögel singen gehört habe?‹

›Nun, das freut mich‹, versetzte der Müller und schlug dem kleinen Hans auf die Schultern, ›denn ich möchte, daß du, sobald du angekleidet bist, zur Mühle hinaufkommst und das Scheunendach für mich flickst.‹

Dem armen kleinen Hans lag sehr viel daran, in seinem Garten arbeiten zu können, denn er hatte seine Blumen seit zwei Tagen nicht mehr gegossen; aber er wollte den Müller nicht abweisen, da ihm dieser doch ein so guter Freund war.

›Würdest du es für unfreundlich von mir halten, wenn ich sagte, ich hätte viel zu tun?‹ fragte er schüchtern und vorsichtig.

›Nun, ich muß schon sagen‹, versetzte der Müller, ›ich finde, es ist nicht zuviel von dir verlangt, wenn man bedenkt, daß ich dir meinen Schubkarren schenken will; aber selbstverständlich, wenn du nicht willst, dann muß ich eben hingehen und es selber machen.‹

›Oh, auf keinen Fall‹, rief der kleine Hans; und er sprang aus dem Bett und kleidete sich an und lief hinauf zur Scheune. Dort arbeitete er den ganzen Tag, bis Sonnenuntergang, und bei Sonnenuntergang kam der Müller, um zu sehen, wie es mit der Arbeit vorwärtsginge.

›Hast du das Loch im Dach schon geflickt, kleiner Hans?‹ rief der Müller ihm mit heiterer Stimme zu.

›Es ist fast fertig‹, rief der kleine Hans zurück und kam die Leiter herunter.

›Ah!‹ sagte der Müller. ›Es ist doch keine Arbeit so erhebend wie die, die man für andere tut.‹

›Sicherlich ist es eine große Gnade, dich reden hören zu dürfen‹, antwortete der kleine Hans, setzte sich hin und wischte sich den Schweiß von der Stirn, ›eine sehr große Gnade. Aber ich fürchte, ich werde niemals so schöne Gedanken haben wie du.‹

›Oh, das wird schon werden‹, sagte der Müller, ›du mußt dir nur mehr Mühe geben. Vorläufig hast du nur die Praxis der Freundschaft; eines Tages wirst du auch ihre Theorie begreifen.‹

›Glaubst du wirklich?‹ fragte der kleine Hans.

›Ich zweifle nicht daran‹, erwiderte der Müller. ›Aber nun, da du das Dach geflickt hast, gehe lieber nach Haus und ruhe dich aus, denn ich möchte, daß du morgen meine Schafe in die Berge treibst.‹

Der arme kleine Hans traute sich nicht, etwas dagegen zu sagen. So brachte der Müller früh am nächsten Morgen seine Schafe herunter zur Hütte, und Hans machte sich mit ihnen auf in die Berge. Er brauchte den ganzen Tag für den Hin- und den Rückweg, und als er heimkam, war er so müde, daß er in seinem Stuhl einschlief und erst erwachte, als es heller Tag war.

›Was für einen herrlichen Tag werde ich in meinem Garten haben‹, sagte er und machte sich sogleich an die Arbeit.

Aber er kam nie dazu, sich um seine Blumen zu kümmern, denn sein Freund, der Müller, kam immer herunter und schickte ihn fort mit langwierigen Aufträgen oder holte ihn, damit er in der Mühle half. Manchmal war der kleine Hans sehr betrübt, denn er fürchtete, seine Blumen könnten glauben, er habe sie vergessen; aber dann tröstete er sich mit dem Gedanken, daß der Müller doch sein bester Freund war. ›Außerdem‹, pflegte er zu sagen, ›will er mir seinen Schubkarren schenken, und das ist eine Tat der reinen Großzügigkeit.‹

So arbeitete der kleine Hans für den Müller, und der Müller sagte allerhand Schönes über die Freundschaft, was Hans in ein

Notizbuch eintrug und des Nachts wieder durchlas, denn er war ein sehr gewissenhafter Schüler.

Eines Abends, als Hans vor seinem Kamin saß, wurde plötzlich laut an die Tür geklopft. Es war eine sehr stürmische Nacht, und der Wind blies und heulte rund ums Haus so fürchterlich, daß Hans zuerst dachte, es wäre der Sturm. Aber ein zweites Klopfen ertönte, darauf ein drittes, jedesmal lauter als zuvor.

›Das ist ein armer Wanderer‹, sagte der kleine Hans zu sich selber und lief zur Tür.

Da stand der Müller mit einer Laterne in einer Hand und einem großen Stock in der anderen.

›Lieber kleiner Hans‹, rief der Müller, ›ich bin in einer großen Notlage. Mein kleiner Junge ist eine Leiter herabgefallen und hat sich verletzt, und ich muß den Arzt holen. Aber er wohnt so weit weg, und die Nacht ist so schlimm, daß mir eben einfiel, es wäre doch viel besser, wenn du an meiner Statt gingest. Du weißt, daß ich dir meinen Schubkarren schenken will, und so ist es nur billig, daß du zum Dank dafür auch etwas für mich tust.‹

›Aber gewiß‹, rief der kleine Hans, ›ich betrachte es als eine Ehre, daß du zu mir gekommen bist, und werde mich sogleich auf den Weg machen. Aber du mußt mir deine Laterne leihen, denn die Nacht ist so finster, daß ich fürchte, ich könnte in einen Graben fallen.‹

›Ich bedaure sehr‹, versetzte der Müller, ›aber das ist meine neue Laterne, und es wäre für mich ein großer Verlust, sollte ihr nur das geringste zustoßen.‹

›Nun, das macht nichts, ich werde schon zurechtkommen‹, rief der kleine Hans, holte seinen großen Pelzrock herunter und seine warme, scharlachfarbene Mütze, schlang ein wollenes Tuch um seinen Hals und machte sich auf den Weg.

Was tobte da für ein entsetzlicher Sturm! Die Nacht war so schwarz, daß Hans kaum sehen konnte, und der Wind so heftig, daß er sich kaum auf den Beinen zu halten vermochte. Dennoch kämpfte er sich tapfer vorwärts, und nachdem er drei Stunden gegangen war, langte er beim Haus des Arztes an und pochte an die Tür.

›Wer ist da?‹ rief der Arzt und steckte den Kopf aus dem Schlafzimmerfenster.

›Der kleine Hans, Herr Doktor.‹

›Was willst du, kleiner Hans?‹

›Des Müllers Sohn ist von der Leiter gefallen und hat sich verletzt, und der Müller läßt sagen, Ihr möchtet gleich kommen.‹

›In Ordnung!‹ sagte der Doktor; und er rief nach seinem Pferd und seinen Stiefeln und seiner Laterne, kam die Stiegen herunter und ritt weg in Richtung auf des Müllers Haus, und der kleine Hans stapfte hinter ihm drein.

Aber der Sturm wurde schlimmer und schlimmer, und der Regen fiel in Strömen, und der kleine Hans konnte nicht sehen, wohin er ging, noch konnte er mit dem Pferd Schritt halten. Schließlich verlor er den Weg und verirrte sich ins Moor, das sehr gefährlich war, denn es war voller tiefer Löcher; und dort ertrank der arme kleine Hans. Am nächsten Tag fanden Ziegenhirten seinen Leichnam auf einem großen Tümpel treiben und brachten ihn zurück zu seiner Hütte.

Die ganze Gegend ging zur Beerdigung des kleinen Hans, denn alle hatten ihn gekannt und gern gemocht; und der Müller war der Hauptleidtragende.

›Da ich sein bester Freund war‹, sagte der Müller, ›ist es nur billig, daß ich den besten Platz bekomme.‹ Und so schritt er in einem langen schwarzen Umhang an der Spitze des Trauerzugs und wischte sich mit einem großen Taschentuch dann und wann die Augen.

›Der kleine Hans ist für jeden ein großer Verlust‹, sagte der Schmied, als das Begräbnis vorbei war und sie alle gemütlich im Gasthof saßen, gewürzten Wein tranken und süße Kuchen aßen.

›Auf jeden Fall ein großer Verlust für mich‹, erwiderte der Müller. ›Jawohl, ich hatte ihm meinen Schubkarren so gut wie geschenkt, und jetzt weiß ich wirklich nicht, was ich damit tun soll. Zu Hause steht er mir sehr im Weg herum, und er ist in so schlechtem Zustand, daß ich überhaupt nichts dafür bekäme, wenn ich ihn verkaufte. Ich werde mich sicherlich hüten, jemals wieder etwas zu verschenken. Unter seiner eigenen Großzügigkeit hat man doch nur zu leiden.‹«

»Und?« sagte der Wasserratz nach einer langen Pause.

»Und nichts, das ist das Ende«, versetzte der Hänfling.

»Aber was wurde aus dem Müller?« fragte der Wasserratz.

»Oh, das weiß ich wirklich nicht«, erwiderte der Hänfling, »und es ist mir auch völlig gleichgültig.«

»Daraus ersieht man deutlich, daß Sie nicht des leisesten Mitgefühls fähig sind«, sagte der Wasserratz.

»Ich fürchte, Sie haben die Moral dieser Geschichte nicht völlig begriffen«, bemerkte der Hänfling.

»Die was?« kreischte der Wasserratz.

»Die Moral.«

»Wollen Sie damit sagen, daß die Geschichte eine Moral hat?«

»Allerdings«, erwiderte der Hänfling.

»Nun, ich muß schon sagen«, sagte der Wasserratz höchst erbost, »das hätten Sie mir aber wirklich vorher mitteilen können. Dann hätte ich Ihnen nämlich auf keinen Fall zugehört; ich hätte höchstens ›Bah!‹ gesagt wie jener Kritiker. Das kann ich übrigens auch jetzt noch tun«, und so schrie er aus vollem Halse »Bah!«, peitschte mit seinem Schwanz einmal kurz das Wasser und verschwand in seinem Loch.

»Und wie gefällt Ihnen der Wasserratz?« fragte die Ente, die einige Minuten darauf angepaddelt kam. »Er hat zwar viele gute Seiten, aber was mich betrifft, so hege ich die Gefühle einer Mutter und kann einen eingefleischten Junggesellen nie ansehen, ohne daß mir die Tränen in die Augen kommen.«

»Ich muß befürchten, daß ich ihn geärgert habe«, antwortete der Hänfling. »Ich habe ihm nämlich eine Geschichte mit einer Moral erzählt.«

»Ah! Das ist immer sehr gefährlich«, sagte die Ente.

Und ich bin ganz ihrer Meinung.

Die bemerkenswerte Rakete

Der Königssohn sollte Hochzeit halten, und so feierte man Feste im ganzen Land. Er hatte ein volles Jahr auf seine Braut gewartet, und endlich war sie gekommen. Sie war eine russische Prinzessin, und in einem von sechs Rentieren gezogenen Schlitten war sie den ganzen Weg von Finnland hierhergefahren. Der Schlitten hatte die Gestalt eines großen goldenen Schwans, und zwischen den Flügeln des Schwans lag die kleine Prinzessin selber. Ihr langer Hermelinumhang reichte ihr bis zu den Füßen, auf ihrem Kopf trug sie ein zierliches Käppchen aus Silbergespinst, und ihr Antlitz war so blaß wie der Schneepalast, in dem sie bisher gewohnt hatte. So bleich war sie, daß die Leute sich alle wunderten, wie sie durch die Straßen fuhr.

»Sie ist wie eine weiße Rose!« riefen sie und warfen von den Balkonen Blumen auf sie hinab.

Am Tor des Schlosses wartete der Prinz, um sie zu empfangen. Er hatte träumerische, violette Augen, und sein Haar war wie feines Gold. Als er sie erblickte, sank er aufs Knie und küßte ihre Hand.

»Dein Bildnis war wunderschön«, murmelte er, »aber du bist noch viel schöner als dein Bildnis«, und die kleine Prinzessin errötete.

»Vorher war sie wie eine weiße Rose«, sagte ein junger Page zu seinem Nachbarn, »nun aber ist sie wie eine rote Rose«, und der ganze Hof war entzückt.

Die folgenden drei Tage ging jedermann umher und sagte: »Weiße Rose, rote Rose, rote Rose, weiße Rose«, und der König ordnete an, daß des Pagen Gehalt verdoppelt würde. Da er ohnehin kein Gehalt bekam, hatte er nicht sehr viel davon, aber es galt als große Ehre und wurde in der Hof-Gazette geziemend hervorgehoben.

Als die drei Tage vorüber waren, wurde die Hochzeit gefeiert. Es war eine prunkvolle Zeremonie, und Braut und Bräutigam schritten Hand in Hand unter einem Baldachin aus purpurnem Samt, bestickt mit kleinen Perlen. Dann gab es ein Staatsbankett, das fünf Stunden dauerte. Prinz und Prinzessin saßen obenan im großen Saal und tranken aus einem Becher von klarem Kristall. Nur wahre Liebende konnten aus diesem Becher trinken, denn wenn falsche Lippen ihn berührten, so wurde er grau und trüb und wolkig.

»Es ist ganz klar, daß sie einander lieben«, sagte der kleine Page, »so klar wie Kristall«, und der König verdoppelte ein zweites Mal sein Gehalt.

»Welche Ehre!« riefen alle Höflinge.

Nach dem Bankett sollte ein Ball stattfinden. Braut und Bräutigam sollten miteinander den Rosentanz tanzen, und der König hatte versprochen, die Flöte zu spielen. Er spielte sehr schlecht, aber niemand hatte jemals gewagt, ihm das zu sagen, denn er war der König. Er kannte in der Tat nur zwei Melodien und war niemals ganz sicher, welche er gerade spielte; aber das machte nichts aus, denn was immer er auch tat, jeder rief aus: »Charmant! Charmant!«

Der letzte Punkt des Programms war eine große Feuerwerksvorführung, welche genau um Mitternacht abgebrannt werden sollte. Die kleine Prinzessin hatte noch nie in ihrem Leben ein Feuerwerk gesehen, daher war vom König Befehl gegeben worden, daß der königliche Feuerwerker am Hochzeitstag Dienst tun möge.

»Was ist das, ein Feuerwerk?« hatte sie eines Morgens den Prinzen gefragt, als sie auf der Terrasse spazierten.

»Das ist wie die Aurea Borealis«, erwiderte der König, der immer alle Fragen beantwortete, die an andere gerichtet waren, »nur viel natürlicher. Mir persönlich sind Feuerwerke lieber als Sterne, da man immer weiß, wann sie erscheinen werden, und sie sind so reizend wie mein eigenes Flötenspiel. Du mußt das unbedingt sehen.«

Am anderen Ende des königlichen Gartens war daher ein großer Stand aufgebaut worden, und sobald der königliche Feuerwerker jedes Ding an seinen Ort gestellt hatte, begannen die Feuerwerkskörper, sich miteinander zu unterhalten.

»Die Welt ist wahrlich wunderschön«, rief ein kleiner Schwärmer. »Betrachten Sie nur einmal diese gelben Tulpen, wie? Und wenn sie Schwärmer wären, sie könnten nicht schöner sein. Ich bin sehr froh, daß ich viel gereist bin. Reisen bildet den Geist ganz ungemein, und es räumt auf mit allen Vorurteilen.«

»Des Königs Garten ist nicht die Welt, du närrischer Schwärmer«, sagte eine große Römische Kerze, »die Welt ist riesig, und du würdest drei Tage brauchen, um alles darin zu sehen.«

»Jede Stätte, die man liebt, ist einem die Welt«, meinte ein tiefsinniges Feuerrad, das in früher Jugend einer alten Spanschachtel verbunden gewesen und nun nicht wenig stolz war auf sein gebrochenes Herz. »Aber Liebe ist heutzutage nicht mehr modern, die Dichter haben sie getötet. Sie haben so viel darüber geschrieben, daß kein Mensch ihnen mehr glaubt, und das überrascht mich nicht. Wahre Liebe duldet und schweigt. Ich entsinne mich, wie ich selbst einst ... Doch das ist ja jetzt nicht mehr wichtig. Romantische Liebe gehört der Vergangenheit an.«

»Unsinn!« sagte die Römische Kerze. »Romantische Liebe stirbt nie. Sie ist wie der Mond, sie ist unsterblich. Nehmen Sie nur den Bräutigam und die Braut zum Beispiel, sie lieben einander von Herzen. Ich hörte alles über sie heute morgen von einem Braunpapierschwärmer, der sich zufällig in derselben Kommode aufhielt wie ich und die letzten Hofnachrichten kannte.«

Aber das Feuerrad schüttelte den Kopf. »Romantische Liebe ist tot, Liebe ist tot, Liebe ist tot«, murmelte es vor sich hin. Es gehörte zu jenen, die meinen, wenn man etwas nur sehr oft wiederholt, wird es schließlich auch wahr.

Plötzlich vernahm man ein trockenes, scharfes Husten, und alle wandten sich um.

Das kam von einer schlanken, hochmütig aussehenden Rakete, die ans Ende eines langen Steckens gebunden war. Sie hustete immer, bevor sie eine Bemerkung machte, um so die Aufmerksamkeit auf sich zu lenken.

»Ehem! Ehem!« sprach sie, und jeder spitzte die Ohren, außer dem armen Feuerrad, das noch immer seinen Kopf schüttelte und murmelte: »Romantische Liebe ist tot.«

»Zur Ordnung! Zur Ordnung!« schrie da ein Knallfrosch. Er war so etwas wie ein Politiker und hatte immer eine hervorragende Rolle bei den Gemeindewahlen gespielt, daher verstand er sich auf die richtigen parlamentarischen Fachausdrücke.

»Ganz tot«, flüsterte das Feuerrad, dann fiel es in Schlaf.

Sobald völlige Ruhe eingetreten war, hustete die Rakete ein drittes Mal und begann. Sie sprach sehr langsam und deutlich, als diktierte sie ihre Memoiren, und blickte dabei immer über die Schultern desjenigen hinweg, mit dem sie gerade sprach. Sie hatte in der Tat höchst vornehme Manieren. »Wie günstig trifft es sich für den Königssohn«, stellte sie fest, »daß er an ebendem Tag Hochzeit macht, an dem ich abgeschossen werden soll! Tatsächlich, und wenn es vorher arrangiert worden wäre, es hätte nicht besser für ihn kommen können. Aber Prinzen haben immer Glück.«

»Guter Gott!« sagte der kleine Schwärmer. »Ich hätte gedacht, es wäre andersherum, daß nämlich wir zu Ehren des Prinzen abgeschossen würden.«

»So wird es wohl in Ihrem Fall sein«, antwortete sie, »in der Tat, ich zweifle nicht daran, daß es sich mit Ihnen so verhält; doch mit mir ist es anders. Ich bin eine höchst ungewöhnliche Rakete und stamme von ungewöhnlichen Eltern. Meine Mutter war das gefeiertste Feuerrad ihrer Zeit, weithin berühmt für ihren anmutigen Tanz. Als sie ihren großen öffentlichen Auftritt hatte, wirbelte sie neunzehnmal herum, ehe sie ausging, und bei jeder Umdrehung streute sie sieben rosa Sterne in die Luft. Sie maß drei Fuß und einen halben im Durchmesser und war aus dem allerbesten Schießpulver gemacht. Mein Vater war eine Rakete wie ich selber, von französischer Abstammung. Er flog so hoch, daß die Leute schon fürchteten, er würde nie mehr zurückkommen. Doch er kam zurück, denn er hatte eine liebenswürdige Natur, und in einem Schauer von goldenem Regen machte er einen höchst eindrucksvollen Abstieg. Die Zeitungen schrieben in den schmeichelhaftesten Tönen über seinen Auftritt. Ja, die Hof-Gazette nannte ihn sogar einen Triumph der pylotechnischen Kunst.«

»Pyrotechnisch, pyrotechnisch meinen Sie wohl«, sagte ein Bengalisches Licht; »ich weiß, es heißt pyrotechnisch, denn ich las es auf meinem eigenen Kanister.«

»Nun, ich sagte pylotechnisch«, antwortete die Rakete in strengem Ton, und das Bengalische Licht fühlte sich derart gedemütigt, daß es sogleich anfing, die kleinen Schwärmer anzuschnauzen, um zu zeigen, daß es immer noch eine Persönlichkeit von Bedeutung war.

»Ich sprach gerade«, fuhr die Rakete fort, »ich sprach gerade – worüber sprach ich gerade?«

»Sie sprachen gerade von Ihrer Person«, versetzte die Römische Kerze.

»Selbstverständlich; ich wußte, ich sprach über einen interessanten Gegenstand, als ich auf so grobe Art unterbrochen wurde. Ich hasse jede Art von Grobheit und schlechten Manieren, denn ich bin außerordentlich sensibel. Kein Wesen in der ganzen Welt ist so sensibel wie ich, davon bin ich völlig überzeugt.«

»Was ist denn das, ein sensibles Wesen?« fragte der Knallfrosch die Römische Kerze.

»Jemand, der selber Hühneraugen hat und deshalb anderen Leuten immer auf die Zehen tritt«, gab die Römische Kerze flüsternd zur Antwort; und der Knallfrosch zersprang fast vor Lachen.

»Verzeihung, worüber lachen Sie?« erkundigte sich die Rakete. »Ich lache nicht.«

»Ich lache, weil ich glücklich bin«, versetzte der Knallfrosch.

»Das ist ein sehr egoistischer Grund«, sagte die Rakete zornig. »Woher nehmen Sie das Recht, glücklich zu sein? Sie sollten an andere denken. Sie sollten überhaupt an mich denken. Ich denke immer an mich, und ich erwarte von jedem, daß er das gleiche tut. Das ist es, was man Anteilnahme nennt. Es ist eine herrliche Tugend, und ich besitze sie in hohem Grad. Nehmen wir zum Beispiel an, mir stieße heute nacht etwas zu – welch ein Unglück für jedermann! Prinz und Prinzessin würden ihres Lebens nie mehr froh, ihr ganzes Eheleben wäre vergiftet; und was den König anlangt – er könnte es nie verwinden. Tatsächlich, wenn ich die Wichtigkeit meiner Stellung überdenke, so rührt es mich fast zu Tränen.«

»Wenn Sie anderen Vergnügen bereiten wollen«, rief die Römische Kerze, »dann halten Sie sich besser trocken.«

»Jawohl«, rief das Bengalische Licht aus, das nun wieder in besserer Laune war. »Das sagt einem ja der gewöhnliche Menschenverstand.«

»Gewöhnlich, allerdings!« erwiderte die Rakete verächtlich. »Ihr vergeßt aber, daß ich durchaus ungewöhnlich bin und höchst bemerkenswert. Gewöhnlichen Verstand haben kann schließlich jeder, vorausgesetzt, daß er keine Phantasie besitzt. Ich aber besitze Phantasie, denn ich denke über die Dinge nie, wie sie wirklich sind; ich denke sie mir immer ganz anders. Und was nun das Trockenhalten angeht, so ist ganz offensichtlich niemand hier in der Lage, eine gefühlvolle Natur zu begreifen. Glücklicherweise kümmere ich mich nicht darum. Das einzige, was einen im Leben aufrechterhält, ist das Bewußtsein von der abgrundtiefen Inferiorität aller anderen, und dieses Bewußtsein habe ich jederzeit kultiviert. Ihr habt ja allesamt kein Herz.

Hier lacht ihr und vergnügt euch ganz so, als hätten Prinz und Prinzessin nicht eben Hochzeit gefeiert.«

»Also so etwas«, rief ein kleiner Feuerballon aus, »warum denn auch nicht? Hochzeitmachen ist eine erfreuliche Sache, und wenn ich in die Luft aufsteige, habe ich die Absicht, den Sternen alles darüber zu berichten. Ihr werdet sie noch blinzeln sehen, wenn ich ihnen von der hübschen Braut erzähle.«

»Ah! Was für eine triviale Lebenseinstellung!« sagte die Rakete. »Aber es ist schließlich nur das, was ich von euch erwartete. In euch steckt gar nichts; ihr seid hohl und leer. Nun, der Prinz und die Prinzessin übersiedeln vielleicht einmal in ein Land, wo es einen tiefen Fluß gibt, und vielleicht haben sie einen einzigen Sohn, einen kleinen Knaben mit hellen Haaren und violetten Augen wie der Prinz selber; und vielleicht geht er eines Tages mit seiner Kinderfrau spazieren; und vielleicht schläft die Kinderfrau unter einem großen Holunderbaum ein; und vielleicht fällt der kleine Knabe in den tiefen Fluß und ertrinkt. Was für ein schreckliches Unglück! Die armen Leute, ihren einzigen Sohn zu verlieren! Es ist wirklich zu gräßlich! Ich werde nie darüber hinwegkommen!«

»Aber sie haben ihren einzigen Sohn ja gar nicht verloren«, sagte die Römische Kerze, »ihnen ist überhaupt nichts zugestoßen.«

»Das sagte ich auch nicht«, versetzte die Rakete, »ich sagte, es könnte so kommen. Wenn sie ihren einzigen Sohn verloren hätten, so hätte es keinen Sinn, noch weiter darüber zu sprechen. Ich hasse Leute, die über Dinge jammern, die man doch nicht ändern kann. Aber wenn ich mir vorstelle, daß sie ihren einzigen Sohn verlieren könnten, so bin ich davon sicherlich sehr touchiert.«

»Touchiert?« rief das Bengalische Licht. »Sie sind tatsächlich die affektierteste Person, die mir in meinem Leben begegnet ist.«

»Und du die unhöflichste Person«, versetzte die Rakete, »du kannst meine Freundschaft für den Prinzen nicht begreifen.«

»Ach was, Sie kennen ihn doch gar nicht«, brummte die Römische Kerze.

»Das sagte ich auch nie«, antwortete die Rakete. »Ich wage zu behaupten, daß ich wahrscheinlich keineswegs sein Freund wäre, wenn ich ihn kennte. Es ist gefährlich, seine eigenen Freunde zu kennen.«

»Sie sollten wirklich lieber auf sich aufpassen und trocken bleiben«, sagte der Feuerballon. »Das ist es, was hier zählt.«

»Was für Sie zählt, ohne Zweifel«, antwortete die Rakete. »Ich aber werde weinen, wenn es mir gefällt«, und sie brach tatsächlich in echte Tränen aus, die wie Regentropfen ihren Stock hinunterflossen und fast zwei kleine Mistkäfer ertränkt hätten, die gerade beschlossen hatten, ein eigenes Heim zu gründen, und sich nach einer netten, trockenen Stelle dafür umsahen.

»Sie muß eine wahrhaftig romantische Natur haben«, sagte das Feuerrad, »denn sie weint, wenn es wirklich gar nichts zu weinen gibt.« Und es stieß einen tiefen Seufzer aus und dachte an seine Spanschachtel.

Aber die Römische Kerze und das Bengalische Licht waren recht aufgebracht und sagten immer wieder im Brustton der Überzeugung: »Humbug! Humbug!« Sie waren eben sehr praktisch veranlagt, und alles, was ihren Widerspruch weckte, nannten sie Humbug.

Dann ging der Mond auf wie ein herrlicher Schild aus Silber; und die Sterne begannen zu leuchten, und aus dem Palast ertönte Musik.

Prinz und Prinzessin führten den Tanz an. Sie tanzten so schön, daß die hohen weißen Lilien durchs Fenster spähten und ihnen zusahen, und die großen roten Mohnblumen nickten mit ihren Köpfchen und schlugen den Takt.

Dann schlug die Uhr zehn, dann elf, und dann zwölf, und beim letzten Schlag der Mitternacht kamen alle heraus auf die Terrasse, und der König sandte nach dem königlichen Feuerwerker.

»Das Feuerwerk möge beginnen«, sprach der König; und der königliche Feuerwerker machte eine tiefe Verbeugung und schritt hinunter zum Ende des Gartens. Er hatte sechs Diener bei sich, deren jeder am Ende einer langen Stange eine brennende Fackel trug.

Es war wirklich ein herrliches Schauspiel. Wizz! Wizz! machte das Feuerrad, als es sich um und um drehte. Bum! Bum! machte die Römische Kerze. Dann tanzten die Schwärmer über den Himmel, und das Bengalische Licht tauchte alles in Purpur. »Auf Wiedersehen!« rief der Feuerballon, als er aufstieg und dabei winzige blaue Funken sprühte. Päng! Päng! antworteten die Knallfrösche, die die Sache ganz ungemein genossen. Jeder einzelne war ein großer Erfolg – nur nicht die bemerkenswerte Rakete. Sie war vom Weinen so feucht geworden, daß sie überhaupt nicht losgehen konnte. Das beste an ihr war noch das Schießpulver, und auch das war von den Tränen so naß, daß es zu nichts mehr taugte. Alle ihre armen Verwandten, mit denen sie nie anders als höhnisch gesprochen hatte, schossen hinauf in den Himmel wie herrliche, goldene Blumen mit feurigen Blüten. Heißa! Heißa! rief der Hof; und die kleine Prinzessin lachte vor Vergnügen.

»Ich nehme an, man spart mich für eine besonders feierliche Gelegenheit auf«, sagte die Rakete. »Dies ist ohne Zweifel der Sinn der Sache«, und sie blickte hochmütiger denn je.

Am nächsten Tag kamen die Arbeiter, um alles wieder aufzuräumen. »Hier kommt offenbar eine Deputation«, sagte die Rakete. »Ich werde sie mit geziemender Würde empfangen.« Also steckte sie ihre Nase in die Luft und begann, finster die Stirn zu runzeln, als überlegte sie höchst bedeutende Fragen.

Aber die Arbeiter beachteten sie überhaupt nicht. Erst beim Weggehen erblickte einer von ihnen die Rakete. »Holla«, rief er, »was für eine schlechte Rakete!« Und er schleuderte sie über die Mauer in einen Graben.

»Schlechte Rakete? Schlechte Rakete?« sagte sie, als sie durch die Luft kreiselte. »Unmöglich! Mächtige Rakete, das ist es, was der Mann gesagt hat. Schlecht und mächtig klingt sehr ähnlich, in der Tat bedeutet es ja auch oft dasselbe«, und sie fiel in den Schlamm.

»Sehr gemütlich ist es hier nicht«, bemerkte sie, »aber es handelt sich ohne Zweifel um einen eleganten Badeort, in den man mich zur Wiederherstellung meiner Gesundheit geschickt hat. Meine Nerven sind ja in der Tat völlig zerrüttet, und ich bedarf der Ruhe.«

Da schwamm ein kleiner Frosch mit glänzenden Edelsteinaugen und einem grünen, getupften Rock zu ihr heran.

»Ein neuer Gast, wie ich sehe!« sagte der Frosch. »Nun, schließlich und endlich geht nichts über Schlamm. Regnerisches Wetter und ein Graben, das ist alles, was ich brauche, um glücklich zu sein. Meinen Sie, wir bekommen einen feuchten Nachmittag? Ich hoffe es von Herzen, aber der Himmel ist ganz blau und wolkenlos. Was für ein Jammer!«

»Ehem! Ehem!« sagte die Rakete und begann zu husten.

»Was für eine reizende Stimme Sie haben!« rief der Frosch. »Es klingt wie Quaken, und Quaken ist natürlich der melodischste Laut von der Welt. Heute abend werden Sie unsere Liedertafel zu hören kriegen. Wir sitzen in dem alten Ententeich nahe dem Bauernhaus, und sobald der Mond aufgeht, fangen wir an. Es ist so hinreißend, daß jedermann wach liegt und uns zuhört. Tatsächlich hörte ich gestern die Frau des Bauern zu ihrer Mutter sagen, sie könne unseretwegen des Nachts kein Auge zutun. Es freut einen schon sehr, wenn man findet, daß man so populär ist.«

»Ehem! Ehem!« sagte die Rakete zornig. Sie war sehr verärgert, daß sie nicht zu Wort kam.

»Eine bezaubernde Stimme, gewiß«, fuhr der Frosch fort. »Ich hoffe, Sie werden hinüberkommen zum Ententeich. Doch ich verabschiede mich, ich muß mich um meine Töchter kümmern. Ich habe sechs wunderschöne Töchter und lebe in ständiger Angst, daß der Hecht sie entdeckt. Er ist ein wahres Ungeheuer und würde sie ohne Zögern zum Frühstück verspeisen. Nun, auf Wiedersehen; ich versichere Ihnen, ich habe unsere Unterhaltung sehr genossen.«

»Unterhaltung, das kann man wohl sagen!« versetzte die Rakete. »Sie haben die ganze Zeit selbst gesprochen. Das ist keine Unterhaltung.«

»Einer muß immer zuhören«, antwortete der Frosch, »und ich liebe es, die Unterhaltung ganz allein zu bestreiten. Das spart Zeit und Streit.«

»Aber ich schätze eine Auseinandersetzung«, sagte die Rakete.

»Das will ich nicht hoffen«, versetzte der Frosch behaglich. »Auseinandersetzungen sind höchst vulgär, denn in der guten Gesellschaft vertritt jedermann haargenau die gleichen Meinungen. Auf Wiedersehen zum zweitenmal; ich sehe meine Töchter in der Ferne«, und der kleine Frosch schwamm weg.

»Sie sind eine sehr ärgerliche Erscheinung«, sagte die Rakete,

»und im höchsten Grad unerzogen. Ich hasse Leute, die über sich selber sprechen, wie Sie, wenn man über sich selber sprechen möchte, wie ich. Das ist es, was ich Selbstsucht nenne, und Selbstsucht ist eine höchst verabscheuungswürdige Sache, besonders für jemanden von meinem Temperament, denn ich bin wohl bekannt für mein mitfühlendes Wesen. Sie sollten sich wirklich ein Beispiel an mir nehmen; ein besseres Vorbild können Sie nicht finden. Nun, da Ihnen diese Chance geboten wird, sollten Sie sie am besten nützen, denn ich werde so gut wie augenblicklich zum Hofe zurückkehren. Ich bin ein großer Günstling bei Hofe; tatsächlich wurden Prinz und Prinzessin gestern mir zu Ehren vermählt. Sie sind in diesen Dingen selbstverständlich nicht im Bild, Sie sind ja nur ein Provinzler.«

»Es hat keinen Zweck, mit ihm zu reden«, sagte eine Libelle, die auf der Spitze eines großen, braunen Rohrkolbens saß; »überhaupt keinen Zweck, denn er ist schon weg.«

»Nun, das ist sein Schaden, nicht meiner«, versetzte die Rakete. »Ich denke nicht daran, nur einfach deshalb nicht mehr mit ihm zu reden, weil er nicht zuhört. Ich liebe es, mich selbst sprechen zu hören. Das ist eines meiner größten Vergnügen. Ich unterhalte mich oft lange ganz allein mit mir selber, und ich bin so klug, daß ich oft nicht ein einziges Wort von dem verstehe, was ich sage.«

»Dann sollten Sie aber sicher philosophische Vorlesungen halten«, sagte die Libelle, breitete ein Paar herrlicher Gazeflügel aus und schoß hinauf in den Himmel.

»Wie sehr einfältig von ihr, nicht hierzubleiben!« sagte die Rakete. »Ich bin überzeugt, daß sie nicht oft eine derartige Gelegenheit bekommt, sich zu bilden. Aber das kümmert mich nicht im geringsten. Ein Genie wie ich darf sicher sein, eines Tages anerkannt zu werden«, und sie sank noch ein wenig tiefer in den Schlamm.

Nach einer Weile schwamm eine große weiße Ente zu ihr heran. Sie hatte gelbe Beine und Füße mit Schwimmhäuten, und aufgrund ihres Watschelns galt sie für eine große Schönheit.

»Quack, quack, quack«, sagte sie. »Was haben Sie für eine seltsame Figur! Darf ich fragen, ob Sie so geboren wurden, oder ist das die Folge eines Unfalls?«

»Sie haben ganz offenbar immer auf dem Land gelebt«, antwortete die Rakete, »sonst würden Sie wissen, wer ich bin. Doch ich entschuldige Ihre Unwissenheit. Es wäre nicht fair, von anderen Leuten zu erwarten, daß sie so bemerkenswert sind wie man selber. Es wird Sie ohne Zweifel überraschen, zu hören, daß ich in den Himmel hinauffliegen und in einem Schauer von goldenem Regen wieder herunterkommen kann.«

»Davon halte ich nicht viel«, sagte die Ente, »da ich nicht einsehen kann, was das irgend jemandem nützen soll. Nun, wenn Sie Felder pflügen könnten wie ein Ochse oder einen Wagen ziehen wie ein Pferd oder sich um die Schafe kümmern wie ein Schäferhund, das wäre noch etwas.«

»Mein gutes Geschöpf«, rief die Rakete mit äußerst hochmütiger Stimme, »ich sehe, Sie gehören zu den niederen Ständen. Eine Persönlichkeit meines Ranges ist niemals nützlich. Wir haben bestimmte Fähigkeiten und Talente, und das ist mehr als genug. Ich persönlich habe nichts übrig für Arbeit von irgendeiner Art, am wenigsten für jene Art von Arbeit, die Sie zu empfehlen scheinen. Ich habe in der Tat immer die Meinung vertreten, daß harte Arbeit einfach eine Ausflucht von Leuten ist, die sonst überhaupt nichts zu tun haben.«

»Nun, nun«, sagte die Ente, die eine sehr friedfertige Natur hatte und nie mit jemandem stritt, »die Geschmäcker sind verschieden. Ich hoffe jedenfalls, daß Sie hier Ihren Wohnsitz aufschlagen werden.«

»O nein, meine Liebe«, rief die Rakete, »ich bin hier nur Besuch, ein vornehmer Besuch. Ich muß sagen, daß ich diesen Ort reichlich langweilig finde. Hier findet sich weder Gesellschaft noch Einsamkeit. Es ist hier doch im Grunde ziemlich spießbürgerlich. Wahrscheinlich werde ich zum Hof zurückkehren, denn es ist mir bestimmt, eine Sensation in der Welt hervorzurufen.«

»Ich hatte selber daran gedacht, ins öffentliche Leben zu treten«, bemerkte die Ente. »Es gibt so vieles, was einer Reform bedarf. Ich führte auch tatsächlich den Vorsitz bei einer Versammlung, das ist schon länger her, und wir verabschiedeten Resolutionen, in denen wir alles verurteilten, was wir nicht mochten. Sie schienen allerdings nicht sehr viel Wirkung zu haben. Jetzt lebe ich vor allem für die Häuslichkeit und kümmere mich um meine Familie.«

»Ich bin geschaffen für ein Leben in der Öffentlichkeit«, sagte die Rakete, »und das gleiche trifft zu für alle meine Verwandten, auch für die bescheidensten. Wann immer wir erscheinen, erregen wir größte Aufmerksamkeit. Ich persönlich bin zwar noch nicht aufgetreten, doch sobald dieser Fall eintritt, wird es ein herrliches Schauspiel sein. Was nun die Häuslichkeit betrifft, so läßt sie einen sehr schnell alt werden und lenkt den Geist ab von allen höheren Dingen.«

»Ach! Die höheren Dinge des Lebens, wie schön sind sie!« sagte die Ente. »Dabei fällt mir ein, wie hungrig ich bin«, und sie schwamm weg, den Bach hinunter, und sagte dabei: »Quack, quack, quack.«

»Kommen Sie zurück! Kommen Sie zurück!« schrie die Rakete. »Ich habe Ihnen noch vieles zu sagen«, aber die Ente beachtete sie nicht. »Ich bin froh, daß sie fort ist«, sagte die Rakete zu sich selber, »sie hat entschieden eine Spießbürgerseele«, und sie sank noch ein wenig tiefer in den Schlamm und fing an, nachzudenken über die Einsamkeit des Genies, als plötzlich zwei kleine Buben in weißen Kitteln mit einem Kessel und Reisigbündeln den Graben entlanggelaufen kamen.

»Das muß die Deputation sein«, sagte die Rakete und versuchte, sich ein würdevolles Ansehen zu geben.

»Hallo«, rief einer der Knaben, »schau dir diesen alten Stekken an! Wie mag der nur hergekommen sein?« Und er zog die Rakete aus dem Graben.

»Alter Stecken!« sagte die Rakete. »Unmöglich! Goldener Stecken, das ist es, was er gesagt hat. Goldener Stecken, das ist sehr schmeichelhaft. Er hält mich doch tatsächlich für einen von den Hofwürdenträgern.«

»Legen wir ihn ins Feuer!« sagte der andere Knabe. »So wird unser Kessel schneller kochen.« Sie schichteten also die Reisigbündel übereinander, legten die Rakete obendrauf und steckten Feuer an.

»Das ist großartig«, rief die Rakete, »sie lassen mich am hellichten Tag aufsteigen, damit jedermann mich sehen kann.«

»Gehen wir jetzt ein wenig schlafen«, sagten die Knaben, »und wenn wir aufwachen, wird der Kessel kochen«, und sie legten sich ins Gras und schlossen die Augen.

Die Rakete war sehr feucht, und so dauerte es eine Weile, bis sie anbrannte. Zu guter Letzt jedoch fing sie Feuer.

»Jetzt gehe ich los!« rief sie und straffte und reckte sich. »Ich weiß, ich werde viel höher fliegen als die Sterne, viel höher als der Mond, viel höher als die Sonne. Ich werde überhaupt so hoch fliegen, daß ...«

Fizz! Fizz! Fizz! Und sie schoß geradewegs hinauf in die Luft.

»Herrlich!« rief sie, »ich werde immer so fort fliegen. Was bin ich doch für ein Erfolg!«

Aber keiner sah sie.

Dann empfand sie plötzlich über und über ein seltsam kribbelndes Gefühl.

»Ich explodiere«, rief sie, »ich werde die ganze Welt in Brand setzen und einen derartigen Lärm machen, daß man ein Jahr lang über nichts anderes sprechen wird.« Und sie explodierte allerdings. Bäng! Bäng! Bäng! machte das Schießpulver. Daran gab es keinen Zweifel.

Aber keiner hörte sie, nicht einmal die zwei kleinen Jungen, denn sie waren fest eingeschlafen.

Alles, was jetzt noch von ihr übrigblieb, war der Stecken, und dieser fiel herunter auf den Rücken einer Gans, die am Rand des Grabens einen Spaziergang machte.

»Um Himmels willen!« rief die Gans. »Jetzt regnet es Stöcke!« Und sie stürzte sich ins Wasser.

»Ich wußte ja, daß ich eine große Sensation verursachen würde«, keuchte die Rakete – und erlosch.

Erzählungen

Übersetzt von Christine Koschel und Inge von Weidenbaum
(Das Bildnis des Dorian Gray) und Gertrud Baruch

Das Bildnis des Dorian Gray

Vorrede

Der Künstler ist der Schöpfer schöner Dinge.

Die Kunst zu offenbaren, den Künstler zu verbergen, das ist das Ziel der Kunst.

Ein Kritiker ist, wer es versteht, seinen Eindruck von schönen Dingen in einen anderen Stil oder in ein neues Material zu übertragen.

Die höchste wie die niedrigste Form der Kritik ist eine Art Autobiographie.

Wer in schönen Dingen einen häßlichen Sinn entdeckt, ist verdorben, ohne zu bezaubern. Das ist ein Fehler.

Wer in schönen Dingen einen schönen Sinn entdeckt, hat Kultur. Für ihn gibt es Hoffnung.

Das sind die Auserwählten, denen schöne Dinge nichts bedeuten als Schönheit.

Es gibt kein moralisches oder unmoralisches Buch. Bücher sind gut oder schlecht geschrieben. Weiter nichts.

Die Abneigung des neunzehnten Jahrhunderts gegen den Realismus ist die Wut Calibans, der sein eigenes Gesicht im Spiegel sieht. Die Abneigung des neunzehnten Jahrhunderts gegen die Romantik ist die Wut Calibans, der sein eigenes Gesicht nicht im Spiegel sieht.

Das moralische Leben des Menschen ist ein Teil des Stoffes für den Künstler, aber die Moralität der Kunst besteht im vollendeten Gebrauch eines unvollkommenen Mittels.

Kein Künstler will etwas beweisen. Selbst Dinge, die wahr sind, lassen sich beweisen.

Kein Künstler hat ethische Sympathien. Eine ethische Sympathie ist beim Künstler unverzeihliche Manieriertheit des Stils.

Gedanke und Sprache sind dem Künstler Werkzeuge einer Kunst.

Laster und Tugend sind dem Künstler Stoffe für seine Kunst.

Vom Gesichtspunkt der Form ist die Kunst des Musikers der Inbegriff aller Künste. Vom Gesichtspunkt des Gefühls ist die Kunst des Schauspielers die höchste.

Alle Kunst ist zugleich Oberfläche und Symbol.

Wer unter die Oberfläche dringt, tut es auf eigene Gefahr.

Wer das Symbol liest, tut es ebenfalls auf eigene Gefahr.

Es ist der Betrachter und nicht das Leben, den die Kunst in Wahrheit spiegelt.

Verschiedene Meinungen über ein Kunstwerk zeigen, daß es neu, vielfältig und vital ist.

Wenn die Kritiker sich streiten, ist der Künstler im Einklang mit sich selbst.

Wir können jemand verzeihen, daß er etwas Nützliches tut, solange er es nicht bewundert. Die einzige Entschuldigung, etwas Nutzloses zu tun, ist, daß man es maßlos bewundert.

Alle Kunst ist gänzlich nutzlos.

Das Atelier war von weichem Rosengeruch erfüllt, und sooft der leichte Sommerwind durch die Bäume des Gartens strich, drang durch die offene Tür der schwere Duft des Flieders oder der zarte des rotblühenden Dorns.

Aus seinem Winkel, wo er auf einem Diwan aus persischem Sattelzeug lag und wie gewöhnlich unzählige Zigaretten rauchte, konnte Lord Henry Wotton gerade noch das Leuchten der honigsüßen und honigfarbenen Goldregenblüten sehen, deren zitternde Zweige kaum die Last ihrer flammenden Schönheit zu tragen schienen; und hie und da huschten die phantastischen Schatten fliegender Vögel über die seidenen Vorhänge, die vor das große Fenster gezogen waren, und riefen den flüchtigen Eindruck japanischer Bilder hervor; er dachte an die blassen Jadegesichter der Maler, die durch eine Kunst, welche nur unbeweglich sein kann, die Empfindung von Schnelligkeit und Bewegung hervorzubringen suchen. Das gereizte Summen der Bienen, die zwischen dem hohen, ungemähten Gras dahintorkelten oder mit eintöniger Beharrlichkeit um die schwärzlichen Staubfäden der ersten Junirosen kreisten, machte die Stille noch eindringlicher, und das dumpfe Tosen Londons glich dem dunklen Ton einer fernen Orgel.

In der Mitte des Raumes lehnte auf einer senkrechten Staffelei das lebensgroße Bild eines jungen Mannes von außerordentlicher Schönheit, und davor saß in einiger Entfernung Basil Hallward, der Künstler, dessen plötzliches Verschwinden vor einigen Jahren so viel Aufsehen erregt und Anlaß zu den seltsamsten Vermutungen gegeben hatte.

Als er die bezaubernde und anmutige Gestalt betrachtete, die er durch seine Kunst so vortrefflich wiedergegeben hatte, flog ein Lächeln der Zufriedenheit über seine Züge und schien zögernd zu verweilen. Plötzlich aber fuhr er auf, schloß die Augen und legte die Finger auf die Lider, als versuche er, einen sonderbaren Traum in seinem Kopf einzuschließen, aus dem zu erwachen er fürchtete.

»Es ist dein bestes Werk, Basil, das beste, das du je gemacht hast«, sagte Lord Henry gleichmütig, »du mußt es im nächsten Jahr auf die Grosvenor-Ausstellung schicken. Die Akademie ist zu groß und zu gewöhnlich. Da bleibt nur die Grosvenor-Galerie.«

»Ich glaube, ich werde es nirgendwohin schicken«, antwortete er und warf dabei in jener seltsamen Art den Kopf zurück, über die seine Freunde in Oxford so oft gelacht hatten. »Nein: Ich werde es nirgends hinschicken.«

Lord Henry zog die Augenbrauen hoch und sah ihn durch die dünnen blauen Rauchringe, die in phantastischen Wirbeln von seiner schweren, opiumgetränkten Zigarette aufstiegen, erstaunt an. »Nirgends hinschicken? Ja warum denn nicht, mein Lieber? Hast du irgendeinen Grund dafür? Ihr Maler seid wirklich seltsame Burschen! Um alles in der Welt versucht ihr euch einen Namen zu machen. Ist es euch aber gelungen, so setzt ihr alles daran, ihn wieder loszuwerden. Das ist töricht von dir, denn es gibt nur eine Sache in der Welt, die schlimmer ist, als im Gerede zu sein, nämlich die, daß niemand über einen redet. Ein solches Porträt würde dich weit über alle jungen Männer in England stellen, und es würde die alten eifersüchtig machen, soweit alte Leute überhaupt einer Gefühlsregung fähig sind.«

»Ich weiß, du wirst über mich lachen«, antwortete er, »aber ich kann es wirklich nicht ausstellen. Ich habe zu viel von mir selbst hineingemalt.«

Lord Henry streckte seine langen Beine auf dem Diwan aus und schüttelte sich vor Lachen.

»Ja, ich wußte, daß du lachen würdest, aber es ist trotzdem wahr.«

»Zu viel von dir selbst! Glaub mir, Basil, ich hätte nie gedacht, daß du so eitel bist; und ich kann wirklich keine Ähnlichkeit entdecken zwischen dir mit deinem unebenmäßigen, strengen Gesicht und deinem kohlschwarzen Haar und diesem jungen Adonis, der aussieht wie ein Wesen aus Elfenbein und Rosenblättern. Nein, mein lieber Basil, er ist ein Narziß, und du – nun, natürlich hast du ein geistvolles Gesicht und alles, was dazu gehört. Aber Schönheit – wirkliche Schönheit hört auf, wo der geistvolle Ausdruck beginnt. Geistigkeit ist an sich schon eine

Übersteigerung und zerstört die Harmonie in jedem Gesicht. Sobald man sich hinsetzt, um zu denken, wird man ganz Nase oder ganz Stirn oder sonst etwas Abscheuliches. Sieh dir nur die erfolgreichen Leute in irgendeinem gelehrten Beruf an. Sie sind allesamt widerwärtig! Ausgenommen natürlich in der Kirche. Aber dafür denken sie in der Kirche nicht. Ein Bischof sagt als Achtzigjähriger noch genau dasselbe, was man ihn als Achtzehnjährigen gelehrt hat, und deshalb sieht er unverändert entzückend aus. Dein junger Freund, dessen Namen du mir nie genannt hast, dessen Bild mich aber wirklich bezaubert, denkt sicherlich nie. Dessen bin ich ganz gewiß. Er ist ein gedankenloses, schönes Geschöpf, wie wir es immer im Winter um uns haben sollten, wenn es keine Blumen gibt, und im Sommer, wenn wir etwas brauchen, unseren Geist zu kühlen. Schmeichle dir nicht, Basil, du siehst ihm nicht im geringsten ähnlich.«

»Du verstehst mich nicht, Harry, natürlich seh' ich ihm nicht ähnlich. Das weiß ich so gut wie du. Es wäre mir gar nicht recht, wenn ich ihm ähnlich sähe. Du zuckst mit den Schultern? Aber ich sage die Wahrheit. Es schwebt ein Verhängnis über jeder physischen und geistigen Auszeichnung, jenes Verhängnis, das die stockenden Schritte der Könige durch die Geschichte verfolgt. Es ist besser, nicht anders zu sein als seine Mitmenschen. Die Häßlichen und die Dummen haben es am besten in dieser Welt. Sie können ruhig dasitzen und dem Spiel zuschauen. Wenn sie vom Siege nichts wissen, so bleibt ihnen auch das Wissen von der Niederlage erspart. Sie leben dahin, wie wir alle leben sollten, ungestört, gleichgültig und ohne Unruhe. Sie bringen weder Unheil über andere, noch erdulden sie es von fremder Hand. Dein Rang und dein Wohlstand, Harry; mein Geist, so wie er beschaffen ist, meine Berühmtheit, was sie auch wert sein mag; Dorian Grays Schönheit – wir werden alle für das büßen, was uns die Götter gaben, schrecklich büßen.«

»Dorian Gray? So heißt er also?« fragte Lord Henry, indem er durch das Atelier auf Basil Hallward zuging.

»Ja, so heißt er. Ich hatte nicht die Absicht, es dir zu sagen.«

»Aber warum nicht?«

»Oh, ich kann dir das nicht erklären. Wenn ich jemand sehr gern habe, verrate ich niemandem seinen Namen. Es käme mir vor, als gäbe ich einen Teil von ihm preis. Du weißt, wie ich das Geheimnisvolle liebe. Es ist das einzige, was unser modernes Leben wunderbar oder rätselhaft machen kann. Das Gewöhnlichste wird reizvoll, wenn man es verbirgt. Wenn ich London verlasse, sage ich niemand, wohin ich gehe. Tue ich's, verderbe ich mir das ganze Vergnügen. Vielleicht ist es dumm, aber mir scheint, es trägt ein Stück Romantik in unser Leben. Du wirst mich für furchtbar kindisch halten, nicht wahr?«

»Durchaus nicht«, antwortete Lord Henry und legte ihm die Hand auf die Schulter, »durchaus nicht, mein lieber Basil. Du hast wohl vergessen, daß ich verheiratet bin und der Reiz der Ehe eben darin liegt, daß sie ein Leben der Täuschung für beide Teile unumgänglich macht. Ich weiß nie, wo meine Frau ist, und meine Frau weiß nie, was ich tue. Wenn wir uns begegnen – und wir begegnen uns bisweilen, wenn wir zugleich eingeladen sind oder zum Herzog aufs Land fahren –, dann erzählen wir uns die absurdesten Geschichten mit dem ernstesten Gesicht. Meine Frau versteht das glänzend – viel besser als ich. Sie verwickelt sich nie in Widersprüche, ich dagegen tue das stets. Aber wenn sie mich einmal ertappt, macht sie mir darum keine Szene. Ich wünschte manchmal, sie täte es; aber sie lacht mich nur aus.«

»Mir mißfällt die Art, wie du über deine Ehe sprichst, Harry«, sagte Basil Hallward, indem er seine Hand abschüttelte und auf die Tür zutrat, die in den Garten führte. »Ich glaube, du bist in Wirklichkeit ein sehr guter Ehemann und schämst dich nur deiner Tugenden. Du bist ein merkwürdiger Mensch. Du sagst nie etwas Moralisches und tust nie etwas Amoralisches. Dein Zynismus ist nichts als Pose.«

»Natürlichkeit ist nichts als Pose, und sie ist die ärgerlichste Pose, die ich kenne«, rief Lord Henry lachend; und die beiden jungen Männer gingen zuammen in den Garten hinaus, und eine Weile sprach keiner ein Wort.

Nach einer langen Pause zog Lord Henry seine Uhr.

»Ich fürchte, ich muß gehen, Basil«, sagte er leise, »aber ehe ich gehe, bestehe ich darauf, daß du mir die Frage beantwortest, die ich dir vorhin gestellt habe.«

»Welche Frage?« sagte Basil Hallward, die Augen auf den Boden geheftet.

»Das weißt du sehr gut.«

»Nein, wirklich nicht, Harry.«

»Nun, ich will sie wiederholen.«

»Bitte tu's nicht.«

»Ich muß es aber, ich möchte, daß du mir erklärst, warum du Dorian Grays Bild nicht ausstellen willst. Ich möchte den wahren Grund wissen.«

»Ich hab dir den wahren Grund genannt.«

»O nein. Du sagtest, weil zu viel von dir selbst in dem Bilde sei. Das ist doch kindisch.«

»Harry«, sagte Basil Hallward und sah ihm offen ins Gesicht, »jedes Bild, das mit Empfindung gemalt ist, ist ein Portrait des Künstlers, nicht des Modells. Der Gemalte ist nur der Anlaß, die Gelegenheit. Der Maler offenbart nicht ihn, sondern sich selbst auf der farbigen Leinwand. Der Grund, warum ich dies Bild nicht ausstellen will, ist, daß ich fürchte, ich habe in ihm das Geheimnis meiner eigenen Seele gezeigt.«

Lord Henry lachte. »Und das ist?« fragte er.

»Das will ich dir sagen«, sagte Hallward; und ein Ausdruck der Verlegenheit ging über sein Gesicht.

»Ich bin voller Erwartung, Basil«, sagte sein Gefährte leise und sah auf ihn.

»Oh, eigentlich ist da wenig zu erzählen, Harry«, antwortete der junge Maler; »und ich fürchte, du wirst es kaum verstehen. Vielleicht wirst du's mir nicht einmal glauben.«

Lord Henry lächelte, beugte sich nieder, pflückte ein rosa gezeichnetes Gänseblümchen im Gras und betrachtete es.

»Ich glaube sicher, ich werde es verstehen«, erwiderte er, während er aufmerksam auf den kleinen goldenen, weißgefiederten Kranz blickte, »und ich kann alles glauben, wenn es nur einigermaßen unglaublich ist.«

Der Wind schüttelte ein paar Blüten von den Bäumen, und die schweren Fliederdolden mit ihren Sterntrauben wiegten sich hin und her in der schwülen Luft. Eine Grille begann im Gras zu zirpen, und eine lange, dünne Libelle mit braunen Schleierflügeln schwirrte vorüber. Lord Henry hatte ein Gefühl, als hörte er Basil Hallwards Herz schlagen, und er wartete mit Verwunderung auf das, was nun kommen würde.

»Es ist in der Tat unglaublich«, wiederholte Hallward in fast bitterem Ton, »zeitweilig sogar für mich selbst. Ich weiß nicht, was es zu bedeuten hat. Die Sache trug sich folgendermaßen zu. Vor zwei Monaten ging ich auf eine Gesellschaft bei Lady Brandon. Du weißt, von Zeit zu Zeit müssen wir armen Maler uns in der Gesellschaft zeigen, um die Herrschaften daran zu erinnern, daß wir keine Wilden sind. Im Abendanzug mit weißer Binde, sagtest du mir einmal, kann jedermann, selbst ein Börsenmakler, zivilisiert aussehn. Nun, als ich ungefähr zehn Minuten da war und mit gräßlich aufgeputzten Witwen und langweiligen Mitgliedern der Akademie redete, fühlte ich plötzlich, daß mich jemand ansah. Ich drehte mich halb um und sah Dorian Gray zum erstenmal. Als unsere Augen sich trafen, merkte ich, daß ich blaß wurde. Ein sonderbares Angstgefühl überkam mich. Ich wußte, ich stand jemandem gegenüber, dessen Persönlichkeit so faszinierend war, daß sie, wenn ich es ihr erlaubte, mein ganzes Wesen, meine ganze Seele, ja selbst meine Kunst aufsaugen würde. Ich wünschte keinen äußeren Einfluß auf mein Leben. Du weißt selbst, Harry, wie unabhängig ich von Natur aus bin. Mein Vater hatte mich für die militärische Laufbahn bestimmt. Ich bestand darauf, nach Oxford zu gehn. Dann wollte er mich zwingen, Jura zu studieren. Aber noch ehe ich an einem halbdutzend Dinners teilgenommen hatte, gab ich die Juristerei auf und beschloß, Maler zu werden. Ich bin immer mein eigener Herr gewesen, oder ich war es wenigstens, bis ich Dorian Gray traf. Dann – aber ich weiß nicht, wie ich es dir erklären soll. Irgend etwas schien mir zu sagen, daß ich am Rande einer schrecklichen Krise in meinem Leben stehe. Ich hatte ein seltsames Vorgefühl, daß das Schicksal einzigartige Freuden und einzigartige Leiden für mich bereithalte. Ich wußte, in dem Augenblick, wo ich zu Dorian sprach, würde ich ihm verfallen, und daß ich darum nicht zu ihm sprechen dürfte. Ich schauderte und schickte mich an, den Raum zu verlassen. Nicht das Gewissen trieb mich hinaus: Es war Feigheit. Ich will es nicht beschönigen, daß ich zu entkommen versuchte.«

»Gewissen und Feigheit sind in Wirklichkeit dasselbe, Basil. Gewissen ist der Name, unter dem die Firma eingetragen ist. Das ist alles.«

»Das glaube ich nicht, Harry. Doch was auch der Grund war

– und vielleicht war es Stolz, denn ich war sehr stolz –, jedenfalls strebte ich zur Tür. Dort lief ich natürlich Lady Brandon in die Arme. ›Sie wollen doch nicht schon gehen, Mr. Hallward?‹ kreischte sie. Du kennst ja ihre schrille, entsetzliche Stimme.«

»O ja; sie ist ein Pfau in allem, bis auf die Schönheit«, sagte Lord Henry, indem er das Gänseblümchen mit seinen langen, nervösen Fingern zerpflückte.

»Ich konnte sie nicht loswerden. Sie schleppte mich zu königlichen Hoheiten und Leuten mit Sternen und Orden und ältlichen Damen mit gewaltigen Diademen und Hakennasen. Sie nannte mich ihren teuersten Freund. Ich hatte sie vorher erst ein einziges Mal gesehen, aber sie hatte es sich in den Kopf gesetzt, mich zum Löwen ihrer Gesellschaft zu machen. Ich glaube, irgendein Bild von mir hatte gerade großen Erfolg gehabt, oder man hatte wenigstens in den Zeitungen darüber gesprochen; und danach bemißt man im neunzehnten Jahrhundert die Unsterblichkeit. Plötzlich stand ich dem jungen Mann gegenüber, dessen Persönlichkeit mich so seltsam erregt hatte. Wir standen uns ganz nahe, berührten uns fast. Unsere Augen trafen sich wieder. Es war unbesonnen von mir, aber ich bat Lady Brandon, mich vorzustellen. Vielleicht war es im Grunde doch nicht so unbesonnen. Es war einfach unvermeidlich. Wir würden auch ohne Vorstellung miteinander gesprochen haben. Dessen bin ich sicher. Auch Dorian sagte es mir später. Auch er fühlte, daß es unser Schicksal war, uns kennenzulernen.«

»Und wie hat Lady Brandon diesen wunderbaren jungen Mann beschrieben? Ich weiß, sie gibt stets ein kurzes *precis* von allen ihren Gästen. Ich erinnere mich, wie sie mich zu einem brutal aussehenden, rotgesichtigen alten Herrn führte, der ganz mit Orden und Bändern behängt war, und wie sie mir mit einem tragischen Flüstern, das jedermann im Raum hat hören können, ins Ohr zischelte: ›Sir Soundso – Sie wissen schon – an der Grenze von Afghanistan – russische Intrigen: sehr erfolgreicher Mann – Frau durch einen Elefanten ums Leben gekommen – ganz und gar untröstlich – wird sich mit einer wunderschönen amerikanischen Witwe verheiraten – das tut heutzutage jedermann – haßt Mr. Gladstone – aber sammelt Käfer: Fragen Sie ihn, was er über Schouvaloff denkt.‹ Ich bin einfach geflohen. Ich ziehe es vor, selbst hinter die Leute zu kommen. Aber Lady Brandon behandelt ihre Gäste wie ein Auktionator seine Waren. Entweder sie deckt sie mit ihren Erklärungen vollkommen zu oder erzählt einem alles über sie, nur nicht das, was man wissen möchte. Aber was sagte sie über Dorian Gray?«

»Ach, etwas wie ›reizender Junge – die gute Mutter und ich ganz unzertrennlich gewesen – verlobt, hat den gleichen Mann geheiratet – ich meine, noch am gleichen Tag – was für einen Unsinn ich rede! Ganz vergessen, was er tut – fürchte, gar nichts – doch, spielt Klavier – oder Geige, lieber Mr. Gray?‹ – Wir mußten beide lachen und waren sofort Freunde.«

»Lachen ist kein schlechter Anfang für eine Freundschaft und gewiß ihr bestes Ende«, sagte Lord Henry, indem er ein zweites Gänseblümchen pflückte.

Hallward bedeckte das Gesicht mit den Händen. »Du verstehst nicht, was Freundschaft ist, Harry«, sagte er ganz leise, »und nicht, was Feindschaft ist. Du magst jeden gern, und das heißt, dir ist jeder gleichgültig.«

»Wie ungerecht du bist!« rief Lord Henry, indem er seinen Hut zurückschob und zu den kleinen Wolken hinaufsah, die wie zerfaserte Flocken glänzender Seide über den gewölbten Türkis des Sommerhimmels trieben. »Ja, schrecklich ungerecht. Ich mache große Unterschiede zwischen Menschen. Ich wähle meine Freunde wegen ihrer Schönheit, meine Bekannten wegen ihres Charakters und meine Feinde wegen ihrer Klugheit. Ein Mann kann in der Wahl seiner Feinde gar nicht aufmerksam genug sein. Ich habe keinen, der ein Hohlkopf wäre. Alle sind Leute von geistiger Kraft, und folglich schätzen auch sie mich alle. Ist das sehr eitel? Ich glaube, es ist ziemlich eitel.«

»Das würde ich meinen, Harry. Aber nach deiner Einteilung zähle ich wohl nur zu den Bekannten.«

»Mein lieber Basil, du bist viel mehr als ein Bekannter.«

»Und viel weniger als ein Freund. Eine Art Bruder vermutlich?«

»Was heißt Bruder! Ich mache mir nicht viel aus Brüdern. Mein älterer Bruder will nicht sterben, und meinen jüngeren Brüdern fällt offenbar nichts Besseres ein.«

»Harry!«

»Mein lieber Junge, das war nicht ganz ernst gemeint. Aber ich kann mir nicht helfen, ich muß meine Verwandten verabscheuen. Vielleicht liegt es daran, daß wir andere Leute nicht ausstehn können, wenn sie die gleichen Fehler haben wie wir. Ich verstehe die Wut der englischen Demokratie gegen das, was sie die Laster der oberen Klassen nennt, vollkommen. Sie fühlen, daß Trunksucht, Dummheit und Immoralität ihre Privilegien sind und daß, wenn jemand von uns einen Esel aus sich macht, er in ihren Gehegen wildert. Als der arme Southwark vor den Ehescheidungshof kam, war ihre Entrüstung geradezu phänomenal. Und doch glaube ich nicht, daß auch nur zehn Prozent der unteren Klassen ein einwandfreies Leben führen.«

»Ich billige nicht ein einziges Wort von allem, was du sagst, und was mehr ist, ich bin sicher, daß auch du es nicht tust.«

Lord Henry strich sich den braunen Spitzbart und schlug mit seinem quastenverzierten Malaccastock an die Spitze seines Lackstiefels. »Wie englisch du bist, Basil. Wenn man einem echten Engländer eine Idee vorträgt – was immer voreilig ist –, denkt er nie daran, zu untersuchen, ob die Idee richtig oder falsch ist. Für ihn ist einzig wichtig, ob man selbst an sie glaubt. Nun hat aber der Wert einer Idee nichts mit der Aufrichtigkeit dessen zu tun, der sie ausdrückt. Ja, es ist sogar wahrscheinlich, daß eine Idee um so intellektueller ist, je unaufrichtiger der Mensch selbst ist; denn um so weniger wird sie von seinen Bedürfnissen, seinen Wünschen oder seinen Vorurteilen gefärbt sein. Doch ich will weder Politik noch Soziologie, noch Metaphysik mit dir diskutieren. Mir sind Menschen lieber als Prinzipien. Erzähle mir mehr über Dorian Gray. Wie oft siehst du ihn?«

»Jeden Tag. Ich wäre nicht glücklich, wenn ich ihn nicht täglich sähe. Freilich sind es mitunter nur wenige Minuten. Aber schon ein paar Minuten mit einem Menschen, den man anbetet, sind kostbar.«

»Aber betest du ihn denn an?«

»Ja.«

»Wie merkwürdig! Ich dachte, du würdest dich nie um etwas anderes kümmern als um deine Malerei – deine Kunst wollte ich sagen. Kunst klingt besser, nicht wahr?«

»Er ist jetzt der Inbegriff meiner Kunst. Ich glaube bisweilen,

Harry, es gibt nur zwei wichtige Epochen in der Weltgeschichte. Die eine ist das Auftreten eines neuen Mediums in der Kunst, und die zweite ist das Auftreten einer neuen Persönlichkeit für die Kunst. Was für die Venezianer die Erfindung der Ölmalerei war, das war das Gesicht des Antinous für die spätgriechische Plastik. Und für mich wird es eines Tages das Gesicht Dorian Grays sein. Nicht nur, daß ich nach ihm male, zeichne, modelliere. Natürlich habe ich all das getan. Er hat mir als Paris in einer kunstvollen Rüstung Modell gestanden und als Adonis in Jägerkleidung mit glänzendem Speer. Geschmückt mit schweren Lotosblüten, saß er auf dem Schnabel von Hadrians Barke und schaute in den schmutziggrünen Nil. Er hat sich über den stillen Weiher einer griechischen Waldlandschaft gebeugt und in dem unbewegten Silberspiegel die Wunder seiner eigenen Schönheit betrachtet. Aber er ist viel mehr für mich als das. Ich will dir nicht erzählen, ich sei unzufrieden mit dem, was ich aus ihm gemacht habe, oder seine Schönheit sei dergestalt, daß die Kunst sie nicht ausdrücken kann. Es gibt nichts, was die Kunst nicht ausdrücken könnte, und ich weiß, daß das, was ich gemacht habe, seit ich Dorian Gray traf, gute Arbeit ist, die beste Arbeit meines Lebens. Aber seltsamerweise – ich weiß nicht, ob du mich verstehen wirst – hat seine Persönlichkeit mir eine ganz neue Sehweise in der Kunst, einen neuen Stil offenbart. Ich sehe jetzt die Dinge anders, ich empfinde sie ganz anders. Ich kann jetzt in einer Weise Leben neu schaffen, die mir bisher verborgen war. ›Ein Traum von der Form in Tagen der Klarheit‹ –: wer hat das gesagt? Ich habe es vergessen; aber es drückt aus, was Dorian Gray mir gewesen ist. Die bloße Gegenwart dieses Knaben, denn er ist wenig mehr als ein Knabe, obgleich er schon über zwanzig ist –, seine bloße Gegenwart – ah, ich möchte wissen, ob du empfinden kannst, was mir das alles bedeutet? Unbewußt bestimmt er für mich die Linien einer neuen Schule, die in sich zugleich die ganze Leidenschaft des romantischen Geistes und alle Vollkommenheit des griechischen Geistes umfassen soll. Harmonie von Körper und Seele, wie viel ist das doch! Wir haben in unserem Wahnsinn beides getrennt und haben einen Realismus erfunden, der bestialisch, und eine Idealität, die leer ist. Harry, Harry, wenn du wüßtest, was mir Dorian Gray bedeutet! Du erinnerst dich an die Landschaft, für die Agnew mir einen so unerhörten Preis bot, von der ich mich aber nicht trennen wollte. Sie gehört zum Besten, was ich je gemacht habe. Und warum? Weil Dorian Gray neben mir saß, als ich sie malte.«

»Basil, das ist ja wunderbar! Ich muß Dorian Gray kennenlernen.«

Hallward stand auf und ging im Garten auf und ab. Nach einiger Zeit kam er zurück. »Das begreifst du nicht, Harry«, sagte er, »Dorian Gray ist für mich nur ein künstlerisches Motiv. Er ist nie mehr in meiner Arbeit gegenwärtig, als wenn sie sein Abbild nicht enthält. Er ist einfach der Anreger zu einem neuen Stil, wie ich bereits sagte. Ich sehe ihn in den Kurven gewisser Linien, in der Schönheit und Zartheit gewisser Farben. Das ist alles.«

»Und warum willst du dann sein Bild nicht ausstellen?«

»Weil ich die ausgefallenste Romantik hineingelegt habe, obwohl ich nie gewagt habe, mit ihm darüber zu sprechen. Er weiß nichts davon. Er soll nie etwas darüber erfahren. Aber die Welt könnte es erraten: Und vor ihren einfältigen, lüsternen Augen will ich meine Seele nicht entblößen. Ich will mein Herz nicht unter ihr Mikroskop legen. Es ist zu viel von mir in dem Bild, Harry – zu viel von mir!«

»Dichter machen sich nicht so viel Skrupel wie du. Sie wissen, wie nützlich die Leidenschaft für den Absatz ihrer Bücher ist. Heutzutage bringt es ein gebrochenes Herz zu vielen Auflagen.«

»Ich hasse sie darum. Ein Künstler sollte Schönes schaffen, aber von seinem eigenen Leben nichts hineinlegen. Wir leben in einer Zeit, wo die Menschen die Kunst behandeln, als sei sie zu einer Autobiographie bestimmt. Wir haben den abstrakten Sinn für die Schönheit verloren. Wenn ich lange genug lebe, werde ich der Welt eines Tages zeigen, was es damit auf sich hat; und darum soll sie mein Bild von Dorian Gray niemals kennenlernen.«

»Ich glaube, du irrst dich, Basil, aber ich will nicht mit dir streiten. Nur Hohlköpfe streiten. Doch sage mir, liebt dich Dorian Gray sehr?«

Hallward überlegte einen Augenblick. »Er hat mich sehr gern«, antwortete er nach einer Pause; »ich weiß, er hat mich gern.

Natürlich schmeichle ich ihm fürchterlich. Es macht mir ein eigenartiges Vergnügen, ihm Dinge zu sagen, von denen ich weiß, daß ich sie bereuen werde. Ich gebe mich aus der Hand. In der Regel ist er reizend zu mir, und wir gehen vom Klub Arm in Arm nach Hause, oder wir sitzen im Atelier und reden von tausend Dingen. Hin und wieder ist er schrecklich gedankenlos und scheint geradezu Vergnügen daran zu finden, mich zu quälen. Dann fühle ich, Harry, daß ich meine Seele jemandem ausgeliefert habe, der sie behandelt wie eine Blume, die man ins Knopfloch steckt, ein bißchen Dekoration, seiner Eitelkeit zu schmeicheln, ein Schmuck für einen kurzen Sommertag.«

»Im Sommer, Basil, pflegen die Tage zu verweilen, vielleicht wirst du seiner eher müde als er deiner. Es ist traurig, wenn man darüber nachdenkt, aber Genie währt länger als die Schönheit. Das erklärt die Tatsache, daß wir uns alle so viel Mühe geben, übergebildet zu werden. In dem unerbittlichen Kampf ums Dasein brauchen wir etwas, was dauert, und so füllen wir unseren Geist mit Tatsachenplunder, in der törichten Hoffnung, unseren Platz zu behaupten. Der mit Tatsachen vollgestopfte Mensch – das ist das Ideal unserer Zeit. Und die Seele eines solchen gründlich informierten Menschen ist etwas Monströses. Sie ist wie ein Ramschladen voll verstaubter Ungeheuer, in dem alles über seinen Wert geschätzt wird. Immerhin glaube ich, du wirst seiner zuerst müde werden. Eines Tages wirst du Gray ansehn, und du wirst finden, er sei ein wenig verzeichnet, oder seine Farben werden dir mißfallen oder irgend etwas Ähnliches. Du wirst ihm dann im Herzen bittere Vorwürfe machen und allen Ernstes denken, daß er sich sehr schlecht gegen dich benommen hat. Wenn er dich wieder besucht, wirst du vollkommen kalt und gleichgültig gegen ihn sein. Das ist traurig, denn es wird dich verändern. Das schlimmste an einer Romanze ist, daß sie einen am Ende so unromantisch zurückläßt.«

»Harry, sprich nicht so! Solange ich lebe, wird die Gestalt Dorian Grays Macht über mich haben. Du kannst nicht fühlen, was ich fühle. Du bist zu unbeständig.«

»Ah, mein lieber Basil, gerade darum kann ich es fühlen. Wer treu ist, kennt nur die beglückende Seite der Liebe: Von ihrer Tragik wissen nur die Treulosen.« Und Lord Henry zündete an einer zierlichen Silberdose ein Zündholz an und begann mit so selbstbewußter und selbstzufriedener Miene eine Zigarette zu rauchen, als hätte er den Sinn des Lebens in einen Satz zusammengefaßt. Im Efeu raschelten tschilpende Spatzen, und blaue Wolkenschatten jagten wie Schwalben über das Gras. Es war so schön in diesem Garten! Und wie entzückend waren die Gefühle anderer Menschen – viel entzückender als ihre Gedanken, so schien es ihm. Die eigene Seele und die Leidenschaften seiner Freunde – das waren die Dinge, die dem Leben seinen Zauber gaben. Er dachte mit Vergnügen an das langweilige Frühstück, das er versäumt hatte, weil er so lange bei Basil Hallward geblieben war. Wäre er zu seiner Tante gegangen, so hätte er dort sicherlich Lord Goodbody getroffen, und die ganze Unterhaltung hätte sich um die Ernährung der Armen gedreht und die Notwendigkeit von Mustersiedlungen. Wie erfreulich, all dem entgangen zu sein! Beim Gedanken an seine Tante kam ihm eine Erinnerung. Er wandte sich zu Hallward und sagte: »Mein lieber Junge, jetzt fällt mir's ein.«

»Was denn, Harry?«

»Wo ich den Namen Dorian Gray gehört habe.«

»Und wo war das?« fragte Hallward mit einem leichten Stirnrunzeln.

»Sieh mich nicht so böse an, Basil. Es war bei meiner Tante, Lady Agatha. Sie sagte mir, sie habe einen wundervollen jungen Mann entdeckt, der ihr im East-End helfen wolle, und er heiße Dorian Gray. Ich muß zugeben, daß sie mir nie von seiner Schönheit erzählt hat. Frauen verstehen die Schönheit nicht zu würdigen, wenigstens anständige Frauen nicht. Sie sagte mir, er sei sehr ernst und hätte einen liebenswerten Charakter. Ich malte mir schon ein Wesen mit Brille, dünnem Haar, schrecklichen Sommersprossen und riesigen Füßen aus. Ich wünschte, ich hätte gewußt, daß es dein Freund war.«

»Ich bin froh, daß du es nicht wußtest, Harry.«

»Warum?«

»Weil ich nicht möchte, daß du ihn kennenlernst.«

»Mr. Dorian Gray ist im Atelier, gnädiger Herr«, sagte der Diener, der soeben in den Garten heraustrat.

»Nun mußt du mich vorstellen«, rief Lord Henry lachend.

Basil Hallward wandte sich zu seinem Diener, der blinzelnd in der Sonne stand.

»Bitten Sie Mr. Gray zu warten, Parker. Ich komme gleich.«

Der Diener verneigte sich und ging.

Dann sah er Lord Henry an. »Dorian Gray ist mein liebster Freund«, sagte er. »Er ist von Natur schlicht und liebenswürdig. Deine Tante hatte recht in allem, was sie von ihm sagte. Verdirb ihn mir nicht. Versuche nicht, Einfluß auf ihn zu gewinnen. Dein Einfluß würde ihn verderben. Die Welt ist so groß, und es gibt viele wunderbare Geschöpfe. Nimm mir darum nicht den einzigen Menschen, der mir das Leben lebenswert macht und der meiner Kunst ihren höchsten Reiz verleiht. Denke daran, Harry, ich vertraue auf dich.« Er sprach sehr langsam, und es war, als ob er sich die Worte wider seinen Willen abringe.

»Was für Unsinn du redest!« sagte Lord Henry lächelnd, und indem er Hallwards Arm nahm, zog er ihn fast ins Haus.

2

Als sie eintraten, sahen sie Dorian Gray. Er saß mit dem Rücken zu ihnen am Klavier und blätterte in einem Band von Schumanns ›Waldszenen‹. »Das mußt du mir leihen, Basil«, rief er, »ich möchte sie üben. Sie sind einfach entzückend.«

»Das hängt ganz davon ab, wie du mir heute sitzen wirst, Dorian.«

»Oh, ich hab das Sitzen satt, und mir liegt gar nichts an einem lebensgroßen Bild von mir«, antwortete der junge Mann und schwang sich voller Übermut und Eigensinn auf dem Klavierstuhl herum. Als er Lord Henry erblickte, errötete er leicht und sprang auf: »Verzeihung, Basil, aber ich wußte nicht, daß du Besuch hast.«

»Das ist Lord Henry Wotton, Dorian, ein alter Freund von Oxford her. Ich habe ihm gerade erzählt, was für ein unvergleichliches Modell du bist, und jetzt hast du mir alles verdorben.«

»Mein Vergnügen, Sie kennenzulernen, haben Sie nicht verdorben, Mr. Gray«, sagte Lord Henry, indem er ihm einen Schritt entgegentrat und ihm die Hand reichte. »Meine Tante hat oft von Ihnen erzählt. Sie stehen in ihrer Gunst, und ich fürchte, Sie sind auch eins ihrer Opfer.«

»Im Augenblick bin ich auf Lady Agathes schwarzer Liste«, antwortete Dorian mit einem Ausdruck gespielter Reue. »Ich hatte ihr versprochen, sie am letzten Dienstag in ihren Klub in Whitechapel zu begleiten, und dann hab ich es einfach vergessen. Wir hätten dort zusammen vierhändig spielen sollen – drei Stücke, wenn ich mich recht erinnere. Ich weiß nicht, ob sie mir Vorhaltungen machen wird. Ich hab viel zu viel Angst, sie zu besuchen.«

»Oh, ich werde Sie mit meiner Tante aussöhnen. Sie ist Ihnen sehr zugetan, und ich glaube nicht, daß Ihre Abwesenheit viel verdorben hat. Die Zuhörer haben wahrscheinlich gemeint, es handle sich um ein Duo. Wenn Tante Agatha sich ans Klavier setzt, macht sie genug Lärm für zwei.«

»Das ist wenig schmeichelhaft für sie und kaum ein Kompliment für mich«, antwortete Dorian lachend.

Lord Henry sah ihn an. Ja, er war wirklich wunderschön mit seinen feingeschnittenen dunkelroten Lippen, seinen freimütigen blauen Augen, seinem krausen goldblonden Haar. In seinem Gesicht lag etwas, was einem sofort Zutrauen einflößte, alle Offenheit der Jugend lag darin und alle leidenschaftliche Reinheit. Man fühlte, daß er bisher von der Welt unberührt war. Kein Wunder, daß Basil Hallward ihn verehrte. Er war dafür geschaffen, verehrt zu werden.

»Sie sind viel zu charmant, um Philanthrop zu sein, Mr. Gray – viel zu charmant.« Lord Henry ließ sich auf den Diwan fallen und öffnete sein Zigarettenetui.

Hallward hatte inzwischen seine Farben gemischt und seine Pinsel zurechtgelegt. Er sah aus, als quäle ihn etwas, und als er Lord Henrys letzte Bemerkung hörte, sah er ihn an, zögerte einen Augenblick und sagte dann: »Harry, ich möchte das Bild heute fertig malen. Würdest du es mir sehr übelnehmen, wenn ich dich bitte, zu gehn?«

Lord Henry lächelte und sah Dorian Gray an.

»Soll ich gehn, Mr. Gray?« fragte er.

»Bitte nicht, Lord Henry! Basil ist wieder einmal in schlechter Laune, und dann kann ich ihn nicht ausstehen. Außerdem müssen Sie mir sagen, warum ich nicht zum Philanthropen tauge.«

»Ich glaube nicht, daß ich Ihnen das sagen werde, Mr. Gray. Aber nun werde ich sicher nicht fortgehen, da Sie mich bitten zu bleiben. Du bist doch nicht wirklich böse, Basil? Du hast mir oft gesagt, es sei dir sogar recht, wenn dein Modell sich mit jemandem unterhalten kann.«

Hallward biß sich auf die Lippen. »Wenn Dorian es wünscht, mußt du natürlich bleiben. Dorians Launen sind für jedermann Gesetz, außer für ihn selbst.«

Lord Henry griff nach Hut und Handschuhen. »Du bist ja äußerst liebenswürdig, Basil, aber ich fürchte, ich muß gehn. Ich bin im Orleans verabredet – auf Wiedersehn, Mr. Gray. Besuchen Sie mich doch einmal nachmittags in der Curzon-Street. Um fünf Uhr bin ich fast immer zu Hause. Schreiben Sie mir vorher, wenn Sie kommen. Es täte mir leid, wenn Sie mich nicht antreffen würden.«

»Basil«, rief Dorian Gray, »wenn Lord Henry geht, gehe ich auch. Du sprichst nie ein Wort, wenn du malst, und es ist schrecklich langweilig, auf einem Podium zu stehn und dabei eine freundliche Miene zu machen. Bitte ihn, dazubleiben. Ich bestehe darauf.«

»Bleib da, Harry, Dorian zuliebe und auch mir zuliebe«, sagte Hallward, ohne den Blick von seinem Bild zu wenden. »Er hat ganz recht, ich spreche nie während der Arbeit und höre auch nicht zu. Es muß furchtbar langweilig für meine unglücklichen Modelle sein. Ich bitte dich, bleib.«

»Und was wird aus meiner Verabredung im Orleans?«

Hallward lachte. »Das wird wohl kein Problem sein. Setz dich wieder hin, Harry. – Und du, Dorian, steig auf das Podium und halt dich möglichst still. Kümmere dich nicht darum, was Lord Henry sagt. Er übt auf alle seine Freunde einen schlechten Einfluß aus, außer auf mich.«

Dorian stieg mit der Miene eines geschundenen griechischen Helden auf das Podium und schnitt eine Grimasse des Unmuts zu Lord Henry, der ihm außerordentlich gut gefiel. Er war ganz anders als Hallward. Sie bildeten einen köstlichen Gegensatz. Und er hatte eine so angenehme Stimme. Nach einer kleinen Weile sagte Dorian zu ihm: »Üben Sie wirklich einen so schlimmen Einfluß aus, Lord Henry, wie Basil das behauptet?«

»Es gibt keinen guten Einfluß, Mr. Gray. Jeder Einfluß ist unmoralisch – vom wissenschaftlichen Standpunkt aus.«

»Und warum?«

»Weil jemand zu beeinflussen dasselbe ist, wie ihm eine fremde Seele zu geben. Er denkt nicht mehr seine eigenen Gedanken, er wird nicht mehr von seinen eigenen Leidenschaften verzehrt. Seine Tugenden gehören nicht mehr ihm. Selbst seine Sünden – wenn es so etwas wie Sünden gibt – sind nur geliehen. Er wird zum Echo der Töne eines andern, zum Schauspieler einer Rolle, die nicht für ihn geschrieben ist. Das Ziel des Lebens ist Selbstverwirklichung. Das eigene Wesen zu verwirklichen, dazu sind wir hier. Heutzutage fürchten sich die Menschen vor sich selbst. Sie haben die höchste Pflicht vergessen, die Pflicht, die sie sich selber schulden. Natürlich ist man wohltätig. Man speist die Hungernden und kleidet die Bettler. Aber die eigene Seele darbt und ist nackt. Unserem Geschlecht ist der Mut verlorengegangen. Vielleicht haben wir ihn nie besessen. Die Furcht vor der Gesellschaft, auf der die Moral sich aufbaut, die Furcht vor Gott, die das Geheimnis der Religion ist – das sind die beiden Gewalten, die uns beherrschen. Und dennoch ...«

»Sei so nett und dreh den Kopf ein ganz klein wenig nach rechts, Dorian«, sagte Hallward, der ganz in seine Arbeit vertieft war und nur wahrnahm, daß im Gesicht des Jungen ein Ausdruck lag, den er nie zuvor darin gesehen hatte.

»Und dennoch«, fuhr Lord Henry mit seiner leisen, melodischen Stimme und der anmutigen Handbewegung fort, die ihm von jeher eigen gewesen und die er schon in Eton gehabt hatte, »dennoch glaube ich, wenn auch nur ein Mensch sein Leben voll und ganz auslebte, jedem Gefühl Form, jedem Gedanken Ausdruck, jedem Traum Wirklichkeit verliehe – es würde ein so neuer Strom der Freude in die Welt fließen, daß wir alles Krankhafte des Mittelalters vergessen müßten und zurückkehrten zum hellenischen Ideal – zu etwas Schönerem, Reicherem als dem hellenischen Ideal vielleicht. Aber noch der Tapferste unter uns fürchtet sich vor sich selbst. Die Selbstverstümmelung des Wilden lebt schaurig fort in der Selbstverleugnung, die unser Leben zerstört. Wir werden bestraft für unsere Entsagungen. Jede Begierde, die wir ersticken, brütet in unserer Seele und vergiftet uns. Der Körper sündigt einmal, und dann ist seine Sünde abgetan, denn die Handlung ist eine Art der Reinigung. Nichts bleibt als die Erinnerung an eine Lust oder der Luxus eines Bedauerns. Der einzige Weg, eine Versuchung loszuwerden, ist, daß man ihr nachgibt. Widerstehen Sie ihr, und Ihre Seele wird krank vor Sehnsucht nach dem, was sie sich selbst verboten hat, vor Begierde nach dem, was ihre widernatürlichen Gesetze widernatürlich und ungesetzlich machten. Man hat gesagt, die größten Ereignisse der Welt spielten sich im Gehirn ab. Im Gehirn und nur im Gehirn geschehen auch die größten Sünden der Welt. Auch Sie, Mr. Gray, Sie selbst in Ihrer unberührten Jugend, haben Leidenschaften gehabt, die Sie mit Schrecken erfüllten, Gedanken, die Ihnen angst machten, Träume am Tage und in der Nacht, deren bloße Erinnerung Ihnen die Schamröte ins Gesicht treiben könnte ...«

»Hören Sie auf!« flüsterte Dorian Gray. »Hören Sie auf! Sie bringen mich in Verwirrung. Ich weiß nicht, was ich sagen soll. Es gibt eine Antwort, aber ich kann sie nicht finden. Sprechen Sie nicht. Lassen Sie mich nachdenken oder besser, lassen Sie mich versuchen, nicht nachzudenken.«

Fast zehn Minuten stand er bewegungslos da mit geöffneten Lippen und seltsam glänzenden Augen. Er war sich dunkel bewußt, daß völlig neue Einflüsse in ihm arbeiteten, und es schien ihm, als kämen sie ganz aus seinem eigenen Inneren. Die wenigen Worte, die Basils Freund zu ihm gesprochen hatte – ohne Zweifel leicht hingeworfene Worte, die manches willkürliche Paradox enthielten –, hatten gleichwohl in ihm eine geheime Saite berührt, die nie zuvor angeschlagen worden war, die er aber nun schwingen und sonderbar tönen fühlte.

So hatte ihn nur die Musik erregt. Sie hatte ihn manches Mal aufgewühlt. Aber Musik spricht nicht in Worten. Nicht eine neue Welt, ein neues Chaos schafft sie in uns. Aber Worte! Bloße Worte! Wie schrecklich sie waren! Wie klar und lebendig und grausam! Ihnen konnte man sich nicht entziehen. Und doch, welch tiefer Zauber in ihnen lag! Es schien, als könnten sie formlosen Dingen plastische Gestalt verleihen und eine eigene Musik bewahren, nicht minder süß als die der Viola oder der Laute. Bloße Worte! Gab es etwas, das wirklicher war als Worte?

Ja. In seiner Kindheit hatte es Dinge gegeben, die er nicht verstand. Jetzt verstand er sie. Das Leben bekam plötzlich flammende Farben für ihn. Es schien ihm, als sei er im Feuer gewandelt. Warum hatte er es bisher nicht gewußt?

Lord Henry beobachtete ihn mit schwermütigem Lächeln. Er erriet mit sicherem psychologischem Instinkt, wann er nicht reden durfte. Er fühlte das heftigste Interesse. Er war erstaunt über den unerwarteten Eindruck, den seine Worte gemacht hatten. Er erinnerte sich eines Buches, das er mit sechzehn Jahren gelesen und das ihm vieles offenbarte, was er bis dahin nicht gekannt hatte, und er hätte gern gewußt, ob Dorian Gray dieselbe Erfahrung machen würde. Er hatte nur einen Pfeil in die Luft geschossen. Hatte er getroffen? Wie faszinierend dieser Junge war!

Hallward arbeitete mit seinem wunderbar kühnen Pinselstrich weiter, der die echte Feinheit und vollendete Feinfühligkeit hatte, die nur aus der Kraft kommen kann. Er hatte das Schweigen nicht bemerkt.

»Basil, ich hab keine Lust mehr, zu stehn«, rief Dorian Gray plötzlich. »Ich muß mich in den Garten setzen, die Luft hier ist erstickend.«

»Das tut mir wirklich leid, mein Lieber. Wenn ich male, kann ich an nichts andres denken. Aber du warst nie besser, ganz ruhig bist du gestanden, und ich habe endlich den Ausdruck erfaßt, den ich immer gesucht habe – die halboffenen Lippen und den Glanz in den Augen. Ich weiß nicht, was Harry mit dir gesprochen hat, auf jeden Fall hat er den wundervollsten Ausdruck bei dir hervorgerufen. Vermutlich hat er dir Komplimente gemacht. Du darfst ihm kein Wort glauben.«

»Nein, er hat mir keine Komplimente gemacht. Und vielleicht glaube ich ihm eben darum kein einziges Wort.«

»Sie wissen, daß Sie doch alles glauben«, sagte Lord Henry und sah ihn versunken unter schweren Lidern an. »Ich gehe mit Ihnen in den Garten, es ist schrecklich heiß im Atelier. – Basil, laß uns etwas Kaltes zu trinken holen, vielleicht etwas mit Erdbeeren drin.«

»Sehr gern, Harry. Drück auf die Klingel, und wenn Parker kommt, will ich es ihm sagen. Ich muß den Hintergrund noch fertigmalen und komme dann später nach. Aber halte Dorian nicht zu lange fest. Ich bin niemals besser in Schwung gewesen als heute. Dies wird mein Meisterwerk. Es ist schon jetzt mein Meisterwerk.«

Lord Henry ging in den Garten hinaus und fand Dorian Gray, der sein Gesicht in den großen kühlen Fliederdolden vergrub und ihren Duft fieberhaft eintrank, als wäre es Wein. Er trat nahe an ihn heran und legte ihm die Hand auf die Schulter. »Wie richtig«, sagte er leise. »Nur die Sinne können die Seele heilen, wie nur die Seele die Sinne heilen kann.«

Der junge Mann schrak auf und trat zurück. Er war barhäuptig, und die Blätter hatten seine widerspenstigen Locken verwirrt. Es lag etwas wie Schrecken in seinem Blick, den Menschen haben, die man plötzlich aus dem Schlaf weckt. Seine feingeschnittenen Nasenflügel zitterten, und eine heimliche Erschütterung ließ seine scharlachroten Lippen erbeben.

»Ja«, fuhr Lord Henry fort, »das ist eins der größten Geheimnisse des Lebens – die Seele durch die Sinne zu heilen und die Sinne durch die Seele. Sie sind ein wunderbares Geschöpf. Sie wissen mehr, als Sie zu wissen glauben, und doch wissen Sie weniger, als Sie wissen möchten.«

Dorian Gray zog die Stirn zusammen und wandte den Kopf ab. Es zog ihn wider seinen Willen zu dem hochgewachsenen, schönen jungen Mann, der neben ihm stand. Sein olivfarbenes Gesicht mit dem geistesabwesenden, etwas verlebten Ausdruck interessierte ihn. In seiner leisen, gleichmütigen Stimme war etwas, das ihn gänzlich faszinierte. Selbst die kühlen weißen Hände, die wie Blumen aussahen, hatten einen seltsamen Reiz. Sie begleiteten seine Worte wie Musik und bewegten sich, als hätten sie ihre eigene Sprache. Aber er fürchtete sich vor ihm und schämte sich seiner Furcht. Warum mußte ein Fremder kommen, ihm die eigene Seele zu offenbaren. Er kannte Basil Hallward seit Monaten, aber ihre Freundschaft hatte ihn nie verändert. Plötzlich war jemand in sein Leben getreten, der ihm die Geheimnisse des Lebens zu enthüllen schien. Und doch – wovor sollte er sich fürchten. War er denn ein Schuljunge oder ein Mädchen? Es war absurd, sich zu fürchten.

»Kommen Sie, wir setzen uns in den Schatten«, sagte Lord

Henry. »Parker hat uns etwas zu trinken gebracht. Wenn Sie noch länger in dieser Glut stehnbleiben, werden Sie sich die Haut verderben, und Basil wird Sie nicht mehr malen. Sie dürfen sich keinen Sonnenbrand holen. Das würde Ihnen nicht stehn.«

»Was liegt denn daran«, rief Dorian lachend und setzte sich am Ende des Gartens auf eine Bank.

»Ihnen sollte alles daran liegen, Mr. Gray.«

»Und warum?«

»Weil Sie noch so wundervoll jung sind und Jugend der einzig wertvolle Besitz ist.«

»Ich finde das nicht, Lord Henry.«

»Nein, jetzt noch nicht. Aber eines Tages, wenn Sie alt und runzlig und häßlich geworden sind, wenn der Gedanke Ihre Stirn mit seinen Furchen gezeichnet und die Leidenschaft Ihre Lippen mit schrecklichen Flammen verzehrt hat, dann werden Sie es empfinden, und Sie werden es furchtbar empfinden. Jetzt mögen Sie gehen, wohin Sie wollen, Sie bezaubern die Welt. Wird das immer so bleiben?

Sie haben ein wundervoll schönes Gesicht, Mr. Gray. Ziehen Sie nicht die Stirn kraus. Es ist wahr. Und Schönheit ist eine Form des Genies –, sie ist mehr als Genie, denn sie bedarf keiner Erklärung. Sie gehört zu den großen Wirklichkeiten der Welt, wie die Sonne, wie der Frühling oder der Widerschein einer silbernen Sichel auf dunklen Wassern, die wir den Mond nennen. Sie läßt sich nicht anfechten. Sie hat ein göttliches Recht auf Herrschaft. Sie macht zu Fürsten, die sie besitzen. Sie lächeln? Ach, wenn Sie sie erst verloren haben, werden Sie nicht mehr lächeln.

Die Menschen sagen wohl, die Schönheit sei etwas Äußerliches. Mag sein. Aber gewiß ist sie nicht so äußerlich wie das Denken. Für mich ist die Schönheit das Wunder der Wunder. Nur Hohlköpfe urteilen nicht nach dem Äußeren. Das wahre Geheimnis der Welt liegt im Sichtbaren, nicht im Unsichtbaren.

Ja, Mr. Gray, Ihnen waren die Götter hold. Aber was die Götter schenken, das nehmen sie bald zurück. Sie haben nur wenige Jahre, um wirklich zu leben. Wenn Ihre Jugend Sie verläßt, dann wird auch Ihre Schönheit schwinden, und plötzlich werden Sie entdecken, daß keine Triumphe mehr auf Sie warten, es sei denn, Sie geben sich mit jenen billigen Triumphen zufrieden, die Ihnen die Erinnerung Ihrer Vergangenheit bitterer machen wird als die Niederlagen. Jeder Monat, der dahingeht, führt Sie etwas Schrecklichem näher. Die Zeit ist eifersüchtig und kämpft gegen Ihre Lilien und Rosen. Sie werden bleich werden und hohlwangig und Ihre Augen trübe. Sie werden unsäglich leiden.

Nutzen Sie Ihre Jugend, solange sie da ist. Vergeuden Sie nicht das Gold Ihrer Tage, hören Sie nicht auf die Langweiligen, versuchen Sie nicht, hoffnungslosen Zerfall aufzuhalten. Werfen Sie Ihr Leben nicht weg für die Törichten, die Niedrigen, die Gemeinen, das sind falsche Ziele und Ideale unserer Zeit. Leben Sie! Leben Sie das herrliche Leben, das in Ihnen ist! Versagen Sie sich nichts! Probieren Sie immer neue Reize aus. Fürchten Sie nichts. Ein neuer Hedonismus, das ist es, was unser Jahrhundert braucht. Sie könnten sein sichtbares Symbol sein. Ihre Persönlichkeit erlaubt Ihnen, alles zu wagen. Die Welt gehört Ihnen – einen Frühling lang.

In dem Augenblick, da ich Sie traf, habe ich gesehn, daß Sie nichts davon wußten, wer Sie eigentlich sind, wer Sie sein könnten. Ich sah so viel in Ihnen, was mich bezauberte, daß ich mich gezwungen fühlte, Ihnen etwas von Ihnen zu erzählen. Ich dachte daran, wie tragisch es wäre, wenn Sie verschwendet würden. Denn Ihre Jugend währt ja nur so kurze Zeit – so kurze Zeit.

Die Wiesenblumen verwelken, aber sie blühen wieder. Der Goldregen wird im nächsten Jahr genauso leuchten wie heute. In einem Monat hat die Klematis purpurne Sterne, und Jahr um Jahr wird die grüne Nacht ihrer Blätter solche Purpursterne bergen. Aber die Jugend kehrt nie mehr zurück. Das Pulsen der Freude, das uns mit zwanzig bestürmt, wird träge. Unsere Glieder versagen, die Sinne stumpfen ab. Wir entarten zu gräßlichen Gliederpuppen, in denen die Erinnerung an Leidenschaften spukt, die wir uns versagten, und an erlesene Versuchungen, denen wir nachzugeben wagten. Jugend! Jugend! Es gibt nichts in der Welt außer der Jugend!« Dorian Gray hörte zu, staunend und mit weit geöffneten Augen. Der Fliederzweig fiel aus seiner Hand auf den Kies. Eine behaarte Biene kam und umflog einen Augenblick lang summend den Zweig. Dann kletterte sie über das violette Blütengekräusel. Er beobachtete sie mit jener seltsamen

Aufmerksamkeit für kleine Dinge, die wir zu zeigen versuchen, wenn uns Dinge von großer Bedeutung erschrecken oder wenn uns ein neues Gefühl erregt, für das wir keinen Ausdruck finden können, oder wenn ein furchtbarer Gedanke unsere Vorstellung lähmt und uns bezwingen will. Nach einer Weile flog die Biene fort. Er sah sie in den gefleckten Kelch einer tyrischen Winde kriechen. Die Blüte schien zu erbeben und schwankte dann leise hin und her.

Plötzlich erschien Hallward in der Tür des Ateliers und machte ihnen heftige Zeichen, hereinzukommen. Sie sahen sich an und lächelten.

»Ich warte«, rief Hallward. »Kommt herein. Das Licht ist vorzüglich. Ihr könnt eure Gläser ja mitbringen.«

Sie standen auf und schlenderten den Weg hinunter. Zwei grünweiße Schmetterlinge flatterten an ihnen vorbei, und in dem Birnbaum am Ende des Gartens fing eine Drossel zu singen an.

»Sie freuen sich, daß Sie mir begegnet sind, Mr. Gray«, sagte Lord Henry, indem er ihn ansah.

»Ja, jetzt bin ich froh darüber. Ich weiß nicht, ob ich mich immer freuen werde.«

»Immer! Das ist ein unerträgliches Wort. Mich schaudert es, wenn ich es höre. Die Frauen gebrauchen es so gern. Sie verderben jedes Abenteuer, indem sie versuchen, ihm ewige Dauer zu verleihen. Nebenbei – es ist ein sinnloses Wort. Der einzige Unterschied zwischen einer Laune und lebenslanger Leidenschaft ist, daß die Laune etwas länger dauert.«

Als sie ins Atelier eintraten, legte Dorian Gray seine Hand auf Lord Henrys Arm. »Dann soll unsere Freundschaft eine Laune sein«, sagte er leise und errötete über die eigene Kühnheit, dann stieg er auf das Podium und nahm seine Stellung wieder ein.

Lord Henry warf sich in einen bequemen Rohrsessel und beobachtete ihn. Das Hin- und Herstreichen des Pinsels auf der Leinwand war der einzige Ton, der die Stille unterbrach, außer wenn Hallward dann und wann zurücktrat, um seine Arbeit aus der Entfernung zu betrachten. In den schrägen Sonnenstrahlen, die durch die offene Tür strömten, tanzten goldene Stäubchen. Über allem hing der schwere Duft der Rosen.

Etwa nach einer Viertelstunde hörte Hallward zu malen auf, sah Dorian Gray lange an und dann das Bild, wobei er lächelnd am Pinselstiel kaute. »Es ist fertig«, rief er schließlich aus, beugte sich nieder und schrieb in dünnen, karminroten Buchstaben seinen Namen links unten auf die Leinwand.

Lord Henry kam herüber und betrachtete das Bild. Es war in der Tat ein herrliches Kunstwerk und auch ein herrliches Portrait. »Mein Lieber«, sagte er, »nimm meinen herzlichsten Glückwunsch. – Mr. Gray, kommen Sie und sehen Sie sich selbst an.«

Der junge Mann fuhr auf, wie aus einem Traum erwacht. »Ist es wirklich fertig?« flüsterte er und stieg vom Podest.

»Ganz fertig«, sagte Hallward, »und du hast heute ausgezeichnet gestanden. Ich bin dir sehr dankbar.«

»Das ist nur mein Verdienst«, warf Lord Henry dazwischen. »Nicht wahr, Mr. Gray?«

Dorian gab keine Antwort, sondern trat unbekümmert vor das Bild. Als er es sah, machte er einen Schritt zurück und errötete, so sehr gefiel er sich selbst. Ein Ausdruck der Freude kam in seine Augen, als hätte er sich zum ersten Male erkannt. Er stand bewegungslos und staunend da, und er hörte nur undeutlich, daß Hallward zu ihm sprach, aber den Sinn der Worte erfaßte er nicht. Die Empfindung seiner eigenen Schönheit überkam ihn wie eine Offenbarung. Nie zuvor hatte er sie gespürt. Basil Hallwards Komplimente hatte er nur für charmante Übertreibungen der Freundschaft gehalten. Er hatte sie angehört, über sie gelacht, sie vergessen. Sein Wesen hatten sie nie beeinflußt. Dann war Lord Henry gekommen, mit seinem erstaunlichen Hymnus auf die Jugend, seiner schrecklichen Warnung vor ihrer Vergänglichkeit. Das hatte ihn aus der Fassung gebracht, und nun, da er sich dem Abbild seiner eigenen Schönheit gegenüber sah, begriff er erst die volle Wahrheit des Gesagten. Ja, eines Tages würde sein Gesicht runzlig und welk, seine Augen trübe und glanzlos, die Anmut seiner Gestalt gebrochen und entstellt sein. Das Rot würde von seinen Lippen schwinden und das Gold aus seinen Haaren bleichen. Das Leben, das seine Seele führte, würde seinen Körper foltern. Unwürdig, abstoßend und aufgedunsen würde er werden.

Bei diesem Gedanken durchdrang ihn ein scharfer Schmerz

wie ein Messerstich und ließ jede Faser seines Wesens erbeben. Seine Augen verdunkelten sich zu Amethysten, und ein Tränenschimmer stieg darin auf. Es war ihm, als hätte sich eine eiskalte Hand auf sein Herz gelegt.

»Gefällt es dir nicht?« rief Hallward endlich, ein wenig gereizt durch das Schweigen des Jungen, das er sich nicht erklären konnte.

»Natürlich gefällt es ihm«, sagte Lord Henry, »wem sollte es nicht gefallen? Es gehört zu den größten Schöpfungen in der modernen Kunst. Ich gebe dir alles, was du verlangst; ich muß das Bild haben.«

»Es gehört nicht mir, Harry.«

»Wem denn?«

»Dorian natürlich.«

»Er hat ein unerhörtes Glück.«

»Wie traurig das ist!« flüsterte Dorian Gray, der noch immer die Augen auf sein eigenes Bild gerichtet hielt. »Wie traurig das ist. Ich soll alt werden, häßlich und abstoßend. Aber dies Bild wird ewig jung bleiben. Es wird nie älter werden, als es heute, an diesem Junitag, ist ... Wenn es doch umgekehrt wäre! Wenn ich ewig jung bliebe und das Bild altern würde! Ich würde alles – alles dafür hingeben! Ja, es gibt nichts in der ganzen Welt, das ich nicht dafür hingäbe!«

»An einem solchen Tausch würde dir wohl nichts liegen, Basil«, rief Lord Henry lachend. »Er würde dir ziemlich schwerfallen.«

»Ich würde mich energisch sträuben, Harry.«

Dorian Gray wandte sich um und sah ihn an. »Ja, das glaube ich, Basil. Du liebst deine Kunst mehr als deine Freunde. Ich bin für dich nicht mehr als eine grünspanige Bronzefigur. Vielleicht nicht einmal soviel.«

Hallward sah ihn entsetzt an. So zu sprechen, war nicht Dorians Art. Was war geschehn? Er schien beinah zornig. Sein Gesicht hatte sich gerötet, und seine Wangen brannten.

»Ja«, fuhr er fort, »ich bin weniger für dich als dein elfenbeinerner Hermes oder dein silberner Faun. Sie wirst du immer gern haben. Wie lange wirst du mich mögen? Wohl bis ich meine erste Falte habe. Jetzt weiß ich es, wenn man seine Schönheit einbüßt, was sie auch sei, dann hat man alles verloren. Dein Bild hat mich das gelehrt. Lord Henry hat vollkommen recht. Die

Jugend ist das einzige auf der Welt, das einen Wert besitzt. Wenn ich entdecke, daß ich alt werde, töte ich mich.«

Hallward wurde bleich und ergriff seine Hand. »Dorian, Dorian«, rief er aus, »sag so etwas nicht. Ich habe nie einen Freund gehabt wie dich, und ich werde nie einen zweiten finden. Bist du denn eifersüchtig auf leblose Dinge?«

»Ich bin eifersüchtig auf alles, dessen Schönheit nicht vergeht. Ich bin eifersüchtig auf das Porträt, das du von mir gemalt hast. Warum soll es bewahren, was ich verlieren muß? Jeder Augenblick, der verfliegt, nimmt mir etwas weg und gibt es ihm. Oh, wenn es doch umgekehrt wäre. Könnte das Bild sich verändern, und ich ewig derselbe bleiben! Warum hast du es gemalt? Es wird mich eines Tages verhöhnen – schrecklich verhöhnen!« Heiße Tränen traten ihm in die Augen; er zog seine Hand zurück, warf sich auf den Diwan und vergrub sein Gesicht in den Kissen, als betete er.

»Das ist dein Werk, Harry«, sagte Hallward bitter.

»Mein Werk?«

»Jawohl, und das weißt du genau.«

Lord Henry zuckte die Schultern. »Es ist der wahre Dorian Gray – weiter nichts«, entgegnete er.

»Das ist nicht wahr.«

»Wenn er es nicht ist, was habe ich damit zu schaffen?«

»Du hättest gehen sollen, als ich dich darum bat.«

»Ich blieb auf deine Bitte.«

»Harry, ich kann nicht mit meinen beiden besten Freunden zu gleicher Zeit streiten, aber laßt es euch gesagt sein, ihr habt mich dazu gebracht, daß ich das schönste Bild, das mir je gelungen ist, hasse, und ich werde es zerstören. Was ist es mehr als Leinwand und Farbe. Es soll nicht in unser Leben eingreifen und uns alle quälen.«

Dorian Gray hob seinen goldblonden Kopf von den Kissen und sah ihn mit blassem Gesicht und verweinten Augen an, als er zu dem Farbentisch aus Kiefernholz hinüberging, der unter dem hohen, verhangenen Atelierfenster stand. Was suchte er dort? Seine Finger wühlten unter dem Haufen von Zinntuben und trockenen Pinseln, als wollten sie etwas Bestimmtes finden. Ja, es war das lange Palettenmesser mit der dünnen Schneide aus biegsamem Stahl. Endlich fand er es. Er wollte die Leinwand zerschneiden.

Mit einem erstickten Schluchzen sprang Dorian vom Diwan auf, stürzte auf Hallward zu, entriß ihm das Messer und schleuderte es in den entferntesten Winkel. »Tu das nicht, Basil«, rief er, »tu's nicht, es wäre Mord!«

»Es freut mich, daß du schließlich meine Arbeit doch noch würdigst, Dorian«, sagte Hallward kalt, nachdem er sich von seinem Erstaunen erholt hatte. »Ich hätte es nicht für möglich gehalten.«

»Würdigen? Ich liebe das Bild, Basil. Es ist ein Teil von mir selbst. Das fühle ich.«

»Schön, sobald du trocken bist, sollst du gefirnißt und gerahmt werden. Dann schicke ich dich in deine Wohnung. Dort kannst du mit dir tun, was du willst.« Und er ging durch das Atelier und läutete nach dem Tee. »Du bleibst doch zum Tee, Dorian? Und du auch, Harry? Tee ist der einzige einfache Genuß, der uns geblieben ist.«

»Ich habe nichts für einfache Genüsse übrig«, sagte Lord Henry, »und ich mag keine Szenen, es sei denn auf der Bühne. Was für seltsame Menschen ihr beide seid! Ich möchte wissen, wer den Menschen als das vernünftige Tier definiert hat. Es war die voreiligste Definition, die je gemacht wurde. Der Mensch ist vielerlei, aber er ist keineswegs vernünftig. Ich bin übrigens ziemlich froh darüber. Trotzdem wäre es mir lieber, ihr hättet euch nicht über das Bild gezankt. Du solltest es lieber mir geben, Basil. Dieser törichte Junge will es ja gar nicht wirklich haben, aber ich will es.«

»Wenn du es irgend jemandem andern gibst, Basil, verzeih ich dir nie!« rief Dorian Gray. »Und ich erlaube niemandem, mich einen törichten Jungen zu nennen.«

»Du weißt, das Bild gehört dir, Dorian. Ich habe es dir geschenkt, ehe es überhaupt existierte.«

»Und Sie wissen auch, daß Sie ein wenig töricht waren, Mr. Gray. Sie haben doch im Ernst nichts dagegen einzuwenden, wenn man Sie einen Jungen nennt.«

»Heute morgen hätte ich sehr viel dagegen einzuwenden gehabt, Lord Henry.«

»Oh, heute morgen! Aber seitdem haben Sie gelebt.«

Es wurde an die Tür geklopft, und der Butler trat mit einem Teetablett herein und setzte es auf einem kleinen japanischen Tischchen nieder. Es war das Klirren von Tassen und Löffeln zu hören und das Summen eines georgischen Samowars. Ein Knabe brachte zwei runde chinesische Schalen. Dorian Gray trat heran und schenkte den Tee ein. Die beiden andern kamen langsam nach, um den Inhalt der Schalen zu prüfen.

»Laßt uns heute abend ins Theater gehn«, sagte Lord Henry. »Irgendwo wird bestimmt etwas los sein. Ich habe zwar versprochen, bei White zu speisen, aber es ist nur ein alter Freund, und ich kann ihm ein Telegramm schicken, daß ich krank bin oder durch eine spätere Verabredung verhindert. Ich finde, das wäre eine ganz hübsche Entschuldigung: Sie würde so überraschend offen klingen.«

»Es ist so langweilig, sich den Frack anzuziehn«, brummte Hallward. »Und wenn man ihn anhat, sieht man so häßlich aus.«

»Ja«, antwortete Lord Henry versonnen, »die Kleidung unserer Zeit ist abscheulich. Sie ist so düster, so deprimierend. Die Sünde ist die einzige Farbe, die im modernen Leben geblieben ist.«

»Du solltest solche Dinge wirklich nicht vor Dorian sagen, Harry.«

»Vor welchem Dorian, vor dem, der uns den Tee einschenkt, oder vor dem im Bild?«

»Vor beiden nicht.«

»Ich würde Sie gern ins Theater begleiten, Lord Henry«, sagte der Junge.

»Dann kommen Sie doch mit; und du kommst auch mit, Basil, nicht wahr?«

»Ich kann wirklich nicht, ich habe sehr viel zu tun. Ich möchte lieber nicht.«

»Gut, dann gehn wir beide allein, Mr. Gray.«

»Mit Vergnügen.«

Basil Hallward biß sich auf die Lippen und trat mit der Tasse in der Hand vor das Bild. »Ich bleibe mit dem wahren Dorian«, sagte er traurig.

»Ist das der wahre Dorian?« rief das Modell für das Portrait und trat zu ihm. »Sehe ich wirklich so aus?«

»Ja, du siehst genauso aus.«

»Wie herrlich, Basil!«

»Jedenfalls gleichst du ihm in der äußeren Erscheinung. Aber es wird sich niemals verändern«, sagte Hallward. »Das ist wenigstens etwas.«

»Was für ein Wesen die Leute um die Treue machen!« sagte Lord Henry wie zu sich selbst. »Und dabei ist sie doch nur eine Frage der Physiologie. Mit unserem Willen hat sie nichts zu tun. Sie ist entweder eine unglückliche Veranlagung oder eine lästige Folge des Temperaments. Junge Leute möchten treu sein und können's nicht; die Alten möchten treulos sein und können's nicht: Das ist alles, was man darüber sagen kann.«

»Geh heute abend nicht ins Theater, Dorian«, sagte Hallward. »Bleib zum Abendessen bei mir!«

»Ich kann wirklich nicht.«

»Und warum nicht?«

»Weil ich Lord Henry versprochen habe, ihn zu begleiten.«

»Er wird dich nicht lieber mögen, wenn du dein Versprechen hältst. Seine eignen bricht er immer. Ich bitte dich, nicht zu gehn.«

Dorian Gray schüttelte lachend den Kopf.

»Ich bitte dich dringend.«

Der Junge zögerte und sah zu Lord Henry hinüber, der am Teetisch saß und den beiden mit spöttischem Lächeln zusah.

»Ich muß gehn, Basil«, antwortete er.

»Gut«, sagte Hallward, trat an den Tisch und setzte seine Tasse auf das Tablett. »Es ist schon spät, und da ihr euch umziehn müßt, dürft ihr keine Zeit verlieren. Adieu, Harry. Adieu, Dorian. Komm bald wieder, komm morgen!«

»Bestimmt.«

»Du vergißt es nicht?«

»Aber natürlich nicht.«

»Und ... Harry!«

»Ja, Basil?«

»Vergiß nicht, worum ich dich heute morgen gebeten habe, als wir im Garten waren.«

»Ich hab es vergessen.«

»Ich verlasse mich auf dich.«

»Ich wollte, ich könnte mich auf mich selbst verlassen«, sagte

Lord Henry lachend. – »Kommen Sie, Mr. Gray, mein Wagen steht draußen, und ich kann Sie bei Ihrer Wohnung absetzen. – Adieu, Basil. Es war ein interessanter Nachmittag.«

Als sich die Tür hinter ihnen schloß, warf sich Hallward auf den Diwan, und ein Ausdruck des Schmerzes trat in sein Gesicht.

3

Einen Monat später saß Dorian Gray eines Nachmittags in einem prächtigen Armsessel der kleinen Bibliothek in Lord Henrys Haus in der Curzon Street. Es war in seiner Art ein entzückender Raum mit hoher Wandverkleidung aus olivgrün gebeiztem Eichenholz mit gelbgetöntem Fries und einer reichverzierten Stuckdecke. Auf dem weichen, dicken Teppich lagen Perserbrükken mit langen seidenen Fransen. Auf einem zierlichen Tischchen aus Seidenholz stand eine Statuette von Clodion, und daneben lag ein Band der »Cent Nouvelles«, der von Clovis Eve für Margarete von Valois gebunden war und die Prägung der goldenen Maßliebchen trug, die die Königin sich als Wappenzeichen erwählt hatte. Einige große blaue chinesische Vasen, mit Papageientulpen gefüllt, waren auf dem Kaminsims aufgestellt, und durch die kleinen bleigefaßten Scheiben des Fensters drang das aprikosenfarbene Licht eines Londoner Sommertags.

Lord Henry war noch nicht da. Er kam prinzipiell zu spät, denn es war sein Grundsatz, Pünktlichkeit stehle einem die Zeit. Der junge Mann sah daher ziemlich verdrießlich drein, während er nervös die Seiten einer kostbar illustrierten Ausgabe der »Manon Lescaut« umblätterte, die er in einem der Bücherregale gefunden hatte. Das abgemessene, eintönige Ticken der Louis-Quatorze-Uhr störte ihn. Ein- oder zweimal dachte er schon daran, zu gehn.

Endlich hörte er draußen Schritte, und die Tür ging auf.

»Wie spät du kommst, Harry«, sagte er leise.

»Leider ist es nicht Harry«, antwortete eine Frauenstimme.

Er drehte sich rasch um und sprang auf. »Ich bitte um Verzeihung! Ich dachte ...«

»Sie dachten, es wäre mein Mann. Es ist leider nur seine Frau.

Sie müssen mir erlauben, mich selbst vorzustellen. Ich kenne Sie ganz genau von Ihren Fotografien, ich glaube, mein Mann besitzt mindestens siebenundzwanzig.«

»Sind es wirklich siebenundzwanzig, Lady Henry?«

»Nun, dann sechsundzwanzig. Und ich sah Sie gestern abend mit ihm zusammen in der Oper.« Sie lachte nervös, während sie sprach, und musterte ihn mit ihren unsteten Vergißmeinnichtaugen. Sie war eine merkwürdige Frau. Ihre Kleider sahen immer so aus, als seien sie in Wut entworfen und im Sturm angezogen. Sie war immer in jemanden verliebt, und da ihre Leidenschaft nie erwidert wurde, hatte sie ihre Illusionen alle behalten. Sie versuchte, malerisch auszusehen, und wirkte statt dessen unordentlich. Sie hieß Victoria und war eine leidenschaftliche Kirchgängerin.

»Das war im ›Lohengrin‹, glaube ich, Lady Henry?«

»Ja, es war in meinem lieben ›Lohengrin‹. Ich liebe Wagners Musik mehr als jede andere. Sie ist so laut, daß man die ganze Zeit reden kann, ohne daß andere einen verstehn. Das ist doch ein großer Vorteil, nicht wahr, Mr. Gray?«

Von ihren dünnen Lippen kam wieder das fahrige Lachen, und ihre Finger begannen mit einem langen Papiermesser zu spielen. Dorian lächelte und schüttelte den Kopf: »Ich fürchte, ich bin nicht Ihrer Meinung, Lady Henry. Ich rede nie während der Musik – wenigstens nicht bei guter Musik. Wenn man schlechte Musik hört, ist man allerdings verpflichtet, sie im Gespräch zu übertönen.«

»Ach, das ist eine von Harrys Ansichten, nicht wahr, Mr. Gray? Aber Sie dürfen nicht von mir denken, daß ich keine gute Musik mag. Ich liebe sie, aber ich fürchte mich vor ihr. Sie macht mich zu romantisch. Ich habe geradezu geschwärmt für Pianisten – manchmal für zwei zu gleicher Zeit. Ich weiß nicht, was sie an sich haben. Vielleicht, weil sie Ausländer sind. Das sind sie doch alle, oder? Selbst wenn sie in England geboren sind, werden sie nach einiger Zeit Ausländer, nicht wahr? Das ist geschickt von ihnen und eine Verbeugung vor der Kunst. Sie wird ganz kosmopolitisch, hab' ich recht? Sie sind nie auf meinen Gesellschaften gewesen, Mr. Gray. Sie müssen einmal kommen. Orchideen kann ich mir nicht leisten, aber ich treibe großen Aufwand mit Ausländern. Sie geben den Räumen so etwas Malerisches. Aber da kommt Harry! – Harry, ich wollte dich etwas fragen, ich hab vergessen, was es war, – und ich traf Mr. Gray hier. Wir haben uns so nett über Musik unterhalten. Wir haben genau dieselben Ansichten. Nein; ich glaube, unsere Standpunkte sind ganz verschieden. Aber er war reizend. Ich bin so froh, ihn getroffen zu haben.«

»Ich bin entzückt, meine Liebe, ganz entzückt«, sagte Lord Henry und zog seine dunklen, halbmondförmigen Brauen in die Höhe, während er beide mit einem spöttischen Lächeln ansah. – »Verzeih, Dorian, daß ich so spät komme. Ich ging in die Wardour Street, um mir einen alten Brokat anzusehn, und mußte stundenlang darum handeln. Heutzutage wissen die Leute von allem den Preis, aber von nichts den Wert.«

»Ich fürchte, ich muß gehn«, rief Lady Henry und unterbrach ein verlegenes Schweigen mit ihrem jähen, törichten Lachen. »Ich habe versprochen, mit der Herzogin auszufahren. – Adieu, Mr. Gray. – Adieu Harry. Du wirst vermutlich außerhalb speisen? Ich auch. Vielleicht seh ich dich bei Lady Thornbury.«

»Höchstwahrscheinlich, meine Liebe«, sagte Lord Henry, als er die Tür hinter ihr schloß. Sie war aus dem Zimmer geschwirrt wie ein Paradiesvogel, den der Regen durchnäßt hat, und hinterließ einen leichten Patschuligeruch. Lord Henry gab Dorian Gray die Hand, zündete sich eine Zigarette an und warf sich aufs Sofa.

»Heirate nie eine Frau mit strohblonden Haaren, Dorian«, sagte er nach einigen Zügen.

»Weshalb, Harry?«

»Weil sie so sentimental sind.«

»Aber ich liebe sentimentale Leute.«

»Heirate überhaupt nicht, Dorian. Die Männer heiraten, weil sie müde sind, die Frauen aus Neugierde: Beide werden enttäuscht.«

»Ich glaube nicht, daß ich heiraten werde, Harry, ich bin zu sehr verliebt. Das ist ein Aphorismus von dir. Ich setze ihn in die Praxis um, wie alles, was du mir sagst.«

»In wen bist du verliebt?« fragte Lord Henry und sah ihn mit einem seltsamen Lächeln an.

»In eine Schauspielerin«, sagte Dorian Gray errötend.

Lord Henry zuckte die Schultern. »Du debütierst mit einem Gemeinplatz«, sagte er leise.

»Du würdest nicht so reden, wenn du sie gesehen hättest, Harry.«

»Wer ist sie?«

»Sie heißt Sibyl Vane.«

»Habe nie von ihr gehört.«

»Das hat niemand. Aber man wird von ihr hören. Sie ist ein Genie.«

»Mein lieber Junge, keine Frau ist ein Genie: Die Frauen sind ein dekoratives Geschlecht. Sie haben nie etwas zu sagen, aber sie sagen es mit Charme. Die Frau verkörpert den Triumph der Materie über den Geist, wie der Mann den Triumph des Geistes über die Moral verkörpert. Es gibt im Grunde nur zwei Arten von Frauen, häßliche und geschminkte. Häßliche Frauen sind sehr nützlich. Wenn du dir einen achtbaren Ruf verschaffen willst, brauchst du sie nur zum Souper auszuführen. Die anderen Frauen sind entzückend. Sie begehen nur einen Fehler. Sie malen sich an, um jung auszusehen. Unsere Großmütter schminkten sich, um in der Unterhaltung zu glänzen. Rouge und Esprit gehörten zusammen. Das ist vorüber. Solange es eine Frau fertigbringt, zehn Jahre jünger auszusehn als ihre Tochter, ist sie ganz zufrieden. Was die Unterhaltung anbelangt, so gibt es in London nur fünf Frauen, mit denen zu sprechen sich lohnt, und zwei von ihnen kann man in anständiger Gesellschaft nicht zulassen. Erzähl mir lieber von deinem Genie. Wie lange kennst du sie?«

»Ungefähr drei Wochen. Nicht ganz. Ungefähr zwei Wochen und zwei Tage.«

»Und wo hast du sie getroffen?«

»Ich will's dir erzählen, Harry, aber du darfst nicht so gefühllos sein. Schließlich wäre es nie geschehn, wenn ich dich nicht kennengelernt hätte. Du hast mich mit dem heftigen Verlangen erfüllt, das ganze Leben kennenzulernen. Noch tagelang nach unserer ersten Begegnung schien etwas in meinen Adern zu pochen. Wenn ich durch den Park lief oder Piccadilly hinunterschlenderte, sah ich jeden, der mir begegnete, an, und hätte aus einer verrückten Neugier wissen mögen, was für ein Leben er führt. Manche faszinierten mich. Andere erfüllten mich mit Schrecken. Es lag ein erlesenes Gift in der Luft. Ich sehnte mich leidenschaftlich nach Sensationen.

Schließlich, eines Abends um sieben, ging ich aus, ein Abenteuer zu suchen. Ich fühlte, daß dieses graue, ungeheure London mit seinen Myriaden von Menschen, seinen glänzenden Sündern und seinen schmutzigen Sünden, wie du es einmal ausgedrückt hast, für mich etwas bereithalten müsse. Ich malte mir tausenderlei Dinge aus. Das bloße Gefühl der Gefahr versetzte mich in einen Taumel. Mir fiel ein, was du mir an jenem wundervollen Abend gesagt hast, als wir das erste Mal zusammen dinierten: Das giftige Geheimnis des Lebens liegt in der Suche nach der Schönheit. Ich weiß nicht, was ich erwartete, aber ich ging hinaus und wendete mich ostwärts. Und alsbald verlor ich meinen Weg in einem Labyrinth von schmutzigen Straßen und finsteren baumlosen Plätzen. Gegen halb neun kam ich an ein kleines drittklassiges Theater mit großen flackernden Gasflammen und prahlerischen Theaterzetteln. Ein widerwärtiger Jude stand in dem unglaublichsten Rock, den ich je gesehen habe, am Eingang und rauchte eine ordinäre Zigarre. Er hatte schmierige Locken, und ein riesiger Diamant glänzte mitten auf seiner schmutzigen Hemdbrust. ›Nehmen Sie eine Loge, Mylord?‹ sagte er, als er mich sah, und zog mit einer Gebärde grandioser Unterwürfigkeit den Hut. Er hatte etwas an sich, das mich amüsierte, Harry. Er war so ungeheuerlich. Du wirst mich auslachen, ich weiß, aber ich ging wirklich hinein und bezahlte eine ganze Guinee für die Proszeniumsloge. Bis heute kann ich mir nicht erklären, warum ich es tat; und doch, wenn ich es nicht getan hätte! – Mein lieber Harry, wenn ich es nicht getan hätte, ich hätte die größte Romanze meines Lebens versäumt. Ich sehe, du lachst. Das ist häßlich von dir!«

»Ich lache nicht, Dorian; zumindest nicht über dich. Aber du solltest nicht sagen, die größte Romanze deines Lebens. Du sollst sagen, die erste Romanze deines Lebens. Du wirst immer geliebt werden, und du wirst immer in die Liebe verliebt sein. Es warten besondere Dinge auf dich. Dies ist erst der Anfang.«

»Hältst du mich für so oberflächlich?« rief Dorian Gray entrüstet.

»Nein, ich halte dich für so tief.«

»Wie meinst du das?«

»Mein lieber Junge, die Leute, die nur einmal in ihrem Leben lieben, sind die wirklich Oberflächlichen. Was sie ihre Loyalität und Treue nennen, nenne ich die erschlaffende Wirkung der Gewohnheit oder einen Mangel an Phantasie. Treue ist für das Gefühlsleben, was Beständigkeit für das Leben des Intellekts ist – nämlich das Eingeständnis des eigenen Versagens. Aber ich will dich nicht unterbrechen, erzähle weiter.«

»Ich saß also in einer scheußlichen, kleinen Privatloge, und ein ordinärer Theatervorhang starrte mir ins Gesicht. Hinter der Portiere verborgen, konnte ich das ganze Haus überschauen. Es war ein Flimmerkasten, lauter Amoretten und Füllhörner, wie ein billiger Hochzeitskuchen. Galerie und Parterre waren dicht besetzt, aber die beiden schmuddligen Parkettreihen waren ganz leer, und es saß kaum jemand auf dem Platz, den sie wahrscheinlich den ersten Rang nennen. Frauen gingen mit Orangen und Ingwerbier herum, und eine Unmenge Nüsse wurden verzehrt.«

»Es muß also genauso gewesen sein wie zur Blütezeit des englischen Dramas.«

»Genauso, nehme ich an, wirklich abscheulich. Ich fing schon an zu überlegen, was ich um Himmels willen tun sollte, als mein Blick auf den Theaterzettel fiel. Was meinst du wohl, welches Stück sie spielten, Harry?«

»Wahrscheinlich ›Das idiotische Knäbchen oder Blöde aber unbescholten‹. Unsere Väter hatten eine Vorliebe für solche Stücke, wenn ich nicht irre. Je länger ich lebe, Dorian, um so deutlicher fühle ich, daß alles, was für unsere Väter gut genug war, für uns nicht mehr gut genug ist. In der Kunst wie in der Politik, ›les grandpères ont toujours tort‹.«

»Dieses Stück war gut genug für uns, Harry, es war ›Romeo und Julia‹. Ich muß gestehn, ich war ziemlich entsetzt bei dem Gedanken, daß ich Shakespeare in einem so elenden Loch gespielt sehen sollte. Und doch war ich in gewissem Sinne interessiert. Auf alle Fälle wollte ich den ersten Akt abwarten. Das Orchester war schauerlich, ein junger Jude saß vor einem verstimmten Klavier, das mich schier in die Flucht gejagt hätte, aber endlich wurde der Vorhang aufgezogen, und das Stück begann. Romeo war ein feister, älterer Mann mit geschwärzten Augenbrauen, heiserer Tragödenstimme und einer Figur wie ein Bierfaß. Mercutio war beinah ebenso schlimm. Er wurde von einem Chargenspieler dargestellt, der eigene Witze einflocht und mit dem Parterre auf vertrautem Fuße stand. Sie waren beide so grotesk wie die Dekoration, und die sah aus, als stamme sie aus einer Pantomime von vor fünfzig Jahren. Aber Julia! Harry, stell dir ein Mädchen von kaum siebzehn Jahren vor, mit einem kleinen Blumengesicht, einem schmalen griechischen Kopf, umrahmt von einer Fülle dunkelbrauner Locken, mit Augen wie veilchenblaue Quellen der Leidenschaft und Lippen, die wie Rosenblätter waren. Sie ist das lieblichste Geschöpf, das ich je in meinem Leben gesehn habe. Du sagtest mir einmal, daß Pathos dich kalt läßt, aber Schönheit, bloße Schönheit dich zu Tränen rührt. Ich sage dir, Harry, ich konnte dieses Mädchen kaum sehen, weil sich ein Tränenschleier über meine Augen legte. Und ihre Stimme – ich habe noch nie eine solche Stimme gehört. Zuerst war sie sehr leise, mit tiefen melodischen Tönen, die einzeln in das Ohr zu fallen schienen. Dann wurde sie etwas lauter und klang wie eine Flöte oder eine ferne Oboe. In der Gartenszene hatte sie all die vibrierende Verzückung, die man vor Sonnenaufgang hört, wenn die Nachtigallen singen. Später kamen Augenblicke, in denen sie die ungestüme Leidenschaft der Violinen hatte. Du weißt, wie eine Stimme einen erregen kann. Deine Stimme und die Stimme Sibyl Vanes werde ich nie vergessen. Wenn ich die Augen schließe, höre ich sie, und beide sagen mir etwas Verschiedenes. Ich weiß nicht, welcher ich folgen soll. Warum sollte ich sie nicht lieben? Harry, ich liebe sie. Sie ist mir alles im Leben. Jeden Abend gehe ich hin, um sie spielen zu sehn. Einen Abend ist sie Rosalinde, am nächsten Abend Imogen. Ich habe sie sterben sehn in einem finstern italienischen Grabgewölbe, wo sie das Gift von den Lippen des Geliebten saugt. Ich habe sie durch die Ardennenwälder streifen sehn, als zierlicher Knabe verkleidet, mit Hose, Wams und prächtigem Barett. Sie ist wahnsinnig gewesen und trat vor einen schuldigen König und gab ihm Raute zu tragen und bittere Kräuter zu kosten. Sie war unschuldig, und die schwarzen Hände der Eifersucht haben ihren Nacken wie einen Halm zerbrochen. Ich habe sie in jeder Epoche gesehn und in jedem Kostüm. Gewöhnliche Frauen bewegen nie unsere Phantasie. Sie sind auf ihr Zeitalter beschränkt. Kein Zauber verwandelt sie je. Man kennt ihre Seele so leicht wie ihre Hüte. Man findet sie überall. In ihnen ist kein Geheimnis. Morgens reiten sie in den Park, und nachmittags treffen sie sich zum Teeklatsch. Sie haben ihr stereotypes Lächeln und ihre eleganten Formen. Sie sind vollkommen durchschaubar. Aber eine Schauspielerin! Wie anders ist eine Schauspielerin! Warum hast du mir nicht gesagt, daß das einzige Wesen, das wert ist, geliebt zu werden, eine Schauspielerin ist?«

»Weil ich so viele von ihnen geliebt habe, Dorian.«

»O ja, schreckliche Mädchen mit gefärbtem Haar und geschminkten Gesichtern.«

»Lästere nicht über gefärbtes Haar und ein geschminktes Gesicht. Manchmal liegt darin ein eigentümlicher Reiz.«

»Ich wünschte, ich hätte dir nicht von Sibyl Vane erzählt.«

»Du hättest gar nicht anders können, Dorian. Dein ganzes Leben lang wirst du mir alles erzählen, was du tust.«

»Ja, Harry, das glaube ich auch. Ich muß dir alles erzählen. Du hast eine sonderbare Macht über mich. Wenn ich je ein Verbrechen beginge, käme ich zu dir, um es zu beichten. Du würdest mich verstehn.«

»Menschen wie du – übermütige Sonnenstrahlen des Lebens – begehen keine Verbrechen, Dorian. Trotzdem danke ich dir für das Kompliment. Und nun sage mir – sei so gut, gib mir Streichhölzer, danke –, wie sind deine wirklichen Beziehungen zu Sibyl Vane?«

Dorian Gray sprang auf, seine Wangen waren gerötet, seine Augen flammten: »Harry, Sibyl Vane ist mir heilig!«

»Nur heilige Dinge sind wert, berührt zu werden, Dorian«, sagte Lord Henry mit einem unerwarteten Anflug von Pathos in seiner Stimme. »Aber warum nimmst du mir die Frage übel? Ich glaube, eines Tages wird sie dein sein. Wenn man verliebt ist, täuscht man anfangs immer sich selbst und später die andern. Das nennt die Welt eine Romanze. Du hast sie aber kennengelernt, nehme ich an?«

»Natürlich habe ich sie kennengelernt. Den ersten Abend, als ich im Theater war, kam der widerliche alte Jude nach der Vorstellung zu mir in die Loge und bot mir an, mich hinter die Bühne zu führen und mich vorzustellen. Ich war wütend über ihn und sagte, Julia sei seit Jahrhunderten tot, und ihr Leichnam läge in einem Marmorgrab in Verona. Aus seinem erstaunten Blick schloß ich, daß er dachte, ich hätte zuviel Champagner getrunken.«

»Das wundert mich nicht.«

»Mich auch nicht. Dann fragte er, ob ich für irgendeine Zeitung schreibe. Ich entgegnete, daß ich sie nicht einmal lese. Er schien darüber furchtbar enttäuscht zu sein und vertraute mir an, daß die ganze Theaterkritik sich gegen ihn verschworen habe und daß alle Kritiker käuflich seien.«

»In diesem Punkt hat er wahrscheinlich ganz recht. Noch dazu sind die meisten billig zu haben.«

»Trotzdem meinte er wohl, daß seine Mittel nicht ausreichten. Inzwischen wurden die Lampen im Theater gelöscht, und ich mußte gehn. Ich sollte noch eine Zigarre probieren, die er mir sehr empfahl. Ich lehnte ab. Am nächsten Abend war ich natürlich wieder im Theater. Als er mich sah, verneigte er sich tief und versicherte mir, ich sei ein Wohltäter der Kunst. Er war ein aufdringlicher Kerl, aber er hatte eine große Leidenschaft für Shakespeare. Er erzählte mir einmal mit stolzer Miene, seine drei Pleiten habe er einzig und allein dem Dichter zu verdanken, den er nur ›den Barden‹ nannte. Er hielt das offensichtlich für ein Verdienst.«

»Es war ein Verdienst, mein lieber Dorian, – ein großes Verdienst. Aber wann hast du zum erstenmal mit Miß Sibyl Vane gesprochen?«

»Am dritten Abend. Sie hatte die Rosalinde gespielt. Ich konnte nicht anders, ich mußte hinter die Bühne gehn. Ich hatte ihr Blumen zugeworfen, und sie hatte mich angesehn; zumindest glaubte ich es. Der alte Jude war hartnäckig. Er bestand darauf, mich hinter die Kulissen zu führen, und so gab ich nach. War es nicht sonderbar, daß ich sie gar nicht kennenlernen wollte?«

»Nein; ich finde nicht.«

»Und warum nicht, Harry?«

»Das werde ich dir ein andermal sagen. Jetzt erzähle mir von dem Mädchen.«

»Von Sibyl? Oh, sie war so scheu und so lieb. Sie hat etwas von einem Kind. Ihre Augen weiteten sich in naivem Erstaunen, als ich ihr sagte, was ich von ihrem Spiel dachte, und sie schien von ihrer eigenen Macht nichts zu wissen. Ich glaube, wir waren beide ziemlich aufgeregt. Der alte Jude stand grinsend an der Tür der elenden Garderobe und erging sich in schwülstigen Reden über uns beide, während wir uns wie Kinder ansahn. Er hörte nicht auf, mich ›Mylord‹ zu nennen, und ich mußte Sibyl versichern, daß ich nichts dergleichen wäre. Sie sagte einfach, ›Sie sehen eher wie ein Prinz aus‹.«

»Auf mein Wort, Dorian, Miß Sibyl versteht Komplimente zu machen.«

»Du begreifst sie nicht, Harry. Sie sah mich eben als Gestalt in einem Stück. Sie weiß nichts vom Leben. Sie lebt mit ihrer Mutter, einer verwelkten, müden Frau, die am ersten Abend die Lady Capulet in einer Art karminrotem Frisiermantel gespielt hat und die aussieht, als hätte sie bessere Tage gekannt.«

»Ich kenne diesen Anblick, er macht immer melancholisch.«

»Der Jude wollte mir ihre Lebensgeschichte erzählen, aber ich sagte, sie interessiere mich nicht.«

»Das war gut so. Die Tragödien anderer haben immer etwas Erbärmliches.«

»Mir liegt einzig und allein an Sibyl. Was geht es mich an, woher sie stammt? Von ihrem kleinen Kopf bis zu den kleinen Füßen ist sie einfach göttlich. Jeden Abend meines Lebens werde ich hingehn, um sie spielen zu sehen, und an jedem Abend ist sie wunderbarer.«

»Das ist wohl auch der Grund, warum du am Abend nicht mehr mit mir speist. Ich dachte mir schon, daß du eine geheime Romanze haben müßtest. Du hast sie; aber es ist nicht ganz, was ich erwartet habe.«

»Mein lieber Harry, wir sehen uns jeden Tag entweder zum Lunch oder zum Souper, und ich bin mehrere Male mit dir in der Oper gewesen.«

»Du kommst immer furchtbar spät.«

»Mag sein, ich kann mir nicht versagen, Sibyl spielen zu sehen, wenn auch nur einen Akt. Ich hungere nach ihrer Gegenwart. Und wenn ich an die herrliche Seele denke, die in dem kleinen Elfenbeinkörper verborgen ist, erfüllt mich eine Scheu.«

»Aber heute abend kannst du doch mit mir essen, Dorian?«

Er schüttelte den Kopf. »Heute abend ist sie Imogen. Und morgen abend wird sie Julia sein.«

»Wann ist sie Sibyl Vane?«

»Niemals.«

»Ich gratuliere dir.«

»Wie böse du bist. Sie verkörpert alle großen Heldinnen in einer Person. Sie ist mehr als ein Einzelwesen. Du lachst, aber ich sage dir, sie hat Genie. Ich liebe sie, und ich möchte von ihr geliebt werden. Du, der du alle Geheimnisse des Lebens kennst, sage mir, wie ich Sibyl Vane bezaubere, daß sie mich liebt! Ich möchte Romeo eifersüchtig machen. Ich will, daß die toten Liebespaare der ganzen Welt unser Lachen hören und traurig werden. Ich will, daß ein Atemzug unserer Leidenschaft ihren Staub zum Bewußtsein regt, ihre Asche zum Schmerz erweckt. Mein Gott, Harry, wie ich sie anbete!« Er ging im Zimmer auf und ab, während er sprach. Eine hektische Röte brannte auf seinen Wangen. Er war furchtbar aufgeregt.

Lord Henry beobachtete ihn mit einem heimlichen Gefühl der Genugtuung. Wie anders er jetzt war, nicht mehr der scheue, erschrockene Junge, den er in Basil Hallwards Atelier kennengelernt hatte! Sein Wesen hatte sich wie eine Blume entfaltet, die scharlachrote Blütenflammen trug. Aus ihrem verborgenen Versteck war eine Seele ausgeschlüpft, und das Verlangen wurde ihr beigegeben.

»Und was wirst du tun?« fragte Lord Henry schließlich.

»Ich möchte, daß du und Basil an einem Abend mit mir kommt, um sie spielen zu sehn. Ich habe nicht die geringste Angst vor dem Ergebnis. Ihr werdet nicht anders können als zugeben, daß sie Genie besitzt. Dann müssen wir sie aus den Händen des Juden befreien. Sie ist auf drei Jahre verpflichtet, zumindest noch auf zwei Jahre und acht Monate, von jetzt an gerechnet. Natürlich werde ich ihm etwas bezahlen müssen. Wenn alles in Ordnung ist, werde ich im Westend ein Theater mieten und sie richtig herausbringen. Sie wird die Welt ebenso verzaubern wie mich.«

»Das ist unmöglich, mein lieber Junge!«

»Doch, sie wird es, sie hat nicht nur Kunst, höchsten Kunstinstinkt, sie hat auch eine Persönlichkeit; und du hast mir oft gesagt, Persönlichkeiten, nicht Prinzipien bewegen die Welt.«

»Also, an welchem Abend wollen wir hingehn?«

»Laß mich überlegen. Heute ist Dienstag. Sagen wir morgen. Morgen abend spielt sie die Julia.«

»Gut. Um acht Uhr im Bristol. Ich werde Basil mitbringen.«

»Nicht um acht, Harry, bitte. Um halb sieben. Wir müssen dort sein, ehe der Vorhang aufgeht. Ihr müßt sie im ersten Akt sehn, wenn sie Romeo begegnet.«

»Um halb sieben! Was für eine Zeit! Das wird ja wie eine Teegesellschaft mit kaltem Büfett. Aber wie du willst. Wirst du inzwischen Basil treffen? Oder soll ich ihm schreiben?«

»Ach, der gute Basil! Ich hab ihn seit einer Woche nicht mehr gesehn. Es ist eigentlich häßlich von mir, er hat mir mein Bild in einem prachtvollen Rahmen geschickt, den er selbst entworfen hat, und obwohl ich ein wenig eifersüchtig auf das Bild bin, weil es einen ganzen Monat jünger ist als ich, muß ich zugeben, daß es mich entzückt. Vielleicht schreibst du ihm lieber. Ich möchte ihn nicht allein sehen. Er sagt mir Dinge, die mir lästig sind.«

Lord Henry lächelte. »Er gibt dir gute Ratschläge, nehme ich an. Die Menschen geben nur zu gerne weg, was sie selbst am meisten brauchen.«

»Du willst doch nicht etwa sagen, daß Basil irgendeine Leidenschaft oder ein Abenteuer hat?«

»Ich weiß nicht, ob er eine Leidenschaft hat, aber Abenteuer hat er sicherlich«, sagte Lord Henry mit einem belustigten Blick. »Hat er dir das nie verraten?«

»Nie. Ich muß ihn danach fragen. Es überrascht mich, das zu hören. Er ist der beste Mensch von der Welt, aber mir scheint, er ist ein ganz klein wenig Philister. Seit ich dich kenne, Harry, bin ich dieser Meinung.«

»Mein lieber Junge, Basil überträgt alles, was an ihm bezaubert, in seine Kunst. Die Folge ist, daß ihm nichts fürs Leben bleibt als seine Vorurteile, seine Prinzipien und sein Menschenverstand. Die einzigen Künstler, die ich kenne und die durch ihre Persönlichkeit entzücken, sind schlechte Künstler. Gute Künstler legen alles in ihre Kunst und sind als Personen folglich uninteressant. Ein großer Dichter, ein wirklich großer Dichter, ist das unpoetischste Wesen von der Welt. Aber unbedeutende Dichter sind durchaus faszinierend. Je schlechter ihre Reime sind, desto malerischer sehn sie aus. Die bloße Tatsache, daß jemand einen Band mittelmäßiger Sonette veröffentlicht hat, macht ihn einfach unwiderstehlich. Er lebt die Poesie, die er nicht schreiben kann. Die andern schreiben die Poesie, die zu leben sie nicht wagen.«

»Ist das wirklich so, Harry?« sagte Dorian Gray, indem er aus einer großen Flasche mit goldenem Verschluß, die auf dem Tisch stand, etwas Parfüm auf sein Taschentuch tropfte. »Es wird wohl so sein, wenn du es sagst. Und nun muß ich gehn. Imogen wartet auf mich. Vergiß es nicht morgen. Adieu.«

Als er das Zimmer verlassen hatte, schloß Lord Henry seine schweren Augenlider und begann nachzudenken. Gewiß hatten ihn wenige Menschen so sehr gefesselt wie Dorian Gray, und doch verursachte ihm des Jungen wahnsinnige Liebe zu jemand anderem nicht den leisesten Stich des Ärgers oder der Eifersucht. Er freute sich darüber. Er wurde ein um so interessanteres Problem. Die Methoden der Naturwissenschaft hatten ihn immer angezogen, aber das Objekt ihrer Forschung war ihm trivial und belanglos erschienen. So hatte er angefangen, sich selbst zu vivisezieren, und kam schließlich darauf, es bei anderen zu versuchen. Das menschliche Leben – das war das einzige, was zu erforschen sich lohnte. Damit verglichen, war alles andere wertlos. Freilich, wer das Leben in seinem Schmelztiegel aus Schmerzen und Lust beobachten wollte, der durfte vor seinem Gesicht keine gläserne Maske tragen und die Schwefeldämpfe nicht hindern, das Gehirn zu verwirren und die Phantasie mit monströsen Ausgeburten und wüsten Träumen zu vergiften. Es gab Gifte, so fein, daß man an ihnen erkranken mußte, um ihre Wirkungen zu erkennen. Es gab Krankheiten, so seltsam, daß man sie durchmachen mußte, um ihr Wesen zu verstehn. Und doch, welch köstlicher Lohn einem dadurch zuteil wurde. Wie wunderbar einem die Welt erschien! Die merkwürdige, strenge Logik der Leidenschaft zu ergründen und das aufregende, farbige Leben des Intellekts – zu beobachten, wo sie sich trafen und wo sie sich trennten, wo sie eins wurden und an welchem Punkt sie auseinanderstrebten –, darin lag ein tiefer Genuß. Was spielte der Preis für eine Rolle? Für Gefühle konnte man nicht hoch genug bezahlen.

Er war sich bewußt – und dieser Gedanke ließ seine braunen Achataugen freudig aufleuchten –, daß durch gewisse Worte von ihm, melodische Worte, in melodischem Tonfall gesprochen, Dorian Grays Seele diesem unschuldigen Mädchen sich zugewandt hatte und sich in Anbetung vor ihr neigte. Der Junge war zum großen Teil seine Schöpfung. Er hatte ihn frühreif gemacht. Das war nicht wenig. Gewöhnliche Menschen warteten, bis das Leben ihnen seine Geheimnisse erschloß, aber den wenigen, den Auserwählten, wurden die Mysterien offenbart, ehe der Schleier weggezogen war. Manchmal war das die Wirkung der Kunst, und vor allem der Dichtkunst, die sich unmittelbar mit den Leidenschaften und dem Intellekt befaßte. Aber dann und wann nahm eine komplizierte Persönlichkeit den Platz ein und erfüllte das Amt der Kunst, war auf ihre Weise selbst ein Kunstwerk, denn auch das Leben hat seine großen Meisterwerke wie die Dichtung, die Skulptur oder die Malerei.

Ja, der Junge war frühreif. Er sammelte seine Ernte, während es noch Frühling war. Er besaß den Schwung und die Leidenschaftlichkeit der Jugend und wurde sich doch schon seiner selbst bewußt. Es war ein Genuß, ihn zu beobachten. Mit seinem schönen Gesicht und seiner schönen Seele war er dafür geschaffen, bewundert zu werden. Was lag daran, wie das alles endete oder enden mußte. Er war wie eine der anmutigen Gestalten in einem Festzug oder einem Schauspiel, deren Freuden uns unendlich fern erscheinen, deren Leiden aber unsern Schönheitssinn erregen und deren Wunden wie rote Rosen sind.

Seele und Körper, Körper und Seele – wie geheimnisvoll sie waren. Da gab es etwas Animalisches in der Seele, und der Körper hatte seine Augenblicke der Vergeistigung. Die Sinne können sich verfeinern, und der Geist kann sich erniedrigen. Wer vermag zu sagen, wo das fleischliche Verlangen endet oder das seelische beginnt? Wie oberflächlich waren die willkürlichen Definitionen der Schulpsychologen! Und doch wie schwierig, sich zwischen den Ansprüchen der verschiedenen Schulen zu entscheiden! War die Seele ein Schatten, der im Haus der Sünde wohnt? Oder war wirklich der Körper in der Seele eingeschlossen, wie Giordano Bruno glaubte? Die Trennung des Geistes von der Materie war ein Geheimnis, und die Vereinigung des Geistes mit der Materie war gleichfalls ein Geheimnis.

Er begann darüber nachzudenken, ob es je gelingen würde, die

Psychologie zu einer so exakten Wissenschaft zu machen, daß sich uns jeder kleinste Lebensquell enthüllt. Bis jetzt verstanden wir uns immer falsch, und selten verstanden wir die andern. Die Erfahrung hatte keinen ethischen Wert. Sie war der Name, den wir unsern Irrtümern gaben. Die Menschen haben sie in der Regel als eine Art Warnung angesehn, sie maßen ihr eine gewisse moralische Wirkung für die Bildung des Charakters bei und priesen sie als ein Mittel, das uns lehre, was wir tun und was wir unterlassen sollen. Aber es lag keine treibende Kraft in der Erfahrung. Sie war sowenig eine wirkende Ursache wie das Gewissen. Alles was sie in Wahrheit bewies, war einzig, daß unsere Zukunft sein würde wie unsere Vergangenheit, und daß wir die Sünde, die wir einmal mit Ekel begingen, oft und mit Genuß wiederholen würden.

Es war ihm klar, daß die experimentelle Methode die einzige war, die eine wissenschaftliche Analyse der Leidenschaften möglich machte. Und sicher war Dorian Gray ein Objekt, wie für ihn geschaffen, das reiche und fruchtbare Ergebnisse zu versprechen schien. Seine plötzliche wahnsinnige Liebe zu Sibyl Vane war ein psychologisches Phänomen von großem Interesse. Zweifellos war viel Neugier dabei im Spiel, Neugier und das Verlangen nach neuen Erfahrungen. Und dennoch war es keine einfache, sondern eher eine sehr komplizierte Leidenschaft. Was in ihr von den rein sinnlichen Instinkten der Jugend lag, das war durch die Arbeit der Phantasie umgeformt, verwandelt in etwas, das dem Jungen selbst fern von allem Sinnlichen zu sein schien, und eben darum war es noch gefährlicher. Gerade die Leidenschaften, über deren Ursprung wir uns täuschen, beherrschen uns am tyrannischsten. Unsere schwächsten Triebe sind jene, über deren Natur wir uns bewußt sind. Es geschah oft, wenn wir mit andern zu experimentieren glaubten, daß wir in Wahrheit mit uns selbst experimentieren.

Während Lord Henry in solchen Träumen versunken dasaß, klopfte es an der Tür; sein Diener trat ein und erinnerte ihn, daß es Zeit sei, sich zum Essen umzuziehn. Er stand auf und sah auf die Straße hinaus. Der Sonnenuntergang hatte die oberen Fenster der gegenüberliegenden Häuser in scharlachrotes Gold getaucht. Die Scheiben glühten wie Platten von erhitztem Metall.

Der Himmel darüber war wie eine welke Rose. Er dachte an Dorian Grays junges flammendes Leben und sann darüber nach, wie alles enden würde.

Als er gegen halb eins nach Hause kam, sah er ein Telegramm auf dem Tisch in der Halle liegen. Er öffnete es und las, daß es von Dorian kam. Er teilte ihm mit, daß er sich mit Sibyl Vane verlobt hatte.

4

»Ich nehme an, du hast die Neuigkeit schon gehört, Basil?« sagte Lord Henry am folgenden Abend, als Hallward in einen kleinen Salon im Hotel Bristol eintrat, wo für drei Personen gedeckt war.

»Nein, Harry«, antwortete Hallward und gab Hut und Mantel dem Kellner, der sie mit einer Verbeugung entgegennahm. »Was ist los, hoffentlich nichts Politisches? Das interessiert mich nicht. Im Unterhaus sitzt kaum jemand, der verdiente, gemalt zu werden; obwohl viele ein wenig Tünche nötig hätten.«

»Dorian Gray hat sich verlobt«, sagte Lord Henry und beobachtete ihn, während er sprach.

Hallward wurde leichenblaß, und ein seltsames Glimmen trat für einen Moment in seine Augen, ehe es einem Ausdruck der Trostlosigkeit wich. »Dorian verlobt!« rief er. »Unmöglich!«

»Es ist wirklich wahr.«

»Mit wem?«

»Mit irgendeiner kleinen Schauspielerin.«

»Das kann ich nicht glauben. Dorian ist viel zu vernünftig.«

»Dorian ist viel zu klug, um nicht hin und wieder eine Dummheit zu begehn, mein lieber Basil.«

»Heiraten ist kaum etwas, das man hin und wieder tun kann, Harry«, sagte Hallward lächelnd.

»Außer in Amerika. Aber ich habe nicht gesagt, er ist verheiratet, ich sagte, er hat sich verlobt. Das ist ein großer Unterschied. Ich erinnere mich deutlich, verheiratet zu sein, aber ich erinnere mich durchaus nicht, je verlobt gewesen zu sein. Ich glaube fast, ich war nie verlobt.«

»Aber denk an Dorians Herkunft, seine Stellung und seinen

Reichtum. Es wäre absurd, wenn er so tief unter seinem Stand heiraten würde.«

»Wenn du willst, daß er dieses Mädchen heiratet, dann sag ihm das, Basil. Dann tut er es bestimmt. Wenn ein Mann eine Torheit begeht, so geschieht es immer aus den edelsten Motiven.«

»Ich hoffe, das Mädchen ist unverdorben. Ich möchte Dorian nicht an irgendein gemeines Geschöpf gebunden sehn, das seinem Wesen Schaden zufügt und seinen Geist zerstört.«

»Oh, sie ist nicht nur unverdorben – sie ist schön«, sagte Lord Henry leise, indem er an einem Glas Wermut mit Orangenbitter schlürfte. »Dorian sagt, sie ist schön; und in diesen Dingen irrt er sich selten. Dein Bild von ihm hat sein Urteil über die äußere Erscheinung anderer rasch geschärft. Unter anderem hat es auch diese bestechende Wirkung gehabt. Wir sollen sie heute abend sehn, wenn der Junge seine Verabredung nicht vergißt.«

»Aber billigst du es denn, Harry?« fragte Hallward, indem er auf und ab ging und sich auf die Lippe biß. »Du kannst es doch unmöglich billigen. Das Ganze ist eine törichte Verblendung.«

»Ich billige und mißbillige nie mehr etwas. Das ist eine lächerliche Haltung dem Leben gegenüber. Wir sind nicht in der Welt, um unseren moralischen Vorurteilen Luft zu machen. Ich kümmere mich nie darum, was die gewöhnlichen Leute sagen, und mische mich niemals ein in das, was entzückende Leute tun. Wenn jemand mich fesselt, mag er tun, was er will, es bleibt für mich ein vollkommener Genuß. Dorian Gray verliebt sich in ein schönes Mädchen, das Shakespeare spielt, und will sie heiraten. Warum nicht? Wenn er Messalina heiratete, wäre er darum nicht minder interessant. Du weißt, ich breche keine Lanze für die Ehe. Der wirkliche Nachteil der Ehe ist der, daß sie uns selbstlos macht. Und selbstlose Menschen sind fade. Es fehlt ihnen an Individualität. Allerdings gibt es Temperamente, die durch die Ehe komplizierter werden. Sie bewahren ihren Egoismus und gewinnen viele neue Egos hinzu. Sie sind gezwungen, mehr als ein Leben zu führen. Sie organisieren sich höher. Außerdem ist jede Erfahrung wertvoll, und was man auch gegen die Ehe einwendet, eine Erfahrung ist sie gewiß. Ich hoffe, daß Dorian Gray dieses Mädchen heiraten wird, sie sechs Monate lang leidenschaftlich anbetet und dann plötzlich von einer anderen fasziniert ist. Es wäre wunderbar, ihn zu studieren.«

»Du meinst kein einziges Wort im Ernst, Harry; das weißt du genau. Wenn Dorian Grays Leben zerstört würde, niemandem würde es mehr leid tun als dir. Du bist viel besser, als du dich hinstellst.«

Lord Henry lachte. »Der Grund, weshalb wir so gut von anderen denken, ist, daß wir alle für uns selber fürchten. Die Wurzel des Optimismus ist pures Grauen. Wir halten uns für großmütig, weil wir unserem Nachbarn jene Tugenden zutrauen, aus denen wir für uns wahrscheinlich einen Vorteil ziehen können. Wir loben den Bankier, damit wir unser Konto überziehen können, und finden gute Eigenschaften im Räuber, weil wir hoffen, daß er unsre Taschen verschont. Mir ist es ernst mit jedem Wort. Ich habe die größte Verachtung für den Optimismus. Und was das zerstörte Leben anbetrifft: Kein Leben ist zerstört, es sei denn, sein Wachstum wäre unterbunden. Wenn du das Wesen eines Menschen verderben willst, brauchst du's nur umzuformen. Aber hier ist Dorian selbst. Er wird dir mehr sagen können als ich.«

»Mein lieber Harry, mein lieber Basil, ihr müßt mir beide gratulieren!« sagte der junge Mann, indem er seinen satingefütterten Abendmantel abwarf und seinen beiden Freunden nacheinander die Hand schüttelte. »Ich bin nie so glücklich gewesen. Natürlich kommt es ganz unerwartet; alle wirklichen Freuden kommen unerwartet. Und doch scheint es mir, als hätte ich mein ganzes Leben lang nichts anderes gewollt als dies.« Er war vor Aufregung und Freude errötet und sah wunderschön aus.

»Ich hoffe, du wirst immer sehr glücklich sein, Dorian«, sagte Hallward, »aber ich verzeihe dir nicht ganz, daß du mir nichts von deiner Verlobung gesagt hast. Harry hast du es wissen lassen.«

»Und ich verzeihe dir nicht, daß du zu spät zum Essen kommst«, unterbrach ihn Lord Henry lächelnd, während er dem Jungen die Hand auf die Schulter legte. »Kommt, wir wollen uns setzen und probieren, was der neue *chef* hier kann, und dann wirst du uns erzählen, wie es dazu gekommen ist.«

»Es gibt wirklich nicht viel zu erzählen«, rief Dorian, als sie sich an den kleinen runden Tisch setzten. »Was geschehen ist, war einfach dies: Als ich gestern abend von dir fortgegangen war, Harry, aß ich etwas in dem komischen kleinen italienischen Restaurant in der Rupert Street, wo du mich eingeführt hast, und ging dann ins Theater. Sibyl spielte die Rosalinde. Natürlich war die Szenerie scheußlich und der Orlando lächerlich. Aber Sibyl! Ihr hättet sie sehen sollen! Sie war einfach wundervoll, als sie in ihrem Knabenanzug auftrat. Sie trug ein moosgrünes Samtwams mit zimtfarbenen Ärmeln, eine enganliegende, braune, kreuzweis geschnürte Bundhose, ein zierliches grünes Barett mit einer Falkenfeder, an der ein Edelstein befestigt war, und einen dunkelrot gefütterten Kapuzenmantel. Nie war sie mir betörender erschienen. Sie hatte die zarte Anmut des Tanagrafigürchens, das in deinem Atelier steht, Basil. Ihr Haar schmiegte sich um ihr Gesicht wie dunkle Blätter um eine blasse Rose. Und ihr Spiel – nun, ihr werdet sie heut abend sehn. Sie ist einfach eine geborene Künstlerin. Ich saß vollkommen verzaubert in der schmutzigen Loge. Ich vergaß, daß ich in London war, und im neunzehnten Jahrhundert. Ich war mit meiner Geliebten in einem Wald, den nie jemand gesehen hat. Nach der Vorstellung ging ich hinter die Bühne und sprach mit ihr. Als wir beieinander saßen, kam plötzlich ein Ausdruck in ihre Augen, den ich nie zuvor gesehen hatte. Meine Lippen näherten sich ihren. Wir küßten uns. Ich kann euch nicht beschreiben, was ich in diesem Augenblick empfand. Mir schien, als hätte sich mein ganzes Leben in einen vollkommenen Punkt rosenfarbener Freude verdichtet. Sie zitterte am ganzen Körper und bebte wie eine weiße Narzisse. Dann warf sie sich auf die Knie und küßte meine Hände. Ich fühle wohl, ich sollte euch das alles nicht erzählen, aber ich kann nicht anders. Natürlich ist unsere Verlobung tiefstes Geheimnis. Sie hat es nicht einmal ihrer Mutter gesagt. Ich weiß nicht, was meine Vormünder dazu sagen werden. Lord Radley wird sicher wütend sein. Das ist mir einerlei. In weniger als einem Jahr bin ich volljährig, und dann kann ich tun, was ich will. Habe ich nicht recht getan, Basil, meine Liebe in der Poesie zu suchen und meine Frau in Shakespeares Dramen zu finden? Lippen, die Shakespeare das Sprechen gelehrt hat, haben mir ihr Geheimnis ins Ohr geflüstert. Rosalinds Arme haben um meinen Hals gelegen, und ich küßte Julia auf den Mund.«

»Ja, Dorian, ich glaube, du hattest recht«, sagte Hallward langsam.

»Hast du sie heute gesehn?« fragte Lord Henry.

Dorian Gray schüttelte den Kopf. Ich habe sie im Ardennenwald verlassen und werde sie in einem Garten in Verona wiederfinden.«

Lord Henry schlürfte nachdenklich seinen Champagner. »In welchem besonderen Augenblick hast du das Wort Heirat ausgesprochen, Dorian? Und was antwortete sie darauf? Vielleicht hast du das alles vergessen.«

»Mein lieber Harry, ich habe es nicht als geschäftliche Transaktion aufgefaßt und habe auch keinen förmlichen Antrag gemacht. Ich sagte ihr, daß ich sie liebe, und sie sagte, sie sei nicht wert, meine Frau zu sein. Nicht wert! Und dabei ist mir die ganze Welt nichts im Vergleich zu ihr.«

»Frauen sind wunderbar praktisch«, sagte Lord Henry vor sich hin – »viel praktischer als wir. In solchen Situationen vergessen wir oft, von Heirat zu reden, aber sie erinnern uns immer daran.«

Hallward legte die Hand auf seinen Arm. »Nicht doch, Harry. Du hast Dorian gekränkt. Er ist nicht wie andere Menschen. Er würde nie jemand unglücklich machen. Sein Wesen ist zu feinfühlig.«

Lord Henry sah über den Tisch. »Dorian ist nie böse auf mich«, gab er zur Antwort. »Ich habe aus dem besten Grunde gefragt, aus dem einzigen Grund, der Fragen entschuldigt – einfach aus Neugier. Nach meiner Theorie sind es immer die Frauen, die uns einen Antrag machen, und nicht wir den Frauen, natürlich mit Ausnahme des Mittelstandes. Aber der Mittelstand ist schließlich nicht modern.«

Dorian Gray lachte und schüttelte den Kopf. »Du bist einfach unverbesserlich, Harry; aber ich bin dir nicht böse. Man kann dir nichts übelnehmen. Wenn du Sibyl Vane siehst, wirst du fühlen, daß der Mann, der ihr Leid zufügen könnte, eine herzlose Bestie wäre. Ich verstehe nicht, wie man ein Wesen, das man liebt, freiwillig in Schande bringen kann. Ich liebe Sibyl Vane. Ich möchte sie auf einen goldenen Sockel heben und sehen, wie die Welt der Frau, die mein ist, huldigt. Was ist die Ehe? Ein unwiderrufliches Gelübde. Und ein unwiderrufliches Gelübde will ich ablegen. Ihr Vertrauen macht mich treu, ihr Glaube macht mich gut. Wenn ich bei ihr bin, bereue ich alles, was du mich gelehrt hast. Ich werde anders, als du mich gekannt hast. Ich bin verwandelt, und die bloße Berührung mit Sibyl Vanes Hand läßt mich dich vergessen und all deine falschen, faszinierenden, giftigen, verlockenden Theorien.«

»Du wirst mich immer mögen, Dorian«, sagte Lord Henry. »Wollt ihr Kaffee? – Ober, bringen Sie Kaffee und Fine-Champagner und Zigaretten. Nein: keine Zigaretten; ich habe selber welche. – Basil, du darfst keine Zigarren rauchen. Nimm eine Zigarette. Die Zigarette ist das vollendete Beispiel eines vollendeten Genusses. Sie ist köstlich und läßt einen unbefriedigt. Was kann man mehr verlangen? – Ja, Dorian, du wirst mich immer gern haben. Ich verkörpere für dich all die Sünden, die zu begehn du nicht den Mut hattest.«

»Welchen Unsinn du redest, Harry!« rief Dorian Gray und zündete seine Zigarette an einem feuerspeienden Silberdrachen an, den der Kellner auf den Tisch gestellt hatte. »Laßt uns ins Theater gehn. Wenn ihr Sibyl seht, werdet ihr ein neues Ideal des Lebens haben. Sie wird euch etwas offenbaren, was ihr nie gekannt habt.«

»Ich habe alles kennengelernt«, sagte Lord Henry mit einem düsteren Ausdruck in den Augen, »aber ich bin immer zu einem neuen Gefühl bereit. Nur fürchte ich, daß es für mich so etwas nicht mehr gibt. Immerhin, vielleicht wird mich dein wundervolles Mädchen fesseln. Ich liebe die Schauspielkunst. Sie ist so viel wirklicher als das Leben. Laßt uns jetzt gehn. Dorian, du kommst mit mir, es tut mir leid, Basil, aber in meinem Wagen ist nur Platz für zwei. Komm in einer Droschke hinterher.«

Sie standen auf, zogen ihre Mäntel an und schlürften den Kaffee im Stehen. Hallward war schweigsam und in Gedanken versunken. Ein dunkles Vorgefühl war in ihm. Er konnte diese Heirat nicht ertragen, und doch schien sie ihm besser als vieles andere, was hätte geschehen können. Ein paar Minuten später gingen sie alle hinunter. Er fuhr allein, wie verabredet, und starrte auf die blinkenden Lichter des kleinen Wagens vor ihm. Ein seltsames Gefühl des Verlustes überkam ihn. Er fühlte, daß ihm Dorian Gray nie mehr sein würde, was er ihm einmal gewesen war. Es wurde ihm dunkel vor den Augen, so daß die überfüllten, grellen Straßen verschwammen. Als die Droschke vor den Türen des Theaters hielt, fühlte er sich um Jahre gealtert.

5

Aus irgendeinem Grunde war das Theater an diesem Abend voll besetzt, und der dicke jüdische Direktor, der sie am Eingang mit einem schmierigen, zitternden Lächeln empfing, strahlte von einem Ohr zum andern. Er begleitete sie mit prahlerischer Unterwürfigkeit zu ihrer Loge, während er mit seinen fetten ringgeschmückten Händen gestikulierte und laut auf sie einredete. Dorian Gray verabscheute ihn mehr als je. Ihm war, als sei er gekommen, Miranda zu besuchen, und Caliban sei ihm in den Weg getreten. Lord Henry hingegen fand beinahe Gefallen an ihm. Wenigstens behauptete er es und bestand darauf, ihm die Hand zu schütteln, und versicherte, er sei stolz, einen Mann kennenzulernen, der ein wirkliches Genie entdeckt habe und über Shakespeare bankrott gegangen sei. Hallward unterhielt sich damit, die Gesichter im Parterre zu betrachten. Die Hitze war furchtbar drückend, und der große Kronleuchter flammte wie eine ungeheure Dahlie mit Blütenblättern aus gelbem Feuer. Die jungen Leute auf der Galerie hatten ihre Röcke und Westen ausgezogen und über die Brüstung gehängt. Sie redeten miteinander quer durchs Theater und teilten ihre Orangen mit den aufgetakelten Mädchen, die neben ihnen saßen. Frauen lachten unten im Parterre; ihre Stimmen klangen widerlich schrill und kreischend. Vom Büfett kam das Geräusch von knallenden Korken.

»Was für ein Ort, um eine Göttin zu finden!« sagte Lord Henry.

»Ja«, antwortete Dorian Gray. »Hier habe ich sie gefunden, und sie ist erhabener als alles Lebendige. Wenn sie spielt, wirst du alles vergessen. Diese gewöhnlichen Leute mit ihren groben Gesichtern und ihren brutalen Gesten sind ganz verändert, wenn sie auf der Bühne ist. Sie sitzen stumm da und folgen ihr, sie weinen und lachen, wie sie es will. Sie stimmt sie ein wie eine

Violine. Sie entzündet ihre Phantasie, und man fühlt, daß sie vom gleichen Fleisch und Blut sind wie wir selbst.«

»Oh, ich hoffe nicht!« sagte Lord Henry leise, der die Zuschauer auf der Galerie durch sein Opernglas betrachtete.

»Hör nicht auf ihn, Dorian«, sagte Hallward. »Ich verstehe, was du sagen willst, und ich glaube an dieses Mädchen. Wen du liebst, der muß wundervoll sein, und jedes Mädchen, das so wirkt, wie du es beschreibst, muß schön und makellos sein. Seine Zeit zu vergeistigen – das ist eine Tat. Wenn dieses Mädchen denen eine Seele geben kann, die ohne sie gelebt haben, wenn sie den Sinn für die Schönheit in Menschen erwecken kann, deren Leben gewöhnlich und abstoßend war, wenn sie sie ihrer Selbstsucht entreißen kann und ihnen Tränen entlockt für Leiden, die nicht die ihren sind, so ist sie all deiner Anbetung wert, ist der Anbetung der ganzen Welt wert. Diese Heirat ist ganz richtig. Ich dachte zuerst nicht so, aber jetzt gebe ich es zu. Gott hat Sibyl Vane für dich geschaffen. Ohne sie wärst du unvollkommen gewesen.«

»Ich danke dir, Basil«, antwortete Dorian Gray und drückte ihm die Hand. »Ich wußte, du würdest mich verstehn. Harry ist so zynisch, er erschreckt mich. Doch da beginnt das Orchester. Es ist ganz fürchterlich, aber es dauert nur fünf Minuten. Dann geht der Vorhang auf, und du wirst das Mädchen sehn, dem ich mein ganzes Leben widmen will, dem ich alles geweiht habe, was gut in mir ist.«

Eine Viertelstunde später betrat Sibyl Vane unter einem wahren Beifallssturm die Bühne. Ja, sie war in der Tat hinreißend anzuschaun – eines der hinreißendsten Geschöpfe, dachte Lord Henry, die er je gesehen hatte. Sie hatte etwas von einem Reh in ihrer schüchternen Anmut und dem scheuen Blick. Eine leichte Röte wie der Schatten einer Rose im silbernen Spiegel huschte über ihre Wangen, als sie in das volle, begeisterte Haus sah. Sie trat ein paar Schritte zurück, und ihre Lippen schienen zu beben. Basil Hallward sprang auf und klatschte Beifall. Dorian Gray saß bewegungslos wie im Traum und sah sie an. Lord Henry schaute durch sein Opernglas und flüsterte: »Entzückend; entzückend!«

Es war die Szene in der Halle von Capulets Haus, und Romeo

war in seinem Pilgergewand mit Mercutio und seinen Freunden eingetreten. Die Musik spielte, so gut es ging, ein paar Takte, und der Tanz begann. Mitten unter den unbeholfenen, schäbig gekleideten Schauspielern bewegte sich Sibyl Vane wie ein Wesen aus einer schöneren Welt. Ihr Körper wiegte sich im Tanz hin und her, wie eine Blume im Wasser sich wiegt. Ihre Halslinie war wie eine weiße Lilie geschwungen. Ihre Hände waren wie aus kühlem Elfenbein.

Doch sie wirkte merkwürdig teilnahmslos. Sie verriet kein Zeichen der Freude, als ihre Augen auf Romeo fielen. Die wenigen Worte, die sie zu sprechen hatte:

Nein, Pilger, lege nichts der Hand zuschulden
Für ihren sittsam-andachtsvollen Gruß;
Der Heil'gen Rechte darf Berührung dulden,
Und Hand in Hand ist frommer Waller Kuß,

mit dem kurzen Dialog, der folgt, sprach sie völlig gekünstelt. Die Stimme war vorzüglich, aber vom Standpunkt der Intonation war sie vollkommen falsch. Ihre Färbung war unecht. Sie nahm dem Vers alles Leben. Sie machte die Leidenschaft unwahr.

Dorian Gray erblaßte, als er sie so sah. Keiner seiner Freunde wagte, ihn anzusprechen. Sie schien ihnen ganz talentlos zu sein. Sie waren furchtbar enttäuscht.

Aber sie fühlten, daß der Prüfstein für jede Julia die Balkonszene im zweiten Akt ist. Darauf warteten sie. Wenn sie da versagte, war nichts an ihr.

Sie sah wundervoll aus, als sie ins Mondlicht hinaustrat. Das konnte man nicht leugnen. Das Gezwungene ihres Spiels war unerträglich, und es wurde immer schlimmer. Ihre Bewegungen wirkten lächerlich gekünstelt. Sie übertrieb alles, was sie zu sagen hatte. Die herrliche Stelle:

Du weißt, die Nacht verschleiert mein Gesicht,
Sonst färbte ein Erröten meine Wangen
Um das, was du mich vorhin sagen hörtest, –

sprach sie mit der peinlichen Artikulierung eines Schulmädchens, das von einem mittelmäßigen Vortragslehrer unterrichtet worden war. Als sie sich über den Balkon beugte und zu den wunderschönen Zeilen kam:

> Obwohl ich dein mich freue
> Freu' ich mich nicht des Bundes dieser Nacht.
> Er ist zu rasch, zu unbedacht, zu plötzlich;
> Gleicht allzu sehr dem Blitz, der nicht mehr ist
> Noch eh man sagen kann: es blitzt. – Schlaf süß!
> Des Sommers warmer Hauch kann diese Knospe
> Der Liebe wohl zur schönen Blum entfalten,
> Bis wir das nächste Mal uns wiedersehn.

sprach sie die Worte, als hätten sie keinen Sinn für sie. Es war nicht Lampenfieber. Ja, weit davon entfernt, schien sie ganz in sich zu ruhen. Es war einfach schlechte Schauspielkunst. Sie war ein völliger Versager.

Selbst das gewöhnliche, ungebildete Publikum im Parterre und auf der Galerie verlor das Interesse an dem Stück. Die Leute wurden unruhig und fingen an, laut zu sprechen und zu pfeifen. Der jüdische Theaterdirektor, der auf dem ersten Rang im Hintergrund stand, stampfte und fluchte vor Wut. Der einzige Mensch, der ruhig blieb, war das Mädchen selbst.

Als der zweite Akt zu Ende war, brach ein wüstes Pfeifkonzert los, und Lord Henry stand auf und zog seinen Mantel an. »Sie ist wirklich wunderschön, Dorian«, sagte er, »aber sie kann nicht spielen. Gehn wir.«

»Ich will das Stück bis zu Ende sehn«, antwortete der Junge hart und bitter. »Es tut mir furchtbar leid, daß ihr meinetwegen einen Abend vergeudet habt, Harry. Ich bitte euch beide um Entschuldigung.«

»Mein lieber Dorian, ich glaube, Miß Vane war krank«, unterbrach ihn Hallward. »Wir wollen ein andermal wiederkommen.«

»Ich wünschte, sie wäre krank«, erwiderte er. »Mir erscheint sie nur gefühllos und kalt. Sie ist vollständig verändert. Gestern abend war sie eine große Künstlerin. Heute abend ist sie nur eine mittelmäßige Schauspielerin.«

»Sprich nicht so über jemand, den du liebst, Dorian. Die Liebe ist etwas viel Wundersameres als die Kunst.«

»Es sind beide nur Formen der Nachahmung«, murmelte Lord Henry.

»Aber bitte, laßt uns gehn. Dorian, du darfst nicht länger hierbleiben. Es wirkt demoralisierend, schlechtes Schauspiel zu sehn. Außerdem glaube ich, wirst du nicht wollen, daß deine Frau Theater spielt. Was macht es also, wenn sie Julia wie eine Holzpuppe spielt. Sie ist wirklich bezaubernd, und wenn sie vom Leben genauso wenig versteht wie vom Theaterspielen, wird sie eine köstliche Erfahrung sein. Es gibt nur zwei Arten von Menschen, die wirklich faszinieren – die, welche absolut alles wissen, und jene, die absolut nichts wissen. Um Himmels willen, mein Lieber, mach kein so tragisches Gesicht. Das Geheimnis, jung zu bleiben, liegt darin, niemals ein Gefühl zu haben, das einem schlecht bekommt. Komm mit Basil und mir in den Klub. Wir wollen Zigaretten rauchen und auf die Schönheit von Sibyl Vane trinken. Sie ist schön. Was verlangst du mehr?«

»Bitte, geh, Harry«, rief der Junge. »Ich will allein sein. – Basil, du bist nicht böse, wenn ich dich auch bitte, zu gehn? Seht ihr denn nicht, daß mir das Herz bricht?« Heiße Tränen kamen ihm in die Augen. Seine Lippen zitterten, er drehte sich mit einer heftigen Bewegung zur Wand und barg das Gesicht in den Händen.

»Laß uns gehn, Basil«, sagte Lord Henry mit einer seltsamen Zärtlichkeit in der Stimme; und die beiden jungen Männer gingen zusammen hinaus.

Ein paar Augenblicke später flammten die Rampenlichter auf, und der Vorhang hob sich zum dritten Akt. Dorian Gray kehrte auf seinen Platz zurück. Er sah bleich und hochmütig und gleichgültig aus. Das Spiel schleppte sich weiter und schien nicht enden zu wollen. Die Hälfte des Publikums ging fort, mit schweren Stiefeln trampelnd und lachend. Die ganze Vorstellung war ein Fiasko. Der letzte Akt wurde vor fast leeren Bänken gespielt.

Sobald es zu Ende war, stürzte Dorian Gray hinter die Bühne in die Garderobe. Das Mädchen stand allein da, einen Ausdruck des Triumphes im Gesicht. In ihren Augen leuchtete ein tiefes Feuer. Ein Strahlen ging von ihr aus. Ihre geöffneten Lippen lächelten über ein Geheimnis, das ihnen allein gehörte.

Als er eintrat, sah sie ihn an, und ein Ausdruck unendlicher Freude kam über sie. »Wie schlecht hab ich heute abend gespielt, Dorian!« rief sie.

»Schrecklich«, antwortete er und sah sie voller Verwirrung an, »schrecklich! Es war entsetzlich. Bist du krank? Du ahnst nicht, wie es war. Du ahnst nicht, was ich gelitten habe.«

Das Mädchen lächelte. »Dorian«, antwortete sie, indem sie seinen Namen mit einer Innigkeit dehnte, als wäre er süßer als Honig für die rote Blüte ihres Mundes –, »Dorian, du solltest mich verstanden haben. Aber jetzt verstehst du, nicht wahr?«

»Was soll ich verstehen?« rief er zornig.

»Warum ich heut abend so schlecht gespielt habe. Warum ich immer schlecht spielen werde. Warum ich nie mehr gut spielen werde.«

Er zuckte mit den Schultern. »Du bist krank, vermute ich. Wenn du krank bist, solltest du nicht spielen. Du machst dich lächerlich. Meine Freunde haben sich gelangweilt. Ich hab mich gelangweilt.«

Sie schien ihn nicht zu hören. Sie war verwandelt vor Freude. Eine Ekstase des Glückes beherrschte sie.

»Dorian, Dorian«, rief sie aus. »Bevor ich dich kannte, war Spielen die einzige Wirklichkeit in meinem Leben. Ich lebte nur im Theater. Ich hielt alles für wahr. An einem Abend war ich Rosalinde, an einem andern Portia. Beatrices Freude war meine Freude, und Cordelias Leiden waren meine Leiden. Ich glaubte an alles. Die gewöhnlichen Menschen, die mit mir spielten, schienen mir göttergleich. Die gemalten Bühnenbilder waren meine Welt. Ich kannte nichts als Schatten und hielt sie für lebendig. Da kamst du, mein schöner Geliebter, und befreitest meine Seele aus ihrem Gefängnis. Du hast mich gelehrt, was Wirklichkeit ist. Heut abend durchschaute ich zum erstenmal in meinem Leben die Hohlheit, die Täuschung, das Alberne des leeren Prunks, in dem ich immer gespielt hatte. Heute abend wurde ich mir zum erstenmal bewußt, daß Romeo häßlich und alt und geschminkt war, das Mondlicht im Garten künstlich, das Bühnenbild armselig, und daß die Worte, die ich zu sprechen hatte, unwirklich waren, nicht meine Worte, nicht, was ich hätte sagen wollen. Du hast mir etwas Höheres gebracht, etwas, wovon alle Kunst nur ein Abglanz ist. Durch dich hab ich verstanden, was die Liebe wirklich ist. Mein Geliebter, mein Geliebter! Ich bin die Schatten leid. Du bist mir mehr, als alle Kunst mir jemals sein kann. Was hab ich mit den Puppen in einem Schauspiel zu tun? Als ich heute abend auftrat, konnte ich nicht verstehn, wie es kam, daß all das von mir abgefallen war. Plötzlich dämmerte es in meiner Seele, was es bedeutete. Das Bewußtsein war wundervoll. Ich hörte sie zischen, und ich lächelte. Was konnten sie von der Liebe wissen? Nimm mich mit, Dorian – nimm mich mit dir, wo wir ganz allein sein können. Ich hasse die Bühne. Ich könnte eine Leidenschaft spielen, die ich nicht fühle, aber eine zu spielen, die in mir wie Feuer brennt, das kann ich nicht. O Dorian, Dorian, verstehst du jetzt, was es alles bedeutet? Selbst wenn ich es könnte, es wäre Entweihung für mich, die Liebe zu spielen, während ich liebe. Du hast mir die Augen geöffnet.«

Er warf sich auf das Sofa und wandte sein Gesicht ab. »Du hast meine Liebe getötet«, flüsterte er.

Sie sah ihn ungläubig an und lachte. Er gab kein Zeichen. Sie kam zu ihm und strich mit ihren kleinen Fingern durch sein Haar. Sie kniete nieder und preßte seine Hände an die Lippen. Er zog sie weg, und ein Schauer durchlief ihn.

Dann sprang er auf und ging zur Tür. »Ja«, rief er aus, »du hast meine Liebe getötet. Sonst hast du meine Phantasie beflügelt, jetzt reizt du nicht einmal meine Neugier. Du rufst keine Wirkung hervor. Ich liebte dich, weil du wunderbar warst, weil du Genie und Geist besaßest, weil du die Träume großer Dichter verwirklicht hast und den Schatten der Kunst Gestalt und Inhalt gabst. Das alles hast du fortgeworfen. Du bist oberflächlich und dumm. Mein Gott, wie verrückt von mir, dich zu lieben! Was für ein Narr bin ich gewesen! Jetzt bedeutest du mir nichts. Ich will dich nie wieder sehn. Ich will nie mehr an dich denken. Ich will deinen Namen nie mehr nennen. Du weißt nicht, was du mir einmal warst. Ja, einmal ... Oh, ich ertrage nicht, daran zu denken! Ich wünsche, ich hätte dich nie gesehn! Du hast den Roman meines Lebens zerstört. Wie wenig kannst du von der Liebe wissen, wenn du sagst, sie vernichte deine Kunst. Was bist du ohne deine Kunst? Nichts. Ich hätte dich berühmt und groß und glänzend gemacht. Die Welt wäre dir zu Füßen gelegen, und du hättest mir gehört. Was bist du jetzt? Eine drittklassige Schauspielerin mit einem hübschen Gesicht.«

Das Mädchen wurde weiß und zitterte. Sie preßte ihre Hände zusammen, und die Stimme schien ihr in der Kehle steckenzubleiben. »Das ist nicht dein Ernst, Dorian?« flüsterte sie. »Du spielst mir etwas vor.«

»Spielen! Das überlasse ich dir. Du kannst es ja so gut«, antwortete er bitter.

Sie erhob sich von den Knien und trat mit einem jammervollen Ausdruck des Schmerzes auf ihn zu. Sie legte die Hand auf seinen Arm und sah ihm in die Augen. Er stieß sie zurück. »Rühr mich nicht an!« rief er.

Ein leises Stöhnen brach aus ihr hervor, und sie warf sich ihm zu Füßen und lag da wie eine zertretene Blume. »Dorian, Dorian, verlaß mich nicht!« stammelte sie. »Ich bereue so sehr, daß ich nicht gut gespielt habe. Ich dachte immer nur an dich. Aber ich will es versuchen – ja, ich will es versuchen. Die Liebe kam so plötzlich über mich. Ich glaube, ich hätte nie davon gewußt, wenn du mich nicht geküßt hättest, – wenn wir uns nicht geküßt hätten. Küß mich wieder, Liebster. Verlaß mich nicht. Ich könnte es nicht ertragen. Kannst du mir für heute abend nicht vergeben? Ich will fleißig arbeiten und versuchen, besser zu werden. Sei nicht grausam zu mir, denn ich liebe dich mehr als irgend etwas in der Welt. Es ist doch nur einmal, daß ich dir nicht gefallen habe. Aber du hast ganz recht, Dorian. Ich hätte mich mehr als Künstlerin erweisen müssen. Es war töricht von mir; und doch konnte ich nicht anders. Oh, verlaß mich nicht, verlaß mich nicht.« Ein heftiger Weinkrampf schüttelte sie. Sie kauerte am Boden wie ein verwundetes Tier, und Dorian Gray sah mit seinen schönen Augen auf sie hinunter, und seine feingeschnittenen Lippen kräuselten sich vor Verachtung. Es ist immer etwas Lächerliches um die Gefühle der Menschen, die man zu lieben aufgehört hat. Sibyl Vane erschien ihm lächerlich melodramatisch. Ihre Tränen und ihr Schluchzen ärgerten ihn.

»Ich gehe«, sagte er schließlich mit seiner ruhigen, klaren Stimme. »Ich möchte nicht unfreundlich sein, aber ich kann dich nicht wiedersehn. Du hast mich enttäuscht.«

Sie weinte still und antwortete nicht, aber sie kroch näher zu ihm hin. Ihre kleinen Hände tasteten blind um sich, als würden sie ihn suchen. Er wandte sich auf dem Absatz um und verließ den Raum. Wenige Minuten später hatte er das Theater verlassen. Wohin er ging, merkte er kaum. Er erinnerte sich, daß er durch schwach beleuchtete Straßen wanderte, mit engen, dunklen Torwegen, und an übel aussehenden Häusern vorbei. Weiber mit heiseren Stimmen und schrillem Lachen hatten hinter ihm hergerufen. Betrunkene torkelten fluchend vorbei und schnatterten vor sich hin wie scheußliche Menschenaffen. Er sah mißgestaltete Kinder auf Türschwellen hocken und hörte Schreie und Verwünschungen aus finsteren Höfen.

Als der Morgen anbrach, fand er sich am Covent Garden wieder. Große Karren, mit nickenden Lilien beladen, rumpelten langsam die öde, gekehrte Straße hinab. Die Luft war schwer vom Duft der Blumen, und ihre Schönheit schien ihm Linderung für seinen Schmerz. Er folgte auf den Markt und sah zu, wie die Männer ihre Wagen entluden. Ein Händler in weißem Hemd bot ihm Kirschen an. Er dankte ihm und wunderte sich, warum er kein Geld dafür annehmen wollte, und begann, sie zerstreut zu essen. Sie waren um Mitternacht gepflückt und von der Kühle des Mondes durchdrungen. In langer Reihe zogen Burschen mit Körben voll gestreifter Tulpen und gelben und roten Rosen an ihm vorbei und eilten zwischen den großen blaßgrünen Bergen von Gemüse hindurch. In der Halle, unter den grauen, sonnengebleichten Pfeilern, lungerte eine Schar von schmuddligen Mädchen ohne Kopfbedeckung, die auf das Ende der Auktion warteten. Nach einer Weile rief er eine Droschke und fuhr nach Hause. Der Himmel war jetzt wie ein reiner Opal, und die Dächer der Häuser standen silbern dagegen. Als er durch die Bibliothek auf die Tür seines Schlafzimmers zuging, fiel sein Blick auf das Bild, das Basil Hallward von ihm gemalt hatte. Er fuhr erstaunt zurück, und dann trat er näher und prüfte es. In dem schwachen, gedämpften Licht, das durch die cremefarbenen Seidenvorhänge fiel, erschien ihm das Gesicht ein wenig verändert. Der Ausdruck war anders. Man hätte sagen können, daß ein Anflug von Grausamkeit um den Mund lag. Es war höchst merkwürdig.

Er wandte sich um, ging ans Fenster und zog den Vorhang beiseite. Das helle Morgenlicht flutete herein und jagte die phantastischen Schatten in dunkle Winkel, wo sie erschauernd liegenblieben. Aber der seltsame Ausdruck, den er auf dem Gesicht des Bildes entdeckt hatte, blieb, ja schien sich sogar verstärkt zu haben. Das zitternde, scharfe Sonnenlicht zeigte ihm die grausamen Linien um den Mund so deutlich, als würde er nach einer furchtbaren Tat in einen Spiegel sehen.

Er erschrak, und er nahm vom Tisch einen ovalen Spiegel, den elfenbeinerne Cupidos hielten, ein Geschenk von Lord Henry; hastig blickte er hinein. Nicht eine dieser Linien verunstaltete seine roten Lippen. Was bedeutete das?

Er rieb sich die Augen, trat dicht vor das Bild und untersuchte es von neuem. An der Malerei selbst waren keine Anzeichen einer Veränderung zu entdecken, und doch gab es keinen Zweifel, daß der ganze Ausdruck sich verwandelt hatte. Es war nicht bloße Einbildung von ihm. Die Sache war entsetzlich augenfällig.

Er warf sich in einen Stuhl und begann nachzudenken. Plötzlich blitzte in ihm auf, was er an dem Tage, als das Bild fertig wurde, in Basil Hallwards Atelier gesagt hatte. Ja, er erinnerte sich deutlich. Er hatte den irrwitzigen Wunsch ausgesprochen, daß er selbst jung bleiben und das Bild altern möge; daß seine eigene Schönheit unbefleckt bleiben und das Gesicht auf der Leinwand die Last seiner Leidenschaften und seiner Sünden tragen solle; daß das gemalte Bildnis von den Linien des Leidens und den Gedanken versehrt werde und er den zarten Hauch und die Frische seiner Jugend, die ihm soeben bewußt geworden war, behalte. War denn sein Wunsch in Erfüllung gegangen? Solche Dinge gab es doch nicht. Schon der Gedanke war ungeheuerlich. Und doch, da war das Bild vor ihm mit dem grausamen Zug um den Mund.

Grausamkeit! War er grausam gewesen? Es war die Schuld des Mädchens, nicht seine. Er hatte von ihr als von einer großen Künstlerin geträumt, hatte ihr seine Liebe gegeben, weil er sie für groß hielt. Aber sie hatte ihn enttäuscht. Sie war oberflächlich und unwürdig gewesen. Und doch überkam ihn ein Gefühl unendlichen Mitleids, als er daran dachte, wie sie zu seinen Füßen gelegen und wie ein kleines Kind geschluchzt hatte. Er erinnerte sich, mit welcher Gefühllosigkeit er sie betrachtet hatte. Warum war er so geartet? Warum war ihm eine solche Seele gegeben? Aber auch er hatte gelitten. In den drei schrecklichen Stunden, die das Spiel gedauert hatte, hatte er Jahrhunderte des Leidens durchlebt, Ewigkeiten über Ewigkeiten der Qual. Sein Leben war gewiß das ihre wert. Sie hatte ihn für einen Augenblick vernichtet, wenn er sie fürs Leben verwundet hatte. Außerdem waren Frauen besser geeignet, Leiden zu ertragen, als Männer. Sie lebten von ihren Gefühlen. Sie dachten nur an ihre Gefühle. Wenn sie sich einen Geliebten nahmen, so hauptsächlich, um jemanden zu haben, dem sie Szenen machen konnten. Das hatte ihm Lord Henry gesagt, und Lord Henry kannte die Frauen. Warum sollte er sich über Sibyl Vane aufregen? Sie bedeutete ihm jetzt nichts mehr.

Aber das Bild? Was sollte er davon halten? Es barg das Geheimnis seines Lebens und verriet seine Geschichte. Es hatte ihn gelehrt, seine eigene Schönheit zu lieben. Würde es ihn lehren, seine eigene Seele zu verabscheuen? Würde er es jemals wieder ansehn?

Nein; es war nur eine Täuschung seiner verwirrten Sinne. Die schreckliche Nacht, die er durchlebt hatte, ließ ihre Gespenster zurück. Plötzlich war sein Gehirn von diesem kleinen scharlachroten Fleck befallen, der den Menschen wahnsinnig macht. Das Bild hatte sich nicht verändert. Es war Unsinn, es nur zu denken.

Und doch sah es ihn an mit seinem schönen entstellten Gesicht und seinem grausamen Lächeln. Sein helles Haar glänzte im frühen Sonnenlicht. Die blauen Augen begegneten seinen eigenen. Ein Gefühl grenzenlosen Mitleids, nicht mit sich selbst, sondern mit dem gemalten Abbild, überkam ihn. Es war schon verändert und würde sich noch mehr verändern. Sein Gold würde zu Grau bleichen. Seine roten und weißen Rosen würden welken. Für jede Sünde, die er beginge, würde ein Makel hervortreten und seine Schönheit trüben. Aber er wollte nicht sündigen. Das Bildnis, verändert oder unverändert, sollte für ihn das sichtbare Zeichen seines Gewissens sein. Er wollte der Versuchung widerstehn. Er wollte Lord Henry nicht wiedersehen, wollte keinesfalls mehr auf jene subtilen, vergiftenden Theorien hören, die in Basil Hallwards Garten zum erstenmal die Leidenschaft für unmögliche Dinge in ihm erregt hatten. Er wollte zu Sibyl Vane zurückkehren, ihr Abbitte leisten, sie heiraten, versuchen, sie wieder zu lieben. Ja, es war seine Pflicht, das zu tun. Sie mußte mehr gelitten haben als er. Armes Kind! Er war selbstsüchtig und grausam gegen sie gewesen. Der Zauber, den sie auf ihn ausgeübt hatte, würde wiederkehren. Sie würden glücklich zusammen sein. Mit ihr würde sein Leben schön und rein werden.

Er stand von seinem Stuhl auf und zog einen großen Wandschirm vor das Bild, ihn schauderte, als er hinsah. »Wie widerlich!« sagte er leise vor sich hin, ging zur Fenstertür und öffnete sie. Als er auf den Rasen hinaustrat, holte er tief Atem. Die frische Morgenluft schien alle seine düsteren Leidenschaften zu verscheuchen. Er dachte nur an Sibyl Vane. Ein schwaches Echo seiner Liebe kehrte zurück. Er wiederholte ihren Namen immer und immer wieder. Die Vögel, die im taufeuchten Garten sangen, schienen den Blumen von ihr zu erzählen.

6

Mittag war längst vorüber, als er erwachte. Sein Diener war mehrmals auf den Zehenspitzen ins Zimmer geschlichen, um zu sehen, ob er sich rühre, und hatte sich gewundert, weshalb sein junger Herr so spät noch schlafe. Endlich schellte er, und Victor trat leise herein mit einer Tasse Tee und einem Stoß Briefe auf einem kleinen Tablett aus altem Sèvres-Porzellan und zog die olivgrünen Atlasvorhänge mit dem blauschimmernden Futter zur Seite, die vor den drei großen Fenstern hingen.

»Monsieur haben heute morgen gut geschlafen«, sagte er lächelnd. »Wieviel Uhr ist es, Victor?« fragte Dorian Gray schläfrig.

»Viertel nach eins, Monsieur.«

Wie spät es war! Er richtete sich auf, schlürfte etwas Tee und sah seine Briefe durch. Einer kam von Lord Henry und war heute morgen von einem Boten gebracht worden. Er zögerte einen Augenblick und legte ihn aus der Hand. Die anderen öffnete er zerstreut. Sie enthielten wie gewöhnlich eine Menge Karten, Dinnereinladungen, Billets zu Privatveranstaltungen, Programme von Wohltätigkeitskonzerten und dergleichen mehr, mit denen junge Leute der Gesellschaft während der Saison jeden Morgen überschüttet werden. Es war eine ziemlich hohe Rechnung für eine Toilettengarnitur im Louis-Quinze-Stil aus getriebenem Silber dabei, die er seinen Vormündern noch nicht zu schicken gewagt hatte, weil es sehr altmodische Leute waren, die nicht begriffen, daß in unserer Zeit nur die entbehrlichen Dinge unentbehrlich sind; schließlich waren da noch sehr höfliche Angebote von Geldverleihern aus der Jermyn Street, die ihm antrugen, jederzeit jede beliebige Summe zu mäßigen Zinsen vorzustrecken.

Nach ungefähr zehn Minuten stand er auf, warf sich einen eleganten Morgenmantel um und ging in das onyxgekachelte Badezimmer. Das kühle Wasser erfrischte ihn nach seinem langen Schlaf. Es schien, als hätte er alles vergessen, was er durchgemacht hatte. Ein dunkles Gefühl, daß er in einer seltsamen Tragödie eine Rolle gespielt habe, überkam ihn ein- oder zweimal, aber die Unwirklichkeit eines Traums lag darüber.

Sobald er angekleidet war, ging er in die Bibliothek und setzte sich zu einem leichten französischen Frühstück, das auf einem kleinen runden Tisch am offenen Fenster für ihn gedeckt war. Es war ein herrlicher Tag. Die warme Luft war schwer von Wohlgerüchen. Eine Biene flog herein und summte um die blaue Drachenschale, die mit schwefelgelben Rosen gefüllt vor ihm stand. Er fühlte sich vollkommen glücklich.

Plötzlich fiel sein Blick auf den Wandschirm, den er vor das Bild gestellt hatte, und er fuhr zusammen.

»Zu kalt für Monsieur?« fragte sein Diener, der ihm eine Omelette servierte. »Soll ich das Fenster schließen?«

Dorian schüttelte den Kopf. »Mir ist nicht kalt«, murmelte er. War es denn wahr? Hatte sich das Bild wirklich verändert? Oder war es nur seine Einbildung, die ihm einen bösen Zug vorgespiegelt hatte, wo ein Zug der Freude war? Eine bemalte Leinwand konnte sich doch nicht verändern? Es war absurd. Eines Tages würde es eine Geschichte für Basil abgeben. Er würde darüber lächeln. Und doch, wie lebendig war seine Erinnerung an die ganze Sache! Zuerst im unsicheren Zwielicht und dann in der hellen Morgendämmerung hatte er den Zug von Grausamkeit um die verzerrten Lippen gesehen. Er fürchtete sich förmlich, daß der Diener hinausgehen könnte. Er wußte, wenn er allein war, würde er das Bild untersuchen müssen. Er fürchtete die Gewißheit. Als der Mann den Kaffee und die Zigaretten gebracht hatte und sich anschickte, zu gehn, fühlte er das jähe Verlangen, ihm zu sagen, daß er bleiben solle. Als die Tür sich hinter ihm schloß, rief er ihn zurück. Der Mann wartete auf seine Befehle. Dorian sah ihn einen Augenblick an. »Ich bin für niemand zu Hause, Victor«, sagte er mit einem Seufzer. Der Mann verbeugte sich und ging.

Dann stand er vom Tisch auf, zündete eine Zigarette an und warf sich auf ein Ruhelager mit kostbaren Kissen, das dem Wandschirm gegenüber stand. Es war ein alter Wandschirm aus vergoldetem spanischem Leder, in das ein ziemlich überladenes Louis-Quatorze-Muster gepreßt war. Er betrachtete ihn neugierig und sann darüber nach, ob er schon einmal das Geheimnis eines Menschenlebens verborgen hatte. Sollte er ihn überhaupt zur Seite schieben? Warum ihn nicht dort stehenlassen? Was nützte es ihm, wenn er's wußte? Sollte es wahr sein, war es furchtbar. War es nicht wahr, weshalb sich beunruhigen? Aber wenn nun durch ein Verhängnis oder einen teuflischen Zufall fremde Augen dahinter spähten und die schreckliche Verwandlung entdeckten? Was sollte er tun, wenn Basil Hallward käme und sein eigenes Bild sehen wollte. Er würde es sicherlich tun. Nein, die Sache mußte untersucht werden, und zwar sofort. Alles wäre besser als dieser fürchterliche Zustand der Ungewißheit.

Er stand auf und sperrte beide Türen zu. Wenigstens würde er allein sein, wenn er auf die Maske seiner Schande blickte. Dann zog er den Wandschirm beiseite und sah sich von Angesicht zu Angesicht. Es war nicht zu leugnen. Das Bild hatte sich verändert.

Wie er sich später oft erinnerte, und jedesmal mit leichter Verwunderung, betrachtete er das Bild zuerst mit einem beinahe wissenschaftlichen Interesse. Daß eine solche Verwandlung vor sich gegangen sein sollte, erschien ihm unglaublich. Und doch war es eine Tatsache. Gab es eine geheime Verwandtschaft zwischen den chemischen Atomen, die Form und Farbe auf der Leinwand angenommen hatten, und der Seele, die in ihm war? War es möglich, daß sie vollendeten, was diese Seele dachte? – Daß sie verwirklichten, was diese Seele träumte? Oder gab es einen anderen, noch furchtbareren Grund? Ihn schauderte, und er hatte Angst; er ging zu dem Ruhelager zurück, legte sich nieder und starrte, krank vor Grauen, auf das Bild. Etwas freilich, das fühlte er, hatte es für ihn getan. Es hatte ihm zum Bewußtsein gebracht, wie ungerecht, wie grausam er gegen Sibyl Vane gewesen war. Es war nicht zu spät, alles wiedergutzumachen. Noch konnte sie seine Frau werden. Seine unwahre und selbstsüchtige Liebe würde einer höheren Empfindung weichen, würde sich in eine edlere Leidenschaft verwandeln, und das Bild, das Basil Hallward von ihm gemalt hatte, sollte für ihn ein Führer durchs Leben, sollte ihm das sein, was die Heiligkeit den einen, das Gewissen den andern und die Furcht vor Gott uns allen ist. Es gab Opiate gegen die Reue, Drogen, die das moralische Gefühl einschläfern konnten. Aber hier war ein sichtbares Symbol der Erniedrigung durch die Sünde. Hier war ein immer gegenwärtiges Zeichen des Verderbens, das die Menschen über ihre Seele bringen.

Es schlug drei und vier und halb fünf, aber er rührte sich nicht. Er versuchte, die scharlachroten Fäden des Lebens zu fassen und sie in ein Muster zu verweben; seinen Weg zu finden in der blutigen Wirrnis der Leidenschaft, in der er umherirrte. Er wußte nicht, was er tun und denken sollte. Endlich ging er an den Tisch und schrieb einen leidenschaftlichen Brief an das Mädchen, das er geliebt hatte, flehte sie um Vergebung an und beschuldigte sich des Wahnsinns. Er bedeckte eine Seite nach der andern mit ungestümen Worten der Trauer und des Schmerzes. Es gibt ein Schwelgen in der Selbstbeschuldigung. Wenn wir uns selbst anklagen, fühlen wir, daß kein anderer das Recht hat, uns anzuklagen. Die Beichte, nicht der Priester, gibt uns Absolution. Als Dorian Gray den Brief beendet hatte, fühlte er, daß ihm vergeben sei.

Plötzlich klopfte es an die Tür, und er hörte draußen Lord Henrys Stimme. »Dorian, mein Lieber, ich muß mit dir sprechen. Mach mir auf. Ich kann nicht zulassen, daß du dich so einsperrst.«

Er antwortete zuerst nicht, sondern blieb ganz still. Das Klopfen wiederholte sich und wurde lauter. Ja, es war besser, Lord Henry hereinzulassen und ihm zu erklären, daß er ein neues Leben beginnen wollte, mit ihm zu streiten, wenn es sein mußte, sich von ihm zu trennen, wenn es unvermeidlich war. Er sprang auf, zog hastig den Wandschirm vor das Bild und öffnete die Tür.

»Es tut mir alles so leid, mein lieber Junge«, sagte Lord Henry, als er eintrat. »Aber du darfst nicht zuviel darüber nachdenken.«

»Du sprichst von Sibyl Vane?« fragte Dorian.

»Ja, natürlich«, antwortete Lord Henry, indem er sich in einen Sessel fallen ließ und langsam seine Handschuhe auszog. »Es ist furchtbar, von einem Gesichtspunkt aus, aber es war nicht deine Schuld. Sag mir, hast du sie nach der Vorstellung noch gesehen?«

»Ja.«

»Das hatte ich erwartet. Hast du ihr eine Szene gemacht?«

»Ich war brutal, Harry – entsetzlich brutal. Aber jetzt ist alles gut. Was geschehen ist, tut mir nicht leid. Ich habe mich dadurch selbst besser kennengelernt.«

»Ach, Dorian, ich bin so froh, daß du es von dieser Seite nimmst. Ich fürchtete, ich würde dich in Reue versunken finden, und du würdest deine schönen Locken raufen.«

»Das habe ich alles durchgemacht«, sagte Dorian lächelnd und schüttelte den Kopf. »Jetzt bin ich ganz glücklich. Vor allem weiß ich, was das Gewissen ist. Es ist nicht das, was du mir gesagt hast. Es ist das Göttliche in uns. Spotte nicht mehr darüber, Harry – wenigstens nicht vor mir. Ich will gut sein. Ich kann den Gedanken nicht ertragen, daß meine Seele häßlich ist.«

»Eine blendende artistische Grundlage der Moral, Dorian! Ich gratuliere dir. Aber womit willst du anfangen?«

»Indem ich Sibyl Vane heirate.«

»Sibyl Vane heiraten!« rief Lord Henry, stand auf und sah ihn voller Entsetzen an. »Aber mein lieber Dorian ...«

»Ja Harry, ich weiß, was du sagen willst. Etwas Unangenehmes über die Ehe. Sag es nicht. Sage mir nie mehr solche Dinge. Vor zwei Tagen bat ich Sibyl, mich zu heiraten. Ich werde mein Wort nicht brechen. Sie soll meine Frau werden.«

»Deine Frau! Dorian ...! Hast du denn meinen Brief nicht bekommen? Ich schrieb dir heute morgen und sandte das Billett durch meinen Diener her.«

»Deinen Brief? O ja, ich erinnere mich. Ich habe ihn noch nicht gelesen, Harry. Ich fürchtete, daß etwas drinsteht, was mir nicht gefällt.«

Lord Henry ging zu Dorian Gray hinüber, setzte sich neben ihn, nahm seine beiden Hände und hielt sie fest. »Dorian«, sagte er, »mein Brief – erschrick nicht – sollte dir sagen, daß Sibyl Vane tot ist.«

Ein Schrei des Schmerzes brach von den Lippen des jungen Mannes, er sprang auf und entzog seine Hände Lord Henrys Griff. »Tot! Sibyl tot! Das ist nicht wahr! Das ist eine gemeine Lüge!«

»Es ist wahr, Dorian«, sagte Lord Henry ernst. »Es steht in allen Morgenzeitungen. Ich schrieb dir, du solltest niemanden empfangen, bis ich komme. Es wird natürlich eine Untersuchung stattfinden, und du darfst nicht hineingezogen werden. Solche Geschichten bringen in Paris einen Mann in Mode. Aber in London haben die Leute zu viele Vorurteile. Hier sollte man sein Debüt nie mit einem Skandal machen. Den sollte man sich fürs Alter aufsparen, um interessant zu bleiben. Ich nehme an, im Theater kennen sie deinen Namen nicht. In diesem Fall ist alles in Ordnung. Hat dich irgend jemand in ihre Garderobe gehen sehn? Das ist ein wichtiger Punkt.«

Dorian antwortete eine Weile nicht. Er war vor Schrecken betäubt. Endlich stammelte er mit erstickter Stimme: »Harry, sagtest du – eine Untersuchung? Was meinst du damit? Hat Sibyl ...? O Harry, ich ertrage es nicht! Aber mache es kurz. Sag mir alles, jetzt gleich.«

»Ich bin sicher, daß es kein Unfall war, Dorian, obwohl es der Öffentlichkeit so dargestellt werden muß. Als sie mit ihrer Mutter gegen halb eins das Theater verließ, sagte sie, sie hätte oben etwas vergessen. Man wartete eine Zeitlang auf sie, aber sie kam nicht wieder herunter. Schließlich fand man sie tot auf dem Boden in ihrer Garderobe. Sie hatte aus Versehen etwas geschluckt, irgend etwas Scheußliches, das man im Theater benutzt. Ich weiß nicht, was es war, aber es hat entweder Blausäure oder Bleiweiß enthalten. Ich nehme an, es war Blausäure, denn sie scheint sofort tot gewesen zu sein. Es ist natürlich sehr tragisch, aber du darfst dich nicht in diese Affäre verwickeln lassen. Ich sehe aus dem Standard, daß sie siebzehn Jahre alt war. Ich hätte sie eher für noch jünger gehalten. Sie sah so kindlich aus und schien so wenig vom Spielen zu verstehn. Dorian, du darfst dir das nicht so zu Herzen nehmen. Komm, wir wollen zusammen essen, und nachher gehen wir in die Oper. Die Patti singt, und alle Welt wird da sein. Du kannst in die Loge meiner Schwester kommen. Sie bringt ein paar bezaubernde Frauen mit.«

»Ich habe also Sibyl Vane ermordet«, sagte Dorian Gray halb zu sich selbst, »so gewiß ermordet, als hätte ich ihr den zarten Hals mit einem Messer durchschnitten. Aber die Rosen blühen darum nicht weniger lieblich. Die Vögel singen genauso fröhlich in meinem Garten. Und heute abend soll ich mit dir essen und nachher in die Oper gehn und schließlich irgendwo soupieren. Wie hochdramatisch das Leben ist! Wenn ich das alles in einem Buch gelesen hätte, Harry, ich glaube, ich hätte darüber geweint. Jetzt, da es wirklich geschehen ist und mir geschehen ist, scheint es mir fast zu wunderbar für Tränen. Hier ist der erste leidenschaftliche Liebesbrief, den ich in meinem Leben geschrieben habe. Seltsam, daß mein erster Liebesbrief an ein totes Mädchen gerichtet ist. Ich möchte wohl wissen, ob sie fühlen können, diese bleichen, stillen Menschen, die wir die Toten nennen. Sibyl! Kann sie fühlen, wahrnehmen oder hören? O Harry, wie hab ich sie einmal geliebt. Mir scheint, es ist Jahre her. Sie war mir alles. Dann kam dieser schreckliche Abend – war es wirklich erst gestern abend? –, als sie so schlecht spielte und mir fast das Herz brach. Sie hat mir alles erklärt. Es war furchtbar rührend. Aber mich hat es nicht im mindesten bewegt. Ich hielt sie für oberflächlich. Dann geschah etwas, was mich entsetzte. Ich kann dir nicht sagen, was, aber es war grauenhaft. Ich nahm mir vor, zu ihr zurückzukehren. Ich fühlte, daß ich unrecht getan hatte. Und jetzt ist sie tot. Mein Gott! Mein Gott! Harry, was soll ich tun? Du kennst nicht die Gefahr, in der ich bin, und es gibt nichts, was mich stützen könnte. Sie würde es für mich getan haben. Sie hatte kein Recht, sich zu töten. Es war selbstsüchtig von ihr.«

»Mein lieber Dorian, eine Frau kann einen Mann immer nur dadurch verwandeln, daß sie ihn so beharrlich quält, bis er jedes Interesse am Leben verliert. Hättest du dieses Mädchen geheiratet, wärest du unglücklich geworden. Natürlich hättest du sie freundlich behandelt. Man kann immer freundlich sein gegen jemand, aus dem man sich nichts mehr macht. Aber sie hätte bald herausgefunden, daß sie dir vollkommen gleichgültig ist. Und wenn eine Frau das bei ihrem Mann herausgefunden hat, zieht sie sich entweder furchtbar nachlässig an, oder sie trägt die elegantesten Hüte, die der Ehemann einer andern zu bezahlen hat. Ich rede gar nicht erst von dem gesellschaftlichen Mißgriff, aber ich versichere dir, die Sache wäre in jedem Fall ein absoluter Fehlschlag gewesen.«

»Ich glaube es beinahe auch«, murmelte der Junge, indem er im Zimmer auf und ab ging, er sah erschreckend blaß aus. »Aber ich hielt es für meine Pflicht. Es ist nicht meine Schuld, daß diese schreckliche Tragödie mich gehindert hat, das Rechte zu tun. Ich erinnere mich, wie du einmal sagtest, daß um alle guten Vorsätze ein Verhängnis schwebe, sie würden immer zu spät gefaßt. Auf meinen trifft das gewiß zu.«

»Gute Vorsätze sind nutzlose Versuche, in wissenschaftliche Gesetze einzugreifen. Ihr Ursprung ist bloße Eitelkeit. Ihr Ergebnis ist gleich Null. Sie verschaffen uns ab und zu den Luxus jener unfruchtbaren Empfindungen, die einen gewissen Reiz für uns besitzen. Das ist alles, was man zu ihren Gunsten sagen kann.«

»Harry«, sagte Dorian und setzte sich neben ihn, »wie kommt es, daß ich diese Tragödie nicht so tief empfinde, wie ich es möchte? Ich glaube nicht, daß ich herzlos bin, oder?«

»Du hast zu viele törichte Dinge in deinem Leben begangen, als daß du dich so nennen dürftest, Dorian«, antwortete Lord Henry mit seinem einnehmenden, melancholischen Lächeln.

Der Junge zog die Stirn kraus. »Mir gefällt die Erklärung nicht, Harry«, erwiderte er, »aber ich bin froh, daß du mich nicht für herzlos hältst. Ich bin's bestimmt nicht. Ich weiß, daß ich's nicht bin. Und doch muß ich zugeben, daß mich dieses Ereignis nicht so berührt, wie es sollte. Es scheint mir einfach das wunderbare Ende eines wunderbaren Stückes zu sein. Es hat die schreckliche Schönheit der großen Tragödie, einer Tragödie, in der ich eine Rolle spielte, ohne darin verwundet worden zu sein.«

»Das ist ein interessantes Problem«, sagte Lord Henry, dem es einen hohen Genuß bereitete, mit dem unbewußten Egoismus des Jungen zu spielen, »ein äußerst interessantes Problem. Ich denke eine Erklärung dafür zu haben. Es geschieht oft, daß die wirklichen Tragödien des Lebens sich so unkünstlerisch abspielen, daß sie uns durch ihre rohe Gewalt, das absolut Zusammenhanglose, ihre gespenstische Sinnlosigkeit und das vollständige Fehlen jeden Stils verletzen. Sie wirken auf uns, wie die Gemeinheit wirkt. Sie machen auf uns den Eindruck schierer, brutaler Gewalt, und wir empören uns dagegen. Manchmal jedoch kommt eine Tragödie in unser Leben, die künstlerische Elemente der Schönheit enthält. Sind diese Elemente der Schönheit echt, so rührt das Ganze nur an unseren dramatischen Sinn. Plötzlich entdecken wir, daß wir nicht mehr die Darsteller, sondern die Zuschauer des Stückes sind. Oder eigentlich sind wir beides. Wir beobachten uns, und das bloße Wunder des Schauspiels bezaubert uns. Im gegenwärtigen Fall, was ist da wirklich geschehen? Jemand hat sich aus Liebe zu dir getötet. Ich wollte, mir wäre eine solche Erfahrung zuteil geworden. Ich wäre für den Rest meines Lebens in die Liebe verliebt gewesen. Die Menschen, die mich angebetet haben – es waren nicht viele, aber immerhin einige –, haben immer auf dem Weiterleben bestanden, wenn ich schon längst nichts mehr für sie empfand und sie nichts mehr für mich. Sie sind dick und langweilig geworden, und wenn ich sie treffe, wollen sie sofort in Erinnerungen schwelgen. Dieses gräßliche Gedächtnis der Frauen! Es ist schauderhaft! Und welches Ausmaß von geistigem Stillstand es offenbart! Man sollte die Farbe des Lebens auf sich wirken lassen, aber nie sich an Einzelheiten erinnern. Einzelheiten sind immer vulgär.

Natürlich dauern die Dinge bisweilen an. Einmal trug ich eine ganze Saison lang nur Veilchen, als Trauer um eine Romanze, die nicht sterben wollte. Schließlich starb sie doch. Ich weiß nicht, woran. Ich glaube, an ihrem Vorschlag, die ganze Welt für mich zu opfern. Das ist immer ein furchtbarer Augenblick. Es erfüllt einen mit dem Schrecken der Ewigkeit. Nun – würdest du's für möglich halten? – Vor einer Woche saß ich beim Dinner bei Lady Hampshire neben der betreffenden Dame, und sie bestand darauf, die ganze Geschichte noch einmal durchzukauen, die Vergangenheit auszugraben und in der Zukunft herumzustochern. Ich hatte meine Romanze unter Mohnblüten begraben. Sie zerrte sie wieder hervor und versicherte mir, ich hätte ihr Leben zerstört. Ich muß zugeben, daß sie ein gewaltiges Dinner verschlang, und so fühlte ich mich nicht beunruhigt. Aber wie wenig Geschmack sie bewies! Der einzige Reiz der Vergangenheit ist, daß sie vergangen ist. Aber Frauen wissen nie, wann der Vorhang gefallen ist. Sie verlangen immer einen sechsten Akt, und gerade wenn jedes Interesse an dem Stück vorbei ist, schlagen sie vor, es weiterzuspielen. Wenn man ihnen den Willen ließe, so hätte jede Komödie einen tragischen Schluß, und jede Tragödie würde als Farce enden. Sie sind bezaubernd künstlich, aber sie haben keinen Sinn für Kunst. Du hast mehr Glück gehabt als ich. Ich versichre dir, Dorian, nicht eine einzige Frau, die ich gekannt habe, hätte für mich getan, was Sibyl Vane für dich tat. Gewöhnliche Frauen trösten sich immer. Die einen entwickeln eine Vorliebe für sentimentale Farben. Trau nie einer Frau, die Mauve trägt, wie alt sie auch sei, und nie einer Frau über fünfunddreißig, die rosa Schleifchen liebt. Es bedeutet immer, daß sie eine Vergangenheit haben. Andere finden einen Trost darin, plötzlich die guten Eigenschaften ihres Ehemanns zu entdecken. Sie schleudern einem ihr eheliches Glück ins Gesicht, als wäre es die faszinierendste Sünde. Andere trösten sich mit der Religion. Ihre Geheimnisse haben alle Reize eines Flirts, sagte mir einmal eine Frau; und ich begreife das recht gut. Außerdem schmeichelt uns nichts so sehr, als wenn man uns sagt, wir seien Sünder. Es gibt unendliche Tröstungen, dic die Frauen im modernen Leben finden. Dabei habe ich noch nicht einmal die wichtigste genannt.«

»Und die ist, Harry?« fragte Dorian Gray gleichgültig.

»Oh, das übliche. Einer anderen Frau den Anbeter wegzunehmen, wenn man seinen verloren hat. In der guten Gesellschaft gibt das jeder Frau ihre Frische wieder. Aber wirklich, Dorian, wie anders muß Sibyl Vane gewesen sein als all die Frauen, die man trifft! In ihrem Tod liegt für mich etwas wahrhaft Schönes. Ich bin froh, in einem Jahrhundert zu leben, in dem solche Wunder geschehn. Sie geben einem den Glauben an die Wirklichkeit der Dinge, aus denen wir ein oberflächliches Gesellschaftsspiel gemacht haben, an Romantik, Leidenschaft und Liebe.«

»Ich war furchtbar grausam gegen sie. Das vergißt du.«

»Ich glaube, Frauen schätzen Grausamkeit höher als alles andere. Sie haben wundervoll primitive Instinkte. Wir haben sie emanzipiert, aber sie bleiben Sklavinnen, die nach ihrem Herrn ausschauen. Sie lieben es, beherrscht zu werden. Ich bin sicher, du warst glänzend. Ich hab dich nie wirklich zornig gesehen, aber ich kann mir vorstellen, wie herrlich du aussahst. Und schließlich hast du mir vorgestern etwas gesagt, was mir im Augenblick als phantastischer Einfall erschien, aber jetzt sehe ich, daß es wahr gewesen ist, und es erklärt alles.«

»Was war das?«

»Du sagtest mir, daß Sibyl Vane für dich alle Heldinnen der Leidenschaft verkörpert – daß sie heute Desdemona sei und morgen Ophelia; daß sie als Julia sterbe und als Imogen zum Leben erwache.«

»Jetzt wird sie nie mehr zum Leben erwachen«, flüsterte der junge Mann und barg sein Gesicht in den Händen.

»Nein, sie wird nie mehr zum Leben erwachen. Sie hat ihre letzte Rolle gespielt. Aber du mußt an den einsamen Tod im jämmerlichen Ankleideraum denken wie an das seltsam düstere Fragment einer Tragödie aus der Zeit König Jakobs, wie an eine wundervolle Szene von Webster, Ford oder Cyril Tourneur. Das Mädchen hat nie wirklich gelebt, darum ist sie auch nie wirklich gestorben. Für dich wenigstens war sie immer ein Traum, ein Trugbild, das durch Shakespeares Dramen huschte und sie herrlicher machte durch seine Gegenwart, ein Rohr, durch das Shakespeares Musik reicher und froher erklang. Im Augenblick, da sie an das wirkliche Leben rührte, zerstörte sie es, und es zerstörte sie, und sie schwand dahin. Traure um Ophelia, wenn du willst. Streu Asche auf dein Haupt, weil Cordelia erdrosselt wurde; fluche dem Himmel, weil Brabantios Tochter starb. Aber verschwende nicht deine Tränen um Sibyl Vane. Sie war unwirklicher als jene.«

Es entstand ein Schweigen. Der Abend hüllte das Zimmer in Dunkel. Geräuschlos, auf silbernen Füßen, glitten die Schatten vom Garten herein. Die Farben der Gegenstände verblaßten.

Nach einer Weile blickte Dorian Gray auf. »Du hast mich mir selber erklärt«, flüsterte er erleichtert. »Ich habe all das gefühlt, was du gesagt hast, aber ich fürchtete mich davor und konnte es mir nicht erklären. Wie gut du mich kennst! Aber wir wollen von dem Geschehenen nicht mehr sprechen. Es war eine wunderbare Erfahrung. Weiter nichts. Ich möchte wissen, ob das Leben noch einmal etwas so Wunderbares für mich bereithält.«

»Das Leben hält alles für dich bereit, Dorian. Es gibt nichts, was du mit deiner Schönheit nicht erreichen kannst.«

»Aber stell dir vor, wenn ich nun knochendürr und grau und runzlig werde, Harry? Was geschieht dann?«

»Nun, dann ...«, erwiderte Lord Henry und stand auf, um zu gehn, »dann, mein lieber Dorian, würdest du um deine Siege kämpfen müssen. Jetzt bringt man sie dir entgegen. Nein, du mußt deine Schönheit behalten. Wir leben in einer Zeit, die zu viel liest, um weise, und zu viel denkt, um schön zu sein. Wir können dich nicht entbehren. Aber nun solltest du dich umziehn und in den Klub fahren. Wir kommen ohnehin schon zu spät.«

»Ich glaube, ich werde dich erst in der Oper treffen, Harry. Ich fühle mich zu müde, um zu essen. Welche Nummer hat die Loge deiner Schwester?«

»Siebenundzwanzig, glaube ich. Im ersten Rang. Du wirst ihren Namen an der Tür finden. Schade, daß du nicht mit zum Essen kommst.«

»Ich bin zu abgespannt«, sagte Dorian teilnahmslos. »Aber ich bin dir schrecklich dankbar für alles, was du mir gesagt hast. Du bist gewiß mein bester Freund. Niemals hat mich jemand so verstanden wie du.«

»Wir sind erst am Anfang unserer Freundschaft, Dorian«, antwortete Lord Henry und schüttelte ihm die Hand. »Adieu. Ich hoffe, ich werde dich vor halb zehn sehen. Vergiß nicht, die Patti singt.«

Als er die Tür hinter sich schloß, griff Dorian Gray nach der Glocke, und ein paar Minuten später kam Victor mit den Lampen und ließ die Rouleaus herunter. Er wartete ungeduldig, bis er ging. Ihm war, als ob sich der Mann endlos Zeit zu allem ließe.

Sobald er draußen war, stürzte er zu dem Wandschirm und zog ihn zur Seite. Nein; das Bild hatte sich nicht mehr verändert. Es hatte die Nachricht von Sibyl Vanes Tod empfangen, ehe er selbst davon wußte. Es hatte Kenntnis von den Ereignissen des Daseins, wenn sie geschahen. Der gemeine Zug von Grausamkeit, der die feinen Linien des Mundes verzerrte, war ohne Zweifel in dem Augenblick erschienen, als das Mädchen das Gift getrunken hatte, was immer es gewesen sein mochte. Oder war es gleichgültig gegenüber den Tatsachen? Hielt es nur fest, was in der

Seele vorging? Er fragte sich und hoffte darauf, daß eines Tages die Verwandlung vor seinen Augen geschähe – und doch graute ihm davor.

Die arme Sibyl! Welche Romanze! Sie hatte so oft das Sterben auf der Bühne dargestellt, und nun hatte sie der Tod selbst berührt und mit sich genommen. Wie hatte sie jene furchtbare letzte Szene gespielt? Hatte sie ihm geflucht, als sie starb? Nein; sie war aus Liebe zu ihm gestorben. Und von nun an sollte ihm die Liebe ein Sakrament sein. Sie hatte für alles gebüßt durch das Opfer ihres Lebens. Er wollte nicht mehr daran denken, was er um ihretwillen durchgemacht hatte an jenem schrecklichen Abend im Theater. Wenn er an sie dachte, würde sie ihm als eine wunderbare tragische Gestalt erscheinen, welche die Liebe als höchste Wirklichkeit verkörpert hatte. Eine wunderbar tragische Gestalt? Tränen kamen ihm in die Augen, als er sich an ihren Kinderblick erinnerte, an ihre gewinnende, phantasievolle Art und die scheue, vibrierende Anmut. Er wischte hastig die Tränen weg und schaute wieder auf das Bild.

Er fühlte, daß die Zeit gekommen war, seine Wahl zu treffen. Oder war seine Wahl schon getroffen? Ja, das Leben hatte für ihn entschieden – das Leben und seine eigene Neugier auf das Leben. Ewige Jugend, unendliche Leidenschaft, heimliche und subtile Genüsse, wilde Freuden und wildere Sünden – all das sollte er haben. Das Bildnis mußte die Last seiner Schande tragen: so war es entschieden.

Ein Gefühl des Schmerzes überkam ihn, als er an die Entweihung dachte, die das schöne Antlitz auf der Leinwand erwartete. Einmal hatte er in kindlicher Nachahmung des Narzissus die gemalten Lippen, die ihn jetzt so grausam anlächelten, geküßt oder doch so getan, als ob er sie küsse. Jeden Morgen hatte er in Verwunderung über seine Schönheit vor dem Bild gesessen und sich beinah in sie verliebt, wie ihm bisweilen schien. Sollte es sich nun mit jeder Laune, der er nachgab, verändern? Sollte es zu etwas Häßlichem, Ekelhaftem werden, das man in einem verschlossenen Raum verstecken mußte, ausgeschlossen vom Licht der Sonne, die so oft das wogende Wunder des Haares in glänzenderes Gold getaucht hatte? Oh, dieser Jammer! Dieser Jammer!

Einen Augenblick dachte er daran zu beten, damit die grauenhafte Beziehung zwischen ihm und dem Bild aufhören möge. Es hatte sich als Antwort auf ein Gebet verwandelt; vielleicht würde es als Antwort auf ein Gebet unverändert bleiben. Und dennoch – wer etwas vom Leben wußte, würde er die Möglichkeit, immer jung zu bleiben, aufgeben, so phantastisch diese Möglichkeit schien, so verhängnisvoll die Folgen auch sein mochten? Überdies, stand es wirklich in seiner Macht? War es wirklich das Gebet, das die Wandlung hervorgerufen hatte? Gab es nicht doch noch eine ausgefallene wissenschaftliche Erklärung für das Ganze? Wenn der Gedanke auf einen lebenden Organismus einwirken konnte, konnte er dann nicht vielleicht auch auf tote, anorganische Dinge wirken? Ja, mehr noch, konnten nicht ohne Gedanken oder bewußte Wünsche die außerhalb unserer Person liegenden Dinge im Einklang mit unseren Launen und Leidenschaften vibrieren, indem ein Atom das andere in heimlicher Liebe oder in seltsamer Affinität anzog? Die Ursache spielte dabei keine Rolle. Nie mehr wollte er durch Gebet eine furchtbare Macht versuchen. Wenn dem Bild bestimmt war, sich zu ändern, so mochte es sich ändern. Warum sich zu eng darauf einlassen? Denn es würde sogar ein Genuß sein, es zu beobachten. Er würde imstande sein, seinem Geist in die geheimsten Schlupfwinkel zu folgen. Dieses Bildnis würde ein magischer Spiegel für ihn sein. Wie es ihm seinen Körper offenbart hatte, würde es ihm nun seine Seele offenbaren. Und wenn der Winter über das Bild kam, würde er noch stehen, wo der Frühling am Rande des Sommers zittert. Wenn das Blut aus seinen Wangen wich und eine kreidige Larve mit glasigen Augen zurückließ – würde er den Glanz der Jugend um sich bewahren. Nicht eine Blüte seiner Schönheit sollte welken. Nicht ein Pulsschlag seines Lebens schwächer werden. Wie die Götter der Griechen würde er stark sein, geschmeidig und froh. Was ging es ihn an, was dem gemalten Abbild auf der Leinwand widerfuhr? Er würde sicher sein. Darauf kam es an.

Er zog den Wandschirm wieder vor das Bild und lächelte dabei, und dann ging er in sein Schlafzimmer, wo der Diener schon auf ihn wartete. Eine Stunde später war er in der Oper, und Lord Henry lehnte sich über seinen Stuhl.

7

Als er am nächsten Morgen beim Frühstück saß, trat Basil Hallward ein. »Ich bin so froh, daß ich dich antreffe, Dorian«, sagte er ernst. »Ich war gestern abend hier, und man sagte mir, du seist in der Oper. Ich wußte natürlich, daß das unmöglich ist. Aber ich wünschte, du hättest hinterlassen, wo du wirklich hingegangen bist. Ich habe einen schrecklichen Abend verbracht und fürchtete beinahe, eine Tragödie würde der andern folgen. Ich finde, du hättest mir telegrafieren können, als du davon hörtest. Ich hab es ganz zufällig in einer Abendausgabe des *Globe* gelesen, die mir im Klub in die Hände fiel. Ich kam sofort hierher und war ganz unglücklich, daß ich dich nicht fand. Ich kann dir gar nicht sagen, wie mir die ganze Sache zu Herzen geht. Ich kann dir nachfühlen, wie du leidest. Aber wo warst du? Hast du die Mutter des Mädchens besucht? Einen Augenblick hab ich daran gedacht, dir dorthin nachzufahren. Die Adresse stand in der Zeitung. Irgendwo in der Euston Road, nicht wahr? Aber ich wollte mich bei einem Schmerz nicht aufdrängen, den ich doch nicht lindern konnte. Die arme Frau! In was für einer Verfassung muß sie sein! Und noch dazu ihr einziges Kind! Was hat sie zu all dem gesagt?«

»Mein lieber Basil, wie soll ich das wissen?« sagte Dorian leise und schlürfte einen blaßgelben Wein aus einem zarten, venezianischen Glas mit eingeschmolzenen Goldtropfen; er sah höchst gelangweilt aus. »Ich war in der Oper. Du hättest auch hinkommen sollen. Ich habe Lady Gwendolyn, Harrys Schwester, kennengelernt. Wir waren in ihrer Loge. Sie ist unerhört charmant; und die Patti sang göttlich. Sprich nicht von unangenehmen Dingen. Etwas, worüber man nicht spricht, ist gar nicht geschehen. Es ist einfach der Ausdruck, wie Harry sagt, der den Dingen die Realität gibt. Erzähl mir von dir und was du gerade malst.«

»Du bist in die Oper gegangen?« sagte Hallward sehr langsam und mit verhaltenem Schmerz in der Stimme. »Du bist in die Oper gegangen, während Sibyl Vane tot in irgendeiner schäbigen Mietwohnung lag? Du kannst mir von andern charmanten Frauen erzählen und daß die Patti göttlich gesungen hat, ehe das Mädchen, das du geliebt hast, auch nur die Ruhe des Grabes zum Schlafen hat? Bedenke doch, welchen Schrecken ihr kleiner weißer Körper ausgeliefert ist!«

»Hör auf, Basil! Ich will das nicht hören!« rief Dorian und sprang auf. »Du darfst nicht davon reden. Was geschehen ist, ist geschehen. Was vergangen ist, ist vergangen.«

»Nennst du gestern Vergangenheit?«

»Was hat die tatsächlich verstrichene Zeit damit zu tun? Nur oberflächliche Menschen brauchen Jahre, um sich von einem Gefühl zu befreien. Jemand, der Herr über sich selbst ist, kann ein Leid so schnell überwinden, wie er ein Vergnügen erfinden kann. Ich will mich nicht der Willkür meiner Gefühle preisgeben. Ich will sie benutzen, sie genießen und sie beherrschen.«

»Dorian, das ist entsetzlich! Irgend etwas hat dich vollkommen verändert. Du siehst noch genauso aus wie der wunderschöne Junge, der jeden Tag in mein Atelier kam, um für sein Bild zu sitzen. Aber damals warst du einfach, natürlich und liebevoll. Du warst das unverdorbenste Geschöpf von der Welt. Ich weiß nicht, was jetzt über dich gekommen ist. Du sprichst, als hättest du kein Herz, kein Mitgefühl. Das ist alles Harrys Einfluß. Ich weiß es wohl.«

Der junge Mann errötete, trat ans Fenster und sah eine Weile in den grünen, flimmernden Garten hinaus. »Ich verdanke Harry sehr viel, Basil«, sagte er schließlich, »mehr, als ich dir verdanke. Du hast mich nur die Eitelkeit gelehrt.«

»Nun, ich bin gestraft dafür, Dorian –, oder werde eines Tages gestraft.«

»Ich weiß nicht, was du meinst, Basil«, rief er aus und drehte sich um. »Ich weiß nicht, was du willst. Was willst du?«

»Ich will den Dorian Gray, den ich gekannt habe.«

»Basil«, sagte der junge Mann, ging auf ihn zu und legte ihm die Hand auf die Schulter, »du bist zu spät dran. Gestern, als ich hörte, daß Sibyl Vane sich getötet hat . . .«

»Sich getötet! Großer Gott! Ist das sicher?« rief Hallward und sah mit einem Ausdruck des Entsetzens zu ihm auf.«

»Mein lieber Basil! Du glaubst doch nicht, daß es ein gewöhnlicher Unfall war? Natürlich hat sie sich getötet! Es ist eine der großen, romantischen Tragödien unserer Zeit. In der Regel führen Schauspieler das alltäglichste Leben. Sie sind gute Ehemänner oder treue Frauen oder sonst etwas Langweiliges. Du weißt, was ich meine – Mittelstandstugend und alles was dazugehört. Wie anders war Sibyl! Sie durchlebte ihre unvergleichliche Tragödie. Sie ist immer eine Heldin gewesen. An ihrem letzten Abend, als du sie gesehen hast, spielte sie schlecht, weil sie die Wirklichkeit der Liebe kennengelernt hatte. Als sie ihre Unwirklichkeit erlitt, starb sie, wie Julia gestorben wäre. Sie war wieder in das Reich der Kunst zurückgekehrt. Sie hat etwas von einer Märtyrerin. Ihr Tod hat all die pathetische Vergeblichkeit des Martyriums, all seine verschwendete Schönheit. Aber wie ich schon sagte, du darfst nicht denken, daß ich nicht gelitten habe. Wenn du gestern in einem bestimmten Augenblick gekommen wärst – um halb sechs vielleicht oder um Viertel vor sechs –, so hättest du mich in Tränen gefunden. Selbst Harry, der hier war, der mir die Nachricht brachte, hatte keine Ahnung davon, was ich wirklich durchgemacht habe. Ich litt unsäglich, dann ging es vorüber. Ich kann ein Gefühl nicht wiederholen. Das kann niemand, nur die Sentimentalen. Und du bist furchtbar ungerecht, Basil. Du kommst, um mich zu trösten. Das ist lieb von dir. Du findest mich getröstet, und das macht dich wütend. Wie typisch für einen mitfühlenden Menschen! Du erinnerst mich an eine Geschichte, die mir Harry von einem Philanthropen erzählt hat, der zwanzig Jahre seines Lebens damit verbrachte, irgendein Unrecht abzuschaffen oder die Abänderung eines ungerechten Gesetzes zu erreichen –, ich hab vergessen, worum es sich handelte. Schließlich hatte er Erfolg damit, und nichts war größer als seine Enttäuschung. Er hatte überhaupt nichts mehr zu tun, starb fast vor *ennui* und wurde ein unverbesserlicher Misanthrop. Und außerdem, mein lieber alter Basil, wenn du mich wirklich trösten willst, so lehre mich lieber, das Geschehnis zu vergessen oder es vom rein Künstlerischen her zu betrachten. War es nicht Gautier, der über *la consolation des arts* geschrieben hat? Ich erinnere mich, daß ich einmal einen kleinen Pergamentband in deinem Atelier fand und auf diesen wundervollen Satz stieß. Weißt du, ich bin nicht wie jener junge Mann, von dem du mir erzähltest, als wir zusammen nach Marlow fuhren, der zu sagen pflegte, gelber Atlas könne einen über alles Elend des Lebens hinwegtrösten. Ich liebe schöne Dinge, die man berührt und mit denen man umgehen kann. Alten

Brokat, grüne Bronzen, Lackarbeiten, geschnitztes Elfenbein, eine schöne Umgebung, Luxus, Prunk –, das kann einem viel geben. Aber das künstlerische Temperament, das sie schaffen oder zumindest entwickeln, ist mir noch wichtiger. Der Zuschauer seines eigenen Lebens werden, sagt Harry, das heißt dem Leiden des Lebens entgehen. Ich weiß, du wunderst dich, daß ich so mit dir rede. Du hast noch nicht begriffen, daß ich erwachsener geworden bin. Ich war ein Schuljunge, als du mich kennenlerntest. Jetzt bin ich ein Mann. Ich habe neue Leidenschaften, neue Gedanken, neue Begriffe. Ich bin anders, aber du darfst mich deswegen nicht weniger mögen. Ich bin verwandelt, aber du mußt immer mein Freund bleiben. Natürlich habe ich Harry sehr gern. Aber ich weiß, du bist besser als er. Du bist nicht stärker – du fürchtest dich zu sehr vor dem Leben –, aber du bist besser. Und wie glücklich wir zusammen waren. Verlaß mich nicht, Basil, und zerstreite dich nicht mit mir. Ich bin, was ich bin. Das läßt sich nicht ändern.«

Hallward fühlte sich seltsam bewegt. Mochte er schroff und geradeheraus sein, in seiner Natur lag doch eine nahezu feminine Zärtlichkeit. Der Junge war ihm unendlich teuer, und seine Persönlichkeit war der große Wendepunkt in seiner Kunst geworden. Er konnte den Gedanken nicht ertragen, ihm länger Vorwürfe zu machen. Vielleicht war seine Gleichgültigkeit nur eine vorübergehende Laune. Es war so viel Gutes in ihm und so viel Nobles.

»Gut, Dorian«, sagte er endlich mit einem traurigen Lächeln. »Von nun an will ich nicht mehr mit dir über dieses schreckliche Ereignis sprechen. Ich hoffe nur, daß dein Name im Zusammenhang damit nicht genannt wird. Die Untersuchung findet heute nachmittag statt. Haben sie dich vorgeladen?«

Dorian schüttelte den Kopf, und ein Ausdruck des Verdrusses ging über sein Gesicht, als er das Wort »Untersuchung« hörte. All diesen Dingen haftete etwas so Rohes und Gemeines an. »Sie kennen meinen Namen nicht«, erwiderte er.

»Aber sie hat ihn doch gekannt?«

»Nur meinen Vornamen, aber ich bin sicher, daß sie ihn vor niemandem erwähnt hat. Sie sagte mir einmal, daß sie alle so neugierig wären zu erfahren, wer ich sei, und daß sie ihnen immer nur antwortete, ich hieße der Märchenprinz. Es war süß von ihr. Du mußt eine Zeichnung von ihr machen, Basil. Ich möchte etwas mehr von ihr haben als nur die Erinnerung an ein paar Küsse und abgerissene, leidenschaftliche Worte.«

»Ich will es versuchen, Dorian, wenn ich dir damit eine Freude mache. Aber du mußt zu mir kommen und mir wieder sitzen. Ohne dich komme ich nicht voran.«

»Ich kann dir nie wieder sitzen, Basil. Das ist unmöglich!« rief Dorian erschrocken.

Hallward starrte ihn an. »Mein lieber Junge, was für ein Unsinn! Willst du sagen, daß dir mein Bild nicht gefällt? Wo ist es? Warum hast du den Wandschirm vorgeschoben? Laß es mich anschaun. Es ist das beste Bild, das ich je gemalt hab. Nimm den Wandschirm weg, Dorian. Es ist einfach abscheulich von deinem Diener, daß er mein Werk so versteckt. Schon als ich hereinkam, fühlte ich, daß das Zimmer verändert war.«

»Mein Diener hat nichts damit zu tun, Basil. Du glaubst doch nicht, daß ich ihn in meinem Zimmer Veränderungen vornehmen lasse? Er arrangiert mir höchstens einmal die Blumen – das ist alles. Nein; ich hab es selbst getan. Das Licht war zu grell auf dem Bild.«

»Zu grell? Das glaubst du doch selbst nicht, mein lieber Junge. Der Platz ist genau richtig dafür. Laß es mich sehen.« Und Hallward ging auf die Zimmerecke zu.

Ein Angstschrei brach von Dorian Grays Lippen, und er stürzte zwischen Hallward und den Wandschirm. »Basil«, sagte er sehr blaß, »du darfst es nicht anschaun. Ich will es nicht.«

»Meine eigene Arbeit nicht ansehn? Das ist nicht dein Ernst. Warum sollte ich es nicht ansehn?« rief Hallward lachend.

»Wenn du versuchst, es zu sehen, Basil, auf mein Ehrenwort, werde ich nie mehr in meinem Leben mit dir reden. Es ist mir ganz ernst. Ich gebe dir keine Erklärung, und du darfst auch keine verlangen. Aber denk daran, wenn du diesen Wandschirm berührst, ist alles aus zwischen uns.«

Hallward war wie vom Donner gerührt. Er sah Dorian sprachlos an. So hatte er ihn nie zuvor gesehen. Der Junge war blaß vor Zorn. Seine Hände waren geballt, und seine Augen sprühten wie blaues Feuer. Er zitterte am ganzen Körper.

»Dorian!«

»Sag nichts!«

»Aber was ist geschehen? Natürlich werde ich es nicht anschauen, wenn du es nicht willst«, sagte er kühl, wandte sich um und ging zum Fenster. »Aber wirklich, es ist doch reichlich absurd, daß ich mein eigenes Bild nicht sehen soll, da ich es doch im Herbst in Paris ausstellen werde. Ich werde es wahrscheinlich zuvor neu firnissen müssen, so daß ich es doch eines Tages sehen muß, warum also nicht heute?«

»Ausstellen? Du willst es ausstellen?« rief Dorian Gray, und eine nie gekannte Angst überfiel ihn. Sollte sein Geheimnis vor der Welt preisgegeben werden? Sollten die Leute das Geheimnis seines Lebens begaffen? Das war nicht möglich. Es mußte sofort etwas geschehen, er wußte nur noch nicht, was.

»Ja; ich denke, du wirst nichts dagegen haben. George Petit stellt meine besten Bilder für eine Sonderausstellung in der Rue de Sèze zusammen, die in der ersten Oktoberwoche eröffnet wird. Das Bild wird nur einen Monat fort sein. Ich denke, du könntest es leicht so lange entbehren. Bestimmt wirst du sogar verreist sein. Und wenn du es immer hinter einem Wandschirm versteckst, kann dir nicht sehr viel daran liegen.«

Dorian Gray strich sich mit der Hand über die Stirn. Es standen Schweißperlen darauf. Er fühlte, daß er am Rand einer furchtbaren Gefahr stand. »Vor einem Monat hast du mir gesagt, daß du es niemals ausstellen willst«, sagte er. »Warum hast du dich anders entschieden? Menschen wie du, die immer behaupten, konsequent zu sein, haben ebenso viele Launen wie die andern. Der einzige Unterschied ist, daß eure Launen ziemlich sinnlos sind. Du kannst nicht vergessen haben, daß du mir feierlich versichert hast, nichts auf der Welt könnte dich bewegen, das Bild auf eine Ausstellung zu schicken. Zu Harry hast du das gleiche gesagt.« Er hielt plötzlich inne, und ein Gedanke blitzte in seinen Augen auf. Er erinnerte sich, wie ihm Lord Henry einmal halb ernsthaft und halb im Scherz gesagt hatte: »Wenn du dir einmal eine interessante Viertelstunde verschaffen willst, laß dir von Basil erzählen, warum er dein Bild nicht ausstellen will. Mir hat er es gesagt, und es war für mich eine Offenbarung.« Ja, wahrscheinlich hatte auch Basil sein Geheimnis. Er würde ihn fragen und ihn auf die Probe stellen.

»Basil«, sagte er, trat ganz nahe an ihn heran und sah ihm dabei gerade ins Gesicht, »jeder von uns hat ein Geheimnis. Laß mich deins wissen, und dann will ich dir meins erzählen. Warum hattest du dich geweigert, mein Bild auszustellen?«

Hallward zuckte wider seinen Willen zusammen. »Dorian, wenn ich dir das sage, würdest du mich vielleicht weniger gern haben und bestimmt würdest du über mich lachen. Ich könnte weder das eine noch das andere ertragen. Wenn du wünschst, daß ich dein Bild nie wieder ansehe, will ich mich damit abfinden. Ich kann immer dich betrachten. Wenn du verlangst, daß mein bestes Werk vor der Welt verborgen bleibt, ich bin es zufrieden. Deine Freundschaft ist mir teurer als Ruhm und Ehren.«

»Nein, Basil, du mußt es mir sagen«, entgegnete Dorian Gray leise, »ich denke, ich habe ein Recht, es zu wissen.« Seine Angst war verschwunden und hatte der Neugier Platz gemacht. Er war entschlossen, hinter Basil Hallwards Geheimnis zu kommen.

»Setzen wir uns, Dorian«, sagte Hallward blaß und gequält. »Setzen wir uns. Ich werde mich in den Schatten setzen, und du setzt dich in die Sonne. So kommt es uns zu. Beantworte mir zuerst eine Frage. Ist dir etwas an dem Bild aufgefallen, das dir nicht gefällt? Etwas, das du wahrscheinlich nicht gleich bemerkt hast, aber das sich dir plötzlich offenbart hat?«

»Basil«, rief der junge Mann, umklammerte die Armlehnen seines Stuhls mit zitternden Händen und sah ihn mit aufgerissenen, verstörten Augen an.

»Ich sehe, du hast es bemerkt. Sage nichts. Warte, bis du hörst, was ich zu sagen habe. Es ist wahr, daß ich dich leidenschaftlicher verehrt habe, als dies unter Freunden üblich ist. Ich weiß nicht, warum, aber ich habe nie eine Frau geliebt. Vielleicht, weil ich nie Zeit dazu hatte. Wahrscheinlich hat Harry recht, daß eine *grande passion* das Vorrecht jener ist, die nichts zu tun haben, und das ist der Brauch in der müßigen Gesellschaft eines Landes. Von dem Augenblick an, als ich dich traf, hat deine Persönlichkeit einen ganz außerordentlichen Einfluß auf mich gehabt. Ich gebe zu, daß ich dich wahnsinnig, maßlos, wie von Sinnen angebetet habe. Ich war eifersüchtig auf jeden, mit dem du sprachst. Ich wollte dich ganz für mich allein haben. Ich war nur glücklich, wenn ich mit dir zusammen war. Wenn ich von dir getrennt war, bliebst du gegenwärtig in meiner Kunst. Es war alles falsch und töricht und ist es noch immer. Natürlich hab ich dich niemals etwas davon wissen lassen. Das wäre unmöglich gewesen. Du hättest es nicht verstanden; ich selbst habe es nicht verstanden. Eines Tages beschloß ich, ein herrliches Bild von dir zu malen. Es sollte mein Meisterwerk werden. Es ist mein Meisterwerk. Und während ich daran arbeitete, schien mir jeder Tupfer und jede Farbschicht mein Geheimnis zu verraten. Ich fürchtete, daß die Welt meine abgöttische Anbetung entdecken könnte. Ich fühlte, Dorian, daß ich zu viel preisgegeben hatte. Damals faßte ich den Entschluß, das Bild niemals auszustellen. Du warst etwas enttäuscht; aber du wußtest ja nicht, was es für mich bedeutete. Harry, dem ich davon erzählte, lachte mich aus. Aber ich nahm es ihm nicht übel. Als das Bild fertig war, und ich allein vor ihm saß, fühlte ich, daß ich recht hatte. Nach ein paar Tagen wurde das Bild aus meinem Atelier abgeholt, und sobald ich von der unerträglichen Bezauberung seiner Gegenwart befreit war, schien es mir töricht, daß ich mehr darin gesehen hatte, als daß du sehr schön bist und daß ich malen kann. Noch jetzt halte ich es für einen Fehler, zu glauben, daß die Leidenschaft, die man während des Schaffens empfindet, jemals in dem geschaffenen Werk zum Ausdruck kommt. Die Kunst ist abstrakter, als wir meinen. Form und Farbe sagen uns nur etwas über Form und Farbe – das ist alles. Mir scheint oft, daß die Kunst den Künstler weit mehr verbirgt, als sie ihn enthüllt. Und als ich dann das Angebot aus Paris erhielt, beschloß ich, dein Bild zum Mittelpunkt der Ausstellung zu machen. Es kam mir nie in den Sinn, du könntest es verweigern. Ich sehe nun, daß du recht hattest. Das Bild darf nicht ausgestellt werden. Sei mir nicht böse, Dorian, weil ich dir das gestanden habe. Wie ich einmal zu Harry sagte, du bist zur Anbetung geschaffen.«

Dorian Gray holte tief Atem. Die Farbe kehrte in seine Wangen zurück, und ein Lächeln spielte um seine Lippen. Die Gefahr war vorüber. Für den Augenblick war er sicher. Doch fühlte er ein unendliches Mitleid mit dem jungen Mann, der ihm eben die sonderbare Beichte abgelegt hatte. Er fragte sich, ob er selbst jemals von der Persönlichkeit eines Freundes so beherrscht werden könnte. Lord Henry besaß den Reiz, sehr gefährlich zu sein. Aber mehr nicht. Er war zu klug und zu zynisch, um wirklich liebenswert zu sein. Würde es je einen Menschen geben, den er abgöttisch verehrte? War es etwas, das das Leben für ihn bereithielt?

»Es ist merkwürdig, Dorian«, sagte Hallward, »daß du das in dem Bild gesehen hast. Hast du es wirklich gesehen?«

»Natürlich.«

»Dann erlaubst du mir doch, es jetzt anzusehen?«

Dorian schüttelte den Kopf. »Verlang es nicht von mir, Basil. Ich kann dich unmöglich vor das Bild treten lassen.«

»Aber später einmal?«

»Niemals!«

»Gut, vielleicht hast du recht. Und nun adieu, Dorian. Du bist der einzige Mensch in meinem Leben, den ich wirklich geliebt habe. Ich glaube nicht, daß ich dich oft wiedersehen werde. Du kannst dir nicht vorstellen, was es mich gekostet hat, dir all das zu sagen.«

»Mein lieber Basil«, rief Dorian, »was hast du mir gesagt? Doch nichts anderes, als daß du mich zu gern gehabt hast? Das ist nicht einmal ein Kompliment.«

»Es war nicht als Kompliment beabsichtigt, es war eine Beichte.«

»Eine sehr enttäuschende.«

»Was hast du denn erwartet, Dorian? Du hast doch sonst nichts an dem Bild bemerkt, oder? War denn sonst noch etwas daran?«

»Nein, sonst nichts. Warum fragst du? Aber du darfst nicht davon sprechen, daß du mich nicht wiedersehen wirst, oder etwas dergleichen. Du und ich, wir sind Freunde, Basil, und müssen es auch bleiben.«

»Du hast ja Harry«, sagte Hallward traurig.

»Ach, Harry!« rief der Junge mit einem leisen Auflachen. »Harry verbringt den ganzen Tag damit, unglaubliche Dinge zu sagen, und den Abend, unwahrscheinliche Dinge zu tun. Das ist genau das Leben, das ich führen möchte. Aber ich weiß nicht, ob ich zu Harry gehen würde, wenn ich in Schwierigkeiten bin. Ich käme lieber zu dir, Basil.«

»Aber du willst mir nicht mehr sitzen?«

»Unmöglich!«

»Du zerstörst mein Leben als Künstler, Dorian, durch diese Weigerung. Kein Mensch begegnet zweimal einem Ideal. Wenige treffen eins.«

»Ich kann es dir nicht erklären, Basil, aber ich darf nie wieder sitzen. Ich werde zum Tee zu dir kommen. Das wird genauso hübsch sein.«

»Hübscher für dich, fürchte ich«, murmelte Hallward bekümmert. »Und nun adieu. Wie schade, daß du mich das Bild nicht noch einmal sehen läßt. Aber daran läßt sich nichts ändern. Ich verstehe ganz gut, was du dabei fühlst.«

Als er das Zimmer verlassen hatte, lächelte Dorian Gray vor sich hin. Der arme Basil! Wie wenig er über den wahren Grund wußte. Und wie seltsam war es, daß er sein eigenes Geheimnis nicht hatte preisgeben müssen, sondern fast zufällig seinem Freund ein Geheimnis entlockt hatte! Wieviel ihm klar wurde durch diese seltsame Beichte! Basils komische Eifersuchtsanfälle, seine ungestüme Hingabe, seine übertriebenen Lobreden –, jetzt verstand er alles, und es tat ihm leid. Er sah etwas Tragisches in einer Freundschaft, die so von Romantik gefärbt war. Seufzend griff er nach der Glocke. Das Bild mußte um jeden Preis versteckt werden. Er konnte sich der Gefahr einer Entdeckung nicht noch einmal aussetzen. Es war wahnsinnig von ihm, daß er das Ding auch nur eine Stunde lang in einem Zimmer gelassen hatte, in das alle seine Freunde Zutritt hatten.

8

Als sein Diener eintrat, sah er ihn fest an und überlegte, ob er versucht hatte, hinter den Wandschirm zu schauen. Der Mann blickte gleichgültig und wartete auf seine Befehle. Dorian zündete sich eine Zigarette an, ging zum Spiegel hinüber und sah hinein. Er konnte Victors Gesicht genau beobachten. Es war eine ausdruckslose Maske der Servilität. Da war nichts zu befürchten. Doch hielt er es für das beste, auf der Hut zu bleiben.

Sehr gelassen trug er ihm auf, er solle der Haushälterin sagen, daß er sie zu sprechen wünsche, und dann solle er zum Rahmentischler gehen, damit er sogleich zwei Gehilfen herüberschicke. Als der Mann das Zimmer verließ, schien es ihm, als ob er in die Richtung des Wandschirms spähte. Oder war es nur Einbildung?

Nach ein paar Minuten kam Mrs. Leaf, eine liebenswürdige alte Dame in einem schwarzen Seidenkleid, am Hals eine große Goldbrosche mit der Fotografie des verstorbenen Mr. Leaf, und altmodischen Zwirnhandschuhen an den runzligen Händen, ins Zimmer getrippelt.

»Nun, Master Dorian«, sagte sie, »was darf ich für Sie tun? Ich bitte um Entschuldigung, gnädiger Herr« – hier folgte ein Knicks –, »ich dürfte Sie nicht mehr Master nennen. Aber, Gott segne Sie, gnädiger Herr, ich hab Sie schon als ganz kleinen Jungen gekannt, und Sie haben der alten Leaf gar manchen Streich gespielt. Nicht, daß Sie nicht immer ein braves Kind gewesen wären, gnädiger Herr; aber Jungen sind Jungen, und Marmelade ist eine Versuchung, wenn man jung ist, nicht wahr, gnädiger Herr?«

Er lachte. »Sie müssen mich immer Master Dorian nennen, Leaf. Ich bin Ihnen sehr böse, wenn Sie's nicht tun. Und ich versichere Ihnen, daß ich Marmelade noch genauso gerne mag wie früher. Nur bekomme ich nie welche angeboten, wenn ich zum Tee geladen bin. Ich möchte, daß Sie mir den Schlüssel zum Mansardenzimmer geben.«

»Das alte Schulzimmer, Master Dorian? Oh, das ist voller Staub. Ich muß es erst saubermachen und in Ordnung bringen lassen. So können Sie's nicht sehn, Master Dorian. Wirklich nicht.«

»Ich will es nicht aufgeräumt haben, Leaf. Ich will nur den Schlüssel.«

»Aber Master Dorian, Sie werden sich mit Spinnweben beschmutzen, wenn Sie hineingehen. Es ist seit fast fünf Jahren nicht mehr geöffnet worden – seit Seine Lordschaft starb.«

Bei der Erwähnung seines verstorbenen Onkels fuhr er zusammen. Er hatte ihn in hassenswerter Erinnerung. »Das schadet nichts, Leaf«, entgegnete er. »Ich will nur den Schlüssel.«

»Hier ist der Schlüssel, Master Dorian«, sagte die alte Frau, indem sie mit zittrigen Fingern den Schlüsselbund durchschaute.

»Hier ist der Schlüssel. Ich werde ihn sofort vom Ring losmachen. Aber Sie wollen doch nicht dort oben wohnen, Master Dorian, wo Sie es hier so schön bequem haben?«

»Nein, Leaf, das will ich nicht. Ich möchte den Raum nur ansehen und vielleicht etwas dort abstellen – sonst nichts. Danke, Leaf. Ich hoffe, Ihr Rheumatismus ist besser. Und denken Sie daran, mir Marmelade zum Frühstück heraufzuschicken.«

Mrs. Leaf schüttelte den Kopf. »Diese Fremden verstehen nichts von Marmelade, Master Dorian. Sie nennen es ›Kompott‹. Aber ich bring Ihnen selbst einmal in der Frühe welche, wenn Sie erlauben.«

»Das ist sehr liebenswürdig von Ihnen, Leaf«, antwortete er mit einem Blick auf den Schlüssel; und mit einem schwerfälligen Knicks verließ die alte Frau freudestrahlend das Zimmer. Sie hatte eine unüberwindliche Abneigung gegen den französischen Diener. Nach ihrer Meinung war jeder arm dran, der im Ausland geboren war.

Als sich die Tür geschlossen hatte, steckte Dorian den Schlüssel in die Tasche und sah sich im Zimmer um. Sein Blick fiel auf eine große purpurrote Atlasdecke mit schwerer Goldstickerei, ein kostbares Stück venezianischer Arbeit aus dem späten siebzehnten Jahrhundert, das sein Onkel in einem Kloster bei Bologna entdeckt hatte. Ja, diese Decke eignete sich, das schreckliche Ding zu verhüllen. Sie hatte vielleicht oft als Bahrtuch für die Toten gedient. Nun sollte sie etwas zudecken, das einer Verwesung eigener Art anheimgegeben wurde, schlimmer als die Verwesung durch den Tod – etwas, das Schrecken gebar und doch nicht sterben würde. Was die Made dem Leichnam antut, das würden die Sünden dem gemalten Abbild auf der Leinwand zufügen. Sie würden seine Schönheit zerstören und seine Anmut aufzehren. Sie würden es besudeln und schänden. Und doch würde es weiterleben. Es würde immer lebendig bleiben.

Ihn schauderte, und einen Augenblick lang bereute er, daß er Basil den wahren Grund nicht genannt hatte, weshalb er das Bild zu verbergen wünschte. Basil hätte ihm geholfen, Lord Henrys Einfluß zu widerstehen und den noch giftigeren Einflüssen seiner eigenen Natur. Die Liebe, die er ihm entgegenbrachte – und es war wirklich Liebe –, enthielt etwas Edles und

Geistiges. Es war nicht nur jene physische Bewunderung der Schönheit, die aus den Sinnen geboren ist und stirbt, wenn die Sinne ermüden. Es war eine Liebe, wie Michelangelo sie gekannt hatte und Montaigne und Winckelmann und Shakespeare. Ja, Basil hätte ihn retten können. Aber jetzt war es zu spät. Die Vergangenheit konnte man immer aufheben. Reue, Ableugnung oder Vergeßlichkeit vermochten es. Aber die Zukunft war unvermeidlich. Es waren Leidenschaften in ihm, die ihren furchtbaren Ausweg finden, Träume, die den Schatten ihres Unheils wirklich machen würden.

Er nahm den schweren Purpurgoldstoff vom Ruhebett und trat damit hinter den Wandschirm. War das Gesicht auf der Leinwand gemeiner als zuvor? Es schien ihm unverändert; und doch war sein Abscheu dagegen heftiger geworden. Das goldene Haar, die blauen Augen, das Rosenrot der Lippen – nichts fehlte. Nur der Ausdruck war verändert. Er war furchtbar in seiner Grausamkeit. Verglichen damit, was an Vorwurf oder Tadel darin sichtbar wurde, wie milde waren Basils Vorwürfe wegen Sibyl Vane! – wie milde und unwesentlich! Seine eigene Seele sah ihn von der Leinwand an und rief ihn zum Gericht. Ein schmerzlicher Blick kam in seine Augen, und er warf das prächtige Bahrtuch über das Bild. In diesem Augenblick klopfte es. Er trat hervor, als sein Diener die Tür öffnete.

»Die Leute sind da, Monsieur.«

Er fühlte, daß er den Mann sogleich wegschicken mußte. Er durfte nicht wissen, wohin das Bild geschafft wurde. Er hatte etwas Lauerndes und aufmerksame, verräterische Augen. Er setzte sich an den Schreibtisch und schrieb hastig ein Billett an Lord Henry; er bat, ihm etwas zu lesen zu schicken und erinnerte ihn daran, daß sie sich am Abend um Viertel nach acht treffen wollten.

»Warten Sie auf die Antwort«, sagte er, als er ihm das Billett gab, »und schicken Sie die Leute herein.«

Zwei oder drei Minuten später klopfte es von neuem, und der berühmte Rahmentischler Mr. Ashton aus der South Audley Street trat mit einem ziemlich grobknochigen, jungen Gehilfen ein. Mr. Ashton war ein kleiner Mann von blühender Gesichtsfarbe und mit einem roten Backenbart, dessen Bewunderung für die Kunst beträchtlich gedämpft worden war durch die chronische Zahlungsunfähigkeit der Künstler, mit denen er zu tun hatte. In der Regel verließ er niemals sein Geschäft. Er wartete, daß die Leute zu ihm kamen. Aber für Dorian Gray machte er immer eine Ausnahme. Dorian hatte etwas, das jedermann bezauberte. Ihn nur zu sehen war ein Genuß.

»Womit kann ich Ihnen dienen, Mr. Gray?« fragte er und rieb seine dicken, sommersprossigen Hände. »Ich dachte, ich will mir die Ehre geben, selbst herüberzukommen. Ich habe gerade ein Prachtstück von einem Rahmen da. Auf einer Auktion erstanden. Altflorentinisch. Kommt aus Fonthill, glaube ich. Wunderbar geeignet für ein religiöses Bild, Mr. Gray.«

»Es tut mir leid, daß Sie sich selbst herbemüht haben, Mr. Ashton. Ich werde bestimmt vorbeikommen und mir den Rahmen ansehen – obwohl ich mich nicht sehr für religiöse Kunst interessiere –, für heute hätte ich nur gerne ein Bild nach oben in die Mansarde getragen. Es ist ziemlich schwer, und ich dachte, ein paar von Ihren Leuten könnten mir zur Hand gehen.«

»Nicht der Mühe wert, Mr. Gray. Ich bin entzückt, Ihnen zu Diensten zu stehen. Wo ist das Kunstwerk, gnädiger Herr?«

»Hier«, erwiderte Dorian und schob den Wandschirm beiseite. »Können Sie's hinaufbringen, mit der Decke, so wie es ist? Ich möchte nicht, daß es unterwegs verkratzt wird.«

»Das wird schon gehn, gnädiger Herr«, sagte der Rahmentischler gutgelaunt und hakte mit Hilfe seines Gesellen die langen Messingketten aus, an denen das Bild befestigt war. »So, und wohin sollen wir's jetzt tragen, Mr. Gray?«

»Ich werde Ihnen den Weg zeigen, Mr. Ashton, wenn Sie mir bitte folgen wollen. Oder vielleicht gehen Sie besser voraus. Es tut mir leid, aber es ist ganz oben im Haus. Wir wollen die Haupttreppe nehmen, sie ist breiter.« Er hielt ihnen die Tür auf, sie traten in die Halle hinaus und begannen die Treppe hinaufzusteigen. Durch den kostbaren Rahmen war das Bild sehr sperrig geworden, und hie und da legte Dorian mit Hand an trotz der ehrerbietigen Proteste von Mr. Ashton, der die echte Abneigung eines Handwerkers zeigte, wenn er einen Gentleman etwas Nützliches tun sah.

»Ein ziemlicher Brocken, gnädiger Herr«, japste der kleine

Mann, als sie den letzten Treppenabsatz erreichten. Und er trocknete sich die glänzende Stirn.

»Eine furchtbare Last«, sagte Dorian leise, als er die Tür zu dem Zimmer aufschloß, wo das Geheimnis seines Lebens streng bewahrt und seine Seele vor den Augen der Menschen verborgen werden sollte.

Er hatte das Zimmer seit mehr als vier Jahren nicht mehr betreten – seit er als Kind darin gespielt und es später, als er größer wurde, als Studierzimmer benutzt hatte. Es war ein großer Raum von harmonischen Maßen, den der verstorbene Lord Sherard für seinen Neffen hatte eigens ausbauen lassen; vielleicht weil er kinderlos war und auch aus anderen Gründen hatte er ihn immer gehaßt und gewünscht, ihn von sich fernzuhalten. Er schien Dorian kaum verändert. Da stand der mächtige italienische *cassone* mit der phantastisch bemalten Täfelung und den verblichenen Goldornamenten, in dem er sich als Knabe so oft versteckt hatte. Dort war das Bücherregal aus Seidenholz mit seinen Schulbüchern voller Eselsohren. An der Wand dahinter hing derselbe zerschlissene flämische Gobelin, auf dem ein verblichener König und eine Königin in einem Garten Schach spielen, während eine Schar von Falkenjägern vorbeireitet, die auf ihren Panzerhandschuhen Jagdfalken mit der Kappe über dem Kopf tragen. Wie genau erinnerte er sich an alles! Jeder Augenblick seiner einsamen Kindheit kam ihm zurück, während er sich umsah. Er dachte an die fleckenlose Reinheit seines Kinderlebens, und es erschien ihm furchtbar, daß gerade hier das verhängnisvolle Bild verborgen werden sollte. Wie wenig hatte er in jenen vergangenen Tagen von alledem geahnt, was auf ihn wartete!

Aber im ganzen Haus gab es keinen anderen Ort, der vor spähenden Augen so sicher war. Er hatte den Schlüssel, und niemand außer ihm konnte hier eintreten. Unter dem purpurnen Bahrtuch konnte das gemalte Antlitz tierisch, verquollen und unflätig werden. Was schadete es. Niemand konnte es sehen. Er selbst würde es nicht sehen. Warum sollte er die zügellose Verderbnis seiner Seele beobachten? Er behielt seine Jugend – das war genug. Und dann, konnte sich sein Charakter nicht vorteilhaft wandeln? Es gab keinen Grund, weshalb die Zukunft so schändlich sein sollte. Eine Liebe konnte ihm begegnen, ihn reinigen und ihn vor den Sünden bewahren, die sich schon in Geist und Körper regten – jene seltsamen, unaussprechlichen Sünden, deren Verschwiegenheit sie so erlesen und betörend machte. Vielleicht würde eines Tages der grausame Zug um den scharlachroten sensiblen Mund verschwinden, und er könnte der Welt Basil Hallwards Meisterwerk zeigen.

Nein, das war unmöglich. Das Ding auf der Leinwand alterte von Stunde zu Stunde, von Woche zu Woche. Mochte es der Häßlichkeit der Sünde entgehen, die Häßlichkeit des Alters war ihm sicher. Die Wangen würden hohl werden oder erschlaffen. Gelbe Krähenfüße würden sich um die matten Augen bilden und sie verunstalten. Das Haar würde seinen Glanz verlieren, der Mund würde klaffen oder einfallen, lächerlich oder boshaft wirken, wie die Münder alter Männer sind. Der Hals würde schrumpfen, die Hände kalt und blaugeädert, der Körper verkrümmt werden, wie er es von seinem Onkel in Erinnerung hatte, der in seiner Kindheit so streng zu ihm gewesen war. Das Bild mußte verborgen werden. Es ging nicht anders.

»Bringen Sie es bitte herein, Mr. Ashton«, sagte er düster, während er sich umwandte. »Ich bedaure, daß ich Sie so lange aufgehalten habe. Ich habe an etwas anderes gedacht.«

»War ganz gut, eine Pause zu machen«, erwiderte der Rahmentischler, der immer noch nach Luft schnappte. »Wo sollen wir's hinstellen, gnädiger Herr?«

»Ach, irgendwo; hier, das ist gut so. Ich möchte es nicht aufgehängt haben. Lehnen Sie es einfach gegen die Wand. Ich danke Ihnen.«

»Darf man das Kunstwerk betrachten, gnädiger Herr?«

Dorian erschrak. »Es würde Sie nicht interessieren, Mr. Ashton«, sagte er und sah den Mann durchdringend an. Er wußte, daß er sich auf ihn stürzen und ihn zu Boden schlagen würde, wenn er es wagte, den prunkvollen Behang hochzuheben, der das Geheimnis seines Lebens verbarg. »Ich werde Sie nicht länger aufhalten. Ich danke Ihnen, daß Sie sich selbst herbemüht haben.«

»Keine Ursache, Mr. Gray, keine Ursache. Bin Ihnen stets zu Diensten, gnädiger Herr.« Und Mr. Ashton stieg schweren

Schrittes die Treppe hinunter, gefolgt von seinem Gehilfen, der sich mit einem Ausdruck scheuer Bewunderung in dem groben, unregelmäßigen Gesicht nach Dorian umsah. Er hatte nie einen so schönen Menschen gesehen.

Als der Lärm ihrer Schritte verhallt war, schloß Dorian die Tür und steckte den Schlüssel in die Tasche. Endlich fühlte er sich sicher. Niemand würde je das entsetzliche Ding sehen. Kein Auge außer seinem eigenen würde seiner Schande begegnen.

Als er in die Bibliothek zurückkam, sah er, daß es kurz nach fünf und der Tee bereits heraufgebracht war. Auf einem kleinen Tisch aus dunklem, wohlriechendem Holz, der reich mit Perlmutter eingelegt war, einem Geschenk von Lady Radley, der Frau seines Vormunds, die den letzten Winter in Kairo verbracht hatte, lag ein Billett von Lord Henry und daneben ein in gelbes Papier gebundenes Buch, dessen Deckel abgegriffen und dessen Ecken leicht beschmutzt waren. Eine Nummer der Nachmittagsausgabe der »St. James' Gazette« lag auf dem Teetablett. Victor war also zurückgekehrt. Er hätte wissen mögen, ob er den Männern in der Halle begegnet war, als sie das Haus verließen, und sie über den Zweck ihres Besuchs ausgehorcht hatte. Bestimmt würde er das Bild vermissen – hatte es ohne Zweifel schon vermißt, als er das Teegeschirr aufdeckte. Er hatte den Schirm nicht an seinen Platz zurückgestellt, und an der Wand war der leere Fleck sichtbar. Vielleicht würde er ihn eines Nachts ertappen, während er die Treppen hinaufschlich und die Tür des Zimmers gewaltsam zu öffnen versuchte. Es war schrecklich, einen Spion im Haus zu haben. Er hatte von reichen Leuten gehört, die ihr ganzes Leben lang von irgendeinem Diener erpreßt worden waren, der einen Brief gelesen, eine Unterhaltung belauscht, eine Karte mit einer Adresse vom Boden aufgehoben oder unter einem Kissen eine welke Blume oder ein Stückchen zerknitterte Spitze gefunden hatte.

Seufzend goß er sich den Tee ein und öffnete Lord Henrys Billett. Es stand nur darin, daß er ihm die Abendzeitung schickte und ein Buch, das ihn interessieren könnte, und daß er um Viertel nach acht im Klub sein würde. Lustlos öffnete er die Zeitung und überflog sie. Auf der fünften Seite fand er eine rot unterstrichene Stelle. Er las den folgenden Abschnitt:

»Leichenschau an Schauspielerin. – Heute morgen fand durch den Leichenbeschauer des Bezirks, Mr. Danby, in der Bell Tavern, Hoxton Road, die Leichenschau an Sibyl Vane statt, einer jungen Schauspielerin, die zuletzt am Royal Theatre, Holborn, engagiert war. Es wurde auf Tod durch Unglücksfall erkannt. Reges Mitgefühl erweckte die Mutter der Verstorbenen, die bei ihrer Vernehmung und während der Aussage des Dr. Birrel, der die Obduktion vorgenommen hatte, gänzlich fassungslos war.«

Ein leichter Unmut überkam ihn, er riß die Zeitung entzwei, ging durchs Zimmer und warf die beiden Hälften in einen vergoldeten Papierkorb. Wie häßlich das alles war! Und wie aufdringlich real die Dinge durch Häßlichkeit wurden! Er ärgerte sich ein wenig über Lord Henry, weil er ihm den Bericht geschickt hatte. Jedenfalls war es ungeschickt von ihm, ihn rot anzustreichen. Victor hätte ihn lesen können. Dafür verstand der Mann genug Englisch.

Vielleicht hatte er ihn gelesen und begonnen, etwas zu argwöhnen. Aber was bedeutete das schon? Was hatte Dorian Gray mit dem Tod von Sibyl Vane zu tun? Es war nichts zu befürchten. Dorian Gray hatte sie nicht getötet.

Sein Blick fiel auf das gelbe Buch, das Lord Henry ihm geschickt hatte. Was mochte es enthalten? Er trat an das kleine perlmuttfarbene achteckige Tischchen, das ihm immer wie das Werk von rätselhaften ägyptischen Bienen erschien, die ihre Waben aus Silber bauen; er griff nach dem Buch, warf sich in einen Sessel und begann darin zu blättern. Nach einer Weile vergaß er seine Umgebung. Es war das fremdartigste Buch, das er je gelesen hatte. Die Sünden der Welt schienen in betörenden Gewändern zum zarten Klang der Flöten wie ein stummer Aufzug an ihm vorüberzuziehen. Dinge, die er dunkel geträumt hatte, wurden plötzlich zur Wirklichkeit. Dinge, die er nie geträumt hatte, offenbarten sich langsam.

Es war ein Roman ohne Handlung und nur mit einer einzigen Figur; er war nichts anderes als eine psychologische Studie über einen jungen Pariser, der danach trachtete, im neunzehnten Jahrhundert alle Leidenschaften und Denkweisen der vergangenen

Jahrhunderte, außer seinem eigenen, zu durchleben; er wollte in sich gleichsam alle Zustände, durch die der Weltgeist je hindurchgegangen war, zusammenfassen, indem er jene Entsagungen, die die Menschen törichterweise Tugenden nennen, um ihrer Künstlichkeit willen ebenso sehr liebte wie die natürlichen Rebellionen, die die Weisen noch heute als Sünde bezeichnen. Der Stil des Buches war jene seltsam prunkende Sprache, lebendig und dunkel zugleich, mit zahlreichen *argot*-Ausdrücken und Archaismen, von technischen Ausdrücken und sorgfältigen Umschreibungen, durch die sich einige der besten Werke der französischen *Décadents* auszeichnen. Es waren Metaphern darin, so fremdartig wie Orchideen und ebenso brennend in ihrer Farbe. Das Leben der Sinne wurde in den Begriffen mystischer Philosophie geschildert. Man wußte bisweilen kaum, ob man die geistigen Ekstasen eines Heiligen aus dem Mittelalter oder die morbiden Konfessionen eines modernen Sünders las. Es war ein vergiftendes Buch. Der schwere Duft von Weihrauch schien den Seiten zu entströmen und das Gehirn zu umnebeln. Die bloße Kadenz der Sätze, die satte Eintönigkeit ihrer Melodie, die doch so reich war an verschlungenen Wiederholungen und fortschreitenden Bewegungen, rief in dem jungen Mann, wie er Seite um Seite atemlos überflog, eine bestimmte Art zu träumen, ja eine Traumsucht hervor, die ihn den sinkenden Tag und die fallenden Schatten vergessen ließen.

Wolkenlos, von einem einsamen Stern durchstrahlt, glänzte ein kupfergrüner Himmel durch das Fenster. Er las in seinem dämmernden Licht weiter, bis er nichts mehr lesen konnte. Dann, nachdem ihn sein Diener mehrmals auf die späte Stunde aufmerksam gemacht hatte, stand er auf, ging ins Nebenzimmer, legte das Buch auf das kleine Florentiner Tischchen, das immer neben seinem Bett stand, und begann sich zum Abendessen umzuziehen.

Es war fast neun Uhr, als er den Klub betrat, wo Lord Henry allein und sehr gelangweilt im Rauchzimmer saß.

»Es tut mir furchtbar leid, Harry«, rief er, »aber es ist wirklich deine eigene Schuld. Das Buch, das du mir schicktest, hat mich so fasziniert, daß ich die Zeit völlig vergaß.«

»Ich dachte mir, daß es dir gefallen würde«, erwiderte sein Gastgeber, indem er aufstand.

»Ich sagte nicht, daß es mir gefällt, Harry. Ich sagte, es fasziniert mich. Das ist ein großer Unterschied.«

»Ah, wenn du das entdeckt hast, hast du große Fortschritte gemacht«, erwiderte Lord Henry leise mit seinem seltsamen Lächeln. »Komm, laß uns zum Essen hinübergehen. Es ist schrecklich spät, und ich fürchte, der Champagner wird schon zu kalt sein.«

9

Jahrelang konnte Dorian Gray sich von dem Erlebnis dieses Buches nicht befreien. Oder vielleicht wäre es genauer, zu sagen, daß er nie den Versuch machte, sich davon zu befreien. Er verschaffte sich aus Paris nicht weniger als fünf Exemplare der Erstausgabe in Großformat und ließ sie in verschiedenen Farben binden, so daß sie zu seinen Stimmungen und den wechselnden Seelenzuständen paßten, über die er bisweilen jede Gewalt verloren zu haben schien. Der Held, der wundervolle junge Mann aus Paris, in dem sich der romantische und der wissenschaftliche Geist so eigenartig vermischten, wurde für ihn zu einer Art Vorbild. Und wirklich schien es ihm, als ob das ganze Buch die Geschichte seines eigenen Lebens enthielte, die geschrieben war, ehe er sie erlebt hatte.

In einem Punkt war er glücklicher als der phantastische Held des Buches. Er kannte nie – und hatte auch niemals Ursache dazu – die etwas wunderliche Furcht vor Spiegeln, polierten Metallflächen und unbewegtem Wasser, die den jungen Franzosen so früh im Leben befiel und durch den jähen Verfall seiner Schönheit entstanden war, die dem Anschein nach so außerordentlich gewesen sein mußte. Mit einer fast grausamen Freude – und vielleicht liegt in jeder Freude wie sicher in jedem Genuß Grausamkeit – pflegte er den letzten Teil des Buches zu lesen, mit der wirklich tragischen, wenn auch etwas übertriebenen Schilderung des Leidens und der Verzweiflung eines Mannes, der das verloren hatte, was ihm an anderen und in der Welt am teuersten war.

Er hatte jedenfalls keine Ursache, das zu befürchten. Die knabenhafte Schönheit, die Basil Hallward und außer ihm so viele andere bezaubert hatte, schien ihn nie zu verlassen. Selbst diejenigen, die die schlimmsten Dinge über ihn gehört hatten (und von Zeit zu Zeit liefen sonderbare Gerüchte über seine Lebensweise in London um und wurden zum Gespräch in den Klubs), konnten nichts Schimpfliches über ihn glauben, wenn sie ihn sahen. Er hatte immer das Aussehen eines Menschen, der unbefleckt von der Welt geblieben war. Männer, die unflätige Reden führten, schwiegen, wenn Dorian Gray den Raum betrat. Es lag etwas in der Reinheit seines Gesichtes, das sie zurechtwies. Seine bloße Gegenwart schien sie an die Unschuld zu gemahnen, die sie beschmutzten. Sie staunten darüber, daß jemand, der so bezaubernd und anmutig war, dem Schmutz eines niederträchtigen und sinnlichen Zeitalters entgehen konnte.

Er hingegen, wenn er von einer jener geheimnisvollen und langen Abwesenheiten zurückkehrte, die solch seltsamen Vermutungen unter seinen Freunden oder denen, die es zu sein glaubten, Raum gaben, pflegte zu dem verschlossenen Zimmer hinaufzuschleichen, öffnete die Tür mit dem Schlüssel, den er immer bei sich trug, und stellte sich mit einem Spiegel vor das Bild, das Basil Hallward von ihm gemalt hatte, und sah bald in das böse und alternde Gesicht auf der Leinwand, bald auf das schöne, jugendliche Gesicht, das ihm aus dem Spiegel entgegenlachte. Der leibhaftige Gegensatz steigerte seinen Genuß. Er verliebte sich mehr und mehr in seine Schönheit und interessierte sich mehr und mehr für den Zersetzungsprozeß seiner Seele. Er untersuchte mit peinlicher Sorgfalt und bisweilen mit gierigem und grausamem Entzücken die häßlichen Linien, die die gefurchte Stirn und den vollen, sinnlichen Mund verunstalteten; und er fragte sich, was scheußlicher sei, die Zeichen der Sünde oder die Zeichen des Alters. Er hielt seine weißen Finger neben die rauhen, geschwollenen Hände auf dem Bild und lächelte. Er verhöhnte den entstellten Körper und die schlaffen Glieder.

Freilich gab es Augenblicke, wenn er nachts schlaflos in seinem von erlesenen Düften erfüllten Zimmer lag oder in der schmutzigen Kammer der kleinen verrufenen Kneipe bei den Docks, wo er unter falschem Namen und verkleidet zu verkehren pflegte, in denen er an die Verderbnis, die er über seine Seele gebracht hatte, mit einem Mitgefühl dachte, das um so ätzender war, weil es aus reiner Selbstsucht kam. Aber solche Augenblicke waren selten. Jene Neugier auf das Leben, die Lord Henry vor vielen Jahren in ihm erweckt hatte, als sie zusammen im Garten ihres Freundes saßen, schien mit der Befriedigung zu wachsen. Je mehr er wußte, um so mehr wollte er wissen. Er hatte einen wahnsinnigen Lebenshunger, der desto rasender wurde, je mehr er ihn stillte.

Und doch war er nicht wirklich rücksichtslos, wenigstens nicht in seinen gesellschaftlichen Beziehungen. Ein- oder zweimal im Monat während des Winters und jeden Mittwochabend, solange die Saison dauerte, öffnete er der Welt sein schönes Haus und lud die berühmtesten Musiker seiner Zeit zu sich, um die anderen Gäste mit den Wundern ihrer Kunst zu entzücken. Seine kleinen Diners, bei deren Arrangement ihm Lord Henry immer half, waren ebenso sehr wegen der sorgfältigen Auswahl und Placierung der Eingeladenen berühmt wie für den ausgesuchten Geschmack in der Tafeldekoration mit ihrer phantasievoll abgestimmten Anordnung von exotischen Blumen, gestickten Tüchern und altem Gold- und Silbergeschirr. In der Tat, viele, besonders unter den jungen Leuten, sahen oder meinten in Dorian Gray die Verwirklichung eines Typus zu sehen, von dem sie oft in Eton oder Oxford geträumt hatten; eines Typus, in dem sich die wahre Kultur des Gelehrten mit aller Anmut und Vornehmheit und vollendeten Form eines Weltmannes verband. Ihnen schien es, als ob er zu jenen gehöre, von denen Dante sagt: »Sie suchen sich durch die Verehrung der Schönheit zu vervollkommnen.« Wie Gautier gehörte er zu denen, für die die »sichtbare Welt existierte«.

Und gewiß war für ihn das Leben die erste, die größte aller Künste, für die alle anderen nur Vorstufen zu sein schienen. Die Mode, durch die das wirklich Phantastische für einen Augenblick allgemein wird, und das Dandytum, welches in seiner Art ein Versuch ist, die absolute Modernität der Schönheit zu verfechten, sie übten natürlich ihren Zauber auf ihn aus. Seine Art, sich zu kleiden, und die persönlichen Stile, die er von Zeit zu Zeit erfand, beeinflußten auffallend die eleganten jungen Leute der Mayfair-Bälle und der Pall-Mall-Klubs, die ihn in allem kopierten, was er tat, und versuchten, den spielerischen Charme seiner anmutigen, nicht ganz ernst gemeinten Narreteien nachzuahmen.

Denn er nahm zwar nur allzu bereitwillig die Stellung an, die sich ihm sofort, als er mündig war, anbot, und fand sogar ein subtiles Vergnügen in der Vorstellung, daß er für das London seiner Tage wirklich das werden könne, was für das kaiserliche Rom Neros einst der Verfasser des »Satyrikon« gewesen war; aber im Grunde seines Herzens wollte er mehr sein als ein bloßer »arbiter elegantiarum«, den man über das Tragen eines Schmukkes, den Knoten einer Krawatte oder die Haltung eines Stockes befragte. Er suchte eine neue Lebensform zu entwickeln, die ihre auf Vernunft begründete Philosophie haben sollte und ihre festen Prinzipien und ihre höchste Verwirklichung in der Vergeistigung der Sinne finden sollte.

Den Sinnen verfallen sein, ist nur zu oft und mit einer gewissen Berechtigung verdammt worden, denn der Mensch hat eine instinktive Angst vor Trieben und Empfindungen, die stärker als wir selbst erscheinen, und von denen wir wissen, daß wir sie mit weniger hochorganisierten Lebewesen teilen. Dorian Gray hingegen war der Meinung, daß man die wahre Natur der Sinne niemals verstanden hatte, und daß sie wild und tierisch geblieben waren, nur weil die Welt versucht hatte, sie durch Aushungerung zu bändigen und durch Schmerzen abzutöten, anstatt danach zu trachten, sie in Elemente einer neuen Geistigkeit zu verwandeln, deren bezeichnendes Merkmal ein geschärfter Sinn für die Schönheit sein sollte. Wenn er zurückblickte auf den Weg des Menschen durch die Geschichte, verfolgte ihn das Gefühl eines Verlustes. Wieviel war hingegeben worden! Und doch beinahe vergeblich! Es hatte wahnsinnige, durch den Willen erzwungene Verzichte gegeben, ungeheuerliche Formen der Selbstgeißelung und der Selbstverleugnung, deren Ursprung die Angst und deren Ergebnis eine Erniedrigung war, schrecklicher als die eingebildete Erniedrigung, der sie in ihrer Unwissenheit zu entgehen suchten. Die Natur in ihrer wundervollen Ironie treibt den Anachoreten, sich zu den wilden Tieren der Wüste zu gesellen, und gibt dem Eremiten die Tiere des Feldes zu Gefährten.

Ja, es mußte, wie Lord Henry prophezeit hatte, ein neuer Hedonismus kommen, der das Leben neu gestalten und es vor jenem strengen, unschönen Puritanertum retten sollte, das in unsern Tagen seine sonderbare Auferstehung feiert. Gewiß sollte dieser Hedonismus sich des Intellekts bedienen; aber niemals durfte er eine Theorie oder ein System annehmen, das das Opfer einer leidenschaftlichen Erfahrung forderte. In der Tat war sein Ziel die Erfahrung selbst und nicht die Früchte der Erfahrung, mochten sie süß oder bitter sein. Er sollte die Askese nicht kennen, die die Sinne tötet, noch die gemeine Verworfenheit, die sie abstumpft. Er sollte die Menschen lehren, sich zu konzentrieren auf die Augenblicke eines Lebens, das selbst nur ein Augenblick ist.

Jeder von uns ist vielleicht schon einmal vor Morgengrauen erwacht, sei es nach einer traumlosen Nacht, die uns beinah in den Tod verliebt machte, oder nach einer jener Nächte des Schreckens und der dämonischen Freuden, wenn durch die Kammern des Gehirns Phantome jagen, grauenhafter noch als die Wirklichkeit und voll von jenem zappelnden Leben, das in allem Grotesken lauert und das auch der gotischen Kunst ihre dauernde Lebenskraft verleiht; denn diese Kunst, so möchte man meinen, ist vor allem die Kunst derer, deren Seelen von der Krankheit des Traumes verstört sind. Lautlos greifen weiße Finger durch die Vorhänge, und sie scheinen zu beben. Schwarze, unheimliche Schatten kriechen in die Ecken des Zimmers und bleiben dort kauern. Draußen ist das Rascheln der Vögel in den Zweigen oder die Schritte der Menschen, die an ihr Tagewerk gehen, oder das Seufzen und Stöhnen des Windes, der von den Hügeln kommt und um das stille Haus streicht, als fürchte er, die Schläfer zu wecken. Schleier um Schleier hebt sich der zarte Nebelflor, und nach und nach gewinnen die Dinge ihre Formen und Farben zurück, und wir sehen die Welt aus der Dämmerung tauchen in ihrer vertrauten Gestalt. Die blinden Wandspiegel erlangen ihre reflektierende Kraft wieder. Die erloschenen Wachskerzen stehen noch am gleichen Ort, und neben ihnen liegt das aufgeschlagene Buch, in dem wir begierig gelesen haben, oder die drahtumflochtene Blume, die wir auf dem Ball trugen, oder der Brief, den wir zu lesen gefürchtet oder den wir zu oft gelesen haben. Nichts erscheint uns verändert. Aus den leblosen Schatten der Nacht tritt das wirkliche Leben, das wir kannten, hervor. Wir müssen es aufnehmen, wo wir es fallenließen, und ein beklemmendes Gefühl vor der Notwendigkeit überfällt uns, ewig in dem gleichen, ermüdenden Kreislauf einförmiger Gewohnheiten unsere Kraft zu verbrauchen; oder vielleicht auch eine wilde Sehnsucht, unsere Augen möchten sich eines Morgens über einer Welt öffnen, die in der Dunkelheit zu unserem Entzücken neu geschaffen wäre, einer Welt, in der die Dinge neue Umrisse und Farben hätten und verwandelt wären oder neue Geheimnisse bergen würden, einer Welt, in der das Vergangene wenig oder gar keinen Platz einnähme oder doch wenigstens in keiner bewußten Form der Verpflichtung oder der Reue fortlebte, denn selbst die Erinnerung an die Freude hat ihre Bitterkeit und die Erinnerung an den Genuß ihren Schmerz.

Die Schöpfung solcher Welten hielt Dorian Gray für die wahre Aufgabe oder für eine unter den wahren Aufgaben des Lebens; und auf seiner Suche nach Gefühlen, die neu und köstlich sein und jenes Element des Fremdartigen besitzen sollten, das zum Wesen der Romantik gehört, folgte er oftmals Gedankengängen, die, wie er wußte, seiner Natur fremd waren, und gab sich ihren subtilen Einflüssen hin; aber hatte er dann gleichsam ihre Farbe erkannt und seine geistige Neugier gestillt, so gab er sie mit jener merkwürdigen Gleichgültigkeit auf, die mit einer wahren Glut des Temperaments nicht unvereinbar ist, ja, nach der Meinung mancher modernen Psychologen, sie oftmals bedingt.

Einmal ging das Gerücht, er wolle den römisch-katholischen Glauben annehmen; und tatsächlich hatte der katholische Ritus immer eine große Anziehung auf ihn ausgeübt. Das tägliche Opfer, wahrlich schrecklicher als alle Opfer der antiken Welt, erregte ihn ebenso sehr durch seinen hochmütigen Verzicht auf allen sinnlichen Augenschein wie durch die ursprüngliche Einfachheit seiner Elemente und das unvergängliche Pathos der menschlichen Tragödie, die es symbolisierte. Er liebte es, auf dem kalten Marmorboden niederzuknien und dem Priester zuzusehen, der in seinem steifen, prunkvollen Ornat langsam und mit weißen Händen den Schleier des Tabernakels beiseitezieht und die juwelengeschmückte, laternenförmige Monstranz mit jener blassen Hostie emporhebt, die man bisweilen für das wahre »panis caelestis«, das Brot der Engel, halten möchte; oder wie er, in die Gewänder der Passion gekleidet, die Hostie über dem Kelch bricht und sich um seiner Sünden willen an die Brust schlägt. Die entzündeten Weihrauchfässer, die ernste Knaben in Spitzen und Scharlach wie große, goldene Blüten durch die Lüfte schwangen, übten ihren eigenen Zauber auf ihn. Wenn er hinausging, blickte er voller Neugier auf die schwarzen Beichstühle und sehnte sich, in ihrem gedämpften Schatten zu sitzen und den Männern und Frauen zu lauschen, die durch das schmutzige Gitter die Wahrheit ihres Lebens flüstern.

Aber nie verfiel er in den Irrtum, seine geistige Entwicklung durch die formelle Annahme eines Bekenntnisses oder eines Systems zu hemmen oder auch als ein Haus zum Wohnen anzusehen, was nur eine Herberge ist, um eine Nacht darin zu verweilen oder nur ein paar Stunden der Nacht, in der kein Stern am Himmel steht und der Mond mit den Wolken kämpft. Der Mystizismus, der die betörende Macht besitzt, uns die gewöhnlichen Dinge in ein neues Licht zu tauchen, und die feine Antinomie, die ihm immer beigegeben scheint, fesselten ihn für eine Saison; und eine Saison lang neigte er zu den materialistischen Lehren des Darwinismus in Deutschland und fand einen seltsamen Reiz darin, die Gedanken und Leidenschaften des Menschen bis zu einer perlgroßen Zelle im Gehirn oder einem weißen Nerv im Körper zu verfolgen, fasziniert von der Vorstellung der absoluten Abhängigkeit des Geistes von bestimmten physischen Bedingungen, seien sie krankhaft oder nicht, normal oder anomal. Aber wie schon gesagt, keine Theorie über das Leben schien ihm von irgendwelcher Bedeutung, verglichen mit dem Leben selbst. Er war sich deutlich bewußt, wie unfruchtbar alle intellektuelle Spekulation ist, wenn sie vom Handeln und Experimentieren losgelöst bleibt. Er wußte, daß die Sinne nicht weniger als die Seele ihre Geheimnisse zu offenbaren hatten.

Und so studierte er die Wohlgerüche und die Geheimnisse ihrer Herstellung, destillierte betäubende Öle und verbrannte duftendes Gummiharz aus dem Orient. Er erkannte, daß es keine Gemütsstimmung gibt, die nicht ihr Widerspiel im Leben der Sinne hat, und er wollte ihre wahren Beziehungen ergründen, wollte herausfinden, was im Gummiharz des Weihrauchbaums die mystische Stimmung, was im Ambra die Leidenschaften erregt, warum der Veilchenduft die Erinnerung an tote Romanzen weckt, der Moschus das Gehirn verwirrt, das Champaca die

Phantasie befleckt; und er versuchte, eine eigene Psychologie der Düfte zu entwickeln und die verschiedenen Wirkungen süß riechender Wurzeln, betäubender pollenbeladener Blüten, aromatischer Balsamstauden und dunkler, duftender Hölzer zu bestimmen; die Wirkung der Narde, die zum Erbrechen reizt, der Hovenie, die den Menschen toll macht, und der Aloen, von denen es heißt, daß sie die Schwermut der Seele lösen.

Ein anderes Mal widmete er sich ganz der Musik, und in einem langen Gittersaal mit zinnoberroter und goldener Decke und olivgrünen Lackwänden veranstaltete er ungewöhnliche Konzerte, in denen Zigeuner unbändige, verhexte Klänge aus kleinen Zithern lockten oder würdevolle Tunesier in gelben Gewändern die straffen Saiten fremdartiger Lauten zupften, während lachende Neger eintönig kupferne Trommeln schlugen, oder mit Turbanen bekleidete Inder, die auf purpurnen Matten saßen, lange Rohr- und Messingpfeifen bliesen und breitköpfige Schlangen und greuliche Hornvipern verzauberten oder zu verzaubern vorgaben. Die schroffen Intervalle und harten Dissonanzen der fremdartigen Musik hielten ihn bisweilen in ihrem Bann, wenn Schuberts Anmut, Chopins dunkle Trauer und selbst Beethovens gewaltige Harmonien unbeachtet an sein Ohr drangen. Aus allen Teilen der Welt sammelte er die merkwürdigsten Instrumente, die sich finden ließen, aus den Gräbern untergegangener Völker oder bei den wenigen wilden Stämmen, die die Berührung mit der westlichen Zivilisation überlebt haben, und er liebte es, sie in die Hand zu nehmen und zu versuchen. Er besaß das geheimnisvolle *Juruparis* der Rio-Negro-Indianer, das Frauen nicht ansehen dürfen und das selbst die jungen Männer erst zu Gesicht bekommen, wenn sie gefastet und sich mit Peitschen gegeißelt haben, und die irdenen Gefäße der Peruaner, die den schrillen Schrei von Vögeln nachahmen; Flöten aus Menschenknochen, wie sie Alfonso de Ovalle in Chile hörte, und die tönenden grünen Steine, die man in der Nähe von Cuzco findet und die einen Ton von unvergleichlicher Süße geben. Er hatte bemalte, mit Kieselsteinen gefüllte Kürbisflaschen, die beim Schütteln rasselten; die lange Zinke der Mexikaner, in die der Spieler nicht hineinbläst, sondern durch die er die Luft einzieht; die rauhe *Ture* der Amazonasstämme, welche die Späher blasen, die den ganzen Tag in den Bäumen hocken, und die, wie es heißt, drei Meilen weit zu hören ist; das *Teponaztli* mit seinen beiden vibrierenden Zungen aus Holz, das mit Stöcken geschlagen wird, auf die man zähflüssigen Gummi aus milchigen Pflanzensäften streicht; die *Yotl*-Glocken der Azteken, die wie Weintrauben gebündelt werden; und eine große zylindrische Trommel, mit der Haut von Riesenschlangen bespannt, ähnlich wie jene, die Bernal Diaz vorfand, als er mit Cortez den mexikanischen Tempel betrat, und deren unheimlich klagenden Ton er uns so lebhaft beschreibt. Das Phantastische dieser Instrumente zog ihn an, und er empfand ein eigenartiges Vergnügen bei dem Gedanken, daß die Kunst wie die Natur ihre Ungeheuer hat, Dinge von irrationaler Gestalt und dämonischer Stimme. Aber nach einiger Zeit wurde er all dessen überdrüssig und saß wieder in seiner Loge in der Oper, allein oder mit Lord Henry, und lauschte verzückt dem »Tannhäuser«, und fand in diesem großen Kunstwerk eine Darstellung seiner eigenen Seelentragödie.

Ein anderes Mal begann er, sich mit Edelsteinen zu befassen, und erschien auf einem Kostümball als Anne de Joyeuse, Admiral von Frankreich, in einer Robe, mit fünfhundertsechzig Perlen bestickt. Er verbrachte oft einen ganzen Tag damit, die Steine, die er gesammelt hatte, in ihren Kästchen neu zu ordnen: den olivgrünen Chrysoberyll, der im Lampenlicht rot wird, den Kymophan mit seinen drahtartigen Silberlinien, den pistaziengrünen Peridot, rosarote und weingelbe Topase, Karfunkel aus feurigem Scharlach mit zitternden, vierstrahligen Sternchen, flammenrote Kaneelsteine, orangefarbene und violette Spinelle und Amethyste mit ihren wechselnden Schichten von Rubin und Saphir. Er liebte das rote Gold des Sonnensteins und des Mondsteins perlfarbene Weiße und den gebrochenen Regenbogen des milchigen Opals. Aus Amsterdam hatte er sich drei Smaragde von ungewöhnlicher Größe und Farbpracht kommen lassen, und er besaß einen Türkis *de la vieille roche*, der den Neid aller Kenner erregte.

Er entdeckte auch wunderbare Geschichten über Edelsteine. In Alfonsos *Clericalis Disciplina* wurde eine Schlange mit Augen aus echtem Hyacinth erwähnt, und in der romantischen Geschichte Alexanders wurde erzählt, er habe im Jordantal Schlangen gefunden, »denen Schnüre von Smaragden auf dem Rücken wuchsen«. Im Gehirn des Drachen, erzählt uns Philostratos, sei eine Gemme, und man könne das Ungeheuer in einen magischen Schlaf versetzen und erschlagen, wenn man »ihm goldene Buchstaben und ein scharlachrotes Gewand vorhielte«. Nach der Meinung des großen Alchimisten Pierre de Boniface macht der Diamant einen Menschen unsichtbar, und der indische Achat verleiht ihm Beredsamkeit. Der Karneol beschwichtigt den Zorn, der Hyacinth ruft Schlaf hervor, und der Amethyst vertreibt den Weindunst. Der Granat verjagt die Dämonen, und der Hydropicus raubt dem Mond das Licht. Der Selenit nimmt mit dem Mond ab und zu, und der Melokeus, der den Dieb verrät, trübt sich nur, wenn er mit dem Blut eines Zickleins in Berührung kommt. Leonardus Camillus hatte einen weißen Stein gesehen, der dem Gehirn einer frisch getöteten Kröte entnommen war und ein sicheres Mittel gegen Vergiftung ist. Der Bezoar, den man im Herzen des arabischen Hirsches findet, ist ein Zaubermittel gegen die Pest. In den Nestern arabischer Vögel lagen Aspilaten, die, nach den Angaben des Demokrit, den Träger vor Feuergefahr schützen.

Der König von Ceylon ritt bei seiner Krönung mit einem großen Rubin in der Hand durch seine Hauptstadt. Die Palasttore von Johannes dem Priester waren »aus Sardios gefertigt und mit dem Horn der Hornviper verziert, damit niemand Gift hineintragen konnte«. Über dem Giebel waren »zwei goldene Äpfel, die zwei Karfunkelsteine enthielten«, damit das Gold bei Tage scheine und die Karfunkelsteine bei Nacht. In Lodges seltsamem Roman »Eine Margarite von Amerika« heißt es, daß im Zimmer der Margarite »alle edlen Frauen der Welt als Silberstatuen zu sehen waren, wie sie durch glatte Spiegel aus Chrysolithen, Karfunkeln, Saphiren und grünen Smaragden schauen«. Marco Polo hatte beobachtet, wie die Einwohner von Zipangu ihren Toten rosenfarbene Perlen in den Mund legten. Ein Seeungeheuer war in die Perle verliebt, die ein Taucher ihm raubte und dem König Perozes brachte; es erschlug den Dieb und trauerte sieben Monde um seinen Verlust. Als die Hunnen den König in die große Grube lockten, schleuderte er die Perle von sich – so erzählt Procopius –, und sie wurde nie wiedergefunden, obgleich der Kaiser Anastasius fünfhundert Pfund Goldstücke dafür bot. Der König von Malabar hatte einem Venezianer einen Rosenkranz aus hundertundvier Perlen gezeigt, von denen jede einem Gott galt, den er verehrte.

Als der Sohn Alexanders VI., der Herzog von Valentinois, Ludwig XII. von Frankreich besuchte, war sein Roß, wie Brantôme berichtet, mit goldenen Blättern behangen, und an seinem Barett trug er eine Doppelreihe von Rubinen, die ein strahlendes Licht verbreiteten. Karl von England ritt in Steigbügeln, die mit dreihunderteinundzwanzig Diamanten besetzt waren. Richard II. trug ein Gewand, das auf dreißigtausend Mark geschätzt wurde und das von Balasrubinen bedeckt war. Hall beschreibt Heinrich VIII., wie er vor seiner Krönung zum Tower ritt; er trug »einen golddurchwirkten Rock, die Brust mit Diamanten und anderen Edelsteinen bestickt, und ein langes Gehänge aus roten Spinellen um den Hals«. Die Günstlinge Jakobs I. trugen Ohrringe aus Smaragden, die in Goldfiligran gefaßt waren. Edward II. schenkte Piers Gaveston eine rotgoldene Rüstung, mit Hyacinthsteinen verziert, eine Kette aus goldenen Rosen, in die Türkise eingelassen waren, und einen perlenübersäten Helm. Heinrich II. trug Handschuhe, die bis zum Ellbogen bestickt waren, und besaß einen Handschuh für die Falkenjagd, auf dem zwölf Rubine und zweiundfünfzig große Perlen glänzten. Der Herzogshut Karls des Kühnen von Burgund, des letzten Herzogs seines Geschlechts, war mit Saphiren besetzt und mit birnenförmigen Perlen behangen.

Wie prächtig das Leben einst war! Wie glanzvoll in seinem Gepränge und seinem Schmuck! Allein zu lesen über den Luxus der Vergangenheit war ein Genuß.

Dann wandte er seine Aufmerksamkeit den Stickereien zu und den Gobelins, die in den kalten Räumen der nördlichen Völker Europas die Stelle der Fresken einnahmen. Als er sich in dieses Studium vertiefte – und er besaß immer in höchstem Grade die Fähigkeit, sich ganz in die Sache zu versenken, die ihn im Augenblick beschäftigte –, wurde er beinahe von Trauer ergriffen bei dem Gedanken an den Ruin, den die Zeit über schöne und wunderbare Dinge bringt. Er wenigstens war ihm entgangen. Sommer folgte auf Sommer, und die gelben Jonquillen blühten und starben viele Male, und Nächte des Grauens wiederholten die Geschichte ihrer Schmach – aber er blieb unverändert. Kein Winter zerstörte sein Gesicht oder befleckte seine blumengleiche Unschuld. Wie anders war es mit stofflichen Dingen! Was geschah ihnen? Wo war das große krokusfarbene Gewand, auf dem die Götter mit den Giganten kämpften und das für Athene gewebt worden war? Wo war das gewaltige Velarium, das Nero über das Colosseum in Rom spannen ließ, auf dem der besternte Himmel abgebildet war und Apollo auf einem Wagen, der die weißen Rosse an goldenen Zügeln lenkt. Ihn verlangte, die seltsamen Tafeltücher zu sehen, die Elagabalus anfertigen ließ, und auf denen all die Leckerbissen und Wildspeisen eingewebt waren, die man sich zu einem Festmahl wünschen konnte; das Leichentuch von König Hilperich mit seinen dreihundert goldenen Bienen; die phantastischen Gewänder, die die Entrüstung des Bischofs von Pontus erregten und von »Löwen, Panthern, Bären, Hunden, Wäldern, Felsen, Jägern belebt waren – kurz von allem, was ein Maler aus der Natur kopieren kann«; und das Gewand, das Karl von Orleans einst trug, auf dessen Ärmeln die Verse eines Liedes gestickt waren, das anfing »Madame, je suis tout joyeux«, dessen musikalische Begleitung in Goldfäden ausgeführt, und jede Note, damals noch viereckig, aus vier Perlen zusammengesetzt war. Er las über das Gemach, das im Schloß zu Reims für die Königin Johanna von Burgund ausgeschmückt worden war, mit »dreizehnhundertundeinundzwanzig gestickten Papageien, die das Wappen des Königs trugen, und fünfhundertundeinundsechzig Schmetterlingen, auf deren Flügeln das Wappen der Königin zu sehen war, und all dies in Gold ausgeführt«. Katharina von Medici hatte sich ein Trauerbett aus schwarzem Samt machen lassen, das mit Mondsicheln und Sonnen wie überstäubt war. Die Vorhänge waren aus Damast mit Blattgewinden und Girlanden auf Gold- und Silbergrund, und am Rand mit Perlenstickerei eingefaßt, und es stand in einem Raum, der einen Buchstabenfries aus geschorenem schwarzem Samt auf Silberstoff mit dem Wahlspruch der Königin hatte. Ludwig XIV. hatte in seinen Wohngemächern goldgestickte, fünfzehn Fuß hohe Karyatiden. Das Prunkbett des Königs Sobieski von Polen war aus Smyrnagoldbrokat, in Türkisen mit Versen des Koran bestickt.

Die Stützen waren aus vergoldetem Silber, schön getrieben und reich besetzt mit Medaillons aus Emaille und Edelsteinen. Es war vor Wien aus dem türkischen Lager erbeutet worden, und die Fahne Mohammeds hatte unter seinem Baldachin gestanden.

Und so sammelte er ein Jahr lang die kostbarsten Muster der Webkunst und Stickerei; er verschaffte sich zarten Musselin aus Delhi, mit Palmetten aus Goldfaden und irisierenden Käferflügeln benäht; Dakka-Gaze, die im Orient wegen ihrer Transparenz »gewebte Luft«, »rinnendes Wasser« und »Abendtau« genannt wird; mit fremdartigen Figuren geschmückte Stoffe aus Java; kunstvolle gelbe chinesische Tapeten; in lohfarbenen Atlas oder glänzendblaue Seide gebundene Bücher, die mit *fleurs de lys*, Vögeln und Bildern geschmückt waren; durchbrochene Schleier aus ungarischer Spitze; sizilianische Brokate und steifen, spanischen Samt; mit goldenen Münzen besetzte Tücher aus Georgien; und japanische Foukousas mit ihrem grüngetönten Gold und ihren buntgefiederten Vögeln.

Er hatte auch eine besondere Leidenschaft für geistliche Gewänder, wie für alles, was mit dem Gottesdienst zusammenhing. In den langen Truhen aus Zedernholz, die die westliche Galerie seines Hauses säumten, hatte er viele seltene und schöne Stücke von dem eigentlichen Gewand der »Braut Christi« aufbewahrt, die Purpur und Juwelen und feines Linnen tragen muß, um den bleichen, abgezehrten Körper zu verhüllen, der gemartert ist von Leiden, die sie sucht, und von Wunden gezeichnet, die sie sich selbst zufügt. Er hatte ein prunkvolles Meßgewand aus karminroter Seide und goldgewirktem Damast, bestickt mit einem sich wiederholenden Muster aus goldenen Granatäpfeln, die auf sechsblättrigen, stilisierten Blütenblättern saßen und zu beiden Seiten von einem Tannenzapfen aus Staubperlen eingefaßt waren. Die Borten waren in Felder geteilt und enthielten Darstellungen aus dem Leben der Jungfrau, und die Krönung der Jungfrau war in farbiger Seide auf der Kapuze abgebildet. Dies war eine italienische Arbeit aus dem fünfzehnten Jahrhundert. Ein anderes Meßgewand war aus grünem Samt, mit herzförmig angeordneten Akanthusblättern bestickt, aus denen sich langstielige weiße Blüten entfalteten, deren Einzelheiten mit Silberfäden und farbigen Kristallen ausgeführt waren. Auf die Spange war mit feinen Stichen erhaben der Kopf eines Seraphs genäht. Die Borten waren aus roter und goldener Seide in fortlaufendem Muster gewebt und besetzt mit den Medaillons von vielen Heiligen und Märtyrern, unter ihnen der heilige Sebastian. Er besaß auch Chorröcke aus bernsteinfarbener und blauer Seide, aus Goldbrokat und aus gelbseidenem Damast und Goldtuch, mit Darstellungen der Passion und Kreuzigung Christi, mit Löwen und Pfauen und anderen Emblemen bestickt. Dalmatiken aus weißer Seide und rosa Seidendamast, mit Tulpen, Rittersporn und *fleurs de lys* verziert, Altardecken aus zinnoberrotem Samt und blauem Linnen; und viele Meßdecken, Kelchschleier und Schweißtücher. In den mystischen Handlungen, denen diese Dinge dienten, lag etwas, das seine Phantasie aufstachelte.

Denn diese Sachen und alles, was er in seinem schönen Haus sammelte, waren für ihn nur ein Mittel, zu vergessen; Möglichkeiten, durch die er einen Sommer lang der Furcht entfliehen konnte, die ihn manchmal fast überwältigte. An die Wand des einsamen, verschlossenen Raumes, in dem so viele Tage seiner Kindheit dahingegangen waren, hatte er mit eigener Hand das schreckliche Bild gehängt, dessen veränderte Züge ihm den wahren Absturz seines Lebens zeigten, und davor das purpurrote Bahrtuch als Vorhang drapiert. Wochenlang ging er nicht dorthin und vergaß das schändliche Ding, und sein Herz wurde wieder leicht, sein wundervoller Übermut, seine leidenschaftliche Lust am bloßen Dasein kehrten wieder. Dann plötzlich schlich er sich eines Nachts aus dem Haus und ging in eine schaurige Gegend bei Blue Gate Fields und blieb dort tagelang, bis es ihn forttrieb. Wenn er zurückkam, saß er vor dem Bild, manchmal voller Haß gegen sich und seine wirkliche Gestalt, und ein andermal in hochmütiger Empörung, die den halben Reiz der Sünde ausmacht, und lächelte mit geheimer Genugtuung dem mißgestalteten Spiegelbild zu, das die Bürde tragen mußte, die ihm eigentlich bestimmt war.

Nach ein paar Jahren ertrug er es nicht mehr, England längere Zeit fern zu bleiben, und gab die Villa auf, die er in Trouville mit Lord Henry geteilt hatte, und ebenso das kleine, von weißen Mauern umschlossene Haus in Algier, wo er mehr als einmal den Winter verbracht hatte. Er hielt es nicht aus, von dem Bild getrennt zu sein, das so sehr ein Teil seines Lebens geworden war, und er befürchtete auch, jemand könnte sich während seiner Abwesenheit Zutritt zu dem Raum verschafft haben trotz der schweren Riegel und Schlösser, die er an der Tür hatte anbringen lassen.

Er war ganz sicher, daß niemandem etwas auffallen würde. Wohl hatte das Bild noch immer in der Verkommenheit und Häßlichkeit des Gesichts eine deutliche Ähnlichkeit mit ihm bewahrt; aber was konnte man daraus schließen? Er würde jeden auslachen, der es wagte, eine Anspielung zu machen. Er hatte es nicht gemalt. Was ging es ihn an, wie gemein und schändlich es wirkte? Selbst wenn er es jemandem erklärte, würde man ihm glauben?

Und doch hatte er Angst. Oftmals, wenn er in seinem großen Landhaus in Nottinghamshire war und die eleganten jungen Leute seines Standes unterhielt, mit denen er sich umgab, und wenn er die Grafschaft durch den üppigen Luxus und den prunkvollen Glanz seiner Lebensführung in Erstaunen setzte, verließ er plötzlich seine Gäste und eilte in die Stadt zurück, um zu sehen, ob die Tür nicht nachgegeben hatte und das Bild an seinem Platz hing. Und wenn es gestohlen wäre? Der bloße Gedanke erfüllte ihn mit kaltem Entsetzen. Dann würde die Welt sein Geheimnis erfahren. Vielleicht argwöhnte die Welt es schon. Denn wie er viele bezauberte, so gab es nicht wenige, die ihm mißtrauten. Er wurde in einem West-End-Klub nicht zugelassen, obwohl ihn Geburt und gesellschaftliche Stellung selbstverständlich zur Mitgliedschaft berechtigt hätten, und bei einer andern Gelegenheit, als ihn ein Freund ins Rauchzimmer des Carlton mitnahm, standen der Herzog von Berwick und ein anderer Herr ostentativ auf und gingen hinaus. Seltsame Gerüchte waren über ihn im Umlauf, nachdem er sein fünfundzwanzigstes Jahr vollendet hatte. Es hieß, er sei im Streit mit fremden Matrosen in einer verrufenen Kneipe in einem entlegenen Teil von Whitechapel gesehen worden und er verkehre mit Dieben und Falschmünzern und kenne die Geheimnisse ihres Gewerbes. Sein extravagantes Verschwinden wurde bekannt, und wenn er danach wieder in der Gesellschaft erschien, tuschelte man untereinander in den Ecken oder ging mit einem höhnischen Seitenblick an ihm vorbei oder sah ihm kalt und forschend ins Gesicht, als wolle man sein Geheimnis ergründen.

Von solchen Anmaßungen und versuchter Nichtachtung nahm er natürlich keine Notiz, und in den Augen der meisten Leute waren seine offene, liebenswürdige Art, sein bezauberndes, jungenhaftes Lächeln und die unzerstörbare Anmut seiner wundervollen Jugend, die nicht zu schwinden schien, an sich eine hinreichende Antwort auf die Verleumdungen (denn so nannten sie es), die über ihn umliefen. Immerhin bemerkte man, daß jene, die am intimsten mit ihm gewesen waren, ihn nach einiger Zeit zu meiden schienen. Von all seinen Freunden oder sogenannten Freunden war Lord Henry Wotton der einzige, der ihm die Freundschaft hielt. Frauen, die ihn leidenschaftlich geliebt hatten und um seinetwillen den Vorwurf der Gesellschaft herausgefordert und die Konvention verachtet hatten, sah man erbleichen vor Scham und Schrecken, wenn Dorian Gray ins Zimmer trat.

Diese Skandale, die man sich über ihn zuraunte, erhöhten für viele noch seinen fremden und gefährlichen Charme. Sein großer Reichtum gewährte ihm Sicherheit. Die Gesellschaft, die zivilisierte Gesellschaft wenigstens, glaubt niemals gern etwas zum Nachteil derer, die reich und faszinierend zugleich sind. Sie fühlt instinktiv, daß Formen wichtiger sind als Moral, und in ihren Augen ist die höchste Ehrbarkeit weit weniger wert als der Besitz eines guten Kochs. Und es ist wirklich ein schwacher Trost, wenn einem erzählt wird, daß der Mann, der ein schlechtes Dinner und elenden Wein aufgetischt hat, ein einwandfreies Privatleben führe. Selbst die Kardinaltugenden können nicht für kalt gewordene *entrées* entschädigen, wie Lord Henry bei Gelegenheit zu diesem Thema bemerkte; und vieles spricht für seine Ansicht. Denn die Regeln der guten Gesellschaft sind die gleichen wie die Regeln der Kunst oder sollten es wenigstens sein. Die Form ist das Wesentliche daran. Sie sollten die Würde einer Zeremonie haben und auch ihre Unwirklichkeit; sie sollten den unaufrichtigen Charakter eines romantischen Spieles mit dem Witz und der Schönheit verbinden, die solche Spiele zum Genuß macht. Ist Unaufrichtigkeit etwas so Schlimmes? Ich glaube nicht. Sie ist nur ein Mittel, unsere Persönlichkeit zu vervielfältigen.

Das wenigstens war Dorian Grays Meinung. Er wunderte sich

über die oberflächliche Psychologie jener, die das Ego im Menschen als etwas Einfaches, Beständiges, Verläßliches und Einheitliches auffassen. Für ihn war der Mensch ein Wesen mit Myriaden Leben und Myriaden Gefühlen, ein komplexes, vielfältiges Geschöpf, das in sich heimliche Vermächtnisse des Denkens und der Leidenschaft trug und dessen Fleisch von monströsen Krankheiten der Toten vergiftet war. Er liebte es, durch die gespenstische kalte Ahnengalerie auf seinem Landsitz zu schlendern und die verschiedenartigen Bilder jener zu betrachten, deren Blut in seinen Adern floß. Da war Philip Herbert, den Francis Osborne in seinen »Memoiren über die Regierungszeit der Königin Elisabeth und König Jakobs« als einen Jüngling schildert, »der vom ganzen Hof umschmeichelt wurde wegen seines schönen Gesichts, das er nicht lange behielt«. Führte er wohl zuweilen das Leben des jungen Herbert? War ein geheimnisvoller Giftkeim von Körper zu Körper gewandert, bis er in seinen eigenen gelangte? War es ein dunkles Gefühl von jener verlorenen Schönheit, das ihn plötzlich und nahezu grundlos in Basil Hallwards Atelier den tollen Wunsch aussprechen ließ, der sein Leben so verändert hatte? Hier, in einem goldgestickten, roten Wams, dem juwelengeschmückten Waffenrock, mit goldgesäumter Krause und Manschetten, stand Sir Anthony Sherard, zu seinen Füßen die schwarzglänzende Rüstung. Was war sein Vermächtnis? Hatte der Geliebte der Giovanna di Napoli ihm ein Erbteil der Sünde und Schmach hinterlassen? Waren seine eigenen Handlungen nichts als die Träume, die der Tote nicht gewagt hatte auszuleben? Hier lächelte von der verblassenden Leinwand Lady Elisabeth Devereux in ihrer durchsichtigen Haube, dem Perlenmieder und geschlitzten rosa Ärmeln. In ihrer rechten Hand hielt sie eine Blume, und ihre Linke umfaßte ein emailliertes Halsband aus weißen und Damaszenerrosen. Auf einem Tisch neben ihr lagen eine Mandoline und ein Apfel. Auf ihren kleinen, spitzen Schuhen saßen große grüne Rosetten. Er kannte ihr Leben und die seltsamen Geschichten, die über ihre Liebhaber erzählt wurden. Hatte er etwas von ihrem Naturell? Diese ovalen Augen mit den schweren Lidern schienen ihn neugierig anzusehen. Und George Willoughby mit seinem gepuderten Haar und seinen phantastischen Schönheitspflästerchen? Das dunkle

Gesicht war voller Schwermut, und Überdruß schien die sinnlichen Lippen zu entstellen. Zarte Spitzenmanschetten fielen über die mageren gelblichen Hände, die mit Ringen so überladen waren. Er war ein Don Juan des achtzehnten Jahrhunderts und in seiner Jugend mit Lord Ferrars befreundet. Und der zweite Lord Sherard, der Freund des Prinzregenten in seiner ausschweifendsten Zeit und einer der Zeugen bei der heimlichen Hochzeit mit Mrs. Fitzherbert? Wie stolz und schön er aussah mit seinen kastanienbraunen Locken und seiner herausfordernden Haltung! Welche Leidenschaften hatte er ihm vermacht? Die Welt hatte ihn für verrucht gehalten. Er hatte die Orgien im Carlton House veranstaltet. Der Stern des Hosenbandordens strahlte auf seiner Brust. Neben ihm hing das Bild seiner Frau, einer bleichen, schmallippigen Dame in Schwarz. Auch ihr Blut floß in seinen Adern. Wie seltsam war das alles!

Aber man hatte Vorfahren auch in der Literatur, nicht nur in seinem eigenen Geschlecht, und viele von ihnen standen einem vielleicht näher in ihrer Wesensart, in ihrem Temperament, und übten ganz sicher einen Einfluß aus, dessen man sich deutlicher bewußt war. Es gab Zeiten, da es Dorian Gray schien, als wäre die Weltgeschichte nur eine Niederschrift seines eigenen Lebens, nicht wie er es handelnd und erleidend gelebt hatte, sondern wie seine Phantasie es ihm erschuf, und sein Gehirn und seine Leidenschaften es verlangten. Er fühlte, daß er sie alle gekannt hatte, jene hoffärtigen, gewalttätigen Gestalten, die über die Bühne der Welt geschritten waren und die Sünde so großartig und das Böse so überaus herrlich machten. Ihm war, als sei ihr Leben auf geheimnisvolle Weise sein eigenes gewesen.

Auch der Held des gefährlichen Buches, das solchen Einfluß auf sein Leben gewann, hatte dies merkwürdige Gefühl gekannt. In einem Kapitel erzählt er, wie er mit Lorbeer bekränzt, damit ihn der Blitz nicht treffe, als Tiberius in einem Garten auf Capri gesessen und die schändlichen *libros Elephantis* gelesen hatte, während um ihn Zwerge und Pfauen stolzierten und der Flötenspieler den Weihrauchschwinger neckte; wie er als Caligula mit den grünröckigen Pferdeknechten in ihren Ställen gezecht und mit einem Roß, das ein juwelengeschmücktes Stirnband trug, aus einer Elfenbeinkrippe gegessen hatte; wie er sich als Domitian durch einen Flur aus Marmorspiegeln geschlichen und mit irren Augen nach dem Blitzen eines Dolches umgesehen, der seine Tage enden sollte; er, der an jenem *ennui*, dem *taedium vitae*, litt, das alle befällt, denen das Leben keinen Wunsch versagt; und wie er durch einen klaren Smaragd auf das blutige Gemetzel in der Zirkusarena schaute und sich danach in einer mit Purpur und Perlen besetzten Sänfte von silberbeschlagenen Maultieren durch die Granatäpfelstraße in die Domus Aurea tragen ließ und im Vorbeiziehen hörte, wie das Volk »Nero Caesar« schrie; und wie er als Elagabalus, sein Gesicht mit Farben bemalt, den Spinnrocken unter den Frauen gedreht und den Mond von Karthago geholt, um ihn der Sonne mystisch zu vermählen.

Immer wieder las Dorian dieses phantastische Kapitel und das anschließende, worin der Held die schaurigen Szenen auf den Gobelins beschreibt, die er sich nach Entwürfen von Gustave Moreau weben ließ, und auf denen die verderbten, schönen Gestalten jener dargestellt waren, die Laster, Überdruß und Blutgier zu Scheusalen oder Wahnsinnigen gemacht hatten: Filippo, Herzog von Mailand, der seine Frau erschlug und ihre Lippen mit einem scharlachroten Gift bestrich; der Venezianer Pietro Barbi, als Paul II. bekannt, der sich in seiner Eitelkeit den Beinamen »Formosus« gab und dessen Tiara im Wert von zweihunderttausend Gulden um den Preis einer schrecklichen Sünde erkauft war; Giovan Maria Visconti, der mit Hetzhunden auf Menschenjagd ging und dessen gemordeter Leichnam von einer Dirne, die ihn liebte, mit Rosen bedeckt ward; Borgia auf seinem weißen Roß, neben ihm reitet Fratricida, und sein Mantel ist besudelt vom Blut des Perotto; Pietro Riario, der junge Kardinal-Erzbischof von Florenz, der Sohn und Liebling Sixtus IV., dessen Schönheit nur von seinen Ausschweifungen übertroffen wurde, und der Leonora von Aragon in einem Zelt aus weißer und zinnoberroter Seide empfing, das voll von Nymphen und Zentauren war, und der einen Knaben vergoldete, daß er ihr als Ganymed oder Hylas die Speisen beim Feste reiche; Ezzelino, dessen Schwermut nur das Schauspiel des Todes heilte, und der nach rotem Blut dürstete wie andere nach rotem Wein – den man den Sohn des Teufels nannte und einen, der seinen Vater beim Würfeln betrog, als er mit ihm um die eigene Seele spielte;

Giambattista Cibo, der aus Hohn den Namen Innozenz annahm und in dessen erschlaffte Adern ein jüdischer Arzt das Blut von drei Knaben flößte; Sigismondo Malatesta, der Geliebte von Isotta und Herrscher über Rimini, der in effigie als ein Feind Gottes und der Menschen in Rom verbrannt wurde, der Polyssena mit einem Tuch erdrosselte, der Ginevra d'Este in einem Smaragdbecher Gift reichte und einer schändlichen Leidenschaft zu Ehren eine heidnische Kirche für den christlichen Gottesdienst errichtete; und Karl VI., der seines Bruders Weib so wahnsinnig liebte, daß ein Aussätziger ihn vor dem Irrsinn warnte, der über ihn kommen würde, und der nur durch sarazenische Spielkarten Linderung fand, auf die die Bilder von Liebe, Tod und Wahnsinn gemalt waren; und in seinem enganliegenden Wams, der juwelengeschmückten Kappe und den akanthusgleichen Locken Grifonetto Baglione, der Astorre mit seiner Braut erschlug und Simonetto mit seinem Pagen, und dessen Schönheit so groß war, daß, als er sterbend auf der gelben Piazza in Perugia lag, alle, die ihn gehaßt hatten, weinen mußten, und Atalanta, die ihn verflucht hatte, ihn segnete.

Sie alle besaßen eine furchtbare Faszination. Er sah sie bei Nacht, und am Tage verwirrten sie seine Phantasie. Die Renaissance verstand es, auf geheimnisvolle Arten zu vergiften – durch einen Helm oder eine brennende Fackel, einen bestickten Handschuh oder einen juwelenbesetzten Fächer, ein vergoldetes Riechdöschen und eine Bernsteinkette. Dorian Gray war durch ein Buch vergiftet worden. Es gab Augenblicke, in denen er das Böse nur als ein Mittel ansah, seine Vorstellung vom Schönen zu verwirklichen.

10

Es war am 7. November, dem Vorabend seines zweiunddreißigsten Geburtstages, wie er sich später oft erinnerte.

Er ging gegen elf Uhr von Lord Henry nach Hause, bei dem er gespeist hatte, und war in schwere Pelze gehüllt, denn es war eine kalte und neblige Nacht. An der Ecke Grosvenor Square und South Adley Street überholte ihn im Nebel ein Mann, der rasch ausschritt und den Kragen seines grauen Ulsters hochgeschlagen hatte. Er trug eine Reisetasche in der Hand. Dorian erkannte ihn. Es war Basil Hallward. Ein seltsames Gefühl der Furcht, das er sich nicht erklären konnte, überkam ihn. Er tat, als hätte er ihn nicht erkannt, und ging langsam in der Richtung seines Hauses weiter.

Aber Hallward hatte ihn gesehen. Dorian hörte, wie er stehenblieb und ihm dann nacheilte. Wenige Augenblicke später legte er ihm die Hand auf den Arm.

»Dorian! Was für ein Glück! Ich habe seit neun Uhr in deiner Bibliothek auf dich gewartet. Schließlich tat mir dein Diener leid, der müde war, und ich sagte ihm, er solle zu Bett gehn, als er mich hinausließ. Ich fahre mit dem Zug um Mitternacht nach Paris, und ich wollte dich vor meiner Abreise unbedingt sehen. Ich dachte, das bist du oder zumindest dein Pelzmantel, als du an mir vorbeikamst. Aber ich war nicht ganz sicher. Hast du mich nicht erkannt?«

»Mein lieber Basil, in diesem Nebel? Ich erkenne nicht einmal den Grosvenor Square. Ich glaube, mein Haus muß hier irgendwo sein, aber ich bin keineswegs sicher. Es tut mir leid, daß du wegfährst, ich hab dich ewig nicht mehr gesehn. Aber ich hoffe, du kommst bald zurück?«

»Nein: ich bleibe sechs Monate von England weg. Ich möchte in Paris ein Atelier mieten und mich einschließen, bis ich ein großes Bild fertig habe, das mir vorschwebt. Aber ich wollte nicht über mich sprechen. Hier sind wir an deiner Tür. Laß mich einen Augenblick mit hineinkommen. Ich habe dir etwas zu sagen.«

»Es wird mir ein Vergnügen sein. Aber versäumst du nicht deinen Zug?« sagte Dorian Gray kühl, als er die Stufen hinaufging und die Tür mit seinem Schlüssel öffnete.

Das Lampenlicht drang durch den Nebel, und Hallward schaute auf seine Uhr. »Ich hab reichlich Zeit«, antwortete er. »Der Zug geht um zwölf Uhr fünfzehn, und jetzt ist es erst elf. Eigentlich war ich auf dem Weg zum Klub, um dich zu suchen, als wir uns begegneten. Ich brauche mich nämlich nicht um das Gepäck zu kümmern, da ich meine schweren Sachen vorausgeschickt habe. Alles, was ich bei mir habe, ist in dieser Tasche, und ich erreiche den Victoria-Bahnhof bequem in zwanzig Minuten.«

Dorian sah ihn an und lächelte. »So reist ein erfolgreicher Maler! Mit einer Reisetasche und einem Ulster! Komm herein, sonst fließt der Nebel ins Haus. Und ich bitte dich, sprich über nichts Ernsthaftes. Nichts ist ernst heutzutage. Sollte es wenigstens nicht sein.«

Hallward schüttelte den Kopf, als er eintrat, und folgte Dorian in die Bibliothek. Ein helles Holzfeuer flackerte in dem großen offenen Kamin. Die Lampen waren angezündet, und ein offenes holländisches Likörschränkchen aus Silber stand mit ein paar Siphons Sodawasser und hohen geschliffenen Gläsern auf einem kleinen Tisch.

»Du siehst, dein Diener hat für mich gesorgt, Dorian. Er brachte mir alles, was man sich wünschen kann, sogar deine besten Zigaretten. Er ist ein äußerst gastfreundliches Wesen. Ich finde ihn viel sympathischer als den Franzosen, den du früher hattest. Was ist übrigens aus dem Franzosen geworden?«

Dorian zuckte die Schultern. »Ich glaube, er hat Lady Ashtons Zofe geheiratet und sie in Paris als englische Schneiderin etabliert. Anglomanie ist jetzt dort drüben Mode, höre ich. Es scheint mir albern von den Franzosen, meinst du nicht auch? Aber weißt du – eigentlich war er kein schlechter Diener. Ich konnte ihn nie leiden, aber ich hatte keinen Grund zur Klage. Man bildet sich oft ganz absurde Dinge ein. Er war mir sehr ergeben und schien ganz traurig, als er fortging. Nimmst du noch einen Brandy mit Soda? Oder lieber Rheinwein mit Selterswasser? Ich trinke immer Rheinwein und Selterswasser. Bestimmt ist welcher im Nebenzimmer.«

»Danke, ich mag nichts mehr«, sagte Hallward, legte seine Mütze und seinen Mantel ab und warf sie über die Reisetasche, die er in die Ecke gestellt hatte. »Und nun, mein lieber Junge, muß ich ernsthaft mit dir reden. Zieh die Stirn nicht so kraus. Du machst es mir nur noch schwerer.«

»Was soll das alles?« rief Dorian verdrießlich und warf sich auf das Sofa. »Ich hoffe, es handelt sich nicht um mich. Ich bin meiner heute abend leid. Ich wollte, ich wäre ein anderer.«

»Es geht um dich«, erwiderte Hallward mit seiner ernsten,

tiefen Stimme, »und ich muß es dir sagen. Ich werde dich nur eine halbe Stunde aufhalten.«

Dorian seufzte und zündete sich eine Zigarette an. »Eine halbe Stunde!« murmelte er.

»Das ist nicht zuviel von dir verlangt, Dorian, und ich spreche nur um deinetwillen. Ich halte es für richtig, wenn du erfährst, daß man sich in London die schlimmsten Dinge über dich erzählt – Dinge, die ich nicht vor dir wiederholen möchte.«

»Ich möchte nichts davon hören. Ich liebe die Skandale anderer Leute, aber Klatsch über mich interessiert mich nicht. Ihm fehlt der Reiz des Neuen.«

»Du mußt dich dafür interessieren, Dorian. Jeder Gentleman achtet auf seinen guten Namen. Du willst doch nicht, daß die Leute von dir als einem gemeinen und verkommenen Menschen reden. Natürlich hast du deine Stellung und deinen Reichtum und alles, was dazu gehört. Aber Stellung und Reichtum sind nicht alles. Wohlgemerkt, ich glaube nicht an all diese Gerüchte. Zumindest kann ich nicht daran glauben, wenn ich dich sehe. Die Sünde ist etwas, das das Gesicht des Menschen zeichnet. Sie läßt sich nicht verheimlichen. Man spricht von geheimen Lastern. So etwas gibt es nicht. Wenn ein Unglücklicher ein Laster hat, zeigt es sich in den Mundlinien, den schlaffen Augenlidern, ja sogar in der Form seiner Hände. Jemand – ich möchte seinen Namen nicht nennen, aber du kennst ihn – kam im vergangenen Jahr zu mir, um sich malen zu lassen. Ich hatte ihn nie gesehn und bis dahin nie von ihm gehört, obwohl ich inzwischen sehr viel von ihm weiß. Er bot mir einen ungewöhnlichen Preis. Ich wies ihn ab. In der Form seiner Finger war etwas, das mich abstieß. Sein Leben ist schrecklich. Aber du, Dorian, mit deinem reinen, klaren, unschuldigen Gesicht und deiner wundervollen, ungetrübten Jugend – ich kann nichts glauben, was gegen dich spricht. Und doch sehe ich dich sehr selten, und du kommst jetzt nie mehr in mein Atelier, und wenn ich dich nicht sehe und all diese häßlichen Gerüchte höre, die man sich über dich erzählt, so weiß ich nicht, was ich sagen soll. Woher kommt es, Dorian, daß ein Mann wie der Herzog von Berwick das Klubzimmer verläßt, wenn du eintrittst? Was bedeutet es, daß so viele Gentlemen nicht in dein Haus kommen und dich nicht zu sich laden? Du bist mit Lord Cawdor befreundet gewesen. Ich traf ihn vergangene Woche bei einem Dinner. Dein Name fiel im Gespräch, im Zusammenhang mit den Miniaturen, die du für die Dudley-Ausstellung geliehen hast. Cawdor verzog den Mund und sagte, daß du vielleicht einen äußerst künstlerischen Geschmack besitzt, aber daß du ein Mann seist, den kein anständiges Mädchen kennenlernen und mit dem keine unbescholtene Frau im gleichen Zimmer sitzen dürfte. Ich erinnerte ihn daran, daß ich dein Freund bin, und fragte, was er damit sagen wollte. Er erklärte es mir. Er sagte es mir geradeheraus vor allen Anwesenden. Es war schrecklich. Warum ist deine Freundschaft so verhängnisvoll für junge Leute? Da war der unselige Junge in der Garde, der Selbstmord beging. Du warst eng mit ihm befreundet. Da war Sir Henry Ashton, der England mit beflecktem Namen verlassen mußte. Ihr beide seid unzertrennlich gewesen. Und Adrian Singleton und sein furchtbares Ende? Und der einzige Sohn von Lord Kent und seine Karriere? Ich traf seinen Vater gestern in der St. James Street. Er schien vor Scham und Kummer gebrochen. Und der junge Herzog von Perth? Was für ein Leben führt er jetzt? Welcher Gentleman würde noch mit ihm verkehren? Dorian, Dorian, du hast einen fürchterlichen Ruf. Ich weiß, du und Harry, ihr seid große Freunde. Darüber möchte ich jetzt nichts sagen, aber ganz gewiß hättest du den Namen seiner Schwester nicht zu einem Schimpfwort machen dürfen. Als du Lady Gwendolyn kennenlerntest, war sie nicht vom leisesten Hauch eines Skandals berührt. Gibt es jetzt eine einzige anständige Frau in London, die mit ihr im Park ausfahren würde? Selbst ihren Kindern erlaubt man nicht, bei ihr zu leben. Aber es gibt noch andere Geschichten – daß man dich im Morgengrauen aus verrufenen Häusern hat schleichen sehen und daß du verkleidet in die verworfensten Kneipen von London verschwunden bist. Ist das wahr? Kann das wahr sein? Als ich zum erstenmal davon hörte, habe ich gelacht. Wenn ich es jetzt höre, packt mich das Grauen. Und was geht in deinem Landhaus vor sich, und was für ein Leben führt man dort? Dorian, du weißt nicht, was man über dich spricht. Ich will nicht behaupten, daß ich dir keine Predigt halten will. Ich weiß noch, wie Harry einmal sagte, daß jeder, der sich für den Augenblick zu einem

Amateurpfaffen macht, das von sich sagt, um gleich darauf sein Wort zu brechen. Ich will dir eine Predigt halten. Ich will, daß du ein Leben führst, das dir die Achtung der Welt verschafft. Ich möchte, daß dein Name rein sei und dein Ruf makellos. Ich wünschte, daß du die gräßlichen Leute los wirst, mit denen du verkehrst. Zuck nicht so mit den Schultern. Sei nicht so gleichgültig. Du hast einen großen Einfluß. Laß ihn zum Guten wirken, nicht zum Bösen. Man sagt, du verdirbst jeden, mit dem du vertraut wirst, und es genüge, daß du ein Haus betrittst, um Schande irgendwelcher Art hineinzutragen. Ich weiß nicht, ob das wahr ist oder nicht. Wie sollte ich es wissen? Aber man sagt es von dir. Man hat mir Dinge erzählt, an denen ich kaum zweifeln kann. Lord Gloucester war einer meiner besten Freunde in Oxford. Er zeigte mir einen Brief von seiner Frau, den sie ihm geschrieben hatte, als sie sterbend und allein in ihrer Villa in Mentone lag. Es war das schrecklichste Bekenntnis, das ich je gelesen habe, und darin stand dein Name. Ich sagte ihm, das sei absurd, daß ich dich sehr genau kenne und daß du solcher Dinge nicht fähig seist. Kenne ich dich? Ich bin nicht sicher, ob ich dich kenne. Ehe ich darauf antworten könnte, müßte ich deine Seele sehen.«

»Meine Seele sehen!« stotterte Dorian Gray, indem er vom Sofa aufsprang, beinahe weiß vor Schrecken.

»Ja«, antwortete Hallward ernst und mit unendlicher Trauer in der Stimme – »deine Seele sehen. Aber nur Gott kann das.«

Ein bitteres Hohngelächter brach von den Lippen des Jüngeren. »Du sollst sie selbst sehen, heute nacht!« rief er und nahm eine Lampe vom Tisch. »Komm! Es ist das Werk deiner eigenen Hand. Warum solltest du es nicht sehen? Du kannst nachher aller Welt davon erzählen, wenn du willst. Niemand würde dir glauben. Wenn man dir Glauben schenkte, würde man mich nur um so lieber haben. Ich kenne die Zeit besser als du, obwohl du so langweilig darüber schwätzt. Komm, sage ich. Du hast genug über Lasterhaftigkeit geredet. Jetzt sollst du sie sehen, von Angesicht zu Angesicht.«

In jedem Wort, das er sprach, lag ein wahnwitziger Hochmut. Er stampfte in seiner knabenhaft anmaßenden Weise mit dem Fuß auf. Er empfand eine triumphierende Freude bei der Vorstellung, daß ein anderer nun sein Geheimnis teilen sollte, und daß der Mann, der das Bild, den Ursprung all seiner Schande, gemalt hatte, für den Rest seines Lebens beladen sein würde mit der gräßlichen Erinnerung an das, was er getan hatte.

»Ja«, fuhr erfort, indem er auf ihn zutrat und ihm fest in die Augen sah, »ich werde dir meine Seele zeigen. Du sollst sehen, was nach deiner Meinung nur Gott zu sehen vermag.«

Hallward wich zurück. »Das ist Blasphemie, Dorian!« rief er aus. »So etwas darfst du nicht sagen. Es ist vermessen und es ist sinnlos.«

»So, meinst du?« Er lachte wieder.

»Ich weiß es. Was ich heute abend zu dir sagte, hab ich zu deinem Besten gesagt. Du weißt, daß ich dir immer treu ergeben war.«

»Rühr mich nicht an. Sage, was du noch zu sagen hast.«

Ein Ausdruck des Schmerzes flog über Hallwards Gesicht. Er hielt einen Augenblick inne, und ein jähes Gefühl des Mitleids überkam ihn. Was gab ihm das Recht, sich in Dorian Grays Leben einzumischen? Wenn er nur einen Bruchteil von dem begangen hatte, was man ihm nachsagte, wie mußte er gelitten haben! Er stand auf, ging zum Kamin hinüber und blieb dort stehn, versunken in den Anblick der brennenden Scheite mit ihrer schneeigen Asche und ihrem glühenden Kern.

»Ich warte, Basil«, sagte der junge Mann mit harter, klarer Stimme.

Er drehte sich um. »Was ich zu sagen habe, ist dies«, rief er. »Du mußt mir eine Antwort geben auf die furchtbaren Anklagen, die man gegen dich erhebt. Wenn du mir sagst, daß sie von Anfang bis Ende vollkommen unwahr sind, will ich dir glauben. Streite sie ab, Dorian, streite sie ab! Siehst du denn nicht, was ich durchmache? Mein Gott, sag mir nicht, daß du ehrlos bist!«

Dorian Gray lächelte. Er verzog verächtlich die Lippen. »Komm mit mir hinauf, Basil«, sagte er ruhig. »Ich führe ein Buch über mein Leben, von Tag zu Tag, und es bleibt immer in dem Raum, in dem es geschrieben wird. Ich will es dir zeigen, wenn du mit mir kommst.«

»Ich komme mit dir, Dorian, wenn du es wünschst. Ich sehe, ich hab meinen Zug verpaßt. Das macht nichts. Ich kann morgen fahren. Aber verlange nicht, daß ich heut abend noch etwas lese. Alles, was ich will, ist eine offene Antwort auf meine Frage.«

»Die will ich dir oben geben. Hier kann ich es nicht. Du wirst nicht lange zu lesen haben. Laß mich nicht warten.«

11

Er ging aus dem Zimmer und begann die Treppe emporzusteigen. Basil Hallward folgte ihm auf dem Fuße. Sie traten leise auf, wie man es nachts instinktiv tut. Die Lampe warf phantastische Schatten auf die Wand des Treppenhauses. Ein Wind hatte sich erhoben und rüttelte an den Fensterscheiben.

Als sie den obersten Treppenabsatz erreichten, stellte Dorian die Lampe zu Boden, nahm den Schlüssel heraus und steckte ihn ins Schloß. »Du bestehst darauf, es zu wissen, Basil?« fragte er leise.

»Ja.«

»Das freut mich«, antwortete er lächelnd. Dann fügte er beinahe bitter hinzu: »Du bist der einzige Mensch in der Welt, der das Recht hat, alles über mich zu wissen. Du hast mit meinem Leben mehr zu tun, als du ahnst.« Er nahm die Lampe auf, öffnete die Tür und ging hinein. Ein kalter Luftzug traf sie, und das Licht flackerte einen Augenblick lang zu einer düsteren gelben Flamme auf. Er fröstelte. »Schließ die Tür hinter dir zu«, sagte er, als er die Lampe auf den Tisch stellte.

Hallward schaute sich verwirrt um. Das Zimmer sah aus, als wäre es seit Jahren nicht mehr bewohnt. Ein zerschlissener flämischer Gobelin, ein verhangenes Bild, ein alter italienischer *cassone* und ein fast leeres Bücherregal – das war alles, was es außer einem Tisch und einem Stuhl enthielt. Als Dorian Gray auf dem Kaminsims eine halb niedergebrannte Kerze anzündete, sah er, daß der ganze Raum mit Staub bedeckt und der Teppich zerlöchert war. Eine Maus raschelte hiner der Täfelung. Dumpfer Modergeruch lag in der Luft.

»Du glaubst also, daß nur Gott die Seele sehen kann, Basil? Zieh diesen Vorhang zurück, und du wirst meine Seele sehen.« Die Stimme klang kalt und grausam.

»Du bist verrückt, Dorian, oder du spielst Theater«, sagte Hallward stockend und mit gerunzelter Stirn.

»Du willst nicht? Dann muß ich es selbst tun«, sagte der junge Mann; und er riß den Vorhang von der Stange und schleuderte ihn zu Boden.

Hallward stieß einen Schrei des Entsetzens aus, als ihn im düstern Licht der böse Blick des Monstrums von der Leinwand traf. In seinem Ausdruck war etwas, das ihn mit Ekel und Abscheu erfüllte. Großer Gott! Es war Dorian Grays Gesicht, in das er sah! Noch hatte das Entsetzliche, was immer es war, jene herrliche Schönheit nicht ganz zerstört. Noch lag ein Hauch von Gold auf dem gelichteten Haar und ein schwacher Purpur auf den sinnlichen Lippen. Die verquollenen Augen hatten etwas von ihrem lieblichen Blau bewahrt, die edlen Linien der geschwungenen Nasenflügel und des schönen Halses waren noch nicht ganz verschwunden. Ja, es war Dorian. Aber wer hatte das gemalt? Er glaubte, seinen Pinselstrich zu erkennen, und der Rahmen war sein eigener Entwurf. Der Gedanke war ungeheuerlich, und eine Angst ergriff ihn.

Er nahm die brennende Kerze und hielt sie vor das Bild. In der linken Ecke stand sein eigener Name, in dünnen, karminroten Buchstaben.

Es war eine gemeine Parodie, eine infame, elende Satire. Und doch war es sein eigenes Bild. Er erkannte es, und ihm war, als verwandle sich sein erhitztes Blut in stechendes Eis. Sein Bild! Was sollte das bedeuten? Warum hatte es sich verändert? Er drehte sich um und sah Dorian Gray mit fiebrigen Augen an. Sein Mund zuckte, und seine trockene Zunge konnte kein Wort hervorbringen. Er strich sich mit der Hand über die Stirn. Sie klebte von Schweiß.

Der junge Mann lehnte am Kaminsims und beobachtete ihn mit jenem merkwürdigen Ausdruck, den man auf den Gesichtern von Menschen sieht, die in das Spiel eines großen Schauspielers vertieft sind. Es lag weder wirklicher Schmerz noch wirkliche Freude darin. Es war einfach die Leidenschaft des Zuschauers und höchstens in den Augen ein triumphierendes Leuchten. Er hatte die Blume aus seinem Knopfloch genommen und roch daran, oder er tat wenigstens so.

»Was bedeutet das?« stieß Hallward endlich hervor. Seine eigene Stimme klang ihm schrill und fremd in den Ohren.

»Vor Jahren, als ich ein Knabe war«, sagte Dorian Gray, »hast du mich kennengelernt, mich angebetet, mir geschmeichelt und mich gelehrt, auf meine Schönheit eitel zu sein. Eines Tages stelltest du mich einem Freund von dir vor, der mir das Wunder der Jugend offenbarte. In einem Augenblick des Wahnsinns, von dem ich noch heute nicht weiß, ob ich ihn bereuen soll oder nicht, sprach ich einen Wunsch aus. Du würdest es vielleicht ein Gebet nennen . . .«

»Ich erinnere mich! Wie gut ich mich daran erinnere! Nein, es ist unmöglich. Das Zimmer ist feucht. Der Schimmel hat die Leinwand zerstört. In den Farben, die ich benutzt hab, muß ein zersetzendes mineralisches Gift gewesen sein. Glaube mir, so etwas ist unmöglich!«

»Ach, was ist unmöglich?« flüsterte der junge Mann, ging zum Fenster hinüber und preßte seine Stirn gegen die kalte, nebelfeuchte Scheibe.

»Du hast mir gesagt, du hättest es zerstört.«

»Das war nicht wahr. Es hat mich zerstört.«

»Ich kann nicht glauben, daß das mein Bild ist.«

»Erkennst du deine Liebe nicht darin?« fragte Dorian scharf.

»Meine Liebe, wie du es nennst . . .«

»Wie du es nanntest.«

»Darin lag nichts Böses, nichts Schändliches. Das ist das Gesicht eines Satyrs.«

»Es ist das Gesicht meiner Seele.«

»Mein Gott, was für ein Wesen hab ich angebetet! Es hat die Augen eines Teufels.«

»Jeder von uns hat Himmel und Hölle in sich, Basil«, rief Dorian mit einer wilden Gebärde der Verzweiflung.

Hallward wandte sich wieder dem Bild zu und starrte es an. »Mein Gott! Wenn das wahr ist«, rief er, »und wenn du das aus deinem Leben gemacht hast, mußt du noch schlimmer sein, als man dir nachsagt!« Er hielt das Licht wieder vor die Leinwand und prüfte sie. Die Oberfläche schien ganz unberührt zu sein und so, wie er sie zum letztenmal gesehen hatte. Es war offensichtlich, daß die Fäulnis und das Entsetzliche von innen kamen.

Durch einen unerklärlichen inneren Verfallsprozeß fraß sich der Aussatz der Sünde langsam in die Gestalt. Die Verwesung eines Leichnams in einem feuchten Grab war nicht so schaurig.

Seine Hand zitterte, und die Kerze fiel aus dem Leuchter zu Boden und blieb flackernd liegen. Er zertrat sie mit dem Fuß. Dann warf er sich in den wackligen Stuhl, der am Tisch stand, und vergrub sein Gesicht in den Händen.

»Großer Gott, Dorian, was für eine Lehre! Was für eine schreckliche Lehre!« Es kam keine Antwort, aber er hörte den jungen Mann am Fenster schluchzen.

»Bete, Dorian, bete«, sagte er leise. Was hat man uns in der Kindheit gelehrt? ›Führe uns nicht in Versuchung. Vergib uns unsere Sünden. Wasche uns rein von unseren Missetaten.‹ Laß es uns gemeinsam sagen. Das Gebet deines Stolzes wurde erhört. Das Gebet deiner Reue wird auch erhört werden. Ich habe dich zu sehr geliebt. Ich bin dafür gestraft. Du hast dich selbst zu sehr geliebt. Wir sind beide gestraft.«

Dorian Gray wandte sich langsam um und sah ihn mit tränenverdunkelten Augen an. »Es ist zu spät, Basil«, flüsterte er.

»Es ist nie zu spät, Dorian. Laß uns niederknien und versuchen, uns an ein Gebet zu erinnern. Gibt es nicht irgendwo einen Vers: ›Und ob deine Sünden wie Scharlach sind, so will ich sie weiß machen wie Schnee‹?«

»Diese Worte haben für mich ihren Sinn verloren.«

»Still, sag das nicht. Du hast genug Böses in deinem Leben getan. Mein Gott! Siehst du nicht, wie uns das verfluchte Ding anstarrt?«

Dorian Gray sah nach dem Bild, und plötzlich überfiel ihn ein zügelloses Gefühl des Hasses gegen Basil Hallward. Die blinde Wut eines gehetzten Tieres stieg in ihm auf, und er haßte den Mann, der da am Tisch saß, mehr, als er jemals etwas in seinem Leben gehaßt hatte. Wie ein Rasender sah er sich um. Etwas Schimmerndes lag auf der bemalten Truhe vor ihm. Sein Blick fiel darauf. Er wußte, was es war. Es war ein Messer, das er vor einigen Tagen heraufgebracht hatte, um ein Stück Schnur abzuschneiden, und das er vergessen hatte. Er bewegte sich an Hallward vorbei langsam darauf zu. Kaum war er hinter ihm, griff er danach und drehte sich um. Hallward machte eine Bewegung, als wollte er vom Stuhl aufstehen. Er stürzte sich auf ihn und stieß das Messer in die große Ader hinter dem Ohr, dabei drückte er den Schädel des Mannes auf die Tischplatte, immer und immer wieder zustechend.

Ein schwaches Röcheln war zu hören und das fürchterliche Gurgeln eines Menschen, der im Blut erstickt. Dreimal fuhren die ausgestreckten Arme krampfhaft in die Höhe, und die steiffingrigen Hände griffen marionettenhaft in die Luft. Er stach noch einmal zu, aber der Mann rührte sich nicht. Etwas begann auf den Boden zu tropfen. Er wartete einen Augenblick, indem er noch immer den Kopf nach unten drückte. Dann warf er das Messer auf den Tisch und lauschte.

Er hörte nichts als das Tropfen auf den zerschlissenen Teppich. Er öffnete die Tür und trat ins Treppenhaus. Es war ganz still. Niemand war wach.

Er zog den Schlüssel heraus, trat ins Zimmer zurück und schloß sich ein.

Die Gestalt saß noch immer in dem Stuhl, mit gesenktem Kopf über den Tisch gelehnt, mit gekrümmtem Rücken und langen, grotesken Armen. Wäre nicht der rote, gezackte Riß im Hals gewesen und die dunkle, gerinnende Blutlache, die sich langsam auf dem Tisch ausbreitete, hätte man denken können, daß der Mann nur schläft.

Wie schnell alles geschehen war! Er fühlte sich seltsam ruhig, ging ans Fenster, öffnete es und trat auf den Balkon hinaus. Der Wind hatte den Nebel zerrissen, und der Himmel war wie ein gewaltiger Pfauenschweif, mit Myriaden von goldenen Augen bestirnt. Er blickte hinunter und sah den Polizisten, der seine Runde machte und seine Blendlaterne auf die Türen der schweigenden Häuser richtete. Das rote Licht eines vorbeifahrenden Wagens tauchte an der Straßenecke auf und verschwand dann. Eine Frau im wehenden Schal schob sich langsam und stolpernd an den Gittern entlang. Ab und zu blieb sie stehen und sah sich um. Einmal begann sie, mit heiserer Stimme zu singen. Der Polizist kam herüber und sagte etwas zu ihr. Lachend schwankte sie weiter. Ein scharfer Wind fegte über den Platz. Die Gaslaternen flackerten bläulich auf, und die entblätterten Bäume schüttelten stöhnend ihre schwarzen, schweren Äste. Er fröstelte, trat zurück und schloß das Fenster hinter sich.

Er ging zur Tür, drehte den Schlüssel um und öffnete sie. Er sah sich nicht einmal mehr nach dem Ermordeten um. Er fühlte, daß das Geheimnis der ganzen Sache darin liege, sich die Situation nicht klarzumachen. Der Freund, der das verhängnisvolle Bild gemalt hatte, das an all seinem Elend schuld war, war aus seinem Leben verschwunden. Das genügte. Dann fiel ihm die Lampe ein. Es war eine ziemlich seltene maurische Arbeit, aus mattem Silber getrieben und mit Arabesken aus poliertem Stahl eingelegt. Sein Diener könnte sie vermissen und ihn danach fragen. Er kehrte um und nahm sie vom Tisch. Wie unbeweglich der Mann war! Wie unerträglich weiß die langen Hände aussahen! Er sah aus wie eine schauerliche Wachsfigur.

Er sperrte die Tür zu und schlich sich leise die Treppe hinab. Die hölzernen Stufen knarrten und schienen zu ächzen. Er blieb mehrere Male stehen und lauschte. Nein: Alles war still. Es war nur der Widerhall seiner eigenen Schritte.

Als er in die Bibliothek zurückkam, entdeckte er die Reisetasche und den Mantel in der Ecke. Er mußte sie irgendwo verbergen. Er öffnete ein geheimes Fach in der Wandtäfelung und stellte sie hinein. Er konnte sie später leicht verbrennen. Dann zog er seine Uhr heraus. Es war zwanzig Minuten vor zwei.

Er setzte sich hin und überlegte. Jedes Jahr – beinahe jeden Monat – wurden in England Leute für das gehenkt, was er getan hatte. Es hatte ein mörderischer Wahnsinn in der Luft gelegen. Ein rotes Gestirn war der Erde zu nahe gekommen.

Beweise? Welche Beweise lagen gegen ihn vor? Basil Hallward hatte das Haus um elf Uhr verlassen. Niemand hatte ihn zurückkommen sehen. Die meisten Dienstboten waren auf Selby Royal. Sein Kammerdiener war zu Bett gegangen.

Paris! Ja, Basil war mit dem Mitternachtszug nach Paris gefahren, wie er es beabsichtigte. Durch seine seltsame, zurückhaltende Lebensart würden Monate vergehen, ehe sich ein Argwohn bildete. Monate? Alles konnte lange vorher vernichtet sein.

Plötzlich kam ihm ein Gedanke. Er zog seinen Pelz an, setzte den Hut auf und ging in die Halle hinaus. Dort blieb er stehen und lauschte auf den langsamen, schweren Tritt des Polizisten draußen auf dem Pflaster und sah den Widerschein der Laterne im Fenster. Er wartete mit angehaltenem Atem.

Nach ein paar Augenblicken öffnete er die Tür, schlüpfte hinaus und zog sie leise hinter sich zu. Dann zog er die Klingel. Nach etwa zehn Minuten erschien sein Diener, halb angezogen und sehr verschlafen. »Es tut mir leid, daß ich Sie habe wecken müssen, Francis«, sagte er und trat ein; ich habe meinen Schlüssel vergessen. Wieviel Uhr ist es?«

»Fünf Minuten nach zwei, gnädiger Herr«, antwortete der Mann, indem er gähnend auf die Uhr schaute.

»Fünf Minuten nach zwei? Schrecklich spät! Sie müssen mich morgen um neun Uhr wecken. Ich habe etwas zu tun.«

»Sehr wohl, gnädiger Herr.«

»War jemand hier, heute abend?«

»Mr. Hallward, gnädiger Herr. Er blieb bis elf und ging dann weg, um seinen Zug zu erreichen.«

»Oh, es tut mir leid, daß ich ihn nicht mehr gesehen habe. Hat er eine Nachricht hinterlassen?«

»Nein, gnädiger Herr, nur daß er Ihnen schreiben würde.«

»Gut, Francis. Vergessen Sie nicht, mich morgen um neun zu wecken.«

»Nein, gnädiger Herr.«

Der Mann schlurfte in seinen Pantoffeln den Gang hinunter.

Dorian Gray warf Hut und Mantel auf den gelben Marmortisch und ging in die Bibliothek. Eine Viertelstunde lang ging er mit zusammengekniffenen Lippen auf und ab und überlegte. Dann nahm er das Blaubuch aus einem Regal und fing an, darin zu blättern. »Alan Campbell, 152 Hertford Street, Mayfair.« Ja; das war der Mann, den er brauchte.

12

Am nächsten Morgen um neun trat sein Diener herein mit einer Tasse Schokolade auf dem Tablett und öffnete die Läden. Dorian schlief ganz ruhig, er lag auf der rechten Seite und hatte eine Hand unter seine Wange geschoben. Er sah aus wie ein Knabe, der beim Spiel oder beim Lernen müde geworden war.

Der Mann mußte ihn zweimal an der Schulter berühren, ehe er aufwachte, und als er die Augen öffnete, ging ein leichtes Lächeln über seine Lippen, als hätte er einen köstlichen Traum gehabt. Doch er hatte nicht geträumt. Sein Schlaf war von keinem Bild der Freude oder des Schmerzes gestört. Denn die Jugend lächelt ohne Grund. Das ist einer ihrer größten Reize.

Er drehte sich um, stützte sich auf den Ellbogen und begann die Schokolade zu trinken. Die milde Novembersonne strömte ins Zimmer. Der Himmel war leuchtend blau, und eine göttliche Wärme lag in der Luft. Es war fast wie ein Morgen im Mai.

Allmählich kamen auf leisen, blutbefleckten Sohlen die Ereignisse der vergangenen Nacht in sein Gedächtnis zurück und richteten sich dort in furchtbarer Deutlichkeit auf. Er erschauerte bei der Erinnerung an alles, was er durchlitten hatte, und für einen Augenblick kehrte das gleiche seltsame Haßgefühl gegen Basil Hallward zurück, das ihn getrieben hatte, den Freund zu töten, als dieser im Stuhl saß, und ihm wurde kalt vor Zorn. Der Tote saß noch immer dort, und jetzt gar im Sonnenlicht. Wie entsetzlich das war! So gräßliche Dinge waren für die Dunkelheit, nicht für den Tag.

Er fühlte, wenn er darüber grübelte, was er durchgemacht hatte, würde er krank oder wahnsinnig werden. Es gab Sünden, deren Reiz mehr in der Erinnerung lag als in der Tat, heimliche Triumphe, die mehr den Stolz als die Leidenschaft befriedigten, und dem Intellekt ein sublimeres Gefühl der Freude verschafften, als sie es jemals den Sinnen bereiten konnten. Aber dies hier gehörte nicht dazu. Es war etwas, das man aus dem Gedächtnis vertreiben, mit Mohnsaft einschläfern und ersticken mußte, um nicht selbst daran zu ersticken.

Er strich sich mit der Hand über die Stirn, dann stand er schnell auf und kleidete sich mit fast noch größerer Sorgfalt an als gewöhnlich, indem er sehr viel Aufmerksamkeit auf die Wahl seiner Krawatte und der Nadel verwandte und seine Ringe mehrmals wechselte.

Er saß lange beim Frühstück, kostete von den verschiedenen Speisen, sprach mit seinem Diener über einige neue Livreen, die er für die Dienerschaft auf Selby machen lassen wollte, und sah seine Korrespondenz durch. Bei einigen Briefen lächelte er. Drei ärgerten ihn. Einen las er mehrmals durch und zerriß ihn dann mit einem Ausdruck der Ungeduld. »Wie gräßlich das Gedächtnis der Frauen war!« hatte Lord Henry einmal gesagt.

Als er den Kaffee getrunken hatte, setzte er sich an den Tisch und schrieb zwei Briefe. Einen steckte er in die Tasche, den andern gab er dem Diener.

»Bringen Sie das zur Hertford Street 152, Francis, und wenn Mr. Campbell verreist ist, lassen Sie sich seine Adresse geben.«

Sobald er allein war, zündete er sich eine Zigarette an und begann auf einem Stück Papier zu zeichnen, erst Blumen, dann architektonische Schnörkel, schließlich Gesichter. Plötzlich bemerkte er in jedem Gesicht, das er zeichnete, eine phantastische Ähnlichkeit mit Basil Hallward. Leicht verärgert stand er auf, ging an den Bücherschrank und nahm aufs Geratewohl ein Buch heraus. Er war entschlossen, an das Geschehene nicht eher zu denken, als bis es absolut notwendig war.

Als er sich auf dem Sofa ausgestreckt hatte, schaute er auf den Titel des Buches. Es war Gautiers *Émaux et Camées*, in der Ausgabe von Charpentier auf Japanpapier, mit Radierungen von Jaquemart. Der Einband war aus zitronengrünem Leder mit einem Muster aus goldenem Gitterwerk und mit Granatäpfeln überstreut. Es war ein Geschenk von Adrian Singleton. Als er darin blätterte, fiel sein Blick auf das Gedicht über die Hand Lacenaires, jene kalte, gelbe Hand »du supplice mal lavée«, mit dem roten Flaum und den »doigts de faune«. Er sah seine eigenen weißen schlanken Finger an und blätterte weiter, bis er zu jenen schönen Versen über Venedig kam:

Sur une gamme chromatique,
Le sein de perles ruisselant,
La Vénus de l'Adriatique
Sort de l'eau son corps rose et blanc.

Les dômes, sur l'azur des ondes
Suivant la phrase au pur contour,
S'enflent comme des gorges rondes
Que soulève un soupir d'amour.

L'esquif aborde et me dépose,
Jetant son amarre au pilier,
Devant une façade rose,
Sur le marbre d'un escalier.

Wie köstlich sie waren! Wenn man sie las, glaubte man, in einer schwarzen Gondel mit silbernem Bug und schleifenden Vorhängen auf grünen Wasserstraßen in jener rosen- und perlfarbenen Stadt dahinzugleiten. Sogar die Zeilen wirkten auf ihn wie die geraden, türkisblauen Linien, die einem folgen, wenn man zum Lido hinausfährt. Die plötzlichen Farbblitze erinnerten ihn an das Schimmern der irisierenden und opalisierenden Vogelkehlen, an die Vögel, die um den schlanken, wabenartig durchbrochenen Campanile flattern oder mit so vornehmer Anmut durch die schattigen Arkaden stelzen. Mit halbgeschlossenen Augen zurückgelehnt, sagte er immer und immer wieder:

Devant une façade rose,
Sur le marbre d'un escalier.

Das ganze Venedig lag in diesen beiden Zeilen. Er dachte an den Herbst, den er dort verlebt hatte, und an eine wunderbare Liebe, die ihn zu entzückenden, phantastischen Torheiten verleitet hatte. Wohl besaß jeder Ort seine Romantik. Aber Venedig hatte gleich Oxford den Hintergrund für Romantik bewahrt, und Hintergrund bedeutete alles oder doch fast alles. Basil hatte einen Teil der Zeit mit ihm verbracht und war ganz außer sich vor Bewunderung für Tintoretto. Armer Basil! Wie furchtbar für einen Menschen, so zu sterben!

Seufzend nahm er das Buch wieder auf und versuchte zu vergessen. Er las von den Schwalben, die in dem kleinen Café in Smyrna aus und ein fliegen, wo die Hadschis sitzen und ihre Bernsteinperlen zählen, und wo die Kaufleute im Turban ihre langen Troddelpfeifen rauchen und sich mit ernsten Gesichtern unterhalten; er las von dem Obelisken auf der Place de la Concorde, der in seinem einsamen, sonnenarmen Exil granitene Tränen weint und sich nach dem heißen, lotosbewachsenen Nil sehnt, wo die Sphinxe sind und rosarote Ibisse und weiße Geier mit güldenen Klauen und Krokodile mit kleinen Beryllaugen, die über den grünen, dampfenden Schlamm kriechen; und von der fremdartigen Statue, die Gautier mit einem Contr'alto vergleicht, das »monstre charmant«, das im Porphyrsaal des Louvre liegt. Aber nach einiger Zeit ließ er das Buch fallen. Er wurde nervös, und eine schreckliche Angst überkam ihn. Was geschah, wenn Alan Campbell nicht in England war? Es konnten Tage vergehen, ehe er zurückkehrte. Vielleicht weigerte er sich, zu kommen. Was sollte er dann tun? Jeder Augenblick war lebenswichtig.

Sie waren einmal große Freunde gewesen, vor fünf Jahren – beinahe unzertrennlich. Dann hörte die Vertrautheit plötzlich auf. Wenn sie sich jetzt in Gesellschaft trafen, so war es nur Dorian Gray, der lächelte: Alan Campbell tat es nie.

Er war ein außerordentlich kluger junger Mann, obwohl er keinen Sinn für die bildende Kunst besaß, und das wenige Verständnis für die Schönheit der Poesie ausschließlich Dorian verdankte. Seine dominierende intellektuelle Begabung lag in der Wissenschaft. In Cambridge hatte er die meiste Zeit bei der Arbeit im Laboratorium zugebracht und ein gutes Examen in den Naturwissenschaften gemacht. Er studierte noch immer Chemie und hatte ein eigenes Laboratorium, in dem er sich oft den ganzen Tag lang einschloß, zur großen Enttäuschung seiner Mutter, die sich in den Kopf gesetzt hatte, daß er fürs Parlament kandidieren sollte, und die von einem Chemiker nur die Vorstellung hatte, daß er Rezepte zusammenstellt. Er war aber auch ein ausgezeichneter Musiker und spielte Geige und Klavier besser als die meisten Liebhaber. Die Musik war es auch, die ihn zuerst mit Dorian Gray zusammengeführt hatte, die Musik und jene undefinierbare Anziehungskraft, die Dorian ausübte, auf wen er wollte, und oftmals ohne es zu wissen. Sie hatten sich an dem Abend bei Lady Berkshire kennengelernt, als Rubinstein dort spielte, und seitdem sah man sie immer zusammen in der Oper und überall, wo es gute Musik gab. Ihre Freundschaft dauerte achtzehn Monate. Campbell war immer entweder in Selby Royal oder am Grosvenor Square. Dorian war für ihn, wie für viele andere, die Verkörperung all dessen, was im Leben herrlich und bezaubernd ist. Ob es einen Streit zwischen ihnen gegeben hatte, erfuhr man nie. Aber plötzlich bemerkte man, daß sie kaum miteinander sprachen, wenn sie sich trafen, und daß Campbell jede Gesellschaft früh verließ, wenn Dorian Gray anwesend war. Er war auch verändert – war zuweilen seltsam melancholisch, schien es beinah zu hassen, ernster Musik zuzuhören, und wenn er aufgefordert wurde, zu spielen, entschuldigte er sich, daß er so sehr von der Wissenschaft in Anspruch genommen sei, und ihm keine Zeit zum Üben bliebe. Und so war es auch. Von Tag zu Tag interessierte er sich mehr für die Biologie, und sein Name tauchte ein- oder zweimal in wissenschaftlichen Zeitschriften auf in Verbindung mit gewissen merkwürdigen Experimenten.

Das war der Mann, den Dorian Gray erwartete, während er im Zimmer auf und ab ging, jede Sekunde auf die Uhr sah, und wie die Minuten verstrichen, immer erregter wurde. Endlich öffnete sich die Tür, und sein Diener trat ein.

»Mr. Alan Campbell, gnädiger Herr.«

Ein Seufzer der Erleichterung kam von seinen trockenen Lippen, und die Farbe kehrte in seine Wangen zurück.

»Bitten Sie ihn, gleich hereinzukommen, Francis.«

Der Mann verbeugte sich und ging hinaus. Kurz darauf erschien Alan Campbell; er sah ernst und ziemlich bleich aus, und seine Blässe wurde durch das kohlschwarze Haar und die dunklen Augenbrauen noch betont.

»Alan! Das ist lieb von dir. Ich danke dir, daß du gekommen bist.«

»Ich hatte mir vorgenommen, dein Haus nie wieder zu betreten, Gray. Aber du schriebst, es gehe um Leben und Tod.« Seine Stimme klang kalt und hart. Er sprach langsam, jedes Wort abwägend. Ein Ausdruck von Verachtung lag in dem ruhigen, forschenden Blick, den er auf Dorian richtete. Er behielt die Hände in den Taschen seines Persianermantels und übersah die Geste, mit der er begrüßt worden war.

»Ja, es handelt sich um Leben und Tod, Alan, und für mehr als einen Menschen. Setz dich.«

Campbell nahm einen Stuhl am Tisch, und Dorian setzte sich ihm gegenüber. Die Augen der beiden Männer trafen sich. In Dorians Blick war unendliches Mitleid. Er wußte, was er zu tun beabsichtigte, war schrecklich.

Nach einem gespannten Schweigen beugte er sich vor und sagte sehr ruhig und indem er die Wirkung jedes einzelnen Wortes auf dem Gesicht des Mannes, den er hatte holen lassen, beobachtete: »Alan, in einem verschlossenen Zimmer unter dem Dach dieses Hauses, zu dem außer mir niemand Zutritt hat, sitzt ein Toter am Tisch. Er ist seit zehn Stunden tot. Steh nicht auf und schau mich nicht so an. Wer der Mann ist, warum er starb, wie er starb, sind Dinge, die dich nichts angehen. Was du zu tun hast, ist dies ...«

»Halt, Gray. Ich will nichts mehr hören. Ob das wahr ist oder nicht, ist mir gleichgültig. Ich lehne entschieden ab, in dein Leben hineingezogen zu werden. Behalte deine fürchterlichen Geheimnisse für dich. Sie interessieren mich nicht mehr.«

»Alan, sie werden dich interessieren müssen. Dieses eine wenigstens. Du tust mir furchtbar leid, Alan. Aber ich kann es dir nicht ersparen. Du bist der einzige Mensch, der imstande ist, mich zu retten. Ich bin gezwungen, dich in die Sache hineinzuziehen. Ich habe keine Wahl. Alan, du bist ein Wissenschaftler. Du weißt in der Chemie Bescheid und in ähnlichen Dingen. Du hast Experimente gemacht. Was du tun mußt, ist, das Ding dort oben zu vernichten –, vernichten, so daß keine Spur davon übrigbleibt. Niemand hat diesen Menschen ins Haus kommen sehen. Tatsächlich denkt man, er sei im Augenblick in Paris. Man wird ihn monatelang nicht vermissen. Wenn er vermißt wird, darf hier keine Spur von ihm zu finden sein. Du, Alan, mußt ihn und alles, was ihm gehört, in eine Handvoll Asche verwandeln, die ich in die Winde streuen kann.«

»Du bist wahnsinnig, Dorian.«

»Ah – ich habe darauf gewartet, daß du mich Dorian nennst.«

»Du bist wahnsinnig, sag ich dir –, wahnsinnig, wenn du glaubst, daß ich nur einen Finger rühren werde, um dir zu helfen, wahnsinnig, mir dieses ungeheuerliche Bekenntnis zu machen. Ich will nichts damit zu tun haben, was es auch ist. Bildest du dir ein, ich setze um deinetwillen meinen Ruf aufs Spiel? Was geht es mich an, welche Teufelei du angerichtet hast?«

»Es war Selbstmord, Alan.«

»Das freut mich. Aber wer hat ihn dazu getrieben? Du doch, vermute ich.«

»Weigerst du dich noch immer, es für mich zu tun?«

»Natürlich weigere ich mich. Ich will absolut nichts damit zu tun haben. Es ist mir gleichgültig, welche Schande dich trifft. Du hast sie verdient. Es würde mir nicht leid tun, dich entehrt zu sehen, öffentlich entehrt. Wie kannst du es wagen, gerade mich von allen Menschen in der Welt in diese grauenhafte Angelegenheit hineinzuziehen. Ich hätte gedacht, daß du mehr von menschlichem Charakter verstehst. Dein Freund Lord Henry Wotton kann dich nicht viel Psychologie gelehrt haben, was er dich auch sonst gelehrt haben mag. Nichts kann mich bewegen, auch nur einen Schritt zu tun, um dir zu helfen. Du bist an den Falschen geraten. Geh zu einem deiner Freunde. Komm nicht zu mir.«

»Alan, es war Mord. Ich hab ihn getötet. Du weißt nicht, was ich durch ihn gelitten habe. Was immer mein Leben ist, er hat es mehr beeinflußt und verdorben, als der arme Henry es je getan hat. Es mag nicht in seiner Absicht gelegen haben, das Ergebnis war das gleiche.«

»Mord! Großer Gott, Dorian, so weit ist es mit dir gekommen? Ich werde dich nicht anzeigen. Das ist nicht meine Sache. Außerdem wirst du auch ohne mein Zutun sicher gefaßt werden. Niemand begeht einen Mord, ohne eine Dummheit zu machen. Aber ich will nichts damit zu tun haben.«

»Alles, was ich von dir verlange, ist, daß du ein wissenschaftliches Experiment ausführst. Du gehst in Spitäler und Leichenhäuser, und das Grausige, was du dort tust, berührt dich nicht. Wenn dieser Mann in einem scheußlichen Seziersaal oder einem stinkenden Laboratorium auf einem Bleitisch mit roten Abflußrinnen liegen würde, so würdest du ihn einfach als ein wunderbares Studienobjekt betrachten. Kein Haar würde sich dir sträuben. Du hättest nicht das Gefühl, etwas Unrechtes zu tun. Im Gegenteil, du würdest wahrscheinlich der Meinung sein, daß du der Menschheit etwas Gutes tust, die Erkenntnis bereicherst oder intellektuelle Neugier befriedigst und dergleichen mehr. Was ich von dir verlange, ist etwas, das du schon oft getan hast. Eigentlich muß es weniger schlimm sein, einen Leichnam zu vernichten, als was du sonst zu tun gewohnt bist. Und vergiß nicht, es ist das einzige Beweisstück gegen mich. Wird es entdeckt, so bin ich verloren; und es wird ganz gewiß entdeckt, wenn du mir nicht hilfst.«

»Ich hab keine Lust, dir zu helfen. Das vergißt du. Mir ist die ganze Sache einfach gleichgültig. Ich hab nichts mit ihr zu tun.«

»Alan, ich beschwöre dich. Denke, in welcher Lage ich mich befinde. Ehe du kamst, war ich fast ohnmächtig vor Angst. Nein, denk nicht daran. Sieh die Sache nur vom wissenschaftlichen Standpunkt aus. Du fragst nicht, woher die Leichen kommen, an denen du experimentierst. Frag auch jetzt nicht. Ich habe dir ohnehin zuviel gesagt. Aber ich bitte dich, tu es. Wir waren doch einmal Freunde, Alan.«

»Sprich nicht von jenen Tagen, Dorian: sie sind tot.«

»Manchmal verweilen die Toten. Der Mann dort oben geht nicht fort. Er sitzt am Tisch mit hängendem Kopf und ausgespreizten Armen. Alan, Alan, wenn du mir nicht hilfst, bin ich verloren. Sie werden mich hängen, Alan. Begreifst du denn nicht? Sie werden mich hängen für das, was ich getan habe.«

»Es hat keinen Sinn, diese Szene zu verlängern. Ich lehne es absolut ab, etwas in der Sache zu tun. Es ist irrsinnig von dir, mich darum zu bitten.«

»Du weigerst dich endgültig?«

»Ja.«

Wieder kam ein Ausdruck des Mitleids in Dorians Augen. Er streckte die Hand nach einem Stück Papier aus und schrieb etwas darauf. Er las es zweimal durch, faltete es sorgfältig zusammen und schob es über den Tisch. Dann stand er auf und trat ans Fenster.

Campbell sah ihn verwundert an, nahm das Papier und öffnete es. Als er es las, wurde sein Gesicht geisterhaft bleich, und er fiel in seinen Stuhl zurück. Ein fürchterliches Gefühl der Schwäche überkam ihn. Ihm war, als schlage sein Herz sich zu Tode.

Nach zwei bis drei Minuten eines furchtbaren Schweigens drehte sich Dorian um, trat hinter ihn und legte ihm die Hand auf die Schulter.

»Es tut mir so leid, Alan«, sagte er leise, »aber du läßt mir keine Wahl. Ich habe schon einen Brief geschrieben. Hier ist er. Du kennst die Adresse. Wenn du mir nicht hilfst, muß ich ihn abschicken. Du weißt, was die Folgen sein werden. Aber du wirst mir helfen. Du kannst es mir nicht mehr verweigern. Ich wollte dir das ersparen. Du wirst mir das gerechterweise zugestehen müssen. Du warst hart, scharf, beleidigend. Du hast mich behandelt, wie kein Mensch je gewagt hat, mich zu behandeln – jedenfalls kein lebender. Ich habe alles ertragen. Jetzt ist es an mir, die Bedingungen zu diktieren.«

Campbell vergrub sein Gesicht in den Händen, und ein Schauer durchlief ihn.

»Ja, jetzt ist die Reihe an mir, Alan, die Bedingungen zu diktieren. Du kennst sie. Die Sache ist ganz einfach. Komm, steigere dich nicht in dieses Fieber. Es muß getan werden. Sieh der Sache ins Gesicht und tu es.«

Ein Stöhnen kam von Campbells Lippen, und er bebte am ganzen Körper. Das Ticken der Uhr auf dem Kaminsims schien die Zeit in einzelne Atome eines Todeskampfes zu zerteilen, jedes von ihnen zu grauenhaft, um ertragen zu werden. Er hatte die Empfindung, als würde ein eiserner Ring langsam um seine Stirn zusammengezogen, als ob das Unheil, von dem er bedroht war, schon über ihn gekommen sei. Die Hand auf seiner Schulter wog schwer wie Blei. Sie war ihm unerträglich. Sie schien ihn zermalmen zu wollen.

»Komm, Alan, du mußt dich sofort entscheiden.«

Er zögerte einen Augenblick. »Ist ein Ofen dort oben im Zimmer?« fragte er leise.

»Ja, ein Gasofen mit Asbest.«

»Ich muß nach Hause gehn und verschiedenes aus dem Laboratorium holen.«

»Nein, Alan, du brauchst das Haus nicht zu verlassen. Schreib auf ein Blatt Papier, was du brauchst, und mein Diener wird einen Wagen nehmen und dir die Sachen bringen.«

Campbell schrieb ein paar Zeilen, löschte sie und adressierte einen Umschlag an seinen Assistenten. Dorian nahm das Blatt und las es sorgfältig durch. Dann klingelte er und gab es seinem Diener mit dem Auftrag, so schnell wie möglich zurückzukehren und die Sachen mitzubringen. Als die Haustür ins Schloß fiel, sprang Campbell auf und ging zum Kamin hinüber. Er zitterte wie in einem Fieberfrost. Fast zwanzig Minuten vergingen, und keiner der Männer sprach ein Wort. Eine Fliege summte laut durchs Zimmer, und das Ticken der Uhr war wie Hammerschläge. Als es ein Uhr schlug, wandte sich Campbell um, und als er Dorian Gray anschaute, sah er, daß seine Augen mit Tränen gefüllt waren. In den reinen, edlen Zügen dieses traurigen Gesichts schien ihn etwas zu empören.

»Du bist ein Schurke, ein gemeiner Schurke!« sagte er tonlos.

»Sei still, Alan, du hast mir das Leben gerettet«, sagte Dorian.

»Dein Leben? O Gott! Was ist das für ein Leben! Du bist von Niedertracht zu Niedertracht gegangen, und jetzt hast du in einem Verbrechen den Gipfel erreicht. Wenn ich tue, was du mich zu tun zwingst, so denke ich dabei nicht an dein Leben.«

»Ach, Alan«, flüsterte Dorian mit einem Seufzer, »ich wünschte, daß du nur den tausendsten Teil des Mitleids für mich hättest, das ich für dich empfinde.« Er wandte sich um, während er sprach, und sah in den Garten hinaus. Campbell gab keine Antwort.

Zehn Minuten später klopfte es an der Tür, und der Diener trat ein; er brachte einen großen Mahagonikasten mit Chemikalien, darauf stand eine kleine Elektrobatterie. Er stellte das Ganze auf den Tisch, ging hinaus und kam mit einer langen Rolle Stahl- und Platindraht und zwei merkwürdig geformten Eisenklammern zurück. »Soll ich die Sachen hier lassen, gnädiger Herr?« fragte er Campbell.

»Ja«, sagte Dorian. »Und es tut mir leid, Francis, daß ich noch einen Auftrag für Sie habe. Wie heißt der Mann in Richmond, der die Orchideen für Selby liefert?«

»Harden, gnädiger Herr.«

»Ach ja, Harden. Sie müssen gleich nach Richmond fahren und mit Harden sprechen, er soll doppelt so viel Orchideen schicken, wie ich bestellt hatte, und so wenig weiße wie möglich. Eigentlich möchte ich überhaupt keine weißen. Es ist ein schöner Tag heute, Francis, und Richmond ist ein sehr hübscher Ort, sonst würde ich Sie nicht damit behelligen.«

»Keine Sorge, gnädiger Herr. Wann soll ich zurück sein?«

Dorian sah zu Campbell. »Wie lange wird dein Experiment dauern, Alan?« fragte er mit ruhiger, gleichgültiger Stimme. Die Gegenwart eines Dritten schien ihm seine Gelassenheit wiederzugeben.

Campbell runzelte die Stirn und biß sich auf die Lippen. »Ungefähr fünf Stunden wird es dauern«, gab er zur Antwort.

»Dann ist es früh genug, wenn Sie um halb acht zurück sind, Francis. Oder warten Sie: Legen Sie mir meine Sachen zum Ankleiden bereit, Sie können den Abend für sich haben. Ich esse nicht zu Hause und brauche Sie also nicht.«

»Ich danke Ihnen, gnädiger Herr«, sagte der Mann und ging.

»Und jetzt, Alan, ist kein Augenblick zu verlieren. Wie schwer dieser Kasten ist! Ich werde ihn tragen, nimm du das übrige.« Er sprach schnell und in befehlendem Ton. Campbell fühlte sich ausgeliefert. Sie gingen zusammen hinaus.

Als sie den obersten Treppenabsatz erreichten, zog Dorian den Schlüssel heraus und drehte ihn im Schloß. Dann hielt er inne, und ein verstörter Ausdruck kam in sein Gesicht. Er schauderte. »Ich glaube, ich kann nicht hineingehn, Alan«, flüsterte er.

»Das macht mir nichts aus. Ich brauche dich nicht«, erwiderte Campbell kalt.

Dorian öffnete die Tür zur Hälfte. Dabei sah er, wie ihn das Gesicht vom Bild her angrinste. Am Boden lag der heruntergerissene Vorhang. Er erinnerte sich, daß er in der Nacht zuvor zum erstenmal in seinem Leben vergessen hatte, es zu verdecken, als er aus dem Zimmer schlich. Was war das für ein widerlicher roter Fleck, der feucht und glänzend auf der einen Hand leuchtete, als hätte die Leinwand Blut geschwitzt? Wie grauenhaft das war! In diesem Augenblick kam es ihm schlimmer vor als das schweigende Ding, das über den Tisch gestreckt lag, das Ding, dessen grotesker, unförmiger Schatten auf dem befleckten Teppich ihm zeigte, daß es sich nicht bewegt hatte, sondern noch da war, wo er es gelassen hatte.

Er öffnete die Tür etwas weiter und ging mit halbgeschlossenen Augen und abgewendetem Kopf schnell hinein, entschlossen, den Toten nicht anzusehen. Er bückte sich, hob die purpurgoldene Decke auf und warf sie über das Bild.

Dann blieb er stehen, voller Angst, sich umzudrehen, und seine Augen hefteten sich auf das verschlungene Muster. Er hörte, wie Campbell den schweren Kasten hereinbrachte, die Eisenklammern und die übrigen Sachen, die er für seine fürchterliche Arbeit verlangt hatte. Er fragte sich, ob er Basil Hallward jemals begegnet war, und wenn ja, was sie voneinander gedacht hatten.

»Laß mich jetzt allein«, sagte Campbell.

Er drehte sich um und ging rasch hinaus, wobei er gerade noch wahrnahm, daß der Tote in seinem Stuhl zurückgelehnt worden war und Campbell in ein wächsernes, gelbliches Gesicht starrte. Als er hinunterging, hörte er, wie der Schlüssel im Schloß umgedreht wurde.

Es war lange nach sieben Uhr, als Campbell in die Bibliothek zurückkam. Er war bleich, aber vollkommen ruhig. »Ich habe getan, was du von mir verlangt hast«, sagte er leise. »Und nun adieu. Wir werden uns nie wiedersehen.«

»Du hast mich vor dem Untergang gerettet, Alan. Ich kann dir das nicht vergessen«, sagte Dorian schlicht.

Sobald Campbell fort war, ging er hinauf. Es war ein schrecklicher Geruch von Chemikalien im Raum. Aber das Ding, das am Tisch gesessen hatte, war verschwunden.

13

»Es hat keinen Sinn, mir zu sagen, daß du jetzt gut werden willst, Dorian«, rief Lord Henry, der seine weißen Finger in eine rote Kupferschale mit Rosenwasser tauchte. »Du bist ganz vollkommen. Bitte ändere dich nicht.«

Dorian schüttelte den Kopf. »Nein, Harry, ich hab zu viele Ungeheuerlichkeiten in meinem Leben begangen. So soll es nicht weitergehn. Gestern hab ich meine guten Taten begonnen.«

»Wo bist du gestern gewesen?«

»Auf dem Lande, Harry. Ich war ganz allein in einem kleinen Gasthaus.«

»Mein lieber Junge«, sagte Lord Henry lächelnd, »auf dem Land kann jeder gut sein. Da gibt es keine Versuchungen. Das ist der Grund, warum Leute, die nicht in der Stadt leben, so unzivilisiert sind. Es gibt nur zwei Wege, zivilisiert zu werden. Der eine führt über die Kultur, der andere über die Verderbtheit. Die Leute auf dem Land haben weder zum einen noch zum andern Gelegenheit, deshalb geraten sie in Stagnation.«

»Kultur und Verderbtheit«, sagte Dorian leise. »Ich habe beides kennengelernt. Jetzt erscheint es mir seltsam, daß man sie jemals gemeinsam vorfindet. Denn ich habe ein neues Ideal, Harry. Ich will mich ändern. Ich glaube, ich bin schon verändert.«

»Du hast mir deine gute Tat noch nicht genannt. Oder sagtest du, daß du mehr als eine begangen hast?«

»Ich will es dir sagen. Es ist eine Geschichte, die ich nicht jedem erzählen könnte. Ich habe jemand verschont. Es klingt eitel, aber du weißt, was ich meine. Sie war sehr schön und erinnerte mich an Sibyl Vane. Ich glaube, das zog mich zuallererst an. Du erinnerst dich an Sibyl, nicht wahr? Wie lange das vergangen scheint. Hetty gehörte natürlich nicht unserm Stand an. Sie war nur ein Mädchen in einem Dorf. Aber ich hab sie wirklich geliebt. Ich bin sicher, daß ich sie geliebt habe. Den ganzen wundervollen Mai hindurch, den wir hatten, fuhr ich jede Woche zwei- oder dreimal hinaus, um sie zu sehen. Gestern erwartete sie mich in einem kleinen Obstgarten. Die Apfelblüten fielen auf ihr Haar, und sie lachte. Wir wollten heute morgen in der Dämmerung zusammen fortgehen. Plötzlich faßte ich den Entschluß, sie so unberührt zu lassen, wie ich sie gefunden hatte.«

»Ich vermute, die Neuheit der Empfindung hat dir einen tiefen Schauer des Entzückens bereitet, Dorian«, unterbrach ihn Lord Henry. »Aber ich kann deine Idylle zu Ende erzählen. Du gabst ihr gute Lehren und hast ihr das Herz gebrochen. Das war der Anfang deiner Besserung.«

»Harry, du bist abscheulich! Du darfst nicht so häßliche Dinge sagen. Hetty ist das Herz nicht gebrochen. Natürlich weinte sie und so weiter. Aber sie ist von keiner Schande betroffen. Sie kann weiterleben wie Perdita in ihrem Garten.«

»Und über einen treulosen Florizel weinen«, sagte Lord Henry lachend. »Mein lieber Dorian, du hast die wunderlichsten Knabenlaunen. Glaubst du, dieses Mädchen wird sich jemals mit einem Mann ihres eigenen Standes zufriedengeben? Wahrscheinlich wird sie eines Tages mit einem derben Fuhrmann oder mit einem Bauerntölpel verheiratet werden. Daß sie dich gekannt und geliebt hat, wird zur Folge haben, daß sie ihren Gatten verachtet und wird sie unglücklich machen. Vom moralischen Standpunkt aus halte ich nicht viel von deinem Verzicht. Selbst als Anfang ist er bescheiden. Außerdem, woher weißt du, daß Hetty in diesem Augenblick nicht in irgendeinem Mühlteich treibt, mit Wasserlilien umkränzt wie Ophelia?«

»Ich kann das nicht ertragen, Harry! Du spottest über alles, und dann malst du die schrecklichsten Tragödien aus. Es tut mir leid, daß ich dir davon erzählt habe. Es ist mir gleich, was du dazu sagst, ich weiß, daß ich richtig gehandelt habe. Die arme Hetty. Als ich heute morgen an dem Gehöft vorbeiritt, sah ich ihr Gesicht, weiß wie ein Jasminreis, am Fenster. Aber laß mich nicht mehr darüber reden, und versuche nicht, mich zu überzeugen, daß die erste gute Tat seit Jahren, das erste kleine Opfer, das ich gebracht habe, im Grunde eine Sünde sei. Ich will besser werden. Und ich werde besser werden. Erzähl mir von dir. Was gibt es Neues in der Stadt? Ich bin seit Tagen nicht im Klub gewesen.«

»Die Leute reden immer noch über das Verschwinden des armen Basil.«

»Ich hätte gedacht, sie wären dessen inzwischen müde geworden«, sagte Dorian mit einem leichten Stirnrunzeln, während er sich einen Schluck Wein einschenkte.

»Mein lieber Junge, sie reden erst seit sechs Wochen darüber, und das Publikum ist der geistigen Anstrengung von mehr als einem Thema in drei Monaten wirklich nicht gewachsen. Immerhin sind sie in der letzten Zeit besonders glücklich dran gewesen. Da war meine eigene Scheidung und der Selbstmord von Alan Campbell. Jetzt haben sie das geheimnisvolle Verschwinden eines Künstlers. Scotland Yard besteht immer noch darauf, daß der Mann im grauen Ulster, der am 7. November mit dem Mitternachtszug vom Victoria-Bahnhof abfuhr, der arme Basil gewesen sei, und die französische Polizei erklärt, daß Basil niemals in Paris angekommen ist. Vermutlich hören wir in vierzehn Tagen, er sei in San Franzisko aufgetaucht. Es ist merkwürdig, aber wer verschwindet, soll immer in San Franzisko gesehen worden sein. Das muß eine entzückende Stadt sein, die alle Verlockungen des Jenseits besitzt.«

»Was glaubst du, ist Basil zugestoßen?« fragte Dorian und hielt seinen Burgunder gegen das Licht; er wunderte sich, daß er so ruhig über das Thema sprechen konnte.

»Ich hab nicht die leiseste Ahnung. Wenn Basil es für richtig hält, sich zu verbergen, so geht mich das nichts an. Wenn er tot ist, so mag ich nicht an ihn denken. Seit jeher ist der Tod das einzige, was mich in Schrecken hält. Ich hasse ihn. Man kann heutzutage alles überleben außer ihm. Der Tod und die Vulgarität, das sind die beiden einzigen Tatsachen im neunzehnten Jahrhundert, die sich nicht wegerklären lassen. Komm, wir wollen den Kaffee im Musikzimmer nehmen. Du mußt mir Chopin vorspielen. Der Mann, mit dem meine Frau davongelaufen ist, spielte hinreißend Chopin. Die arme Victoria! Ich hatte sie sehr gern. Das Haus ist ganz verlassen ohne sie.«

Dorian sagte nichts, sondern stand vom Tisch auf, ging in das Nebenzimmer, setzte sich ans Klavier und ließ seine Finger über die Tasten gleiten. Als der Kaffee hereingebracht wurde, hörte er auf zu spielen, und zu Lord Henry gewandt, sagte er: »Harry, ist dir niemals der Gedanke gekommen, daß Basil ermordet wurde?«

Lord Henry gähnte. »Basil hatte keine Feinde und trug immer eine Waterbury-Uhr. Warum hätte er ermordet werden sollen? Er war nicht klug genug, um Feinde zu haben. Natürlich war er ein genialer Maler. Aber einer kann malen wie Velasquez und doch unerhört langweilig sein. Basil war wirklich ziemlich fade. Er hat mich nur ein einziges Mal interessiert, und das war, als er mir vor vielen Jahren erzählte, daß er eine wahnsinnige Leidenschaft für dich hätte.«

»Ich habe Basil sehr gern gemocht«, sagte Dorian mit einem Ausdruck der Trauer in den Augen. »Aber heißt es nicht, daß er ermordet wurde?«

»Ach, in manchen Zeitungen wird das behauptet. Ich halte es nicht für wahrscheinlich. Ich weiß, es gibt fürchterliche Orte in Paris, aber Basil war nicht der Mensch, dorthin zu gehen. Er besaß keine Neugier. Das war sein Hauptfehler. Spiel mir ein Nocturne, Dorian, und während du spielst, erzähl mir leise, wie du deine Jugend bewahrt hast. Du mußt ein Geheimnis haben. Ich bin nur zehn Jahre älter als du, und ich bin faltig, kahl, und meine Haut ist gelb. Du bist wirklich wunderbar, Dorian. Du hast nie bezaubernder ausgesehn als heute abend. Du erinnerst mich an den Tag, als ich dich zum erstenmal sah. Du warst ein wenig eigensinnig, sehr schüchtern und ganz ungewöhnlich. Du hast dich natürlich verändert, aber nicht äußerlich. Ich wünschte, du würdest mir dein Geheimnis verraten. Ich würde alles in der Welt tun, um meine Jugend zurückzuerhalten, außer Gymnastik machen, früh aufstehn und ehrbar werden. Jugend! Nichts kommt ihr gleich. Es ist unsinnig, von der Unerfahrenheit der Jugend zu reden. Die einzigen Leute, auf deren Meinungen ich jetzt etwas gebe, sind viel jünger als ich selbst. Sie scheinen mir voraus zu sein. Das Leben hat ihnen sein letztes Geheimnis enthüllt. Was die Alten betrifft, den Alten widerspreche ich immer. Ich tue es aus Prinzip. Wenn du wissen willst, wie sie über ein Ereignis von gestern denken, geben sie dir feierlich die Urteile wieder, die 1820 in Umlauf waren, als die Leute hohe Halsbinden trugen und absolut nichts wußten. Wie schön das Stück ist, das du spielst. Ich möchte wissen, ob Chopin es auf Mallorca schrieb, wenn die Wogen heranrollten und der Salzschaum gegen das Fenster sprühte. Es ist hinreißend romantisch. Was für ein Segen, daß uns wenigstens eine Kunst geblieben ist, die nicht nachahmt! Hör nicht auf. Ich brauche Musik heute abend. Ich stelle mir vor, du seist der junge Apoll, und ich bin Marsyas, der dir zuhört. Ich kenne eine Pein, Dorian, von der nicht einmal du etwas ahnst. Die Tragödie des Alters ist nicht, daß man alt, sondern daß man jung ist. Ich erschrecke zuweilen über meine eigene Aufrichtigkeit. Ach, Dorian, wie glücklich bist du! Was für ein herrliches Leben hast du gehabt! Du hast alles bis zur Neige genossen! Du hast die Trauben an deinem Gaumen zergehen lassen. Nichts ist dir verborgen geblieben. Aber alles war für dich nicht mehr als der Klang von Musik! Es hat dich nicht gezeichnet. Du bist noch der gleiche.

Ich möchte wissen, wie dein Leben weiter verlaufen wird. Verdirb es nicht durch Entsagungen. Jetzt bist du als Typus vollkommen. Mach dich nicht unvollkommen. Du bist makellos. Du brauchst nicht den Kopf zu schütteln. Du weißt es selbst. Und außerdem, Dorian, darfst du dich nicht betrügen. Das Leben läßt sich nicht durch den Willen oder durch Vorsätze beherrschen. Das Leben ist eine Frage der Nerven und Fibern und von langsam sich aufbauenden Zellen, in denen sich der Gedanke verbirgt und die Leidenschaft ihre Träume hat. Du magst dich sicher wähnen und für stark halten. Aber ein zufälliger Farbton in einem Zimmer oder am Morgenhimmel, ein bestimmter Duft, den du einst liebtest und der heimliche Erinnerungen weckt, eine Zeile aus einem vergessenen Gedicht, die du wiederfindest, die Kadenz aus einem Musikstück, das du längst nicht mehr spielst –, glaube mir, Dorian, das sind die Dinge, von denen unser Leben abhängt. Browning hat einmal darüber geschrieben, aber unsere eigenen Sinne bestätigen es uns. Es gibt Augenblicke, in denen der Duft des Heliotrop mich plötzlich streift, und ich muß noch einmal durch das seltsamste Jahr meines Lebens hindurchgehen.

Ich wollte, ich könnte mit dir tauschen, Dorian. Wir sind beide von der Welt verschrien worden, aber dich hat sie immer angebetet. Sie wird dir weiter zu Füßen liegen. Du bist das Leitbild, nach dem die Zeit sucht und das sie fürchtet, gefunden zu haben. Ich bin so froh, daß du niemals etwas getan hast, nie eine Statue gemeißelt oder ein Bild gemalt, nie etwas aus dir herausgestellt hast. Deine Kunst war das Leben. Du hast dich selbst in Musik gesetzt. Deine Tage sind deine Sonette gewesen.«

Dorian stand vom Klavier auf und strich sich mit der Hand durch das Haar. »Ja, das Leben ist herrlich gewesen«, sagte er leise, »aber ich werde dieses Leben nicht weiterführen, Harry. Und du darfst nicht solche übertriebenen Dinge zu mir sagen. Du weißt nicht alles über mich. Ich glaube, wenn es so wäre, würdest auch du dich von mir abwenden. Du lachst. Lach nicht.«

»Warum hast du aufgehört zu spielen, Dorian? Setz dich und spiel das Nocturne noch einmal. Sieh den großen, honigfarbenen Mond, der in der dämmrigen Luft hängt. Er wartet, daß du ihn verzauberst, und wenn du spielst, wird er sich der Erde nähern. Du willst nicht? Dann laß uns in den Klub gehen. Es war ein reizender Abend, und wir müssen ihn angenehm beenden. Im Klub ist jemand, der dich durchaus kennenlernen möchte –, der junge Lord Poole, Bournmouths ältester Sohn. Er kopiert schon deine Krawatten und hat mich gebeten, ihn dir vorzustellen. Er ist ganz entzückend und erinnert mich sogar an dich.«

»Hoffentlich nicht«, erwiderte Dorian mit einem Anflug von Pathos in der Stimme. »Aber ich bin heute abend müde, Harry. Ich möchte nicht mehr in der Klub. Es ist fast elf, und ich will zeitig zu Bett.«

»Bitte bleib noch. Du hast nie so schön gespielt wie heute abend. Es war etwas Wundervolles in deinem Anschlag. Er hatte mehr Ausdruck, als ich je darin gehört habe.«

»Das ist, weil ich gut werden will«, antwortete er lächelnd. »Ich bin schon ein wenig verändert.«

»Ändre dich nicht, Dorian; oder wenigstens ändere dich nicht gegen mich. Wir müssen immer Freunde bleiben.«

»Und doch hast du mich einmal mit einem Buch vergiftet. Ich

sollte dir das nicht verzeihen. Harry, versprich mir, daß du dies Buch niemandem mehr leihen wirst. Es richtet Unheil an.«

»Mein lieber Junge, jetzt fängst du wirklich an zu moralisieren. Bald wirst du herumgehn und die Leute vor den Sünden warnen, deren du müde bist. Du bist viel zu charmant, um so etwas zu tun. Außerdem nützt es nichts. Du und ich, wir sind, was wir sind, und werden es immer bleiben. Komm morgen vorbei. Ich möchte um elf ausreiten. Wir könnten zusammen gehen. Der Park ist jetzt wunderschön. Ich glaube, einen solchen Flieder hat es nicht mehr gegeben seit dem Jahr, als ich dich kennenlernte.«

»Gut, ich werde um elf Uhr hier sein«, sagte Dorian. »Gute Nacht, Harry.« Als er an der Tür stand, zögerte er einen Augenblick, als hätte er noch etwas zu sagen. Dann seufzte er und ging.

Es war eine klare Nacht und so warm, daß er den Mantel über den Arm nahm und nicht einmal den Seidenschal umlegte. Als er, seine Zigarette rauchend, nach Hause schlenderte, gingen zwei junge Leute im Abendanzug an ihm vorbei. Er hörte, wie einer dem andern zuflüsterte: »Das ist Dorian Gray.« Er erinnerte sich, wie angenehm es ihm gewesen war, wenn man auf ihn aufmerksam machte, ihn ansah oder von ihm sprach. Jetzt war er es müde, seinen Namen zu hören. Der Zauber des kleinen Dorfes, wo er sich in letzter Zeit so häufig aufgehalten hatte, lag zur Hälfte darin, daß niemand wußte, wer er war. Er hatte dem Mädchen, dessen Liebe er erweckt hatte, erzählt, daß er arm sei, und sie hatte ihm geglaubt. Er hatte einmal zu ihr gesagt, er sei schlecht, und sie hatte ihn ausgelacht und gemeint, daß schlechte Menschen immer sehr alt und sehr häßlich sind. Wie sie lachen konnte! – Wie eine Singdrossel! Und wie hübsch sie gewesen war in ihren Baumwollkleidern und den großen Hüten! Sie war unwissend, aber sie besaß alles, was er verloren hatte.

Als er nach Hause kam, fand er den Diener noch auf, der ihn erwartete. Er schickte ihn zu Bett und warf sich in der Bibliothek aufs Sofa und begann über einige Dinge nachzudenken, die Lord Henry zu ihm gesagt hatte.

War es wirklich wahr, daß man sich nicht mehr ändern konnte?

Er fühlte eine brennende Sehnsucht nach der Reinheit seiner Jugend – den Rosen und Lilien seiner Jugend, wie Lord Henry sie einmal genannt hatte. Er wußte, daß er sich mit Schmach bedeckt, seine Seele vergewaltigt und seiner Phantasie das Grauen gelehrt hatte; wußte, daß er einen bösen Einfluß auf andere ausgeübt und dabei ein teuflisches Vergnügen empfunden hatte; und daß er von allen Menschen, die sein Leben kreuzten, die besten und verheißungsvollsten in Schande gebracht hatte. Aber war das nie wiedergutzumachen? Gab es keine Hoffnung für ihn?

Es war besser, nicht an das Vergangene zu denken. Daran ließ sich nichts mehr ändern. An sich selbst und an seine Zukunft mußte er denken. Alan Campbell hatte sich eines Nachts in seinem Laboratorium erschossen, aber das Geheimnis, zu dessen Mitwisserschaft er ihn gezwungen hatte, nicht verraten. Die Aufregung über das Verschwinden von Basil Hallward würde sich schließlich legen. Sie ließ jetzt schon nach. Er fühlte sich vollständig sicher. Nein, es war auch nicht Basil Hallwards Tod, der sein Gemüt am schwersten belastete. Es war der lebendige Tod seiner eigenen Seele, der ihn quälte. Basil hatte das Bild gemalt, das sein Leben zerstörte. Das konnte er ihm nicht verzeihen. Das Bild hatte alles getan. Basil hatte ihm unerträgliche Dinge gesagt, und doch hatte er sie geduldig ertragen. Der Mord war nur der Wahnsinn eines Augenblicks. Und was Alan Campbell betraf, so war sein Selbstmord seine eigene Wahl. Er hatte sich entschieden, es zu tun. Ihn ging es nichts an.

Ein neues Leben! Das wünschte er sich. Das war es, worauf er wartete. Gewiß, er hatte es bereits begonnen. Jedenfalls hatte er ein unschuldiges Wesen geschont. Er würde nie wieder die Unschuld in Versuchung führen. Er wollte gut sein.

Bei dem Gedanken an Hetty Merton fragte er sich, ob sich das Bild in dem geschlossenen Zimmer verändert hatte. Sicherlich war es nicht mehr so schrecklich wie vorher? Vielleicht, wenn sein Leben rein würde, konnte er jedes Zeichen böser Leidenschaft aus dem Gesicht löschen. Vielleicht waren die Zeichen des Bösen schon verschwunden. Er wollte nachsehen.

Er nahm die Lampe vom Tisch und schlich die Treppe hinauf. Als er die Tür aufschloß, glitt ein frohes Lächeln über sein jugendliches Gesicht und verweilte einen Augenblick auf seinen Lippen. Ja, er wollte gut werden, und das scheußliche Ding, das er verborgen hielt, würde ihn nicht länger in Schrecken versetzen. Er hatte ein Gefühl, als sei die Last bereits von ihm genommen.

Er trat ruhig hinein und sperrte die Tür wie gewöhnlich hinter sich zu und riß den Purpurvorhang von dem Bild. Ein Schrei des Schmerzes und der Empörung entrang sich ihm. Er konnte keine Veränderung entdecken, außer einem listigen Ausdruck in den Augen und einer heuchlerischen Falte um den Mund. Das Ding war noch genauso ekelhaft – vielleicht noch ekelhafter als zuvor –, und der scharlachrote Fleck schien glänzender und eher wie frisch vergossenes Blut.

War es nur die Eitelkeit gewesen, die ihn seine einzige gute Tat begehen hieß? Oder das Verlangen nach einer neuen Empfindung, wie Lord Henry mit seinem spöttischen Lachen angedeutet hatte? Oder der leidenschaftliche Hang, eine Rolle zu spielen, in der wir Dinge tun, die edler sind als wir selbst? Oder vielleicht alles zusammen?

Warum war der rote Fleck größer als zuvor? Er hatte sich wie eine schreckliche Krankheit über die runzligen Finger ausgebreitet. Blut war auf den gemalten Füßen, als wäre es herabgetropft – Blut selbst auf der Hand, die nicht das Messer gehalten hatte.

Ein Geständnis ablegen? Hieß es, daß er ein Geständnis ablegen sollte? Sich ausliefern und hingerichtet werden? Er lachte. Er fand den Einfall ungeheuerlich. Und außerdem, wer würde ihm glauben, selbst wenn er ein Geständnis ablegte? Nirgends war eine Spur des Ermordeten. Alles, was ihm gehört hatte, war vernichtet. Er selbst hatte verbrannt, was unten geblieben war. Die Welt würde ihn einfach für wahnsinnig halten. Sie würden ihn einsperren, wenn er auf seiner Geschichte beharrte.

Dennoch war es seine Pflicht, zu bekennen, öffentliche Schande zu ertragen und öffentlich Sühne zu leisten. Es gab einen Gott, der die Menschen aufrief, ihre Sünden auf Erden wie auch im Himmel zu bekennen. Nichts, was er auch tat, konnte ihn reinigen, bis er seine Sünde gestanden hatte. Seine Sünde? Er zuckte die Schultern. Der Tod Basil Hallwards galt ihm wenig. Er dachte an Hetty Merton.

Es war ein ungerechter Spiegel, dieser Spiegel seiner Seele, in dem er sich erblickte. Eitelkeit? Neugier? Heuchelei? Hatte in seinem Verzicht nicht mehr gelegen als das? Es war mehr. Wenigstens glaubte er es. Aber wer konnte das sagen?

Und dieser Mord – sollte er ihn sein ganzes Leben lang verfolgen? Sollte er die Vergangenheit nie loswerden? Mußte er wirklich gestehn? Nein. Es gab nur ein einziges Beweisstück gegen ihn. Das Bild selbst – das war der Beweis.

Er wollte es zerstören. Warum hatte er es so lange behalten? Früher hatte es ihm Vergnügen bereitet, zu beobachten, wie es sich verwandelte und alterte. In der letzten Zeit fand er kein Vergnügen mehr daran. Es hatte ihn nachts wachgehalten. Wenn er fort gewesen war, lähmte ihn die Angst, daß fremde Augen es sehen könnten. Es hatte Schwermut über seine Leidenschaften gebracht. Die bloße Erinnerung hatte ihm viele Augenblicke der Freude vergällt. Es war gleichsam sein Gewissen geworden. Ja, es war sein Gewissen. Er mußte es zerstören.

Er sah sich um und entdeckte das Messer, mit dem er Basil Hallward erstochen hatte. Er hatte es unzählige Male gereinigt, bis kein Fleck mehr darauf war. Es war blank und glänzte. Wie es den Maler getötet hatte, so sollte es das Werk des Malers töten und alles, was es bedeutete. Es sollte die Vergangenheit töten, und war sie tot, so würde er frei sein. Er griff danach und stieß es in die Leinwand, indem er das Ding von oben bis unten aufschlitzte.

Ein Schrei war zu hören und ein Fall. Der Schrei war so furchtbar in seiner Todesqual, daß die Diener erschreckt auffuhren und aus ihren Zimmern schlichen. Zwei Herren, die unten über den Platz gingen, standen still und sahen an dem großen Haus hinauf. Sie gingen weiter, bis sie einen Polizisten trafen, und kamen mit ihm zurück. Der Mann zog mehrmals die Klingel, aber es blieb ruhig. Das ganze Haus war dunkel, bis auf ein Licht im obersten Stockwerk. Nach einiger Zeit ging er weg, stellte sich unter den Portico des Nachbarhauses und wartete.

»Wem gehört das Haus, Konstabler?« fragte der ältere der beiden Herren. »Mr. Dorian Gray«, antwortete der Polizist.

Sie sahen einander an, gingen weiter und lachten. Der eine von ihnen war Sir Henry Ashtons Onkel.

Drinnen, im Gesindeteil des Hauses, flüsterten die halbangekleideten Diener miteinander. Die alte Mrs. Leaf weinte und rang die Hände. Francis war totenbleich.

Nach einer Viertelstunde holte er den Kutscher und einen Lakaien, und sie schlichen hinauf. Sie klopften, aber es kam keine Antwort. Sie riefen. Alles blieb still. Schließlich, nachdem sie vergebens versucht hatten, die Tür zu sprengen, stiegen sie auf das Dach und sprangen auf den Balkon hinunter. Die Fenster gaben leicht nach: Die Riegel waren alt.

Als sie eintraten, fanden sie an der Wand ein herrliches Porträt ihres Herrn, wie sie ihn zuletzt gesehen hatten, in dem ganzen Zauber seiner unvergleichlichen Jugend und Schönheit. Auf dem Boden lag ein toter Mann im Gesellschaftsanzug mit einem Messer im Herzen. Er war welk, runzlig und abscheuerregend von Angesicht. Erst als sie die Ringe untersuchten, erkannten sie, wer es war.

Lord Arthur Saviles Verbrechen
Eine Studie über die Pflicht

I

Es war Lady Windermeres letzter Empfang vor Ostern, und in Bentinck House herrschte ein noch größeres Gedränge als sonst. Sechs Kabinettsminister, geschmückt mit Orden und Ehrenzeichen, waren geradewegs vom Empfang des Unterhaussprechers gekommen; die vielen hübschen Frauen trugen ihre elegantesten Toiletten, und am Ende der Bildergalerie stand Prinzessin Sophia von Karlsruhe, eine gewichtig aussehende Dame mit einem Tatarengesicht, kleinen schwarzen Augen und herrlichen Smaragden; sie unterhielt sich mit durchdringender Stimme in schlechtem Französisch und lachte unmäßig über alles, was man ihr erzählte. Es war wirklich eine fabelhaft gemischte Gesellschaft. Blendende Aristokratinnen plauderten leutselig mit hitzigen Radikalen, populäre Prediger hatten Tuchfühlung mit berühmten Freidenkern, ein wahres Rudel von Bischöfen folgte einer korpulenten Primadonna von einem Salon in den anderen, am Treppenaufgang standen mehrere Mitglieder der Royal Academy, als Künstler verkleidet, und von einem bestimmten Zeitpunkt an soll es im Speisezimmer von Genies nur so gewimmelt haben. Jedenfalls war es eine der gelungensten Abendgesellschaften Lady Windermeres, und die Prinzessin blieb bis kurz vor halb zwölf.

Als sie gegangen war, kehrte Lady Windermere in die Bildergalerie zurück, wo gerade ein gefeierter Nationalökonom einem indignierten ungarischen Virtuosen allen Ernstes einen Vortrag über Musiktheorie hielt, und begann ein Gespräch mit der Herzogin von Paisley. Die Lady sah wunderschön aus mit ihrem edelgeformten, elfenbeinfarbenen Hals, ihren großen blauen Vergißmeinnichtaugen und ihrem schweren goldblonden Haar. Es hatte den Glanz reinen Goldes – nicht jene blasse Strohfarbe, der man heutzutage die anspruchsvolle Bezeichnung »golden« zugesteht, sondern den Goldschimmer, der in Sonnenstrahlen eingewoben und in besonders schönem Bernstein verborgen ist. Ihr Haar verlieh ihr beinahe das Aussehen einer Heiligen, zugleich aber ganz unverkennbar etwas von der Faszination einer Sünderin. Sie war ein merkwürdiger psychologischer Fall. Schon frühzeitig hatte sie die bedeutsame Entdeckung gemacht, daß nichts so sehr den Eindruck der Unschuld erweckt wie der gelegentliche Verzicht auf Konventionen, und durch mehrere unbekümmerte Eskapaden, die Hälfte davon recht harmloser Natur, hatte sie sich die Privilegien erworben, die man einer Persönlichkeit einräumt. Mehr als einmal hatte sie den Gatten gewechselt – in Debretts Adelsregister steht sie mit drei Ehen verzeichnet –, da sie aber niemals den Liebhaber wechselte, hatten die Leute längst aufgehört, über sie zu klatschen. Sie war vierzig, kinderlos und begabt mit jener unbändigen Lust am Vergnügen, die das Geheimnis ewiger Jugend ist.

Plötzlich blickte sie suchend um sich und fragte mit klarer Altstimme: »Wo ist mein Chiromant?«

»Ihr was, Gladys?« rief, unwillkürlich zusammenzuckend, die Herzogin.

»Mein Chiromant, Herzogin. Ich kann zur Zeit einfach nicht ohne ihn leben.«

»Meine liebe Gladys, Sie sind immer so originell«, murmelte die Herzogin, versuchte krampfhaft, sich zu erinnern, was ein Chiromant eigentlich tat, und hoffte, daß es sich nicht um einen Chiropodisten handelte.

»Er kommt regelmäßig zweimal in der Woche, um sich meine Hand anzusehen«, fuhr Lady Windermere fort, »und er sagt mir immer sehr interessante Dinge.«

»Du lieber Himmel!« dachte die Herzogin. »Er ist also doch so etwas wie ein Chiropodist. Wie gräßlich! Hoffentlich ist er wenigstens Ausländer. Dann wär's nicht ganz so schlimm.«

»Ich muß Sie unbedingt mit ihm bekannt machen!«

»Bekannt machen?« rief die Herzogin. »Soll das heißen, daß er hier ist?« Und schon begann sie, nach ihrem kleinen Schildpattfächer und dem bereits ziemlich schäbigen Spitzenschal zu suchen, um notfalls sofort aufbrechen zu können.

»Natürlich ist er hier. Es würde mir nicht einfallen, eine Gesellschaft ohne ihn zu geben. Er behauptet, ich hätte eine absolut spirituelle Hand, und wenn mein Daumen nur eine Kleinigkeit kürzer wäre, hätte ich mich zu einer ausgesprochenen Pessimistin entwickelt und wäre ins Kloster gegangen.«

»Ach so!« sagte die Herzogin sichtlich erleichtert. »Er sagt den Leuten ihr Glück voraus.«

»Und ihr Unglück«, erwiderte Lady Windermere, »ganz gleich, wie groß es sein mag. Mir zum Beispiel droht nächstes Jahr große Gefahr zu Wasser und zu Lande. Ich werde also in einem Ballon leben und jeden Abend mein Essen in einem Korb an Bord ziehen. Das ist alles von meinem kleinen Finger abzulesen – oder von meiner Handfläche, ich weiß es nicht mehr genau.«

»Gladys, heißt das nicht die Vorsehung versuchen?«

»Liebe Herzogin, die Vorsehung hat sicher inzwischen gelernt, der Versuchung zu widerstehen. Ich finde, jeder sollte sich einmal im Monat aus der Hand lesen lassen, um zu erfahren, was er nicht tun soll. Natürlich tut man es dann doch, aber es ist so angenehm, gewarnt zu werden. Also, wenn jetzt nicht sofort jemand Mr. Podgers holt, muß ich's selbst tun.«

»Gestatten Sie, daß ich ihn hole, Lady Windermere«, ließ sich ein hochgewachsener, gutaussehender junger Mann vernehmen, der in der Nähe gestanden und der Unterhaltung amüsiert zugehört hatte.

»Vielen Dank, Lord Arthur, aber ich fürchte, Sie würden ihn nicht erkennen.«

»Wenn er wirklich so fabelhaft ist, wie Sie sagen, Lady Windermere, kann ich ihn wohl kaum übersehen. Beschreiben Sie ihn, und ich werde ihn sofort herbringen.«

»Ach, wissen Sie, wie ein Chiromant sieht er eigentlich gar nicht aus. Er wirkt nämlich weder geheimnisvoll noch esoterisch noch romantisch. Er ist ein kleiner, beleibter Mann mit einem komischen Glatzkopf und einer großen Brille mit Goldrand; eine Mischung aus Hausarzt und Dorfadvokat. Es tut mir wirklich leid, aber ich kann nichts dafür. Meine Klavierspieler sehen alle wie Dichter aus und meine Dichter wie Klavierspieler. Und ich kann mich erinnern, daß ich letzten Winter einen ganz fürchterlichen Verschwörer zum Dinner einlud, der schon Gott weiß wie viele Leute in die Luft gesprengt hatte und immer ein Panzerhemd trug und einen Dolch im Hemdärmel stecken hatte; und stellen Sie sich vor, er sah wie ein netter alter Pfarrer aus und erzählte den ganzen Abend lang Witze! Sicher, er war sehr amüsant, aber ich war trotzdem schrecklich enttäuscht. Und als ich ihn nach dem Panzerhemd fragte, lachte er nur und sagte, für England sei so etwas viel zu kalt. Aber da ist ja Mr. Podgers! Hören Sie, Mr. Podgers, ich möchte, daß Sie der Herzogin von Paisley aus der Hand lesen! Herzogin, Sie müssen den Handschuh ausziehen! Nein, nicht die linke Hand, die andere!«

»Meine liebe Gladys, ich halte das wirklich für nicht ganz passend«, sagte die Herzogin, während sie zögernd ihren ziemlich schmuddeligen Glacéhandschuh aufknöpfte.

»Interessante Dinge sind nie ganz passend«, entgegnete Lady Windermere. »*On a fait le monde ainsi*. Aber jetzt muß ich Sie miteinander bekannt machen. Herzogin, das ist Mr. Podgers, mein Lieblingschiromant. Mr. Podgers, das ist die Herzogin von Paisley, und wenn Sie sagen, ihr Mondberg sei größer als meiner, werde ich Ihnen kein Wort mehr glauben.«

»Gladys, ich bin sicher, daß nichts dergleichen in meiner Hand zu finden ist«, sagte die Herzogin streng.

»Hoheit haben völlig recht«, sagte Mr. Podgers, während er die kleine, fette Hand mit den kurzen, stumpfen Fingern betrachtete. »Der Mondberg ist nicht entwickelt. Aber die Lebenslinie ist ganz ausgezeichnet. Wollen Sie bitte das Handgelenk abbiegen! Danke sehr. Drei deutliche Querlinien! Sie werden sehr alt und überaus glücklich werden, Herzogin. Ehrgeiz – sehr gemäßigt, Verstandeslinie – nicht sonderlich ausgeprägt, Herzenslinie ...«

»Weiter, Mr. Podgers, sagen Sie doch endlich etwas Indiskretes!« rief Lady Windermere.

»Nichts täte ich lieber«, antwortete Mr. Podgers mit einer Verbeugung, »vorausgesetzt, daß die Herzogin mir Anlaß dazu gäbe. Aber ich muß leider gestehen, daß ich eine große Beständigkeit in der Liebe, verbunden mit starkem Pflichtgefühl, entdecke.«

»Bitte sprechen Sie weiter, Mr. Podgers«, sagte die Herzogin angenehm berührt.

»Sparsamkeit ist nicht die geringste Tugend Eurer Hoheit«, fuhr Mr. Podgers fort, woraufhin Lady Windermere sich vor Lachen ausschütten wollte.

»Sparsamkeit ist eine sehr gute Eigenschaft«, bemerkte die Herzogin selbstzufrieden. »Als ich Paisley heiratete, hatte er elf Schlösser, aber kein einziges Haus, in dem man anständig wohnen konnte.«

»Und jetzt hat er zwölf Wohnhäuser und kein einziges Schloß«, rief Lady Windermere.

»Nun ja, meine Liebe«, sagte die Herzogin, »ich bin eben für ...«

»Komfort«, warf Mr. Podgers ein, »und moderne Errungenschaften und fließendes warmes Wasser in allen Schlafzimmern. Hoheit haben ganz recht. Komfort ist das einzige, was unsere Zivilisation uns zu bieten hat.«

»Sie haben den Charakter der Herzogin bewunderungswürdig beschrieben, Mr. Podgers. Jetzt ist Lady Flora an der Reihe.«

Einem Wink der lächelnden Gastgeberin folgend, kam ein hochaufgeschossenes Mädchen mit strohblondem Haar und spitzen Schultern, das hinter dem Sofa gestanden hatte, linkisch herbei und streckte eine lange, knochige Hand mit spachtelförmigen Fingern aus.

»O, eine Klavierspielerin!« rief Mr. Podgers. »Ja, eine ausgezeichnete Klavierspielerin, aber wohl kaum eine echte Musikerin. Sehr zurückhaltend, sehr aufrichtig und ungemein tierliebend.«

»Stimmt!« rief die Herzogin Lady Windermere zu. »Stimmt genau! Flora hält in Macloskie zwei Dutzend Collies und würde bestimmt auch unser Stadthaus in eine Menagerie verwandeln, wenn ihr Vater es zuließe.«

»Genau das tue ich jeden Donnerstagabend mit meinem Haus«, rief Lady Windermere lachend, »nur, daß ich Löwen lieber mag als Collies!«

»Ihr einziger Fehler, Lady Windermere«, sagte Mr. Podgers mit einer ausladenden Verbeugung.

»Eine Frau, die es nicht versteht, ihre Schwächen attraktiv zu machen, ist eben nur ein weibliches Lebewesen«, war die Antwort. »Aber jetzt müssen Sie sich noch einige andere Hände ansehen. Kommen Sie, Sir Thomas, zeigen Sie Mr. Podgers Ihre Hand!«

Ein jovial wirkender alter Herr in weißem Jackett trat heran und streckte eine plumpe, verwitterte Hand mit einem sehr langen Mittelfinger aus.

»Eine abenteuerliche Natur. Sie haben vier lange Seereisen hinter und eine vor sich. Dreimal Schiffbruch erlitten. Nein, nur zweimal, aber bei Ihrer nächsten Reise besteht Schiffbruchgefahr. Streng konservativ, sehr pünktlich, leidenschaftlicher Kuriositätensammler. Zwischen dem sechzehnten und achtzehnten Lebensjahr eine schwere Krankheit überstanden. Mit ungefähr dreißig ein Vermögen geerbt. Starke Abneigung gegen Katzen und Radikale.«

»Fabelhaft!« rief Sir Thomas. »Sie müssen unbedingt auch meiner Frau aus der Hand lesen.«

»Ihrer zweiten Frau«, sagte Mr. Podgers gelassen, während er noch immer Sir Thomas' Hand hielt. »Ihrer zweiten Frau. Mit Vergnügen!« Aber Lady Marvel, eine melancholisch wirkende Dame mit braunem Haar und gefühlvollem Augenaufschlag, lehnte es entschieden ab, ihre Vergangenheit oder Zukunft enthüllen zu lassen. Und Monsieur de Koloff, den russischen Botschafter, konnte Lady Windermere nicht einmal dazu bewegen, die Handschuhe auszuziehen. Es schien tatsächlich, als scheuten sich viele Anwesende, dem wunderlichen kleinen Mann mit dem stereotypen Lächeln, der goldgeränderten Brille und den runden, blanken Augen gegenüberzutreten. Und als er dann der armen Lady Fermor auf den Kopf zusagte, sie habe für Musik nicht das mindeste, für Musiker dagegen ungeheuer viel übrig, war man allgemein der Ansicht, die Chiromantie sei eine höchst gefährliche Wissenschaft, die man keineswegs fördern sollte, es sei denn, man täte es unter vier Augen.

Lord Arthur Savile allerdings, der nichts von Lady Fermors unglückseliger Geschichte wußte, Mr. Podgers sehr interessiert beobachtet hatte, ungeheuer begierig darauf war, ihm seine Hand zu zeigen, aber davor zurückscheute, sich in den Vordergrund zu drängen, ging hinüber zu Lady Windermere und fragte mit charmantem Erröten, ob sie wohl glaube, daß Mr. Podgers etwas dagegen hätte.

»Natürlich nicht, dazu ist er ja hier. Alle meine Löwen sind dressiert, Lord Arthur, und springen durch Reifen, sobald ich's von ihnen verlange. Aber ich muß Sie schon jetzt davor warnen, daß ich Sibyl alles weitersagen werde. Sie kommt morgen zum Lunch, um mit mir über Hüte zu sprechen, und wenn Mr. Podgers feststellt, daß Sie einen schlechten Charakter oder eine Veranlagung zur Gicht oder eine Ehefrau in Bayswater haben, werde ich es ihr bestimmt erzählen.«

Lord Arthur schüttelte lächelnd den Kopf. »Das kann mich nicht schrecken. Sibyl kennt mich so gut wie ich sie.«

»Ach, wirklich? Das finde ich etwas bedauerlich. Die wahre Grundlage einer Ehe ist das gegenseitige Mißverstehen. Nein, ich bin keineswegs zynisch, ich habe nur meine Erfahrungen, was allerdings so ziemlich das gleiche ist. Mr. Podgers, Lord Arthur Savile brennt darauf, sich aus der Hand lesen zu lassen. Aber erzählen Sie ihm bloß nicht, daß er mit einem der schönsten Mädchen Londons verlobt ist, das stand nämlich schon vor einem Monat in der *Morning Post*.«

»Lady Windermere«, rief die Marquise von Jedburgh, »lassen Sie mir Mr. Podgers doch noch ein paar Minuten! Gerade hat er mir gesagt, ich sollte zur Bühne gehen, und das finde ich so interessant!«

»Lady Jedburgh, wenn er Ihnen das wirklich gesagt hat, werde ich ihn augenblicklich wegholen. Mr. Podgers, kommen Sie sofort herüber und lesen Sie Lord Arthur aus der Hand!«

»Also gut«, sagte Lady Jedburgh, zog einen Schmollmund und erhob sich vom Sofa. »Wenn ich schon nicht zur Bühne darf, will ich wenigstens zum Publikum gehören.«

»Natürlich«, erwiderte Lady Windermere. »Wir alle werden zum Publikum gehören. Und jetzt müssen Sie, Mr. Podgers, uns etwas Nettes berichten. Lord Arthur ist nämlich einer meiner speziellen Favoriten.«

Doch als Mr. Podgers Lord Arthurs Hand betrachtete, wurde er merkwürdig blaß und sagte kein Wort. Er schien zu erschauern, und seine starken, buschigen Brauen zuckten krampfhaft – eine irritierende Eigenheit, die man immer, wenn er verblüfft war, an ihm beobachten konnte. Dann erschienen auf seiner Stirn ein paar riesige Schweißtropfen, die wir giftiger Tau aussahen, und seine fetten Finger wurden kalt und feucht.

Lord Arthur entgingen diese seltsamen Zeichen innerer Unruhe nicht, und zum erstenmal im Leben wurde auch er von Furcht gepackt. Am liebsten wäre er fortgerannt, aber er bezwang diesen Impuls. Es war besser, das Schlimmste zu erfahren, was es auch sein mochte, als dieser gräßlichen Ungewißheit ausgesetzt zu sein.

»Ich warte, Mr. Podgers«, sagte er.

»Wir alle warten«, rief Lady Windermere, lebhaft und ungeduldig wie stets. Aber der Chiromant schwieg.

»Ich glaube, Arthur wird zur Bühne gehen«, sagte Lady Jedburgh, »und weil Sie vorhin so geschimpft haben, wagt Mr. Podgers nicht, es ihm zu sagen.«

Plötzlich ließ Mr. Podgers Lord Arthurs rechte Hand los, griff nach der linken und beugte sich so tief darüber, daß der Goldrand seiner Brille fast die Handfläche berührte. Einen Augenblick lang erstarrte sein Gesicht zu einer weißen Schreckensmaske, doch bald hatte er sich wieder in der Gewalt. Mit einem gezwungenen Lächeln sah er zu Lady Windermere auf. »Das ist die Hand eines charmanten jungen Mannes.«

»Natürlich! Aber wird er auch ein charmanter Ehemann sein? Das möchte ich gern erfahren.«

»Das werden alle charmanten jungen Männer«, erwiderte Mr. Podgers.

»Ich glaube, ein Ehemann sollte nicht allzu faszinierend sein«, murmelte Lady Jedburgh nachdenklich. »Es ist so gefährlich.«

»Liebes Kind, zu faszinierend sind sie nie«, rief Lady Windermere. »Aber was ich hören möchte, sind Details. Details sind das einzig Interessante. Was wird Lord Arthur erleben?«

»Im Verlauf der nächsten Monate wird Lord Arthur eine Reise unternehmen ...«

»Sicher, während der Flitterwochen natürlich!«

»... und jemanden aus seiner Verwandtschaft verlieren.«

»Doch hoffentlich nicht seine Schwester?« fragte Lady Jedburgh mitleidsvoll.

»Bestimmt nicht seine Schwester«, antwortete Mr. Podgers mit einer mißbilligenden Handbewegung. »Nur einen entfernten Verwandten.«

»Jetzt bin ich aber schrecklich enttäuscht«, sagte Lady Windermere. »Rein gar nichts werde ich Sibyl morgen erzählen können. Wer kümmert sich heutzutage noch um entfernte Verwandte! Die sind schon vor Jahren aus der Mode gekommen. Immerhin sollte sie ein Schwarzseidenes bereithalten, das macht sich in der Kirche immer gut, finden Sie nicht? Und jetzt wollen wir zu Abend essen. Sicher haben die andern schon alles aufgegessen, aber vielleicht bekommen wir noch eine heiße Suppe. François hat früher ausgezeichnete Suppen gekocht, aber zur Zeit regt ihn die Politik derart auf, daß ich nicht für ihn garantieren kann. Ich wollte, General Boulanger gäbe endlich Ruhe. Herzogin, Sie sind doch sicher müde?«

»Ganz und gar nicht, liebe Gladys.« Die Herzogin watschelte auf die Tür zu. »Ich habe mich großartig unterhalten und finde den Chiropodisten, ich meine den Chiromanten, äußerst interessant. Flora, wo ist bloß mein Schildpattfächer? O, vielen Dank, Sir Thomas, wirklich zu gütig!« Und die ehrenwerte Dame brachte es schließlich fertig, die Treppe hinunterzusteigen, ohne ihr Riechfläschchen öfter als zweimal fallen zu lassen.

Lord Arthur war die ganze Zeit über am Kamin stehengeblieben, und das Gefühl der Angst, das bedrückende Bewußtsein künftigen Unheils, war nicht von ihm gewichen. Traurig lächelte er seiner Schwester zu, die am Arm Lord Plymdales vorüberrauschte und in ihrem rosa Brokatkleid und dem Perlenschmuck reizend aussah. Und er hörte kaum, daß Lady Windermere ihm zurief, er solle mitkommen. Er dachte an Sibyl Merton, und der Gedanke, daß sich etwas zwischen sie und ihn drängen könnte, trieb ihm die Tränen in die Augen.

Bei seinem Anblick hätte man glauben können, Nemesis habe den Schild der Pallas Athene geraubt und ihm das Gorgonenhaupt gezeigt. Er wirkte wie versteinert, und sein melancholisches Gesicht schien aus Marmor zu sein. Bisher hatte er das kultivierte, luxuriöse Leben eines vermögenden jungen Mannes von Stand geführt, ein köstliches Leben, frei von Alltagssorgen und voll herrlicher, jugendlicher Unbekümmertheit. Jetzt aber war ihm zum erstenmal bewußt geworden, wie furchtbar geheimnisvoll das Schicksal waltete, wie drohend das Verhängnis über ihm hing.

Wie verrückt und ungeheuerlich ihm das alles erschien! War es denkbar, daß in einer Schrift, die er selbst nicht lesen, die jedoch ein anderer entziffern konnte, das schreckliche Geheimnis einer Sünde, das blutige Zeichen des Verbrechens in seine Hand eingegraben war? Gab es kein Entrinnen? Waren die Menschen nichts anderes als Schachfiguren, hin und her geschoben von einer unsichtbaren Macht, Gefäße, vom Töpfer nach Lust und Laune geformt, sei es zur Ehre oder zur Schande? Sein Verstand empörte sich dagegen, und dennoch spürte er, daß irgendein Unheil über ihm schwebte und er plötzlich aufgerufen war, eine unerträgliche Bürde auf sich zu nehmen. Wie gut haben es doch die Schauspieler! Sie können sich aussuchen, ob sie in einer Tragödie oder in einer Komödie auftreten, ob sie leiden oder lustig sein, lachen oder weinen wollen. Im wirklichen Leben ist es anders. Die meisten Männer und Frauen sind gezwungen, Rollen zu spielen, für die sie sich nicht eignen. Unsere Güldensterns spielen uns den Hamlet vor, und unsere Hamlets müssen scherzen wie Prinz Heinz. Die Welt ist eine Bühne, aber die Besetzung des Stückes ist schlecht.

Plötzlich trat Mr. Podgers ins Zimmer. Als er Lord Arthur erblickte, zuckte er zusammen, und sein grobes, feistes Gesicht wurde grünlichgelb. Die beiden sahen einander an, und einen Augenblick lang herrschte Schweigen.

»Lord Arthur, die Herzogin hat einen Handschuh liegengelassen und mich gebeten, ihn zu holen«, sagte Mr. Podgers endlich. »Ach, er liegt hier auf dem Sofa! Guten Abend.«

»Mr. Podgers, ich bestehe darauf, daß Sie mir die Frage, die ich Ihnen jetzt stellen werde, ehrlich beantworten.«

»Ein andermal, Lord Arthur; die Herzogin ist ungeduldig. Ich muß jetzt wirklich gehen.«

»Sie werden nicht gehen! Die Herzogin hat's nicht eilig.«

»Damen darf man nicht warten lassen, Lord Arthur.« Mr. Podgers lächelte süßlich. »Das schöne Geschlecht verliert leicht die Geduld.«

Lord Arthur kräuselte verächtlich die feingeschnittenen Lippen. Die arme Herzogin schien ihm in diesem Moment recht unwichtig zu sein. Er durchquerte den Salon, blieb vor Mr. Podgers stehen und streckte ihm die Hand hin.

»Sagen Sie mir, was Sie darin gelesen haben! Sagen Sie mir die Wahrheit! Ich muß es wissen. Ich bin schließlich kein Kind mehr.«

Mr. Podgers blinzelte hinter seiner goldgeränderten Brille, trat voller Unbehagen von einem Fuß auf den andern und spielte nervös mit seiner protzigen Uhrkette.

»Lord Arthur, warum glauben Sie, ich hätte in Ihrer Hand etwas gelesen, das ich Ihnen verschwiegen habe?«

»Ich weiß es, und ich verlange, daß Sie es mir sagen. Ich werde Sie dafür bezahlen. Ich werde Ihnen einen Scheck über hundert Pfund ausstellen.«

Die grünen Augen flackerten kurz auf, dann wurden sie wieder matt.

»Hundert Guineen?« fragte Mr. Podgers schließlich mit leiser Stimme.

»In Ordnung. Ich werde Ihnen den Scheck morgen zusenden. Wie heißt Ihr Klub?«

»Ich gehöre keinem Klub an. Das heißt, zur Zeit nicht. Meine Adresse ist – aber gestatten Sie, daß ich Ihnen meine Karte überreiche.« Er zog ein Pappkärtchen mit Goldrand aus der Westentasche und präsentierte es Lord Arthur mit einer tiefen Verbeugung. Dieser las: *Mr. Septimus R. Podgers, Berufschiromant, 1030 West Moon Street.*

»Meine Sprechstunde ist von zehn bis vier«, murmelte Mr. Podgers automatisch. »Familien erhalten Preisermäßigung.«

»Beeilen Sie sich!« rief Lord Arthur, der sehr blaß aussah, und hielt ihm die Hand hin.

Mr. Podgers sah sich nervös um, ging zur Tür und zog die schwere Portiere zu.

»Wir müssen uns etwas Zeit dafür nehmen, Lord Arthur. Sie sollten sich setzen.«

»Beeilen Sie sich, Sir!« rief Lord Arthur nochmals und stampfte wütend aufs blanke Parkett.

Mr. Podgers lächelte, zog ein kleines Vergrößerungsglas aus der Brusttasche und putzte es sorgfältig mit dem Taschentuch.

»Ich bin bereit«, sagte er.

2

Zehn Minuten später stürzte Lord Arthur Savile mit schreckensbleichem Gesicht und verstörtem Blick aus der Tür von Bentinck House, bahnte sich einen Weg durch die Ansammlung von Lakaien, die in ihren Pelzjacken unter der großen gestreiften Markise standen, und schien nicht zu hören und zu sehen, was um ihn vorging. Es war eine bitterkalte Nacht, und die Gaslaternen rings um den Platz flackerten und flimmerten im scharfen Wind. Und dennoch waren seine Hände fiebrig heiß, und seine Stirn brannte wie Feuer. Er lief und lief, und fast schien es, als sei er betrunken. Ein Polizist sah dem Vorübereilenden aufmerksam nach, und ein Bettler, der unter einem Torbogen hervorschlurfte und um ein Almosen bitten wollte, bekam Angst, als er sah, daß hier jemand noch elender war als er selbst. Einmal blieb Lord Arthur unter einer Laterne stehen und betrachtete seine Hände. Er glaubte, bereits Blutflecken darauf zu entdecken, und seinen zitternden Lippen entrang sich ein leiser Schrei.

Mord! Das war es, was der Chiromant aus seiner Hand gelesen hatte. Mord! Sogar die Nacht schien es zu wissen, und der Wind schien es ihm klagend ins Ohr zu heulen. Die dunklen Straßenecken waren voll davon. Von den Dächern herab grinste es ihn an.

Er gelangte zum Park, dessen düstere Bäume und Sträucher ihn offenbar magisch anzogen. Er lehnte sich erschöpft ans Gitter, kühlte seine Stirn am feuchten Metall und lauschte dem vibrierenden Schweigen der Bäume. »Mord! Mord!« sagte er immer wieder vor sich hin, als könnte die Wiederholung den Schrecken dieses Wortes dämpfen. Der Klang seiner eigenen Stimme ließ ihn erschauern, und doch hoffte er fast, das Echo möge ihm antworten und die schlummernde Stadt aus ihren Träumen wecken. Er verspürte ein irres Verlangen, zufällig auftauchende Passanten anzusprechen und ihnen alles zu erzählen.

Dann überquerte er die Oxford Street und lief durch enge, verrufene Gassen. Zwei Frauen mit geschminkten Gesichtern machten sich über ihn lustig. Aus einem finsteren Hof drangen Flüche, das Geräusch von Schlägen und schrille Schreie, und auf einer feuchten Türschwelle sah er die zusammengekrümmten Gestalten der Armut und des Elends kauern. Ein seltsames Mitleid überkam ihn. War das Schicksal dieser Kinder der Sünde und der Not vorausbestimmt wie sein eigenes? Waren sie, gleich ihm, nur Marionetten in einem monströsen Schauspiel?

Und doch machte ihn nicht das Geheimnis, sondern die Komödie des Leidens betroffen, seine völlige Nutzlosigkeit, seine groteske Sinnlosigkeit. Wie zusammenhanglos das alles erschien! Wie bar jeder Harmonie! Er war bestürzt über die Diskrepanz zwischen dem seichten Optimismus der Zeit und den Tatsachen des Lebens. Er war noch sehr jung.

Etwas später stand er vor der Marylebone-Kirche. Die stille Straße glich einem langen Band aus poliertem Silber, auf dem sich da und dort die dunklen Arabesken hin und her gleitender Schatten abzeichneten. Der leicht geschwungene Saum aus flakkernden Gaslaternen verlor sich in der Ferne, und vor einem kleinen, von einer Mauer umgebenen Haus stand eine einsame Droschke, deren Kutscher im Wageninneren schlief. Lord Arthur eilte in Richtung Portland Place weiter; dann und wann sah er sich um, als fürchtete er, verfolgt zu werden. An der Einmündung der Rich Street standen zwei Männer vor einem Bretterzaun und lasen einen Anschlag. Von einer seltsamen Neugierde ergriffen, ging er hinüber. Als er näher kam, fiel ihm ein in schwarzen Lettern gedrucktes Wort in die Augen: »Mord!« Er zuckte zusammen, und das Blut stieg ihm ins Gesicht. Es war eine Bekanntmachung, derzufolge jedermann Anspruch auf eine Belohnung hatte, dessen Hinweise zur Ergreifung eines mittelgroßen Mannes zwischen dreißig und vierzig Jahren führen würden, der mit einer Melone, einer schwarzen Jacke und einer karierten Hose bekleidet war und auf der rechten Wange eine Narbe hatte. Er las den Anschlag immer wieder und fragte sich, ob man den armen Teufel fassen würde und wie er wohl zu der Narbe gekommen war. Vielleicht würde eines Tages sein eigener Name an den Mauern Londons angeschlagen werden. Eines Tages würde man vielleicht auch auf seinen Kopf einen Preis setzen.

Bei diesem Gedanken wurde ihm vor Entsetzen übel. Er machte kehrt und lief in die Nacht hinaus.

Wohin er ging, war ihm kaum bewußt. Später erinnerte er sich nur noch schwach, daß er durch ein Labyrinth schäbiger

Häuser geirrt war. Der Tag war bereits angebrochen, als er schließlich den Piccadilly Circus erreichte. Auf dem Heimweg zum Belgrave Square begegnete er den großen Fuhrwerken, die unterwegs nach Covent Garden waren. In weißen Kitteln, mit freundlichen, gebräunten Gesichtern unter widerspenstigem Kraushaar, schritten die Fuhrleute kräftig aus, ließen die Peitschen knallen und riefen einander hin und wieder etwas zu. Auf einem großen grauen Pferd, dem Handpferd eines rasselnden Gespanns, saß ein pausbäckiger Junge. Er hatte sich einen Schlüsselblumenstrauß an den zerbeulten Hut gesteckt, hielt sich mit den kleinen Händen an der Mähne fest und lachte. Vor dem Hintergrund des Morgenhimmels sahen die Gemüseberge wie riesige Jadeblöcke aus, grüne Jade vor den rosaroten Blütenblättern einer herrlichen Rose. Lord Arthur fühlte sich eigentümlich ergriffen – warum, wußte er nicht. Die sanfte, liebliche Morgendämmerung hatte etwas an sich, das ihm unsagbar rührend erschien, und er dachte an die vielen Tage, die in Schönheit beginnen und in Sturm enden. Diese Bauern mit ihren rauhen, gutmütigen Stimmen und ihrer Unbekümmertheit – was für ein seltsames London bekamen sie zu sehen! Ein London ohne die Sünden der Nacht und den Qualm des Tages, eine fahle, geisterhafte Stadt, eine öde Stadt der Gräber! Er fragte sich, was sie davon halten mochten und ob sie eine Ahnung vom Glanz und der Schmach dieser Stadt hatten, von ihren wilden, flammendroten Freuden und ihrem entsetzlichen Hunger, von all dem, was sie von morgens bis abends erzeugte und zerstörte. Für sie war London wahrscheinlich nichts anderes als ein Markt, auf dem sie ihr Gemüse ablieferten und sich höchstens ein paar Stunden aufhielten. Wenn sie aufbrachen, waren die Straßen noch still, und die Häuser schliefen noch. Es machte ihm Freude, sie zu beobachten, während sie an ihm vorüberzogen. Mochten sie in ihren plumpen Nagelschuhen und mit ihrem schwerfälligen Gang noch so derb wirken – sie brachten trotzdem ein kleines Stück Arkadien mit sich. Er spürte, daß sie mit der Natur gelebt und von ihr gelernt hatten, was Frieden ist. Er beneidete sie um alles, was sie nicht wußten.

Als er am Belgrave Square ankam, war der Himmel bereits blaßblau, und in den Gärten begannen die Vögel zu zwitschern.

3

Als Lord Arthur aufwachte, war es zwölf Uhr, und die Mittagssonne drang durch die elfenbeinfarbenen Seidenvorhänge. Er stand auf und sah aus dem Fenster. Ein leichter Hitzeschleier lag über der Stadt, und die Dächer schienen aus mattem Silber gemacht. Drunten auf dem Platz huschten ein paar Kinder wie weiße Schmetterlinge durchs flimmernde Grün, und der Gehsteig war voll von Menschen, die hinüber zum Park gingen. Nie zuvor war ihm das Leben so schön, nie zuvor das Böse so weit entrückt erschienen.

Dann brachte sein Diener ein Tablett mit einer Tasse Schokolade. Als er sie ausgetrunken hatte, zog er die schwere pfirsichfarbene Plüschportiere zur Seite und ging ins Badezimmer. Durch die dünnen, durchsichtigen Onyxplatten an der Decke drang sanftes Licht, und das Wasser in der Marmorwanne schimmerte wie Mondstein. Er ließ sich rasch hineinsinken, bis das kühle Wasser ihm Hals und Haar umspülte, und tauchte dann ganz unter, so, als wollte er den Makel einer schmachvollen Erinnerung wegwaschen. Als er aus der Wanne stieg, fühlte er sich fast beruhigt. Das köstliche Gefühl körperlichen Wohlbehagens, das dieser Augenblick ihm verschaffte, ergriff ganz Besitz von ihm – ein Vorgang, den feinnervige Menschen häufig erleben, da die Sinne, wie das Feuer, ebenso zu läutern wie zu zerstören vermögen.

Nach dem Frühstück warf er sich auf den Diwan und zündete sich eine Zigarette an. Auf dem Kaminsims stand, in einem Rahmen aus exquisitem altem Brokat, eine große Fotografie von Sibyl Merton, wie er sie auf dem Ball bei Lady Noel zum erstenmal gesehen hatte. Der kleine, edelgeformte Kopf war ein wenig zur Seite geneigt, als könnte der lange, schlanke Hals die Last von so viel Schönheit kaum noch tragen, die Lippen waren leicht geöffnet und schienen für den Klang süßer Melodien geschaffen, und aus dem fragenden Blick der verträumten Augen sprach die ganze zarte Reinheit einer jungen Mädchenseele. In ihrem weichen, anliegenden Kleid aus Crêpe de Chine, den großen, blattförmigen Fächer in der Hand, wirkte sie wie eines jener zerbrechlichen Figürchen, die man in den Olivenhainen von Tanagra finden kann; und ihre Haltung war von fast klassischer

Anmut. Dennoch war sie nicht *petite*. Ihre Gestalt besaß vollkommenes Ebenmaß – eine Seltenheit in einer Zeit, in der viele Frauen entweder übergroß oder so klein sind, daß man sie kaum bemerkt.

Als Lord Arthur das Bild betrachtete, überkam ihn jenes schreckliche Mitleid, das der Liebe entspringt. Wenn er, über dessen Haupt das Verhängnis eines künftigen Mordes hing, sie heiratete, so käme das, davon war er überzeugt, dem Verrat des Judas gleich und wäre eine Sünde, wie sie schlimmer keinem Borgia hätte einfallen können. Gäbe es denn ein Glück für sie beide, wenn das Schicksal jederzeit von ihm verlangen konnte, die entsetzliche Prophezeiung zu erfüllen, die in seiner Hand geschrieben stand? Was für ein Leben würden sie führen, wenn sein furchtbares Los noch immer in den Waagschalen der Vorsehung ruhte? Die Hochzeit mußte verschoben werden, koste es, was es wolle. Er war fest dazu entschlossen. Obwohl er das Mädchen glühend liebte, obwohl, wenn sie nebeneinander saßen, schon die Berührung ihrer Hand jede Faser seines Körpers in höchster Lust erbeben ließ, erkannte er klar, was die Pflicht ihm vorschrieb, war er sich voll und ganz bewußt, daß er nicht das Recht hatte, sich zu verheiraten, bevor er den Mord begangen hatte. Erst dann würde er mit Sibyl Merton vor den Altar treten und sein Leben in ihre Hände legen können, ohne von dem entsetzlichen Gefühl bedrückt zu sein, Unrecht zu tun. Erst dann würde er sie in dem sicheren Bewußtsein in die Arme nehmen können, daß sie seinetwegen niemals vor Scham erröten und die Augen niederschlagen müßte. Zuvor aber mußte es getan werden, je eher, desto besser für sie beide.

Viele Männer in seiner Lage hätten zweifellos den Rosenpfad der Liebelei dem steilen Weg der Pflichterfüllung vorgezogen. Lord Arthur aber war zu gewissenhaft, um das Vergnügen über die Moral zu stellen. Seine Liebe war mehr als bloße Leidenschaft, und für ihn verkörperte Sibyl alles, was gut und edel war. Einen Augenblick lang empfand er einen natürlichen Widerwillen gegen das, was von ihm verlangt wurde, aber diese Regung ging rasch vorüber. Sein Herz sagte ihm, daß er keine Sünde begehen, sondern ein Opfer bringen würde, und sein Verstand sagte ihm, daß es keinen anderen Ausweg gab. Er hatte zu wählen, ob er nur für sich selbst oder für andere leben wollte, und wenn die Aufgabe, die ihm zufiel, auch noch so furchtbar war, so wußte er doch, daß er die Selbstsucht nicht über die Liebe triumphieren lassen durfte. Früher oder später werden wir alle vor diese Entscheidung gestellt, muß jeder von uns diese Frage beantworten. Von Lord Arthur wurde es in jungen Jahren verlangt, noch bevor der berechnende Zynismus des mittleren Lebensalters seinen Charakter verdorben, bevor der seichte Egoismus, der heutzutage Mode ist, sein Herz zerfressen hatte, und er zögerte nicht, seine Pflicht zu tun. Glücklicherweise war er weder ein eitler Träumer noch ein müßiger Dilettant. Wäre er's gewesen, dann hätte er wie Hamlet gezaudert und durch Unentschlossenheit seinem Vorhaben geschadet. Aber er war ein praktisch veranlagter Mensch. Leben bedeutete für ihn Handeln, nicht Nachdenken. Er besaß die seltenste aller Gaben: gesunden Menschenverstand.

Die heftigen, verworrenen Empfindungen der vergangenen Nacht waren endgültig gewichen, und jetzt dachte er fast beschämt daran, daß er wie irr durch die Straßen gelaufen war und entsetzliche seelische Qualen erlitten hatte. Daß sie echt gewesen waren, ließ sie ihm jetzt um so unwirklicher erscheinen. Er konnte nicht verstehen, warum er so töricht gewesen war, gegen das Unvermeidliche zu eifern. Die einzige Frage, die ihn beunruhigte, war, wen er umbringen sollte; denn er verschloß die Augen nicht vor der Tatsache, daß zu einem Mord, ähnlich wie zu den religiösen Riten der Heiden, ein Opfer ebenso gehört wie ein Priester. Da er kein Genie war, hatte er keine Feinde, und zudem war er der Meinung, dies sei nicht der richtige Augenblick, um privatem Groll oder persönlicher Abneigung freien Lauf zu lassen. Dazu war seine Mission viel zu bedeutungsvoll, viel zu ernst und feierlich. So schrieb er denn auf ein Blatt Papier die Namen seiner Freunde und Verwandten und entschied sich nach reiflicher Überlegung für Lady Clementina Beauchamp, eine reizende alte Dame, die in der Curzon Street wohnte und seine Kusine zweiten Grades – mütterlicherseits – war. Er hatte Lady Clem, wie sie allgemein genannt wurde, immer sehr gern gehabt, und da er selbst sehr reich war – als er volljährig wurde, hatte er Lord Rugbys Vermögen geerbt –, würde niemand auf den

Gedanken kommen, er zöge aus ihrem Tod schnöden finanziellen Nutzen. Je länger er darüber nachdachte, desto fester war er davon überzeugt, daß sie die einzig Richtige war, und da er jeden weiteren Aufschub als unfaires Verhalten gegenüber Sybil betrachtete, beschloß er, sofort ans Werk zu gehen.

Zuerst mußte er natürlich die Angelegenheit mit dem Chiromanten in Ordnung bringen. Er setzte sich an den kleinen Sheraton-Schreibtisch beim Fenster, schrieb einen Scheck über einhundertundfünf Pfund aus, zahlbar an Mr. Septimus Podgers, steckte ihn in einen Briefumschlag und beauftragte seinen Diener, ihn in der West Moon Street abzugeben. Dann rief er in den Stallungen an, bestellte seinen Wagen und machte sich für die Ausfahrt fertig. Beim Verlassen des Zimmers warf er noch einen Blick auf die Fotografie Sibyl Mertons und schwor sich, ihr niemals, ganz gleich, wie sich die Dinge entwickeln würden, zu sagen, was er um ihretwillen getan hatte, sondern das Geheimnis seiner Selbstaufopferung für immer in seinem Herzen zu verschließen.

Auf dem Weg zum Buckingham-Klub ließ er vor einem Blumengeschäft halten, sandte Sibyl einen Korb herrlicher Narzissen – zarte weiße Blütenkronen mit starren Fasanenaugen. Im Klub ging er sofort in die Bibliothek und bestellte beim Kellner Sodawasser mit Zitrone und ein Buch über Toxikologie. Er war überzeugt davon, daß er seine schwierige Aufgabe am besten mit Hilfe von Gift bewältigen würde. Alles, was Gewaltanwendung erforderte, war ihm absolut zuwider, und außerdem lag ihm viel daran, Lady Clementina auf eine Art und Weise zu ermorden, die kein öffentliches Aufsehen erregen würde; denn der Gedanke, in Lady Windermeres Salon als Held des Tages bestaunt, oder in den Klatschspalten vulgärer Gesellschaftsblätter genannt zu werden, war ihm unerträglich. Überdies mußte er auf Sibyls Eltern Rücksicht nehmen, die ziemlich altmodisch waren und sich, sollte es zu einem Skandal kommen, möglicherweise der Heirat widersetzen würden. Allerdings war er sicher, daß sie, falls er ihnen den ganzen Sachverhalt erklärte, die ersten wären, die seine Motive zu würdigen wüßten. Jedenfalls hatte er allen Grund, sich für Gift zu entscheiden. Es war für ihn selbst ungefährlich, wirkte sicher und geräuschlos und schloß von vornherein peinliche Szenen aus, die er, wie die meisten Engländer, zutiefst verabscheute.

Von Toxikologie hatte er allerdings keine blasse Ahnung, und da der Kellner offenbar nicht fähig war, in der Bibliothek etwas anderes als *Ruff's Guide und Bailey's Magazine* zu finden, sah er selbst die Regale durch und stieß schließlich auf eine attraktiv gebundenen Ausgabe der *Pharmacopaeia* und ein Exemplar von Erskines *Toxicology*, herausgegeben von Sir Mathew Reid, dem Präsidenten des königlichen Ärztekollegiums, einem der ältesten Mitglieder des Buckingham-Klubs, in den er versehentlich anstelle eines andern aufgenommen worden war – ein Vorfall, der das Komitee so aufgebracht hatte, daß es, als der richtige Bewerber zur Wahl stand, diesen einstimmig durchfallen ließ. Lord Arthur fühlte sich von den Fachausdrücken in beiden Werken ziemlich verwirrt und bereute fast schon, daß er in Oxford die alten Sprachen vernachlässigt hatte, als er plötzlich im zweiten Band von Erskines Werk eine interessante, umfassende und in einigermaßen verständlichem Englisch geschriebene Abhandlung über die Eigenschaften des Akonitins entdeckte. Es schien genau das Gift zu sein, das er brauchte. Es wirkte rasch, sogar augenblicklich, verursachte keine Schmerzen und schmeckte, wenn man es, wie Sir Mathew empfahl, in einer Gelatinekapsel schluckte, keineswegs unangenehm. Er notierte die tödliche Dosis auf seiner Manschette, stellte die Bücher ins Regal zurück und schlenderte dann die St. James's Street hinauf zur berühmten Apotheke von Pestle und Humbey. Mr. Pestle, der die Aristokratie stets persönlich bediente, war einigermaßen überrascht und murmelte in ehrerbietigem Ton etwas von einem ärztlichen Rezept. Doch als Lord Arthur ihm erklärte, er brauche das Gift für eine große norwegische Bulldogge, die er töten müsse, weil sie Symptome beginnender Tollwut zeige und den Kutscher bereits zweimal in die Wade gebissen habe, sagte er, das genüge ihm völlig, machte Lord Arthur Komplimente über seine erstaunlichen toxikologischen Kenntnisse und ließ das Präparat sofort zubereiten.

Lord Arthur legte die Kapsel in eine hübsche kleine Silberbonbonniere, die er in der Bond Street in einem Schaufenster gesehen hatte, warf Pestle und Humbeys häßliche Pillenschachtel weg und fuhr geradewegs zu Lady Clementina.

»Sieh da, *monsieur le mauvais sujet*!« rief die alte Dame, als er ins Zimmer trat. »Warum hast du dich so lange nicht sehen lassen?«

»Meine liebe Lady Clem, mir bleibt wirklich keine Minute Zeit für mich selbst«, erwiderte Lord Arthur lächelnd.

»Damit willst du wohl sagen, daß du den ganzen Tag mit Miß Sibyl Merton unterwegs bist, Seidenstoffe kaufst und Unsinn redest? Ich kann einfach nicht verstehen, warum die Leute so viel Wirbel wegen der Heiraterei machen. Zu meiner Zeit hätte sich's niemand einfallen lassen, in aller Öffentlichkeit zu küssen und zu kosen, und heimlich übrigens auch nicht.«

»Lady Clem, ich versichere Ihnen, daß ich Sibyl seit vierundzwanzig Stunden nicht gesehen habe. Soviel ich weiß, widmet sie sich ganz ihren Modistinnen.«

»Natürlich. Und das ist auch der einzige Grund, warum du eine alte häßliche Frau wie mich besuchst. Ich weiß nicht, warum ihr Männer euch durch nichts warnen laßt. *On a fait des folies pour moi,* und schau mich jetzt an – ein altes, rheumatisches Frauenzimmer mit falschen Stirnlocken und schlechter Laune! Wirklich, wenn die gute Lady Jansen mir nicht ständig die schlechtesten französischen Romane, die sie auftreiben kann, schicken würde, wüßte ich nicht, wie ich die Zeit totschlagen soll. Die Ärzte sind zu rein gar nichts nütze, nur wie sie einem das Honorar abluchsen können, das wissen sie. Nicht einmal mein Sodbrennen können sie kurieren.«

»Ich habe Ihnen ein Heilmittel dafür mitgebracht, Lady Clem«, sagte Lord Arthur ernst. »Es ist ausgezeichnet; ein Amerikaner hat es erfunden.«

»Ich fürchte, ich habe für amerikanische Erfindungen nichts übrig, Arthur. Nein, bestimmt nicht. Kürzlich habe ich ein paar amerikanische Romane gelesen, und sie waren ziemlich blödsinnig.«

»Aber Lady Clem, das hier ist nicht im mindesten blödsinnig! Glauben Sie mir, es ist die perfekte Medizin. Sie müssen mir versprechen, sie auszuprobieren.« Lord Arthur zog die kleine Dose aus der Tasche und überreichte sie ihr.

»Arthur! Die Dose ist ja reizend! Soll das wirklich ein Geschenk sein? Wie lieb von dir! Und das hier ist das Wundermittel? Es sieht wie ein Bonbon aus. Ich werde es sofort einnehmen.«

»Um Gottes willen, Lady Clem!« rief Lord Arthur und hielt ihre Hand fest. »Das dürfen Sie keinesfalls tun! Es ist ein homöopathisches Mittel, und wenn Sie es einnehmen, ohne Sodbrennen zu haben, kann es Ihnen ungeheuer schaden. Warten Sie auf den nächsten Anfall und nehmen Sie's erst dann ein! Die Wirkung wird Sie verblüffen.«

»Ich würde es aber gern sofort einnehmen«, sagte Lady Clementina und hielt die kleine, durchsichtige Kapsel, in der das flüssige Akonitin wie eine Blase eingeschlossen war, gegen das Licht. »Es schmeckt sicher köstlich. Um die Wahrheit zu sagen: Ich hasse zwar die Ärzte, aber ich liebe Arzneien. Trotzdem werde ich diese hier bis zum nächsten Anfall aufbewahren.«

»Und wann rechnen Sie damit?« fragte Lord Arthur gespannt. »Schon bald?«

»Ich hoffe, er läßt sich eine Woche Zeit. Erst gestern morgen hatte ich einen sehr schlimmen. Aber man kann nie wissen.«

»Und Sie glauben bestimmt, daß Sie den nächsten noch vor Ende des Monats haben werden?«

»Ich fürchte, ja. Aber du bist ja heute so mitfühlend, Arthur! Wirklich, Sibyl hat einen guten Einfluß auf dich. Aber jetzt mußt du gehen, denn ich diniere heute mit sehr langweiligen Leuten, die für Klatsch nichts übrig haben, und wenn ich jetzt nicht ein Nickerchen mache, werde ich während des Essens bestimmt nicht wach bleiben. Auf Wiedersehen, Arthur, grüß Sibyl, und vielen Dank für die amerikanische Medizin!«

»Sie werden nicht vergessen, sie einzunehmen, nicht wahr, Lady Clem?« fragte Lord Arthur beim Aufstehen.

»Natürlich nicht, du alberner Junge! Ich finde es sehr lieb von dir, daß du daran gedacht hast, und ich werde dir schreiben, falls ich mehr davon haben will.«

Lord Arthur verließ das Haus in bester Laune und fühlte sich unendlich erleichtert.

Am Abend hatte er eine Unterredung mit Sibyl Merton. Er sagte ihr, er sei ganz plötzlich in schreckliche Schwierigkeiten geraten, und weder seine Ehre noch sein Pflichtgefühl erlaubten ihm, ihnen aus dem Weg zu gehen. Er erklärte, die Hochzeit müsse verschoben werden, denn bevor er nicht diese gräßlichen Komplikationen hinter sich gebracht hätte, sei er kein freier Mann. Er beschwor sie, ihm zu vertrauen und sich keine Sorgen um die Zukunft zu machen. Alles würde gut werden, sie müsse nur Geduld haben.

Das Gespräch fand im Wintergarten von Mr. Mertons Haus in der Park Lane statt, wo Lord Arthur wie gewöhnlich diniert hatte. Sibyl hatte einen so ausnehmend glücklichen Eindruck gemacht, daß er einen Augenblick lang versucht gewesen war, den Feigling zu spielen, Lady Clementina schriftlich um Rückgabe der Pille zu bitten und die Hochzeit stattfinden zu lassen, als gäbe es auf der ganzen Welt keinen Mr. Podgers. Aber dann siegte sein besseres Ich, und selbst als Sibyl sich ihm weinend in die Arme warf, wurde er nicht schwankend. Ihre Schönheit erregte seine Sinne, aber sie hatte auch sein Gewissen angerührt. Er wußte, daß es ein Unrecht wäre, um einiger kurzer Monate des Genusses willen ein so reines Leben zu zerstören.

Er blieb bis kurz vor Mitternacht bei Sibyl, tröstete sie, wurde wiedergetröstet und reiste am frühen Morgen nach Venedig ab, nachdem er Mr. Merton in einem mannhaft entschlossenen Brief von dem unvermeidlichen Aufschub der Hochzeit in Kenntnis gesetzt hatte.

4

In Venedig traf er seinen Bruder, Lord Surbiton, der zufällig mit seiner Jacht von Korfu herübergekommen war. Die beiden jungen Herren verbrachten zwei herrliche Wochen miteinander. Morgens ritten sie auf dem Lido spazieren oder glitten in ihrer langen schwarzen Gondel den grünen Kanal hinauf und hinunter, nachmittags empfingen sie meist Gäste auf der Jacht, und abends speisten sie bei Florian und rauchten auf der Piazza unzählige Zigaretten. Und doch war Lord Arthur nicht glücklich. Tag für Tag studierte er die Todesanzeigen in der *Times* in der Erwartung, etwas über Lady Clems Ableben zu lesen, aber jedesmal wurde er enttäuscht. Allmählich fürchtete er, sie habe irgendeinen Unfall gehabt, und bereute oft, daß er sie daran gehindert hatte, das Akonitin damals, als sie es unbedingt ausprobieren wollte, einzunehmen. Zudem klang in Sibyls Briefen – so viel Liebe, Vertrauen und Zärtlichkeit auch aus ihnen sprachen – häufig ein sehr trauriger Ton an, und manchmal glaubte er, bereits für immer von ihr getrennt zu sein.

Nach vierzehn Tagen fand Lord Surbiton Venedig langweilig und beschloß, entlang der Küste nach Ravenna zu segeln: Er hatte erfahren, daß dort in den Pinienwäldern die Schnepfenjagd superb sein sollte. Lord Arthur weigerte sich zunächst entschieden, mitzukommen, ließ sich aber schließlich von Surbiton, den er ausnehmend gern hatte, davon überzeugen, daß er sich zu Tode langweilen würde, wenn er allein bei Danielli wohnen bliebe. Sie fuhren am 15. los, bei steifem Nordost und ziemlich bewegter See. Die Jagd war ausgezeichnet, und das ungezwungene Leben im Freien brachte wieder Farbe in Lord Arthurs Gesicht, aber um den 22. befiel ihn bei dem Gedanken an Lady Clementina die alte Unruhe, und trotz Surbitons Protest fuhr er per Bahn nach Venedig zurück.

Als er an den Hotelstufen aus der Gondel stieg, kam ihm der Besitzer mit einem Stoß von Telegrammen entgegen. Lord Arthur riß sie ihm aus der Hand und öffnete sie hastig. Alles war nach Wunsch gegangen. Lady Clementina war in der Nacht zum 17. ganz plötzlich gestorben!

Sein erster Gedanke galt Sibyl, und er teilte ihr telegrafisch seine sofortige Rückkehr nach London mit. Dann befahl er seinem Diener, das Gepäck für den Nachtzug fertig zu machen, schickte seinen Gondolieri etwa das Fünffache des Normaltarifs und eilte leichten Fußes und heiteren Herzens hinauf in seinen Salon. Dort fand er drei Briefe vor. Der eine war von Sibyl – ein teilnahmsvolles Kondolenzschreiben. Die beiden anderen kamen von seiner Mutter und von Lady Clementinas Anwalt. Aus ihnen ging hervor, daß die alte Dame an jenem Abend bei der Herzogin diniert, alle Anwesenden mit ihrer Intelligenz und ihrem Esprit entzückt, sich aber zeitig verabschiedet und über Sodbrennen geklagt hatte. Am nächsten Morgen fand man sie tot im Bett liegen. Allem Anschein nach hatte sie nicht leiden müssen. Man hatte sofort nach Sir Mathew Reid geschickt, der natürlich nichts mehr tun konnte. Die Beisetzung in Beauchamp Chalcote war auf den 22. festgesetzt worden. Ein paar Tage vor ihrem Tod hatte sie ihr Testament gemacht und Lord Arthur ihr kleines Haus in der Curzon Street, das gesamte Mobiliar, ihre persönliche Habe und die Bilder hinterlassen, mit Ausnahme der Miniaturensammlung, die ihrer Schwester, Lady Margaret Rufford, und des Amethystkolliers, das Sibyl Merton zufallen sollte. Die Hinterlassenschaft war nicht sonderlich wertvoll, aber Mr. Mansfield, der Anwalt, bat Lord Arthur dringend, möglichst sofort zurückzukehren, da zahlreiche Rechnungen zu bezahlen seien und Lady Clementina niemals genau Buch geführt habe.

Lord Arthur war tief gerührt, daß Lady Clementina seiner so freundlich gedacht hatte, und fand, Mr. Podgers habe allerhand zu verantworten. Aber seine Liebe zu Sibyl überwog alle anderen Empfindungen, und das Bewußtsein, seine Pflicht erfüllt zu haben, gab ihm Trost und Frieden. Als er auf dem Charing-Cross-Bahnhof ankam, war er vollkommen glücklich.

Bei den Mertons wurde er sehr herzlich empfangen. Er mußte Sibyl versprechen, niemals wieder etwas zwischen sie beide treten zu lassen, und dann setzte man die Hochzeit auf den 7. Juni fest. Das Leben erschien ihm wieder licht und schön, seine ganze alte Fröhlichkeit kehrte zurück.

Eines Tages jedoch, als er zusammen mit Lady Clementinas Anwalt und Sibyl das Haus in der Curzon Street in Augenschein nahm, Bündel vergilbter Briefe verbrannte und mit allerlei Krimskrams vollgestopfte Schubladen aufzog, stieß das junge Mädchen plötzlich einen Entzückensschrei aus.

»Was hast du denn entdeckt, Sibyl?« Lord Arthur sah lächelnd auf.

»Hier, diese hübsche kleine Silberbonbonniere. Sicher ein altes Stück, holländische Arbeit, nicht wahr? Bitte, Arthur, schenk sie mir! Die Amethyste werden mir sowieso erst stehen, wenn ich über achtzig bin.«

Es war die Dose, in der sich das Akonitin befunden hatte.

Lord Arthur fuhr zusammen, und eine leichte Röte stieg ihm ins Gesicht. Er hatte fast ganz vergessen, was er getan hatte, und es schien ihm ein merkwürdiger Zufall, daß ausgerechnet Sibyl, um derentwillen er diese furchtbare Bedrängnis durchgestanden hatte, ihn als erste daran erinnern mußte.

»Natürlich kannst du sie haben, Sibyl. Ich selbst habe sie der armen Lady Clem geschenkt.«

»O, vielen Dank, Arthur! Und darf ich das Bonbon auch behalten? Ich hatte keine Ahnung, daß Lady Clem Süßigkeiten mochte. Ich dachte immer, dafür sei sie viel zu intellektuell.«

Lord Arthur wurde totenblaß, und ein entsetzlicher Gedanke fuhr ihm durch den Kopf.

»Ein *Bonbon,* Sibyl? Wovon sprichst du eigentlich?« fragte er stockend und mit heiserer Stimme.

»Es ist nur ein einziges drin. Es sieht schon ganz alt und staubig aus, und ich denke nicht daran, es zu essen. Was ist denn los, Arthur? Du bist ja ganz blaß!«

Lord Arthur stürzte auf sie zu und riß ihr die Dose aus der Hand. Sie enthielt die bernsteinfarbene Kapsel mit dem Gifttropfen. Lady Clementina war also eines natürlichen Todes gestorben!

Der Schock dieser Entdeckung war fast zu viel für ihn. Er schleuderte die Kapsel ins Feuer und sank mit einem Verzweiflungsschrei aufs Sofa.

5

Mr. Merton war ziemlich ungehalten darüber, daß die Trauung ein zweites Mal verschoben wurde, und Lady Julia, die bereits ihr Kleid für die Hochzeit bestellt hatte, versuchte mit allen Mitteln, Sibyl zur Lösung der Verlobung zu bewegen. Aber so zärtlich Sibyl ihre Mutter liebte – sie hatte ihr Leben ganz in Lord Arthurs Hände gegeben, und kein Argument Lady Julias konnte ihre Treue ins Wanken bringen. Was Lord Arthur betraf, so dauerte es Tage, bis er seine furchtbare Enttäuschung überwunden hatte, und eine Zeitlang war er nur noch ein Nervenbündel. Dann aber setzte sich sein gesunder Menschenverstand durch, und sein Sinn fürs Praktische ließ ihn nicht lange im unklaren darüber, was jetzt zu tun war. Da Gift sich als völliger Fehlgriff erwiesen hatte, lag es nahe, einen Versuch mit Dynamit oder irgendeinem anderen Sprengstoff zu machen.

Er sah also wieder die Liste seiner Freunde und Verwandten

durch und beschloß nach reiflicher Überlegung, seinen Onkel, den Dekan von Chichester, in die Luft zu jagen. Der Dekan, ein hochgebildeter und gelehrter Mann, war ein ausgesprochener Uhrenliebhaber und besaß eine herrliche Sammlung, in der Chronometer vom fünfzehnten Jahrhundert bis zur Gegenwart vertreten waren. Lord Arthur sah in dem Steckenpferd des guten Dekans eine ausgezeichnete Möglichkeit, seinen Plan zu verwirklichen. Wo er eine Höllenmaschine auftreiben sollte, das stand natürlich auf einem anderen Blatt. Das Londoner Adreßbuch half ihm in dieser Sache nicht weiter, und Scotland Yard um Auskunft zu bitten, hielt er für zwecklos, da man dort offenbar immer erst dann etwas über die Unternehmungen der Bombenleger wußte, wenn sich die Explosion bereits ereignet hatte, und selbst dann nicht eben viel.

Plötzlich fiel ihm sein Freund Rouvaloff ein, ein junger Russe mit sehr, sehr revolutionären Neigungen, den er im Winter bei Lady Windermere kennengelernt hatte. Es hieß, Graf Rouvaloff arbeite an einer Biographie Peters des Großen und sei nach England gekommen, um Dokumente aus jener Zeit einzusehen, in der sich der Zar, als Schiffszimmermann verkleidet, hier aufgehalten hatte. Allerdings hatte man den Grafen allgemein im Verdacht, ein Agent der Nihilisten zu sein, und ohne Zweifel war seine Anwesenheit in London der russischen Botschaft alles andere als angenehm. Lord Arthur war überzeugt, daß dieser Mann für seine Zwecke genau der Richtige war, und fuhr eines Morgens zu ihm nach Bloomsbury, um sich Rat und Hilfe zu holen.

»Sie wollen sich also ernsthaft mit der Politik beschäftigen?« fragte Graf Rouvaloff, nachdem Lord Arthur ihm den Zweck seines Besuchs mitgeteilt hatte. Da Lord Arthur jede Art von Prahlerei verabscheute, fühlte er sich verpflichtet, zuzugeben, daß er an sozialen Problemen nicht im mindesten interessiert sei und die Höllenmaschine einzig und allein zur Regelung einer Familienangelegenheit benötige, die nur ihn selbst etwas anginge.

Graf Rouvaloff sah ihn einige Sekunden lang verblüfft an, merkte dann, daß er es ernst meinte, schrieb eine Adresse auf, setzte seine Initialen darunter und reichte Lord Arthur den Zettel über den Tisch.

»Scotland Yard würde viel darum geben, diese Adresse zu erfahren, lieber Freund.«

»Von mir nicht!« rief Lord Arthur lachend. Dann schüttelte er dem jungen Russen herzlich die Hand, lief die Treppe hinunter, las den Zettel und befahl dem Kutscher, zum Soho Square zu fahren.

Dort schickte er ihn weg und schlenderte die Greek Street hinunter, bis er vor einem Gebäudekomplex namens Bayle's Court stand. Er trat durch den Torbogen und befand sich nun in einer eigentümlichen Sackgasse. Hier hatte sich offenbar eine Weißwäscherei niedergelassen, denn zwischen den Häusern spannte sich ein wahres Netz von Leinen, an denen die Wäsche im Morgenwind flatterte. Er ging bis zum Ende der Gasse und klopfte an die Tür eines kleinen grünen Hauses.

Nachdem er eine Weile gewartet und beobachtet hatte, wie hinter den Fenstern ringsum die verschwommenen Silhouetten neugieriger Gesichter auftauchten, wurde die Tür von einem ziemlich derb wirkenden Ausländer geöffnet, der ihn in sehr schlechtem Englisch fragte, was er wolle. Lord Arthur gab ihm Graf Rouvaloffs Zettel. Der Mann las ihn, verbeugte sich und bat Lord Arthur in das schäbige Vorderzimmer im Erdgeschoß. Kurz darauf eilte Herr Winckelkopf – wie er sich in England nannte – geschäftig herbei, einer Serviette voller Weinflecken um den Hals, eine Gabel in der Linken.

»Graf Rouvaloff hat mir eine Empfehlung mitgegeben«, sagte Lord Arthur mit einer Verbeugung, »und es liegt mir viel daran, eine geschäftliche Angelegenheit kurz mit Ihnen zu besprechen. Mein Name ist Smith, Robert Smith. Ich wollte Sie bitten, mir eine Uhr mit Sprengladung zu besorgen.«

»Erfreut, Sie kennenzulernen, Lord Arthur«, sagte der kleine joviale Deutsche lachend. »Sehen Sie mich nicht so erschrocken an! Es ist meine Pflicht, jeden zu kennen, und ich entsinne mich, daß ich Sie bei einer Abendgesellschaft im Hause Lady Windermeres gesehen habe. Ich hoffe, die Lady befindet sich wohl. Hätten Sie etwas dagegen, mir beim Frühstück Gesellschaft zu leisten? Es gibt eine ausgezeichnete Pastete, und meine Freunde behaupten liebenswürdigerweise, mein Rheinwein sei besser als der, den sie in der deutschen Botschaft bekommen.« Und bevor

Lord Arthur sich von der Überraschung, erkannt worden zu sein, erholen konnte, saß er bereits im Hinterzimmer, trank aus einem zartgelb getönten Pokal mit eingraviertem kaiserlichen Monogramm den köstlichsten Markobrünner und plauderte aufs angenehmste mit dem berühmten Verschwörer.

»Uhren mit Sprengladung«, sagte Herr Winckelkopf, »eignen sich nicht für den Export. Selbst wenn sie unangefochten durch den Zoll kommen, sorgt der unregelmäßige Eisenbahnverkehr meist dafür, daß sie losgehen, bevor sie an Ort und Stelle sind. Falls Sie aber eine für den Inlandgebrauch wünschen, kann ich Ihnen etwas Ausgezeichnetes liefern und einen vollen Erfolg garantieren. Darf ich wissen, für wen sie bestimmt ist? Sollte es sich um die Polizei handeln oder um jemanden, der etwas mit Scotland Yard zu tun hat, dann kann ich Ihnen leider nicht dienen. Die englischen Detektive sind nämlich unsere besten Freunde, und ich habe immer die Erfahrung gemacht, daß wir genau das tun können, was wir wollen, wenn wir uns auf ihre Stupidität verlassen. Ich möchte keinen von ihnen missen.«

»Ich versichere Ihnen, daß es absolut nichts mit der Polizei zu tun hat. Die Uhr ist für den Dekan von Chichester bestimmt.«

»Du liebe Güte! Ich hatte keine Ahnung, daß Sie sich so sehr für Religion interessieren! Bei jungen Leuten ist das heutzutage selten.«

»Herr Winckelkopf, ich fürchte, Sie überschätzen mich«, sagte Lord Arthur errötend. »Von Theologie verstehe ich nicht das mindeste.«

»Dann handelt es sich wohl um eine rein private Angelegenheit?«

»Ja, rein privat.«

Herr Winckelkopf zuckte die Achseln und ging aus dem Zimmer. Ein paar Minuten später brachte er einen runden Sprengsatz von der Größe eines Pennys und eine hübsche kleine Stutzuhr mit einer vergoldeten Figur, einer Darstellung der Freiheit, die gerade die Hydra des Despotismus zertritt.

Beim Anblick der Uhr hellte sich Lord Arthurs Gesicht auf. »Das ist genau das Richtige! Und wie explodiert sie?«

»Das ist mein Geheimnis«, erwiderte Herr Winckelkopf und betrachtete seine Erfindung mit berechtigtem Stolz. »Sagen Sie mir, wann sie losgehen soll, und ich werde sie auf die Sekunde genau einstellen.«

»Also gut. Heute ist Dienstag, und wenn Sie sie sofort absenden ...«

»Ganz unmöglich! Ich habe für ein paar Freunde in Moskau noch eine Menge wichtiger Dinge zu erledigen. Aber ich könnte sie vielleicht morgen abschicken.«

»O ja, das ist früh genug!« sagte Lord Arthur höflich. »Es genügt, wenn sie morgen abend oder Donnerstag früh zugestellt wird. Und was den Zeitpunkt der Explosion betrifft – sagen wir Freitagmittag, Punkt zwölf. Um diese Zeit ist der Dekan immer zu Hause.«

»Freitag, zwölf Uhr«, wiederholte Herr Winckelkopf und trug die Zeit in ein dickes Kontobuch ein, das auf dem Schreibtisch neben dem Kamin lag.

Lord Arthur erhob sich. »Und jetzt sagen Sie mir bitte, was ich Ihnen schulde.«

»Lord Arthur, das Ganze ist wirklich eine solche Lappalie, daß ich am liebsten überhaupt nichts dafür nähme. Das Dynamit kostet sieben Schilling sechs Pence, die Uhr drei Pfund zehn Schilling und die Zustellung etwa fünf Schilling. Ich freue mich immer, wenn ich einem Freund des Grafen Rouvaloff helfen kann.«

»Und Ihre eigenen Bemühungen, Herr Winckelkopf?«

»Ach, das ist nicht der Rede wert! Es ist mir ein Vergnügen. Ich arbeite nicht für Geld, ich lebe nur meiner Kunst.«

Lord Arthur legte vier Pfund zwei Schilling sechs Pence auf den Tisch und dankte dem kleinen Deutschen für seine Liebenswürdigkeit. Nachdem es ihm gelungen war, die Einladung, bei einem Teeimbiß am folgenden Samstag einige Anarchisten kennenzulernen, abzuschlagen, verließ er das Haus und ging in den Park.

Die nächsten zwei Tage verbrachte er in höchster Erregung, und am Freitag fuhr er in den Buckingham-Klub, um dort auf Nachrichten zu warten. Den ganzen Nachmittag über schlug der Portier mit unerschütterlicher Ruhe Telegramme aus verschiedenen Teilen des Landes am Schwarzen Brett an – Ergebnisse von Pferderennen, Scheidungsurteile, den Wetterbericht und dergleichen, während der Telegraf langweilige Einzelheiten über eine Nachtsitzung des Unterhauses und eine kleine Börsenpanik meldete. Um vier Uhr kamen die Abendzeitungen, und Lord Arthur verschwand mit der *Pall Mall*, der *St. James's*, dem *Globe* und dem *Echo* in der Bibliothek – zur maßlosen Entrüstung von Colonel Goodchild, der die Berichte über eine Rede lesen wollte, die er am Vormittag im Mansion House über die Missionsarbeit in Südafrika und die für die Einsetzung schwarzer Bischöfe in allen Provinzen sprechenden Umstände gehalten hatte, und der aus irgendeinem Grund ein starkes Vorurteil gegen die *Evening News* hegte. Aber in keiner Zeitung war Chichester auch nur erwähnt, und Lord Arthur hatte das Gefühl, daß der Anschlag mißlungen war.

Es war ein furchtbarer Schlag für ihn, und eine Zeitlang fühlte er sich völlig entmutigt. Herr Winckelkopf, den er am nächsten Tag aufsuchte, erging sich in umständlichen Entschuldigungen und erbot sich, ihm kostenlos eine andere Uhr oder, zum Selbstkostenpreis, eine Kiste Nitroglyzerinbomben zur Verfügung zu stellen. Aber Lord Arthur hatte jedes Vertrauen in Sprengstoff verloren, und Herr Winckelkopf konnte nicht umhin, einzuräumen, daß heutzutage alle Produkte verfälscht würden und sogar Dynamit kaum mehr in reiner Form zu haben sei. Doch obwohl er zugab, daß der Mechanismus irgendwie versagt haben mußte, hatte der kleine Deutsche die Hoffnung, daß die Uhr doch noch losgehen würde, nicht ganz aufgegeben. In diesem Zusammenhang erzählte er von einem Barometer, das er einst dem Militärgouverneur von Odessa zugeschickt hatte und das, obwohl die Explosion genau zehn Tage danach erfolgen sollte, erst drei Monate später losgegangen war. Zugegeben, als es endlich funktionierte, hatte es zwar nur ein Hausmädchen in Atome aufgelöst – der Gouverneur hatte sechs Wochen zuvor die Stadt verlassen –, aber immerhin hatte dieser Fall bewiesen, daß Dynamit, falls seine Zerstörungskraft durch einen Mechanismus unter Kontrolle gehalten wurde, ein starker, wenn auch etwas unpünktlicher Bundesgenosse war. Lord Arthur fühlte sich durch diese Argumente ein wenig getröstet, aber auch diesmal stand ihm eine Enttäuschung bevor. Als er zwei Tage später die Treppe zu seiner Wohnung hinaufstieg, rief ihn die Herzogin in ihr

Boudoir und zeigte ihm einen Brief, den sie gerade aus dem Dekanat erhalten hatte.

»Jane schreibt reizende Briefe«, sagte die Herzogin. »Du mußt ihren letzten unbedingt lesen. Er ist tatsächlich ebenso gut wie die Romane, die Mudie uns schickt.

Lord Arthur nahm ihr den Brief hastig aus der Hand und las:

Dekanat Chichester, den 27. Mai

Liebste Tante!

Vielen herzlichen Dank für den Flanell für den Dorcas-Verein und auch für den Baumwollstoff. Ich bin ganz Ihrer Meinung, daß es Unsinn ist, wenn diese Leute hübsche Sachen tragen wollen, aber da sie heutzutage alle so radikal und gottlos sind, ist es schwierig, ihnen klarzumachen, daß sie nicht versuchen sollten, sich wie die oberen Klassen zu kleiden. Ich weiß wirklich nicht, wo das hinführen soll. Wie Papa so oft in seinen Predigten gesagt hat – wir leben in einer Zeit des Unglaubens.

Wir hatten großen Spaß mit einer Uhr, die Papa letzten Donnerstag von einem unbekannten Verehrer zugeschickt bekam. Sie wurde in einem Holzkistchen frei Haus aus London zugestellt. Papa glaubt, sie stammt von jemandem, der seine interessante Predigt »Ist Zügellosigkeit Freiheit?« gelesen hat, denn auf dem Uhrgehäuse ist eine weibliche Figur mit einer Kopfbedeckung, die nach Papas Meinung eine Freiheitsmütze darstellt. Ich finde sie nicht besonders kleidsam, aber Papa sagt, sie ist historisch, also muß es wohl in Ordnung sein. Parker packte die Uhr aus, und Papa stellte sie auf den Kaminsims in der Bibliothek. Als wir am Freitagmittag alle dort saßen, hörten wir, gerade als die Uhr zwölf schlug, ein Surren, dann kam aus dem Sockel der Figur ein Rauchwölkchen, und die Freiheitsgöttin fiel herunter und schlug sich am Kamingitter die Nase ab. Maria war ganz erschrocken, aber es sah so komisch aus, daß James und ich Lachkrämpfe bekamen, und sogar Papa war amüsiert. Als wir die Uhr näher betrachteten, entpuppte sie sich als eine Art Wecker. Man braucht sie nur auf eine bestimmte Zeit einzustellen und etwas Schießpulver und ein Zündhütchen unter einen kleinen Hammer zu legen, dann geht sie genau im richtigen Moment los. Papa sagte, sie dürfe nicht in der Bibliothek blei-

ben, weil sie Lärm macht, also trug Reggie sie ins Schulzimmer, und jetzt hat er den ganzen Tag nichts anderes zu tun, als sie knallen zu lassen. Glauben Sie, daß Arthur sich freuen würde, wenn wir ihm so eine Uhr zur Hochzeit schenkten? Sicher sind sie in London gerade große Mode. Papa sagt, sie könnten sehr nützlich sein, weil sie zeigen, daß die Freiheit sich nicht halten kann, sondern untergehen muß. Papa sagt, die Freiheit sei während der Französischen Revolution erfunden worden. Wie gräßlich das klingt!

Jetzt muß ich in den Dorcas-Verein gehen und dort werde ich Ihren höchst lehrreichen Brief vorlesen. Liebe Tante, wie recht haben Sie mit Ihrer Auffassung, daß Leute dieser Schicht unkleidsame Sachen tragen sollten! Es ist wirklich absurd, daß sie sich Gedanken über ihre Kleidung machen, wo es doch im Diesseits und im Jenseits so viele wichtigere Dinge gibt. Es freut mich, daß Ihr geblümtes Popelinkleid so schön geworden ist und daß Sie das Spitzenkleid nicht zerrissen haben. Ich werde das gelbe Atlaskleid, das Sie mir gütigerweise geschenkt haben, am Mittwoch zur Einladung beim Bischof anziehen, und ich glaube, es wird sich gut machen. Würden Sie Schleifen dazu tragen oder nicht? Mrs. Jennings sagt, daß jetzt alles Schleifen trägt und daß der Unterrock Rüschen haben muß. Gerade hat Reggie die Uhr wieder knallen lassen, und Papa hat angeordnet, daß sie in den Stall gebracht wird. Ich glaube, sie gefällt ihm jetzt nicht mehr so gut wie am Anfang, obwohl er sich geschmeichelt fühlt, daß man ihm ein so hübsches und kunstvolles Spielzeug geschickt hat. Es beweist, daß die Leute seine Predigten lesen und etwas daraus lernen.

Papa läßt herzlich grüßen, James, Reggie und Maria schließen sich an. In der Hoffnung, daß Onkel Cecils Gicht nachgelassen hat, grüßt Sie, liebe Tante,

Ihre Sie innig liebende Nichte
Jane Percy

PS: Bitte geben Sie mir Bescheid wegen der Schleifen. Mrs. Jennings behauptet, sie seien große Mode.

Lord Arthur las den Brief mit einem so ernsten, unglücklichen Gesicht, daß die Herzogin in Lachen ausbrach.

»Lieber Arthur, ich werde dir nie wieder den Brief einer jungen Dame zeigen! Aber was soll man bloß zu dieser Uhr sagen? Ich glaube, es ist eine großartige Erfindung, und ich hätte auch gern eine.«

»Ich halte nicht viel davon«, sagte Lord Arthur mit traurigem Lächeln, küßte seine Mutter und ging hinaus. Droben warf er sich auf ein Sofa, und die Tränen stiegen ihm in die Augen. Er hatte getan, was er konnte, um einen Mord zu begehen, aber beide Male war es mißlungen und nicht durch seine Schuld. Er hatte versucht, seine Pflicht zu tun, aber es schien, als übe die Vorsehung selbst Verrat an ihm. Die Erkenntnis, wie unfruchtbar gute Vorsätze sind und wie nutzlos es ist, ehrenhaft handeln zu wollen, lastete schwer auf ihm. Vielleicht, so dachte er, wäre es besser, die Heirat ganz aufzugeben. Sibyl würde darunter leiden, aber Leid konnte einer so edlen Seele nicht wirklich schaden. Und er selbst – was lag schon an ihm? Irgendwo gibt es immer einen Krieg, in dem ein Mann sterben, oder eine gute Sache, für die er sein Leben hingeben kann, und nun, da das Leben keine Freude mehr für ihn bereithielt, hatte der Tod seinen Schrecken verloren. Mochte das Schicksal das Urteil über ihn fällen! Er selbst würde keinen Finger mehr rühren, um dabei mitzuhelfen.

Um halb acht zog er sich an und ging in den Klub. Surbiton war in Gesellschaft mehrerer junger Herren da, und Arthur mußte mit ihnen zu Abend essen. Ihre trivialen Gespräche und faden Witze interessierten ihn nicht, und sobald der Kaffee serviert war, verabschiedete er sich mit dem Vorwand, verabredet zu sein. Als er den Klub verlassen wollte, überreichte ihm der Portier einen Brief. Er war von Herrn Winckelkopf, der ihn bat, ihn am nächsten Abend zu besuchen, um sich einen Regenschirm mit Sprengladung anzusehen, der beim Aufspannen explodierte. Es war die allerneuste Erfindung, soeben aus Genf eingetroffen. Er zerriß den Brief in kleine Fetzen. Er war fest entschlossen, keine weiteren Experimente zu machen. Dann ging er hinunter zum Themseufer und blieb stundenlang am Fluß sitzen. Wie das Auge eines Löwen spähte der Mond durch eine Mähne gelbbrauner Wolken, und das von unzähligen Sternen übersäte Himmelsgewölbe glich einer mit Goldstaub gesprenkelten Purpurkuppel. Dann und wann schob sich ein Lastkahn in die trübe Flut hinaus und trieb flußabwärts, und die Eisenbahnsignale wechselten von Grün zu Rot, wenn die Züge schrill pfeifend über die Brücke rollten. Nach einer Weile schlug es vom hohen Westminsterturm zwölf Uhr, und bei jedem dröhnenden Glockenschlag schien die Nacht zu erbeben. Dann gingen die Eisenbahnlichter aus, nur eine einsame Lampe leuchtete wie ein großer Rubin an einem riesigen Mast, und der tosende Lärm der Stadt verebbte allmählich.

Um zwei Uhr stand er auf und schlenderte auf die Blackfriars Bridge zu. Wie unwirklich alles aussah! Wie in einem seltsamen Traum! Die Häuser drüben am andern Ufer schienen aus Dunkelheit erbaut. Es war, als hätten Silberglanz und Schatten die Welt neu gestaltet. Die Riesenkuppel der St. Pauls-Kathedrale zeichnete sich wie eine Luftblase gegen den düsteren Himmel ab.

Als er auf »Kleopatras Nadel« zuschritt, sah er einen Mann, der sich übers Geländer beugte. Bei seinem Näherkommen blickte der Mann auf, und der Schein der Gaslaterne fiel auf sein Gesicht.

Es war Mr. Podgers, der Chiromant! Das dicke, schlaffe Gesicht mit der goldgeränderten Brille, das widerwärtige, matte Lächeln und der sinnliche Mund waren unverkennbar.

Lord Arthur blieb stehen. Urplötzlich kam ihm ein blendender Einfall, und vorsichtig schlich er sich von hinten an den andern heran. Im Nu hatte er Mr. Podgers an den Beinen gepackt und in die Themse geschleudert. Ein ordinärer Fluch, ein lautes Aufklatschen – dann war alles still. Lord Arthur sah gespannt hinunter, aber von dem Chiromanten war nichts mehr zu entdecken; nur ein hoher Hut tanzte auf einem im Mondschein aufglänzenden Wasserwirbel. Auch er ging kurz darauf unter, und nun war die letzte Spur von Mr. Podgers verschwunden.

Einmal war ihm, als sehe er die massige, unförmige Gestalt auf die Treppe neben der Brücke zuschwimmen, und das entsetzliche Gefühl, gescheitert zu sein, überkam ihn. Doch dann merkte er, daß es nur eine Spiegelung war, die sofort verschwand, als der Mondschein durch eine Wolke brach. Endlich schien er die Aufgabe erfüllt zu haben, die das Schicksal ihm zugewiesen hatte. Er stieß einen tiefen Seufzer der Erleichterung aus, und Sibyls Name drängte sich ihm auf die Lippen.

»Ist Ihnen etwas hinuntergefallen, Sir?« fragte plötzlich jemand hinter ihm.

Er wandte sich um und sah einen Polizisten mit einer Blendlaterne.

»Nichts von Bedeutung, Sergeant«, erwiderte er lächelnd, winkte einer vorbeifahrenden Droschke, sprang hinein und befahl dem Kutscher, zum Belgrave Square zu fahren.

Ein paar Tage lang war er zwischen Furcht und Hoffnung hin und her gerissen. Es gab Augenblicke, in denen er fast damit rechnete, daß Mr. Podgers ins Zimmer treten würde, und andere, in denen er überzeugt war, daß das Schicksal ihn nicht so ungerecht behandeln konnte. Zweimal ging er in die West Moon Street zum Haus des Chiromanten, konnte sich aber nicht überwinden zu läuten. Er sehnte sich nach Gewißheit und hatte gleichzeitig Angst davor.

Schließlich erhielt er sie. Er saß gerade im Rauchsalon des Klubs und hörte sich ziemlich gelangweilt Surbitons Bericht über das neuste Couplet im Gaiety-Theater an, als der Kellner mit den Abendzeitungen hereinkam. Er griff nach der *St. James's* und blätterte sie gleichgültig durch – da sprang ihm eine merkwürdige Schlagzeile in die Augen:

»SELBSTMORD EINES CHIROMANTEN«

Er wurde blaß vor Erregung und begann zu lesen. Die Notiz lautete wie folgt:

> »Gestern morgen um sieben Uhr wurde die Leiche des berühmten Chiromanten Mr. Septimus R. Podgers in Greenwich, direkt vor dem Ship Hotel, an Land gespült. Der Unglückliche galt seit einigen Tagen als vermißt, und in Chiromantenkreisen hatte man sich bereits ernsthaft Sorgen um ihn gemacht. Man nimmt an, daß er in einem durch Überarbeitung verursachten Anfall geistiger Umnachtung Selbstmord begangen hat; entsprechend lautet auch der heute nachmittag bekanntgegebene Befund der Leichenschaukommission. Mr. Podgers hatte gerade eine ausführliche Abhandlung über das Thema ›Die menschliche Hand‹ vollendet, die in Kürze er-

scheinen und zweifellos starke Beachtung finden wird. Der Verblichene war fünfundsechszig Jahre alt und hinterläßt, soweit bekannt, keine Angehörigen.«

Mit der Zeitung in der Hand stürzte Lord Arthur aus dem Klub – zur maßlosen Verwunderung des Portiers, der ihn vergeblich aufzuhalten suchte – und fuhr geradewegs in die Park Lane. Sibyl sah ihn vom Fenster aus ankommen und hatte aus irgendeinem Grund das Gefühl, daß er gute Nachricht brachte. Sie lief ihm entgegen, und als sie sein Gesicht sah, wußte sie, daß alles gut war.

»Sibyl, Liebste«, rief Lord Arthur, »laß uns morgen heiraten!«

»Du dummer Junge! Die Hochzeitstorte ist doch noch gar nicht bestellt!« sagte Sibyl und lachte unter Tränen.

6

Als drei Wochen später die Hochzeit stattfand, erlebte die Kirche von St. Peter einen regelrechten Ansturm der eleganten Welt. Die Trauung wurde höchst eindrucksvoll vom Dekan von Chichester vollzogen, und man war sich einig darüber, daß Braut und Bräutigam das schönste Paar waren, das man je gesehen hatte. Aber die beiden waren nicht nur schön, sie waren auch glücklich. Keinen einzigen Augenblick bereute Lord Arthur, was er um Sibyls willen ausgestanden hatte, und Sibyl wiederum gab ihm das Beste, das eine Frau einem Mann geben kann: Verehrung, Zärtlichkeit und Liebe. Für diese beiden wurde die Romantik nicht von der Realität getötet. Sie fühlten sich immer jung.

Einige Jahre später, als sie bereits zwei Kinder hatten, besuchte sie Lady Windermere auf Alton Priory, dem schönen alten Landsitz, den der Herzog seinem Sohn zur Hochzeit geschenkt hatte. Als sie eines Nachmittags mit Lady Arthur im Garten unter einer Linde saß und zusah, wie die beiden Kleinen, ein Junge und ein Mädchen, auf dem Rosenpfad spielten und, aufblitzenden Sonnenstrahlen gleich, bald hier, bald dort auftauchten, griff sie plötzlich nach der Hand der Gastgeberin und fragte: »Sind Sie glücklich, Sibyl?«

»Aber natürlich, Lady Windermere, natürlich bin ich glücklich. Sie etwa nicht?«

»Ich habe keine Zeit zum Glücklichsein. Ich habe immer den gern, den man mir gerade vorgestellt hat. Aber meist werden mir die Leute langweilig, sobald ich sie näher kennengelernt habe.«

»Sind Sie mit Ihren Löwen nicht zufrieden, Lady Windermere?«

»Du liebe Güte, nein! Löwen sind immer nur für eine Saison geeignet. Sobald man ihnen die Mähnen stutzt, sind sie die langweiligsten Geschöpfe, die man sich vorstellen kann. Außerdem benehmen sie sich sehr schlecht, wenn man sie wirklich nett behandelt. Erinnern Sie sich an den entsetzlichen Mr. Podgers? Er war ein fürchterlicher Schwindler. Das hat mich natürlich nicht gestört, und ich habe ihm sogar verziehen, daß er sich Geld von mir borgen wollte, aber ich konnte es nicht ertragen, daß er mir den Hof machte. Er hat mir die Chiromantie gründlich verleidet. Ich schwärme jetzt für Telepathie. Sie ist viel amüsanter.«

»Sie dürfen bei uns kein Wort gegen die Chiromantie sagen, Lady Windermere. Das ist das einzige Thema, über das man sich in Arthurs Gegenwart nicht lustig machen darf. Glauben Sie mir, er nimmt sie völlig ernst.«

»Sibyl, Sie wollen doch nicht etwa sagen, daß er daran glaubt?«

»Fragen Sie ihn selbst, Lady Windermere, dort kommt er.« Lord Arthur, einen großen Strauß gelber Rosen in der Hand, kam vom Garten her auf sie zu, während die beiden Kinder um ihn herumhüpften.

»Lord Arthur!«

»Lady Windermere?«

»Wollen Sie im Ernst behaupten, daß Sie an die Chiromantie glauben?«

»Natürlich glaube ich daran«, erwiderte der junge Mann lächelnd.

»Und warum?«

»Weil ich ihr mein Lebensglück verdanke«, sagte er leise und ließ sich in einen Korbsessel fallen.

»Mein lieber Lord Arthur, was verdanken Sie ihr?«

»Sibyl«, sagte er, reichte seiner Frau die Rosen und sah ihr in die Veilchenaugen.

»So ein Unsinn!« rief Lady Windermere. »In meinem ganzen Leben habe ich noch keinen solchen Unsinn gehört!«

Das Gespenst von Canterville
Eine hylo-idealistische Romanze

I

Als Mr. Hiram B. Otis, der amerikanische Gesandte, Schloß Canterville kaufte, sagte ihm jeder, er begehe eine große Torheit, da es dort ohne jeden Zweifel spuke. Sogar Lord Canterville, ein Mann, dem die Ehre über alles ging, hatte sich verpflichtet gefühlt, Mr. Otis darauf hinzuweisen, bevor er mit ihm über die Verkaufsbedingungen sprach.

»Wir selbst mochten nicht mehr dort wohnen«, sagte Lord Canterville, »seit meine Großtante, die Herzoginwitwe von Bolton, einen Schock erlitt, von dem sie sich nie mehr ganz erholt hat. Eines Tages, als sie sich gerade zum Abendessen umzog, sah sie, wie sich die Hände eines Skeletts auf ihre Schultern legten. Und ich halte es ebenfalls für meine Pflicht, Ihnen, Mr. Otis, mitzuteilen, daß das Gespenst auch von einigen noch lebenden Mitgliedern meiner Familie gesehen worden ist und außerdem vom Gemeindepfarrer, Hochwürden Augustus Dampier, der das King's College in Cambridge absolviert hat. Nach dem unglückseligen Erlebnis der Herzogin wollte keiner der jüngeren Dienstboten bei uns bleiben, und Lady Canterville konnte nachts kaum mehr schlafen, seit sie auf dem Gang und in der Bibliothek diese geheimnisvollen Geräusche gehört hatte.«

»Mylord«, erwiderte der Gesandte, »ich übernehme das Mobiliar und das Gespenst zum Schätzwert. Ich komme aus einem fortschrittlichen Land, das alles besitzt, was für Geld zu haben ist. Und wenn ich so sehe, wie unsere schlauen jungen Leute die Alte Welt unsicher machen und Ihnen die besten Schauspielerinnen und Primadonnen wegschnappen, glaube ich bestimmt, daß wir, falls es in Europa tatsächlich so etwas wie ein Gespenst gibt, es in kürzester Zeit drüben haben werden, in einem unserer Museen oder in einem Wanderzirkus.«

»Ich fürchte, das Gespenst existiert wirklich«, sagte Lord

Canterville lächelnd, »wenn es auch den Annäherungsversuchen Ihrer unternehmungslustigen Impresarios bisher widerstanden hat. Es ist seit dreihundert Jahren bekannt, genau gesagt, seit 1584, und es erscheint immer, wenn der Tod eines Familienmitglieds bevorsteht.«

»Na ja, das tut der Hausarzt auch, Lord Canterville. Aber es gibt keine Gespenster, Sir, und ich glaube nicht, daß sich die Naturgesetze um der britischen Aristokratie willen außer Kraft setzen lassen.«

»Ihr Amerikaner seid wirklich sehr natürliche Menschen«, erwiderte Lord Canterville, der Mr. Otis' letzte Bemerkung nicht ganz verstanden hatte. »Wenn es Sie also nicht stört, ein Gespenst im Haus zu haben, soll's mir recht sein. Vergessen Sie aber bitte nicht, daß ich Sie gewarnt habe.«

Ein paar Wochen später war der Kauf perfekt, und am Ende der Saison fuhr der Gesandte mit seiner Familie nach Canterville. Mrs. Otis, die, als sie noch Miß Lucretia R. Tappan, West 53rd Street, war, zu den gefeierten Schönheiten New Yorks gezählt hatte, war eine noch immer gutaussehende Frau in mittleren Jahren, mit schönen Augen und einem tadellosen Profil. Im Gegensatz zu vielen Amerikanerinnen, die, sobald sie ihr Geburtsland verlassen haben, so tun, als hätten sie ein chronisches Leiden, weil sie das für ein Zeichen europäischer Kultiviertheit halten, war Mrs. Otis nie in diesen Fehler verfallen. Sie besaß eine prächtige Konstitution und ein wahrhaft erstaunliches Maß an Ursprünglichkeit. In vieler Hinsicht war sie wirklich völlig englisch – ein ausgezeichnetes Beispiel dafür, daß wir heutzutage tatsächlich alles mit Amerika gemeinsam haben, ausgenommen natürlich die Sprache. Ihr ältester Sohn, den die Eltern in einer patriotischen Anwandlung »Washington« getauft hatten, was er zeitlebens bedauerte, war ein blonder, recht gutaussehender junger Mann, der sich für den diplomatischen Dienst seines Landes dadurch qualifiziert hatte, daß er drei Winter lang im Kasino von Newport den Kotillon anführte, und der sogar in London als ausgezeichneter Tänzer galt. Gardenien und Adelsregister waren seine einzigen Schwächen. Sonst war er ausnehmend vernünftig. Miß Virginia E. Otis war ein Mädchen von fünfzehn Jahren, grazil und reizend wie ein junges Reh. Aus ihren großen blauen Augen sprach eine schöne Freimütigkeit. Sie war eine Amazone par excellence und veranstaltete eines Tages ein Rennen im Park, bei dem sie auf ihrem Pony den alten Lord Bilton direkt vor der Achillesstatue um eineinhalb Pferdelängen schlug – zum stürmischen Entzücken des jungen Herzogs von Cheshire, der ihr auf der Stelle einen Heiratsantrag machte, woraufhin er, tränenüberströmt, noch am selben Abend von seinen Vormunden nach Eton zurückbeordert wurde. Nach Virginia kamen die Zwillinge, meist »Das Sternenbanner« genannt, weil sie ständig herumflatterten und gehörig gezaust wurden. Die Burschen waren eine wahre Freude und mit Ausnahme des ehrenwerten Gesandten die einzigen echten Republikaner in der Familie.

Da Schloß Canterville sieben Meilen von Ascot, der nächsten Bahnstation, entfernt liegt, hatte Mr. Otis telegrafisch einen Wagen bestellt, und die Familie fuhr in bester Laune los. Es war ein herrlicher Juliabend, und die Luft war vom köstlichen Duft der Kiefernwälder erfüllt. Dann und wann vernahmen sie das melancholisch-süße Gurren einer Ringeltaube oder sahen im raschelnden Farnkraut die Brustfedern eines Fasans aufschimmern. Von den Buchen spähten Eichhörnchen auf die Vorüberfahrenden herab, und Wildkaninchen huschten, die weißen Schwänzchen in die Höhe gestreckt, durchs Unterholz und über bemooste Wurzelknollen davon. Doch als sie in die Schloßauffahrt einbogen, überzog sich der Himmel plötzlich mit Wolken, eine merkwürdige Stille breitete sich aus, ein großer Schwarm Krähen flog lautlos über ihre Köpfe hinweg, und noch ehe sie das Haus erreicht hatten, fielen die ersten schweren Tropfen.

Auf der Freitreppe erwartete sie eine alte Frau in adrettem schwarzseidenem Kleid, weißer Haube und Schürze: Mrs. Umney, die Haushälterin, die Mrs. Otis auf Lady Cantervilles ausdrücklichen Wunsch übernommen hatte. Sie begrüßte jeden mit einem Knicks und sagte auf anheimelnd altmodische Art: »Ich heiße Sie auf Schloß Canterville willkommen!« Sie folgten ihr ins Haus, durchquerten die schöne, im Tudorstil erbaute Halle und betraten die Bibliothek, einen langen, niedrigen Raum mit schwarzer Eichentäfelung und einem großen Fenster aus buntem

Glas. Hier war der Teetisch gedeckt. Sie zogen die Mäntel aus, setzten sich und nahmen, während Mrs. Umney sie bediente, das Zimmer in Augenschein.

Plötzlich entdeckte Mrs. Otis auf dem Fußboden vor dem Kamin einen matten roten Flecken und sagte – ohne sich im geringsten seiner Bedeutung bewußt zu sein – zu Mrs. Umney: »Ich glaube, dort hat jemand etwas ausgegossen.«

»Ja, gnädige Frau«, erwiderte die alte Haushälterin leise, »dort ist Blut vergossen worden.«

»Wie gräßlich!« rief Mrs. Otis. »Ich habe absolut nichts für Blutflecken im Wohnzimmer übrig. Es muß sofort weggewischt werden!«

Die alte Frau lächelte und sagte in dem gleichen leisen, geheimnisvollen Ton: »Es ist das Blut der Lady Eleanore de Canterville, die im Jahr 1575 genau an dieser Stelle von ihrem eigenen Gemahl, Sir Simon de Canterville, ermordet wurde. Sir Simon überlebte sie um neun Jahre, dann verschwand er plötzlich unter höchst mysteriösen Umständen. Seine Leiche wurde nie gefunden, aber sein schuldbeladener Geist geht noch heute im Schloß um. Der Blutfleck ist von Touristen und anderen Besuchern oft bewundert worden und läßt sich durch nichts entfernen.«

»Das ist doch alles Unsinn!« rief Washington Otis. »Pinkertons Universal-Fleckentferner mit Superreinigungskraft wird ihn sofort beseitigen.« Und ehe die entsetzte Haushälterin ihn zurückhalten konnte, kniete er am Boden und rieb die Stelle blitzschnell mit einem kleinen Stift ein, der wie schwarze Bartwichse aussah. Wenige Augenblicke später war von dem Blutfleck keine Spur mehr zu sehen.

»Ich hab's doch gleich gesagt – Pinkerton schafft das spielend!« rief Washington triumphierend der Familie zu, die ihn bewundernd beobachtete. Aber er hatte kaum ausgesprochen, als ein schrecklicher Blitz den düsteren Raum jäh erhellte und ein fürchterlicher Donnerschlag alle von den Stühlen riß. Mrs. Umney fiel in Ohnmacht.

»Ein scheußliches Klima!« bemerkte der amerikanische Gesandte gelassen und zündete sich eine lange Manilazigarre an. »Mir scheint, das alte England ist so übervölkert, daß das gute

Wetter nicht mehr für alle ausreicht. Ich war schon immer der Meinung, daß Auswandern die einzige Chance für England ist.«

»Aber Hiram«, rief Mrs. Otis, »was sollen wir bloß mit einer Frau anfangen, die immer gleich ohnmächtig wird?«

»Zieh's ihr genauso vom Lohn ab wie das Geschirr, das sie zerbricht«, sagte der Gesandte, »dann wird sie sich's schon abgewöhnen.« Und tatsächlich kam Mrs. Umney kurz darauf wieder zu sich. Aber sie war offenbar äußerst erregt und warnte Mr. Otis eindringlich vor drohendem Unheil.

»Sir, ich habe mit eigenen Augen Dinge gesehen, bei deren Anblick jedem Christenmenschen die Haare zu Berge stehen würden, und so manche Nacht habe ich kein Auge zugetan, weil hier so Entsetzliches geschieht.« Doch Mr. Otis und seine Frau beruhigten die treue Seele und versicherten ihr, sie hätten keine Angst vor Gespenstern. Nachdem sie den Segen des Himmels auf ihre neue Herrschaft herabgefleht und eine Lohnerhöhung ausgehandelt hatte, wankte die alte Haushälterin in ihr Zimmer.

2

Der Sturm wütete die ganze Nacht, sonst aber ereignete sich nichts Ungewöhnliches. Doch als sie am nächsten Morgen zum Frühstück erschienen, war der schreckliche Blutfleck wieder auf dem Fußboden.

»Ich glaube nicht, daß es am Fleckentferner liegt«, sagte Washington, »denn der hat mich bisher nie im Stich gelassen. Es muß tatsächlich das Gespenst sein.« Dann rieb er den Flecken zum zweitenmal weg, aber am nächsten Morgen war er wieder da. Und am dritten Morgen ebenfalls, obwohl Mr. Otis die Bibliothek am Abend persönlich abgeschlossen und den Schlüssel mit nach oben genommen hatte. Jetzt begann sich die ganze Familie für den Fall zu interessieren. Mr. Otis fragte sich, ob er die Existenz von Geistern nicht doch allzu kategorisch geleugnet habe, Mrs. Otis äußerte die Absicht, der spiritistischen Gesellschaft beizutreten, und Washington entwarf ein langes Schreiben an die Firma Myers und Podmore, in dem er sich über das

Problem der Unaustilgbarkeit von Blutflecken, die mit einem Verbrechen in Zusammenhang stehen, ausließ. In der folgenden Nacht wurden alle Zweifel an der Existenz von Gespenstern endgültig beseitigt.

Der Tag war warm und sonnig gewesen, und in der abendlichen Kühle unternahm die ganze Familie eine Ausfahrt. Sie kehrte erst um neun Uhr zurück und nahm ein leichtes Abendessen ein. Da in der Unterhaltung Gespenster überhaupt nicht erwähnt wurden, konnte jene erwartungsvolle Stimmung, die so oft dem Erscheinen spiritistischer Phänomene vorausgeht, gar nicht erst aufkommen. Wie ich von Mr. Otis gehört habe, sprach man nur über die bei gebildeten Amerikanern gehobener Schichten üblichen Themen, zum Beispiel die enorme schauspielerische Überlegenheit Miß Fanny Davenports über Sarah Bernhardt, die selbst in den besten englischen Häusern auftretende Schwierigkeit, Mais in der Milchreife, Buchweizenkuchen und Maisgrütze serviert zu bekommen, die Bedeutung Bostons für die Entwicklung der Weltseele, die Vorzüge des Gepäckaufgabesystems bei Eisenbahnreisen und den Unterschied zwischen dem melodiösen New Yorker Akzent und der gedehnten Aussprache der Londoner. Auf übernatürliche Dinge kam man überhaupt nicht zu sprechen, und auch Sir Simon de Canterville wurde nicht erwähnt. Um elf Uhr zog sich die Familie zurück, und um halb zwölf waren alle Lichter gelöscht. Etwas später wurde Mr. Otis durch ein seltsames Geräusch auf dem Korridor vor seinem Schlafzimmer geweckt. Es klang wie das Klirren von Metall und schien immer näher zu kommen. Er stand sofort auf, zündete ein Streichholz an und sah auf die Uhr. Es war Punkt eins. Er blieb ganz ruhig, fühlte seinen Puls und konnte nicht die mindeste Beschleunigung feststellen. Noch immer vernahm er das merkwürdige Geräusch, und jetzt hörte er auch deutlich den Klang von Schritten. Er schlüpfte in die Pantoffeln, nahm ein längliches Fläschchen aus seinem Necessaire und öffnete die Tür. Im fahlen Mondlicht sah er einen alten Mann vor sich, der einen schrecklichen Anblick bot: Seine Augen waren rot wie glühende Kohlen, das lange graue Haar fiel ihm in verfilzten Strähnen auf die Schultern, seine Kleidung, ein Gewand im Stil einer längstvergangenen Zeit, war verschmutzt und zerschlissen, und an den Handgelenken und Fußknöcheln trug er schwere Fesseln, von denen rostige Ketten herabhingen.

»Verehrter Sir«, sagte Mr. Otis, »ich muß Sie dringend bitten, Ihre Ketten zu ölen, und habe Ihnen zu diesem Zweck ein Fläschchen Tammanys Aurora-Schmieröl gebracht. Es ist bekannt für seine sofortige Wirkung, und wie Sie den auf der Verpackung abgedruckten Empfehlungen entnehmen können, haben einige unserer prominentesten Geistlichen dies bestätigt. Ich stelle es hier neben die Nachtkerzen und werde Ihnen auf Wunsch gern mehr davon besorgen.« Mit diesen Worten stellte der Gesandte der Vereinigten Staaten die Flasche auf einen Marmortisch, zog sich wieder ins Schlafzimmer zurück und schloß die Tür.

Einen Augenblick lang blieb das Gespenst von Canterville in verständlicher Entrüstung wie angewurzelt stehen. Dann schleuderte es die Flasche wütend auf den gebohnerten Fußboden und floh durch den Korridor, wobei es ein hohles Stöhnen von sich gab und ein geisterhaftes grünes Licht ausstrahlte. Es hatte gerade den oberen Absatz der großen Eichentreppe erreicht, als plötzlich eine Tür aufgerissen wurde, zwei kleine weißgekleidete Gestalten erschienen und ein großes Kopfkissen dicht an seinem Kopf vorbeiflog! Da jetzt offenbar keine Zeit mehr zu verlieren war, flüchtete sich das Gespenst eilends in die vierte Dimension und verschwand durch die Wandtäfelung. Danach war es im Haus wieder ganz still.

Als es in einem kleinen Geheimgemach im rechten Flügel des Schlosses angelangt war, lehnte sich das Gespenst gegen einen Mondstrahl, um Atem zu schöpfen, und versuchte, sich über seine Situation klarzuwerden. Während seiner glänzenden Karriere, die im Verlauf von dreihundert Jahren keine einzige Unterbrechung erfahren hatte, war es noch nie so schmählich beleidigt worden. Es dachte an die Herzoginmutter, der es einen furchtbaren Schrecken eingejagt hatte, als sie gerade in ihrem Spitzenkleid und dem Diamantschmuck vor dem Spiegel stand; an die vier Hausmädchen, die einen hysterischen Anfall bekamen, nur weil es ihnen durch die Vorhänge eines unbenutzten Schlafzimmers zugegrinst hatte; an den Gemeindepfarrer, dessen Kerze es ausgeblasen hatte, als er eines Nachts zu später Stunde aus der Bibliothek kam, und der von diesem Tag an, von nervösen

Störungen regelrecht gemartert, bei Sir William Gull in Behandlung gewesen war; und an die alte Madame de Tremouillac, die eines Morgens früher als sonst aufwachte, im Kaminsessel ein Skelett sitzen sah, das ihr Tagebuch las, und die daraufhin Hirnhautentzündung bekam, sechs Wochen lang das Bett hüten mußte, nach ihrer Genesung in den Schoß der Kirche zurückkehrte und jede Verbindung zu dem notorischen Atheisten Monsieur de Voltaire abbrach. Es dachte an die schreckliche Nacht, in der man den ruchlosen Lord Canterville halb erstickt in seinem Ankleidezimmer fand; er hatte den Karobuben im Hals stecken, und bevor er starb, gestand er, daß er mit eben dieser Karte Charles James Fox in Crockfords Etablissement um 50 000 Pfund geprellt hatte. Er schwor, das Gespenst habe ihn gezwungen, die Karte zu verschlucken. Alle seine großartigen Erfolge rief sich das Gespenst ins Gedächtnis zurück, beginnend bei dem Butler, der sich in der Speisekammer erschoß, weil er eine grüne Hand an die Fensterscheibe klopfen sah, bis hin zur schönen Lady Stutfield, die stets ein schwarzes Samtband um den Hals tragen mußte, damit niemand die auf ihrer weißen Haut eingebrannten Male von fünf Fingern bemerkte, und die sich schließlich im Karpfenteich am Ende der Königspromenade ertränkte. Mit der leidenschaftlichen Egozentrik des wahren Künstlers vergegenwärtigte sich das Gespenst seine berühmtesten Rollen und lächelte bitter, als es seines letzten Auftritts als »Roter Ruben oder Der erwürgte Säugling« gedachte, seines Debüts als »Finsterer Gibeon, der Blutsauger vom Bexley-Moor« und des Aufsehens, das es eines stillen Juliabends erregt hatte, nur weil es auf dem Tennisplatz mit seinen eigenen Knochen Kegel spielte. Und nach alledem mußten ein paar erbärmliche moderne Amerikaner kommen, ihm Aurora-Schmieröl anbieten und Kissen an den Kopf werfen! Es war nicht zum Aushalten! Und zudem war noch nie in der Geschichte ein Gespenst so schlecht behandelt worden. So beschloß es denn, Rache zu nehmen, und blieb bis zum Morgengrauen in tiefes Nachdenken versunken.

3

Als die Familie Otis sich am nächsten Morgen zum Frühstück einfand, wurde ziemlich ausgiebig über das Gespenst gesprochen. Der Gesandte der Vereinigten Staaten war natürlich etwas verärgert darüber, daß es sein Geschenk nicht angenommen hatte. »Es liegt mir fern, das Gespenst in irgendeiner Weise zu beleidigen, und ich muß sagen, daß ich es in Anbetracht der langen Zeit, die es schon in diesem Haus verbracht hat, keineswegs für höflich halte, mit Kopfkissen nach ihm zu werfen« – eine durchaus angebrachte Bemerkung, nach der die Zwillinge leider in schallendes Gelächter ausbrachen. »Andrerseits«, fuhr er fort, »werden wir ihm, falls es sich weigern sollte, Aurora-Schmieröl zu benutzen, die Ketten wegnehmen müssen. Bei einem derartigen Lärm vor den Schlafzimmern kann man unmöglich zur Ruhe kommen.«

Für den Rest der Woche blieben sie jedoch unbehelligt; nur die Tatsache, daß der Blutfleck in der Bibliothek immer wieder erschien, erregte ihre Neugier. Die Sache war deshalb so merkwürdig, weil Mr. Otis jede Nacht die Tür abschloß und weil die Fenster stets fest verriegelt wurden. Daß der Flecken seine Farbe wie ein Chamäleon wechselte, gab ebenfalls Anlaß zu den verschiedensten Vermutungen. Manchmal war er braunrot (fast indianerrot), dann wieder zinnoberrot, ein anderes Mal purpurfarben und einmal, als sie sich gerade zur Familienandacht nach dem schlichten Ritus der Freien Amerikanischen Reformierten Episkopalkirche versammelten, erstrahlte er in einem Smaragdgrün. Dieser kaleidoskopische Wechsel machte der Familie natürlich großen Spaß, und jeden Abend wurden Wetten abgeschlossen. Die einzige, die sich nicht an diesen Scherzen beteiligte, war die kleine Virginia, die aus einem unerfindlichen Grund beim Anblick des Blutflecks immer sehr betrübt war und an dem Morgen, an dem er sich smaragdgrün präsentierte, fast in Tränen ausbrach.

Zum zweitenmal erschien das Gespenst Sonntagnacht. Kurz nach dem Schlafengehen wurde die Familie plötzlich von einem fürchterlichen Gepolter in der Halle aufgeschreckt. Alle rannten hinunter, und da sahen sie, daß sich eine große alte Ritterrüstung vom Podest gelöst hatte und auf den Steinboden gefallen war. Daneben saß auf einem hochlehnigen Stuhl das Gespenst und rieb sich mit schmerzverzerrtem Gesicht die Knie. Die Zwillinge, die ihre Schleudern mitgebracht hatten, ließen sofort zwei Geschosse schwirren – mit einer Treffsicherheit, wie man sie nur durch langes, konzentriertes Training an einem Schreiblehrer erwerben kann –, und der Gesandte der Vereinigten Staaten richtete den Revolver auf das Gespenst und forderte es nach bester kalifornischer Etikette auf, die Hände hochzunehmen. Das Gespenst fuhr mit einem schrillen Wutschrei hoch, fegte wie ein Nebelschwaden durch sie hindurch, löschte dabei Washington Otis' Kerze und ließ alle im Stockdunkeln zurück. Als es den oberen Treppenabsatz erreicht hatte, schöpfte es neue Kraft und beschloß, in sein berühmtes diabolisches Gelächter auszubrechen. Mehr als einmal hatte es damit die besten Erfahrungen gemacht. Man erzählte sich, dieses Gelächter habe Lord Rakers Perücke in einer einzigen Nacht ergrauen lassen, und es ist erwiesen, daß es drei von Lady Cantervilles französischen Gouvernanten bewogen hatte, noch vor Ablauf des ersten Monats zu kündigen. Das Gespenst lachte also sein fürchterliches Lachen, bis das alte Dachgewölbe davon widerhallte, doch kaum war das letzte grausige Echo verklungen, als eine Tür aufging und Mrs. Otis in einem hellblauen Morgenrock erschien. »Ich fürchte, es geht Ihnen gar nicht gut«, sagte sie. »Hier bringe ich Ihnen eine Flasche ›Dr. Dobells Tinktur‹. Falls Sie an Verdauungsstörungen leiden, ist das die allerbeste Medizin.« Das Gespenst starrte sie wütend an und machte augenblicklich Anstalten, sich in einen großen schwarzen Hund zu verwandeln, ein Trick, für den es zu Recht berühmt war und auf den der Hausarzt die unheilbare Verblödung von Lord Cantervilles Onkel, dem ehrenwerten Thomas Horton, zurückführte. Doch da der Klang näherkommender Schritte das Gespenst an seinem grausigen Vorhaben hinderte, begnügte es sich mit einem leichten Phosphoreszieren und verschwand mit einem dumpfen Friedhofsstöhnen genau in dem Moment, als die Zwillinge oben ankamen.

In seinem Gemach erlitt es einen völligen Nervenzusammenbruch und wurde von heftigster Erregung geschüttelt. Die Vulgarität der Zwillinge und Mrs. Otis' krasser Materialismus waren schon empörend genug, was ihm jedoch den größten Kummer bereitete, war die Tatsache, daß es außerstande gewesen war, die Rüstung zu tragen. Es hatte gehofft, daß sogar moderne Amerikaner beim Anblick eines Gespenstes in voller Rüstung erschauern würden – wenn nicht aus einem vernünftigen Grund, so doch wenigstens aus Respekt vor ihrem Nationaldichter Longfellow, dessen anmutige, reizvolle Verse ihm selbst schon oft über die langweiligen Tage hinweggeholfen hatten, an denen die Cantervilles sich in London aufhielten. Noch dazu handelte es sich um seine eigene Rüstung! Es hatte sie mit Erfolg bei den Turnieren in Kenilworth getragen, und keine Geringere als die Jungfräuliche Königin hatte ihm höchst schmeichelhafte Dinge darüber gesagt. Aber als es sie heute anlegen wollte, war es von dem Gewicht des mächtigen Brustpanzers und des stählernen Helms fast erdrückt worden und auf den Steinboden gestürzt, wobei es sich beide Knie arg aufgeschürft und die Knöchel der rechten Hand gequetscht hatte.

Nach diesem Vorfall war das Gespenst einige Tage lang furchtbar krank und verließ sein Gemach nur, wenn der Blutfleck aufgefrischt werden mußte. Aber da es sich sehr schonte, wurde es wieder gesund und beschloß, zum drittenmal zu versuchen, dem Gesandten der Vereinigten Staaten und seiner Familie einen Schrecken einzujagen. Es entschied sich für Freitag, den 17. August, und verbrachte den größten Teil dieses Tages damit, seine Garderobe durchzusehen. Schließlich wählte es einen großen Schlapphut mit roter Feder, ein Leichengewand mit Rüschen an den Ärmeln und am Kragen sowie einen rostigen Dolch. Gegen Abend zog ein schweres Unwetter auf, und der Sturm tobte so heftig, daß die Fenster und Türen des alten Hauses nur so ratterten. Das war genau sein Lieblingswetter! Es hatte folgenden Plan: Zuerst wollte es sich in Washington Otis' Zimmer schleichen, ihm vom Fußende des Bettes aus etwas zukrächzen und sich dann beim Klang leiser Musik den Dolch dreimal in die Kehle stoßen. Auf Washington war es besonders böse, da es genau wußte, daß er es war, der den berühmten Blutfleck der Cantervilles ständig mit Pinkertons Universal-Fleckentferner beseitigte. Hatte es erst diesen rücksichtslosen, tollkühnen jungen Mann in abgrundtiefen Schrecken versetzt, dann wollte es ins

Schlafzimmer des Gesandten der Vereinigten Staaten und seiner Frau schlüpfen, Mrs. Otis die feuchtkalte Hand auf die Stirn legen und ihrem zitternden Gatten die entsetzlichen Geheimnisse des Beinhauses ins Ohr zischeln. Was die kleine Virginia betraf, so stand sein Entschluß noch nicht ganz fest. Von ihr war es noch nie im geringsten beleidigt worden, und zudem war sie hübsch und liebenswürdig. Ein paar dumpfe Seufzer aus ihrem Kleiderschrank waren seiner Meinung nach mehr als genug; sollte sie davon nicht aufwachen, dann würde es vielleicht mit konvulsiv zuckenden Fingern an ihrer Bettdecke herumtasten. Dagegen war es fest entschlossen, den Zwillingen eine Lektion zu erteilen. Natürlich mußte es sich ihnen zuerst auf die Brust setzen, damit sie sich wie von einem Alpdruck beklemmt fühlten. Dann würde es sich, da ihre Betten nahe beieinander standen, in Gestalt eines grünen, eisige Kälte ausströmenden Leichnams zwischen beide stellen, bis sie vor Furcht gelähmt waren, schließlich das Totenhemd abwerfen und mit ausgebleichten Knochen und einem einzigen rollenden Augapfel im Zimmer herumkriechen – als »Stummer David oder Das Skelett des Selbstmörders«, eine Rolle, die es bereits mehrmals höchst wirkungsvoll verkörpert hatte und für ebenso gut hielt wie seinen berühmten Auftritt als »Martin der Wahnsinnige oder Das vermummte Geheimnis«.

Um halb elf hörte es die Familie zu Bett gehen. Eine Zeitlang wurde es noch durch das unbändige Gelächter der Zwillinge gestört, die, unbeschwert und ausgelassen wie Schuljungen eben sind, vor dem Einschlafen ihre Späße trieben; doch um Viertel nach elf war alles still, und Schlag Mitternacht machte sich das Gespenst auf den Weg. Eulen flogen gegen die Fensterscheiben, Raben krächzten in der alten Eibe, und der Wind strich, einer verdammten Seele gleich, seufzend ums Haus. Die Familie Otis aber schlief und ahnte nichts von ihrem nahen Verderben. Das regelmäßige Schnarchen des Gesandten der Vereinigten Staaten übertönte Regen und Sturm. Das Gespenst schlüpfte verstohlen aus der Wandtäfelung, ein böses Lächeln spielte um seinen grausamen, runzligen Mund, und als es an dem großen Erkerfenster vorbeischlich, auf das in Himmelblau und Gold sein Wappen und das seiner ermordeten Gemahlin gemalt war, verbarg der Mond sein Gesicht hinter einer Wolke. Wie ein unheimlicher

Schatten glitt es weiter, und selbst die Dunkelheit schien die vorüberhuschende Gestalt zu verabscheuen. Einmal glaubte das Gespenst, jemanden rufen zu hören, aber es war nur das Bellen eines Hundes, das von der Roten Farm herüberklang. Es schlich weiter, murmelte wunderliche Flüche aus dem sechzehnten Jahrhundert und fuchtelte im mitternächtlichen Dunkel unaufhörlich mit dem Dolch um sich. Endlich gelangte es an die Ecke des Korridors, von der ein Gang zum Zimmer des unseligen Washington führte. Einen Augenblick lang blieb es stehen. Der Wind blies ihm die langen grauen Locken um den Kopf, verfing sich in den Falten des unsäglich schauerlichen Leichengewandes und verlieh ihm etwas Grotesk-Phantastisches. Dann schlug die Uhr Viertel nach zwölf, und nun hielt das Gespenst die Zeit für gekommen. Es kicherte vor sich hin und huschte um die Ecke, aber im selben Moment zuckte es zurück, stieß einen jammervollen Entsetzensschrei aus und verbarg sein bleiches Gesicht hinter den langen, knochigen Händen. Dicht vor ihm stand eine gräßliche Erscheinung, bewegungslos wie eine Statue und abscheulich wie der Traum eines Wahnsinnigen! Der Kopf war kahl und spiegelglatt, das Gesicht rund, fett und weiß; ein abscheuliches Grinsen schien seine Züge für immer verzerrt zu haben. Die Augen sandten feurige Strahlen aus, der Mund war eine einzige breite Flammenhöhle, und ein grauenhaftes Gewand, weiß wie Schnee und seinem eigenen ähnlich, umhüllte die riesige Gestalt. Auf der Brust trug sie ein Schild mit einer seltsamen Aufschrift in altertümlichen Lettern – wahrscheinlich eine Art Schandtafel, ein Dokument wüster Missetaten, ein furchtbares Verbrechensregister – und in der hoch erhobenen Rechten hielt sie ein blitzendes Schwert.

Da es nie zuvor einen Geist gesehen hatte, wurde dem Gespenst natürlich schrecklich angst und bange und es floh, nachdem es nochmals einen hastigen Blick auf das Phantom geworfen hatte, in sein Gemach. Als es durch den Korridor raste, stolperte es über das lange Leichengewand und ließ schließlich den Dolch in einen Reitstiefel des Gesandten fallen, wo der Butler ihn am nächsten Morgen entdeckte. In seinen eigenen vier Wänden angekommen, warf sich das Gespenst auf eine schmale Pritsche und vergrub sein Gesicht in der Bettdecke. Doch nach einer Weile regte sich der alte tapfere Geist der von Cantervilles wieder in ihm, und es beschloß, gleich nach Tagesanbruch das andere Gespenst aufzusuchen und mit ihm zu sprechen. Sobald die Morgendämmerung die Hügel silbrig malte, ging es zu der Stelle zurück, an der es das gräßliche Phantom erblickt hatte. Schließlich, so sagte es sich, waren zwei Gespenster besser als eins, und vielleicht würde es ihm mit Hilfe des neuen Freundes gelingen, die Zwillinge Mores zu lehren. Aber als es an Ort und Stelle ankam, bot sich ihm ein entsetzlicher Anblick. Offenbar war dem Geist etwas zugestoßen, denn das Licht in seinen Augenhöhlen war erloschen, das blitzende Schwert war ihm aus der Hand gesunken, und er selbst lehnte in verkrampfter, unbequemer Haltung an der Wand. Es stürzte auf ihn zu und fing ihn in seinen Armen auf – da fiel zu seinem Entsetzen der Kopf des anderen herunter und rollte über den Fußboden. Es spürte, wie die Gestalt zusammensackte, merkte, daß es einen weißen, baumwollnen Bettvorhang umklammert hielt und sah zu seinen Füßen einen Besen, ein Küchenbeil und einen hohlen Kürbis liegen! Außerstande, diese seltsame Verwandlung zu verstehen, griff das Gespenst hastig nach dem Schild und las in der grauen Morgendämmerung die fürchterlichen Worte:

Das Otis-Gespenst
Einzig echter und originaler Spuk
Vor Nachahmung wird gewarnt
Alle anderen sind Fälschungen

Plötzlich ging ihm ein Licht auf. Es war getäuscht, hereingelegt und überlistet worden! In seinen Augen glomm der alte Canterville-Blick auf; es knirschte mit den zahnlosen Kiefern, reckte die verdorrte Hand empor und schwor in der bilderreichen Ausdrucksweise einer versunkenen Zeit, daß, sobald Chanteclers fröhlicher Hornruf zweimal erklungen sei, blutige Taten geschehen würden und auf leisen Sohlen Mord umgehen sollte. Kaum hatte es diesen entsetzlichen Schwur getan, als vom roten Ziegeldach eines abseits gelegenen Bauernhofs ein Hahn krähte.

Das Gespenst lachte ein langes, dumpfes, bitteres Lachen und wartete. Stunde um Stunde verging, aber aus einem unerfindlichen Grund krähte der Hahn kein zweites Mal. Als um halb acht die Hausmädchen erschienen, sah sich das Gespenst gezwungen, seine schaurige Wache abzubrechen. Seinen fruchtlosen Hoffnungen und vereitelten Plänen nachsinnend, schlich es in sein Gemach zurück. Dort schlug es in einigen alten Ritterbüchern nach, denen seine besondere Vorliebe galt, und stellte fest, daß immer, wenn jener Schwur geleistet worden war, Chantecler ein zweites Mal gekräht hatte. »Zur Hölle mit diesem ungezogenen Federvieh!« murmelte es. »Zu meiner Zeit hätte ich ihm mit meinem starken Speer die Gurgel durchbohrt und es vor dem Sterben noch einmal zum Krähen gebracht.« Dann kroch es in einen bequemen Bleisarg und blieb bis zum Abend darin liegen.

4

Am nächsten Tag fühlte sich das Gespenst sehr schwach und müde. Die entsetzlichen Aufregungen der vergangenen vier Wochen begannen sich auszuwirken. Seine Nerven waren völlig zerrüttet, und beim leisesten Geräusch zuckte es zusammen. Fünf Tage lang blieb es in seinem Gemach, und schließlich beschloß es sogar, sich nicht mehr um den Blutfleck in der Bibliothek zu kümmern. Wenn die Familie Otis ihn nicht haben wollte, war sie seiner eben nicht würdig. Offensichtlich standen diese Leute auf einem niedrigen, von materialistischem Denken bestimmten Niveau und waren gänzlich unfähig, den Symbolwert sinnlich wahrnehmbarer Phänomene zu erkennen. Die Entscheidung, ob es weiterhin als Geist oder als Astralleib erscheinen sollte, stand allerdings nicht in seiner Macht. Es war seine heilige Pflicht, einmal wöchentlich im Korridor zu spuken und jeden ersten und dritten Mittwoch im Monat am großen Erkerfenster zu erscheinen und wirres Zeug zu schwatzen, und es sah keine Möglichkeit, sich dieser Verpflichtung auf ehrenhafte Weise zu entziehen. Denn soviel Böses es auch zu Lebzeiten getan hatte, in allen Angelegenheiten, die mit dem Übernatürlichen zusammenhingen, war es äußerst gewissenhaft. So wanderte es denn an den nächsten drei Samstagen wie gewöhnlich zwischen Mitternacht und drei Uhr früh durch den Korridor, wobei es größte Vorsicht walten ließ, um weder gehört noch gesehen zu werden. Es zog die Stiefel aus, schlich so leise wie möglich über die wurmstichigen Dielen, trug einen langen schwarzen Samtumhang und vergaß nie, seine Ketten mit Aurora-Schmieröl einzureiben. Ich darf allerdings nicht verschweigen, daß es dem Gespenst sehr schwer fiel, sich zu der zuletzt genannten Vorsichtsmaßnahme zu entschließen. Aber eines Abends, als die Familie gerade beim Essen saß, stahl es sich dann doch in Mr. Otis' Schlafzimmer und nahm die Flasche an sich. Anfangs fühlte es sich etwas gedemütigt, dann aber sah es vernünftigerweise ein, daß vieles für diese Erfindung sprach und daß sie ihm einigermaßen zustatten kam. Aber trotz allem blieb das Gespenst nicht unbehelligt. Ständig waren Schnüre quer über den Korridor gespannt, über die es im Dunkeln stolperte, und eines Nachts, als es sich gerade als »Schwarzer Isaak oder Der Jäger vom Hogley-Forst« verkleidet hatte, rutschte es aus und stürzte: Die Zwillinge hatten den Fußboden von der Tür des Gobelinzimmers bis zur Eichentreppe mit Butter eingeschmiert. Diese neuerliche Beleidigung versetzte das Gespenst derart in Wut, daß es sich vornahm, einen letzten Versuch zu machen, um seine persönliche Würde und gesellschaftliche Position zu demonstrieren: Es wollte in der folgenden Nacht die beiden unverschämten Etonboys in seiner berühmten Rolle als »Verwegener Rupert oder Der Graf ohne Kopf« heimsuchen.

Seit es zum letztenmal in dieser Verkleidung aufgetreten war, waren mehr als siebzig Jahre vergangen. Damals hatte es der hübschen Lady Barbara Modish einen solchen Schrecken eingejagt, daß sie urplötzlich mit ihrem Verlobten, dem Großvater des jetzigen Lord Canterville, brach und mit dem attraktiven Jack Castleton nach Gretna Green floh. Sie erklärte, keine Macht der Welt könnte sie bewegen, in eine Familie zu heiraten, die es zulasse, daß ein so entsetzliches Phantom in der Abenddämmerung auf der Terrasse herumspazierte. Der arme Jack wurde später von Lord Canterville in einem Duell auf dem Gemeindeanger von Wandsworth erschossen, und Lady Barbara starb noch vor Ablauf eines Jahres in Turnbridge Wells an gebrochenem Herzen – also ein Erfolg auf der ganzen Linie! Die erforderliche

»Kostümierung« (falls ich diesen Theaterausdruck überhaupt im Zusammenhang mit einem der geheimnisvollsten Phänomene aus dem Bereich des Übernatürlichen, oder wissenschaftlich ausgedrückt, der Metaphysik, gebrauchen darf) kostete allerdings große Mühe, und das Gespenst war volle drei Stunden damit beschäftigt. Dann aber war es über das Resultat sehr erfreut. Die ledernen Reitstiefel, die zu dem Kostüm gehörten, waren ihm zwar etwas zu groß, und außerdem konnte es nur noch eine der beiden Sattelpistolen finden, aber im großen und ganzen war es mit seinem Aussehen recht zufrieden. Um Viertel nach eins schlüpfte es durch die Wandtäfelung und schlich den Gang hinunter. Als es am Zimmer der Zwillinge ankam, das nach der Farbe seiner Vorhänge »Das Blaue Schlafzimmer« genannt wurde, sah es, daß die Tür nur angelehnt war. Um seinen Auftritt möglichst eindrucksvoll zu gestalten, stieß es sie weit auf – da fiel ein schwerer Wasserkrug herab, durchnäßte es bis auf die Haut und streifte im Fallen fast seine Schulter. Im gleichen Moment vernahm es vom Himmelbett her unterdrücktes Gelächter. Es erlitt einen fürchterlichen Nervenschock, floh, so rasch es konnte, in sein Gemach und mußte am nächsten Tag mit einer schweren Erkältung das Bett hüten. Der einzige Trost in dieser ganzen Angelegenheit war, daß es seinen Kopf nicht mitgenommen hatte. Andernfalls wären die Folgen vielleicht sehr ernst gewesen.

Jetzt gab das Gespenst jede Hoffnung auf, dieser ungehobelten Familie aus Amerika jemals einen Schrecken einjagen zu können, und begnügte sich damit, in Pantoffeln durch die Gänge zu schlurfen, wobei es aus Angst vor Zugluft einen dicken roten Schal um den Hals trug und aus Furcht vor einer Attacke der Zwillinge eine kleine Hakenbüchse in der Hand hielt. Der letzte schwere Schlag traf das Gespenst am 19. September. Es war in die große Halle hinuntergegangen, weil es glaubte, man würde es wenigstens dort nicht belästigen, und vergnügte sich damit, sarkastische Bemerkungen über die großen Saroni-Fotografien des Gesandten der Vereinigten Staaten und seiner Gattin zu machen, die jetzt die Stelle der Cantervilleschen Ahnenbilder einnahmen. Es war einfach aber sauber gekleidet, nämlich in ein langes, mit Kirchhofsmoder gesprenkeltes Leichentuch, hatte sein Kinn mit einem gelben Leinwandstreifen hochgebunden und trug eine kleine Laterne und einen Totengräberspaten bei sich. Es hatte sich als »Jonas der Grablose oder Der Leichenräuber von Chertsey Barn« kostümiert, eine seiner bemerkenswertesten Rollen. Die Cantervilles hatten allen Grund, sich daran zu erinnern, denn diese Erscheinung hatte ihren Streit mit Lord Rufford, ihrem Nachbarn, ausgelöst. Es war jetzt ungefähr Viertel nach zwei, und soviel das Gespenst feststellen konnte, war im Haus alles still. Doch als es in die Bibliothek gehen und nachsehen wollte, ob noch Spuren von dem Blutfleck vorhanden waren, sprangen aus einer dunklen Ecke plötzlich zwei Gestalten, fuchtelten wild mit den Armen und brüllten ihm »Buh!« in die Ohren.

Von panischem Schrecken ergriffen, was unter diesen Umständen nur zu verständlich war, stürzte das Gespenst auf die Treppe zu, an der aber bereits Washington Otis mit der großen Gartenspritze wartete. Als es sich von seinen Feinden umzingelt und in die Enge getrieben sah, verschwand das Gespenst in den großen eisernen Ofen, der zum Glück nicht geheizt war, und mußte sich den Heimweg durch die Ofenrohre und Kamine bahnen. Entsetzlich verschmutzt, zerrupft und völlig verzweifelt kam es in seinem Gemach an.

Danach wurde es nie mehr bei einem nächtlichen Streifzug gesehen. Die Zwillinge lagen zwar noch einige Male auf der Lauer und streuten zum großen Ärger ihrer Eltern und der Dienstboten jede Nacht Nußschalen in den Gängen aus, aber es nutzte nichts. Allem Anschein nach fühlte sich das Gespenst so tief verletzt, daß es nicht mehr spuken wollte. So nahm denn Mr. Otis wieder seine Arbeit an dem großen Werk über die Geschichte der Demokratischen Partei auf, an dem er schon seit einigen Jahren schrieb; Mrs. Otis arrangierte ein ausgezeichnetes Muschelessen im Freien, das die ganze Grafschaft in Staunen setzte; die Jungen beschäftigten sich mit Lacrosse, Euchre, Poker und anderen amerikanischen Nationalspielen, und Virginia ritt auf ihrem Pony im Park spazieren, in Begleitung des jungen Herzogs von Cheshire, der die letzten Ferienwochen auf Schloß Canterville verbrachte. Man war allgemein der Ansicht, das Gespenst sei ausgezogen, und Mr. Otis teilte dies sogar Lord Canterville mit, der in seinem Antwortbrief seiner großen Freude über diese Nachricht Ausdruck gab und der verehrungswürdigen Gattin des Gesandten seine herzlichsten Glückwünsche übermitteln ließ.

Aber die Familie Otis hatte sich getäuscht: Das Gespenst befand sich noch im Haus und war, obgleich es fast schon als Invalide bezeichnet werden konnte, keineswegs bereit, die Angelegenheit auf sich beruhen zu lassen, zumal es erfahren hatte, daß unter den Gästen auch der junge Herzog von Cheshire war, dessen Großonkel, Lord Francis Stilton, einst mit Colonel Carbury um hundert Guineen gewettet hatte, daß er das Gespenst zum Würfelspiel einladen würde, und den man am nächsten Morgen im Spielsalon auf dem Boden liegend gefunden hatte, so hoffnungslos gelähmt, daß er, obwohl er sehr alt wurde, nie mehr etwas anderes zu sagen vermochte als »Zwei Sechsen«. Diese Geschichte war damals in aller Munde, wenngleich man aus Rücksicht auf die Gefühle der beiden vornehmen Familien alles versuchte, um sie totzuschweigen. Ein umfassender Bericht über sämtliche Einzelheiten findet sich im dritten Band von Lord Tattles *Erinnerungen an den Prinzregenten und seine Freunde.* Unter diesen Umständen war das Gespenst natürlich darauf erpicht, zu beweisen, daß es seine Macht über die Stiltons noch nicht eingebüßt hatte, um so mehr, als es entfernt mit ihnen verwandt war, da seine Kusine ersten Grades *en secondes noces* * mit dem Sieur de Bulkeley verheiratet war, von dem, wie jedermann weiß, die Herzöge von Cheshire in direkter Linie abstammen. Es bereitete sich also darauf vor, Virginias jungem Verehrer in seiner berühmten Rolle als »Der Vampirmönch oder Der blutlose Benediktiner« zu erscheinen, eine Rolle, die so schaurig war, daß die alte Lady Startup, die es an jenem verhängnisvollen Silvesterabend des Jahres 1764 in dieser Gestalt heimgesucht hatte, einen heftigen Schlagfluß erlitt und drei Tage später starb, nicht ohne die Cantervilles, ihre nächsten Verwandten, enterbt und ihr ganzes Vermögen ihrem Londoner Apotheker vermacht zu haben. Im letzten Moment jedoch bewog die schreckliche Angst vor den Zwillingen das Gespenst dazu, sein

* in zweiter Ehe

Gemach nicht zu verlassen, und so schlief der junge Herzog friedlich unter dem großen, mit Federbüschen verzierten Betthimmel des königlichen Schlafzimmers und träumte von Virginia.

5

Einige Tage später ritt Virginia mit ihrem kraushaarigen Kavalier über die Wiesen von Brockley, wo sie beim Durchqueren einer Hecke ihren Reiterdreß so zerriß, daß sie es bei der Heimkehr vorzog, die Hintertreppe zu benutzen, um unbemerkt in ihr Zimmer zu gelangen. Als sie am Gobelinzimmer vorbeikam, dessen Tür gerade offenstand, glaubte sie, drinnen jemanden zu sehen, nahm an, es sei die Zofe ihrer Mutter, die sich manchmal mit ihrer Arbeit dorthin zurückzog, und wollte sie bitten, ihr Reitkleid auszubessern. Doch zu ihrer grenzenlosen Überraschung sah sie sich dem Gespenst von Canterville höchstpersönlich gegenüber! Es saß am Fenster, sah zu, wie der Wind das fahle Gold von den vergilbten Bäumen riß und durch die Luft wirbelte und wie die roten Blätter auf der langen Allee einen irren Tanz vollführten. Es hatte den Kopf auf die Hand gestützt, und seine Haltung erweckte den Eindruck äußerster Niedergeschlagenheit. Es wirkte so verlassen, so völlig aus den Fugen geraten, daß die kleine Virginia, die zunächst davonlaufen und sich in ihr Zimmer einschließen wollte, von Mitleid ergriffen wurde und beschloß, es zu trösten. So leise näherte sie sich, und so tief war das Gespenst in Schwermut versunken, daß es sie erst bemerkte, als sie zu sprechen begann.

»Sie tun mir so leid«, sagte sie, »aber meine Brüder fahren morgen nach Eton zurück, und dann wird Sie niemand mehr ärgern, vorausgesetzt, daß Sie sich anständig benehmen.«

»Es ist absurd, anständiges Benehmen von mir zu verlangen«, erwiderte das Gespenst und betrachtete verwundert das hübsche kleine Mädchen, das gewagt hatte, mit ihm zu sprechen, »völlig absurd. Ich *muß* mit den Ketten rasseln und durch Schlüssellöcher stöhnen und nachts herumlaufen – wenn Sie das gemeint haben. Es ist mein einziger Daseinszweck.«

»Das ist absolut kein Daseinszweck, und außerdem wissen Sie

genau, daß Sie sehr böse gewesen sind. Gleich als wir hier eintrafen, hat Mrs. Umney uns erzählt, daß Sie Ihre Frau umgebracht haben.«

»Nun ja, ich gebe es zu«, sagte das Gespenst gereizt, »aber es war eine reine Familienangelegenheit und geht niemand sonst etwas an.«

»Es ist eine Sünde, jemanden zu töten«, sagte Virginia, die zuweilen einen reizenden puritanischen Ernst an den Tag legte, den sie von irgendeinem neuenglischen Vorfahren mitbekommen hatte.

»Wie ich die billige Strenge dieser abstrakten Moralauffassung hasse! Meine Frau war sehr unansehnlich, hat meine Halskrausen nie richtig gestärkt und hatte keine Ahnung vom Kochen. Stellen Sie sich vor, eines Tages schoß ich im Hogley-Forst einen kapitalen Rehbock, und wollen Sie wissen, wie sie ihn serviert hat? Nein, lieber nicht, das spielt jetzt sowieso keine Rolle mehr, das ist alles vorbei. Aber ich finde es nicht besonders nett von Ihren Brüdern, daß sie mich verhungern ließen, auch wenn ich meine Frau umgebracht habe.«

»Verhungern lassen? Aber lieber Herr Geist, Verzeihung, Sir Simon, Sie sind doch nicht etwa hungrig? Ich habe ein belegtes Brot in der Tasche, wollen Sie's haben?«

»Nein, danke. Ich esse überhaupt nichts mehr. Aber es ist trotzdem sehr lieb von Ihnen. Sie sind wirklich viel netter als Ihre abscheulichen, rohen, vulgären, unredlichen Angehörigen.«

»Schweigen Sie!« rief Virginia und stampfte mit dem Fuß auf. »*Sie* sind roh und abscheulich und vulgär! Und was die Unredlichkeit betrifft: *Sie* haben die Farben aus meinem Malkasten gestohlen, um den lächerlichen Blutfleck in der Bibliothek aufzufrischen! Zuerst haben Sie alle roten Farben genommen, sogar das Zinnoberrot, dann das Smaragdgrün und das Chromgelb, und schließlich waren nur noch das Indigoblau und das Chinesischweiß übrig, und ich mußte mich auf Mondscheinlandschaften beschränken, die immer so deprimierend wirken und gar nicht leicht zu malen sind. Ich habe Sie nie verraten, obwohl ich mich sehr geärgert habe, und überhaupt war die ganze Angelegenheit höchst lächerlich, denn wer hat schon jemals von smaragdgrünem Blut gehört?«

»Aber ich bitte Sie«, sagte das Gespenst ziemlich kleinlaut, »was blieb mir denn übrig? Echtes Blut aufzutreiben, ist heutzutage sehr schwierig, und da es Ihr Bruder war, der mit seinem Universal-Fleckentferner die Sache ins Rollen brachte, sah ich keinen Grund, warum ich nicht Ihre Farben nehmen sollte. Übrigens sind Farben immer Geschmackssache. Die Cantervilles zum Beispiel haben blaues Blut, das blauste in ganz England. Aber ich weiß, daß ihr Amerikaner für dergleichen nichts übrig habt.«

»Gar nichts wissen Sie von uns, und es wäre das beste für Sie, auszuwandern und etwas dazuzulernen. Mein Vater wird Ihnen mit größtem Vergnügen eine kostenlose Überfahrt verschaffen. Auf Importwaren geistiger Art liegt zwar ein hoher Zoll, aber es wird schon keine Schwierigkeiten machen, denn sämtliche Zollbeamten sind Demokraten. Wenn Sie erst einmal in New York sind, werden Sie bestimmt sehr erfolgreich sein. Ich kenne dort eine Menge Leute, die hunderttausend Dollar für einen Großvater geben würden und noch viel mehr für ein Familiengespenst.«

»Ich glaube nicht, daß Amerika mir gefallen würde.«

»Wahrscheinlich weil wir keine Ruinen und keine Antiquitäten haben«, sagte Virginia spöttisch.

»Keine Ruinen? Keine Antiquitäten? Aber Sie haben doch Ihre Kriegsmarine und Ihre Manieren!«

»Guten Abend. Ich gehe jetzt und bitte Papa, den Zwillingen noch eine Woche Ferien zu verschaffen.«

»Bitte gehen Sie nicht, Miß Virginia!« rief das Gespenst. »Ich bin so einsam und unglücklich und weiß wirklich nicht, was ich tun soll. Ich möchte so gern schlafen, aber ich kann nicht.«

»Das ist reiner Unsinn! Sie brauchen doch nur zu Bett zu gehen und die Kerze auszublasen. Es ist zwar manchmal sehr schwer, wach zu bleiben, besonders in der Kirche, aber einzuschlafen ist doch überhaupt kein Problem. Schon Babys wissen, wie man das macht, und die sind bestimmt nicht besonders klug.«

»Ich habe seit dreihundert Jahren nicht mehr geschlafen«, sagte das Gespenst traurig, und Virginias blaue Augen wurden groß vor Staunen. »Seit dreihundert Jahren habe ich nicht mehr geschlafen, und ich bin so müde.«

Virginia wurde ganz ernst, und ihre feinen Lippen bebten wie

Rosenblätter. Sie ging auf das Gespenst zu, kniete neben ihm nieder und sah ihn in das alte, welke Gesicht.

»Armes, armes Gespenst«, flüsterte sie. »Gibt es denn nirgends ein Plätzchen, wo Sie schlafen könnten?«

»Weit von hier, jenseits der Kiefernwälder, liegt ein kleiner Garten«, sagte das Gespenst mit leiser, träumerischer Stimme. »Dort wächst hohes, dichtes Gras, dort leuchten die großen weißen Blütensterne des Schierlings, dort singt die Nachtigall die ganze Nacht. Sie singt die ganze Nacht, und der kalte, kristallne Mond blickt herab, und die Eibe breitet ihre riesigen Arme über die Schläfer.«

Virginia stiegen die Tränen in die Augen, und sie verbarg das Gesicht in den Händen.

»Sie meinen den Garten des Todes«, flüsterte sie.

»Ja, des Todes. Der Tod muß wunderbar sein. In der weichen braunen Erde zu liegen, während droben das Gras sich im Wind wiegt, und dem Schweigen zu lauschen. Die Zeit zu vergessen, dem Leben zu vergeben, Frieden zu haben. Sie können mir helfen. Sie können mir die Tore zum Haus des Todes öffnen, denn Sie bringen stets Liebe mit sich, und die Liebe ist stärker als der Tod.«

Ein kalter Schauder machte Virginia erbeben, und eine Weile herrschte Schweigen. Ihr war, als träumte sie einen schrecklichen Traum.

Dann sprach das Gespenst wieder, und seine Stimme klang wie das Seufzen des Windes.

»Haben Sie schon einmal die alte Prophezeiung auf dem Fenster in der Bibliothek gelesen?«

»O ja, schon oft!« rief das junge Mädchen und blickte auf. »Ich kenne sie genau. Sie ist in altmodischen schwarzen Lettern gemalt und schwer zu entziffern. Es sind nur sechs Zeilen:

Wenn's einst gelingt einem blonden Kinde,
Zum Beten zu bringen die Lippen der Sünde,
Wenn der dürre Mandelbaum Früchte trägt,
Wenn ein kleines Mädchen zu Tränen bewegt,
Dann wird es in diesem Haus wieder still,
Und Frieden zieht ein in Canterville.

Aber ich weiß nicht, was das bedeutet.«

»Es bedeutet«, sagte das Gespenst traurig, »daß Sie um meiner Sünden willen für mich weinen müssen, weil ich selbst keine Tränen habe. Und wenn Sie immer lieb und gut und fromm gewesen sind, wird sich der Engel des Todes meiner erbarmen. Aus dem Dunkel werden schreckliche Gestalten vor Ihnen auftauchen, und böse Stimmen werden auf Sie einflüstern, aber sie werden Ihnen nichts anhaben können, denn gegen die Reinheit eines Kindes kommen die Mächte der Hölle nicht an.«

Virginia gab keine Antwort; das Gespenst starrte auf ihren gesenkten Blondkopf und rang in wilder Verzweiflung die Hände. Plötzlich stand sie auf. Ihr Gesicht war sehr blaß, und in ihren Augen war ein seltsames Leuchten. »Ich fürchte mich nicht«, sagte sie mit fester Stimme, »und ich werde den Engel des Todes bitten, sich Ihrer zu erbarmen.«

Mit einem leisen Freudenschrei erhob sich das Gespenst, griff nach ihrer Hand, beugte sich mit altmodischer Grandezza darüber und küßte sie. Seine Finger waren kalt wie Eis, und seine Lippen brannten wie Feuer, doch Virginia beherrschte sich und ließ sich quer durch das dämmrige Gemach führen. Auf den verblaßten grünen Gobelins waren kleine, gestickte Jägerfiguren zu erkennen. Sie stießen in ihre mit Troddeln geschmückten Hörner und bedeuteten ihr mit den winzigen Händen umzukehren. »Kehr um, kleine Virginia!« riefen sie. »Kehr um!« Aber das Gespenst umklammerte ihre Hand nur noch fester, und sie schloß die Augen, um die Gestalten nicht mehr sehen zu müssen. Entsetzliche Tiere mit Eidechsenschwänzen und Glotzaugen blinzelten sie vom verzierten Kaminsims her an und flüsterten: »Vorsicht, kleine Virginia, Vorsicht!« Aber das Gespenst huschte nur noch schneller weiter, und Virginia hörte nicht auf die Stimmen. Als sie das Zimmer durchquert hatten, blieb das Gespenst stehen und murmelte etwas Unverständliches. Virginia öffnete die Augen und sah, wie die Mauer sich gleichsam in Nebel auflöste und eine große schwarze Höhle sich auftat. Ein eiskalter Wind ließ sie erschauern, und sie spürte etwas an ihrem Kleid zerren. »Schnell, schnell!« rief das Gespenst. »Sonst ist es zu spät!« Im nächsten Moment schloß sich die Wandtäfelung hinter ihnen, und das Gobelinzimmer war leer.

6

Etwa zehn Minuten später wurde zum Tee geläutet, und da Virginia nicht herunterkam, schickte Mrs. Otis einen Diener zu ihr. Kurz darauf kehrte er zurück und meldete, er habe Miß Virginia nirgends finden können. Da sie jeden Abend in den Garten ging, um Blumen für den Eßtisch zu holen, machte sich Mrs. Otis zunächst keine Sorgen, aber als es sechs schlug und Virginia noch immer nicht erschienen war, wurde sie unruhig. Sie bat die Jungen, draußen nach ihr zu suchen, während sie selbst und Mr. Otis in sämtlichen Zimmern des Schlosses nachsahen. Um halb sieben kamen die Jungen herein und berichteten, sie hätten nicht die geringste Spur entdeckt. Jetzt waren alle in höchster Aufregung und wußten nicht, was sie tun sollten. Plötzlich erinnerte sich Mr. Otis, daß er vor einigen Tagen einer Zigeunerbande erlaubt hatte, ihr Lager im Park aufzuschlagen. Sofort machte er sich in Begleitung seines ältesten Sohnes und zweier Gutsarbeiter nach Blackfell Hollow auf, wo sich seines Wissens die Zigeuner jetzt aufhielten. Der junge Herzog von Cheshire, der vor Angst außer sich war, bat flehentlich, mitkommen zu dürfen, aber Mr. Otis schlug es ihm ab, weil er befürchtete, es könnte zu einem Handgemenge kommen. In Blackfell Hollow stellte er fest, daß die Zigeuner weitergezogen waren und daß alles auf einen ziemlich hastigen Aufbruch deutete: Das Lagerfeuer brannte noch, und im Gras lagen ein paar Teller. Nachdem er Washington und die beiden Männer beauftragt hatte, das Gelände zu durchsuchen, eilte er nach Hause und sandte an alle Polizeistellen der Grafschaft die telegrafische Bitte, Ausschau nach einem jungen Mädchen zu halten, das von Landstreichern oder Zigeunern entführt worden sei. Dann ließ er sein Pferd satteln, bat seine Frau und die drei Jungen dringend, zu Abend zu essen, und sprengte in Begleitung des Reitknechts in Richtung Ascot davon. Kaum hatte er ein paar Meilen zurückgelegt, als er hinter sich jemanden herangaloppieren hörte. Er drehte sich um und erblickte den jungen Herzog auf seinem Pony, mit glühendem Gesicht und ohne Hut. »Es tut mir schrecklich leid, Mr. Otis«, keuchte er, »aber ich kann keinen Bissen essen, solange Virginia verschwunden ist. Bitte seien Sie nicht böse! Wenn Sie uns erlaubt hätten, uns letztes Jahr zu verloben, wäre das alles nicht passiert! Schikken Sie mich bloß nicht zurück! Ich kann einfach nicht umkehren! Und ich will auch nicht umkehren!«

Der Gesandte konnte es sich nicht verkneifen, über den hübschen jungen Heißsporn zu lächeln, dessen Verehrung für Virginia ihn rührte. Er beugte sich zu ihm hinunter, klopfte ihn freundlich auf die Schulter und sagte: »Also gut, Cecil, wenn Sie nicht umkehren wollen, müssen Sie eben mit mir weiterreiten. Aber in Ascot müssen Sie sich einen Hut besorgen.«

»Ich pfeife auf den Hut! Ich will Virginia!« rief der kleine Herzog lachend, und dann galoppierten sie zur Bahnstation. Mr. Otis erkundigte sich beim Vorsteher, ob man auf dem Perron eine junge Dame gesehen habe, auf die die Beschreibung Virginias zutraf, erfuhr aber nichts Neues. Der Stationsvorsteher verständigte jedoch telegrafisch alle Bahnhöfe auf der Strecke und versicherte Mr. Otis, man würde überall scharfe Kontrollen durchführen. Nachdem Mr. Otis bei einem Schnittwarenhändler, der gerade seinen Laden schließen wollte, einen Hut für den jungen Herzog erstanden hatte, ritten sie weiter nach Bexley, einem etwa vier Meilen entfernten Dorf, das dem Vernehmen nach ein beliebter Aufenthaltsort der Zigeuner war, da gleich daneben ein großer Gemeindeanger lag. Sie weckten den Dorfgendarm, der ihnen jedoch keinerlei Auskunft geben konnte, ritten den ganzen Anger ab, machten sich dann auf den Heimweg und kamen gegen elf Uhr todmüde und verzweifelt am Schloßpark an. Washington und die Zwillinge erwarteten sie am Tor, ausgerüstet mit Laternen, da es in der Auffahrtsallee sehr dunkel war. Nirgends hatte man eine Spur von Virginia entdeckt. Die Zigeuner waren auf den Wiesen von Broxley gestellt worden, doch Virginia war nicht bei ihnen. Als Erklärung für ihren plötzlichen Aufbruch gaben sie an, sie hätten erfahren, daß der Jahrmarkt in Chorton früher als erwartet beginnen würde, und hätten sich beeilen müssen, um noch rechtzeitig hinzukommen. Die Nachricht vom Verschwinden Virginias habe sie tief betroffen, zumal sie Mr. Otis sehr zu Dank verpflichtet seien, weil er ihnen erlaubt hatte, in seinem Park zu kampieren. Vier von ihnen seien zurückgeblieben, um sich an der Suche zu beteiligen. Man hatte den Karpfenteich mit einem Schleppnetz abgesucht und das ganze Gelände durchstöbert – vergebens. Alles deutete darauf hin, daß Virginia zum mindesten in dieser Nacht nicht wieder auftauchen würde. Völlig niedergeschlagen kehrten Mr. Otis und die Jungen ins Haus zurück, gefolgt von dem Reitknecht, der die beiden Pferde und das Pony führte. In der Halle standen die verängstigten Dienstboten herum, und auf dem Sofa in der Bibliothek lag, außer sich vor Angst und Schrecken, die arme Mrs. Otis, umsorgt von der alten Haushälterin, die ihr die Schläfen mit Eau de Cologne einrieb. Mr. Otis bestand sofort darauf, daß sie etwas zu sich nähme, und bestellte ein leichtes Abendessen für die ganze Familie. Es war eine trübselige Mahlzeit. Kaum einer sprach, und sogar die Zwillinge, die sehr an ihrer Schwester hingen, waren verstört und kleinlaut. Nach dem Essen schickte Mr. Otis trotz der inständigen Bitten des jungen Herzogs alle zu Bett. In dieser Nacht, so sagte er, könnte ja doch nichts mehr unternommen werden, und am Morgen würde er Scotland Yard telegrafisch bitten, sofort einige Detektive herzuschicken. Gerade als sie das Speisezimmer verließen, schlug es vom Turm Mitternacht. Beim letzten Glockenschlag vernahmen sie ein lautes Krachen und einen schrillen Schrei. Ein furchtbarer Donnerschlag ließ die Mauern erbeben, der Klang überirdischer Musik erfüllte die Luft, im oberen Treppenhaus öffnete sich laut polternd die Wandtäfelung, und heraus trat, totenblaß, ein Kästchen in der Hand – Virginia. Im Nu war sie von den anderen umringt.

Mrs. Otis riß sie in die Arme, der Herzog erstickte sie fast mit leidenschaftlichen Küssen, und die Zwillinge führten einen wilden Kriegstanz auf.

»Um Himmels willen, Kind, wo warst du?« fragte Mr. Otis ziemlich verärgert; er glaubte, sie habe ihnen einen dummen Streich gespielt. »Cecil und ich sind in der ganzen Gegend herumgeritten, um dich zu finden, und deine Mutter hat sich zu Tode geängstigt. Solche Streiche wirst du uns in Zukunft nicht mehr spielen!«

»Nur noch dem Gespenst! Nur noch dem Gespenst!« schrien die Zwillinge und tobten weiter um die anderen herum.

»Mein Liebling, Gott sei Lob und Dank, daß du wieder da bist. Ich werde nie mehr von deiner Seite weichen«, flüsterte

Mrs. Otis, während sie das zitternde junge Mädchen küßte und sein zerzaustes Goldhaar glattstrich.

»Papa«, sagte Virginia leise, »ich war beim Gespenst. Es ist tot, und du mußt mitkommen und es dir ansehen. Es ist früher sehr böse gewesen, aber es hat wirklich alles bereut, und bevor er gestorben ist, hat es mir dieses Kästchen voller wunderschöner Juwelen geschenkt.«

Die ganze Familie starrte sie in stummer Verblüffung an, doch Virginia blieb ernst und still. Dann drehte sie sich um und führte die anderen durch die offene Täfelung in einen engen Geheimgang. Washington kam als letzter, mit einer Kerze in der Hand, die er noch rasch vom Tisch genommen hatte. Endlich standen sie vor einer großen, mit rostigen Nägeln beschlagenen Eichentür. Als Virginia sie berührte, bewegte sie sich in den schweren Angeln und gab den Zugang zu einem kleinen, niedrigen Raum mit gewölbter Decke und einem winzigen vergitterten Fenster frei. In die Mauer war ein mächtiger Eisenring eingelassen, an den ein schauriges Gerippe gekettet war. Es lag ausgestreckt auf dem Steinboden und schien mit seinen langen, entfleischten Fingern nach einem altertümlichen Holzteller und einem Krug greifen zu wollen, die nur um weniges außer Reichweite auf dem Boden standen. Offenbar hatte der Krug einst Wasser enthalten, denn seine Innenseite war mit grünem Schimmel überzogen. Auf dem Holzteller lag nur ein Häufchen Staub. Virginia kniete neben dem Gerippe nieder, faltete die kleinen Hände und betete stumm, während die anderen angesichts der furchtbaren Tragödie, deren Geheimnis sich ihnen jetzt enthüllte, in schweigendem Staunen verharrten.

»Seht doch!« rief plötzlich einer der Zwillinge, der aus dem Fenster gespäht hatte, um festzustellen, in welchem Flügel des Schlosses sie sich befanden. »Seht doch! Der alte dürre Mandelbaum blüht! Ich kann's im Mondschein genau erkennen!«

»Gott hat ihm vergeben«, sagte Virginia ernst und erhob sich. Auf ihrem Gesicht lag ein wunderbares Leuchten.

»Du bist ein Engel!« rief der junge Herzog, schlang die Arme um ihren Hals und küßte sie.

7

Vier Tage nach diesen seltsamen Ereignissen verließ gegen elf Uhr nachts ein Trauerzug Schloß Canterville. Den Leichenwagen zogen acht Rappen, die mit großen Panaschen aus wippenden Straußenfedern geschmückt waren, und den Bleisarg verhüllte eine schwere Purpurdecke, die in Goldstickerei das Wappen der Cantervilles trug. Neben dem Leichenwagen und den Kutschen schritt die Dienerschaft mit brennenden Fackeln. Es war ein überaus eindrucksvoller Zug. Lord Canterville, der Hauptleidtragende, war eigens aus Wales gekommen, um der Beerdigung beizuwohnen und saß zusammen mit Virginia in der ersten Kutsche. Ihnen folgte der Gesandte der Vereinigten Staaten und seine Gattin, dann kamen Washington und die drei Jungen, und in der letzten Kutsche fuhr Mrs. Umney. Alle waren sich einig gewesen, daß es ihr, die fünfzig Jahre ihres Lebens in Furcht vor dem Gespenst verbracht hatte, zustand, es auf seinem letzten Weg zu begleiten. In der Ecke des kleinen Kirchhofs, direkt unter der alten Eibe, war ein tiefes Grab ausgehoben worden. Den Trauergottesdienst zelebrierte Hochwürden Augustus Dampier aufs eindrucksvollste. Nach der Zeremonie löschte die Dienerschaft gemäß einem Familienbrauch der Cantervilles die Fackeln, und als der Sarg in die Erde gesenkt wurde, legte Virginia ein großes Kreuz aus weißen und rosafarbenen Mandelblüten darauf. In diesem Augenblick kam der Mond hinter einer Wolke hervor und tauchte den kleinen Kirchhof in stillen Silberglanz, und in der Ferne begann eine Nachtigall zu schlagen. Virginia dachte an den Garten des Todes, den das Gespenst ihr geschildert hatte. Die Tränen stiegen ihr in die Augen, und während der Heimfahrt sagte sie kaum ein Wort.

Bevor Lord Canterville am nächsten Morgen in die Stadt fuhr, sprach Mr. Otis mit ihm über die Juwelen, die das Gespenst Virginia gegeben hatte. Sie waren von vollendeter Schönheit – besonders ein Rubinhalsband, ein Meisterwerk venezianischer Goldschmiedekunst des sechzehnten Jahrhunderts – und so wertvoll, daß Mr. Otis Bedenken hatte, seiner Tochter die Annahme dieses Geschenks zu erlauben.

»Mylord«, sagte er, »ich weiß, daß man in Ihrem Land

Schmuckstücke ebenso zum unveräußerlichen Erbgut zählt wie Grundbesitz, und ich bin mir klar darüber, daß diese Juwelen alte Erbstücke Ihrer Familie sind, beziehungsweise sein sollten. Ich muß Sie deshalb bitten, sie mit nach London zu nehmen und sie als einen Teil Ihres Eigentums zu betrachten, der Ihnen unter merkwürdigen Umständen zurückerstattet worden ist. Was meine Tochter betrifft, so ist sie schließlich noch ein Kind und interessiert sich zum Glück noch wenig für derlei nutzlose Luxusgegenstände. Außerdem weiß ich von meiner Frau, die, wie ich wohl sagen darf, eine ganze Menge von Kunst versteht – sie hatte nämlich als junges Mädchen das Glück, einige Winter in Boston verbringen zu dürfen –, daß diese Edelsteine sehr wertvoll sind und bei einem eventuellen Verkauf einen hohen Preis erzielen würden. Unter diesen Umständen werden Sie, Lord Canterville, bestimmt verstehen, daß ich sie unmöglich in den Besitz eines meiner Familienmitglieder übergehen lassen kann. Und außerdem wäre dieser glitzernde Putz und Tand, so passend oder notwendig er für die britische Aristokratie sein mag, völlig fehl am Platz unter Leuten, die nach den strengen und, wie ich glaube, unsterblichen Maximen schlichten Republikanertums erzogen worden sind. Ich sollte wohl auch erwähnen, daß Virginia viel daran gelegen ist, das Kästchen selbst als Erinnerung an Ihren unglücklichen Vorfahren behalten zu dürfen. Da es sehr alt und dementsprechend reparaturbedürftig ist, werden Sie vielleicht nichts dagegen haben, ihr diesen Wunsch zu erfüllen. Ich persönlich muß allerdings meine Überraschung darüber gestehen, daß eines meiner Kinder sich überhaupt für etwas Mittelalterliches interessiert, und ich kann es mir nur damit erklären, daß Virginia in einem Londoner Vorort zur Welt gekommen ist, und zwar kurz nachdem meine Frau Athen besucht hatte.«

Lord Canterville hörte sich die Ausführungen des ehrenwerten Gesandten mit ernster Miene an und zupfte nur dann und wann an seinem grauen Schnurrbart, um ein unfreiwilliges Lächeln zu verbergen. Als Mr. Otis fertig war, schüttelte er ihm herzlich die Hand und sagte: »Verehrter Sir, Ihre reizende kleine Tochter hat meinem unglückseligen Ahnherrn, Sir Simon, einen sehr großen Dienst erwiesen, und ich und meine Familie sind ihr für ihren fabelhaften Mut und ihre Beherztheit zu tiefem Dank verpflichtet. Die Juwelen gehören selbstverständlich ihr, und bei Gott, ich bin überzeugt, daß, falls ich so herzlos wäre, sie ihr wegzunehmen, der ruchlose alte Bursche in spätestens zwei Wochen aus dem Grab steigen und mir das Leben zur Hölle machen würde. Um auf Ihre Meinung über Erbstücke zurückzukommen: Nichts ist ein Erbstück, das nicht in einem Testament oder einer anderen rechtskräftigen Urkunde als solches bezeichnet ist, und von der Existenz dieser Juwelen wußte bisher kein Mensch. Glauben Sie mir, ich habe sowenig Anspruch darauf wie Ihr Butler, und wenn Miß Virginia erwachsen sein wird, wird sie meiner Meinung nach Freude daran haben, so schöne Dinge zu tragen. Außerdem, Mr. Otis, haben Sie vergessen, daß Sie damals das Mobiliar samt dem Gespenst zum Schätzwert übernommen haben und daß daher alles, was dem Gespenst gehörte, automatisch in Ihren Besitz übergegangen ist, da Sir Simon, ganz gleich, was er nachts auf dem Gang getrieben haben mag, nach dem Gesetz tot war und Sie sein Eigentum käuflich erworben haben.«

Mr. Otis war über Lord Cantervilles Weigerung ziemlich bekümmert und bat ihn, seine Entscheidung noch einmal zu überdenken, aber der gutherzige Edelmann beharrte auf seiner Meinung und konnte den Gesandten schließlich dazu überreden, seiner Tochter zu erlauben, das Geschenk des Gespenstes zu behalten. Und als im Frühling des Jahres 1890 die junge Herzogin von Cheshire anläßlich ihrer Hochzeit bei Hofe vorgestellt und von der Königin empfangen wurde, erregten ihre Juwelen allgemeine Bewunderung. Virginia erhielt nämlich tatsächlich die Adelskrone, mit der alle braven kleinen amerikanischen Mädchen belohnt werden, und heiratete ihren jugendlichen Verehrer, sobald er großjährig geworden war. Die beiden waren so reizend und liebten einander so zärtlich, daß jedermann über ihre Verbindung entzückt war, ausgenommen die alte Marquise von Dumbleton, die versucht hatte, den Herzog für eine ihrer sieben unverheirateten Töchter einzufangen und zu diesem Zweck nicht weniger als drei kostspielige Dinnerpartys gegeben hatte, und ausgenommen – so seltsam es klingt – Mr. Otis. Er konnte den jungen Herzog persönlich sehr gut leiden, hatte aber grundsätzlich etwas gegen Adelstitel und konnte sich, um seine eigenen Worte zu gebrauchen, »der Befürchtung nicht ganz erwehren, daß unter dem enervierenden Einfluß der vergnügungssüchtigen Aristokratie die echten Grundsätze schlichten Republikanertums in Vergessenheit geraten könnten«. Seine Einwände wurden jedoch völlig überstimmt, und ich glaube, daß er in dem Augenblick, als er mit seiner Tochter am Arm durch den Mittelgang der St. Georgs-Kirche schritt, der stolzeste Mann in ganz England war.

Nach den Flitterwochen fuhren der Herzog und die Herzogin nach Canterville und gingen gleich am nächsten Nachmittag in den kleinen Kirchhof hinter dem Kiefernwäldchen. Wegen der Inschrift auf Sir Simons Grabstein hatte es zuerst große Schwierigkeiten gegeben, aber schließlich hatte man sich darauf geeinigt, nur die Anfangsbuchstaben seines Namens und das Gedicht vom Bibliotheksfenster eingravieren zu lassen. Die Herzogin hatte ein paar wunderschöne Rosen mitgebracht, die sie aufs Grab streute, und nachdem die beiden eine Weile dort stehengeblieben waren, gingen sie in den verfallenen Altarraum der alten Abtei. Die Herzogin setzte sich auf eine umgestürzte Säule, ihr Gatte ließ sich zu ihren Füßen nieder, rauchte eine Zigarette und sah ihr in die schönen Augen. Plötzlich warf er die Zigarette weg, griff nach ihrer Hand und sagte: »Virginia, eine verheiratete Frau sollte keine Geheimnisse vor ihrem Mann haben.«

»Aber Cecil, ich habe vor dir keine Geheimnisse.«

»Das ist nicht wahr«, erwiderte er lächelnd. »Du hast mir nie erzählt, was damals passiert ist, als du mit dem Gespenst eingeschlossen warst.«

»Das habe ich niemandem erzählt, Cecil«, sagte Virginia ernst.

»Ich weiß, aber mir könntest du es doch sagen.«

»Bitte frag mich nicht danach, Cecil. Ich kann's dir nicht erzählen. Armer Sir Simon! Ich verdanke ihm so viel. Lach nicht, Cecil, es ist wahr. Er hat mich gelehrt, was das Leben ist und was der Tod bedeutet und warum die Liebe stärker ist als beide.«

Der Herzog stand auf und küßte seine Frau zärtlich.

»Du kannst dein Geheimnis behalten, solange dein Herz mir gehört«, flüsterte er.

»Es hat dir immer gehört, Cecil.«

»Aber eines Tages wirst du unseren Kindern davon erzählen, nicht wahr?«

Virginia errötete.

Die Sphinx ohne Geheimnis
Eine Radierung

Eines Nachmittags saß ich vor dem Café de la Paix, betrachtete Glanz und Schäbigkeit des Pariser Lebens und machte mir bei einem Glas Vermouth Gedanken über das seltsame Gemisch aus Pracht und Armut, das an mir vorüberzog. Da hörte ich jemanden meinen Namen rufen. Ich wandte mich um und erblickte Lord Murchison. Wir waren uns seit den gemeinsamen Collegetagen nicht mehr begegnet. Ich freute mich sehr, ihn wiederzusehen, und wir schüttelten uns herzlich die Hände. In Oxford waren wir eng befreundet gewesen. Ich hatte ihn ausnehmend gut leiden können: Er war so hübsch, so temperamentvoll und so ehrenhaft. Wir anderen hatten damals immer gesagt, er wäre bestimmt der Beste von allen, wenn er es bloß mit der Wahrheit nicht so genau nähme, aber ich glaube, in Wirklichkeit bewunderten wir ihn seiner Aufrichtigkeit wegen nur um so mehr. Jetzt kam er mir ziemlich verändert vor. Er machte einen unruhigen und verwirrten Eindruck und schien sich über irgend etwas unschlüssig zu sein. Dem modernen Skeptizismus konnte er meiner Meinung nach nicht verfallen sein, denn Murchison war überzeugter Tory und glaubte genauso fest an den Pentateuch wie an das Oberhaus. Also schloß ich, es müsse sich um eine Frau handeln, und fragte ihn, ob er inzwischen geheiratet habe.

»Ich verstehe die Frauen nicht gut genug«, erwiderte er.

»Mein lieber Gerald, Frauen sind da, um geliebt, nicht, um verstanden zu werden.«

»Ich kann nicht lieben, ohne zu vertrauen.«

»Gerald, mir scheint, du hast ein Geheimnis!« rief ich. »Erzähl mir davon!«

»Laß uns eine Spazierfahrt machen, hier sind zu viele Menschen. Nein, keine gelbe Kutsche, irgendeine andere Farbe – dort, die dunkelgrüne ist mir recht!« Und kurz darauf rollten wir den Boulevard in Richtung Madeleine hinunter.

»Wohin wollen wir fahren?« fragte ich.

»Wohin du willst – sagen wir, ins Restaurant im Bois. Wir dinieren dort, und du erzählst mir, was du inzwischen erlebt hast.«

»Zuerst möchte ich etwas von dir erfahren. Verrate mir dein Geheimnis!«

Er zog ein kleines Lederetui mit einem silbernen Verschluß aus der Tasche und reichte es mir. Ich öffnete es. Es enthielt die Fotografie einer Frau. Sie war hochgewachsen und schlank; die großen verschleierten Augen und das lose herabfallende Haar verliehen ihr ein eigenartig malerisches Aussehen. Sie wirkte wie eine Hellseherin und war in kostbares Pelzwerk gehüllt.

»Was hältst du von diesem Gesicht?« fragte er. »Ist es vertrauenswürdig?«

Ich studierte es sorgfältig. Es erschien mir wie das Gesicht eines Menschen, der ein Geheimnis hat, aber ob es ein gutes oder ein böses war, konnte ich nicht sagen. Die Schönheit der Züge schien aus vielen Geheimnissen geformt – es war eine Schönheit seelischer, nicht körperlicher Art –, und das schwache Lächeln, das um die Lippen spielte, war viel zu wissend, um echten Liebreiz auszustrahlen.

»Nun sag schon, was hältst du von ihr?« rief er ungeduldig.

»Sie ist eine Gioconda in Zobel. Ich möchte alles über sie erfahren!«

»Nicht jetzt. Nach dem Essen.« Und dann wechselte er das Thema.

Als der Ober Kaffee und Zigaretten gebracht hatte, erinnerte ich Gerald an sein Versprechen. Er stand auf, ging einige Male im Zimmer auf und ab, ließ sich dann in einen Sessel fallen und erzählte mir folgende Geschichte:

»Eines Nachmittags gegen fünf Uhr ging ich die Bond Street hinunter. Auf der Fahrbahn drängten sich die Kutschen so dicht, daß der Verkehr fast ganz stockte. Dicht am Gehsteig hielt ein kleiner gelber Zweisitzer, der aus irgendeinem Grund meine Aufmerksamkeit erregte. Im Vorübergehen erblickte ich darin das Gesicht, das ich dir heute nachmittag gezeigt habe. Es faszinierte mich auf den ersten Blick. Die ganze Nacht und den ganzen nächsten Tag mußte ich daran denken. Immer wieder ging ich jene verfluchte Straße auf und ab, spähte in jede Kutsche und wartete auf den gelben Zweisitzer. Aber ich konnte *ma belle inconnue* nicht wiederfinden und glaubte schließlich, alles sei nur ein Traum gewesen. Etwa eine Woche später war ich bei Madame de Rastail zum Diner geladen. Es sollte um acht Uhr beginnen, aber um halb neun warteten wir noch immer im Salon. Schließlich öffnete der Diener die Tür und meldete Lady Alroy. Sie war die Frau, nach der ich gesucht hatte. Sie trat sehr langsam ins Zimmer und wirkte in ihrem grauen Spitzenkleid wie ein Mondstrahl. Zu meinem Entzücken wurde ich zu ihrem Tischherrn bestimmt. Als wir Platz genommen hatten, sagte ich ganz harmlos: ›Lady Alroy, ich glaube, ich habe Sie vor einiger Zeit zufällig in der Bond Street gesehen.‹ Sie wurde sehr blaß und sagte leise: ›Bitte sprechen Sie nicht so laut, man könnte Sie hören.‹ Ich war höchst unglücklich über diesen schlechten Auftakt und begann unvermittelt eine Unterhaltung über französische Theaterstücke. Sie selbst sagte sehr wenig und sprach stets mit leiser, melodischer Stimme; anscheinend fürchtete sie, jemand könnte uns zuhören. Törichterweise verliebte ich mich leidenschaftlich in sie. Die geheimnisvolle Atmosphäre, die sie umgab, erregte meine brennende Neugier. Als Lady Alroy kurz nach dem Essen aufbrach, fragte ich sie, ob ich ihr einen Besuch abstatten dürfte. Sie zögerte einen Augenblick, vergewisserte sich, daß niemand in der Nähe stand und sagte dann: ›Ja, morgen um Viertel vor fünf.‹ Ich bat Madame de Rastail um Auskunft über sie, erfuhr aber nur, daß sie verwitwet war und ein schönes Haus in der Park Lane besaß. Als dann irgendein trockener Wissenschaftler begann, einen Vortrag über Witwen und die Theorie vom Überleben des ehetauglichsten Partners zu halten, verließ ich die Gesellschaft und ging nach Hause.

Am nächsten Tag fand ich mich pünktlich auf die Minute in der Park Lane ein, erfuhr jedoch vom Butler, Lady Alroy sei soeben ausgegangen. Recht unglücklich und völlig verwirrt begab ich mich in den Klub. Nach langem Nachdenken schrieb ich ihr einen Brief, in dem ich mich erkundigte, ob ich mein Glück an einem anderen Nachmittag versuchen dürfte. Mehrere Tage lang blieb ich ohne Antwort, dann erhielt ich ein kurzes Schreiben, in dem sie mir mitteilte, sie sei am Sonntagnachmittag um vier Uhr zu Hause, und dem folgendes sonderbares Postskriptum angefügt war: ›Bitte schreiben Sie mir nicht mehr hierher. Ich werde Ihnen alles erklären, wenn Sie mich besuchen.‹ Am Sonntag empfing sie mich und war einfach bezaubernd. Aber als ich mich verabschiedete, bat sie mich für den Fall, daß ich ihr wieder einmal schreiben sollte, den Brief an Mr. Knox, p. A. Whittaker-Bibliothek, Green Street, zu adressieren. ›Es gibt zwingende Gründe‹, sagte sie, ›warum ich in meinem eigenen Haus keine Briefe empfangen kann.‹

Den ganzen Winter über traf ich sie häufig, aber stets war jene geheimnisvolle Atmosphäre um sie. Manchmal kam mir der Gedanke, daß irgendein Mann Macht über sie haben könnte, doch da sie so unnahbar wirkte, konnte ich das nicht glauben. Es fiel mir wirklich sehr schwer, mir ein Urteil über sie zu bilden; sie glich einem jener seltsamen Kristalle, die man in Museen betrachten kann: Zuerst erscheinen sie völlig durchsichtig, im nächsten Augenblick getrübt. Schließlich beschloß ich, ihr einen Heiratsantrag zu machen. Ich hatte die ständige Geheimnistuerei satt, die sie bei meinen Besuchen und den wenigen Briefen, die ich ihr schrieb, von mir verlangte. Ich sandte ihr also über die Bibliothek ein Schreiben, in dem ich anfragte, ob sie mich am folgenden Montag um sechs Uhr empfangen wolle. Sie sagte zu, und ich fühlte mich wie im siebten Himmel. Ich war ihr völlig verfallen – trotz ihres Geheimnisses, wie ich damals dachte, gerade wegen ihres Geheimnisses, wie ich jetzt weiß. Aber nein – es war die Frau selbst, die ich liebte. Ihr Geheimnis bedrückte mich, machte mich rasend. Warum mußte ich ihm durch Zufall auf die Spur kommen?«

»Du hast es also entdeckt?« rief ich.

»Ich fürchte, ja. Urteile selbst!«

»An dem bewußten Montag aß ich mit meinem Onkel zu Mittag, und gegen vier Uhr ging ich die Marylebone Road hinunter. Wie du weißt, wohnt mein Onkel in Regent's Park. Ich wollte zum Piccadilly und ging, um den Weg abzukürzen, durch mehrere ärmliche Gassen. Plötzlich erblickte ich Lady Alroy, die tiefverschleiert war und sehr schnell die Straße entlangging. Vor dem letzten Haus hielt sie ein, stieg die Stufen hinauf, schloß die Tür auf und trat ein. ›Hier also ist ihr Geheimnis‹, sagte ich mir, eilte hin und betrachtete das Haus. Es schien eine Art Pension zu sein. Vor der Tür lag ein Taschentuch, das sie fallengelassen hatte. Ich hob es auf und steckte es ein. Dann überlegte ich, was ich tun sollte. Ich kam zu der Einsicht, daß ich nicht das Recht hatte, ihr nachzuspionieren, und fuhr in den Klub. Um sechs Uhr sprach ich bei ihr vor. Sie lag auf einem Sofa, in einem silberdurchwirkten Hausgewand, das mit mehreren eigenartigen Mondsteinen, die sie stets trug, zusammengehalten war. Sie sah bezaubernd aus. ›Ich freue mich so über Ihren Besuch‹, sagte sie. ›Ich bin den ganzen Tag nicht ausgegangen.‹ Verblüfft starrte ich sie an. Dann zog ich das Taschentuch heraus und hielt es ihr hin. ›Das haben Sie heute nachmittag in der Cumnor Street verloren, Lady Alroy‹, sagte ich ganz ruhig. Zutiefst erschrocken sah sie mich an, machte aber keine Anstalten, das Taschentuch zu nehmen. ›Was haben Sie dort gemacht?‹ fragte ich. ›Mit welchem Recht stellen Sie mir diese Frage?‹ – ›Mit dem Recht des Mannes, der Sie liebt. Ich bin heute zu Ihnen gekommen, um Sie zu bitten, meine Frau zu werden.‹ Sie schlug die Hände vors Gesicht und brach in Tränen aus. ›Sie müssen es mir erzählen!‹ fuhr ich fort. Sie erhob sich, sah mir fest in die Augen und sagte: ›Lord Murchison, da ist nichts zu erzählen.‹ – ›Sie haben sich dort mit jemandem getroffen!‹ rief ich. ›Das ist Ihr ganzes Geheimnis!‹ Sie wurde furchtbar blaß. ›Ich habe niemanden getroffen.‹ – ›Können Sie denn nicht die Wahrheit sagen?‹ – ›Ich habe die Wahrheit gesagt‹, erwiderte sie. Ich war außer mir vor Erregung. Ich weiß nicht mehr, was ich sagte, aber es müssen schreckliche Dinge gewesen sein. Schließlich stürzte ich aus dem Haus. Am nächsten Morgen erhielt ich einen Brief von ihr. Ich sandte ihn ungeöffnet zurück und reiste mit Alan Colville nach Norwegen. Vier Wochen später kehrte ich zurück, und das erste, was ich in der *Morning Post* las, war die Nachricht von Lady Alroys Tod. Sie hatte sich in der Oper erkältet und war fünf Tage später an einer Lungenentzündung gestorben. Ich schloß mich zu Hause ein und sprach mit niemandem. Ich habe sie so geliebt, ich habe sie wahnsinnig geliebt. Großer Gott! Wie ich diese Frau geliebt habe!«

»Bist du später in jene Straße und in das Haus gegangen?«

»Ja. Eines Tages ging ich in die Cumnor Street. Ich konnte nicht anders, die Ungewißheit marterte mich. Ich klopfte an, und eine sehr ehrbar aussehende Frau öffnete. Auf meine Frage, ob sie Zimmer zu vermieten habe, antwortete sie: ›Ja, Sir. Die Salons sind eigentlich an eine Dame vermietet, aber sie hat sich seit Monaten nicht sehen lassen, und da sie mir Miete schuldet, können Sie die Zimmer haben.‹ – ›Ist das die Dame?‹ fragte ich und zeigte ihr die Fotografie. ›Ja, das ist sie. Wissen Sie, wann sie zurückkommt, Sir?‹ – ›Die Dame ist tot.‹ – ›O Gott, das kann doch nicht wahr sein! Sie war meine beste Mieterin. Sie hat mir drei Guineen die Woche bezahlt, nur um dann und wann in meinen Salons sitzen zu können.‹ – ›Sie hat sich doch sicher mit jemandem getroffen?‹ fragte ich. Aber die Frau versicherte mir, daß sie stets allein gekommen sei und niemanden empfangen habe. ›Was um alles in der Welt hat sie dann hier gemacht?‹ rief ich. ›Sie saß ganz einfach im Salon, Sir, las Bücher und ließ sich manchmal Tee servieren‹, antwortete die Frau. Ich wußte nicht, was ich sagen sollte, gab ihr einen Sovereign und ging. Und nun frage ich dich, was das alles zu bedeuten hatte. Du glaubst doch wohl nicht, daß die Frau die Wahrheit gesagt hat?«

»Doch.«

»Und warum ist Lady Alroy dorthin gegangen?«

»Mein lieber Gerald, Lady Alroy hatte eben eine Sucht nach dem Mysteriösen. Sie mietete die Zimmer, weil es ihr Spaß machte, tiefverschleiert in jene Straße zu gehen und sich vorzustellen, sie sei eine Romanheldin. Geheimnistuerei war ihre Leidenschaft, aber sie selbst war nichts weiter als eine Sphinx ohne Geheimnis.«

»Glaubst du das wirklich?«

»Ich bin überzeugt davon.«

Er zog das Lederetui heraus, öffnete es und betrachtete die Fotografie. »Wer weiß?« sagte er dann.

Der Modellmillionär

Aufgezeichnet mit dem Ausdruck der Bewunderung

Wenn man nicht wohlhabend ist, hat es keinen Zweck, charmant zu sein. Romantische Dinge zu tun, ist das Vorrecht der Reichen, nicht die Aufgabe der Erwerbslosen. Der Arme sollte praktisch und prosaisch sein. Es ist besser, ein festes Einkommen zu haben als faszinierend zu sein. Das sind die großen Wahrheiten des modernen Lebens, die Hughie Erskine niemals begreifen konnte. Armer Hughie! Zugegeben – ein Mann von Geist war er nicht gerade. Sein Leben lang gab er nichts Brillantes, ja nicht einmal etwas Boshaftes von sich. Dafür aber sah er blendend aus mit seinem braunen Kraushaar, seinem klaren Profil und seinen grauen Augen. Er war bei Männern ebenso beliebt wie bei Frauen und eignete sich zu allem außer zum Geldverdienen. Sein Vater hatte ihm einen Kavalleriesäbel und die fünfzehnbändige *Geschichte des Peninsular War* vermacht. Hughie hängte den Säbel über den Spiegel, stellte die Bücher ins Regal und lebte von den zweihundert Pfund, die eine alte Tante ihm jährlich bewilligte. Er hatte alles ausprobiert. Sechs Monate lang hatte er sein Glück an der Börse versucht, aber was sollte ein Schmetterling unter lauter Bullen und Bären? Etwas länger hatte er mit Tee gehandelt, aber dann waren ihm die Pekoe- und Souchongmischungen auf die Nerven gegangen. Danach hatte er es mit trockenem Sherry versucht, aber auch das war nicht das Richtige; der Sherry war nämlich etwas zu trocken. Am Ende war nichts aus ihm geworden, nichts als ein reizender, nutzloser junger Mann mit einem vollendeten Profil und ohne Beruf.

Zu allem Unglück war er auch noch verliebt. Das Mädchen hieß Laura Merton und war die Tochter eines pensionierten Obersten, der in Indien seine gute Laune und seine gute Verdauung eingebüßt und beides seither nicht wiedergefunden hatte. Laura betete Hughie an, und er war bereit, den Saum ihres Kleides zu küssen. Die beiden waren das hübscheste Paar in ganz London und hatten keinen roten Heller. Der Oberst mochte Hughie sehr gern, wollte aber nichts von Verlobung wissen.

»Sprechen Sie wieder bei mir vor, mein Junge, wenn Sie zehntausend Pfund besitzen; dann werden wir weitersehen«, pflegte er zu sagen. Hughie blickte dann immer sehr finster drein und mußte sich von Laura trösten lassen.

Eines Morgens, als er gerade auf dem Weg zum Holland Park war, wo die Mertons wohnten, ging er auf einen Sprung zu Alan Trevor, einem seiner besten Freunde. Trevor war Maler. Tatsächlich entgehen heutzutage nur wenige diesem Schicksal, aber er war noch dazu ein echter Künstler, und echte Künstler sind ziemlich selten. Rein äußerlich war er ein merkwürdig grober Bursche mit sommersprossigem Gesicht und wildem rotem Bart. Nahm er jedoch den Pinsel in die Hand, dann erwies er sich als Meister seines Faches, und seine Bilder waren sehr begehrt. Zugegebenermaßen hatte er sich anfangs nur deshalb so stark zu Hughie hingezogen gefühlt, weil dieser so viel Charme besaß. »Ein Maler«, pflegte er zu sagen, »sollte nur mit Menschen verkehren, die zugleich *bête* und schön sind, mit Menschen, die zu betrachten ein ästhetischer Genuß und mit denen zu reden eine Erholung für den Geist ist. Männer, die Dandys, und Frauen, die süße Geschöpfe sind, bestimmen den Lauf der Welt – oder sollten es wenigstens tun.« Doch nachdem er Hughie näher kennengelernt hatte, fand er Gefallen an dessen fröhlichem, lebhaftem Temperament und großzügigem, unbekümmertem Wesen. Für ihn stand sein Atelier immer offen.

Als Hughie eintrat, legte Trevor gerade letzte Hand an das herrliche, lebensgroße Bildnis eines Bettlers. Dieser selbst stand auf einem Podest in der Ecke des Ateliers. Er war ein verhutzelter alter Mann, dessen Gesicht verknittertem Pergament glich und einen mitleiderregenden Ausdruck zeigte. Über die Schultern hing ihm ein brauner Mantel aus grobem Stoff, der nur noch aus Fetzen bestand, seine plumpen Stiefel waren geflickt, mit der einen Hand stützte er sich auf einen derben Stock, in der andern hielt er, um Almosen bittend, seinen zerbeulten Hut.

»Ein erstaunliches Modell!« flüsterte Hughie, als er seinem Freund die Hand drückte.

»Ein erstaunliches Modell?« rief Trevor mit schallender Stimme. »Das will ich meinen! Bettler wie ihn trifft man nicht jeden Tag! Eine *trouvaille, mon cher*, ein lebender Velasquez!

Herrgott, was für eine Radierung hätte Rembrandt daraus gemacht!«

»Der arme alte Kerl!« sagte Hughie. »Wie erbärmlich er aussieht! Aber für euch Maler ist sein Gesicht sicher sein wertvollster Besitz, nicht wahr?«

»Du erwartest doch wohl nicht, daß ein Bettler glücklich aussieht?«

»Wieviel bekommt ein Modell für eine Sitzung?« fragte Hughie, während er sich bequem auf dem Diwan niederließ.

»Einen Schilling pro Stunde.«

»Und wieviel bekommst du für dein Bild?«

»Für das hier? Zweitausend.«

»Pfund?«

»Guineen. Maler, Dichter und Ärzte bekommen immer Guineen.«

»Also wirklich, meiner Meinung nach sollten die Modelle Prozente erhalten!« rief Hughie lachend. »Sie arbeiten ebenso schwer wie du.«

»Was für ein Unsinn! Denk doch nur, wie anstrengend es allein schon ist, die Farbe aufzutragen und den ganzen Tag vor der Staffelei zu stehen! Du hast leicht reden, Hughie, aber ich kann dir versichern, daß es Momente gibt, in denen die Kunst beinahe den Rang schwerer körperlicher Arbeit erreicht. Aber schwatz nicht so viel, ich bin sehr beschäftigt. Rauch eine Zigarette und halt den Mund!«

Nach einer Weile kam der Diener herein und meldete Trevor, der Rahmenmacher wünsche ihn zu sprechen.

»Lauf nicht weg, Hughie«, sagte Trevor im Hinausgehen, »ich bin gleich wieder da.«

Der alte Bettler benutzte die Abwesenheit des Malers, um sich ein wenig auf der hinter ihm stehenden Holzbank auszuruhen. Er sah so unglücklich und elend aus, daß Hughie Mitleid empfand und in seinen Taschen nach Geld suchte. Ein Sovereign und ein paar Kupfermünzen waren alles, was er fand. »Der arme Alte braucht's nötiger als ich«, dachte er. »Allerdings werde ich mir zwei Wochen lang keine Droschke mehr leisten können.« Dann ging er hinüber zu dem Bettler und drückte ihm den Sovereign in die Hand.

Der alte Mann stutzte, und ein schwaches Lächeln spielte um seine welken Lippen. »Vielen Dank, Sir«, sagte er, »vielen Dank!«

Dann kam Trevor zurück, und Hughie, etwas verlegen über seine gute Tat, verabschiedete sich. Er verbrachte den Tag in Gesellschaft Lauras, bekam eine reizende Gardinenpredigt über seine Verschwendungssucht und mußte zu Fuß nach Hause zurückkehren.

Gegen elf Uhr nachts schlenderte er in den Paletten-Klub, wo er Trevor allein im Rauchsalon sitzen und Rheinwein mit Selterswasser trinken sah.

»Na, Alan, ist das Bild fertig geworden?« fragte er, während er sich eine Zigarette anzündete.

»Ja, alter Junge, es ist fertig und bereits gerahmt. Übrigens, du hast eine Eroberung gemacht! Mein altes Modell ist ganz begeistert von dir. Ich mußte ihm alles über dich erzählen – wer du bist, wo du wohnst, wie hoch dein Einkommen ist, was für Zukunftsaussichten du hast ...«

»Du liebe Güte, Alan«, rief Hughie, »dann wird er wahrscheinlich schon auf mich warten, wenn ich heimkomme! Aber du hast bestimmt nur einen Scherz gemacht. Der arme Teufel! Ich wollte, ich könnte etwas für ihn tun. Es ist doch furchtbar, daß so viel Elend überhaupt möglich ist! Ich habe daheim haufenweise alte Sachen – meinst du, er würde etwas davon tragen? Seine Lumpen sind ihm ja fast vom Leib gefallen.«

»Aber er sieht doch großartig darin aus«, sagte Trevor. »Um keinen Preis würde ich ihn im Gehrock malen. Was du Lumpen nennst, nenne ich Romantik. Was dir als Armut erscheint, ist für mich malerisch. Aber ich werde ihm auf jeden Fall von deinem Angebot erzählen.«

»Alan«, sagte Hughie ernst, »ihr Maler seid wirklich eine herzlose Bande.«

»Das Herz eines Künstlers ist sein Kopf. Und außerdem ist es unsere Aufgabe, die Welt so darzustellen, wie wir sie sehen, und nicht, sie zu bessern aufgrund dessen, was wir von ihr wissen. *A chacun son métier*. Und wie geht's Laura? Mein altes Modell hat sich sehr für sie interessiert.«

»Soll das heißen, daß du mit ihm über sie gesprochen hast?«

»Natürlich. Er weiß genau Bescheid über den unnachgiebigen Oberst, die reizende Laura und die zehntausend Pfund.«

»Du hast diesem alten Bettler meine Privatangelegenheiten erzählt?« rief Hughie rot vor Zorn.

»Mein Bester«, sagte Trevor lächelnd, »dieser alte Bettler, wie du ihn nennst, ist einer der reichsten Männer Europas. Er könnte morgen ganz London kaufen, ohne sein Konto zu überziehen. Er besitzt ein Haus in jeder Hauptstadt, ißt von goldenen Tellern und kann, wenn er will, Rußland daran hindern, einen Krieg zu führen.«

»Was um alles in der Welt meinst du damit?«

»Genau das, was ich gesagt habe. Der alte Mann, den du heute in meinem Atelier getroffen hast, ist Baron Hausberg. Er ist ein guter Freund von mir, kaufte alle meine Gemälde und anderes und hat mich vor vier Wochen beauftragt, ihn als Bettler zu malen. *Que voulez-vous? La fantaisie d'un millionaire!* Und ich muß sagen, er sah großartig aus in seinen Lumpen, oder besser, in meinen Lumpen. Das alte Zeug habe ich nämlich aus Spanien mitgebracht.«

»Baron Hausberg!« rief Hughie. »Um Himmels willen, ich habe ihm einen Sovereign geschenkt!«

»Was? Einen Sovereign geschenkt?« Trevor brach in schallendes Gelächter aus. »Alter Junge, das Geld siehst du nie wieder. *Son affaire c'est l'argent des autres.*«

»Du hättest es mir sagen sollen, Alan, anstatt zuzulassen, daß ich mich derart lächerlich mache«, sagte Hughie vorwurfsvoll.

»Also hör mal, Hughie, erstens hatte ich keine blasse Ahnung, daß du so unbekümmert Almosen verteilst. Ich könnte es verstehen, wenn du ein hübsches Modell küssen würdest, aber daß du einem häßlichen einen Sovereign schenkst – du liebe Güte, nein! Und zweitens war ich heute für niemanden zu sprechen, und als du plötzlich erschienst, wußte ich nicht, ob Hausberg beim Namen genannt sein wollte. Schließlich war er nicht korrekt gekleidet.«

»Er muß mich für einen ausgemachten Trottel halten«, sagte Hughie.

»Keineswegs. Er war in bester Laune, als du gegangen warst. Er kicherte ständig in sich hinein und rieb sich die runzligen

Hände. Ich konnte mir nicht erklären, warum er unbedingt alles über dich erfahren wollte. Jetzt weiß ich's. Hughie, er wird deinen Sovereign für dich anlegen und dir alle sechs Monate Zinsen zahlen. Und außerdem hat er jetzt eine großartige Geschichte, die er nach dem Essen zum besten geben kann.«

»Ich bin wirklich vom Unglück verfolgt«, knurrte Hughie. »Das beste für mich ist, schlafen zu gehen. Und, mein teurer Alan, sprich mit niemandem darüber! Sonst wage ich mich nicht mehr auf die Straße.«

»Unsinn! Das Ganze macht deiner philanthropischen Einstellung alle Ehre. Lauf jetzt nicht davon. Rauch noch eine Zigarette und erzähle mir von Laura, so viel du willst!«

Aber Hughie wollte nicht bleiben. Völlig niedergeschlagen machte er sich auf den Heimweg, während Alan von Lachkrämpfen geschüttelt wurde.

Als Hughie am nächsten Morgen beim Frühstück saß, brachte ihm sein Diener eine Visitenkarte mit folgender Aufschrift: »Monsieur Gustave Naudin, *de la part* de M. le Baron Hausberg«. »Wahrscheinlich verlangt er eine Entschuldigung von mir«, dachte Hughie und ließ den Besucher zu sich bitten.

Ein alter Herr mit goldgeränderter Brille und grauen Haaren trat ein und sagte mit leichtem französischem Akzent: »Habe ich die Ehre mit Monsieur Erskine?«

Hughie verneigte sich.

»Ich komme von Baron Hausberg. Der Baron ...«

»Darf ich Sie bitten, Sir, ihm meine aufrichtigste Entschuldigung zu übermitteln«, stammelte Hughie.

»Der Baron hat mich beauftragt, Ihnen diesen Brief auszuhändigen«, sagte der alte Herr lächelnd und reichte Hughie ein versiegeltes Kuvert.

Es trug die Aufschrift »Ein Hochzeitsgeschenk für Hugh Erskine und Laura Merton von einem alten Bettler« und enthielt einen Scheck über zehntausend Pfund.

Bei der Hochzeit war Alan Trevor Brautführer, und der Baron hielt eine Tischrede.

»Millionärmodelle«, bemerkte Alan, »sind selten genug, aber Modellmillionäre sind weiß Gott noch seltener!«

Versuche und Aphorismen

Übersetzt von Christine Koschel und Inge von Weidenbaum
und Hedda Soellner (Aphorismen)

Der Verfall der Lüge
Eine Betrachtung

Ein Dialog

Personen: Cyril und Vivian.
Ort: *Die Bibliothek eines Landhauses in Nottinghamshire.*

CYRIL *(kommt von der Terrasse durch die offene Glastür herein).* Mein lieber Vivian, sperr dich doch nicht den ganzen Tag lang in der Bibliothek ein. Es ist ein wunderschöner Nachmittag. Die Luft ist köstlich. Über dem Wald liegt ein Schleier wie der Purpurhauch auf einer Pflaume. Komm, wir wollen uns ins Gras legen und Zigaretten rauchen und die Natur genießen.

VIVIAN. Die Natur genießen! Ich bin froh, daß ich das längst verlernt habe. Man sagt, die Kunst lehre uns die Natur mehr lieben als bisher, daß sie uns ihre Geheimnisse offenbare und daß wir nach einem sorgfältigen Studium von Corot und Constable, Dinge in ihr sähen, die unserem Auge entgangen waren. Meine eigene Erfahrung ist die: Je mehr wir die Kunst studieren, desto weniger kümmert uns die Natur. In Wirklichkeit offenbart uns die Kunst den Mangel an planvoller Absicht in der Natur, ihre merkwürdigen Roheiten, ihre außergewöhnliche Eintönigkeit, das völlig Unfertige ihres Zustands. Zweifellos hat die Natur gute Absichten, aber, wie Aristoteles einmal sagte, sie kann sie nicht ausführen. Wenn ich eine Landschaft betrachte, sehe ich auch gleich alle ihre Mängel. Zu unserem Glück jedoch ist die Natur so unvollkommen, sonst wäre nie die Kunst entstanden. Die Kunst ist unser geistvoller Protest, unser kühner Versuch, der Natur ihren eigentlichen Platz zuzuweisen. Die Rede von der unendlichen Mannigfaltigkeit der Natur ist ein reiner Mythos. Sie ist in der Natur selbst gar nicht vorhanden. Sie entspringt der Einbildung, der Phantasie oder der anerzogenen Blindheit des Betrachters.

CYRIL. Schön, du brauchst ja die Landschaft nicht zu betrachten. Du kannst im Gras liegen und rauchen und plaudern.

VIVIAN. Die Natur ist aber so unbequem. Der Rasen ist hart und bucklig und feucht und wimmelt von schrecklichem Ungeziefer. Der schlechteste Arbeiter bei Morris macht dir eine bequemere Sitzgelegenheit, als die ganze Natur es vermag. Die Natur verblaßt vor den Zimmereinrichtungen »der Straße, die von Oxford den Namen entlehnt hat«, wie der Dichter, den du so liebst, sie einmal umständlich nannte. Ich beklage es nicht. Wäre die Natur wohnlich, dann hätten die Menschen nie die Architektur erfunden, und ich ziehe die Häuser dem freien Himmel vor. In einem Haus fühlen wir uns alle im richtigen Verhältnis. Alles ist uns untergeordnet, für uns und zu unserem Behagen eingerichtet. Selbst der Egoismus, der für ein gesundes Gefühl der menschlichen Würde so unentbehrlich ist, entsteht ganz und gar aus dem Leben im Hause. Außerhalb des Hauses werden wir abstrakt und unpersönlich. Wir verlieren unsere Individualität. Und außerdem ist die Natur so teilnahmslos, so verständnislos. So oft ich hier im Park spazierengehe, fühle ich, daß ich ihr nicht mehr bedeute als das Vieh, das am Abhang weidet, oder die Klette, die im Graben blüht. Die Natur haßt den Geist, das ist offensichtlich. Es gibt nichts Ungesunderes als das Denken, und die Menschen gehen daran zugrunde, wie an irgendeiner anderen Krankheit. Zum Glück ist das Denken, in England jedenfalls, nicht ansteckend. Unsere strotzende Gesundheit als Volk verdanken wir lediglich unserer nationalen Dummheit. Ich hoffe nur, es wird uns gelingen, dieses große geschichtliche Bollwerk unseres Glückes noch viele Jahre zu erhalten; aber ich befürchte fast, wir beginnen übergebildet zu werden; wenigstens verlegt sich jeder, der nicht fähig ist zu lernen, sogleich aufs Lehren – soweit ist es mit unserem Bildungsenthusiasmus gekommen. In der Zwischenzeit wäre es besser, du gingst wieder zu deiner langweiligen unbequemen Natur zurück, damit ich meinen Aufsatz überarbeiten kann.

CYRIL. Du schreibst einen Aufsatz?! Das finde ich nicht sehr konsequent, nach allem, was du gerade gesagt hast.

VIVIAN. Wer verlangt Konsequenz? Der Dummkopf und der Doktrinär, diese langweiligen Leute, die immer an ihren Prinzipien festhalten bis zum bitteren Ende, bis die Praxis sie ad absurdum führt. Ich verlange sie wahrhaftig nicht. Ich schreibe, wie Emerson, über die Tür meiner Bibliothek das Wort »Laune«. Übrigens ist mein Aufsatz eine höchst heilsame und dem Augenblick entsprechende Warnung. Wird sie aufgenommen, dann könnte es zu einer erneuten Renaissance der Kunst kommen.

CYRIL. Was für ein Thema ist es?

VIVIAN. Ich will es »Der Verfall der Lüge: Ein Protest« nennen.

CYRIL. Der Lüge! Man sollte meinen, unsere Politiker pflegen diese Gewohnheit.

VIVIAN. Wirklich Cyril, das ist keineswegs der Fall. Sie bringen es nie weiter als bis zur Verdrehung der Tatsachen, und sie lassen sich obendrein noch auf langwierige Beweisführungen, Diskussionen und Rechtsgründe ein. Wie verschieden ist dagegen die Gesinnung des echten Lügners, mit seinen freimütigen, furchtlosen Behauptungen, seiner stolzen Verantwortungslosigkeit, seiner gesunden, natürlichen Verachtung jeglicher Beweise. Worin besteht denn das Wesen der schönen Lüge? Einfach darin, daß sie den Beweis in sich trägt. Ist einer so arm an Phantasie und muß seine Lüge beweisen, sollte er lieber gleich die Wahrheit sprechen. Nein, die Politiker nützen uns nichts. Einiges kann man vielleicht zugunsten der Advokaten anführen. Der Schleier der Sophisten fiel auf sie. Ihre erheuchelte Leidenschaft und falsche Rhetorik ist hinreißend. Sie lassen die schlechtere Sache als die bessere erscheinen, so als kämen sie direkt aus der Leontinischen Schule *, und sie haben es verstanden, widerstrebenden Geschworenen triumphierend Freisprüche für ihre Klienten zu entlocken, sogar, was nicht selten der Fall ist, wenn die Unschuld der Klienten außer allem Zweifel stand. Aber sie haben einen prosaischen Anlaß und schämen sich nicht, Präzedenzfälle heranzuziehen. Trotz ihrer Bemühungen kommt die Wahrheit ans Licht. Selbst die Zeitungen sind entartet. Sie sind jetzt absolut vertrauenswürdig. Man spürt es, wenn man ihre Spalten durchkaut. Nur das, was nicht lesenswert ist, kommt einem vor Augen.

* Sophistenschule im 5. Jahrh. v. Ch., nach der griechischen Stadt Leontivi auf Sizilien benannt.

Ich fürchte, zugunsten des Advokaten und des Journalisten läßt sich nicht viel anführen. Außerdem ist das, wofür ich plädiere, die Lüge in der Kunst. Soll ich dir vorlesen, was ich darüber geschrieben habe? Es könnte dich sehr interessieren.

CYRIL. Gewiß, wenn ich eine Zigarette haben kann. Danke. Für welche Zeitschrift ist übrigens der Aufsatz bestimmt?

VIVIAN. Für die »Retrospective Review«. Ich glaube, ich sagte dir schon, daß die Auserwählten sie wieder ins Leben gerufen haben.

CYRIL. Wen meinst du mit »den Auserwählten«?

VIVIAN. Die »Tired Hedonists« natürlich. Sie sind ein Klub, dem ich angehöre. Wir tragen welke Rosen im Knopfloch bei unseren Zusammenkünften und verehren Domitian. Dich würde man wahrscheinlich nicht auswählen. Du machst dir zu viel aus einfachen Vergnügen.

CYRIL. Ich nehme an, ich würde wegen sinnlicher Neigungen durchfallen.

VIVIAN. Vermutlich. Außerdem bist du ein bißchen zu alt. Leute gewöhnlichen Alters nehmen wir nicht.

CYRIL. Na gut, aber ich finde, ihr ödet euch alle ganz schön an.

VIVIAN. Das tun wir. Das ist ein Ziel des Klubs. Jetzt werde ich dir aber meinen Aufsatz vorlesen, wenn du mir versprichst, mich nicht zu oft zu unterbrechen.

CYRIL. Ich werde ganz Ohr sein.

VIVIAN *(liest mit sehr deutlicher, klangvoller Stimme). »Der Verfall der Lüge: Ein Protest.* – Eine der Hauptursachen, die sich für den erstaunlich trivialen Charakter des größten Teiles der Literatur unserer Zeit anführen lassen, ist unzweifelbar der Verfall der Lüge als einer Kunst, einer Wissenschaft und einem geselligen Vergnügen. Die alten Geschichtsschreiber hinterließen uns wundervolle Dichtungen in der Form von Tatsachen; der moderne Romanschriftsteller langweilt uns mit Tatsachen, die er als Dichtung ausgibt. Der Aktenstil wird mehr und mehr sein Vorbild in Methode und Manier. Er hat sein langweiliges ›document humain‹, seinen elenden kleinen ›coin de la création‹, den er mit dem Mikroskop untersucht. Man findet ihn in der Librairie Nationale oder im Britischen Museum, wo er schamlos seinen Gegenstand studiert. Er besitzt nicht einmal den

Mut, sich in die Vorstellungen anderer Menschen hineinzuversetzen, sondern besteht darauf, auf das Leben direkt loszugehen und zu guter Letzt, zwischen Enzyklopädien und persönlicher Erfahrung, gelangt er an die Quelle; seine Figuren hat er dem Familienkreis oder der Waschfrau entliehen, und er hat eine Menge nützlicher Kenntnisse erworben, von denen er sich niemals, nicht in seinen nachdenklichsten Augenblicken, völlig zu befreien vermag.

Der Verlust, den unsere gesamte Literatur durch dieses falsche Ideal unserer Zeit erfährt, kann gar nicht hoch genug eingeschätzt werden. Die Leute sprechen leichtsinnigerweise von einem ›geborenen Lügner‹, wie man von einem geborenen Dichter spricht. Aber in beiden Fällen haben sie unrecht. Das Lügen und das Dichten sind Künste – Künste, die, wie Plato erkannte, miteinander in Zusammenhang stehen –, und sie verlangen das gewissenhafteste Studium und die uneigennützigste Hingabe. Und in der Tat haben sie beide ihre Technik, wie die stofflicheren Künste, die Malerei und die Bildhauerkunst ihre subtilen Form- und Farbengeheimnisse besitzen, ihre Handwerksgeheimnisse und wohldurchdachten künstlerischen Methoden. Wie man den Dichter an seinem beglückenden Ton erkennt, so kann man den Lügner an seiner üppigen rhythmischen Sprache erkennen, und bei keinem von beiden vermag die zufällige Eingebung des Augenblicks zu genügen. Hier, wie überall, muß die Übung der Vollkommenheit vorangehn. Aber während heutzutage das Verseschreiben zu sehr in Mode geraten ist, und man sollte es so viel wie möglich hindern, geriet das Lügen beinahe in Verruf. Mancher junge Mensch beginnt das Leben mit einer natürlichen Gabe zur Übertreibung; würde diese Begabung in entsprechender und angenehmer Umgebung gepflegt oder durch Nachahmung der höchsten Vorbilder gefördert, dann könnte etwas wirklich Großes und Wunderbares entstehen. In der Regel aber bringt es ein solcher Mensch zu nichts. Er verfällt entweder der gedankenlosen Gewohnheit der Akkuratesse …«

CYRIL. Aber mein Lieber!

VIVIAN. Bitte, unterbrich mich nicht mitten im Satz. »Er verfällt entweder der gedankenlosen Gewohnheit der Akkuratesse, oder er sucht die Gesellschaft der Alten und der Alleswisser. Beides ist seiner Phantasie, und in der Tat der Phantasie eines jeden, verhängnisvoll; es dauert nicht lange, und er beginnt eine krankhafte und schädliche Neigung für die Wahrheit zu zeigen, er untersucht alles, was in seiner Gegenwart geäußert wird, und zögert nicht, den Leuten zu widersprechen, die viel jünger sind als er; schließlich schreibt er so lebensnahe Romane, daß niemand imstande ist, an ihre Wahrscheinlichkeit zu glauben. Das ist kein vereinzeltes Beispiel. Es ist eines unter vielen; und wenn nichts unternommen wird, unsere ungeheuerliche Anbetung der Tatsachen aufzuhalten oder wenigstens einzudämmen, wird die Kunst steril werden, und die Schönheit wird schwinden.

Selbst Robert Louis Stevenson, dieser höchst erfreuliche Meister der zarten und phantasievollen Prosa, ist durch dieses moderne Laster, und es läßt sich wahrlich nicht anders ausdrükken, befleckt. Man kann eine Geschichte ihrer Wahrhaftigkeit berauben, wenn man versucht, sie allzu wirklichkeitsgetreu zu gestalten, und ›The Black Arrow‹ ist so unkünstlerisch, daß er sich nicht eines einzigen Anachronismus rühmen kann, während die Verwandlung des Dr. Jekyll sich so lebensgefährlich wie ein Experiment aus der medizinischen Wochenzeitschrift ›Lancet‹ liest. Was Rider Haggard betrifft, der das Talent zu einem grandiosen Lügner besitzt, oder wenigstens einmal besaß, fürchtet er sich jetzt so sehr, der Genialität bezichtigt zu werden, daß er es für notwendig hält, eine persönliche Erinnerung zu erfinden, wenn er uns etwas Wunderbares erzählt und in einer Fußnote auf diese Erinnerung, als eine Art feiger Bestätigung, zu verweisen. Andere Romanschriftsteller sind nicht viel besser. Henry James schreibt Romane, als sei es eine peinliche Pflicht, und verschwendet seinen sauberen literarischen Stil an nichtswürdige Motive, seine treffenden Formulierungen, seine geistreiche und beißende Satire an nicht nachvollziehbare Anschauungen. Hall Caine strebt zweifellos nach dem Großartigen, aber seine Stimme überschlägt sich dabei. Er ist so laut, daß man nicht hört, was er sagt. James Payn ist ein Meister in der Kunst des Verbergens, was nicht verdient, gefunden zu werden. Er erjagt mit der Begeisterung eines kurzsichtigen Detektivs, was in die Augen springt. Je länger man liest, um so unerträglicher wird das Hinhalten durch den Autor. Die Rosse in William Blacks

Phaeton erheben sich nicht zur Sonne. Sie versetzen den Abendhimmel nur in wilde lithographische Farbdruckeffekte. Sobald sie nahen, flüchten die Bauern in den Dialekt. Mrs. Oliphant plaudert munter über Geistliche, Tennisgesellschaften, häusliche Angelegenheiten und ähnlich langweilige Dinge. Marion Crawford hat sich dem Lokalkolorit verschrieben. Er gleicht jener Dame in dem französischen Lustspiel, die unausgesetzt vom ›beau ciel d'Italie‹ spricht. Außerdem hat er die schlimme Angewohnheit, sich in moralischen Platitüden zu ergehen. Er versichert uns andauernd, gut sein, bedeute gut sein und böse sein, bedeute böse sein. Manchmal wirkt er fast erbaulich. ›Robert Elsmere‹ ist natürlich ein Meisterwerk – ein Meisterwerk des ›genre ennuyeux‹, der einzigen literarischen Form, an der die Engländer wirklich Gefallen zu finden scheinen. Ein gescheiter junger Mann bei uns bemerkte einmal, ihn erinnere das Buch an die Art von Gesprächen, die man beim Nachmittagstee im Hause einer ernsthaften Nonkonformistenfamilie führt, und das ist sicher zutreffend. In der Tat sind solche Bücher nur in England möglich. England ist die Heimat der abgestandenen Ansichten. Was die große und täglich anwachsende Schule der Romanschriftsteller betrifft, für die die Sonne stets im East-End aufgeht, so kann über sie nur das eine gesagt werden, sie finden das Leben roh vor und lassen es ungeformt.

In Frankreich, das freilich ein so langweiliges Produkt wie *Robert Elsmere* nicht hervorgebracht hat, stehen die Dinge nicht viel besser. Guy de Maupassant mit seiner bitteren, ätzenden Ironie und seinem grausam lebendigen Stil, beraubt das Leben seiner letzten armseligen Fetzen, mit denen es noch bedeckt ist, um uns stinkende Geschwüre und schwärende Wunden zu zeigen. Er schreibt düstere kleine Tragödien, in denen jede Gestalt lächerlich erscheint, bittere Komödien, über die man vor Tränen nicht lachen kann. Zola, getreu seinem hochmütigen Grundsatz: ›L'homme de génie n'a jamais d'esprit‹, den er in einer seiner programmatischen Schriften zur Literatur niederlegte, ist entschlossen, uns zu überzeugen, daß er zwar kein Genie besitzt, uns aber wenigstens zu langweilen versteht. Und wie gut ihm das gelingt! Er ist nicht ohne Wirkung. Ja, zuweilen, wie in *Germinal,* zeigt er fast etwas Episches in seinem Werk. Aber sein Werk ist vom Anfang bis zum Ende gänzlich verfehlt, und verfehlt nicht vom Standpunkt der Moral aus, sondern vom Standpunkt der Kunst. Von jedem ethischen Gesichtspunkt aus ist es ganz unantastbar. Der Verfasser ist vollkommen aufrichtig, und er beschreibt die Dinge genauso, wie sie geschehen. Was kann man als Moralist mehr verlangen? Wir haben durchaus kein Verständnis für die moralische Entrüstung, die sich heutzutage gegen Zola geltend macht. Es ist einfach die Entrüstung des entlarvten Tartuffe. Aber was kann vom Standpunkt der Kunst aus, zugunsten des Verfassers von *L'Assommoir*, *Nana* und *Pot-Bouille* vorgebracht werden? Nichts. Ruskin vergleicht einmal die Charaktere in den Romanen von George Eliot mit dem Gesindel eines Pentonviller Omnibus, aber Zolas Charaktere sind weit schlimmer. Sie haben ihre trostlosen Laster und ihre trostlosen Tugenden. Die persönliche Geschichte ihres Lebens ist völlig ohne Reiz. Wer kümmert sich darum, was ihnen gerade widerfährt? Von der Literatur verlangen wir Würde, Bezauberung, Schönheit und Phantasie. Wir wollen nicht belästigt und angeekelt sein durch die Schilderung von Begebenheiten, die sich in den unteren Volksschichten abspielen. Mit Daudet steht es besser. Er besitzt Witz, eine lebhafte Empfindung und einen fesselnden Stil. Aber er hat kürzlich literarischen Selbstmord verübt. Niemand kann sich in irgendeiner Weise für Delobelle mit seinem ›Il faut lutter pour l'art‹ interessieren oder für Valmajour mit seinem ewigen Refrain über die Nachtigall, oder für den Dichter in *Jack* mit seinen ›mots cruels‹, seit wir aus *Vingt Ans de ma Vie littéraire* erfahren haben, daß diese Charaktere direkt aus dem Leben genommen sind. Für uns haben sie plötzlich ihre ganze Lebendigkeit verloren, alle die wenigen Qualitäten, die sie je besaßen. Nur solche Gestalten sind wahr, die niemals existiert haben, und wenn ein Romanschriftsteller erbärmlich genug ist, seine Figuren dem Leben zu entlehnen, dann sollte er wenigstens den Anschein erwecken, daß sie erfunden wären und sich nicht rühmen, sie seien dem Leben nachgebildet. Ein Charakter in einem Roman rechtfertigt sich nicht dadurch, daß er ist, was andere Leute sind, sondern daß er ist, was der Autor ist. Sonst ist der Roman kein Kunstwerk. Was Paul Bourget betrifft, den Meister des ›roman psychologique‹, so ist er in dem

Wahn befangen, die Männer und Frauen von heute ließen sich unzählige Kapitelfolgen hindurch bis ins kleinste hinein analysieren. Was wirklich interessant ist an Menschen in der guten Gesellschaft – und Bourget bewegt sich kaum außerhalb des Faubourg St. Germain, außer um nach London zu kommen –, das ist die Maske, die jeder trägt, nicht die Wirklichkeit, die hinter der Maske steckt. Es ist ein demütigendes Geständnis, aber wir sind alle aus dem gleichen Stoff. In Falstaff ist etwas von Hamlet, in Hamlet ist nicht wenig von Falstaff. Der feiste Ritter hat seine Anfälle von Melancholie, und der junge Prinz seine Augenblicke derben Humors. Worin wir uns voneinander unterscheiden, sind lediglich Unwesentlichkeiten: in der Kleidung, in der Sitte, im Klang der Stimme, in religiösen Anschauungen, in der persönlichen Erscheinung, in Angewohnheiten und dergleichen. Je mehr man die Menschen analysiert, desto mehr verschwinden alle Gründe, sie zu analysieren. Früher oder später stößt man auf dieses schreckliche universelle Etwas, das wir die menschliche Natur nennen. Es ist wahrlich kein bloßer Dichtertraum, daß alle Menschen Brüder sind, sondern eine deprimierende und demütigende Wahrheit, das wissen diejenigen nur zu gut, die einmal unter Armen gearbeitet haben; und wenn ein Schriftsteller durchaus die oberen Gesellschaftsklassen analysieren will, könnte er gleich ebensogut über Streichholzverkäuferinnen und Fischhändler schreiben.« Ich will dich aber gerade hiermit nicht länger aufhalten, mein lieber Cyril. Ich gebe gerne zu, daß die modernen Romane viele gute Einzelheiten enthalten. Ich behaupte nur, daß sie als Gattung völlig unlesbar sind.

CYRIL. Das ist freilich ein sehr hartes Urteil, doch finde ich auch manches ziemlich ungerecht in deinen kritischen Bemerkungen. Ich mag *The Deemster* und *The Daughter of Heth* und *Le Disciple* und *Mr. Isaacs*, und *Robert Elsmere* verehre ich geradezu. Allerdings betrachte ich dieses Buch nicht als ein ernsthaftes Werk. Als Darstellung der Probleme, mit denen sich der aufrichtige Christ konfrontiert sieht, ist es lächerlich und veraltet. Es ist nichts anderes als Arnolds *Literature and Dogma* ohne die Literatur. Es bleibt so weit hinter der Zeit zurück wie Paleys ›Evidences‹ oder Colensos Methode der Bibelexegese. Man kann sich kaum etwas Reizloseres vorstellen als den unglückseligen Helden, der feierlich eine Morgenröte verkündigt, die schon längst aufstieg, und ihre wahre Bedeutung so sehr verkennt, daß er vorschlägt, das Geschäft der alten Firma unter einem neuen Namen fortzuführen. Andererseits enthält der Roman einige kluge Karikaturen und eine Fülle hübscher Zitate, und die Philosophie Greens versüßt in höchst angenehmer Weise die recht bittere Pille des eigentlichen Buches. Ich kann auch mein Erstaunen darüber nicht verbergen, daß du zwei Romanciers, die du immer liest, nämlich Balzac und George Meredith, unerwähnt gelassen hast. Das sind doch wohl beide Realisten?

VIVIAN. Ah! Meredith! Wer will ihn beschreiben? Sein Stil ist Chaos, von zuckenden Blitzen erhellt. Als Schriftsteller hat er alles gemeistert, außer der Sprache: als Romanschriftsteller kann er alles, nur keine Geschichte erzählen: als Künstler ist er alles, nur nicht klar. Bei Shakespeare spricht jemand – ich glaube Touchstone ist es – über einen Menschen, der sich immer an seinem eigenen Witz die Schienbeine zerbricht, und mir scheint, man könne dies als Grundlage zu einer Kritik an Merediths Schreibweise anwenden. Was er aber auch sein mag, ein Realist ist er nicht. Man könnte besser sagen, er ist ein Kind des Realismus, das sich mit seinem Vater entzweit hat. Aus freier Wahl ist er zum Romantiker geworden. Er hat sich geweigert, vor Baal das Knie zu beugen, und wenn sich trotz allem des Mannes empfindlicher Geist nicht empörte gegen diese lärmenden Anmaßungen des Realismus, es genügte sein bloßer Stil, um das Leben in gebührender Entfernung zu halten. Durch diesen Stil hat er eine Hecke um seinen Garten gezogen, eine Hecke voll Dornen und dem Rot der prächtigsten Rosen. Und um auf Balzac zu kommen, so stellte er eine höchst ungewöhnliche Verbindung zwischen künstlerischem Temperament und wissenschaftlichem Geist dar. Letzteren vermachte er seinen Schülern, aber das künstlerische Temperament blieb ganz sein eigen. Der Unterschied zwischen einem Buch wie Zolas *L'Assommoir* und Balzacs *Illusions Perdues* ist der Unterschied zwischen unschöpferischem Realismus und schöpferischer Realität. »Alle Charaktere Balzacs«, bemerkte Baudelaire, »sind mit derselben Lebensglut begabt, die ihn beseelte. Alle seine Dichtungen sind schillernd wie Träume. Jeder Geist ist eine Waffe, geladen mit Willen. Selbst die Küchenjungen haben Genie.« Eine dauernde Beschäftigung mit Balzac läßt unsere lebenden Freunde zu Schattengestalten verblassen, und unsere Bekannten zu Schatten von Schattengestalten. Seine Charaktere besitzen ein glühendes, vielfarbiges Leben. Sie ergreifen uns und vernichten jeden Zweifel. Der Tod von Lucien de Rubempré ist eine der größten Tragödien meines Lebens. Er hat einen Schmerz in mir verursacht, den ich nie ganz vergessen kann. Er verfolgt mich selbst in den glücklichen Augenblicken, auch wenn ich lache. Aber ein Realist ist Balzac so wenig wie Holbein. Sein Werk ist Schöpfung, nicht Nachbildung. Ich gebe jedoch zu, daß er der Modernität der Form viel zu viel Bedeutung beimaß, und darum kann keines seiner Bücher als artistisches Meisterwerk neben *Salammbô* oder *Esmond* oder *The Cloister and the Hearth* oder *Vicomte de Bragelonne* bestehen.

CYRIL. Du bist also gegen die Modernität der Form?

VIVIAN. Ja. Sie ist ein zu hoher Preis für ein sehr bescheidenes Ergebnis. Bloße Modernität der Form bringt immer etwas Herabsetzendes mit sich, und zwar notwendigerweise. Das Publikum glaubt, weil es an seiner unmittelbaren Umgebung interessiert ist, auch die Kunst müsse sich für sie interessieren und sollte sie zu ihrem Gegenstande wählen. Aber allein die Tatsache, daß sie diesen Gegenständen verhaftet sind, macht sie für die Kunst unbrauchbar. Die einzigen wirklich schönen Dinge, sagte einmal jemand, sind die Dinge, die uns nicht betreffen. Solange uns ein Ding nützlich oder notwendig erscheint oder uns irgendwie bewegt, uns mit Schmerz oder Freude erfüllt, unsere Gefühle heftig erregt, solange es einen wesentlichen Bestandteil unserer Umgebung darstellt, ist es jenseits der Kunstsphäre. Dem Gegenstand der Kunst sollten wir mehr oder weniger gleichgültig gegenüberstehen. Auf jeden Fall sollten wir frei sein von Vorlieben, keine Vorurteile und keinerlei parteiische Gefühle besitzen. Gerade weil Hekuba uns nichts bedeutet, sind ihre Leiden ein so großartiger Vorwurf zur Tragödie. Ich kenne in der ganzen Literaturgeschichte nichts Traurigeres als die künstlerische Entwicklung von Charles Reade. Er schrieb ein einziges wunderschönes Buch, *The Cloister and the Hearth*, ein Buch, das ebensohoch über *Romola* wie *Romola* über *Daniel Deronda* steht, und er vergeudete den Rest seines Lebens mit dem törichten Versuch, modern zu sein, die Öffentlichkeit auf den Zustand unserer Gefängnisse und die Leitung unserer privaten Irrenhäuser aufmerksam zu machen. Es war schon in vieler Hinsicht entmutigend, daß ein Charles Dickens versuchte, unsere Teilnahme für die Opfer der Armengesetzbehörde zu erwecken; aber ein Künstler, ein Gelehrter, ein Mann mit wahrhaftem Schönheitssinn wie Charles Reade, der gegen die Mißstände des heutigen Lebens wettert und wütet wie ein gemeiner Pamphletist, ein sensationslüsterner Zeitungsschreiber, ist wahrlich ein Anblick zum Weinen. Glaube mir, mein lieber Cyril, Modernität der Form und Modernität des Gegenstandes sind ganz und gar verfehlt. Wir haben unser heutiges Alltagskleid mit dem Gewand der Musen verwechselt, und wir verbringen in den schmutzigen Straßen, in den häßlichen Vororten unserer abscheulichen Großstädte unsere Tage, während wir draußen auf den Hügeln mit Apoll verweilen sollten. Wir sind wahrlich ein ermattetes Geschlecht, und wir haben unser Erstgeburtsrecht für ein Gericht von Tatsachen verkauft.

CYRIL. Es ist etwas Wahres daran; mag uns auch die Lektüre eines reinen Modellromans unterhalten, beim Wiederlesen empfinden wir selten eine künstlerische Befriedigung. Und das ist vielleicht der beste Prüfstein, ob etwas Literatur ist oder nicht. Wenn man ein Buch nicht immer und immer wieder zu seiner Freude lesen kann, hat es keinen Wert, es überhaupt zu lesen. Aber was denkst du über die Rückwendung zum Leben und zur Natur? Dies ist das Allheilmittel, das uns ständig empfohlen wird.

VIVIAN. Ich werde dir vorlesen, was ich zu diesem Gedanken zu sagen habe. Die Stelle kommt zwar erst später in meinem Aufsatz, aber ich kann sie ebensogut gleich zitieren: –

»Der allgemeine Ruf unserer Zeit lautet: ›Laßt uns zum Leben und zur Natur zurückkehren, sie werden uns die Kunst neu erschaffen und ihren Pulsschlag wiederbeleben, sie werden ihren Schritt beflügeln und ihrer Hand Kraft verleihen.‹ Aber leider! unsere freundlichen und wohlmeinenden Bestrebungen gehen irre. Die Natur ist immer hinter der Zeit zurück. Und das Leben – es ist das Zersetzungsmittel, das die Kunst schwächt, der Feind, der ihr Haus verwüstet.«

CYRIL. Was heißt das, die Natur ist immer hinter der Zeit zurück?

VIVIAN. Nun, das klingt vielleicht etwas geheimnisvoll. Ich meine Folgendes: Wenn wir unter Natur den natürlichen, einfachen Instinkt verstehn, im Gegensatz zu einer sich selbst bewußten Kultur, so ist ein Werk, das unter diesem Einfluß entsteht, altmodisch, antiquiert und unzeitgemäß. Ein wenig Natur macht die ganze Welt verwandt, aber ein wenig zu viel Natur muß jedes Kunstwerk verderben. Wenn wir andererseits die Natur als die Summe aller äußeren Erscheinungen betrachten, so entdecken wir in ihr nur das, was wir in sie hineinlegen. Sie suggeriert nichts Eigenes. Wordsworth ging an die Seen, aber er hat sie nie als Dichter besungen. Er fand in den Felsen die Predigten, die er bereits dort verborgen hatte. Er zog als Moralprediger im Land umher, doch seine wertvollen Werke schuf Wordsworth, als er zurückkehrte, nicht zur Natur, sondern zur Poesie. Die Poesie schenkte ihm *Laodamia* und die herrlichen Sonette und die große Ode, die wirklich wundervoll ist. Die Natur hat ihm *Martha Ray* und *Peter Bell* und die Widmung an Mr. Wilkingsons Spaten gegeben.

CYRIL. Ich glaube, über diese Anschauung ließe sich streiten. Ich bin eher geneigt, an die »inspirierende Wirkung durch einen Frühlingswald« zu glauben, obgleich natürlich der künstlerische Wert einer solchen Anregung vollkommen von der Art des Temperamentes bedingt wird, das sie empfängt, so daß die Rückkehr zur Natur also einfach die Vervollkommnung zur großen Persönlichkeit bedeuten würde. Damit stimmst du wohl überein, nehme ich an. Doch lies deinen Aufsatz weiter.

VIVIAN *(liest vor)*. »Die Kunst beginnt mit dem geometrischen Ornament, mit Werken, die aus der Phantasie und zum reinen Vergnügen geschaffen sind, und mit dem Unwirklichen, dem Nichtexistenten zu tun haben. Das ist die erste Phase. Dann wird das Leben durch dieses neue Wunder bezaubert und verlangt, aufgenommen zu werden in den Zauberkreis. Die Kunst betrachtet das Leben als Teil ihres ungeformten Materials, gestaltet es um und gibt ihm neue Formen; sie ist den Fakten gegenüber vollkommen gleichgültig, sie erfindet, erdichtet, träumt und errichtet zwischen sich und der Wirklichkeit die geheimnisvolle

Grenze des schönen Stils, der ornamentalen oder idealen Gestaltung. Es ist die dritte Phase, in der das Leben die Oberhand gewinnt und die Kunst in die Wüste treibt. Dies ist die eigentliche Dekadenz, und unter ihr haben wir heute zu leiden.

Nehmen wir zum Beispiel das englische Drama. Zuerst, bei den Mönchen, war die dramatische Kunst abstrakt, dekorativ und mythologisch. Dann zog sie das Leben in ihren Dienst, und indem sie gewisse äußere Formen des Lebens verwendete, schuf sie ein völlig neues Geschlecht, dessen Leiden furchtbarer waren als alle Leiden, die der Mensch je erlitten hatte, dessen Entzükken heftiger war als das Entzücken des Liebenden, das die Stärke der Titanen und die Ruhe der Götter besaß, ein Geschlecht mit ungeheuerlichen und unvergleichlichen Sünden, mit ungeheuerlichen und unvergleichlichen Tugenden. Ihm verlieh sie eine Sprache, die sich von der alltäglichen unterschied, eine Sprache voll klingender Musik und süßen Rhythmen, erhaben gemacht durch einen feierlichen Tonfall, oder anmutig durch einen geschmeidigen Reim, mit herrlichen Worten geschmückt wie mit Edelsteinen und reich an kühnem Schwung. Die Kunst kleidete ihre Kinder in unerhörte Gewänder, sie gab ihnen Masken, und auf ihr Geheiß erhob sich die antike Welt aus ihrem marmornen Grabe. Ein neuer Cäsar schritt durch die Straßen des wiedererstandenen Rom, und mit Purpursegel und flötenbezauberten Ruderern eilte eine neue Cleopatra flußaufwärts nach Antiochia. Alte Mythen und Legenden nahmen Gestalt und Inhalt an. Die Geschichte wurde vollkommen neu geschrieben, und es gab fast keinen Dramatiker, der nicht erkannte, daß das Ziel der Kunst nicht die einfache Wahrheit, sondern die vollkommene Schönheit ist. Darin hatten sie vollständig recht. Die Kunst selbst ist in der Tat eine Form der Übertreibung; und die Auswahl, die das eigentliche Prinzip in der Kunst darstellt, ist nichts anderes als ein höchster Ausdruck von Übersteigerung.

Aber das Leben zerbrach bald die Vollkommenheit der Form. Selbst bei Shakespeare finden wir schon den Anfang vom Ende. Er zeigt sich im allmählichen Verfall des Blankverses in seinen späteren Stücken, dem Vorrang, den er der Prosa gibt, und der übergroßen Wichtigkeit, die er der Charakterisierung beimißt. Die Stellen bei Shakespeare – und es gibt deren viele –, wo die

Sprache roh, vulgär, überladen, bizarr, sogar obszön ist, haben alle ihren Ursprung im Leben, das nach einem Echo seiner eigenen Stimme ruft und die Vermittlung des schönen Stils zurückweist, durch den allein das Leben erfahren werden sollte, um Ausdruck zu finden. Shakespeare ist durchaus nicht makellos als Künstler. Er hält sich allzu gern an das Leben selbst und leiht sich seine natürlichen Erscheinungen aus. Er vergißt, daß die Kunst alles preisgibt, wenn sie ihre schöpferischen Ausdrucksmittel preisgibt. Goethe sagt einmal:

›In der Beschränkung zeigt sich erst der Meister!‹

Und die Beschränkung, die eigentliche Bedingung jeder Kunst, ist der Stil. Doch wir brauchen uns nicht länger bei Shakespeares Realismus aufzuhalten. *Der Sturm* ist die vollendetste Palinodie. Wir wollten nur darauf hinweisen, daß das großartige Werk der elisabethanischen und jakobinischen Künstler die Keime seines Verfalls in sich trug, und wenn dieses Werk einen Teil seiner Kraft aus der Verwendung des Lebens als Rohmaterial gewann, so rührte seine ganze Schwäche davon her, daß es das Leben als eine künstlerische Methode benutzte. Als unvermeidliche Folge dieser Einsetzung eines nachahmenden anstelle eines schöpferischen Mediums, dieses Aufgebens einer phantasievollen Form haben wir das moderne englische Melodrama. Die Charaktere dieser Stücke sprechen auf der Bühne genauso, wie sie im Leben sprechen: sie haben weder Aspiration noch Aspirata; sie sind unmittelbar dem Leben entnommen und geben seine Vulgarität bis ins kleinste Detail wieder; sie zeigen Gang, Sitte, Kostüm und Aussprache wirklicher Leute; sie würden in einem Zugabteil dritter Klasse nicht die geringste Aufmerksamkeit erregen. Und wie langweilig sind doch diese Dramen! Es gelingt ihnen nicht einmal, jenen Eindruck der Wirklichkeit hervorzurufen, den sie beabsichtigen und um dessentwillen sie eigentlich existieren. Als Methode ist der Realismus ein vollkommener Irrtum.

Was vom Drama und vom Roman gilt, trifft nicht weniger auf die sogenannten dekorativen Künste zu. Die Geschichte dieser Künste in Europa ist die Geschichte einer Auseinandersetzung zwischen dem Orientalismus und unserem eigenen nachahmenden Prinzip; der Orientalismus lehnt die Nachahmung entschieden ab, er hat eine Vorliebe für die künstlerische Konvention und eine Abneigung gegen die realistische Darstellung der Gegenstände in der Natur. Wo immer der Orientalismus dominiert hat und direkten Einfluß ausübte, wie in Byzanz, Sizilien und Spanien und im übrigen Europa durch die Kreuzzüge, sind herrliche Werke der Phantasie entstanden, in denen die sichtbaren Dinge des Lebens künstlerisch verwandelt, und solche, die das Leben nicht kennt, zu seinem Entzücken erfunden und geformt wurden. Überall aber, wo wir zum Leben und zur Natur zurückgekehrt sind, ist unser Werk immer gewöhnlich, roh und uninteressant geworden. Die modernen Tapisserien mit ihren atmosphärischen Wirkungen, ihren ausgeklügelten Perspektiven, den weiten, öden Himmelsflächen, ihrem ehrlichen und fleißigen Realismus, lassen jede Schönheit vermissen. Die Glasmalerei in Deutschland ist ganz abscheulich. In England beginnt man erträgliche Teppiche zu weben, aber nur weil wir zur Methode und zum Geist des Orients zurückgefunden haben. Unsere Decken und Teppiche, die vor zwanzig Jahren in Mode waren, erscheinen heute mit ihrem steifen, einengenden Wirklichkeitsanspruch, ihrer geistlosen Naturanbetung, ihrer stumpfsinnigen Wiedergabe sichtbarer Dinge selbst dem Philister lächerlich. Ein gebildeter Mohammedaner bemerkte uns gegenüber einmal: ›Ihr Christen seid so sehr damit beschäftigt, das vierte Gebot zu mißdeuten, daß ihr nie daran gedacht habt, das zweite Gebot künstlerisch anzuwenden.‹ Er hatte ganz recht, und dies ist der Kern der Sache: Die eigentliche Lehrmeisterin der Kunst ist nicht das Leben, sondern die Kunst.«

Und nun möchte ich dir eine Stelle vorlesen, die mir die Frage vollständig zu klären scheint.

»Es war nicht immer so. Wir brauchen nicht von den Dichtern zu reden, denn sie sind, mit der einen unglücklichen Ausnahme Wordsworths, ihrer hohen Mission wirklich treu geblieben und besitzen den universellen Ruf der vollkommenen Unzuverlässigkeit. Aber in den Werken Herodots, den man trotz der dummen und kleinlichen Versuche moderner Halbwisser, seine Geschichtsaufzeichnungen mit der Wahrheit in Einklang zu bringen, mit Recht den ›Vater der Lüge‹ nennen darf; in den veröffentlichten Reden Ciceros und den Lebensbeschreibungen des Sueton; bei Tacitus, wo er am größten ist; in der *Naturgeschichte* des Plinius; in *Periplus* des Hanno; in den gesamten frühen Chroniken; in den Lebensbeschreibungen der Heiligen; bei Froissart und Sir Thomas Mallory; in den Reisebeschreibungen von Marco Polo; bei Olaus Magnus und Aldrovandus und in Konrad Lycosthenes herrlichem *Prodigiorum et Ostentorum Chronicon;* in der Autobiographie von Benvenuto Cellini; in Casanovas Memoiren; in Defoes *History of the Plague*; in Boswells *Life of Johnson*; in den Depeschen Napoleons und in den Werken unseres eigenen Carlyle, dessen *French Revolution* einer der faszinierendsten historischen Romane ist, die je geschrieben wurden – in all diesen Werken nehmen die Tatsachen entweder die ihnen gebührende untergeordnete Stellung ein, oder sie sind wegen ihrer Langweiligkeit völlig ausgeschlossen worden. Heute ist das Gegenteil der Fall. Die Tatsachen finden nicht nur in der Geschichtsschreibung einen festen Raum, sie maßen sich auch die Herrschaft über die Phantasie an und haben Einzug gehalten im Reich der Dichtung. Ihre Einwirkung läßt alles erstarren. Sie vulgarisieren die Menschheit. Amerikas grober Geschäftsgeist, sein materialistisches Prinzip, seine Gleichgültigkeit gegenüber der poetischen Seite der Dinge, sein Mangel an Phantasie und hohen, unerreichbaren Idealen, rührt lediglich davon, daß dieses Land einen Mann zu seinem Nationalhelden erhoben hat, der nach eigener Aussage unfähig war, zu lügen, und es ist nicht übertrieben, wenn wir behaupten, daß die Anekdote von George Washington und dem Kirschbaum mehr Unheil angerichtet hat, und in einem kürzeren Zeitraum als irgendeine andere Moralgeschichte in der ganzen Weltliteratur.«

CYRIL. Aber mein Lieber!

VIVIAN. Wirklich, es ist so, und das Amüsanteste an der Sache bleibt, daß die Geschichte mit dem Kirschbaum nichts als ein Märchen ist. Du darfst jedoch nicht denken, daß ich für die künstlerische Zukunft Amerikas oder unseres eigenen Landes alle Hoffnung aufgegeben habe. Hör das Folgende:

»Es unterliegt nicht dem geringsten Zweifel, daß noch vor dem Ende dieses Jahrhunderts eine Umwandlung stattfinden wird. Gelangweilt durch die ermüdende und dozierende Unterhaltung derer, die weder die Phantasie zum Übertreiben noch das Genie zur Dichtung besitzen, jener klugen Leute überdrüssig, deren

Reminiszenzen stets auf dem Gedächtnis beruhen, deren Aussagen beständig durch die Wahrscheinlichkeit eingeschränkt sind, und die jederzeit leicht bestätigt werden durch den beliebigsten Philister, der gerade anwesend ist, muß die Gesellschaft früher oder später zu ihrem verlassenen Führer, dem gebildeten und fesselnden Lügner, zurückkehren. Wer er war, der zuerst, ohne jemals auf die primitive Jagd gezogen zu sein, den staunenden Höhlenmenschen beim Sonnenuntergang erzählte, wie er das Riesenfaultier aus der purpurnen Finsternis seiner Jaspishöhle geschleppt hat oder das Mammut ganz allein getötet und seine goldenen Stoßzähne erbeutet hat, wir können es nicht sagen, und kein einziger moderner Anthropologe, mit all dem vielgerühmten Wissen, hat den gewöhnlichen Mut besessen, es zu sagen. Wie immer er geheißen und welcher Rasse er angehört haben mag, ganz gewiß ist er der wahrhafte Begründer der gesellschaftlichen Vereinigung. Denn das Ziel des Lügners ist einfach, zu bezaubern, zu entzücken und Vergnügen zu bereiten. Er ist das eigentliche Ferment der zivilisierten Gesellschaft, und ohne ihn bleibt eine Tafelrunde, selbst in den Palästen der Großen, so langweilig wie eine Vorlesung in der ›Royal Society‹ oder eine Debatte bei den ›Incorporated Authors‹ oder wie ein possenhaftes Lustspiel von Burnand.

Und nicht nur die Gesellschaft wird ihn willkommen heißen. Die Kunst wird das Gefängnis des Realismus zerbrechen und ihn begrüßen, sie wird ihn auf seine falschen, wundervollen Lippen küssen, denn sie weiß, daß er allein das große Geheimnis aller ihrer Offenbarungen kennt, das Geheimnis, daß die Wahrheit einzig und vollkommen eine Frage des Stils ist; das Leben aber – das arme, wahrscheinliche, uninteressante menschliche Leben – Herbert Spencers, aller Geschichtsforscher und emsigen Statistiker überdrüssig, zu deren Nutzen es sich immer von neuem wiederholt, wird dem Lügner andächtig folgen und auf seine eigene einfache und ungelehrte Weise versuchen, manche der Wunderdinge zu reproduzieren, von denen er spricht.

Zweifellos wird es immer Kritiker geben, wie jenen Schreiber in der ›Saturday Review‹, die den Märchenerzähler wegen seiner lückenhaften Naturgeschichtskenntnisse ernstlich kritisieren, die den Maßstab für das schöpferische Werk aus ihrem eigenen schöpferischen Unvermögen nehmen und die entsetzt die tintenbekleckten Hände heben, wenn ein ehrbarer Gentleman, der nie über die Eibenbäume seines Gartens hinausgekommen ist, ein spannendes Buch mit Reiseberichten schreibt, wie Sir John Mandeville zum Beispiel, oder wie der große Raleigh eine ganze Weltgeschichte geschrieben hat, ohne das Geringste von der Vergangenheit zu wissen. Zu ihrer eigenen Rechtfertigung werden sie sich hinter dem Schilde jenes Mannes verschanzen, der Prospero den Zauberer schuf und ihm Caliban und Ariel als Diener beigab, der erlauschte, wie die Tritonen an den Korallenriffen der Zauberinsel in ihre Hörner blasen, und im Hain nahe bei Athen den Wechselgesang der Nymphen vernahm, der die Geisterkönige in düsterem Zuge über die neblige schottische Heide führte und der Hekate mit den Schicksalsschwestern in einer Höhle verbarg. Sie werden sich auf Shakespeare berufen – das tun sie immer – und eine abgedroschene Stelle zitieren, in der die Kunst der Natur den Spiegel vorhält, ohne zu bedenken, daß dieser unglückselige Aphorismus von Hamlet vorsätzlich geäußert wird, um die Anwesenden von seinem vollkommenen Wahnsinn in allen Gedanken der Kunst zu überzeugen.«

CYRIL. Hm! Gib mir noch eine Zigarette, bitte.

VIVIAN. Du magst einwenden, was du willst, mein Lieber, es handelt sich um eine bloße dramatische Äußerung, und sie vertritt Shakespeares wirkliche Ansichten über die Kunst ebensowenig, wie die Reden Jagos seine wirklichen Ansichten über Moral bekunden. Aber laß mich mit dem Abschnitt zu Ende kommen:

»Die Kunst gelangt in sich, nicht außerhalb ihrer selbst, zur Vollendung. Sie kann nicht an einem beliebigen äußeren Maßstab der Ähnlichkeit gemessen werden. Sie ist eher ein Schleier als ein Spiegel. Sie hat Blumen, die nie ein Wald gekannt, Vögel, die keine Waldlandschaft je besessen hat. Sie läßt Welten entstehen und vergehen, sie vermag den Mond mit einem Scharlachfaden vom Himmel zu ziehen. Ihr sind die ›Formen, die wirklicher sind als der lebendige Mensch‹, zu eigen und die großen Archetypen, vor denen die bestehenden Dinge nichts als unvollendete Abbilder sind. Die Natur hat in ihren Augen weder Gesetze noch Gleichförmigkeit. Sie kann nach ihrem Willen Wunder vollbringen, und wenn sie Ungeheuer aus der Tiefe ruft, erscheinen sie. Sie kann den Mandelbaum im Winter blühen heißen und den Schnee über das reife Kornfeld treiben. Ein Wort von ihr, und der Frost legt seinen silbernen Finger auf den glühenden Junimund, und die geflügelten Löwen schleichen aus den Höhlen der lydischen Hügel hervor. Die Dryaden spähen ihr aus dem Dickicht nach, wenn sie vorübergeht, und die braunen Faune lächeln listig, wenn sie ihnen naht. Götter mit Falkenköpfen neigen sich in Ehrfurcht vor ihr, und Kentauren galoppieren an ihrer Seite.«

CYRIL. Das gefällt mir. Ich sehe, was du meinst. Ist das der Schluß?

VIVIAN. Nein. Es kommt noch ein Abschnitt, der ist rein praktisch zu verstehen. Er schlägt einige Methoden vor, mit deren Hilfe wir die verlorene Kunst des Lügens wiederbeleben könnten.

CYRIL. Schön, aber ehe du weiterliest, möchte ich dir eine Frage stellen. Was meinst du, wenn du sagst, daß das Leben, »das arme, wahrscheinliche, uninteressante menschliche Leben«, versuchen wird, die Wunderdinge der Kunst zu reproduzieren? Ich begreife sehr wohl, daß du Einspruch dagegen erhebst, wenn man die Kunst als einen Spiegel betrachtet. Du bist der Meinung, dadurch würde das Genie in die Lage eines zerbrochenen Spiegels versetzt werden. Aber du willst doch nicht im Ernst behaupten, daß das Leben die Kunst nachahmt, daß das Leben tatsächlich der Spiegel ist und die Kunst die Wirklichkeit?

VIVIAN. Gewiß glaube ich das. Obwohl es paradox erscheinen mag – und Paradoxien sind immer gefährliche Dinge –, ist es darum nicht weniger wahr, daß das Leben die Kunst weit mehr nachahmt als die Kunst das Leben. Wir alle haben es in England miterlebt, wie ein bestimmtes, seltsames, bezauberndes Schönheitsideal, das von zwei schöpferischen Malern erfunden und hervorgehoben wurde, das Leben derartig beeinflußte, daß, sooft wir auf eine private Gesellschaft oder in einen Kunstsalon gehen, wir hier den geheimnisvollen Augen begegnen, von denen Rosetti träumte, dem schlanken Elfenbeinhals, dem eigentümlich eckig geschnittenen Kinn, dem losen, dunklen Haar, das er so glühend liebte, und dort der süßen Jungfräulichkeit der *Golden Stair*, dem Blütenmund und der müden Schönheit der

Laus Amoris, dem bleichen Leidensgesicht der Andromeda, den schmalen Händen und der geschmeidigen Anmut des Vivian in *Merlin's Dream*. Und es ist seit jeher so gewesen. Ein großer Künstler erfindet eine Idealfigur, und das Leben versucht sie nachzubilden, in einer leichtverständlichen Form zu reproduzieren, wie ein geschäftstüchtiger Verleger. Weder Holbein noch Van Dyck haben in England vorgefunden, was sie uns gaben. Sie trugen ihre Urbilder in sich, und das Leben mit seiner Bereitwilligkeit zur Nachahmung, verschaffte den Meistern die Modelle. Die Griechen mit ihrem raschen künstlerischen Auffassungsvermögen, haben das erkannt, darum stellten sie eine Statue des Hermes oder des Apollon im Gemach der Braut auf, damit sie Kinder gebäre, so lieblich wie die Werke der Kunst, die sie schaute in ihrer Wonne und ihrer Qual. Sie wußten, daß das Leben nicht nur Geistigkeit, Gedankentiefe und Tiefe des Gefühls, Seelenqual oder Seelenfrieden aus der Kunst schöpft, daß es sich vielmehr selbst nach den gleichen Formen und Farben der Kunst heranbilden kann und die Hoheit eines Phidias, wie die Grazie eines Praxiteles zu reproduzieren vermag. So erklärt sich ihre Abneigung gegen den Realismus. Sie mißbilligten ihn aus rein gesellschaftlichen Gründen. Sie fühlten, daß er den Menschen unweigerlich häßlich macht, und sie hatten völlig recht. Wir versuchen die Lebensbedingungen der Menschen zu verbessern, indem wir für gute Luft, freies Licht, gesundes Wasser sorgen und häßliche, kahle Häuser bauen, damit die unteren Volksschichten menschenwürdiger wohnen. Aber diese Einrichtungen ermöglichen vielleicht die Gesundheit, ganz gewiß erzeugen sie keine Schönheit. Dazu bedarf es der Kunst, und die wahren Schüler der großen Künstler sind nicht die akademischen Nachahmer, sondern diejenigen, die ihren Kunstwerken selbst ähnlich werden, mögen sie wie die Plastik bei den Griechen sein, oder wie die Malerei in unserer Zeit; mit einem Wort, das Leben ist der Kunst bester, der Kunst einziger Schüler.

Wie mit den bildenden Künsten verhält es sich auch mit der Literatur. Das schlagendste und zugleich gröbste Beispiel ist der Fall jener dummen Jungen, die die Abenteuer von Jack Sheppard oder Dick Turpin gelesen hatten und hernach die Buden unglücklicher Obstfrauen plünderten, nachts in Süßwarenläden

Einbrüche verübten und alte Herren, die aus der City heimkehrten, in Vorortstraßen mit schwarzen Masken und ungeladenen Revolvern bedrohten. Dieses interessante Phänomen, das jedesmal nach einer Neuauflage eines der beiden Bücher auftritt, wird gewöhnlich dem Einfluß der Literatur auf die Phantasie zugeschrieben. Aber das ist ein Irrtum. Die Phantasie ist ihrem Wesen nach schöpferisch und sucht immer nach einer neuen Ausdrucksform. Der jugendliche Einbrecher ist nur die unvermeidliche Folge des Nachahmungstriebes, der dem Leben inhärent ist. Er verkörpert die Wirklichkeit und ist darum bemüht, einer allgemeinen Tendenz der Wirklichkeit folgend, das Erdichtete zu reproduzieren, und was wir an ihm wahrnehmen, trifft in größerem Maßstab auf das ganze Leben zu. Schopenhauer hat den Pessimismus analysiert, der das moderne Denken bestimmt, aber Hamlet hat ihn erfunden. Die Menschen sind schwermütig geworden, weil eine Theaterfigur einmal an Melancholie krankte. Der Nihilist, dieser wunderliche Märtyrer ohne Glauben, der ohne Inbrunst an den Pfahl geht und für etwas stirbt, woran er nicht glaubt, ist ein reines Produkt der Literatur. Er ist von Turgenjew erfunden und von Dostojewski vollendet worden. Robespierre ist aus den Werken Rousseaus hervorgegangen, genauso wie der Peoples-Palace aus den »débris« eines Romans emporwuchs. Die Literatur greift immer dem Leben vor. Sie ahmt das Leben nicht nach, sondern formt es nach ihrer Absicht. Das neunzehnte Jahrhundert, wie wir es kennen, ist zum großen Teil eine Erfindung Balzacs. Unsere Luciens de Rubempré, unsere Rastignacs und De Marsays erschienen zuerst auf der Bühne der *Comédie Humaine*. Wir vervollständigen nur mit Randbemerkungen und überflüssigen Ergänzungen die Laune, die Phantasie, die schöpferische Vision eines großen Romanciers. Ich fragte einmal eine Dame, die mit Thackeray eng befreundet war, ob er Becky Sharp nach einem lebenden Vorbild geschaffen habe. Sie erzählte mir, Becky sei eine erfundene Figur; der Einfall dazu sei ihm aber durch eine Gouvernante gekommen, die in der Nähe des Kensington Square als Gesellschafterin einer sehr egoistischen, reichen, alten Dame lebte. Ich erkundigte mich nach dem Schicksal der Gouvernante, worauf sie mir sagte, sie wäre merkwürdigerweise einige Jahre nach dem Erscheinen von *Vanity*

Fair mit dem Neffen der Dame, bei der sie wohnte, davongelaufen und habe kurze Zeit in der Gesellschaft großes Aufsehen erregt, ganz im Stile der Mrs. Rawdon Crawley und mit den gleichen Methoden. Schließlich erlitt sie Schiffbruch, verschwand nach dem Kontinent und wurde hin und wieder in Monte Carlo und anderen Spielkasinos gesehen. Jener vornehme Mann, aus dem der große Dichter den Colonel Newcome schuf, starb wenige Monate, nachdem die »Newcomes« die vierte Auflage erreicht hatten, mit dem Worte »Adsum« auf den Lippen. Bald nachdem Stevenson seine merkwürdige psychologische Verwandlungsgeschichte veröffentlicht hatte, war ein Freund von mir, Mr. Hyde, im Norden Londons, und da er schnell auf einen Bahnhof wollte, schlug er einen vermeintlich kürzeren Weg ein, verlor dabei die Richtung und fand sich plötzlich in einem Gewirr von ärmlichen, finsteren Gassen. Er wurde ziemlich nervös und begann sehr schnell zu gehen, als ihm plötzlich aus einem Torweg ein Kind direkt zwischen die Beine lief. Es fiel aufs Pflaster, er wollte drübersteigen und trat darauf. Da es natürlich sehr erschrocken und ein bißchen verletzt war, fing es an zu schreien, und im Nu wimmelte die ganze Straße von allerlei ungehobeltem Volk, das wie Ameisen aus den Häusern strömte. Sie umringten ihn und wollten seinen Namen wissen. Er war schon bereit, ihn zu nennen, als ihm plötzlich die Anfangsszene in Stevensons Geschichte einfiel. Es packte ihn ein solches Entsetzen, weil er in eigener Person jene furchtbare und glänzend geschriebene Szene zur Wirklichkeit gemacht und, was der Mr. Hyde der Dichtung in wohlüberlegter Absicht tat, selbst zwar nur zufällig, aber nichtsdestoweniger getan hatte, daß er so rasch er konnte davonlief. Man folgte ihm jedoch dicht auf den Fersen, und schließlich flüchtete er sich in das Sprechzimmer eines Arztes, dessen Tür zufällig offenstand; dem anwesenden jungen Assistenten erklärte er den ganzen Vorfall. Der Menschenknäuel ließ sich bewegen, abzuziehen, als er ihnen eine kleine Geldsumme gab, und sobald die Gefahr vorüber war, eilte er weg. Beim Hinausgehen fiel sein Blick auf das Messingschild der Praxis. Der Name »Jekyll« stand darauf. Wenigstens hätte er so lauten sollen.

Hier war die Nachahmung, soweit sie reichte, natürlich zufällig. Im folgenden Fall war sie bewußt. Im Jahre 1879 – ich hatte eben Oxford verlassen – begegnete ich bei einem Empfang im Hause eines Außenministers einer Frau von ganz seltener exotischer Schönheit. Wir wurden enge Freunde und waren dauernd zusammen. Und doch war es nicht ihre Schönheit, die mich am meisten fesselte, sondern ihr Charakter, das gänzlich Unfaßbare ihres Charakters. Sie schien keinerlei Persönlichkeit zu besitzen, sondern nur die Möglichkeit zu vielen Personen. Manchmal widmete sie sich vollkommen der Kunst, verwandelte ihren Salon in ein Atelier und verbrachte zwei, drei Tage in der Woche in Bildergalerien oder Museen. Dann plötzlich besuchte sie Pferderennen, trug Reitkostüme und sprach über nichts anderes als Wetten. Sie gab die Religion für den Mesmerismus, den Mesmerismus für die Politik und die Politik für den seelenvollen Kitzel der Philanthropie auf. Sie war wirklich eine Proteusnatur und in allen ihren Verwandlungen nicht minder fehlbar als jener wunderliche Meergott, als Odysseus ihn ergriff. Eines Tages erschien in einer französischen Zeitschrift eine Erzählung in Fortsetzungen. Damals las ich Fortsetzungsgeschichten, und ich erinnere mich deutlich, wie überrascht ich war, als ich zu der Beschreibung der Heldin gelangte. Sie glich so sehr meiner Freundin, daß ich ihr die Zeitschrift brachte, und sie erkannte sich sogleich darin und schien von der Ähnlichkeit fasziniert. Nebenbei muß ich dir sagen, daß die Erzählung aus den Schriften eines verstorbenen russischen Schriftstellers übersetzt war, so daß der Verfasser seine Figur unmöglich meiner Freundin nachgebildet haben konnte. Nun, um mich kurz zu fassen, einige Monate später befand ich mich in Venedig und entdeckte die Zeitschrift im Lesezimmer des Hotels wieder. Ich nahm sie unschlüssig zur Hand, um zu erfahren, was aus der Heldin inzwischen geworden war. Es war eine höchst traurige Geschichte, denn das Mädchen war schließlich mit einem Mann davongelaufen, der ihr sehr unterlegen war, nicht nur in gesellschaftlicher Hinsicht, sondern auch charakterlich und geistig. Noch am gleichen Abend schrieb ich meiner Freundin meine Eindrücke über Giovanni Bellini, erzählte von dem köstlichen Eis im Café Florio und der künstlerischen Form der Gondeln, fügte aber in einem Postskriptum bei, ihr Ebenbild in der Erzählung habe recht töricht gehandelt. Ich weiß nicht, warum ich diesen Nachsatz schrieb, doch erinnere ich mich, daß ich das schreckliche Gefühl nicht loswerden konnte, sie könnte das gleiche tun. Noch ehe mein Brief sie erreicht hatte, war sie mit einem Mann davongelaufen, der sie nach sechs Monaten verließ. Ich sah sie dann im Jahre 1884 in Paris, wo sie mit ihrer Mutter lebte, und fragte sie, ob die Erzählung in irgendeinem Zusammenhang mit ihrer Handlungsweise stünde. Sie gestand mir, daß sie einen unwiderstehlichen Antrieb empfand, der Heldin auf ihrem seltsamen verhängnisvollen Wege Schritt für Schritt zu folgen, und sie habe mit einem Gefühl wirklicher Angst die letzten Kapitel der Geschichte erwartet. Als sie erschienen, fühlte sie sich getrieben, sie in Wirklichkeit nachzuleben, und sie tat es auch. Es war dies ein höchst einleuchtendes Beispiel jenes Nachahmungstriebes, von dem ich vorhin sprach, freilich auch ein außerordentlich tragisches.

Ich will mich aber nicht länger bei einzelnen Fällen aufhalten. Persönliche Erfahrungen sind äußerst mangelhaft und beschränkt. Was ich ausführen möchte ist nur, und dies kann als allgemeines Gesetz gelten, daß das Leben die Kunst weit mehr nachahmt als die Kunst das Leben, und ich bin überzeugt, du wirst mir recht geben, wenn du ernstlich darüber nachdenkst. Das Leben hält der Kunst den Spiegel vor und reproduziert entweder den ausgefallenen Typus, den der Maler oder Bildhauer geschaffen hat, oder es verwirklicht in der Tat den Traum des Dichters. Philosophisch gesprochen ist die Grundlage des Lebens – die Energie des Lebens, wie Aristoteles sagen würde – einfach das Verlangen nach Ausdruck, und die Kunst bietet immer die mannigfaltigsten Formen dar, durch welche der Ausdruck erreicht werden kann. Das Leben greift sie auf und benutzt sie, selbst wenn sie zu seinem Verderben sind. Junge Männer haben nach dem Beispiele Rollas Selbstmord begangen, haben sich das Leben genommen, weil Werther sich das Leben nahm. Bedenke, was wir der Nachahmung Christi, der Nachahmung Cäsars verdanken.

CYRIL. Das ist wirklich eine höchst merkwürdige Theorie, aber um sie zu vervollständigen, mußt du klarstellen, daß die Natur nicht weniger als das Leben eine Nachbildung der Kunst ist. Bist du bereit, das zu beweisen?

VIVIAN. Ich bin bereit, alles zu beweisen, mein Lieber.

CYRIL. Die Natur richtet sich also nach dem Landschaftsmaler und erhält ihre Wirkungen von ihm?

VIVIAN. Gewiß. Woher, wenn nicht von den Impressionisten, stammen jene wundervollen braunen Nebel, die durch unsere Straßen ziehn, die Gaslampen verschleiern und die Häuser in ungeheuerliche Schatten verwandeln? Wem verdanken wir die köstlichen Silbernebel, die über unserem Fluß brauen und die die geschwungene Brücke, die schwankende Barke in die zarten Linien vergänglicher Anmut hüllen, wenn nicht ihnen und ihrem Meister? Der ungewöhnliche Umschwung, der während der letzten zehn Jahre in den klimatischen Verhältnissen Londons stattfand, ist einzig und allein einer besonderen Kunstrichtung zuzuschreiben. Du lächelst. Betrachte die Sache vom wissenschaftlichen oder metaphysischen Standpunkt, und du wirst einsehen, daß ich recht habe. Denn was ist die Natur? Die Natur ist keineswegs die große Urmutter, die uns gebar. Sie ist unsere Schöpfung. Es ist unsere Einbildungskraft, die sie beseelt. Die Dinge sind, weil wir sie sehen, und was wir sehen und wie wir sehen, hängt von den Künsten ab, die uns beeinflußt haben. Es ist ein großer Unterschied, ob man ein Ding ansieht, oder ob man es sieht. Man sieht nichts, solange man nicht seine Schönheit sieht. Dann, und erst dann, wird es lebendig. Jetzt sehen die Leute die Nebel, nicht weil es Nebel gibt, sondern weil die Dichter und Maler ihnen die geheimnisvolle Schönheit solcher Erscheinungen offenbarten. Es hat vielleicht schon seit Jahrhunderten in London Nebel gegeben. Das glaube ich sogar ganz sicher. Aber niemand hat sie gesehen, und deshalb wissen wir nichts darüber. Sie waren nicht vorhanden, bis die Kunst sie erfunden hatte. Nun, das muß man zugeben, sind die Nebel bis zum Exzeß verbraucht. Sie sind zur bloßen Maniriertheit einer Clique geworden, und der übertriebene Realismus ihrer Darstellung verursacht Dummköpfen Bronchitis. Wo die Gebildeten Eindrücke erhaschen, holen sich die Ungebildeten eine Erkältung. Seien wir also menschenfreundlich, fordern wir die Kunst auf, ihre wundervollen Augen anderswohin zu wenden. Sie hat es ja auch schon getan. Jenes weiße, zitternde Sonnenlicht, das man jetzt in Frankreich sieht, mit seinen seltsamen, malvenfarbigen Flecken und seinen unruhigen, violetten Schatten, ist das neueste Phantasiegebilde; und im ganzen betrachtet, gibt die Natur es höchst bewunderungswürdig wieder. Wo sie uns früher Corots und Daubignys gab, bietet sie uns jetzt erlesene Monets und entzükkende Pissarros. Es gibt in der Tat Augenblicke, wenige allerdings, dennoch kann man sie von Zeit zu Zeit beobachten, in denen die Natur ganz modern wird. Natürlich darf man nicht immer auf sie bauen. Tatsache ist, daß sie sich in dieser unglücklichen Position befindet. Die Kunst erzeugt eine unvergleichliche und einzigartige Wirkung und wendet sich danach anderen Dingen zu. Die Natur hingegen vergißt, daß die Nachahmung zur reinsten Beleidigung werden kann; sie wiederholt diese Wirkung, bis sie uns alle völlig langweilt. Heutzutage spricht zum Beispiel kein wirklich Gebildeter mehr von der Schönheit des Sonnenuntergangs. Sonnenuntergänge sind ganz aus der Mode. Sie gehören einer Zeit an, da Turner noch tonangebend war. Sie zu bewundern, ist ein untrügliches Zeichen für einen provinziellen Geschmack. Trotzdem gibt es weiter Sonnenuntergänge. Gestern abend wollte Mrs. Arundel durchaus von mir, daß ich ans Fenster trete, um den grandiosen Himmel, wie sie sich ausdrückte, zu betrachten. Natürlich mußte ich es tun. Sie ist eine jener verrückten, allerliebsten Philisterinnen, denen man keinen Wunsch abschlagen kann. Und was sah ich? Nichts weiter als einen zweitklassigen Turner, einen Turner aus seiner schlechten Zeit, die größten Fehler des Malers auf die Spitze getrieben. Natürlich gebe ich gerne zu, daß das Leben sehr oft den gleichen Fehler begeht. Es bringt unechte Renés und falsche Vautrins hervor, ebenso wie die Natur uns bald einen zweifelhaften Cuyp und bald einen mehr als fragwürdigen Rousseau schenkt. Doch irritiert uns die Natur durch solche Fälschungen weit mehr. Es erscheint so dumm, so einleuchtend, so nutzlos. Ein falscher Vautrin kann uns immerhin ergötzen. Ein zweifelhafter Cuyp ist unerträglich. Aber ich will mit der Natur nicht allzu hart ins Gericht gehn. Ich wünschte nur, daß der Kanal, besonders bei Hastings, nicht ganz so oft einem Henry Moore gleichen würde, perlgrau mit gelben Lichtern; aber andererseits, wenn die Kunst mannigfaltiger wird, so wird ohne Zweifel auch die Natur mannigfaltiger werden. Daß sie die Kunst nachahmt, werden wohl heute nicht einmal ihre ärgsten Feinde leugnen. Gerade dadurch bleibt die Natur in Berührung mit dem zivilisierten Menschen. Nun, habe ich meine Theorie zu deiner Zufriedenheit bewiesen?

CYRIL. Du hast sie zu meiner Unzufriedenheit bewiesen, das ist noch besser. Aber selbst, wenn man zugibt, daß das Leben und die Natur diesen seltsamen Nachahmungstrieb besitzen, wirst du doch sicherlich anerkennen, daß die Kunst das Lebensgefühl ihres Zeitalters ausdrückt, den Geist ihrer Zeit, die moralischen und gesellschaftlichen Bedingungen, von denen sie umgeben und unter deren Einwirkung sie entstanden ist.

VIVIAN. Keineswegs! Die Kunst drückt nichts als sich selbst aus. Das ist der Hauptsatz meiner neuen Ästhetik; und dies ist es, mehr als der lebendige Zusammenhang zwischen Form und Stoff, den Pater betont, was die Musik zur Urform aller Künste macht. Freilich sind die Völker, wie jeder einzelne Mensch, mit dieser gesunden, natürlichen Eitelkeit, die das Geheimnis des Lebens ist, in der Vorstellung befangen, daß sie es sind, von denen die Musen sprechen; sie suchen beständig in der stillen Würde der erfinderischen Kunst ein Abbild ihrer eigenen trüben Leidenschaften und vergessen immer, daß nicht Apollo, sondern Marsyas das Leben besingt. Der Wirklichkeit entrückt, den Blick von den Schatten der Höhle abgewandt, offenbart uns die Kunst ihre eigene Vollkommenheit, und die staunende Menge, die schaut, wie sich die wundervolle, vielblättrige Rose entfaltet, glaubt, daß es ihre eigene Geschichte ist, die ihr erzählt wird, ihre eigene Seele, die in einer neuen Form Ausdruck findet. Aber so verhält es sich nicht. Die höchste Kunst weist die Last des menschlichen Geistes zurück, sie gewinnt einem neuen Medium oder einem neuen Stoff mehr ab als irgendeiner Begeisterung für die Kunst oder einer erhabenen Leidenschaft oder einem großen Erwachen des menschlichen Bewußtseins. Die Kunst entfaltet sich lediglich in der ihr eigenen Bahn. Sie ist nie ein Symbol des Zeitalters, die Zeitalter sind ihre Symbole.

Selbst diejenigen, die der Ansicht sind, daß die Kunst repräsentativ für Zeit, Land und Leute ist, können nicht in Abrede stellen, daß die Kunst, je mehr sie zur Nachahmung neigt, um so weniger den Geist ihrer Zeit vertritt. Die verruchten Gesichter der römischen Kaiser starren uns aus verwittertem Porphyr und fleckigem Jaspis an, dem Lieblingsmaterial der realistischen Künstler jener Zeit, und wir glauben, in diesen grausamen Lippen, diesen schweren sinnlichen Kinnladen das Geheimnis für den Untergang des Kaiserreichs zu finden. Doch ist dies gewiß falsch. Die Laster des Tiberius vermochten ebensowenig jene höchste Kultur zu zerstören, wie die Tugenden der Antonier sie zu erhalten vermochten. Andere, weit belanglosere Gründe richteten sie zugrunde. Die Sibyllen und Propheten der Sixtina mögen in der Tat dazu beitragen, die Wiedergeburt des befreiten Geistes, die wir die Renaissance nennen, andeutungsweise zu erklären; was aber erfahren wir in den Trunkenbolden und händelsüchtigen Bauern der holländischen Kunst von der großen Seele Hollands? Je abstrakter und ideeller eine Kunst ist, um so mehr offenbart sie uns den Charakter ihrer Zeit. Wenn wir ein Volk durch seine Kunst begreifen wollen, müssen wir seine Architektur und seine Musik betrachten.

CYRIL. Darin stimme ich dir völlig zu. Der Geist eines Zeitalters spiegelt sich am deutlichsten in den abstrakten und ideellen Künsten, denn der Geist selbst ist abstrakt und ideell. Wollen wir hingegen die sichtbare, äußere Erscheinung eines Zeitalters, seine Physiognomie, wie man es nennt, kennenlernen, so müssen wir uns selbstverständlich an die nachahmenden Künste halten.

VIVIAN. Dieser Ansicht bin ich nicht. Denn was bieten uns die nachahmenden Künste im Grunde anderes als verschiedene Stilarten der einzelnen Künstler und Schulen? Glaubst du etwa, daß die Menschen im Mittelalter auch nur im entferntesten eine Ähnlichkeit hatten mit den Figuren der mittelalterlichen Glasmalerei, der Bildhauer- und Holzschnitzkunst oder der mittelalterlichen Bronzearbeit, den Wandteppichen oder den illustrierten Handschriften? Es waren vermutlich ganz gewöhnlich aussehende Leute, die nichts Groteskes, Auffallendes oder Phantastisches an sich hatten. Das Mittelalter, wie wir es in der Kunst kennen, ist nichts als eine bestimmte Stilform, und es liegt überhaupt kein Grund vor, warum das neunzehnte Jahrhundert nicht einen Künstler mit diesem Stil hervorbringen sollte. Kein großer Künstler sieht die Dinge, wie sie wirklich sind. Täte er es, so wäre er kein Künstler mehr. Nehmen wir ein ganz modernes

Beispiel. Dir gefallen Kunstgegenstände aus Japan. Meinst du nun wirklich, daß die Japaner so sind, wie sie uns durch die Kunst dargestellt werden? Wenn du das glaubst, dann hast du die japanische Kunst nie begriffen. Die Japaner sind die wohldurchdachte, selbstbewußte Schöpfung einzelner Künstler. Vergleiche irgendein Bild von Hokusai oder Hokkei oder einem anderen großen japanischen Maler mit einem echten Japaner oder einer Japanerin, und du wirst entdecken, daß auch nicht die kleinste Ähnlichkeit zwischen ihnen besteht. Die wirklichen Menschen in Japan gleichen dem Durchschnittstyp der Engländer; was nichts anderes heißt, als daß sie äußerst trivial sind und nichts Bemerkenswertes oder Außergewöhnliches an sich haben. Eigentlich ist das ganze Japan eine reine Erfindung. Es gibt kein solches Land, keine solchen Menschen. Einer unserer entzückendsten Maler begab sich vor kurzem in das Land der Chrysanthemen, in der törichten Hoffnung, er werde die Japaner sehen. Alles, was er sah, und alles, was er malen konnte, waren einige Lampions und Fächer. Die Einwohner zu entdecken, war ihm unmöglich, wie seine reizende Ausstellung in der Galerie der Herren Dowdeswell nur zu deutlich zeigte. Er wußte nicht, daß die Japaner, wie ich eben sagte, einfach eine Stilart, ein erlesener Kunsteinfall sind. Und deshalb, wenn du einen japanischen Effekt zu sehen wünschst, wirst du dich nicht wie ein Tourist verhalten und nach Tokio reisen. Im Gegenteil, du wirst zu Hause bleiben und dich in die Arbeit bestimmter japanischer Künstler vertiefen, und danach, wenn du den Geist ihres Stils in dich aufgenommen und ihre schöpferische Art des Sehens begriffen hast, wirst du eines Nachmittags im Park sitzen oder die Piccadilly hinunterschlendern, und falls du dort nicht einen entschieden japanischen Effekt gewahrst, wirst du ihn nirgends sehen. Aber kehren wir in die Vergangenheit zurück, nehmen wir als ein anderes Beispiel die alten Griechen. Meinst du, durch die griechische Kunst erfahren wir, wie die Griechen ausgesehen haben? Glaubst du, die Frauen Athens hatten Ähnlichkeit mit den stolzen, würdevollen Gestalten des Parthenonfrieses oder mit jenen wunderbaren Göttinnen, die in den dreieckigen Giebelfeldern dieses Tempels thronten? Wenn du nach den Kunstwerken urteilst, waren sie sicher so. Aber lies einen maßgebenden

Zeitgenossen, wie zum Beispiel Aristophanes. Du wirst die Entdeckung machen, daß sich die athenischen Damen eng schnürten, Schuhe mit hohen Absätzen trugen, sich ihre Haare gelb färbten, ihre Gesichter schminkten, genauso wie die albernen Mode- und Halbweltgeschöpfe in unserer Zeit. Tatsache ist, daß wir nur durch das Medium der Kunst auf die Zeiten zurückblicken, und die Kunst hat uns glücklicherweise nie die Wahrheit gesagt.

CYRIL. Was sagst du aber zu den modernen Portraitbildern der englischen Maler? Sie sehen doch gewiß den Menschen ähnlich, die sie darstellen wollen?

VIVIAN. Das ist es ja. Sie sind ihnen so ähnlich, daß ihnen in hundert Jahren keiner mehr Glauben schenken wird. Die einzig glaubwürdigen Portraits sind Bilder, in denen sehr wenig von dem Modell und sehr viel vom Künstler enthalten ist. Holbeins Zeichnungen der Männer und Frauen seiner Zeit beeindrucken uns durch ein Gefühl von ihrer völligen Glaubwürdigkeit. Das liegt aber einfach daran, daß Holbein das Leben zwang, seine Bedingungen anzunehmen, die Grenzen, die er ihm setzte, zu wahren, den Typus, den er erfand, wieder hervorzubringen und in die Erscheinung zu treten, in der er es wünschte. Der Stil allein macht uns die Dinge glaubhaft – und nur der Stil. Die meisten unserer modernen Portraitmaler sind zur absoluten Vergessenheit verdammt. Sie malen nie, was sie sehen. Sie malen, was das Publikum sieht, und das Publikum sieht nie etwas.

CYRIL. Gut, aber nach alldem möchte ich den Schluß deines Aufsatzes hören.

VIVIAN. Sehr gern. Ob er Anklang finden wird, weiß ich freilich nicht. Unser Zeitalter ist sicherlich das unerfreulichste und prosaischste, das man sich vorstellen kann. Was meinst du, selbst der Schlaf hat uns betrogen und hat die Elfenbeintore geschlossen und die Tore aus Horn geöffnet. Nichts hat mich je so niedergedrückt wie die beiden dicken Bände von Myers, in denen die Träume der breiten Mittelschichten unseres Landes aufgezeichnet sind und die Protokolle der »Psychical Society«. Es gibt nicht einmal einen schönen Alptraum darunter. Sie sind alltäglich, langweilig und gemein. Was die Kirche angeht, so kann ich mir nichts Besseres für die Kultur eines Landes vorstellen als das Vorhandensein einer Gemeinschaft von Menschen, deren Pflicht es ist, an das Übernatürliche zu glauben, täglich Wunder zu vollziehn und die mythenbildende Kraft lebendig zu erhalten, die so wesentlich für die Phantasie ist. Doch kommt in der Englischen Kirche derjenige zu Ehren, der fähig ist zu zweifeln, nicht der, der fähig ist zu glauben. Nur in unserer Kirche steht der Skeptiker am Altar, und der heilige Thomas gilt als die ideale Apostelgestalt. Mancher verdienstvolle Geistliche, der sein Leben lang bewunderungswürdige Taten der Nächstenliebe vollbringt, lebt und stirbt unbeachtet und unbekannt; doch braucht nur irgendein platter, ungebildeter Kandidat, der eben von irgendeiner Universität kommt, auf seine Kanzel zu steigen und seine Zweifel über die Arche Noah oder den Esel Bileams oder Jonas und den Walfisch verkünden, so schart sich halb London um ihn und hört ihm mit offenem Mund, in begeisterter Verzückung über seinen unerhörten Scharfsinn zu. Das Überhandnehmen des »common sense« in der Englischen Kirche ist eine Sache, die man nicht genug bedauern kann. Es ist wirklich eine entwürdigende Konzession an eine niedrige Form des Realismus. Außerdem ist es dumm. Es entspringt einer vollkommenen psychologischen Unkenntnis. Die Menschheit kann an das Unmögliche glauben, aber an das Unwahrscheinliche wird sie nie glauben. Doch will ich jetzt den Schluß meines Aufsatzes lesen:

»Was wir zu tun haben, was unsere Pflicht ist um jeden Preis, ist diese alte Kunst des Lügens zu erneuern. Vieles kann natürlich erreicht werden, indem das Publikum durch Kunstliebhaber im häuslichen Kreis, auf literarischen Zusammenkünften und bei Teegesellschaften erzogen wird, obgleich dies nur die heitere und anmutige Seite des Lügens ist, wie sie wahrscheinlich auf den Gastmählern der Kreter geübt wurde. Es gibt aber noch viele andere Arten. Das Lügen, durch das man sich zum Beispiel einen unmittelbaren, persönlichen Vorteil verschafft – das Lügen aus moralischer Absicht, wie man zu sagen pflegt –, obwohl es heute beinahe verpönt ist, war in der Antike weit verbreitet. Athene lacht, als Odysseus ihr ›seine listig erdachten Worte‹ erzählt, wie William Morris es bezeichnet, und der Ruhm der Lüge leuchtet auf der blassen Stirn des reinen Helden in der Tragödie des Euripides, und er reiht die junge Braut aus einer der herrlichsten Oden des Horaz unter die edelsten Frauen der Vergangenheit. Was zuerst nur ein natürlicher Instinkt war, wurde später zu einer eigenständigen Wissenschaft erhoben. Sorgfältig durchdachte Regeln wurden aufgestellt als Richtschnur für die Menschen, und ein wichtiger Zweig der Literatur bildete sich um diesen Gegenstand. In der Tat, sobald man sich an die glänzende, philosophische Abhandlung von Sanchez zu der ganzen Frage erinnert, muß man bedauern, daß noch nie jemand auf den Gedanken kam, eine verbilligte Auswahl aus den Werken dieses großen Kasuisten zu veröffentlichen. Eine kurze Einführung, ›Wann und wie man lügen soll‹, falls man sie in einer ansprechenden und nicht zu teuren Ausgabe publizierte, würde zweifellos großen Absatz finden und vielen ernsthaften und tiefdenkenden Menschen von wahrhaft praktischem Nutzen sein. Das Lügen mit dem Ziel, die Jugend zu veredeln, das die Grundlage der häuslichen Erziehung bildet, ist hier und da noch Sitte bei uns, und seine Vorzüge sind in den frühen Schriften von Platos Buch ›Über den Staat‹ in so bewunderungswürdiger Weise dargestellt, daß ich an dieser Stelle nicht mehr auf sie einzugehen brauche. Es ist eine Art des Lügens, für die alle guten Mütter ein besonderes Talent haben, aber sie ist zu weiterer Entwicklung fähig, was von der Schulbehörde leider ignoriert wurde. Das Lügen um eines monatlichen Gehaltes willen, ist natürlich nur allzu bekannt in der Fleet Street, und der Beruf eines politischen Leitartikelschreibers ist nicht ohne Vorteile. Doch soll das eine ziemlich miserable Beschäftigung sein, die zu nichts führt als zu einer Art wichtigtuerischer Obskurität. Die einzige Form des Lügens, die keine Kritik antasten kann, ist das Lügen um seiner selbst willen, und wie wir bereits ausgeführt haben, ist ihre höchste Entwicklungsstufe die Lüge in der Kunst. Wie die Schwelle der Akademie nur überschreiten darf, wer Plato mehr liebt als die Wahrheit, so wird jenen, die die Wahrheit mehr lieben als die Schönheit, das letzte Geheimnis der Kunst immer verborgen bleiben. Der strenge, törichte, britische Intellekt ruht im Wüstensand, wie die Sphinx in Flauberts wunderbarer Erzählung, und die Phantasie, ›La Chimère‹, tanzt um ihn herum und lockt ihn mit ihrer falschen Flötenstimme. Jetzt erhört er sie vielleicht noch nicht, aber sicher wird er eines Tages, wenn wir alle durch den trivialen Charakter der modernen Dichtung zu Tode gelangweilt sind, ihre Stimme vernehmen und versuchen, sich ihrer Schwingen zu bedienen.

Und wenn dieser Tag anbricht oder der Abend sich rötet, wie freudig werden wir alle gestimmt sein! Die Tatsachen werden als etwas Schmachvolles gelten, die Wahrheit wird man über ihre Fesseln trauern sehn, und die Dichtung mit ihrer Wundernatur zieht wieder ins Land. Die Welt wird vor unseren staunenden Augen verwandelt sein. Aus dem Meer werden sich Behemoth und Leviathan erheben und die hochragenden Ruderschiffe umkreisen, wie man es auf den entzückenden Landkarten jener Zeiten dargestellt findet, in denen geographische Bücher noch lesbar waren. Drachen werden in verödeten Gefilden hausen, und aus seinem Feuernest wird der Phönix auffliegen. Unsere Hand werden wir auf den Basilisk legen und den Edelstein im Kopf der Kröte erblicken. Den goldenen Hafer fressend, wird der Hippogryph in unserem Stall stehn, und über uns wird das Blaukehlchen fliegen und vom Wunderbaren und Unmöglichen singen, von Dingen, die lieblich sind und die niemals geschahen, von Dingen, die nicht sind und die sein sollten. Aber ehe dies geschieht, müssen wir die verlorengegangene Kunst des Lügens wieder üben.«

CYRIL. Dann sollten wir sie allerdings gleich üben. Um jedoch jeden Irrtum auszuschließen, möchte ich, daß du mir kurz die Grundsätze der neuen Ästhetik nennst.

VIVIAN. Kurz gefaßt sind es folgende: Die Kunst drückt nichts als sich selbst aus. Sie führt ein freies Dasein wie das Denken und entfaltet sich lediglich in der ihr eigenen Bahn. Sie ist nicht notwendigerweise realistisch in einem realistischen Zeitalter, noch religös in einem Zeitalter des Glaubens. Weit davon entfernt, ein Geschöpf ihrer Zeit zu sein, befindet sie sich gewöhnlich im direkten Gegensatz zu ihr, und die einzige Geschichte, die sie uns überliefert, ist die Geschichte ihres eigenen Wachstums. Manchmal nimmt sie Früheres wieder auf und erweckt irgendeine antike Form, wie es in der archaistischen Bewegung der spätgriechischen Kunst geschah und im Präraffaelitentum unserer Tage. Zuweilen ist die Kunst ihrer Zeit weit voraus und schafft in einem Jahrhundert Werke, die erst in einem kommenden Jahrhundert verstanden, geschätzt und genossen werden. In keinem Fall gibt sie ihre Zeit wieder. Aus der Kunst einer Zeit auf die Zeit selbst schließen zu wollen, ist der große Fehler aller Historiker.

Der zweite Grundsatz lautet: Jede schlechte Kunst entsteht durch die Rückkehr zum Leben und zur Natur, und indem man sie zu Idealen erhebt. Das Leben und die Natur mögen der Kunst zuweilen als rohes Material dienen, doch ehe sie der Kunst von wirklichem Nutzen sein können, müssen sie in künstlerische Übereinstimmung gebracht werden. Sobald die Kunst auf ihr schöpferisches Ausdrucksmittel verzichtet, gibt sie alles auf. Als Methode ist der Realismus ein völliger Irrtum, und die beiden Dinge, die jeder Künstler vermeiden sollte, sind Modernität der Form und Modernität des Inhalts. Für uns, die wir im neunzehnten Jahrhundert leben, eignet sich jedes Jahrhundert als Gegenstand der Kunst, außer unser eigenes. Die einzigen wirklich schönen Dinge sind die Dinge, die uns nicht betreffen. Eben weil Hekuba uns nichts bedeutet – ich zitiere mich selbst –, sind ihre Leiden ein so großartiger Vorwurf zur Tragödie. Außerdem wird immer nur das Moderne altmodisch. Zola setzt sich hin und entwirft uns ein Bild des zweiten Kaiserreichs. Wen interessiert heutzutage das zweite Kaiserreich? Es ist aus der Mode. Das Leben ist schneller als der Realismus, aber die Schöpfungen der Phantasie sind immer dem Leben voraus.

Der dritte Grundsatz ist, daß das Leben die Kunst weit mehr nachahmt als die Kunst das Leben. Dies erklärt sich nicht nur durch den Nachahmungstrieb des Lebens, sondern aus der Tatsache, daß das Leben in aller Bewußtheit sein Ziel darauf richtet, Ausdruck zu finden, und daß die Kunst ihm bestimmte schöne Formen bietet, durch die es diese Energie verwirklichen kann. Es ist eine Theorie, die nie zuvor aufgestellt wurde, aber sehr fruchtbar ist und auf die Geschichte der Kunst ein völlig neues Licht wirft.

Die Schlußfolgerung hieraus lautet, daß auch die sichtbare Natur die Kunst nachahmt. Die einzigen Eindrücke, die sie uns bieten kann, sind die Eindrücke, die wir bereits durch die Poesie oder die Malerei kennen. Dies ist das Geheimnis für den Zauber der Natur und zugleich die Erklärung ihrer Schwäche.

Die entscheidende Entdeckung ist, daß das Lügen, das Erzählen von schönen, unwahren Dingen, das eigentliche Ziel der Kunst ist. Aber darüber habe ich wohl ausführlich genug gesprochen. Und jetzt wollen wir auf die Terrasse hinausgehen, wo »der milchweiße Pfau niedersinkt wie ein Geist«, während der Abendstern »die Dämmerung in Silber badet«. Im Dämmerlicht erhält die Natur eine wunderbar anregende Wirkung, da ist sie nicht ohne Lieblichkeit, obwohl es vielleicht ihre Hauptbestimmung ist, die Aussprüche der Dichter zu illustrieren. Komm! Wir haben lange genug geredet.

Feder, Pinsel und Gift
Eine Studie in Grün

Man hat den Künstlern und Literaten immer wieder den Vorwurf gemacht, es fehle ihnen an Ganzheit und Vollständigkeit des Wesens. In der Regel kann das nicht anders sein. Die Konzentration, die dem Sehen innewohnt und die Intensität des Beabsichtigten, die das künstlerische Temperament auszeichnen, sind an sich eine Form der Beschränkung. Wer sein ganzes Sinnen auf die Schönheit der Form richtet, dem erscheint alles andere von geringerer Bedeutung. Doch es gibt viele Ausnahmen von dieser Regel.

Rubens diente als Gesandter, Goethe war Minister und Milton lateinischer Sekretär von Cromwell. Sophokles bekleidete ein Bürgeramt in seiner Vaterstadt; die Humoristen, Essayisten und Romanciers des modernen Amerika haben offensichtlich keinen höheren Wunsch, als diplomatische Vertreter ihres Landes zu werden; und Charles Lambs Freund, Thomas Griffiths Wainewright, von dem dieser kurze Aufsatz handelt, hatte ein bedeutendes künstlerisches Temperament und diente außer der Kunst noch vielen anderen Herren: Er war nicht nur Dichter und Maler, Kunstkritiker, Kunstsammler und Prosaschriftsteller, ein Liebhaber alles Schönen und Dilettant in allen gefälligen Künsten, sondern auch ein Betrüger von nicht geringer oder gewöhnlicher Begabung, und als heimlicher und verschlagener Giftmischer steht er in unserer und nicht nur in unserer Zeit fast ohne Beispiel da.

Dieser erstaunliche Mann, gleichermaßen der »Feder, des Pinsels und des Giftes« mächtig, wie ein großer Dichter unserer Tage so treffend von ihm gesagt hat, wude 1794 in Chiswick geboren. Sein Vater war der Sohn eines hervorragenden Anwalts am Grays Inn und Hatton Garden. Seine Mutter war die Tochter des berühmten Dr. Griffiths, des Herausgebers und Gründers der »Monthly Review«, der sich noch an einem anderen literarischen Unternehmen beteiligte, nämlich dem des berühmten Buchhändlers Thomas Davis, von dem Johnson sagte, er sei kein Buchhändler, sondern »ein Gentleman, der sich mit dem Verkauf von Büchern beschäftige«; er war mit Goldsmith und Wedgwood befreundet und einer der bekanntesten Männer seiner Zeit. Mrs. Wainewright starb bei der Geburt des Kindes im Alter von nur einundzwanzig Jahren, und eine Todesanzeige im »Gentleman's Magazine« spricht von ihrem »liebenswürdigen Charakter und ihren vielen Talenten« und fügt etwas maniriert hinzu, daß »sie die Schriften von Locke vermutlich so gut verstanden habe, wie nur irgendeiner ihrer Zeitgenossen beiderlei Geschlechts«. Der Vater überlebte seine junge Frau nicht lange, und es scheint, der Knabe wurde von seinem Großvater aufgezogen und nach dessen Tode im Jahre 1803, von seinem Onkel, George Edward Griffiths, den er später vergiftete. Seine Kindheit verbrachte er in Linden House, Turnham Green, auf einem jener vielen schönen Herrensitze im georgischen Stil, die leider durch das Eindringen der vorstädtischen Bauunternehmer verschwunden sind. Seinen schönen Gärten und dem wohlbestandenen Park verdankte er die einfache und leidenschaftliche Liebe zur Natur, die ihn sein ganzes Leben lang nicht verließ und die ihn für die geistigen Einflüsse der Wordsworthschen Dichtung so besonders empfänglich machte. Er besuchte die Charles Burney-Akademie in Hammersmith. Burney war der Sohn des Musikhistorikers und ein naher Verwandter des begabten Jungen, der einmal sein bedeutendster Schüler werden sollte. Er scheint ein Mann von hoher Kultur gewesen zu sein, und noch nach Jahren sprach Wainewright oft mit großer Liebe von ihm als einem Philosophen, einem Archäologen und vortrefflichen Lehrer, der, indem er auf die intellektuelle Seite der Erziehung Wert legte, die Wichtigkeit der moralischen Erziehung nicht übersah. Unter Burney entwickelte er zuerst seine künstlerischen Anlagen, und Hazlitt erzählt, das Skizzenbuch, das er auf der Schule benutzte, sei noch vorhanden und zeige großes Talent und ein natürliches Empfinden. In der Tat war die Malerei die erste Kunst, die ihn fesselte. Erst viel später versuchte er sich mit der Feder auszudrücken oder mit Gift.

Vorher jedoch hat er sich scheinbar durch Knabenträume von der Romantik und der Ritterschaft des Soldatenlebens verführen lassen und ist Gardist geworden. Aber das sorglose Leben der Zerstreuung, das seine Kameraden führten, befriedigte das feine künstlerische Temperament eines Menschen nicht, der für andere Dinge geschaffen war. Nach kurzer Zeit war er den Militärdienst müde. Mit Worten, die noch immer durch ihre flammende Offenheit und ihre seltene Glut ergreifen, sagte er: »Die Kunst berührte den Abtrünnigen; durch ihre reine und hohe Kraft wurde die ungesunde Verdunkelung hinweggenommen; meine ausgedörrte, hitzige und getrübte Gefühlswelt wurde neu geboren zu kühler frischer Blüte, einfach und schön für das naive Gemüt.« Aber die Kunst war nicht die einzige Ursache dieser Veränderung. Er fährt fort: »Die Schriften von Wordsworth trugen viel dazu bei, den verwirrenden Sog, der bei so plötzlichen Mutationen vorkommt, zu beruhigen Ich weinte dabei Tränen des Glückes und der Dankbarkeit.« Er verließ also die Armee mit ihrem rauhen Kasernenleben und ihrem groben Tischgeschwätz in der Messe und kehrte nach Linden House zurück, erfüllt von seiner neuen Begeisterung für die Kultur. Eine schwere Krankheit, die ihn, wie er selbst sagt, »wie ein irdenes Gefäß zerbrach«, warf ihn für einige Zeit nieder. Sein zarter Organismus war, trotz seiner Gleichgültigkeit gegen fremdes Leiden, für den eigenen Schmerz außerordentlich empfindlich. Er schrak vor dem Leiden zurück als vor etwas, das das menschliche Leben entstellt und lähmt, und anscheinend mußte auch er durch das schreckliche Tal der Melancholie gehen, aus dem so manche großen, vielleicht größere Geister nie mehr aufgetaucht sind. Aber er war jung – erst 25 Jahre alt –, und bald kehrte er aus den »toten schwarzen Wassern«, wie er sie nannte, zurück in die freiere Luft der humanistischen Kultur. Als er sich von der Krankheit erholte, die ihn an den Rand des Grabes gebracht hatte, kam ihm der Gedanke, sich der Literatur als Kunst zu widmen. »Ich sagte mit John Woodvil«, schreibt er, »es müßte ein göttliches Leben sein, in einem solchen Element zu verweilen«, kostbare Dinge zu sehen, zu hören und zu schreiben: –

In solchen Lebens starken, wilden Trank
mischt sich kein Tropfen der Vergänglichkeit.

Man kann nicht umhin, in dieser Stelle die Äußerung eines Mannes zu erkennen, der eine wahre Leidenschaft für die Literatur besaß. »Kostbare Dinge zu sehen, zu hören und zu schreiben«, das war sein Ziel.

Scott, dem Herausgeber des »London Magazine« fiel das Genie des jungen Mannes auf, oder er geriet in den Bann der seltsamen Faszination, die er auf alle, die ihn kannten, ausübte; jedenfalls forderte er ihn auf, eine Reihe von Aufsätzen über künstlerische Fragen zu schreiben, und er fing an, unter mehreren phantastischen Pseudonymen zur Literatur seiner Zeit beizutragen. Janus Weathercock, Egomet Bonmot und Van Vinkvooms, das waren einige der grotesken Masken, unter denen er seinen Ernst verbarg oder seinem Leichtsinn die Zügel schießen ließ. Eine Maske sagt uns mehr als ein Gesicht. Diese Verkleidungen verstärkten seine Persönlichkeit. Er scheint in unglaublich kurzer Zeit seinen Weg gemacht zu haben. Charles Lamb spricht von dem »freundlichen, leichtherzigen Wainewright«, dessen Prosa »hervorragend« ist. Wir hören von ihm, daß er Macready, John Forster, Maginn, Talfourd, Sir Wentworth Dilke, den Dichter John Clare und andere bei einem petit-dîner unterhielt. Wie Disraeli, beschloß er, als Dandy die Stadt zu schockieren und seine herrlichen Ringe, seine antike Gemme als Krawattennadel und seine blaßgelben Glacéhandschuhe waren überall bekannt, ja Hazlitt sah sie sogar als Zeichen eines neuen Stils in der Literatur an: Dazu gaben ihm sein volles lockiges Haar, seine schönen Augen und seine feingliedrigen, weißen Hände den gefährlichen und reizvollen Vorzug, anders als die anderen zu sein. Er hatte etwas von Balzacs Lucien de Rubempré. Zuweilen erinnerte er an Julien Sorel. De Quincey sah ihn einmal. Es war bei einem Diner von Charles Lamb. »In der Gesellschaft saß unter lauter Literaten ein Mörder«, erzählt er und fährt fort zu schildern, wie er an diesem Tag krank gewesen war und den Anblick von Männern und Frauen haßte und sich doch dabei ertappte, daß er mit intellektueller Neugier über den Tisch hinüber den jungen Schriftsteller beobachtete, hinter dessen affektierten Gebärden so viel natürliche Sinnlichkeit lag; und er malt sich aus, »welch anderes Interesse wohl plötzlich in ihm aufgestiegen wäre und seine Stimmung verändert haben würde, wenn er gewußt hätte, welches schrecklichen Vergehens der Gast, dem Lamb so viel Aufmerksamkeit erwies, schon damals schuldig war.

Sein Lebenswerk fällt ganz von selbst unter die drei von Swinburne vorgeschlagenen Hauptpunkte, und man kann in gewissem Grade zugeben, daß er, abgesehen von seinen Heldentaten im Bereich des Gifts, kaum etwas hinterlassen hat, was seinen Ruhm rechtfertigt.

Aber andererseits versuchen nur Philister eine Persönlichkeit an dem gemeinen Maßstab der Produktion zu messen. Dieser junge Dandy suchte jemand zu sein, anstatt etwas zu tun. Er erkannte, daß das Leben selbst eine Kunst ist und seine Stilformen hat, nicht weniger als die Künste, die es auszudrücken versuchen. Aber auch sein Werk ist nicht uninteressant. William Blake erzählt uns, er habe in der Königlichen Akademie vor einem seiner Bilder verweilt und es »sehr schön« gefunden. Seine Essays nehmen vieles vorweg, was inzwischen verwirklicht wurde. Er scheint manches von jenen Zufälligkeiten der modernen Kultur vorweggenommen zu haben, was viele als das wahrhaft Wesentliche betrachten. Er schreibt über die Gioconda, über die provencalische Troubadourdichtung und die italienische Renaissance. Er liebt griechische Gemmen und persische Teppiche, elisabethanische Übersetzungen von Amor und Psyche und die *Hypnerotomachia*, Bucheinbände und Erstausgaben und breitrandige Abzüge. Er hat einen geschärften Sinn für den Wert einer schönen Umgebung und wird nicht müde uns die Räume zu schildern, in denen er wohnte oder gerne gewohnt hätte. Er besaß jene merkwürdige Vorliebe für das Grün, die beim Einzelnen immer das Zeichen eines subtilen künstlerischen Temperamentes ist, bei Völkern jedoch eine Verweichlichung, wenn nicht gar einen Verfall der Sitten bedeutet. Wie Baudelaire war er in Katzen vernarrt, und wie Gautier faszinierte ihn jenes zweigeschlechtliche »liebliche Monstrum aus Marmor«, das wir noch jetzt in Florenz und im Louvre sehen.

Natürlich läßt vieles in seinen Schilderungen und seinen Anregungen für die dekorative Kunst erkennen, daß er sich nicht ganz von dem falschen Geschmack seiner Zeit befreien konnte. Doch es ist klar, daß er als einer der ersten erkannte, welches in Wirklichkeit der Grundton des ästhetischen Eklektizismus ist, ich meine die echte Übereinstimmung aller wirklich schönen Dinge, ohne Ansehen von Zeit, Ort, Schule und Stil. Er erkannte, daß wir beim Ausschmücken eines Zimmers, das nicht zum Vorzeigen, sondern zum Bewohnen bestimmt ist, niemals eine archäologische Wiederherstellung der Vergangenheit erstreben, noch uns mit einem eingebildeten Zwang zur historischen Genauigkeit belasten sollten. Mit dieser künstlerischen Anschauung hatte er vollkommen recht. Alle schönen Dinge gehören der gleichen Zeit an.

Und so finden wir in seiner eigenen Bibliothek, wie er sie beschreibt, die zarte griechische Tonvase mit ihren vollkommen gemalten Figuren und dem blassen *ΚΑΛΟΣ** leicht auf ihren Bauch geschrieben; dahinter hängt ein Stich nach der *Delphischen Sibylle* Michelangelos oder der *Pastorale* Giorgiones. Hier ist ein Stück florentinischer Majolika, dort eine einfache Lampe aus einem alten römischen Grab. Auf dem Tisch liegt ein Stundenbuch »in einer Einbanddecke aus massivem vergoldetem Silber, geschmückt mit seltsamen allegorischen Darstellungen und mit kleinen Brillanten und Rubinen besetzt«, und dicht daneben »hockt ein kleines häßliches Ungetüm, ein Lar vielleicht, ausgegraben auf den sonnigen Feldern des kornreichen Sizilien«. Dunkle antike Bronzen bilden das Gegenstück »zu dem bleichen Glanz von zwei edlen *Christi Crucifixi*, von denen eines aus Elfenbein geschnitzt, das andere aus Wachs geformt ist«. Er besitzt seine Präsentierteller mit Taxis-Gemmen, seine kleine Louis-Quatorze-Bonbonniere mit einem Miniaturbild von Petitot, seine vielgerühmten »braunen Bisquit-Teekannen mit Filigranwerk«, seine zitronenfarbene Saffian-Briefschatulle und seinen »pompona-grünen« Sessel.

Man kann sich ihn vorstellen, wie er umgeben von seinen Büchern, Abgüssen und Stichen daliegt, ein wahrer Kunstliebhaber und ein feiner Kenner, wie er in seiner Sammlung von Marc Antonios blättert oder in Turners *Liber Studiorum*, den er sehr bewunderte, oder wie er mit einer Lupe alte Gemmen und Kameen prüft: »den Kopf Alexanders auf einem doppelschichtigen Onyx« oder »jenes herrliche *altissimo relievo* mit dem Jupiter des Aigiochos auf einem Karneol«. Er war immer ein großer Liebhaber von Stichen, und er machte einige sehr brauchbare

* schön

Vorschläge, wie man am besten eine Sammlung anlegt. Doch verlor er niemals, wie sehr er auch die moderne Kunst zu schätzen wußte, den Blick für die Bedeutung der Reproduktion von großen Meisterwerken der Vergangenheit; und was er über den Wert von Gipsabgüssen sagt, ist ganz bewunderungswürdig.

Als Kunstkritiker beschäftigte er sich vor allem mit dem Gesamteindruck, den ein Kunstwerk hervorruft, und sicherlich liegt der Anfang aller ästhetischen Kritik darin, seine eigenen Eindrücke darzustellen. Abstrakte Erwägungen über das Wesen des Schönen kümmerten ihn nicht, und die historische Methode, die seither so reiche Früchte trug, war seiner Zeit fremd; aber er verlor niemals die große Wahrheit aus den Augen, daß sich die Kunst zunächst weder an den Intellekt noch an das Gefühl wendet, sondern ganz allein an das künstlerische Temperament, und mehr als einmal weist er darauf hin, daß dieses Temperament, dieser »Geschmack«, wie er es nennt, durch häufigen Umgang mit den besten Werken unbewußt geleitet und vervollkommnet, sich schließlich zu einer Form des richtigen Urteilsvermögens entwickelt. Natürlich gibt es in der Kunst ebenso wie in der Kleidung Moden, und wahrscheinlich vermag sich niemand ganz von den Einflüssen der Gewohnheit und der Neuheit zu befreien. Er wenigstens konnte es nicht, und er bekennt freimütig, wie schwierig es ist, zu einer gerechten Beurteilung zeitgenössischer Werke zu gelangen. Aber im ganzen war sein Geschmack gut und wohlbegründet. Er bewunderte Turner und Constable zu einer Zeit, als man von ihnen nicht so viel sprach wie heute und erkannte, daß zur vollendeten Kunst der Landschaftsmalerei mehr gehört als »bloßer Fleiß und genaues Kopieren«. Er bemerkt über Cromes *Heideszene bei Norwich*, daß sie zeige, »wie viel eine scharfe Beobachtung der Elemente in ihren phantastischen Stimmungen aus einem höchst uninteressanten Flachland macht«, und über die typische Landschaftsmalerei seiner Zeit sagt er, sie sei einfach eine Aufzählung von Tal und Hügel, Baumstümpfen, Sträuchern, Wasser, Wiesen, Häusern und Hütten; kaum mehr als Topographie, eine Art gemalter Landkarten, auf denen Regenbogen und Hagelschauer, Nebel, Halonen und Strahlenbündel, die durch zerklüftete Wolken brechen, Stürme und Sternenlicht, das ganze höchst wertvolle Material des echten Malers fehlen. Er hatte eine gründliche Abscheu vor allem, was in der Kunst augenfällig und gewöhnlich ist, und während es ihm Vergnügen bereitete, Wilkie beim Dîner zu unterhalten, lag ihm wenig an den Bildern von Sir David und an Crabbes Gedichten. Für die nachahmende, realistische Tendenz seiner Zeit besaß er keine Sympathie, und er gesteht offen, seine große Bewunderung für Füßli beruhe hauptsächlich darauf, daß dieser kleine Schweizer es nicht für notwendig halte, daß ein Künstler nur malt, was er sieht. Die Qualitäten, die er in einem Bild suchte, waren Komposition, Schönheit und Adel der Linie, Farbenreichtum und Kraft der Phantasie. Er war andererseits kein Doktrinär. »Ich bin der Ansicht, kein Kunstwerk kann nach Gesetzen beurteilt werden, die nicht aus ihm selbst abgeleitet sind: die Frage ist, ob es in sich geschlossen ist oder nicht.« Dies ist einer seiner ausgezeichneten Aphorismen. Und seine kritische Beurteilung so verschiedener Maler wie Landseer und Martin, Stothard und Etty bekundet, daß er, um einen klassisch gewordenen Satz zu gebrauchen, versucht »den Gegenstand so zu sehen, wie er wirklich ist«.

Doch wie ich vorher sagte, fühlt er sich bei der Kritik über die Werke seiner Zeitgenossen nie ganz in seinem Element. »Die Gegenwart«, meint er, »bringt mich in eine ähnlich angenehme Verwirrung wie Ariost, als ich ihn zum erstenmal genau las ... Das Moderne blendet mich. Ich muß die Dinge durch das Fernrohr der Zeit betrachten. Elia beklagt, daß ihm der Wert eines Gedichtes im Manuskript nicht ganz klar sei; der Druck, sagt er treffend, entscheidet darüber. Fünfzig Jahre Nachdunkeln tun bei einem Gemälde den gleichen Dienst.« Er fühlt sich wohler, sobald er über Watteau und Lancret, über Rubens und Giorgione, über Rembrandt, Corregio und Michelangelo schreibt und am wohlsten, wenn er über griechische Kunst schreibt. Für die Gotik hatte er wenig übrig, aber die klassische Kunst und die Renaissance-Kunst liebte er immer. Er wußte, was die englische Schule durch das Studium griechischer Vorbilder gewinnen konnte und wird nicht müde, den jungen Studenten die künstlerischen Möglichkeiten aufzuzeigen, die im hellenischen Marmor und der hellenischen Arbeitstechnik schlummern. In seinen Urteilen über die großen italienischen Meister, sagt De Qincey, »lag ein Ton von Aufrichtigkeit und angeborener Empfindung, wie in jemandem, der aus sich selbst spricht und nicht nur aus Büchern schöpft«. Das höchste Lob, das wir ihm zollen können, ist, daß er versuchte, den Stil als eine bewußte Tradition wieder zu beleben. Doch wußte er, daß keine noch so große Anzahl von Vorlesungen über Kunst oder Kunstkongresse oder »Pläne zur Förderung der schönen Künste« dies jemals bewirken können. Die Menschen, sagt er sehr klug und im wahren Geiste von Toynbee Hall, »müssen immer die besten Vorbilder fest vor Augen haben«.

Wie es von einem Maler zu erwarten ist, sind seine Kunstkritiken häufig rein technischer Art. Über Tintorettos Gemälde »der heilige Georg befreit die ägyptische Prinzessin vom Drachen« bemerkt er:

»Das Gewand der Sabra, warm lasiert mit Preußischblau, ist durch ein rotes Tuch vom blaßgrünen Hintergrund abgehoben; und diese beiden kräftigen Farben finden gleichsam ihren Widerhall in den gedämpfteren Tönen der purpurlackfarbenen Stoffe und der bläulichen Eisenrüstung des Heiligen; außerdem bildet die lebhafte azurblaue Draperie im Vordergrund einen prächtigen Ausgleich zu den Indigo-Schatten des wilden Forstes, der die Burg umgibt.«

An anderen Stellen spricht er sachverständig über einen »köstlichen Schiavone, mannigfaltig wie ein Tulpenbeet mit vielfach gebrochenen Farben«, über »ein leuchtendes Porträt des seltenen Moroni, das sich durch *Morbidezza* auszeichnet«, und ein anderes Bild nennt er: »saftig in seinem Inkarnat«.

In der Regel jedoch behandelt er seine Eindrücke von einem Werk als einem künstlerischen Ganzen und versucht diese Eindrücke in Worte zu übertragen, um gleichsam die Wirkung auf Phantasie und Intellekt in der literarischen Entsprechung wiederzugeben. Er hat als einer der ersten die sogenannte Kunst-Literatur des 19. Jahrhunderts entwickelt, jene literarische Form, die in Ruskin und Browning ihre beiden vollendetsten Vertreter gefunden hat. Seine Beschreibung von Lancrets *Repas Italien* in der »ein dunkelhaariges Mädchen ›in die Bosheit verliebt‹ auf der mit Gänseblumen übersäten Wiese liegt«, ist in mancher

Hinsicht sehr reizvoll. Hier folgt seine Schilderung von Rembrandts »Kreuzigung«. Sie ist äußerst bezeichnend für seinen Stil:

»Finsternis – schwarze, schauerliche Finsternis – bedeckt die ganze Szene: nur über dem verwunschenen Wald strömt wie durch einen grausigen Riß in der düsteren Himmelsdecke eine Regenflut herab – ›vom Hagelsturm verfärbtes Wasser‹ – und verbreitet ein schreckliches Geisterlicht, furchtbarer noch als diese greifbare Nacht. Schon stöhnt die Erde schwer und heftig! Das verdunkelte Kreuz erbebt! Die Winde stocken – die Luft steht still – ein rollendes Dröhnen grollt unter ihren Füßen, und einzelne aus der ärmlichen Menge fliehen bereits den Hügel hinab. Die Pferde wittern das nahende Grauen und sind in ihrer Angst nicht mehr zu zügeln. Der Augenblick tritt schnell ein, da – fast entzweigerissen vom eigenen Gewicht, ohnmächtig durch den Verlust des Blutes, das jetzt in dichteren Bächen aus den geöffneten Adern rinnt, von seinen Schläfen und seiner Brust, in Schweiß ertränkt und seine schwarze Zunge ausgedorrt vom brennenden Todesfieber – Jesus schreit: ›Mich dürstet.‹ Man reicht ihm den tödlichen Essig.

Sein Haupt sinkt nieder und der heilige Leichnam ›baumelt leblos am Kreuz‹. Eine rote Flammenzunge schießt steil durch die Luft und verlöscht; die Felsen des Karmel und des Libanon bersten; das Meer wälzt seine schwarzen rollenden Wogen hoch von den Sandbänken herab. Die Erde klafft und die Gräber speien ihre Bewohner aus. Die Toten und die Lebenden sind auf widernatürliche Weise durcheinandergemengt und rennen durch die heilige Stadt. Neue Schrecken erwarten sie dort. Der Vorhang des Tempels – der undurchdringliche Vorhang – ist von oben bis unten zerrissen, und jener gefürchtete Ort, der die Mysterien der Juden enthält – die schicksalhafte Bundeslade mit den Gesetzestafeln und dem siebenarmigen Leuchter – wird der gottverlassenen Menge in einem überirdischen Flammenschein enthüllt.

Rembrandt hat diese Skizze nie gemalt und mit Recht. Sie hätte fast all ihre Magie verloren, indem sie den bestürzenden Schleier der Undeutlichkeit eingebüßt, der einen so unbegrenzten Raum ermöglicht, darin die unsichere Phantasie Betrachtungen anstellen kann. Jetzt wirkt sie wie etwas aus einer anderen Welt. Ein finsterer Abgrund liegt zwischen uns. Sie entzieht sich der körperlichen Berührung. Wir können ihr nur mit der Seele nahen.«

Diese Stelle, niedergeschrieben »in Scheu und Ehrfurcht«, so berichtet uns der Autor, enthält vieles Schreckliche und sehr vieles, das ganz abscheulich ist, aber sie ist nicht ohne eine gewisse ungeschliffene Form der Kraft, oder auf jeden Fall eine gewisse ungeschliffene Wortgewalt, eine Qualität, die in dieser Zeit hoch geschätzt werden sollte, da sie ihr am meisten abgeht. Es ist jedoch angenehmer, zu der folgenden Beschreibung von Giulio Romanos *Kephalos und Prokris* überzugehen:

»Man sollte Moschos Klage um Bion, den süßen Hirten lesen, ehe man dieses Gemälde betrachtet, oder man sollte das Gemälde als Vorbereitung auf die Klage studieren. In beiden haben wir beinahe die gleichen Bilder. Für jedes der Opfer rauschen die hohen Haine und die Waldschluchten; die Blumen verströmen müden Duft aus ihren Knospen; die Nachtigall klagt in einer zerklüfteten Landschaft und die Schwalbe in lang gewundenen Tälern; ›und auch die Satyrn und dunkel verschleierten Faune seufzen‹, und die Quellnymphen im Walde zerfließen in tränendem Naß. Schafe und Ziegen verlassen die Weide und Oreaden, ›die gern die unwegsamsten Gipfel der schroffsten Felsen erklimmen‹ enteilen dem Gesang der windumkosten Pinien; während die Dryaden sich aus den Zweigen der verschlungenen Bäume neigen und die Flüsse um die weiße Prokris klagen, ›in vielen schluchzenden Bächen‹.

›Und füllen das fernglänzende Meer mit ihrer Stimme.‹

Die goldenen Bienen auf dem thymianduftenden Hymettos sind still; und das schallende Horn des Geliebten der Aurora wird nie mehr das kalte Zwielicht auf dem Gipfel des Hymettos zerstreuen. Der Vordergrund unseres Bildes ist ein grasbewachsenes, sonnenverbranntes Gelände, Buckel und Mulden (eine Art Landwellen), noch unebener gemacht von vielen Wurzeln, in denen sich der Fuß verfängt, und den Stümpfen der Bäume, die vorzeitig von der Axt gefällt wurden und wieder lichtgrüne Schößlinge hervortreiben. Dieses Gelände steigt fast jäh zu einem dichten Hain auf der rechten Seite empor, den kein Stern zu durchdringen vermag; an seinem Eingang sitzt wie betäubt der thessalische König und hält den elfenbeinglänzenden Leib auf seinen Knien, der eben noch mit der sanften Stirn das rauhe Gezweig zerteilt und von der Eifersucht beflügelt auf Dornen und Blumen trat – jetzt hilflos, schwer und ohne Bewegung, wenn nicht der Windhauch spöttisch ihr dichtes Haar hochhebt.

Aus dem benachbarten Gehölz drängen die erstaunten Nymphen mit lauten Schreien hervor –

›Und fellumgürtete Satyrn mit Efeuflechten gekrönt nahen sich;
Und zeigen ein ungewöhnliches Mitleid in ihrem gehörnten Gesicht.‹

Lailaps liegt unten, und an seinem Röcheln zeigt sich des Todes rascher Schritt. Dieser Gruppe gegenüber streckt der tugendreiche Amor mit ›hängenden Flügeln‹ den Pfeil einem nahenden Trupp Waldvolk hin, Faunen, Böcken, Ziegen, Satyrn und Satyr-Müttern, die ihre Kinder mit ängstlichen Händen fester an sich drücken und links einen Hohlweg entlangeilen, zwischen dem Vordergrund und einer Felswand, auf deren niedrigstem Grat eine Quellnymphe aus ihrer Urne klageraunendes Wasser schüttet. Höher und weiter entfernt als die Ephidryas, erscheint ein anderes Weib, die Locken raufend, zwischen den weinumschlungenen Stämmen eines unberührten Haines. Die Mitte des Bildes enthält schattige Wiesen, die sich zu einer Flußmündung senken; jenseits dehnt sich ›die unermeßliche Kraft des Meeresstroms‹, aus dem die rosenfarbene Aurora, die die Sterne auslöscht, wütend ihre taubesprengten Kampfrosse hinauftreibt, um den Todeskampf ihrer Nebenbuhlerin zu schauen.«

Würde diese Schilderung mit Sorgfalt neu geschrieben, dann wäre sie ganz bewundernswert. Der Gedanke, aus einem Gemälde ein Prosagedicht zu machen, ist ausgezeichnet. Ein großer Teil der besten modernen Literatur entsteht aus dem gleichen Wunsch. In einem sehr häßlichen und empfänglichen Zeitalter borgen die Künste nicht vom Leben, sondern untereinander.

Auch seine Neigungen waren erstaunlich mannigfaltig. An allem, was z. B. mit der Bühne zusammenhing, war er stets lebhaft interessiert und er vertrat energisch die Forderung nach archäologischer Genauigkeit im Kostüm und in der Bühnendekoration. »In der Kunst«, sagt er in einem seiner Essays, »verdient alles, was überhaupt getan zu werden verdient, gut getan zu werden«; und er führt aus, wie schwierig es wird, Grenzen zu ziehen, wenn wir einmal das Eindringen von Anachronismen erlauben. In der Literatur stand er, wie Lord Beaconsfield bei einem bekannten Anlaß »auf der Seite der Engel«. Er war einer der ersten Bewunderer von Keats und Shelley – den er einen »Dichter von vibrierender Sinnlichkeit« nannte. Seine Bewunderung für Wordsworth war aufrichtig und tief. Er schätzte William Blake aufs höchste. Eine der besten Abdrucke der *Songs of Innocence and Experience*, die wir jetzt besitzen, wurde eigens für ihn angefertigt. Er liebte Alain Chartier und Ronsard, die Dramatiker der elisabethanischen Zeit, Chaucer, Chapman und Petrarca. Und für ihn waren alle Künste eins. »Unsere Kritiker«, bemerkt er sehr klug, »scheinen zu erkennen, daß Dichtung und Malerei den gleichen Ursprung haben, daß jede echte Weiterentwicklung im ernsthaften Studium der einen Kunst, eine entsprechende Vervollkommnung in der anderen mit sich bringt«; und an einer anderen Stelle sagt er, daß ein Mensch, der Michelangelo nicht bewundert und von seiner Liebe zu Milton spricht, sich selbst oder seine Zuhörer betrügt. Seinen Kollegen beim London Magazine gegenüber war er stets sehr großmütig und er lobte Barry Cornwall, Allan Cunningham, Hazlitt, Elton und Leigh Hunt ohne die übliche Bosheit unter Freunden. Einige seiner Skizzen über Charles Lamb sind in ihrer Art wundervoll und nehmen mit der Kunst echter Schauspieler den Stil ihres Gegenstandes an:

»Was könnte ich über dich anderes sagen, als alle wissen? Daß du die Fröhlichkeit eines Knaben besitzest mit dem Wissen eines Mannes: ein Herz, so sanft wie irgendeines, das je den Augen Tränen gab.

Wie witzig pflegte er einen mißzuverstehen und wie wußte er zur passenden Zeit einen unpassenden Scherz einzuflechten. Seine unaffektierte Rede war, ähnlich wie die Sprache der von ihm geliebten elisabethanischen Dichter, bis zur Dunkelheit verdichtet. Er hämmerte seine Sentenzen wie Körner von Feingold zu ganzen Blättern aus. Er hatte wenig Mitleid für falschen Ruhm und eine beißende Bemerkung über das Gebaren gegenüber *Männern von Genie*, hatte er stets bereit. Sir Thomas Browne gehörte zu seinen ›Busenfreunden‹ und ebenso Burton und der alte Fuller. In seinen verliebten Anwandlungen tändelte er mit jener einzigartigen Herzogin von vieldeutigem Ruf; und mit den derben Komödien von Beaumont und Fletscher erweckte er leichte Träume. Er pflegte der Eingebung folgend kritische Anspielungen auf sie zu machen, doch tat man gut daran, wenn man ihn seine eigene Partie wählen ließ; begann ein anderer über die anerkannten Lieblinge zu reden, war er geneigt, ihn zu unterbrechen oder vielmehr etwas hinzuzufügen, in einer Art, daß man nicht wußte, ob es aus einem Mißverständnis oder aus Bosheit geschah. Bei C... bildete eines Abends das oben genannte dramatische Gespann das zeitweilige Gesprächsthema. Mr. X. rühmte die Leidenschaft und den erhabenen Stil einer Tragödie (ich weiß nicht welcher), aber er wurde sofort von Elia unterbrochen, der ihm sagte, ›*das* war nichts, die lyrischen Teile waren das Große – die lyrischen Teile!‹«

Eine Seite seiner literarischen Laufbahn verdient besondere Beachtung. Man darf sagen, daß der moderne Journalismus ihm beinahe soviel verdankt wie nur irgendeinem Mann zu Anfang dieses Jahrhunderts. Er war der Vorkämpfer des asiatischen Prosastils und freute sich an malerischen Beiworten und pompösen Übertreibungen. Einen so glänzenden Stil zu schreiben, daß er den Gegenstand verhüllt, das ist eine der höchsten Errungenschaften einer wichtigen und sehr bewunderten Schule der Leitartikelschreiber in der Fleetstreet, und *Janus Weathercock* kann als Begründer dieser Schule angesehen werden. Er erkannte auch, daß es ganz einfach war, das Publikum durch ständige Wiederholung für seine eigene Person zu interessieren, und in seinen rein journalistischen Artikeln erzählt dieser ungewöhnliche junge Mann der Welt, was er zu Mittag aß, wo er seine Kleider kauft, welche Weine er liebt und in welchem Gesundheitszustand er sich befindet, so als ob er wöchentliche Berichte für eine weitverbreitete Zeitung unserer Tage schriebe. Obgleich dies die am wenigsten wertvolle Seite seiner Arbeit war, hat sie doch den sichtbarsten Einfluß ausgeübt. Heutzutage ist ein Publizist ein Mensch, der die Lesergemeinde mit den Details der Ungesetzlichkeiten in seinem Privatleben langweilt.

Wie die meisten künstlerischen Menschen besaß er eine große Liebe zur Natur. »Ich schätze drei Dinge hoch«, bemerkt er irgendwo: »müßig auf einer Anhöhe sitzen, die über eine reiche Aussicht gebietet; von dichten Bäumen beschattet zu werden, während rings um mich die Sonne scheint; und die Einsamkeit zu genießen mit dem Bewußtsein, daß Menschen in der Nähe sind. Das alles finde ich auf dem Lande.« Er schildert seine Wanderungen über den duftenden Stechginster und über die Heide und wie er Collins »Ode to Evening« vor sich hinspricht, um die Schönheit des Augenblicks einzufangen; er erzählt, wie er sein Gesicht »in ein feuchtes Bett von Schlüsselblumen drückt, vom Maitau benetzt«; und über sein Vergnügen, wenn er die sanften Kühe »langsam durch die Dämmerung heimwärts ziehen sieht« und »das ferne Bimmeln der Schafglocken« hört. Einer seiner

Sätze: »Der Polyanthos glühte in seinem kalten Erdenbett wie ein einsames Bild des Giorgione auf einem dunklen Tafelbild aus Eichenholz« ist merkwürdig bezeichnend für sein Temperament, und auch der nachfolgende Abschnitt ist auf seine Weise hübsch:

»Das kurze zarte Gras war mit Margueriten bedeckt – ›die die Leute in unserer Stadt Maßliebchen nennen‹ – dicht wie Sterne in einer Sommernacht. Das rauhe Gekrächze der emsigen Krähen drang angenehm gedämpft aus einem hohen düsteren Ulmenwald in einiger Entfernung, und von Zeit zu Zeit hörte man die Stimme eines Jungen, der die Vögel von den frischgesäten Körnern verscheuchte. Die blauen Tiefen hatten die Farbe von dunkelstem Ultramarin; nicht eine Wolke streifte den ruhigen Äther; nur am Rande des Horizonts flutete ein leuchtender warmer Streifen feuchten Dunstes, gegen den sich das nahe Dorf mit seiner alten Kirche aus Stein durch sein blendendes Weiß scharf abhob. Ich dachte an Wordsworth *›Lines written in March.‹*«

Wir dürfen jedoch nicht vergessen, daß der kultivierte junge Mann, der diese Zeilen niederschrieb und der sich so empfänglich zeigte für den Einfluß von Wordsworth, zugleich, wie ich zu Beginn dieses Aufsatzes sagte, einer der abgefeimtesten und heimlichsten Giftmischer aller Zeiten war. Wodurch er zuerst zu diesem seltsamen Verbrechen angeregt wurde, erfahren wir nicht, und das Tagebuch, in dem er die Ergebnisse seiner schrecklichen Experimente und das angewandte Verfahren genau eintrug, ist uns unglücklicherweise verlorengegangen. Selbst in späteren Tagen bewahrte er über dieses Thema völliges Stillschweigen und zog es vor, über *The Excursion* und die *Poems founded on the Affections* zu sprechen. Es gibt aber keinen Zweifel darüber, daß das Gift, das er gebrauchte, Strychnin war. Er trug Kristalle der indischen *nux vomica* in einem seiner schönen Ringe, auf die er so stolz war und die dazu dienten, die feine Modellierung seiner zarten weißen Hände hervorzuheben; es ist ein Gift, erzählt uns einer seiner Biographen, »fast geschmacklos, schwer zu entdecken, und man kann es beinah unendlich verdünnen«. Er hat mehr Morde begangen, sagt De Quincey, als je durch die Gerichte bekannt wurden. Das ist zweifellos richtig, und einige davon sind der Erwähnung wert. Das erste Opfer war sein Onkel, Thomas Griffiths. Er vergiftete ihn 1829, um in den Besitz von

Linden House zu gelangen, einen Ort, den er seit jeher sehr geliebt hatte. Im August des nächsten Jahres vergiftete er Frau Abercrombie, die Mutter seiner Gattin, und im darauf folgenden Dezember vergiftete er die bezaubernde Helen Abercrombie, seine Schwägerin. Warum er Frau Abercrombie ermordete, ist nicht geklärt. Vielleicht aus einer Laune oder vielleicht, um sein heimliches Machtgefühl zu stärken, oder weil sie ihn beargwöhnte oder ohne jeden Grund. Doch der Mord an Helen Abercrombie wurde von ihm und seiner Gattin verübt, um einer Summe von ungefähr 18 000 Pfund Sterling willen; für diese Summe hatten sie ihr Leben bei verschiedenen Gesellschaften versichert. Die näheren Umstände waren die folgenden. Am 12. Dezember kam er mit Frau und Kind von Linden House nach London und sie nahmen in der Conduit Street 12, Ecke Regent Street Wohnung. Die beiden Schwestern Helen und Madleine Abercrombie waren bei ihnen. Am 14. abends gingen sie alle ins Theater, und beim anschließenden Abendessen erkrankte Helen.

Am nächsten Tag ging es ihr sehr schlecht, und man rief Dr. Locock vom Hanover Square zur Behandlung. Sie lebte bis Montag, den 20.; an diesem Tag brachten die Wainewrights ihr nach dem Morgenbesuch des Arztes etwas vergiftetes Gelee, und dann gingen sie zu einem Spaziergang weg. Als sie zurückkehrten, war Helen Abercrombie tot. Sie war ungefähr zwanzig Jahre alt, groß und anmutig und hatte helles Haar. Eine sehr bezaubernde Rötelskizze von der Hand ihres Schwagers ist noch vorhanden und macht deutlich, wie sehr sein Stil von Sir Thomas Lawrence beeinflußt war, einem Maler, für dessen Werk er stets eine große Bewunderung hegte. De Quincey behauptet, Frau Wainewright sei in Wahrheit nicht die Mitwisserin des Mordes gewesen. Hoffen wir es. Das Verbrechen sollte einsam sein und keine Komplizen haben.

Die Versicherungsgesellschaften ahnten den wirklichen Tatbestand des Falles und verweigerten die Auszahlung der Police, wobei sie sich auf fachtechnische Gründe stützten: eine falsche Darstellung und mangelnder Rechtsanspruch; aber mit erstaunlichem Mut brachte der Giftmischer eine Klage beim Schiedsgericht gegen die »Imperial Company« ein, da die Übereinkunft besteht, daß eine Entscheidung für alle Fälle verbindlich sein soll. Das Gericht jedoch gelangte fünf Jahre lang zu keinem Ergebnis, worauf nach einer Nichtübereinstimmung, das Urteil schließlich zugunsten der Gesellschaft gefällt wurde. Der Richter in dieser Angelegenheit war Lord Abinger. *Egomet Bonmot* war durch Mr. Erle und Sir William Follet vertreten, und der Kronanwalt und Sir Frederick Pollock erschienen auf Seiten der Beklagten. Der Kläger war unglücklicherweise außerstande, bei einer der Gerichtsverhandlungen anwesend zu sein. Die Weigerung der Gesellschaft, ihm die 18 000 Pfund Sterling auszuzahlen, hatte ihn in höchst peinliche Schwierigkeiten gestürzt. Wenige Monate nach der Ermordung von Helen Abercrombie war er tatsächlich seiner Schulden wegen in den Straßen Londons in dem Augenblick verhaftet worden, als er der hübschen Tochter eines seiner Freunde ein Ständchen brachte. Er überwand diese Schwierigkeiten zwar, aber kurz darauf hielt er es für ratsamer ins Ausland zu gehen, bis er zu irgendeinem praktischen Übereinkommen mit seinen Gläubigern gelangen würde. Er begab sich also nach Boulogne, um den Vater der erwähnten jungen Dame zu besuchen, und während seines Aufenthaltes überredete er ihn, sein Leben bei der Pelican Company für 3 000 Pfund Sterling zu versichern. Sobald die nötigen Formalitäten abgeschlossen und die Police ausgehändigt war, ließ er einige Strychninkristalle in den Kaffee fallen, als sie eines Abends nach Tisch zusammensaßen. Durch diese Tat gewann er selbst keinerlei finanziellen Vorteil. Seine Absicht war nur, sich an der Gesellschaft zu rächen, die sich als erste geweigert hatte, ihm den Preis seines Verbrechens zu zahlen. Sein Freund starb am folgenden Tag in seiner Gegenwart, und er verließ Boulogne sofort, um eine Skizzentour durch die malerischsten Gegenden der Bretagne zu machen und war eine zeitlang zu Gast bei einem alten französischen Edelmann, der ein herrliches Landhaus bei St. Omer besaß. Von dort aus ging er nach Paris, wo er mehrere Jahre blieb und in Luxus lebte, wie die einen sagen, während andere erzählen, »daß er mit dem Gift in der Tasche lauerte und von allen, die ihn kannten, gefürchtet wurde«. Im Jahre 1837 kehrte er unbemerkt nach England heim. Eine seltsame, verrückte Faszination führte ihn zurück. Er folgte einer Frau, die er liebte.

Es war im Juni, und er wohnte in einem Hotel in Covent Garden. Sein Wohnzimmer war im Parterre, und er hielt vorsichtigerweise die Gardinen geschlossen, aus Furcht gesehen zu werden. Vor dreizehn Jahren, als er seine kostbare Sammlung von Majoliken und Marc Antonios anlegte, hatte er die Namen seiner Kuratoren für eine schriftliche Vollmacht gefälscht, um einen Teil des Vermögens in die Hand zu bekommen, das er von seiner Mutter geerbt und in den ehelichen Hausstand eingebracht hatte. Er wußte, daß diese Fälschung entdeckt worden war und daß er durch seine Rückkehr nach England sein Leben gefährdete. Trotzdem kehrte er zurück. Sollte man sich darüber wundern? Es heißt, die Frau sei sehr schön gewesen, und außerdem liebte sie ihn nicht.

Es war ein reiner Zufall, daß er entdeckt wurde. Ein Lärm auf der Straße erregte seine Aufmerksamkeit, und aus seinem künstlerischen Interesse am modernen Leben schob er einen Augenblick die Gardine beiseite. Draußen rief jemand: »Da ist Wainewright, der Bankfälscher.« Es war Forrester, der Geheimpolizist.

Am 5. Juli wurde er nach Old Bailey gebracht. Der folgende Bericht über den Prozeß erschien in der Times:

»Vor dem Richter Vaughan und dem Richter Alderson stand Thomas Griffiths Wainewright, zweiundvierzig Jahre alt, ein Mann von vornehmer Erscheinung mit einem Schnurrbart; er war angeklagt eine schriftliche Vollmacht über 2259 Pfund Sterling gefälscht und in Umlauf gesetzt zu haben, mit der Absicht, den Direktor und die Gesellschaft der Bank von England zu betrügen.

Dem Gefangenen wurden fünf Anklagepunkte vorgehalten, zu denen er sich nicht schuldig erklärte, als er vor dem Polizeibeamten Arabin im Laufe des Vormittags beschuldigt wurde. Als er jedoch vor die Richter geführt wurde, bat er darum, seine frühere Aussage zurücknehmen zu dürfen und bekannte sich daraufhin zu den zwei Punkten der Anklage, die nebensächlicher Natur waren, schuldig.

Nachdem der Anwalt der Bank ausgeführt hatte, daß drei weitere Anklagepunkte vorhanden seien, aber die Bank nicht wünsche Blut zu vergießen, wurde der Antrag auf Schuldspruch bezüglich der beiden geringfügigen Anklagen protokolliert und der Gefangene am Ende der Sitzung durch den höchsten Kriminalrichter zur lebenslänglichen Deportation verurteilt.«

Zur Vorbereitung auf die Überführung in die Kolonien brachte man ihn nach Newgate zurück. In einem seiner frühen Essays schrieb er in einer phantastischen Passage, wie er »zum Tode verurteilt im Horsemonger Gaol liegt«, weil er der Versuchung nicht widerstehen konnte, einige Marc Antonios aus dem Britischen Museum zu stehlen, um seine Sammlung zu vervollständigen. Das Urteil, das jetzt über ihn gefällt war, bedeutete für einen Mann von seiner Kultur gewissermaßen den Tod. Er beklagte sich bitter seinen Freunden gegenüber und wies nicht ganz grundlos darauf hin, wie mancher sich vorstellen kann, daß das Geld eigentlich ihm gehörte, da es ihm von seiner Mutter bestimmt gewesen, und daß die Fälschung, die er nun einmal begangen hatte, dreizehn Jahre zurück lag, was, um seine eigene Formulierung zu gebrauchen, zumindest eine *circonstance attenuante* war. Die Fortdauer der Persönlichkeit ist ein sehr schwieriges Problem der Metaphysik, und die Art, wie das englische Gesetz die Frage löst, ist gewiß äußerst hemdsärmelig. Es liegt aber etwas Dramatisches in der Tatsache, daß ihm diese harte Strafe für etwas auferlegt wurde, was in Anbetracht seines verhängnisvollen Einflusses auf die Prosa des modernen Journalismus sicherlich nicht seine schwerste Sünde war.

Während er im Gefängnis saß, trafen ihn zufällig Dickens, Macready und Hablot Browne. Sie hatten auf der Suche nach künstlerischen Effekten einen Rundgang durch die Londoner Gefängnisse gemacht, und in Newgate stießen sie plötzlich auf Wainewright. Er begegnete ihnen mit trotzigem Blick, erzählt uns Forster, aber Macready war »entsetzt einen Mann wiederzuerkennen, mit dem er in früheren Jahren vertraut gewesen und an dessen Tisch er gespeist hatte«.

Andere waren neugieriger, und eine zeitlang wurde seine Zelle zu einer Art modischem Treffpunkt. Viele Literaten gingen hin, um ihren ehemaligen Kollegen zu besuchen. Doch er war nicht mehr der freundliche, leichtherzige Janus, den Charles Lamb bewundert hatte. Anscheinend war er sehr zynisch geworden.

Dem Agenten einer Versicherungsgesellschaft, der ihn eines Nachmittags besuchen kam und der glaubte, es sei die richtige Gelegenheit festzustellen, daß das Verbrechen im Grunde eine verfehlte Spekulation ist, antwortete er: »Mein Herr, Ihr Leute aus der City unternehmt Eure Spekulationen und versucht Euer Glück damit. Manche Eurer Spekulationen haben Erfolg, andere schlagen fehl. Meine sind zufällig fehlgeschlagen. Ihre sind zufällig geglückt. Dies ist der einzige Unterschied zwischen Ihnen als meinem Besucher und mir. Doch möchte ich Ihnen sagen, daß mir eines bis zum Schluß gelungen ist. Ich bin mein Leben lang entschlossen gewesen, ein Gentleman zu bleiben. Das ist mir immer gelungen und gelingt mir noch. An diesem Ort ist es Brauch, daß jeder der Insassen einer Zelle abwechselnd am Morgen das Fegen besorgt. Ich teile meine Zelle mit einem Maurer und einem Straßenkehrer, aber sie reichen mir nie den Besen!« Als ein Freund ihm den Mord an Helen Abercrombie vorwarf, zuckte er mit den Schultern und sagte: »Ja, es war scheußlich es zu tun, aber sie hatte sehr dicke Fesseln.«

Von Newgate wurde er auf das Schiffsgefängnis von Portsmouth gebracht und von dort aus auf der *Susan* mit dreihundert anderen Verurteilten zusammen nach Van Diemensland transportiert. Die Reise muß sehr widerwärtig für ihn gewesen sein, und in einem Brief, den er an einen Freund schrieb, sprach er voller Bitterkeit über die Schmach, daß »ein Gefährte von Dichtern und Künstlern« gezwungen ist, mit »Bauerntölpeln« zusammen zu sein. Die Bezeichnung, die er seinen Gefährten gibt, braucht uns nicht zu verwundern. Das Verbrechen ist in England selten die Folge der Sünde. Es ist beinahe immer die Folge des Hungers. Wahrscheinlich gab es niemand an Bord, in dem er einen sympathischen Zuhörer oder gar eine psychologisch interessante Natur hätte finden können.

Er verlor jedoch nie seine Liebe zur Kunst. In Hobart Town richtete er sich ein Atelier ein und begann wieder Skizzen zu zeichnen und Portraits zu malen, und seine Unterhaltung und sein Auftreten scheinen ihren Charme nicht verloren zu haben. Auch seine Gewohnheit, andere zu vergiften, gab er nicht auf, und es wird von zwei Fällen berichtet, in denen er versuchte, Leute, die ihn beleidigt hatten, aus dem Weg zu schaffen. Doch scheint seine Hand die Geschicklichkeit verloren zu haben. Beide Versuche mißglückten völlig, und im Jahre 1844, als er der Tasmanischen Gesellschaft gründlich überdrüssig war, reichte er beim Gouverneur der Kolonie, Sir John Eardley Wilmot, eine

Bittschrift um einen Entlassungsschein ein. Er bemerkt darin über sich, daß »er von Ideen gequält sei, die nach einer äußeren Form und Verwirklichung verlangten, daß er abgehalten sei, sein Wissen zu bereichern und keine Gelegenheit habe, sich in der nutzbringenden oder auch nur gefälligen Rede zu üben«. Sein Gesuch wurde jedoch abgelehnt, und der Freund Coleridges tröstete sich, indem er die wunderbaren *Paradis Artificiels* schrieb, deren Geheimnis nur die Opiumesser kennen. 1852 starb er an einem Schlaganfall; das einzige lebende Wesen um ihn war eine Katze, für die er eine ungewöhnliche Zuneigung bewies.

Seine Verbrechen haben anscheinend eine bedeutsame Wirkung auf seine Kunst ausgeübt. Sie gaben seinem Stil eine starke Persönlichkeit, eine Qualität, die seinen frühen Werken ganz sicher fehlte. In einer Anmerkung zu seiner Dickens-Biographie erwähnt Forster, daß Lady Blessington 1847 von ihrem Bruder Major Power, der in Hobart Town eine militärische Stellung bekleidete, das Ölportrait einer jungen Dame von Wainewrights geschicktem Pinsel erhielt; und man sagt, »er habe es fertiggebracht, den Ausdruck seiner eigenen Schlechtigkeit in das Bild eines hübschen, warmherzigen Mädchens zu legen«. Zola erzählt in einem seiner Romane von einem jungen Mann, der einen Mord begangen hat, sich dann der Kunst zuwendet und impressionistische Portraits von sehr ehrbaren Leuten in grünlichem Ton malt, die alle eine sonderbare Ähnlichkeit mit seinem Opfer haben. Die Entwicklung von Wainwrights Stil erscheint mir bedeutend subtiler und wirkungsvoller zu sein. Man kann sich eine starke Persönlichkeit vorstellen, die aus der Sünde gewachsen ist.

Diese seltsame und faszinierende Gestalt, die einige Jahre hindurch das literarische London blendete und ein so glänzendes Debüt im Leben und in der Literatur hatte, ist zweifellos ein hochinteressantes Studium. W. Carew Hazlitt, sein jüngster Biograph, dem ich eine Reihe von Tatsachen danke, die in dieser Abhandlung enthalten sind und dessen kleines Buch in seiner Art tatsächlich ganz unschätzbar ist, glaubt, daß Wainewrights Liebe zur Kunst und zur Natur nichts als Prätention und Überheblichkeit waren, und andere haben ihm jegliche literarische Kraft abgesprochen. Diese Anschauung kommt mir oberflächlich oder mindestens verfehlt vor. Der Umstand, daß jemand ein Giftmischer ist, sagt nichts gegen seine Prosa aus. Häusliche Tugenden bilden nicht die wahre Grundlage der Kunst, obgleich sie eine ausgezeichnete Werbung für einen zweitrangigen Künstler sein können. Mag sein, daß De Quincey seine kritischen Fähigkeiten zu hoch bewertet hat, und ich muß noch einmal wiederholen, daß es vieles in seinen veröffentlichten Werken gibt, das zu privat, zu gewöhnlich und zu journalistisch im schlechten Sinne dieses Wortes ist. Hie und da ist sein Ausdruck entschieden vulgär, und stets mangelt ihm die Selbstzucht des wahren Künstlers. Aber für einige seiner Fehler ist die Zeit verantwortlich, in der er lebte, und schließlich verdient eine Prosa, die Charles Lamb »ausgezeichnet« nannte, kein geringes historisches Interesse. Daß er Kunst und Natur wirklich liebte, erscheint mir unzweifelhaft. Es gibt keine wesentliche Inkongruenz zwischen Verbrechen und Kultur. Wir können nicht die ganze Geschichte umschreiben, damit unsere moralische Empfindung, wie die Welt sein sollte, befriedigt wird.

Natürlich steht er unserer eigenen Zeit viel zu nahe, als daß wir in der Lage sind, ein rein künstlerisches Urteil über ihn abzugeben. Es ist unmöglich, sich eines heftigen Vorurteils gegen einen Mann zu erwehren, der Lord Tennyson oder Gladstone hätte vergiften können oder den »Master of Balliol«. Aber hätte dieser Mann sich durch Kleidung und Sprache von uns unterschieden, hätte er im kaiserlichen Rom gelebt oder zur Zeit der italienischen Renaissance oder im Spanien des 17. Jahrhunderts, in jedem Land und zu jeder Zeit, nur nicht in unserem Jahrhundert und Land, so könnten wir ohne weiteres zu einem völlig unvoreingenommenen Urteil seiner Stellung und seines Wertes gelangen. Ich weiß, daß es viele Historiker gibt oder zumindest Schriftsteller, die historische Gegenstände behandeln, welche noch immer glauben, es sei unerläßlich, moralische Urteile auf die Geschichte anzuwenden, und die Lob und Tadel mit der feierlichen Selbstgefälligkeit eines erfolgreichen Schulmeisters verteilen. Dies ist jedoch eine törichte Gewohnheit, die nur zeigt, daß der moralische Instinkt einen solchen Gipfel der Vollkommenheit erreichen kann, daß er überall dort zutage tritt, wo er nicht gefragt ist. Keinem Menschen mit einem echten historischen

Gefühl kommt es je in den Sinn, Nero zu tadeln oder Tiberius zu schelten oder Caesare Borgia zu kritisieren. Diese Figuren sind gleichsam die Marionetten in einem Stück geworden. Sie mögen uns mit Schrecken oder Entsetzen oder mit Staunen erfüllen, aber sie verletzen uns nicht. Sie haben keine direkte Beziehung zu uns. Wir haben nichts von ihnen zu fürchten. Sie sind in den Bereich der Kunst und der Wissenschaft übergetreten, und weder Kunst noch Wissenschaft kennen moralische Zustimmung oder Ablehnung. Und so möge es eines Tages mit dem Freunde von Charles Lamb geschehen. Gegenwärtig habe ich das Gefühl, daß er noch ein wenig zu modern ist, um mit jenem feinen Sinn der unparteiischen Neugier behandelt zu werden, dem wir so viele reizvolle Studien über die großen Verbrecher der italienischen Renaissance aus der Feder von John Addington Symonds, A. Mary F. Robinson, Vernon Lee und anderen ausgezeichneten Schriftstellern verdanken. Gleichwohl hat die Kunst ihn nicht vergessen. Er ist der Held in Dickens *Hunted Down*, der Varney in Bulwers *Lucretia*; und es ist mit Genugtuung festzustellen, daß die Dichtung dem Mann, der mit »Feder, Pinsel und Gift« so mächtig war, ihre Huldigung nicht versagt hat. Die Dichtung anzuregen, ist mehr wert als eine Tatsache.

Der Kritiker als Künstler

Teil I

Mit einigen Anmerkungen über den Wert des Nichtstuns

Ein Dialog

Personen: Gilbert und Ernest.
Ort: *Die Bibliothek eines Hauses in der Piccadilly, mit der Aussicht auf den Green Park.*

GILBERT *(am Klavier)*. Worüber lachst du, Ernest?

ERNEST *(blickt auf)*. Über eine köstliche Geschichte in diesem Band Lebenserinnerungen, den ich auf deinem Tisch fand.

GILBERT. Was für ein Buch ist es? Ah! Ich sehe schon. Ich hab es noch nicht gelesen. Taugt es etwas?

ERNEST. Nun, ich habe, während du spieltest, nicht ohne Vergnügen darin geblättert, obwohl ich im allgemeinen kein Freund moderner Memoiren bin. Sie werden gewöhnlich von Leuten geschrieben, die entweder völlig ihr Gedächtnis verloren oder nie etwas Erinnernswertes getan haben; genau das ist ohne Zweifel die wahre Erklärung ihrer Beliebtheit, denn dem englischen Publikum wird immer wohl zumute, wenn eine Mediokrität zu ihm spricht.

GILBERT. Ja, das Publikum ist erstaunlich tolerant. Es verzeiht alles – außer Genie. Aber ich muß gestehen, daß mir jede Art von Memoiren gefallen. Ich schätze sie als Form genauso sehr wie als Gegenstand. In der Literatur ist der reine Egoismus entzückend. Er fasziniert uns in den Briefen so verschiedener Persönlichkeiten wie Cicero und Balzac, Flaubert und Berlioz, Byron und Madame de Sévigné. Wann immer wir ihm begegnen – es geschieht merkwürdigerweise ziemlich selten –, müssen wir ihn begrüßen und können ihn nicht leicht wieder vergessen.

Die Menschheit wird Rousseau immer dafür lieben, daß er seine Sünden nicht dem Priester, sondern der Welt gebeichtet hat, und die ruhenden Nymphen, die Cellini in Bronze goß für das Schloß des Königs Franz, selbst der grüngoldene Perseus, der auf der offenen Loggia in Florenz dem Mond das tödliche Schreckbild zeigt, das einst Leben in Stein verwandelte, haben der Welt nicht so viel Genuß bereitet wie seine Autobiographie, in der dieser Erzschurke der Renaissance die Geschichte seines Glanzes und seiner Schande erzählt. Ansichten, Charakter und Werke eines Menschen bedeuten wenig. Mag ein Skeptiker reden wie der edle Sieur de Montaigne, oder ein Heiliger wie der strenge Sohn der Monika, sobald er uns seine Geheimnisse offenbart, gelingt es ihm stets, unser Ohr zu bezaubern und unseren Lippen Schweigen zu gebieten. Die Form des Denkens, die Kardinal Newman vertreten hat – wenn man den Versuch, geistige Probleme dadurch zu lösen, daß man den Vorrang des Intellekts leugnet, überhaupt eine Form des Denkens nennen mag –, wird und kann, glaube ich, nicht von Dauer sein. Aber die Welt wird nie müde werden, dieser gequälten Seele zuzusehen, wie sie von Finsternis zu Finsternis fortschreitet. Die einsame Kirche von Littlemore, wo »die Morgenluft feucht ist und der Gläubigen wenige sind«, wird ihr immer teuer sein, und sooft die Menschen das gelbe Löwenmaul an der Mauer des Trinity College blühen sehen, werden sie an den tugendhaften Studenten denken, der in der steten Wiederkehr der Blumen die Prophezeiung fand, daß er für alle Zeit an seiner Alma Mater weilen werde – eine Prophezeiung, die der Glaube in seiner Weisheit oder seiner Torheit nicht in Erfüllung gehen ließ. Ja, die Autobiographie hat etwas Unwiderstehliches. Mr. Pepys, der arme, alberne, selbstgefällige Sekretär, hat sich in den Kreis der Unsterblichen hineingeschwatzt, und wohl wissend, daß Indiskretion der bessere Teil des Mutes ist, tummelt er sich gewichtig unter ihnen, in seinem »roten Plüschrock mit goldenen Knöpfen, Schleifen und Tressen«, den er uns so gern beschreibt, ganz und gar zu seiner eigenen Genugtuung und zu seinem und unserem unendlichen Vergnügen von dem indischblauen Unterrock schwätzend, den er seiner Frau gekauft hat, dem »guten Schweinsgekröse« und dem »feinen französischen Kalbsfrikassee«, das er so gerne aß, über sein Bowlingspiel mit Will Joyce und »seine Schürzenjägerei«. Er erzählt uns, wie er eines Sonntags Hamlet rezitierte und an Wochentagen seine Bratsche strich und dergleichen mutwillige oder triviale Dinge mehr. Sogar im täglichen Leben besitzt der Egoismus seine Reize. Wenn die Leute über andere reden, sind sie gewöhnlich langweilig. Erzählen sie dagegen von sich, dann werden sie fast immer interessant. Könnte man ihnen so leicht den Mund schließen, wenn sie einen ermüden, wie man ein Buch zuklappt, dessen man müde geworden ist, so wäre an ihnen nichts auszusetzen.

ERNEST. Dieses »wenn« hat viel für sich, würde Touchstone sagen. Aber schlägst du im Ernst vor, jeder solle sein eigener Boswell sein? Was würde in diesem Falle aus unseren emsigen Kompilatoren von Erinnerungen und Lebensbeschreibungen?

GILBERT. Was ist aus ihnen geworden? Sie sind die Pest des Zeitalters, nicht mehr, nicht weniger. Jeder große Mann hat heutzutage seine Jünger, und immer ist es Judas, der die Biographie schreibt.

ERNEST. Aber mein Lieber!

GILBERT. Leider ist es wahr. Früher verherrlichten wir unsere Helden. Die moderne Manier ist es, sie herabzuwürdigen. Billige Ausgaben großer Bücher können etwas höchst Erfreuliches sein, aber billige Ausgaben großer Männer sind einfach abscheulich.

ERNEST. Darf ich fragen, auf wen du anspielst, Gilbert?

GILBERT. Oh, auf alle unsere zweitrangigen Literaten. Wir werden von einer Sorte Menschen heimgesucht, die beim Tode eines Dichters oder Malers mit dem Leichenbestatter zugleich das Haus betritt und vergißt, daß es ihre einzige Pflicht ist, sich stumm zu verhalten. Aber sprechen wir nicht von ihnen. Sie sind nichts als die Leichenfledderer der Literatur. Einer bekommt den Staub und ein anderer die Asche des Toten, doch an die Seele können sie nicht rühren. Aber jetzt will ich dir Chopin spielen oder lieber Dvořak? Soll ich dir eine Fantasie von Dvořak vorspielen? Er schreibt leidenschaftliche, seltsam farbige Stücke.

ERNEST. Nein, im Augenblick möchte ich keine Musik. Sie ist mir viel zu unbestimmt. Übrigens habe ich gestern abend die Baronin Bernstein zum Essen ausgeführt, und obwohl sie in jeder Hinsicht reizend ist, bestand sie darauf, über Musik zu sprechen, als wäre die Musik wirklich in deutscher Sprache geschrieben. Nun mag Musik klingen, wie sie will, zum Glück klingt sie nie auch nur entfernt deutsch. Es gibt Formen des Patriotismus, die sind eigentlich entwürdigend. Nein, Gilbert, spiel nicht mehr. Dreh dich um und unterhalte dich mit mir. Unterhalten wir uns, bis der weißgehörnte Tag ins Zimmer kommt. Deine Stimme hat etwas sehr Wohltuendes.

GILBERT *(steht vom Klavier auf)*. Ich habe heute abend keine Lust zu einer Unterhaltung. Lächle nicht so perfid! Ich habe wirklich keine Lust. Wo sind die Zigaretten? Danke. Wie köstlich diese einzelnen gelben Narzissen sind! Sie wirken wie aus Bernstein und kühlem Elfenbein. Sie gleichen den Gebilden griechischer Kunst aus der besten Periode. Was für eine Geschichte in den Bekenntnissen des reumütigen Akademikers reizte dich zum Lachen? Erzähl sie mir. Wenn ich Chopin gespielt habe, überkommt mich immer ein Gefühl, über Sünden geweint zu haben, die ich niemals beging, und über Tragödien zu trauern, die nicht meine eigenen waren. Die Musik ruft scheinbar diese Wirkung hervor. Sie schafft uns eine Vergangenheit, von der wir nichts wußten, und erfüllt uns mit dem Gefühl von Leiden, die unseren Tränen verborgen geblieben waren. Ich kann mir einen Menschen vorstellen, der ein völlig alltägliches Leben führt und zufällig eine ganz seltsame Musik vernimmt; plötzlich wird er gewahr, daß seine Seele, ohne daß es ihm bewußt wurde, schreckliche Erfahrungen gemacht und ein schauerliches Entzücken erlebt hat, wilde abenteuerliche Lieben, große Entsagungen. Und darum erzähl mir diese Geschichte, Ernest. Ich brauche Aufheiterung.

ERNEST. Oh, ich wüßte nicht, daß sie irgendwie bedeutend wäre. Aber sie scheint mir eine wirklich vortreffliche Illustration für den wahren Wert der üblichen Kunstkritik zu sein. Ich glaube, eine Dame fragte einmal in allem Ernst den reumütigen Akademiker, wie du ihn nennst, ob sein berühmtes Bild »Ein Frühlingstag in Whiteley« oder »Warten auf den letzten Omnibus« oder andere Bilder dieser Art, ganz mit der Hand gemalt seien.

GILBERT. Und stimmte das?

ERNEST. Du bist einfach unverbesserlich. Aber reden wir ernsthaft, worin besteht der Nutzen der Kunstkritik? Warum kann man den Künstler nicht in Ruhe lassen, damit er eine neue Welt erschaffe, wenn es ihn danach verlangt, oder damit er die Welt, die wir bereits kennen, vorbildlich darstelle; ich denke, wir wären ihrer längst überdrüssig, wenn nicht die Kunst mit ihrem feinen Sinn für Auswahl und ihrem empfindlichen Instinkt für Auslese sie gleichsam für uns reinigte und ihr für den Augenblick Vollkommenheit verliehe. Es scheint mir, daß die Phantasie Einsamkeit um sich verbreitet oder verbreiten sollte, sie schafft am besten in der Stille und Abgeschiedenheit. Warum den Künstler mit dem lauten Geschrei der Kritik stören? Warum sollten Leute, die selbst nicht imstande sind, etwas zu schaffen, sich anmaßen, den Wert eines schöpferischen Werkes zu beurteilen? Was können sie darüber wissen? Und ist eines Mannes Werk leicht zu verstehen, so ist eine Erklärung unnötig ...

GILBERT. Und ist sein Werk unverständlich, dann ist eine Deutung von Übel.

ERNEST. Das habe ich nicht behauptet.

GILBERT. Ah, aber das hättest du sollen. Uns sind heute so wenig Geheimnisse geblieben, daß wir nicht ein einziges entbehren können. Die Mitglieder der Browning Gesellschaft, wie die Theologen der gemäßigt liberalen Kirchenpartei oder die Autoren in der Reihe großer Schriftsteller von Walter Scott scheinen mir ihre Zeit damit zu verbringen, ihre Gottheit wegzuinterpretieren. Wo wir die Hoffnung hegten, in Browning einen Mystiker zu haben, versuchten sie zu beweisen, daß er sich einfach unklar ausgedrückt hat. Wo wir annahmen, er habe etwas zu verbergen, haben sie dargelegt, daß er kaum etwas zu offenbaren hatte. Aber ich spreche nur von der Uneinheitlichkeit seines Werkes. Im ganzen gesehen, ist er groß. Er gehörte nicht zu den Olympiern, sondern besaß die ganze Unvollkommenheit des Titanen. Er besaß nicht den weiten Blick, und nur selten wurde er zum Sänger. Sein Werk zeigt die Spuren des Kampfes, der Heftigkeit und Anstrengung, er gelangte nicht vom Gefühl zur Form, sondern vom Denken zum Chaos. Dennoch war er groß. Man hat ihn einen Denker genannt, und sicherlich war er ein Mann, der ständig dachte und immer laut dachte; aber es war nicht das Denken, das ihn faszinierte, sondern vielmehr die Vorgänge, durch die das Denken angeregt wird. Das Triebwerk war es, an dem er Gefallen fand, nicht, was das Triebwerk hervorbringt. Der Prozeß, durch den der Narr zu seiner Narrheit gelangt, war ihm so teuer wie die allerletzte Weisheit des Weisen. In der Tat übte der subtile Mechanismus des Geistes einen solchen Reiz auf ihn aus, daß er die Sprache geringschätzte und auf sie wie auf ein unvollkommenes Instrument des Ausdrucks herabsah. Der Reim, dieses herrliche Echo, das im welligen Hügelland der Muse seinen eigenen Ton gebiert und widerklingen läßt, der Reim, der in den Händen des wirklichen Künstlers nicht nur ein formales Element metrischer Schönheit, sondern auch ein geistiges Element des Denkens und der Leidenschaft wird, der möglicherweise eine neue Aussageform anregt oder neue Gedankengänge weckt oder durch die reine Süße und betörende Gewalt des Klangs irgendein goldenes Tor öffnet, an welches selbst die Phantasie vergebens pochte, der Reim, der das Stammeln des Menschen in die Sprache von Göttern verwandeln kann, der Reim, die einzige Saite, die wir der griechischen Lyra hinzugefügt haben, wurde in Robert Brownings Hand zur grotesken Mißgeburt und machte seine Dichtung bisweilen zur Maskerade eines kleinen Komödianten, der den Pegasus zu häufig mit der Zunge in der Backe reitet. Manchmal verletzt er uns durch dissonante Musik. Ja, wenn er nur zu seiner Musik kommt, indem er die Saiten seiner Laute zerreißt, zerfetzt er sie, und sie zerspringen im Mißklang, und keine attische Zikade läßt sich, die zitternden Flügel melodisch schwingend, auf dem elfenbeinernen Horn nieder, den Verstakt vollkommen zu machen oder die Intervalle weniger abrupt. Und doch war er groß: und wenngleich er die Sprache in groben Lehm verwandelte, schuf er doch daraus lebendige Männer und Frauen. Er ist der shakespearehafteste Mensch seit Shakespeare. Vermochte Shakespeare mit Myriaden Lippen zu singen, so konnte Browning durch tausend Munde stammeln. Noch jetzt, während ich spreche und nicht gegen ihn, sondern für ihn spreche, gleitet der Zug seiner Gestalten durch den Raum. Schleicht da nicht Fra Lippo Lippi, die Wange noch brennend von einem heißen Mädchenkuß? Hier steht der furchtbare Saul, an seinem Turban glänzen die prächtigen großen Saphire. Da ist Mildred Tresham und der spanische

Mönch, das Antlitz gelb vor Haß, und Blougram und Ben Ezra und der Bischof von St. Praxed. In der Ecke wispert des Setebos Brut, und Sebald, der Pippa vorübergehn hört, blickt auf das wilde Gesicht der Ottima und verabscheut sie, seine eigene Sünde und sich selbst. Bleich wie der weiße Atlas seines Wamses wartet der melancholische König mit träumerischen Verräteraugen, daß der allzu getreue Strafford in sein Verderben geht, und Andrea erschauert, da er im Garten das Pfeifen seiner Vettern hört; er bittet sein edles Weib hinabzugehn. Ja, Browning war groß. Und wie wird er im Gedächtnis der Menschheit fortleben? Als Dichter? Nein, nicht als Dichter! Man wird ihn als Prosaschriftsteller in Erinnerung behalten, als den größten Prosaschriftsteller vielleicht, den wir je besaßen. Sein Sinn für die dramatische Situation ist unvergleichlich, und findet er auch keine Antwort auf seine eigenen Probleme, so gelingt es ihm zumindest, Probleme herauszustellen, und was sollte ein Künstler mehr tun? Als Schöpfer von Charakteren steht er dem, der Hamlet schuf, am nächsten. Wäre er klar und bestimmt gewesen, er hätte neben ihm stehen dürfen. Der einzige, der den Saum seines Gewandes berühren darf, ist George Meredith. Meredith ist ein Browning in Prosa, und auch Browning ist Prosaiker. Er bedient sich der Poesie als eines Mittels, Prosa zu schreiben.

ERNEST. Manches ist richtig, was du sagst, aber nicht alles. In vielen Punkten bist du ungerecht.

GILBERT. Es ist schwer, nicht ungerecht zu sein, wo man liebt. Aber kehren wir zu dem bestimmten Ausgangspunkt zurück. Was meintest du noch?

ERNEST. Einfach dies: daß es in den besten Zeiten der Kunst keine Kunstkritiker gab.

GILBERT. Diese Bemerkung muß ich schon einmal gehört haben, Ernest. Sie hat die Zählebigkeit eines Irrtums und ist so langweilig wie ein alter Freund.

ERNEST. Sie ist wahr. Ja: du brauchst nicht in dieser ärgerlichen Art den Kopf zu schütteln. Sie entspricht der Wahrheit. In den besten Zeiten der Kunst gab es keine Kunstkritiker. Der Bildhauer schlug aus dem Marmorblock den großen weißgliedrigen Hermes, der in ihm schlief. Die Polierer und Vergolder gaben der Statue Färbung und Glätte, und als die Welt sie erblickte, ward sie von Ehrfurcht erfaßt und blieb stumm. Er goß die glühende Bronze in die Sandform, und der Strom roten Metalls kühlte sich zu edlen Linien ab und nahm die Form einer Göttergestalt an. Durch Email oder geschliffene Edelsteine gab er den blicklosen Augen Leben. Die hyazinthengleichen Locken wurden lebendig unter seinem Stechmeißel. Und wenn dann der Sohn der Leto im dämmrigen, freskengeschmückten Tempel oder in der von Pfeilern getragenen, sonnendurchfluteten Säulenhalle auf dem Sockel stand, fühlten die Vorüberschreitenden, *ἁβρῶς βαίνοντες διὰ λαμπροτάτου αἰθέρος*, daß eine neue Macht von ihrem Leben Besitz ergriffen hatte und wie im Traume, oder mit dem Gefühl einer nie gekannten, neu geweckten Freude kehrten sie nach Hause oder an ihre tägliche Arbeit zurück, oder sie wanderten vielleicht durch die Stadttore hinaus auf jene Wiese, wo die Nymphen spielten, wo der junge Phaidros seine Füße kühlte; und dort im weichen Gras, unter den hohen, raunenden Platanen und dem blühenden »agnus castus«, begannen sie über das Wunder der Schönheit nachzudenken und schwiegen in ungewohnter Ehrfurcht. Damals war der Künstler frei. Aus dem Flußbett nahm er den feinen Ton in seine Hände, und mit einem Werkzeug aus Holz oder Bein bildete er daraus Formen, so köstlich, daß man sie den Toten als Spielzeug mitgab; wir finden sie noch in den düstern Grabgewölben am gelben Hügelabhang bei Tanagra, mit mattem Gold und schwindendem Rot noch auf Haar, Lippen und Gewand. Auf eine frisch getünchte Wand, gefärbt mit leuchtendem Sandyx oder durch Milch oder Safran getönt, malte er eine Gestalt, die mit ermattetem Fuß über die purpurnen, weißbesternten Asphodelenwiesen dahinschritt: Polyxena, Priamus' Tochter, »in deren Augen der ganze Trojanische Krieg beschlossen lag«; oder er stellte den klugen und listenreichen Odysseus dar, mit straffen Seilen an den Mastbaum gebunden, damit er ohne Gefahr dem Gesang der Sirenen lausche, oder wie er am durchsichtigen Acheron wandelt, wo die Geister der Fische über das Kiesbett gleiten; oder er zeigte die Perser in Hosen und Mitra, wie sie vor den Griechen bei Marathon fliehen, oder wie die Galeeren in der engen Bucht von Salamis ihre Bronzeschnäbel ineinanderverkeilen. Er zeichnete mit Silberstift und Kohle auf Pergament und präpariertes Zedernholz. Auf Elfenbein und rosenfarbige Terracotta malte er mit Wachs, das er mit dem Saft von Oliven flüssig machte und durch heißes Eisen festigte. Holztafel, Marmor und Leinwand erwachten wundervoll, wenn sein Pinsel darüberstrich; und das Leben erkannte sein eigenes Bild, schwieg und wagte nicht zu sprechen. Dem Künstler war in der Tat das ganze Leben zu eigen, von den Kaufleuten auf dem Marktplatz bis zum Hirten, der in seinen Mantel gehüllt auf dem Hügel lagert, von den Nymphen, versteckt in Lorbeerhainen, und den Faunen, die um die Mittagsstunde flöten, bis zu dem König, den Sklaven auf ölglänzenden Schultern in einer Sänfte mit langen grünen Vorhängen trugen und mit Pfauenfedern fächelten. Männer und Frauen, das Antlitz freudig oder kummervoll bewegt, zogen an ihm vorüber. Er schaute sie an, und ihr Geheimnis wurde seines. Durch Form und Farbe erschuf er eine neue Welt.

Auch alle kleinen künstlerischen Formen beherrschte er. Er hielt den Edelstein gegen die drehende Scheibe, und aus dem Amethyst wurde das Purpurlager des Adonis, und über den geäderten Sardonyx jagte Artemis mit ihren Hunden. Er hämmerte aus dem Gold Rosen und band sie zum Halsschmuck oder Armband zusammen. Er hämmerte Kränze aus dem Gold für den Helm des Siegers, Palmetten für tyrische Gewänder und Masken für die toten Könige. Auf die Rückseite des silbernen Spiegels gravierte er Thetis, von den Nereiden getragen, oder die liebeskranke Phaedra mit ihrer Dienerin, oder Persephone, die von der Erinnerung gequält, Mohn in ihr Haar flicht. Der Töpfer saß unter seinem Dach, und von der geräuschlosen Scheibe wuchs blütengleich die Vase zwischen seinen Händen empor. Er schmückte Fuß, Stiel und Henkel mit zierlichen Olivenblattmustern, mit dem Blätterwerk des Akanthus oder mit gekrümmten, schaumgekrönten Wellen. Dann malte er in roten und schwarzen Farben Knaben im Ringkampf oder Wettlauf: Helden in voller Rüstung, die sich mit seltsamen Waffenschilden und fremdartigen Visieren aus dem muschelförmigen Streitwagen über die aufbäumenden Kampfrosse beugen: die Götter beim Festmahl oder wie sie ihre Wundertaten vollbringen: die Heroen in ihrem Sieg und ihrer Qual. Zuweilen ätzte er mit dünnen, hochroten Linien auf weißem Grund den sehnsüchtigen Bräutigam und die Braut, von Eros umschwebt – und Eros, einem Engel des Donatello ähnlich, ein kleines lachendes Geschöpf mit vergoldeten oder azurnen Flügeln. Auf die Wölbung schrieb er vielleicht den Namen seines Freundes. *ΚΑΛΟΣ ΑΛΚΙΒΙΑΔΗΣ** oder *ΚΑΛΟΣ ΧΑΡΜΙΔΗΣ** kündet uns die Geschichte seiner Tage. Und weiter zeichnete er auf den Rand der großen, flachen Schale den äsenden Hirsch oder den schlafenden Löwen, wie die Phantasie es ihm eingab. Von der kleinen Duftölflasche lacht Aphrodite bei der Toilette, und mit den entblößten Mänaden in seinem Gefolge tanzt Dionysos um den Weinkrug, die nackten Füße von Traubensaft befleckt, während der greise Silen sich satyrhaft auf üppigen Fellen spreizt oder den magischen Speer schüttelt, der mit einem durchbrochenen Tannenzapfen an der Spitze beschlagen und mit dunklem Efeu umkränzt ist. Und niemand kam, den Künstler bei seinem Werk zu stören. Kein unverantwortliches Geschwätz verwirrte ihn. Er wurde nicht durch Meinungen belästigt. An den Ufern des Ilyssos, mein lieber Gilbert, gab es keine albernen Kunstkongresse, die den Provinzialismus in die Provinzen tragen und die Mittelmäßigkeit lehren, den Mund aufzureißen. An den Ufern des Ilyssos gab es keine langweiligen Kunstzeitschriften, worin betriebsame Leute über Dinge schwätzen, die sie nicht verstehen. An den schilfbewachsenen Ufern dieses Flüßchens brüstete sich kein lächerlicher Journalismus und nahm das Richteramt für sich allein in Anspruch, während er sich auf der Anklagebank rechtfertigen sollte. Bei den Griechen gab es keine Kunstkritiker.

GILBERT. Du bist ganz entzückend, Ernest, aber deine Ansichten sind einfach falsch. Ich fürchte, du hast dem Gespräch von Leuten zugehört, die älter sind als du. Das hat immer seine Tücken, und wenn du das zur Gewohnheit werden läßt, wirst du entdecken, wie fatal es sich auf jede intellektuelle Entwicklung auswirkt. Was den modernen Journalismus angeht, so ist es nicht meine Aufgabe, ihn zu verteidigen. Er rechtfertigt seine Existenz nach dem großen Darwinschen Prinzip vom Überleben der Niedrigsten. Ich habe es nur mit der Literatur zu tun.

* Ehrenwerter Alkibiades
* Ehrenwerter Charmides

ERNEST. Aber was ist der Unterschied zwischen Literatur und Journalismus?

GILBERT. Oh, der Journalismus ist das Lesen nicht wert, und die Literatur wird nicht gelesen. Das ist alles. Und um auf deine Behauptung zu kommen, die Griechen hätten keine Kunstkritiker besessen, so muß ich feststellen, daß sie völlig absurd ist. Man könnte mit mehr Recht sagen: Die Griechen waren ein Volk von Kunstkritikern.

ERNEST. Wirklich?

GILBERT. Ja, ein Volk von Kunstkritikern. Doch möchte ich das bezaubernd unwirkliche Bild nicht zerstören, das du von dem Verhältnis des hellenischen Künstlers zu dem Geist seines Zeitalters entworfen hast. Genau zu beschreiben, was sich nie zugetragen hat, ist nicht bloß die eigentliche Beschäftigung des Historikers, sondern das unveräußerliche Vorrecht eines jeden, der Begabung und Kultur besitzt. Noch weniger wünsche ich mich gelehrt zu unterhalten. Eine gelehrte Unterhaltung ist entweder die Leidenschaft des Unwissenden oder das Bekenntnis der geistig Unbeschäftigten. Das sogenannte veredelnde Gespräch aber ist nichts als ein einfältiger Versuch der noch einfältigeren Philanthropen, auf kleinmütige Weise die gerechte Erbitterung der untersten Gesellschaftsklassen zu entwaffnen. Nein, ich will dir lieber ein tolles, feuriges Stück von Dvořak vorspielen. Die bleichen Gestalten auf dem Gobelin lächeln uns zu, und die schweren Augenlider meines Bronzenarziß sind vom Schlummer geschlossen. Sprechen wir nicht über ernste Dinge. Ich bin mir allzusehr bewußt, daß wir in einer Zeit geboren sind, die nur die Dummheit ernst nimmt, und ich lebe in der Angst, nicht mißverstanden zu werden. Bring mich nicht in die Situation, dir nützliche Aufschlüsse zu geben. Erziehung ist eine wunderbare Sache, doch muß man sich von Zeit zu Zeit besinnen, daß nichts, was von Wert ist, gelehrt werden kann. Durch den geteilten Fenstervorhang sehe ich den Mond wie ein ausgeschnittenes Silberstück. Wie goldene Bienen schwärmen die Sterne um ihn. Der Himmel ist ein harter, gewölbter Saphir. Laß uns hinaus in die Nacht gehen. Denken ist wundervoll, aber noch wundervoller ist das Erlebnis. Wer weiß, vielleicht begegnen wir dem Prinzen Florizel von Böhmen, vielleicht hören wir die schöne Kubanerin, die uns erzählt, daß sie nicht ist, was sie scheint.

ERNEST. Du bist fürchterlich eigensinnig. Ich bestehe darauf, dieses Thema mit dir zu diskutieren. Du hast behauptet, die Griechen seien ein Volk von Kunstkritikern gewesen. Was für eine Kunstkritik haben sie uns hinterlassen?

GILBERT. Mein lieber Ernest, selbst wenn kein einziges kunstkritisches Fragment von den Griechen oder aus griechischer Zeit zu uns gekommen wäre, gälte nichtsdestoweniger die Wahrheit, daß die Griechen ein Volk von Kunstkritikern waren. Sie haben die Kunstkritik ebenso erfunden wie jede andere Kritik. Denn was verdanken wir schließlich den Griechen in erster Linie? Einfach den kritischen Geist. Und diesen kritischen Geist, den sie in Fragen der Religion und Wissenschaft übten, in den Fragen der Ethik und der Metaphysik, in der Politik und Erziehung, den übten sie auch in den Fragen der Kunst. Sie haben uns in der Tat in den beiden höchsten und edelsten Künsten die makelloseste Methode der Kritik hinterlassen, die die Welt je gekannt hat.

ERNEST. Und wie heißen die beiden höchsten und edelsten Künste?

GILBERT. Leben und Literatur. Das Leben und der vollendete Ausdruck des Lebens. Die Grundgedanken des Lebens, wie sie die Griechen formulierten, können wir uns nicht vergegenwärtigen in einem Zeitalter, das von falschen Idealen so verdorben ist wie das unsere. Die Grundgedanken der Literatur, wie sie von ihnen formuliert wurden, sind in vieler Hinsicht so subtil, daß wir sie kaum zu begreifen vermögen. Indem sie erkannten, daß die vollkommenste Kunst jene ist, die den Menschen in seiner unendlichen Mannigfaltigkeit am erschöpfendsten widerspiegelt, führten sie die Kritik der Sprache, welche sie einzig als Material dieser Kunst betrachteten, zu einer Höhe, an die wir mit unserer systematischen Betonung auf Ratio oder Emotion kaum, wenn überhaupt heranreichen können; sie studierten zum Beispiel die metrischen Zeitmaße einer Prosa so wissenschaftlich wie ein moderner Musiker Harmonie und Kontrapunkt, und ich brauche wohl nicht hinzuzufügen, mit weit schärferem ästhetischem Instinkt. Sie hatten darin recht, wie sie in allen Dingen recht hatten. Seit der Einführung des Buchdrucks und seitdem die Lesegewohnheit in den Mittel- und Unterklassen unseres Landes eine fatale Verbreitung gefunden hat, herrscht in der Literatur die Neigung vor, sich immer mehr an das Auge, immer weniger an das Ohr zu wenden; doch vom Standpunkt der reinen Kunst ist das Gehör der eigentliche Sinn, dem sie zu gefallen trachten und an dessen Gesetze des Wohllauts sie sich halten sollte. Selbst das Werk Paters, der im ganzen betrachtet, die englische Prosa am vollendetsten von uns allen meistert, gleicht zuweilen mehr einem Mosaik als einem musikalischen Satz und läßt, wie es scheint, hier und da das wahre rhythmische Leben der Worte, die schöne Freiheit und Vielfalt der Wirkung vermissen, die solch rhythmisches Leben hervorruft. Wir haben in der Tat das Schreiben zu einem bestimmten Kompositionsverfahren gemacht und es als ausgearbeitete Form angesehen. Den Griechen hingegen bedeutete das Schreiben einfach eine Methode der Aufzeichnung. Ihr Prüfstein war immer das gesprochene Wort in seinen musikalischen und metrischen Bezügen. Die Stimme war das Medium, und das Ohr übte Kritik. Ich habe manchmal gedacht, ob nicht die Sage von der Blindheit Homers in Wirklichkeit ein Kunstmythos ist, der in kunstkritischen Tagen geschaffen wurde und der uns daran erinnern soll, daß der große Dichter nicht nur immer ein Seher ist, der weniger mit den leiblichen Augen als mit den Augen der Seele sieht, sondern daß er auch ein wahrer Sänger ist, der seinen Gesang aus der Musik gestaltet, indem er jede Zeile wieder und wieder vor sich hin spricht, bis er das Geheimnis ihrer Melodie erfaßt hat und in der Dunkelheit die lichtgeflügelten Worte singt. Wie immer es sich verhalten mag, sicher war bei Englands großem Dichter seine Blindheit eine, wenn nicht *die* Ursache für die erhabene Bewegung und den klangvollen Glanz seiner späten Verse. Als Milton nicht mehr schreiben konnte, fing er zu singen an. Wer legt an *Comus* den Maßstab, mit dem man *Samson Agonistes* oder *Paradise Lost* oder *Regained* messen darf? Der erblindete Milton dichtete, wie jeder dichten sollte, allein mit der Stimme, und so wurde aus der Pfeife oder Rohrflöte der Frühzeit diese mächtige vielstimmige Orgel, deren volltönende, widerhallende Musik die ganze Würde des homerischen Verses besitzt – wenn sie auch nicht seine reißende Bewegung anstrebt –, und sie ist das unzerstörbare Erbe der englischen Literatur, das durch die Jahrhunderte weitergetragen wird, weil es über ihnen und immer mit uns lebt, unvergänglich in seiner Form. Ja, das Schreiben hat den Schriftstellern viel Schaden zugefügt. Wir müssen uns wieder an die Stimme halten. Das muß unser Prüfstein sein, und vielleicht wird es uns gelingen, manche Feinheiten der griechischen Kunstkritik zu würdigen.

In der gegenwärtigen Lage können wir es nicht. Manchmal, wenn ich ein Stück Prosa geschrieben habe, das ich bescheidenerweise für völlig fehlerlos halte, überfällt mich der furchtbare Gedanke, daß ich mich vielleicht unziemlicher Weichlichkeit schuldig gemacht habe, durch den Gebrauch trochäischer und tribachyscher Versmaße, ein Verbrechen, das ein gelehrter Kritiker des Augusteischen Zeitalters mit höchst gerechter Strenge dem glänzenden, obschon ein wenig paradoxen Hegesias vorwarf. Es überläuft mich kalt, wenn ich mir das vorstelle, und ich frage mich, ob die bewundernswerte ethische Wirkung der Prosa jenes hinreißenden Schriftstellers, der einmal in einer Stimmung rücksichtsloser Offenheit gegen den unkultivierten Teil unserer Gesellschaft die ungeheuerliche Lehre proklamierte, daß Benehmen drei Viertel des Lebens bedeute, nicht eines Tages völlig vernichtet werden könnte durch die Entdeckung, daß seine Päone an der unrichtigen Stelle stehen.

ERNEST. Ah! Jetzt redest du dich aber in Hitze.

GILBERT. Wer redet sich nicht in Hitze, wenn ihm allen Ernstes gesagt wird, daß die Griechen keine Kunstkritiker hatten? Ich könnte die Ansicht, der schöpferische Geist der Griechen sei in der Kritik untergegangen, begreifen, nicht aber, daß das Volk, dem wir den kritischen Geist verdanken, keine Kritik geübt haben soll. Du wirst nicht von mir verlangen, dir einen Überblick der griechischen Kunstkritik von Platon bis Plotin zu geben. Die Nacht ist zu schön dafür, und der Mond, wenn er uns hören könnte, würde noch mehr Asche auf sein Gesicht streuen, als schon darauf liegt. Aber denke bloß an ein vollendetes kleines Werk der ästhetischen Kritik, an die Poetik des Aristoteles. In der Form ist es keineswegs vollkommen, denn es ist schlecht geschrieben und stellt vielleicht nur eine Zusammenfassung von Notizen dar, die hier und da für eine Kunstvorlesung notiert wurden, oder es handelt sich um vereinzelte Fragmente, die für ein größeres Buch bestimmt waren, aber in Anlage und Behandlung ist es durchaus vollkommen. Die ethische Wirkung der Kunst, ihre Bedeutung für die Kultur und ihr Platz, den sie in der Bildung des Charakters einnimmt, war ein für allemal durch Platon dargelegt worden; hier jedoch wird die Kunst nicht vom moralischen, sondern vom rein ästhetischen Standpunkt aus behandelt. Platon hatte sich selbstverständlich mit vielen, ganz bestimmten künstlerischen Fragen befaßt, wie der Bedeutung der Einheit in einem Kunstwerk, der Notwendigkeit von Klang und Harmonie, dem ästhetischen Wert der Erscheinungsformen, der Beziehung zwischen den sichtbaren Künsten und der äußeren Welt und zwischen Dichtung und Wirklichkeit. Er erweckte vielleicht zum ersten Mal in der Seele des Menschen das Verlangen, das wir noch nicht befriedigt haben, das Verlangen, den Zusammenhang zwischen Schönheit und Wahrheit und den Rang der Schönheit in der sittlichen und geistigen Ordnung des Weltalls zu erkennen. Die Probleme des Idealismus und des Realismus, wie er sie darlegt, mögen innerhalb der metaphysischen Sphäre des abstrakten Seins, in die er sie verlegt, für viele im Ergebnis etwas Unfruchtbares haben, aber übertrage sie auf die Sphäre der Kunst, und du wirst entdecken, daß sie noch immer lebendig und bedeutungsvoll sind. Mag sein, daß es Plato bestimmt ist, als Kritiker der Schönheit weiterzuleben, und daß wir, indem wir den Namen seiner Denksphäre verändern, eine neue Philosophie finden werden. Aristoteles jedoch beschäftigt sich, wie Goethe, mit der Kunst hauptsächlich in ihren konkreten Manifestationen, indem er zum Beispiel die Tragödie nimmt und das Material untersucht, das sie verwendet, nämlich die Sprache; ihren Gegenstand, nämlich das Leben; die Methode, nach der sie arbeitet, nämlich die Handlung; die Bedingungen, unter denen sie sich enthüllt, nämlich die theatralische Aufführung; ihren logischen Aufbau, nämlich die Fabel, und ihre entscheidende, ästhetische Einwirkung auf den Schönheitssinn, der durch die Leidenschaften von Furcht und Mitleid erregt wird. Diese Reinigung und Vergeistigung der Natur, die er *καθάρσις* * nennt, ist,

* Katharsis

wie Goethe bemerkt, im wesentlichen ästhetisch und nicht moralisch, wie Lessing annahm. Aristoteles befaßt sich in erster Linie mit der Wirkung, die das Kunstwerk hervorruft, er geht daran, diese Wirkung zu analysieren, ihren Ursprung zu erforschen, aufzudecken, wie sie entsteht. Als Physiologe und Psychologe weiß er, daß die Gesundheit einer Funktion in ihrer Energie liegt. Die Fähigkeit zu einer Leidenschaft besitzen und sie nicht verwirklichen, heißt sich unvollständig machen, sich begrenzen. Das mimische Schauspiel des Lebens, das uns die Tragödie bereitet, reinigt die Seele von manchem »gefährlichen« Stoff und dadurch, daß sie hohe und würdige Gegenstände darbietet, um die Gefühle zu bewegen, reinigt und vergeistigt sie den Menschen; ja, sie vergeistigt ihn nicht nur, sondern weiht ihn auch in edle Gefühle ein, von denen er sonst nichts erfahren hätte; das Wort *καθάρσις* enthält, wie mir manchmal scheint, eine bestimmte Anspielung auf den Einweihungsritus, wenn dies nicht sogar, wie ich zuweilen versucht bin zu glauben, hier seine wahre und einzige Bedeutung ist. Das ist natürlich eine bloße Skizzierung des Buches. Aber du siehst, was für ein vollendetes Werk ästhetischer Kritik es ist. Wer sonst als ein Grieche wäre fähig gewesen, die Kunst so gut zu analysieren? Nachdem man es gelesen hat, wundert man sich nicht länger darüber, daß Alexandria sich in so großem Maß der Kunstkritik widmete, und daß die künstlerischen Temperamente jener Zeit jede Frage des Stils und der Technik untersuchten, daß sie zum Beispiel über die großen akademischen Malschulen, wie etwa die Schule von Sikyon, diskutierten, die die erhabenen Traditionen der antiken Form zu bewahren trachtete, oder über die realistischen und impressionistischen Schulen, deren Ziel es war, das wirkliche Leben zu reproduzieren, oder über die Elemente der Idealität in der Portraitkunst, über den künstlerischen Wert der epischen Form in einer Zeit, die so modern war wie die ihre, und über den eigentlichen Gegenstand des Künstlers. Allerdings, fürchte ich, waren auch die unkünstlerischen Naturen jener Tage in Dingen der Literatur und Kunst emsig beschäftigt, denn die Anschuldigungen wegen Plagiats nahmen kein Ende; solche Anschuldigungen entstammen entweder den dünnen, farblosen Lippen der Impotenz oder den grotesken Mäulern jener, die, weil sie selbst nichts besitzen, glauben, sie könnten in den Ruf von Reichtum gelangen, wenn sie hinausposaunen, man hätte sie bestohlen. Ich versichere dir, mein lieber Ernest, daß die Griechen über die Maler genau soviel schwätzten wie die Leute heutzutage; sie hatten ihre eigenen Ansichten, ihre Ausstellungen gegen Eintrittsgeld, Kunst- und Handwerkergilden, sie hatten präraffaelitische Bewegungen und Bewegungen zum Realismus hin und Vorlesungen über Kunst, sie schrieben Essays über Kunst, sie brachten Kunsthistoriker und Archäologen hervor und alles, was sonst noch dazu gehört. Ja, selbst die Theaterunternehmer von reisenden Schauspieltruppen verfügten über ihre eigenen Theaterkritiker, wenn sie auf Tournee gingen, und sie zahlten ihnen sehr ansehnliche Honorare für lobende Artikel. Man sieht, alles, was an unserem Leben neu ist, verdanken wir den Griechen. Wann immer eine Verwechslung der Zeitumstände vorliegt, entstammt sie einem mittelalterlichen Denken. Die Griechen haben uns das Verfahren der Kunstkritik überliefert, und wie fein ihr kritischer Instinkt entwickelt war, vermögen wir aus dem Tatbestand zu schließen, daß das Material, das sie mit großer Sorgfalt beurteilten, ich habe es bereits betont, die Sprache war. Denn das Material, mit dem der Maler oder der Bildhauer umgeht, ist im Vergleich zum Wort ausdruckslos. Nicht nur besitzen die Worte Musik, so süß wie die Viola und die Laute, Farben so reich und lebendig wie nur irgendeine, die die Leinwand der Venezianer und Spanier für uns so wundervoll macht, und plastische Form, nicht weniger fest und bestimmt als jene, die sich in Marmor oder Bronze enthüllt, sondern auch Idee, Leidenschaft und Geistigkeit sind ihnen zu eigen, sind ihnen fürwahr allein zu eigen. Hätten die Griechen lediglich eine Kritik der Sprache hervorgebracht, sie wären allein deswegen die größten Kunstkritiker der Welt. Die Prinzipien der höchsten Kunst kennen, bedeutet soviel wie die Prinzipien aller Künste kennen.

Aber ich merke, daß sich der Mond hinter einer schwefelfarbenen Wolke verborgen hat. Aus lohgelber Mähne oder aus Wolkengestöber leuchtet er wie das Auge des Löwen. Er fürchtet, ich werde dir von Lukian und Longius erzählen, von Quintilian und Dionysius, von Plinius und Fronto und Pausanias, von all jenen, die in der Antike über Kunstthemen geschrieben oder gesprochen haben. Er braucht nichts zu befürchten. Ich bin den Ausflug in die dunklen, dumpfen Abgründe der Fakten leid. Jetzt bleibt mir nichts als die göttliche *μονόχρονος ἡδονή* * einer neuen Zigarette. Das Angenehme an der Zigarette ist zumindest, daß sie einen unbefriedigt läßt.

ERNEST. Probier eine von mir. Sie sind ganz gut; ich bekomme sie direkt aus Kairo. Der einzige Nutzen unserer Attachés ist, daß sie ihre Freunde mit ausgezeichnetem Tabak versorgen. Aber da sich der Mond wieder versteckt hat, sprechen wir noch eine Weile. Ich gebe gerne zu, daß es falsch war, was ich über die Griechen sagte. Sie waren, wie du ausgeführt hast, ein Volk von Kunstkritikern. Ich nehme es zur Kenntnis und bedauere es ein wenig. Denn die schöpferische Fähigkeit steht höher als die kritische. Man kann sie überhaupt nicht miteinander vergleichen.

GILBERT. Die Antithese zwischen ihnen ist vollkommen willkürlich. Ohne kritisches Vermögen ist noch keine Kunstschöpfung, die diesen Namen verdient, entstanden. Du sprachst vorhin von dem feinen Sinn für Auswahl und dem empfindlichen Instinkt für Auslese, durch den der Künstler das Leben für uns darstellt und ihm für einen Augenblick Vollkommenheit verleiht. Nun, dieser Sinn für Auswahl, dieses subtile Gefühl für Auslassung ist nichts anderes als die kritische Fähigkeit in einer ihrer bezeichnendsten Äußerungen; wem diese kritische Fähigkeit nun fehlt, der vermag in der Kunst nichts Schöpferisches hervorzubringen. Arnolds Definition der Literatur als einer Kritik des Lebens war nicht sehr glücklich in der Form, aber sie zeigte, wie scharf er die Bedeutung des kritischen Elements in jedem schöpferischen Werk erkannt hat.

ERNEST. Ich meine, große Künstler schaffen unbewußt, sie sind »weiser, als sie selbst wissen«, wie Emerson, glaube ich, irgendwo bemerkt.

GILBERT. Das ist wirklich nicht so, Ernest. Jedes vortreffliche, phantasievolle Werk ist bewußt und durchdacht. Kein Dichter singt, weil er singen muß, wenigstens tut es kein großer Dichter; ein großer Dichter singt, weil er wünscht zu singen. Das gilt heute und ist immer so gewesen. Wir sind manchmal geneigt, an-

* Ungeteiltes Vergnügen

zunehmen, daß die Stimmen, die sich in der Frühzeit der Dichtung erhoben, naiver und frischer und natürlicher waren als unsere, und daß die Welt, die die ersten Dichter schauten und durch die sie gingen, eine Art eigener poetischer Beschaffenheit besaß und fast ohne Übergang sich in Gesang verwandeln konnte. Jetzt liegt dichter Schnee auf dem Olymp, und seine schroff zerklüfteten Abhänge sind öde und unfruchtbar, einstmals aber, so stellen wir uns vor, streiften die weißen Füße der Musen am Morgen den Tau von den Anemonen, und zur Abendstunde nahte Apoll und sang den Schafhirten im Tal sein Lied. Aber damit leihen wir anderen Zeitaltern nur, was wir für uns selbst ersehnen oder zu ersehnen glauben. Unser historischer Sinn ist da in einem Irrtum befangen. Jedes Jahrhundert ist, soweit es Dichtung hervorbringt, ein künstliches Jahrhundert, und das Werk, das uns als die natürlichste und selbstverständlichste Frucht seiner Zeit erscheint, ist immer das Ergebnis einer höchst bewußten Anstrengung. Glaube mir, Ernest, es gibt keine schönen Künste ohne Selbstbewußtheit, und Selbstbewußtheit und kritischer Geist sind ein und dasselbe.

ERNEST. Ich verstehe, was du sagen willst, und es hat viel für sich. Doch du wirst gewiß zugeben, daß die großen Dichtungen der Frühzeit, die primitiven, namenlosen und kollektiven Dichtungen, das Ergebnis der Phantasie von Völkern mehr als der Phantasie von einzelnen war?

GILBERT. Nicht als sie Dichtung wurden, nicht als sie in eine schöne Form gebracht wurden. Denn es gibt keine Kunst ohne Stil und keinen Stil ohne Einheit; Einheit aber setzt das Individuum voraus. Zweifellos hat sich Homer mit alten epischen Volksdichtungen und Heldenliedern befaßt, wie Shakespeare in seiner Arbeit über Chroniken, Stücke und Novellen verfügte, aber sie boten nur das Rohmaterial. Er bediente sich ihrer und gestaltete sie zum Gesang. Sie wurden sein eigen, denn er verlieh ihnen Schönheit. Sie waren aus Musik gebaut:

Und so gar nicht gebaut,
Und drum gebaut für immer.

Je länger man Leben und Literatur studiert, desto deutlicher empfindet man, daß hinter allem Bewundernswerten das Individuum steht und daß es nicht der Augenblick ist, der den Menschen ausmacht, sondern daß es der Mensch ist, der die Zeit erschafft. Ich bin in der Tat geneigt zu denken, daß alle Mythen und Legenden, von denen wir annehmen, sie seien dem Staunen, der Angst, der Phantasie des Stammes und des Volkes entsprungen, in ihrem Ursprung die Erfindung eines einzelnen Kopfes sind. Die erstaunlich begrenzte Zahl der Mythen scheint mir eine solche Schlußfolgerung nahezulegen. Verlieren wir uns aber nicht in Fragen der vergleichenden Mythologie. Wir wollen bei der Kritik bleiben, und was ich ausführen möchte, ist folgendes: Ein Zeitalter, das keine Kunstkritik besitzt, ist entweder ein Zeitalter, in dem die Kunst starr und hieratisch ist und auf die Wiedergabe herkömmlicher Formen beschränkt bleibt, oder es ist bar jeder Kunst. Es hat kritische Zeitalter gegeben, die, im gewöhnlichen Sinn des Wortes, unschöpferisch gewesen sind, Zeitalter, in denen der menschliche Geist danach verlangte, die Schätze seiner Schatzkammer zu ordnen, das Gold vom Silber zu scheiden und das Silber vom Blei, die Edelsteine zu zählen, den Perlen Namen zu geben. Aber es hat nie ein schöpferisches Zeitalter gegeben, das nicht zugleich kritisch gewesen wäre. Denn es ist das kritische Talent, das neue Formen erfindet. Alle Schöpfung neigt dazu, sich selbst zu wiederholen. Dem kritischen Instinkt verdanken wir jede neu aufkeimende Schule, jede neue Form, die die Kunst bereit findet. Es gibt wirklich nicht eine einzige Form, die die Kunst heute anwendet, die uns nicht der kritische Geist Alexandrias überliefert hätte; dort wurden diese Formen entweder gleichmäßig wiederholt oder erfunden oder vervollkommnet. Ich sage Alexandria nicht nur, weil der griechische Geist hier die höchste Bewußtheit gewann und sich schließlich in Skeptizismus und Theologie verlor, sondern weil Rom aus dieser Stadt, nicht aus Athen, seine Vorbilder nahm; und nur durch ein gewisses Fortleben der lateinischen Sprache ist uns die Kultur überhaupt erhalten geblieben. Als in der Renaissance die griechische Literatur über Europa erscheint, war der Boden dafür in mancher Hinsicht vorbereitet. Aber lassen wir die historischen Einzelheiten beiseite, die immer ermüden und gewöhnlich ungenau sind; stellen wir allgemein fest, daß die Kunstformen dem kritischen Geist der Griechen entstammen. Ihm verdanken wir die Epik und die Lyrik, das Drama in all seinen Entwicklungsstufen, die Burleske mit eingeschlossen, das Idyll, den romantischen- und den Abenteurer-Roman, wir verdanken ihm den Essay, den Dialog, die Rede, die Vorlesung – die wir ihm vielleicht nicht verzeihen sollten – und das Epigramm in der ganzen, umfassenden Bedeutung des Wortes. In der Tat, wir verdanken ihm alles außer dem Sonett – doch finden sich dazu bereits einige merkwürdige gedankliche Parallelen in der Anthologie –, außer dem amerikanischen Journalismus, zu dem sich nirgendwo Parallen finden lassen, und außer der Ballade im erfundenen schottischen Dialekt, die, so hat einer unserer fleißigsten Schriftsteller kürzlich vorgeschlagen, zur Grundlage einer endgültigen und einmütigen Anstrengung von seiten unserer zweitrangigen Dichter gemacht werden sollte, um sich eine wirklich romantische Aura zu geben. Jede neue Schule, so scheint es, setzt sich gegen die Kritik zur Wehr, doch sie verdankt ihr Entstehen der kritischen Fähigkeit im Menschen. Der bloße schöpferische Trieb gestaltet nicht neu, sondern reproduziert.

ERNEST. Du hast über die Kritik als einen wesentlichen Teil des schöpferischen Geistes gesprochen, und ich akzeptiere deine Theorie jetzt vollkommen. Was soll aber die Kritik außerhalb des Schöpferischen? Ich habe die dumme Angewohnheit, regelmäßig erscheinende Zeitschriften zu lesen, und ich werde den Eindruck nicht los, daß der größte Teil der modernen Kritik völlig wertlos ist.

GILBERT. Das gilt auch von den meisten schöpferischen Werken unserer Tage. Die Mittelmäßigkeit hält der Mittelmäßigkeit die Waage, und die Inkompetenz applaudiert ihrer Schwester – dieses Schauspiel gewährt uns Englands künstlerische Aktivität von Zeit zu Zeit. Doch ich fühle, daß ich nicht ganz fair in dieser Sache bin. In der Regel sind die Kritiker – ich spreche natürlich von der besseren Klasse, die für die Wochenblätter schreiben – weit gebildeter als jene, deren Werke sie zu rezensieren haben. Dies entspricht fürwahr dem, was man erwarten darf, denn das Kritisieren erfordert unendlich mehr Bildung als das Schaffen.

ERNEST. Wirklich?

GILBERT. Allerdings. Jedermann kann einen dreibändigen Roman schreiben. Dazu bedarf es nur völliger Unkenntnis des Lebens und der Literatur. Für den Rezensenten liegt die Schwierigkeit meiner Meinung nach darin, irgendeinen Maßstab zu verfechten. Wo es keinen Stil gibt, wird ein Maßstab unmöglich. Die armen Rezensenten werden offensichtlich dazu herabgewürdigt, dem literarischen Polizeigericht als Reporter zu dienen, als Chronisten, die die Taten der künstlerischen Gewohnheitsverbrecher registrieren. Man sagt nicht selten von ihnen, daß sie die Werke, die sie kritisieren sollen, nicht einmal zu Ende lesen. Tatsächlich ist es so. Oder es sollte wenigstens so sein. Würden sie diese Dinge lesen, dann müßten sie für den Rest ihres Lebens ausgesprochene Misanthropen werden. Es ist auch keineswegs notwendig. Um den Jahrgang und die Güte eines Weines zu kennen, braucht man nicht das ganze Faß zu trinken. Man kann in einer halben Stunde sehr leicht ein Urteil darüber gewinnen, ob ein Buch etwas taugt oder nicht. Wenn einer Formgefühl besitzt, genügen wahrhaftig zehn Minuten. Wer wird sich durch ein langweiliges Buch hindurcharbeiten? Man prüft es, das genügt völlig – es ist mehr als genug, meine ich. Ich weiß, daß es viele ehrliche Handwerker in der Malerei wie in der Literatur gibt, die der Kritik ihre Berechtigung völlig absprechen. Diese Leute haben ganz recht. Ihre Werke stehen mit dem Zeitalter in keinem geistigen Zusammenhang. Sie erwecken in uns nicht ein neues Element der Freude. Weder dem Denken noch der Leidenschaft, noch der Schönheit geben sie eine neue Richtung. Man sollte gar nicht über sie sprechen. Man sollte sie der verdienten Vergessenheit überlassen.

ERNEST. Aber, mein Lieber – verzeih, wenn ich dich unterbreche –, mir scheint, du läßt deiner Leidenschaft für die Kritik die Zügel schießen. Denn selbst du mußt am Ende zugeben, daß es viel schwieriger ist, etwas zu tun, als darüber zu reden.

GILBERT. Es ist schwieriger, etwas zu tun, als darüber zu reden? Keineswegs. Dies ist ein grober, weitverbreiteter Irrtum. Es ist sehr viel schwieriger, über etwas zu reden, als es zu tun. Im Bereich des täglichen Lebens ist dies natürlich unverkennbar. Jeder kann Geschichte machen, aber nur ein großer Mann kann sie schreiben. Es gibt keine Handlungsweise, keine Form der Empfindung, die wir nicht mit den niedrigen Tieren teilen. Nur durch die Sprache erheben wir uns über sie oder über den Mitmenschen – durch die Sprache allein, sie ist die Mutter des Denkens, nicht ihr Kind. Tätigsein ist fürwahr immer einfach, und wenn es sich in seiner ärgerlichsten, weil kontinuierlichsten Form darstellt, nämlich in purer Betriebsamkeit, dann wird es einfach die Zuflucht jener, die sonst nichts zu tun haben. Nein, Ernest, sprechen wir nicht vom Tätigsein. Es ist immer etwas Blindes, von äußeren Einflüssen Abhängiges, und es wird von einem Impuls in Bewegung gesetzt, dessen Natur ihm unbewußt ist. Es ist seinem Wesen nach unvollkommen, weil es durch den Zufall beschränkt wird, seine Richtung nicht im voraus kennt und immer im Widerspruch zu seinem Ziel steht. Phantasiemangel bildet seine Grundlage. Es ist der letzte Ausweg jener, die nicht verstehen zu träumen.

ERNEST. Gilbert, du behandelst die Welt wie eine gläserne Kugel. Du hältst sie in der Hand und drehst sie nach deiner Laune. Du tust nichts anderes, als die Geschichte nochmals schreiben.

GILBERT. Die einzige Pflicht, die wir der Geschichte gegenüber haben, ist, sie nochmals zu schreiben. Das ist nicht die geringste der Aufgaben, die dem kritischen Geist vorbehalten sind. Haben wir einmal die wissenschaftlichen Gesetze, die das Leben beherrschen, ganz durchforscht, dann werden wir entdecken, daß der einzige Mensch, der mehr in Illusionen befangen ist als der Träumer, der Tatmensch ist. Er kennt fürwahr weder den Ursprung seiner Handlungen noch deren Ergebnisse. Er glaubt, Dornen auf einem Felde gesät zu haben, doch wir ernten Wein darauf, und der Feigenbaum, den er zu unserer Freude gepflanzt hat, ist so unfruchtbar wie die Distel und noch härter. Nur weil die Menschheit niemals wußte, wohin sie schritt, hat sie immer vermocht, ihren Weg zu finden.

ERNEST. Du bist also der Meinung, daß im Bereich des Handelns ein bewußtes Ziel Täuschung ist?

GILBERT. Es ist schlimmer als eine Täuschung. Würden wir lange genug leben, um die Ergebnisse unserer Handlungen zu sehen, so könnte es geschehen, daß jene, die sich selbst für gut halten, an düsteren Selbstvorwürfen litten, und daß die sogenannten Bösen von stolzer Freude bewegt wären. Jede Kleinigkeit, die wir tun, gerät in die große Maschine des Lebens, die unsere Tugenden zu Staub zermalmen kann und wertlos macht oder unsere Sünden in

Elemente einer neuen Kultur zu verwandeln vermag, einer Kultur, herrlicher und glanzvoller als irgendeine zuvor. Aber der Mensch ist der Sklave des Wortes. Er ereifert sich gegen den sogenannten Materialismus und vergißt, daß es keinen materiellen Fortschritt gibt, der nicht die Welt geistiger machte, und daß es kaum jemals ein geistiges Erwachen gegeben hat, das nicht die Kräfte der Welt in vergeblichem Hoffen, unfruchtbaren Sehnsüchten und leeren oder hemmenden Glaubensbekenntnissen vergeudet hat. Was Sünde genannt wird, bildet ein wesentliches Element des Fortschritts. Ohne sie würde die Welt stagnieren, alt oder farblos werden. Durch ihre Neugierde vermehrt die Sünde die Erfahrung der Rasse. Durch ihre gesteigerte Bejahung des Individualismus bewahrt sie uns vor der Einförmigkeit des Typus. In ihrer Verwerfung der landläufigen Moralbegriffe stimmt sie mit der höheren Ethik überein. Und die Tugenden erst! Was sind die Tugenden? Die Natur, so erklärt uns Renan, kehrt sich wenig an die Keuschheit, und es mag sein, daß es die Schande der Magdalena ist und nicht ihre eigene Reinheit, der die Lukrezien von heute ihr Freisein vom Makel verdanken. Die Nächstenliebe ruft eine Menge Unheil hervor, wie sogar jene zugeben mußten, in deren Religion sie ihren herkömmlichen Anteil hat. Das bloße Vorhandensein des Gewissens, dieser Fähigkeit, von der die Menschen heutzutage so töricht daherreden und auf die sie aus Unwissenheit so stolz sind, ist ein Zeichen unserer unvollkommenen Entwicklung. Es muß mit dem Instinkt verschmelzen, ehe wir wirklich hervorragend werden. Die Selbstverleugnung ist einfach eine Methode, durch die der Mensch sein Wachstum hemmt, und die Selbstaufopferung ist ein Überbleibsel von der Verstümmelung der Wilden, ein Rest jener uralten Anbetung des Schmerzes, der ein so schrecklicher Faktor in der Weltgeschichte ist und der sogar jetzt noch Tag für Tag seine Opfer fordert und dessen Altäre überall stehen. Tugenden! Wer weiß, was Tugenden sind, du nicht, ich nicht, niemand. Es schmeichelt unserer Eitelkeit, den Verbrecher zu töten, denn ertrügen wir, daß er weiterlebt, so könnte er uns eines Tages zeigen, was wir durch sein Verbrechen hinzugewonnen haben. Es ist gut für den Frieden des Heiligen, wenn er das Martyrium erleidet. So bleibt er bewahrt vor dem Anblick seiner schrecklichen Saat.

ERNEST. Gilbert, du schlägst einen zu strengen Ton an. Kehren wir in den angenehmeren Bereich der Literatur zurück. Was hattest du vorher gesagt? Daß es schwerer sei, über eine Sache zu reden, als sie zu tun.

GILBERT *(nach einer Pause)*. Ja, ich glaube, ich habe gewagt, diese einfache Wahrheit auszusprechen. Bestimmt siehst du jetzt ein, daß ich recht habe? Der Mensch ist, wenn er handelt, eine Marionette. Wenn er etwas schildert, ist er ein Dichter. Darin liegt das ganze Geheimnis. Es war leicht genug, auf den sandigen Schlachtfeldern um das stürmische Ilion den geschnitzten Pfeil vom bemalten Bogen zu schnellen oder den langen Speer mit dem eschenen Lanzenschaft gegen den Schild aus Haut und feuergleicher Bronze zu schleudern. Es fiel der ehebrecherischen Königin leicht, die tyrischen Teppiche vor ihrem Gebieter auszubreiten und dann, als er sich im Marmorbade niedergelegt, das Purpurnetz über seinen Kopf zu werfen und ihren glattgesichtigen Liebhaber zu rufen, damit er durch die Maschen nach dem Herz steche, das in Aulis hätte brechen sollen. Selbst für Antigone, die der Tod als Bräutigam erwartete, war es leicht, durch die verpestete Luft des Mittags den Hügel hinanzusteigen und mit sanfter Erde den armseligen, nackten Leichnam zu bedecken, der kein Grab hatte. Aber was ist von jenen zu sagen, die über diese Taten schrieben? Die ihnen Wirklichkeit verliehen und sie unsterblich machten? Sind sie nicht größer als die Männer und Frauen, die sie besingen? »Hektor, der strahlende Held, ist tot«, und Lukian berichtet uns, wie Menippus in der Düsternis der Unterwelt den bleichenden Schädel der Helena erblickte und wie er sich wunderte, daß um eines so grausen Gegenstands der Gunst willen, all jene gehörnten Schiffe ausgefahren waren, all jene herrlichen gepanzerten Helden dahinsanken, jene betürmten Städte in Staub zerfielen. Dennoch erscheint jeden Morgen die schwanengleiche Tochter der Leda auf den Zinnen und blickt auf das Kriegsgetümmel nieder. Die Graubärte bewundern ihre Lieblichkeit, und sie steht an der Seite des Königs. In seinem Gemach aus bemaltem Elfenbein liegt ihr Geliebter. Er putzt seine zierliche Rüstung und kämmt den scharlachroten Helmbusch. Mit Schildknappe und Page schreitet ihr Gemahl von Zelt zu Zelt. Sie kann sein blondes Haar sehen, sie hört oder glaubt seine klare, kalte Stimme zu hören. Unten im Hof legt der Sohn des Priamus den ehernen Panzer an. Die weißen Arme der Andromache sind um seinen Nacken geschlungen. Er stellt den Helm zu Boden, damit ihr Kind nicht erschrecke. Hinter den bestickten Vorhängen seines Zeltes sitzt Achill in duftendem Gewande, während der Freund seiner Seele den Harnisch aus Gold und Silber anlegt, um in den Kampf zu ziehen. Einem seltsam geschnitzten Kästchen, das seine Mutter Thetis ihm an sein Schiff gebracht hatte, entnimmt der Feldherr der Myrmidonen den geheimnisvollen Kelch, den nie eines Menschen Mund berührt hat; und er reinigt ihn mit Schwefel, und mit frischem Wasser kühlt er ihn ab; er wäscht die Hände, füllt seine glänzende Höhlung mit schwarzem Wein, gießt das dicke Rebenblut auf die Erde, zur Ehre dessen, den barfüßige Propheten zu Dodona anbeteten, und ihn fleht er an und ahnt nicht, daß er vergeblich bittet und daß er durch zwei trojanische Helden, den Euphorbus, des Phanthous Sohn, dessen Liebeslocken mit Gold durchflochten waren, und den Priamiden, den löwenherzigen Patroklus, den Gefährten der Gefährten, seinem Schicksal begegnen muß. Sind diese Gestalten Phantome? Heroen aus den Wolken und vom Bergesgipfel? Schatten in einer Dichtung? Nein, sie sind Wirklichkeit. Handeln! Was ist Handeln? Es stirbt im Augenblick seiner Wirksamkeit. Es ist ein billiges Zugeständnis an die Wirklichkeit. Die Welt wird durch den Sänger für den Träumer geschaffen.

ERNEST. Während du sprichst, scheint es mir so zu sein.

GILBERT. Es ist wahrhaftig so. Auf dem zerfallenen Festungsgemäuer von Troja liegt die Eidechse wie ein Gebilde aus grüner Bronze. Die Eule hat ihr Nest in den Palast des Priamus gebaut. Über das leere Schlachtfeld ziehen Schaf- und Ziegenhirten mit ihren Herden; und wo auf der weinfarbenen, öligen Meeresflut, dem *οἶνοψ πόντος*, wie Homer es nennt, mit kupferbeschlagenem Bug und scharlachroten Streifen, die mächtigen Ruderschiffe der Danaer in all ihrem Glanz einherzogen, sitzt der einsame Fischer im kleinen Boot und beobachtet die auf und nieder hüpfenden Korken seines Netzes. Doch jeden Morgen sind die Tore der Stadt weit aufgerissen, und zu Fuß oder in rossegezogenen Streitwagen ziehen die Krieger in die Schlacht und spotten der

Feinde hinter ihren ehernen Masken. Den ganzen Tag lang tobt der Kampf, sinkt aber die Nacht herab, leuchten die Fackeln an den Zelten, und der Dreifuß brennt in der Halle. Jene Gestalten, die in Marmor oder auf der Leinwand leben, kennen vom Leben nur einen einzigen köstlichen Augenblick, fürwahr ewig in seiner Schönheit, aber begrenzt auf einen Ton der Leidenschaft oder eine Tonart der Stille. Jene Gestalten aber, die der Dichter zum Leben erweckt, haben unzählige Empfindungen der Freude und des Schreckens; Mut und Verzweiflung, Lust und Leiden sind ihnen zu eigen. Die Jahreszeiten kommen und gehen im heiteren und melancholischen Gepränge, und beschwingt oder bleischwer ziehen die Jahre an ihnen vorüber. Sie haben ihre Jugend und ihr Erwachsensein, ihre Kindheit und ihr Alter. Es ist immer Morgendämmerung für die heilige Helena, wie Veronese sie am Fenster sah. Durch die unberührte Morgenluft bringen ihr die Engel das Symbol der Leiden Gottes. Der kühle Morgenwind hebt die goldenen Fäden von ihrer Stirn. Auf jenem kleinen Hügel bei Florenz, wo die Liebenden des Giorgione lagern, ist immer die Mittagssonne im Zenit; so ermattend wirkt diese Sommersonne, daß das zarte, nackte Mädchen kaum das runde, geblasene Gefäß aus durchsichtigem Glas in den Marmorbrunnen zu tauchen vermag und die schmalen Finger des Lautenspielers müßig auf den Saiten ruhen. Es ist immer Zwielicht für die tanzenden Nymphen, die Corot unter den Silberpappeln Frankreichs schweben läßt. In ewigem Zwielicht gleiten sie dahin, diese zerbrechlichen, durchsichtigen Figuren, deren flatternde Füße das taufeuchte Gras nicht zu berühren scheinen. Aber jene Gestalten, die durch das Epos, das Drama, den Roman schreiten, sehen durch die schaffende Natur die jungen Monde zunehmen und schwinden und betrachten die Nacht vom Abend bis zum Morgenstern, und von Sonnenaufgang bis zu Sonnenuntergang können sie den Lauf des Tags beobachten mit all seinem Gold und seinem Schatten. Für sie blühen und welken die Blumen wie für uns, und die Erde, die grüngelockte Göttin, wie Coleridge sie nennt, wechselt ihr Kleid zu ihrer Freude. Die Statue ist auf einen einzigen Augenblick der Vollkommenheit gesammelt. Das Bild auf der Leinwand besitzt kein geistiges Element des Wachstums oder der Veränderung. Wenn sie nichts vom Tode wissen, so ist es, weil sie nichts vom Leben kennen. Denn die Geheimnisse des Lebens und des Todes gehören nur jenen und jenen ganz allein, die der Ablauf der Zeit berührt und die nicht bloß die Gegenwart, sondern auch die Zukunft besitzen, und die steigen und fallen können aus einer Vergangenheit des Ruhmes oder der Schande. Die Bewegung, dieses Problem der bildenden Künste, kann allein in der Literatur wahrhaft verwirklicht werden. Es ist die Literatur, die uns den Körper in seiner Behendigkeit und die Seele in ihrer Unrast zeigt.

ERNEST. Ja, ich verstehe jetzt, was du meinst. Aber sicher ist, je höher du den schöpferischen Künstler stellst, um so niedriger muß der Rang des Kritikers sein.

GILBERT. Wieso?

ERNEST. Weil das Beste, das er uns zu geben vermag, nichts ist als ein Echo der volltönenden Musik, das blasse Schattenbild einer klar umrissenen Form. Das Leben mag in der Tat ein Chaos sein, wie du behauptest. Es mag sein, daß seine Marterqualen wertlos, seine Heldentaten unedel sind und daß es die Aufgabe der Literatur ist, aus dem rohen Material des wirklichen Lebens eine neue Welt zu erschaffen, die herrlicher, dauernder und wahrhaftiger sein wird als die Welt, auf die das gewöhnliche Auge blickt und durch welche die gewöhnlichen Naturen ihre Vollendung zu verwirklichen trachten. Und zweifellos, wenn diese neue Welt durch den Geist und das Gefühl eines großen Künstlers geschaffen worden ist, wird sie etwas so Ganzes und Vollkommenes sein, daß für den Kritiker nichts zu tun übrigbleibt. Ich verstehe jetzt sehr wohl und gebe bereitwillig zu, daß es weit schwieriger ist, über eine Sache zu sprechen, als sie zu tun. Doch mir scheint, daß diese gesunde und kluge Maxime, die den Gefühlen wirklich äußerst schmeichelt und von jeder Dichterakademie in der ganzen Welt als Wahlspruch angenommen werden sollte, sich nur an die Beziehungen wendet, die zwischen der Kunst und dem Leben bestehen, und an keinerlei Beziehungen, die es zwischen Kunst und Kritik geben mag.

GILBERT. Aber ohne Zweifel ist die Kritik selbst eine Kunst. Und genauso, wie die künstlerische Schöpfung die Arbeit des kritischen Geistes mit einschließt, und man kann wirklich nicht sagen, daß sie ohne ihn überhaupt existiert, so ist die Kritik schöpferisch in der höchsten Bedeutung des Wortes. Die Kritik ist in der Tat beides, sie ist schöpferisch und unabhängig.

ERNEST. Unabhängig?

GILBERT. Ja, unabhängig. Die Kritik darf ebeno wenig nach dem erbärmlichen Maßstab der Nachahmung oder Ähnlichkeit beurteilt werden wie das Werk des Dichters oder Bildhauers. Der Kritiker nimmt gegenüber dem Kunstwerk, das er kritisiert, dieselbe Stellung ein wie der Künstler zur sichtbaren Welt der Formen und Farben oder der unsichtbaren Welt der Leidenschaften und Ideen. Der Kritiker bedarf zur Vollendung seiner Kunst nicht einmal des kostbarsten Materials. Alles dient seinen Absichten. Und genauso, wie aus den zügellosen, sentimentalen Liebschaften der törichten Ehefrau eines unbedeutenden Arztes in der schmutzigen Kleinstadt Yonville-l'Abbaye bei Rouen Gustave Flaubert ein klassisches Werk zu schaffen vermochte, ein Meisterstück des Stils, so kann der echte Kritiker mit intellektuellem Fingerspitzengefühl, sofern es ihm Vergnügen bereitet, seine Begabung zur Kontemplation darauf zu richten oder zu verschwenden, aus Dingen von geringer oder gar keiner Bedeutung, etwa aus den diesjährigen Bildern der Royal Academy oder den Bildern der vorangegangenen Jahre, aus den Gedichten Lewis Morris, den Romanen M. Ohnets oder den Stücken von Henry Arthur Jones, ein Werk von makelloser Schönheit und Instinktsicherheit schaffen. Warum sollte er es nicht? Glanzlosigkeit ist immer eine unwiderstehliche Versuchung zu glänzen, und Dummheit ist die ewige »bestia trionfans«, die die Klugheit aus der Höhle lockt. Was bedeutet einem so schöpferischen Künstler, wie es der Kritiker ist, der Gegenstand? Nicht mehr und nicht weniger, als er dem Romancier und dem Maler bedeutet. Wie sie, kann er seine Motive überall finden. Die Behandlung allein ist das Entscheidende. Es gibt nichts, das nicht einen Anreiz oder eine Herausforderung enthält.

ERNEST. Aber ist die Kritik wirklich eine schöpferische Kunst?

GILBERT. Warum sollte sie es nicht sein? Sie arbeitet mit Bestandteilen und bringt sie in eine Form, die zugleich neu und faszinierend ist. Was kann man von der Dichtung mehr sagen? Ja, ich möchte die Kritik eine Schöpfung in der Schöpfung nennen. Wie die großen Künstler von Homer und Aischylos bis zu

Shakespeare und Keats ihren Stoff nicht direkt aus dem Leben genommen haben, sondern in Mythen, Legenden und alten Märchen danach suchten, so geht der Kritiker mit Bestandteilen um, die andere gewissermaßen für ihn gereinigt und denen sie bereits eine erfundene Form und Farbe gegeben haben. Mehr noch, ich möchte behaupten, daß die Kritik, indem sie die reinste Form des persönlichen Eindrucks darstellt, auf ihre Weise schöpferischer als eine Schöpfung ist, da sie sich am wenigsten auf einen außerhalb ihrer selbst liegenden Maßstab bezieht und in der Tat ihre eigene Ursache ist, und, wie die Griechen sagen würden, in sich selbst und für sich selbst ihr Ziel hat. Gewiß ist sie niemals durch irgendwelche Fesseln des Verismus gebunden. Keine unedle Rücksicht auf die Wahrscheinlichkeit, diese feige Konzession an die langweilige Wiederholung des privaten oder öffentlichen Lebens berührt sie je. In der Dichtung mag man sich auf Tatsachen berufen. Aber was die Seele angeht, so gibt es keine Berufung.

ERNEST. Die Seele?

GILBERT. Ja, die Seele. Die höchste Kritik ist nämlich nichts anderes als das Zeugnis der eigenen Seele. Sie ist faszinierender als die Geschichte, da sie einfach auf sich selbst bezogen ist. Sie ist fesselnder als die Philosophie, denn ihr Gegenstand ist konkret und nicht abstrakt, wirklich und nicht unbestimmt. Sie ist die einzige zivilisierte Form der Autobiographie, weil sie sich nicht mit den Ereignissen, sondern mit den Gedanken des Lebens befaßt, nicht mit äußerlichen Zufälligkeiten des Handelns oder der Lebensumstände, sondern mit den geistigen Zuständen und schöpferischen Leidenschaften der Seele. Die alberne Eitelkeit jener Schriftsteller und Künstler in unserer Zeit, die zu glauben scheinen, daß es die wichtigste Aufgabe der Kritik sei, über ihr mittelmäßiges Werk zu schwätzen, belustigt mich stets. Das Beste, was man über den größten Teil unserer modernen schöpferischen Kunst sagen kann, ist, daß sie nicht ganz so vulgär wie die Wirklichkeit ist; und darum wird der Kritiker mit seinem genauen Unterscheidungsvermögen und dem sicheren Instinkt für feine Kultur es vorziehen, in den silbernen Spiegel oder durch den gewobenen Schleier zu blicken; er wird seine Augen von dem Chaos und Gelärm des wirklichen Lebens abwenden, mag auch der Spiegel getrübt und der Schleier zerrissen sein. Sein einziges Ziel ist, seine Eindrücke aufzuzeichnen. Für ihn werden Bilder gemalt, Bücher geschrieben und der Marmor behauen.

ERNEST. Ich glaube, ich habe schon eine andere Theorie über die Kritik gehört.

GILBERT. Ja, sie ist von einem aufgestellt worden, dessen anmutiges Bild wir alle in der Erinnerung verehren; der Klang seiner Flöte hat einst Proserpina von den sizilianischen Gefilden fortgelockt; er ließ ihre weißen Füße – und nicht vergeblich – über die Primeln von Cumnor tanzen; sie besagt, daß es das eigentliche Ziel der Kritik sei, den Gegenstand so zu sehen, wie er wirklich ist. Das ist jedoch ein sehr schwerwiegender Irrtum, der die vollkommenste Form der Kritik nicht erkennt, die im wesentlichen rein subjektiv ist und ihr eigenes Geheimnis zu enthüllen sucht, nicht das Geheimnis eines anderen. Denn die höchste Kritik beschäftigt sich mit der Kunst nicht als Ausdruck, sondern als reinem Eindruck.

ERNEST. Ist das wirklich so?

GILBERT. Aber natürlich. Wer kümmert sich darum, ob Ruskins Ansichten über Turner begründet sind oder nicht? Was liegt daran? Seine kraftvolle und majestätische Prosa, so sprühend und so feurig in ihrer noblen Eloquenz, so reich in ihrem vollendeten symphonischen Klang, so sicher und treffend, wo sie auf der Höhe ist, in der subtilen Wahl des Haupt- und Beiwortes, ist kein geringeres Kunstwerk als irgendeiner jener herrlichen Sonnenuntergänge, die in Englands Gemäldegalerie auf ihrer mürben Leinwand bleichen und vermodern; fürwahr größer, ist man manchmal versucht zu denken, nicht bloß, weil seine ebenbürtige Schönheit länger andauert, sondern wegen der reicheren Vielfalt seiner Ausstrahlung; Seele spricht zu Seele in diesen langen Kadenzen, nicht durch Form und Farbe allein, wenn auch in der Tat durch sie vollständig und ohne Einbuße, sondern durch den Ausdruck des Intellekts und des Gefühls, durch hohe Leidenschaft und noch höheren Gedankenflug, durch schöpferische Intuition und dichterische Absicht; ein größeres Kunstwerk, denke ich oft, wie eben die Literatur überhaupt die größere Kunst ist. Wer fragt danach, ob Pater in das Bildnis der Mona Lisa etwas hineingelegt hat, an das Leonardo niemals dachte? Der Maler mag bloß der Sklave eines archaischen Lächelns gewesen sein, wie manche geglaubt haben; aber sooft ich in die kühlen Galerien des Louvre komme und vor jener unergründlichen Gestalt stehenbleibe, »die in ihrem Marmorsessel lehnt, in diesem Halbrund phantastischer Felsen wie unter einem matten Licht in der Meerestiefe«, sage ich zu mir selbst, »sie ist älter als die Felsen, vor denen sie sitzt; wie der Vampir ist sie viele Male tot gewesen und hat die Geheimnisse des Grabes erfahren; sie ist in tiefe Meere hinabgetaucht und bewahrt ihren dämmrigen Tag um sich; sie hat mit den Kaufleuten des Orients um exotische Stoffe gefeilscht; und sie war Leda, die Mutter der trojanischen Helena, und die heilige Anna, die Mutter Mariens; aber all dies war für sie nicht mehr als Lyra- und Flötenklang und lebt einzig in der Zartheit, von der das wechselnde Mienenspiel geprägt ist, und von der Augenlider und Hände sprechen.« Und ich sage zu meinem Freund: »Die Gestalt, die also gar seltsam nah bei den Wassern emporstieg, drückt aus, was dem Menschen im Laufe von einem Jahrtausend begehrenswert geworden war«; und er antwortet mir: »Es ist ihr Kopf, in dem sich alle ›Schicksale der Welt begegneten‹, und die Augenlider sind ein wenig müde.«

Und so erscheint uns das Bild noch wunderbarer, als es in Wirklichkeit ist, und enthüllt uns ein Geheimnis, von dem es in Wahrheit nichts weiß, und der Klang der dunklen Prosa ist so süß in unseren Ohren wie die Musik jenes Flötenspielers, der den Lippen der Gioconda jenen feinen und betörenden Schwung verlieh. Fragst du mich, was Leonardo gesagt hätte, wenn ihm jemand von diesem Bild erzählt haben würde, daß »die Gedanken und Erfahrungen der Welt darin all das eingezeichnet und mitgeformt haben, was ihnen an Kraft zur Vervollkommnung und zur Ausdruckssteigerung der äußeren Form innewohnt: die Sinnlichkeit der Griechen, das wollüstige Rom, den Traum des Mittelalters mit seinem Streben nach dem Übersinnlichen und seinen verzückten Lieben, die Wiederkehr der heidnischen Welt, die Sünden der Borgias?« Er hätte vermutlich geantwortet, daß er über diese Dinge nicht nachgedacht hat, daß es ihm einfach um eine gewisse Anordnung der Linien und Flächen gegangen sei und um neue seltsame Farbharmonien aus Blau und Grün. Und eben aus diesem Grund stellt die Kritik, von der ich sprach, die höchste Form der Kritik dar. Sie behandelt das Kunstwerk einfach als Ausgangspunkt zu einer neuen Schöpfung. Sie beschränkt sich nicht darauf – nehmen wir das wenigstens für den Augenblick einmal an –, die eigentliche Absicht des Künstlers zu erforschen und es dabei bewenden zu lassen. Und darin hat sie recht, denn der Sinn jeder schönen Schöpfung liegt mindestens so sehr in der Seele dessen, der sie betrachtet, wie er in der Seele desjenigen war, der sie schuf. Ja, es ist eher der Betrachter, der dem schönen Gegenstand seine tausendfältigen Bedeutungen gibt und ihn außergewöhnlich für uns macht und ihn in einen neuen Bezug zu seiner Zeit stellt, so daß er ein lebendiger Teil in unserem Leben wird, ein Sinnbild dessen, was wir erflehen oder was wir vielleicht, wenn wir es erfleht haben, fürchten zu empfangen. Je länger ich darüber nachdenke, Ernest, um so klarer wird es mir: Die Schönheit der bildenden Künste beruht, wie die Schönheit der Musik, zuallererst auf dem Eindruck; sie kann – und das ist oft genug der Fall – durch jede Übertreibung einer intellektuellen Absicht auf seiten des Künstlers beeinträchtigt werden. Denn sobald das Werk beendet ist, führt es ein Eigenleben und vermag eine Botschaft zu künden, die weit entfernt von der Botschaft des Künstlers ist. Manchmal, wenn ich die Ouvertüre zum *Tannhäuser* höre, erscheint es mir wirklich, als ob der edle Ritter behutsam seinen Fuß auf das blumenübersäte Gras setzt und als ob ich die Stimme der Venus höre, die aus der Bergeshöhe nach ihm ruft. Ein andermal aber spricht sie mir von tausend verschiedenen Dingen, von mir selbst vielleicht, von meinem eigenen Leben oder von dem Leben anderer, die man geliebt und müde geworden ist zu lieben, oder von den Leidenschaften, die der Mensch erfahren oder die er nicht erfahren und darum ersehnt hat. Heute abend erfüllt uns diese Musik vielleicht mit dem *ΕΡΩΣ ΤΩΝ ΑΔΥΝΑΤΟΝ*, dem »Amour de l'Impossible«, der viele, die glauben, sie lebten sicher und dem Zugriff des Leidens entzogen, wie ein Wahn überfällt, so daß sie plötzlich an dem Gift grenzenloser Sehnsucht erkanken und in der unermüdlichen Jagd nach dem, was sie nicht erhalten können, ermatten und umsinken oder straucheln. Morgen werden diese Töne, wie die Musik, von der Aristoteles und Plato erzählen – die herrliche dorische Musik der Griechen –, die Funktion des Arztes übernehmen und ein Betäubungsmittel gegen den Schmerz sein, den verletzten Geist heilen und »die Seele in Einklang mit allen rechten Dingen bringen«. Und was für die Musik gilt, ist für alle Künste gültig. Die Schönheit hat so viele Bedeutungen, wie der Mensch Stimmungen hat. Die Schönheit ist das Symbol der Symbole. Die Schönheit offenbart alles, weil sie nichts ausdrückt. Wenn sie sich uns zeigt, zeigt sie uns die ganze feuerfarbene Welt.

ERNEST. Aber ist denn ein solches Werk, von dem du gesprochen hast, überhaupt Kritik?

GILBERT. Es ist die höchste Form von Kritik, denn es kritisiert nicht bloß das einzelne Kunstwerk, sondern die Schönheit selbst, und es füllt eine Form mit Wunder, die der Künstler vielleicht unausgefüllt gelassen oder nicht verstanden oder unvollständig verstanden hat.

ERNEST. Die höchste Kritik ist also schöpferischer als die Schöpfung, und das Hauptziel der Kritik ist, den Gegenstand so zu sehen, wie er eigentlich nicht ist; so lautet doch deine Theorie, nicht wahr?

GILBERT. Ja, das ist meine Theorie. Für den Kritiker ist das Kunstwerk einfach eine Anregung zu einem neuen eigenen Werk, das nicht unbedingt eine augenscheinliche Ähnlichkeit mit dem kritisierten Gegenstand zeigen muß. Das charakteristische Merkmal einer schönen Form ist, daß man in sie hineinlegen kann, was immer man möchte, daß man in ihr sehen kann, was immer man darin zu sehen beliebt; und die Schönheit, die dem Kunstwerk das allgemein gültige und ästhetische Element verleiht, macht den Kritiker seinerseits zum Schöpfer, und sie erzählt von tausend verschiedenen Dingen, die nicht in der Seele dessen lebendig waren, der die Statue gemeißelt, das Tafelbild gemalt oder die Gemme geschnitten hat.

Diejenigen, die weder das Wesen der höchsten Kritik noch den Zauber der höchsten Kunst begreifen, behaupten gelegentlich, daß die Bilder, über die der Kritiker am liebsten schreibt, jene sind, die in die Anekdotensammlung der Malerei gehören und die Szenen aus der Literatur oder der Geschichte behandeln. Dem ist keineswegs so. Bilder dieser Art wirken nämlich viel zu verständlich. Im ganzen gesehen stehen sie auf der Stufe von Illustrationen, und selbst von diesem Standpunkt aus sind sie mißglückt, denn sie regen die Phantasie nicht an, sondern setzen ihr endgültige Schranken. Das Reich des Malers ist, worauf ich vorher hingewiesen habe, weitgehend verschieden von dem Reich des Dichters. Dem letzteren gehört das Leben in seiner höchsten absoluten Ganzheit, nicht nur die Schönheit, die der Mensch schaut, sondern auch die Schönheit, der er lauscht, nicht nur die flüchtige Anmut der Form oder die vergängliche Fröhlichkeit der Farbe, vielmehr der ganze Bereich des Fühlens, der gewaltige Umfang des Denkens. Der Maler ist insoweit begrenzt, daß er uns nur durch die Hülle des Körpers das Geheimnis der Seele zeigen kann; nur durch konventionelle Bilder kann er Ideen darstellen; nur durch ihr physisches Äquivalent kann er psychische Phänomene ausdrücken. Und wie unangemessen wird dann eine solche Darstellung: in dem zerfetzten Turban des Mohren sollen wir den edlen Zorn Othellos erkennen oder in einem kindischen Greis, der im Sturm umherirrt, den wilden Wahnsinn des König Lear! Trotzdem sieht es so aus, als könnte ihn nichts davon abhalten. Die meisten der älteren englischen Maler bringen ihr miserables und vergeudetes Leben damit zu, sich am Bereich der Dichter zu vergreifen, indem sie ihre Motive durch grobe Behandlung zerstören und sich abmühen, durch die sichtbare Form oder Farbe das Wunder des Unsichtbaren, den Glanz des niemals Geschauten wiederzugeben. Als eine natürliche Folge davon sind ihre Bilder unerträglich langweilig. Sie haben die sichtbaren Künste zu augenfälligen Künsten herabgewürdigt, und wenn etwas nicht verdient, beachtet zu werden, so ist es das Augenfällige. Ich meine damit nicht, daß Dichter und Maler nicht denselben Gegenstand behandeln dürfen. Das haben sie seit jeher getan und werden es immer tun. Doch während der Dichter malerisch oder nicht malerisch sein kann, je nach Belieben, muß der Maler immer malerisch sein. Denn ein Maler ist beschränkt, und zwar nicht auf das, was er in der Natur sieht, sondern auf das, was man auf der Leinwand sehen kann.

Und darum, mein lieber Ernest, werden Bilder dieser Art den Kritiker nicht wirklich fesseln. Er wird sich von ihnen zu solchen Werken hinwenden, die ihn zum Nachdenken und Träumen und Dichten anregen, zu Werken, die die feine Gabe der Suggestion besitzen und einem zu sagen scheinen, daß selbst von ihnen die

Flucht in eine fernere Welt möglich ist. Es wird oft behauptet, daß der Künstler sein Ideal nicht verwirklichen kann. Aber die wahre Tragödie, von der die meisten Künstler verfolgt werden, besteht darin, daß sie ihr Ideal zu ausschließlich verwirklichen. Denn sobald das Ideal verwirklicht ist, hat es sein Wunder und sein Geheimnis verloren und wird einfach zu einem neuen Ausgangspunkt für ein Ideal, das anders ist als es selbst. Das ist der Grund, warum die Musik der vollkommene Typus der Kunst ist. Die Musik kann nie ihr letztes Geheimnis enthüllen. So erklärt sich zugleich der Wert der Beschränkungen in der Kunst. Der Bildhauer verzichtet gern auf die nachahmende Farbe und der Maler auf die realen Dimensionen der Form, weil sie durch einen solchen Verzicht in der Lage sind, eine allzu genaue Vorstellung von der Wirklichkeit zu vermeiden, die bloße Nachahmung wäre und eine allzu genaue Verwirklichung des Ideals, die zu einseitig intellektuell wäre. Gerade durch ihre Unvollständigkeit gelangt die Kunst zur vollendeten Schönheit und wendet sich darum nicht an die Fähigkeit des Wiedererkennens oder des Verstandes, sondern allein an den ästhetischen Sinn, für den der Verstand und das Wiedererkennen nur Grade der Wahrnehmung sind, die er jedoch beide dem reinen synthetischen Eindruck des Kunstwerkes als Ganzes unterordnet, und der die Komplexität der fremdartigsten Gefühlselemente, die ein Werk besitzen mag, gerade dazu benutzt, um dem letzten Eindruck des Kunstwerkes eine reichere Einheit hinzuzufügen. Du begreifst also, weshalb der ästhetische Kritiker diese augenfälligen Kunstarten ablehnt, die bloß eine Botschaft zu bringen haben und danach nichtssagend und unfruchtbar werden, und weshalb er sich lieber solchen Formen zuwendet, die Träumerei und Stimmung erwecken und durch ihre phantasievolle Schönheit alle Deutungen wahr und keine Deutung endgültig machen. Das schöpferische Werk des Kritikers wird zweifellos einige Ähnlichkeit mit dem Werk besitzen, das ihn zu seiner Schöpfung angeregt hat, aber es wird eine Ähnlichkeit sein, wie sie zwischen der Natur und dem Werk des dekorativen Künstlers besteht, keineswegs eine Ähnlichkeit, wie zwischen der Natur und dem Spiegel, den der Landschafts- oder Figurenmaler ihr vermutlich vorhält. Wie auf den blumenlosen persischen Teppichen fürwahr

Tulpen und Rosen blühen und herrlich anzuschauen sind, obgleich sie nicht in erkennbarem Umriß und Linie nachgebildet sind; wie Perlmutt und Purpur der Seemuschel in der Markuskirche in Venedig widertönen; wie das Deckengewölbe der wundervollen Kapelle zu Ravenna prächtig erscheint durch das Gold und Grün und Saphirblau des Pfauenschweifes, obgleich die Vögel der Juno nicht darüber fliegen; so reproduziert der Kritiker das Werk, das er kritisiert, auf eine Weise, die niemals nachahmend ist und deren Zauber teilweise gerade in der Ablehnung der Ähnlichkeit liegen kann, und er zeigt uns damit nicht nur die Bedeutung, sondern auch das Geheimnis der Schönheit, und indem er jede Kunst in Literatur verwandelt, löst er ein für allemal das Problem der künstlerischen Einheit.

Aber ich sehe, es ist Zeit zum Souper. Nachdem wir den Chambertin und die Ortolanen diskutiert haben, werden wir die Frage des Kritikers als Interpret behandeln.

ERNEST. Ah! Du gibst also zu, daß es dem Kritiker gelegentlich erlaubt ist, den Gegenstand so zu betrachten, wie er wirklich ist.

GILBERT. Ich bin nicht ganz sicher. Nach dem Souper werde ich es vielleicht zugeben. Ein Souper kann zu klugen Gedanken anregen.

Teil II

Mit einigen Anmerkungen über den Wert der Diskussion

ERNEST. Die Ortolanen waren köstlich und der Chambertin ausgezeichnet; und nun laß uns auf den umstrittenen Punkt zurückkommen.

GILBERT. Ach, genug davon! Eine Unterhaltung sollte an alles rühren, aber sich auf nichts konzentrieren. Sprechen wir über »Moralische Entrüstung, ihre Ursache und ihre Behandlung«, ein Thema, über das ich zu schreiben gedenke; oder über »Das Fortleben des Thersites«, nämlich in den englischen Witzblättern; oder über irgendein Thema, das sich plötzlich ergibt.

ERNEST. Nein, ich möchte über den Kritiker und die Kritik diskutieren. Du hast mir gesagt, daß sich die höchste Kritik mit der Kunst nicht als Ausdruck, sondern als reinem Eindruck beschäftigt und deshalb schöpferisch und unabhängig zugleich, ja, in der Tat selbst eine Kunst ist, indem sie dem Kunstwerk gegenüber dieselbe Stellung einnimmt, wie das Kunstwerk zur sichtbaren Welt der Formen und Farben oder der unsichtbaren Welt der Leidenschaften und Ideen. Gut, aber jetzt sage mir, ob der Kritiker nicht manchmal ein echter Interpret sein kann?

GILBERT. Ja, der Kritiker kann, wenn er es vorzieht, auch Interpret sein. Er kann von dem Gesamteindruck des Kunstwerkes zu einer Analyse oder Exposition des Werkes übergehen, und auf dieser niedrigeren Ebene, denn dafür halte ich sie, gibt es viele entzückende Dinge zu sagen und zu tun. Doch sein Ziel wird nicht immer die Deutung des Kunstwerkes sein. Vielleicht wird er versuchen, sein Geheimnis zu vertiefen und um das Werk und seinen Schöpfer den Schleier des Wunders breiten, der den Göttern und den Anbetern gleich teuer ist. Gewöhnliche Menschen fühlen sich »schrecklich behaglich in Zion«. Sie trachten, mit dem Dichter Arm in Arm zu gehn und haben eine glatte ignorante Art zu sagen: »Warum sollten wir lesen, was über Shakespeare und Milton geschrieben wurde? Wir können ja die Theaterstücke und Gedichte lesen. Das ist genug.« Aber die Wertschätzung für Milton ist der Lohn einer vollendeten Bildung – wie der verstorbene Rektor von Lincoln einmal bemerkte. Und wer Shakespeare wirklich verstehen will, muß Shakespeares Verhältnis zur Renaissance, zur Reformation und zum elisabethanischen und jakobinischen Zeitalter verstehen; er muß vertraut sein mit der Geschichte der Auseinandersetzungen um das Supremat zwischen den alten klassischen Formen und dem neuen Geist der Romantik, zwischen den Schulen von Sidney, Daniel und Johnson und der Schule von Marlowe und Marlowes größerem Sohn; er muß die Stoffe kennen, die Shakespeare zur Verfügung hatte, er muß die Methode kennen, nach der er sie verwendete, und die Bedingungen der theatralischen Darstellung im sechzehnten und siebzehnten Jahrhundert, ihre Grenzen und Möglichkeiten der Freiheit, er muß um die literarische Kritik zur Zeit Shakespeares, um ihre Zielsetzungen, Verfahren und Grundsätze wissen; er muß die englische Sprache in ihrem Wachstum, den Blankvers und den gereimten Vers in seinen verschiedenen Entwicklungsstufen studieren; er muß das griechische Drama studieren und die Verwandtschaft zwischen der Kunst des Schöpfers von Agamemnon und der Kunst des Schöpfers von Macbeth; mit einem Wort, er muß imstande sein, das elisabethanische London mit dem Athen des Perikles zu verbinden, und er muß Shakespeares wahre Stellung in der Geschichte des europäischen Dramas und der Weltliteratur kennen. Der Kritiker wird zweifellos ein Interpret sein, doch wird er die Kunst nicht als rätselhafte Sphinx behandeln, deren untiefes Geheimnis einer zu erraten vermag, dessen Füße wund sind und der seinen Namen nicht weiß. Er wird vielmehr die Kunst als Göttin ansehen, deren Geheimnis zu vertiefen sein Amt, deren Majestät in den Augen der Menschen noch wunderbarer erscheinen zu lassen, sein Vorrecht ist.

Und hier, Ernest, geschieht etwas Seltsames. Der Kritiker wird in der Tat ein Interpret sein, aber keineswegs in dem Sinn, daß er nur in einer anderen Form eine Botschaft wiederholt, die ihm in den Mund gelegt wurde. Denn, wie nur durch die Berührung mit der Kunst fremder Nationen, die Kunst eines Landes jenes individuelle und besondere Leben gewinnt, das wir als Nationalcharakter bezeichnen, so vermag in seltsamer Umkehrung, der Kritiker nur durch die Vertiefung seiner eigenen Persönlichkeit, die Persönlichkeit und das Werk anderer zu interpretieren, und je stärker seine Persönlichkeit in die Interpretation eingeht, desto wirklicher wird die Interpretation, desto befriedigender, überzeugender und wahrer.

ERNEST. Ich hätte angenommen, daß die Persönlichkeit ein störendes Element sei.

GILBERT. Nein, sie ist ein Element der Enthüllung. Wer andere verstehen möchte, muß seine eigene Individualität vertiefen.

ERNEST. Was ist daraus zu schließen?

GILBERT. Das will ich dir sagen, und vielleicht kann ich es am besten an einem bestimmten Beispiel erklären. Ich meine, daß wohl der literarische Kritiker den obersten Rang einnimmt, da er über den größeren Bereich, den umfassenderen Blick, den edleren Stoff verfügt, daß jedoch jede der Künste gewissermaßen einen ihr zugehörigen Kritiker besitzt. Der Schauspieler ist der Kritiker des Dramas. Er zeigt das Werk des Dichters unter neuen Bedingungen und durch die ihm eigene Methode. Er nimmt das geschriebene Wort, und Handlung, Gebärde und Stimme werden zu Medien der Enthüllung. Der Sänger, der Flöten- und Bratschenspieler sind die Kritiker der Musik. Der Radierer eines Bildes nimmt dem Gemälde die leuchtenden Farben, doch zeigt er uns durch die Anwendung eines neuen Materials seine wahre Farbqualität, seine Tönungen und Valeurs, sein Verhältnis zur Fläche, und daher ist er auf seine Weise ein Kritiker des Werkes; denn ein Kritiker ist jener, der uns ein Kunstwerk in einer Form darstellt, die sich von dem Werk selbst unterscheidet, und die Anwendung eines neuen Materials ist ein ebenso kritisches wie schöpferisches Element. Die Bildhauerei hat gleichfalls ihren Kritiker, der entweder ein Gemmenschneider sein kann, wie zur Zeit der Griechen, oder etwa ein Maler wie Mantegna, der auf der Leinwand die Schönheit der plastischen Linie und die symphonische Würde der Basrelief-Prozession wiederzugeben suchte. Und am Beispiel all dieser schöpferischen Kunstkritiker wird deutlich, daß die Persönlichkeit für jede wirkliche Interpretation das Wesentliche ist. Wenn Rubinstein die »Sonata Appassionata« von Beethoven spielt, gibt er uns nicht nur Beethoven, sondern ebenso sich selbst, und damit gibt er uns Beethoven ganz – Beethoven, der uns durch eine reiche künstlerische Natur neu interpretiert und durch eine neue starke Persönlichkeit lebendig und wunderbar gemacht wird. Spielt ein großer Schauspieler Shakespeare, machen wir dieselbe Erfahrung. Seine eigene Individualität wird zum lebendigen Teil der Interpretation. Manchmal heißt es, Schauspieler geben ihren eigenen Hamlet, nicht den Hamlet Shakespeares; und dieser Trugschluß – denn das ist er – wird leider von jenem bezaubernden und eleganten Schriftsteller wiederholt, der sich jüngst aus dem Betrieb der Literatur in den Frieden des Unterhauses gerettet hat; ich meine den Autor von *Obiter Dicta.* Tatsächlich gibt es eine solche Gestalt wie Shakespeares Hamlet gar nicht. Wenn Hamlet etwas von der Endgültigkeit eines Kunstwerkes hat, so besitzt er gleichfalls die ganze Dunkelheit, die dem Leben innewohnt. Es gibt ebenso viele Hamlets wie es Melancholiker gibt.

ERNEST. Ebenso viele Hamlets, wie es Melancholiker gibt?

GILBERT. Ja – und weil die Kunst aus der Persönlichkeit kommt, kann sie sich auch nur der Persönlichkeit enthüllen, und aus der Begegnung der beiden entspringt die wahre interpretierende Kritik.

ERNEST. Der Kritiker wird also als der Interpret nicht weniger geben, als er empfängt, und er wird so viel leihen, wie er borgt?

GILBERT. Ja, er wird uns das Kunstwerk immer in einem neuen Verhältnis zu unserer Zeit zeigen. Er wird uns immer daran erinnern, daß große Kunstwerke lebendige Dinge sind – ja fürwahr die einzigen Dinge sind, die leben. Er wird dies in der Tat so sehr empfinden, daß ich sicher bin, daß, wenn die Zivilisation fortschreitet und wir höher organisiert sind, die auserwählten Geister jedes Zeitalters, die kritischen und gebildeten Geister, mehr und mehr das Interesse am alltäglichen Leben verlieren werden; *sie werden versuchen, ihre Eindrücke fast gänzlich aus dem zu schöpfen, was die Kunst gestreift hat.* Denn dem Leben ermangelt es auf erschreckende Weise an Form. Seine Katastrophen geschehen verkehrt und fügen den verkehrten Leuten Schaden zu. Ein groteskes Entsetzen spielt um die Komödien des Lebens, und seine Tragödien gipfeln dem Anschein nach in der Farce. Man wird immer verwundet, wenn man ihm nahe kommt. Die Dinge dauern immer zu lange oder nicht lange genug.

ERNEST. Armes Leben! Armes Menschenleben! Wirst du nicht einmal von seinen Tränen gerührt, die ein Teil seiner Essenz sind, wie ein römischer Dichter sagt.

GILBERT. Sie rühren mich nur zu leicht, fürchte ich. Denn blickt man auf das Leben zurück, das in der Fülle der Empfindungen so lebendig und von den glühendsten Augenblicken der Ekstase oder der Freude erfüllt war, scheint es ein Traum zu sein und ein Wahn. Was ist unwirklicher als die Leidenschaften, die uns einmal wie Feuer brannten? Was ist unglaubhafter als das, was man einmal so aufrichtig geglaubt hat. Gibt es etwas Unwahrscheinlicheres als das, was man selbst getan hat. Nein, Ernest, das Leben narrt uns mit Schatten wie ein Puppenspieler. Wir verlangen nach Freude, und das Leben gibt sie uns, aber sie geht mit Bitterkeit und Enttäuschung einher. Ein edler Schmerz überfällt uns, von dem wir glauben, daß er unseren Tagen die purpurne

Würde des Tragischen verleiht, aber er geht vorüber, und weniger große Dinge nehmen seine Stelle ein, und an einem grauen, stürmischen Morgen oder an einem Abend voll Duft und silbernem Schweigen entdecken wir, wie wir mit kalter Verwunderung oder einem öden, versteinerten Herz die goldschimmernde Haarflechte betrachten, die wir einmal so heiß geliebt, so wahnsinnig geküßt haben.

ERNEST. Das Leben ist also mißglückt?

GILBERT. Vom künstlerischen Standpunkt aus gewiß. Und der Hauptgrund, weshalb das Leben vom künstlerischen Standpunkt aus mißglückt ist und der dem Leben seine gemeine Sicherheit verleiht, ist die Tatsache, daß man niemals genau die gleiche Empfindung wiederholen kann. Wie anders verhält es sich in der Welt der Kunst! Hinter dir in einem Fach des Bücherregals steht die *Göttliche Komödie*, und ich weiß, wenn ich dieses Buch an einer bestimmten Stelle aufschlage, werde ich von glühendem Haß gegen jemanden erfüllt, der mir nie Böses zugefügt hat, oder von einer großen Liebe für jemanden erfaßt, den ich nie sehen werde. Es gibt keine Stimmung oder Leidenschaft, die uns die Kunst nicht geben kann, und wer ihr Geheimnis ergründet hat, vermag im voraus zu sagen, welcher Art unsere Erfahrungen sein werden. Wir können uns den Tag wählen und die Stunde aussuchen. Wir können zu uns selbst sagen: »Morgen in der Dämmerung werden wir mit dem weisen Vergil durch das Tal der Toten schreiten«, und sieh da! die Dämmerung findet uns in dem finsteren Wald, der Mantuaner steht an unserer Seite. Wir gehen durch das Tor mit der Inschrift, die jede Hoffnung tötet, und mit Erbarmen oder Entzücken erblicken wir die Schrecken einer anderen Welt. Mit bemalten Gesichtern und vergoldeten Bleikappen ziehen die Heuchler vorüber. Aus den unaufhörlichen Winden, von denen sie getrieben werden, starrt uns der Lüstling an, und wir sehen, wie sich der Ketzer zerfleischt und der Vielfraß vom Regen gepeitscht wird. Wir brechen die dürren Äste vom Baum im Wald der Harpyen, und aus jedem dunkelfarbenen, giftigen Ast tropft vor unseren Augen rotes Blut und schreit laut und jammervoll. Aus einer Hörnerflamme spricht Odysseus zu uns, und als sich der große Ghibelline aus seinem Flammengrab erhebt, empfinden wir für einen Augenblick den Stolz, der über die Martern dieses Grabes triumphiert. Durch den düsteren, purpurfarbenen Raum fliegen jene, die die Welt mit der Schönheit ihrer Sünde befleckt haben, und in der Hölle seines ekelerregenden Zustandes, den Leib von Wassersucht geschwellt, in der Form einer monströsen Laute, liegt Adamo di Brescia, der Falschmünzer. Er bittet uns, die Geschichte seines Elends anzuhören. Wir halten inne, und mit trockenen, lechzenden Lippen erzählt er uns, wie er Tag und Nacht von den klaren Wasserbächen träumt, die in kühlen, weichen Rinnen die grünen Hügel im Casentino hinabströmen. Sinon, der falschzüngige Grieche von Troja, verhöhnt ihn. Er schlägt ihn ins Gesicht, und sie streiten miteinander. Wir sind gebannt von ihrer Schmach und bleiben stehen, bis uns Vergil tadelt und hinweggeleitet zu jener Stadt, die von Riesen umtürmt ist, und wo der gewaltige Nimrod in sein Jagdhorn bläst. Schreckliche Dinge erwarten uns, und wir machen uns auf den Weg, ihnen in der Gestalt und mit der Seele Dantes zu begegnen. Wir überqueren die Sümpfe des Styx, und Argenti schwimmt durch die Schlammwogen ans Boot heran. Er ruft uns an, und wir stoßen ihn weg. Wie wir sein Jammern hören, sind wir erfreut, und Vergil lobt die Härte unseres Hohnes. Wir treten auf das kalte Kristall des Kocytus, wo die Verräter gleich Halmen im Glase stecken. Unser Fuß stößt an den Kopf des Bocca. Er will uns seinen Namen nicht nennen, und wir reißen ihm eine Handvoll Haare aus dem heulenden Schädel. Alberigo fleht uns an, ihm das Eis aus den Augen zu brechen, damit er ein wenig weinen kann. Wir versprechen es ihm, und nachdem er uns seine qualvolle Geschichte erzählt hat, halten wir unser Wort nicht und gehen von ihm weg; solche Grausamkeit ist eine Höflichkeit, denn gibt es etwas Gemeineres als das Mitleid für die von Gott Verdammten? Im Rachen des Luzifer erblicken wir den Mann, der Christus verkauft hat, und im Rachen des Luzifer die Männer, die Cäsar erschlugen. Wir zittern und eilen fort, wieder die Sterne zu schauen.

Im Fegefeuer ist die Luft freier, und der heilige Berg ragt ins helle Tageslicht. Hier finden wir Frieden, und für diejenigen, die sich eine Zeitlang darin aufhalten, ist es ebenso friedvoll, wenn auch Madonna Pia bleich von den Giften der Maremma an uns vorübergeht und Ismene dort ist, die immer noch an ihrem Erdenschmerz trägt. Seele um Seele läßt uns an ihrer Reue oder ihrer Freude teilhaben. Er, den die Trauer seiner Witwe den süßen Wermut des Leids trinken lehrte, erzählt uns von Nella, die auf ihrem einsamen Lager betet, und wir erfahren aus dem Mund des Buonconte, wie eine einzige Träne einen sterbenden Sünder vor dem Teufel zu retten vermag. Sordello, der edle und hochmütige Lombarde, blickt uns wie ein ruhender Löwe aus der Ferne an. Kaum hört er, daß Virgil ein Bürger Mantuas ist, umarmt er ihn, und als er erfährt, er sei der Sänger Roms, sinkt er ihm zu Füßen. In diesem Tal, wo Gräser und Blumen schimmernder sind als geschliffener Smaragd und indisches Holz, leuchtender als Scharlach und Silber, singen jene, die einst auf Erden Könige waren; aber Rudolf von Habsburgs Lippen öffnen sich nicht zu dem Gesang der andern; Philipp von Frankreich schlägt sich an die Brust, und Heinrich von England sitzt allein. Wir gehen weiter und weiter, wir steigen die wundersame Stufe hinan, die Sterne werden so groß wie nie zuvor, und der Gesang der Könige verhallt; zuletzt gelangen wir zu den sieben goldenen Bäumen und zum Garten des irdischen Paradieses. In einem von Greifen gezogenen Wagen erscheint sie, die Stirn mit Olivenzweigen bekränzt, mit einem weißen Schleier, in einem grünen Mantel und mit einem Kleid von der lebendigen Farbe des Feuers. Die alte Flamme erwacht in uns. Das Blut jagt rascher durch die Pulse. Wir erkennen sie: Es ist Beatrice, die Frau, die wir angebetet haben. Das Eis des Herzens taut, und heiße Tränen der Angst stürzen uns aus den Augen; wir neigen unsere Stirn zur Erde, denn wir wissen, daß wir gesündigt haben. Haben wir Buße getan, uns gereinigt und aus dem Lethefluß getrunken, und haben wir im Eunöefluß gebadet, dann hebt uns die Gebieterin unserer Seele zum himmlischen Paradies empor. Aus der ewigen Perle, dem Mond, neigt sich das Antlitz von Piccarda Donati zu uns. Ihre Schönheit verwirrt uns einen Augenblick lang, und als sie gleich einem Wesen, das durchs Wasser sinkt, entschwindet, folgen wir ihr mit sehnsüchtigen Blicken. Das süße Gestirn der Venus ist voller Liebender. Cunizza, die Schwester Ezzelins, Sordellos Herzensdame, ist da, und Folquet, der leidenschaftliche Sänger der Provence, der aus Schmerz um Azalais der Welt entsagte, und die kanaanitische Dirne, deren Seele Christus als erste erlöst hat. Joachim von Fiore steht in der Sonne, und in der Sonne erzählt Thomas von Aquino die Geschichte des heiligen Franziskus und Bonaventura, die Geschichte des heiligen Dominikus. Durch die strahlenden Rubine des Mars nähert sich Cacciaguida. Er berichtet von dem Pfeil, der vom Bogen der Verbannung geschnellt ward, und wie salzig das Brot der andern schmeckt, und wie steil die Stufen im Haus eines Fremden sind. Auf dem Saturn singt die Seele nicht, selbst sie, die uns führt, wagt nicht zu lächeln. Auf goldener Leiter steigen die Flammen empor und sinken. Zuletzt erblicken wir das Prunkgebilde der mystischen Rose. Beatrice wendet ihre Augen zu dem Antlitz Gottes und bleibt darin versunken. Die selig machende Erscheinung wird uns zuteil; wir erkennen die Liebe, die Sonne und Sterne bewegt.

Ja, wir können die Erde um sechshundert Umläufe zurückdrehen und mit dem großen Florentiner eins werden, mit ihm am gleichen Altar knien und seine Verzückung und seinen Hohn teilen. Und wenn uns die Vergangenheit langweilt, und wir möchten lieber unser eigenes Zeitalter in all seiner Müdigkeit und Sünde wahrnehmen, gibt es nicht Bücher, die uns in einer einzigen Stunde des Lebens stärker empfinden lassen, als es das Leben selbst in vielen schmachvollen Jahren vermag? Dicht vor dir liegt ein kleiner Band, in nilgrünes Leder gebunden, das mit vergoldeter Wasserlilie bestäubt und mit hartem Elfenbein geschmeidig gemacht wurde. Es ist das Buch, das Gautier liebte, Baudelaires Meisterwerk. Schlage es bei dem melancholischen Madrigal auf, das mit den Worten beginnt:

Que m'importe que tu sois sage?
Sois belle! et sois triste!

und du wirst dich einem Kult der Schwermut ergeben, wie du nie zuvor dem Kult der Freude ergeben warst. Dann blättere weiter bis zu dem Gedicht über den Mann, der sich selbst quält, laß seine zarte Musik in dich eindringen und deine Gedanken färben, bis du auf einen Augenblick der bist, der es verfaßte; nein, nicht nur für einen Augenblick, sondern viele leere, mondhelle Nächte und sonnenlos unfruchtbare Tage wird eine Verzweiflung, die nicht die deine ist, sich in dir niederlassen, und die Not eines anderen wird dir das Herz zernagen. Lies das ganze Buch, erleide es, um nur eines seiner Geheimnisse deiner Seele zuzuflüstern, und sie wird begierig werden, mehr zu erfahren; sie wird sich von giftigem Honig nähren und das Verlangen spüren, seltsame Untaten zu bereuen, die sie niemals begangen, Buße zu leisten für schreckliche Lüste, die sie niemals erfahren hat. Und wenn du dann dieser Blumen des Bösen überdrüssig geworden bist, wende dich den Blumen zu, die im Garten Perditas sprießen. In ihren taufeuchten Kelchen kühle dir die fiebernde Stirn und laß dir von ihrem holden Zauber die Seele wieder heilen und kräftigen; oder erwecke aus seinem vergessenen Grab den zärtlichen Syrer Meleager, und laß dir von ihm, dem Liebling Heliodors, musizieren, denn auch er hat Blumen in seinem Gesang, rote Granatäpfel und Irisblüten, nach Myrrhe duftend, beringte Narzissen und dunkelblaue Hyazinthen und Majoran und die gefiederte Hundskamille. Vertraut war ihm der Geruch des abendlichen Bohnenfeldes, vertraut die duftende Narde, die an den syrischen Hügeln wuchs, und der frische grüne Thymian, die Zauberwürze des Weinbechers. Wenn seine Liebste im Garten wandelte, waren ihre Füße wie Lilien, leicht über Lilien streifend. Weicher als die schlaftrunkene Mohnblüte waren ihre Lippen, weicher als Veilchen und nicht minder duftend. Der flammengleiche Krokus sproß aus dem Gras empor, um sie zu betrachten. Für sie speicherte die schlanke Narzisse den kühlen Regen; und für sie vergaßen die Anemonen die Winde Siziliens, die sie umwarben. Und weder Krokus noch Anemone, noch Narzisse kamen ihr an Schönheit gleich.

Es ist etwas Seltsames um die Übertragbarkeit des Gefühls. Wir erkranken an den gleichen Leiden wie die Dichter, und der Sänger leiht uns seinen Schmerz. Tote Lippen haben uns eine Botschaft zu künden, und Herzen, die längst zu Staub zerfallen sind, teilen uns ihre Freude mit. Es drängt uns, den blutenden Mund Fantines zu küssen, und wir folgen Manon Lescaut über die ganze Welt. Wir teilen den Liebeswahnsinn des Tyrers und das Grauen des Orest. Es gibt keine Leidenschaft, die uns fremd, kein Gelüst, das für uns unstillbar wäre; wir dürfen den Augenblick unserer ersten Erfüllung wählen und auch den Augenblick unserer Freiheit! Leben! Leben! Wie dürften wir uns je vom Leben Erfüllung oder Erfahrung erhoffen! Es ist etwas von den

Umständen Eingeengtes, zusammenhanglos in seinen Äußerungen, bar jener Entsprechung von Geist und Form, die das künstlerische und das kritische Temperament einzig und allein zu befriedigen vermag. Das Leben fordert uns einen allzu hohen Preis ab für seine Güter, und was wir ihm für das kläglichste seiner Geheimnisse zu entrichten haben, ist ungeheuerlich, ist ohne Maß.

ERNEST. Müssen wir uns also in allem an die Kunst halten?

GILBERT. In allem. Denn die Kunst verletzt uns nicht. Die Tränen, die wir bei einem Theaterstück vergießen, haben mit jenen köstlich nutzlosen Gefühlen zu tun, die zu erwecken Aufgabe der Kunst ist. Wir weinen, aber wir sind nicht verwundet. Wir grämen uns, aber unser Gram ist nicht bitter. Im wirklichen Menschenleben ist der Schmerz, wie Spinoza irgendwo sagt, das Durchgangsstadium zu einer Vollkommenheit geringeren Grades. Aber der Schmerz, mit dem uns die Kunst erfüllt, reinigt uns und weiht uns ein – um den großen Kunstkritiker der Griechen noch einmal zu zitieren. Durch die Kunst, die Kunst allein erreichen wir unsere Vollendung. Durch die Kunst, die Kunst allein vermögen wir uns gegen die scheußlichen Gefahren des wirklichen Lebens zu schützen; und nicht allein darum, weil nichts von dem, was wir in der Phantasie erleben, in die Tat umzusetzen sich lohnt, und weil schlechthin alles der Einbildungskraft zugänglich ist, sondern weil nach einem kaum greifbaren Gesetz die Kräfte des Gefühls, wie die im physischen Bereich wirkenden Kräfte, in ihrer Tragweite und Stärke begrenzt sind. Man kann soundso viel empfinden – nicht mehr. Und was liegt daran, mit welchen Lüsten uns das Leben zu verlocken trachtet oder mit welcher Qual es uns die Seele zu verstören oder zu verstümmeln sucht, wenn wir im Schauspiel derer, die niemals auf dieser Welt waren, das echte Geheimnis der Freude entdeckt, uns ausgeweint haben über den Tod jener, die wie Cordelia und die Tochter des Brabantio niemals sterben können?

ERNEST. Halt einmal! Es kommt mir so vor, als läge in allem, was du bisher angeführt hast, etwas von Grund auf Amoralisches.

GILBERT. Jede Kunst ist amoralisch.

ERNEST. Jede Kunst?

GILBERT. Ja. Denn Gefühlserregung um der Gefühlserregung

willen ist das Ziel der Kunst, und Gefühlserregung um des Handelns willen ist das Ziel des Lebens; das Ziel auch jener praktischen Organisation des Lebens, die wir Gesellschaft nennen. Die Gesellschaft, Beginn und Voraussetzung jeder Moral, ist lediglich um der Konzentration menschlicher Tatkraft willen da, und um ihr eigenes Weiterbestehen, ihr inneres Gleichgewicht zu sichern, fordert sie, und das zweifellos zu Recht, von jedem ihrer Bürger, daß er durch irgendeine Form produktiver Arbeit zum Allgemeinwohl beisteuere und mit Schweiß und Mühe sein Tagwerk vollbringe. Mehr als einmal vergibt die Gesellschaft dem Verbrecher. Dem Träumer vergibt sie niemals. Die schönen, nutzlosen Gefühle, die die Kunst in unserem Innern erregt, sind hassenswert in den Augen der Gesellschaft, und die meisten Leute stehen so vollständig unter der Tyrannei dieses widerwärtigen gesellschaftlichen Ideals, daß sie schamlos bei Privatausstellungen oder an anderen dem Publikum zugänglichen Orten auf einen zukommen und mit Stentorstimme fragen: »Was tun Sie?«, wogegen die Frage: »Was denken Sie?« die einzige wäre, die ein zivilisiertes Individuum einem andern jemals zuflüstern dürfte. Zweifellos meinen sie es gut, diese biederen, strahlenden Leute. Vielleicht ist das der Grund, warum sie so ausnehmend lästig sind. Aber irgend jemand sollte sie belehren, daß das, was in den Augen der Gesellschaft die schwerste Sünde ist, deren ein Bürger sich schuldig machen kann, nämlich die Kontemplation, in den Augen der Höchstkultivierten die eigentlich menschenwürdige Beschäftigung ist.

ERNEST. Die Kontemplation?

GILBERT. Die Kontemplation. Ich sagte dir vorhin, es sei sehr viel schwieriger, über etwas zu reden, als es zu tun. Und nun möchte ich dir sagen, daß nichts zu tun das Schwierigste ist, was es auf der Welt gibt, das Schwierigste, das am meisten Geist voraussetzt. Für Plato, den so leidenschaftlich um Weisheit Bemühten, war es die edelste Form der Tatkraft. Für Aristoteles, den so leidenschaftlich um Wissen Bemühten, war es gleichfalls die edelste Form der Tatkraft. Es war die Kontemplation, zu der das leidenschaftliche Verlangen nach Heiligkeit den Frommen und den Mystiker des Mittelalters führte.

ERNEST. Wir wären also auf der Welt, um nichts zu tun?

GILBERT. Nichts zu tun ist die Bestimmung der Erwählten. Handeln ist etwas Beschränktes und Relatives. Unbeschränkt und absolut ist das Blickfeld dessen, der sich ruhig zurücklehnt und schaut, der einsam und traumverloren dahinwandelt. Aber wir, die wir am Ende dieses großartigen Zeitalters zur Welt gekommen sind – wir sind zugleich allzu kultiviert und allzu kritisch, intellektuell allzu verfeinert und zu neugierig auf auserlesene Genüsse, um uns als Ersatz für das wirkliche Leben mit Spekulationen über das Leben abzufinden. Für uns ermangelt die »città divina« der Farbe, ist die »fruitio dei« ein leeres Wort. Die Metaphysik genügt unseren Zuständen nicht mehr, und religiöse Ekstase ist für uns etwas Überlebtes. Die Welt, durch die der akademische Philosoph zum »Zuschauer aller Zeit und alles Daseins« wird, ist nicht eigentlich eine ideale Welt, sondern einfach eine Welt abstrakter Ideen. Sobald wir sie betreten, darben wir unter der kühlen Mathematik des Denkens. Die Höfe der Stadt Gottes sind uns jetzt nicht geöffnet. Ihre Tore werden von der Unwissenheit bewacht, und um eingelassen zu werden, müssen wir all das ausliefern, was an unserer Natur das Göttlichste ist. Genug, daß unsere Väter gläubig waren. Sie haben die Glaubensfähigkeit der Spezies erschöpft. Ihr Vermächtnis ist der Skeptizismus, den sie selbst fürchteten. Hätten sie ihn je in Worte gefaßt, brauchte er wahrscheinlich in uns als Gedanke nicht fortzuleben. Nein, Ernest, nein. Zum Heiligen können wir nicht wieder zurück. Da ist vom Sünder weit mehr zu lernen. Wir können auch nicht wieder zur Philosophie zurück, und die Mystik führt uns in die Irre. Wer würde heute, wie Pater irgendwo fragt, die Rundung eines einzelnen Rosenblattes eintauschen gegen jenes gestaltlose, ungreifbare Sein, das Plato soviel bedeutete? Was bedeuten uns heute noch die Erleuchtung Philos, der Abgrund Eckarts, die Gesichte Böhmes, selbst der ungeheuerliche Himmel, der sich vor Swedenborgs geblendeten Augen auftat? Dergleichen gilt uns weniger als der gelbe Blütenbecher einer einzigen wilden Narzisse, und sehr viel weniger als die niedrigste der sichtbaren Künste; denn wie die Natur Materie ist, die sich zum Geist durchringt, so ist die Kunst Geist, der im Gewand der Materie erscheint, und selbst in den unscheinbarsten ihrer Äußerungsformen spricht sie gleicherweise zu Sinn und Gemüt. Für die ästhetische Empfindung ist das Unbestimmte immer abstoßend. Die Griechen waren ein Volk von Künstlern, weil sie vom Gefühl der Unendlichkeit verschont blieben. Wie Aristoteles, wie Goethe – nachdem er Kant gelesen hatte – verlangen wir das Konkrete, und nichts als das Konkrete kann uns befriedigen.

ERNEST. Was schlägst du also vor?

GILBERT. Ich glaube, durch die Entwicklung des kritischen Geistes werden wir imstande sein, nicht nur unser eigenes Leben, sondern das Kollektivdasein der Menschheit zu verwirklichen und auf diese Weise zu absolut modernen Menschen zu werden, modern im eigentlichen Sinne des Wortes. Denn einer, für den die Gegenwart das einzig Gegenwärtige ist, weiß nichts von der Zeit, in der er lebt. Um das neunzehnte Jahrhundert begreifen zu können, muß man jedes Jahrhundert begreifen, das ihm vorausging und zu seiner Form beitrug. Um etwas von sich selbst zu wissen, muß man alles über andere wissen. Es darf keine Stimmung geben, die sich nicht mitempfinden, keine abgestorbene Lebensform, die sich nicht wieder lebendig machen ließe. Ist das unmöglich? Ich glaube, nicht. Dadurch, daß das wissenschaftliche Prinzip der Vererbung uns Einblick in den absoluten Mechanismus allen Handelns gegeben hat und uns so von der selbstauferlegten, hemmenden Bürde moralischer Verantwortlichkeit befreit hat, ist es gleichsam die Bestätigung für das kontemplative Leben geworden. Es hat uns vor Augen geführt, daß wir niemals weniger frei sind als dann, wenn wir zu handeln versuchen. Es hat uns mit Fangnetzen umstellt und an die Wand die Prophezeiung unseres Untergangs geschrieben. Wir werden es vielleicht nicht wahrnehmen, denn es wirkt in uns. Wir wollen es nicht ansehen, es sei denn in einem Spiegel, der die Seele spiegelt. Es ist die Nemesis ohne Maske. Es ist die letzte der Schicksalsgöttinnen und die schrecklichste. Es ist die einzige der Göttinnen, deren wahren Namen wir kennen.

Und doch, während dieses Prinzip im Bereich des praktischen und des äußeren Lebens die Kraft ihrer Freiheit, das Handeln seiner Wahl beraubt hat, kommt dieser furchtbare Schatten im subjektiven Bereich, wo die Seele wirkt, mit zahllosen Gaben zu uns, den Gaben seltsamer Zustände und gesteigerter Empfänglichkeit, den Gaben leidenschaftlicher Inbrunst und eisiger Gleichgültigkeit, den komplizierten, vielgestaltigen Gaben von Gedanken, die im Widerstreit miteinander liegen und von Leidenschaften, die wider sich selbst wüten. Und darum ist es nicht unser eigenes Leben, das wir führen, sondern das Leben der Toten, und die Seele, die in uns wohnt, ist keine einzelne, geistige Wesenheit, die uns Persönlichkeit und Individualität verbürgt, geschaffen, uns zu dienen, und zu unserer Freude in uns eingezogen. Sie ist etwas, das an schrecklichen Orten geweilt, in uralten Gräbern gehaust hat. Sie leidet an vielen Gebrechen und bewahrt die Erinnerung an merkwürdige Sünden. Sie ist weiser, als wir es sind, und ihre Weisheit ist bitter. Sie erfüllt uns mit unerfüllbaren Sehnsüchten und treibt uns unerreichbaren Zielen zu. Nur eines, Ernest, vermag sie für uns zu tun. Sie kann uns aus einer Umwelt befreien, deren Schönheit uns durch den Nebel des Vertrautseins getrübt ist oder deren vulgäre Häßlichkeit und zudringliche Ansprüche die Vollendung unserer Entwicklung hemmen. Sie kann uns dazu verhelfen, aus dem Bannkreis des Zeitalters herauszutreten, in das wir geboren wurden, um in andere Zeitalter zu tauchen, aus deren Sphäre wir uns nicht verbannt fühlen. Sie kann uns lehren, aus unserer eigenen Erfahrung auszubrechen und die Erfahrungen derer wahrzunehmen, die größer sind als wir. Der Schmerz Leopardis, ein einziger Aufschrei gegen das Leben, wird zu unserem Schmerz. Theokrit bläst auf seiner Flöte, und wir lachen mit den Lippen von Nymphen und Hirten. Im Wolfsfell Pierre Vidals flüchten wir vor den Hunden, und in der Rüstung Lancelots reiten wir fort von der Laube der Königin. In der Kutte Abälards haben wir das Geheimnis unserer Liebe geflüstert und im fleckigen Gewande Villons unsere Schmach in Gesang verwandelt. Mit Shellys Augen sehen wir die Dämmerung, und wenn wir mit Endymion wandern, so verliebt sich der Mond in unsere Jugend. Wir teilen die Qual des Atys, das schwächliche Rasen und den edlen Gram des Dänen. Glaubst du, daß es die Phantasie ist, die uns dazu befähigt, all diese zahllosen Leben zu leben? Ja, es ist die Phantasie, und sie ist ein Ergebnis der Vererbung. Sie ist nichts anderes als verdichtete Rassenerfahrung.

ERNEST. Aber wo bleibt hier die Funktion des kritischen Geistes?

GILBERT. Die Kultur, die diese Überlieferung von Rassenerfahrungen ermöglicht, kann nur durch den kritischen Geist vervollkommnet werden, ja, man kann sagen, daß sie mit ihm identisch ist. Denn wer anders ist ein echter Kritiker als der, der die Träume und Vorstellungen und Emotionen ungezählter Geschlechter in sich trägt, dem keine Form des Gedankens fremd, keine Gefühlsregung rätselhaft ist? Und wer darf als wahrhaft kultiviert gelten, wenn nicht der, der durch hohe Gelehrsamkeit und wählerische Ablehnung dem Instinkt zu Bewußtsein und Intelligenz verholfen hat und der ein Werk, das Rang besitzt, zu unterscheiden versteht, von einem Werk, das ihn nicht besitzt? Der also durch Berührung und Vergleich die Geheimnisse der Stile und Schulen beherrscht, ihre Bedeutung erfaßt, ihren Stimmen lauscht und jenen Geist unparteilicher Neugier entwickelt, der die eigentliche Wurzel, aber auch die eigentliche Blüte des geistigen Lebens ist? Und der auf diese Weise zu geistiger Klarheit gelangt und, nachdem er sich »das Beste, was in der Welt gewußt und gedacht wird«, zu eigen gemacht hat, mit jenen lebt – das ist keine Übertreibung –, die die Unsterblichen sind?

Ja, Ernest: das kontemplative Leben, das Leben, dessen Ziel nicht im *Tun* liegt, sondern im *Sein*, und nicht nur im *Sein*, sondern auch im *Werden* – das ist es, was uns der kritische Geist geben kann. So leben die Götter: Entweder sinnen sie, wie Aristoteles uns versichert, ihrer eigenen Vollkommenheit nach, oder sie folgen, wie Epikur es sich vorstellte, mit dem gelassenen Blick des Zuschauers der Tragikomödie der Welt, die sie selbst geschaffen haben. Auch wir könnten leben wie sie und mit den entsprechenden Empfindungen dem Ablauf der wechselvollen Szenen folgen, die Mensch und Natur uns darbieten. Wir könnten unser Wesen vergeistigen, indem wir uns allen Handelns begeben und uns durch Verzicht auf alle Tatkraft vervollkommnen. Es erschien mir öfter so, als habe Browning von alledem eine Ahnung gehabt. Shakespeare nötigte seinem Hamlet ein tätiges Leben auf und zwang ihn, seinem Auftrag durch Kampf gerecht zu werden. Browning hätte uns möglicherweise einen Hamlet geschenkt, der seinen Auftrag durch Denken erfüllt haben würde. Zwischenfälle und Ereignisse waren für ihn unwirklich und bedeutungslos. Er machte die Seele zum Hauptakteur in der Tragödie des Lebens und betrachtete die Handlung als das einzig undramatische Element eines Bühnenwerks. Für uns ist jedenfalls der *ΒΙΟΣ ΘΕΩΡΗΤΙΚΟΣ** das wahre Ideal. Vom hohen Turm des Denkens aus können wir die Welt betrachten. Gelassen, in sich ruhend und erfüllt, betrachtet der ästhetische Kritiker das Leben, und kein zufällig abgeschnellter Pfeil kann ihn zwischen die Fugen seines Panzers treffen. Er wenigstens ist sicher. Er hat herausgefunden, wie man leben sollte.

Ist eine solche Lebensart amoralisch? Ja: alle Künste sind amoralisch – außer jenen niedrigeren Formen der sinnlichen oder belehrenden Kunst, die, im Bösen oder Guten, zum Handeln anzustacheln suchen. Denn Handeln jeder Art gehört in den Bereich der Ethik. Ziel der Kunst ist es einfach, eine Stimmung zu erzeugen. Ist eine solche Lebensart unpraktisch? Ach, es ist nicht so einfach, unpraktisch zu sein, wie der unwissende Philister es sich vorstellt. Was für ein Glück für England, wenn dem so wäre! Kein Land auf der ganzen Welt hätte unpraktische Leute so nötig wie das unsere. Bei uns ist das Denken durch seine ständige Bindung an das Tun heruntergekommen. Wer von denen, die sich mitten im Getriebe und Gedränge des Alltags bewegen, seien es lärmende Politiker, eifernde Sozialreformer oder arme bornierte Priester, die geblendet sind durch das Leiden dieses unerheblichen Teils der Gesellschaft, in die sie das Schicksal gestellt hat – wer von ihnen allen dürfte ernsthaft Anspruch darauf erheben, über irgend etwas ein unparteiisches, durchdachtes Urteil zu fällen? Jeder Beruf bringt ein Vorurteil mit sich. Der Zwang, Karriere zu machen, treibt jeden dazu, Partei zu ergreifen. Wir leben im Zeitalter der Überarbeiteten und der Untergebildeten; einem Zeitalter, in dem die Leute derart geschäftig sind, daß sie völlig verdummen. Und so hart es klingt, ich muß sagen, daß solche Leute ihr Los verdienen. Das sicherste Mittel, nichts über das Leben zu erfahren, ist der Versuch, sich nützlich zu machen.

ERNEST. Eine reizende Doktrin, Gilbert!

GILBERT. Ich bin nicht so sicher, aber sie hat zumindest das beiläufige Verdienst, wahr zu sein. Daß das Verlangen, anderen

* Das kontemplative Leben.

Gutes zu tun, eine solche Unzahl von Tugendbolden hervorbringt, ist nur das geringste der Übel, die es verursacht. Der Tugendbold ist ein höchst interessantes psychologisches Phänomen, und obwohl von allen Arten der Pose, die moralische die anstößigste ist, will es immerhin etwas heißen, überhaupt eine Pose zu haben. Es ist die formale Anerkennung der Notwendigkeit, das Leben von einem bestimmten, begründeten Standpunkt aus anzupacken. Daß das humanitäre Mitgefühl wider die Natur streitet, indem es das Überleben des Mißratenen sichert, mag dem Mann der Wissenschaft seine allzu billigen Tugenden verleiden. Der Nationalökonom mag sich dagegen auflehnen, daß es den sorglos in den Tag hinein Lebenden auf eine Stufe mit dem Vorsorglichen stellt und damit das Leben seines stärksten, weil gemeinsten Antriebes zur Arbeitsamkeit beraubt. Aber in den Augen des Denkenden besteht der eigentliche Schaden, den das sentimentale Mitgefühl anrichtet, darin, daß es die Einsicht begrenzt und somit die Lösung auch nur einer einzigen sozialen Frage verhindert. Im Augenblick versuchen wir, die kommende Krisis oder, wie meine Freunde, die Fabianer, sie nennen, die kommende Revolution mit Hilfe von Spenden und Almosen abzuwenden. Nun, wenn die Revolution oder Krisis eines Tages da ist, werden wir machtlos sein, weil wir nichts wissen. Und darum, Ernest, sollten wir uns lieber nichts vormachen. England wird nicht eher eine Kulturnation sein, als bis es das Reich der Utopie seinem Herrschaftsgebiet eingegliedert hat. Es besitzt mehr als eine Kolonie, die es zu seinem Vorteil für ein so herrliches Land aufgeben könnte. Was wir brauchen, sind unpraktische Leute, die über den Augenblick hinaussehen, über den Tag hinausdenken. Wer auch immer versucht, ein Volk zu führen, ist gezwungen, dem Pöbel zu folgen. Nur die Stimme des Rufers in der Wüste bereitet den Göttern den Weg.

Aber vielleicht bist du der Meinung, daß im Schauen um der bloßen Freude am Schauen, in der Betrachtung um der Betrachtung willen etwas Egoistisches liegt. Wenn das deine Meinung ist, behalte sie für dich. Nur ein so völlig selbstsüchtiges Zeitalter wie das unsere bringt es fertig, die Selbstaufopferung zu vergötzen. Nur ein ausgesprochen raffgieriges Zeitalter, wie es das unsere ist, stellt über die schönen Tugenden des Geistes jene flachen sentimentalen Tugenden, die ihren unmittelbaren praktischen Gewinn in sich tragen. Sie verfehlen auch ihr Ziel, diese Philanthropen und Gefühlsmenschen unserer Tage, die uns immer wieder mit ihrem Geschwätz über die Pflichten der Nächstenliebe im Ohr liegen. Denn die Entwicklung der Rasse hängt von der Entwicklung des Einzelnen ab, und wo die Selbsterziehung aufgehört hat, ein Ideal zu sein, da sinkt sofort der geistige Maßstab ab und geht oft ganz verloren. Wenn man auf einer Abendgesellschaft jemanden trifft, der ein ganzes Leben darauf verwandt hat, sich selbst zu erziehen – ein Menschentyp, der, wie ich zugebe, in unserer Zeit etwas selten geworden, gelegentlich aber noch immer anzutreffen ist –, erhebt man sich vom Tisch, bereichert und im Bewußtsein, daß ein hohes Ideal einen Augenblick lang unser Dasein berührt und verklärt hat. Aber statt dessen, mein lieber Ernest, neben einem Mann sitzen zu müssen, der ein ganzes Leben lang damit beschäftigt gewesen ist, andere zu erziehen! Was für eine schauderhafte Erfahrung! Wie erschreckend ist diese Unwissenheit, die unvermeidlich aus der fatalen Gewohnheit entsteht, die eigenen Ansichten mitzuteilen! Wie beschränkt ist der Gesichtskreis eines solchen Menschen! Wie sehr ödet er uns an, ja, muß er sich selbst anöden mit seinen endlosen und kläglichen Wiederholungen! Wie mangelt ihm jedes Element geistigen Wachstums! In welchem circulus vitiosus bewegt er sich ständig!

ERNEST. Du sprichst seltsam betroffen, Gilbert. Hast du in letzter Zeit diese schreckliche Erfahrung, wie du sie nennst, gemacht?

GILBERT. Es entgehen ihr nur wenige. Man sagt, der Schulmeister stirbt aus. Ich wollte, es wäre so. Denn der Schulmeister ist nur ein Vertreter und sicherlich der unwichtigste einer ganzen Gattung, die, wie mir scheint, unser Leben wirklich beherrscht; und wie im ethischen Bereich der Philanthrop eine Plage ist, so ist es im Bereich des Geistes derjenige, der so sehr damit beschäftigt ist, andere zu erziehen, daß er nie Zeit gehabt hat, sich selbst zu erziehen. Nein, Ernest, Selbsterziehung ist das wahre Ideal des Menschen. Goethe hat das erkannt, und was wir Goethe verdanken, ist mehr, als wir irgendeinem Menschen seit den Tagen der Griechen verdanken. Die Griechen wußten es, und sie haben dem modernen Denken ein Vermächtnis hinterlassen, den

Begriff der vita contemplativa sowie die kritische Methode, durch die allein dieses Leben wahrhaft verwirklicht werden kann. Das war es auch, was die Renaissance groß machte und uns den Humanismus gab. Dadurch allein könnte auch unser Zeitalter groß werden; denn die wirkliche Schwäche Englands liegt nicht in der unvollkommenen Kriegsausrüstung oder den unbefestigten Küsten, nicht in der Armut, die durch lichtlose Gassen schleicht, oder der Trunksucht, die in den ekelerregenden Höfen grölt, sondern einfach darin, daß ihre Ideale Ideale des Gefühls sind und nicht des Geistes.

Ich leugne nicht, daß das geistige Ideal schwer erreichbar ist, noch weniger, daß es bei den Massen unbeliebt ist und noch lange bleiben wird. Es fällt dem Menschen so leicht, Mitgefühl mit dem Leiden zu hegen, es fällt ihm so schwer, Gedanken mitzufühlen. Ja, die meisten verstehen so wenig, was der Gedanke eigentlich ist, daß sie sich einbilden, eine Theorie bereits verurteilt zu haben, wenn sie sie als gefährlich bezeichnen, während in Wirklichkeit gerade diese Theorien es sind, die einen echten geistigen Wert besitzen. Eine Idee, die nicht gefährlich ist, verdient es nicht, überhaupt eine Idee genannt zu werden

ERNEST. Du bringst mich in Verwirrung, Gilbert. Du hast mir gesagt, daß alle Kunst, ihrem Wesen nach, amoralisch ist. Willst du mir jetzt sagen, daß alles Denken seinem Wesen nach gefährlich ist?

GILBERT. Ja, im Bereich des Praktischen verhält es sich so. Die Sicherheit der Gesellschaft beruht auf Gewohnheit und unbewußtem Instinkt, und ihr Fortbestand als ein gesunder Organismus gründet sich auf die Abwesenheit aller Intelligenz unter ihren Mitgliedern. Die überwiegende Mehrzahl von ihnen ist, im vollen Bewußtsein dieser Tatsache, mit jenem großartigen System, das sie zum Rang von Automaten erhebt, natürlich einverstanden und verwahrt sich blindwütig gegen die Einmischung des Intellekts in jede das Leben betreffende Frage; man ist also geradezu versucht, den Menschen als das vernünftige Tier zu definieren, das immer dann außer sich gerät, wenn ihm zugemutet wird, im Einklang mit dem Gebot der Vernunft zu handeln. Aber kehren wir dem Bereich des Praktischen lieber den Rücken, und schweigen wir auch von den abscheulichen Philanthropen, die wir wahrhaftig der Gnade des mandeläugigen Denkers vom Gelben Fluß, dem weisen Chuang Tsu, überlassen können, der schlüssig dargetan, daß solche wohlmeinenden, unangenehmen Wichtigtuer die Tugend der Einfachheit und Natürlichkeit, wie sie dem Menschen angeboren ist, zerstört haben. Ein unerquickliches Thema, und ich möchte mich lieber wieder dem Bereich zuwenden, in dem die Kritik frei ist.

ERNEST. Dem Bereich des Intellekts?

GILBERT. Ja, du erinnerst dich, daß ich früher sagte, der Kritiker sei auf seine Art nicht weniger schöpferisch als der Künstler – ja, das Werk des letzteren sei unter Umständen nur insofern von Wert, als es im Kritiker eine neuartige Stimmung des Denkens und Fühlens auslöse, die er mit gleicher – oder vielleicht sogar stärkerer – Formbestimmtheit wahrnehmen kann und der er, durch Gebrauch eines noch unerschöpften Ausdrucksmittels, eine andere Art von Schönheit und von Vollkommenheit zu verleihen vermöge. Nun, du scheinst im Hinblick auf diese Theorie etwas skeptisch. Aber vielleicht tue ich dir unrecht.

ERNEST. Ich bin nicht so skeptisch im Hinblick auf deine Theorie, aber ich muß zugeben, daß nach meinem Gefühl eine solche Leistung, wie du sie dem Kritiker zuschreibst – und schöpferisch muß sie tatsächlich genannt werden –, notwendig etwas rein Subjektives ist, während die größte Leistung stets objektiv ist, objektiv und unpersönlich.

GILBERT. Der Unterschied zwischen objektiver und subjektiver Leistung ist nur in der äußeren Form vorhanden. Er ist nebensächlich, nicht wesentlich. Jede künstlerische Schöpfung ist absolut subjektiv. Selbst die Landschaft, die Corot betrachtete, war, wie er selbst sagte, nur eine Stimmung der eigenen Seele; und jene großen Gestalten des griechischen und des englischen Dramas, die unabhängig von den Dichtern, die sie geformt und gebildet haben, eine eigene, wirkliche Existenz zu besitzen scheinen, sind im letzten Grunde doch nur die Dichter selbst – nicht das, was diese zu sein, sondern was sie nicht zu sein glaubten und was sie eben deshalb seltsamerweise, wenngleich nur für einen Augenblick, tatsächlich wurden. Denn niemals können wir aus uns heraus, noch kann in eine Schöpfung eingehen, was nicht zuvor im Schöpfer angelegt war. Nein, ich würde sagen:

Je objektiver eine Schöpfung zu sein scheint, um so subjektiver ist sie in Wirklichkeit. Shakespeare könnte Rosenkrantz und Güldenstern auf den grauen Straßen Londons begegnet sein oder gesehen haben, wie die Diener feindlicher Häuser auf offenem Platz einander verächtliche Gesten machten; aber Hamlet kam aus seiner Seele und Romeo aus seiner Leidenschaft. Sie waren Elemente seines Wesens, denen er sichtbare Gestalt verlieh, Triebe, die ihn so heftig aufwühlten, daß er sie gezwungenermaßen durchleiden mußte, um ihre Kraft zu spüren, und zwar nicht auf der niedrigen Ebene des alltäglichen Lebens, wo sie gefesselt und beengt und also beschnitten worden wären, sondern auf jener erfundenen Ebene der Kunst, wo die Liebe wirklich im Tod ihre größte Erfüllung erfährt, wo man den Horcher hinter der Tapete ersticht und im offenen Grabe ringt, wo man dem schuldigen König sein eigenes Gift zu trinken gibt und seines Vaters Geist sieht, wie er im flüchtigen Mondlicht in voller Eisenrüstung und im Nebel von Mauer zu Mauer schreitet. Das Handeln in seiner Begrenztheit hätte Shakespeare nicht befriedigt, und er hätte sich darin nicht ausdrücken können; und genauso, wie er alles vollbringen konnte, weil er nichts tat, so offenbaren ihn seine Stücke vollkommen, weil er nie von sich redet, und sie zeigen sein wahres Wesen und sein Temperament viel erschöpfender als jene seltsamen und herrlichen Sonette, in denen er den kristallklaren Augen den geheimsten Raum seines Herzens enthüllt. Ja, die objektivste Form ist im Grunde die subjektivste. Der Mensch ist am wenigsten er selbst, wenn er in eigener Person spricht. Gib ihm eine Maske, und er wird die Wahrheit sagen.

ERNEST. Der Kritiker wird also, da er an seine subjektive Form gebunden ist, notwendigerweise weniger imstande sein, sich völlig auszudrücken als der Künstler, der immer Formen zur Verfügung hat, die unpersönlich und objektiv sind.

GILBERT. Nicht unbedingt, und auf keinen Fall, wenn er erkennt, daß jede Art der Kritik auf ihrer höchsten Entwicklungsstufe einfach eine Stimmung ist und daß wir uns nie treuer sind, als wenn wir inkonsequent sind. Der ästhetische Kritiker, nur dem Grundsatz der Schönheit in allen Dingen ergeben, wird immer nach neuen Eindrücken Ausschau halten; er gewinnt den verschiedensten Schulen das Geheimnis ihres Zaubers ab; er beugt sich vielleicht vor fremden Altären, oder er lächelt, wenn es ihm einfällt, fremden, neuen Göttern zu. Was andere Leute unsere Vergangenheit nennen, hat ohne Zweifel sehr viel mit ihnen zu tun, aber gar nichts mit uns. Wer in seine Vergangenheit schaut, verdient nicht, eine Zukunft vor sich zu haben, in die er schauen könnte. Hat man für eine Stimmung den Ausdruck gefunden, dann ist man damit fertig. Du lachst, aber glaube mir, es ist so. Gestern war es der Realismus, der uns gefallen hat. Man fand in ihm jenen »nouveau frisson*«, den er hervorrufen wollte. Man analysierte ihn und wurde seiner überdrüssig. Später kam der Luminismus in der Malerei und der Symbolismus in der Dichtung, und der Geist des Mittelalters, der keiner Epoche, sondern einem Seelenzustand angehört, erwachte plötzlich in dem verwundeten Rußland und erregte uns einen Augenblick durch die furchtbare Faszination des Schmerzes. Heute erhebt sich der Ruf nach Romantik, und schon zittern die Blätter im Tal, und auf purpurnen Hügelspitzen wandelt die Schönheit mit zarten goldenen Füßen dahin. Die alten Formen des Schaffens erhalten sich natürlich weiterhin. Die Künstler reproduzieren entweder sich oder einer den anderen in ermüdender Wiederholung. Die Kritik jedoch schreitet immer fort, und der Kritiker entwickelt sich immer weiter.

Also ist auch der Kritiker nicht wirklich an die subjektive Form des Ausdrucks gebunden. Er kann sich der dramatischen, wie der epischen Form bedienen. Er mag die Dialogform anwenden, wie jener es tat, der Milton mit Marvel ein Gespräch über das Wesen der Komödie und der Tragödie führen und Sidney und Lord Brooke unter den Eichen von Penshurst sich über Literatur unterhalten ließ; er kann die Form der Erzählung wählen, wie Pater das mit Vorliebe tut; jedes seiner *Imaginary Portraits* – das ist doch der Titel seines Buches – bietet uns in dem phantastischen Gewande der Dichtung einige feine und auserlesene Stücke der Kritik: eines über Watteau, ein anderes über die Philosophie Spinozas, ein drittes über die heidnischen Einflüsse in der Frührenaissance und das letzte, in gewisser Hin-

* neues Erschaudern

sicht eindringlichste, über die Quelle jener Aufklärung, das Licht, das im letzten Jahrhundert in Deutschland aufging, und der unsere eigene Kultur so viel verdankt. Der Dialog allerdings, jene wundervolle literarische Form, die die schöpferischen Kritiker der Welt von Plato bis Lukian und von Lukian bis Giordano Bruno und von Bruno bis zu jenem großen, alten Heiden, an dem Carlyle solches Entzücken fand, immer angewandt haben, kann als Ausdrucksform für den Denker nie seine Anziehungskraft verlieren. Durch ihn findet er die Möglichkeit, sich zu enthüllen und zu verbergen, jedem Einfall Form zu geben und jeder Stimmung Wirklichkeit zu verleihen. Durch ihn kann er den Gegenstand von jedem Blickpunkt aus darstellen, wie uns ein Bildhauer die Plastik von allen Seiten zeigt; auf diese Weise gewinnt er all den Reichtum und die Kraft der Wirkung, die in jenen Nebenresultaten liegen, die sich im Verfolgen der Hauptidee plötzlich einstellen und sie wirklich vollständiger beleuchten, oder er nutzt jene glücklichen, nachträglichen Einfälle, die dem Hauptthema erst seine Vollkommenheit verleihen und trotzdem etwas von dem feinen Reiz des Zufälligen vermitteln.

ERNEST. Er kann auch einen erdichteten Antagonisten erfinden und ihn, wenn es ihm gefällt, durch irgendein absurd sophistisches Argument bekehren.

GILBERT. Ach, es ist so leicht, andere, und so schwer, sich selbst zu bekehren. Um dahin zu gelangen, was man selbst im Grunde glaubt, muß man mit fremden Lippen reden. Um die Wahrheit zu erfahren, muß man eine Unzahl Lügen erfinden. Denn was ist die Wahrheit? In Fragen der Religion ist es einfach die Anschauungsweise, die überlebt hat. In Fragen der Wissenschaft die neueste Entdeckung. In Fragen der Kunst ist es die letzte Stimmung. Und du siehst jetzt wohl ein, Ernest, daß dem Kritiker ebenso viele objektive Formen des Ausdrucks zur Verfügung stehen wie dem Künstler. Ruskin kleidete seine Kritik in phantasievolle Prosa, und er ist bestechend in seinen Modulationen und Widersprüchen; Browning schrieb sie in Blankversen und ließ Maler und Dichter ihre Gehiemnisse offenbaren; und Renan gebraucht den Dialog, Pater den Roman, und Rosetti hat in der Musik seiner Sonette die Farben Giorgiones, die Linien Ingres und seine eigenen Linien und Farben widerklingen lassen; er empfand mit dem Instinkt des Künstlers, der sich auf vielerlei Arten auszudrücken vermag, daß die höchste Kunst die Literatur ist und das feinste und vollkommenste Medium das Wort.

ERNEST. Gut, du hast jetzt festgestellt, daß der Kritiker alle objektiven Formen zur Verfügung hat; ich möchte nun von dir wissen, welche Eigenschaften den wahren Kritiker auszeichnen.

GILBERT. Welche würdest du ihm zuschreiben?

ERNEST. Ja, ich würde sagen, ein Kritiker sollte vor allem gerecht sein.

GILBERT. Ach – nicht gerecht. Ein Kritiker kann im gewöhnlichen Sinn des Wortes gar nicht gerecht sein. Nur über Dinge, die einen nicht interessieren, kann man wirklich unparteiisch urteilen; das ist auch der Grund, warum ein unparteiisches Urteil immer völlig wertlos ist. Wer beide Seiten einer Frage sieht, sieht überhaupt nichts. Die Kunst ist eine Leidenschaft, und in Kunstdingen wird das Denken unwillkürlich vom Gefühl gefärbt und ist darum eher bewegt als konstant; da es von subtilen Stimmungen und ungewöhnlichen Augenblicken abhängig ist, kann man es nicht in die Starrheit einer wissenschaftlichen Formel oder eines theologischen Dogmas zwängen. Die Kunst spricht zur Seele, und die Seele kann ebensogut zur Gefangenen des Geistes wie des Körpers gemacht werden. Natürlich sollte man keine Vorurteile haben; doch wie ein großer Franzose vor hundert Jahren bemerkte, ist es unsere Pflicht, in diesen Dingen Vorlieben zu besitzen; wenn jemand aber Vorlieben besitzt, hört er auf, gerecht zu sein. Nur ein Auktionar kann in gleich unbefangener Weise alle Kunstschulen bewundern. Nein, Gerechtigkeit ist keine Tugend, die den wahren Kritiker auszeichnet. Sie ist nicht einmal eine Voraussetzung der Kritik. Jede Kunstform, mit der wir in Berührung kommen, beherrscht uns für den Augenblick so sehr, daß sie jede andere Form ausschließt. Wir müssen uns dem betreffenden Werk, was immer es darstellt, ganz und gar ausliefern, wenn wir sein Geheimnis ergründen wollen. Solange wir damit umgehen, dürfen und können wir fürwahr an nichts anderes denken.

ERNEST. Der wahre Kritiker wird auf jeden Fall rational sein, meinst du nicht?

GILBERT. Rational? Es gibt zwei Arten, die Kunst nicht zu

lieben, Ernest. Erstens, indem man sie nicht liebt, zweitens, indem man sie mit dem Verstand liebt. Denn die Kunst – das sah schon Plato zu seinem Bedauern – erweckt im Zuhörer und im Zuschauer eine Art göttlichen Wahnsinn. Sie entspringt nicht der Inspiration, aber sie wirkt inspirierend auf andere. Sie wendet sich nicht an die Vernunft. Wenn man die Kunst überhaupt liebt, muß man sie mehr als alles auf der Welt lieben, und gegen eine solche Liebe müßte die Vernunft, wollte man auf sie hören, protestieren. Es liegt nichts Gesundes in der Anbetung der Schönheit. Sie ist viel zu glänzend, um gesund zu sein. Wer sie zur beherrschenden Form seines Lebens macht, wird der Welt ewig als reiner Träumer erscheinen.

ERNEST. Schön, der Kritiker wird zumindest aufrichtig sein.

GILBERT. Ein wenig Aufrichtigkeit ist gefährlich und viel davon geradezu fatal. Zwar wird der wahre Kritiker in seiner Hingabe an das Prinzip der Schönheit immer aufrichtig sein, doch er wird die Schönheit in jedem Zeitalter und in jeder Schule suchen; er wird sich nie auf eine bestimmte Denkgewohnheit oder eine stereotype Art, die Dinge zu sehen, beschränken lassen. Er wird sich selbst in vielen Formen und auf tausend verschiedene Weisen verwirklichen; er wird immer nach neuen Sensationen und neuen Gesichtspunkten Ausschau halten. Durch beständigen Wechsel, und nur durch beständigen Wechsel, wird er seine wahre Einheit finden. Er wird es nie dahin kommen lassen, der Sklave seiner eigenen Meinungen zu werden. Denn was ist Geist anderes als Beweglichkeit im intellektuellen Bereich. Das Wesen des Denkens, wie das Wesen des Lebens liegt im Wachstum. Du mußt dich nicht durch Worte schrecken lassen, Ernest. Was die Leute Unaufrichtigkeit nennen, ist einfach eine Methode, unsere Persönlichkeit zu vervielfältigen.

ERNEST. Ich fürchte, meine Vorschläge waren nicht sehr glücklich.

GILBERT. Unter den drei Eigenschaften, die du nanntest, waren zwei, Aufrichtigkeit und Gerechtigkeit, wenn nicht der Moral selbst, so doch den Grenzgebieten der Moral entnommen, und die erste Voraussetzung der Kritik ist die Erkenntnis des Kritikers, daß Kunst und Ethik vollkommen verschiedene und getrennte Welten sind. Wenn man sie vermischt, kehrt das Chaos zurück. In England werden sie heutzutage allzu oft vermischt, und wenn auch unsere modernen Puritaner das Schöne nicht zerstören können, so können sie doch durch ihr außerordentliches Verlangen danach die Schönheit für einen Augenblick vergiften. Leider finden solche Leute hauptsächlich durch den Journalismus ihren Ausdruck. Ich sage leider, denn man könnte vieles zugunsten des modernen Journalismus sagen. Er zeigt uns die Meinungen der Ungebildeten, er läßt uns die Ignoranz der Gesellschaft spüren. Durch seine gewissenhafte Berichterstattung über die Ereignisse unserer Tage führt er uns die geringe Bedeutung solcher Ereignisse vor Augen. Er bespricht unentwegt das Unwesentliche, und dadurch lernen wir begreifen, was für die Kultur wichtig ist und was nicht. Aber er dürfte dem armseligen Tartuffe nicht erlauben, Artikel über die moderne Kunst zu schreiben. Tut er es, so macht er sich lächerlich. Und doch haben Tartuffes Artikel und Chadbands Berichte schließlich eine gute Seite. Sie zeigen, wie beschränkt der Bereich ist, über den Ethik und ethische Erwägungen einen Einfluß beanspruchen können. Die Wissenschaft steht außerhalb der Ethik, denn sie richtet ihr Augenmerk auf unabänderbare Wahrheiten. Die Kunst steht außerhalb der Ethik, denn sie richtet ihr Augenmerk auf das Schöne, das Unsterbliche und ewig Wechselvolle. Zur Ethik gehören die niedrigeren und weniger intellektuellen Bereiche. Doch mag man diese großsprecherischen Puritaner gelten lassen. Sie haben ihre komische Seite. Wer muß nicht lachen, wenn ein mittelmäßiger Journalist im Ernst beabsichtigt, das Stoffgebiet des Künstlers zu begrenzen. Man sollte allerdings einigen Zeitungen und ihren Schreibern Schranken setzen. Und ich hoffe, man wird es bald tun. Denn sie bieten uns die nackten, gemeinen, widrigen Tatsachen des Lebens. Sie verzeichnen mit entwürdigender Gier die Vergehen der kleinen Leute, und sie erzählen uns mit der Gewissenhaftigkeit der Ungebildeten genaue und prosaische Details über das Gebaren von Leuten, für die nicht das geringste Interesse besteht. Der Künstler aber, der die Tatsachen des Lebens anerkennt und sie dennoch in Formen der Schönheit verwandelt, sie zum Gefäß des Erbarmens und der Ehrfurcht macht, der ihre Farbigkeit und ihre Wunder zeigt und außerdem ihre wahre ethische Bedeutung, der aus ihnen eine Welt erbaut, die wirklicher ist als die Wirklichkeit selbst und von stolzerer und edlerer Bedeutung – wer sollte ihm Grenzen setzen? Nicht die Apostel dieses neuen Journalismus, der nichts anderes darstellt als die alte Vulgarität »groß geschrieben«. Nicht die Apostel des neuen Puritanismus, der bloß das Gewimmer der Heuchler und so schlecht geschrieben wie gesprochen ist. Allein der Gedanke daran ist lächerlich. Lassen wir dieses Gezücht und sprechen wir weiter über die künstlerischen Eigenschaften, die der wahre Kritiker besitzen muß.

ERNEST. Und welche sind das? Sag *du* es mir.

GILBERT. Das erste Erfordernis für den Kritiker ist Temperament – ein Temperament, das für die Schönheit und die mannigfaltigen Eindrücke, die uns die Schönheit gibt, höchst empfänglich ist. Unter welchen Bedingungen und durch welche Mittel dieses Temperament in der Rasse oder im einzelnen erzeugt wird, das wollen wir jetzt nicht erörtern. Es genügt festzustellen, daß es vorhanden ist, und daß wir einen Schönheitssinn besitzen, der von den übrigen Sinnen getrennt ist und ihnen übergeordnet, der unabhängig von der Vernunft und edler ist und unabhängig von der Seele, aber genauso wertvoll – einen Schönheitssinn, der die einen zum Schaffen drängt und die anderen, ich denke die feineren Geister, zur reinen Betrachtung führt. Um aber rein und vollkommen zu werden, bedarf dieser Sinn einer gewissen erlesenen Umgebung. Ohne sie verkümmert er oder stumpft ab. Du erinnerst dich dieser schönen Stelle, wo uns Platon schildert, wie ein junger Grieche erzogen werden sollte, und mit welchem Nachdruck er auf die Wichtigkeit der Umgebung hinweist; er sagt uns, der Knabe müsse inmitten schöner Gebilde und Töne erzogen werden, damit die Schönheit der sinnlichen Dinge die Seele für die geistige Schönheit empfänglich macht. Unmerklich und unbewußt soll sich in ihm die wirkliche Liebe zur Schönheit entfalten, die, wie Platon nie müde wird, uns zu erinnern, das wahre Ziel der Erziehung ist. In ihm soll langsam jenes Temperament geweckt werden, das ihn auf natürliche und einfache Weise dazu führt, das Gute dem Schlechten vorzuziehen, was vulgär und unharmonisch ist abzulehnen und sich mit feinem, instinktivem Geschmack allem zu widmen, was Anmut, Charme und Schönheit besitzt. Endlich und folgerichtig wird dieser Geschmack kritisch und seiner selbst bewußt; aber zunächst ist er nur als ein ausgebildeter Instinkt vorhanden, und »wer diese wahrhaft innere Kultur des Menschen empfangen hat, wird mit klarem und sicherem Blick die Auslassungen und Fehler in der Kunst oder in der Natur wahrnehmen, und er wird mit unfehlbarem Geschmack loben, was gut ist, seine Freude daran haben, es mit seiner Seele aufnehmen und gut und edel werden; doch was schlecht ist, wird er direkt anprangern und hassen, ja schon sehr früh, noch bevor er fähig ist zu begründen warum«. Und so wird er später, wenn sich sein kritischer, sich selbst erkennender Geist gebildet, »ihn als Freund erkennen und begrüßen, mit dem seine Erziehung ihn längst vertraut gemacht hat«. Ich brauche wohl kaum zu sagen, Ernest, wie weit wir in England von diesem Ideal entfernt sind, und ich kann mir das Lächeln vorstellen, das auf den glatten Philistergesichtern erscheinen würde, wenn jemand wagen wollte, ihnen zu sagen, daß das wahre Ziel der Erziehung die Liebe zur Schönheit sei und daß die Erziehungsmethoden hierfür die Entwicklung des Temperaments, die Bildung des Geschmacks und das Erwecken des kritischen Geistes seien.

Doch selbst für uns gibt es noch schöne Umgebungen, und die Langweiligkeit der Erzieher und Professoren bedeutet wenig, solange man in den grauen Kreuzgängen des Magdalenen-College schlendern und dem flötengleichen Gesang in der Waynfleete-Kapelle lauschen kann, oder wenn man auf der grünen Wiese unter den seltsamen, schlangengefleckten Kaiserkronen liegt und sieht, wie der glühende Mittag die vergoldeten Wetterfahnen der Türme in ein noch schöneres Gold taucht, oder wenn man unter der fächerförmig gewölbten schattigen Decke die Stufen der »Christchurch« hinaufgeht und durch das skulpturengeschmückte Tor des Lauds Palastes in das St.-Johns-College eintritt. Doch der Schönheitssinn bildet, übt und vervollkommnet sich keineswegs nur in Oxford oder Cambridge. Über ganz England hat sich eine Renaissance der dekorativen Künste verbreitet. Mit der Häßlichkeit ist es vorbei. Selbst in den Häusern der Reichen findet man Geschmack, und die Häuser derer, die nicht reich sind, sind anmutig und behaglich geworden, so daß es eine Freude ist, in ihnen zu leben. Caliban, der arme, lärmende

Caliban glaubt, wenn er aufgehört hat, einem Ding Grimassen zu schneiden, hört das Ding auf zu existieren. Aber er höhnt nur deshalb nicht länger, weil man seinem eigenen einen schlagfertigeren, beißenderen Hohn entgegengesetzt hat, und er für eine Weile zum Schweigen gezwungen wurde, das für immer seine unförmig verzerrten Lippen schließen sollte. Was bisher getan wurde, war hauptsächlich eine Wegbereitung. Es ist immer schwieriger zu zerstören als zu erschaffen, und wenn das, was man zerstören muß, die Vulgarität und die Dummheit ist, so fordert die Zerstörung nicht nur Mut, sondern auch Verachtung. Trotzdem scheint mir, ist es in einem gewissen Grade geschehen. Das Schlechte haben wir abgestoßen. Jetzt gilt es, das Schöne zu schaffen. Und obgleich es die Aufgabe der ästhetischen Bewegung ist, die Menschen zur Betrachtung anzuregen, nicht zum Schaffen, so ist doch der schöpferische Instinkt im Kelten stark, und der Kelte führt in der Kunst; wir haben keinen Grund daran zu zweifeln, daß in den kommenden Jahren diese merkwürdige Renaissance auf ihre Weise nicht genauso mächtig werden könnte, wie vor vielen Jahrhunderten jene Neugeburt der Kunst in den Städten Italiens.

Gewiß, wir müssen uns zur Kultivierung des Temperaments an die dekorativen Künste wenden: an die Künste, die uns rühren, nicht an die Künste, die uns belehren. Es ist zweifellos ein Vergnügen, moderne Bilder anzusehen, wenigstens einige von ihnen. Aber es ist ganz unmöglich, mit ihnen zu leben. Sie sind zu ausgeklügelt, zu sicher, zu intellektuell. Ihre Absichten sind zu deutlich, und ihre Technik ist allzu offenkundig. Was sie zu sagen haben, erschöpft sich in kürzester Zeit, und dann werden sie so langweilig wie Verwandte. Ich liebe das Werk mancher Impressionisten in Paris und London. Subtilität und Niveau sind dieser Schule noch immer zu eigen. Manche ihrer Anordnungen und Farbzusammenhänge erinnern uns an die unnahbare Schönheit von Gautiers unsterblicher »Symphonie en Blanc Majeur«, an jenes makellose Meisterwerk der Farbe und Musik, das wohl für viele ihrer besten Bilder als Vorbild und Titel diente. Für eine Gesellschaftsklasse, die das Unzulängliche mit sympathetischer Begierde begrüßt, die das Bizarre mit dem Schönen verwechselt und die Vulgarität mit der Wahrheit, erscheinen sie außerordentlich vollendet. Sie machen Radierungen, die die Brillanz des Epigramms besitzen, Pastelle, die wie Paradoxe fesseln, und von ihren Porträts, was der übliche Geschmack auch gegen sie einwenden mag, kann niemand behaupten, daß sie nicht den einzigartigen und wunderbaren Zauber besitzen, der den Werken der reinen Phantasie innewohnt. Aber so ernsthaft und fleißig die Impressionisten sind, auch sie genügen nicht. Ich mag sie. Ihr Weiß als Grundfarbe mit Variationen in Lila war eine Ära in der Farbgebung. Zwar schafft der Augenblick nicht den Menschen, aber er schafft ohne Zweifel den Impressionisten, und was könnte man nicht für den Augenblick in der Kunst und die »Versteinerung des Augenblicks«, wie Rosetti es nannte, anführen. Sie sind außerdem anregend. Haben sie den Blinden auch nicht die Augen geöffnet, so haben sie zumindest die Kurzsichtigen sehr ermutigt; und während ihre führenden Vertreter die ganze Unerfahrenheit des Alters besitzen, sind ihre jungen Repräsentanten viel zu klug, um überhaupt sensibel zu sein. Trotzdem werden sie die Malerei weiterhin als eine Art Autobiographie behandeln, zum Nutzen der Analphabeten, und sie werden uns auf ihrer rohen, griesigen Leinwand über ihr unerhebliches Selbst und ihre unerheblichen Meinungen andauernd etwas vorschwatzen und durch vulgäre Übertreibung die feine Verachtung der Natur, die das Beste und das einzig Bescheidene an ihnen ist, verderben. Auf die Dauer ermüden einen die Werke von Individuen, deren Individualität sich immer geräuschvoll in Szene setzt und in der Regel uninteressant ist. Weit mehr wäre zugunsten der jüngeren Pariser Schule zu sagen, zugunsten der »Archaicistes«, wie sie sich nennen; sie weigern sich, den Künstler der Gnade des Wetters auszuliefern, sie finden das Ideal der Kunst nicht in der bloßen atmosphärischen Wirkung, sondern erstreben vielmehr die phantasievolle Schönheit der Zeichnung und die Lieblichkeit der hellen Farben; sie verschmähen den langweiligen Realismus derer, die nur malen, was sie sehen; sie versuchen etwas zu sehen, was des Sehens wert ist, und es nicht nur mit ihrem gegenwärtigen, leibhaftigen Blick zu sehen, sondern mit jenem edleren Blick der Seele, dessen geistiger Spielraum in dem Maße größer ist wie seine künstlerische Wirkung großartiger ist. Jedenfalls arbeiten sie unter den dekorativen Bedingungen, deren jede Kunst zu ihrer Vollkommenheit bedarf, und sie besitzen genug ästhetischen Instinkt, um jene gemeine und törichte Beschränkung auf die absolute Modernität der Form zu verwerfen, die so viele Impressionisten verdorben hat. Noch immer ist die Kunst, die sich offen als dekorativ gibt, die Kunst, mit der man leben kann. Sie ist von allen sichtbaren Künsten die einzige Kunst, die Stimmung und Temperament in uns weckt. Die Farbe allein, nicht mit Bedeutungen beladen und losgelöst von einer bestimmten Form, kann auf tausend verschiedene Weisen zur Seele sprechen. Die Harmonie, die in dem feinen Verhältnis von Linie und Fläche liegt, spiegelt sich in der Seele. Die Wiederholung von Mustern beruhigt uns. Die Wunder der Zeichnung erregen die Phantasie. In der bloßen Schönheit der angewandten Materialien liegen Kräfte der Kultur verborgen. Und das ist noch nicht alles. Indem die dekorative Kunst die Natur als Schönheitsideal bewußt ablehnt und ebenso die nachahmende Methode des durchschnittlichen Malers, bereitet sie die Seele nicht nur auf den Empfang des echten, schöpferischen Werkes vor, sondern entwickelt in ihr das Formgefühl, welches die Grundlage des schöpferischen wie des kritischen Werkes ist. Denn ein wirklicher Künstler wird nicht vom Gefühl her zur Form, sondern von der Form zum Gedanken und zur Leidenschaft gelangen. Er konzipiert nicht zuerst eine Idee und sagt sich dann: »Ich will meine Idee in ein Versgebilde von vierzehn Zeilen bringen«, sondern er empfindet die Schönheit der Sonettform und konzipiert gewisse Klangwerte und Methoden des Reims, und die Form selbst gibt ihm ein, wie sie zu füllen ist und ihre geistige und seelische Vollendung erfahren kann. Von Zeit zu Zeit entrüstet sich die Welt über einen bezaubernden artistischen Dichter, weil er – um ihre abgedroschene, alberne Phrase zu gebrauchen – »nichts zu sagen hat«. Aber hätte er etwas zu sagen, dann würde er es wahrscheinlich tun, und das Ergebnis wäre langweilig. Gerade weil er keine neue Botschaft zu verkünden hat, kann er ein schönes Werk schaffen. Seine Eingebung gewinnt er aus der Form und aus der Form allein, wie es beim Künstler sein sollte. Eine wirkliche Leidenschaft würde ihn ruinieren. Alles, was wirklich geschieht, ist für die Kunst verdorben. Die schlechte Dichtung kommt aus dem natürlichen Gefühl. Natürlich sein, heißt einleuchtend sein, und einleuchtend sein, heißt unkünstlerisch sein.

ERNEST. Ich möchte wissen, ob du wirklich glaubst, was du sagst?

GILBERT. Warum bist du überrascht? Nicht nur in der Kunst ist der Körper die Seele. In jedem Bereich des Lebens ist die Form der Anfang aller Dinge. Die rhythmisch-harmonischen Gebärden des Tanzes wecken, so sagt uns Plato, Rhythmus und Harmonie in unserer Seele. Formen sind die Nahrung des Glaubens, rief Newman in einem jener großen Augenblicke der Aufrichtigkeit, die uns den Mann bewundern und kennen lehrten. Er hatte recht, obgleich er nicht wußte, wie furchtbar recht er hatte. Glaubensbekenntnisse werden akzeptiert, nicht weil sie vernünftig sind, sondern weil sie wiederholt werden. Ja, die Form ist alles. Sie ist das Geheimnis des Lebens. Gib der Trauer Ausdruck, und sie wird dir teuer. Gib der Freude Ausdruck, und sie vertieft dein Entzücken. Willst du Liebe empfinden? Dann stimme eine Liebeslitanei an, und die Worte werden jene Sehnsucht hervorrufen, von der die Welt glaubt, daß sie ihr entströmen. Zernagt Gram dein Herz? Dann tauche in die Sprache des Grams ein, lerne ihren Ausdruck von Prinz Hamlet und der Königin Constantia, und du wirst entdecken, daß der reine Ausdruck eine Form der Tröstung ist und daß die Form, die der Ursprung der Leidenschaft ist, gleichzeitig den Tod des Schmerzes bedeutet. Und ebenso, um auf die Kunst zurückzukommen, ist es die Form, die nicht nur das kritische Temperament schafft, sondern auch den ästhetischen Instinkt, diesen unbeirrbaren Instinkt, der uns alle Dinge unter dem Aspekt ihrer Schönheit offenbart. Beginne mit der Anbetung der Form, und kein Geheimnis der Kunst wird dir verborgen bleiben, und denke daran, daß in der Kritik wie in der künstlerischen Schöpfung, das künstlerische Temperament alles ist und die Kunstschulen historisch nicht nach der Zeit ihres Wirkens eingeteilt werden sollten, sondern nach den Temperamenten, an die sie sich wenden.

ERNEST. Deine Erziehungstheorie ist reizvoll. Aber welchen Einfluß wird dein Kritiker, der in einer so ausgesuchten Umgebung aufgewachsen ist, besitzen? Glaubst du wirklich, ein Künstler sei je durch die Kritik beeinflußt worden?

GILBERT. Der Einfluß des Kritikers wird in der bloßen Tatsache seiner Existenz bestehen. Er wird den makellosen Typus verkörpern. In ihm wird sich die Kultur des Jahrhunderts verwirklicht sehen. Du darfst kein anderes Ziel von ihm verlangen, als daß er sich selbst vollende. Der Geist verlangt einzig danach, wie man richtig bemerkt hat, sich lebendig zu fühlen. Der Kritiker wird unter Umständen wünschen, Einfluß auszuüben, doch dann wird er sich nicht an den einzelnen, sondern an das ganze Zeitalter wenden; er wird versuchen, es wachzurütteln und zum Reden zu bringen, neue Wünsche und Begierden zu entfachen und ihm seinen weiteren Blick, seine höhere Gestimmtheit zu geben. Die Kunst von heute wird ihn weniger beschäftigen als die Kunst von morgen und weit weniger als die Kunst von gestern; und wenn der eine oder andere sich heute abplagt, was richten die Fleißigen aus? Sie leisten ohne Zweifel ihr Bestes, und deshalb erhalten wir das Schlechteste von ihnen. Immer werden die schlechtesten Werke mit den besten Absichten geschaffen. Und überdies, mein lieber Ernest, wenn ein Mann erst einmal vierzig Jahre alt ist oder Akademieprofessor wird oder zum Mitglied des Athenaeum-Clubs gewählt ist oder als populärer Romanschriftsteller gilt, nach dessen Büchern auf den Vorstadtbahnhöfen große Nachfrage herrscht, dann kann man sich den Zeitvertreib gestatten, ihn bloßzustellen, aber man wird nie das Vergnügen haben, ihn zu bessern. Und ich wage zu sagen, daß das zu seinem Glück ist; denn Besserung ist ein viel schmerzhafterer Prozeß als Strafe, ja, sie ist die Strafe in ihrer schärfsten und moralischsten Form – eine Tatsache, aus der sich der Fehlschlag unserer Gesellschaft erklärt, wenn sie jenes interessante Phänomen, den Gewohnheitsverbrecher, auf eine bessere Bahn zurückbringen will.

ERNEST. Aber ist nicht vielleicht der Dichter der beste Richter über die Dichtung und der Maler der beste Richter über die Malerei? Jede Kunst wendet sich zuerst an den Künstler, der in ihr schafft. Sein Urteil wird sicherlich den meisten Wert besitzen.

GILBERT. Alle Kunst wendet sich einfach an das künstlerische Temperament. Die Kunst wendet sich nicht an den Spezialisten. Sie erhebt den Anspruch auf Universalität und auf die Einheit in allen ihren Manifestationen. In der Tat ist der Künstler sehr weit davon entfernt, der beste Kunstrichter zu sein, und ein wirklich großer Künstler kann nie über Werke anderer urteilen, ja sogar kaum über seine eigenen. Die intensive Vorstellungskraft, die einen Menschen zum Künstler macht, vermindert gerade durch ihre Heftigkeit seine Fähigkeit für eine scharfsinnige Beurteilung. Die Schöpfungswut treibt ihn blindlings seinem eigenen Ziel entgegen. Die Räder seines Wagens wirbeln den Staub wie eine Wolke rings um ihn auf. Die Götter bleiben einander verborgen. Sie erkennen ihre Anbeter, das ist alles.

ERNEST. Du sagst, ein großer Künstler kann die Schönheit eines fremden Werkes nicht erkennen.

GILBERT. Das ist ihm unmöglich. Wordsworth sah in *Endymion* nur ein hübsches Stück Heidentum, und Shelley war in seiner Verachtung gegen die Wirklichkeit für Wordsworth' Botschaft taub, weil ihn ihre Form abstieß. Byron, diese große, leidenschaftliche, menschlich-unvollkommene Natur, konnte weder den Dichter der Wolken noch den Dichter des Sees würdigen, und das Wunderbare an Keats blieb ihm verborgen. Dem Sophokles war der Realismus von Euripides verhaßt. Er fand in einem Tränenerguß keine Harmonie. Milton verstand mit seinem Sinn für großen Stil Shakespeares Art so wenig wie Sir Josua die Art Gainsboroughs. Schlechte Künstler bewundern sich immer gegenseitig. Das nennen sie weitherzig und vorurteilslos. Aber ein wirklich großer Künstler begreift nicht, wie man das Leben zeigen oder Schönheit unter anderen als seinen eigenen Bedingungen gestalten könne. Die Schöpfung wendet ihre kritische Fähigkeit auf sich selbst an. Auf andere Gebiete als die ihren kann sie sie nicht anwenden. Gerade weil jemand etwas nicht schaffen kann, ist er um so mehr geeignet, es zu beurteilen.

ERNEST. Glaubst du das wirklich?

GILBERT. Ja, denn das Schaffen engt den Gesichtskreis ein, während die Kontemplation ihn erweitert.

ERNEST. Und die Technik? Jede Kunst hat doch wohl ihre besondere Technik?

GILBERT. Gewiß: jede Kunst besitzt ihre Grammatik und ihr Material. Darin liegt kein Geheimnis, und selbst der Inkompetente kann immer fehlerfrei sein. Wenn also die Gesetze, auf denen die Kunst beruht, sich bestimmen und festlegen lassen, so müssen sie, um ihre echte Verwirklichung zu finden, von der Phantasie in solche Schönheit getaucht sein, daß jedes von ihnen als Ausnahme erscheint. Technik ist in Wahrheit Persönlichkeit. Darum kann sie der Künstler nicht lehren, der Schüler nicht erlernen, und der ästhetische Kritiker kann sie eben darum begreifen. Für den großen Dichter gibt es nur eine Musik – seine eigene. Für den großen Maler existiert nur eine Art des Malens, jene, die er selbst anwendet. Dagegen weiß der ästhetische Kritiker, und nur er allein, alle Formen und Stile zu würdigen. An ihn wendet sich die Kunst.

ERNEST. Schön, ich habe dir alle meine Fragen gestellt, und jetzt muß ich zugeben ...

GILBERT. Oh, sag nur nicht, daß du mit mir übereinstimmst. Wenn man mit mir übereinstimmt, fühle ich immer, daß ich unrecht haben muß.

ERNEST. Dann will ich dir lieber nicht sagen, ob ich deiner Meinung bin oder nicht. Doch ich will dir eine weitere Frage stellen. Du hast mir klargemacht, daß die Kritik eine schöpferische Kunst ist. Was für eine Zukunft hat sie?

GILBERT. Die Zukunft gehört der Kritik. Der Inhalt, der dem schöpferischen Künstler zur Verfügung steht, wird in seinen Dimensionen und in seiner Mannigfaltigkeit jeden Tag mehr eingeengt. Die Vorsehung und Walter Besant haben das Greifbare erschöpft. Sollen schöpferische Werke überhaupt noch entstehen, dann ist es nur unter der Voraussetzung möglich, daß sie viel kritischer werden, als es heuzutage der Fall ist. Die alten Straßen und staubigen Wege sind zu oft begangen. Ihr Charme ist durch plumpe Füße ausgetreten, und sie haben den Reiz der Neuheit und der Überraschung verloren, der für die Dichtung so wichtig ist. Wer noch durch Dichtung auf uns wirken will, muß entweder vollkommen neue Hintergründe zeigen, oder er muß uns die Seele des Menschen in ihren innersten Regungen offenbaren. Ersteres tut im Augenblick Rudyard Kipling. Blättert man in seinen *Plain Tales from the Hills*, so hat man das Gefühl, als ob man unter einem Palmenbaum sitzt und im scharfen Lichte der Vulgarität im Buch des Lebens liest. Die leuchtenden Farben der Bazare blenden einem die Augen. Die schäbigen, arroganten Anglo-Inder stehen in vortrefflichem Gegensatz zu ihrer Umgebung. Durch den gänzlichen Mangel an Stil entsteht in diesen Schilderungen ein eigenartig journalistischer Realismus. Vom literarischen Standpunkt aus ist Kipling ein Genie, der seine Aspirate ausläßt. Vom Standpunkt des Lebens gesehen ist er ein Berichterstatter, der die Vulgarität besser kennt als irgendeiner. Dickens kannte ihre Verkleidung und ihre Komödien, Kipling kennt ihr Wesen und ihren Ernst. Er ist unter den zweitrangigen Künstlern der Erste; er hat wunderbare Dinge durch Schlüssellöcher erspäht, und seine Hintergründe sind wirkliche Kunstwerke. Was die zweite Bedingung betrifft, so hatten wir ja Browning und haben Meredith. Aber noch immer bleibt auf dem Gebiet der Seelenerforschung viel zu tun. Man sagt bisweilen, die Dichtung werde allzu krankhaft. Was die Psychologie betrifft, so war sie nie krankhaft genug. Wir haben nur die Oberfläche der Seele berührt, nichts weiter. In einer einzigen Gehirnzelle sind schönere und schrecklichere Dinge bewahrt, als selbst jene sich erträumen ließen, die, wie der Autor von *Le Rouge et le Noir*, in die geheimsten Schlupfwinkel der Seele einzudringen suchten, um dem Leben das Geständnis seiner liebsten Sünden zu entlocken. Doch selbst die Zahl der unerforschten Hintergründe ist begrenzt. Und es ist möglich, daß eine Weiterentwicklung in der Seelenerforschung die schöpferische Fähigkeit untergräbt, der sie neuen Stoff bieten will. Ich selber neige zu der Ansicht, daß das Schöpferische dem Abgesang nahe ist. Es entsteht aus allzu primitiven, allzu natürlichen Impulsen. Doch wie dem auch sei: Sicher ist, daß der Inhalt, der dem schöpferischen Künstler zur Verfügung steht, immer weniger wird, während der Inhalt der Kritik sich täglich erweitert. Der Geist findet immer wieder neue Einstellungen und Gesichtspunkte. Die Verpflichtung, dem Chaos Form zu geben, wird durch den Fortschritt der Welt nicht geringer. Nie gab es eine Zeit, in der man der Kritik notwendiger bedurfte als heute. Nur durch sie kann der Menschheit bewußt werden, an welchem Punkt sie steht.

Du fragtest mich vorher nach dem Nutzen der Kritik, Ernest. Du hättest mich genausogut nach dem Nutzen des Denkens fragen können. Die Kritik, so führt Arnold aus, schafft die geistige Atmosphäre eines Zeitalters. Die Kritik ist es – ich hoffe, dies eines Tages auszuführen –, die den Geist zu einem feinen Werkzeug macht. Wir haben in unserem Erziehungssystem das Gedächtnis mit einer Fülle von unzusammenhängenden Tatsachen belastet, und wir haben uns eifrig bemüht, unser emsig erworbenes Wissen mitzuteilen. Wir lehren die Menschen sich zu erinnern, wir lehren sie nie, wie sie wachsen können. Nie ist es uns eingefallen, einen subtileren Grad des Vorstellungs- und Unterscheidungsvermögens anzustreben und zu entwickeln. Die Griechen taten das, und wenn wir mit dem kritischen Intellekt der Griechen in Berührung kommen, so müssen wir erfahren, daß trotz aller Erweiterung und Differenzierung unserer inhaltlichen Gegenstände ihre Methode der Interpretation die einzige ist. England hat das eine getan: Es hat die öffentliche Meinung erfunden und institutionalisiert, und das ist ein Versuch, die Ignoranz der Gesellschaft zu organisieren und sie in den Rang physischer Macht zu erheben. Aber die Weisheit blieb ihr immer verborgen. Als Denkinstrument betrachtet, ist der englische Geist unbeholfen und unterentwickelt. Was ihn allein läutern kann, ist das Wachsen des kritischen Instinkts.

Und wiederum macht nur die Kritik durch ihre Konzentration die Kultur möglich. Sie destilliert aus der riesigen Menge der schöpferischen Werke einen schärferen Extrakt. Wer noch einen Formsinn behalten möchte, wie könnte er sich durch den ungeheuerlichen Bücherberg, den die Welt hervorgebracht hat, durchkämpfen, Bücher, in denen Gedanken stammeln oder Unwissenheit eifert? Der Faden, der uns durch das ermüdende Labyrinth führen soll, ist in den Händen der Kritik. Ja, noch mehr, dort, wo keine Überlieferung existiert und die Geschichte verlorengegangen ist oder niemals geschrieben wurde, da kann die Kritik die Vergangenheit aus den kleinsten Fragmenten der Sprache und der Kunst wiederherstellen, und zwar mit der gleichen Sicherheit, wie der Mann der Wissenschaft aus einem winzigen Knochen oder dem bloßen Fußabdruck auf einem Felsen uns den geflügelten Drachen wiedererschafft oder die Rieseneidechse, unter deren Tritt einst die Erde erbebte; er kann das Behemoth aus seiner Höhle locken und den Leviathan noch einmal durch das aufgewühlte Meer schwimmen lassen. Die Prähistorie gehört dem philologischen und archäologischen Kritiker.

Ihm enthüllt sich der Ursprung der Dinge. Die selbstbewußte Hinterlassenschaft eines Zeitalters führt fast immer in die Irre. Durch die philologische Kritik wissen wir über Jahrhunderte, aus denen uns keine Aufzeichnungen erhalten sind, mehr als über Jahrhunderte, die uns ihre Schriftrollen hinterlassen haben. Sie kann das leisten, was weder Physik noch Metaphysik zu leisten vermögen. Sie kann uns die genaue Kenntnis vom Werdegang des Geistes vermitteln. Sie vollbringt, was die Geschichte nicht vollbringen kann. Sie kann uns sagen, was der Mensch dachte, noch ehe er schreiben lernte. Du hast mich nach dem Einfluß der Kritik gefragt. Ich denke, diese Frage habe ich schon beantwortet; aber man kann noch folgendes hinzufügen. Die Kritik macht uns auch zu Kosmopoliten. Die Manchester-Schule versuchte, den Menschen die Brüderlichkeit der Menschheit klarzumachen, indem sie die wirtschaftlichen Vorteile des Friedens aufzeigte. Sie versuchte, diese Welt voller Wunder zu einem allgemeinen Marktplatz für Käufer und Verkäufer zu erniedrigen. Sie wandte sich an die niedrigsten Instinkte und erlitt Schiffbruch. Es folgte Krieg auf Krieg, und das Händlerdogma hinderte Frankreich und Deutschland nicht daran, in blutiger Schlacht aufeinanderzuprallen. Andere wollen sich heutzutage an die bloße Sympathie des Gefühls wenden oder berufen sich auf die hohle Lehre irgendeines unklaren ethischen Systems. Sie haben ihre Friedensgesellschaften, die den Sentimentalen so teuer sind, und ihre Vorschläge für ein unbewaffnetes, internationales Schiedsgericht, ungeheuer beliebte Vorschläge bei jenen, die nie in der Geschichte gelesen haben. Aber die reine Sympathie des Gefühls reicht nicht aus. Es ist zu veränderlich und allzu eng mit den Leidenschaften verbunden. Und ein Schiedsgericht, das man zum allgemeinen Wohl der Menschheit der Macht beraubt, seine Entscheidungen in die Tat umzusetzen, wird kaum Erfolg haben. Nur eines ist noch schlimmer als Ungerechtigkeit: Gerechtigkeit ohne das Schwert in der Hand. Recht ohne Macht ist ein Übel.

Nein: Gefühle werden uns nie zu Kosmopoliten machen, ebensowenig, wie es der Gewinnsucht gelingt. Nur wenn wir das Wesen der geistigen Kritik kultivieren, werden wir imstande sein, uns über die Rassenvorurteile zu erheben. Goethe – du wirst nicht mißverstehen, was ich sage – war ein Deutscher unter Deutschen. Er liebte sein Land – niemand liebte es mehr. Seine Menschen waren ihm teuer, und er führte sie an. Doch als der eherne Schritt Napoleons die Weinberge und Kornfelder zerstampfte, blieben seine Lippen stumm. »Wie hätte ich nun Lieder des Hasses schreiben können ohne Haß!« sagte er zu Eckermann. »Wie hätte auch ich, dem nur Kultur und Barbarei Dinge von Bedeutung sind, eine Nation hassen können, die zu den kultiviertesten der Erde gehört und der ich einen so großen Teil meiner eigenen Kultur verdanke?« Dieser Ton, der in der modernen Welt das erste Mal bei Goethe anklingt, wird, so glaube ich, der Anfang jenes zukünftigen Kosmopolitismus sein.

Die Kritik wird die Rassenvorurteile vernichten, indem sie auf der Einheit des menschlichen Geistes in seinen verschiedenen Formen besteht. Wenn wir versucht sind, einer anderen Nation den Krieg zu erklären, werden wir uns erinnern, daß wir im Begriff stehen, einen Teil unserer eigenen Kultur zu zerstören und vielleicht ihren wichtigsten Teil. Solange man den Krieg als etwas Böses ansieht, wird er seine Anziehungskraft behalten. Erst wenn man ihn als Niedertracht erkennt, wird er seine Popularität verlieren. Der Wandel wird sich natürlich langsam vollziehn, und die Menschen werden sich dessen gar nicht bewußt werden. Man wird nicht sagen: »Wir wollen nicht gegen Frankreich Krieg führen, weil seine Prosa vollkommen ist«, aber weil die Prosa Frankreichs vollkommen ist, wird man das Land nicht hassen. Die geistige Kritik wird Europa weit enger miteinander verbinden, als der Kaufmann oder der Gefühlsmensch das vermögen. Sie wird uns den Frieden geben, der aus dem Verstehen kommt.

Doch das ist nicht alles. Die Kritik, die keinen Standpunkt als endgültig anerkennt und es ablehnt, sich durch ein seichtes Schibboleth * einer Sekte oder Schule binden zu lassen, schafft so einen heiteren philosophischen Geist, der die Wahrheit um ihrer selbst willen liebt und nicht weniger liebt, weil er weiß, sie ist unerreichbar. Wie wenig von diesem Geiste haben wir in England, und wie sehr bedürfen wir seiner! Der englische Geist ist

* Parole, Losungswort

immer aufgebracht. Durch den schmutzigen, dummen Zwist unbedeutender Politiker und drittrangiger Theologen wird der Geist der Nation vergeudet. Einem Mann der Wissenschaft blieb es vorbehalten, uns das höchste Beispiel jener »klaren Vernünftigkeit« zu zeigen, von der Arnold so weise und ach! mit so wenig Wirkung gesprochen hat. Der Verfasser von *Origin of Species* besaß zweifellos diesen philosophischen Geist. Betrachtet man unsere üblichen Kanzelredner und Parteiprogramme, dann kann man nur die Verachtung Julians oder die Gleichgültigkeit Montaignes empfinden. Wir werden von Fanatikern beherrscht, deren schlimmstes Laster ihre Offenheit ist. Was an das freie Spiel des Geistes auch nur von ferne erinnert, ist bei uns so gut wie unbekannt. Die Leute erheben ihr Geschrei wider den Sünder, doch ist es nicht der Sünder, sondern der Dummkopf, der uns zur Schande gereicht. Es gibt keine andere Sünde als die Dummheit.

ERNEST. Ach, was für ein Widerspruchsgeist du bist!

GILBERT. Der künstlerische Kritiker ist wie der Mystiker immer ein Widerspruchsgeist. Gut zu sein ist nach allem, was der Pöbel darunter versteht, offenbar ganz einfach. Es erfordert lediglich einen gewissen Grad kleinlicher Angst, einen Mangel an Phantasie und ein gemeines Versessensein auf die Ehrbarkeit des Mittelstandes. Die Ästhetik steht über der Ethik. Sie gehört einer geistigeren Sphäre an. Die Schönheit eines Gegenstandes wahrzunehmen, ist das Höchste, was wir erreichen können. Selbst der Farbensinn ist für die Entwicklung des Individuums wichtiger als das Gefühl für Recht und Unrecht. Ja, im Bereich der bewußten Zivilisation verhält sich die Ästhetik zur Ethik, wie in der äußeren Welt die künstliche zur natürlichen Auslese. Die Ethik macht, wie die natürliche Auslese, das Dasein möglich. Die Ästhetik macht, wie die künstliche Auslese, das Leben reizvoll und wunderbar; sie bereichert es mit neuen Formen, verleiht ihm Wachstum, Vielfalt und Veränderung. Und wenn wir die wahre Kultur gewinnen, die wir erstreben, werden wir jene Vollkommenheit erlangen, von der die Heiligen träumten, die Vollkommenheit derer, denen die Sünde unmöglich ist, nicht weil sie gleich den Asketen Entsagung üben, sondern weil sie, ohne der Seele Schaden zuzufügen, alles tun können, was sie sich wünschen und sich nicht wünschen können, was der Seele schadet; denn die Seele ist ein Wesen von solcher Göttlichkeit, daß sie fähig ist, in Elemente reicherer Erfahrung, gesteigerter Empfänglichkeit und in neue Denkformen, Handlungen und Leidenschaften zu verwandeln, die bei gewöhnlichen Menschen trivial, bei Ungebildeten unedel und bei Schamlosen erniedrigend wären. Ist das gefährlich? Ja, es ist gefährlich – alle Ideen, sagte ich, sind gefährlich. Aber die Nacht geht zu Ende, und das Licht der Lampe flackert. Eins muß ich dir noch sagen. Du hast gegen die Kritik angeführt, daß sie unfruchtbar sei. Das neunzehnte Jahrhundert ist ein Wendepunkt in der Geschichte, und zwar durch das Werk von zwei Männern: durch Darwin und Renan; der eine kritisierte das Buch der Natur, der andere die Bücher Gottes. Sich dieser Erkenntnis verschließen, heißt die Bedeutung eines der für die Entwicklungsgeschichte der Menschheit wichtigsten Zeitalter verkennen. Die Schöpfung ist stets hinter der Zeit zurück. Es ist die Kritik, die der Zeit den Weg weist. Der kritische Geist und der Weltgeist sind ein und dasselbe.

ERNEST. Und wer diesen Geist besitzt oder von ihm besessen wird, der wird vermutlich nichts tun?

GILBERT. Wie Persephone, von der uns Landor erzählt, die süße, sinnende Persephone, um deren Füße Asphodill und Tausendschön blühen, wird er dasitzen, zufrieden »in jener tiefen, regungslosen Ruhe, die die Sterblichen mitleidig bedauern und an der die Götter sich erfreuen«. Er wird auf die Welt schauen und ihr Geheimnis erkennen. Durch die Berührung mit dem Göttlichen wird er selbst göttlich werden. Sein Leben und nur seines wird vollkommen sein.

ERNEST. Heute nacht hast du mir viele seltsame Dinge erzählt, Gilbert. Du sagtest, es sei schwerer, über etwas zu reden als es zu tun, und nichts zu tun sei das allerschwierigste auf der Welt; du sagtest, alle Kunst sei unmoralisch und alles Denken gefährlich; die Kritik sei schöpferischer als die Schöpfung, und die höchste Kritik nennst du jene, die im Kunstwerk offenbart, was der Künstler nicht hineingelegt hat; gerade weil er etwas nicht zu schaffen versteht, könne er es angemessen beurteilen; und der echte Kritiker sei ungerecht, unaufrichtig und nicht rational. Mein Freund, du bist ein Träumer.

GILBERT. Ja, ich bin ein Träumer. Denn ein Träumer ist einer, der seinen Weg nur beim Mondlicht findet, und seine Strafe ist, daß er den Morgen vor der übrigen Welt dämmern sieht.

ERNEST. Seine Strafe?

GILBERT. Und sein Lohn. Doch sieh, es dämmert schon. Zieh die Vorhänge zurück und öffne die Fenster weit. Wie kühl die Morgenluft ist! Piccadilly liegt uns zu Füßen wie ein langes Silberband. Über dem Park hängt ein leichter Purpurnebel, und die Schatten der weißen Häuser sind purpurgetönt. Es ist zu spät zum Schlafen. Laß uns nach Covent Garden gehen und nach den Rosen schauen. Komm! Ich bin des Denkens müde.

Die Wahrheit der Masken
Eine Bemerkung über die Illusion

In vielen der recht heftigen Angriffe, die sich in letzter Zeit gegen die glänzende Szenenausstattung richteten, welche die Wiedererweckung Shakespeares in England kennzeichnet, scheinen die Kritiker stillschweigend davon auszugehen, daß Shakespeare selbst mehr oder weniger gleichgültig war, was die Kostüme seiner Schauspieler betraf, und daß, könnte er Mrs. Langtrys Aufführung von *Antonius und Cleopatra* sehen, er wahrscheinlich sagen würde, daß es auf das Stück und nur auf das Stück ankomme, und alles andere reine Äußerlichkeiten seien. Was aber die historische Genauigkeit der Gewänder angeht, so hat Lord Lytton in einem Artikel des »Nineteenth Century« das Kunstdogma aufgestellt, daß bei der Aufführung von Shakespearestücken die Archäologie nicht am Platze, und der Versuch, sie einzuführen, eine der dümmsten Pedanterien eines eitlen Jahrhunderts sei.

Lord Lyttons Standpunkt werde ich später untersuchen; doch was die Theorie betrifft, Shakespeare habe sich nicht viel um die Garderobe seines Theaters gekümmert, so muß jeder, der Shakespeares Methode wirklich studiert, zu der Einsicht kommen, daß es tatsächlich keinen französischen, englischen oder griechischen Dramatiker gibt, der um der illusionistischen Wirkung willen einen so großen Wert auf die Kostüme seiner Schauspieler legte, wie gerade Shakespeare.

Weil er wußte, wie sehr sich das künstlerische Temperament immer von der Schönheit der Kostüme faszinieren läßt, führt er dauernd Masken und Tänze in seine Stücke ein, einfach als Augenweide; und wir besitzen noch seine Bühnenanweisungen für die drei großen Prozessionen in »Heinrich VIII.«, Anweisungen, die bis ins kleinste Detail gehen, bis zu den Krägen von S. S. und den Perlen in Anna Boleyns Haar. Ja, ein moderner Theatermann könnte ohne Schwierigkeiten diese Aufzüge genauso einrichten, wie Shakespeare sie entworfen hat; und sie waren so genau, daß ein Hofbeamter jener Zeit, der einem Freund einen Bericht über die letzte Aufführung des Stückes im Globe Theatre schrieb, sich tatsächlich über ihren Realismus beklagt, besonders aber darüber, daß die Ritter des Hosenbandordens in den Gewändern und mit den Insignien des Ordens auftraten, in der Absicht, die wirklichen Zeremonien lächerlich zu machen; aus ähnlichen Gründen hat die französische Regierung vor einiger Zeit dem reizenden Schauspieler M. Christian verboten, in Uniform aufzutreten, unter dem Vorwand, daß es den Ruhm der Armee schädige, wenn ein Oberst karikiert wird. Und auch sonst wurde die Pracht der Ausstattung, welche die englische Bühne unter Shakespeares Einfluß kennzeichnete, von den zeitgenössischen Kritikern angegriffen, jedoch fast nie auf Grund der demokratischen Tendenzen des Realismus, sondern meistens aus moralischen Gründen, die immer die letzte Zuflucht von Leuten sind, die keinen Sinn für die Schönheit haben.

Was ich aber hervorheben möchte, ist nicht, daß Shakespeare den Wert des schönen Kostüms würdigte, indem er der Dichtung das malerische Element hinzufügte, sondern daß er erkannte, wie wichtig das Kostüm für die Erzeugung bestimmter dramatischer Wirkungen ist. Bei vielen seiner Stücke: *Maß für Maß*, *Was Ihr wollt*, *Die beiden Veroneser*, *Ende gut, alles gut*, *Cymbeline* und anderen hängt die Illusion von der Art der verschiedenen Kleider ab, die die Helden oder Heldinnen tragen; die köstliche Szene in *Heinrich VI.* über die modernen Wunder einer Heilung durch den Glauben, verliert ihre ganze Pointe, wenn Gloster nicht in Schwarz und Rot erscheint; und das »dénoûment« der *Lustigen Weiber von Windsor* dreht sich um die Farbe von Anne Pages Gewand. Es gibt zahllose Beispiele dafür, welchen Gebrauch Shakespeare von der Verkleidung gemacht hat. Posthumus verbirgt seine Leidenschaft unter dem Kleid des Bauern, Edgar seinen Stolz unter dem Narrengewand; Portia trägt das Gewand des Richters, und Rosalinde ist »ganz und gar als Mann« verkleidet; der Mantelsack Pisanios verwandelt Imogen in den Jüngling Fidele; Jessica flieht aus ihres Vaters Haus in Knabenkleidern, und Julia bindet ihr blondes Haar in phantastische Liebesknoten und legt Hose und Wams an; Heinrich VIII. wirbt um seine Dame als Schäfer und Romeo als Pilger; Prinz Heinz und Poins erscheinen zuerst als Straßenräuber in Steifleinengewändern und später in weißen Schürzen und Lederwämsern, wie die Kellner einer Schenke; und Falstaff! Erscheint er nicht als Räuber, als altes Weib, als Herne der Jäger, und wandert er nicht als Wäschestück in die Wäscherei?

Auch die Beispiele für die Verwendung der Kostüme als ein Mittel zur Steigerung der dramatischen Situation sind nicht weniger zahlreich. Nach der Ermordung Duncans tritt Macbeth im Nachtgewand auf, als sei er aus dem Schlaf geschreckt; Timon endet das Stück in Lumpen, das er im Glanz begonnen hat; Richard erweckt in den Bürgern Londons falsche Hoffnungen, angetan mit einer abgenutzten Rüstung, aber sobald er durch Blut zum Thron geschritten ist, zieht er mit Krone, Ordensbändern und Juwelen durch die Straßen; der Höhepunkt des *Sturms* ist eingetreten, wenn Prospero sein Zaubergewand abwirft und Ariel entsendet, ihm Hut und Degen zu holen und sich als der große italienische Herzog zu erkennen gibt; selbst der Geist im *Hamlet* ändert seine geheimnisvolle Gewandung um der verschiedenartigen Wirkung willen; und Julia hätte ein moderner Stückeschreiber womöglich in ihrem Sterbekleid zur Schau gestellt und so die Szene zu einer bloßen Schreckensszene gemacht; aber Shakespeare kleidet sie in reiche, glänzende Gewänder, deren Schönheit das Grabgewölbe »zur lichten Feierhalle«, die Gruft in ein Brautgemach verwandelt und die Stichwort und Motiv zu Romeos Monolog vom Triumph der Schönheit über den Tod werden.

Selbst die geringsten Kleinigkeiten am Kostüm, wie die Farbe der Strümpfe eines Majordomus, das Muster in einem Damentaschentuch, der Ärmel eines jungen Soldaten, ein eleganter Damenhut, werden in Shakespeares Händen zu wichtigen dramatischen Akzenten, und mitunter hängt die Handlung des betreffenden Stückes genau davon ab. Mancher andere Dramatiker hat sich des Kostüms bedient, um gleich beim ersten Auftritt den Zuschauern den Charakter einer Person anzudeuten, doch keinem ist es so hinreißend gelungen wie Shakespeare im Fall des Gecken Parolles, dessen Kostüm übrigens nur ein Archäologe verstehen kann; der Spaß, daß Herr und Diener vor dem Publikum die Kleider tauschen, daß sich schiffbrüchige Seeleute um die Teilung eines Haufens schöner Gewänder raufen und ein betrunkener Kesselflicker wie ein Herzog gekleidet ist, das alles kann man als Teil der großen Rolle betrachten, die das Kostüm in der Komödie seit Aristophanes bis hin zu Gilbert immer gespielt hat; doch nie hat jemand aus den bloßen Einzelheiten der Kleidung und des Schmuckes einen so ironischen Kontrast, eine so unmittelbare und tragische Wirkung bezogen, so viel Mitleid und so viel Pathos wie Shakespeare. Von Kopf bis Fuß bewaffnet, schreitet der tote König über die Zinnen von Helsingfors, weil etwas faul ist im Staate Dänemark; Shylocks jüdischer Kaftan gehört zum Stigma, unter dem diese verwundete und verbitterte Seele sich windet; Arthur, der um sein Leben fleht, findet keinen besseren Fürsprecher als das Taschentuch, das er Hubert gegeben hat –

> Hast du das Herz? Als nur der Kopf dich schmerzte,
> da knüpfte ich mein Tuch um deine Braue,
> (es war mein bestes, einer Fürstin Gabe)
> und niemals forderte ich es zurück;

und Orlandos blutgetränkte Binde wirft den ersten finsteren Schatten in dieses köstliche Waldidyll und offenbart die Tiefe der Empfindung, die hinter Rosalindes phantastischem Witz und mutwilligen Scherzen liegt.

> Es war an meinem Arm noch in der Nacht,
> ich küßt' es; wenn's nur nicht zu meinem Herrn,
> ihm zu erzählen, geht, ich küßte andre
> als ihn,

sagt Imogen und scherzt über den Verlust des Armbandes, das bereits auf dem Weg nach Rom war, um ihr die Treue des Gatten zu rauben; der kleine Prinz spielt auf dem Weg zum Tower mit dem Dolch im Gürtel seines Onkels; Duncan sendet der Lady Macbeth in der Nacht seiner eigenen Ermordung einen Ring, und Portias Ring verwandelt die Tragödie des Kaufmanns in eine Weiberkomödie. York, der große Empörer stirbt mit einer Papierkrone auf seinem Haupt; Hamlets schwarzes Gewand ist eine Art Farbenmotiv im Stück, wie die Trauer der Cimène im Cid; und der Höhepunkt in der Rede des Marc Anton ist der Augenblick, in dem er Cäsars Gewand vorzeigt: –

Ich erinnere
das erste Mal, daß Cäsar je ihn trug.
Ein Sommerabend war's – in seinem Zelt,
am Tag, da er die Nervier überwand:
Seht her, hier fuhr des Cassius Dolch hinein:
Seht, welchen Riß der neidische Casca machte:
Hier stieß der vielgeliebte Brutus durch ...
Ihr treuen Seelen, was, ihr weint? und doch –
ihr seht die Wunden nur in Cäsars Kleid!

Die Blumen, die Ophelia in ihrem Wahnsinn trägt, sind so ergreifend wie die Veilchen, die auf einem Grabe blühen; wenn Lear auf der Heide dahinzieht, wird die Wirkung ins Unsägliche gesteigert durch seine phantastische Aufmachung; und wenn Cloten, vom Hohn des Vergleichs getroffen, den Imogen zwischen ihm und ihres Gatten Kleidung zieht, sich in das Gewand eben dieses Gatten hüllt, um an ihr die schmachvolle Tat zu begehen, dann fühlen wir, daß es im ganzen französischen Realismus, selbst in *Thérèse Raquin*, jener meisterhaften Darstellung des Entsetzlichen, nichts gibt, was an schrecklicher und tragischer Symbolik dem Vergleich mit dieser beklemmenden Szene in *Cymbeline* standhält.

Auch im Dialog selbst werden einige der lebendigsten Stellen durch das Kostüm bestimmt. Rosalindes

Denkst du, weil ich wie ein Mann ausstaffiert bin,
daß auch meine Gemütsart in Wams und Hosen ist?

Constantias

Der Gram füllt aus die Stelle meines Kindes
und gibt den leeren Kleidern Form;

und der rasche, scharfe Schrei der Elisabeth:

Ah! durchschneidet meine Schnüre!

sind nur einige der Beispiele, die man zitieren könnte. Eine der herrlichsten Effekte, die ich je auf der Bühne sah, rief Salvini hervor, als er im letzten Akt des Lear die Feder von Kents Mütze riß und sie auf Cordelias Lippen legte, während er die Zeile sprach:

Die Feder regt sich! Ja, sie lebt!

Mr. Booth, dessen Lear manchen großen Augenblick der Leidenschaft hatte, riß, ich erinnere mich, aus seinem archäologisch inkorrekten Hermelin ein Stückchen Pelz zu diesem Zweck heraus; aber Salvinis Wirkung war schöner und wahrer. Und wer Mr. Irving im letzten Akt von *Richard III.* sah, wird nicht vergessen haben, wie sehr die Qual und das Grauen seines Traumes durch den Gegensatz der vorangegangenen Ruhe und Stille verstärkt wurde, und die Verse:

> Nun, ist mein Sturmhut leichter denn zuvor?
> Und alle Rüstung mir ins Zelt gelegt? Sieh zu,
> daß meine Schäfte fest und nicht zu schwer sind –

hatten für das Publikum eine doppelte Bedeutung und erinnerten an die letzten Worte, die Richards Mutter ihm nachrief, als er nach Bosworth zog:

> So nimm denn mit dir meinen schwersten Fluch,
> der an dem Tag der Schlacht dich mehr ermüde
> als all die schwere Rüstung, die du trägst.

Was die Mittel angeht, die Shakespeare zur Verfügung standen, so beachte man, daß er sich zwar oft über die Kleinheit der Bühne beklagt, auf der er große historische Dramen zu spielen hat, und über den Mangel an Szenerie, der ihn zwingt, viele wirkungsvolle Ereignisse, die unter freiem Himmel stattfinden, wegzulassen, daß er aber immer wie ein Dramatiker schreibt, der eine mustergültige Theatergarderobe zur Verfügung hat und sich auf seine Schauspieler verlassen kann, die sich für ihre Masken große Mühe geben. Sogar heutzutage ist es schwierig, ein Stück wie die *Komödie der Irrungen* aufzuführen; und nur dem kuriosen Zufall, daß Miß Ellen Terry ihrem Bruder gleicht, verdanken wir es, daß wir *Wie es Euch gefällt* in einer angemessenen Aufführung sehen können. In der Tat, um ein Stück von Shakespeare genauso auf die Bühne zu bringen, wie er es vorgeschrieben hat, braucht man die Dienste eines geschickten Perückenmachers, eines Kostümbildners, der einen Farbensinn und die Kenntnisse von Stoffgeweben besitzt, eines meisterhaften Bühnenbildners, eines Fechtmeisters, eines Tanzlehrers und eines Künstlers, der die ganze Aufführung persönlich leitet. Denn er schildert uns mit größter Sorgfalt Kleidung und Erscheinung einer jeden Rolle. Auguste Vacquerie sagt an irgendeiner Stelle: »Racine abhorre la réalité; il ne daigne pas s'occuper de son costume. Si l'on s'en rapportait aux indications du poète, Agamemnon serait vêtu d'un scèptre et Achille d'une épée.«

Aber bei Shakespeare ist es ganz anders. Er gibt uns Anweisungen über das Kostüm von Perdita, Florizel, Autolycus, den Hexen in Macbeth, dem Apotheker in Romeo und Julia, mehrere minuziöse Beschreibungen seines fettwanstigen Ritters und eine genaue Darstellung des ungewöhnlichen Gewandes, in welchem Petruchio zur Hochzeit geht. Rosalinde, so sagt er, ist groß und soll einen Speer und einen kleinen Dolch tragen; Celia ist kleiner und soll ihr Gesicht braun schminken, damit sie sonnenverbrannt aussieht. Die Kinder, die das Feenspiel im Windsor-Walde spielen, sollen in Weiß und Grün gekleidet sein – nebenbei bemerkt ein Kompliment für die Königin Elisabeth, deren Lieblingsfarben es waren –, und in Weiß mit grünen Kränzen und goldenen Masken sollen Katharine in Kimbolton die Engel erscheinen. Bottom tritt im selbstgewebten Rock auf, Lysander unterscheidet sich von Oberon durch sein athenisches Gewand, und Launce hat Löcher in seinen Stiefeln. Die Herzogin von Gloucester steht im weißen Tuch neben ihrem Gatten im Trauergewand. Das bunte Kleid des Narren, der Purpur des Kardinals und die französischen Lilien auf die englischen Röcke gestickt, das alles gibt Anlaß zu Scherz oder Hohn im Dialog. Wir kennen die Ornamente auf der Rüstung des Dauphins und auf dem Schwert der Jungfrau von Orlean, den Helmbusch auf Warwicks Helm und die Farbe von Bardolphs Nase. Portia hat goldblondes Haar, Phoebe ist schwarzhaarig, Orlando hat kastanienbraune Locken, und Sir Andrew Aguecheeks Haar hängt wie Flachs vom Rocken und läßt sich nicht wellen. Manche seiner Gestalten sind beleibt, andere mager, die einen sind gerade gewachsen, die anderen buckelig, manche sind blond, andere dunkel, und wieder andere sollen ihr Gesicht schwärzen. Lear hat einen weißen Bart, Hamlets Vater einen grauen, und Benedick muß sich den seinen im Verlauf des Stückes scheren. Ja, das Thema der Bühnenbärte behandelt Shakespeare ganz ausführlich; er spricht von den verschiedenen Farben, die verwendet werden, und gibt den Schauspielern den Rat, immer darauf zu achten, daß sie gut befestigt sind. Dann kommen Tänze von Schnittern in Roggenstrohhüten und von Bauern vor, die in Felle gekleidet den Satyrn gleichen; es gibt Maskenspiele der Amazonen und der Russen und ein klassisches Maskenspiel; unsterbliche Szenen mit einem Weber, der einen Eselskopf trägt; eine Rauferei wegen der Farbe eines Gewandes, die der Bürgermeister von London schlichten muß, und eine Szene zwischen einem wütenden Ehemann und der Putzmacherin seiner Frau, wegen eines geschlitzten Ärmels.

Die Metaphern, die Shakespeare durch die Kleidung gewinnt und die Aphorismen darüber, seine Seitenhiebe gegen die Mode seiner Zeit, besonders gegen die lächerlich großen Hüte der Damen und die vielen Beschreibungen des »mundus muliebris«, von dem Lied des Autolycus im *Wintermärchen* bis zu der Beschreibung des Gewandes der Herzogin von Mailand in *Viel Lärm um nichts* sind viel zu zahlreich, um sie alle zu zitieren; doch ist es vielleicht angebracht, daran zu erinnern, daß die ganze Philosophie der Kleidung in Lears Szene mit Edgar enthalten ist – eine Stelle, die den Vorzug der Kürze und des Stils besitzt gegenüber der skurrilen Weisheit und etwas geschwollenen Metaphysik des *Sartor Resartus*. Doch ich denke, das Gesagte beweist genügend, daß für Shakesepare das Kostüm etwas sehr Wichtiges war. Ich meine es nicht in jenem oberflächlichen Sinn, in dem man aus seiner Kenntnis von Missetaten und Märzenbechern geschlossen hat, daß er der Blackstone und Paxton des elisabethanischen Zeitalters war; aber er erkannte, daß das Kostüm dazu dienen kann, bestimmte Eindrücke beim Zuschauer hervorzurufen und gewisse Charaktertypen auszudrücken und daß es ein wesentliches Kunstmittel für den wahren Illusionisten ist. Ihm war die verwachsene Gestalt Richards ebenso wertvoll wie die Schönheit der Julia; er stellt den Radikalen in seiner Serge neben den Lord in Seide und erkennt die Bühnenwirkung, die er aus beiden ziehen kann. Ihn entzückt Caliban nicht weniger als Ariel, Lumpen begeistern ihn genauso wie goldgestickte Gewänder, und er weiß um die künstlerische Schönheit des Häßlichen.

Die Verlegenheit, die Ducis bei der Übertragung des *Othello* über die wichtige Rolle eines so gewöhnlichen Dinges, wie es ein Taschentuch ist, empfand und sein Versuch, seine Gewöhnlichkeit zu kaschieren, indem er den Mohren immer wieder ausrufen ließ: »Le bandeau, le bandeau!« * kann als Beispiel für den Unter-

* Der Schleier, die Binde

schied zwischen »la tragédie philosophique« und dem Drama des wirklichen Lebens gelten; und die Einführung des Wortes »mouchoir«* am Théâtre Français war ein Wendepunkt in jener romantisch-realistischen Bewegung, deren Vater Victor Hugo und deren enfant terrible Zola ist; ebenso wie zu Anfang des Jahrhunderts der Klassizismus seinen stärksten Ausdruck fand, als Talma sich weigerte, die griechischen Helden weiter mit gepuderter Perücke zu spielen – das ist übrigens einer von vielen Fällen für das Verlangen nach archäologischer Genauigkeit des Kostüms, das die großen Schauspieler unserer Zeit auszeichnete.

Als Théophile Gautier über die Wichtigkeit der Rolle sprach, die das Geld in der *Comédie Humaine* spielt, sagte er, Balzac gebühre der Ruhm, für den Roman einen neuen Helden erfunden zu haben, »le héros métallique«. Von Shakespeare kann man sagen, er sei der erste gewesen, der den dramatischen Wert eines Wamses erkannte, und daß ein Höhepunkt von einer Krinoline abhängen kann.

Der Brand des Globe Theatre – ein Unglück übrigens, das mitverursacht wurde durch die Leidenschaft für die Illusion, die Shakespeares Theaterverwaltung auszeichnete – hat uns unglücklicherweise vieler wichtiger Dokumente beraubt; aber in dem noch vorhandenen Verzeichnis der Garderobe eines Londoner Theaters zur Zeit Shakespeares werden einzelne Kostüme für Kardinäle, Schäfer, Könige, Clowns, Mönche und Narren erwähnt; grüne Gewänder für Robin Hoods Leute und ein grünes Kleid für Maid Marian; ein weiß-goldenes Wams für Heinrich V. und eine Robe für Longshanks; außerdem Chorröcke, Chormäntel, Gewänder aus Damast, aus Goldtuch und aus Silbertuch, Überwürfe aus Taft und Kattun, Mäntel aus Samt und Satin, Friesröcke, gelbe und schwarze Lederwämser, rote, graue, französische Pierrot-Kostüme, ein Kleid, »um unsichtbar zu gehen« – das für 3 Pfund und 10 Schillinge nicht zu teuer ist –, und vier unvergleichliche Reifröcke; das alles zeigt den Wunsch, jedem Charakter das passende Gewand zu geben. Es gibt auch Eintragungen über spanische, maurische und dänische Kostüme, über Helme, Lanzen, bemalte Schilder, Kaiserkronen

* Taschentuch

und päpstliche Tiaren, über Kostüme für türkische Janitscharen, römische Senatoren und alle Götter und Göttinnen des Olymp, die das archäologische Studium des Theaterunternehmers bezeugen. Allerdings wird auch eine Schnürbrust für Eva erwähnt, doch spielte die Szene wahrscheinlich nach dem Sündenfall.

Jeder, der sich mit dem Zeitalter Shakespeares beschäftigt, wird entdecken, daß die Archäologie eines ihrer besonderen Merkmale war. Nach jenem Wiederaufleben der klassischen Architekturformen, das die Renaissance kennzeichnet, nachdem man begonnen hatte, in Venedig und anderswo die Meisterwerke der griechischen und lateinischen Literatur zu drucken, war natürlich das Interesse an der Ornamentik und dem Kostüm der antiken Welt erwacht. Und die Künstler studierten sie nicht um des Wissens willen, das sie dabei erwarben, sondern wegen der Schönheit, die sie schaffen wollten. Man ließ die seltenen Stücke, die beständig in den Ausgrabungen zutage kamen, nicht in den Museen vermodern, damit sie ein abgestumpfter Kurator betrachte oder ein Polizist, den die Langeweile kitzelt, weil keine Verbrechen geschehen. Man benutzte sie als Motive für eine neue Kunst, die nicht nur schön sein sollte, sondern auch fremdartig.

Infessura berichtet uns, daß im Jahre 1485 einige Arbeiter auf der Appia Antica einen alten römischen Sarkophag ausgegraben haben, der die Aufschrift trug: »Julia, Tochter des Claudius«. Als sie den Deckel hochhoben, fanden sie in seinem Marmorschoß den Leichnam eines wunderschönen Mädchens von ungefähr 15 Jahren, den die Kunst des Einbalsamierers vor der Verwesung und dem Verfall der Zeit bewahrt hatte. Ihre Augen waren halb geöffnet, ihr Haar lockte sich golden, und von Lippen und Wangen war der Blütenhauch der Jungfräulichkeit noch nicht verschwunden. Auf das Kapitol zurückgetragen, wurde sie alsbald der Mittelpunkt eines neuen Kultes, und aus allen Stadtteilen strömten die Pilger herbei, um an dem wunderbaren Schreine zu beten, bis der Papst schließlich fürchtete, diejenigen, die das Geheimnis der Schönheit in einem heidnischen Grabe gefunden haben, könnten vergessen, welche Geheimnisse Judäas rauhes Felsengrab umschließt; und so ließ er den Leichnam bei Nacht entfernen und heimlich begraben. Mag dieser Bericht eine Legende sein, er macht uns nichtsdestoweniger die Haltung der

Renaissance gegenüber der antiken Welt deutlich. Die Archäologie war für sie keine bloße Wissenschaft des Altertumsforschers; sie war ein Mittel, den trockenen Staub des Altertums in den Atem und die Schönheit des Lebens zu verwandeln und mit dem neuen Wein der Romantik Gefäße zu füllen, die sonst alt und abgenutzt geblieben wären. Von der Kanzel des Niccolò Pisano bis zu Mantegnas »Triumph des Cäsar« und dem Service, das Cellini für Franz I. entwarf, kann man den Einfluß dieses Geistes verfolgen; und er beschränkte sich nicht bloß auf die unbeweglichen Künste – die Künste der erstarrten Bewegung –, sein Einfluß zeigte sich auch in den großen griechisch-römischen Maskenspielen, die die beständige Unterhaltung der fröhlichen Fürstenhöfe jener Zeit bildeten, und in den öffentlichen Aufzügen und Prozessionen, mit denen die Bürger großer Handelsstädte die Fürsten zu begrüßen pflegten, die sie gerade besuchten; solche Festzüge hielt man übrigens für so wichtig, daß man große Druckwerke von ihnen anfertigte und veröffentlichte – diese Tatsache beweist, wie allgemein jene Zeit an solchen Dingen anteilnahm. Und diese Anwendung der Archäologie in prunkvollen Aufzügen – weit entfernt von eitler Pedanterie – ist in jeder Hinsicht legitim und schön. Denn die Bühne ist nicht nur der Schauplatz aller Künste, sondern auch die Rückkehr der Kunst zum Leben. In archäologischen Romanen scheint es bisweilen, als verbergen seltsame und veraltete Worte die Wirklichkeit hinter dem Wissen, und ich glaube, daß viele Leser von *Notre Dame de Paris* sich über die Bedeutung von Worten wie *la casaque à mahoitres, les voulgiers, le gallimard taché d'encre, les caraquiniers* und ähnlichen den Kopf zerbrochen haben; auf der Bühne jedoch ist das anders! Die alte Welt erwacht aus ihrem Schlaf, und die Geschichte bewegt sich in langem Zug an unserem Auge vorüber und zwingt uns nicht erst, unsere Zuflucht zu einem Lexikon oder einer Enzyklopädie zu nehmen, um unseren Genuß vollkommen zu machen. Ja, das Publikum braucht nicht einmal die Quellen für die Inszenierung eines Stückes zu kennen. Zum Beispiel aus einem Gegenstand wie dem Kelchteller des Theodosius, den die meisten Leute wahrscheinlich nicht kennen, schuf Mr. E. W. Godwind, einer der phantasievollsten Künstler dieses Jahrhunderts in England, den außergewöhnlich schönen I. Akt des *Claudius* und zeigte uns das byzantinische Leben im 4. Jahrhundert weder durch einen langweiligen Vortrag und eine Reihe verschwommener Entwürfe, noch durch eine Erzählung, die zu ihrem Verständnis eines Glossariums bedarf, sondern durch die sichtbare Darstellung der Glorie dieser großen Stadt. Und während die Kostüme bis in die kleinsten Tüpfel der Farbe und des Musters getreu waren, wurde den Details trotzdem nicht diese abnorme Wichtigkeit beigemessen, die ihnen bei einer Vorlesung in Fortsetzungen notwendigerweise zuteil wird, sie wurden vielmehr den Regeln einer großen Komposition und der Einheit des künstlerischen Effekts untergeordnet. Symond spricht von dem großen Bilde Mantegnas, das sich jetzt in Hampton Court befindet, und sagt, der Künstler habe ein altes Motiv in ein Thema für melodische Linien verwandelt. Dasselbe kann man mit gleichem Recht von Mr. Godwins Szene behaupten. Nur Dummköpfe bezeichneten das als Pedanterie; nur wer weder sehen noch hören wollte, sprach davon, daß die Leidenschaft des Stückes durch seine Farbe zerstört worden sei. In Wirklichkeit war die Szene nicht nur malerisch vollkommen, sondern auch höchst dramatisch, frei von jeder unnötigen Beschreibung; durch die Farbe und den Charakter von Claudius' Gewand und die Gewänder seiner Dienerschaft veranschaulichte sie uns Natur und Leben des Mannes, von welcher philosophischen Schule er beeinflußt wurde, bis zu den Pferden, auf die er beim Rennsport setzte.

Und die Archäologie ist wirklich nur dann reizvoll, wenn sie in irgendeine Kunstform einfließt. Ich will die Leistungen fleißiger Gelehrter nicht unterschätzen, aber ich empfinde den Gebrauch, den Keats von Lemprierès Dictionaire machte, als weit wertvoller für uns, als Professor Max Müllers Behandlung der gleichen Mythologie, die er als Krankheit der Sprache verdammt. Mir ist der *Endymion* lieber als irgendeine Theorie von einer Epidemie unter Adjektiven – wie wohlbegründet auch immer oder im vorliegenden Fall unbegründet sie ist! Und wer empfindet nicht, daß es das Hauptverdienst von Piranesis Buch über Vasen ist, daß es Keats zu seiner *Ode on a Grecian Urn* inspiriert hat? Die Kunst und nur die Kunst kann die Archäologie schön machen; und die theatralische Kunst kann sie in unmittelbarer und lebendiger Weise benutzen, denn sie vermag in einer gelungenen Aufführung die Illusion des wirklichen Lebens mit den Wundern der unwirklichen Welt zu verbinden. Aber das 16. Jahrhundert war nicht nur die Zeit von Vitruvius, sondern auch die Zeit von Vecellio. Jede Nation gewann plötzlich Interesse am Kostüm ihrer Nachbarn. Europa begann seine eigene Kleidung zu erforschen, und die Zahl der Bücher, die über Nationalkostüme veröffentlicht wurden, ist ziemlich ungewöhnlich. Anfang des Jahrhunderts erreichte die Nürnberger Chronik mit 2000 Illustrationen ihre 5. Auflage, und ehe das Jahrhundert zu Ende ging, waren über 17 Auflagen von Münsters Kosmographie gedruckt. Außer diesen beiden Büchern gab es noch die Werke von Michael Colyns, Hans Weigel, Amman und Vecellio selbst; alle reich illustriert, einige der Zeichnungen bei Vecellio stammen wahrscheinlich sogar von Tizians Hand.

Und nicht nur aus Büchern und Abhandlungen gewannen sie ihre Kenntnis. Auslandsreisen wurden zur Gewohnheit, der wachsende Handelsaustausch zwischen den Ländern und die Häufigkeit diplomatischer Missionen gaben jeder Nation mannigfaltige Gelegenheit, die verschiedenen Arten der zeitgenössischen Gewänder zu studieren. Als zum Beispiel die Gesandten des Zaren, des Sultans und des Prinzen von Marokko England verließen, gaben Heinrich VIII. und seine Freunde mehrere Maskenfeste in der fremdartigen Kleidung ihrer Besucher. Später sah London – vielleicht allzu oft – den düsteren Glanz des spanischen Hofes, und aus allen Ländern kamen zu Elisabeth Gesandte, deren Kleider, wie Shakespeare sagt, das englische Kostüm stark beeinflußt haben.

Und das Interesse beschränkte sich nicht nur auf das klassische Gewand oder die Kleider fremder Länder; man forschte auch eifrigst – vor allem unter Theaterleuten – nach alten englischen Kostümen: Und wenn Shakespeare im Prolog zu einem seiner Stücke sein Bedauern darüber ausspricht, daß es ihm nicht gelungen sei, sich Helme aus jener Periode zu verschaffen, so spricht er als ein Theaterunternehmer der elisabethanischen Zeit und nicht nur als Dichter. In Cambridge wurde zum Beispiel zu seiner Zeit eine Aufführung von *Richard III.* veranstaltet, in der die Schauspieler echte Kostüme jener Zeit trugen; sie stammten aus der großen Sammlung der historischen Kostüme im Tower, die jederzeit für die Inspizierung der Theaterunternehmer geöffnet war und ihnen manchmal zur Verfügung gestellt wurde. Ich werde den Gedanken nicht los, daß diese Aufführung, was die Kostüme betrifft, weit künstlerischer gewesen sein muß als Garricks Inszenierung von Shakespeares eigenem Stück über das Thema, in dem er selbst in einem unbeschreiblichen Phantasiekostüm erschien und alle anderen im Kostüm der Zeit Georgs III.; ganz besonders wurde Richmond in der Uniform eines jungen Gardeoffiziers bewundert.

Denn welchen Nutzen sollte die Archäologie, die die Kritiker merkwürdigerweise so entsetzt hat, für die Bühne besitzen, außer daß sie und sie allein uns die Architektur und die Ausstattung ermöglicht, die der Zeit entspricht, in welcher das Stück spielt? Sie macht es uns möglich, einen Griechen wie einen Griechen, einen Italiener wie einen Italiener angezogen zu sehen; die Säulenhallen Venedigs, die Balkone Veronas zu bewundern; und wenn das Stück von einer der großen Epochen in der Geschichte unseres Landes handelt, die Zeit in ihrem eigenen Gewande, den König in seiner Lebensweise zu betrachten. Und ich kann mir übrigens kaum vorstellen, was Lord Lytton vor einiger Zeit im Princess Theatre gesagt hätte, als sich der Vorhang vor seines Vaters Brutus hob, der in wallender Perücke und im geblümten Morgenmantel in einem Queen Anne Fauteuil saß, ein Kostüm, das im vergangenen Jahrhundert für einen alten Römer als besonders angemessen galt! Denn in jenen halkyonischen Tagen des Dramas wurde die Bühne von keiner Archäologie gestört oder die Kritiker zur Verzweiflung gebracht, und unsere unkünstlerischen Großväter saßen friedlich in einer erstickenden Atmosphäre von Anachronismen und sahen mit dem stillen Wohlgefallen eines prosaischen Zeitalters einen Jachimo mit Puder und Schönheitspflästerchen, einen Lear in Spitzenmanschetten und eine Lady Macbeth in einer weiten Krinoline. Ich verstehe es, wenn man die Archäologie wegen ihres übertriebenen Realismus angreift, sie aber als pedantisch anzugreifen, geht völlig am Kern vorbei. Ja, sie überhaupt anzugreifen, ist töricht; man könnte ebensogut verächtlich vom Äquator reden. Denn die Archäologie ist eine Wissenschaft und also weder gut noch böse, sondern einfach ein Faktum. Ihr Wert hängt ganz allein davon ab, wie sie angewendet wird, und nur der Künstler versteht sie anzuwenden. Der Archäologe liefert uns den Stoff, der Künstler das Verfahren.

Entwirft ein Künstler die Szenerie und das Kostüm für ein Shakespearestück, so muß er es zuallererst so genau wie möglich datieren. Dies sollte mehr durch den allgemeinen Geist des Stückes geschehen als durch einzelne historische Bezüge, die darin vorkommen können. Fast alle Hamlet-Darstellungen, die ich gesehen habe, waren in viel zu frühe Zeiten verlegt. Hamlet ist im Wesen ein Schüler der wiederaufblühenden Gelehrsamkeit; und wenn auch die Anspielung auf die jüngste Besetzung Englands durch die Dänen das Stück ins 9. Jahrhundert zurückverlegt, so spricht der Gebrauch von Rapieren für eine viel spätere Zeit. Hat man aber einmal das Datum bestimmt, dann muß der Archäologe die Fakten liefern, die der Künstler in Wirkungen verwandeln soll.

Man hat darauf hingewiesen, daß die Anachronismen in den Stücken selbst zeigen, wie gleichgültig Shakespeare gegenüber der historischen Genauigkeit gewesen ist, und aus Hektors unbekümmertem Zitieren des Aristoteles ist viel Kapital geschlagen worden. Andererseits sind die Anachronismen keineswegs zahlreich und nicht sehr wichtig; hätte ein anderer Künstler Shakespeare auf sie aufmerksam gemacht, er hätte sie wahrscheinlich korrigiert. Und obgleich man sie kaum als Makel bezeichnen kann, gehören sie gewiß nicht zu den großen Schönheiten in seinem Werk; oder wenn sie es doch sind, so kann ihr anachronistischer Reiz nur hervorgehoben werden, sofern man das Stück seinem genauen Datum entsprechend inszeniert. Was uns aber bei allen Shakespearestücken ins Auge fällt, ist die große Treue hinsichtlich seiner Figuren und dramatischen Verwicklungen. Viele seiner »dramatis personae« sind Leute, die tatsächlich gelebt haben, und einige von ihnen hat ein Teil seiner Zuschauer wahrscheinlich im wirklichen Leben gekannt. Ja, der heftigste Angriff, der zu seiner Zeit gegen Shakespeare gerichtet wurde, galt seiner mutmaßlichen Karikatur von Lord Cobham. Seine dramatischen Stoffe nimmt Shakespeare immer wieder entweder aus der authentischen Geschichte oder aus alten Balladen und

Überlieferungen, die für das elisabethanische Publikum gleichbedeutend mit Geschichte waren, und die selbst heute kein wissenschaftlicher Historiker als gänzlich unwahr abtun würde. Und er wählte nicht nur Fakten im Gegensatz zu erfundenen Stoffen als Grundlage für viele seiner dichterischen Werke, er gab auch immer jedem Stück den allgemeinen Charakter, mit einem Wort: die gesellschaftliche Atmosphäre der betreffenden Zeit. Er erkennt, daß die Dummheit eine der unveränderlichen Eigenschaften jeglicher europäischen Zivilisation ist, und so macht er keinen Unterschied zwischen dem Londoner Pöbel seiner Tage und dem römischen Pöbel der heidnischen Zeit, zwischen einem albernen Wächter in Messina und einem albernen Friedensrichter in Windsor. Doch sobald er es mit höheren Charakteren zu tun hat, mit jenen Ausnahmen in jedem Zeitalter, die so überragend sind, daß sie zu seinen Vorbildern werden, gibt er ihnen ganz und gar den Stempel und das Siegel ihrer Zeit. Virgilia ist eine jener römischen Frauen, auf deren Grab geschrieben stand: »Domi mansit lanam fecit«, so gewiß wie Julia das romantische Mädchen der Renaissance ist. Er hält sich sogar an die Rasseneigentümlichkeiten. Hamlet besitzt die ganze Phantasie und Unentschlossenheit der nordischen Völker, und die Prinzessin Katharina ist so französisch wie die Heldin von *Divorçons*. Heinrich V. ist ganz Engländer und Othello ein echter Mohr.

Und wenn Shakespeare Englands Geschichte vom 14. bis zum 16. Jahrhundert behandelt, ist es erstaunlich, wie sorgfältig er darauf achtet, daß alle seine Tatsachen genau stimmen – ja, er folgt Holinshed überraschend treu. Die unaufhörlichen Kriege zwischen Frankreich und England werden mit außerordentlicher Genauigkeit beschrieben – bis zu den Namen der belagerten Städte, den Häfen zum Anlegen und Einschiffen, den Orten und Daten der Schlachten, den Titeln der Führer auf beiden Seiten und den Listen der Toten und Verwundeten. Und bei den Rosenkriegen finden wir mehrere genaue Stammbäume der sieben Söhne Eduards III.; die Thronansprüche der beiden rivalisierenden Häuser York und Lancaster werden ausführlich dargelegt; und wenn die englische Aristokratie Shakespeare als Dichter nicht liest, sollte sie ihn wenigstens als eine Art frühen Adelskalender lesen. Es gibt kaum einen Adelstitel im Oberhaus – mit

Ausnahme natürlich der uninteressanten Adelstitel, die von den Peers beansprucht werden –, der nicht bei Shakespeare mit vielen Einzelheiten der Familiengeschichte – glaubhaften und unglaubhaften – vorkäme. Ja, wäre es wirklich nötig, daß die Schulkinder alles über die Rosenkriege wissen, so könnten sie ihre Aufgaben genauso gut bei Shakespeare lernen wie aus Schulbüchern und das, ich brauche es nicht zu sagen, auf viel unterhaltsamere Weise. Selbst zu Shakespeares eigener Zeit wurde dieser Nutzen seiner Stücke anerkannt. »Die historischen Theaterstücke lehren jene Geschichte, die sie nicht in Chroniken lesen können«, sagt Heywood in einer Abhandlung über die Bühne, und dabei bin ich überzeugt, daß die Chroniken des 16. Jahrhunderts weit unterhaltender zu lesen waren als Schulbücher des 19. Jahrhunderts.

Natürlich hängt der ästhetische Wert von Shakespeares Stükken nicht im geringsten von ihren Tatsachen ab, sondern von ihrer Wahrheit, und die Wahrheit ist immer von Tatsachen unabhängig, sie erfindet oder wählt sie nach Belieben. Aber Shakespeares Anwendung der Tatsachen ist ein höchst interessanter Teil seiner Arbeitsweise und verdeutlicht uns seine Einstellung zur Bühne und sein Verhältnis zur großen Kunst der Illusion. Ja, er wäre sicher sehr erstaunt gewesen, wenn jemand seine Stücke als »Märchen« bewertet hätte, wie Lord Lytton es tut; denn es war eines seiner Ziele, England ein nationales, historisches Drama zu geben, das von Ereignissen handeln sollte, die dem Zuschauer wohl bekannt waren und von Helden, die im Gedächtnis des Volkes lebten. Patriotismus, das brauche ich kaum zu sagen, ist keine notwendige Qualität der Kunst; für den Künstler bedeutet sie jedoch den Einsatz eines allgemeinen, anstelle eines individuellen Gefühls und für das Publikum die Darbietung eines Kunstwerkes in der anziehendsten und populärsten Form. Denken wir daran, daß der erste und der letzte Erfolg Shakespeares historische Stücke waren.

Man könnte fragen, was dies alles mit Shakespeares Einstellung zum Kostüm zu tun hat. Ich gebe zur Antwort, daß ein Dramatiker, der so viel Wert auf die historische Genauigkeit der Tatsachen legte, die historische Genauigkeit des Kostüms als ein sehr wichtiges Attribut seiner illusionistischen Methode begrüßt haben würde. Und ich zweifle nicht, daß Shakespeare es tat. Die Erwähnung der Helme aus der Zeit Heinrichs V. im Prolog des Stückes mag seltsam erscheinen, obgleich Shakespeare oft genug

den einen Helm,
der einst die Luft von Azincourt erschreckte,

dort gesehen haben muß, wo er noch immer im dämmrigen Dunkel der Westminster-Abtei hängt, zusammen mit dem Sattel jenes »Sohns des Ruhmes« und dem zerhauenen Schild mit seiner zerfetzten, blauen Samtbekleidung und seinen erblindeten Goldlilien; aber die Anwendung von Waffenröcken in *Heinrich VI.* ist einzig aus der Archäologie zu erklären, weil sie im 16. Jahrhundert nicht getragen wurden, und des Königs eigener Waffenrock war noch – wenn ich daran erinnern darf – zu Shakespeares Zeit über seinem Grabe in der St. George-Kapelle zu Windsor aufgehängt. Denn bis zu dem unglückseligen Sieg der Philister im Jahre 1645 waren Englands Kapellen und Kathedralen die großen Nationalmuseen der Archäologie, und in ihnen wurden die Rüstungen und Gewänder der Helden der englischen Geschichte aufbewahrt. Vieles wurde natürlich im Tower verwahrt, und sogar zu Elisabeths Zeiten zeigte man den Reisenden dort so seltene Reliquien der Vergangenheit, wie die große Lanze von Charles Brandon, von der ich annehme, daß sie noch immer die Bewunderung unserer ländlichen Besucher erregt; aber die Kathedralen und die Kirchen wählte man meistens als die am besten geeigneten Schreine zur Aufnahme historischer Altertümer. Canterbury kann uns noch immer den Helm des schwarzen Prinzen zeigen, Westminster die Gewänder unserer Könige, und in St. Paul wurde das Banner, das auf dem Schlachtfeld von Bosworth flatterte, von Richmond selbst aufgehängt.

Ja, wohin Shakespeare sich auch in London wandte, sah er Gewänder und Zubehör vergangener Zeiten, und zweifellos nutzte er diese Gelegenheit. Der Gebrauch von Lanze und Schild im offenen Kampf zum Beispiel, der so häufig in seinen Stücken vorkommt, ist der Archäologie entnommen und nicht der militärischen Ausrüstung seiner Zeit; und seine allgemeine Verwendung von Rüstungen in der Schlacht war kein Merkmal seiner Zeit, in der sie zugunsten von Feuerwaffen rasch verschwunden waren. Und auch Warwicks Helmschmuck, der in *Heinrich VI.*

eine so wichtige Rolle spielt, ist in einem Stück des 15. Jahrhunderts, wo man ihn üblicherweise trug, vollkommen korrekt, wäre aber in einem Stück zu Shakespeares eigener Zeit verfehlt, als Federn und Federschmuck an seine Stelle getreten waren – eine Mode, wie er uns in *Heinrich VIII.* erzählt, die von Frankreich übernommen war. Wir können also sicher sein, daß in den historischen Stücken die Archäologie angewandt wurde, und ich bin gewiß, daß es sich bei den anderen ebenso verhielt. Jupiter erscheint auf seinem Adler mit dem Donnerkeil in der Hand, Juno mit ihren Pfauen und Iris mit ihrem vielfarbenen Bogen; das Amazonenfest und das Fest der »fünf Helden«, alle sind sie archäologisch fundiert; und ebenso der Traum, den Posthumus im Gefängnis von Sicilius Leonatus träumt: »Ein alter Mann, wie ein Krieger gekleidet, führt eine Matrone.« Von dem athenischen Gewande, das Lysander von Oberon unterscheidet, habe ich bereits gesprochen; doch eins der bemerkenswertesten Beispiele ist die Kleidung des Coriolan, bei der sich Shakespeare direkt auf Plutarch stützt. Dieser Historiker spricht in seiner Lebensbeschreibung des großen Römers von dem Eichenkranz, mit dem Gaius Marcius gekrönt wurde, und von dem seltsamen Gewande, in dem er, einem alten Brauch gemäß, die Wähler für sich gewinnen mußte; beide Male läßt er sich in lange Untersuchungen ein, um den Ursprung und die Bedeutung der alten Sitten zu erforschen. Shakespeare übernimmt als wahrer Künstler die Tatsachen von den Altertumsforschern und verwandelt sie in dramatische und malerische Effekte: tatsächlich ist das Kleid der Demut, die »wölfische Toga«, wie Shakespeare sie nennt, von zentraler Bedeutung im Stück. Ich könnte noch andere Fälle anführen, aber dieser eine genügt für meine Absichten; es zeigt sich jedenfalls, daß, wenn wir ein Stück genau nach seiner Zeit inszenieren und dabei mit den besten Quellen übereinstimmen, wir Shakespeares eigene Wünsche und sein Verfahren ausführen.

Doch auch wenn es nicht so wäre, wir hätten keinen Grund mehr, irgendwelche Unvollkommenheiten, die Shakespeares Inszenierungen höchstwahrscheinlich aufgewiesen haben, fortbestehen zu lassen, keinen Grund mehr, daß wir Julia von einem jungen Mann spielen lassen sollten oder auf den Vorteil der auswechselbaren Bühnendekoration verzichten sollten. Bei einem großen, dramatischen Kunstwerk sollten die modernen Leidenschaften nicht nur durch die Mittel des Schauspielers zum Ausdruck gebracht, sondern in einer Form dargeboten werden, die dem modernen Empfinden am meisten entspricht. Racine brachte seine Römerstücke in Louis-Quatorze-Gewändern auf die Bühne, die angefüllt mit Zuschauern war; wir brauchen jedoch andere Bedingungen, um seine Kunst zu genießen. Wir bedürfen der höchsten Genauigkeit im Detail, um die vollkommene Illusion zu erlangen. Worauf wir achten müssen, ist, daß die Details nicht zur Hauptsache werden. Sie müssen dem Hauptmotiv des Stückes immer untergeordnet sein. Aber Unterordnung in der Kunst bedeutet keineswegs Mißachtung der Wahrheit; sie bedeutet die Verwandlung von Tatsachen in Wirkungen und daß jedem Detail sein eigener relativer Wert zugemessen wird. Hugo sagt:

> »Les petits détails d'histoire et de vie domestique doivent être scrupuleusement étudiés et reproduits par le poète, mais uniquement comme des moyens d'accroître la réalité de l'ensemble, et de faire pénétrer jusque dans les coins les plus obscurs de l'œuvre cette vie générale et puissante au milieu de laquelle les personnages sont plus vrais, et les catastrophes, par conséquent, plus poignantes. Tout doit être subordonné à ce but. L'homme sur le premier plan, le reste au fond.«

Diese Stelle ist aufschlußreich, denn sie stammt von dem ersten großen französischen Dramatiker, der die Archäologie auf der Bühne anwandte, und dessen Stücke, trotz ihrer Genauigkeit im Detail, allen wegen ihrer Leidenschaft, nicht wegen ihrer Pedanterie – wegen ihres Lebens, nicht wegen ihrer Gelehrsamkeit bekannt sind. Freilich hat er Konzessionen gemacht, dort wo er merkwürdige und fremde Ausdrücke gebraucht. Ruy Blas spricht von M. de Priego als einem »sujet du roi« statt von einem »noble du roi«, und Angelo Malipieri spricht von »la croix rouge« anstatt von »la croix de gueules«. Aber diese Konzessionen machte er an das Publikum oder besser an einen Teil davon. »J'en offre ici toute mes excuses aux spectateurs intelligents«, sagt er in der Vorbemerkung zu einem seiner Stücke; »espérons qu'un jour un seigneur vénitien pourra dire tout bonnement sans péril son blason sur le théâtre. C'est un progrès qui viendra.«

Und obgleich die Beschreibung des Helms nicht in einer präzisen Ausdrucksweise abgefaßt war, der Helm selbst war vollkommen richtig. Man könnte einwenden, daß das Publikum solche Dinge gar nicht bemerke; auf der anderen Seite sollte man nicht vergessen, daß die Kunst kein anderes Ziel als ihre eigene Vollkommenheit hat und sich einfach durch ihre eigenen Gesetze weiterentwickelt und daß das Stück, das Hamlet als »Kaviar fürs Volk« beschreibt, ein Stück ist, das er sehr lobt. Übrigens hat in England das Publikum eine große Wandlung durchgemacht; man schätzt heute die Schönheit in ganz anderem Maße als noch vor wenigen Jahren; und wenn man auch die Quellen und archäologischen Grundlagen des Dargestellten nicht kennt, so genießt man doch jede Schönheit, die einem geboten wird. Und darauf kommt es an. Es ist besser, sich an einer Rose zu freuen, als ihre Wurzel unter ein Mikroskop zu legen. Archäologische Genauigkeit ist nur eine Voraussetzung der illusionistischen Bühnenwirkung; sie ist nicht ihre Eigenschaft. Und Lord Lyttons Vorschlag, die Kostüme sollten vor allem schön sein, ohne historische Genauigkeit, beruht auf einem Mißverständnis von der Natur des Kostüms und seinem Wert für die Bühne. Es ist ein zweifacher Wert, ein malerischer und ein dramatischer; ersterer hängt von der Farbe, letzterer von Entwurf und Eigenart des Kostümes ab. Aber die beiden sind so miteinander verbunden, daß jedesmal, wenn man in unseren Tagen die historische Genauigkeit vernachlässigt hat und die mannigfaltigen Kostüme eines Stückes aus verschiedenen Epochen genommen wurden, das Ergebnis war, daß sich die Bühne in ein Kostümsammelsurium verwandelte, in eine Karikatur der Jahrhunderte, einen phantastischen Kostümball, der die dramatische und die malerische Wirkung völlig zerstörte. Denn die Kleider der einen Epoche harmonieren künstlerisch nicht mit den Kleidern einer anderen; und was den dramatischen Wert betrifft, so bedeutet, die Kostüme durcheinanderbringen, das gesamte Stück durcheinanderbringen. Das Kostüm ist das Gewachsene, das Entwickelte und ein sehr wichtiges, vielleicht das wichtigste Zeichen der Sitten und Gebräuche und der Lebensweise eines Jahrhunderts. Die puritanische Verachtung für die Farbe, für den Schmuck und die Anmut der Kleidung war ein Teil der großen Revolte der Mittelklassen gegen die Schönheit im 17. Jahrhundert. Ein Historiker, der das außer acht ließe, würde uns ein höchst ungenaues Bild der Zeit geben, und ein Dramatiker, der es sich nicht zunutze machte, würde in der Hervorbringung einer illusionistischen Wirkung auf ein höchst vitales Element verzichten. Die Verweichlichung der Kleidung in der Regierungszeit Richards II. war ein ständiges Thema der zeitgenössischen Autoren. Shakespeare, der 200 Jahre später schrieb, macht des Königs Vorliebe für aufgeputzte Kleider und fremde Moden zu einer Pointe im Stück: man denke an John of Gaunts Vorwürfe und an Richards eigene Rede bei seiner Thronabdankung im dritten Akt. Und daß Shakespeare Richards Grab in der Westminster-Abtei kannte, geht aus Yorks Worten hervor:

> Seht, seht den König Richard selbst erscheinen,
> So wie die Sonn', errötend mißvergnügt,
> Aus feurigem Portal des Ostens tritt,
> Wenn sie bemerkt, daß neid'sche Wolken streben,
> Zu trüben ihren Glanz.

Denn wir können noch auf dem Gewande des Königs sein Lieblingszeichen wahrnehmen – die Sonne, die aus einer Wolke hervorbricht. Tatsächlich prägen sich die sozialen Zustände einer Zeit so sehr im Kostüm aus, daß die Aufführung eines Stückes aus dem 16. Jahrhundert in den Kostümen des 14. Jahrhunderts, oder vice versa, wirkungslos wäre, weil sie unwahr ist. Und ist die Schönheit der Wirkung auf der Bühne wichtig, so ist die höchste Schönheit nicht nur mit der Genauigkeit im einzelnen vergleichbar, sondern geradezu von ihr abhängig. Ein ganz neues Kostüm zu erfinden, ist nur in der Farce oder in der Burleske möglich, und es wäre wohl sicher ein gefährliches Experiment, wollte man die Kostüme verschiedener Jahrhunderte vereinigen; Shakespeares Meinung über ein solches Mischmasch geht deutlich genug aus seinem unaufhörlichen Spott über die elisabethanischen Dandies hervor, die sich einbildeten, gut angezogen zu sein, weil sie ihre Jacken in Italien, ihre Hüte in Deutschland und ihre Hosen in Frankreich kauften. Man dürfte bemerkt haben, daß die schönsten Szenenwirkungen auf unseren Bühnen erzielt wurden, wenn man mit der höchsten historischen Genauigkeit vorging: z.B. Mr. und Mrs. Bancrofts Wiederauflebenlassen des 18. Jahrhunderts im Haymarket, Mr. Irvings glänzende Aufführung von *Viel Lärm um nichts* und Mr. Barretts *Claudius*. Außerdem aber – und das ist vielleicht die vollständigste Antwort auf Lord Lyttons Theorie – darf man nie vergessen, daß weder im Kostüm noch im Dialog die Schönheit überhaupt das oberste Ziel des Dramatikers ist. Dem wahren Dramatiker kommt es in erster Linie auf das Charakteristische an, und so wenig wie er verlangt, daß alle seine Personen schön gekleidet sein sollten, ebenso wenig verlangt er, daß sie alle schöne Eigenschaften besitzen oder ein herrliches Englisch sprechen müßten. In Wirklichkeit zeigt uns der wahre Dramatiker das Leben unter den Bedingungen der Kunst, nicht die Kunst in der Form des Lebens. Die griechische Kleidung war die schönste Kleidung, die die Welt je gekannt hat, und die englische Kleidung des letzten Jahrhunderts eine der scheußlichsten; trotzdem können wir ein Stück von Sheridan nicht kostümieren, wie wir ein Stück von Sophokles kostümieren würden. Denn wie Polonius in seinem ausgezeichneten Vortrag, dem ich mich hier mit Vergnügen zu Dank verpflichtet bekenne, sagt: eine der ersten Eigenschaften der Kleidung ist ihre Ausdruckskraft. Und der affektierte Stil der Kleidung im letzten Jahrhundert war höchst bezeichnend für eine Gesellschaft der affektierten Sitten und der affektierten Konversation – Zeichen, auf die der realistische Dramatiker bis in die feinsten Details Wert legen wird, und das Material hierfür kann er nur aus der Archäologie gewinnen.

Doch es genügt nicht, daß ein Kostüm historisch genau ist; es muß auch der Statur und der Erscheinung des Schauspielers und der erforderlichen Durchführung der Rolle im Stück angemessen sein. Zum Beispiel bei Mr. Hares Aufführung von *Wie es Euch gefällt* im St. James Theatre wurde der ganze Grund von Orlandos Klage, daß er wie ein Bauer und nicht wie ein Edelmann großgezogen wird, durch den Glanz seines Gewandes hinfällig, und die prächtige Kleidung, die der verbannte Herzog und seine Freunde trugen, war völlig unangebracht. Lewis Wingfields Erklärung, daß der üppige Aufwand dieser Epoche ihren Schritt notwendig mache, ist, fürchte ich, kaum überzeugend. Verbannte, die sich im Walde versteckt halten und von der Jagd ernähren, werden sich wohl wenig um eine vorschriftsmäßige Kleidung kümmern. Sie waren wahrscheinlich wie Robin Hoods Leute gekleidet, mit dem sie ja auch im Verlauf des Stückes verglichen werden. Und daß sie nicht die Kleidung reicher Edelleute trugen, kann man auch den Worten Orlandos entnehmen, als er ihnen begegnet. Er hält sie für Räuber und ist erstaunt, daß sie ihm in freundlicher und wohlgesetzter Rede antworten. Lady Archibald Campbells Aufführung des gleichen Stückes in Coombe Wood unter E. W. Godwins Regie war, was die Ausstattung anbetrifft, weit künstlerischer. Es kam mir jedenfalls so vor. Der Herzog und seine Gefährten waren in Waffenröcke aus Serge gekleidet, in lederne Wämser, mit hohen Stiefeln und in Stulphandschuhen, sie trugen doppelkrönige Hüte und Kappen. Und da sie in einem echten Wald spielten, bin ich überzeugt, daß sie ihre Kleidung als äußerst passend empfunden haben. Jeder Darsteller des Stückes hatte das ihm vollständig angemessene Gewand erhalten, und das Braun und Grün ihrer Kostüme harmonierte vorzüglich mit den Farnkräutern, durch die sie gingen, mit den Bäumen, unter denen sie lagerten, und der lieblichen englischen Landschaft, die die »Pastoral Players« umgab. Die vollkommene Natürlichkeit des Schauspiels ergab sich aus der absoluten Genauigkeit und Angemessenheit der Kostüme. Man hätte die Archäologie keiner strengeren Prüfung unterziehen, noch hätte sie sie glänzender bestehen können. Die ganze Aufführung bestätigt ein für allemal, daß ein Kostüm immer unecht, unnatürlich und theatralisch im Sinne von künstlich wirkt, wenn es archäologisch nicht korrekt und künstlerisch nicht angemessen ist.

Und es genügt auch nicht, daß die Kostüme genau und angemessen sind und schöne Farben besitzen; die Schönheit der Farbe muß die ganze Bühne beherrschen, und solange der Hintergrund von einem Künstler gemalt ist und die Figurinen im Vordergrund unabhängig von einem anderen entworfen werden, besteht die Gefahr einer mangelnden Harmonie der Szene als Bild. Für jede Szene sollte das Farbschema so genau bestimmt werden, wie für die Dekoration eines Zimmers, und man sollte die vorgeschlagenen Stoffe in jeder möglichen Mischung zusammenbringen, und was nicht harmoniert, weglassen. Außerdem, was einzelne Farben betrifft, so wird die Szene oft zu grell, teilweise durch den übertriebenen Gebrauch brennender wilder Rottöne und zum Teil durch Kostüme, die zu neu aussehen. Ausgeblichene Farbtöne, zu denen im modernen Leben nur die unteren Volksschichten tendieren, sind nicht ohne künstlerischen Wert, und moderne Farben sehen oft viel besser aus, wenn sie ein wenig verblaßt sind. Auch Blau wird zu häufig angewendet: es ist, bei Gasbeleuchtung getragen, nicht nur eine gefährliche Farbe, es ist vielmehr wirklich schwierig, in England ein gut gefärbtes Blau zu bekommen. Das schöne, vielbewunderte, chinesische Blau braucht zwei Jahre zur Einfärbung, und das englische Publikum wartet nicht so lange auf eine Farbe. Pfauenblau ist natürlich auf der Bühne mit großem Erfolg angewendet worden, bemerkenswerterweise im Lyzeum; aber alle Versuche, die ich kenne, ein gutes Hellblau oder Dunkelblau zu finden, sind fehlgeschlagen. Der Wert der schwarzen Farbe wird kaum gewürdigt; sie wurde sehr wirkungsvoll von Mr. Irving im Hamlet als die zentrale Note einer Komposition eingesetzt, aber ihre Bedeutung als eine tonangebende, neutralisierende Farbe ist nicht erkannt worden. Und das ist seltsam, wenn wir die allgemeine Farbe der Kleidung eines Jahrhunderts bedenken, in dem, wie Baudelaire sagt: »Nous célébrons tous quelque enterrement.« Der Archäologe der Zukunft wird dieses Zeitalter wahrscheinlich als eine Zeit ansehen, in der man die Schönheit der schwarzen Farbe begriff; aber ich glaube kaum, daß es im Hinblick auf die Bühnenausstattung oder die Wohndekoration wirklich zutrifft. Sein dekorativer Wert ist natürlich der gleiche wie der von Weiß und Gold; er kann die Farben trennen und verbinden. In modernen Stücken gewinnt der schwarze Gehrock des Helden seine eigene Bedeutung, und er sollte den passenden Hintergrund erhalten. Doch das trifft selten zu. Ja, den einzig richtigen Hintergrund für ein Stück in modernen Kostümen, den ich je gesehen habe, war die dunkelgraue und cremefarbene Szene des ersten Aktes von *Princesse Georges* in Mrs. Langtrys Aufführung. In der Regel erstickt man den Helden im »bric-à-brac« und Palmen, oder er versinkt in den vergoldeten Tiefen der Louis-Quatorze-Möbel, oder man macht ihn zu einem bloßen Zwerg inmitten eines Mosaiks; wohingegen der Hintergrund eben immer als Hintergrund gehalten und die Farbe der Wirkung untergeordnet werden sollte. Das kann natürlich nur geschehen, wenn ein einziger Kopf die ganze Inszenierung leitet. Die Werke der Kunst sind verschieden, aber das Wesen der künstlerischen Wirkung ist Einheit. Wo es sich um die Regierung von Völkern handelt, kann man über die Monarchie, die Anarchie und die Republik streiten; aber ein Theater sollte unter der Macht eines gebildeten Despoten stehen. Man mag die Arbeit teilen, aber der Geist darf nicht geteilt werden. Wer das Kostüm einer Zeit versteht, versteht notwendigerweise auch ihre Architektur und ihr Milieu; es ist leicht, an den Stühlen eines Jahrhunderts zu erkennen, ob man damals Krinolinen trug oder nicht. Es gibt in der Kunst kein Spezialistentum, und eine wirklich künstlerische Aufführung sollte den Stempel eines einzigen Meisters tragen, und zwar eines Meisters, der nicht nur alles entwirft und arrangiert, sondern auch einen vollständigen Überblick über die Art hat, wie ein jedes Kostüm getragen werden soll.

In der ersten Aufführung von *Hernani* weigerte sich Mademoiselle Mars entschieden, ihren Liebhaber »Mon Lion!« zu nennen, außer man gestattete ihr, eine kleine elegante »toque« zu tragen, die gerade auf den Boulevards en vogue war; und viele junge Damen auf unseren Bühnen bestehen bis zum heutigen Tag darauf, steifgestärkte Unterröcke unter griechischen Gewändern zu tragen und ruinieren damit vollkommen die Feinheit der Linie und des Faltenwurfs; aber diese geschmacklosen Dinge sollte man nicht erlauben. Und man sollte auch mehr Kostümproben abhalten, als bis heute üblich ist. Schauspieler wie Mr. Forbes-Robertson, Mr. Conway, Mr. George Alexander und andere, ganz zu schweigen von den älteren Künstlern, verstehen sich mit Leichtigkeit und Eleganz in den Kostümen eines jeden Jahrhunderts zu bewegen; doch es gibt nicht wenige, die schrecklich bestürzt über ihre Hände zu sein scheinen, wenn sie keine Seitentaschen haben, und die ihre Kleider immer wie Kostüme tragen. Kostüme sind es natürlich für den Kostümbildner, aber für jene, die sie tragen, sollten es Kleider sein. Und es ist an der Zeit, daß man die auf unseren Bühnen herrschende Idee aufgibt, daß die Griechen und Römer im Freien immer barhäuptig einhergingen – ein Fehler, den die elisabethanischen Theaterleiter nie begingen, denn sie statteten die

römischen Senatoren sowohl mit Kopfbedeckungen als auch mit Überwürfen aus.
Mehr Kostümproben wären auch deshalb vorteilhaft, um dem Schauspieler klarzumachen, daß es eine Form der Gestik und Bewegung gibt, die nicht nur dem jeweiligen Stil des Kleides angemessen, sondern durch ihn bedingt ist. Zum Beispiel war der ungewöhnliche Gebrauch der Arme im 18. Jahrhundert die notwendige Folge großer Reifröcke, und die feierliche Würde Burleighs war gleichermaßen durch seine Halskrause wie durch seinen Verstand bedingt. Außerdem ist ein Schauspieler nicht eher in seiner Rolle zuhause, als bis er in seinem Gewand zuhause ist.

Von der Bedeutung, die das schöne Kostüm für die Erzeugung des künstlerischen Temperaments im Zuschauer hat, indem es jene Freude am Schönen um des Schönen willen schafft, ohne die kein großes Kunstwerk verständlich ist, will ich hier nicht sprechen; trotzdem lohnt es sich vor Augen zu halten, wie sehr Shakespeare dieser Aspekt der Frage bei der Aufführung seiner Tragödien bewußt war, indem er sie immer bei künstlicher Beleuchtung spielen und das Theater schwarz verhängen ließ; was ich jedoch aufzeigen wollte, ist, daß die Archäologie keine pedantische Methode darstellt, sondern eine Methode der künstlerischen Illusion, und daß das Kostüm ein Mittel ist, den Charakter offen darzulegen, ohne ihn beschreiben zu müssen und dramatische Situationen und Effekte zu schaffen. Und ich halte es für bedauerlich, daß so viele Kritiker mit Eifer darangehen, einen der bedeutendsten Schritte der modernen Bühne anzugreifen, bevor dieser Schritt überhaupt seine eigentliche Vervollkommnung erfahren hat. Daß dies geschehen wird, dessen bin ich ebenso sicher, wie ich überzeugt bin, daß wir in Zukunft mehr von unseren Theaterkritikern verlangen werden, als daß sie sich an Macready erinnern können oder Benjamin Webster gesehen haben; wir werden in der Tat von ihnen verlangen, daß sie einen Sinn für Schönheit kultivieren. *Pour être plus difficile, la tâche n'en est que plus glorieuse.*

Und wenn sie einen Schritt nicht ermutigen wollen, den Shakespeare freudiger als irgendein Dramatiker begrüßt hätte, denn er bedeutet die Illusion der Wirklichkeit als Methode und die

Illusion der Schönheit als Ergebnis, so sollen sie sich ihm wenigstens nicht widersetzen. Nicht alles, was ich in diesem Essay gesagt habe, ist meine wahre Meinung. Vielem widerspreche ich ganz und gar. Der Essay gibt einfach einen künstlerischen Standpunkt wider, und in der ästhetischen Kritik kommt alles auf die Haltung an. Denn in der Kunst gibt es so etwas wie eine universelle Wahrheit nicht. Eine Wahrheit in der Kunst ist etwas, dessen Gegenteil ebenfalls wahr ist. Und wie wir nur in der Kunstkritik und durch sie die platonische Theorie von den Ideen verstehen können, so können wir nur in der Kunstkritik und durch sie, Hegels Lehre von den Gegensätzen verwirklichen. Die Wahrheiten der Metaphysik sind die Wahrheiten der Masken.

Die Seele des Menschen unter dem Sozialismus

Der Hauptvorzug, den die Herrschaft der sozialistischen Gesellschaftsordnung mit sich brächte, liegt ohne Zweifel darin, daß der Sozialismus uns befreien würde von dem gemeinen Zwang, für andere zu leben, der in der gegenwärtigen Lage auf fast allen so schwer lastet. In der Tat gibt es kaum jemanden, der ihm zu entgehen vermag.

Dann und wann im Verlaufe des Jahrhunderts hat ein großer Wissenschaftler wie Darwin, ein großer Dichter wie Keats, ein feiner kritischer Geist wie Renan, ein überlegener Künstler wie Flaubert es fertiggebracht, sich zu isolieren, sich dem lärmenden Zugriff der anderen zu entziehen, sich »unter den Schutz der Mauer zu stellen«, wie Plato es nennt, und auf diese Weise seine natürliche Begabung zu vervollkommnen, zu seinem eigenen unvergleichlichen Gewinn und zu dem unvergleichlichen, dauernden Gewinn der ganzen Welt. Dies sind jedoch Ausnahmen. Die meisten Menschen vergeuden ihr Leben durch einen ungesunden und übertriebenen Altruismus, ja, sind sogar genötigt, es zu vergeuden. Sie finden sich umgeben von scheußlicher Armut, von scheußlicher Häßlichkeit, von scheußlichem Hunger. Es ist unvermeidlich, daß ihr Gefühlsleben davon erschüttert wird. Die Empfindungen des Menschen werden rascher erregt als sein Verstand; und es ist, wie ich jüngst in einem Artikel über das Wesen der Kritik hervorgehoben habe, sehr viel leichter, Mitgefühl für das Leiden zu hegen als Sympathie für das Denken. Daher tritt man mit bewundernswerten, jedoch irregeleiteten Absichten sehr ernsthaft und sehr sentimental an die Aufgabe heran, die sichtbaren Übel zu heilen. Aber diese Heilmittel heilen die Krankheit nicht: sie verlängern sie bloß. In der Tat sind sie ein Teil der Krankheit selbst.

Man versucht zum Beispiel das Problem der Armut zu lösen, indem man die Armen am Leben erhält; oder, wie es eine sehr fortgeschrittene Schule vorschlägt, indem man sie amüsiert.

Aber das ist keine Lösung; es verschlimmert die Schwierigkeit. Das wahre Ziel heißt, die Gesellschaft auf einer Grundlage neu zu errichten, die die Armut ausschließt. Und die altruistischen Tugenden haben wirklich die Erreichung dieses Zieles verhindert. Gerade wie die ärgsten Sklavenhalter diejenigen waren, die ihre Sklaven wohlwollend behandelten, und dadurch verhindert haben, daß die Greuel des Systems von denen, die darunter litten, erkannt, und von denen, die darüber nachdachten, verstanden wurden, so richten beim gegenwärtigen Stand der Dinge in England, jene den größten Schaden an, die versuchen, Gutes zu tun; und schließlich haben wir das Schauspiel erlebt, wie Männer, die sich eingehend mit dem Problem befaßt haben und das Leben kennen – Männer von Bildung, die im East End wohnen –, auftreten und die Gemeinschaft anflehen, ihre altruistischen Anwandlungen von Barmherzigkeit, Fürsorge und dergleichen einzuschränken. Sie tun das aus der Erwägung heraus, daß eine solche Barmherzigkeit erniedrigt und demoralisiert. Sie haben vollkommen recht. Aus der Barmherzigkeit entstehen viele Sünden.

Es ist auch noch folgendes zu sagen. Es ist amoralisch, Privateigentum zur Milderung der schrecklichen Übelstände zu verwenden, die aus der Einrichtung des Privateigentums entspringen. Es ist nicht nur amoralisch, sondern auch unehrlich.

Unter dem Sozialismus wird sich das alles selbstverständlich ändern. Es wird keine Menschen mehr geben, die in stinkenden Höhlen, mit stinkenden Fetzen bekleidet wohnen, und kränkliche, durch den Hunger verkümmerte Kinder inmitten einer unmöglichen, widerwärtigen Umgebung großziehn. Die Sicherheit der Gesellschaft wird nicht mehr, wie es jetzt der Fall ist, vom Stande des Wetters abhängen. Wenn Frost kommt, werden nicht mehr hunderttausend Männer ihre Arbeit verlieren und im Zustand abscheulichen Elends durch die Straßen irren, oder ihre Nachbarn um ein Almosen anbetteln, oder sich vor den Toren der ekelhaften Asyle drängen, um sich ein Stück Brot oder ein verwahrlostes Obdach für die Nacht zu sichern. Jedes Mitglied der Gesellschaft wird an dem allgemeinen Wohlstand und Glück teilhaben, und wenn Frost hereinbricht, so wird er niemandem Schaden zufügen.

Auf der anderen Seite wird der Sozialismus einfach deshalb von Wert sein, weil er zum Individualismus führt.

Der Sozialismus, Kommunismus, oder wie immer man ihn benennen will, wird durch die Umwandlung des Privateigentums in allgemeinen Wohlstand, und indem er an Stelle des Wettbewerbs die Kooperation setzt, der Gesellschaft den ihr angemessenen Zustand eines gesunden Organismus wiedergeben und das materielle Wohl eines jeden Mitgliedes der Gemeinschaft sichern. In der Tat wird er dem Leben seine richtige Grundlage und seine richtige Umgebung verschaffen. Um aber das Leben zu seiner höchsten Vollendung zu bringen, bedarf es noch eines anderen. Es bedarf des Individualismus. Wenn der Sozialismus autoritär ist, wenn Regierungen mit ökonomischer Macht ausgestattet werden, so wie sie jetzt mit politischer Macht ausgestattet sind, wenn wir mit einem Wort eine Industrietyrannis bekommen sollten, dann wäre der neue Status des Menschen schlimmer als der bisherige. Heute sind durch das Bestehen des Privateigentums sehr viele Menschen imstande, ihre Individualität in einer gewissen, freilich sehr beschränkten Weise zu entfalten. Entweder brauchen sie nicht für ihren Lebensunterhalt zu arbeiten, oder sie sind in der Lage, einen ihnen wirklich zusagenden Wirkungskreis zu wählen, der ihnen Freude bereitet. Das sind die Dichter, die Philosophen, die Gelehrten, die Gebildeten – mit einem Wort die echten Menschen, die Menschen, die zur Selbstverwirklichung gelangt sind, und in denen die Menschheit ihre Verwirklichung teilweise erreicht. Andererseits gibt es eine große Zahl von Menschen, die kein Privateigentum besitzen, und da sie immer am Rande des nackten Elends stehen, sind sie genötigt, die Arbeit von Lasttieren zu verrichten, Arbeit, die ihnen keinesfalls zusagt und zu der sie nur durch die unabweisbare, widervernünftige, erniedrigende Tyrannis der Not gezwungen werden. Das sind die Armen; in ihrem Lebensbereich fehlt jede Grazie, jede Anmut der Rede, jegliche Zivilisation oder Kultur, jede Verfeinerung der Genüsse und jede Lebensfreude. Aus ihrer kollektiven Kraft schöpft die Menschheit großen materiellen Reichtum. Aber sie gewinnt nur den materiellen Vorteil, und der Arme selbst bleibt dabei ohne die geringste Bedeutung. Er ist nur ein winziges Teilchen einer Kraft, die ihn nicht nur nicht beachtet, sondern zermalmt: ja, ihn mit Vorliebe zermalmt, weil er dann um so fügsamer ist.

Natürlich könnte man sagen, daß der unter den Bedingungen des Privateigentums entstandene Individualismus nicht immer und nicht einmal in der Regel etwas Erlesenes oder Wundervolles sei, und daß die Armen, mag es ihnen auch an Kultur und Anmut fehlen, doch manche Tugenden besitzen. Diese beiden Einwände wären vollkommen richtig. Der Besitz von Privateigentum wirkt sehr oft gänzlich demoralisierend, und das ist natürlich einer der Gründe, weshalb der Sozialismus diese Einrichtung abschaffen möchte. Das Eigentum ist in der Tat etwas überaus Lästiges. Vor einigen Jahren gab es Leute, die überall im Lande verkündeten, daß das Eigentum Verpflichtungen mit sich brächte. Sie haben es so häufig und mit solcher Hartnäckigkeit behauptet, daß zu guter Letzt die Kirche anfing, es nachzusagen. Man kann es jetzt von jeder Kanzel hören. Es ist absolut wahr. Eigentum erzeugt nicht nur Pflichten, sondern erzeugt so viele Pflichten, daß jeder große Besitz nichts als Verdruß mit sich bringt. Unaufhörlich werden Ansprüche an einen gestellt, man muß sich pausenlos um Geschäfte kümmern und kommt niemals zur Ruhe. Wenn das Eigentum nur Freude brächte, so könnten wir es noch hinnehmen, aber seine Verpflichtungen machen es unerträglich. Im Interesse der Reichen müssen wir es abschaffen. Man mag die Tugenden der Armen bereitwillig anerkennen, und doch muß man sie sehr bedauern. Wir bekommen oft zu hören, die Armen seien für Wohltaten dankbar. Einige von ihnen sind es ohne Zweifel, aber die besten unter den Armen sind niemals dankbar. Sie sind undankbar, unzufrieden, ungehorsam und rebellisch. Sie sind es mit vollem Recht. Die Mildtätigkeit empfinden sie als lächerlich unzulängliches Mittel einer Teilrückerstattung oder als sentimentale Almosen, gewöhnlich mit dem unverschämten Versuch des sentimentalen Spenders verbunden, über ihr Privatleben zu herrschen. Warum sollten sie dankbar sein für die Krumen, die vom Tisch des Reichen fallen? Sie selbst sollten beim Mahle sitzen, das beginnen sie jetzt zu begreifen. Was die Unzufriedenheit anbelangt, wer mit einer solchen Umgebung und einer so dürftigen Lebensführung nicht unzufrieden ist, müßte vollkommen abgestumpft sein. Wer die Geschichte gelesen hat, weiß, daß Ungehorsam die ursprüngliche Tugend des Menschen ist. Durch Ungehorsam ist der Fortschritt geweckt worden, durch Ungehorsam und durch Rebellion. Manchmal lobt man die Armen für ihre Sparsamkeit. Aber den Armen Sparsamkeit zu empfehlen, ist grotesk und beleidigend zugleich. Es ist, als gäbe man einem Verhungernden den Rat, weniger zu essen. Ein Stadt- oder Landarbeiter, der sparen wollte, beginge etwas absolut Amoralisches. Der Mensch sollte sich nicht zu dem Beweis erniedrigen, daß er wie ein schlecht genährtes Tier leben kann. Er sollte lieber stehlen oder ins Armenhaus gehen, was viele für eine Form des Diebstahls halten. Was das Betteln betrifft, so ist Betteln sicherer als Stehlen, aber es ist anständiger zu stehlen als zu betteln. Nein: Ein Armer, der undankbar, nicht sparsam, unzufrieden und rebellisch ist, ist wahrscheinlich eine echte Persönlichkeit, und es steckt viel in ihm. Er stellt auf jeden Fall einen gesunden Protest dar. Was die tugendsamen Armen betrifft, so kann man sie natürlich bedauern, aber keinesfalls bewundern. Sie haben mit dem Feinde gemeinsame Sache gemacht und haben ihr Erstgeburtsrecht für eine sehr schlechte Suppe verkauft. Sie müssen außerdem äußerst dumm sein. Ich begreife wohl, daß ein Mann Gesetze annimmt, die das Privateigentum schützen und seine Anhäufung gestattet, solange er unter diesen Bedingungen seinem Leben eine gewisse Schönheit und Geistigkeit zu geben vermag. Doch ist es mir beinahe unverständlich, wie jemand, dessen Leben durch diese Gesetze zerstört und verunstaltet wird, ihren Fortbestand ruhig mit ansehen kann.

Und dennoch ist es nicht wirklich schwer, eine Erklärung dafür zu finden. Es ist einfach dies. Armut und Elend wirken so völlig erniedrigend und üben einen so lähmenden Einfluß auf das Wesen des Menschen aus, daß sich keine Gesellschaftsklasse der Leiden jemals wirklich bewußt wird. Andere müssen sie darüber aufklären, und oftmals glauben sie ihnen nicht einmal. Was mächtige Arbeitgeber gegen Agitatoren sagen, ist fraglos wahr. Agitatoren sind Eindringlinge, die in eine vollkommen zufriedene Gesellschaftsschicht einbrechen und die Saat der Unzufriedenheit unter sie säen. Das ist der Grund, weshalb Agitatoren so absolut notwendig sind. Ohne sie gäbe es in unserem unvollkommenen Staat kein Fortschreiten zur Zivilisation hin. Die Sklaverei wurde in Amerika nicht etwa abgeschafft als Folge einer Bewegung unter den Sklaven selbst oder als Folge des leidenschaftlichen Verlangens der Sklaven nach Freiheit. Sie wurde beendet als Folge der ganz ungesetzlichen Aktionen der Agitatoren in Boston und anderen Orten, die selber weder Sklaven noch Sklavenhalter waren und mit der Frage an sich gar nichts zu tun hatten. Es sind ohne Zweifel die Abolitionisten gewesen, die die Fackel in Brand setzten, die das Ganze in Bewegung brachten. Und es ist seltsam genug, daß sie unter den Sklaven nicht nur sehr wenig Unterstützung, sondern kaum Sympathien fanden; als die Sklaven am Ende des Krieges die Freiheit gewonnen hatten, so vollständig gewonnen hatten, daß sie die Freiheit besaßen zu verhungern, da bedauerten viele ihre neue Lage bitterlich. Für den Denker ist nicht der Tod Marie Antoinettes, die sterben mußte, weil sie Königin war, das tragischste Ereignis der Französischen Revolution, sondern die freiwillige Erhebung der ausgehungerten Bauern in der Vendée, die für die häßliche Sache des Feudalismus starben.

Es ist also klar, daß der autoritäre Sozialismus zu nichts führt. Denn während unter dem gegenwärtigen System eine sehr große Zahl von Menschen ihrem Leben eine gewisse Fülle von Freiheit und Ausdruck und Glück zu verleihen vermag, würde unter einem industriellen Kasernensystem oder einem System der ökonomischen Tyrannei niemandem mehr eine solche Freiheit verbleiben. Es ist bedauerlich, daß ein Teil unserer Gemeinschaft tatsächlich in einem Zustand der Sklaverei dahinlebt, aber es wäre kindisch, das Problem dadurch lösen zu wollen, daß man die gesamte Gemeinschaft versklavt. Jedem muß die Freiheit belassen werden, seine Arbeit selbst zu wählen. Keinerlei Art von Zwang darf auf ihn ausgeübt werden. Sonst wird seine Arbeit weder für ihn selbst, weder an sich noch für andere von Nutzen sein. Und unter Arbeit verstehe ich einfach jede Art von Tätigkeit.

Ich glaube kaum, daß heute ein Sozialist ernsthaft vorschlagen würde, ein Inspektor solle jeden Morgen in jedem Hause vorsprechen, um zu überprüfen, ob jeder Bürger aufgestanden ist und sich an seine achtstündige Handarbeit begeben hat. Die Menschheit ist über dieses Stadium hinausgelangt und zwingt eine solche Lebensform nur denjenigen auf, die sie höchst willkürlich als Verbrecher zu bezeichnen pflegt. Doch ich gestehe,

daß viele sozialistische Anschauungen, denen ich begegnet bin, mir mit Vorstellungen von Autorität oder gar unmittelbarem Zwang vergiftet scheinen. Autorität und Zwang kommen selbstverständlich nicht in Betracht. Jeder Zusammenschluß muß völlig freiwillig vor sich gehen. Nur wenn er sich freiwillig zusammenschließt, bewahrt der Mensch seine Würde.
Aber man könnte fragen, wie der Individualismus, der jetzt mehr oder minder vom Bestehen des Privateigentums abhängt, um sich entwickeln zu können, aus der Aufhebung des Privateigentums Nutzen ziehen wird. Die Antwort ist sehr einfach. Es ist wahr, unter den bestehenden Umständen haben einige Männer, die über private Mittel verfügten, wie Byron, Shelley, Browning, Victor Hugo, Baudelaire und andere es vermocht, ihre Persönlichkeit mehr oder weniger vollkommen zu verwirklichen. Keiner von diesen Männern hat einen einzigen Tag seines Lebens um Lohn gearbeitet. Sie blieben von der Armut verschont. Sie hatten einen unerhörten Vorteil. Die Frage ist, ob es dem Individualismus zum Guten gereichte, wenn ein solcher Vorteil aufgehoben würde. Nehmen wir an, er sei aufgehoben. Was geschieht dann mit dem Individualismus? Welchen Nutzen wird er daraus ziehen?
Er wird folgenden Nutzen daraus schöpfen. Unter den neuen Bedingungen wird der Individualismus weit freier, weitaus würdiger und kraftvoller sein als jetzt. Ich spreche nicht von dem großen, in der Phantasie zur Verwirklichung gelangten Individualismus der Dichter, die ich soeben genannt habe, sondern von dem großen, tatsächlichen Individualismus, der in der Menschheit im allgemeinen verborgen und mittelbar wirksam wird. Denn die Anerkennung des Privateigentums hat dem Individualismus wirklich geschadet und ihn getrübt, indem sie den Menschen mit seinem Besitz gleichsetzt. Sie hat den Individualismus völlig irregeleitet. Sie hat bewirkt, daß Gewinn, nicht Wachstum sein Ziel wurde. So daß der Mensch meinte, das Wichtigste sei das Haben, und nicht wußte, daß es das Wichtigste ist, zu sein. Die wahre Vollendung des Menschen liegt nicht in dem, was er besitzt, sondern in dem, was er ist. Das Privateigentum hat den wahren Individualismus zerstört, und an seiner Stelle einen falschen Individualismus hervorgebracht. Es hat einen Teil der

Gemeinschaft durch Hunger von der Individualisierung ausgeschlossen. Es hat den anderen Teil der Gemeinschaft von der Individualisierung abgehalten, indem es ihn auf den falschen Weg geleitet und überlastet hat. In der Tat ist die Persönlichkeit des Menschen so ausschließlich von seinem Besitz absorbiert worden, daß das englische Recht Vergehen wider das Eigentum weit schärfer ahndet, als ein Vergehen wider die Person, und noch immer ist Eigentum unerläßlich für die Gewährung des vollen Bürgerrechts. Der Fleiß, der notwendig ist, um Geld zu machen, wirkt ebenfalls sehr demoralisierend. In einer Gemeinschaft wie der unsrigen, in der das Eigentum unbegrenzte Auszeichnung, gesellschaftliche Stellung, Ehre, Ansehen, Titel und andere angenehme Dinge dieser Art verleiht, setzt sich der von Natur aus ehrgeizige Mensch das Ziel, dieses Eigentum anzuhäufen, und er sammelt hartnäckig und mühevoll immer neue Schätze an, wenn er schon längst mehr erworben hat als er braucht oder verwenden oder genießen oder vielleicht sogar überschauen kann. Der Mensch bringt sich durch Überarbeitung um, damit er sein Eigentum sicherstellt, und bedenkt man die ungeheuren Vorteile, die das Eigentum bringt, so ist man kaum darüber verwundert. Es ist bedauerlich, daß die Gesellschaft auf einer solchen Grundlage aufgebaut ist, und der Mensch in eine Bahn gedrängt wird, wo er das Wunderbare, Faszinierende und Köstliche seiner Natur nicht frei zu entfalten vermag – wo er in der Tat das echte Vergnügen und die Freude am Leben entbehrt. Außerdem ist seine Lage unter den gegebenen Bedingungen sehr unsicher. Ein sehr reicher Kaufmann kann in jedem Augenblick seines Lebens – und er ist es häufig – von Dingen abhängig sein, die außerhalb seiner Kontrolle liegen. Weht der Wind ein wenig stärker, oder schlägt das Wetter plötzlich um, oder ereignet sich irgend etwas ganz Alltägliches, so wird sein Schiff vielleicht sinken, seine Spekulationen schlagen fehl, und er ist plötzlich ein armer Mann, seine gesellschaftliche Stellung ist ruiniert. Nichts sollte dem Menschen Schaden zufügen, es sei denn, er schade sich selbst. Überhaupt nichts sollte imstande sein, den Menschen zu berauben. Es gehört ihm nur das wirklich, was er in sich trägt. Alles übrige sollte für ihn ohne Belang sein.

Die Abschaffung des Privateigentums wird also den wahren,

schönen, gesunden Individualismus mit sich bringen. Niemand wird sein Leben mit der Anhäufung von Dingen und ihrer Symbole vergeuden. Man wird leben. Wirlich zu leben ist das Kostbarste auf der Welt. Die meisten Menschen existieren bloß, sonst nichts.

Es ist fraglich, ob wir jemals die volle Entfaltung einer Persönlichkeit erlebt haben, außer auf der imaginativen Ebene der Kunst. Im Bereich des Handelns haben wir sie nie kennengelernt. Cäsar, so sagt Mommsen, war der vollendete und vollkommene Mensch. Aber wie tragisch gefährdet war Cäsar. Wo immer ein Mann Autorität ausübt, dort gibt es einen, der sich der Autorität widersetzt. Cäsar war nahezu vollkommen, aber seine Vollkommenheit bewegte sich auf einer sehr gefährlichen Bahn. Mark Aurel war der vollkommene Mensch, sagt Renan. Gewiß, der große Kaiser war ein vollkommener Mensch. Aber wie unerträglich waren die unzähligen Anforderungen, die man an ihn stellte. Er trug schwer an der Last des Kaisertums. Er wußte, daß die Kraft eines Einzelnen nicht ausreichte, um das Gewicht dieses titanischen und allzu großen Weltreiches zu tragen. Was ich unter einem vollkommenen Menschen verstehe, ist jemand, der sich unter vollkommenen Bedingungen entwickelt; jemand, der nicht verwundet, getrieben oder gelähmt oder von Gefahren umringt ist. Die meisten Persönlichkeiten sind dazu gezwungen gewesen, Rebellen zu sein. Die Hälfte ihrer Kraft ist in Auseinandersetzungen vergeudet worden. Byrons Persönlichkeit zum Beispiel wurde furchtbar aufgerieben im Kampfe gegen die Dummheit, die Heuchelei und das Philistertum der Engländer. Solche Kämpfe steigern keinesfalls immer die Kraft; oftmals vergrößern sie nur die Schwäche. Byron hat uns niemals zu geben vermocht, was er uns hätte geben können. Shelley ist es besser ergangen. Wie Byron verließ er England so früh wie möglich. Aber er war weniger bekannt. Hätten die Engländer erkannt, was für ein großer Dichter er in Wirklichkeit war, sie wären mit Zähnen und Klauen über ihn hergefallen und hätten ihm das Leben nach Kräften vergällt. Er spielte jedoch keine wesentliche Rolle in der Gesellschaft, und folglich rettete er sich bis zu einem gewissen Grade vor ihr. Und trotzdem ist manchmal auch bei Shelley der Ausdruck der Empörung sehr heftig.

Der Ausdruck der vollkommenen Persönlichkeit ist nicht Empörung, sondern Ruhe.
Die wahre Persönlichkeit des Menschen wird wunderbar sein, wenn sie in Erscheinung tritt. Sie wird natürlich und einfach wachsen, wie eine Blume oder wie ein Baum wächst. Sie wird nicht zwiespältig sein. Sie wird nicht überreden wollen und nicht streiten. Sie wird nichts beweisen wollen. Sie wird alles wissen. Und doch wird sie sich nicht um das Wissen bemühen. Sie wird Weisheit besitzen. Ihr Wert wird nicht an materiellen Maßstäben gemessen werden. Sie wird nichts ihr eigen nennen. Und doch wird sie über alles verfügen, und was immer man ihr wegnimmt, wird sie nicht ärmer machen, so groß wird ihr Reichtum sein. Sie wird sich anderen nicht aufdrängen oder verlangen, wie sie selbst zu sein. Sie wird sie lieben, weil sie so verschieden sind. Und gerade weil sie sich nicht um die andern kümmert, wird sie allen helfen, wie etwas Schönes uns hilft, durch das, was es ist. Die Persönlichkeit des Menschen wird wundervoll sein. So wundervoll wie das Wesen eines Kindes.
In ihrer Entwicklung wird sie vom Christentum gefördert werden, wenn die Menschen danach verlangen; wenn sie es nicht wünschen, wird sie sich trotzdem entwickeln. Denn sie wird sich nicht länger um die Vergangenheit quälen, noch wird sie fragen, ob Ereignisse wirklich stattgefunden haben oder nicht. Und sie wird keine anderen Gesetze als die eigenen anerkennen; keine andere Autorität als die eigene. Doch wird sie jene lieben, die versucht haben, sie zu bereichern und ihrer oft gedenken. Und zu diesen gehört Christus.
»Erkenne dich selbst!« stand am Eingang der antiken Welt geschrieben. Über dem Eingang der neuen Welt wird geschrieben stehen »sei du selbst«. Und die Botschaft Christi an den Menschen lautete einfach »sei du selbst«. Dies ist das Geheimnis Christi.
Wenn Jesus von den Armen spricht, so meint er eigentlich Persönlichkeiten, und wenn er von den Reichen spricht, meint er eigentlich diejenigen, die ihre Persönlichkeit nicht entwickelt haben. Jesus lebte in einem Staat, der die Anhäufung von Privateigentum genauso gestattete, wie es heutzutage bei uns der Fall ist; und die Botschaft, die er predigte, war nicht etwa, daß es in

einer solchen Gesellschaft für den Menschen von Vorteil sei, sich von unbekömmlicher, kärglicher Speise zu nähren, zerlumpte, schmutzige Kleider zu tragen, in schrecklichen, ungesunden Wohnungen zu leben, oder daß es von Nachteil sei, wenn der Mensch unter gesunden, angenehmen und angemessenen Verhältnissen lebt. Eine solche Anschauung wäre zu seiner Zeit falsch gewesen, und sie wäre natürlich erst recht falsch im heutigen England; denn je weiter man nach Norden kommt, desto wichtiger werden die materiellen Lebensvoraussetzungen, und unsere Gesellschaft ist viel komplexer und weist viel schärfere Gegensätze von Luxus und Elend auf als irgendeine Gesellschaft der antiken Welt. Was Jesus dem Menschen sagen wollte, war einfach dies: »Deine Persönlichkeit ist etwas Wertvolles. Entwickle sie. Sei du selbst. Glaube nicht, daß du durch das Anhäufen oder den Besitz von materiellen Gütern deine Vollendung erlangst. In dir selbst liegt deine Vollendung. Wenn du das nur wahrhaben könntest, würdest du nicht nach Reichtum streben. Äußere Reichtümer können dem Menschen geraubt werden. Die echten Reichtümer nicht. In der Schatzkammer deiner Seele liegen unermeßliche Kostbarkeiten, die dir niemand wegnehmen kann. Und darum versuche dein Leben so einzurichten, daß Äußerlichkeiten dir nichts anhaben können. Und versuche auch, dich von deinem persönlichen Eigentum zu befreien. Es verursacht eine kleinliche Befangenheit, unendliche Mühsal, unaufhörlichen Ärger. Das persönliche Eigentum behindert den Individualismus auf Schritt und Tritt. Man sollte sich vor Augen halten, daß Jesus niemals davon spricht, daß die armen Leute notwendigerweise gut seien und die Reichen notwendigerweise schlecht. Das wäre nicht richtig gewesen. Die Reichen sind als Klasse besser als die Armen, sie sind sittlicher, geistiger, besser erzogen. Es gibt nur eine Gesellschaftsklasse, die mehr an das Geld denkt als die Reichen, und das sind die Armen. Die Armen können an nichts anderes denken. Darin liegt ihr Unglück. Jesus will sagen, daß der Mensch nicht durch das, was er hat, nicht einmal durch das, was er tut, sondern nur durch das, was er ist, zu seiner Vollendung gelangt. Und so wird der reiche Jüngling, der zu Jesus kommt, als ein untadeliger Bürger dargestellt, der kein Gesetz seines Staates gebrochen, keine Vorschrift seiner Religion verletzt hat. Er ist höchst achtbar in der gewöhnlichen Bedeutung dieses außergewöhnlichen Wortes. Jesus sagt zu ihm: »Du solltest dich deines Besitzes entledigen. Er hält dich von deiner Selbstverwirklichung ab. Er umstrickt dich wie ein Netz. Er ist eine Last. Deine Persönlichkeit bedarf seiner nicht. In dir und nicht außerhalb deiner selbst, wirst du finden, was du in Wirklichkeit bist und was du wirklich brauchst.« Zu seinen eigenen Freunden sagt er das gleiche. Er gibt ihnen den Rat, sie selbst zu sein. Und sich nicht immer mit anderen Dingen zu quälen. Was ist schon daran gelegen. Der Mensch ist in sich vollkommen. Wenn sie in die Welt hinausgehen, wird sich die Welt im Widerspruch zu ihnen befinden. Das ist unvermeidlich. Die Welt haßt den Individualismus. Aber das soll sie nicht bekümmern. Sie sollten gelassen in sich ruhen. Nimmt ihnen jemand den Mantel, so sollten sie ihm auch noch den Rock geben, nur um zu zeigen, daß materielle Dinge ohne Bedeutung sind. Wenn die Menschen sie schmähen, so sollten sie nichts entgegnen. Was bedeutet es schon. Was über einen Menschen gesagt wird, ändert ihn nicht. Er bleibt, was er ist. Die öffentliche Meinung ist von keinerlei Wert. Selbst wenn ihnen die Menschen mit offener Gewalt begegnen, sollen sie auf jede Gewalt verzichten. Das hieße, sich auf die gleiche niedrige Stufe zu begeben. Schließlich kann der Mensch auch im Gefängnis frei sein. Seine Seele kann frei sein. Seine Persönlichkeit kann unbehelligt bleiben. Er kann mit sich in Frieden sein. Und vor allen Dingen sollen sie sich nicht mit anderen Leuten einlassen und sich ein Urteil über sie anmaßen. Die Persönlichkeit ist etwas sehr Geheimnisvolles. Man kann einen Menschen nicht immer nach seinen Handlungen beurteilen. Er mag das Gesetz achten und doch schlecht sein. Er mag das Gesetz brechen und ist doch edel. Er ist vielleicht verdorben, ohne je etwas Böses getan zu haben. Er begeht vielleicht eine Sünde gegen die Gesellschaft und erreicht durch dieses Vergehen seine wahre Selbstvollendung.

Da war ein Weib, das hatte Ehebruch begangen. Die Geschichte ihrer Liebe wird uns nicht berichtet. Aber sie muß sehr groß gewesen sein; denn Jesus sagte, ihre Sünden seien ihr vergeben, nicht weil sie bereue, sondern weil ihre Liebe so stark und wundervoll sei. Später, kurze Zeit vor seinem Tod, als er bei einem

Mahle saß, trat das Weib ein und goß Wohlgerüche auf sein Haar. Seine Jünger versuchten, sie daran zu hindern und sagten, das sei Verschwendung, und das Geld für die Spezereien hätte besser für ein Werk der Barmherzigkeit an notleidenden Menschen oder ähnliche Zwecke aufgewendet werden sollen. Jesus stimmte dieser Anschauung nicht zu. Er betonte, daß die materiellen Bedürfnisse des Menschen groß und sehr beständig seien, aber die geistigen Bedürfnisse des Menschen seien noch größer, und eine Persönlichkeit könne in einem göttlichen Augenblick zu ihrer Vollkommenheit gelangen, indem sie die Form ihres Ausdrucks selber wähle. Die Welt verehrt dieses Weib noch heute als eine Heilige.

Ja, es liegt sehr viel Anziehendes im Individualismus. Der Sozialismus hebt zum Beispiel das Familienleben auf. Mit der Abschaffung des Privateigentums muß die Ehe in ihrer gegenwärtigen Form verschwinden. Das ist ein Teil des Programms. Der Individualismus nimmt diesen Grundsatz auf und verfeinert ihn. Er wandelt die Abschaffung gesetzlichen Zwanges in eine Form der Freiheit um, die der vollen Entfaltung der Persönlichkeit dient und die Liebe zwischen Mann und Frau wundervoller, schöner und freier machen wird. Jesus wußte dies. Er verwarf die Ansprüche des Familienlebens, obwohl sie zu seiner Zeit und in der damaligen Gesellschaft eine sehr ausgeprägte Rolle spielten. »Wer ist meine Mutter? Wer sind meine Brüder?« erwiderte er, als man ihm berichtete, daß sie mit ihm zu sprechen wünschten. Als einer seiner Jünger um die Erlaubnis bat, sich entfernen zu dürfen, um seinen Vater zu begraben, lautete seine furchtbare Antwort: »Laß die Toten die Toten begraben.« Er ließ keinen wie auch immer gearteten Anspruch gelten, der an die Persönlichkeit gestellt wurde.

Und darum führt nur der ein Leben im Sinne Christi, der ganz und gar er selbst bleibt. Er mag ein großer Dichter sein, oder ein großer Gelehrter, oder ein junger Universitätsstudent, oder einer, der die Schafe auf der Heide hütet; ein Dramendichter wie Shakespeare oder ein Gottesgrübler wie Spinoza; oder ein Kind, das im Garten spielt, oder ein Fischer, der sein Netz ins Meer wirft. Es kommt nicht darauf an, was er ist, solange er alle Möglichkeiten seiner Seele zur Entfaltung bringt. Alle Nachahmung in Dingen der Moral und im Leben ist von Übel. Durch die Straßen von Jerusalem schleppt sich in unseren Tagen ein Wahnsinniger, der ein hölzernes Kreuz auf den Schultern trägt. Er ist ein Symbol aller Menschenleben, die durch Nachahmung zerstört sind. Vater Damien handelte im Sinne Christi, als er auszog, mit den Leprakranken zu leben, denn durch diesen Dienst brachte er das Beste in sich zur Vollendung. Doch war er Christus nicht näher als Wagner, als dieser seine Seele in der Musik verwirklichte; oder als Shelley, der seine Seele im Gesang vollendete. Die Seele des Menschen ist nicht an eine Erscheinungsform gebunden. Es gibt so viele Möglichkeiten der Vollkommenheit, wie es unvollkommene Menschen gibt. Und während man sich den Ansprüchen der Wohltätigkeit unterwerfen und doch freibleiben kann, so bleibt niemand frei, der sich mit den Ansprüchen des Konformismus einläßt.

Den Individualismus sollen wir also durch Sozialismus erlangen. Der Staat muß infolgedessen jede Absicht zu herrschen aufgeben. Er muß sie aufgeben, weil man zwar, wie ein Weiser einmal viele Jahrhunderte vor Christus sagte, die Menschheit sich selbst überlassen kann; aber die Menschheit regieren, das kann man nicht. Alle Arten des Regierens erweisen sich als Mißgriff. Der Despotismus ist ungerecht gegen alle, auch gegen den Despoten, der vielleicht zu etwas Besserem bestimmt war. Oligarchien sind ungerecht gegen die vielen, und Ochlokratien sind ungerecht gegen die wenigen. Einmal hat man große Hoffnungen in die Demokratie gesetzt; aber Demokratie ist nichts anderes als das Niederknüppeln des Volkes durch das Volk für das Volk. Das ist erwiesen. Ich muß sagen, es war höchste Zeit. Denn jede Autorität erniedrigt. Sie erniedrigt gleichermaßen Herrscher und Beherrschte. Wird sie gewalttätig, brutal und grausam ausgeübt, so ruft sie eine positive Wirkung hervor, indem sie den Geist der Revolte und den Individualismus anstachelt, der sie vernichten soll. Wird sie mit einer gewissen Großzügigkeit ausgeübt und werden Preise und Belohnungen vergeben, so ist ihre Wirkung furchtbar demoralisierend. In diesem Fall werden sich die Menschen des furchtbaren Druckes, der auf ihnen lastet, weniger bewußt und gehen in einer Art von vulgärem Wohlbehagen durch das Leben wie zahme Haustiere, ohne jemals zu erkennen, daß

sie wahrscheinlich die Gedanken anderer Menschen denken, nach den Normen anderer Menschen leben, daß sie gewissermaßen nur die abgelegten Kleider der anderen tragen und niemals, auch nicht einen Augenblick lang, sie selbst sind. »Wer frei sein will«, sagt ein kluger Kopf, »darf sich nicht anpassen.« Und die Autorität, die den Menschen zum Konformismus verleitet, bewirkt unter uns eine sehr grobe Form der übersättigten Barbarei.
Mit der Autorität wird auch die Strafe verschwinden. Das wird ein großer Gewinn sein – in der Tat ein Gewinn von unschätzbarem Wert. Liest man die Geschichte, aber nicht in den bereinigten Ausgaben für Schüler und Examenskandidaten, sondern in den Originalwerken der Zeit, so ist man angewidert, nicht von den Verbrechen, die die Bösen begangen, sondern von den Strafen, die die Guten verhängt haben; und eine Gesellschaft verroht viel mehr durch die gewohnheitsmäßige Anwendung von Strafen als durch das gelegentliche Vorkommen von Verbrechen. Es ist erwiesen, daß, desto mehr Verbrechen geschehen, je mehr Strafen verhängt werden, und die meisten modernen Gesetzgeber haben das deutlich erkannt, und es sich zur Aufgabe gemacht, die Bestrafung auf ein Minimum zu beschränken. Überall dort, wo die Strafen wirklich vermindert wurden, waren die Ergebnisse außerordentlich günstig. Je weniger Strafen, desto weniger Verbrechen. Wenn es überhaupt keine Bestrafung mehr geben wird, wird das Verbrechen entweder aufhören zu existieren, oder wenn es vorkommt, wird es von den Ärzten als eine sehr quälende Form von Dementia behandelt werden, die durch sorgfältige und liebevolle Pflege zu heilen ist. Diejenigen, die man heutzutage Verbrecher nennt, sind keine Verbrecher. Der Hunger, nicht die Sünde, sind in unserer Zeit die Ursache des Verbrechens. Darum sind unsere Verbrecher, als Klasse, vom psychologischen Standpunkt aus völlig uninteressant. Sie sind keine erstaunlichen Charaktere wie Macbeth oder schrecklich wie Vautrin. Sie sind nur, was die gewöhnlichen achtbaren Spießbürger wären, wenn sie nicht genug zu essen hätten. Mit der Abschaffung des Privateigentums wird die Grundlage des Verbrechens wegfallen, es wird nicht mehr nötig sein; es wird aufhören zu existieren. Natürlich sind nicht alle Verbrechen Vergehen gegen das Eigentum, obwohl das englische Gesetz diese Verbrechen am härtesten be-

straft, da es das, was einer besitzt, höher bewertet als das, was einer ist (ausgenommen den Mord, wenn wir davon ausgehen, daß der Tod schlimmer sei als das Zuchthaus, eine Anschauung, der unsere Verbrecher wahrscheinlich nicht zustimmen werden). Aber auch Verbrechen, die nicht gegen das Eigentum gerichtet sind, entspringen dem Elend, der Wut, der Erniedrigung, die allesamt unserem verfehlten System der Eigentumsverteilung geschuldet sind, und die verschwinden müssen, wenn dieses System abgeschafft ist. Wenn jedes Mitglied der Gesellschaft seine Bedürfnisse stillen kann und kein anderer es daran hindert, wer sollte dann ein Interesse verspüren, seine Mitmenschen zu behelligen? Die Eifersucht, ein starker Antrieb zum Verbrechen in unserer Zeit, ist eine Empfindung, die mit unserem Begriff von Eigentum aufs engste verknüpft ist und unter dem Sozialismus und Individualismus aussterben wird. Es ist bezeichnend, daß bei kommunistisch organisierten Stämmen die Eifersucht völlig unbekannt ist.

Nun, da der Staat nicht regieren soll, erhebt sich die Frage, welche Aufgabe ihm eigentlich zukommt. Der Staat soll ein unabhängiger Erzeuger und Verteiler lebensnotwendiger Waren sein. Sache des Staates ist es, das Nützliche zu schaffen. Sache des Individuums ist es, das Schöne hervorzubringen. Und da ich das Wort Arbeit ausgesprochen habe, möchte ich darauf hinweisen, wieviel Törichtes heutzutage über die Würde der Handarbeit geschrieben und gesagt wird. Handarbeit ist durchaus nicht etwas, das Würde verleiht, zumeist ist sie absolut erniedrigend. Irgend etwas zu tun, das man ohne Freude ausführt, ist geistig und moralisch verwerflich, und viele Arbeiten sind völlig freudlose Tätigkeiten und sollten auch als solche betrachtet werden. Eine schmutzige Straßenkreuzung während acht Stunden des Tages bei scharfem Ostwind zu fegen, ist eine widerliche Beschäftigung. Sie mit geistiger, moralischer oder körperlicher Würde zu fegen, scheint mir unmöglich. Sie mit Freude zu fegen, erscheint mir geradezu ungeheuerlich. Der Mensch ist für Besseres geschaffen, als Dreck aufzuwirbeln. Alle diese Arbeiten sollte eine Maschine ausführen.

Ich zweifle nicht, daß das einmal der Fall sein wird. Bislang ist der Mensch in gewissem Sinne der Sklave der Maschine gewesen, und es liegt etwas Tragisches in der Tatsache, daß er zu hungern begann, sobald er Maschinen erfand, die seine Arbeit verrichteten. Dies ist jedoch nur das Ergebnis unserer Eigentumsordnung und unseres Wettbewerbssystems. Ein Einzelner ist Eigentümer einer Maschine, die die Arbeit von fünfhundert Menschen leistet. Dadurch sind fünfhundert Menschen arbeitslos, und weil sie keine Beschäftigung haben, fallen sie dem Hunger und dem Diebstahl anheim. Der Einzelne sichert sich das Produkt der Maschine und behält es und besitzt fünfhundertmal mehr, als er besitzen sollte, und wahrscheinlich, dies ist von noch größerer Bedeutung, sehr viel mehr, als er wirklich begehrt. Wäre diese Maschine das Eigentum aller, so würde jedermann Nutzen daraus ziehen. Das wäre für die Gesellschaft von unermeßlichem Vorteil. Jede mechanische Arbeit, jede einförmige, stumpfsinnige Arbeit, jede Arbeit, die aus schrecklichen Verrichtungen besteht und unter unwürdigen Bedingungen ausgeführt wird, muß von Maschinen geleistet werden. Die Maschine soll für uns in den Kohlenbergwerken arbeiten und alle sanitären Dienstleistungen übernehmen, sie soll die Dampfer heizen, die Straßen säubern und bei schlechtem Wetter Botendienste ausführen und überhaupt alles tun, was langweilig und unangenehm ist. Gegenwärtig konkurriert die Maschine mit dem Menschen. Unter den richtigen Verhältnissen wird die Maschine dem Menschen dienen. Dies ist ohne Zweifel die Zukunft der Maschine; und so wie die Bäume wachsen, während der Landwirt schläft, so wird die Menschheit sich vergnügen oder sich der geistvollen Muße hingeben – denn Muße, nicht Arbeit ist das Ziel des Menschen –, oder sie wird schöne Dinge hervorbringen, oder schöne Dinge lesen, oder einfach die Welt mit Bewunderung und Entzücken betrachten, während die Maschine die notwendige, unangenehme Arbeit verrichtet. Es ist eine Tatsache, daß die Zivilisation Sklaven erfordert. Darin hatten die Griechen ganz recht. Wenn nicht Sklaven die häßliche, unangenehme, uninteressante Arbeit ausführen, werden Kultur und Kontemplation beinah unmöglich sein. Menschliche Sklavenarbeit ist unrecht, inkonstant und demoralisierend. Von der Sklavenarbeit der Maschine, dem mechanischen Sklaventum, hängt die Zukunft der Welt ab. Und wenn Männer der Wissenschaft nicht mehr genötigt sein werden, in so deprimierende

Gegenden wie East End zu gehen und schlechten Kakao und noch schlechtere Wolldecken an hungernde Menschen zu verteilen, werden sie die erquickliche Muße finden, schöne und ungewöhnliche Dinge zu ihrer eigenen Freude und zur Freude der ganzen Welt zu erfinden. Für jede Stadt wird man große Kraftereservoires errichten, und wenn es nötig sein sollte, auch für jedes Haus, und diese Kräfte wird der Mensch in Wärme, Licht oder Bewegung umwandeln, je nach den Lebensnotwendigkeiten. Ist das utopisch? Eine Weltkarte, die das Land Utopia nicht enthielte, wäre nicht wert, daß man einen Blick darauf wirft, denn auf ihr fehlte das einzige Land, in dem die Menschheit immer landet. Und wenn die Menschheit dort gelandet ist, hält sie wieder Ausschau, und sieht sie ein schöneres Land vor sich, setzt sie die Segel. Fortschritt ist die Verwirklichung von Utopien.
Ich habe also ausgeführt, daß die Gesellschaft durch die Organisation des Maschinenwesens die lebensnotwendigen Dinge herstellen wird, und daß die schönen Dinge vom Individuum geschaffen werden. Das ist nicht nur unerläßlich, es ist der einzig mögliche Weg, auf dem wir beides zu erlangen vermögen. Ein Mensch, der für die Bedürfnisse anderer arbeitet und dabei ihre Ansprüche und Sehnsüchte berücksichtigen muß, wird seine Arbeit nicht mit Interesse durchführen und kann infolgedessen nicht das Beste in sein Werk legen. Wenn andererseits eine Gemeinschaft oder eine starke Minderheit dieser Gemeinschaft oder jedwede Regierung versucht, dem Künstler Vorschriften zu machen, so wird die Kunst aus seinem Werk vollkommen verschwinden, oder sie nimmt stereotype Formen an, oder sie degeneriert zu einer niedrigen, unedlen Form des Handwerks. Ein Kunstwerk ist das unverwechselbare Ergebnis eines unverwechselbaren Temperaments. Seine Schönheit beruht auf der Tatsache, daß der Schöpfer ist, was er ist. Es hat nicht das mindeste damit zu tun, daß andere Menschen ganz andere Bedürfnisse haben. In der Tat, sobald der Künstler auf die Bedürfnisse der anderen zu achten beginnt und ihre Forderungen zu befriedigen sucht, hört er auf, Künstler zu sein und wird ein alberner oder amüsanter Handwerker, ein redlicher oder ein unredlicher Händler. Seinen Anspruch, als Künstler zu gelten, hat er verwirkt. Die Kunst ist die intensivste Form des Individualismus, die die Welt kennt.

Ich bin versucht zu sagen, daß sie die einzige, wirkliche Form des Individualismus ist, die die Welt je kannte. Das Verbrechen, von dem man meinen könnte, es habe unter gewissen Bedingungen den Individualismus hervorgebracht, muß mit anderen Menschen rechnen und sie in seine Handlungen einbeziehen. Es gehört dem Bereich des Handelns an. Der Künstler aber kann allein, ohne Rücksicht auf seine Mitmenschen, ohne ihr Dazwischentreten, etwas Schönes gestalten; und wenn er nicht einzig zu seiner eigenen Freude arbeitet, ist er überhaupt kein Künstler.

Wir sollten uns die Tatsache vor Augen halten, daß es gerade diese gesteigerte Form des Individualismus ist, die die Öffentlichkeit zu dem Versuch anstachelt, über die Kunst eine ebenso unmoralische wie lächerliche und ebenso korrumpierende wie verächtliche Autorität zu üben. Das ist nicht allein ihre Schuld. Das Publikum ist immer und zu jeder Zeit schlecht erzogen gewesen. Es hat immer von der Kunst verlangt, daß sie volkstümlich sei, daß sie seiner Geschmacksvorstellung entspreche, daß sie seiner absurden Eitelkeit schmeichle und wiederkäut, was längst bekannt ist, ihm vorführt, wessen es längst müde sein sollte, es unterhält, wenn es sich nach dem üppigen Mahle beschwert fühlt, und es zerstreut, wenn es seiner eigenen Dummheit überdrüssig ist. Die Kunst sollte aber niemals versuchen, volkstümlich zu sein. Das Publikum sollte vielmehr versuchen, künstlerisch zu empfinden. Das ist ein sehr großer Unterschied. Wenn man einem Mann der Wissenschaft sagen würde, die Ergebnisse seiner Forschungen, die Schlußfolgerungen, zu denen er gelangt ist, müßten dergestalt sein, daß sie mit der gängigen Meinung des Publikums übereinstimmen, seine Vorurteile nicht stören oder die Gefühle von Leuten nicht verletzen, die nichts von der Wissenschaft verstehen; wenn man einem Philosophen zugestehen würde, daß er in den höchsten Gedankensphären spekuliert, vorausgesetzt, daß er zu denselben Schlußfolgerungen gelangt wie jene, die niemals in irgendeiner Sphäre nachgedacht haben, nun, der Mann der Wissenschaft und der Philosoph wären heutzutage darüber regelrecht erheitert. Und doch ist es nur wenige Jahre her, seit Philosophie und Wissenschaft einer brutalen, öffentlichen Kontrolle unterworfen waren – genauer gesagt der Autorität der allgemeinen Unwissenheit der Gesellschaft oder dem

Terror und der Machtgier einer geistlichen oder regierenden Klasse. Natürlich sind wir jetzt in sehr großem Maße von jedem durch die Gesellschaft, die Kirche oder die Regierung geübten Versuch befreit, sich in den Individualismus des spekulativen Denkens einzumischen, aber der Versuch, sich in den Individualismus der schöpferischen Kunst einzumischen, dauert an. Ja, weit schlimmer; er ist aggressiv, beleidigend und brutal.

In England sind die Künste am wenigsten behelligt worden, für die sich das Publikum nicht interessiert. Die Dichtkunst ist ein Beispiel dafür. Wir konnten in England eine wundervolle Dichtkunst hervorbringen, weil das Publikum Dichtungen nicht liest und infolgedessen keinen Einfluß darauf nimmt. Das Publikum gefällt sich darin, die Dichter für ihre Individualität zu schmähen, aber nachdem es sie geschmäht hat, läßt es sie in Frieden. Was den Roman und das Drama betrifft, Kunstformen, an denen das Publikum anteil nimmt, ist das Ergebnis der vom Volk geübten Autorität absolut lächerlich gewesen. Kein Land bringt so schlecht geschriebene Romane, eine so langweilige, gewöhnliche Art der erzählenden Prosa, so platte vulgäre Theaterstücke hervor wie England. Das ist nicht verwunderlich. Das Niveau des Volkstümlichen ist so geartet, daß kein Künstler es erreichen kann. Es ist zu leicht und zu schwer zugleich, ein populärer Romanschriftsteller zu sein. Es ist zu leicht, weil die Anforderungen des Publikums an die Handlung, den Stil und die Psychologie, an die Behandlung des Lebens und die Behandlung der Literatur, auch von der allergeringsten Begabung und dem allergewöhnlichsten Geist erfüllt werden können. Es ist zu schwer, weil der Künstler, um solchen Wünschen zu genügen, seinem Temperament Gewalt antun müßte, er könnte nicht mehr aus der artistischen Freude am Schreiben arbeiten, sondern nur zur Zerstreuung halbgebildeter Leute und müßte so seinen Individualismus unterdrücken, seine Kultur vergessen, seinen Stil zerstören und alles Wertvolle in sich aufgeben. Im Drama liegen die Dinge etwas günstiger: das Theaterpublikum liebt das Sinnfällige, aber das Langweilige mag es nicht; und Burleske und Farce, diese beiden volkstümlichen Gattungen sind echte Kunstformen. Mit den Mitteln der Burleske und der Farce können sehr schöne Werke entstehen. Bei Werken dieser Art genießt der

Künstler in England sehr große Freiheit. Erst in den höheren Formen des Dramas wirkt sich die Kontrolle des Publikums aus. Es gibt nichts, was das Publikum so verabscheut wie Neuheit. Jeder Versuch, den Themenkreis der Kunst zu erweitern, ist dem Publikum äußerst verhaßt; und doch beruhen die Lebensfähigkeit und die Entwicklung der Kunst in weitem Maße auf einer ununterbrochenen Ausdehnung des Themenkreises. Das Publikum verabscheut das Neue, weil es sich davor fürchtet. Das Publikum sieht darin eine Form des Individualismus, eine Betonung von seiten des Künstlers, daß er sich seinen eigenen Stoff wählt und ihn nach seiner Vorstellung behandelt. Das Publikum hat ganz recht mit seiner Haltung. Kunst ist Individualismus, und Individualismus ist eine aufrührerische, disintegrierende Macht. Darin liegt sein unschätzbarer Wert. Denn was der Individualismus aufzustören versucht, das ist die Eintönigkeit des Typischen, die Sklaverei des Hergebrachten, die Tyrannis der Gewohnheit, die Herabsetzung des Menschen auf das Niveau einer Maschine. In der Kunst läßt das Publikum das Vergangene gelten, weil es nicht mehr zu ändern ist, und keinesfalls weil man es schätzt. Es verschluckt seine Klassiker im Ganzen, ohne jemals auf den Geschmack zu kommen. Es läßt sie als etwas Unvermeidliches über sich ergehen, und da es sie nicht verderben kann, schwätzt es über sie. Seltsamerweise oder auch nicht, je nach dem Standpunkt, richtet dieses Hinnehmen der Klassiker sehr viel Schaden an. Die unkritische Bewunderung für die Bibel und Shakespeare in England sind Beispiele dafür. Was die Bibel betrifft, kommen noch Erwägungen über die kirchliche Autorität hinzu, so daß ich bei diesem Punkt nicht zu verweilen brauche.

Im Falle Shakespeares ist es ganz deutlich, daß das Publikum weder die Schönheiten noch die Mängel seiner Stücke erkennt. Würden die Leute seine Schönheit erkennen, könnten sie sich nicht gegen die Entwicklung des Dramas sperren; und würden sie seine Mängel erkennen, so könnten sie sich gleichfalls nicht gegen die Entwicklung des Dramas sperren. In der Tat benutzen die Leute die Klassiker eines Landes als Mittel, um die Entwicklung der Kunst aufzuhalten. Sie degradieren die Klassiker zu Autoritäten. Sie benutzen sie als Knüppel, um den freien Ausdruck der Schönheit in neuen Formen zu verhindern. Sie fragen den Schriftsteller immer, warum er nicht schreibt wie irgendein anderer, oder den Maler, warum er nicht wie ein anderer malt, wobei sie vergessen, daß jeder von ihnen, wenn er etwas Derartiges versuchte, aufhören würde Künstler zu sein. Eine neue Art der Schönheit ist ihnen absolut verhaßt, und sooft sie ihr begegnen, geraten sie in solche Wut und Verwirrung, daß sie stets zwei törichte Ausdrücke bereit haben – den einen, daß das Kunstwerk ganz und gar unverständlich, den andern, daß das Kunstwerk ganz und gar amoralisch sei. Sie scheinen damit folgendes ausdrücken zu wollen. Wenn sie sagen, ein Werk sei völlig unverständlich, so meinen sie damit, der Künstler habe etwas Schönes geschaffen, das neu ist; wenn sie ein Werk als ganz und gar amoralisch bezeichnen, so meinen sie damit, der Künstler hat etwas Schönes gesagt oder geschaffen, das wahr ist. Die erste Bezeichnung gilt dem Stil; die zweite dem Stoff. Aber wahrscheinlich bedienen sie sich dieser Worte in einem sehr ungenauen Sinne, wie sich der Mob fertiger Pflastersteine bedient. Beispielsweise gibt es keinen einzigen wirklichen Dichter oder Prosaschriftsteller in diesem Jahrhundert, dem das britische Publikum nicht feierlich das Diplom der Amoral verliehen hätte, und diese Diplome treten bei uns praktisch an die Stelle einer formalen Aufnahme in eine Dichterakademie, wie in Frankreich, und machen erfreulicherweise eine solche Einrichtung in England ganz überflüssig. Natürlich geht das Publikum sehr bedenkenlos mit diesem Wort um. Daß es Wordsworth einen amoralischen Dichter nennen würde, war zu erwarten. Wordsworth war ein Dichter; aber daß es Charles Kingsley einen amoralischen Romanschriftsteller nennen würde, ist erstaunlich. Kingsleys Prosa ist nicht besonders schön. Aber sie haben nun einmal diesen Begriff und wenden ihn an, so gut sie können. Der Künstler läßt sich natürlich nicht davon beirren. Ein wirklicher Künstler glaubt an sich, weil er ganz und gar er selbst ist. Doch kann ich mir vorstellen, daß ein Künstler in England, der ein Kunstwerk hervorbrächte, das sogleich bei seinem Erscheinen vom Publikum durch dessen Medium, die öffentliche Presse, als ein ganz verständliches und höchst moralisches Werk anerkannt wird, anfangen würde ernsthaft zu zweifeln, ob er sich in seiner Schöpfung wirklich selbst ausgedrückt habe, und ob darum dieses Werk seiner nicht ganz unwürdig und entweder absolut zweitrangig sei oder überhaupt keinen künstlerischen Wert besäße.

Vielleicht habe ich jedoch dem Publikum unrecht getan, wenn ich es auf die Worte »amoralisch«, »unverständlich« »exotisch« und »ungesund« beschränke. Es gibt noch ein anderes Wort, das man gern gebraucht, es ist das Wort »morbid«. Man gebraucht es nicht allzu häufig. Die Bedeutung des Wortes ist so einfach, daß man es nur zögernd anwendet. Und doch wird es manchmal benützt, und hin und wieder begegnet man ihm in weitverbreiteten Zeitungen. Selbstverständlich wirkt das Wort, auf ein Kunstwerk angewandt, lächerlich. Denn ist Krankhaftigkeit etwas anderes als eine Gefühlsstimmung oder ein Gedankenzustand, den man nicht auszudrücken vermag? Das Publikum ist durch und durch krankhaft, denn das Publikum findet für nichts einen Ausdruck. Der Künstler ist niemals krankhaft. Er drückt alles aus. Er steht außerhalb seines Gegenstandes und bringt durch ihn unvergleichliche und künstlerische Wirkungen hervor. Einen Künstler morbide zu nennen, weil er sich die Krankhaftigkeit zum Thema nimmt, ist so albern, wie wenn man Shakespeare wahnsinnig nennen würde, weil er den König Lear geschrieben hat.

Im ganzen gewinnt ein Künstler in England dadurch, daß er angegriffen wird. Seine Individualität wird gesteigert. Er wird mehr er selbst. Freilich sind die Angriffe sehr massiv, sehr unverschämt und sehr verächtlich. Aber schließlich erwartet kein Künstler Anmut von einer niedrigen Gesinnung oder Stil von einer Vorstadtintelligenz. Vulgarität und Dummheit sind zwei äußerst lebendige Tatsachen im Leben von heute. Man bedauert das natürlich. Aber sie sind nun einmal da. Sie sind Studienobjekte, wie alles andere auch. Und der Gerechtigkeit halber muß man anerkennen, daß die modernen Journalisten sich stets, wenn man ihnen privat begegnet, dafür entschuldigen, was sie öffentlich gegen einen geschrieben haben.

Es sei vielleicht erwähnt, daß der sehr begrenzte Wortschatz, der dem Publikum im Bereich der Kunstschmähungen zur Verfügung steht, in den letzten Jahren um zwei neue Adjektive bereichert wurde. Das eine Wort ist »ungesund«, das andere »exotisch«. Das zweite Wort drückt nichts als die Wut des kurzlebigen Pilzes gegen die unsterbliche, zauberhafte, unvergleichlich schöne Orchidee aus. Es ist eine Achtungsbezeugung, aber eine Achtungsbezeugung ohne Bedeutung. Das Wort »ungesund« jedoch läßt eine Analyse zu. Es ist ein ziemlich aufschlußreiches Wort. Es ist wirklich so aufschlußreich, daß die Leute, die es gebrauchen, seinen Sinn nicht verstehen.

Was bedeutet es? Was ist ein gesundes oder ein ungesundes Kunstwerk? Alle Begriffe, die man auf ein Kunstwerk anwendet, vorausgesetzt, daß man sie vernünftig anwendet, beziehen sich auf seinen Stil oder seinen Stoff oder auf beides. Was den Stil betrifft, so ist jenes ein gesundes Kunstwerk, dessen Stil der Schönheit des angewandten Materials gerecht wird, mag dieses Material aus Worten oder aus Bronze, aus Farbe oder Elfenbein bestehen, und das diese Schönheit als Element der ästhetischen Wirkung benutzt. Was den Stoff betrifft, so ist ein gesundes Kunstwerk jenes, dessen Wahl des Stoffes vom Temperament des Künstlers bestimmt wird und unmittelbar daraus hervorgeht. Mit einem Wort, ein gesundes Kunstwerk ist dasjenige, das Vollkommenheit und Persönlichkeit in sich vereinigt. Natürlich können Form und Inhalt in einem Kunstwerk nicht getrennt werden; sie bilden immer eine Einheit. Aber zum Zwecke der Analyse verzichten wir einen Augenblick lang auf die Ganzheit des ästhetischen Eindrucks und trennen die beiden Begriffe. Dagegen handelt es sich um ein ungesundes Kunstwerk, wenn dessen Stil platt, altmodisch und gewöhnlich ist, und dessen Stoff mit Vorbedacht gewählt wurde, nicht weil der Künstler irgendwelche Freude daran findet, sondern weil er denkt, daß ihn das Publikum dafür bezahlen wird. In der Tat ist der volkstümliche Roman, den das Publikum gesund nennt, immer ein äußerst ungesundes Gebilde; und was das Publikum als ungesunden Roman bezeichnet, ist immer ein schönes und gesundes Kunstwerk.

Ich brauche kaum zu betonen, daß ich keinen Augenblick lang den Mißbrauch dieser Worte durch das Publikum und die öffentliche Presse bedaure. Ich wüßte nicht, wie sie bei ihrem Mangel an Einsicht in das Wesen der Kunst die Worte in ihrem richtigen Sinn anwenden könnten. Ich stelle lediglich den Mißbrauch fest; und die Erklärung für den Ursprung des Mißbrauchs und die ihm zugrunde liegende Bedeutung ist sehr einfach. Er wurzelt in der barbarischen Konzeption der Autorität. Er rührt her von dem natürlichen Unvermögen einer durch die Autorität verdorbenen Gesellschaft, den Individualismus zu verstehen oder zu würdigen. Mit einem Wort, es rührt von dem monströsen und unwissenden Wesen her, das man die öffentliche Meinung nennt, die schlimm und wohlmeinend ist, wenn sie das Handeln zu kontrollieren versucht, die infam und übelmeinend wird, wenn sie versucht, das Denken oder die Kunst zu kontrollieren.

In der Tat, es läßt sich zugunsten der physischen Kraft der Öffentlichkeit viel mehr vorbringen als zugunsten ihrer Meinung. Jene mag schön sein. Diese aber ist unweigerlich absurd. Man behauptet oft, Kraft sei kein Argument. Das hängt jedoch vollkommen davon ab, was man beweisen will. Viele von den wichtigsten Problemen der letzten Jahrhunderte, wie beispielsweise die Fortdauer der persönlichen Herrschaft in England oder des Feudalismus in Frankreich sind ausschließlich mit Hilfe physischer Kraft gelöst worden. Gerade die Gewalttätigkeit einer Revolution kann das Volk für einen Augenblick groß und herrlich erscheinen lassen. Es war eine böse Stunde, als das Volk entdeckte, daß die Feder mächtiger ist als der Pflasterstein und eine wirksamere Waffe als der Ziegel. Sogleich suchte man sich den Journalisten, fand ihn, erzog ihn und machte ihn zu seinem gut bezahlten Sklaven. Das ist beiden Teilen zum Nachteil geraten. Hinter der Barrikade mag vieles Vornehme und Heroische stehen. Aber was steht hinter einem Leitartikel anderes als Vorurteil, Dummheit, Verblasenheit und Geschwätz? Und wenn diese vier zusammentreffen, bilden sie eine furchtbare Kraft und konstituieren die neue Autorität.

In früheren Zeiten bediente man sich der Folter. Heutzutage bedient man sich der Presse. Das ist gewiß ein Fortschritt. Aber es ist noch immer schlimm genug und unrecht und demoralisierend. Jemand – war es Burke? – nannte den Journalismus den vierten Stand. Das war seinerzeit zweifellos richtig. Gegenwärtig ist er jedoch wirklich der einzige Stand. Er hat die drei anderen geschluckt. Die weltlichen Herren sagen nichts, die geistlichen Herren haben nichts zu sagen, und das Unterhaus hat nichts zu sagen und sagt trotzdem etwas. Wir werden vom Journalismus beherrscht. In Amerika regiert der Präsident vier Jahre, und der

Journalismus herrscht unbegrenzt. Zum Glück hat der Journalismus in Amerika seine Autorität ins plumpeste und brutalste Extrem getrieben. Als natürliche Folge hat er den Geist der Empörung hervorgerufen. Man macht sich über ihn lustig oder ist angeekelt, je nach Temperament. Aber er hat nicht mehr die Wirksamkeit, die er früher besaß. Er wird nicht ernst genommen. In England, wo der Journalismus mit Ausnahmen einiger bekannter Fälle in ähnliche Exzesse der Brutalität verfiel, bildet er immer noch einen wichtigen Faktor, eine echte, nicht zu unterschätzende Macht. Die Anmaßung, mit der er seine Tyrannis über das Privatleben der Leute ausübt, erscheint mir ganz außerordentlich. Wahr ist, daß das Publikum von unstillbarer Neugier erfüllt ist, alles zu wissen, außer dem, was wirklich wissenswert ist. Der Journalismus, dessen bewußt, erfüllt in seinem wachen Geschäftssinn dieses Verlangen. In früheren Jahrhunderten nagelte man die Ohren der Journalisten an Pumpen. Das war sehr grausam. In diesem Jahrhundert haben die Journalisten ihre eigenen Ohren an die Schlüssellöcher genagelt. Das ist weit schlimmer. Und was noch ärger ist, die Journalisten, die den schwersten Tadel verdienen, sind nicht etwa die unterhaltenden Zeitungsschreiber, die für die sogenannten Gesellschaftsblätter schreiben. Das Unheil wird von den seriösen, nachdenklichen, würdigen Journalisten angerichtet, die heutzutage feierlich irgendein Ereignis aus dem Privatleben eines bedeutenden Staatsmannes vor die Augen der Öffentlichkeit zerren; eines Mannes, der Führer einer politischen Gedankenrichtung ist und somit politische Macht begründet; das Publikum wird eingeladen, den Vorfall zu diskutieren, sich ein Urteil darüber anzumaßen, seine Meinung darüber abzugeben und nicht nur seine Meinung abzugeben, sondern diese auch noch zu verwirklichen, dem Mann in allen anderen Punkten Vorschriften zu machen, seiner Partei Vorschriften zu machen, seinem Lande Vorschriften zu machen; kurz gesagt, sich als lächerlich, beleidigend und schädlich zu erweisen. Über das Privatleben eines Mannes oder einer Frau sollte das Publikum nichts erfahren. Das Publikum hat überhaupt nichts damit zu tun.

In Frankreich verhält man sich solchen Dingen gegenüber klüger. Dort gestattet man nicht, daß Einzelheiten aus Ehescheidungsprozessen veröffentlicht und dem Publikum zur Unterhaltung und Kritik vorgelegt werden. Das Publikum erfährt nur, daß die Scheidung ausgesprochen wurde und auf Verlangen des einen oder anderen Ehepartners eingereicht war. In Frankreich sind dem Journalisten Grenzen gesetzt, dafür gewährt man dem Künstler nahezu absolute Freiheit. Hier gewähren wir dem Journalisten absolute Freiheit und beschränken den Künstler ganz und gar. Die öffentliche Meinung in England, darüber können wir nicht hinwegsehen, versucht denjenigen, der der Schöpfer schöner Dinge ist, zu fesseln, zu behindern, zu unterdrücken, und sie zwingt den Journalisten, häßliche, geschmacklose oder empörende Dinge zu berichten, so daß wir die seriösesten Journalisten und die schamlosesten Zeitungen der Welt besitzen. Es ist nicht übertrieben, von einem Zwang zu sprechen. Vielleicht gibt es ein paar Journalisten, denen es ein echtes Vergnügen bereitet, von widerlichen Dingen zu berichten, oder die aus Armut hinter Skandalen herjagen, als einer Art Grundlage, die ihnen ein dauerndes Einkommen garantiert. Aber ich bin sicher, daß es auch andere Journalisten gibt, Männer von Erziehung und Bildung, die diese Sachen nur widerwillig veröffentlichen, die das Falsche ihrer Handlungsweise einsehen und nur deshalb so handeln, weil die ungesunden Verhältnisse, unter denen sie ihren Beruf ausüben, sie zwingen, die Wünsche des Publikums zu erfüllen und sich dabei dem allergewöhnlichsten Geschmack anzupassen, um mit anderen Journalisten zu konkurrieren. Sich in einer solchen Lage zu befinden, ist für jeden kultivierten Menschen äußerst erniedrigend, und ich bezweifle nicht, daß die meisten dies bitter empfinden.

Aber wenden wir uns nunmehr von dieser besonders häßlichen Seite des Gegenstandes ab und kehren zurück zur Frage der öffentlichen Kontrolle über die Kunst, womit ich sagen will, daß die öffentliche Meinung dem Künstler vorschreibt, welcher Form er sich bedienen soll und in welcher Art und Weise und welches Material er auswählen müsse. Ich habe ausgeführt, daß in England diejenigen Künste am freiesten geblieben sind, an denen das Publikum keinen Anteil nahm. Es interessiert sich jedoch für das Drama, und da im Drama während der letzten zehn oder fünfzehn Jahre ein gewisser Fortschritt zu verzeichnen war, muß

man unbedingt hervorheben, daß dieser Fortschritt ausschließlich ein paar individuellen Künstlern zu danken ist, die es abgelehnt haben, sich dem Publikumsgeschmack anzupassen und es ebenfalls abgelehnt haben, die Kunst als einen bloßen Gegenstand von Angebot und Nachfrage zu betrachten. Hätte er nichts anderes im Sinne gehabt, als die Wünsche des Publikums zu befriedigen, so hätte Irving, dank seiner wundervollen und lebendigen Persönlichkeit, seinem unverwechselbaren Stil und seiner außerordentlichen Gabe nicht nur zu nachahmenden, sondern zu phantasievollen und geistreichen Schöpfungen, die allergewöhnlichsten Stücke in der allergewöhnlichsten Manier schreiben und so viel Geld und Erfolg damit verdienen können, wie er nur wollte. Aber das war nicht sein Ziel. Sein Ziel war, seine Vollendung als Künstler unter bestimmten Voraussetzungen und in bestimmten Kunstformen zu verwirklichen. Zuerst hat er sich an die wenigen gewandt: jetzt hat er die vielen erzogen. Er hat im Publikum sowohl Geschmack als auch Temperament erweckt. Das Publikum weiß seinen Erfolg außerordentlich zu schätzen. Trotzdem frage ich mich oft, ob die Leute verstehen, daß dieser Erfolg nur der Tatsache zuzuschreiben ist, daß er sich niemals ihrem Maßstab unterwarf, sondern seinen eigenen Vorstellungen folgte. Hätte er ihr Niveau akzeptiert, so wäre das Lyceum-Theater eine zweitrangige Schmierenbühne geworden, wie es gegenwärtig einige volkstümliche Theater in London sind. Ob die Leute es begreifen oder nicht, die Tatsache bleibt bestehen, daß Geschmack und Temperament bis zu einem gewissen Grade im Publikum geweckt worden sind und daß das Publikum fähig ist, diese Eigenschaften zu entwickeln. Daraus entsteht die Frage, warum das Publikum nicht zivilisierter wird. Die Fähigkeit dazu ist vorhanden. Wodurch wird es gehindert?
Was das Publikum hindert, es muß nochmals betont werden, ist sein Verlangen, Autorität über den Künstler und über Kunstwerke auszuüben. In bestimmte Theater, wie das Lyzeum und das Haymarket, kommt das Publikum anscheinend in der richtigen Stimmung. In beiden Theatern waren es individuelle Künstler, denen es gelang, in ihren Zuschauern – und jedes Londoner Theater hat sein eigenes Publikum – den Gemütszustand zu erwecken, an den sich die Kunst wendet. Und was ist das für

ein Gemütszustand? Es ist der Zustand der Empfänglichkeit. Das ist alles.

Wenn ein Mensch sich einem Kunstwerk nähert mit dem Verlangen, über das Werk und den Künstler Autorität auszuüben, dann nähert er sich ihm in einem bestimmten geistigen Zustand, der jeden künstlerischen Eindruck unmöglich macht. Das Kunstwerk soll den Zuschauer beherrschen: nicht der Zuschauer das Kunstwerk. Der Zuschauer soll empfänglich sein. Er soll die Violine sein, die der Meister spielt. Und je vollständiger er seine eigenen dummen Ansichten, seine eigenen törichten Vorurteile, seine eigenen absurden Ideen über das, was die Kunst sein und was sie nicht sein sollte, unterdrückt, desto wahrscheinlicher wird er das Kunstwerk zu verstehen und zu würdigen wissen. Das wird natürlich besonders deutlich, wenn man an das gewöhnliche englische Theaterpublikum denkt. Aber es gilt genauso für die sogenannten Gebildeten. Denn die Vorstellungen eines Gebildeten über Kunst leiten sich natürlich davon ab, was Kunst war, während das neue Kunstwerk dadurch schön ist, daß es ist, was die Kunst noch nie war; und es mit den Maßstäben der Vergangenheit zu messen heißt, ein Maß anwenden, von dessen Verwerfung seine wahre Vollendung abhängt. Nur ein Temperament, das durch seine Phantasie, in einem Zustand vertiefter Einbildungskraft neue und schöne Eindrücke zu empfangen vermag, wird imstande sein, ein Kunstwerk zu würdigen. Und so richtig sich dies in der Würdigung der Bildhauerei und der Malerei erweist, so gilt es erst recht für eine Kunst wie das Drama. Denn ein Bild oder eine Statue stehen nicht im Kampf mit der Zeit. Der Zeitablauf ist für sie ohne Belang. Ihre Einheit kann in einem einzigen Augenblick erfaßt werden. Mit der Literatur verhält es sich anders. Ehe die Einheit der Wirkung wahrgenommen wird, muß Zeit vergehen. Und so kann im ersten Akt eines Dramas etwas vorfallen, dessen wirklicher künstlerischer Wert dem Zuschauer erst im dritten oder vierten Akt klar wird. Soll da der törichte Kerl wütend werden und laut schimpfen und das Spiel stören und die Künstler belästigen? Nein. Der Biedermann soll ruhig dasitzen und die köstlichen Empfindungen der Überraschung, der Neugier und der Spannung kennenlernen. Er soll nicht ins Theater gehen, um seine üble Laune abzureagieren. Er soll ins Theater gehen, um eine künstlerische Stimmung in sich zu erzeugen, um eine künstlerische Stimmung zu durchleben. Er ist nicht der Richter über das Kunstwerk. Es wird ihm gestattet, das Kunstwerk zu betrachten und, wenn es ein großes Kunstwerk ist, in seiner Betrachtung all die Überheblichkeit zu vergessen, die ihn zerstört – die Überheblichkeit seiner Unwissenheit, die Überheblichkeit seiner Bildung. Diese Eigenart des Dramas ist, wie ich glaube, noch kaum genügend erkannt worden. Wenn Macbeth zum erstenmal vor einem modernen Londoner Publikum aufgeführt würde, so könnte ich verstehen, daß viele der Anwesenden gegen das Auftreten der Hexen im ersten Akt mit ihren grotesken Redensarten und lächerlichen Worten heftig und entschieden protestieren würden. Aber wenn das Stück zu Ende ist, versteht man, daß das Gelächter im Macbeth ebenso schrecklich ist wie das Gelächter des Wahnsinns im Lear, noch schrecklicher als Jagos Gelächter in der Tragödie des Mohren. Kein Kunstbetrachter bedarf der empfänglichen Stimmung mehr als der Zuschauer eines Dramas. In dem Augenblick, wo er Autorität auszuüben versucht, wird er der ausgesprochene Feind der Kunst und seiner selbst. Die Kunst bleibt davon unberührt. Er ist es, der darunter leidet.

Mit dem Roman verhält es sich genauso. Die Autorität der Massen und das Anerkennen dieser Autorität ist verhängnisvoll. Thackerays *Esmond* ist ein herrliches Kunstwerk, weil er es zu seinem eigenen Vergnügen schrieb. In seinen anderen Romanen, in *Pendennis, Philip* und sogar in *Jahrmarkt der Eitelkeit* ist er sich bisweilen des Lesers allzu bewußt und verdirbt seine Schöpfung, indem er sich offen an die Sympathien des Publikums wendet oder sich offen darüber lustig macht. Ein echter Künstler kümmert sich nicht um das Publikum. Es existiert nicht für ihn. Er hat keine Mohn oder Honig gefüllten Kuchen, mit denen er das Ungeheuer einschläfert oder füttert. Das überläßt er dem volkstümlichen Schriftsteller. Einen unvergleichlichen Romanschriftsteller haben wir heute in England, es ist George Meredith. Es gibt in Frankreich größere Künstler, aber Frankreich hat keinen, dessen Sicht vom Leben so weit gespannt, so vielfältig und in der Phantasie so wahr ist. In Rußland gibt es Erzähler, die eine lebhaftere Empfindung für die

Darstellung des Leidens besitzen. Aber seine Stärke ist das philosophische Element im Roman. Seine Figuren leben nicht nur, sie verstehen zu denken. Man kann sie von unzähligen Blickpunkten aus betrachten. Sie wirken suggestiv. Sie haben eine Seele und eine Aura um sich. Sie geben Aufschlüsse und sind gleichzeitig symbolisch. Und der, welcher sie geschaffen hat, jene wundervollen, beweglichen Gestalten, hat sie zu seiner eigenen Freude erschaffen und hat nie das Publikum nach seinen Wünschen gefragt, er hat sich nie darum gekümmert, hat dem Publikum niemals erlaubt, ihm Vorschriften zu machen oder ihn in irgendeiner Weise zu beeinflussen; vielmehr hat er seine eigene Persönlichkeit weiter vertieft und sein eigenes individuelles Werk hervorgebracht. Zuerst beachtete ihn niemand. Das war gleichgültig. Dann kamen die wenigen zu ihm. Das veränderte ihn nicht. Jetzt ist die Menge gekommen. Er ist der gleiche geblieben. Er ist ein hervorragender Romanschriftsteller.

Mit den dekorativen Künsten verhält es sich nicht anders. Das Publikum klammerte sich mit wahrhaft pathetischer Zähigkeit an dem fest, was ich als die direkten Traditionen der großen Schaustellung der internationalen Gewöhnlichkeit betrachte, Traditionen, die so verheerend waren, daß die Häuser, in denen die Leute lebten, nur für Blinde bewohnbar waren. Da fing man an, schöne Dinge herzustellen, die Hand des Färbers lieferte schöne Farben, der Geist des Künstlers ersann schöne Muster, und der Gebrauch schöner Dinge, ihr Wert und ihre Wichtigkeit wurden aufgezeigt. Das Publikum war sehr ungehalten darüber. Es verlor seine Laune. Es redete Unsinn. Keiner kümmerte sich darum. Niemand fühlte sich um ein Jota geringer. Niemand beugte sich der Macht der öffentlichen Meinung. Und jetzt ist es beinahe unmöglich, in ein modernes Haus zu treten, ohne wenigstens den Anklang eines guten Geschmacks zu entdecken, ein wenig Verständnis für den Wert einer hübschen Umgebung, einer Spur von Schönheit zu begegnen. Wirklich sind heutzutage die Wohnhäuser in der Regel ganz reizend. Die Leute sind in sehr großem Maße kultiviert geworden. Allerdings muß man sich vor Augen halten, daß der außerordentliche Erfolg der Veränderung im Wohnungsdekor und der Möbeleinrichtung und was sonst noch dazu gehört, nicht der Mehrzahl des Publikums zuzuschreiben ist, das in diesen Dingen einen so erlesenen Geschmack entwickelt hätte. Er war vor allem dem Umstand zu verdanken, daß die Kunsthandwerker die Lust, schöne Dinge hervorzubringen, so hoch schätzten und die Häßlichkeit und Gewöhnlichkeit der bisherigen Wünsche des Publikums so deutlich empfanden, daß sie das Publikum einfach aushungerten. Es wäre gegenwärtig ganz unmöglich, einen Raum so auszustatten, wie man noch vor wenigen Jahren einen Raum auszustatten pflegte, ohne jedes Stück in einer Auktion für Gebrauchtmöbel aus einer drittklassigen Pension zu erstehen. Diese Sachen werden nicht mehr hergestellt. Wie sehr die Leute sich auch sträuben mögen, heutzutage müssen sie etwas Hübsches in ihrer Umgebung dulden. Zu ihrem Glück hat ihre Anmaßung der Autorität in diesen Kunstzweigen nichts auszurichten vermocht.

Es ist offensichtlich, daß jede Autorität in diesen Dingen von Übel ist. Manchmal stellen die Leute die Frage, unter welcher Regierungsform ein Künstler am angemessensten lebe. Es gibt darauf nur eine Antwort. Für den Künstler gibt es nur eine passende Regierungsform, nämlich gar keine Regierung. Es ist lächerlich, über ihn und seine Kunst Autorität auszuüben. Man hat behauptet, daß Künstler unter der Herrschaft des Despotismus herrliche Werke hervorgebracht haben. Das verhält sich nicht ganz so. Die Künstler haben Despoten aufgesucht, aber nicht als Untertanen, um sich tyrannisieren zu lassen, sondern als wandernde Wundertäter, als vagabundierende, faszinierende Persönlichkeiten, um gastlich aufgenommen und umschmeichelt zu werden und um die Ruhe zu schöpferischem Werk zu gewinnen. Zugunsten des Despoten ist zu sagen, daß er als Individuum Kultur besitzen kann, während diese dem Pöbel, als einem wahren Ungeheuer, fehlt. Ein Kaiser und ein König werden sich vielleicht bücken, um einem Maler den Pinsel aufzuheben, wenn sich aber die Demokratie bückt, tut sie es vor allem, um mit Dreck zu werfen. Und doch braucht sich die Demokratie nicht so tief zu bücken wie der Kaiser. Ja, wenn sie mit Dreck werfen will, braucht sie sich überhaupt nicht zu bücken. Doch ist es nicht notwendig, zwischen dem Monarchen und dem Pöbel zu unterscheiden; jede Autorität ist gleichermaßen ein Übel.

Es gibt drei Arten von Despoten: den Despoten, der den Leib knechtet, den Despoten, der die Seele knechtet, und den Despoten, der Leib und Seele gleichzeitig knechtet. Der erste ist der Fürst. Der zweite ist der Papst. Der dritte ist das Volk. Der Fürst kann Kultur besitzen. Viele Fürsten besaßen Kultur. Doch vom Fürsten droht Gefahr. Man denke an die Kränkung Dantes auf dem Fest in Verona, an Tasso in der Tollhauszelle in Ferrara. Für den Künstler ist es besser, nicht in der Umgebung von Fürsten zu leben. Der Papst mag Kultur haben. Viele Päpste besaßen Kultur, und zwar gerade die schlechten Päpste. Die schlechten Päpste liebten die Schönheit fast so leidenschaftlich, ja mit ebensoviel Leidenschaft, wie die guten Päpste den Geist haßten. Der Schwäche der Päpste verdankt die Menschheit vieles. Die guten Päpste haben an der Menschheit Schreckliches verschuldet. Doch wenn auch der Vatikan die Rhetorik seines Donnerns beibehalten und die Zuchtrute seiner Blitze verloren hat, ist es besser für den Künstler, nicht bei den Päpsten zu leben. Es gab einen Papst, der in einem Konklave der Kardinäle über Cellini sagte, daß die allgemeinen Gesetze, und die über alle geübte Autorität nicht für seinesgleichen gälten; aber es war auch ein Papst, der Cellini ins Gefängnis warf und ihn dort so lange festhielt, bis er vor Zorn krank wurde und sich unwirkliche Vorstellungen schuf, die goldene Sonne in sein Zimmer kommen sah und sich so sehr in sie verliebte, daß er den Plan zur Flucht faßte und herauskroch von Turm zu Turm, und in der Dämmerung durch die schwindelerregende Luft fiel und sich verletzte; er wurde von einem Winzer mit Weinlaub bedeckt und in einem Karren zu jemandem gebracht, der ein Liebhaber schöner Dinge war und sich seiner annahm. Von den Päpsten droht Gefahr. Und was das Volk betrifft, was soll man von ihm und seiner Autorität sagen? Vielleicht ist über das Volk und seine Autorität schon genug gesprochen worden. Die Autorität des Volkes ist etwas Blindes, Taubes, Häßliches, Groteskes, Tragisches, Amüsantes, Ernsthaftes und Obszönes. Es ist für den Künstler unmöglich, mit dem Volk zu leben. Alle Despoten bestechen. Das Volk besticht und brutalisiert. Wer hat es gelehrt, Autorität zu üben? Es war geschaffen, zu leben, zu lauschen und zu lieben. Jemand hat ihm einen großen Schaden zugefügt. Es hat sich selbst verdorben, indem es seine Oberen nachahmte. Es hat das Zepter des Fürsten an sich gerissen. Wie sollte es imstande sein, es zu gebrauchen? Es hat die dreifache Tiara des Papstes ergriffen. Wie sollte es ihre Last tragen? Es gleicht einem Clown mit einem gebrochenen Herzen. Es ist wie ein Priester, dessen Seele noch nicht geboren wurde. Wer die Schönheit liebt, mag das Volk bemitleiden. Obgleich es die Schönheit selbst nicht liebt, so mag es doch Mitleid mit sich selbst hegen. Wer hat das Volk die Niedertracht der Tyrannei gelehrt?

Es gibt noch viele andere Dinge, auf die man hinweisen könnte. Man sollte ausführen, wie die Renaissance zu ihrer Größe gelangte, weil sie nicht bestrebt war, soziale Probleme zu lösen; daß sie sich um Probleme dieser Art überhaupt nicht bekümmerte, sondern das Individuum in Freiheit und Schönheit und Natürlichkeit sich entfalten ließ und so große und individuelle Künstler und große, individuelle Menschen hervorbrachte. Man könnte deutlich machen, wie Ludwig XIV., indem er den modernen Staat schuf, den Individualismus des Künstlers zerstörte und den Dingen durch die Einförmigkeit ihrer Wiederholung etwas Monströses verlieh und sie herabwürdigte durch die zur Regel erhobene Gleichförmigkeit und in ganz Frankreich all jene edlen Freiheiten des Ausdrucks abtötete, die die Tradition in der Schönheit erneuert und neue Gebilde neben der antiken Form geschaffen hatten. Aber die Vergangenheit ist ohne Bedeutung. Die Gegenwart ist ohne Gewicht. Mit der Zukunft allein haben wir uns auseinanderzusetzen. Denn die Vergangenheit ist, was der Mensch nicht hätte sein dürfen. Die Gegenwart ist, was der Mensch nicht sein sollte. Die Zukunft ist, was die Künstler sind.

Es wird natürlich der Einwand erfolgen, daß ein solcher Entwurf, wie er hier dargelegt ist, unausführbar bleibt und der menschlichen Natur widerspricht. Das ist völlig richtig. Er ist unausführbar und widerspricht der menschlichen Natur. Und eben deshalb ist er es wert, verwirklicht zu werden, deshalb wird er vorgeschlagen. Denn was ist ein ausführbarer Entwurf? Ein ausführbarer Entwurf ist entweder ein Entwurf, der bereits Gestalt angenommen hat, oder ein Entwurf, der unter den bestehenden Verhältnissen ausgeführt werden könnte. Aber gerade die bestehenden Verhältnisse sind es, die bekämpft werden;

und jeder Entwurf, der sich den bestehenden Verhältnissen anpaßt, ist falsch und töricht. Die Verhältnisse werden abgeschafft werden, und die Natur des Menschen wird sich verändern. Man weiß über die menschliche Natur nur das eine mit Sicherheit, daß sie sich verändert. Veränderlichkeit ist die einzige Eigenschaft, über die wir wirklich etwas vorauszusagen vermögen. Die Systeme, die scheitern, sind jene, die auf der Beständigkeit der menschlichen Natur aufbauen und nicht auf ihrem Wachstum und ihrer Entwicklung. Der Irrtum Ludwigs XIV. bestand darin, daß er dachte, die menschliche Natur bleibe stets die gleiche. Das Ergebnis seines Irrtums war die Französische Revolution. Es war ein erstaunliches Ergebnis. Alle Ergebnisse aus den Fehlern der Regierungen sind ganz erstaunlich.

Es ist zu beachten, daß der Individualismus nicht mit irgendeinem widerlichen Gejammer über die Pflicht an den Menschen herantritt, was nichts anderes bedeutet, als daß man das tun soll, was die anderen wollen, weil sie es wollen; noch mit dem häßlichen Winseln der Selbstaufopferung, diesem Überbleibsel barbarischer Selbstverstümmelung. Der Individualismus tritt mit überhaupt keinen Forderungen an den Menschen heran. Er entsteht natürlich und unvermeidlich aus dem Menschen selbst. Zu diesem Ziel tendiert alle Entwicklung hin. Zu dieser Differenzierung reifen alle Organismen heran. Er ist die Vollendung, die jeder Lebensform inhärent ist, und zu der sich jede Lebensform hin entwickelt. Und so übt der Individualismus keinen Zwang auf den Menschen aus. Im Gegenteil, er sagt dem Menschen, er solle keinen Zwang auf sich dulden. Er versucht nicht, die Menschen zu zwingen, gut zu sein. Er weiß, daß die Menschen gut sind, wenn man sie in Frieden läßt. Der Mensch wird den Individualismus aus sich selbst heraus entwickeln, und er entwickelt ihn jetzt auf diese Weise. Zu fragen, ob der Individualismus praktizierbar ist, gleicht der Frage, ob die Evolution praktizierbar ist. Evolution ist das Gesetz des Lebens, und es gibt keine andere Entwicklung als hin zum Individualismus. Wo sich diese Tendenz nicht ausdrückt, liegt immer künstlich aufgehaltenes Wachstum vor, Krankheit oder Tod.

Der Individualismus wird auch selbstlos und aufrichtig sein. Es ist darauf hingewiesen worden, daß eine der Folgen der unerträglichen Tyrannei der Autorität sich darin zeige, daß die Worte in ihrer natürlichen und einfachen Bedeutung völlig entstellt wurden und daß man sie dazu mißbrauchte, das Gegenteil ihres richtigen Sinnes auszudrücken. Was in der Kunst für wahr gilt, ist auch im Leben wahr. Ein Mensch, der sich nach seiner Neigung kleidet, wird jetzt gekünstelt genannt. Aber indem er es tut, handelt er auf völlig natürliche Weise. Die Künstlichkeit liegt in solchen Fällen darin, daß man sich nach dem Geschmack seiner Mitmenschen kleidet, der vermutlich, da er der Geschmack der Mehrzahl ist, sehr dumm sein wird. Oder man nennt einen Menschen egoistisch, wenn er sein Leben auf eine Art und Weise führt, die ihm angemessen erscheint, um seine Persönlichkeit ganz zu verwirklichen; vorausgesetzt, daß die Selbstverwirklichung das beherrschende Ziel seines Lebens ist. Aber jeder sollte in dieser Weise leben. Egoismus besteht nicht darin, daß man sein Leben nach seinen Wünschen lebt, sondern darin, daß man von anderen verlangt, daß sie so leben, wie man es wünscht. Und Selbstlosigkeit heißt, andere in Frieden lassen und sich nicht in ihre Angelegenheiten mischen. Der Egoismus ist immer bestrebt, um sich herum eine absolute Gleichheit des Typus zu schaffen. Die Selbstlosigkeit erkennt die unendliche Vielfalt des Typus als etwas Kostbares an, stimmt ihr zu, geht darauf ein, ja, erfreut sich daran. Es ist keineswegs egoistisch, an sich zu denken. Wer nicht an sich denkt, denkt überhaupt nicht. Es ist äußerst egoistisch, von dem Mitmenschen zu verlangen, daß er in derselben Weise denken, dieselben Meinungen haben soll. Warum sollte er das? Wenn er denken kann, wird er wahrscheinlich verschieden denken. Wenn er nicht denken kann, ist es lächerlich, überhaupt Gedanken irgendwelcher Art von ihm zu verlangen. Eine rote Rose ist nicht egoistisch, bloß weil sie eine rote Rose sein will. Sie wäre schrecklich egoistisch, wenn sie von allen anderen Blumen des Gartens verlangen wollte, daß sie nicht nur rot, sondern auch Rosen sein sollten. Unter dem Individualismus werden die Menschen ganz natürlich und vollkommen selbstlos sein, sie werden die Bedeutung der Worte kennen und sie in ihrem freien, schönen Leben anwenden. Auch werden die Menschen keine Egoisten mehr sein, wie sie es jetzt sind. Denn derjenige ist ein Egoist, der Ansprüche an andere macht, und der Individualist wird gar nicht den Wunsch danach verspüren. Es wird ihm kein Vergnügen bereiten. Wenn der Mensch den Individualismus verwirklicht hat, wird er auch das Mitgefühl lebhaft empfinden und es frei und spontan üben. Bis jetzt hat der Mensch das Mitgefühl noch kaum ausgebildet. Er hat vor allem Mitgefühl mit dem Schmerz, und diese Form des Mitgefühls ist keineswegs die höchste. Jedes Mitgefühl ist edel, aber Mitgefühl mit dem Leiden ist am wenigsten edel. Es ist mit Selbstsucht vermischt. Es trägt den Keim des Ungesunden in sich. Es liegt eine gewisse Angst um unsere eigene Sicherheit darin. Wir fürchten, selbst in den gleichen Zustand wie der Aussätzige oder der Blinde zu geraten, und wir fürchten, daß dann niemand für uns sorgen würde. Es führt auch zu einer eigenen Begrenztheit. Man sollte mit der Unversehrtheit des Lebens empfinden, nicht bloß mit seinen Wunden und Gebrechen, sondern mit der Freude und Schönheit, der Kraft, der Gesundheit und der Freiheit des Lebens. Je weiter das Mitgefühl reicht, desto schwieriger wird es natürlich. Es verlangt größere Selbstlosigkeit. Jedermann vermag für die Leiden eines Freundes Mitgefühl zu empfinden, aber es setzt ein sehr edles Wesen voraus – es setzt in der Tat das Wesen eines echten Individualisten voraus –, an dem Erfolg eines Freundes teilzunehmen.

In dem modernen Konkurrenzzwang und dem Kampf um einen Platz ist solche Teilnahme natürlich selten, und sie wird auch durch das unsittliche Ideal der Gleichförmigkeit des Typus und durch die Anpassung an die Regel sehr unterdrückt, ein Ideal, dem man vielleicht vor allem in England verfallen ist.

Mitgefühl für den Schmerz wird es natürlich immer geben. Es ist einer der primären Instinkte des Menschen. Die Tiere, die individuell sind, die »höheren« Tiere sozusagen, teilen diese Empfindung mit uns. Aber man muß daran erinnern, daß zwar das Mitgefühl für die Freude die Summe der Lebensfreude in der Welt steigert, das Mitgefühl für den Schmerz dagegen keineswegs die Fülle des Leidens wirklich verringert. Es mag dem Menschen das Elend erleichtern, aber das Elend selbst bleibt. Das Mitgefühl mit dem Opfer der Schwindsucht heilt die Schwindsucht nicht, das ist die Aufgabe der Wissenschaft. Und wenn der Sozialismus das Problem der Armut und die Wissenschaft das

Problem der Krankheit gelöst hat, dann wird der Spielraum der Sentimentalen verringert sein, und das Mitgefühl der Menschen wird weit, gesund und spontan sein. Der Mensch wird Freude empfinden in der Betrachtung des freudigen Lebens der anderen.

Denn durch die Freude wird sich der Individualismus der Zukunft entfalten. Christus hat keinen Versuch gemacht, die Gesellschaft neu aufzubauen, und so ist es folgerichtig, daß der von ihm gepredigte Individualismus sich nur durch Leiden oder in der Einsamkeit verwirklichen läßt. Die Ideale, die wir Christus verdanken, sind die Ideale des Menschen, der sich von der Gesellschaft völlig abkehrt oder der ihr absoluten Widerstand entgegensetzt. Aber der Mensch ist von Natur aus gesellig. Selbst die Thebais wurde schließlich bevölkert. Und wenn auch der Mönch seine Persönlichkeit verwirklicht, ist es oft eine verarmte Persönlichkeit, die er so verwirklicht. Andererseits übt die furchtbare Wahrheit, daß das Leiden eine Möglichkeit zur Selbstverwirklichung ist, eine große Faszination auf die Menschen aus. Seichte Redner und seichte Denker schwätzen oft von den Tribünen und Kanzeln herab über die Genußsucht der Welt und jammern darüber. Aber es ist selten in der Weltgeschichte, daß Freude und Schönheit ihr Ideal gewesen sind. Die Anbetung des Leidens hat in der Welt weit öfter vorgeherrscht. Das Mittelalter mit seinen Heiligen und Märtyrern, mit seiner Vorliebe für die Selbstquälerei, seiner wilden Leidenschaft für die Selbstverwundung, mit seinen tief ins Fleisch schneidenden Messern und seinen Geißelungen – das Mittelalter ist das wirkliche Christentum, und der mittelalterliche Christus ist der wirkliche Christus. Als die Renaissance aufkam und die neuen Ideale von der Schönheit des Lebens und der Lebensfreude brachte, verstanden die Menschen Christus nicht mehr. Selbst die Kunst zeigt uns das. Die Maler der Renaissance stellten Christus als einen kleinen Jungen dar, der mit einem anderen Jungen in einem Palast oder in einem Garten spielt, oder im Arm der Mutter liegt und ihr oder einer Blume oder einem glänzenden Vogel zulächelt; oder sie malten ihn als edle und erhabene Gestalt, die würdevoll durch die Welt schreitet; oder als eine wunderschöne Gestalt, die sich in einer Art Ekstase vom Tod zum Leben erhebt. Selbst wenn sie den gekreuzigten Christus darstellten, malten sie ihn als einen herrlichen Gott, über den die bösen Menschen Leiden verhängt haben. Aber er beschäftigte die Menschen nicht sehr. Was sie entzückte, war die Darstellung von Männern und Frauen, die sie bewunderten, und sie wollten die Schönheit dieser lieblichen Erde zeigen. Sie haben viele religiöse Bilder gemalt – in der Tat viel zu viele, und die Eintönigkeit des Typus und der Motive ist ermüdend; sie hat der Kunst geschadet. Sie war das Ergebnis der Autorität des Volkes in Sachen der Kunst und ist bedauerlich. Aber ihre Seele war nicht in dem Gegenstand. Raffael war ein großer Künstler, als er sein Bildnis des Papstes schuf. Als Maler seiner Madonnen und Christusknaben ist er durchaus kein großer Künstler. Christus hatte der Renaissance keine Botschaft zu bringen, der Renaissance, die so wundervoll war, weil sie ein Ideal hervorbrachte, das von dem seinen völlig abwich, und um den wirklichen Christus zu finden, müssen wir uns in die Kunst des Mittelalters vertiefen. Da erscheint er als der Verstümmelte und Gemarterte, einer, der nicht anmutig anzusehen ist, weil Schönheit Freude erzeugt, einer, der kein kostbares Gewand trägt, denn auch dieses könnte eine Freude sein: Er ist ein Bettler mit einer wundervollen Seele, er ist ein Aussätziger mit einer göttlichen Seele, er bedarf weder des Besitzes noch der Gesundheit, er ist ein Gott, der seine Vollkommenheit durch Leiden gewinnt.

Die Entwicklung des Menschen schreitet langsam voran. Die Ungerechtigkeit der Menschen ist groß. Es war notwendig, das Leiden als eine Form der Selbstverwirklichung darzustellen. Selbst heute ist die Botschaft Christi an manchen Orten in der Welt notwendig. Keiner, der im modernen Rußland lebt, könnte seine Vollkommenheit anders als durch das Leiden gewinnen. Einige wenige russische Künstler haben sich in der Kunst verwirklicht, im Roman, der mittelalterlich in der Haltung ist, weil sein vorherrschendes Merkmal die Verwirklichung des Menschen durch das Leiden ist. Aber für die, die keine Künstler sind und kein anderes Leben als das eigentlich tätige Leben kennen, ist das Leiden das einzige Tor zur Vollendung. Ein Russe, der unter dem bestehenden Regierungssystem in Rußland fähig ist, glücklich zu leben, glaubt entweder, der Mensch besitzt keine Seele, oder die Seele sei der Entwicklung nicht wert. Ein Nihilist, der jede Autorität ablehnt, weil er die Autorität als Übel erkannt hat, und der alles Leiden willkommen heißt, weil er dadurch seine Persönlichkeit verwirklicht, ist ein echter Christ. Für ihn ist das christliche Ideal eine Wahrheit.

Und doch hat Christus nicht gegen die Autorität revoltiert. Er ließ die kaiserliche Autorität des römischen Imperiums gelten und zollte ihr Tribut. Er ertrug die ekklesiastische Autorität der jüdischen Kirche und wollte sich ihrer Gewaltsamkeit nicht durch eigene Gewalt widersetzen. Er hatte, wie ich bereits sagte, keinen Plan, die Gesellschaft neu aufzubauen. Aber die moderne Welt hat Pläne. Sie schlägt vor, die Armut und das daraus erwachsende Leiden zu beseitigen. Sie will sich vom Schmerz und den daraus fließenden Qualen befreien. Sie vertraut dem Sozialismus und der Wissenschaft als ihren Methoden. Ihr Ziel ist ein Individualismus, der sich durch Freude ausdrückt. Dieser Individualismus wird weiter, reicher, herrlicher als jede bisherige Form des Individualismus sein. Der Schmerz ist nicht die letzte Stufe der Vollendung. Er ist bloß ein vorläufiger Zustand und ein Protest. Er steht im Zusammenhang mit falschen, ungesunden, ungerechten Verhältnissen. Wenn die Schlechtigkeit, die Krankheit und die Ungerechtigkeit aus der Welt verschwunden sind, dann wird er keinen Platz mehr haben. Er hat ein großes Werk vollbracht, aber es ist fast beendet. Sein Wirkungskreis wird von Tag zu Tag geringer.

Auch wird ihn niemand entbehren. Denn was der Mensch erstrebt hat, das ist in der Tat weder Schmerz noch Vergnügen, sondern einfach Leben. Der Mensch verlangt danach, intensiv, ganz und vollkommen zu leben. Wenn er das vermag, ohne auf andere Zwang auszuüben, oder selbst Zwang zu erleiden, und wenn ihn alle seine Arbeiten befriedigen, dann wird er geistig gesünder, stärker, zivilisierter und mehr er selbst sein. In der Freude drückt sich die Natur aus, ihr stimmt sie zu. Wenn der Mensch glücklich ist, lebt er im Einklang mit sich und seiner Umgebung. Der neue Individualismus, in dessen Diensten der Sozialismus wirkt, ob er es wahrhaben will oder nicht, wird vollkommene Harmonie sein. Er wird die Erfüllung dessen sein, wonach sich die Griechen sehnten, und was sie nur in Gedanken vollkommen zu verwirklichen vermochten, weil sie sich Sklaven hielten und sie ernährten; er wird die Erfüllung dessen sein, wonach sich die Renaissance sehnte, aber nur in der Kunst wahrhaft verwirklichen konnte, weil sie sich Sklaven hielt und sie verhungern ließ. Er wird vollkommen sein, und durch ihn wird jeder Mensch zu seiner Vollkommenheit gelangen. Der neue Individualismus ist der neue Hellenismus.

Das Bildnis des W. H.

Ich hatte mit Erskine in seinem hübschen, kleinen Haus in Birdcage Walk zu Mittag gegessen, und nun saßen wir in der Bibliothek bei Kaffee und Zigaretten, als die Frage der literarischen Fälschungen ins Gespräch kam. Ich kann mich jetzt nicht mehr erinnern, wie wir auf dieses einigermaßen seltsame Thema gekommen waren, denn seltsam war es zu jener Zeit, aber ich weiß, daß wir eine lange Diskussion über Macpherson, Irland und Chatterton hatten und daß ich im Hinblick auf letzteren darauf beharrte, seine sogenannten Fälschungen seien nur das Ergebnis eines künstlerischen Verlangens nach vollkommener Darstellung; ich blieb dabei, daß wir kein Recht haben mit einem Künstler um die Bedingungen zu streiten, die er wählt um sein Werk vorzustellen; und, da alle Kunst bis zu einem gewissen Grad eine Form der Verstellung ist, ein Versuch, seine eigene Persönlichkeit auf einer erfundenen Ebene außerhalb der hemmenden Zufälligkeiten und Begrenzungen des wirklichen Lebens zu verwirklichen, es die Verwechslung eines ethischen mit einem ästhetischen Problem bedeute, wenn man einen Künstler wegen einer Fälschung kritisiert.

Erskine, der viel älter war als ich und der mir mit der heiteren Nachsicht eines Mannes von vierzig zugehört hatte, legte plötzlich seine Hand auf meine Schulter und sagte: »Was würdest du von einem jungen Mann halten, der eine sonderbare Theorie über ein bestimmtes Kunstwerk hat, an seine Theorie glaubt und um sie zu beweisen eine Fälschung begeht?«

»Oh! Das ist etwas ganz anderes«, antwortete ich.

Erskine blieb einen Augenblick lang still und schaute auf die dünnen grauen Rauchfäden, die von seiner Zigarette aufstiegen.

»Ja«, sagte er nach einer Pause, »etwas ganz anderes.«

Im Ton seiner Stimme lag etwas, vielleicht eine leichte Spur von Bitterkeit, was meine Neugier reizte. »Hast du jemanden gekannt, der das getan hat?« rief ich.

»Ja«, gab er zur Antwort und warf seine Zigarette ins Feuer – »einen sehr guten Freund von mir, Cyril Graham. Er war sehr faszinierend, sehr verrückt und sehr herzlos. Er hat mir übrigens das einzige Vermächtnis hinterlassen, das ich je in meinem Leben empfing.«

»Was war das?« fragte ich lachend. Erskine stand von seinem Sessel auf und ging zu einem hohen Intarsienschrank zwischen den beiden Fenstern, schloß ihn auf und kam mit einem kleinen Tafelbild in einem alten, etwas verblichenen elisabethischen Rahmen zu mir zurück.

Es war das Portrait eines jungen Mannes in ganzer Figur, im Kostüm des ausgehenden 16. Jahrhunderts, der an einem Tisch stand und die rechte Hand auf ein offenes Buch stützte. Er mochte 17 Jahre alt sein und war von einer ganz ungewöhnlichen, eigenwilligen Schönheit, wenn auch offensichtlich etwas weich. Ja, wäre nicht das Gewand und das kurzgeschnittene Haar gewesen, hätte man sagen können, daß dies Gesicht, mit seinen träumerischen, ernsten Augen und seinen zarten roten Lippen das Gesicht eines Mädchens sei. Im Stil, und besonders in der Behandlung der Hände, erinnerte das Bild an das Spätwerk von François Clouet. Das schwarze Samtwams mit seinen phantastischen Goldtupfen und der pfauenblaue Hintergrund, gegen den es sich so wundervoll abhob und aus dem es seinen leuchtenden Farbwert gewann, waren ganz in der Manier von Clouet; und die beiden Masken der Tragödie und der Komödie, die etwas förmlich an dem Marmorsockel hingen, zeigten die harte strenge Pinselführung – so verschieden von der leichten Anmut der Italiener –, die der große flämische Meister auch am französischen Hofe nie ganz verloren hatte und die eigentlich immer ein Charakteristikum des nordischen Temperamentes gewesen ist.

»Ein bezauberndes Bild«, rief ich aus, »aber wer ist dieser wunderbare junge Mann, dessen Schönheit uns die Kunst so glücklich bewahrt hat?«

»Dies ist das Portrait von W. H.«, sagte Erskine mit einem traurigen Lächeln. Es war vielleicht nur ein zufälliger Lichteffekt, aber mir schien es, als wären seine Augen mit Tränen gefüllt.

»W. H.?« wiederholte ich, »wer war W. H.?«

»Erinnerst du dich nicht?« antwortete er, »schau das Buch an, auf dem seine Hand ruht.«

»Ich sehe eine Schrift darauf, aber ich kann sie nicht entziffern«, erwiderte ich.

»Nimm dieses Vergrößerungsglas und versuche es«, sagte Erskine mit dem gleichen traurigen Lächeln, das noch immer um seinen Mund spielte.

Ich nahm das Glas, rückte die Lampe ein wenig näher und fing an, die schwer lesbare Handschrift aus dem 16. Jahrhundert zu buchstabieren. »Dem einzigen Urheber der folgenden Sonette ...«

»Lieber Himmel!« rief ich, »ist das Shakespeares W. H.?«

»Cyril Graham behauptete es«, murmelte Erskine.

»Aber es sieht Lord Pembroke überhaupt nicht ähnlich«, erwiderte ich.

Ich kenne die Wilton Portraits sehr gut. Ich habe sie erst vor einigen Wochen gesehen.«

»Glaubst du also wirklich, daß die Sonette an Lord Pembroke gerichtet sind?« fragte er.

»Ich bin davon überzeugt«, antwortete ich. »Pembroke, Shakespeare und Mary Fitton sind die drei Figuten der Sonette; es gibt überhaupt keinen Zweifel darüber.«

»Nun, ich stimme mit dir überein«, sagte Erskine, »aber ich dachte nicht immer so. Ich glaubte – ich nehme an, ich glaubte an Cyril Graham und seine Theorie.«

»Und wie lautete sie?« fragte ich und schaute auf das wundervolle Portrait, das bereits eine seltsame Faszination auf mich auszuüben begann.

»Das ist eine lange Geschichte«, sagte er leise und nahm mir das Bild weg – ziemlich abrupt, wie es mir damals schien – »eine sehr lange Geschichte; aber wenn du sie hören möchtest, will ich sie dir erzählen.«

»Jede Theorie über die Sonette interessiert mich, aber ich glaube nicht, daß man mich zu einer neuen Auffassung bekehren kann. Die Sache ist für niemanden mehr ein Geheimnis. Ja, ich wundere mich, daß sie je ein Geheimnis war.«

»Da ich an diese Theorie nicht glaube, kann ich dich kaum

dazu bekehren«, sagte Erskine lachend, »aber sie könnte dich interessieren.«

»Natürlich, erzähl' mir davon«, antwortete ich. »Wenn sie nur halb so reizvoll ist wie das Bild, bin ich mehr als zufrieden.«

»Nun«, sagte Erskine und zündete sich eine Zigarette an, »ich muß damit beginnen, daß ich dir von Cyril Graham selbst erzähle. Er und ich waren im selben Haus in Eton. Ich war ein oder zwei Jahre älter als er, aber wir waren dicke Freunde und arbeiteten und spielten stets zusammen. Es war natürlich mehr Spiel als Arbeit, aber ich kann nicht sagen, daß ich es bedaure. Es ist immer ein Vorzug, keine gründliche kaufmännische Ausbildung erhalten zu haben, und was ich auf den Spielplätzen von Eton lernte, ist mir genauso nützlich gewesen, wie das, was mir in Cambridge beigebracht wurde. Ich muß erwähnen, daß Cyrils Vater und Mutter beide tot waren. Sie waren bei einem fürchterlichen Yachtunglück nahe der Insel Wight ertrunken. Sein Vater hatte im diplomatischen Dienst gestanden und hatte eine Tochter, d. h. die einzige Tochter des alten Lord Crediton geheiratet, der nach dem Tod seiner Eltern Cyrils Vormund wurde. Ich glaube nicht, daß Lord Crediton sich viel aus Cyril machte. Er hat es seiner Tochter nie wirklich verziehen, daß sie einen Mann ohne Titel geheiratet hatte. Er war ein sonderbarer alter Aristokrat, der wie ein Fischhändler fluchte und die Manieren eines Bauern besaß. Ich erinnere mich, ihn einmal bei einer Schulfeier gesehn zu haben. Er knurrte mich an, schenkte mir einen Sovereign und sagte, ich sollte nicht so ein ›verfluchter Radikaler‹ werden wie mein Vater. Cyril liebte ihn nicht sehr und war herzlich froh, seine Ferien mit uns in Schottland verbringen zu können. Sie sind nie miteinander ausgekommen. Cyril sah in ihm einen Bären, und er fand Cyril weibisch. Ich glaube, in einigen Dingen war Cyril feminin, obgleich er ein erstklassiger Reiter und Fechter war. Er erhielt sogar einen Preis im Fechten, bevor er Eton verließ. Aber er hatte sehr lässige Manieren und war auf sein gutes Aussehen nicht wenig eitel; außerdem hatte er eine starke Abneigung gegen Fußball, von dem er sagte, es sei ausschließlich ein Spiel für die Söhne der Mittelklasse. Die beiden Dinge, die ihm wirklich Vergnügen bereiteten, waren die Dichtung und das Theaterspielen. In Eton kostümierte er sich ständig und rezitierte Shakespeare, und als wir ins Trinity College gingen, wurde er in seinem ersten Studienjahr Mitglied des A. D. C. Ich erinnere mich, daß ich immer sehr eifersüchtig auf seine Schauspielerei war. Ich hing ganz unsinnig an ihm; wahrscheinlich weil wir in den meisten Dingen so verschieden waren. Ich war ein ziemlich linkischer, schwächlicher Junge, mit großen Füßen und entsetzlich sommersprossig. Sommersprossen sind in schottischen Familien ebenso häufig, wie in englischen Familien die Gicht. Cyril pflegte zu sagen, daß er von den beiden die Gicht vorziehen würde; aber er legte einen unsinnig hohen Wert auf die persönliche Erscheinung, und einmal las er in unserem Debatierklub eine Abhandlung vor, die bewies, daß es besser sei, gut auszusehen, als gut zu sein. Er sah allerdings sehr gut aus. Leute, die ihn nicht mochten, Philister, Tutoren und junge Theologen meinten, er sei bloß hübsch; aber es lag doch bedeutend mehr in seinem Gesicht als lediglich Hübschheit. Ich glaube, er war das herrlichste Geschöpf, das ich je gesehen habe, und nichts übertraf die Anmut seiner Bewegungen, den Charm seiner Manieren. Er faszinierte jeden, der es wert war, fasziniert zu werden, und auch eine ganze Menge Leute, die es nicht wert waren. Oft war er eigensinnig und unverschämt, und ich hielt ihn für schrecklich unaufrichtig.

Ich glaube, das lag hauptsächlich an seinem unmäßigen Verlangen zu gefallen. Armer Cyril! Ich sagte ihm einmal, daß er sich mit sehr billigen Triumphen zufrieden gäbe, aber er schüttelte nur den Kopf und lächelte. Er war entsetzlich verwöhnt. Vielleicht sind alle bezaubernden Leute verwöhnt. Das ist das Geheimnis ihrer Anziehungskraft.

Doch ich muß dir noch von Cyrils Schauspielkunst erzählen. Du weißt, daß im A. D. C. keine Frauen spielen dürfen. Wenigstens zu meiner Zeit. Ich weiß nicht, wie es jetzt ist. Und natürlich wurden Cyril immer die weiblichen Rollen zugeteilt und als »Wie es Euch gefällt« aufgeführt wurde, spielte er die Rosalinde. Es war eine wunderbare Aufführung. Du wirst über mich lachen, aber ich versichere dir, Cyril Graham war die einzig vollkommene Rosalinde, die ich je gesehen habe. Ich kann dir unmöglich die Schönheit, die Zartheit, die erlesene Vollkommenheit der ganzen Unternehmung beschreiben. Es erregte ein ungeheures

Aufsehen und das scheußliche kleine Theater von damals war jeden Abend überfüllt. Selbst heute noch, wenn ich das Stück lese, muß ich an Cyril denken; die Rolle hätte für ihn geschrieben sein können, mit so außergewöhnlicher Grazie und Würde spielte er sie. Im folgenden Semester promovierte er und ging nach London, um sich auf die diplomatische Laufbahn vorzubereiten. Aber er arbeitete nie etwas. Seine Tage verbrachte er damit, die Shakespeare Sonette zu lesen, die Abende im Theater. Er war natürlich ganz besessen davon, zur Bühne zu gehen. Es war das einzige, was Lord Crediton und ich ihm ausreden konnten. Vielleicht würde er heute noch leben, wenn er zur Bühne gegangen wäre. Es ist immer dumm, einen Rat zu geben, aber einen guten Rat zu geben, ist ganz und gar fatal. Ich hoffe, du wirst niemals diesen Irrtum begehen. Wenn du es tust, wirst du es bereuen. Nun, um auf den wirklichen Kern der Geschichte zu kommen, eines Nachmittags bekam ich einen Brief von Cyril, in dem er mich bat, ihn abends zu besuchen. Er besaß eine zauberhafte Wohnung in Piccadilly, mit dem Blick auf den Green Park, und da ich ihn beinahe jeden Tag sah, war ich einigermaßen überrascht, daß er sich die Mühe nahm zu schreiben. Natürlich ging ich hin, und als ich ankam, fand ich ihn in einem Zustand großer Erregung. Er sagte mir, daß er endlich das wahre Geheimnis der Shakespeareschen Sonette entdeckt hätte; daß alle Kenner und Kritiker eine völlig falsche Spur verfolgt hätten; und daß er der erste sei, der, indem er rein nach der inneren Beweisführung vorgegangen sei, herausgefunden habe, wer W. H. wirklich war. Er war vollkommen außer sich vor Freude, und wollte mir lange Zeit seine Theorie nicht erzählen. Schließlich brachte er einen Haufen Notizen herbei, nahm sein Exemplar der Sonette vom Kaminsims, setzte sich nieder und hielt mir einen langen Vortrag.

Er wies zunächst darauf hin, daß der junge Mann, an den Shakespeare diese ungewöhnlich leidenschaftlichen Verse gerichtet hatte, jemand gewesen sein müsse, der ein wirklich wesentlicher Faktor in der Entwicklung seiner dramatischen Kunst gewesen war und daß dies weder von Lord Pembroke noch von Lord Southampton behauptet werden könne. Ja, wer immer es sei, es könne niemand von hoher Geburt sein, was sehr deutlich aus dem XXV. Sonett hervorgehe, in welchem Shakespeare sich selbst in Gegensatz zu den Männern stellt, die *great princes favourites* sind; er sagt ganz offen:

Let those who are in favour with their stars
Of public honour and proud titles boast,
Whilst I, whom fortune of such triumph bars,
Unlooked for joy in that I honour most;

»Laß die, so in der Gunst der Sterne stehn,
Mit Titelprunk sich blähn und lauter Ehre,
Ich, fern von solchem Glanz, will ungesehn
An dem mich freun, was ich zumeist verehre.«

und beendet das Sonett, indem er sich zu dem niederen Stande desjenigen beglückwünscht, den er so anbetete:

Then happy I, that love and am beloved
Where I may not remove nor be removed

»Darum glücklich ich! Ich lieb und bin geliebt,
Wo ich nie wank und nichts beiseit mich schiebt.«

Dieses Sonett, erklärte mir Cyril, wäre ganz unverständlich, wenn man sich vorstellte, daß es an den Earl of Pembroke oder den Earl of Southampton gerichtet sei, zwei Männer von höchstem Rang in England und mit vollem Recht *great princes* genannt; und um seine Ansicht zu bestärken, las er mir das CXXIV. und das CXXV. Sonett vor, in denen Shakespeare uns sagt, daß seine Liebe nicht *the child of state* ›ein Kind der Größe‹ sei, daß sie *suffers not in smiling pomp* ›nicht im Lächeln stolzer Pracht kränkelt‹, sondern *builded far from accident* ›fern vom Zufall erbaut‹ sei. Ich hörte mit großem Interesse zu, denn ich glaube nicht, daß dies jemals beachtet worden war; aber was folgte, war noch viel seltsamer und schien mir damals Pembrokes Anspruch vollkommen zu erledigen. Von Meres wissen wir, daß die Sonette vor 1598 geschrieben sind und aus dem CIV. Sonett entnehmen wir, daß Shakespeares Freundschaft für W. H. bereits drei Jahre gedauert hatte. Nun ist Lord Pembroke, der 1580 geboren wurde, nicht vor seinem 18. Lebensjahr, das heißt nicht vor 1598 nach London gekommen, und Shakespeares Bekanntschaft mit W. H. muß 1594 oder spätestens 1595 begonnen haben. Shakespeare konnte folglich Lord Pembroke erst kennengelernt haben, nachdem die Sonette geschrieben worden waren.

Cyril wies auch darauf hin, daß Pembrokes Vater nicht vor 1601 starb, indes aus der Zeile

You had a father, let your son say so,

»an deinen Vater denk zurück,
Und gönn auch deinem Sohn ein gleiches Glück.«

hervorgeht, daß der Vater von W. H. im Jahre 1598 bereits tot war; und er legte großes Gewicht auf den Beweis, den die Portraits von Wilton ergeben, die Lord Pembroke als einen dunkelhäutigen, schwarzhaarigen Mann darstellen, während W. H. jemand war, dessen Haar wie gesponnenes Gold erschien und in dessen Gesicht *lilys white* und *deep vermilion in the rose* zusammentrafen; und der außerdem *fair* und *red* und *white and red* war und einen wunderschönen Gesichtsausdruck hatte. Überdies war es unsinnig, anzunehmen, daß ein Verleger der damaligen Zeit – und die Vorrede stammt von der Hand des Verlegers – es sich hätte einfallen lassen, William Herbert, Earl of Pembroke als W. H. anzusprechen; der Fall von Lord Buckhurst, von dem als Sackville gesprochen wurde, ist keine wirkliche Parallele, da Lord Buckhurst, der erste, der diesen Titel trug, einfach Mr. Sackville war, als er am *Mirror for Magistrates* mitarbeitete, während Pembroke zu Lebzeiten seines Vaters stets als Lord Herbert bekannt war. So weit über Lord Pembroke, dessen angebliche Ansprüche Cyril mühelos abtat, während ich staunend dasaß. Mit Lord Southampton hatte Cyril sogar noch weniger Schwierigkeit. Southampton wurde in sehr jungen Jahren der Liebhaber von Elisabeth Vernon, so daß er keiner dringenden Aufforderung bedurfte, sich zu verheiraten; er war nicht schön; er sah seiner Mutter nicht ähnlich, wie W. H.:

Thou art thy mother's glass, and she in thee
Calls back the lovely April of her prime;

»Wie du ein Spiegel deiner Mutter scheinst,
Der ihren holden Mai ihr ruft zurück«,

und obendrein war sein Vorname Henry, indes die Wortspiele

im CXXXV. und CXLIII. Sonett zeigen, daß der Vorname von Shakespeares Freund der gleiche war, wie sein eigener – Will. Was die übrigen Mutmaßungen glückloser Kommentatoren betraf, daß W. H. ein Druckfehler für W. S. sei und William Shakespeare bedeute, daß ›Mr. W. H. all‹ als ›Mr. W. Hall‹ gelesen werden müsse, daß Mr. W. H. Mr. William Hathaway sei, daß Mr. W. H. für Mr. Henry Willobie stehe, den jungen Oxforder Dichter, mit den vertauschten Anfangsbuchstaben seines Namens, und daß nach *wisheth* ein Punkt gesetzt werden müsse, so daß W. H. als der Schreiber und nicht als der Gegenstand der Widmung erscheine, – so wurde Cyril in sehr kurzer Zeit mit ihnen fertig; und es lohnt sich nicht, seine Begründungen aufzuzählen, obwohl ich mich erinnere, daß er mich zu einem Lachanfall reizte, als er mir einige Auszüge von einem deutschen Kommentator namens Barnstorff vorlas – gottlob nicht im Original – der darauf bestand, daß Mr. W. H. niemand anderer sei als *Mr. William Himself*. Er ließ auch keinen Augenblick lang gelten, daß die Sonette bloß Satiren auf das Werk von Drayton und John Davies of Herford sein sollten. Ihm, wie übrigens auch mir, erschienen sie als Gedichte von ernster und tragischer Bedeutung, die Shakespeare der Bitterkeit seines Herzens abgerungen und mit dem Honig seiner Lippen versüßt hatte. Noch weniger wollte er zugeben, daß sie bloß eine philosophische Allegorie seien und daß Shakespeare in ihnen sein ideales Selbst anspricht oder das Ideal der Männlichkeit oder den Geist der Schönheit oder die Vernuft oder den göttlichen Logos oder die katholische Kirche. Er fühlte, wie wir tatsächlich alle fühlen müssen, daß die Sonette an ein Individuum gerichtet sind – an einen bestimmten jungen Mann, dessen Persönlichkeit aus irgendeinem Grunde Shakespeares Seele mit furchtbarer Freude und mit nicht weniger furchtbarer Verzweiflung erfüllt haben muß.

Nachdem Cyril auf diese Weise gleichsam den Weg freigelegt hatte, bat er mich, alle vorgefaßten Meinungen, die ich mir vielleicht über den Gegenstand gebildet hatte, beiseite zu lassen und seiner Theorie fair und vorurteilslos Gehör zu schenken. Das Problem, das er aufzeigte, lautete folgendermaßen: Wer war jener junge Mann zu Shakespeares Zeit, der, ohne von edler

Geburt oder auch nur edler Wesensart zu sein, von ihm in Ausdrücken einer so leidenschaftlichen Anbetung angeredet wurde, daß wir nur staunen können über diese seltsame Verehrung und uns beinahe fürchten, an den Schlüssel zu rühren, der das Geheimnis im Herzen des Dichters öffnet? Wer war es, dessen körperliche Schönheit dergestalt war, daß sie zum Eckstein von Shakespeares Kunst wurde, zur Quelle von Shakespeares Inspiration, zur Verkörperung von Shakespeares Träumen? Ihn lediglich als Gegenstand von Liebesgedichten zu betrachten, hieße den ganzen Sinn der Gedichte verkennen: denn die Kunst, von der Shakespeare in den Sonetten spricht, ist nicht die Kunst der Sonette selber, die für ihn bekanntlich nur etwas Unbedeutendes und Verborgenes waren – es ist die Kunst des Dramatikers, auf die er immer wieder anspielt; und er, zu dem Shakespeare sagte:

Thou art all my art, and dost advance
As high as learning my rude ignorance,

»Mir bist du alle Kunst, und meine Roheit
Hebst du so hoch wie der Gelehrten Hoheit«

er, dem er Unsterblichkeit versprach:

Where breath most breathes, even in the mouths of men, –

»Wo Lebensluft meist lebt, im Menschenmunde.«

er, der für ihn die zehnte ›Muse‹ war und

Ten times more in worth
Than those old nine which rhymers invocate,

»zehnmal so sehr
Wie jene neun, zu denen Reimer flehen«,

war sicher niemand anderer, als der jugendliche Schauspieler, für den er Viola und Imogen schuf, Julia und Rosalinde, Portia und Desdemona und selbst Kleopatra.«

»Der jugendliche Schauspieler von Shakespeares Stücken?« rief ich.

»Ja«, sagte Erskine. »Das war Cyril Grahams aus den Sonetten entwickelte Theorie, deren Annahme nicht so sehr von einem handfesten Beweis oder formaler Evidenz abhing, als vielmehr von einer Art geistigem und künstlerischem Einfühlungsvermögen, durch das allein, wie er behauptete, die wahre Bedeutung der Gedichte erfaßt werden könne. Ich erinnere mich, daß er mir das schöne Sonett vorlas:

How can my Muse want subject to invent,
While thou dost breathe, that pour'st into my verse
Thine own sweet argument, too excellent
For every vulgar paper to rehearse
O give thyself the thanks, if aught in me
Worthy perusal stand against thy sight;
For who's so dumb that cannot write to thee,
When thou thyself dost give invention light?

»Kann meine Muse Stoffs zu wenig haben,
Solang du lebst? Du strömst in mein Gedicht
Dein eignes Thema, lieblich und erhaben;
Dafür genügen Alltagsverse nicht.
O, dir allein muß aller Dank verbleiben,
Wenn Lesenswertes du entdeckst in mir;
Wer ist zu stumm, dir ein Gedicht zu schreiben,
Wenn unsre Dichtkunst Licht empfängt von dir!«

und betonte, wie vollständig es seinen Standpunkt bestätige; er ging alle Sonette sorgfältig durch und zeigte, oder glaubte zu zeigen, daß, nach seiner neuen Erklärung ihrer Bedeutung Dinge, die dunkel, schlecht oder übertrieben erschienen waren, nun klar und vernünftig und von hoher künstlerischer Tragweite wurden, und daß sie Shakespeares Auffassung von den wahren Beziehungen zwischen der Kunst des Schauspielers und der Kunst des Dramatikers veranschaulichten.

Es ist natürlich einleuchtend, daß es in Shakespeares Truppe einen wunderbaren jugendlichen Schauspieler von großer Schönheit gegeben haben muß, dem er die Darstellung seiner edlen Heldinnen anvertraute; denn Shakespeare war ebensosehr praktischer Theaterdirektor wie phantasievoller Dichter. Und Cyril hatte nun den Namen des jungen Schauspielers entdeckt. Es war Will oder, wie er ihn zu nennen liebte, Willie Hughes. Den Vornamen fand er natürlich in den Wortspielsonetten CXXXV und CXLIII; der Zuname war, ihm zufolge, in der siebten Zeile des XX. Sonettes verborgen, wo W. H. beschrieben wird als:

A man in hew, all Hews *in his controwling.*

»An Farb ein Mann, die Farben all verdunkelnd«,

In der Originalausgabe der Sonette ist *Hews* mit einem großen Anfangsbuchstaben und kursiv gedruckt und dies, behauptete er, zeige deutlich, daß ein Wortspiel beabsichtigt war. Seine Ansicht wurde beträchtlich bestärkt durch jene Sonette, in denen merkwürdige Wortspiele mit den Worten *use* und *usury* gemacht werden und durch solche Zeilen wie:

Thou art as fair in knowledge as in hew.

»Dein Urteil, hell wie deine Farbe, weiß,«

Ich war natürlich sofort bekehrt, und Willie Hughes wurde für mich eine ebenso leibhaftige Persönlichkeit wie Shakespeare. Als einzigen Einwand erhob ich gegen diese Theorie, daß der Name von Willie Hughes nicht in dem Schauspielerverzeichnis von Shakespeares Truppe vorkommt, das in der ersten Folioausgabe abgedruckt ist. Cyril wies jedoch darauf hin, daß das Fehlen von Willie Hughes Namen in diesem Verzeichnis die Theorie eigentlich stütze, denn es ginge aus dem LXXXVI. Sonett hervor, daß er Shakespeares Truppe verlassen hatte, um in einem Konkurrenztheater zu spielen, wahrscheinlich in einigen Stücken von Chapman. Darauf bezog sich, was Shakespeare in dem großen Sonett über Chapman zu Willie Hughes sagt:

But when your countenance filled up his line,
Then lacked I matter; that enfeebled mine –

»Als deine Gunst begann sein Lied zu feilen,
Da schwand mein Stoff, da lahmten meine Zeilen.«

der Ausdruck *when your countenance filled up his line* ›als deine Gunst begann sein Lied zu feilen‹ bezieht sich deutlich auf die Schönheit des jungen Schauspielers, der Chapmans Versen Leben und Wirklichkeit gab und ihnen Zauber verlieh; der gleiche Gedanke sei noch einmal im LXXIX. Sonett ausgedrückt:

Whilst I alone did call upon thy aid,
My verse alone had all thy gentle grace,
But now my gracious numbers are decayed,
And my sick Muse doth give another place;

»Als ich allein noch anrief deine Gunst,
Floß meinem Lied allein dein Anmutschatz!
Nun aber welkt die Anmut meiner Kunst;
Die Muse, krank, macht einer andern Platz.«

und in dem unmittelbar vorangehenden Sonett, wo Shakespeare sagt:

Every alien pen hath got my use
And under thee their poesy disperse,

»Daß nun die ganze Zunft, wie ich's begann,
Gedichte ausstreut unter deinem Schutze.«

sei das Wortspiel *use* =*Hughes* natürlich offensichtlich, und die Formulierung *under thee their poesy disperse* bedeute ›mit deiner Hilfe, als Schauspieler, bringst du ihre Stücke vor das Publikum.‹

Es war ein wundervoller Abend, und wir saßen beinahe bis zur Morgendämmerung beisammen und lasen die Sonette wieder und immer wieder. Nach einiger Zeit begann ich jedoch einzuwenden, daß, ehe die Theorie in einer wirklich unangreifbaren Form der Welt vorgelegt werden könne, es notwendig sei, einen hinreichenden Beweis für die Existenz dieses jungen Schauspielers Willie Hughes zu erbringen. Wenn sie einmal festgestellt wäre, dann gäbe es keinen Zweifel mehr an seiner Identität mit W. H.; andernfalls jedoch würde die Theorie hinfällig werden. Ich setzte dies Cyril sehr ernsthaft auseinander, der sich einigermaßen über meine, wie er es nannte, philiströse Anschauung ärgerte und sogar ziemlich erbittert darüber war. Ich nahm ihm jedoch das Versprechen ab, daß er im eigenen Interesse seine Entdeckung nicht veröffentlichen würde, ehe die ganze Sache nicht unbezweifelbar feststand. Wochenlang durchforschten wir die Kirchenregister, die Alleyn Handschriften in Dulwich, das Staatsarchiv, die Akten des Lord Chamberlain – ja alles, wovon wir dachten, daß es einen Hinweis auf Willie Hughes enthalten könnte. Wir fanden natürlich nichts, und die Existenz von Willie Hughes schien mir jeden Tag problematischer zu werden. Cyril befand sich in einem schrecklichen Zustand und ging die ganze Frage wieder und wieder durch und bat mich, ihm zu glauben. Aber ich sah die eine schwache Stelle in der Theorie und weigerte mich überzeugt zu sein, ehe nicht die tatsächliche Existenz von

Willie Hughes, dem jugendlichen Schauspieler der elisabethanischen Bühne, über jeden Zweifel oder jede Spitzfindigkeit erhaben war.

Eines Tages verließ Cyril die Stadt, um, wie ich damals glaubte, seinen Großvater zu besuchen, aber dann hörte ich von Lord Crediton, daß dies nicht der Fall war, und ungefähr vierzehn Tage später erhielt ich ein Telegramm von ihm, das in Warwick aufgegeben war, worin er mich bat, am gleichen Abend um 8 Uhr bestimmt zu kommen und bei ihm zuhause zu speisen. Als ich bei ihm eintrat, sagte er zu mir: »Der einzige Apostel, der keinen Beweis verdient hat, war der heilige Thomas, und der heilige Thomas war der einzige Apostel, dem er zuteil wurde.« Ich fragte ihn, was er damit meine. Er antwortete, daß es ihm nicht nur gelungen sei, die Existenz eines jugendlichen Schauspielers namens Willie Hughes im 16. Jahrhundert festzustellen, sondern daß er den schlagenden Beweis erbracht habe, daß dieser der W. H. der Sonette sei. Er wollte mir im Augenblick nicht mehr sagen: aber nach dem Essen holte er das Bild, das ich dir gezeigt habe, feierlich hervor und erzählte mir, daß er es durch den reinsten Zufall entdeckt habe; es war an der Innenseite einer alten Truhe genagelt, die er in einem Bauernhaus in Warwickshire gekauft hatte. Die Truhe selbst, ein sehr schönes Beispiel elisabethanischer Arbeit und vollkommen authentisch, hatte er natürlich mitgebracht, und in der Mitte der Vorderseite waren unzweifelhaft die Initialen W. H. eingeschnitzt. Dieses Monogramm hatte seine Aufmerksamkeit erregt, und er sagte mir, daß die Truhe schon mehrere Tage in seinem Besitz gewesen sei, ehe er daran gedacht habe, das Innere sorgfältig zu untersuchen. Eines Morgens jedoch habe er gesehen, daß die rechte Innenseite viel dicker als die andere war und als er genauer hinschaute, entdeckte er, daß ein gerahmtes Holzbild mit Klammern daran befestigt war. Als er es herausnahm, war es das Bild, das hier auf dem Sofa liegt. Es war sehr schmutzig und mit Schimmel bedeckt; aber es war ihm gelungen, es zu reinigen, und zu seiner großen Freude hatte er gesehen, daß er aus reinem Zufall auf den Gegenstand gestoßen war, nach dem er gesucht hatte. Hier war ein authentisches Portrait von W. H., die Hand ruhte auf dem Widmungsblatt der Sonette und in der Ecke des Bildes konnte man undeutlich den Namen des jungen Mannes lesen, von ihm selbst in goldenen Unziallettern auf einen verblichenen *bleu de paon* Grund geschrieben: *Master Will Hews.*

Nun, was sollte ich sagen? Aus dem XLVII. Sonett ging ganz deutlich hervor, daß Shakespeare im Besitz eines Portraits von W. H. gewesen war, und es kam mir mehr als wahrscheinlich vor, daß es sich hier um das *painted banquet* handelte, an dem sein Auge sich ergötzt hatte; das Bild, das sein Herz erweckte *to heart's and eye's delight.* Es kam mir nicht einen Augenblick in den Sinn, daß Cyril Graham mir einen Streich spielen oder versuchen könnte, seine Theorie mit Hilfe einer Fälschung zu beweisen.«

»Aber ist es denn eine Fälschung?« fragte ich.

»Natürlich«, sagte Erskine. »Es ist eine sehr gute Fälschung, aber nichtsdestoweniger eine Fälschung. Damals glaubte ich, daß Cyril bei der ganzen Sache ziemlich gelassen war; aber ich erinnere mich, daß er mir mehr als einmal sagte, er selbst brauche keinen Beweis dieser Art und halte die Theorie ohne einen solchen für vollständig. Ich lachte über ihn und sagte ihm, daß seine Theorie ohne Beweis nicht haltbar sei, und ich beglückwünschte ihn begeistert zu seiner wunderbaren Entdeckung. Wir beschlossen dann, daß das Bild gestochen oder faksimiliert und als Titelblatt für Cyrils Ausgabe der Sonette verwendet werden solle; drei Monate lang taten wir nichts anderes, als jedes Gedicht Zeile für Zeile durchzugehen, bis wir jede Schwierigkeit des Textes oder der Bedeutung geklärt hatten. Es war ein unglückseliger Tag, an dem ich in einer Kunsthandlung in Holborn war und auf dem Ladentisch einige außerordentlich schöne Silberstiftzeichnungen sah. Sie gefielen mir so sehr, daß ich sie kaufte, und der Ladenbesitzer, ein Mann namens Rawlings, sagte mir, daß sie von einem jungen Maler, der Edward Merton hieß, stammten, der sehr geschickt sei, aber arm wie eine Kirchenmaus. Einige Tage später suchte ich diesen Merton auf, dessen Adresse ich von dem Kunsthändler erhalten hatte, und fand einen interessanten jungen Mann mit einer ziemlich gewöhnlich aussehenden Frau – sein Modell, wie ich hernach erfuhr. Ich sagte ihm, wie sehr ich seine Zeichnungen bewunderte, was ihn zu freuen schien, und fragte ihn, ob er mir etwas von seiner anderen Arbeit zeigen wolle. Während wir eine Mappe mit wirklich guten Sachen durchsahen – denn Merton hatte einen höchst feinen und reizvollen Strich – fiel mein Blick plötzlich auf eine Zeichnung des Bildes von W. H. Es gab keinen Zweifel. Es war fast ein Faksimile – der einzige Unterschied war der, daß die beiden Masken der Tragödie und der Komödie nicht an dem Marmorsockel hingen, wie auf dem Bild, sondern auf dem Boden zu Füßen des jungen Mannes lagen. ›Wo um Himmels willen haben Sie das her?‹ fragte ich. Er wurde ziemlich verlegen und antwortete: ›O, das ist nichts. Ich wußte nicht, daß es in dieser Mappe ist. Es ist ohne den geringsten Wert.‹ ›Es ist das Bild, das du für Mr. Cyril Graham gemacht hast‹, rief seine Frau, ›und wenn der Herr es kaufen will, gib es ihm doch.‹ ›Für Mr. Cyril Graham?‹ wiederholte ich. ›Haben Sie das Bild von W. H. gemalt?‹ ›Ich verstehe nicht, was Sie meinen‹, antwortete er und wurde sehr rot. Nun, die ganze Sache war ziemlich peinlich. Die Frau verriet alles. Ich gab ihr fünf Pfund als ich wegging. Es ist mir jetzt unerträglich daran zu denken, aber natürlich war ich wütend. Ich ging sofort in Cyrils Wohnung, wartete dort drei Stunden bis er mit der schrecklichen mir ins Gesicht starrenden Lüge, kam und sagte ihm, ich hätte seine Fälschung entdeckt. Er wurde sehr bleich und erwiderte: ›Ich habe es einzig und allein um deinetwillen getan. Anders wärst du nicht zu überzeugen gewesen. Es greift die Wahrheit der Theorie nicht an.‹ ›Die Wahrheit der Theorie!‹ rief ich, ›je weniger wir darüber sprechen, umso besser. Sogar du selbst hast nie daran geglaubt, sonst hättest du keine Fälschung begangen, um sie zu beweisen.‹ Es fielen erregte Worte zwischen uns, wir hatten einen fürchterlichen Streit. Jedenfalls war ich ungerecht, und am nächsten Morgen war er tot.«

»Tot?« rief ich.

»Ja, er erschoß sich mit einem Revolver. Als ich eintraf – sein Diener hatte sogleich nach mir geschickt – war die Polizei bereits da. Er hatte einen Brief für mich hinterlassen, der offensichtlich in größter Aufregung und geistiger Qual geschrieben war.«

»Was stand darin?« fragte ich.

»Es stand darin, daß er unbedingt an Willie Hughes glaube, daß die Fälschung des Bildes einfach als Zugeständnis an mich entstanden sei und nicht im geringsten die Wahrheit der Theorie entkräfte und daß er, um mir zu zeigen, wie fest und unerschütterlich sein Glaube an die ganze Sache sei, sein Leben dem Geheimnis der Sonette zum Opfer bringen wolle. Es war ein törichter, wahnsinniger Brief. Ich erinnere mich, daß er am Schluß sagte, er vertraue mir die Willie-Hughes-Theorie an und es sei nun meine Aufgabe, sie der Welt bekanntzumachen und das Geheimnis von Shakespeares Herzen zu enthüllen.«

»Das ist eine höchst tragische Geschichte«, rief ich, »aber warum hast du seinen Wunsch nicht erfüllt?«

Erskine zuckte die Schultern. »Weil die Theorie von Anfang bis Ende gänzlich unfundiert ist«, antwortete er.

»Mein lieber Erskine«, sagte ich und stand auf, »du hast in der ganzen Sache durchaus unrecht. Die Theorie ist der einzige vollkommene Schlüssel zu Shakespeares Sonetten, der jemals gefunden wurde. Jedes Detail stimmt. Ich glaube an Willie Hughes.«

»Sag das nicht«, erwiderte Erskine ernst. »Ich glaube, es ist etwas Verhängnisvolles an der Idee, und intellektuell läßt sich nichts für sie vorbringen. Ich habe die ganze Sache untersucht und ich versichere dir, die Theorie ist ganz und gar trügerisch. Bis zu einem gewissen Punkt ist sie einleuchtend. Dann hört es auf. Um Himmels willen, mein lieber Junge, beschäftige dich nicht mit dem Thema Willie Hughes. Dein Herz wird darüber brechen.«

»Erskine«, erwiderte ich, »es ist deine Pflicht, diese Theorie der Welt vorzulegen. Falls du es nicht tust, werde ich es tun. Dadurch, daß du sie verschweigst, verunglimpfst du das Andenken von Cyril Graham, dem jüngsten und glänzendsten aller Märtyrer der Literatur. Ich bitte dich, laß ihm diesen reinen Akt der Gerechtigkeit widerfahren. Er starb um dieser Sache willen – laß seinen Tod nicht vergeblich sein.«

Erskine sah mich erstaunt an. »Das Gefühl für die ganze Geschichte reißt dich hin«, sagte er. »Du vergißt, daß eine Sache nicht notwendigerweise wahr ist, weil ein Mensch dafür stirbt. Ich habe Cyril Graham sehr gerne gehabt. Sein Tod war ein furchtbarer Schlag für mich. Ich glaube nicht, daß ich mich jemals davon erholt habe. Aber Willie Hughes! Es ist nichts an der Idee von Willie Hughes. Eine solche Person hat nie existiert. Und die Angelegenheit vor die Welt bringen – die Welt glaubt, daß Cyril Grahams Schuß ein Unglücksfall war. Der einzige Beweis für seinen Selbstmord war in dem Brief an mich enthalten, und von diesem Brief hat die Öffentlichkeit nie etwas erfahren. Lord Crediton hat bis heute den Eindruck, daß die ganze Sache ein unglücklicher Zufall war.«

»Cyril Graham hat sein Leben einer großen Idee geopfert«, antwortete ich, »und wenn du nicht von seinem Märtyrertum berichten willst, erzähle wenigstens von seinem Glauben.«

»Sein Glaube«, sagte Erskine, »galt einer Sache, die falsch war, einer Sache, die irrig war, einer Sache, die kein Shakespeare-Forscher auch nur einen Augenblick ernst nehmen kann. Man würde über die Theorie lachen. Mach dich nicht zum Narren und folge nicht einer Spur, die nirgends hinführt. Du gehst von der Existenz einer Person aus, deren Existenz gerade das ist, was bewiesen werden muß. Außerdem weiß jeder, daß die Sonette an Lord Pembroke gerichtet waren. Die Sache ist ein für allemal geklärt.«

»Die Sache ist nicht geklärt«, rief ich. »Ich will die Theorie dort aufnehmen, wo Cyril Graham sie verlassen hat, und ich will der Welt beweisen, daß er recht hatte.«

»Dummer Junge!« sagte Erskine, »geh nach Hause, es ist drei Uhr vorbei, und denk nicht mehr über Willie Hughes nach. Es tut mir leid, daß ich dir etwas darüber erzählt habe, fürwahr sehr leid, dich zu einer Sache bekehrt zu haben, an die ich selbst nicht glaube.«

»Du hast mir den Schlüssel zu dem größten Geheimnis der modernen Literatur gegeben«, antwortete ich, »und ich werde nicht ruhen, bis du, bis jedermann anerkennt, daß Cyril Graham der scharfsinnigste Shakespeare-Kritiker unserer Tage ist.«

Ich war im Begriff das Zimmer zu verlassen, als Erskine mich zurückrief. »Mein lieber Junge«, sagte er, »laß mich dir den Rat geben, deine Zeit nicht mit den Sonetten zu vergeuden. Es ist mir ganz ernst. Was sagen sie uns schon über Shakespeare? Nur, daß er der Sklave der Schönheit war.«

»Nun, das ist die Bedingung um Künstler zu sein!« erwiderte ich.

Für einige Augenblicke herrschte ein sonderbares Schweigen. Dann stand Erskine auf und indem er mich mit halb geschlossenen Augen ansah, sagte er: »Ach, wie du mich an Cyril erinnerst! Er hat oft genau dasselbe zu mir gesagt.« Er versuchte zu lächeln, aber in seiner Stimme war der Ton eines scharfen Pathos, das ich bis heute nicht vergessen habe, wie jemand sich an den Ton einer bestimmten Violine erinnert, die einen bezauberte, an die Berührung einer bestimmten Frauenhand. Die großen Ereignisse des Lebens lassen einen oft unbewegt; sie entschwinden dem Bewußtsein und wenn man an sie denkt, werden sie unwirklich. Es scheint, daß selbst die Purpurblumen der Leidenschaft auf der selben Wiese wachsen wie die Mohnblumen des Vergessens. Wir beklagen die Last ihrer Erinnerung und haben Linderungsmittel gegen sie. Aber die kleinen Dinge, die Dinge, die keinen Augenblick haben, bleiben uns. In irgendeiner winzigen elfenbeinernen Zelle speichert das Gehirn die subtilsten und flüchtigsten Eindrücke.

Als ich durch den St. James Park nach Hause ging, brach die Morgendämmerung gerade über London an. Die Schwäne lagen schlafend auf der weichen Fläche des glatten Sees, wie weiße Federn auf einen Spiegel aus schwarzem Stahl gefallen. Der schlanke Krystall-Palast hob sich purpurn gegen den blaßgrünen Himmel ab, und im Garten des Stafford House begannen soeben die Vögel zu singen. Ich dachte an Cyril Graham, und meine Augen füllten sich mit Tränen.

2

Es war zwölf Uhr vorbei, als ich erwachte, die Sonne strömte durch die Vorhänge meines Zimmers in langen staubigen Strahlen aus zitterndem Gold. Ich sagte meinem Diener, daß ich für niemanden zu Hause wäre, und nachdem ich eine Tasse Schokolade und ein *petit-pain* genommen hatte, holte ich aus der Bibliothek mein Exemplar der Shakespeare Sonette und Tylers Faksimile-Ausgabe im Quartformat und fing an, sie sorgfältig durchzugehen. Jedes Gedicht schien Cyril Grahams Theorie zu bekräftigen. Ich hatte das Gefühl, meine Hand liege auf Shakespeares Herz, und ich zählte jeden einzelnen Pulsschlag der Leidenschaft. Ich dachte an den wunderbaren, jugendlichen Schauspieler und sah in jeder Zeile sein Gesicht.

Ich muß zugeben, daß es mir vorher, in meinen Lord-Pembroke-Tagen, wenn ich sie so nennen darf, immer sehr schwierig erschienen war zu begreifen, warum der Schöpfer des Hamlet, des Lear und des Othello sich mit solch ungewöhnlichen Worten der Huldigung und der Leidenschaft an jemanden wendet, der nur ein gewöhnlicher junger Adliger seiner Zeit war. Zusammen mit den meisten Shakespeare-Kennern fand ich mich genötigt, den Sonetten eine Sonderstellung zu geben, als etwas, was mit Shakespeares Entwicklung als Dramatiker nichts zu tun hatte, als etwas, was möglicherweise nicht zur intellektuellen Seite seiner Natur paßte. Aber jetzt, als ich mir die Wahrheit von Cyril Grahams Theorie zu vergegenwärtigen begann, sah ich, daß die Stimmungen und Leidenschaften, die sie spiegelten, ganz und gar wesentlich waren für Shakespeares Vervollkommnung als Künstler, der für die elisabethanische Bühne schrieb, und daß es die eigentümlichen Theaterbedingungen jener Bühne waren, aus denen die Gedichte ihren Ursprung hatten. Ich erinnere mich der Freude, die ich darüber empfand, daß diese wundervollen Sonette:

Subtle as Sphinx, as sweet and musical
As bright Apollo's lute, strung with his hair,

»Schlau wie die Sphinx, so süß und musikalisch
Wie Phöbus' Lei'r, bespannt mit seinem Haar«,

nicht länger von den großen ästhetischen Energien in Shakespeares Leben getrennt waren, sondern einen wesentlichen Teil seiner dramatischen Tätigkeit ausmachten und uns etwas von dem Geheimnis seiner Methode enthüllten. Es bedeutete vergleichsweise nichts, den wahren Namen von W. H. entdeckt zu haben: andere hätten das tun können, hatten es vielleicht getan: aber seinen Beruf entdeckt zu haben, war eine Revolution in der Kritik.

Zwei Sonette, erinnere ich mich, berührten mich besonders stark. In dem ersten von beiden (LIII) beglückwünscht Shakespeare Willie Hughes zu der Vielseitigkeit seiner Darstellungskunst, zu der großen Spannweite der Rollen, von der wir wissen, daß sie von Rosalinde bis Julia, von Beatrice bis zu Ophelia reichte, und er sagt zu ihm:

What is your substance, whereof are you made,
That millions of strange shadows on you tend?
Since everyone hath, every one, one shade,
And you, but one, can every shadow lend –

»Aus welchen Stoffen schuf dich die Natur,
Daß tausend fremde Schatten dich begleiten?
Ein Schatten folgt uns, jedem einer nur;
Dir folgt der Schatten aller Herrlichkeiten:«

Zeilen, die unverständlich blieben, wenn sie nicht an einen Schauspieler gerichtet wären, denn das Wort »Schatten« hatte zu Shakespeares Zeiten eine technische Bedeutung, die mit der Bühne zusammenhing. »Die Besten in dieser Gattung sind bloß Schatten«, sagt Theseus von den Schauspielern im Sommernachtstraum;

»Leben ist nur ein wandelnd' Schattenbild,
Ein armer Komödiant, der spreizt und knirscht
Sein Stündchen auf der Bühn'«,

ruft Macbeth im Augenblick seiner Verzweiflung, und es gibt in der damaligen Literatur zahlreiche ähnliche Anspielungen. Dieses Sonett gehörte offensichtlich zu jenen, in denen Shakespeare das Wesen der Schauspielkunst und das eigentümliche und seltene Temperament behandelt, das dem vollkommenen Schauspieler eigen ist. »Wie kommt es«, sagt Shakespeare zu Willie Hughes, »daß du so viele Persönlichkeiten in dir hast?« und dann legt er dar, daß seine Schönheit dergestalt sei, daß sie jede Form und Wandlung der Phantasie zu verwirklichen scheine, daß sie jeden Traum der schöpferischen Einbildungskraft verkörpere – eine Vorstellung, die im gleich darauf folgenden Sonett noch weiter ausgeführt wird, in dem Shakespeare, mit dem schönen Gedanken beginnend:

O, *how much more doth beauty beauteous seem*
By that sweet ornament which truth *doth give!*

»O wie viel schöner wird die Schönheit doch,
Wenn sie der holde Schmuck der Treue hebt;«

uns auffordert zu beobachten, wie die Wahrheit der Schauspielkunst, wie die Wahrheit der sichtbaren Darstellung auf der Bühne, das Wunder der Dichtung erhöht, indem sie ihrem Zauber Leben und ihrer idealen Form Wirklichkeit verleiht. Und doch bittet Shakespeare im LXVII. Sonett Willie Hughes, die Bühne mit ihrer Künstlichkeit, dem unechten Leben des geschminkten Gesichts und der nachgeahmten Kostüme, den amoralischen Einflüssen und Verlockungen, ihrer Ferne von der wahren Welt der edlen Tat und der aufrichtigen Rede, zu verlassen.

Ah! wherefore with infection should he live,
And with his presence grace impiety,
That sin by him advantage should receive,
And lace itself with his society?
Why should false painting imitate his cheek'
And steal dead seeing of his living hue?
Why should poor beauty indirectly seek
Roses of shadow, since his rose is true?

»O warum lebt er heut in kranker Welt,
Mit seiner Gegenwart das Laster zierend,
Wo Sünde Vorschub nur durch ihn erhält,
Mit seinem Umgang sich herausstaffierend?
Wo falsche Schminke nachäfft seine Wangen
Und seinem Leben stiehlt ihr totes Rot,
Wo dürft'ge Schönheit, um gleich ihm zu prangen,
Gemalte Rosen sucht in ihrer Not?«

Es mag seltsam erscheinen, daß ein so großer Dramatiker wie Shakespeare, der seine eigene Vollendung als Künstler und seine volle menschliche Reife auf dem idealen Boden der Bühnendichtung und der Schauspielkunst erreichte, solche Worte über das Theater geschrieben haben sollte. Aber wir müssen uns daran erinnern, daß er uns im CX. und CXI. Sonett kundtut, auch er sei der Welt der Marionetten müde und schäme sich, sich selbst zum *motley to the view* gemacht zu haben. Das CXI. Sonett ist besonders bitter:

O, for my sake do you with Fortune chide,
The guilty goddess of my harmful deeds,
That did not better for my life provide
Than public means which public manners breeds.
Thence comes it that my name receives a brand,
And almost thence my nature is subdued
To what it works in, like the dyer's hand:
Pity me, then, and wish I were renewed –

»Schilt auf Fortunen für mein übles Leben,
Die schuld'ge Göttin meines argen Handels,
Die mir zum Leben Beßres nicht gegeben
Als freie Kunst, die Mutter freien Wandels.

Drum trägt mein Nam ein Brandmal eingebrannt;
Drum geht mein Wesen fast in dem verloren,
Worin es wirkt, wie eines Färbers Hand.
Fühl Mitleid denn und wünsch mich neugeboren.«

und auch an anderen Stellen gibt es Anzeichen für das gleiche Gefühl, Anzeichen, die allen wirklichen Shakespeare-Forschern vertraut sind.

Ein Punkt machte mir beim Lesen der Sonette großes Kopfzerbrechen, und es dauerte Tage, bis ich auf die richtige Interpretation kam, die Cyril Graham selbst entgangen zu sein schien. Ich konnte nicht verstehen, weshalb Shakespeare einen so hohen Wert auf die Verheiratung seines jungen Freundes legte. Er selbst hatte jung geheiratet, und das Ergebnis war unheilvoll gewesen; es ist unwahrscheinlich, daß er von Willie Hughes verlangte, den gleichen Irrtum zu begehen. Der jugendliche Darsteller der Rosalinde hatte von einer Ehe oder von den Leidenschaften des wirklichen Lebens nichts zu gewinnen. Die frühen Sonette, mit ihrer merkwürdigen Aufforderung Kinder zu haben, schienen ein falscher Ton zu sein.

Die Erklärung des Geheimnisses kam mir ganz plötzlich, und ich fand sie in der seltsamen Widmung. Bekanntlich lautet diese Widmung folgendermaßen:

To the · onlie begetter · of ·
These · insuing · sonnets
Mr. W. H. all · happinesse ·
AND · THAT · ETERNITIE ·
Promised · by ·
Our · ever-living · poet ·
Wisheth ·
The · well-wishing ·
Adventurer · in
Setting ·
Forth
T. T.

»Dem einzigen Erzeuger dieser
folgenden Sonette, Hrn. W. H.
wünscht alles Glück und jene
von unserm unsterblichen Dichter
verheißene Ewigkeit, der Gutes
wünschende Abenteurer beim
Auslaufen
T. T.«

Manche Forscher haben angenommen, das Wort *begetter* meine hier einfach den Vermittler der Sonette an den Verleger Thomas Thorpe; aber diese These ist jetzt allgemein aufgegeben worden, und die höchsten Autoritäten sind sich einig, daß das Wort im Sinne eines Anregers verstanden werden muß, und daß die Metapher aus der Analogie des physischen Lebens genommen ist. Nun fand ich, daß dieselbe Metapher von Shakespeare auch in den Gedichten gebraucht wird, und das führte mich auf den richtigen Weg. Schließlich machte ich meine große Entdeckung. Die Ehe, die Shakespeare Willie Hughes vorschlägt, ist die *marriage with his Muse*, ein Ausdruck, der in dieser Form im LXXXII. Sonett vorkommt, wo er in der Bitterkeit seines Herzens über die Treulosigkeit des jugendlichen Schauspielers, für den er seine größten Rollen geschrieben und dessen Schönheit sie ihm eingegeben hatte, seine Klage mit den Worten beginnt:

I grant thou wert not married to my Muse.

»Du bist ja meiner Muse nicht vermählt,«

Die Kinder, die zu zeugen er ihn beschwört, sind keine Kinder aus Fleisch und Blut, sondern vielmehr die unsterblichen Kinder unvergänglichen Ruhmes. Der ganze Zyklus der ersten Sonette ist nichts anderes als die Aufforderung an Willie Hughes, zur Bühne zu gehen und Schauspieler zu werden. Wie unfruchtbar und ohne Gewinn ist deine Schönheit, sagt er, wenn du sie nicht nützt:

When forty winters shall besiege thy brow,
And dig deep trenches in thy beauty's field,
Thy youth's proud livery, so gazed on now,
Will be a tattered weed, of small worth held:
Then being asked where all thy beauty lies,
Where all the treasure of thy lusty days,
To say, within thine own deep-sunken eyes,
Were an all-eating shame and thriftless praise.

»Wann vierzig Winter erst dein Haupt berennen
Und in der Schönheit Plan Laufgräben ziehn,
Wer wird dein Jugendstaatskleid dann noch kennen,
Und den zerfetzten Rock, wer achtet ihn?
Befragt alsdann: »Wo blieb all deine Zier?
Wo deines Frühlings stolzes Eigentum?«
Zu sagen: »In den hohlen Augen hier«,
Wär' allverzehrnde Schmach und Bettelruhm.«

Du mußt etwas in der Kunst schaffen: mein Vers *is thine and born of thee;* hör nur auf mich, ich will

bring forth *eternal numbers to outlive long date.*

»Rhythmen schaffe der
Unsterblich, die in fernster Frist bestehen.«

und du wirst die imaginäre Welt der Bühne mit den Gestalten deines eigenen Bildes bevölkern. Diese Kinder, die du zeugst, fährt er fort, werden nicht dahinwelken wie sterbliche Kinder, sondern du wirst in ihnen und in meinen Stücken leben:

Make thee another self, for love of me,
That beauty still may live in thine or thee!

»Schaff dir ein andres Du, zuliebe mir,
Daß Schönheit leb im Dein'gen oder dir.«

Fürchte dich nicht, deine Persönlichkeit aufzugeben, deine *semblance to some other* zu leihen:

To give away yourself keeps yourself still,
And you must live, drawn by your own sweet skill.

»Gib dich hinweg, daß du dich nicht verlierst,
Und leb, indem du lieblich dich kopierst.«

Ich mag in der Sterndeuterei nicht erfahren sein und doch, in jenen *constant stars,* deinen Augen:

I read such art
As truth and beauty shall together thrive,
If from thyself to store thou wouldst convert.

»haben mich gelehrt:
›Wahrheit und Schönheit werden blühn im Bunde,
Wann du von dir zum Mehren wirst bekehrt.‹«

Was haben andere damit zu tun?

Let those whom Natur hath not made for store,
Harsh, featureless, and rude, barrenly perish:

»Wen die Natur nicht schuf zur Früchtezier,
Starr, formlos, roh, der geh fruchtlos zu Grabe;«

Mit dir ist es anders, die Natur:

carv'd thee for her seal, and meant thereby
Thou shouldst print more, nor let that copy die.

»Sie schnitt zu ihrem Siegel dich und wollte,
Daß mehr es prägen, nicht zerbrechen sollte.«

Denke auch daran, wie bald die Schönheit sich verliert. Ihre Wirkung ist nicht kräftiger als eine Blume, und wie eine Blume lebt und stirbt sie. Denk an *the stormy gusts of winter's day*, an den *barren edge of Death's eternal cold*, und:

ere thou be distilled,
Make sweet some vial; treasure thou some place
With beauty's treasure, ere it be self-killed.

»eh du gekeltert bist;
Mach irgendein Gefäß süß durch die Spende
Der Schönheit, eh sie selbst getötet ist.«

Ja, sogar Blumen sterben nicht völlig. Wenn die Rosen welken,

Of their sweet deaths are sweetest odours made:

»Ihr süßer Tod noch liefert süßen Duft.«

und du, der *my rose* ist, solltest nicht hinweggehen ohne deine Form in der Kunst zurückzulassen. Denn die Kunst besitzt das eigentliche Geheimnis der Freude.

Ten times thyself were happier than thou art,
If ten of thine ten times refigur'd thee.

»Zehnmal du selbst wär' glücklicher als du,
Wenn zehn der Deinen zehnmal dich erneuern;«

Du brauchst nicht die *bastard signs of fair*, das geschminkte Gesicht, die phantastischen Verkleidungen der anderen Schauspieler:

... the golden tresses of the dead,
The right of sepulchres,

»das goldne Haar vom toten Schopfe,
Das Eigentum der Grüfte«,

braucht dir nicht geschoren zu werden. In dir:

those holy antique hours are seen,
Without all ornament itself and true,
Making no summer of another's green.

»seht ihr die alte Zeit erblühn,
Schmucklos und echt und wahr in heil'ger Treue,
Die keinen Sommer macht mit fremdem Grün«,

Alles was nottut ist, *to copy what in you is writ*; dich auf die Bühne zu stellen, wie du im wirklichen Leben bist. Alle jene alten Dichter, die von *ladies dead and lovely knights* geschrieben haben, träumten von jemandem wie du es bist, und:

All their praises are but prophecies
Of this our time, all you prefiguring.

»Ihr Lob war nur Weissagung unsrer Zeit,
Vorzeichen, die auf deine Schönheit gingen;«

Denn deine Schönheit scheint allen Zeiten und allen Ländern anzugehören. Deine Schattengestalt kommt nachts zu mir, aber ich möchte deinen »Schatten« bei lebendigem Tage schauen, ich möchte dich auf der Bühne sehen. Die bloße Beschreibung von dir genügt hier nicht:

If I could write the beauty of your eyes,
And in fresh numbers number all your graces,
The age to come would say, ›This poet lies;
Such heavenly touches ne'er touched earthly faces.‹

»Könnt' ich die Schönheit deiner Augen schreiben,
Mit deinen Zierden zieren mein Gedicht,
Die Nachwelt spräche: ›Dichter übertreiben;
So himmlisch schön ist Erdenschöne nicht.‹«

Es ist notwendig, daß *some child of yours* irgendeine künstlerische Schöpfung, die dich verkörpert und der durch deine Einbildungskraft Leben verliehen wird, dich den staunenden Augen der Welt darstellt. Deine eigenen Gedanken sind deine Kinder, deine Nachkommen von Gefühl und Geist; gib ihnen Ausdruck und du wirst:

Those children nursed, delivered from thy brain

Vertrau dem Buch als Pflegekinder an;
Von deinem Hirn entbunden so,«

finden. Auch meine Gedanken sind meine *children.* Sie sind durch dich gezeugt und mein Gehirn ist:

the womb wherein they grew.

»im mütterlichen Boden wo es entsprang?«

Denn unsere große Freundschaft ist fürwahr eine Vermählung, es ist die *marriage of true minds.*

Ich sammelte alle Stellen, die diese Auffassung zu bestätigen schienen; sie machten einen starken Eindruck auf mich und bewiesen mir, wie vollständig Cyril Grahams Theorie in Wirklichkeit war. Ich sah auch, daß es ganz leicht war, die Verse, in denen Shakespeare von den Sonetten selbst spricht, von jenen zu trennen, in denen er von seinem großen dramatischen Werk spricht. Das war ein Punkt, der bisher von allen Kritikern bis zu Cyril Graham hin völlig übersehen worden war. Und doch war es einer der wichtigsten Punkte der ganzen Gedichtfolge. Shakespeare war den Sonetten gegenüber mehr oder weniger gleichgültig. Er wollte seinen Ruhm nicht auf sie gründen. Sie bedeuteten für ihn die *slight Muse,* wie er es nennt, und sie waren, wie Meres erzählt, nur bestimmt, unter wenigen, sehr wenigen Freunden insgeheim von Hand zu Hand zu gehen. Andererseits war er sich des hohen künstlerischen Wertes seiner Stücke sehr genau bewußt und zeigte ein nobles Selbstvertrauen in sein dramatisches Genie. Wenn er zu Willie Hughes sagt:

But thy eternal summer shall not fade,
Nor lose possession of that fair thou owest;
Nor shall Death brag thou wander'st in his shade,
When in eternal lines *to time thou growest:*
So long as men can breathe or eyes can see,
So long lives this and this gives life to thee; –

»Nie aber wird dein ew'ger Sommer schwinden,
Noch jene Schönheit missen, die du hast;
Nie wird der Tod im Schattenreich dich finden,
Wann dich die Zeit in ew'ge Verse faßt.
Solang noch Menschen atmen, Augen sehn,
Lebt dies und gibt dir Leben und Bestehn.«

spielt der Ausdruck *eternal lines* deutlich auf eines seiner Stücke an, das er ihm zu dieser Zeit übersandte, genauso wie das abschließende Reimpaar sein Vertrauen in die Wahrscheinlichkeit zeigt, daß seine Stücke immer gespielt werden. In seiner Anrufung der dramatischen Muse (im C. und CI. Sonett) finden wir dasselbe Gefühl.

Where art thou, Muse, that thou forget'st so long
To speak of that which gives thee all thy might?
Spend'st thou thy fury on some worthless song,
Darkening thy power to lend base subjects light?

»Wo bist du, Muse, daß du säumst so lange,
Dem, was dir alle Macht gab, Lob zu weihn?
Verbrauchst du deine Glut in eitlem Sange,
Verdunkelst dich, um Schlechtem Glanz zu leihn?«

ruft er aus, und dann beginnt er der Geliebten der Tragödie und der Komödie Vorhaltungen zu machen wegen ihrer *neglect of truth in beauty dyed* und sagt:

Because he needs no praise, wilt thou be dumb?
Excuse not silence so; for 't lies in thee
To make him much outlive a gilded tomb,
And to be praised of ages yet to be.
Then do thy office, Muse, I teach thee how,
To make him seem long hence as he shows now.

»Schweigst du, weil er des Lobs dich überhebe?
O leere Ausflucht! Deines Amtes ist,
Daß er sein gülden Grabmal überlebe
Und Lob ihm werde bis zur fernsten Frist.
Ans Werk denn, Muse! Wie, das lehr ich dir,
Daß ihn die späte Zukunft kennt wie wir.«

Vielleicht aber ist es das LV. Sonett, in dem Shakespeare diesem Gedanken den vollsten Ausdruck verleiht. Anzunehmen, daß der *powerful rhyme* in der zweiten Zeile sich auf das Sonett selbst bezieht, hieße Shakespeares Absicht völlig mißdeuten. Es schien mir, aus dem allgemeinen Charakter des Sonettes zu schließen, höchst wahrscheinlich, daß ein bestimmtes Stück gemeint, und das Stück kein anderes als »Romeo und Julia« sei.

Not marble, nor the gilded monuments
Of princes shall outlive this powerful rhyme;
But you shall shine more bright in these contents
That unswept stone besmeared with sluttish time.

When wasteful wars shall statues overturn,
And broils root out the work of masonry,
Not Mars his sword nor war's quick fire shall burn
The living record of your memory
'Gainst death and all-oblivious enmity
Shall you pace forth; your praise shall still find room
Even in the eyes of all posterity
That wear this world out to the ending doom.
So, till the judgment that yourself arise,
You live in this, and dwell in lovers' eyes.«

»Kein gülden Fürstenbild, kein Marmelstein
Wird diese mächt'gen Verse überleben;
Sie werden dir ein hellres Denkmal sein
Als Quadern, die vom Schmutz der Zeiten kleben.
Ob Zwietracht stürzt der Häuser fest Gemäuer,
Ob wüster Krieg die Statuen niederrennt,
Kein Schwert des Mars, kein fressend Kriegesfeuer
Tilgt deines Ruhms lebendig Monument.
Trotz Tod und feindlicher Vergessenheit
Sollst du bestehn, soll Raum dein Name finden
Noch in den Augen allerfernster Zeit,
Bis die Geschlechter dieser Welt verschwinden.«
Bis am Gerichtstag du dich selbst erhebst,
Wohnst du im Auge Liebender und lebst.

Es war auch faszinierend festzustellen, wie Shakespeare hier und anderswo Willie Hughes Unsterblichkeit versprach, in einer Form, die sich an die Augen der Menschen richtete – das heißt, in der Form des Schauspiels, in einem Theaterstück, das man sich anschaut.

Zwei Wochen arbeitete ich eifrig an den Sonetten, ging kaum aus und lehnte alle Einladungen ab. Jeden Tag glaubte ich etwas Neues zu entdecken, und Willie Hughes bekam für mich eine Art geistige Präsenz, wurde zu einer alles beherrschenden Persönlichkeit. Ich konnte mir fast einbilden, ihn im Schatten meines Zimmers stehen zu sehen, so gut hatte Shakespeare ihn gezeichnet, mit seinem goldenen Haar, seiner zarten blumenhaften Anmut, seinen träumerischen, tiefliegenden Augen, seinen feinen lebhaften Gliedern und seinen weißen Lilienhänden. Selbst sein Name bezauberte mich. Willie Hughes!

Willie Hughes! Wie musikalisch das klang! Ja, wer anders als er konnte Herr und Herrin von Shakespeares Leidenschaft gewesen sein (Sonett XX/2), der Herr seiner Liebe, dem er untertan war (Sonett XXV/1), der köstliche Spielgefährte der Lust (Sonett CXXVI/9), die Rose der ganzen Welt (Sonett CIX/14), der Herold des Frühlings (Sonett I/10), mit dem stolzen Kleid der Jugend geschmückt (Sonett II/3), der bezaubernde Junge, den zu hören süße Musik war (Sonett VIII/1) und dessen Schönheit die eigentliche Hülle von Shakespeares Herz (Sonett XX/6), wie auch der Angelpunkt seiner dramatischen Kraft war? Wie bitter erscheint nun die ganze Tragödie seines Abfalls und seiner Schmach! – einer Schmach, die er süß und lieblich machte (Sonett XCV/1) durch den bloßen Zauber seiner Persönlichkeit, die aber dennoch eine Schmach blieb. Aber da Shakespeare ihm verzieh, sollten nicht auch wir ihm verzeihen? Ich wollte nicht das Geheimnis seiner Sünde erforschen oder der Sünde – wenn es eine war – des großen Dichters, der ihn so zärtlich geliebt hatte.

I am that I am, sagte Shakespeare voll edler Verachtung in einem Sonett:

I am that I am, and they that level
At my abuses reckon up their own;
I may be straight, though they themselves be level;
By their rank thoughts my deeds must not be shown.

»ich bin, was ich bin, und all ihr Zielen
Auf meine Schuld wird ihnen zum Gericht;
Vielleicht seh ich gradaus, und jene schielen;
Ihr arger Sinn mißt meine Taten nicht,«

Daß Willie Hughes Shakespeares Theater verließ, war eine andere Sache, und ich ging ihr sehr ausführlich nach. Am Ende kam ich zu dem Schluß, daß Cyril Graham sich geirrt hatte, als er annahm, der rivalisierende Dramatiker im LXXX. Sonett sei Chapman gewesen. Es war offensichtlich Marlowe, dem die Anspielung galt. Zu der Zeit, als die Sonette entstanden, es muß zwischen 1590 und 1595 gewesen sein, konnte ein Ausdruck wie *the proud full sail of his great verse* unmöglich auf Chapmanns Werk angewandt werden, mochte er auch für den Stil seiner späteren jakobinischen Stücke gelten. Nein, offensichtlich war Marlowe der Dichter-Rivale, von dem Shakespeare mit so lobenden Worten sprach; die Hymne, die Marlowe zu Ehren von Willie Hughes schrieb, war die unvollendete »Hero und Leander«, und der

Affable familiar ghost
which nightly gulls him with intelligence,

»Nicht er noch jener Kobold-Famulus,
Der nächtlich ihn betört mit hoher Kunde,
Darf triumphieren, daß ich schweigen muß;«

war der Mephistopheles seines Doktor Faustus. Zweifellos war Marlowe von der Schönheit und Anmut des jugendlichen Schauspielers fasziniert und lockte ihn vom Blackfriars Theatre weg, damit er den Gaveston in seinem »Edward II.« spiele. Daß Shakespeare ein gesetzliches Recht besaß, Willie Hughes in seiner eigenen Truppe zu behalten, geht aus dem LXXXVII. Sonett hervor, wo er sagt:

Farewell! thou are too dear for my possessing,
And like enough thou know'st thy estimate:
The charter of thy worth *gives thee releasing;*
My bonds *in thee are all determinate.*
For how do I hold thee but by thy granting?
And for that riches where is my deserving?
The cause of this fair gift in me is wanting,
And so my patent back again is swerving.
Thyself thou gav'st, thy own worth then not knowing,
Or me, to whom thou gav'st it, else mistaking;
So thy great gift, upon misprision growing,
Comes home again, on better judgment making.
  Thus have I had thee, as a dream doth flatter,
  In sleep a king, but waking no such matter.

»Leb wohl! Du weißt, dein Wert ist viel zu groß,
Als daß ich dauernd dich besitzen könnte;
Der Pachtbrief deiner Freundschaft spricht dich los;
Erloschen ist der Pakt, der mir dich gönnte.
Durch deine Schenkung wardst du mein Habe,
Und wie verdient' ich je so reiche Spende?
Der Rechtsgrund fehlt in mir für solche Gabe,
Und folglich ist's mit meinem Recht zu Ende.
Du gabst dich mir, unkundig deines Wertes,
Wohl auch getäuscht in mir, der ihn empfangen.
Nun ist die Schenkung als ein aufgeklärtes
Versehen deinerseits zurückgegangen.
  So hab ich dich gehabt, wie Träum entweichen,
  Im Schlaf ein König, wachend nichts dergleichen.«

Aber ihn, den er durch Liebe nicht halten konnte, wollte er auch nicht durch Gewalt festhalten. Willie Hughes wurde Mitglied von Lord Pembrokes Truppe, und vielleicht hat er im offenen Hof der Red Bull Tavern die Rolle von König Edwards zärtlichem Günstling gespielt. Nach Marlowes Tod scheint er zu Shakespeare zurückgekehrt zu sein, der, was immer seine Teilhaber darüber gedacht haben mögen, nicht zögerte, dem jungen Schauspieler die Eigenwilligkeit und den Verrat zu verzeihen.

Wie gut hat übrigens Shakespeare das Temperament des Schauspielers gezeichnet! Willie Hughes war einer von denen:

That do not do the thing they most do show,
Who, moving others, are themselves as stone.

»Nie tut, was er zu tun am meisten scheint,
Wer andre rührt und bleibt doch selber still,«

Er konnte Liebe spielen, aber er konnte sie nicht fühlen, er konnte Leidenschaft darstellen, ohne sie zu empfinden.

In many's looks the false heart's history
Is writ in moods and frowns and wrinkles strange,

»Bei vielen liest man gleich, was sich begeben,
In Launen, Runzeln, finstrem Angesicht;«

Aber mit Willie Hughes verhielt es sich nicht so. *Heaven* sagte Shakespeare in einem Sonett voll wahnsinniger Vergötterung:

Heaven in thy creation did decree
That in thy face sweet love should ever dwell;
Whate'er thy thoughts or thy heart's workings be,
Thy looks should nothing thence but sweetness tell.

»Dich aber hat der Himmel so geschaffen,
Daß süße Liebe stets dein Aug erfüllt,
Und welche Abgründ auch im Herzen klaffen,
Dein Blick nur Süßigkeit von dort enthüllt.«

Es war leicht, in seinem *inconstant mind* und seinem *false heart* die Unaufrichtigkeit und den Verrat zu erkennen, die in gewisser Weise untrennbar von der künstlerischen Natur erscheinen, wie in seiner Liebe zum Ruhm jenes Verlangen nach sofortiger Anerkennung, das allen Schauspielern eigen ist. Und doch sollte Willie Hughes, darin glücklicher als andere Schauspieler, etwas von der Unsterblichkeit kennenlernen. Zu innerst verbunden mit Shakespeares Stücken, sollte er in ihnen und durch ihre Aufführung leben.

Your name from hence immortal life shall have,
Though I, once gone, to all the world must die:
The earth can yield me but a common grave,
When you entombed in men's eyes shall lie.
Your monument shall be my gentle verse,
Which eyes not yet created shall o'er-read,
And tongues to be your being shall rehearse,
When all the breathers of this world are dead.

»Dein Name wird fortan unsterblich leben;
Ich, einmal tot, sterb ab für alle Zeit;
Mir wird die Erd ein Grab wie andern geben;
Dir ist der Nachwelt Aug als Gruft geweiht.
Mein feines Lied wird dann dein Grabmal sein,
Und unerschaffne Augen werden's lesen:
Ruhm, der erst sein wird, preist dereinst dein Sein,
Wann alle Atmer dieser Zeit verwesen.«

Nash, mit seiner boshaften Zunge, hatte über Shakespeare gelästert, weil er »die Unsterblichkeit in den Mund eines Schauspielers legt« und bezog sich damit offensichtlich auf die Sonette.

Aber für Shakespeare war der Schauspieler ein selbständiger und selbstbewußter Mitarbeiter, der der Phantasie eines Dichters Form und Inhalt gab und in das Drama die Elemente eines edlen Realismus brachte. Sein Schweigen konnte so beredt sein wie Worte und seine Gebärden ebenso ausdrucksvoll, und in jenen furchtbaren Augenblicken einer übermenschlichen Agonie oder einer göttergleichen Qual, wenn das Denken die Sprache übersteigt, wenn die Seele krank durch das Übermaß des Schmerzes stammelt oder betäubt ist, und das Gewand der Worte vom Sturm der Leidenschaft zerfetzt ist, dann konnte der Schauspieler, obgleich nur für einen Augenblick, ein schöpferischer Künstler werden und durch seine bloße Gegenwart und seine Persönlichkeit an den Ursprung des Schreckens und des Mitleids rühren, an den sich die Tragödie wendet. Diese volle Anerkennung der Kunst und der Macht des Schauspielers, war eines der Elemente, welches das romantische vom klassischen Drama unterschied und folglich eines der Elemente, das wir Shakespeare verdanken, der, begünstigt in vielem, auch darin begünstigt war, daß es ihm gelang, Richard Burbage zu finden und Willie Hughes zu formen.

Mit welchem Vergnügen betonte er die Wirkung, die Willie Hughes auf seine Zuschauer ausübte – die »Gaffer«, wie er sie nannte; mit welcher bezaubernden Phantasie analysierte er die ganze Kunst! Sogar in der »Klage einer Liebenden« spricht er von seiner Schauspielerei und erzählt uns, daß seine Natur für die Beschaffenheit dramatischer Situationen so empfänglich war, daß er *all strange forms* annehmen konnte:

Of burning blushes, or of weeping water,
Or swooning paleness:

»Daß er jetzt bleich erschien, jetzt Tränen troffen,
Jetzt jüngferlich sich seine Wangen schämen.«

und er erklärt seine Bedeutung später ausführlicher, wo er uns erzählt, wie Willie Hughes fähig war, andere durch seine wunderbare Kraft zu täuschen:

Blush at speeches rank, to weep at woes,
Or to turn white and swoon at tragic shows.

»Wenn er errötet, weint, in Ohnmacht fällt,
So spielt er gut, wie ein Theaterheld.«

Es ist nie darauf hingewiesen worden, daß der Schäfer dieses lieblichen Schäfergedichtes, dessen *youth in art and art in youth* mit einer solchen Subtilität des Ausdrucks und der Leidenschaft beschrieben werden, niemand anderer war, als der W.H. der Sonette. Und doch gab es keinen Zweifel, daß er es war. Nicht nur in ihrer äußeren Erscheinung sind die beiden Jünglinge gleich, auch ihre Natur und ihr Temperament sind identisch. Wenn der falsche Hirte dem schwankenden Mädchen zuflüstert:

All my offences that abroad you see
Are errors of the blood, none of the mind;
Love made them not;

»Hab' ich an andern jemals mich verfehlt,
Ließ ich das Blut mich, nicht das Herz verleiten,
Das war nicht Liebe.«

wenn er von seinen Geliebten spricht:

Harm have I done to them, but ne'er was harmed;
Kept hearts in liveries, but mine own was free,
And reigned, commanding in his monarchy:

»*Sie* härmten sich, *ich* wußte nichts von Härmen,
Und trug manch Herz auch meine Liverei,
So blieb ich unbeschränkt und herrschte frei.«

wenn er von den *deep-brained sonnets* spricht, die ihm eine von ihnen geschickt hatte und in knabenhaftem Stolz ausruft:

The broken bosoms that to me belong
Have emptied all their fountains in my well:

»Die Herzen all, die mein verlangend denken,
Ergießen ihre Flut in meine Welle,«

ist es unmöglich nicht zu fühlen, daß Willie Hughes es ist, der zu uns spricht. Fürwahr *deep-brained sonnets* hatte Shakespeare ihm dargebracht, *jewels,* die in seinen sorglosen Augen nichts als *trifles* waren, obgleich:

Each several stone,
With wit well blazoned, smiled or made some moan;

»Auch der Opal, dem Namen eingeschnitten:
Sie sollten alle mich um Liebe bitten.«

und in den Brunnen der Schönheit hatte er die süße Fontäne seines Gesanges gegossen. Daß an beiden Stellen auf einen Schauspieler angespielt wurde, war ebenfalls klar. Die betrogene Nymphe erzählt uns von dem *false fire* auf den Wangen ihres Geliebten, von dem *forced thunder* seiner Seufzer und seiner *borrowed motion:* von wem sonst, als von einem Schauspieler, konnte man sagen, daß ihm *thought, characters, and words merely Art* waren, oder daß:

To make the weeper laugh, the laugher weep,
He had the dialect and different skill,
Catching all passions in his craft of will?

»Ihm mußten Lacher weinen, Weiner lachen,
Er konnte jede Leidenschaft erregen,
Und der Gefühle Sturm zur Ruhe legen.«

Das Spiel mit den Worten in der letzten Zeile gleicht den Wortspielen in den Sonetten und wird in der folgenden *stanza* des Gedichtes fortgeführt, wo von dem Jüngling erzählt wird, der:

did in the general bosom reign.
Of young, of old; and sexes both enchanted,

»Die Herzen alle mußten ihn verehren,
Von Jung und Alt, von Männern und von Frauen,«

daß es jene gab, die:

... dialogued for him what he would say,
Asked their own wills, and made their Wills obey.

»Was er als Gunst gedachte zu erflehn,
Sah er als fremden Herzenswunsch entstehn.«

Ja: der *rose-cheeked Adonis* des Venus Gedichtes, der falsche Hirte in *Lover's Complaint*, der *tender churl*, der *beautious niggard* in den Sonetten war niemand anderer als ein junger Schauspieler; und während ich die verschiedenen Beschreibungen von ihm durchlas, begriff ich, daß die Liebe, die Shakespeare für ihn hegte, wie die Liebe eines Musikers zu einem empfindlichen Instrument war, auf dem es ihm Vergnügen macht zu spielen, wie die Liebe eines Bildhauers für ein seltenes und erlesenes Material, das eine neue Form der plastischen Schönheit anregt, eine neue Art des plastischen Ausdrucks. Denn alle Kunst hat ihr Medium, ihr Material, seien es rhythmische Worte oder angenehme Farben oder ein reiner scharf getrennter Ton; und, wie einer der faszinierendsten Kritiker unserer Tage gezeigt hat, sind es die jedem Material innewohnenden und es charakterisierenden Eigenschaften, denen wir das sinnliche Element in der Kunst verdanken und damit alles, was in der Kunst wesentlich artistisch ist. Was sollen wir also von dem Material sagen, welches das Drama für seine vollkommene Vorführung braucht? Was sollen wir vom Schauspieler sagen, der das Medium ist, durch das allein sich das Drama wahrhaft enthüllen kann? Ohne Zweifel gibt es in dieser sonderbaren Nachahmung des Lebens durch die Lebenden, woraus die Form und die Methode der theatralischen Kunst besteht, sinnliche Elemente der Schönheit, die keine der anderen Künste besitzen. Von einem gewissen Gesichtspunkt aus gesehen sind die gewöhnlichen Schauspieler der safranbestreuten Bühne die vollkommensten und befriedigendsten Instrumente der Kunst. Es gibt keine Leidenschaft in Bronze, keine Bewegung in Marmor. Der Bildhauer muß auf die Farbe verzichten und der Maler auf die Plastizität der Form. Das Epos verwandelt Taten in Worte, und die Musik verwandelt Worte in Töne. Das Drama allein ist es, um den schönen Ausspruch von Gervinus zu zitieren, das alle Mittel zugleich benutzt, und indem es sich an Auge und Ohr wendet, hat es Form und Farbe, Ton, Blick und Wort, die Schnelligkeit der Bewegung, den eindringlichen Realismus der sichtbaren Handlung zu seiner Verfügung und in seinem Dienst.

Es mag sein, daß gerade in dieser Vollständigkeit des Instruments das Geheimnis mancher Schwäche der Schauspielkunst liegt. Jene Künste sind am glücklichsten, die ein von der Wirklichkeit abstrahiertes Material verwenden, und es liegt eine Gefahr in der absoluten Übereinstimmung von Mittel und Material, die Gefahr des schlechten Realismus und der phantasielosen Nachahmung. Doch Shakespeare selbst war Schauspieler und schrieb für Schauspieler. Er sah die Möglichkeiten, die in einer Kunst verborgen lagen, die sich bis zu seiner Zeit nur in Schwulst und Possenreißerei ausgedrückt hatte. Er hat uns die vollkommensten Regeln über die Schauspielkunst hinterlassen, die jemals geschrieben worden sind. Er schuf Rollen, die uns nur auf der Bühne wahrhaft offenbart werden können, schrieb Stücke, die für ihre volle Verwirklichung das Theater brauchen, und wir dürfen uns nicht wundern, daß er denjenigen so anbetete, der der Interpret seiner Vision und die Verkörperung seiner Träume war.

Aber in seiner Freundschaft lag mehr als das bloße Entzücken des Dramatikers an jemandem, der ihm hilft, seine Absicht zu verwirklichen. Es war ein subtiles Element der Freude, wenn nicht gar der Leidenschaft und ein nobles Fundament für eine Kameradschaft unter Künstlern. Aber das war noch nicht alles, was die Sonette uns enthüllten. Es gab noch etwas darüber hinaus. Das war sowohl die Seele, wie auch die Sprache des Neuplatonismus.

»Die Furcht vor dem Herrn ist der Anfang der Weisheit«, sagte der strenge jüdische Prophet. »Der Anfang der Weisheit ist Liebe«, war die freundliche Botschaft der Griechen. Und der Geist der Renaissance, der den Hellenismus bereits in so vielen Punkten berührte, indem er die verborgene Bedeutung dieses Satzes erfaßte und sein Geheimnis ahnte, suchte die Freundschaft zu der hohen Würde des antiken Ideals zu erheben, sie zu einem wesentlichen Faktor in der neuen Kultur und zu einer Form der selbstbewußten intellektuellen Entwicklung zu machen. Im Jahre 1492 erschien Marsiglio Ficinos Übersetzung des »Symposion« von Plato; und sein wundervoller Dialog, – von allen platonischen Dialogen vielleicht der vollkommenste, da er der poetischste ist, – begann einen seltsamen Einfluß auf die Menschen auszuüben und ihre Worte und Gedanken und ihre Lebensart zu färben. In seinen subtilen Ansichten über das Geschlecht in der Seele, in den merkwürdigen Analogien, die er zwischen der intellektuellen Begeisterung und der physischen Leidenschaft der Liebe zieht, in seinen Träumen von der Verkörperung der Idee in einer schönen und lebendigen Form und von einer echten geistigen Empfängnis mit Wehen und Gebären, lag etwas, das die Dichter und Gelehrten des 16. Jahrhunderts faszinierte. Gewiß war Shakespeare davon fasziniert und hatte den Dialog gelesen, wenn nicht in der Übersetzung von Ficino, von dem viele Kopien ihren Weg nach England fanden, dann vielleicht in der französischen Übersetzung von Leroy, zu der Joachim du Bellay so viele anmutige metrische Versionen beitrug.

Wenn er zu Willie Hughes sagt:

he that calls on thee, let him bring forth
Eternal numbers to outlive long date,

»wer dich anruft, Rhythmen schaffe der
Unsterblich, die in fernster Frist bestehen!«

denkt er an die Theorie der Diotima, daß Schönheit die Göttin ist, die über die Geburt wacht und die dunklen Vorstellungen der Seele ans Tageslicht zieht: wenn er uns von der *marriage of true minds* erzählt und seinen Freund ermahnt Kinder zu zeugen, die die Zeit nicht zerstören kann, so wiederholt er nur die Worte, in denen uns die Prophetin sagt, daß »Freunde durch ein viel engeres Band vermählt sind, als jene, die sterbliche Kinder zeugen, denn schöner und unsterblicher sind die Kinder, die ihre gemeinsame Nachkommenschaft sind.« Genau in diesem Sinn spricht Edward Blount in seiner Widmung zu »Hero und Leander« von Marlowes Werken als seinen »rechtmäßigen Kindern«, die »Nachkommen seines Gehirns« sind; und wenn Bacon behauptet, daß »die besten Werke, die für die Welt von allergrößtem Wert sind, von unverheirateten und kinderlosen Männern stammen, die sich mit ihrer Leidenschaft und ihrem Können der Welt vermählten und sie mit ihrer geistigen Hinterlassenschaft beschenkten«, paraphrasiert er eine Stelle im »Symposion«.

Die Freundschaft konnte wirklich keine bessere Gewähr für ihre Dauer und ihre Inbrunst verlangen, als die platonische Theorie oder, wie wir es lieber nennen sollten, den Glauben, daß die wahre Welt die Welt der Ideen sei, und daß diese Ideen sichtbare Form annähmen und im Menschen Fleisch würden und nur, wenn wir uns den Einfluß des Neuplatonismus auf die Renaissance vergegenwärtigen, können wir die wahre Bedeutung der verliebten Sätze und Worte begreifen, mit denen Freunde zu jener Zeit einander anzureden pflegten. Es gab ein Art mystischer Übertragung der Ausdrücke der physischen Welt in einen geistigen Bereich, der der rohen körperlichen Begierde fernlag und in dem die Seele herrscht. Die Liebe war wirklich eingetreten in den Olivenhain der neuen Akademie, aber sie trug das gleiche flammenfarbene Gewand und hatte die gleichen Worte der Leidenschaft auf ihren Lippen.

Michelangelo, der »stolzeste Geist in Italien«, wie er genannt wurde, redet den jungen Tommaso Cavalieri mit solch glühenden und leidenschaftlichen Worten an, daß einige glaubten, die in Frage stehenden Sonette müssen für jene adlige Dame, die Witwe des Marchese di Pescara bestimmt gewesen sein, über deren weiße Hand, als sie im Sterben lag, der große Bildhauer sich zum Kusse neigte.

Aber daß sie für Cavalieri geschrieben wurden und daß die wörtliche Interpretation die richtige ist, geht nicht nur aus der Tatsache hervor, daß Michelangelo mit seinem Namen spielt,

wie Shakespeare mit dem Namen von Willie Hughes, sondern auch aus dem unmittelbaren Zeugnis von Varchi, der den jungen Mann gut kannte und der uns erzählt, daß er »außer seiner unvergleichlichen persönlichen Schönheit, so viel natürlichen Charme, solche vortrefflichen geistigen Anlagen und eine solch anmutige Art besaß, daß er es verdiente und noch verdient, desto mehr geliebt zu werden, je besser man ihn kennt.« So fremdartig uns diese Sonette jetzt erscheinen mögen, richtig interpretiert, dienen sie lediglich dazu, uns zu zeigen, mit welcher heftigen und religiösen Inbrunst Michelangelo sich der Anbetung der intellektuellen Schönheit zuwendete, und wie er, um ein schönes Wort von Symonds zu entlehnen, durch die Hülle des Fleisches hindurchblickte und die göttliche Idee suchte, die es umschloß. In dem Sonett, das er für Luigi del Riccio anläßlich des Todes von dessen Freund Cecchino Bracci geschrieben hat, können wir außerdem, wie Symonds aufzeigt, die platonische Vorstellung der Liebe als etwas rein Geistiges und die Vorstellung von der Schönheit als einer Form, die ihre Unsterblichkeit in der Seele des Geliebten findet, verfolgen. Cecchino war ein Junge, der mit 17 Jahren starb, und als Luigi Michelangelo bat, ein Portrait von ihm zu machen, antwortete Michelangelo:
»Das kann ich nur tun, wenn ich dich, in dem er noch lebt, zeichne.«

»So müßt, entsteht im Freund der Freund uns wieder,
Und kann der Kunst ohn' Vorbild nichts gelingen,
Luigi, Ihr für ihn Modell mir sein.«
(aus dem Italienischen von Heinrich Nelson)

Die gleiche Idee äußert auch Montaigne in seinem vorzüglichen Essay über die Freundschaft, eine Leidenschaft, die er höher bewertet als die Liebe des Bruders zum Bruder oder die Liebe des Mannes zur Frau. Er sagt – ich zitiere aus der Übersetzung von Florio, einem der Bücher, mit dem Shakespeare vertraut war – wie »vollkommene *amitié*« unauflöslich ist, wie sie »die Seele erfüllt und bei aller Souveränität beeinflußt« und wie »durch die Vermittlung einer geistigen Schönheit, das Verlangen nach einer geistigen Empfängnis in dem Geliebten erzeugt wird.« Er schreibt von einer »inneren Schönheit, einem diffizilen Wissen und einer absonderlichen Entdeckung«, die sich Freunden und nur Freunden enthüllt. Er trauert in den Worten wilden Grams und untröstlicher Liebe um den toten Etienne de la Boëtie. Der gelehrte Hubert Languet, der Freund von Melanchthon und den Führern der reformierten Kirche, erzählt dem jungen Philip Sidney, wie er sein Portrait einige Stunden bei sich behielt, um seine Augen daran zu laben und wie sein Verlangen »bei dem Anblick eher gesteigert wurde, als daß es schwand«, und Sidney schreibt an ihn: »Die höchste Hoffnung meines Lebens, neben dem immerwährenden Segen des Himmels, wird stets die Freude an der wahren Freundschaft sein, und dort sollst du den höchsten Platz einnehmen.« Später kam in Sidneys Haus in London einer, der eines Tages in Rom verbrannt werden sollte für die Sünde, Gott in allen Dingen zu sehen: Giordano Bruno, geradewegs von seinem Triumph an der Universität von Paris. »A filosofia è necessario amore«, waren immer wieder die Worte auf seinen Lippen, und in seiner ungewöhnlichen, feurigen Persönlichkeit lag etwas, was die Menschen fühlen ließ, daß er das neue Geheimnis des Lebens entdeckt hatte. Ben Jonson schreibt an einen seiner Freunde und unterzeichnet mit »dein getreuer Liebhaber« und widmet seine noble Lobrede auf Shakespeare »Dem Andenken an meinen Geliebten«. Richard Barnfield spielt in seinem »zärtlichen Hirten« auf lieblicher virgilscher Rohrflöte die Geschichte seiner Zuneigung zu einem jungen Elisabethaner seiner Zeit. Aus allen Eklogen wählt Abraham Fraunce die zweite zur Übersetzung aus, und Fletchers Verse an Master W. C. zeigen, welche Faszination in dem bloßen Namen von Alexis verborgen war.

Es war also kein Wunder, daß Shakespeare von einem Geist aufgewühlt worden war, der sein Zeitalter so aufwühlte. Es hat Kritiker wie Hallam gegeben, die bedauerten, daß die Sonette jemals geschrieben wurden, und die in ihnen etwas Gefährliches, sogar etwas Gesetzwidriges gesehen haben. Es hätte genügt, ihnen mit Chapmans vortrefflichen Worten zu antworten:

There is no danger to a man that knows
What Life and Death is: there's not any law
Exceeds his knowledge: neither is it lawful
That he should stoop to any other law.

»Für den, der weiß, was Leben ist und Tod, ist nichts gefährlich; es kann kein Gesetz sein Wissen übertreffen; noch ist es recht, daß er sich irgend einem Rechte beugen soll.«

Aber gewiß bedurften die Sonette keiner solchen Verteidigung und jene, die von »der Narrheit der übermäßigen und unangebrachten Liebe« gesprochen hatten, waren weder imstande gewesen, die Sprache, noch den Geist dieser großen Gedichte zu interpretieren, die so eng mit der Philosophie und der Kunst ihrer Zeit verbunden waren. Es ist zweifellos wahr, daß von einer verzehrenden Leidenschaft erfüllt sein bedeutet, auf die Ruhe des eigenen niederen Lebens zu verzichten, und doch mag in einem solchen Verzicht ein Gewinn liegen, für Shakespeare war es sicher einer. Als Pico della Mirandola über die Schwelle der Villa Careggi trat und in der Grazie und Anmut seiner bezaubernden Jugend vor Marsilio Ficino stand, schien der bejahrte Gelehrte in ihm die Verwirklichung des griechischen Ideals zu sehen und beschloß, seine verbleibenden Jahre der Übersetzung von Plotin zu widmen, diesem neuen Plato, in dem sich, worauf Pater uns aufmerksam macht, »das mystische Element in der platonischen Philosophie bis zur äußersten Grenze der Vision und Ekstase entwickelt hatte.« Eine romantische Freundschaft mit einem jungen Römer seiner Zeit, führte Winckelmann in das Geheimnis der griechischen Kunst ein, lehrte ihn das Geheimnis ihrer Schönheit und die Bedeutung ihrer Form. In Willie Hughes fand Shakespeare nicht nur ein höchst empfindliches Instrument für die Darstellung seiner Kunst, sondern auch die sichtbare Verkörperung seiner Idee von der Schönheit, und es ist nicht übertrieben zu sagen, daß diesem jungen Schauspieler, dessen Namen die beschränkten Schreiber seiner Zeit in der Chronik zu verzeichnen vergaßen, die romantische Bewegung der englischen Literatur tief verpflichtet ist.

3

Eines Abends glaubte ich Willie Hughes wirklich in der elisabethanischen Literatur entdeckt zu haben. In einem wunderbar anschaulichen Bericht über die letzten Tage des großen Earl of Essex, schildert uns sein Kaplan Thomas Knell, daß der Earl in der Nacht bevor er starb »William Hewes rief, seinen Musiker, damit er auf dem Spinett spiele und singe. ›Spiele mein Lied, Will Hewes, und ich will es singen‹, sagte er. Und so tat er es höchst freudig, nicht wie der heulende Schwan, der unausgesetzt hinabblickt und sein Ende beklagt, sondern wie eine süße Lerche, indem er seine Hände hochhob und seine Augen aufschlug zu seinem Gott und sich so zu den kristallenen Höhen schwang und mit nimmermüder Stimme den Gipfel der höchsten Himmel erreichte.« Gewiß war der Knabe, der vor dem sterbenden Vater von Sydneys Stella auf dem Spinett spielte, kein anderer als Will Hews, dem Shakespeare die Sonette widmete und der selbst, wie er uns erzählt, süße *music to hear* war. Aber Lord Essex starb 1576, als Shakespeare erst zwölf Jahre alt war. Es war unmöglich, daß sein Musiker der W. H. der Sonette hätte sein können. Vielleicht war Shakespeares junger Freund der Sohn des Spielers am Spinett? Es war immerhin etwas, entdeckt zu haben, daß Will Hews ein elisabethanischer Name war. Ja, der Name Hews schien eng mit Musik und Bühne verknüpft gewesen zu sein. Die erste englische Schauspielerin war die bezaubernde Margaret Hews, die Prinz Rupert so heftig anbetete. Was ist wahrscheinlicher, als daß zwischen ihr und Lord Essex' Musiker der jugendliche Schauspieler der Shakespearestücke kam? Im Jahre 1587 brachte ein gewisser Thomas Hews im Grays Inn eine Tragödie im Stil des Euripides mit dem Titel »Arthurs widriges Geschick« heraus und fand in einem gewissen Francis Bacon, der damals Student der Rechte war, einen tüchtigen Assistenten für das Arrangement der Pantomimen. Bestimmt war er ein naher Verwandter des Jungen, zu dem Shakespeare sagte:

Take all my loves, my love, yea, take them all;

»Nimm all mein Liebstes, Lieber, ganz und gar;«

der *profitless usurer,* der *unused beauty,* als den er ihn beschreibt. Aber die Beweise, die Verbindungsglieder – wo waren sie? Ach! Ich konnte sie nicht finden. Es schien mir, als wäre ich immer am Rand einer absoluten Bestätigung, aber ich konnte ihrer nie wirklich habhaft werden. Ich fand es seltsam, daß nie jemand eine Geschichte der englischen Knaben-Schauspieler des 16. und 17. Jahrhunderts geschrieben hatte, und war entschlossen, diese Aufgabe selbst zu unternehmen und zu versuchen, ihr wirkliches Verhältnis zum Drama zu ermitteln. Der Gegenstand war gewiß von hohem künstlerischem Interesse. Diese Jünglinge waren die empfindlichen Mundstücke gewesen, durch welche unsere Dichter ihren süßesten Gesang hatten tönen lassen, die begnadeten Gefäße der Verehrung, in welche sie den Purpurwein ihres Gesangs gegossen. An erster Stelle war da natürlich der junge Mann, dem Shakespeare die Verwirklichung seiner kostbarsten Schöpfungen anvertraut hatte. Schönheit war ihm eigen, wie sie unser Zeitalter nie oder nur selten gesehen hat, eine Schönheit, die den Zauber beider Geschlechter zu vereinigen, und, wie die Sonette uns sagen, die Anmut des Adonis und die Lieblichkeit der Helena in sich zu vermählen schienen. Dazu war er schlagfertig und beredt gewesen, und von jenen fein geschwungenen Lippen, über die sich die Spötter mockierten, waren Julias leidenschaftlicher Schrei und das strahlende Lachen der Beatrice, Perditas blumengleiche Worte und die Lieder der umherirrenden Ophelia gekommen. Aber genauso, wie Shakespeare nur einem Gott unter Giganten glich, war auch Willie Hughes nur einer von vielen hervorragenden Jünglingen gewesen, denen die englische Renaissance etwas von dem Geheimnis ihrer Freude verdankte, und mir schien, daß auch sie des Studiums und der Aufzeichnung wert wären.

In einem kleinen Buch mit feinen Velin-Blättern und einem damastseidenen Einband – eine Schwärmerei von mir in jenen schwärmerischen Tagen – sammelte ich jede Information, die ich über sie finden konnte, und noch heute liegt etwas in der knappen Aufzeichnung ihres Lebens, in der bloßen Erwähnung ihrer Namen, das mich anzieht. Sie kamen mir alle bekannt vor: Robin Armin, der Goldschmiedsjunge, der von Tarlton verlockt wurde zur Bühne zu gehen; Sandfort, dessen Darstellung der Courtisane Flamantia im Grays Inn Lord Burgleigh bezeugt; Cooke, der die Agrippina in der Tragödie »Sejanus« spielte; Nat. Field, dessen junges, bartloses Portrait uns in Dulwich noch erhalten ist und der in »Cynthias Trinkgelage« die »Königin und Jägerin keusch und schön« spielte; Gil Carie, der als Bergnymphe gekleidet, in der gleichen bezaubernden Maske Echos Klagelied um Narcissus sang; Parsons, die Salmacis des merkwürdigen Schauspiels »Tamburlaine«; Will. Ostler, der einer »der Sängerknaben aus der Kapelle der Königin« war und König Jakob nach Schottland begleitete; George Vernon, dem der König einen Mantel aus Scharlachtuch sandte, ein Gewand und einen Umhang aus karminrotem Samt; Alick Gough, der die Rolle der Caenis darstellte, der Konkubine Vespasians in Massingers »Der römische Schauspieler« und drei Jahr später die Acanthe im »Bildnis« des gleichen Dramatikers; Barrett spielte in Richards Tragödie »Messalina«; Dicky Robinson, »ein sehr hübscher Junge«, erzählt uns Ben Jonson, war ein Mitglied von Shakespeares Truppe und sowohl für seinen ausgezeichneten Kostümgeschmack bekannt, wie für seine Liebe zu Frauenkleidern; Salathiel Pavy, dessen frühen und tragischen Tod Jonson in einem der zartesten Klagegesänge unserer Literatur betrauert; Arthur Savile, der zu den »Schauspielern des Prinzen Karl« gehörte und eine Mädchenrolle in einer Komödie von Marmion spielte; Stephen Hammerton, »ein sehr berühmter und wunderschöner Frauendarsteller«, dessen blasses, ovales Gesicht mit den schweren Augenlidern und dem ein wenig sinnlichen Mund uns aus einer sorgsam gearbeiteten Miniatur der Zeit ansieht; Hart, der seinen ersten Erfolg hatte, als er die Herzogin in der Tragödie »Der Kardinal« spielte und der in einem Gedicht, das deutlich ein Sonett Shakespeares zum Vorbild hat, von einem, der ihn sah, als »Schönheit für das Auge und Musik für das Ohr« beschrieben wird; und Kynaston, von dem Betterton sagte, daß »die Kenner untereinander uneins waren, ob eine Frau die Leidenschaften hätte zarter berühren können«, und dessen weiße Hände und bernsteinfarbenes Haar die Einführung von Schauspielerinnen auf der Bühne anscheinend um einige Jahre verzögert hat.

Die Puritaner mit ihrer sonderbaren Moral und ihrer unedlen Gesinnung waren natürlich über sie hergezogen und hatten sich über die Ungehörigkeit der Jungen aufgehalten, die sich als Frauen verkleiden und lernen, die Manieren und Leidenschaften des weiblichen Geschlechtes nachzuahmen. Gosson mit seiner schrillen Stimme und Prynne, der alsbald für seine schamlosen Verleumdungen seine Ohren verlieren sollte und andere, denen das seltene und feine Gefühl für abstrakte Schönheit versagt war, hatten von der Kanzel und in Pamphleten verletzende und dumme Worte zu ihrer Beschimpfung gesagt. Für Francis Lenton, der im Jahre 1629 schreibt, ist das, was er als »loses Treiben, Scheingebärde von kümmerlichen Wichten im Fürstengewande« bezeichnet, nur einer von vielen »lockenden Höllenködern, die mehr junge Leute in die verruchten Kammern wütender Lust zerren, als es der ganze Teufel jemals könnte, seit ihm die erste Verderbnis gelungen ist.«

Das Deuteronomium wurde zitiert, und das schlecht verdaute Wissen der Zeit trug das seine dazu bei. Sogar unsere eigene Zeit hat die künstlerischen Bedingungen des elisabethanischen und jakobinischen Dramas nicht richtig erfaßt. Eine der brillantesten und klügsten Schauspielerinnen des Jahrhunderts hat über die Vorstellung gelacht, daß ein Junge von 17 oder 18 Jahren Imogen oder Miranda oder Rosalinde spielt. »Wie könnte ein junger Mann, wie begabt und eigens dafür ausgebildet er auch sein mag, nur im entferntesten diese schönen und edlen Frauen einem Publikum verständlich machen? ... Man bedauert Shakespeare geradezu, der es sich gefallen lassen mußte, seine berühmtesten Schöpfungen entstellt, falsch dargestellt und verdorben zu sehen.« In seinem Buch über »Shakespeares Vorgänger« sprach John Addington Symonds ebenfalls von den »linkischen Jungen«, die versuchen, das Pathos von Desdemonas und Julias Leidenschaft darzustellen. Hatten sie recht? Haben sie recht? Ich dachte damals nicht so. Ich denke jetzt nicht so. Wer sich an die Oxforder Aufführung von »Agamemnon« erinnert, an den schönen Ausdruck und die marmorne Würde der Klytemnestra, an die romantische und phantasievolle Darstellung des prophetischen Wahnsinns der Kassandra, der wird den kritischen Bemerkungen von Lady Martin oder Symonds über die Gegebenheiten der elisabethanischen Bühne nicht zustimmen.

Von allen Motiven, die die dramatische Neugier unserer großen Theaterdichter angeregt haben, gibt es kein subtileres und faszinierenderes, als die Doppeldeutigkeit der Geschlechter. Diese

Idee, von Lyly erfunden, sofern man behaupten kann, daß eine künstlerische Idee erfunden wird, von Shakespeare vervollkommnet und für uns zum Genuß erhoben, scheint mir ihren Ursprung und gewiß ihre Möglichkeit lebendiger Darstellung dem Umstand zu verdanken, daß die elisabethanische Bühne, wie die Bühne der Griechen, das Auftreten weiblicher Schauspieler nicht zuließ. Weil Lyly für die jugendlichen Schauspieler von St. Paul schrieb, haben wir die Verwechslung der Geschlechter und die komplizierten Lieben von Phillida und Gallathea: weil Shakespeare für Willie Hughes schrieb, legt Rosalinde Wams und Hose an und nennt sich Ganymed, kleiden sich Viola und Julia als Edelknaben und stiehlt sich Imogen heimlich in Männerkleidern davon. Zu behaupten, daß nur eine Frau die Leidenschaften einer Frau darzustellen vermag und daß deshalb kein Knabe Rosalinde spielen kann, heißt die Schauspielkunst ihres ganzen Anspruchs auf Objektivität berauben und dem bloßen Zufall des Geschlechts zuzuteilen, was eigentlich dem phantasievollen Einblick und der schöpferischen Energie angehört. Wenn das Geschlecht tatsächlich ein Element in der künstlerischen Schöpfung ist, sollte lieber nachdrücklich darauf hingewiesen werden, daß die bezaubernde Verbindung von Witz und Romantik, die so viele Heldinnen von Shakespeare kennzeichnet, zumindest durch die Tatsache bewirkt, wenn nicht wirklich verursacht war, daß die Darsteller dieser Rollen Jungen und junge Männer waren, deren leidenschaftliche Reinheit, rasche bewegliche Phantasie und gesunde Unabhängigkeit von Sentimentalität kaum verfehlt haben können, einen neuen bezaubernden Typ der Mädchenhaftigkeit und der Weiblichkeit anzuregen. Die Verschiedenheit des Geschlechtes zwischen dem Schauspieler und der Rolle, die er darstellte, muß auch, wie Professor Ward aufzeigt, »eine zusätzliche Anforderung an die imaginativen Fähigkeiten der Zuschauer« gestellt und sie vor der überrealistischen Identifikation des Schauspielers mit seiner *rôle* bewahrt haben, die einer der schwachen Punkte in der modernen Theaterkritik ist.

Man muß auch zugeben, daß wir diesen jugendlichen Schauspielern die Einführung jener herrlichen lyrischen Gedichte verdanken, die die Stücke Shakespeares, Dekkers und so vieler

Dramatiker der Zeit schmücken, jene »Augenblicke des vogelgleichen oder göttergleichen Gesanges«, wie Swinburne sie nennt. Denn die meisten Jungen kamen aus den Kathedralen und königlichen Kapellen Englands, und von ihren frühesten Jahren an waren sie im Singen von Hymnen und Madrigalen und in allem, was zu der subtilen Kunst der Musik gehört, ausgebildet worden. Zunächst ausgewählt wegen ihrer schönen Stimme und wegen einer gewissen Anmut und Lebhaftigkeit der Erscheinung, wurden sie dann in Körperhaltung, Tanz und Sprechen ausgebildet und im Tragödien- und Komödienspiel in englischer, sowie lateinischer Sprache unterrichtet. Es scheint in der Tat, als wäre das Theaterspielen ein Teil der üblichen Erziehung jener Zeit gewesen und nicht nur von den Schülern in Eton und Westminster, sondern auch von den Studenten der Universitäten Oxford und Cambridge gründlich studiert worden, von denen einige später zur Bühne gingen, was in unserer Zeit immer häufiger vorkommt.

Auch hatten die großen Schauspieler ihre Schüler und Lehrlinge, die ihnen kraft einer gesetzlichen Befugnis förmlich überantwortet waren, denen sie die Geheimnisse ihres Handwerks mitteilten und die so hoch geschätzt wurden, daß wir von Henslowe, einem der Leiter des Rose Theatre lesen, er hätte einen ausgebildeten Jungen mit dem Namen James Bristowe für 8 Goldstücke gekauft. Die Beziehungen, die zwischen den Lehrern und ihren Schülern bestanden, scheinen sehr herzlicher und liebevoller Art gewesen zu sein. Robin Armin wurde von Tarlton wie ein Adoptivsohn behandelt und in einem Testament, datiert »der vierte Tag im Mai, anno Domini 1605«, vermachte Augustine Phillips, Shakespeares teurer Freund und Schauspielkollege, einem seiner Lehrlinge seinen »purpurroten Mantel, seinen Degen und seinen Dolch«, seine »Schminkphiole« und viele prächtige Gewänder und einem anderen eine Geldsumme und viele schöne Musikinstrumente, »die an ihn gegeben werden sollen nach Ablauf seiner vorgeschriebenen Lehrlingszeit«. Hin und wieder, wenn ein dreister Schauspieler einen Jungen für die Bühne entführte, gab es ein Geschrei oder eine Untersuchung. Im Jahre 1600, zum Beispiel, machte sich ein Herr aus Norfolk mit Namen Henry Clifton in London ansässig, damit sein Sohn, der damals ungefähr dreizehn Jahre alt war, Gelegenheit haben sollte, die Bluecoat School zu besuchen, und durch ein Gesuch, das er an die Star Chamber richtete und das kürzlich durch Greenstreet zutage gefördert wurde, erfahren wir, daß dem Jungen, als er an einem Wintermorgen gemächlich zum Christ Church Kloster ging, von James Robinson, Henry Evans und Nathaniel Giles aufgelauert wurde und man ihn zum Blackfriars Theatre entführte, »unter eine Truppe von liederlichen, wüsten, gewinnsüchtigen Schauspielern«, wie sein Vater sie nennt, damit er »im Spielen von Rollen in schlechten Stücken und Zwischenspielen« ausgebildet würde.

Als Mr. Clifton von dem Unglück seines Sohnes erfuhr, ging er sofort zu dem Theater und verlangte seine Auslieferung, aber »die besagten Nathaniel Giles, James Robinson und Henry Evans antworteten auf der Stelle höchst arrogant, daß sie genügend Macht hätten, um eines jeden Edelmannes Sohn in diesem Land zu nehmen«, und indem sie dem Schuljungen »eine Papierrolle aushändigten, die die Rolle eines ihrer besagten Stücke und Zwischenspiele enthielt«, befahlen sie ihm, sie auswendig zu lernen. Durch einen Vollzugsbefehl, von Sir John Fortescue erlassen, wurde der Junge jedoch am nächsten Tag seinem Vater wieder zugeführt, und das Star Chamber Gericht scheint Evans Privilegien zeitweise aufgehoben oder gestrichen zu haben.

Es ist eine Tatsache, daß Elisabeth, einer Verfügung Richards III. folgend, eine Anordnung erlassen hatte, die gewisse Personen dazu ermächtigte, Jungen, die eine schöne Stimme besaßen, gewaltsam in ihren Dienst zu nehmen, damit sie in der königlichen Kapelle für sie singen, und Nathaniel Giles, ihr Hauptbevollmächtigter, der herausfand, daß er mit den Leitern des Globe Theatre einträgliche Geschäfte machen konnte, sich bereit fand, sie mit hübschen und anmutigen Knaben für die Darstellung der Frauenrollen zu versorgen, unter dem Anschein, sie in den Dienst der Königin zu nehmen. Die Schauspieler konnten sich demnach auf ein gewisses Maß an gesetzlicher Befugnis berufen, und es ist interessant, daß viele der Jungen, die sie von ihren Schulen oder von Zuhause weggeschleppt hatten, z. B. Salathiel Pavy, Nat. Field und Alvery Trussell, von ihrer neuen

Kunst so fasziniert waren, daß sie sich ständig an das Theater banden und es nicht verlassen wollten.

Einmal schien es, als ob Mädchen die Stelle der Jungen auf der Bühne einnehmen sollten und unter den Taufen, die man in den Registern von St. Giles, Crippelgate, verzeichnete, erscheint folgende seltsame und bedeutungsvolle Eintragung: »Comedia, von niedrigerer Geburt, Tochter der Alice Bowker und des William Johnson, eines Schauspielers der Königin, am 10. Feb. 1589.« Aber das Kind, in das man so hohe Hoffnungen setzte, starb im Alter von sechs Jahren, und als später einige französische Schauspielerinnen herüberkamen und im Blackfriars Theatre spielten, erfahren wir, daß sie »von der Bühne heruntergepfiffen, ausgeschrien und mit Äpfeln beworfen wurden.«

Ich glaube, daß wir dies, ausgehend vom oben Gesagten, keineswegs zu bedauern brauchen. Die wesentlich männliche Kultur der englischen Renaissance, fand ihren vollsten und vollkommensten Ausdruck durch ihre eigene Methode und ihren eigenen Stil.

Ich erinnere mich, daß ich mich damals fragte, welcher Art die gesellschaftliche Stellung und das frühe Leben von Willie Hughes gewesen sein mochten, bevor Shakespeare ihn getroffen hatte. Meine Nachforschungen in der Geschichte der jugendlichen Schauspieler hatte mich auf jede Einzelheit über ihn neugierig gemacht. Hatte er im geschnitzten Gestühl eines vergoldeten Chores gestanden und aus einem großen Buch gelesen, in das eckige rote Noten und lange schwarze Notenlinien gemalt waren? Wir wissen aus den Sonetten, wie klar und rein seine Stimme war, und welche Kenntnis er in der Kunst der Musik besaß. Edelleute, wie der Earl of Leicester und Lord Oxford hatten jugendliche Schauspielertruppen in ihrem Dienst; sie gehörten zu ihrer Haushaltung. Als Leicester 1585 in die Niederlande ging, brachte er einen gewissen »Will« mit, der als »Schauspieler« bezeichnet wurde. War das Willie Hughes? Hatte er in Kenilworth für Leicester gespielt, und hatte ihn Shakespeare dort kennengelernt? Oder war er wie Robin Armin einfach ein Junge von niederem Stand, der eine fremdartige Schönheit und wunderbare Faszination besaß? Aus den ersten Sonetten geht hervor, daß er, als Shakespeare ihn zum ersten Mal traf, noch keine

Beziehung zur Bühne hatte, und das er nicht von hoher Geburt war, ist bereits gesagt worden. Ich begann ihn mir vorzustellen, nicht als zarten Chorknaben in einer königlichen Kapelle, nicht als verzärtelten Liebling, der ausgebildet war, um in Leicesters prächtigen Maskenspielen zu singen und zu tanzen, sondern als blondhaarigen, englischen Jungen, den Shakespeare in einer der geschäftigen Straßen von London oder auf den grünen, stillen Wiesen in Windsor gesehen hatte und dem er gefolgt war, weil er die künstlerischen Möglichkeiten erkannte, die in einer so hübschen und anmutigen Form verborgen lagen, und weil er mit raschem und feinem Instinkt erriet, was für ein Schauspieler der Junge sein würde, wenn man ihn dazu bewegen könnte auf die Bühne zu gehen. Zu dieser Zeit war Willie Hughes Vater tot, wie wir aus dem XIII. Sonett erfahren und seine Mutter, deren bemerkenswerte Schönheit er geerbt haben soll, mag veranlaßt worden sein, ihm zu erlauben, Shakespeares Schüler zu werden, auf Grund der Tatsache, daß Knaben, die weibliche Rollen spielten, eine sehr hohe Gage erhielten, ja eine höhere Gage als erwachsene Schauspieler sie bekamen. Auf jeden Fall wissen wir, daß er Shakespeares Schüler wurde, und wir wissen, was für ein wesentlicher Faktor er in der Entwicklung von Shakespeares Kunst war. In der Regel dauerte die Fähigkeit, weibliche Rollen auf der Bühne darzustellen, höchstens ein paar Jahre. Solche dramatischen Charaktere wie Lady Macbeth, die Königin Constantia und Volumnia blieben natürlich immer in Reichweite derjenigen, die ein echtes dramatisches Genie und eine edle Erscheinung besaßen. Jugendlichkeit war hier nicht unbedingt erforderlich, ja nicht einmal wünschenswert. Aber mit Imogen, Perdita und Julia verhielt es sich anders. »Dein Bart hat zu sprießen begonnen, und ich bete zu Gott, du hast keinen Stimmbruch«, sagt Hamlet scherzhaft zu dem jugendlichen Schauspieler der Wandertruppe, die ihn in Helsingör besuchen kam; und gewiß, wenn das Kinn rauh und die Stimme harsch wird, muß viel von dem Zauber und der Anmut der Darstellung schwinden. Von daher kommt Shakespeares leidenschaftliche Besorgnis um die Jugend von Willie Hughes, seine Angst vor dem Alter und den schwindenden Jahren, seine heftige Anrufung der Zeit, die Schönheit seines Freundes zu schonen:

Make glad and sorry seasons as thou fleet'st,
And do whate'er thou wilt, swift-footed time,
To the wide world and all her fading sweets;
But I forbid thee one most heinous crime:
O carve not with the hours my Love's fair brow
Nor draw no lines there with thine antique pen;
Him in thy course untainted do allow
For beauty's pattern to succeeding men.

»Mach, wie du fliehst, die Tage süß und bitter;
Tu, was du willst, schnellfüßige Göttin, hier
Der weiten Welt und ihrem flücht'gen Flitter;
Nur eins, die ärgste Tat, verbiet ich dir:
Auf seine schöne Stirn grab nicht die Stunden;
Schreib Zeilen nie mit ehrnem Stift darauf;
In deinem Laufe heb ihn frei von Wunden
Als Schönheitsmuster künft'gen Menschen auf.«

Die Zeit scheint Shakespeares Gebete erhört zu haben, oder vielleicht hat Willie Hughes das Geheimnis der ewigen Jugend besessen. Nach drei Jahren ist er ganz unverändert:

To me, fair friend, you never can be old,
For as you were when first your eye I eyed,
Such seems your beauty still. Three winters' cold
Have from the forests shook three summers' pride,
Three beauteous springs to yellow autumn turned,
In process of the seasons have I seen,
Three April perfumes in three hot Junes burned,
Since first I saw you fresh which yet are green.

»Mir, holder Freund, mir wirst du nimmer alt;
So wie zuerst mein Blick dich hat erblickt,
So prangst du noch. Dreimal schon hat im Wald
Der Winter dreier Sommer Pracht geknickt;
Drei wonn'ge Lenze sah ich falb verblühn,
Wie sich der Lauf der Jahreszeit erneute,
Drei Maiendüft in Junibrand verglühn,
Seit ich zuerst dich sah, so frisch wie heute.«

Weitere Jahre vergehen, und er scheint noch immer die Schönheit seiner Knabenhaftigkeit zu besitzen. Als Shakespeare im »Sturm« in Prosperos Sprache den Zauberstab seiner Phantasie weggab und seine dichterische Souveränität in die schwachen, anmutigen Hände von Fletcher legte, könnte es sein, daß die

Miranda, die staunend dabeistand, kein anderer als Willie Hughes war und in dem letzen Sonett, das sein Freund an ihn richtete, ist der gefürchtete Feind nicht die Zeit, sondern der Tod.

O thou, my lovely boy, who in thy power
Dost hold time's fickle glass, his sickle hour;
Who hast by waning grown, and therein show'st
Thy lovers withering as thy sweet self grow'st;
If Nature, sovereign mistress over wrack,
As thou goest onwards, still will pluck thee back,
She keeps thee to this purpose, that her skill
May Time disgrace and wretched minutes kill.
Yet fear her, O thou minion of her pleasure!
She may detain, but not still keep, her treasure.
Her audit, though delay'd, answer'd must be,
And her quietus is to render thee.

»O du mein holder Knabe, dessen Hand
Der Zeit die Sichel und ihr Glas entwand;
Du, der durch Altern wuchs und so beweist,
Daß ich verdorre, während du gedeihst:
Wenn die Natur, Monarchin über Trümmer,
Dich, wie du vorwärts gehst, zurückzieht immer,
So schont sie deiner nur, weil sie die Zeit
Beschämen will und strafen ihren Neid.
Doch fürchte sie, du Liebling der Natur;
Sie fristet ihren Schatz doch Jahre nur:
Der Zahltag kommt, so oft sie ihn verschiebt,
Wo sie dich schuldet und hinweg dich gibt.«

4

Erst einige Wochen, nachdem ich mit dem Studium dieses Themas begonnen hatte, wagte ich mich an die merkwürdige Gruppe der Sonette (CXXVII – CLII), die von der geheimnisvollen Frau handeln, die wie ein Schatten oder ein böses Omen Shakespeares große Romanze kreuzte und eine Zeitlang zwischen ihm und Willie Hughes stand. Sie sind offensichtlich nicht an ihrem eigentlichen Platz abgedruckt, denn sie hätten zwischen dem XXXIII. und dem XL. Sonett eingefügt werden müssen. Psychologische und künstlerische Gründe machten diese Abänderung notwendig, eine Abänderung, die, wie ich hoffe, von allen zukünftigen Verlegern angenommen wird, weil ohne sie ein völlig falscher Eindruck über die Natur und das entscheidende Ergebnis dieser edlen Freundschaft vermittelt wird.

Wer war sie, jene Frau mit den schwarzen Brauen, dem olivfarbenen Teint und dem liebeshungrigen Mund, *that Love's own hand did make*, dem *cruel eye* und dem *foul pride*, der unerhörten Kunstfertigkeit auf dem Spinett und ihrer treulosen, faszinierenden Natur? Ein übergescheiter Gelehrter von heute hat in ihr ein Symbol der katholischen Kirche gesehen, die Braut Christi, die *black but comely* ist. Professor Minto hat, auf den Spuren von Henry Brown, die ganze Gruppe der Sonette einfach als »Kunstübung« angesehen »unternommen im Geist der mutwilligen Herausforderung und Verspottung der Gewöhnlichkeit.« Gerald Massey hat ohne geringsten historischen Beweis und ohne Wahrscheinlichkeit darauf bestanden, daß sie an die gefeierte Lady Rich gerichtet waren, die Stella in Sir Philip Sidneys Sonetten, die Philodea seiner »Arcadia«, und daß sie keine persönliche Enthüllungen über Shakespeares Leben und Liebe enthielten, da sie im Namen von Lord Pembroke und auf seine Bitte hin geschrieben worden waren. Tyler hatte vermutet, daß sie sich auf eine der Hofdamen von Königin Elisabeth mit dem Namen Mary Fitton beziehen. Aber keine dieser Auslegungen entsprach den Voraussetzungen des Problems. Die Frau, welche zwischen Shakespeare und Willie Hughes trat, war eine leibhaftige Frau, schwarzhaarig, verheiratet und von üblem Leumund. Es ist wahr, der Ruf von Lady Rich war übel genug, aber ihr Haar war wie:

fine threads of finest gold,
In curled knots man's thought to hold,

»feine Fäden von feinstem Gold,
Mit lockigen Knoten des Mannes Sinne einzufangen«

und ihre Schultern wie *white doves perching*. Sie war, wie König Jakob zu ihrem Liebhaber Lord Mountjoy sagte: »eine schöne Frau mit einer schwarzen Seele.«

Was Mary Fitton betrifft, wissen wir, daß sie im Jahre 1601 unverheiratet war, zu der Zeit, als ihre Liebschaft mit Lord Pembroke entdeckt wurde. Außerdem wurden, wie Cyril Graham gezeigt hat, alle Theorien, die Lord Pembroke mit den Sonetten in Verbindung bringen, völlig widerlegt durch die Tatsache, daß Lord Pembroke erst nach London kam, als Shakespeare sie bereits geschrieben gehabt und seinen Freunden vorgelesen hatte.

Es war jedoch nicht ihr Name, der mich interessierte. Ich war geneigt, mit Professor Dowden zu behaupten, *to the eyes of no diver among the wrecks of time will that curious talisman gleam*. Was ich entdecken wollte, war einerseits die Natur ihres Einflusses auf Shakespeare und andererseits die charakteristischen Merkmale ihrer Persönlichkeit. Zwei Dinge waren sicher: sie war viel älter als der Dichter, und die Faszination, die sie auf ihn ausübte, war zuerst rein intellektuell. Am Anfang stand bei ihm keine körperliche Leidenschaft für sie. *I do not love thee with mine eyes*, sagte er:

Nor are mine ears with thy tongue's tune delighted;
Nor tender feeling to base touches prone,
Nor taste, nor smell, desire to be invited
To any sensual feast with thee alone.

»Auch schwelgt nicht mein Ohr in deinem Ton;
Kein niedrer Kitzel des Gefühls in mir,
Geschmack nicht noch Geruch begehrten schon
Nach einem Sinnenschmaus allein mit dir.«

Er fand sie nicht einmal schön:

My mistress' eyes are nothing like the sun;
Coral is far more red than her lips' red:
If snow be white, why then her breasts are dun;
If hairs be wires, black wires grow on her head.

»Mein Mädchen hat nicht Augen wie zwei Sonnen,
Noch Lippen wie Korallen anzuschaun;
Ist Haar Gespinst, so ist sie schwarz besponnen;
Ist Schnee recht weiß, sind ihre Brüste braun.«

Zuweilen verabscheute er sie, denn, nicht zufrieden Shakespeares Seele zum Sklaven zu machen, scheint sie versucht zu haben, die Gefühle von Willie Hughes zu umgarnen. Denn laut ruft Shakespeare:

Two loves I have of comfort and despair,
Which like two spirits do suggest me still:
The better angel is a man right fair,
The worser spirit a woman colour'd ill.
To win me soon to hell, my female evil
Tempteth my better angel from my side,
And would corrupt my saint to be a devil,
Wooing his purity with her foul pride.

»Zwei Liebste hab ich, mir zu Wonn und Pein,
Die wie zwei Geister allezeit mich locken;
Der beßre Engel ist ein Mann gar fein,
Der schlechtre Geist ein Weib mit finstern Locken.
Um mich zu werben für den Höllenrachen,
Lockt mir das Weib den guten Geist abseits,
Will meinen Heiligen zum Teufel machen
Und kirrt sein lautres Herz mit argem Reiz.«

Dann sieht er sie, wie sie wirklich ist, die *bay where all men ride,* der *wide world's common place,* die Frau, die sich im *very refuse* ihrer bösen Taten suhlt und die *as black as hell, as dark as night* ist. Dann schreibt er das große Sonett über die Lust *(Th'expense of spirit in a waste of shame),* von dem Theodore Watts zurecht sagt, es sei das größte Sonett, das je geschrieben wurde. Und dann bietet er ihr sogar an, ihr sein Leben und sein Genie zu verpfänden, wenn sie ihm nur diesen *sweetest friend* wiedergibt, den sie ihm geraubt hatte.

Um dieses Ziel zu erreichen, gibt er sich ihr hin, heuchelt erfüllt zu sein von dem verzehrenden und sinnlichen Verlangen, sie zu besitzen, erfindet falsche Liebesworte, belügt sie und sagt ihr, daß er lügt.

My thoughts and my discourse as madmen's are,
At random from the truth vainly express'd;
For I have sworn thee fair, and thought thee bright,
Who art as black as hell, as dark as night.

»Denk ich und rede wie verrückte Toren
Ins Blaue, leeren Schall, der Wahrheit bar.
Dich nannt' ich schön, dich hab ich rein gedacht,
Und bist doch schwarz wie Hölle, wüst wie Nacht.«

Lieber will er selbst treulos gegen seinen Freund sein, als zu erleiden, daß sein Freund treulos gegen ihn ist. Um seine Reinheit zu schützen, will er selbst niederträchtig sein. Er erkannte die Schwäche in der Natur des jugendlichen Schauspielers, seine Empfänglichkeit für Lob, seine unbändige Liebe für die Bewunderung, und er ging vorsätzlich daran, die Frau zu faszinieren, die zwischen sie getreten war.

Nie sagt ein Mund die Liebeslitanei ungestraft her. Worte haben eine geheimnisvolle Macht über die Seele, und Form kann das Gefühl erzeugen, dem sie hätte entspringen sollen. Selbst Aufrichtigkeit, die glühende, spontane Aufrichtigkeit des Künstlers, ist oft das unbewußte Ergebnis des Stils, und im Falle jener seltenen Temperamente, die für die Einwirkungen der Sprache höchst empfänglich sind, kann der Gebrauch gewisser Worte und Ausdrucksweisen den Impuls der Leidenschaft wecken, das rote Blut durch die Adern jagen und in eine seltsame, sinnliche Energie verwandeln, was ursprünglich ein bloßer aesthetischer Reiz und ein Kunstverlangen gewesen waren. So scheint es wengstens bei Shakespeare gewesen zu sein. Er beginnt Liebe vorzutäuschen, kleidet sich mit dem Gewand des Liebhabers und trägt die Worte eines Liebhabers auf den Lippen. Was tuts? Es ist nur Schauspiel, nur eine Komödie im wirklichen Leben. Aber plötzlich entdeckt er, was seine Zunge gesprochen, seine Seele gehört hat und, daß das Gewand, das er sich als Verkleidung angezogen, etwas Pestbehaftetes, Giftiges ist, das sich in sein Fleisch frißt und das er nicht mehr abwerfen kann. Danach kommt das Verlangen mit seinen vielen Leiden und die Lust, die einen alles lieben macht, was man haßt, und die Scham mit ihrem grauen Gesicht und dem geheimen Lächeln. Er ist bezaubert von dieser dunklen Frau, ist eine Zeitlang von seinem Freund getrennt und wird der *vassal-wretch* einer, von der er weiß, daß sie böse, pervers ist und unwert seiner Liebe, wie der Liebe Willie Hughes. O, *from what power*, sagt er:

hast thou this powerful might,
With insufficiency my heart to sway?
To make me give the lie to my true sight,
And swear that brightness does not grace the day?
Whence has thou this becoming of things ill,
That in the very refuse of thy deeds
There is such strength and warrantise of skill
That, in my mind, thy worst all best exceeds?

»O welche Macht gab dir so mächt'ge Kraft,
Die durch ein Nichts mein Herz bezwingen mag,
Daß mir ein ehrlich Auge lügenhaft,
Daß mir verdunkelt scheint der helle Tag?
Wer gab dir diese Anmut böser Werke,
Daß noch der ärgste Kehricht deiner Schmach
Den Stempel trägt der Meisterschaft und Stärke,
Dein Schlimmstes mehr als Bestes mich bestach?

Er ist sich seiner eigenen Erniedrigung deutlich bewußt, und als er schließlich wahrnimmt, daß sein Genie ihr im Vergleich zu der körperlichen Schönheit des jungen Schauspielers nichts bedeutet, schneidet er mit einem raschen Schnitt das Band entzwei, daß ihn an sie bindet, und sagt ihr mit diesem bitteren Sonett lebewohl:

In loving thee thou know'st I am forsworn,
But thou art twice forsworn, to me love swearing:
In act thy bed-vow broke, and new faith torn,
In vowing new hate after new love bearing.
But why of two oaths' breach do I accuse thee,
When I break twenty? I am perjur'd most;
For all my vows are oaths but to misuse thee,
And all my honest faith in thee is lost:
For I have sworn deep oaths of thy deep kindness,
And, to enlighten thee, gave eyes to blindness,
Or made them swear against the thing they see;
For I have sworn thee fair; more perjur'd I,
To swear against the truth so foul a lie!

»Daß meine Lieb ein Eidbruch ist, das weißt du;
Doch doppelt Eidbruch war dein Schwur der Treue;
Du brachst dein Bettgelöbnis, nun zerreißt du
Nach neuer Lieb in neuem Haß das neue.
Doch was verschlägt zweimal gebrochner Schwur?
Brach ich nicht zwanzig? Was ich dir geschworen,
War falscher Eid, um dich zu täuschen nur;
Mein Treu und Glaube ging in dir verloren.
Ich schwor auf deines Herzens Wohlgesinntheit,
Auf deine Lieb und Treue bis ans Grab;
Dich zu beleuchten, schlug ich mich mit Blindheit,
Und was mein Auge sah, das schwor ich ab.
Ich schwor, du seiest schön! gottloser Eid:
Ein Schwur, durch solche garst'ge Lüg entweiht!

Seine Haltung gegen Willie Hughes in der ganzen Angelegenheit, zeigt sogleich die Heftigkeit und die Selbstverleugnung der großen Liebe, die er für ihn hegte. Am Ende seines Sonetts ist ein bitterer Anflug von Pathos:

Those pretty wrongs that liberty commits,
When I am sometime absent from thy heart,
Thy beauty and thy years full well befits,
For still temptation follows where thou art.
Gentle thou art, and therefore to be won,
Beauteous thou art, therefore to be assailed;
And when a woman woos, what woman's son
Will sourly leave her till she have prevailed?
Ay me! but yet thou mightst my seat forbear,
And chide thy beauty and thy straying youth,
Who lead thee in their riot even there
Where thou art forc'd to break a two-fold truth, –
Hers, by thy beauty tempting her to thee,
Thine, by thy beauty being false to me.

»Die art'gen Sünden, die dein Übermut
Manchmal begeht, wann mich dein Herz vergißt,
Stehn deiner Schönheit, deinen Jahren gut;
Denn die Versuchung folgt dir, wo du bist.
Schön bist du: folglich wird Angriff dir drohn;
Sanft bist du: folglich kann man dich gewinnen;
Und wenn ein Weib wirbt, welches Weibes Sohn
Geht grämlich, eh er sie erhört, von hinnen?
Ach, dennoch solltest meinen Sitz du meiden
Und schelten deine Reiz und Jugendlust;
In ihrem Taumel führen dich die beiden,
Wo du zwiefache Treue brechen mußt:
Die ihre, weil du sie verlockst zu dir,
Die deine, weil du untreu wirst an mir.«

Aber er macht es auch deutlich, daß seine Vergebung ganz und vollkommen war:

No more be griev'd at that which thou hast done:
Roses have thorns, and silver fountains mud;
Clouds and eclipses stain both moon and sun,
And loathsome canker lives in sweetest bud.
All men make faults, and even I in this,
Authorising thy trespass with compare,
Myself corrupting, salving thy amiss,
Excusing thy sins more than thy sins are;

For to thy sensual fault I bring in sense, –
The adverse party is thy advocate, –
And 'gainst myself a lawful plea commence:
Such civil war is in my love and hate,
That I an accessary needs must be
To that sweet thief which sourly robs from me.

»O häng dem Gram um deine Schuld nicht nach;
Sturm und Verfinstrung trüben Sonn und Mond;
Die Ros hat Dornen, Schlamm der Silberbach,
Und garst'ger Wurm in schönsten Knospen wohnt.
Wohl jeder fehlt – ich selbst jetzt, durch Vergleiche
Rechtfertigend an dir, was unrecht ist;
Durch eigne Sünde sühn ich deine Streiche,
Dich mehr entschuld'gend, als du schuldig bist.
Für deiner Sinne Fehltritt Gründ ersinn ich,
Dein Widersacher dient als Anwalt dir,
Und mit mir selber den Prozeß beginn ich.
Solch innern Krieg führt Haß und Lieb in mir,
Daß ich ein Helfer sein muß ohne Wahl
Dem süßen Dieb, der bitter mich bestahl.

Kurz darauf verließ Shakespeare London, um nach Stratford zu gehen (Sonette XLIII – LII), und als er zurückkehrte, scheint Willie Hughes der Frau, die ihn eine Zeitlang fasziniert hatte, müde geworden zu sein. Ihr Name wird nie wieder in den Sonetten erwähnt, noch findet sich eine Anspielung auf sie. Sie ist aus ihrem Leben verschwunden.

Aber wer war sie? Und selbst, wenn ihr Name nicht auf uns gekommen ist, gab es irgendwelche Anspielungen auf sie in der zeitgenössischen Literatur? Ich glaube, sie war nicht von hoher Geburt, obgleich sie gebildeter war als die meisten Frauen ihrer Zeit, aber sie war wahrscheinlich das zügellose Weib irgendeines alten reichen Bürgers.

Wir wissen, daß Frauen aus dieser Klasse, die in jener Zeit erstmalig zu gesellschaftlichem Ansehen aufstieg, von der neuen Kunst des Theaterspiels seltsam fasziniert waren. Man traf sie beinahe jeden Nachmittag im Theater an, wenn dramatische Vorstellungen stattfanden und »Die Schauspielererinnerungen« legen ein beredtes Zeugnis ab von ihren Amouren mit jungen Schauspielern.

Cranley spricht in seiner »Amanda« von einer Frau, die es liebte, die Masken der Schauspieler nachzuahmen und die an einem Tage »geschmückt, geschnürt, parfümiert in glänzender Aufmachung... so fein wie eine Gräfin« erschien und am nächsten Tag »ganz in Trauerschwarz und schwermütig«, darauf in dem grauen Mantel eines Bauernmädchens und dann »in der hübschen Kleidung einer Bürgerin.« Sie war eine merkwürdige Frau, »veränderlicher und schwankender als der Mond«, und die Bücher, die sie zu lesen liebte, waren Shakespeares »Venus und Adonis«, Beaumonts »Salamacis und Hermaphroditus«, Liebestraktate und »Liebeslieder und erlesene Sonette«. Diese Sonette, für sie die »Bücher ihrer Hingabe«, waren keine anderen als Shakespeares Sonette, denn die ganze Beschreibung liest sich wie das Portrait der Frau, die sich in Willie Hughes verliebte, und damit wir keinen Zweifel an der Sache haben, erzählt uns Cranley, indem er sich Shakespeares Wortspiel leiht, daß sie in ihren »proteusgleichen, seltsamen Gestalten« jemand ist, der:

Changes hews *with the chameleon.*

Manninghams Notizbuch enthält ebenfalls eine deutliche Anspielung auf die gleiche Geschichte. Manningham war Student am Middle Temple, zusammen mit Sir Thomas Overbury und Edmund Curle, mit denen er das Zimmer geteilt zu haben scheint; und sein Tagebuch wird immer noch unter den Manuskripten von Lord Harley im Britischen Museum aufbewahrt, ein schmaler Duodezband, in einer hübschen und leidlich lesbaren Handschrift geschrieben, der viele unveröffentlichte Anekdoten über Shakespeare, Sir Walter Raleigh, Spenser, Ben Jonson und andere enthält. Die Daten, die mit großer Sorgfalt eingesetzt sind, reichen vom Januar 1600–1 bis zum April 1603, und unter der Überschrift »13. März 1601« berichtet uns Manningham, er hätte von einem Mitglied aus Shakespeares Truppe erfahren, daß sich die Frau eines bestimmten Bürgers, als sie eines Nachmittags im Globe Theatre war, in einen der Schauspieler verliebte; und ihre Zuneigung zu ihm ging so weit, daß sie, bevor sie die Vorstellung verließ, mit ihm verabredete, er sollte in dieser Nacht zu ihr kommen, daß aber Shakespeare, der »ihre Abmachung zufällig hörte«, seinem Freund zuvorkam und als erster zum Haus der Dame ging, »den Vorrang erhielt und unterhalten wurde«, wie Manningham es nennt und mit einigen losen Worten ausschmückt, die zu zitieren sich nicht lohnt.

Mir schien, als hätten wir hier eine gewöhnliche und verzerrte Version der Geschichte, die sich uns in den Sonetten enthüllt, der Geschichte von der Liebe der geheimnisvollen Frau zu Willie Hughes und Shakespeares tollem Versuch, sie anstelle seines Freundes in sich verliebt zu machen. Es ist natürlich nicht nötig, sie in jeder Einzelheit als völlig wahr anzunehmen. Manninghams Berichterstatter zufolge war zum Beispiel der Name des betreffenden Schauspielers nicht Willie Hughes, sondern Richard Burbage. Wirtshausklatsch ist jedoch sprichwörtlich ungenau, und Burbage wurde zweifellos in die Geschichte hineingezogen, um den törichten Spaß über Wilhelm den Eroberer und Richard den III. eine Pointe zu geben, mit der die Eintragung in Manninghams Tagebuch endet. Burbage war unser erster großer tragischer Schauspieler, aber es bedurfte seines ganzen Genies, um die körperlichen Nachteile einer kleinen Statur und einer korpulenten Figur, mit denen er sich abmühte, auszugleichen, und er war nicht der Typ von Mann, der die geheimnisvolle Frau der Sonette fasziniert haben würde, oder dem daran gelegen gewesen wäre, von ihr fasziniert zu sein. Es gab keinen Zweifel, daß Willie Hughes gemeint war, und das geheime Tagebuch eines jungen Rechtsstudenten jener Zeit bestätigte somit seltsamerweise Cyril Grahams wunderbare Ahnung von dem Geheimnis der großen Romanze Shakespeares. Ja, zusammen mit »Amanda« schien mir Manninghams Notizbuch ein besonders starkes Glied in der Beweiskette und geeignet, die neue Interpretation der Sonette auf so etwas wie einen sicheren historischen Grund zu stellen. Die Tatsache, daß Cranleys Gedichte erst nach Shakespeares Tod veröffentlicht wurden, spricht eher zugunsten dieser Ansicht, da es unwahrscheinlich ist, daß er zu Lebzeiten des großen Dramatikers gewagt haben würde, die Erinnerung an diese tragische und bittere Geschichte zu wecken.

Diese Leidenschaft für die geheimnisvolle Dame ermöglichte es mir außerdem, das Datum der Sonette mit noch größerer Sicherheit zu bestimmen. Aus der inneren Beweisführung, an den Merkmalen der Sprache, des Stils und dergleichen, wurde

sichtbar, daß sie in Shakespeares frühe Periode gehörten, die Periode der »Verlorenen Liebesmüh« und von »Venus und Adonis«. Tatsächlich sind sie mit dem Stück eng verbunden. Sie zeigen den gleichen zarten Euphuismus, die gleiche Freude an phantastischen Sätzen und an besonderen Ausdrücken, die künstlerische Eigenwilligkeit und die absichtliche Koketterie der gleichen *fair tongue, conceit's expositor;* Rosalinde, die:
»Ein bläßlich Ding mit einer samtnen Braue, mit zwei Pechkugeln im Gesicht statt Augen«, die geboren ist, »das Schwarze aufzuhellen«, und deren »Antlitz lenkt die Mod' auf neue Bahn«, ist die geheimnisvolle Dame der Sonette, die »beauty's successive heir« dunkel macht. In der Komödie, wie in den Gedichten haben wir jene halb-sinnliche Philosophie, die das Urteil der Sinne »über alle langsameren, mühsameren Mittel der Erkenntnis« stellt und Berowne ist vielleicht, wie Walter Pater vermutet, ein Wiederschein von Shakespeare selbst, »als es ihm bereits gelungen war, von der ersten Periode seiner Dichtung Abstand zu gewinnen und sie zu beurteilen«.

Und obgleich »Verlorene Liebesmüh« nicht vor 1598 erschien, besteht kein Zweifel, daß das Stück, das »neu überarbeitet und erweitert« von Cuthbert Burby veröffentlicht wurde, bereits zu einer viel früheren Zeit geschrieben und auf der Bühne aufgeführt worden war, wahrscheinlich, wie Professor Dowden darlegt, im Jahre 1588 bis 89. Falls dies stimmt, ist es klar, daß Shakespeares erste Begegnung mit Willie Hughes 1585 gewesen sein muß, und es ist letzen Endes sogar möglich, daß dieser junge Schauspieler als Knabe der Musiker von Lord Essex war.

Auf jeden Fall ist es klar, daß Shakespeares Liebe zu der geheimnisvollen Dame vor 1594 ihr Ende gefunden haben muß. In diesem Jahr erschien unter der Herausgeberschaft von Hadrian Dorell jenes bezaubernde Gedicht oder jene Reihe von Gedichten »Willobie his Avisa«, welches Swinburne als das zeitgenössische Buch bezeichnet, von dem man annahm, daß es ein direktes oder indirektes Licht auf die geheimnisvolle Frage der Sonette wirft. Darin erfahren wir, wie ein junger Edelmann des St. John's College in Oxford, namens Henry Willobie, sich in eine Frau verliebte, die so »schön und keusch war«, daß er sie Avisa nannte, entweder, weil eine solche Schönheit wie die ihre nie gesehen worden war oder weil sie wie ein Vogel von der Fessel seiner Leidenschaft floh und ihre Flügel zum Flug ausbreitete, als er nur ihre Hand zu berühren wagte. Voll Sehnsucht seine Liebe zu gewinnen, holt er Rat bei seinem nahen Freund W. S., »der nicht lange zuvor die Gunst einer ähnlichen Leidenschaft erfahren und erst jüngst von einer ähnlichen Vergiftung genesen war«. Shakespeare ermutigte ihn, die Festung der Schönheit zu belagern, indem er ihm sagte, daß jede Frau umworben und jede Frau erobert werden muß; er betrachtete diese »Liebeskomödie« aus der Distanz, um zu sehen, »ob sie sich für diesen neuen Schauspieler zu einem glücklicheren Ende fügen würde, als für den alten Schauspieler« und »vergrößerte die Wunde mit dem scharfen Rasiermesser des spontanen Begreifens«, da er als Künstler ein rein ästhetisches Interesse an den Zuständen und Gefühlen der anderen empfand. Es ist jedoch nicht notwendig, noch weiter in dieses seltsame Ereignis von Shakespeares Leben einzudringen, da ich auf nichts anderes hinweisen wollte, als daß er im Jahre 1594 von seiner Vernarrtheit in die geheimnisvolle Dame geheilt und bereits seit mindestens drei Jahren mit Willie Hughes befreundet war.

Mein ganzes System der Sonette war jetzt vollständig, und indem ich jene Verse, die sich auf die geheimnisvolle Dame beziehen, in ihre richtige Reihenfolge und Stellung brachte, erkannte ich die Einheit und Vollkommenheit des Ganzen. Das Drama – denn sie stellen fürwahr ein Drama und eine Tragödie glühender Leidenschaft und edler Schwermut der Seele dar – teilt sich in vier Szenen oder Akte. In der ersten von Sonett I – XXXII fordert Shakespeare Willie Hughes auf, als Schauspieler zur Bühne zu gehen und seine wundervolle Schönheit und die jugendliche Anmut in den Dienst der Kunst zu stellen, ehe die Leidenschaft ihm die eine und die Zeit ihm die andere geraubt hat. Nach einiger Zeit willigt Willie Hughes ein, Schauspieler in Shakespeares Truppe zu werden, und bald ist er der eigentliche Mittelpunkt und der Grundton seiner Inspiration. Plötzlich, an einem rosenroten Julitag (Sonette XXXIII – LII, LXI und CXXVII – CLII) kommt ins Globe Theatre eine geheimnisvolle Frau mit wunderschönen Augen, die sich leidenschaftlich in Willie Hughes verliebt. Shakespeare, krank vor quälender Eifersucht und toll von vielen Zweifeln und Ängsten, sucht die Frau, die zwischen ihn und seinen Freund getreten ist, zu faszinieren. Die Liebe, die zuerst erheuchelt war, wird echt, und er findet sich unterworfen und beherrscht von einer Frau, die er als böse und unwürdig erkennt. Ihr bedeutet das Genie eines Mannes nichts, verglichen mit der Schönheit eines Knaben. Willie Hughes wird eine zeitlang ihr Sklave und das Spielzeug ihrer Laune, und der zweite Akt endet mit Shakespeares Abreise von London. Im dritten Akt ist es mit ihrem Einfluß zu Ende. Shakespeare kehrt nach London zurück und erneuert seine Freundschaft mit Willie Hughes, dem er Unsterblichkeit in seinen Stücken verspricht. Marlowe, der von dem Wunder und der Anmut des jungen Schauspielers hört, lockt ihn vom Globe Theatre weg, damit er den Gaveston in der Tragödie Edward II. spielt, so ist Shakespeare ein zweites Mal von seinem Freund getrennt.

Der letzte Akt (Sonette C – CXXVI) berichtet uns von Willie Hughes' Rückkehr zu Shakespeares Truppe. Böses Gerede hat jetzt die weiße Unschuld seines Namens befleckt, aber Shakespeares Liebe dauert noch immer an und ist vollkommen. Über das Geheimnis dieser Liebe und das Geheimnis der Leidenschaft erfahren wir seltsame und wunderbare Dinge; die Sonette schließen mit einer zwölfzeiligen Schlußstrophe, deren Thema der Triumph der Schönheit über die Zeit und des Todes über die Schönheit ist.

Und was für ein Ende hat er genommen, der, der Shakespeares Seele so teuer war und der durch seine Gestalt und Leidenschaft Shakespeares Kunst Wirklichkeit gegeben hat? Als der Bürgerkrieg ausbrach, nahmen die englischen Schauspieler die Partei ihres Königs und viele von ihnen, wie Robinson, der bei der Einnahme des Basing House von Major Harrison durch einen gemeinen Schlag getötet wurde, gaben ihr Leben im Dienste des Königs. Vielleicht wurde der tote Körper von Willie Hughes auf der zerstampften Heide von Marston oder auf den kahlen Hügeln von Naseby von einem rohen Bauern der Gegend gefunden, sein goldenes Haar »blutbespritzt« und seine Brust von unzähligen Wunden aufgerissen. Oder es könnte auch sein, daß die Pest, die zu Beginn des 17. Jahrhunderts in London sehr häufig auftrat und in der Tat von vielen Christen als Strafgericht angesehen wurde, das über die Stadt kam, wegen ihrem Vergnügen an »eitlen Stücken und götzendienerischen Spielen«, den Jungen auf der Bühne berührt hatte; er war heimgekrochen in sein gemietetes Zimmer, um dort allein zu sterben, während Shakespeare weit weg in Stratford war und alle die, die in solchen Scharen zusammengeströmt waren, um ihn zu sehen, – *the gazers*, die er *led astray* hatte, wie die Sonette sagen –, hatten zu viel Angst vor Ansteckung, um zu ihm zu gehen.

Eine Geschichte dieser Art war damals über einen jungen Schauspieler im Umlauf und wurde von den Puritanern bei ihren Versuchen, die freie Entfaltung der englischen Renaissance zu unterdrücken, benutzt. Doch wäre dieser Schauspieler Willie Hughes gewesen, die Kunde von seinem tragischen Tod wäre Shakespeare sicher rasch überbracht worden, während er träumend unter dem Maulbeerbaum in seinem Garten am New Place lag, und er hätte in einer Elegie, so süß wie jene, die Milton auf Edward King geschrieben, um den Jungen getrauert, der solche Freude und solches Leid in sein Leben gebracht hatte und dessen Verbindung mit seiner Kunst von so lebendigem und innigem Charakter gewesen war. Etwas gab mir das bestimmte Gefühl ein, daß Willie Hughes Shakespeare überlebt und in einem gewissen Maß die hohen Prophezeiungen des Dichters erfüllt hatte. Eines Abends wurde mir das wahre Geheimnis seines Endes plötzlich klar.

Er war einer jener englischen Schauspieler gewesen, die 1611, in dem Jahr, als Shakespeare sich von der Bühne zurückzog, übers Meer nach Deutschland gingen und vor dem großen Herzog Heinrich Julius von Braunschweig spielten, der selbst ein Dramatiker von nicht geringem Range war, und am Hofe jenes seltsamen Kurfürsten von Brandenburg, der in die Schönheit so verliebt war, daß es von ihm heißt, er habe den jungen Sohn eines reisenden griechischen Kaufmanns für sein Gewicht in Bernstein gekauft und habe zu Ehren seines Sklaven Feste gegeben, das ganze schreckliche Hungerjahr 1606/07 hindurch, als das Volk auf den Straßen der Stadt an Entkräftung starb und sieben Monate lang kein Regen fiel. Die Bibliothek in Kassel ist bis auf den heutigen Tag im Besitz eines Exemplares der Erstausgabe von Marlowes »Edward II.«, dem einzig vorhandenen Exemplar, sagt Bullen. Wer könnte es in diese Stadt gebracht haben, wenn nicht er, der die Rolle des königlichen Lieblings gestaltet und für den sie geschrieben worden war? Seine weißen Hände hatten einst diese fleckigen, gelben Seiten berührt. Wir wissen auch, daß »Romeo und Julia«, ein Stück, das besonders mit Willie Hughes verbunden war, 1613 in Dresden herauskam, gleichzeitig mit »Hamlet« und »König Lear« und einigen Stükken von Marlowe, und es war gewiß niemand anderer als Willie Hughes, dem im Jahre 1617 Shakespeares Totenmaske durch jemanden aus dem Gefolge des englischen Botschafters überbracht wurde, ein bleiches Abschiedszeichen des großen Dichters, der ihn so heiß geliebt hatte. Es lag in der Tat etwas besonders Bestrickendes in der Vorstellung, daß der jugendliche Schauspieler, dessen Schönheit ein so vitales Element im Realismus und in der Romantik von Shakespeares Kunst gewesen war, der erste gewesen sein sollte, der den neuen Samen der neuen Kultur nach Deutschland gebracht hat und so auf seine Weise zum Vorläufer der Aufklärung oder Illumination des 18. Jahrhunderts geworden war, jener glanzvollen Bewegung, die, wenn auch durch Lessing und Herder begonnen und durch Goethe zur Reife und Vollendung gebracht, zu nicht geringem Teil durch einen jungen Schauspieler gefördert wurde – Friedrich Schröder – der das Bewußtsein im Volke aufrüttelte und durch das Mittel der gespielten Leidenschaften und der mimetischen Methode auf der Bühne, die innere, die vitale Verbindung zwischen Leben und Literatur aufzeigte. Wenn es sich so verhielt – und es gab gewiß nichts dagegen einzuwenden – war es nicht unwahrscheinlich, daß Willie Hughes einer jener englischen Komödianten war (*mimi quidam ex Britannia*, wie sie in den alten Chroniken genannt werden), die in Nürnberg bei einem plötzlichen Volksaufstand erschlagen und heimlich in einem kleinen Weinberg außerhalb der Stadt von einigen jungen Leuten begraben wurden, »die Gefallen an ihren Vorstellungen gefunden und von denen einige Unterweisung in den Geheimnissen der neuen Kunst gesucht hatten«. Zweifellos konnte es für ihn, von dem Shakespeare gesagt hatte, *thou art all my art*, keinen passenderen Ort geben, als diesen kleinen Weinberg außerhalb der Stadtmauern. War nicht die Tragödie aus den Leiden des Dionysos entstanden?

War nicht das helle Gelächter der Komödie mit ihrer sorglosen Fröhlichkeit und ihren schlagfertigen Antworten zuerst auf den Lippen der sizilianischen Winzer zu hören gewesen? Ja, hatten nicht die purpurnen und roten Flecken des schäumenden Weins auf Gesicht und Gliedern die erste Idee vom Zauber und von der Faszination der Verkleidung eingegeben? – das Verlangen sich zu verhüllen, den Sinn für den Wert der Objektivität, der sich auf diese Weise in den rohen Anfängen der Kunst zeigt. Jedenfalls, wo immer er begraben liegt – ob in dem kleinen Weinberg vor dem Tor der gotischen Stadt oder in einem düsteren Londoner Kirchhof mitten im Lärm und der Geschäftigkeit unserer großen City – kein prächtiger Gedenkstein bezeichnet seinen Ruheplatz. Sein wahres Grabmal war, wie Shakespeare es sah, der Vers des Dichters, sein wahres Denkmal die Fortdauer des Dramas. So ist es auch mit anderen gewesen, deren Schönheit ihrem Zeitalter einen neuen schöpferischen Impuls gegeben hat. Der elfenbeinerne Körper des bithynischen Sklaven modert im grünen Schlamm des Nils, und auf den gelben Hügeln des Kerameikos ist die Asche des jungen Atheners verstreut; Antinous aber lebt in der Plastik und Charmides in der Philosophie.

5

Ein junger Elisabethaner, der in ein Mädchen von so weißer Haut verliebt war, daß er sie Alba nannte, hat den Eindruck niedergeschrieben, den eine der ersten Vorstellungen von »Verlorene Liebesmüh« in ihm hervorrief. Obgleich die Schauspieler bewundernswert waren und, wie er sagt, auf »routinierte Weise« spielten, wußte er, daß besonders bei jenen, die die Rollen der Liebenden darstellten, alles »Schein« war, daß nichts »von Herzen« kam, daß sie, obgleich sie zu trauern schienen, »keinen Kummer fühlten«, und nur »im Scherz ein Schauspiel« darboten. Doch plötzlich wurde ihm, wie er im Publikum saß, diese Scheinkomödie einer unechten Romanze zur echten Tragödie seines Lebens. Die Stimmungen seiner eigenen Seele schienen Gestalt und Inhalt angenommen zu haben und sich vor ihm zu bewegen. Sein Kummer hatte eine Maske, die lächelte, und sein

Leid trug ein fröhliches Gewand. In dem glänzenden und schnell wechselnden Spiel auf der Bühne sah er sich selbst, wie jemand sein Bild in einem phantastischen Spiegel. Die selben Worte, die aus dem Mund des Schauspielers kamen, waren seiner Qual entrungen. Ihre falschen Tränen waren von ihm vergossen.

Es gibt wenige unter uns, die nicht etwas Ähnliches empfunden haben. Wir werden Liebende, wenn wir Romeo und Julia sehen, und Hamlet macht uns zu Studenten. Das Blut des Duncan klebt an unseren Händen, mit Timon rasen wir gegen die Welt, und wenn Lear draußen über die Heide irrt, berührt uns der Schrekken des Wahnsinns. Die weiße Unschuld der Desdemona ist die unsrige und auch die Sünde des Jago. Kunst, selbst die Kunst mit dem weitesten Spielraum und der tiefsten Vision, kann uns niemals die äußere Welt zeigen. Alles, was sie uns zeigt, ist unsere eigene Seele, die einzige Welt, von der wir überhaupt eine wirkliche Kenntnis haben. Und die Seele selbst, die Seele von jedem Einzelnen von uns, ist für jeden von uns ein Geheimnis. Sie verbirgt sich im Dunkel und brütet, und das Bewußtsein kann uns nicht sagen, was in ihr vorgeht. Das Bewußtsein ist in der Tat vollkommen unzulänglich, den Inhalt der Persönlichkeit zu erklären. Es ist die Kunst und die Kunst allein, die uns uns selbst enthüllt.

Wir wohnen dem Schauspiel bei mit der Frau, die wir lieben oder lauschen der Musik in einem Garten in Oxford oder schlendern mit unserem Freund durch die kühlen Säulengänge des Papstpalastes in Rom und plötzlich werden wir gewahr, daß wir Leidenschaften besitzen, von denen wir nie geträumt haben, Gedanken, die uns Furcht machen, Lüste, deren Geheimnis uns verweigert wurde, Kummer, der unseren Tränen verborgen gewesen ist. Der Schauspieler ist sich unserer Anwesenheit nicht bewußt; der Musiker denkt an die Subtilität der Fuge, an den Ton seines Instrumentes; die marmornen Gottheiten, die uns so geheimnisvoll zulächeln, sind aus leblosem Stein. Aber sie haben dem, was in uns war, Form und Inhalt gegeben; sie haben es uns ermöglicht, unsere Persönlichkeit zu verwirklichen; und ein Gefühl gefährlicher Freude oder die Empfindung oder das Erbeben des Schmerzes oder das sonderbare Selbstmitleid, das der Mensch so oft für sich fühlt, überkommt uns und läßt uns verwandelt zurück.

Etwas von dieser Wirkung hatten zweifellos Shakespeares Sonette in mir hervorgerufen. Während ich sie von opalenen Morgendämmerungen bis zur welkenden Röte der Sonnenuntergänge im Garten oder im Zimmer las und wieder las, kam es mir so vor, als ob ich die Geschichte eines Lebens entzifferte, das einst meines gewesen war, als ob ich die Vergangenheit einer Romanze aufrollte, die, ohne daß ich es wußte, die Beschaffenheit meiner Natur durchdrungen, sie mit seltsamen und subtilen Farben getönt hatte. Die Kunst, wie es so häufig geschieht, hatte die Stelle der persönlichen Erfahrung eingenommen. Ich hatte das Gefühl, als wäre ich in das Geheimnis dieser leidenschaftlichen Freundschaft eingeweiht worden, in die Liebe der Schönheit und die Schönheit der Liebe, von der uns Marsilio Ficino erzählt, und als deren vollkommenster Ausdruck die Sonette in ihrer edelsten und reinsten Bedeutung angesehen werden können.

Ja: ich hatte alles gelebt. Ich war in dem Rundtheater mit dem offenen Dach und den flatternden Fahnen gestanden, ich hatte die Bühne schwarz ausgeschlagen gesehen für eine Tragödie oder mit bunten Girlanden geschmückt für ein heiteres Schauspiel. Die jungen Galane zeigten sich mit ihren Pagen und nahmen ihre Plätze vor dem braungelben Vorhang ein, der von den Säulen mit den geschnitzten Satyrmasken der Innenbühne herabhing.

Sie waren anmaßend und artig in ihren phantastischen Kleidern. Einige von ihnen trugen französische Liebeslöckchen und weiße Wämser steif von italienischer Goldstickerei und lange Strümpfe aus blauer oder blaßgelber Seide. Andere waren ganz in Schwarz und hatten große Federhüte auf. Sie beeinflußten die spanische Mode. Während sie Karten spielten und dünne Rauchringe aus ihren winzigen Pfeifen bliesen, die die Pagen für sie anzündeten, spotteten die faulen Lehrlinge und müßigen Schuljungen, die sich im Hof drängten, über sie.

Aber sie lächelten einander bloß zu. In den Seitenlogen saßen einige verhüllte Damen. Eine von ihnen wartete mit hungrigen Augen und zerbissenen Lippen, daß der Vorhang zurückgezogen würde. Als die Trompete zum dritten Mal ertönte, beugte sie sich vor, und ich sah ihre olivfarbene Haut und ihre Haare schwarz wie Rabenflügel. Ich kannte sie. Sie hatte eine Zeitlang die große Freundschaft meines Lebens gestört. Dennoch war etwas an ihr, was mich faszinierte.

Das Stück wechselte je nach meiner Stimmung. Manchmal war es »Hamlet«. Taylor spielte den Prinzen, und viele weinten, als Ophelia wahnsinnig wurde. Manchmal war es »Romeo und Julia«. Burbage war Romeo. Er sah einem jungen Italiener kaum ähnlich, aber in seiner Stimme war ein großer Wohlklang, und eine leidenschaftliche Schönheit lag in jeder Geste. Ich sah »Wie es Euch gefällt« und »Cymbeline« und »Was Ihr wollt«, und in jedem Stück gab es einen, dessen Leben mit dem meinen verbunden war, der für mich jeden Traum verwirklichte und jeder Phantasie Gestalt gab. Wie anmutig er sich bewegte! Die Augen des Publikums hingen an ihm.

Und doch war es in diesem Jahrhundert, in dem alles geschah. Ich hatte meinen Freund nie gesehn, aber er ist viele Jahre bei mir gewesen, und seinem Einfluß verdanke ich meine Leidenschaft für das griechische Denken und die griechische Kunst, ja meine ganze Neigung zum hellenischen(*Φιλοδοψεῖν μὲτ' ἐρῶτος*!) Wie mich dieser Satz in meiner Oxforder Zeit aufgewühlt hatte! Damals verstand ich nicht, warum das so war. Aber jetzt wußte ich es. Immer war etwas neben mir gewesen. Mit silbernen Füßen war es über die nachtdunklen Wiesen geschritten, und mit weißen Händen hatte es die zitternden Schleier der Morgendämmerung beiseite geschoben. Es war mit mir durch die grauen Kreuzgänge gewandert, es war da, wenn ich lesend in meinem Zimmer saß. Und ich sollte mir seiner nicht bewußt gewesen sein? Die Seele hat ihr eigenes Leben und das Gehirn seinen eigenen Handlungsbereich. Es gibt etwas in uns, das weiß nichts von Reihenfolge oder Ausdehnung und ist doch, wie der Philosoph der idealen Stadt, der Zuschauer aller Zeiten und aller Existenz. Die Seele hat Begierden, die sich regen, Leidenschaften, die ans Licht kommen, geistige Ekstasen der Kontemplation, die Inbrunst der glühenden Liebe. Wir sind es, die unwirklich sind, und unser bewußtes Leben ist der am wenigsten wichtige Teil unserer Entwicklung. Die Seele, die geheimnisvolle Seele ist die einzige Wirklichkeit.

Auf welch merkwürdige Weise sich mir alles enthüllt hatte! Ein Buch mit Sonetten, vor beinahe dreihundert Jahren veröffentlicht, von einer toten Hand geschrieben, einem toten Jungen zu Ehren, hatte mir plötzlich die ganze Geschichte von der Romanze meiner Seele erklärt. Ich erinnerte mich, wie ich einmal in Ägypten bei der Öffnung eines freskenbemalten Sarges zugegen war, der in einem der Basaltgräber von Theben gefunden worden war. Darin lag der Körper eines jungen Mädchens, in schmale Leinenbänder gewickelt und mit einer goldenen Maske auf dem Gesicht. Als ich mich hinunterbeugte um ihn anzuschauen, sah ich, daß eine der kleinen welken Hände eine Rolle aus gelbem Papyrus hielt, die mit seltsamen Schriftzeichen bedeckt war. Wie ich jetzt wünsche, daß ich sie mir hätte vorlesen lassen! Sie hätten mit etwas mehr über die Seele gesagt, die sich in mir verbarg und die ihre geheimnisvollen Leidenschaften besaß, über die ich in Unwissenheit gehalten wurde. Seltsam, daß wir so wenig über uns selbst wissen und daß unsere eigenste Persönlichkeit vor uns verborgen ist! Müssen wir in Gräbern nach unserem wirklichen Leben suchen und in der Kunst nach der Legende unserer Tage?

Woche für Woche studierte ich die Gedichte, und jede neue Form der Erkenntnis erschien mir eine Art Rückerinnerung. Schließlich, nachdem zwei Monate vergangen waren, entschloß ich mich, Erskine energisch zu mahnen, dem Andenken Cyril Grahams Gerechtigkeit widerfahren zu lassen und der Welt seine großartige Deutung der Sonette vorzulegen – die einzige Deutung, die das Problem vollständig erhellt. Bedauerlicherweise habe ich von meinem Brief keine Abschrift und es ist mir nicht möglich gewesen, das Original in die Hand zu bekommen; aber ich erinnere mich, daß ich alle Gründe durchdachte und viele Briefbögen mit der leidenschaftlichen Wiederholung der Argumente und Beweise füllte, die mir meine Nachforschungen eingebracht hatten.

Es schien mir, daß ich nicht nur Cyril Graham an den ihm zukommenden Platz in der Literaturgeschichte rückte, sondern die Ehre Shakespeares von der lästigen Erinnerung einer platten Intrige befreite. Ich legte meinen ganzen Enthusiasmus in den Brief. Ich legte meinen ganzen Glauben in den Brief.

Aber kaum hatte ich ihn abgeschickt, als eine merkwürdige Reaktion bei mir eintrat. Mir war, als hätte ich die Fähigkeit an die Willie-Hughes-Theorie der Sonette zu glauben eingebüßt, als wäre etwas gleichsam von mir gewichen und als wäre ich der ganzen Sache gegenüber vollkommen gleichgültig geworden. Was war geschehen? Das ist schwer zu sagen. Vielleicht hatte ich, indem ich den vollkommenen Ausdruck für eine Leidenschaft gefunden hatte, die Leidenschaft selbst erschöpft. Gefühlskräfte haben, wie die Kräfte des physischen Lebens, ihre positiven Begrenzungen. Vielleicht enthält die bloße Anstrengung, jemand anderen zu einer Theorie zu bekehren, eine Art Verzicht auf die Kraft des Glaubens. Beeinflussung ist einfach eine Übertragung der Persönlichkeit, eine Art wegzugeben, was einem selbst höchst kostbar ist, und ihre Ausübung läßt ein Gefühl des Verlustes und möglicherweise einen wirklichen Verlust entstehen. Jeder Schüler nimmt von seinem Meister etwas weg. Vielleicht war ich der ganzen Sache einfach müde geworden, von ihrem Zauber erschöpft, und meine Begeisterung war ausgebrannt, meine Vernunft war ihrem eigenen leidenschaftslosen Urteil überlassen. Was immer auch geschah, ich vermag es nicht zu erklären; es gab keinen Zweifel, daß Willie Hughes für mich plötzlich ein reiner Mythos wurde, ein müßiger Traum, die kindische Phantasie eines jungen Mannes, dem es, wie den meisten glühenden Geistern, mehr darum zu tun war, andere zu überzeugen, als selbst überzeugt zu sein.

Ich muß zugeben, daß dies eine bittere Enttäuschung für mich war. Ich hatte jede Phase dieser großen Romanze durchgemacht. Ich hatte mit ihr gelebt, und sie war Teil meiner Natur geworden. Warum hatte sie mich verlassen? Hatte ich an ein Geheimnis gerührt, das meine Seele zu verbergen trachtete? Oder besaß die Persönlichkeit keine Beständigkeit? Kamen und gingen die Dinge lautlos, schnell und ohne Spuren durch das Gehirn, wie Schatten durch einen Spiegel? Waren wir der Gnade solcher Eindrücke ausgeliefert, wie sie die Kunst oder das Leben für uns wählten? Es wollte mir so scheinen.

Es war Nacht, als dieses Gefühl zum erstenmal in mir entstand. Ich hatte meinen Diener weggeschickt, den Brief für Erskine einzuwerfen, und saß am Fenster und schaute auf die blaue und goldene Stadt. Der Mond war noch nicht aufgegangen, und es stand nur ein Stern am Himmel, aber die Straßen waren voll lebhafter Bewegung und aufblitzender Lichter, und die Fenster von Devonshire House waren für ein großes Dîner erleuchtet, das einem der ausländischen Fürsten gegeben wurde, die London derzeit besuchten. Ich sah die scharlachroten Livreen der königlichen Kutschen und die Menschenmenge, die sich an den düsteren Toren des Hofes drängte.

Plötzlich sagte ich mir: »Ich habe geträumt, und mein ganzes Leben ist in diesen beiden Monaten unwirklich gewesen. Es gab die Person Willie Hughes nicht.« Etwas wie ein schwacher Schmerzensschrei kam auf meine Lippen, als ich wahrzunehmen begann, wie ich mich selbst betrogen hatte, und ich vergrub mein Gesicht in den Händen, von einem Leid getroffen, das größer war als alles, was ich seit meiner Knabenzeit gefühlt hatte. Nach einigen Augenblicken stand ich auf, ging in die Bibliothek, nahm die Sonette und fing an sie zu lesen. Aber es half nichts. Sie gaben mir nichts von der Empfindung zurück, die ich ihnen entgegengebracht hatte; sie offenbarten mir nichts, was ich in ihren Zeilen verborgen gefunden hatte. War ich bloß beeinflußt gewesen von der Schönheit des gefälschten Portraits, von diesem Shelleygleichen Gesicht behext worden zu Glauben und Vertrauen? Oder war es, wie Erskine angedeutet hatte, die pathetische Tragödie von Cyril Grahams Tod, von der ich so tief bewegt worden war? Ich konnte es nicht sagen. Bis zum heutigen Tag kann ich Anfang oder Ende dieser seltsamen Zeit in meinem Leben nicht begreifen.

Da ich jedoch Erskine einige sehr ungerechte und bittere Dinge in meinem Brief gesagt hatte, entschloß ich mich, ihn so bald wie möglich zu besuchen und mich bei ihm wegen meines Benehmens zu entschuldigen.

Ich fuhr also am nächsten Morgen nach Birdcage Walk und fand ihn in seiner Bibliothek sitzen, vor sich das gefälschte Bild von Willie Hughes.

»Mein lieber Erskine!« sagte ich, »ich bin gekommen, um mich bei dir zu entschuldigen.«

»Bei mir zu entschuldigen?« fragte er. »Wofür?«

»Für meinen Brief«, antwortete ich.

»Du brauchst nichts in deinem Brief zu bedauern«, sagte er. »Im Gegenteil, du hast mir den größten Dienst erwiesen, der in deiner Macht lag. Du hast mir gezeigt, daß Cyril Grahams Theorie vollkommen richtig ist.«

Ich sah ihn in blanker Verwunderung an.

»Willst du sagen, daß du an Willie Hughes glaubst?« rief ich.

»Warum nicht?« gab er zurück. »Du hast mir die Sache bewiesen. Glaubst du, ich kann den Wert einer Beweisführung nicht abschätzen?«

»Aber es gib überhaupt keinen Beweis«, stöhnte ich und sank in einen Sessel. »Als ich dir schrieb, stand ich unter dem Einfluß einer vollkommen törichten Begeisterung. Ich war von der Geschichte von Cyril Grahams Tod gerührt, fasziniert von seiner künstlerischen Theorie, von dem Wunder und der Neuheit der ganzen Idee eingenommen. Ich erkenne jetzt, daß die Theorie auf einem Wahn beruht. Der einzige Beweis für die Existenz von Willie Hughes ist dieses Bild vor dir, und dieses Bild ist eine Fälschung. Laß dich in dieser Sache nicht durch ein bloßes Gefühl hinreißen. Was auch die Romantik zu der Willie-Hughes-Theorie zu sagen haben mag, die Vernunft ist unempfindlich dagegen.«

»Ich verstehe dich nicht«, sagte Erskine und sah mich erstaunt an. »Du hast mich durch deinen Brief überzeugt, daß Willie Hughes eine Realität ist. Warum hast du deine Ansicht geändert? Oder ist alles, was du mir gesagt hast, ein bloßer Scherz?«

»Ich kann es dir nicht erklären«, erwiderte ich, »aber ich sehe jetzt ein, daß zugunsten von Cyril Grahams Theorie nicht das geringste vorzubringen ist. Die Sonette mögen nicht an Lord Pembroke gerichtet sein. Wahrscheinlich sind sie es nicht. Aber verlier um Himmels willen deine Zeit nicht mit dem törichten Versuch, einen jungen elisabethanischen Schauspieler zu entdekken, der niemals existiert hat, und eine Geisterpuppe zum Mittelpunkt des großen Zyklus der Shakespeareschen Sonette zu machen.«

»Ich sehe, daß du die Theorie nicht verstehst«, antwortete er.

»Mein lieber Erskine«, rief ich, »nicht verstehen! Mir ist, als hätte ich sie erfunden. Gewiß zeigt dir mein Brief, daß ich nicht nur in die ganze Sache eingedrungen bin, sondern daß ich Beweise jeder Art beigebracht habe. Der einzige Fehler in der Theorie ist, daß sie die Existenz der Person voraussetzt, deren

Existenz der Gegenstand des Streites ist. Wenn wir annehmen, daß es in Shakespeares Truppe einen jungen Schauspieler mit dem Namen Willie Hughes gegeben hat, ist es nicht schwer, ihn zum Gegenstand der Sonette zu machen. Aber da wir wissen, daß es keinen Schauspieler dieses Namens in der Truppe des Globe-Theatre gegeben hat, ist es müßig, die Nachforschungen weiter zu betreiben.«

»Das ist es aber gerade, was wir nicht wissen«, sagte Erskine. »Es ist allerdings wahr, daß sein Name in dem Verzeichnis der ersten Folioausgabe nicht vorkommt; aber, wie Cyril ausführte, ist das eher ein Beweis für die Existenz von Willie Hughes als gegen sie, wenn wir uns erinnern, wie verräterisch er Shakespeare wegen eines Dramatikerrivalen verlassen hat. Außerdem« – und hier muß ich zugeben, daß Erskine eine Bemerkung machte, die mir jetzt als ziemlich gutes Argument erscheint, obgleich ich damals darüber lachte, – gibt es überhaupt keinen Grund, warum Willie Hughes nicht unter einem angenommenen Namen zur Bühne gegangen sein sollte. Ja, das ist sogar höchst wahrscheinlich. Wir wissen, daß zu seiner Zeit ein sehr starkes Vorurteil gegen das Theater herrschte und nichts ist wahrscheinlicher, als daß seine Familie darauf bestand, daß er einen *nom de plume* annahm. Die Herausgeber der ersten Folioausgabe werden ihn sicherlich unter seinem Bühnennamen genannt haben, dem Namen, unter dem er dem Publikum am besten bekannt war, aber die Sonette waren natürlich eine vollkommen andere Sache, und auf dem Widmungsblatt wendet sich der Verleger sehr richtig an ihn unter seinen wirklichen Initialen. Wenn dies so ist, und es erscheint mir als die einfachste und vernünftigste Erklärung der Sache, betrachte ich Cyril Grahams Theorie als absolut bewiesen.«

»Aber was für einen Beweis hast du?« rief ich und legte meine Hand auf seine. »Du hast überhaupt keinen Beweis. Es ist eine bloße Hypothese. Und welcher von Shakespeares Schauspielern glaubst du, war dieser Willie Hughes? Der »hübsche Junge« etwa, von dem uns Ben Jonson erzählt, der so stolz darauf war, Mädchenkleider zu tragen?«

»Das weiß ich nicht«, antwortete er ziemlich irritiert. »Ich habe noch keine Zeit gehabt, diesem Punkt nachzugehen. Aber ich fühle ganz sicher, daß meine Theorie die richtige ist. Natürlich ist sie eine Hypothese, aber es ist schließlich eine Hypothese, die alles erklärt, und wenn man dich nach Cambridge geschickt hätte um Naturwissenschaften zu studieren, anstatt nach Oxford, um mit Literatur die Zeit zu vergeuden, dann wüßtest du, daß eine Hypothese, die alles erklärt, eine Gewißheit ist.«

»Ja, ich bin mir klar darüber, daß Cambridge eine Art Erziehungsanstalt ist«, murmelte ich. »Ich bin froh, daß ich nicht dort war.«

»Mein lieber Junge«, sagte Erskine und richtete plötzlich seine scharfen grauen Augen auf mich, »du glaubst an Cyril Grahams Theorie, du glaubst an Willie Hughes, du weißt, daß die Sonette an einen Schauspieler gerichtet sind, aber aus irgendeinem Grund willst du es nicht anerkennen.«

»Ich wünschte, ich könnte es glauben«, erwiderte ich. »Ich würde alles geben, um dazu imstande zu sein. Aber ich kann nicht. Es ist eine Art Mondstrahlen-Theorie, sehr schön, sehr faszinierend, aber ungreifbar. Sobald man glaubt, daß man sie erfaßt hat, entgleitet sie einem. Nein: Shakespeares Herz ist uns noch immer *a closet never pierc'd with crystal eye*, wie er es in einem seiner Sonette nennt. Wir werden niemals das wahre Geheimnis von der Leidenschaft seines Lebens kennen.«

Erskine sprang vom Sofa auf und ging im Zimmer hin und her. »Wir kennen es bereits«, rief er, »und die Welt soll es eines Tages kennenlernen.«

Ich hatte ihn nie so aufgeregt gesehn. Er wollte nicht, daß ich ihn verließ und bestand darauf, daß ich den Rest des Tages dablieb.

Wir argumentierten stundenlang über die Sache, aber nichts, was ich sagte, konnte Erskines Glauben an Cyril Grahams Interpretation erschüttern. Er sagte mir, daß er die Absicht habe, sein Leben dem Beweis der Theorie zu widmen und daß er entschlossen sei, dem Andenken Cyril Grahams Gerechtigkeit widerfahren zu lassen. Ich beschwor ihn, lachte ihn aus, ich bat ihn, aber es half nichts. Schließlich trennten wir uns, nicht gerade im Zorn, aber sicherlich mit einem Schatten zwischen uns. Er hielt mich für oberflächlich, ich hielt ihn für verrückt. Als ich ihn wieder aufsuchte, sagte mir sein Diener, daß er nach Deutschland gereist sei. Die Briefe, die ich ihm schrieb, blieben unbeantwortet.

Zwei Jahre später, als ich in meinen Klub ging, übergab mir der Portier in der Halle einen Brief mit einer ausländischen Briefmarke. Er war von Erskine und im Hôtel d'Angleterre in Cannes geschrieben. Als ich ihn gelesen hatte, war ich entsetzt, obgleich ich nicht ganz glaubte, daß er so wahnsinnig sein könnte, seinen Entschluß auszuführen. Der Kern des Briefes war, daß er auf jede Weise versucht hatte, die Willie-Hughes-Theorie zu beweisen und daß es ihm mißlungen sei; und da Cyril Graham sein Leben für diese Theorie gegeben hatte, sei er gleichfalls entschlossen, sein Leben für dieselbe Sache hinzugeben. Die letzten Worte des Briefes lauteten: »Ich glaube noch immer an Willie Hughes; und wenn du dies empfängst, werde ich durch meine eigene Hand für die Sache Willie Hughes' gestorben sein: für seine Sache und für die Sache von Cyril Graham, den ich durch meine törichte Skepsis und den ignoranten Mangel an Glauben in den Tod getrieben habe. Die Wahrheit wurde dir einst offenbart, und du hast sie zurückgewiesen. Sie kommt jetzt zu dir, mit dem Blut von zwei Menschen befleckt – wende dich nicht von ihr ab.«

Es war ein schrecklicher Augenblick. Ich fühlte mich krank vor Elend und doch konnte ich nicht glauben, daß er seine Absicht ausführen würde. Der schlimmste Gebrauch, den ein Mensch von seinem Leben machen kann, ist, für seine theologischen Überzeugungen zu sterben; aber für eine literarische Theorie sterben! Das schien unmöglich.

Ich sah auf das Datum. Der Brief war eine Woche alt. Ein unglücklicher Zufall hatte mich einige Tage vom Klub ferngehalten, sonst hätte ich den Brief rechtzeitig bekommen, um ihn zu retten. Vielleicht war es noch nicht zu spät. Ich fuhr nach Hause, packte meine Sachen und reiste mit dem Nachtzug von Charing Cross ab. Die Fahrt war unerträglich. Ich glaubte, ich würde niemals ankommen.

Sobald ich an Ort und Stelle war, fuhr ich zum Hôtel d'Angleterre. Es war wirklich wahr. Erskine war tot. Man sagte mir, daß er zwei Tage zuvor auf dem englischen Friedhof begraben worden war. Es lag etwas entsetzlich Groteskes in der ganzen

Tragödie. Ich redete wildes Zeug durcheinander, und die Leute in der Halle sahen mich neugierig an.

Plötzlich kam Lady Erskine in tiefer Trauer durch die Halle. Als sie mich sah, kam sie auf mich zu, murmelte etwas von ihrem armen Sohn und brach in Tränen aus. Ich führte sie auf ihr Zimmer. Ein älterer Herr war dort und las Zeitung. Es war der englische Arzt.

Wir sprachen ausführlich über Erskine, aber ich sagte nichts über das Motiv, das ihn zum Selbstmord geführt hatte. Es war offensichtlich, daß er seiner Mutter nichts über den Grund gesagt, der ihn zu einer so fatalen und wahnsinnigen Tat getrieben hatte. Endlich stand Lady Erskine auf und sagte: »George hat Ihnen etwas zur Erinnerung hinterlassen, etwas, das er sehr hoch schätzte. Ich hole es Ihnen.«

Kaum hatte sie das Zimmer verlassen, wendete ich mich an den Arzt und sagte: »Welch ein entsetzlicher Schlag muß das für Lady Erskine gewesen sein! Ich wundere mich, daß sie es so gut trägt.«

»Oh, sie wußte seit Monaten, was kommen mußte«, antwortete er.

»Sie wußte es seit Monaten?« rief ich. »Aber warum hat sie ihn nicht daran gehindert? Warum ließ sie ihn nicht beobachten? Er muß seinen Verstand verloren haben.«

»Der Arzt starrte mich an. »Ich weiß nicht, was Sie meinen«, sagte er.

»Wie«, rief ich, »wenn eine Mutter weiß, daß ihr Sohn im Begriff ist, Selbstmord zu begehen –«

»Selbstmord!« antwortete er. »Der arme Erskine hat keinen Selbstmord begangen. Er starb an Auszehrung. Er kam hierher um zu sterben. In dem Augenblick, als ich ihn sah, wußte ich, daß keine Hoffnung mehr bestand. Die eine Lunge war fast ganz zerstört, und die andere war sehr angegriffen. Drei Tage vor seinem Tode fragte er mich, ob noch Hoffnung bestünde. Ich sagte ihm offen, daß es keine gab und daß er nur noch einige Tage zu leben habe. Er schrieb mehrere Briefe, war ganz gefaßt und blieb bis zum Ende bei Bewußtsein.«

Ich stand auf, ging zu dem geöffneten Fenster hinüber und sah auf die überfüllte Promenade. Ich erinnere mich, daß mir die bunten Strandschirme und die fröhlichen Sonnenschirme wie riesige phantastische Schmetterlinge vorkamen, die am Ufer eines metallblauen Meeres hin und her flatterten und daß der schwere Geruch von Veilchen, der über den Garten heraufdrang, mich an jenes wunderbare Sonett denken ließ, in dem Shakespeare uns sagt, daß der Duft dieser Blumen ihn immer an seinen Freund erinnerte. Was bedeutete das alles? Warum hatte mir Erskine diesen ungewöhnlichen Brief geschrieben? Warum hatte er sich, am Tor des Todes stehend zurückgewandt, um mir zu sagen, was nicht wahr war? Hatte Hugo recht? Ist Affektiertheit das einzige, was einen Menschen die Treppe zum Schafott hinaufbegleitet? Hatte Erskine bloß eine dramatische Wirkung hervorrufen wollen? Das sah ihm nicht ähnlich. Das war eher etwas, was ich selbst getan hätte. Nein: er war einfach von dem Verlangen getrieben, mich wieder zu Cyril Grahams Theorie zu bekehren, und er dachte, wenn man mich glauben machen könnte, daß auch er sein Leben dafür gegeben hat, würde ich durch die pathetische Vortäuschung des Märtyrertums verführt. Armer Erskine! Ich war wissender geworden, seit ich ihn gesehen hatte. Märtyrertum war für mich nur eine tragische Form des Skeptizismus, ein Versuch, durch das Feuer zu verwirklichen, was einem durch den Glauben nicht gelungen war. Kein Mensch stirbt für etwas, von dem er weiß, daß es wahr ist. Die Menschen sterben für etwas, von dem sie wollen, daß es wahr sei, von dem ihnen aber eine Angst in ihrem Herzen sagt, daß es nicht wahr ist. Die Nutzlosigkeit von Erskines Brief tat mir doppelt leid für ihn. Ich sah den Leuten zu, wie sie in die Cafés hinein- und herausschlenderten und fragte mich, ob einer von ihnen ihn gekannt hatte. Der weiße Staub trieb die heiße, sonnenbeschienene Straße hinunter, und die fedrigen Palmen bewegten sich ruhelos in der zitternden Luft.

In diesem Augenblick kehrte Lady Erskine ins Zimmer zurück und brachte das verhängnisvolle Portrait von Willie Hughes. »Als George starb, bat er mich, Ihnen dies zu geben«, sagte sie. Ihre Tränen fielen auf meine Hand, als ich es entgegennahm.

Dieses seltsame Kunstwerk hängt jetzt in meiner Bibliothek, wo es von den Künstlern unter meinen Freunden sehr bewundert wird; einer von ihnen hat einen Stich für mich angefertigt. Sie sind sich darüber einig, daß es kein Clouet ist, sondern ein Ouvry. Ich habe nie das Verlangen gehabt, ihnen seine wahre Geschichte zu erzählen; aber manchmal, wenn ich es ansehe, glaube ich, daß sich wirklich sehr viel für die Willie-Hughes-Theorie der Shakespeareschen Sonette sagen läßt.

Zitate aus den Sonetten Shakespeares in der Übersetzung von Otto Gildemeister (1823–1902).

Maximen zur Belehrung der Über-Gebildeten

Bildung ist etwas Wunderbares. Doch sollte man sich von Zeit zu Zeit daran erinnern, daß wirklich Wissenswertes nicht gelehrt werden kann.

Eine Öffentliche Meinung gibt es nur dort, wo Ideen fehlen.

Die Engländer entwerten immer Wahrheiten zu Fakten. Wenn eine Wahrheit zum Faktum wird, verliert sie jeden intellektuellen Wert.

Es ist höchst bedauerlich, daß man heutzutage so wenig unnütze Neuigkeiten erfährt.

Das einzige Bindeglied zwischen Literatur und Theater, das wir heute in England noch haben, ist das Programmheft.

Früher wurden Bücher von Literaten geschrieben und vom Publikum gelesen. Heute werden sie vom Publikum geschrieben und von niemandem gelesen.

Die meisten Frauen sind so gekünstelt, daß ihnen jeder Sinn für die Kunst fehlt. Die meisten Männer sind so natürlich, daß ihnen jeder Sinn für die Schönheit fehlt.

Freundschaft ist weit tragischer als Liebe. Sie dauert länger.

Das Abnorme im Leben steht in normalem Verhältnis zur Kunst. Es ist das Einzige im Leben, was in normalem Verhältnis zur Kunst steht.

Ein Gegenstand, der vollkommen schön ist, regt den Künstler nicht an. Es fehlt ihm das Unvollkommene.

Der Künstler kann nur eins nicht sehen: das Offensichtliche. Das Publikum kann nur eins sehen: das Offensichtliche. Resultat: die Zeitungskritik.

Die Kunst ist das einzig Ernsthafte auf der Welt. Und der Künstler ist der einzige Mensch, der nie ernsthaft ist.

Um wirklich mittelalterlich zu sein, dürfte man keinen Körper haben. Um wirklich modern zu sein, dürfte man keine Seele haben. Um wirklich griechisch zu sein, dürfte man keine Kleider haben.

Das Dandytum ist der Beweis für die absolute Modernität der Schönheit.

In der Armut ist der einzige Trost die Verschwendung. Im Reichtum ist der einzige Trost die Sparsamkeit.

Man sollte niemals anderen zuhören. Es ist ein Zeichen von Gleichgültigkeit den eigenen Zuhörern gegenüber.

Auch ein Jünger ist einem von Nutzen. Er steht hinter dem Thron und flüstert einem im Augenblick des Triumphs ins Ohr, daß man trotz allem unsterblich sei.

Die Verbrecherklasse ist uns so nah, daß sogar der Gendarm sie sieht. Sie ist uns so fern, daß nur der Dichter sie versteht.

Wen die Götter lieben, den lassen sie jung werden.

Inhaltsverzeichnis

Gedichte in Prosa

Märchen

Erzählungen

Versuche und Aphorismen

Ullstein Theater Texte

Gerhart Hauptmann

Der Biberpelz
Fuhrmann Henschel
Die Ratten
Rose Bernd
Vor Sonnenaufgang
Vor Sonnenuntergang
Der rote Hahn

Ullstein Buch 4975—4981

ein Ullstein Buch

»Gerhart Hauptmanns Werk gehört als gesamte Erscheinung für das heutige Deutschland durchaus zur gegenwärtigen, im vollen Sinne lebendigen, also immer noch modernen und gleichzeitig zu seiner klassischen Literatur, deren Rang in der Geschichte und Ästhetik unverrückbar feststeht.«
Carl Zuckmayer